METHODEN DER
ORGANISCHEN CHEMIE

METHODEN DER ORGANISCHEN CHEMIE

(HOUBEN-WEYL)

VIERTE, VÖLLIG NEU GESTALTETE AUFLAGE

HERAUSGEGEBEN VON

EUGEN MÜLLER

TÜBINGEN

UNTER BESONDERER MITWIRKUNG VON

O. BAYER · H. MEERWEIN † · K. ZIEGLER
LEVERKUSEN   MÜLHEIM/RUHR

BAND VII/2a

KETONE

TEIL 1

19 GTV 73

GEORG THIEME VERLAG STUTTGART

KETONE

TEIL I

BEARBEITET VON

K.-D. BODE
LEVERKUSEN

D. DIETERICH
LEVERKUSEN

B. EISTERT
SAARBRÜCKEN

R. GIPP
LEVERKUSEN

H. HENECKA
ELBERFELD

H. HERLINGER
STUTTGART

R. JIRA
MÜNCHEN

D. KRAMER
LEVERKUSEN

H.-J. KABBE
LEVERKUSEN

A. LÜTTRINGHAUS
FREIBURG/BRSG.

M. REGITZ
KAISERSLAUTERN

C.-W. SCHELLHAMMER
LEVERKUSEN

H. SÖLL
LEVERKUSEN

H. STETTER
AACHEN

H. WILMS †

F. WINGLER
LEVERKUSEN

MIT 1 ABBILDUNG
UND 163 TABELLEN

19 GTV 73

GEORG THIEME VERLAG STUTTGART

In diesem Handbuch sind zahlreiche Gebrauchs- und Handelsnamen, Warenzeichen u. dgl. (auch ohne besondere Kennzeichnung), BIOS- und FIAT-Reports, Patente, Herstellungs- und Anwendungsverfahren aufgeführt. Herausgeber und Verlag machen ausdrücklich darauf aufmerksam, daß vor deren gewerblicher Nutzung in jedem Falle die Rechtslage sorgfältig geprüft werden muß. Industriell hergestellte Apparaturen und Geräte sind nur in Auswahl angeführt. Ein Werturteil über Fabrikate, die in diesem Band nicht erwähnt sind, ist damit nicht verbunden.

Erscheinungstermin 28. 6. 1973

ISBN 3 13 2060 04 6

Vorwort

Die von Th. Weyl begründeten und von J. Houben fortgeführten Methoden der organischen Chemie sind zu einem wichtigen Standardwerk von internationaler Bedeutung für das gesamte chemische Schrifttum geworden. Seit dem Erscheinen der letzten vierbändigen dritten Auflage sind zum Teil schon über 20 Jahre vergangen, so daß eine Neubearbeitung bereits seit Jahren dringend geboten schien. Verständlicherweise hat sich die Verwirklichung dieser Absicht, durch die Kriegs- und Nachkriegsverhältnisse bedingt, lange hinausgezögert.

Vor allem der Initiative von Herrn Prof. Dr. Dres. h. c. Dres. E. h. Otto Bayer, Leverkusen, ist es zu verdanken, daß das Werk heute in einer völlig neuen und weitaus umfassenderen Form wieder erscheint.

Diese neue Form wird in einer großen Gemeinschaftsarbeit von Hochschul- und Industrieforschern gestaltet. Ursprünglich planten wir, das neue Werk mit etwa 16 Bänden im Laufe von 4 Jahren abzuschließen. Inzwischen hat sich gezeigt, daß infolge der stark anwachsenden Literatur die einzelnen Bände z. T. mehrfach unterteilt werden mußten. Besonders durch die Mitwirkung von Fachkollegen aus der chemischen Industrie wird es zum ersten Male möglich sein, die große Fülle von Erfahrungen, die in der Patentliteratur und in den Archiven der Fabriken niedergelegt ist, nunmehr kritisch gewürdigt der internationalen Chemieforschung bekanntzugeben.

Der Unterzeichnete hat es als eine besondere Auszeichnung und Ehre empfunden, von maßgebenden Persönlichkeiten der deutschen Chemie und dem Georg Thieme Verlag mit der Herausgabe des Gesamtwerkes betraut worden zu sein.

Mein Dank gilt dem engeren Herausgeber-Kollegium, den Herren

Prof. Dr. Dres. h. c. Dres. E. h. Otto Bayer, Leverkusen,

Prof. Dr. Dres. h. c. Dr. E. h. Hans Meerwein, Marburg,

Prof. Dr. Dres. h. c. Dr. E. h. Karl Ziegler, Mülheim-Ruhr,

die durch ihre intensive Mitarbeit und ihre reichen Erfahrungen die Gewähr bieten, daß für das neue Werk ein möglichst hohes Niveau erreicht wird.

Ganz besonderer Dank aber gebührt unseren Autoren, die in unermüdlicher Arbeit neben ihren beruflichen Belastungen der Fachwelt ihre großen Erfahrungen bekanntgeben. Im Namen der Herren Mitherausgeber und in meinem eigenen darf ich unserer besonderen Freude Ausdruck geben, daß gerade die Herren, die als hervorragende Sachkenner ihres Faches bekannt sind, uns ihre Mitarbeit zugesagt haben.

Das Erscheinen der Neuauflage wurde nur dadurch ermöglicht, daß der Inhaber des Georg Thieme Verlags, Stuttgart, Herr Dr. med. h. c. Dr. med. h. c. Bruno Hauff,

durchdrungen von der Bedeutung der organischen Chemie, das neue Projekt bewußt
in den Vordergrund seines Unternehmens stellte und seine Tatkraft und seine großen
Erfahrungen diesem Werk widmete. Es stellt ein verlegerisches Wagnis dar, das Werk
in dieser Ausstattung mit der großen Zahl von übersichtlichen Formeln, Abbildungen
und Tabellen zu einem verhältnismäßig niedrigen Preis dem Chemiker in die Hand
zu geben.

In den nun zur Herausgabe gelangenden „Methoden der organischen Chemie" wird
ebensowenig eine Vollständigkeit angestrebt wie in den älteren Auflagen. Die Autoren
sind vielmehr bemüht, auf Grund ihrer eigenen Erfahrungen die wirklich brauchbaren Methoden in den Vordergrund der Behandlung zu stellen und überholte
Arbeitsvorschriften oder sogenannte Bildungsweisen nur knapp abzuhandeln.

Es ist unmöglich, eine Gewähr für jede der angegebenen Vorschriften zu überneh-
men. Wir glauben aber, dadurch das Möglichste getan zu haben, daß alle Manuskripte
von mehreren Fachkollegen überprüft wurden und die Literatur bis zum Stande von
etwa einem bis einem halben Jahr vor Erscheinen jedes Bandes berücksichtigt ist.

An dieser Stelle sei noch einiges zur Anlage des Gesamtwerkes gesagt. Wir
haben uns bemüht, beim Aufbau des Werkes und bei der Darstellung des Stoffes
noch strenger nach methodischen Gesichtspunkten vorzugehen, als dies in den
früheren Auflagen der Fall war.

Der erste Band wird allgemeine Hinweise zur Laboratoriumspraxis enthalten
und die gebräuchlichen Arbeitsmethoden in einem organisch-chemischen Laboratorium, wie beispielsweise Anreichern, Trennen, Reinigen, Arbeiten unter Überdruck und Unterdruck, beschreiben.

In Band II fassen wir die Analytik der organischen Chemie zusammen, die früher
verstreut in den einzelnen Kapiteln behandelt wurde. Wir hoffen, dadurch eine
wesentliche Erleichterung für den Benutzer des Handbuchs geschaffen zu haben.

Hieran schließt sich die Darstellung der physikalischen Forschungsmetho-
den in der organischen Chemie. Dort sollen die Grundlagen der Methodik, das erforderliche apparative Rüstzeug, der Anwendungsbereich auf dem Gebiet der organischen
Chemie und die Grenzen der betreffenden Methoden kurz wiedergegeben werden. In
vielen Fällen wird es hier nicht möglich sein, eine ausführliche Darstellung zu geben,
die das Nachschlagen der Originalliteratur unnötig macht, wie bei den Bänden präparativen Inhalts. Unser Ziel ist es, dem präparativ arbeitenden Organiker die An-
wendbarkeit der betreffenden physikalischen Methode auf Probleme der organischen Chemie und ihre Grenzen zu zeigen.

Der Hauptteil des Werkes befaßt sich mit den chemisch-präparativen
Methoden. In einem gesonderten Band werden allgemeine Methoden behandelt,
die Geltung haben für die in den weiteren Bänden behandelten speziellen Methoden,
wie etwa Oxidation, Reduktion, Katalyse, photochemische Reaktionen, Herstellung
isotopenhaltiger Verbindungen und ähnliches mehr.

Der spezielle Teil befaßt sich mit den Methoden zur Herstellung und Umwandlung organischer Stoffklassen. Auf die Methoden zur Herstellung und Umwandlung von Kohlenwasserstoffen folgen – in der Anordnung des langen Periodensystems von rechts nach links betrachtet – die entsprechenden Verbindungen des Kohlenstoffs mit den Halogenen, den Chalkogenen, den Elementen der Stickstoffgruppe, mit Silicium, Bor, und mit den Metallen. Abschließend behandeln wir die Methoden zur Herstellung und Umwandlung hochmolekularer Stoffe sowie die besonderen organisch-präparativen und analytischen Methoden der Chemie der Naturstoffe.

Im Vordergrund der Darstellung der speziellen chemischen Methoden, die den Hauptteil des Handbuches bilden, wird nicht die Beschreibung der einzelnen Stoffe selbst stehen – dies ist Aufgabe des „Beilstein" –, sondern die Methoden zur Herstellung und Umwandlung bestimmter Verbindungsklassen, erläutert an ausgewählten Beispielen. Dabei wird besonderer Wert auf die Vollständigkeit und kritische Darstellung der Methoden zur Herstellung bestimmter Verbindungsklassen gelegt, die als Schwerpunkt des betreffenden Kapitels angesehen werden können. Die darauf folgende Umwandlung ist so kurz wie möglich behandelt, da sie mit ihren Umwandlungsstoffen in die Kapitel übergreift, die sich mit der Herstellung eben dieser Verbindungstypen befassen. Die Besprechung der Umwandlung der verschiedenen Stoffklassen ist daher nur unter dem Gesichtspunkt aufgenommen worden, jeweils selbständige Kapitel inhaltlich abzurunden und Hinweise zu geben auf die Stellen des Handbuches, an denen der Benutzer die durch Umwandlung entstehenden neuen Stofftypen in ihrer Herstellung auffinden kann.

Es ist selbstverständlich, daß kein Werk der chemischen Sammelliteratur so dem Wandel unterworfen ist wie gerade die „Methoden der organischen Chemie"; beruht doch der Fortschritt der chemischen Wissenschaft darin, stets neue synthetische Wege zu erschließen. Ich darf daher alle Fachkollegen um rege und stete Mitarbeit bitten, sei es in Form von sachlichen Kritiken oder wertvollen Hinweisen.

Nicht zuletzt danke ich der deutschen chemischen Industrie, die unter beträchtlichen Opfern ihre besten Fachkollegen für die Mitarbeit an diesem Werk freigestellt hat und mit Literaturbeschaffung und Auskünften in reichem Maße stets behilflich war.

Auch der Druckerei möchte ich meine Anerkennung für die rasche und gewissenhafte Ausführung der oft schwierigen Arbeit aussprechen.

EUGEN MÜLLER

Vorwort zum Band VII/2

Bei der Planung der 4. Auflage des „Houben-Weyl" im Jahre 1950 beabsichtigten wir, die Methoden zur Herstellung von Aldehyden und Ketonen in einem Band unterzubringen. Bald stellte sich jedoch heraus, daß dies nicht zu verwirklichen war, denn inzwischen wuchs besonders die Literatur über die Herstellung von Ketonen derart an, daß keine andere Wahl blieb, als die Ketone in 2 Teilbänden abzuhandeln.

Bei der bewußt gestrafften Abhandlung der Methoden zur Herstellung von Ketonen mußte die ältere Literatur zugunsten der neueren zurücktreten. Etwa die Hälfte der berücksichtigten Literatur ist erst nach 1950 erschienen.

Die starke Zunahme der Keton-Literatur hat mehrere Gründe: Die größere Stabilität der Keton-Gruppe gegenüber der Aldehyd-Gruppe machte es möglich, daß eine große Zahl neuer und z. Tl. robuster Herstellungsverfahren aufgefunden wurde, und die starke Polarisierbarkeit der Carbonyl-Gruppe, die auch benachbarte Gruppen aktiviert, führte dazu, daß die Ketone zu den vielseitig anwendbarsten Synthesematerialien und zur umfangreichsten Stoffklasse der organischen Chemie zählen.

In dem 1. Teilband werden hauptsächlich die Herstellungsverfahren von Ketonen durch direkte Einführung der R—CO-Gruppe, durch Oxidationsreaktionen, durch Überführung von Verbindungen der gleichen Oxidationsstufe in Ketone, durch Kondensation zweier Carboxy-Gruppen, durch Aufspaltung von Heterocyclen und durch Umlagerungsreaktionen beschrieben.

Im 2. Teilband folgen dann die zahlreichen übrigen Auf- und Abbauverfahren, wie Aldoladditionen, Michaeladdition, Diensynthesen, Alkylierungsreaktionen u. a. mehr.

Der Abschnitt „Umwandlung von Ketonen unter Erhalt der Carbonyl-Gruppe" ist bereits weitgehend in anderen Bänden vorweggenommen, wie z. B. die Halogenierung, Nitrierung, Nitrosierung, Sulfierung, Herstellung von Mannichbasen usw., so daß hier vielfach nur Hinweise genügen. Spezielle Verbindungsklassen mit Keto-Gruppen finden sich ebenfalls in anderen Bänden, s. z. B. die der Ketone kleiner (Bd. IV/3 und IV/4) und großer Ringe (Bd. IV/2). Außerdem gibt es eine große Zahl von Monographien über spezielle Klassen von Ketonen. Da für Synthesen Ketone mit zusätzlichen reaktionsfähigen Gruppen von besonderer Bedeutung sind, haben wir es für nützlich gehalten, in speziellen Kapiteln die Herstellung und Umwandlung von Hydroxy-ketonen, Amino-ketonen und schwefelhaltigen Ketonen zu beschreiben und Hinweise auf die Umsetzungsmöglichkeiten von (2-Chlor-vinyl)-ketonen zu geben.

Den Schluß bildet eine knappe Übersicht über die fast unübersehbare Fülle der wichtigsten Umwandlungsmöglichkeiten von Ketonen unter Verlust der Carbonyl-Funktion und eine Zusammenstellung der analytischen Methoden. Der 1. Teilband enthält kein Autorenregister und nur ein Sachregister vom 1. Teil; ein Gesamt-Autoren- und -Sachregister findet sich im 2. Teilband.

Allen Autoren danken wir herzlich für ihre aufopfernde Arbeit, ebenso Frau Dr. HANNA SÖLL, Leverkusen, die auch diesen Band kritisch durchgesehen und einige Abschnitte überarbeitet hat, und Frau Dr. ISE MÜLLER-RODLOFF, Tübingen, für die sachkundige Anfertigung des Sachregisters.

Den Direktionen der BAYER-AG, Leverkusen und der WACKER-CHEMIE GMBH, München, den Herren Dr. med. h. c. GUENTHER HAUFF und Dr. ALBRECHT GREUNER sagen wir Dank für die großzügige Förderung dieses Bandes.

OTTO BAYER
EUGEN MÜLLER
Tübingen, im Mai 1973. KARL ZIEGLER

Ketone
Teil I (Bd. VII/2a)*

Teil II (Bd. VII/2b)

---

* Teil a enthält nur das Sachregister dieses Teilbandes. In Teil b finden sich Autorenverzeichnis und Sachregister für beide Teilbände.

Zeitschriftenliste

A.	Liebigs Annalen der Chemie, Weinheim/Bergstr.
Abh. Kenntnis Kohle	Gesammelte Abhandlungen zur Kenntnis der Kohle (bis 1937), Berlin
Abstr. Kagaku-Kenkyū-Jo Hōkoku	Abstracts from Kagaku-Kenkyū-Jo Hokoku (Reports of the Scientific Research Institute, seit 1950), Tokyo
A. ch.	Annales de Chimie, Paris
Acta Acad Åbo	Acta Academiae Aboensis, Finnland Turku
Acta. chem. scand.	Acta Chemica Scandinavica, Copenhagen (Dänemark)
Acta chim. Acad. Sci. hung.	Acta Chimica Academiae Scientiarum Hungaricae, Budapest
Acta Chim. Sinica	Acta Chimica (Ha Hsüeh Hsüeh Pao; seit 1957), Peking
Acta crystallogr.	Acta Crystallographica [Copenhagen] (bis 1951): [London]
Acta latviens. Chem.	Acta Universitatis Latviensis, Chemiecorum Ordinis Series. Riga
Acta pharmac. int. [Copenhagen]	Acta Pharmaceutica Internationalia [Copenhagen]
Acta pharmacol. toxicol.	Acta Pharmacologica et Toxicologica. Kopenhagen
Acta physicoch. URSS	Acta Physicochimica URSS, Moskau
Acta physiol. scand.	Acta Physiologica Scandinavica, Stockholm
Acta phytoch.	Acta Phytochimica. Tokyo
Acta polon. pharmac.	Acta Poloniae Pharmaceutica (bis 1939 und seit 1947), Warschau
Adv. Carbohydrate Chem.	Advances in Carbohydrate Chemistry, New York
Adv. Enzymol.	Advances in Enzymology and Related Subjects of Biochemistry, New York
Adv. Fluorine Chem.	Advances in Fluorine Chemistry, London
Adv. Free Radical Chem.	Advances in Free Radical Chemistry, London
Adv. Heterocyclic Chem.	Advances in Heterocyclic Chemistry, New York
Adv. Org. Chem.	Advances in Organic Chemistry: Methods and Results, New York, London
Adv. Organometallic Chem.	Advances in Organometallic Chemistry, New York
Adv. Photochem.	Advances in Photochemistry, New York, London
Adv. Protein Chem.	Advances in Protein Chemistry, New York
Adv. Ser.	Advances in Chemistry Series, Washington
Afinidad	Afinidad [Barcelona]
Agr. Chem.	Agricultural Chemicals, Baltimore
Am.	American Chemical Journal, Washington
A. M. A. Arch. Ind. Health	A. M. A. Archives of Industrial Health (seit 1955), Chicago
Am. Dyest. Rep.	American Dyestuff Reporter, New York
Amer. ind. Hyg. Assoc. Quart.	American Industrial Hygiene Association Quarterly, Chicago
Amer. J. Physics	American Journal of Physics, New York
Amer. Petroleum Inst. Quart.	American Petroleum Institute Quarterly, New York
Amer. Soc. Testing Mater.	American Society for Testing Materials, Philadelphia, Pa.
Am. Inst. Chem. Engrs.	American Institute od Chemical Engineers, New York
Am. J. Pharm.	American Journal of Pharmacy (bis 1936), Philadelphia, Pa.
Am. J. Physiol.	American Journal of Physiology, Washington
Am. J. Sci.	American Journal of Science, New Haven, Conn.
Am. Perfumer	Americ. Perfumer and Essential Oil Reviews (1936–1939: American Perfumer, Cosmetics, Toilet Preparations), New York
Am. Soc.	Journal of the American Chemical Society, Washington
Anal. Chem.	Analytical Chemistry (seit 1947), Washington
Anal. chim. Acta	Analytica Chimica Acta, Amsterdam
Analyst	The Analyst, Cambridge
An. Asoc. quím. arg.	Anales de la Asociación Química Argentina, Buenos Aires
An. Farm. Bioquím, Buenos Aires	Anales de Farmacia y Bioquímica. Buenos Aires

Ang. Ch.	Angewandte Chemie (bis 1931: Zeitschrift für angewandte Chemie), Weinheim/Bergst.
Anilinfarben-Ind.	Анилинокрасочная Промышленность (Anilinfarben-Industrie), Moskau
Ann. Acad. Sci. fenn.	Annales Academiae Scientiarum Fennicae, Helsinki
Ann. Chim. anal.	Annales de Chimie Analytique (1942–1946), Paris
Ann. Chim. anal. appl.	Annales de Chimie Analytique et de Chimie Appliquée (bis 1941), Paris
Ann. Chim. applic.	Annali di Chimica Applicata (bis 1950), Rom
Ann. chim. et phys.	Annales de chimie et de physique (bis 1914), Paris
Ann. Chimica	Annali di Chimica (seit 1950), Rom
Ann. chim. farm.	Annali di chimica farmaceutica (1938–1940), Rom
Ann. Fermentat.	Annales des Fermentations, Paris
Ann. Inst. Pasteur	Annales de l'Institut Pasteur, Paris
Ann. N.Y. Acad. Sci.	Annals of the New York Academy of Sciences, New York
Ann. pharm. Franç.	Annales Pharmaceutiques Françaises (seit 1943), Paris
Ann. Physik	Annalen der Physik (bis 1943 und seit 1947), Leipzig
Ann. Physique	Annales de Physique, Paris
Ann. Rep. Progr. Chem.	Annual Reports on the Progress of Chemistry, London
Ann. Rev. Biochem.	Annual Review of Biochemistry, Stanford, Calif.
Ann. Rev. phys. Chem.	Annual Review of Physical Chemistry, Palo Alto, Calif.
Ann. Soc. scient. Bruxelles	Annales de la Société Scientifique de Bruxelles, Brüssel
Annu. Rep. Progr. Rubber Technol.	Annual Report on the Progress of Rubber Technology, London
Annu. Rep. Shionogi Res. Lab. [Osaka]	Annual Reports of Shionogi Research Laboratory [Osaka]
An. Soc. españ. [A] bzw. [B]	Anales de la Real Sociedad Española de Física y Química (1940–1947 Anales de Física y Química). Seit 1948 geteilt in: Serie A – Física. Serie B – Química, Madrid
An. Soc. cient. arg.	Anales de la Sociedad Científica Argentina, Santa Fé (Argentinien)
Appl. scient. Res.	Applied Scientific Research, Den Haag
Ar.	Archiv der Pharmazie (und Berichte der Deutschen Pharmazeutischen Gesellschaft), Weinheim/Bergstr.
Arch. Biochem.	Archives of Biochemistry and Biophysics (bis 1951: Archives of Biochemistry), New York
Arch. des Sci.	Archives des Sciences (seit 1948), Genf
Arch. Math. Naturvid.	Archiv for Mathematik og Naturvidenskab, Oslo
Arch. Mikrobiol.	Archiv für Mikrobiologie (bis 1943 und seit 1948), Berlin
Arch. Pharm. Chemi	Archiv for Pharmaci og Chemi. Kopenhagen
Arch. Sci. phys. nat.	Archives des Sciences Physiques et Naturelles. Genf (bis 1947)
Arch. techn. Messen	Archiv für Technisches Messen (bis 1943 und seit 1947), München
Arh. Kemiju	Arhiv za Kemiju, Zagreb (Archives de Chimie) (seit 1946)
Ark. Kemi	Arkiv för Kemi, Mineralogie och Geologi, seit 1949 Arkiv för Kemi (Stockholm)
Ar. Pth.	(Nᴜᴜɴʏɴ-Sᴄʜᴍɪᴇᴅᴇʙᴇʀɢs) Archiv für Experimentelle Pathologie und Pharmakologie, Berlin-W
Arzneimittel-Forsch.	Arzneimittel-Forschung, Aulendorf/Württ.
ASTM Bull.	ASTM (American Society for Testing Materials) Bulletin, Philadelphia
Atompraxis	Atompraxis, Internationale Monatsschrift, Karlsruhe
Atti Accad. naz. Lincei, Mem., Cl. Sci. fisiche, mat. natur., Sez. I, II bzw. III	Atti della Accademia Nazionale dei Lincei. Memorie. Classe di Scienze Fisiche, Matematiche e Naturali. Sezione I (Matematica, Meccanica, Astronomia, Geodesia e Geofisica). Sezione II (Fisica, Chimica, Geologia, Palaeontologia e Mineralogia). Sezione III (Scienze Biologiche) (seit 1946), Turin
Atti Accad. naz. Lincei, Rend., Cl. Sci. fisiche, mat. natur	Atti della Accademia Nazionale dei Lincei. Rendiconti. Classe di Scienze Fisiche, Matematiche e Naturali (seit 1946), Rom
Austral. J. Chem.	Australian Journal of Chemistry (seit 1952), Melbourne
Austral. J. Sci.	Australian Journal of Science, Sydney

Austral. J. scient. Res., [A] bzw. [B]	Australian Journal of Scientific Research. Series A. Physical Sciences. Series B. Biological Sciences, Melbourne
Austral. P.	Australisches Patent, Canberra

B.	Berichte der Deutschen Chemischen Gesellschaft; seit 1947 Chemische Berichte, Weinheim/Bergstr.
Belg. P.	Belgisches Patent, Brüssel
Ber. chem. Ges. Belgrad	Berichte der Chemischen Gesellschaft Belgrad (Glassnik Chemisskog Druschtwa Beograd, seit 1940), Belgrad
Biochem. Biophys. Research Commun.	Biochemical and Biophysical Research Communications, New York
Biochem. J.	Biochemical Journal, Kiew (Ukraine)
Biochem. Prepar.	Biochemical Preparations, New York
Biochem. biophys. Acta	Biochimica et biophysica Acta, Amsterdam
Biochimiya	Биохимия (Biochimia). Moskau, Leningrad
BIOS Final Rep.	British Intellegence Objectives Subcommittee. Final Report, London
Bio. Z.	Biochemische Zeitschrift (bis 1944 und seit 1947), Berlin
Bitumen, Teere, Asphalte, Peche	Bitumen, Teere, Asphalte, Peche und verwandte Stoffe, Heidelberg
Bl.	Bulletin de la Société Chimique de France, Paris
Bl. Acad. Belgique	Académie Royale de Belgique: Bulletins de la Classe des Sciences, Brüssel
Bl. Acad. polon.	Bulletin International de l'Académie Polonaise des Sciences et des Lettres, Classe des Sciences Mathématiques et Naturelles, Krakau
Bl. agric. chem. Soc. Japan	Bulletin of the Agricultural Chemical Society of Japan, Tokio
Bl. am. phys. Soc.	Bulletin of the American Physical Society, Lancaster, Pa.
Bl. chem. Soc. Japan	Bulletin of the Chemical Society of Japan, Tokio
Bl. Soc. chim. Belg.	Bulletin de la Société Chimique de Belgique (bis 1944), Brüssel
Bl. Soc. Chim. biol.	Bulletin de la Société de Chimie Biologique, Paris
Bl. Soc. Chim. ind.	Bulletin de la Société de Chimie Industrielle (bis 1934), Paris
Bol. inst. quím univ. nal. auton. Mé.	Boletin del instituto de química de la universidad nacional autonoma de México, Mexiko
Boll. chim. farm.	Bolletino chimico farmaceutico, Mailand
Bol. Soc. quím. Perú	Boletin de la Sociedad Química del Perú, Lima (Peru)
Botyu Kagaku	Bulletin of the Institute of Insect Control (Kyoto), (Scientific Insect Control)
Brennstoffch.	Brennstoff-Chemie (bis 1943 und seit 1949), Essen
Brit. Chem. Eng.	British Chemical Engineering, London
Brit. J. appl. Physics.	British Journal of Applied Physics, London
Brit. P.	Britisches Patent, London
Brit. Plastics	British Plastics (seit 1945), London
Bul. inst. politeh. Jasi	Buletinul institutuluí politehnic din Jasi (ab 1955 mit Zusatz [NF]), Jasi
Bul. Laboratoarelor	Buletinul Laboratoarelor, Bukarest
Bull. Acad. Polon. Sci., Ser. Sci. Chim. Geol. Geograph. bzw. Ser. Sci. Chim.	Bulletin de l'Academie Polonaise des Sciences, Serie des Sciences, Chimiques, Geologiques et Géographiques (seit 1960 geteilt in ... Serie des Sciences Chimiques und ... Serie des Sciences Geologiques et Geographiques), Warschau
Bull. Inst. Chem. Research, Kyoto Univ.	Bulletin of the Institute for Chemical Research, Kyoto University (Kyoto Daigaku Kagaku Kenkyûsho Hôkoku), Takatsoki, Osaka
Bull. Research Council Israel	Bulletin of the Research Council of Israel, Jerusalem
Bull. Research Inst. Food Sci., Kyoto Univ.	Bulletin of the Research Institute for Food Science, Kyoto University (Kyoto Daigaku Shokuryô-Kagaku Kenkyujo Hôkoku), Fukuoka, Japan
Bull. Scc chim. belges	Bulletin des Sociétés Chimiques Belges (seit 1945), Brüssel
Bull. Soc Chim. biol.	Bulletin de la Société de Chimie Biologique, Paris
Bull. Soc. roy, Sci. Liège	Bulletin de la Société Royale des Sciences de Liège, Brüssel

C.	Chemisches Zentralblatt, Weinheim/Bergstr.
C. A.	Chemical Abstracts, Washington
Canad. chem. Processing	Canadian Chemical Processing, Toronto, Canada
Canad. J. Chem.	Canadian Journal of Chemistry, Ottawa, Canada
Canad. J. Physics	Canadian Journal of Physics, Ottawa, Canada
Canad. J. Res.	Canadian Journal of Research (bis 1950), Ottawa
Canad. J. Technol.	Canadian Journal of Technology, Ottawa
Canad. P.	Canadisches Patent
Cereal Chem.	Cereal Chemistry, St. Paul, Minnesota
Ch. Apparatur	Chemische Apparatur (bis 1943), Berlin
Chem. Age India	Chemical Age of India
Chem. Age London	Chemical Age, London
Chem. Age N. Y.	Chemical Age, New York
Chem. Anal.	Organ Komisjii Analitycznej Komitetu Nauk Chemicznych PAN, Warschau
Chem. & Ind.	Chemistry & Industry, London
Chem. Commun.	Chemical Communications, London
Chem. Eng.	Chemical Engineering with Chemical and Metallurgical Engineering (seit 1946), New York
Chem. eng. News	Chemical and Engineering News (seit 1943), Washington
Chem. Eng. Progr.	Chemical Engineering Progress, Philadelphia, Pa.
Chem. Eng. Progr., Monograph Ser.	Chemical Engineering Progress. Monograph Series, New York
Chem. Eng. Progr., Symposium Ser.	Chemical Engineering Progress. Symposium Series, New York
Chem. eng. Sci.	Chemical Engineering Science, London
Chem. High Polymers (Tokyo)	Chemistry of High Polymers (Tokyo) (Kobunshi Kagaku), Tokio
Chemical Ind. (China]	Chemical Industry [China], Peking
Chemie-Ing.-Techn.	Chemie-Ingenieur-Technik (seit 1949), Weinheim/Bergstr.
Chemie Lab. Betr.	Chemie für Labor und Betrieb, Frankfurt
Chem. Industrie	Chemische Industrie, Düsseldorf
Chem. Industries	Chemical Industries, New York
Chemist-Analyst	Chemist-Analyst, Philipsburg, New York Jersey
Chem. Listy	Chemické Listy pro Vědu a Průmysl. Prag (Chemische Blätter für Wissenschaft und Industrie); seit 1951 Chemické Listy, Prag
Chem. met. Eng.	Chemical and Metallurgical Engineering (bis 1946), New York
Chem. N.	Chemical News and Journal of Industrial Science (1921–1932), London
Chem. pharmac. Techniek	Chemische en Pharmaceutische Techniek, Dordrecht
Chem. Pharm. Bull (Tokyo)	Chemical & Pharmaceutical Bulletin (Tokyo)
Chem. Process Engng.	Chemical and Process Engineering, London
Chem. Processing	Chemical Processing, London
Chem. Products chem. News	Chemical Products and the Chemical News, London
Chem. Průmysl	Chemický Průmysl, Prag (Chemische Industrie, seit 1951), Prag
Chem. Rdsch. [Solothurn]	Chemische Rundschau [Solothurn]
Chem. Reviews	Chemical Reviews, Baltimore
Chem. Techn.	Chemische Technik, Berlin
Chem. Trade J.	Chemical Trade Journal and Chemical Engineer, London
Chem. Week	Chemical Week, New York
Chem. Weekb.	Chemisch Weekblad, Amsterdam
Chem. Zvesti	Chemické Zvesti (tschech.). Chemische Nachrichten, Bratislawa
Chim. anal.	Chimie analytique (seit 1947), Paris
Chim. Chronika	Chimika Chronika, Athen
Chim. et Ind.	Chimie et Industrie, Paris
Chim. geterocikl. Soed.	Химия гетероциклических соединений (Die Chemie der heterocyclischen Verbindungen)
Chimia	Chimia, Zürich
Chimicae Ind.	Chimica e L'Industria, Mailand (seit 1935)
Ch. Z.	Chemiker-Zeitung, Heidelberg

Collect. czech. chem. Commun.	Collection of Czechoslovak Chemical Communications (seit 1951), Prag
Collect. Pap. Fac. Sci., Osaka Univ. [C]	Collect Papers from the Faculty of Science, Osaka University, Osaka, Series C, Chemistry (seit 1943)
Collect. pharmac. suecica	Collectanea Pharmaceutica Suecica, Stockholm
Collect. Trav. chim. Tchécosl.	Collection des Travaux Chimiques de Tchécoslovaquie (bis 1939 und 1947–1951; 1939: ... Tschèques), Prag
Colloid Chem.	Colloid Chemistry, New York
C. r. Acad. Bulg. Sci.	Доклады Болгарской Академин Наук (Comptes rendus de l'académie bulgare des sciences), Sofia
C. r.	Comptes Rendus Hebdomadaires des Séances de l'Académie des Sciences, Paris
Croat. Chem. Acta	Croatica Chemica Acta, Zagreb
Curr. Sci.	Current Science, Bangalore
Dän. P., Kopenhagen	Dänisches Patent
Dansk Tidsskr. Farm.	Dansk Tidsskrift for Farmaci, Kopenhagen
DAS.	Deutsche Auslegeschrift = noch nicht erteiltes DBP. (seit 1. 1. 1947). Die Nummer der DAS. und des später darauf erteilten DBP. sind identisch
DBP.	Deutsches Bundespatent (München, nach 1945, ab Nr. 800000)
DDRP., Ostberlin	Patent der Deutschen Demokratischen Republik (vom Ostberliner Patentamt erteilt)
Dechema Monogr.	Dechema Monographien, Weinheim/Bergstr.
Die Nahrung	Die Nahrung (Chemie, Physiologie, Technologie), Berlin
Discuss. Faraday Soc.	Discussions of the Faraday Society, London
Dissertation Abstr.	Dissertation Abstracts, Ann Arbor (Michigan)
Doklady Akad. SSSR	Доклады Академии Наук СССР (Comptes Rendus de l'Académie des Sciences de l'URSS), Moskau
DRP., Berlin	Deutsches Reichspatent (bis 1945)
Drug Cosmet. Ind.	Drug and Cosmetic Industry, New York
Dtsch. Apoth. Ztg.	Deutsche Apotheker-Zeitung (1934–1945), seit 1950: vereinigt mit Süddeutsche Apotheker-Zeitung, Stuttgart
Dtsch. Farben-Z.	Deutsche Farben-Zeitschrift (seit 1951), Stuttgart
Dtsch. Lebensmittel-Rdsch.	Deutsche Lebensmittel-Rundschau, Stuttgart
Dyer Textile Printer	Dyer, Textile Printer, Bleacher and Finisher (seit 1934; bis 1934: Dyer and Calico Printer, Bleacher, Finisher and Textile Review), London
Endeavour	Endeavour, London
Enzymol.	Enzymologia [Holland] Den Haag
Erdöl Kohle	Erdöl und Kohle (seit 1948), Hamburg
Ergebn. Enzymf.	Ergebnisse der Enzymforschung, Leipzig
Ergebn. exakt. Naturwiss.	Ergebnisse der exakten Naturwissenschaften, Berlin
Ergebn. Physiol.	Ergebnisse der Physiologie, Biologischen Chemie und Experimentellen Pharmakologie, Berlin
Europ. J. Biochem.	European Journal of Biochemistry, Berlin, New York
Experientia	Experientia [Basel]
Farbe Lack	Farbe und Lack (bis 1943 und seit 1947), Hannover
Farmac. Glasnik	Farmaceutski Glasnik, Zagreb (Pharmazeutische Berichte)
Farmaco (Pavia), Ed. sci.	Il Farmaco (Pavia), Edizione scientifica
Farmac. Revy	Farmacevtisk Revy, Stockholm
Farm. sci. tec. (Pavia)	Il Farmaco, scienza e tecnica (bis 1952), Pavia
Faserforsch. u. Textiltechn.	Faserforschung und Textiltechnik, Berlin
Federation Proc.	Federation Proceedings, Washington, D. C.
Fette, Seifen, Anstrichmittel	Fette, Seifen, Anstrichmittel (verbunden mit „Die Ernährungsindustrie") (früher häufige Änderung des Titels), Hamburg
FIAT Final Rep.	Field Information Agency, Technical, United States Group Control Council for Germany. Final Report

Finn. P.	Finnisches Patent
Finska Kemistsamf. Medd.	Finska Kemistsamfundets Meddelanden (Suomen Kemistiseuran Tiedonantoja), Helsingfors
Food	Food, London
Food Engng.	Food Engineering (seit 1951), New York
Food Manuf.	Food Manufacture (seit 1939 Food Manufacture, Incorporating Food Industries Weekly), London
Food Packer	Food Packer (seit 1944), Chicago
Food Res.	Food Research, Champaign, Ill.
Formosan Sci.	Formosan Science, Taipeh
Fortschr. chem. Forsch.	Fortschritte der Chemischen Forschung, New York, Berlin
Fortschr. Ch. org. Naturst.	Fortschritte der Chemie Organischer Naturstoffe, Wien
Fortschr. Hochpolymeren-Forsch.	Fortschritte der Hochpolymeren-Forschung, Berlin
Fr. P.	Französisches Patent
Fr.	Zeitschrift für Analytische Chemie (von C. R. Fresenius), Berlin
Frdl.	Fortschritte der Teerfarbenfabrikation und verwandter Industriezweige. Begonnen von P. Friedländer, fortgeführt von H. E. Fierz-David, Berlin
Fuel	Fuel in Science and Practice; ab 1948: Fuel, London
G.	Gazzetta Chimica Italiana, Rom
Génie chim.	Génie chimique, Paris
Helv.	Helvetica Chimica Acta, Basel
Helv. phys. Acta	Helvetica Physica Acta, Basel
Helv. physiol. pharmacol. Acta	Helvetica Physiologica et Pharmacologica Acta, Basel
Holl. P.	Holländisches Patent
Hoppe-Seyler	Hoppe-Seylers Zeitschrift für Physiologische Chemie, Berlin
Hung. P.	Ungarisches Patent
Ind. Chemist	Industrial Chemist and Chemical Manufacturer, London
Ind. chim. belge	Industrie Chimique Belge, Brüssel
Ind. chimique	L'Industrie Chimique, Paris
Ind. Corps gras	Industries des Corps Gras, Paris
Ind. eng. Chem.	Industrial and Engineering Chemistry. Industrial Edition, seit 1948 Industrial and Engineering Chemistry, Washington
Ind. eng. Chem. Anal.	Industrial and Engineering Chemistry. Analytical Edition (bis 1946), Washington
Ind. eng. Chem. News	Industrial and Engineering Chemistry. News Edition (bis 1939), Washington
Indian Forest Rec., Chem.	Indian Forest Records. Chemistry, Dehli
Indian J. Appl. Chem.	Indian Journal of Applied Chemistry (seit 1958), Calcutta
Indian J. Chem.	Indian Journal of Chemistry
Indian J. Physics	Indian Journal of Physics and Proceedings of the Indian Association for the Cultivation of Science, Calcutta
Ind. P.	Indisches Patent
Ind. Plast. mod.	Industrie des Plastiques Modernes (seit 1949; bis 1848: Industrie des Plastiques), Paris
Inorg. Chem.	Inorganic Chemistry
Inorg. Synth.	Inorganic Syntheses, New York
Interchem. Rev.	Interchemical Review, New York
Intern. J. Appl. Radiation Isotopes	International Journal of Applied Radiation and Isotopes, New York
Int. Sugar J.	International Sugar Journal, London
Ion	Ion [Madrid]
Iowa Coll. J.	Iowa State College Journal of Science, Ames, Iowa
Israel J. Chem.	Israel Journal of Chemistry, Tel Aviv
Ital. P.	Italienisches Patent

Izv. Akad. SSR	Известия Академии Наук Армянской ССР, Химические Науки (Bulletin of the Academy of Science of the Amenian SSR), Erevan
Izv. Akad. SSSR	Известия Академии Наук СССР, Серия Химическая (Bulletin de l'Académie des Sciences de l'URSS, Classe des Sciences Chimiques, Moskau, Leningrad
Izv. Sibirsk. Otd. Akad. Nauk. SSSR	Известия Сибирского Отделения Академии Наук СССР, Серия химических Наук (Bulletin of the Sibirian Branch of the Academy of Sciences of the USSR), Nowosibirsk
Izv. Vyss. Uch. Zav., Chim. i chim. Techn.	Известия высших Учебных заведений [Иваново], Химия и химическая технология (Bulletin of the Institution of Higher Education, Chemistry and Chemical Technology), Swerdlowsk
J. Agr. Food Chem.	Journal of Agricultural and Food Chemistry, Washington
J. agric. chem. Soc. Japan	Journal of the Agricultural Chemical Society of Japan. Abstracts (seit 1935) (Nippon Nogeikagaku Kaishi), Tokio
J. agric. Sci.	Journal of Agricultural Science, Cambridge
J. Am. Leather Chemist's Assoc.	Journal of the American Leather Chemist's Association, Cincinnati (Ohio)
J. Am. Oil Chemist's Soc.	Journal of the American Oil Chemist's Society, Chicago
J. Am. Pharm. Assoc.	Journal of the American Pharmaceutical Association, seit 1940 Practical Edition und Scientific Edition; Practical Edition seit 1961 J. Am. Pharm. Assoc.; Scientific Edition seit 1961 J. Pharm. Sci., Easton (Pa.)
J. Antibiotics (Japan)	Journal of Antibiotics (Japan), Tokio
Japan Analyst	Japan Analyst (Bunseki Kagaku)
Jap. A. S.	Japanische Patent-Auslegeschrift
Jap. P.	Japanisches Patent
J. appl. Chem.	Journal of Applied Chemistry, London
J. appl. Physics	Journal of Applied Physics, New York
J. Appl. Polymer Sci.	Journal of Applied Polymer Science, New York
J. Assoc. Agric. Chemists	Journal of the Association of Official Agricultural Chemists, Washington
J. Biochem. [Tokyo]	Journal of Biochemistry, Japan, Tokio
J. Biol. Chem.	Journal of Biological Chemistry, Baltimore
J. Catalysis	Journal of Catalysis, London, New York
J. cellular compar. Physiol.	Journal of Cellular and Comparative Physiology, Philadelphia, Pa.
J. Chem. Educ.	Journal of Chemical Education, Easton, Pa.
J. chem. Eng. China	Journal of Chemical Engineering, China, Omei/Szechuan
J. Chem. Eng. Data	Journal of Chemical and Engineering Data, Washington
J. Chem. Physics	Journal of Chemical Physics, New York
J. chem. Soc. Japan	Journal of the Chemical Society of Japan (bis 1948; Nippon Kwagaku Kwaishi), Tokio
J. chem. Soc. Japan, ind. Chem. Sect.	Journal of the Chemical Society of Japan, Industrial Chemistry Section (seit 1948; Kōgyō Kagaku Zasshi), Tokio
J. chem. Soc. Japan, pure Chem. Sect.	Journal of the Chemical Society of Japan, Pure Chemistry Section (seit 1948; Nippon Kagaku Zasshi) Tokio
J. Chem. U.A.R.	Journal of Chemistry of the U.A.R., Kairo
J. Chim. physique Physico-Chim. biol.	Journal de Chimie Physique et de Physico-Chimie Biologique (seit 1939), Paris
J. chin. chem. Soc.	Journal of the Chinese Chemical Society, Peking
J. Chromatog.	Journal of Chromatograph, Amsterdam
J. Colloid Sci.	Journal of Colloid Science, New York
J. electroch. Assoc. Japan	Journal of the Electrochemical Association of Japan (Denki-kwagaku Kyookwai-shi), Tokio
J. Electrochem. Soc.	Journal of the Electrochemical Society (seit 1948), New York
J. Fac. Sci. Univ. Tokyo	Journal of the Faculty of Science, Imperial University of Tokyo, Tokio
J. Heterocyclic Chem.	Journal of Heterocyclic Chemistry, New Mexico
J. Imp. Coll. Chem. Eng. Soc.	Journal of the Imperial College, Chemical Engineering Society

J. Ind. Hyg.	Journal of Industrial Hygiene and Toxicology (1936 bis 1949), Baltimore
J. indian chem. Soc.	Journal of the Indian Chemical Society (seit 1928), Calcutta
J. indian. chem. Soc. News	Journal of the Indian Chemical Society; Industrial and News Edition (1940–1947), Calcutta
J. indian Inst. Sci.	Journal of the Indian Institute of Science, bis 1951 Section A und Section B, Bangalore
J. Inorg. & Nuclear Chem.	Journal of Inorganic & Nuclear Chemistry, Oxford
J. Inst. Petr.	Journal of the Institute of Petroleum, London
J. Inst. Polytech. Osaka City Univ.	Journal of the Institue of Polytechnics, Osaka City University
J. Med. Chem.	Journal of Medicinal Chemistry, New York
J. Med. Pharm. Chem.	Journal of Medicinal and Pharmaceutical Chemistry, New York
J. Mol. Spektry	Journal of Molecular Spektroskopy, New York
J. New Zealand Inst. Chem.	Journal of the New Zealand Institute of Chemistry, Wellington
J. Nippon Oil Technologists Soc.	Journal of the Nippon Oil Technologists Society (Nippon Yushi Gijitsu Kyo Laishi), Tokio
J. Oil Colour Chemist's Assoc.	Journal of the Oil and Colour Chemists' Association, London
J. Org. Chem.	Journal of Organic Chemistry, Baltimore
J. Organometal. Chem.	Journal of Organometallic Chemistry, Amsterdam
J. Petr. Technol.	Journal of Petroleum Technology (seit 1949), New York
J. Pharmacol. exp. Therap.	Journal of Pharmacology and Experimental Therapeutics, Baltimore
J. Pharm. Belg.	Journal de Pharmacie de Belgique. Brüssel
J. Pharm. Pharmacol.	Journal of Pharmacy ans Pharmacology, London
J. Pharm. Sci.	Journal of Pharmaceutical Sciences (Washington)
J. pharm. Soc. Japan	Journal of the Pharmaceutical Society of Japan (Yakuga-kuzasshi), Tokio
J. phys. Chem.	Journal of Physical Chemistry. Baltimore
J. phys. Soc. Japan	Journal of the Physical Society of Japan, Tokio
J. Polymer Sci.	Journal of Polymer Science, New York
J. pr.	Journal für Praktische Chemie, Leipzig
J. Pr. Inst. Chemists India	Journal and Proceedings of the Institution of Chemists, India, Calcutta
J. Pr. Soc. N. S. Wales	Journal and Proceedings of the Royal Society of New South Wales, Sidney
J. Rech. Centre nat. Rech. sci.	Journal des Recherches du Centre National de la Recherche Scientifique, Paris
J. Res. Bur. Stand.	Journal of Research of the National Bureau of Standards, Washington
J. S. African Chem. Inst.	Journal of the South African Chemical Institute, Johannesburg
J. Scient. Instruments	Journal of Scientific Instruments (bis 1947 und seit 1950), London
J. scient. Res. Inst. Tokyo	Journal of the Scientific Research Institute, Tokyo
J. Sci. Food Agric.	Journal of the Science of Food and Agriculture, London
J. sci. Ind. Research (India)	Journal of Scientific and Industrial Research (India), New Delhi
J. Soc. chem. Ind.	Journal of the Society of Chemical Industry (bis 1922 und seit 1947), London
J. Soc. chem. Ind., Chem. and Ind.	Journal of the Society of Chemical Industry. Chemistry and Industry (1923–1936), London
J. Soc. chem. Ind. Japan Spl.	Journal of the Society of Chemical Industry, Japan. Supplemental Binding (Kōgyō Kwagaku Zasshi, bis 1943) Tokio
J. Soc. Cosmetics Chemists	Journal of the Society of Cormetic Chemists, London
J. Soc. Dyers Col.	Journal of the Society of Dyers and Colourists, Bradford, Yorkshire
J. Soc. LeatherTrades'Chemists	Journal of the Society of Leather Trades' Chemists, Croydon/ Surrey, England
J. Soc. West. Australia	Journal of the Royal Society of Western Australia, Perth
J. Taiwan Pharm. Assoc.	Journal of the Taiwan Pharmaceutical Association, Taiwan
J. Univ. Bombay	Journal of the University of Bombay, Bombay

J. Vitaminol.	Journal of Vitaminology [Kyoto]
J. Washington Acad.	Journal of the Washington Academy of Sciences, Washington
Kautschuk u. Gummi	Kautschuk und Gummi, Berlin (Zusatz WT für den Teil: Wissenschaft und Technik)
Kgl. norske Vidensk. Selsk., Skr.	Kgl. Norske Videnskabers Selskab. Skrifter
Khim. Nauka i Prom.	Химическая Наука и Промыщленность (Chemical Science and Industry)
Kinetika i Kataliz	Кинетика и Катализ (Kinetik und Katalyse), Moskau
Koll. Beih.	Kolloid-Beihefte (Ergänzungshefte zur Kolloid-Zeitschrift, 1931–1943), Dresden, Leipzig
Kolloidchem. Beih.	Kolloidchemische Beihefte (bis 1931), Dresden u. Leipzig
Kolloid-Z.	Kolloid-Zeitschrift, seit 1943 vereinigt mit Kolloid-Beiheften
Koll. Žurnal	Коллоидный Журнал (Colloid-Journal), Moskau
Kungl. svenska Vetenskaps- akad. Handl.	Kungliga Svenska Vetenskasakademiens Handlingar, Stockholm
Labor. Delo	Лабораторное Дело (Laboratoriumswesen), Moskau
Lab. Practice	Laboratory Practice
Lack- u. Farben-Chem.	Lack- und Farben-Chemie [Däniken]/Schweiz
Lancet	Lancet, London
M.	Monatshefte für Chemie (Wien)
Magyar chem. Folyóirat	Magyar Chemiai Folyóirat, seit 1949: Magyar Kemiai Folyóirat (Ungarische Zeitschrift für Chemie), Budapest
Magyar kem. Lapja	Magyar kemikusok Lapja (Zeitschrift des Vereins Ungarischer Chemiker), Budapest
Makromol. Ch.	Makromolekulare Chemie, Heidelberg
Manuf. Chemist	Manufacturing Chemist and Pharmaceutical and Fine Chemical Trade Journal, London
Materie plast.	Materi Plastiche, Milano
Mat. grasses	Les Matières Grasses. – Le Pétrole et es Dérivés, Paris
Med. Ch. I. G.	Medizin und Chemie. Abhandlungen aus den Medizinisch-chemischen Forschungsstätten der I. G. Farbenindustrie AG (bis 1942), Leverkusen
Meded. vlaamse chem. Veren.	Mededelingen van de Vlaamse Chemische Vereniging, Antwerpen
Mém. Acad. Inst. France	Mémoires de l'Académie des Sciences de l'Institut de France, Paris
Mem. Coll. Sci. Kyoto	Memoirs of the College of Science, Kyoto Imperial University, Tokio
Mem. Inst. Sci. and Ind. Research, Osaka Univ.	Memoirs of the Institute of Scientific and Industrial Research, Osaka University, Osaka
Mém. Poudres	Mémoirial des Poudres (bis 1939 und seit 1948), Paris
Mém. Services chim.	Mémoirial des Services Chimiques de l'État, Paris
Mercks Jber.	E. MERCKS Jahresbericht über Neuerungen auf den Gebieten der Pharmakotherapie und Pharmazie, Weinheim
Microchem. J.	Microchemical Journal, New York
Microfilm Abst.	Microfilm Abstrats, Ann Arbor (Michigan)
Mikrochem. verein. Mikrochim. Acta	Mikrochemie vereinigt mit Mikrochimica Acta (seit 1938), Wien
Mod. Plastics	Modern Plastics (seit 1934), New York
Mol. Phys.	Molecular Physics, London
Nat. Bur. Standards (U.S.), Ann. Rept. Circ.	National Bureau of Standards (U.S.), Annual Report, Circular, Washington
Nat. Bur. Standards (U.S.), Tech. News Bull.	National Bureau of Standards (U.S.), Technical News Bulletin, Washington
Nation. Petr. News	National Petroleum News, Cleveland/Ohio
Natl. Nuclear Energy Ser., Div. I–IX	National Nuclear Energy Series, Division I–IX, New York

Nature	Nature, London
Naturf. Med. Dtschl. 1939–1946	Naturforschung und Medizin in Deutschland 1939–1946 (für Deutschland bestimmte Ausgabe des FIAT Review of German Science), Wiesbaden
Naturwiss.	Naturwissenschaften, Berlin, Göttingen
Nattuurw. Tijdschr.	Natuurwetenschappelijk Tijdschrift, Vennoofschap
Neftechimiya	Нефтехимия (Petroleum Chemistry)
Niederl. P.	Niederländisches Patent
Nitrocell.	Nitrocellulose (bis 1943 und seit 1952), Berlin
Norske Vid. Selsk. Forh.	Kongelige Norske Videnskabers Selskab. Forhandlinger, Trondheim
Norw. P.	Norwegisches Patent
Nuclear Sci. Abstr. Oak Ridge	U.S. Atomic Energy Commission, Nuclear Science Abstracts
Nuovo Cimento	Nuovo Cimento, Bologna
Öl, Kohle	Öl und Kohle (bis 1934 und 1941–1945): in Gemeinschaft mit Brennstoff-Chemie von 1943–1945, Hamburg
Öst. Chemiker-Ztg.	Österreichische Chemiker-Zeitung (bis 1942 und seit 1947), Wien
Österr. P., Wien	Österreichisches Patent
Offic. Gaz., U.S. Pat. Office	Official Gyzette, United States Patent Office
Ohio J. Sci.	Ohio Journal of Science, Columbus/Ohio
Oil Gas J.	Oil and Gas Journal, Tulsa/Oklahoma
Org. Chem. Bull.	Organic Chemical Bulletin (Eastman Kodak), Rochester
Org. Reactions	Organic Reactions, New York
Org. Synth.	Organic Syntheses, New York
Org. Synth., Coll. Vol.	Organic Syntheses, Collective Volume, New York
Paint Manuf.	Paint incorporating Paint Manufacture (seit 1939), London
Paint Oil chem. Rev.	Paint, Oil and Chemical Review, Chicago
Paint, Oil Colour J.	Paint, Oil and Colour Journal (seit 1950), London
Paint Varnish Product.	Paint and Varnish Production (seit 1949; bis 1949: Paint and Varnish Production Manager), Washington
Paper Ind.	Paper Industry (1938–1949: ... and Paper World) Chicago
P. C. H.	Pharmazeutische Zentralhalle für Deutschland, Dresden
Perfum. essent. Oil Rec.	Perfumery and Essential Oil Record, London
Periodica Polytechn.	Periodica Polytechnica, Budapest
Petr. Eng.	Petroleum Engineer Dallas/Texas
Petr. Processing	Petroleum Processing, New York
Petr. Refiner	Petroleum Refiner, Houston/Texas
Pharmacol. Rev.	Pharmacological Reviews, Baltimore
Pharm. Acta Helv.	Pharmaceutica Acta Helvetica, Zürich
Pharmaz. Ztg. – Nachr.	Pharmazeutische Zeitung – Nachrichten. Hamburg
Pharm. Bull. (Tokyo)	Pharmaceutical Bulletin (Tokyo) (bis 1958)
Pharm. Ind.	Die Pharmazeutische Industrie, Berlin
Pharm. J.	Pharmaceutical Journal, London
Pharm. Weekb.	Pharmaceutisch Weekblad, Amsterdam
Phillips Res. Rep.	Philips Research Reports, Eindhoven/Holland
Phil. Trans.	Philosophical Transactions of the Royal Society of London
Photochem. and Photobiol.	Photochemistry and Photobiology, New York
Physica	Physica. Nederlandsch Tijdschrift voor Natuurkunde, Utrecht
Physik. Bl.	Physikalische Blätter, Mosbach/Baden
Phys. Rev.	Physical Review, New York
Phys. Z.	Physikalische Zeitschrift [Leipzig]
Plant Physiol.	Plant Physiology, Lancaster, Pa.
Plaste u. Kautschuk	Plaste und Kautschuk (seit 1957), Leipzig
Plasticheskie Massy	Пластические Массы (Soviet Plastics), Moskau
Plastics	Plastics [London]
Plastics Inst., Trans. and J.	The (London) Plastics Institute, Transactions and Journal
Plastics Technol.	Plastics Technology

Poln. P.	Polnisches Patent
Polytechn. Tijdschr. [A]	Polytechnisch Tijdschrift, Uitgave A (seit 1946), Haarlem
Pr. Acad. Tokyo	Proceedings of the Imperial Academy. Tokyo
Pr. Akad. Amsterdam	Proceedings, Koninklijke Nederlandsche Akademie van Weten-schappen (1938–1940 und seit 1943), Amsterdam
Pr. chem. Soc.	Proceedings of the Chemical Society, London
Pr. Indiana Acad.	Proceedings of the Indiana Academy of Science, Indianapolis/Indiana
Pr. indian Acad.	Proceedings of the Indian Academy of Sciences, Bangalore/Indien
Pr. Iowa Acad.	Proceedings of the Iowa Academy of Sciences, Des Moines/Iowa (USA)
Pr. irish Acad.	Proceedings of the Royal Irish Academy, Dublin
Pr. Nation. Acad. India	Proceedings of the National Academy of Sciences, India (seit 1936), Allahabad/Indien
Pr. Nation. Acad. USA	Proceedings of the National Academy of Sciences of the United States of America, Washington
Proc. Amer. Soc. Testing Mater.	Proceedings of the American Society für Testing Materials Philadelphia, Pa.
Proc. Egypt. Acad. Sci.	Proceedings of the Egyptian Academy of Sciences Kairo
Proc. Japan Acad.	Proceedings of the Japan Academy (seit 1945), Tokio
Proc. Roy. Austral. chem. Inst.	Proceedings of the Royal Australian Chemical Institute, Melbourne
Produits pharmac.	Produits Pharmaceutiques, Paris
Progr. Physical. Org. Chem.	Progress in Physical Organic Chemistry, New York, London
Promyšl. org. Chim.	Промышленность Органической Химии (bis 1941: Журнал Химической Промышленности) (Industrie der Organischen Chemie, Organic Chemical Industry, bis 1940), Moskau
Pr. phys. Soc. London	Proceedings of the Physical Society, London
Pr. roy. Soc.	Proceedings of the Royal Society, London
Pr. roy. Soc. Edinburgh	Proceedings of the Royal Society of Edinburgh, Edinburgh
Przem. chem.	Przemýsl Chemiczny (Chemische Industrie), Warschau
Publ. Am Assoc. Advan. Sci.	Publication of the American Association for the Advancement of Science, Washington
Pure Appl. Chem.	Pure and Applied Chemistry (The Official Journal of the International Union of Pure and Applied Chemistry), London
Quart. J. indian Inst. Sci.	Quaterly Journal of the Indian Institute of Science, Bangalore
Quart. J. Pharm. Pharmacol.	Quaterly Journal of Pharmacy and Pharmacology (bis 1948), London
Quart. Rev.	Quaterly Reviews. London
Quím. e Ind.	Química e Industria. São Paulo (bis 1938 Chimica e Industria)
R.	Recueil des Travaux Chimiques des Pays-Bas, Amsterdam
R. A. L.	Atti della Reale Academia Nazionale dei Lincei, Classe di Scienze Fisiche, Matematiche e Naturali: Rendiconti (bis 1940), Rom
Rasayanam	Journal for the Progress of Chemical Science, Poona, India
Rend. Ist. lomb.	Rendiconti dell'Instituto Lombardo di Scienze e Lettere. Classe di Scienze Matematiche e Naturali (seit 1944), Mailand
Rep. Government chem. ind. Res. Inst., Tokyo	Reports of the Government Chemical Industrial Research Institute, Tokyo
Rep. Progr. appl. Chem.	Reports on the Progress of Applied Chemistry (seit 1949), London
Rep. sci. Res. Inst.	Reports of Scientific Research Institue (japan). Kagaku-Kenkyujo-Kokoku, Tokio
Research	Research, London
Rev. Asoc. bioquím. arg.	Revista de la Asociación Bioquímica Argentina, Buenos Aires
Rev. Fac. Cienc. quím.	Revista de la Facultad de Ciencias Químicas, Universidad Nacional de La Plata, La Plata

Rev. Fac. Sci. Instanbul	Revue de la Faculté des Sciences de l'Université d'Instanbul, Instanbul
Rev. gén. Matières plast.	Revue Générale des Matières Plastiques, Paris
Rev. gén. Sci.	Revue Générale des Sciences pures et appliquées, Paris
Rev. Inst. franç. Pétr.	Revue de l'Institut Français du Pétrole et Annales des Combustibles Liquides, Paris
Rev. Prod. chim.	Revue des Produits Chimiques, Paris
Rev. Pure Appl. Chem.	Reviews of Pure and Applied Chemistry, Melbourne
Rev. Quím. Farm.	Revista de Química e Farmácia, Rio de Janeiro
Rev. Roumaine Chim.	Revue Roumaine de Chimie (bis 1963: Revue de Chimie, Académie de la République Populaire Roumaine), Bukarest
Rev. sci.	Revue Scientifique, Paris
Rev. scient. Instruments	Review of Scientific Instruments, New York
Ricerca sci., Parte I	Ricerca Scientifica, Parte I: Rivista, Rom
Ricerca sci., Parte II	Ricerca Scientifica, Parte II: Rendiconti, Rom
Roczniki Chem.	Roczniki Chemii (Annales Societatis Chimicae Polonorum), Warschau
Rubber Age N. Y.	The Rubber Age, New York
Rubber Chem. Technol.	Rubber Chemistry and Technology, Easton, Pa.
Rubber J.	Rubber Journal (seit 1955), London
Rubber & Plastics Age	The Rubber & Plastics Age, London
Rubber World	Rubber World (seit 1945) New York
Sbornik Stateĭ Obshcheĭ Khim.	Сборник Статей по Общей Химии (Sammlung von Aufsätzen über die allgemeine Chemie), Moskau u. Leningrad
Schwed. P.	Schwedisches Patent
Schweiz. P.	Schweizerisches Patent
Sci.	Science, New York, seit 1951 Washington
Sci. American	Scientific American, New York
Sci. Culture	Science and Culture, Calcutta
Scient. Pap. Bur. Stand.	Scientific Papers of the Bureau of Standards [Washington]
Scient. Pr. roy. Dublin Soc.	Scientific Proceedings of the Royal Dublin Society, Dublin
Sci. Ind. phot.	Science et Industries photographiques, Paris
Sci. Progr.	Science Progress, London
Sci. Rep. Tôhoku Univ.	Science Reports of the Tôhoku Imperial University, Tokio
Sci. Repts. Research.Insts. Tohoku Univ., [A], [B], [C] bzw. [D]	The Science Reports of the Research Institutes, Tohoku University, Series A, B, C bzw. D, Sendai/Japan
Seifen-Oele-Fette-Wachse	Seifen-Oele-Fette-Wachse. Neue Folge der Seifensieder-Zeitung, Augsburg
Soc.	Journal of the Chemical Society. London
Soil Sci.	Soil Science, Baltimore
South African Ind. Chemist	South African Industrial Chemist, Johannesburg
Spectrochim. Acta	Spectrochimica Acta, Berlin ab 1947 Rom
Steroids	Steroids an International Journal, San Francisco
Studii Cercetări Chim.	Studii şi Cercetări de Chimie [Bucuresti]
Suomen Kem.	Suomen Kemistilehti (Acta Chemica Fennica), Helsinki
Suppl. nuovo Cimento	Supplemento del Nuovo Cimento (seit 1949), Bologna
Svensk farm. Tidskr.	Svensk Farmaceutisk Tidskrift, Stockholm
Svensk kem. Tidskr.	Svensk Kemisk Tidskrift, Stockholm
Synthesis	Synthesis, International Journal of Methods in Synthetik Organic Chemistry, Stuttgart · New York
Talanta	Talanta, International Journal of Analytical Chemistry, London
Tetrahedron	Tetrahedron, Oxford
Tetrahedron Letters	Tetrahedron Letters, Oxford
Textile Res. J.	Textile Research Journal (seit 1945), New York
Tiba	Revue Générale de Teinture, Impression, Blanchiment, Apprêt et de Chimie Textile et Tinctoriale (bis 1940 und seit 1948) Paris
Tidsskr. Kjemi Bergv.	Tidsskrift för Kjemi og Bergvesen (bis 1940), Oslo

Tidsskr. Kjemi, Bergv. Met.	Tidsskrift för Kjemi, Bergvesen og Metallurgi (seit 1941), Oslo
Trans. electroch. Soc.	Transactions of the Electrochemical Society, New York (bis 1949)
Trans. Faraday Soc.	Transactions of the Faraday Society, Aberdeen
Trans. Inst. chem. Eng.	Transactions of the Institution of Chemical Engineers, London
Trans. Inst. Rubber Ind.	Transactions of the Institution of the Rubber Industry, London
Trans. Kirov's Inst. chem. Technol. Kazan	Труды Казанского Химико-Технологического Института им. Кирова (Transactions of the Kirov's Institute for Chemical Technology of Kazan), Moskau
Trans. Pr. roy. Soc. New Zealand	Transactions and Proceedings of the Royal Society of New Zealand (seit 1952 Transactions of the Royal Society of New Zealand), Wellington
Trans. roy. Soc. Canada	Transactions of the Royal Society of Canada, Ottawa
Trans. Roy. Soc. Edinburgh	Transactions of the Royal Society of Edinburgh, Edinburgh
Trudy Mosk. Chim. Techn. Inst.	Труды Московского Химико-Технологического Института им. Д. И. Менделеева (Transactions of the Moscow Chemical-Technological Institut named für Dr. I. Mendeleev), Moskau
Tschechosl. P.	Tschechoslowakisches Patent
Uchenye Zapiski Kazan.	Ученые Записки Казанского Государственного Университета (Wissenschaftliche Berichte der Kasaner staatlichen Universität), Kasan
Ukr. chim. Ž.	Украинский Химический Журнал (bis 1938: Українськкй, Charkau bis 1938, Хемічний Журнал) Ukrainisches Chemisches Journal), Kiew
Umschau Wiss. Techn.	Umschau in Wissenschaft und Technik, Frankfurt
U.S. Govt. Res. Rept.	U.S. Government Research Reports
US. P.	Patent der USA
Uspechi Chim.	Успехи Химии (Fortschritte der Chemie), Moskau, Leningrad
USSR. P.	Sowjetisches Patent
Vakuum-Techn.	Vakuum-Technik (seit 1954), Berlin
Vestn. Akad. Nauk SSSR	Вестник Академии Наук СССР (Mitteilungen der Akademie der Wissenschaften der UdSSR), Moskau
Vestn. Mosk. Univ., Ser II Chim.	Вестник Московского Университета, Серия II Химия (Nachrichten der Moskauer Universität, Serie II Chemie), Moskau
Vysokomolek. Soed.	Высокомолекулярные Соединения (High Molecular Weight Compounds)
Werkstoffe u. Korrosion	Werkstoffe und Korrosion (seit 1950), Weinheim/Bergstr.
Yuki Gosei Kagaku Kyokai Shi	Journal of the Society of Organic Synthetic Chemistry, Japan, Tokio
Z.	Zeitschrift für Chemie, Leipzig
Z. anal. Chemie	Zeitschrift für analytische Chemie (von C. R. FRESENIUS), Berlin, Göttingen
Ž. anal. Chim.	Журнал Аналитической Химии (Journal of Analytical Chemistry), Moskau
Z. ang. Physik	Zeitschrift für angewandte Physik
Z. anorg. Ch.	Zeitschrift für Anorganische und Allgemeine Chemie (1943–1950 Zeitschrift für Anorganische Chemie), Berlin
Zavod. Labor.	Заводская Лаборатория (Industral Laboratory), Moskau
Zbl. Arbeitsmed. Arbeitsschutz	Zentralblatt für Arbeitsmedizin und Arbeitsschutz (seit 1951), Darmstadt
Ž. éksp. teor. Fiz.	Журнал зксперименталъной и теоретической физики ([Physikalisches Journal, Serie A] Journal für experimentelle und theoretische Physik), Moskau, Leningrad
Z. El. Ch.	Zeitschrift für Elektrochemie und Angewandte Physikalische Chemie (seit 1952 Zeitschrift für Elektrochemie. Berichte der Bunsengesellschaft für Physikalische Chemie). Weinheim/Bergstr.

Ž. fiz. Chim.	Журнал Физической Химии (Journal of Physical Chemistry), Moskau/Leningrad
Z. Lebensm.-Unters.	Zeitschrift für Lebensmittel-Untersuchung und -Forschung (seit 1943), München, Berlin
Z. Naturf.	Zeitschrift für Naturforschung, Tübingen
Ž. neorg. Chim.	Журнал Неорганической Химии (Journal of Inorganic Chemistry)
Ž. obšč. Chim.	Журнал Общей Химии (Journal of General Chemistry), London
Ž. Org. Chim.	Журнал Органической Химии (Journal of Organic Chemistry), Baltimore
Z. Pflanzenernähr., Düng., Bodenkunde	Zeitschrift für Pflanzenernährung, Düngung, Bodenkunde (bis 1936 und seit 1946), Weinheim/Bergstr., Berlin
Z. Phys.	Zeitschrift für Physik, Berlin, Göttingen
Z physik. Chem.	Zeitschrift für Physikalische Chemie, Frankfurt (seit 1945 mit Zusatz N.F.)
Z. physik. Chem. (Leipzig)	Zeitschrift für Physikalische Chemie (Leipzig)
Ž. prikl. Chim.	Журнал Прикладной Химии (Journal of Applied Chemistry),
Ž. prikl. Fiz.	Журнал Прикладной Спектроскопии (Journal of Applied Spectroskopy), Moskau, Leningrad
Ž. strukt. Chim.	Журнал Структурной Химии (Journal of Structural Chemistry), Moskau
Ž. tech. Fiz.	Журнал Технической Физики ([Physikalisches Journal, Serie B] Journal für technische Physik), Moskau-Leningrad
Z. Vitamin-, Hormon- u. Fermentforsch [Wien]	Zeitschrift für Vitamin-, Hormon- und Fermentforschung [Wien] (seit 1947)
Ž. vses. Chim. obšč.	Журнал Всесоюзного Химического Общества им. Д. И. Менделеева (Journal of the All-Union-Chemical Society named for D. I. Mendeleev), Moskau
Z. wiss. Phot.	Zeitschrift für Wissenschaftliche Photographie, Photophysik und Photochemie, Leipzig
Ж.	Журнал Русского Физико-Химического Общества (Journal der Russischen Physikalisch-Chemischen Gesellschaft. Chemischer Teil; bis 1930)

Abkürzungen
für den Text der präparativen Vorschriften
und der Fußnoten[1]

Abb.	Abbildung
absol.	absolut
Amp.	Ampere
Anm.	Anmerkung
Anm.	Anmeldung (nur in Verbindung mit der Patentzugehörigkeit)
API	American Petroleum Institute
ASTM	American Society for Testing Materials
asymm.	asymmetrisch
at	technische Atmosphäre
At.-Gew.	Atomgewicht
atm	physikalische Atmosphäre
BASF	Badische Anilin- & Sodafabrik AG, Ludwigshafen/Rhein (bis 1925 und wieder ab 1953)
Bataafsche (Shell) Shell Develop.	N. V. Bataafsche Petroleum Mij., s'Gravenhage (Holland) Shell Development Co., San Francisco, Corporation of Delaware
ber.	berechnet
bez.	bezogen
bzw.	beziehungsweise
cal	Calorien
CIBA	Chemische Industrie Basel, AG
cm^3	Kubikzentimeter
cycl.	cyclisch
D, bzw. D^{20}	Dichte, bzw. Dichte bei 20° bezogen auf Wasser von 4°
DAB	Deutsches Arznei-Buch
Degussa	Deutsche Gold- und Silberscheideanstalt, Frankfurt a. M.
d. h.	das heißt
DK	Dielektrizitäts-Konstante
d. Th.	der Theorie
DuPont	E. 1. DuPont de Nemours & Co., Wilmington 98 (USA)
E	Erstarrungspunkt
EMK	Elektromotorische Kraft
F	Schmelzpunkt
Farbf. Bayer	Farbenfabriken Bayer AG, vormals Friedrich Bayer & Co., Leverkusen-Elberfeld (bis 1925), Farbenfabriken Bayer AG, Leverkusen (ab 1953), Bayer AG (ab 1973)
Farbw. Hoechst	Farbwerke Hoechst AG, vormals Meister Lucius & Brüning, Frankfurt/M.-Höchst (bis 1925 und wieder ab 1953)
g	Gramm
gem.	geminal
ges.	gesättigt
Gew., Gew.-%, Gew.-Tl.	Gewicht, Gewichtsprozent, Gewichtsteil
I.C.I.	Imperial Chemicals Industries Ltd., Manchester
I.G. Farb.	I. G. Farbenindustrie AG, Frankfurt a. M. (1925–1945)
IUPAC	International Union of Pure and Applied Chemistry
i. Vak.	im Vakuum
k (k_s, k_b)	elektrolytische Dissoziationskonstanten, bei Ampholyten, Dissoziationskonstanten nach der klassischen Theorie

---

[1] Alle Temperaturangaben beziehen sich auf Grad Celsius, falls nicht anders vermerkt.

K (K_s, K_b) .... elektrolytische Dissoziationskonstanten von Ampholyten nach der Zwitterionentheorie

kcal .... Kilokalorie

kg .... Kilogramm

konz. .... konzentriert

korr. .... korrigiert

Kp, bzw. Kp_{750} .... Siedepunkt, bzw. Siedepunkt unter 750 Torr Druck

kW, kWh .... Kilowatt, Kilowattstunde

l .... Liter

m (als Konzentrationsangabe) . molar

M .... Metall (in Formeln)

$[M]_\lambda^t$ .... molekulares Drehungsvermögen oder Molekularrotation

mg .... Milligramm

Min. .... Minute

mm .... Millimeter

ml .... Milliliter

Mol.-Gew., Mol.-%, Mol.-Refr. . Molekulargewicht, Molprozent, Molekularrefraktion

n_λ^t .... Brechungsindex

n (als Konzentrationsangabe) . normal

nm .... Nanometer

p_H .... negativer, dekadischer Logarithmus der Wasserstoffionen-Aktivität

prim. .... primär

quart. .... quartär

racem. .... racemisch

s. .... siehe

S. .... Seite

s.a. .... siehe auch

sek. .... sekundär

Sek. .... Sekunde

s.o. .... siehe oben

spez. .... spezifisch

Stde., Stdn., stdg. .... Stunde, Stunden, stündig

s.u. .... siehe unten

Subl. p. .... Sublimationspunkt

symm. .... symmetrisch

Tab. .... Tabelle

techn. .... technisch

Temp. .... Temperatur

tert. .... tertiär

theor. .... theoretisch

Tl., Tle., Tln. .... Teil, Teile, Teilen

u.a. .... und andere

usw. .... und so weiter

u.U. .... unter Umständen

V .... Volt

VDE .... Verein Deutscher Elektroingenieure

VDI .... Verein Deutscher Ingenieure

verd. .... verdünnt

vgl. .... vergleiche

vic. .... vicinal

Vol., Vol.-%, Vol.-Tl. .... Volumen, Volumenprozent, Volumenanteil

W .... Watt

Zers. .... Zersetzung

∇ .... Erhitzung

$[\alpha]_\lambda^t$ .... spezifische Drehung

$\varnothing$ .... Durchmesser

$\sim$ .... etwa, ungefähr

μ .... Mikron

Methoden
zur Herstellung und Umwandlung
von Ketonen
Teil I

bearbeitet von

Dr. KLAUS-DIETER BODE
und
Dr. DIETER DIETERICH
Bayer AG, Leverkusen

Prof. Dr. BERND EISTERT
Institut für Organische Chemie der
Universität Saarbrücken

Dr. ROLAND GIPP
Bayer AG, Leverkusen

Prof. Dr. HANS HENECKA
Bayer AG, Wuppertal-Elberfeld

Prof. Dr. HEINZ HERLINGER
Institut für Chemiefasern an der Universität
Stuttgart

Dr. REINHARD JIRA
Wacker Chemie GmbH, München

Dr. DIETER KRAMER
und
Dr. HANS-JOACHIM KABBE
Bayer AG, Leverkusen

Prof. Dr. ARTHUR LÜTTRINGHAUS
Freiburg/Breisgau

Prof. Dr. MANFRED REGITZ
Institut für Organische Chemie der Universität
Kaiserslautern

Dr. CARL-WOLFGANG SCHELLHAMMER
und
Dr. HANNA SÖLL
Bayer AG, Leverkusen

Prof. Dr. HERMANN STETTER
Institut für Organische Chemie der Universität
(TH) Aachen

Dr. HUGO WILMS †
und
Dr. FRANK WINGLER
Bayer AG, Leverkusen

Mit 1 Abbildung
und 163 Tabellen

Literatur berücksichtigt bis 1970, teilweise bis 1973.

Inhalt

1*

* Erstellung des Erstmanuskriptes: A. LÜTTRINGHAUS.

Inhalt

Die Keton-Gruppe

bearbeitet von

Prof. Dr. Hermann Stetter

Institut für Organische Chemie der TH Aachen

Während die Aldehyde Zwischenstufen der Oxidation der primären Alkohole zu den Carbonsäuren darstellen, sind die Ketone Endstufen der normalen Oxidation von sekundären Alkoholen. Sie zeigen demgemäß zum Unterschied von den Aldehyden keine reduzierenden Eigenschaften. Außerdem ist die Reaktivität der Carbonyl-Gruppe in den Ketonen geringer als die der Aldehyd-Gruppe. Da die Reaktivität von Carbonyl-Gruppen bedingt ist durch die Polarisierung, die in der Umschreibung durch die beiden mesomeren Grenzformeln

$$\begin{array}{c} R \\ R' \end{array} C=O \quad \leftrightarrow \quad \begin{array}{c} R \\ R' \end{array} \overset{\oplus}{C}-\underline{\overline{O}}|^{\ominus}$$

verdeutlicht werden kann, hängt die Reaktionsfähigkeit im wesentlichen von dem Elektronenmangel am Kohlenstoff der C=O-Doppelbindung ab. Additionen an die Carbonyl-Gruppe finden deshalb fast ausschließlich durch Angriff eines nucleophilen Reagenzes am Kohlenstoffatom der Carbonyl-Gruppe statt. In vielen Fällen läßt sich die Reaktivität durch Säurezusatz oder durch Lewissäuren erhöhen. Der Grund hierfür ist, daß sich z. B. durch Protonenaddition an den Sauerstoff der Carbonyl-Gruppe ein Mesomerie-stabilisiertes Carboxonium-Ion bildet, das durch die beiden Grenzformeln

$$\begin{array}{c} R \\ R' \end{array} C\overset{\oplus}{=}OH \quad \leftrightarrow \quad \begin{array}{c} R \\ R' \end{array} \overset{\oplus}{C}-OH$$

wiedergegeben wird. In diesem Ion besitzt das Kohlenstoffatom der Carbonyl-Gruppe eine erhöhte Elektrophilie.

Die Alkyl-Gruppen gehören zu den Elektronen-abgebenden Gruppen. Infolgedessen schwächt jede Alkyl-Gruppe an der C=O-Doppelbindung deren elektrophilen Charakter. Wir finden deshalb die höchste Reaktivität bei dem unsubstituierten Formaldehyd, während die höheren Aldehyde durch die Alkyl-Substitution geringere Reaktivität zeigen. Bei den Ketonen, bei denen zwei Alkyl-Reste unmittelbar auf die C=O-Doppelbindung wirken, vermindert sich dieses Reaktionsvermögen deshalb nochmals. Hinzu kommt, daß auch sterische Effekte bei den Ketonen in stärkerem Maße die Reaktionsfähigkeit der Carbonyl-Gruppe beeinträchtigen können, als dies bei der Aldehyd-Gruppe der Fall ist. So verhindern zwei tert.-Butyl-Gruppen die Additionsreaktionen an der Carbonyl-Gruppe fast vollständig. Genau wie bei den Aldehyden können stark elektronegative Gruppen die Reaktivität aufgrund der Elektronenabstoßung erhöhen. Beispiele hierfür sind die Polyhalogen-acetone, die ähnlich wie Chloral zur Bildung stabiler Hydrate befähigt sind. Am stärksten tritt diese Tendenz bei der Dihydroxy-weinsäure in Erscheinung, denn es gelingt nicht, diese ohne Zersetzung zur Dioxo-bernsteinsäure zu dehydratisieren.

Ebenso wie Wasser bilden auch Alkohole mit Ketonen mehr oder weniger stabile Addukte (Halbketale).

Im Vergleich zu den Aldehyden ist die Herstellung der Ketone infolge ihrer höheren Stabilität wesentlich erleichtert. Das drückt sich auch in der ungewöhnlich großen Zahl von Methoden zur Herstellung von Ketonen aus. Gerade diese viel-fältigen Möglichkeiten zur Synthese von Ketonen geben dieser Gruppe von Verbin-dungen eine Schlüsselposition in der organisch-chemischen Synthese. Eine besondere Bedeutung kommt in der Chemie der Ketone auch diesen Reaktionen zu, die auf der Acidität der α-ständigen Wasserstoffatome beruhen. Diese Acidität ist bedingt durch die Mesomeriestabilisierung des Carbanions, das bei der Abdissoziation eines Protons entsteht:

$$R-\overset{O}{\overset{|}{C}}-CH_2-R' \xrightarrow[+H^\oplus]{-H^\oplus} R-\overset{O}{\overset{|}{C}}-\overset{\ominus}{C}H-R' \leftrightarrow R-\overset{\overline{|O}|^\ominus}{\overset{|}{C}}=CH-R'$$

Die CH-Acidität α-ständiger Wasserstoffatome ermöglicht zahlreiche Substitutions- und Additionsreaktionen. Sie läßt sich noch wesentlich erhöhen, wenn in β-Stellung weitere acidifizierende Gruppen vorhanden sind, wie das zum Beispiel bei den β-Diketonen und den β-Oxo-carbonsäureestern der Fall ist.

Eine gewisse Sonderstellung gegenüber den einfachen Ketonen nehmen die α, β-ungesättigten Ketone und die aromatischen Ketone ein. In beiden Fällen ist die Reaktivität der Carbonyl-Gruppe gegenüber den einfachen, aliphatischen Ke-tonen infolge der Mesomerie mit dem π-Elektronensystem der C=C-Doppelbindung bzw. dem Benzolkern herabgesetzt. Im Falle der α, β-ungesättigten Ketone findet man infolge der Mesomerie vorwiegend die Tendenz zur 1,4-Addition, wie das zum Beispiel bei der Michael-Addition beobachtet wird.

Die Fähigkeit zur Ausbildung der Enolform ist bei den Ketonen stärker ausge-bildet als bei den Aldehyden. Der Enol-Gehalt hängt sehr stark von der Struktur des betreffenden Ketons (z.B. Unterschied zwischen offenkettigen und cyclischen Ketonen) und von der Art der Substituenten ab. Bei den β-Diketonen erreicht die Enolisierung oft einen sehr hohen Wert. Es spielen hierbei die Größe der Mesomerie-energie, die Fähigkeit zur Chelatisierung und das Lösungsmittel eine wesentliche Rolle.

Die Bezeichnung der Ketone nach der Genfer-Nomenklatur erfolgt durch Anhängen der Endung -on an den Namen des Kohlenwasserstoffs, wobei die Stellung der Carbonyl-Gruppe im Molekül durch die Ziffer des Kohlenstoffatoms in Klammern gekennzeichnet wird. Die beiden isomeren Hexanone sind entsprechend dieser Regel als *Hexanon-(2)* und *Hexanon-(3)* zu bezeichnen. Seitenketten werden wie üblich benannt und numeriert. Neben dieser Nomenklatur ergeben sich für die Benennung der Ketone noch weitere Möglichkeiten. So leiten sich die Trivialnamen der ein-fachen Ketone von den Carbonsäuren ab, aus denen sie ursprünglich durch trockene Destillation der Calciumsalze erhalten wurden. Beispiele für solche Namen sind *Aceton, Propion, Butyron, Acetophenon* und *Benzophenon*. Häufig gebraucht wird auch eine Nomenklatur, bei der man die an der Keto-(Oxo)-Gruppe stehenden Alkyl- oder Aryl-Reste mit der Gruppenbezeichnung Keton verbindet. Beispiele hierfür sind *Methyl-äthyl-keton, Diäthyl-keton, Methyl-phenyl-keton* und *Diphenyl-keton.*

In manchen Fällen ist es nötig, die Carbonyl-Funktion neben weiteren funktionellen Gruppen zu bezeichnen. Hierbei kann es zweckmäßig sein, die Carbonyl-Gruppe durch das Präfix *Oxo-* zu kennzeichnen. Die Ketodicarbonsäure der Formel

$$HOOC—CH_2—CH_2—CO—CH_2—CH_2—COOH$$

wäre dann als *4-Oxo-heptandisäure* zu bezeichnen.

A. Herstellung von Ketonen

I. Ketone aus Kohlendioxid und seinen Derivaten, Kohlenmonoxid und Metallcarbonylen

Die direkte Einführung der Carbonyl-Gruppe durch Umsetzungen mit Phosgen ist auf Seite 233 ff. beschrieben.

Die Methoden zur Herstellung von Ketonen mittels Kohlendioxid, Carbonaten, Kohlenmonoxid und Metallcarbonylen werden im Abschnitt „Ketone durch Umsetzung von metallorganischen Verbindungen" Seite 548 ff. abgehandelt.

II. Direkte Einführung von R-CO-Gruppen durch Umsetzung von

a) Aromaten oder reaktionsfähigen Heterocyclen mit

bearbeitet von

DR. CARL-WOLFGANG SCHELLHAMMER

Farbenfabriken Bayer AG, Leverkusen

1. Carbonsäure-halogeniden, -imid-chloriden oder -amiden

α) Allgemeines über die Keton-Synthese nach Friedel-Crafts

Die Einführung von Acyl-Gruppen in aromatische Verbindungen durch Einwirkung eines Acylierungsmittels in Gegenwart bestimmter Metallhalogenide, insbesondere von Aluminiumchlorid, auf die betreffenden Aromaten wird als Keton-Synthese nach Friedel-Crafts[1] bezeichnet. Als aromatische Verbindungen kommen isocyclische und heterocyclische aromatische Kohlenwasserstoffe in Betracht, die substituiert sein können; dabei erleichtern elektronenspendende Substituenten die Acylierung, während durch elektronenanziehende Substituenten die Reaktion erschwert wird. Die Acyl-Gruppen treten meist in p-Stellung zu bereits vorhandenen elektronenspendenden Substituenten ein, o-Substitution erfolgt nur in geringem Maße. Bei der Keton-Synthese nach Friedel-Crafts werden meist nur

---

[1] A. R. SURREY, *Name Reactions in Organic Chemistry*, S. 72, Academic Press Inc., Publishers, New York, N.Y. 1954.

Monosubstitutionsprodukte erhalten, da die zuerst eingetretene Acyl-Gruppe eine Weiteracylierung in dem gleichen Kern verhindert. Eine zweite Acyl-Gruppe kann nur dann eingeführt werden, wenn der Aromat eine stark erhöhte Reaktionsfähigkeit besitzt. Der reaktionshemmende Einfluß elektronenanziehender Substituenten kann durch elektronenspendende Substituenten kompensiert werden. Als Acylierungsmittel dienen Carbonsäure-halogenide, -anhydride, -imid-chloride oder Carbonsäuren selbst. Neben Aluminiumchlorid und bestimmten Metallhalogeniden sind in manchen Fällen auch einige Metalle sowie starke anorganische oder organische Säuren und einige Nichtmetalle als Katalysatoren[1] wirksam. Die am häufigsten benutzten Katalysatoren sind jedoch Aluminiumchlorid[2], Zinn(IV)-chlorid, Eisen(III)-chlorid, Zinkchlorid und Polyphosphorsäuren[3]. Mit besonders reaktionsfähigen Substraten ist eine Acylierung auch ohne Zusatz eines Katalysators möglich.

Acylierungen der oben definierten Art wurden bereits vor[4] dem Erscheinen der ersten Arbeiten von C. Friedel und J. M. Crafts[5] beschrieben. Die Benennung der Reaktion nach diesen beiden Forschern besteht jedoch zu Recht, da sie die katalytische Wirkung von Metallhalogeniden und die große Anwendungsbreite der Reaktion erkannt haben.

Der Reaktionsverlauf der Friedel-Crafts'schen Synthese, sei es eine Alkylierung oder Acylierung, besteht darin, daß sich mittels der Metallhalogenide ein reaktionsfähiges Kation ausbildet, das an Aromaten stets an der Stelle der höchsten Elektronendichte angreift; z.B.:

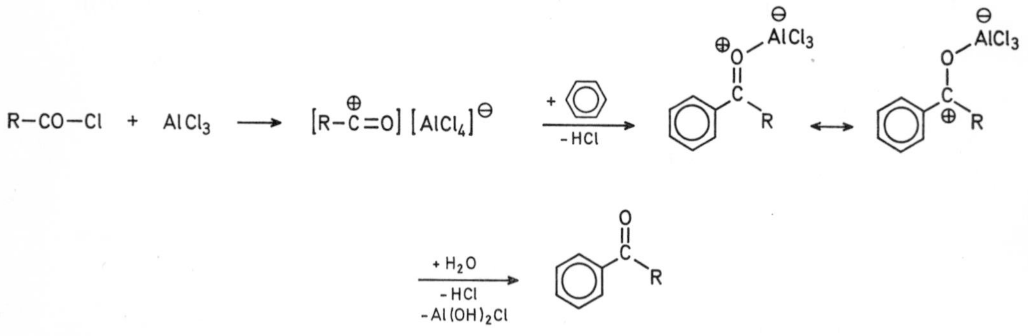

[1] Der Begriff Friedel-Crafts'scher Katalysator hat sich eingebürgert, ist jedoch nicht immer zutreffend, da z.B. mit Aluminiumchlorid als Katalysator meist moläquivalente Mengen erforderlich sind.

[2] G. Kränzlein, *Aluminiumchlorid in der Organischen Chemie*, 3. Aufl., Verlag Chemie GmbH, Berlin 1939.
  C. A. Thomas u. M. B. Moshier, H. E. Morris, R. W. Moshier, *Anhydrous Aluminium Chloride in Organic Chemistry*; A. C. S. Monograph No. 87, Reinhold Publishing Corporation, New York 1941.

[3] G. Olah, *Friedel-Crafts and Related Reactions*, 4 Bde., Interscience Publishers, John Wiley u. Sons Inc., New York · London · Sidney 1963–1965.

[4] S. Grucarevic u. V. Merz, B. **6**, 60, 1238 (1873).
  T. Zincke, B. **6**, 137 (1873).

[5] C. Friedel u. J. M. Crafts, C. r. **84**, 1392, 1450 (1877); **85**, 74 (1877); Bl. [2] **27**, 482, 530 (1877).

Während der Reaktion bildet sich ein beständiger Komplex, der durch Hydrolyse in Keton, Aluminium-hydroxidchloride und Salzsäure zerfällt. Einzelheiten über die Theorie der Friedel-Crafts-Synthese s. Lit.[1,2].

Über den Reaktionsverlauf mit isotopenmarkierten Reaktionspartnern s. S. 165.

a_1) Lösungsmittel bzw. Verdünnungsmittel

Die Kondensation wird in Gegenwart eines Lösungs- bzw. Verdünnungsmittels vorgenommen, das auch aus einem Überschuß eines der Reaktionspartner bestehen kann. Besonders häufig werden Schwefelkohlenstoff oder Nitrobenzol als Lösungsmittel verwendet. Vorsicht! Schwefelkohlenstoff, ein schweres **Nervengift**, ist sehr leicht entflammbar (Zündtemperatur 102°)[3]. Nitrobenzol kann in Gegenwart von Aluminiumchlorid oberhalb ~130° **explosions**artig reagieren[4]. Man führe Reaktionen in Nitrobenzol deshalb bei Temperaturen unter 100° bei nicht zu hohen Konzentrationen der Reaktionspartner durch. Unpolare Lösungsmittel wie Schwefelkohlenstoff, Leichtbenzin oder Tetrachlormethan sind nicht in der Lage, den Katalysator, den Acylhalogenid-Katalysator-Komplex oder den aus dem gebildeten Keton und dem Katalysator bestehenden Komplex zu lösen; die Reaktion verläuft also in heterogener Phase. Stark polare Lösungsmittel wie Nitrobenzol, Nitromethan, Dimethylsulfoxid, Tetramethylensulfon (Tetrahydrothiophen-1,1-dioxid) oder flüssiges Schwefeldioxid lösen sowohl den Katalysator wie auch die gebildeten Komplexe; die Reaktion findet also in homogener Phase statt. Andere häufig verwendete Lösungsmittel wie Dichlormethan, Chloroform, 1,2-Dichlor-äthan, 1,1,2,2-Tetrachlor-äthan lösen zwar den Katalysator nicht, sie sind aber meist gute Lösungsmittel für die gebildeten Komplexe.

Auch Chlorbenzol ist ein oft angewandtes, indifferentes Reaktionsmedium bei der Acylierung solcher Aromaten, die erhöht elektrophil sind, z.B. Toluol, m-Xylol, Tetralin, Naphthalin und Phenole.

Die Kondensationen von Nitrilen und hochreaktionsfähigen Aromaten mittels Zinkchlorid bzw. mit Perchlorsäure (S. 296) werden zweckmäßig in Äther durchgeführt (s. S. 391). Aliphatische Kohlenwasserstoffe, besonders verzweigte sind als Reaktionsmedien zu vermeiden, wenn α-Halogen-ketone (z.B. aus Carbonsäurechloriden und Olefinen) entstehen können und ein Überschuß von Aluminiumchlorid vorhanden ist, da das Halogenatom leicht gegen ein Wasserstoffatom aus dem Kohlenwasserstoff substituiert werden kann. Es resultieren gesättigte statt der erwarteten ungesättigten Ketone. So erhält man z.B. aus Acetylchlorid und Cyclohexen mit Aluminiumchlorid in Cyclohexan das *Acetyl-cyclohexan* (s. S. 430)[5].

Bei besonders schwierig verlaufenden Kondensationen empfiehlt es sich, in einer eutektischen S c h m e l z e[6] von Kaliumchlorid/Natriumchlorid/Aluminiumchlorid zu

[1] G. OLAH, *Friedel-Crafts and Related Reactions*, 4. Bde., Interscience Publishers, John Wiley & Sons Inc., New York · London · Sidney 1963–1965.

[2] V. FRANZEN, Ch. Z. **81**, 290 (1957).
    H. BURTON u. P. F. G. PRAILL, Soc. **1950**, 1203, 1234; **1951**, 522. 529, 726; **1952**, 755, **1953**, 827, 837.

[3] S. ds. Handb., Bd. I/2, Kap. Verhütung von Unglücksfällen, S. 895, 930.
    G. SORBE, *Giftige und explosive Substanzen in Labor und Betrieb*, S. 73, Umschau-Verlag, Frankfurt am Main 1968.

[4] Chem. Eng. News **31**, 4915 (1953).

[5] C. D. NENITZESCU u. E. CIORĂNESCU, B. **69**, 1820 (1936).

[6] J. KENDALL et al., Am. Soc. **45**, 963 (1923).

arbeiten, wobei zu berücksichtigen ist, daß nur das freie Aluminiumchlorid und nicht die komplexen Salze, wie Natrium-tetrachloroaluminat als Kondensationsmittel wirken. Diese robuste Arbeitsweise kann natürlich nur dann angewandt werden, wenn Ausgangsmaterialien und Endprodukte dadurch nicht verändert werden.

Mischungen aus 58,9% Aluminiumchlorid und 41,1% Natriumchlorid schmelzen bei 123,6°, aus 65,5% Aluminiumchlorid und 34,5% Kaliumchlorid bei 158° und aus 15,2% Aluminium-chlorid + 84,8% Antimon(III)-chlorid bei 83°.

Auch in Schmelzen aus Aluminiumchlorid und Harnstoff wurden Friedel-Crafts'-sche Kondensationen durchgeführt (s. S. 236).

In den meisten Fällen ist die Wahl des Verdünnungsmittels nicht von entscheiden-der Bedeutung. Es sind jedoch Beispiele bekannt, bei denen es ausschlaggebend für die Reaktionsdauer, die Ausbeute und den Ort der Substitution ist. So reagiert Acetylchlorid mit Anthracen und Aluminiumchlorid in Schwefelkohlenstoff – worin sowohl Aluminiumchlorid als auch der Komplex völlig unlöslich sind – ausschließlich in 9-Stellung zum *9-Acetyl-anthracen*. In Nitrobenzol hingegen entsteht bei der gleichen Temperatur aber längerer Reaktionsdauer ein Gemisch aus *1-* und *2-Acetyl-anthracen* (s. S. 76). Hier ist der Komplex, der eine starke Lewis-Säure ist, im Nitro-benzol gelöst. Ähnlich verhält sich Naphthalin, wobei in unpolaren Verdünnungs-mitteln fast ausschließlich die 1-Acyl-Derivate, in Nitrobenzol hingegen überwiegend die 2-Isomeren entstehen. Ob in Lösung eine Gleichgewichtseinstellung mit den Aus-gangsstoffen erfolgt, die dann in einem längeren Zeitraum zu den thermodynamisch stabileren Endprodukten führt, bleibt dahingestellt.

Jedenfalls muß man bei Friedel-Crafts'schen Synthesen, bei denen mehrere Konden-sationsstellen möglich erscheinen, diese Verhältnisse berücksichtigen. Das stabilste Keton dürfte man zweifellos im homogenen Medium unter Druck erhalten, so daß der abgespaltene Chlorwasserstoff nicht entweichen kann. Bekanntlich wandern aber auch Alkyl-Gruppen unter dem katalytischen Einfluß von Aluminiumchlorid.

a_2) *Katalysatoren bzw. Kondensationsmittel*[1]

Der am häufigsten für Keton-Synthesen nach Friedel-Crafts verwendete Kataly-sator ist Aluminiumchlorid[2], bei dem hohe katalytische Aktivität und günstiger Einstandspreis miteinander kombiniert sind. Die handelsübliche Qualität dieser Verbindung ist in der Regel für präparative Zwecke völlig ausreichend. Kleine Ver-unreinigungen können jedoch einen beträchtlichen Einfluß auf die erzielbaren Ausbeuten haben[3]; Spuren von Eisen(III)-chlorid sollen die Reaktion beschleunigen und die Ausbeuten verbessern[4]. Bei den kondensierend wirkenden Aluminiumchlorid-Schmelzen in Gegenwart von Sauerstoff (sog. Scholl'sche Verbackung) wirkt sich jedoch ein Eisengehalt sehr nachteilig aus. Durch Wasserspuren werden sonst hef-tige Reaktionen gemäßigt[5], in anderen Fällen zunächst schleppend verlaufende Reaktionen beschleunigt[6]. Sogar Ausbeuteverbesserungen sind nach Zusatz von

---

[1] s. a. G. OLAH, *Friedel-Crafts and related Reactions*, Bd. I., Interscience Publ., New York 1963.
[2] J. ANDRIOLY u. J. ENZIAN, Ind. chim. belge **55**, 203 (1968).
[3] M. C. BOSWELL u. R. R. MCLAUGHLIN, Canad. J. Res. **1**, 40 (1929).
    W. A. RIDELL u. R. C. NOLLER, Am. Soc. **52**, 4365 (1930).
[4] H. C. BROWN, B. A. BOLTO u. F. R. JENSEN, J. Org. Chem. **23**, 414 (1958).
[5] P. C. MITTER u. A. K. SARKAR, J. indian chem. Soc. **7**, 619 (1930).
[6] N. FROSCHL u. J. HARLASS, M. **59**, 275 (1932).

geringen Wassermengen beobachtet worden[1]. Bei der Anwendung von teilweise hydratisiertem Aluminiumchlorid können manchmal auch andere Reaktionsprodukte erhalten werden als bei der Verwendung eines völlig wasserfreien Präparates. So wird aus Trichloracetylchlorid und Benzol in Gegenwart von sog. feuchtem Aluminiumchlorid *α,α,α-Trichlor-acetophenon* erhalten; mit wasserfreiem Aluminiumchlorid entsteht dagegen *α,β,β-Triphenyl-vinylalkohol*[2]. Die hohe katalytische Aktivität des Aluminiumchlorids bringt auch einige Nachteile mit sich. So wird z.B. eine Anzahl von Heterocyclen durch diesen Katalysator zersetzt; außerdem kann unter dem Katalysatoreinfluß neben der Acylierung Wanderung[3] oder Abspaltung[4] insbesondere tertiärer Alkyl-Gruppen eintreten; z.B. lagert sich 2,4,6-Trimethyl-acetophenon beim Erhitzen mit Aluminiumchlorid auf 160° mit 87%-iger Ausbeute zu *3,4,5-Trimethyl-acetophenon* um[5]. Es kann zur Spaltung von Äther-Gruppierungen[6] kommen die sich in dem Reaktionspartner (z.B. 50, 168, 188) befinden können, auch ein Austausch anderer leicht beweglicher Halogenatome[7] gegen Chlor kann eintreten.

Durch die Einwirkung von Aluminiumchlorid kann auch ein Konfigurationswechsel eintreten. So erhält man aus Benzol und Maleinsäureanhydrid ausschließlich die *trans*-4-Phenyl-buten-(2)-säure (s. S. 338).

Bei der Kondensation von verzweigten aliphatischen und cycloaliphatischen Carbonsäure-chloriden sind mildeste Bedingungen anzuwenden, da Isomerisierungen eintreten können.

Carbonsäure-chloride mit einer α-ständigen tert. Alkyl-Gruppe z.B. 2,2-Dimethyl-propansäure-chlorid neigen dazu, in Gegenwart Friedel-Crafts'scher Katalysatoren zu decarbonylieren (s. a. S. 24, 340).

Ferner ist zu berücksichtigen, daß selbst Dihalogen-benzole sich isomerisieren lassen. Aus 1,4-Dichlor-benzol entsteht beim Erhitzen mit HCl + AlCl$_3$ auf ~120° unter Druck praktisch quantitativ 1,3-Dichlor-benzol[8].

Auch andere Metallhalogenide sowie starke anorganische oder organische Säuren und einige andere Verbindungen sind als Katalysatoren für die **Friedel-Crafts**-Synthese geeignet.

Aluminiumbromid zeigt manchmal Vorteile vor Aluminiumchlorid, da es in organischen Lösungsmitteln besser löslich ist[9]. **Zinn(IV)-chlorid** ist besonders für die Acylierung reaktionsfähiger Aromaten, wie z.B. Phenoläther, Polyalkyl-benzole sowie Sauerstoff- oder Schwefel-Heterocyclen und Olifinen (s. S. 441) geeignet. **Titan(IV)-chlorid** ist weniger wirksam als Aluminiumchlorid (s. u. a. S. 185, 193). Die meisten in Tab. 1 (S. 22) aufgeführten Katalysatoren werden nur gelegentlich verwendet.

---

[1] E. Lippmann u. P. Keppich, B. **33**, 3086 (1900).
   A. Windaus u. K. Raichle, A. **537**, 157 (1939).
[2] H. Biltz, J. pr. [2] **142**, 193 (1935).
[3] D. V. Nightingale u. J. M. Shackelford, Am. Soc. **78**, 133 (1956).
   D. V. Nightingale, H. B. Hucker u. O. L. Wright, J. Org. Chem. **18**, 244 (1953).
[4] R. Royer et al., Bl. **1957**, 1379.
   M. Kulka, Am. Soc. **76**, 5469.
   s. a. S. 38, 333.
[5] Zahlreiche Beispiele über Ketonumlagerung sind aufgeführt in: *Unusual Electrophilic Aromatic Substitution in Synthesis*, D. E. Pearson u. C. A. Buehler, Synthesis **1971**, 455.
[6] C. Graebe u. F. Ullmann, B. **29**, 824 (1896).
[7] K. v. Auwers, A. **421**, 25 (1920).
   K. v. Auwers u. W. Müller, B. **50**, 1172 (1917).
[8] Verfahren der I. G. Farb. (Höchst) 1933.
[9] O. Grummit et al., Am. Soc. **67**, 910 (1945).

Für die Einführung von Acyl-Gruppen in aromatische alicyclische oder heterocyclische Verbindungen mit Carbonsäure-halogeniden benötigt man in der Regel
etwas mehr als molare Mengen an Katalysator. Ungenügende Katalysatormengen vermindern die Ausbeute an gewünschtem Keton, da das Acylierungsmittel
nicht völlig ausgenutzt wird. Große Katalysator-Überschüsse können Anlaß für
die Bildung harziger Nebenprodukte sein. Nebenreaktionen werden auch durch sehr
lange Reaktionszeiten begünstigt; so erhält man bei der Acetylierung von Benzol mit
Acetylchlorid in Gegenwart von Aluminiumchlorid nach einer Reaktionszeit von
3 Stdn. *Acetophenon* mit einer Ausbeute von 83% d. Th., nach einer Reaktionszeit von
12 Stdn. werden nur noch 74% an *Acetophenon* neben 3% d. Th. an *Dypnon [1-Oxo-
1,3-diphenyl-buten-(2)]* isoliert[1]:

$$2 \; \langle \bigcirc \rangle - CO - CH_3 \xrightarrow{AlCl_3} \langle \bigcirc \rangle - CO - CH = C \underset{CH_3}{\overset{\langle \bigcirc \rangle}{\Big\langle}} \; + H_2O$$

(Die Benzoylierung von Xylolen, Anisol, Diphenyläther oder Naphthalin
gelingt auch in Gegenwart kleiner Mengen Aluminiumchlorid oder Zinkchlorid
0,005–0,03 Mol/Mol Carbonsäure-chlorid) in siedenden Reaktionsmischungen mit
mittleren bis hohen Ausbeuten[2]). Benzoylchloride, die in o-Stellung ein Halogenatom tragen, lassen sich mit katalytischen Mengen sublimiertem Eisen(III)-chlorid
mit allen Aromaten mit vorzüglichen Ausbeuten kondensieren (s. S. 166).

Carbonsäure-fluoride, -chloride, -bromide oder -jodide sind für
Friedel-Crafts Acylierungen verwendet worden. Dabei entspricht die Reaktivität[3]
der Halogenide der Reihe

F > Br > Cl

Die Reaktionsfähigkeit der Carbonsäure-chloride ist in der Regel für alle Acylierungen
nach Friedel-Crafts ausreichend. Generell läßt sich sagen, daß Säurechloride bzw.
-anhydride schwacher Säuren leichter kondensieren als solche stärkerer Säuren (vgl.
S. 164, 173, 311, 346). Anstelle von Carbonsäure-halogeniden können auch Carbon-
säure-rhodanide in Gegenwart von Aluminiumchlorid oder Zinkchlorid zur
Acylierung von Benzol, Furan oder Thiophen eingesetzt werden (Keton-Ausbeuten:
43–61% d. Th.)[4].

Zur Acylierung von Aromaten (s. S. 299) und Olefinen (s. S. 447) mit Carbonsäuren
bzw. den Cyclisierungen von Aryl-alkyl-ω-carbonsäuren (s. S. 448) hat sich besonders
Polyphosphorsäure mit einem Phosphor(V)-oxid-Gesamtanteil nicht unter 85%
bewährt. Dieses Kondensationsmittel ist im großen Überschuß anzuwenden, hauptsächlich deshalb, damit durch das Reaktionswasser die Konzentration nicht merklich absinkt[5]. Beim Vorliegen von Doppelbindungen können zusätzliche Alkylierungen eintreten. Bei höheren Reaktionstemperaturen sind Isomerisierungen möglich.

[1] N. O. Calloway u. L. D. Green, Am. Soc. **59**, 809 (1937).
[2] E. M. Shamis u. M, M. Dashevskii, Ž. Org. Chim. 2, 280 (1966); engl.: 270.
    D. E. Pearson u. C. A. Buehler, Synthesis 1972, 533.
[3] G. A. Olah et al., Am. Soc. **86**, 2198 (1964).
    vgl. a. Y. Yamase, Bl. chem. Soc. Japan **34**, 480, 484 (1961).
[4] US. P. 3 145 216 (1962), Dow Chemical Co., Erf.: G. A. Olah; C. A. **61**, 13 244 (1964).
[5] F. D. Popp u. W. E. McEwen, *Polyphosphoric Acid as a Reagent in Org. Chemistry*, Chem. Re-
    views **58**, 321 (1958).

Das hochsyrupöse Polyphosphorsäuregemisch wird zweckmäßig im Reaktionsgefäß hergestellt. In vorgelegte 198 g 100%ige Phosphorsäure (H_3PO_4) trägt man unter Rühren 162 g Phosphor(V)-oxid ein und erwärmt zum Schluß bis eine homogene Schmelze entstanden ist. Diese besteht formal aus 85 Gew.% Phosphor(V)-oxid und 15% Wasser.

Handelsüblicher 99%-iger Fluorwasserstoff (Kp: 20,01°; D: 0,901) ist ein für Friedel-Crafts'sche Kondensationen nur schwach wirksamer Katalysator. Für Alkylierungen ist er gut, für Acylierungen weniger geeignet. Durch Zusätze von anorganischen Halogeniden, wie z.B. Phosphor(V)-chlorid, Bortrifluorid, Phosphor(V)-oxid oder Antimon(III)-chlorid entstehen jedoch außerordentlich starke Lewis-Säuren.

Fluorwasserstoff besitzt ein hervorragendes Lösevermögen für organische Substanzen. Nachteilig sind sein niedriger Siedepunkt (der es oft erforderlich macht, unter Druck zu arbeiten), seine unangenehmen physiologischen Eigenschaften und die Gefäßfrage. Auch begünstigt Fluorwasserstoff Isomerisierungen des Kohlenstoffgerüstes.

Die Anwendung von Metallen ist nicht zu empfehlen, da sich das eigentliche Kondensationsmittel erst mit dem abgespaltenen Halogenwasserstoff bildet. Unter anderem führt der dadurch entstehende Wasserstoff zu Nebenreaktionen.

α_3) *Verfahrensvarianten*

Die drei Reaktionskomponenten Katalysator, Substrat und Carbonsäure-halogenid können auf verschiedene Art und Weise zusammengebracht werden. Man kann z.B. die beiden organischen Komponenten mischen oder in einem unter den Reaktionsbedingungen inerten organischen Lösungsmittel lösen und den Katalysator portionsweise zugeben (Verfahren nach Elbs[1]). Dieses Verfahren bietet vor allem wegen der großen Feuchtigkeitsempfindlichkeit des Aluminiumchlorids keine Vorteile. Es erscheint zweckmäßiger, den Katalysator mit einer der organischen Komponenten und dem Lösungsmittel zu verrühren und die dritte Komponente allein oder in Lösung zufließen zu lassen. Hier ist nun zu entscheiden, ob man den Katalysator mit dem Carbonsäure-halogenid oder dem zu acylierenden Substrat vorlegt. Bringt man den Katalysator mit dem Carbonsäure-halogenid zusammen, so ist mit der Bildung eines Carbonsäure-halogenid-Katalysator-Komplexes zu rechnen. Dies kann von Vorteil sein, da derartige Komplexe mit der zu acylierenden Komponenten weniger heftig reagieren (Verfahren nach Perrier[2]). Es ist vorteilhaft, den Katalysator in der Kohlenwasserstoff-Komponenten zu suspendieren, wenn diese gleichzeitig als Lösungsmittel dient (Verfahren nach Bouveault[3]). Beim Arbeiten in einem indifferenten Lösungsmittel besteht auch noch die Möglichkeit, den Katalysator in diesem Lösungsmittel zu suspendieren und eine Mischung oder Lösung des zu acylierenden Substrates und des Carbonsäure-halogenids zutropfen zu lassen[4].

---

[1] K. Elbs, J. pr. [2] **33**, 181 (1886).
[2] G. Perrier, B. **33**, 815 (1900).
   D. T. Mowry, M. Renoll u. W. F. Huber, Am. Soc. **68**, 1105 (1946).
[3] L. Bouveault, Bl. [3] **17**, 1021 (1897).
[4] A. Claus u. R. Wollner, B. **18**, 1856 (1885).

Tab. 1. Weitere Katalysatoren für die Keton-Synthese nach Friedel-Crafts

Katalysator	Literatur
$AlBr_3$, $FeCl_3$, $HgCl_2$, $SbCl_3$, $SbCl_5$, $SnCl_4$, $ZnCl_2$, $TiCl_3$, $TiCl_4$, $ZrCl_4$, P_2O_5, BF_3	N. O. Calloway, Chem. Reviews 17, 327 (1935).
$FeBr_3$, $HgBr_2$, $MoBr_4$, $TiBr_4$, $ZnCl_2$, $ZnBr_2$, $SbBr_3$	O. C. Dermer, P. T. Mori u. S. Suguitan, Proceedings of the Oklahoma Academy of Science 29, 74 (1948); C. A. 46, 7538 (1952).
$ReCl_5$	J. Tsuji, T. Nogi u. M. Morikawa, Bl. chem. Soc. Japan 39, 714 (1966).
$BiCl_3$, $CbCl_5$	O. C. Dermer u. R. A. Billmeier, Am. Soc. 64, 464 (1942).
$CuCl_2$, Cu_2Cl_2	Y. Ogata u. I. Ishiguro, Science (Tokyo) 19, 134 (1949); C. A. 45, 5137 (1951).
AlJ_3	C. Friedel u. J. M. Crafts, C. r. 85, 74 (1877).
$BeCl_2$	H. Bredereck et al., B. 72, 1414 (1939).
$GaCl_3$	D. Cook, Canad. J. Chem. 40, 480 (1962).
$TeCl_2$, $TeCl_4$	O. C. Dermer et al., Am. Soc. 63, 2881 (1941).
$TlCl_3$	L. I. Kashtanov, Ž. obšč. Chim. 2, 515 (1932); C. A. 27, 975 (1933).
Fe	Jap. P. Anm. 13866 (1965), ASAHI Chem. Ind. Co., Ltd., Erf.: Y. Takada, R. Wakasa u. S. Ishida; C. A. 63, 13159 (1965).
Ce	J. B. Lal u. S. Dutt, J. indian chem. Soc. 9, 565 (1932).
Cu, Mo, Wo	I. P. Tsukervanik, Doklady Akad. SSSR 120, 809 (1958); C. A. 52, 20015 (1958).
H_2SO_4	J. G. Belton, N. V. Nowlan u. T. S. Wheeler, Scient. Pr. roy. Dublin Soc. 25, 19 (1949).
$F-SO_3H$; $Cl-SO_3H$	s. ds. Handb., Bd. VII/4, S. 40.
Polyphosphorsäure (85%ig an P_2O_5) (und P_2O_5)	s. S. 20, 299.
$HClO_4$	G. N. Dorofeenko u. V. I. Dulenko, Ž. obšč. Chim. 31, 3145 (1961); engl.: 2932. s. S. 299.
$NaClO_4$	US. P. 2774784 (1956), G. D. Searle & Co., Erf.: G. M. Picha; C. A. 51, 9694 (1957).
$AgClO_4$	s. S. 50.

Tab. 1. (1. Fortsetzung)

Katalysator	Literatur
C F₃COOH	L. L. WOODS u. P. A. DIX, J. Org. Chem. **24**, 1126 (1959). s. S. 312.
POCl₃ P₂O₅	s. S. 122, 232, 257, 278, 310, 426. s. S. 165, 311.
ZnCO₃, Zn(C₆H₅COO)₂	US. P. 2879297 (1959), Monsanto Chemical Co., Erf.: E. J. PRILL u. M. KOSMIN; C. A. **54**, 1436 (1960).
J	H. D. HARTOUGH u. A. I. KOSAK, Am. Soc. **68**, 2639 (1946). s. S. 187, 208, 325.
NaNH₂ (Phenyl-glycin → Indoxyl)	s. S. 422.

β) Ketone aus aliphatischen oder cycloaliphatischen Carbonsäure-halogeniden[1] und

β_1) Benzol und seinen Homologen

Zur Herstellung von aliphatisch-aromatischen oder -heterocyclischen Ketonen geht man in der Regel von entsprechenden Carbonsäure-chloriden aus und verwendet Aluminiumchlorid als Katalysator. Alle auf S. 21 genannten Verfahrensvarianten sind dabei zur Anwendung gekommen.

Propiophenon (1-Oxo-1-phenyl-propan)[2]: Zu einer Mischung aus 234 g reinem, über Natrium getrocknetem Benzol und 135,5 g (1,01 Mol) Aluminiumchlorid läßt man unter Rühren und Feuchtigkeitsausschluß innerhalb 2–3 Stdn. 90 g (0,98 Mol) Propionsäure-chlorid zutropfen. Nach Zugabe der ersten 2–3 ml wird 1–2 Min. lang erwärmt, bis die Chlorwasserstoff-Entwicklung beginnt. Nach der Beendigung des Zutropfens wird noch 30 Min. rückfließend gekocht; man läßt dann abkühlen und gießt die Reaktionsmischung in 1 l Wasser, das stark gerührt wird. Die Benzolschicht wird abgetrennt, 2mal mit 20%iger Natronlauge, dann mit Wasser gewaschen, über Magnesiumsulfat getrocknet und fraktioniert destilliert; Ausbeute: 78 g (59,3% d.Th.); Kp₇₆₃: 214,5–216,5°. Bei einer nochmaligen Destillation: Kp₇₆₃: 215°.

Butyrophenon (1-Oxo-1-phenyl-butan)[3]: In eine Mischung aus 400 g Benzol und 106 g (1 Mol) Buttersäure-chlorid werden bei Raumtemp. unter Rühren nach und nach 160 g (1,2 Mol) pulverisiertes Aluminiumchlorid eingetragen. Die Reaktionsmischung färbt sich dunkelrot. Man verrührt anschließend noch 1 Stde. bei Raumtemp. und erwärmt dann noch 1 Stde. auf 50°. Das Reaktionsgemisch wird vorsichtig auf Eiswasser ausgetragen; man trennt die Benzolschicht ab und wäscht sie 2mal mit Wasser, dann mit verd. Natriumcarbonat-Lösung und schließlich noch einmal mit Wasser. Die benzolische Phase wird über Natriumsulfat getrocknet und dann bei Normaldruck destilliert; Ausbeute: 89–96 g (60–65% d.Th.); Kp₁₇: 113–115°.

---

[1] Die in den folgenden Abschnitten beschriebenen Verfahren zur Herstellung von Ketonen sind nicht ohne weiteres vergleichbar. So schwanken die Ausbeuten selbst bei analogen Umsetzungen oft sehr stark und sind manchmal sogar widersprüchlich, da vielfach unter ungeeigneten und nicht optimalen Bedingungen gearbeitet wurde. Sicherlich lassen sich daher in vielen Fällen unter Berücksichtigung der allgemeinen Richtlinien die angeführten Verfahren, vor allem solche aus der älteren Literatur, noch verbessern.

[2] A. I. VOGEL, Soc. **1948**, 614.

[3] E. FOURNEAU u. C. E. BARRELET, Bl. [4] **47**, 77 (1930).

1-Oxo-3-methyl-1-phenyl-pentan[1]: Zu 70 g (0,53 Mol) Aluminiumchlorid, die in 120 *ml* Schwefelkohlenstoff angerührt werden, wird eine Mischung aus 60 g (0,45 Mol) 3-Methyl-pentansäurechlorid und 100 *ml* Benzol getropft; dabei wird die Temp. der Reaktionsmischung bei 20° gehalten. Nach 3 Stdn. wird in üblicher Art und Weise aufgearbeitet; Ausbeute: 60 g (76% d.Th.); Kp_{50}: 160–161°.

Analog zu diesen Vorschriften wurden aus aliphatischen oder cycloaliphatischen Carbonsäure-chloriden und Benzol mit Aluminiumchlorid als Katalysator die in Tab. 2 (S. 25) angeführten Acetophenon-Homologen erhalten.

Durch Friedel-Crafts Acylierung von Benzol und seinen Homologen mit α-(+)-2-Methyl-pentansäure-chlorid/Aluminiumchlorid können optisch aktive Ketone hergestellt werden, z.B. *α-(+)-2-Benzoyl-pentan*[2]. Die Acylierung von Benzol mit einfachen aliphatischen Carbonsäure-halogeniden verläuft jedoch nicht in allen Fällen glatt. Halogenide sekundärer[3] und tertiärer Carbonsäuren neigen in Gegenwart von Friedel-Crafts Katalysatoren zur Decarbonylierung[4]. Das Decarbonylierungsprodukt wiederum wirkt alkylierend auf den verwendeten Kohlenwasserstoff. So entsteht aus 2,2-Dimethyl-propansäure-chlorid und Benzol in Gegenwart von Aluminiumchlorid *4-tert.-Butyl-1-(2,2-dimethyl-propanoyl)-benzol*:

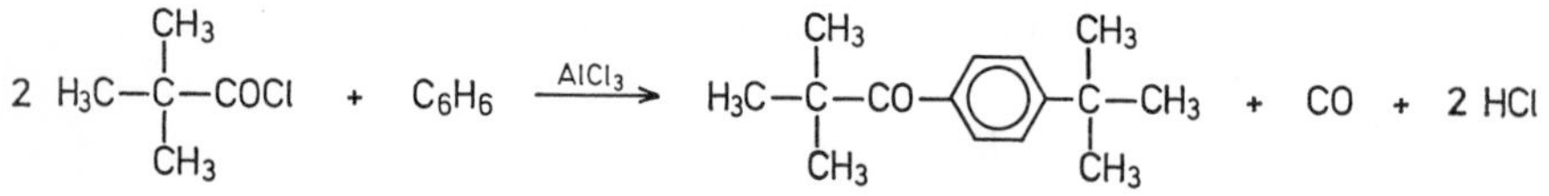

4-tert.-Butyl-1-(2,2-dimethyl-propanoyl)-benzol[5]: Zu einer Suspension von 14 g (0,105 Mol) Aluminiumchlorid in 31,2 g Benzol wird unter Feuchtigkeitsausschluß und Rühren bei 0° eine Mischung aus 9 g (0,075 Mol) 2,2-Dimethyl-propansäure-chlorid und 8 g Benzol zugetropft. Es erfolgt Gasentwicklung; das abgespaltene Gas besteht aus einer Mischung von Chlorwasserstoff, Kohlenmonoxid und Isobuten. Man rührt noch 30 Min. bei 0° und trägt dann auf eine Mischung aus 10%iger Salzsäure und Eis aus. Die Benzolschicht wird abgetrennt, mit Wasser und ges. Natriumhydrogencarbonat-Lösung gewaschen und über Natriumsulfat getrocknet. Die fraktionierte Destillation über eine Kolonne liefert zunächst einen Vorlauf, der bei 1 Torr zwischen 84 und 103° übergeht und zu 60% das gewünschte Keton enthält; Gesamtausbeute: 6,7 g (82% d.Th); Kp_1: 103–106°.

Für die Acylierung von Benzol mit Carbonsäure-fluoriden hat sich Bortrifluorid als Katalysator bewährt.

Acetophenon[6]: Aus 6,2 g (0,1 Mol) Acetylfluorid wird nach der Vorschrift von F. Seel[7] der Acetylfluorid-Bortrifluorid-Komplex bereitet. Nach dem Abtreiben des Bortrifluorid-Überschusses werden zu dem auf −50° gehaltenen Reaktionsgemisch 12 g absol. Benzol gegeben, das sofort erstarrt. Die Temp. der gerührten Mischung läßt man auf Raumtemp. kommen; dabei tritt eine Verfärbung der Reaktionsmischung ein und es spaltet sich Bortrifluorid ab. Man läßt über Nacht stehen und äthert aus; die Ätherphase wird 2mal mit Wasser gewaschen, getrocknet und die Lösung fraktioniert destilliert; Ausbeute: 10,5 g (87,5% d.Th.); Kp: 203–204°.

[1] H. Stenzel u. F. Fichter, Helv. **20**, 846 (1937).

[2] N. N. Mistry u. K. A. Thaker, J. Indian Chem. Soc. **46**, 995 (1969).

[3] V. F. Traven', Z. B. Kiro u. B. I. Stepanov, Ž. org. Chim. **2**, 371 (1966); engl.: 362.

[4] D. G. Pratt u. E. Rothstein, Soc. [C] **1968**, 2548.

[5] D. E. Pearson, Am. Soc. **72**, 4169 (1950).

[6] G. A. Oláh u. S. Kuhn, B. **89**, 866 (1956).

[7] F. Seel, Z. anorg. Chem. **250**, 331 (1943).

Tab. 2. Alkyl-phenyl-ketone aus Carbonsäure-chloriden und Benzol

R $\bigcirc\!\!-\!\!\overset{\overset{O}{\|}}{C}\!\!-\!\!R$		Ausbeute [% d.Th.]	F [°C]	Kp [°C]	Kp [Torr]	Literatur
$-CH(CH_3)_2$	1-Oxo-2-methyl-1-phenyl-propan	70	—	115	26	1
$-(CH_2)_3-CH_3$	Pentanoyl-benzol (1-Oxo-1-phenyl-pentan)	75	—	131–133	13	2
$-CH_2-CH(CH_3)_2$	1-Oxo-3-methyl-1-phenyl-butan		—	137–138	38	3
$-(CH_2)_4-CH_3$	Hexanoyl-benzol (1-Oxo-1-phenyl-hexan)	71	27	132–134	14	4
$-(CH_2)_3-\overset{\overset{CH_3}{\|}}{CH}-CH_3$	1-Oxo-5-methyl-1-phenyl-hexan	79	—	148–151	17	6
$-\overset{\overset{C_2H_5}{\|}}{CH}-(CH_2)_3-CH_3$	3-Benzoyl-heptan	54	—	140–142	12	7
$-(CH_2)_6-CH_3$	Octanoyl-benzol (1-Oxo-1-phenyl-octan)	~60	22	164	15	5
$-(CH_2)_7-CH_3$	Nonanoyl-benzol (1-Oxo-1-phenyl-nonan)	81	17	176	13	7
$-(CH_2)_8-CH_3$	Decanoyl-benzol (1-Oxo-1-phenyl-decan)	88	35	185	12	7
$-\overset{\overset{CH_2-CH_2-CH_3}{\|}}{CH}-(CH_2)_4-CH_3$	4-Benzoyl-nonan	48	—	166–167	11	7
$-(CH_2)_9-CH_3$	Undecanoyl-benzol (1-Oxo-1-phenyl-undecan)	~60	30	—		5
$-(CH_2)_{10}-CH_3$	Dodecanoyl-benzol (1-Oxo-1-phenyl-dodecan)	90	47	198	12	7
$-\overset{\overset{CH_2-(CH_2)_2-CH_3}{\|}}{CH}-(CH_2)_3-CH_3$	5-Benzoyl-nonan	56	—	189–190	13	7

1 H. Leuchs, A. Heller u. A. Hoffmann, B. 62, 877 (1929).
2 E. Layrand, Bl. [3] 35, 224 (1906).
3 A. Claus, J. pr. [2] 46, 489 (1892).
4 I. Simon, Bull. Soc. chim. belges 38, 53 (1929).
5 G. L. Goerner, A. L. Muller u. S. L. Corbin, J. Org. Chem. 24, 1561 (1959).
6 W. Griess, Fette, Seifen, Anstrichmittel, 57, 236 (1955).
7 F. L. Brench u. M. Oğuser, B. 87, 1225 (1954).

Tab. 2. (Fortsetzung)

R	⬡–C(=O)–R	Ausbeute [% d.Th.]	F [°C]	Kp [°C]	Kp [Torr]	Literatur
—(CH₂)₁₁—CH₃	Tridecanoyl-benzol (1-Oxo-1-phenyl-tridecan)	~60	41–42	—		1
—(CH₂)₁₂—CH₃	Tetradecanoyl-benzol (1-Oxo-1-phenyl-tetradecan)	79	55	212	12	2
CH₂—(CH₂)₃—CH₃ / —CH—(CH₂)₆—CH₃	6-Benzoyl-tridecan	50	—	203–206	11	2
—(CH₂)₁₃—CH₃	Pentadecanoyl-benzol (1-Oxo-1-phenyl-pentadecan)	~60	51	—		1
—(CH₂)₁₄—CH₃	Hexadecanoyl-benzol (1-Oxo-1-phenyl-hexadecan)	82	61	248	12	2
—(CH₂)₁₅—CH₃	Heptadecanoyl-benzol (1-Oxo-1-phenyl-heptadecan)		58	—		1
—(CH₂)₁₆—CH₃	Octadecanoyl-benzol (1-Oxo-1-phenyl-octadecan)	85	66	266	13	2
—(CH₂)₁₇—CH₃	Nonadecanoyl-benzol (1-Oxo-1-phenyl-nonadecan)		63	—		1
—(CH₂)₁₈—CH₃	Eicosanoyl-benzol (1-Oxo-1-phenyl-eicosan)		70–71	—		1
◁	1-Benzoyl-cyclopropan	66	7–9	121–123	15	3
◇	1-Benzoyl-cyclobutan	68	—	121,5–122	10	4
⬠	1-Benzoyl-cyclopentan	60		136–140	16	5
⬡	1-Benzoyl-cyclohexan	64	59–60	—		5

[1] F. L. BRENCH u. M. OGUSER, B. 87, 1225 (1954).
[2] W. GRIESS, Fette, Seifen, Anstrichmittel 57, 236 (1955).
[3] A. HALLER u. E. BENOIST, C. r. 154, 1567 (1912).
[4] W. H. PERKIN u. W. SINCLAIR, Soc. 61, 59 (1892).
T. A. FAVORSKAYA u. I. P. YAKOVLEV, Ž. obšč. Chim. 22, 122 (1952); C. A. 46, 11118 (1952).
[5] D. H. HEY u. O. C. MUSGRAVE, Soc. 1949, 3156.

Analog erhält man

Propiophenon	83,5% d. Th.	Kp_{763}: 215°
Butyrophenon	88,5% d. Th.	Kp_{17}: 113–115°
1-Oxo-2-methyl-1-phenyl-propan .	87% d. Th.	Kp_{26}: 115°
Pentanoyl-benzol (1-Oxo-1-phenyl-pentan)	81,5% d. Th.	Kp_{13}: 131–133°

Die Acylierung von Alkyl-benzolen mit aliphatischen Carbonsäure-halogeniden verläuft leichter und rascher[1] als die Acylierung des Benzols, da die Alkyl-Gruppen als elektronenspendende Substituenten die elektrophile Substitution erleichtern. Bei Acylierungen von Monoalkyl-benzolen stellen p-Acyl-Verbindungen das weitaus überwiegende Reaktionsprodukt dar, in geringem Umfange erfolgt jedoch auch o-Substitution, auch m-Isomere konnten nachgewiesen werden[2]. So erhält man bei der Umsetzung von Toluol mit Acetylchlorid in Dichlormethan in Gegenwart von Aluminiumchlorid neben *4-Methyl-* bis zu 8% *2-Methyl-* und 1–2% *3-Methyl-1-acetylbenzol*[1,3].

Die Umsetzung von Alkyl-benzolen, deren Alkyl-Reste über sekundäre oder tertiäre Kohlenstoffatome an den Benzol-Rest gebunden sind, mit Carbonsäure-halogeniden nach Friedel-Crafts muß unter besonders schonenden Bedingungen vorgenommen werden, da leicht Alkylgruppen-Abspaltung und Transalkylierung erfolgen. Diese unerwünschten Nebenreaktionen werden durch höhere Temperaturen und nicht komplexgebundenes Aluminiumchlorid begünstigt.

4-Pentyl-(3)-1-propanoyl-benzol[4]: Zu 177 g (1,2 Mol) 3-Phenyl-pentan, 175 g (1,4 Mol) Aluminiumchlorid und 500 *ml* Schwefelkohlenstoff werden unter Rühren 175 g (1,4 Mol) Propionylchlorid derart getropft, daß die Reaktionsmischung mäßig siedet. Man erhitzt noch 3 Stdn. unter Rückfluß und zerlegt dann den Keton-Aluminiumchlorid-Komplex mit eiskalter Salzsäure. Nach Aufarbeitung in der üblichen Art und Weise erhält man 180 *ml* eines Reaktionsproduktes, das bei vermindertem Druck über eine Kolonne mit ~ 15 theor. Böden bei einem Rücklaufverhältnis von 30 : 1 destilliert wird. Man isoliert drei Fraktionen, die jeweils noch einmal destilliert werden.

Fraktion 1: Kp_{20}: 98–104°	36 g (22,4% d. Th.)	*Propiophenon*
Fraktion 2: Kp_{20}: 161–165°	87 g (35,5% d. Th.)	*4-Pentyl-(3)-1-propanoyl-benzol*
Fraktion 3: Kp_1 : 132–134°	29 g (8,8% d. Th.)	*x-Pentyl-y-pentyl-(3)-1-propanoyl-benzol*

Rückstand: 7 g

Unter analogen Bedingungen werden aus verschiedenen Alkyl-benzolen mit Acetylchlorid die in Tabelle 3 (S. 28) angeführten Reaktionsprodukte erhalten.

Nachstehend folgt eine Vorschrift, nach der sich Alkyl-benzole komplikationslos mit Carbonsäure-chloriden acylieren lassen sollen[5].

4-Pentyl-1-acetyl-benzol[6]: Man übergießt 20 g (0,15 Mol) Aluminiumchlorid mit 100 *ml* Schwefelkohlenstoff und läßt unter Eiskühlung und Rühren die Mischung von 15 g (0,1 Mol) 1-Phenyl-

---

[1] H. C. Brown, G. Marino u. L. M. Stock, Am. Soc. **81**, 3310 (1959).

[2] G. A. Olah et al., Am. Soc. **86**, 2198 (1964).

[3] G. E. Herberich u. E. O. Fischer, B. **95**, 2803 (1962).

[4] D. V. Nightingale, H. B. Hucker u. O. L. Wright, J. Org. Chem. **18**, 244 (1953).

[5] C. Weygand. L. Mensdorf u. F. Strobelt, B. **68**, 1831 (1935).

[6] Weygand-Hilgetag, *Organisch-chemische Experimentierkunst*, herausgegeben von G. Hilgetag u. A. Martini, 3. Aufl., S. 888, Johann Ambrosius Barth Verlag, Leipzig 1964.

Tab. 3. Acetylierung einiger Alkyl-benzole in siedendem Schwefelkohlenstoff

R—⟨⟩ R	Aceto- phenon [% d.Th.]	4-Alkyl-acetophenon [% d. Th.]	Dialkyl-acetophenon [% d. Th.]
$H_3C-CH_2-CH_2-$	—	40 *4-Propyl-1-acetyl-benzol*	18 *x,y-Dipropyl-1-acetyl- benzol*
$(CH_3)_2CH-$	30	23 *4-Isopropyl-1-acetyl- benzol*	40 *x-Propyl-y-isopropyl 1-acetyl-benzol*
$H_3C-CH_2-\overset{\underset{\mid}{CH_3}}{CH}-$	7	22 *4-Butyl-(2)-1-acetyl- benzol*	27 *x-Butyl-y-butyl-(2)- 1-acetyl-benzol*
$H_3C-(CH_2)_2-\overset{\underset{\mid}{CH_3}}{CH}-$	27	13 *4-Pentyl-(2)-1-acetyl- benzol*	35 *x-Pentyl-y-pentyl-(2)- 1-acetyl-benzol*
$(CH_3)_3C-$	—	25 *4-tert.-Butyl-1-acetyl- benzol*	—
$H_3C-CH_2-\overset{\underset{\mid}{CH_3}}{\underset{\underset{\mid}{CH_3}}{C}}-$	—	14 *4-[2-Methyl-butyl-(2)]- 1-acetyl-benzol*	—

pentan und 10,5 g (0,13 Mol) Acetylchlorid zutropfen. Sofort nach beendeter Zugabe gibt man, ohne auf etwaige weitere Salzsäure-Entwicklung zu achten, die entstandene klare gelbe Lösung auf ein Gemisch von Eis und konz. Salzsäure, nimmt mit Äther auf, bis die Ölschicht leichter als Wasser ist, wäscht mit Wasser neutral und trocknet über Calciumchlorid. Danach destilliert man das Lösungsmittelgemisch ab und fraktioniert; Ausbeute: 16 g (84% d.Th.); Kp_4: 132–133°.

Bei Ansätzen, die nach Zugabe des Substrat-Acylierungsmittel-Gemisches längere Zeit stehen blieben, wurden erheblich geringere Ausbeuten erhalten.

Die Umsetzung von Carbonsäure-halogeniden mit Alkyl-benzolen unter ver-mindertem Druck zur raschen Entfernung der abgespaltenen Salzsäure soll von Vorteil sein[1], obwohl die dabei beobachteten Ausbeuteverbesserungen in Frage ge-stellt worden sind[2]. Diese Verfahrensvariante dürfte insbesondere bei Verwendung von leicht flüchtigen Carbonsäure-halogeniden keine Vorteile bieten. Als besonders vorteilhaft wird die Perrier-Modifikation der Friedel-Crafts Keton-Synthese empfohlen[3].

4-Isopropyl-1-acetyl-benzol[4]: 50 g (0,42 Mol) Isopropyl-benzol (Cumol) werden zu einer eis-kalten Mischung von 90 g (0,67 Mol) Aluminiumchlorid und 42 g (0,54 Mol) Acetylchlorid in 350 *ml* 1,2-Dichlor-äthan getropft. Man trägt die Reaktionsmischung auf Eis aus, trennt die organische Phase ab, trocknet sie nach dem Waschen mit Wasser über Kaliumcarbonat und fraktioniert; Ausbeute: 59 g (82% d.Th); Kp_{100}: 115° (schwach gelbes Öl).

Analog zu den angeführten Vorschriften wurden die in Tab. 4 (S. 29) zusammen-gestellten Monoalkyl-acetophenone erhalten.

[1] A. VERLEY, Bl. [3] **17**, 906 (1897); **19**, 137 (1898).
[2] L. BOUVEAULT, Bl. [3] **17**, 1020 (1897).
[3] R. SORGE, B. **35**, 1065 (1902).
[4] G. BADDELEY, G. HOLT u. W. PICKLES, Soc. **1952**, 4162.

Tab. 4. Umsetzungen von Alkyl- oder Cycloalkyl-benzolen mit Acetylchlorid in Gegenwart von Aluminiumchlorid

R	$R-\langle\bigcirc\rangle-\overset{\overset{O}{\|}}{C}-CH_3$	Aus-beute [% d.Th.]	Kp [°C]	[Torr]	Literatur
H$_3$C—	4-Methyl-1-acetyl-benzol	81–89	113 (F: 28°)	17	1
H$_3$C—CH$_2$—	4-Äthyl-1-acetyl-benzol	95,7	86	3	2
H$_3$C—CH$_2$—CH$_2$—	4-Propyl-1-acetyl-benzol	80	140–142	26	3
H$_3$C—(CH$_2$)$_3$—	4-Butyl-1-acetyl-benzol	91,3	101,5–102	1,5	2
H$_3$C—CH$_2$—CH(CH$_3$)—	4-Butyl-(2)-1-acetyl-benzol	74	134–135	11	4
(CH$_3$)$_2$CH—CH$_2$—	4-(2-Methyl-propyl)-1-acetyl-benzol	38	135	16	5
H$_3$C—CH(CH$_3$)— (H$_3$C—CH—, CH$_3$)	4-tert.-Butyl-1-acetyl-benzol	83	133–134	11	4
H$_3$C—CH$_2$—CH(CH$_3$)—CH$_2$—	4-(2-Methyl-butyl)-1-acetyl-benzol	73	153	16	5
H$_3$C—(CH$_2$)$_2$—CH(CH$_3$)—	4-Pentyl-(2)-1-acetyl-benzol	95	168–169	14	6
H$_3$C—CH$_2$—CH(CH$_2$—CH$_3$)—	4-Pentyl-(3)-1-acetyl-benzol	93	148–149	16	6
H$_3$C—CH$_2$—C(CH$_3$)$_2$—	4-[2-Methyl-butyl-(2)]-1-acetyl-benzol	59	144–146	13	5
H$_3$C—(CH$_2$)$_5$—	4-Hexyl-1-acetyl-benzol	90,6	120	1	4
H$_3$C—(CH$_2$)$_{11}$—	4-Dodecyl-1-acetyl-benzol	69,7	(F: 47–48°)		4
H$_3$C—(CH$_2$)$_{17}$—	4-Octadecyl-1-acetyl-benzol	61,7	(F: 66°)		4

[1] I. Boeseken, R. **16**, 313 (1897).
[2] C. G. Overberger et al., Am. Soc. **75**, 3326 (1953).
[3] O. Widmann, B. **21**, 2224 (1888).
[4] C. F. Hennion u. S. F. de C. McLeese, Am. Soc. **64**, 2421 (1942).
  H. C. Brown et al., Am. Soc. **79**, 1902 (1957).
[5] C. Weygand, L. Mensdorf u. F. Strobelt, B. **68**, 1825 (1935).
  D. J. Cram, Am. Soc. **74**, 2129 (1952).

Tab. 4. (Fortsetzung)

R $-\!\!\langle\bigcirc\rangle\!-\!\overset{\text{O}}{\underset{\text{C}}{\|}}-CH_3$ R	Aus- beute [% d. Th.]	Kp		Litera- tur
		[°C]	[Torr]	
▷– 4-Cyclopropyl-1-acetyl-benzol	48	114–119	2,5–2,9	1
◇– 4-Cyclobutyl-1-acetyl-benzol	52	144,5–145	10	2
⬠– 4-Cyclopentyl-1-acetyl-benzol	79	170	15	3
⬡– 4-Cyclohexyl-1-acetyl-benzol	60	(F: 68–69°)		4

Die Acylierung von Dialkyl-benzolen erfolgt analog der Acylierung der Monoalkyl-benzole. Da die Reaktionsfähigkeit dieser Verbindungen noch größer ist,
arbeitet man häufig bei tiefen Temperaturen, d.h. bei −5° oder darunter. Bei 1,3-
Dialkyl-benzolen wird die 4-Stellung leicht acyliert.

Die Xylole ergeben bei der Acylierung weitgehend einheitliche Reaktionsprodukte; so erhält man aus aliphatischen Carbonsäure-halogeniden und o-Xylol
Alkyl-(3,4-dimethyl-phenyl)-ketone, mit m-Xylol Alkyl-(2,4-dimethyl-
phenyl)-ketone und mit p-Xylol Alkyl-(2,5-dimethyl-phenyl)-ketone.
Dabei ist es zweckmäßig, einen längeren Kontakt von o- oder p-Xylol mit freiem
Aluminiumchlorid zu vermeiden, da leicht Isomerisierung eintreten kann[5]. So erhält
man bei der Zugabe von Acetylchlorid zu einer Suspension von Aluminiumchlorid in
o-Xylol/Schwefelkohlenstoff bei 46° mit nahezu quantitativer Gesamtausbeute eine
Mischung aus 3,4-Dimethyl-1-acetyl-benzol (94%) und 2,4-Dimethyl-1-acetyl-benzol
(6%). Gaschromatographisch wurden nach der Acetylierung von m-Xylol mit Acetylchlorid in Dichlormethan in Gegenwart von Aluminiumchlorid neben 2,4-Dimethyl-
2,5% 3,5-Dimethyl-1-acetyl-benzol nachgewiesen[6].

Bei m- oder p-Dialkyl-benzolen, die unterschiedliche Alkyl-Reste tragen,
erfolgt die Acylierung im allgemeinen in o-Stellung zu der Alkyl-Gruppe mit der
niedrigeren Zahl an Kohlenstoffatomen. Es ist jedoch anzunehmen, daß daneben
noch andere Isomere entstehen, die nur noch nicht isoliert wurden, da ihr prozentualer
Anteil sehr klein ist. Beim 2-Methyl-1-propyl-benzol soll die Acylierung mit ali-

---

[1] H. HART u. G. LEVITT, J. Org. Chem. **24**, 1261 (1959).

[2] Y. S. SHABAROV, N. I. VASILEV u. R. Y. LEVINA, Ž. obšč. Chim. **31**, 1812 (1961); engl.: 1963.

[3] P. V. HAI, N. P. BUU-HOI u. N. D. XUONG, J. Org. Chem. **23**, 39 (1958).

[4] H. A. MAYES u. E. E. TURNER, Soc. **1929**, 507.

[5] L. FRIEDMAN u. R. KOCA, J. Org. Chem. **33**, 1255 (1968).

[6] G. MARINO u. H. C. BROWN, Am. Soc. **81**, 5929 (1959).

phatischen Carbonsäure-halogeniden eindeutig in p-Stellung zur Methyl-Gruppe erfolgen[1].

2-Methyl-5-isopropyl-1-acetyl-benzol[2]: Zu einer Mischung aus 220 g (1,3 Mol) Eisen(III)-chlorid und 300 *ml* Schwefelkohlenstoff wird unter Rühren und Kühlung eine Mischung aus 132 g (1 Mol) 4-Methyl-1-isopropyl-benzol und 78 g (1 Mol) Acetylchlorid derart getropft, daß die Temp. des Reaktionsgemisches nicht über $+5°$ steigt. Nach Stehen über Nacht bei Raumtemp. wird auf eiskalte Salzsäure ausgetragen und mit Äther extrahiert. Die ätherische Lösung wird neutral gewaschen, getrocknet und destilliert; Ausbeute: 85 g (41 % d. Th.); Kp_{17}: 125–128°.

Wenn man die Reaktion in gleicher Art und Weise mit Aluminiumchlorid an Stelle von Eisen(III)-chlorid vornimmt[3], so erhält man ein Gemisch aus *2-Methyl-5-isopropyl-* und *2-Methyl-4-isopropyl-1-acetyl-benzol*. Derartige Isomerisierungen treten sehr leicht ein, wenn die verwendeten Substrate längere Alkyl-Reste enthalten und in Gegenwart von überschüssigem Aluminiumchlorid gearbeitet wird. Unter diesen Bedingungen entsteht z. B. aus *4-Methyl-1-tert.-butyl-benzol* und Acetylchlorid *2-Methyl-4-tert.-butyl-1-acetyl-benzol*[4] oder aus 1,4-Dibutyl-(2)-benzol und Acetylchlorid *2,4-Dibutyl-(2)-1-acetyl-benzol*[5]. Durch Arbeiten bei tiefen Temperaturen lassen sich diese Isomerisierungen nicht völlig unterdrücken. Als Ausweg bleibt nur die Verwendung von weniger aktiven Katalysatoren als Aluminiumchlorid wie z. B. die Verwendung von Eisen(III)-chlorid oder die Anwendung der Perrier-Variante der Keton-Synthese nach Friedel-Crafts.

Bei der Acetylierung von 4-Methyl-1-äthyl-, -1-propyl- oder -1-tert.-butyl-benzol in Gegenwart von Aluminiumchlorid wird häufig in geringen Mengen *4-Methyl-1-acetyl-benzol* als Nebenprodukt erhalten, das durch elektrophile Substitution des größeren Alkyl-Restes durch die Acetyl-Gruppe entsteht. Derartige Entalkylierungen werden z. B. auch als Nebenreaktion bei Acylierungen von 1,4-Dibutyl-benzol, 1,4-Dibutyl-(2)-benzol oder 1,4-Dipentyl-(2)-benzol beobachtet und zwar insbesondere dann, wenn die Umsetzungen bei höheren Temperaturen vorgenommen werden. Wenn 1,4-Di-tert.-butyl-benzol in siedendem Schwefelkohlenstoff in Gegenwart von Aluminiumchlorid mit Acetylchlorid umgesetzt wird, erhält man *4-tert.-Butyl-1-acetyl-benzol* mit 72% Ausbeute[6].

Indan und Tetralin verhalten sich als o-disubstituierte Benzol-Kohlenwasserstoffe bei Keton-Synthesen nach Friedel-Crafts ähnlich wie o-Xylol, d.h. Acyl-Gruppen treten in 5- bzw. 6-Stellung ein:

[1] A. CLAUS, J. pr. [2] **47**, 420 (1893).

[2] D. V. NIGHTINGALE u. J. M. SHACKELFORD, Am. Soc. **78**, 133 (1956).

[3] C. F. H. ALLEN in: *Organic Syntheses*, Coll. Vol. II, S. 3, John Wiley & Sons, Inc., New York 1943.

[4] E. P. TAYLOR u. G. E. WATTS, Soc. **1952**, 5054.

[5] D. V. NIGHTINGALE u. H. B. HUCKER, J. Org. Chem. **18**, 1529 (1953).

[6] G. F. HENNION u. S. F. DE C. McLEESE, Am. Soc. **64**, 2421 (1942).

5-Acetyl-indan[1]: 12 g (0,09 Mol) Aluminiumchlorid werden mit 100 g Schwefelkohlenstoff überschichtet. Unter Eiskühlung wird dann eine Lösung von 10 g (0,085 Mol) Indan und 7 g (0,089 Mol) Acetylchlorid in 50 g Schwefelkohlenstoff zugetropft. Die Reaktion verläuft mäßig, es treten keine Verharzungserscheinungen auf. Man läßt noch 2 Stdn. unter gelegentlichem Umschütteln stehen, dann setzt man der Reaktionsmischung Eiswasser zu und führt eine Wasserdampfdestillation durch. Zunächst geht Schwefelkohlenstoff über, dann 5-Acetyl-indan als farblose, ziemlich stark lichtbrechende, angenehm pfefferminzähnlich riechende Flüssigkeit; es hinterbleibt nur ein ganz geringer Rückstand. Das wäßrige Destillat wird ausgeäthert, die ätherische Lösung trocknet man über Calciumchlorid. Nach dem Abdestillieren des Äthers wird i. Vak. fraktioniert; Ausbeute: 11,5 g (77% d. Th.); Kp_{11}: 134–135°.

Mit überschüssigem Acetylchlorid wird in Gegenwart von Aluminiumchlorid in 1,2-Dichlor-äthan bei Raumtemperatur ein Gemisch von Reaktionsprodukten erhalten, das neben *5-Acetyl-indan* noch *2,5-Diacetyl-inden* und *2,6-Diacetyl-inden* enthält[2]:

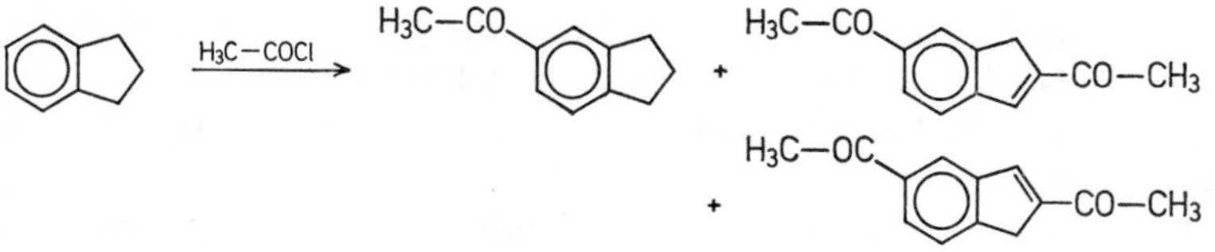

Bei der Acetylierung von Indanen, die am aromatischen Kern tertiäre Butyl-Gruppen tragen, tritt leicht Entalkylierung ein. So erhält man z.B. aus 1,1,3,3-Tetramethyl-5-tert.-butyl-indan bei Raumtemperatur in Nitrobenzol in Gegenwart von Aluminiumchlorid *1,1,3,3-Tetramethyl-5-acetyl-indan*, wenn man ein Gemisch aus Acetylchlorid und Substrat zutropft[3]. Selbst beim Arbeiten bei −15 bis −18° tritt Isomerisierung ein.

Die Acetylierung von 5-tert.-Butyl-indan verläuft nach der Perrier-Variante der Keton-Synthese nach Friedel-Crafts ohne Komplikationen.

6-tert.-Butyl-4-acetyl-indan[4]: 261 g (1,5 Mol) 5-tert.-Butyl-indan werden innerhalb 2 Stdn. zu einer bei 2–4° gerührten Lösung von 234 g (1,75 Mol) Aluminiumchlorid und 137,5 g (1,75 Mol) Acetylchlorid in 1 *l* Tetrachlormethan getropft. Man rührt noch 1 Stde. nach und arbeitet dann in üblicher Art und Weise auf; Ausbeute: 181 g (56% d.Th.); Kp_4: 139–141°; F: 39,6–40,1 (aus Methanol).

1,1-Dimethyl-6-tert.-butyl-4-acetyl-indan[5]: Eine Lösung von 173 g (2,22 Mol) Acetylchlorid in 808 g 1,1-Dimethyl-6-tert.-butyl-indan wird innerhalb von 5½ Stdn. unter gutem Rühren mit einem der Gefäßwand anliegenden Rührer zu einer auf −15 bis −18° abgekühlten Suspension von 268 g (2 Mol) Aluminiumchlorid in 808 g 1,1-Dimethyl-6-tert.-butyl-indan gegeben. Nachdem das Gemisch 7 Stdn. bei der gleichen Temp. weitergerührt worden ist, wird die Reaktionslösung auf Eis gegossen, neutral gewaschen und i. Vak. destilliert. Es werden erhalten: 1278 g *1,1-Dimethyl-6-tert.-butyl-indan* ($Kp_{0,6}$: 78°) und *1,1-Dimethyl-6-tert.-butyl-4-acetyl-indan* ($Kp_{0,6}$: 117°), das aus Methanol umkristallisiert wird; Ausbeute: 330 g (67,7% d. Th. bez. auf eingesetztes Aluminiumchlorid); F: 77,2–77,7°.

Tetralin verhält sich bei Keton-Synthesen nach Friedel-Crafts ähnlich wie Indan, d.h. normalerweise erfolgt Acylierung in 6-Stellung, mit überschüssigem Acetylchlorid wird in Gegenwart von Aluminiumchlorid *3,6-Diacetyl-1,2-dihydro-naphthalin* gebildet.

---

[1] J. v. Braun, G. Kirschbaum u. H. Schuhmann, B. **53**, 1163 (1920).
[2] G. Baddeley, E. Wrench u. R. Williamson, Soc. **1953**, 2110.
[3] S. H. Weber et al., R. **75**, 1433 (1956).
[4] M. G. S. Beets, H. van Essen u. W. Meersburg, R. **77**, 854 (1958).
[5] C. Ferrero u. R. Helg, Helv. **42**, 2117 (1959).

6-Acetyl-tetralin[1]: 96,5 g (0,73 Mol) Tetralin und 76,3 g (0,97 Mol) Acetylchlorid werden innerhalb von 2 Stdn. zu einer eiskalten, gut gerührten Mischung von 111 g (0,83 Mol) Aluminiumchlorid und 630 ml Schwefelkohlenstoff getropft. Man läßt die Temp. der Reaktionsmischung bis auf Zimmertemp. steigen und rührt noch weitere 2 Stdn. Dann wird unter lebhaftem Rühren verd. Salzsäure zugegeben, bis sich 2 Schichten bilden. Aus der organischen Schicht wird eine Fraktion von 118,4 g (Kp$_{14}$: 105–160°) isoliert, die an einer Vigreux-Kolonne von 30 cm Länge fraktioniert wird; Ausbeute: 100,6 g (79% d. Th.); nach 2maligem Umlösen aus Leuchtpetroleum; Kp$_9$: 150°; F: –12,1°.

3,6-Diacetyl-1,2-dihydro-naphthalin[2]: 26 g (0,197 Mol) Tetralin werden zu einer Mischung aus 112 g (0,84 Mol) Aluminiumchlorid, 48 g (0,61 Mol) Acetylchlorid und 75 ml 1,2-Dichlor-äthan gegeben. Wenn die lebhafte Reaktion bei Raumtemp. beendet ist, wird 1,2-Dichlor-äthan i. Vak. abdestilliert, der Rückstand 2 Stdn. auf 100° erhitzt und aufgearbeitet; Ausbeute: 18 g (43% d. Th.); Kp$_{0,12}$: 190–200°.

Wenn die 6-Stellung des Tetralins durch Alkyl-Reste blockiert ist, tritt die Acyl-Gruppe in 7-Stellung ein[3]; sind 6- und 7-Stellung besetzt, so erfolgt Acylierung in 5-Stellung[4].

Trialkyl-benzole lassen sich sehr leicht mit aliphatischen Carbonsäure-halogeniden nach Friedel-Crafts acylieren. Dabei entsteht z.B. aus 1,2,3-Trimethyl-benzol und Acetylchlorid in Petroläther in Gegenwart von Aluminiumchlorid ein Gemisch aus *2,3,4-* und *3,4,5-Trimethyl-1-acetyl-benzol*, wobei die letztgenannte Verbindung überwiegt[5]:

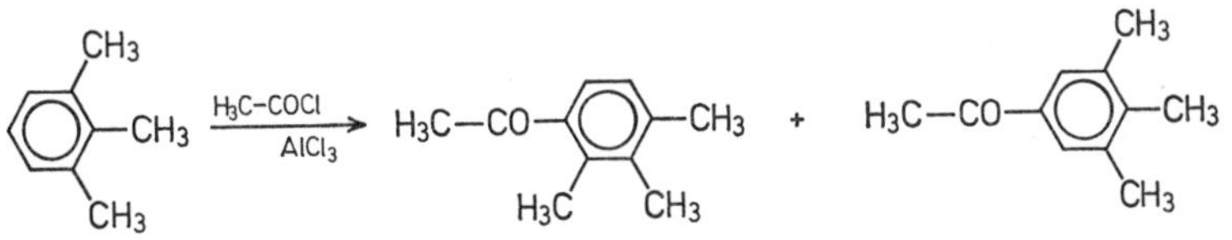

Bei 1,2,4-Trialkyl-benzolen treten die Acyl-Reste allgemein in 5-Stellung ein, es entstehen also 2,4,5-Trialkyl-1-acetyl-benzole:

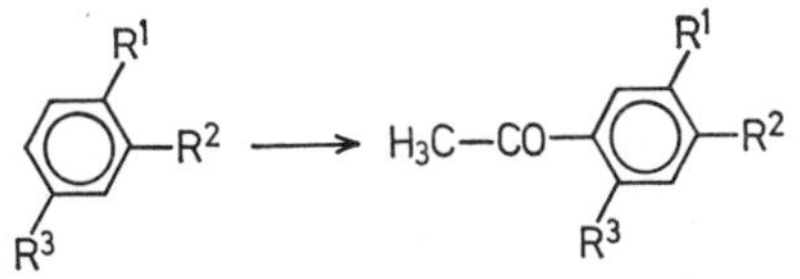

Einige dieser Verbindungen sind in Tab. 5 (S. 34) zusammengestellt.

Bei der Umsetzung von 2-Methyl-5-isopropyl-1-[2-methyl-butyl-(2)]-benzol mit Acetylchlorid in Nitrobenzol tritt in Gegenwart von Aluminiumchlorid Abspaltung einer Alkyl-Gruppe ein[6].

[1] C. M. STAVELEY u. S. C. SMITH, J. Inst. Petrol. **42**, 60 (1956).
[2] G. BADDELEY, E. WRENCH u. R. WILLIAMSON, Soc. **1953**, 2113.
[3] P. KARRER u. E. EPPRECHT, Helv. **23**, 272 (1940).
[4] K. FLEISCHER u. F. SIEFERT, B. **53**, 1255 (1920).
[5] N. P. BUU-HOÏ, P. JACQUIGNON u. O. ROUSSEL, Bl. **1965**, 322.
[6] S. H. WEBER, D. B. SPOELSTRA u. E. H. POLAK, R. **74**, 1192 (1955).

Tab. 5. Trialkyl-acetyl-benzole aus Acetylchlorid/Aluminiumchlorid und alkylierten Benzolen

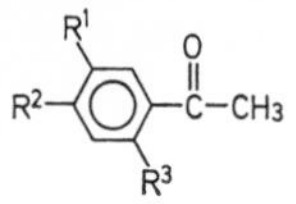

R^1	R^2	R^3		Ausbeute [% d.Th.]	Kp [°C]	Kp [Torr]	Literatur
CH$_3$	CH$_3$	CH$_3$	2,4,5-Trimethyl-1-acetyl-benzol	95	130	15	1
CH$_3$	C$_2$H$_5$	CH$_3$	2,5-Dimethyl-4-äthyl-1-acetyl-benzol	44	145–147	19	2
C$_2$H$_5$	CH$_3$	CH$_3$	2,4-Dimethyl-5-äthyl-1-acetyl-benzol	86	147,5–149	25	3
CH$_3$	C$_3$H$_7$	CH$_3$	2,5-Dimethyl-4-propyl-1-acetyl-benzol		146–147	17	4
CH$_3$	i-C$_3$H$_7$	CH$_3$	2,5-Dimethyl-4-isopropyl-1-acetyl-benzol		151	21	4
CH$_3$	CH$_3$	C$_3$H$_7$	4,5-Dimethyl-2-propyl-1-acetyl-benzol		150–151	25	4
C$_3$H$_7$	CH$_3$	CH$_3$	2,4-Dimethyl-5-propyl-1-acetyl-benzol		142–144	16	4
CH$_3$	H$_3$C–CH–CH$_2$– (CH$_3$)	CH$_3$	2,5-Dimethyl-4-(2-methyl-propyl)-1-acetyl-benzol		150	17	4
C$_2$H$_5$	C$_2$H$_5$	C$_2$H$_5$	2,4,5-Triäthyl-1-acetyl-benzol		151–152	17	5
i-C$_3$H$_7$	i-C$_3$H$_7$	i-C$_3$H$_7$	2,4,5-Triisopropyl-1-acetyl-benzol	62,1	156–162 (F: 106–107°)	25	6

2,4,5-Trialkyl-1-acetyl-benzole lassen sich übrigens durch Erhitzen mit einer Mischung aus Aluminiumchlorid und Natriumchlorid auf 140° zu 3,4,5-Trialkyl-1-acetyl-benzolen isomerisieren[7]. Auf diese Weise entsteht aus 2,4,5-Trimethyl-1-acetyl-benzol *3,4,5-Trimethyl-1-acetyl-benzol* (79% d.Th.) oder aus 2,5-Dimethyl-4-äthyl-1-acetyl-benzol *3,5-Dimethyl-4-äthyl-1-acetyl-benzol* (73% d.Th.):

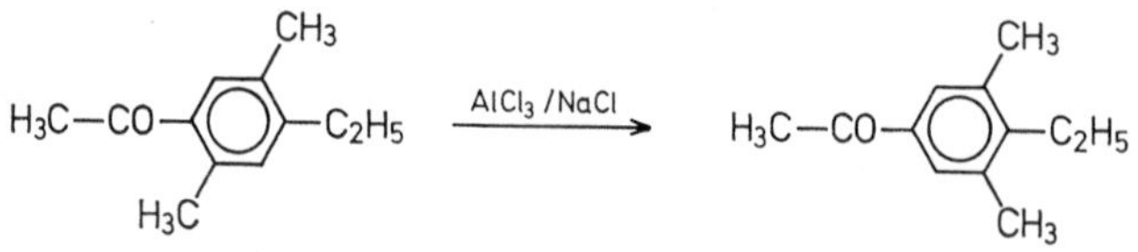

[1] C. WILLGERODT u. T. SCHOLTZ, J. pr. [2] **81**, 388 (1910).
[2] M. FREUND u. K. FLEISCHER, A. **414**, 39 (1918).
[3] H. PINES u. J. T. ARRIGO, Am. Soc. **80**, 4369 (1958).
[4] G. BADDELEY u. S. VARMA, Soc. **1957**, 2727.
[5] A. KLAGES u. R. KEIL, B. **36**, 1633 (1903).
[6] V. V. KORSHAK u. N. G. MATVEEVA, Izv. Akad. Nauk SSSR **1953**, 547; C. A. **48**, 9918 (1954).
[7] G. BADDELEY u. S. VARMA, Soc. **1957**, 2727.

Wenn höhere Alkyl-Reste vorhanden sind, werden diese zumindest teilweise bei der Isomerisierung abgespalten. So erhält man z.B. aus 2,5-Dimethyl-4-propyl-1-acetyl-benzol 35% *3,5-Dimethyl-1-acetyl-benzol* und 39% *3,5-Dimethyl-4-propyl-1-acetyl-benzol*:

$$H_3C-CO-C_6H_2(CH_3)_2-C_3H_7 \xrightarrow{AlCl_3 / NaCl} H_3C-CO-C_6H_2(CH_3)_2-C_3H_7$$

$$+ \quad H_3C-CO-C_6H_3(CH_3)_2$$

Die Acylierung von 1,3,5-Trialkyl-benzolen erfolgt eindeutig, da alle Positionen, in denen der Acyl-Rest eintreten kann, gleichwertig sind[1]. Bei 1,3,5-Trialkyl-benzolen mit unterschiedlichen Alkyl-Resten scheint der Acyl-Rest in die sterisch am wenigsten behinderte Position einzutreten. So entsteht aus 3,5-Dimethyl-1-tert.-butyl-benzol und Acetylchlorid *2,6-Dimethyl-4-tert.-butyl-1-acetyl-benzol*[2]. Auch die Acylierung sterisch stark beanspruchter 1,3,5-trisubstituierter Benzole gelingt. So kann aus 1,3,5-Tricyclohexyl-benzol mit hohen Ausbeuten *2,4,6-Tricyclohexyl-1-acetyl-benzol* erhalten werden[3]. Durch einen Überschuß an Acetylierungsmittel können aus 1,3,5-Trimethyl-benzol[4] oder 1,3,5-Triäthyl-benzol[5] leicht *2,4,6-Trimethyl-1,3-diacetyl-benzol* bzw. *2,4,6-Triäthyl-1,3-diacetyl-benzol* erhalten werden.

Auch die Acylierung von Tetraalkyl-benzolen mit aliphatischen Carbonsäure-halogeniden nach Friedel-Crafts verläuft sehr leicht. Man erhält aus 1,2,3,4-Tetra-methyl-benzol glatt *2,3,4,5-Tetramethyl-1-acetyl-benzol*[6]. 1,2,3,4,5,6,7,8-Octahydro-phenanthren ergibt bei −15° mit nahezu quantitativer Ausbeute z.B. *9-Acetyl-* oder *9-Propionyl-1,2,3,4,5,6,7,8-octahydro-phenanthren*[7]. Beim 1,2,3,5-Tetramethyl-benzol sind sowohl *2,4,5,6-Tetramethyl-1-acetyl-* als auch *-1,3-diacetyl-benzol* hergestellt worden[8]. Auch beim 1,2,4,5-Tetramethyl-benzol kann man leicht *2,3,5,6-Tetramethyl-1-acetyl-* bzw. *-1,4-diacetyl-benzol* erhalten.

2,3,5,6-Tetramethyl-1-acetyl-benzol[9]: Zu einer bei 5° gerührten Mischung aus 587 g (4,4 Mol) Aluminiumchlorid und 1,2 *l* Tetrachlormethan werden innerhalb 1 Stde. 314 g (4 Mol) Acetylchlorid getropft. Man verrührt eine weitere Stde. und läßt innerhalb 1 Stde. bei 0–10° eine Lösung von 536 g (4 Mol) 1,2,4,5-Tetramethyl-benzol in 1,2 *l* Tetrachlormethan zulaufen. Man rührt die Reaktionsmischung 2 Stdn. bei 0–10° und während 2 weiteren Stdn. bei 20–30°; dann trägt man auf eine Mischung aus 480 *ml* konz. Salzsäure und 1,4 kg zerstoßenem Eis

[1] W. H. PERKIN u. R. A. B. TAPLEY, Soc. **125**, 2430 (1924).
    P. H. GORE, J. A. HOSKINS u. S. THORBURN, Soc. [B] **1970**, 1343.
[2] M. S. SCHLATTER, Am. Soc. **76**, 4955 (1954).
[3] V. PRELOG et al., Helv. **39**, 1092 (1956).
[4] V. MEYER, B. **29**, 1413 (1896).
    P. H. GORE u. J. A. HOSKINS, Soc. **1970**, 517.
[5] L. GATTERMANN, S. FRITZ u. K. BECK, B. **32**, 1125 (1899).
[6] A. CLAUS u. E. FRÖHLICH, J. pr. [2] **38**, 231 (1888).
[7] J. VAN DE KAMP u. E. MOSETTIG, Am. Soc. **57**, 1108 (1935).
[8] F. BAUM u. V. MEYER, B. **28**, 3213 (1895).
    V. MEYER, B. **29**, 848 (1896).
[9] M. LUKIN u. B. B. CORSON, J. Org. Chem. **23**, 1007 (1958).

aus. Die organische Phase wird abgetrennt, mit 5%iger Natriumcarbonat-Lösung und dann mit Wasser gewaschen und getrocknet. Nach dem Abdestillieren des Tetrachlormethans wird i. Vak. destilliert; Ausbeute: 565 g (80% d. Th.); Kp$_9$: 129–140°; F: 69–72°; Kp$_9$: bei einem Rücklaufverhältnis von 5 : 1 128–132°; F: 72,92° (aus Petroläther, Kp: 40–80°).

2,3,5,6-Tetramethyl-1,4-diacetyl-benzol[1]: Zu einer bei 25° gerührten Mischung von 4,5 l Schwefelkohlenstoff und 900 g (6,72 Mol) Aluminiumchlorid werden innerhalb 30 Min. 375 g (4,77 Mol) Acetylchlorid getropft. Man rührt noch 1 Stde. und fügt dann 150 g (1,1 Mol) 1,2,4,5-Tetramethyl-benzol hinzu, kocht das Reaktionsgemisch 1 Stde. unter Rückfluß und destilliert dann den Schwefelkohlenstoff ab. Den Destillationsrückstand trägt man in eine Mischung aus 300 ml konz. Salzsäure und 4,5 kg zerstoßenem Eis aus. Die wäßrige Suspension wird 3 Stdn. lang auf einem Dampfbad digeriert, abgekühlt und abgesaugt. Der Filterkuchen wird mit Wasser gewaschen und dann aus Methanol umgelöst; Ausbeute: 89 g (37% d. Th.); F: 182,5–183°.

Ähnlich wie man z. B. 2,4,5-Trimethyl-1-acetyl-benzol in einer Aluminiumchlorid-Natriumchlorid-Schmelze zu *3,4,5-Trimethyl-1-acetyl-benzol* isomerisieren kann, lagert sich 2,3,5,6-Tetramethyl-1-acetyl-benzol zu *2,3,4,5-Tetramethyl-1-acetyl-benzol* um.

2,3,4,5-Tetramethyl-1-acetyl-benzol[1]: Eine Mischung aus 323 g (1,84 Mol) 2,3,5,6-Tetramethyl-1-acetyl-benzol, 645 g (4,84 Mol) Aluminiumchlorid und 43 g Natriumchlorid wird bei 90° während 2 Stdn. verrührt. Die Reaktionsmischung trägt man in eine Mischung aus 500 ml konz. Salzsäure und 2 kg zerstoßenem Eis aus. Man versetzt diese Mischung mit soviel Äther, daß sich 2 Schichten bilden, trennt die organische Phase ab und wäscht sie zuerst mit Wasser, dann mit 5%iger Natriumcarbonat-Lösung und schließlich noch 1 mal mit Wasser. Nach dem Trocknen wird der Äther abdestilliert. Der Destillationsrückstand geht bei 10 Torr bei 125–150° über. Nach nochmaliger Destillation über eine Kolonne erhält man 228 g (71% d. Th.); Kp$_{10}$: 141–142°; F: 11,52°.

Die Acylierung von Pentaalkyl-benzolen mit aliphatischen Carbonsäure-halogeniden erfolgt ebenfalls sehr leicht; so werden mit Acetylchlorid in Schwefelkohlenstoff in Gegenwart von Aluminiumchlorid aus Pentamethyl-benzol *Pentamethyl-acetyl-benzol*[2] und aus 2,4,6-Trimethyl-1,3-diäthyl-benzol *2,4,6-Trimethyl-3,5-diäthyl-1-acetyl-benzol*[3] mit hohen Ausbeuten erhalten.

Auch Hexaalkyl-benzole lassen sich nach Friedel-Crafts mit aliphatischen Carbonsäure-halogeniden zu Alkyl-aryl-ketonen umsetzen[4]. Da die Reaktion nur unter Entalkylierung verlaufen kann, werden relativ drastische Reaktionsbedingungen angewendet.

Pentapropyl-acetyl-benzol[5]: 8,27 g (25 mMol) Hexapropyl-benzol, 2,04 g (26 mMol) Acetylchlorid und 3,67 g (27,5 mMol) wasserfreies Aluminiumchlorid werden nach 30 Min. Rühren bei 0° 4½ Stdn. unter Rückfluß gekocht. Nach Zers. des tiefbraunen Reaktionsgemisches durch Eis-Salzsäure werden durch Ausäthern 9,5 g verfilzte Nadeln erhalten. Behandlung mit Aktivkohle und 3 malige Umkristallisation aus Äthanol liefern 4,45 g (53,8% d. Th.); F: 83–84° (schneeweiße Nadeln).

Aus den Mutterlaugen wurden noch 0,72 g unreines Produkt gewonnen.

Analog kann unter Verwendung von Propionylchlorid *Pentapropyl-propionyl-benzol* (59,2% d.Th.; F: 101,5°) erhalten werden.

Diphenyl-alkane verhalten sich bei Acylierungen mit aliphatischen Carbonsäure-halogeniden nach Friedel-Crafts wie Alkyl-benzole; die Alkylen-Brücke isoliert die beiden Kerne voneinander, so daß entsprechend den Reaktionsbedingungen leicht

[1] M. Lukin u. B. B. Corson, J. Org. Chem. **23**, 1007 (1958).
[2] O. Jakobsen, B. **22**, 1228 (1889).
[3] E. Philippi u. G. Rie, M. **42**, 7 (1921).
[4] H. Hopff u. A. K. Wick, Helv. **43**, 1473 (1961).
[5] H. Hopff u. A. Gati, Helv. **48**, 625 (1965).

Mono- oder Di-acyl-Derivate erhalten werden können. Bei der Acetylierung von Diphenylmethan wurden neben *4-Benzyl-1-acetyl-benzol* geringe Mengen an *Acetophenon* und *x,y-Dibenzyl-1-acetyl-benzol* isoliert[1], die durch Transalkylierung durch freies Aluminiumchlorid entstanden sein dürften. 1,1-Diphenyl-propan läßt sich nach der Perrier-Methode in Tetrachlormethan mit Acetylchlorid definiert in eine Monoacetyl-Verbindung überführen [*2-Phenyl-1-(x-acetyl-phenyl)-äthan*[2]]. Ebenso erhält man aus 1,2-Diphenyl-äthan *2-Phenyl-1-(4-acetyl-phenyl)-äthan*[3] und *1,2-Bis-[4-acetyl-phenyl]-äthan*[4].

Auch Alkyl-benzole mit Substituenten an den Alkyl-Gruppen lassen sich mit aliphatischen Carbonsäure-halogeniden nach Friedel-Crafts acylieren. Dabei ist zu beachten, daß mindestens zwei Mol Aluminiumchlorid pro Mol der umzusetzenden Verbindung verwendet werden müssen, wenn diese Atomgruppierungen besitzt, die mit Aluminiumchlorid Komplexe bilden. Wenn die Alkyl-Gruppe zwischen dem Phenylkern und dem Substituenten nur aus einer Methylen-Gruppe besteht, übt der Substituent einen starken Einfluß auf die Reaktionsfähigkeit des Phenylkernes aus. So gelingt z.B. die Einführung von Acetyl-Gruppen in ω-Nitrotoluol nicht[5]. Bei der Umsetzung von 2-Nitro-1-phenyl-äthan mit Acetylchlorid entstehen nebeneinander zwei Isomere:

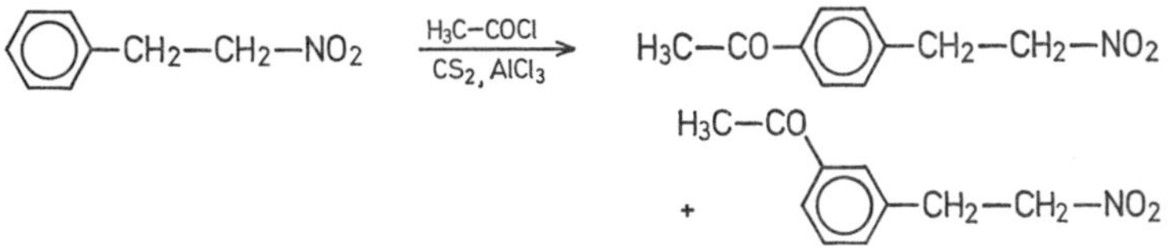

4-(2-Nitro-äthyl)-1-acetyl-benzol[5]: 7,55 g (0,05 Mol) 2-Nitro-1-phenyl-äthan, 50 *ml* Schwefelkohlenstoff, 7,9 g (0,1 Mol) Acetylchlorid und 26,6 g (0,2 Mol) Aluminiumchlorid werden 14 – 16 Stdn. bei Raumtemp. verwahrt. Man erhitzt die Reaktionsmischung dann noch einige Stdn. auf dem Wasserbad zum gelinden Sieden und zerlegt das Reaktionsgemisch nach dem Abkühlen wie üblich mit Eis und Salzsäure. Aus der abgetrennten organischen Phase wird der Schwefelkohlenstoff mit Dampf abgetrieben. Das mit Wasserdampf nicht flüchtige Reaktionsprodukt wird in Äther aufgenommen und nach dem Trocknen über Calciumchlorid mehrfach i. Vak. destilliert. Es werden 7,25 g eines hellgelben Öles (Kp$_{0,5}$: 166–170°) erhalten, das aus einem Gemisch aus *4-* und *3-(2-Nitro-äthyl)-1-acetyl-benzol* besteht. Nach mehrtägigem Aufbewahren im Eisschrank erstarrt es teilweise. Durch Aufstreichen auf eisgekühlte Tonplatten werden daraus 4,3 g (44% d. Th.) *4-(2-Nitro-äthyl)-1-acetyl-benzol* isoliert.

Zur Reinigung wird es in wenig Äther gelöst; die Lösung verd. man mit viel Petroläther (Kp: 40°). Das Keton kristallisiert beim Aufbewahren im Eisschrank in farblosen Nadeln (F: 29°) aus.

Aus 3-Nitro-1-phenyl-propan entsteht analog einheitliches *4-(3-Nitro-propyl)- 1-acetyl-benzol*[5].

---

[1] H. Duval, C. r. **146**, 341 (1908); Bl. [4] **7**, 789 (1910).

[2] R. Y. Levina, Y. S. Shabarov u. I. M. Shanazarova, Ž. obšč. Chim. **29**, 44 (1959); engl.: 44.

[3] N. P. Buu-Hoi u. R. Royer, Bl. **1947**, 820.

[4] W. C. S. Ross, Soc. **1945**, 536.

[5] W. Borsche u. F. Sinn, A. **553**, 261 (1942).

Phenyl-acetonitril läßt sich mit Acetylchlorid in Schwefelkohlenstoff in Gegenwart von Aluminiumchlorid acylieren; dabei entstehen (*4-* und *3-Acetyl-phenyl*)-*acetonitril* nebeneinander[1]:

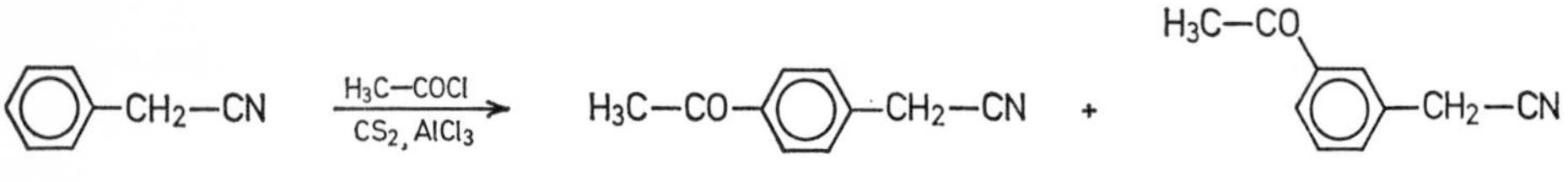

Da (4-Acetyl-phenyl)-acetonitril kristallin erhalten werden kann, läßt es sich leicht rein herstellen. Dagegen verläuft die Acetylierung von 3-Phenyl-propansäure-nitril glatt und einheitlich zu *3-(4-Acetyl-phenyl)-propansäure-nitril*[2]. Auch bei der Acetylierung von 1-Oxo-1,2-diphenyl-äthan entstehen nebeneinander zwei Isomere[2]. Bei der Umsetzung von Phenyl-essigsäure-methylester mit Acetylchlorid in Schwefelkohlenstoff in Gegenwart von Aluminiumchlorid isoliert man (*4-Acetyl-phenyl*)-*essigsäure-methylester*.

(4-Acetyl-phenyl)-essigsäure-methylester[3]: Zu einer gerührten Suspension von 293 g (2,2 Mol) Aluminiumchlorid in 600 *ml* Schwefelkohlenstoff werden bei 0° 150 g (1 Mol) Phenyl-essigsäuremethylester getropft. Es entstehen 2 flüssige Schichten; man tropft dann zur Reaktionsmischung innerhalb von 90 Min. 94 g (1,2 Mol) Acetylchlorid und erhitzt anschließend 10 Stdn. unter Rückfluß. Man trägt das Reaktionsgemisch auf 2 kg Eis und 1 *l* konz. Salzsäure aus. Die organische Phase wird abgetrennt und mit 10%iger Salzsäure, dann mit 10%iger Natriumcarbonat-Lösung und anschließend mit Wasser gewaschen, getrocknet und fraktioniert; Ausbeute: 128 g (0,66 Mol; 66% d. Th.); $Kp_{0,5}$: 136°.

Im Gegensatz zu älteren Arbeiten[2] wird bei der Acetylierung von Phenyl-essigsäure-äthylester mit Acetylchlorid unter analogen Bedingungen ein Gemisch aus (*4-Acetyl-*, *3-Acetyl-* und *2-Acetyl-phenyl*)-*essigsäure-äthylester* erhalten[4]. Dagegen verläuft die Acetylierung von 3-Phenyl-propansäure-methylester[5] oder von 4-Phenyl-butansäure-äthylester[5] einheitlich und mit hohen Ausbeuten zu *3-(4-Acetyl-phenyl)-propansäure-methylester* bzw. *4-(4-Acetyl-phenyl)-butansäure-äthylester*. Beim Versuch zur Acetylierung der freien 4-Phenyl-butansäure erfolgte Ringschluß zu *α-Tetralon*[5]. Auch 11-Phenyl-undecansäure-methylester läßt sich glatt zum *11-(4-Acetyl-phenyl)-undecansäure-methylester* acetylieren[6].

Die Acylierung von Alkyl-benzolen mit einem Chlor-Atom in einer Seitenkette verläuft meist mit hohen Ausbeuten, wenn zwischen dem Phenylkern und dem Chlor-Atom mindestens zwei Methylen-Gruppen liegen.

4-(2-Chlor-äthyl)-1-acetyl-benzol[7]: Eine Lösung von 16 g (0,2 Mol) Acetylchlorid und 15 g (0,11 Mol) Aluminiumclorid in 1,2-Dichlor-äthan wird zu einer Lösung von 13,5 g (0,096 Mol) 2-Phenyl-äthylchlorid in 1,2-Dichlor-äthan gegeben. Die Reaktion ist nach einigen Min. beendet; die Reaktionsmischung wird wie üblich aufgearbeitet; Ausbeute: 14 g (80% d. Th.); Kp_{15}: 168°.

Die in Tab. 6 (S. 39) zusammengestellten in der Aryl-Seitenkette chlorierten Methylketone werden durch Umsetzung der entsprechenden Benzol-Derivate (1 Mol) in Dichlormethan mit

---

[1] F. Kunckell, B. **39**, 3145 (1906).
[2] W. Borsche u. F. Sinn, A. **553**, 261 (1942).
[3] E. D. Bergmann u. S. Blum, J. Org. Chem. **24**, 550 (1959).
[4] D. Papa, E. Schwenk u. A. Klingsberg, Am. Soc. **68**, 2133 (1946).
[5] G. Baddeley u. R. Williamson, Soc. **1956**, 4647.
[6] US.P. 2 868 814 (1959), General Latex & Chemical Co., Erf.: A. I. Medalia u. H. H. Freedman; C. A. **53**, 11313 (1959).
[7] G. Baddeley, E. Wrench, R. Williamson, Soc. **1953**, 2110.

Tab. 6. 4-(x-Chlor-alkyl)-1-acetyl-benzole nach Friedel-Crafts[1]

Keton	Ausbeute [% d.Th.]	Kp	
		[°C]	[Torr]
4-(3-Chlor-butyl)-1-acetyl-benzol	12	175	12
4-(3-Chlor-2-methyl-propyl)-1-acetyl-benzol	84	170	12
4-(4-Chlor-butyl)-1-acetyl-benzol	75	185–190	12
4-(3-Chlor-pentyl)-1-acetyl-benzol	50	190	20
4-(4-Chlor-pentyl)-1-acetyl-benzol	65	195	23
4-(5-Chlor-pentyl)-1-acetyl-benzol	84	188	12

Lösungen von Aluminiumchlorid (1 Mol) und Acetylchlorid (1,5 Mol) in Dichlormethan erhalten; die Reaktion ist jeweils nach einigen Min. beendet. Die Reaktionsmischung wird zur Aufarbeitung mit Eis und Salzsäure versetzt, die organische Phase wird abgetrennt, gewaschen, über Natriumsulfat getrocknet und fraktioniert i. Vak. destilliert[2].

Bei einem Versuch zur Acetylierung von 2-Chlor-1-phenyl-propan wird kein destillierbares Reaktionsprodukt erhalten.

Ameisensäure-benzylamid (Benzyl-formyl-amid) läßt sich in p-Stellung zur Alkyl-Gruppe mit aliphatischen Carbonsäure-chloriden in Schwefelkohlenstoff unter Verwendung von 2,5 Mol Aluminiumchlorid pro Mol umzusetzender Verbindung gut acylieren[3]. Die Aufarbeitung der Reaktionsgemische kann so vorgenommen werden, daß **Alkyl-(aminomethyl-phenyl)-ketone** erhalten werden.

β_2) *substituierten Benzolkohlenwasserstoffen*

Die Acylierung von Halogen-benzolen mit aliphatischen Carbonsäure-halogeniden erfolgt in p-Stellung zum Halogenatom.

4-Fluor-acetophenon[4]: Zu einer Mischung von 30 g (0,31 Mol) Fluorbenzol, 25 g (0,32 Mol) Acetylchlorid und 100 *ml* Schwefelkohlenstoff fügt man unter Rühren 50 g (0,37 Mol) Aluminiumchlorid. Nach 24 stdgm. Rühren bei Zimmertemp. erhitzt man 1 Stde. auf dem Wasserbade. Man gießt dann in Wasser und arbeitet wie üblich auf; Ausbeute: 33 g (77% d. Th.); Kp: 196°.

4-Fluor-propiophenon[5]: In eine Mischung von 500 g Fluorbenzol und 185 g (2 Mol) Propionsäure-chlorid trägt man unter Rühren allmählich 300 g (3 Mol) Aluminiumchlorid ein; anschließend erwärmt man noch 1½ Stdn. auf dem Wasserbade. Man nimmt dann in Äther auf und schüttelt mit 2n Salzsäure aus. Nach dem Abdestillieren des Äthers wird i. Vak. fraktioniert destilliert. Nach Abnehmen eines unverändertes Fluorbenzol enthaltenden Vorlaufs geht zwischen 80° und 98° bei 12 Torr das Keton über, das nochmals destilliert wird; Ausbeute: 190 g (62,5% d. Th.); Kp$_{11}$: 95° (farbloses Öl).

In Tab. 7 (S. 40) sind einige Alkyl-(4-fluor-phenyl)-ketone zusammengestellt.

Da Chlorbenzol ein billiges Ausgangsmaterial ist, wird man Acylierungen dieser Verbindung mit aliphatischen Carbonsäure-halogeniden in Gegenwart von Aluminiumchlorid in überschüssigem Chlorbenzol vornehmen. Chlorbenzol ist ein oft an-

[1] G. Baddeley, E. Wrench u. R. Williamson, Soc. **1953**, 2110.
[2] G. Baddeley u. R. Williamson, Soc. **1956**, 4697.
[3] M. Ishidate u. T. Nambara, Pharm. Bull. (Tokyo) **1**, 290 (1953).
[4] N. P. Buu-Hoi, N. Hoan u. P. Jacquignon, R. **58**, 784 (1949).
[5] K. Kraét u. F. Dengel, B. **85**, 580 (1952).

Tab. 7. Alkyl-(4-fluor-phenyl)-ketone durch Acylierung von Fluor-benzol

$F-\bigcirc-\overset{O}{\overset{\|}{C}}-R$ R		Ausbeute [% d.Th.]	Kp		F [°C]	Literatur
			[°C]	[Torr]		
—C$_3$H$_7$	4-Fluor-1-butanoyl-benzol	78	102–105	9	39	1
—C$_4$H$_9$	4-Fluor-1-pentanoyl-benzol	83	86–90	1,3	27	2
CH$_3$ | —CH$_2$—CH—CH$_3$	4-Fluor-1-(3-methyl-butanoyl)-benzol	68	117–118	15	—	2
—C$_5$H$_{11}$	4-Fluor-1-hexanoyl-benzol	83	118–122	5	45–46	2
—C$_6$H$_{13}$	4-Fluor-1-heptanoyl-benzol	83	127–130	5	36–37	2

gewandtes, indifferentes Reaktionsmedium bei der Acylierung solcher Aromaten, die erhöht elektrophil sind, z.B. Toluol, m-Xylol, Tetralin, Naphthalin und Phenole.

Alkyl-(4-chlor-phenyl)-ketone; allgemeine Arbeitsvorschrift[3]: 0,2 Mol aliphatisches Säurechlorid werden in 200 ml trockenem Chlorbenzol gelöst; man versetzt unter Rühren mit 0,25 Mol Aluminiumchlorid und rührt noch 2 Stdn. bei 20–22° und 1 Stde. bei 100°. Man gießt die Reaktionsmischung in 1 l kaltes Wasser und destilliert das überschüssige Chlorbenzol mit Wasserdampf ab. Nach dem Abkühlen des Rückstandes saugt man das abgeschiedene Keton ab, trocknet es an der Luft und löst es anschließend aus Methanol oder Äthanol um. Bei den niederen Gliedern der Reihe kann man die Aufarbeitung auch so vornehmen, daß man nach dem Eingießen der Reaktionsmischung in Wasser die organische Phase abtrennt, mit Natriumcarbonat-Lösung und Wasser wäscht und nach dem Trocknen über Calciumchlorid das überschüssige Chlorbenzol bei Normaldruck abdestilliert. Den Rückstand destilliert man dann im Vakuum.

In Tab. 8 (S. 41) sind einige Alkyl-(4-chlor-phenyl)-ketone zusammengestellt, die nach der oben angegebenen Vorschrift erhalten werden.

Bei der Umsetzung von Brom-benzol oder Jod-benzol mit aliphatischen Carbonsäure-halogeniden in Gegenwart von Aluminiumchlorid benutzt man Schwefelkohlenstoff als Lösungsmittel. Die Reihenfolge des Zusammengebens der Reaktionspartner kann variieren.

4-Brom-acetophenon[4]: Zu 160 g (1,2 Mol) Aluminiumchlorid, die mit 250 g Schwefelkohlenstoff bedeckt sind, wird eine Mischung aus 156 g (1 Mol) Brom-benzol und 94 g (1,2 Mol) Acetylchlorid getropft. Beim Erwärmen der Mischung tritt die erwartete Reaktion ein. Man destilliert den Schwefelkohlenstoff ab und erhitzt den Rückstand bis auf 70°. Die heiße Reaktionsmischung wird auf Eiswasser ausgetragen. Das kristallin abgeschiedene Reaktionsprodukt wird abgesaugt, gewaschen, getrocknet und destilliert; Ausbeute 156 g (78% d. Th.); Kp$_{10}$: 113–114°; F: 51–52°.

Mit einer Ausbeute von 70% d.Th. wurde diese Verbindung auch nach der Perrier-Modifikation der Keton-Synthese nach Friedel-Crafts erhalten[5].

---

[1] H. Oelschläger u. P. Schmersahl, Ar. **296**, 332 (1963).
[2] A. de Rocker u. P. de Radzitzky, Bl. Soc. chim. Belges **72**, 195 (1963).
[3] L. N. Nikolenko u. K. K. Babiersky, Ž. obšč. Chim. **25**, 2231 (1955); C. A. **50**, 9314 (1956).
L. N. Nikolenko et. al., Ž. obšč. Chim. **30**, 1028 (1960); engl.: 1042.
[4] E. Matsui, J. Soc. chem. Ind. Japan, **45**, 413 B (1942).
[5] W. S. Hale u. L. Thorp, Am. Soc. **35**, 267 (1913).

Tab. 8. Alkyl-(4-chlor-phenyl)-ketone durch Acylierung von Chlorbenzol

R $Cl-\langle\bigcirc\rangle-\overset{O}{\underset{\parallel}{C}}-R$		Ausbeute [% d.Th.]	Kp		F [°C]	Literatur
			[°C]	[Torr]		
—CH₃	4-Chlor-acetophenon	64	100	8	18	1
—C₂H₅	4-Chlor-propiophenon	58	—		34–35	2,3
—C₃H₇	4-Chlor-1-butanoyl-benzol	65	253–254		61,5–62	4
—C₄H₉	4-Chlor-1-pentanoyl-benzol	80	—		32–32,5	2
—C₅H₁₁	4-Chlor-1-hexanoyl-benzol	77	136	3	50-50,5	1
—C₆H₁₃	4-Chlor-1-heptanoyl-benzol	94	—		64,5–65,5	2
—C₇H₁₅	4-Chlor-1-octanoyl-benzol	76,3	192,5	15	57,5	1
—C₈H₁₇	4-Chlor-1-nonanoyl-benzol	97	—		58–58,5	2
—C₉H₁₉	4-Chlor-1-decanoyl-benzol	97	—		48–49	2
—C₁₀H₂₁	4-Chlor-1-undecanoyl-benzol	98	—		46,5–47	2
—C₁₁H₂₃	4-Chlor-1-dodecanoyl-benzol	99,2	215	15	57,5–58	1
—C₁₃H₂₇	4-Chlor-1-tetradecanoyl-benzol	99	230	5	64,5–65	1,2
—C₁₄H₂₉	4-Chlor-1-pentadecanoyl-benzol	81	—		51,5–52	2
—C₁₅H₃₁	4-Chlor-1-hexadecanoyl-benzol	91	—		69,5–70	2
—C₁₇H₃₅	4-Chlor-1-octadecanoyl-benzol	97	—		73–73,5	1

4-Brom-1-butanoyl-benzol[5]: Zu 94 g (0,6 Mol) Brom-benzol und 26,7 g (0,2 Mol) Aluminiumchlorid in 200 ml Schwefelkohlenstoff werden in 1 Stde. 21,5 g (0,2 Mol) Buttersäure-chlorid unter Kühlung und kräftigem Rühren getropft; anschließend rührt man 8 Stdn. bei 50° und arbeitet wie üblich auf; Ausbeute: 37,5 g (83% d. Th.); Kp₁₃: 149–151°; F: 38–39° (aus Petroläther, Kp: 40–80°).

Zur Herstellung von *4-Brom-propiophenon* (F: 44–45°) wird ähnlich vorgegangen[3].

4-Jod-acetophenon[6]: Zu 140–150 g fein gepulvertem, wasserfreiem Aluminiumchlorid in 250 ml Schwefelkohlenstoff läßt man unter Rühren und Kühlen mit Wasser eine Mischung aus 204 g (1 Mol) Jod-benzol und 85 g (1,1 Mol) Acetylchlorid fließen, worauf man das Gemisch vorsichtig zum Sieden erhitzt. Nach ∼30–40 Min., das Entweichen von Chlorwasserstoff ist noch kaum bemerkbar, wird das Lösungsmittel abdestilliert und der noch flüssige Kolbeninhalt unter kräftigem Rühren auf Eis gegossen. Das abgeschiedene schwach gelbe kristalline Produkt wird unter guter Kühlung abgenutscht, mit Wasser ausgewaschen und in Äther aufgenommen. Die ätherische Lösung wird mit 2–3%iger Natriumthiosulfat-Lösung und dann mit Wasser gewaschen. Nach dem Trocknen über Natriumsulfat wird das Lösungsmittel abdestilliert; Rohausbeute: 80–95% d. Th.; F: 85° (weiße Schuppen aus Äthanol).

4-Jod-propiophenon[7]: Zu einer Mischung aus 102 g (0,5 Mol) Jod-benzol, 60 g (0,65 Mol) Propionsäure-chlorid und 200 ml Schwefelkohlenstoff gibt man im Verlaufe von 30 Stdn. 80 g (0,6 Mol)

[1] L. N. NIKOLENKO u. K. K. BABIERSKY, Ž. obšč. Chim. **25**, 2331 (1955); C. A. **50**, 9314 (1956).
[2] L. N. NIKOLENKO et al., Ž. obšč. Chim. **30**, 1028 (1960); engl.: 1042.
[3] A. COLLET, C. r. **126**, 1577 (1898).
[4] G. T. MORGAN u. W. S. HICKINBOTTOM, Soc. **119**, 1885 (1921).
    R. E. LUTZ et al., J. Org. Chem. **12**, 617 (1947).
[5] H. OELSCHLÄGER, A. **641**, 91 (1961).
[6] W. KIMURA, B. **67**, 395 (1934).
[7] H. OELSCHLÄGER, A. **599**, 64 (1956).

Aluminiumchlorid in kleinen Portionen. Die Reaktionstemp. darf 30° nicht übersteigen. Danach rührt man noch weitere 120 Stdn. bei Zimmertemp. und trägt auf 1,5 kg Eis aus. Man trennt die organische Phase ab und extrahiert die wäßrige Phase 2mal mit je 200 ml Äther. Die vereinigten organischen Lösungen schüttelt man je 2mal mit 200 ml 10%iger Kalilauge, 200 ml 10%iger Salzsäure und 200 ml 10%iger Kaliumhydrogensulfit-Lösung durch. Nach dem Waschen mit Wasser und Trocknen der aufgehellten Lösung wird das Lösungsmittel abdestilliert. Den Rückstand destilliert man im Vakuum. Die zwischen 110° und 140° übergehende Fraktion löst man in 100 ml Tetrachlormethan und schüttelt die Lösung noch 3mal mit je 50 ml Kaliumhydrogensulfit-Lösung durch. Vom getrockneten, nunmehr farblosen Produkt wird nun das Tetrachlormethan abdestilliert und der Rückstand einer Vakuumdestillation bei 3 Torr unterworfen:

Kp$_3$: 120–129°   5 g Vorlauf
Kp$_3$: 129–130°   73 g (59% d.Th.); F: 54–55°.

Die Acylierung der Halogen-toluole mit aliphatischen Carbonsäure-halogeniden wird analog der Acylierung der Monohalogen-benzole durchgeführt. Dabei tritt die Acyl-Gruppe bei o- und m-Halogen-toluolen in p-Stellung zum Halogenatom und bei p-Halogen-toluolen in o-Stellung zum Halogenatom ein:

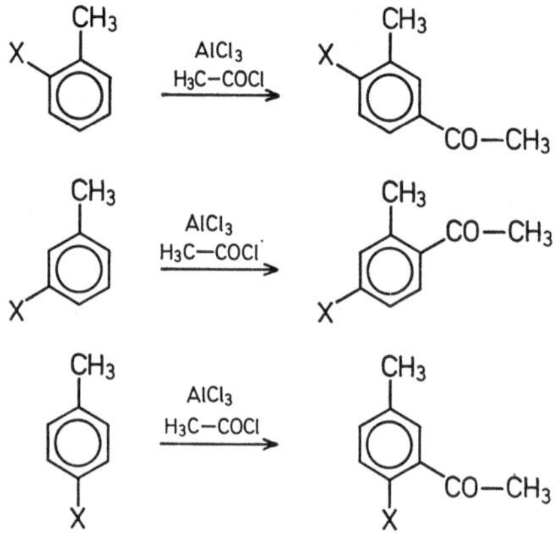

X = F: *4-Fluor-*[1] ⎫   78% d.Th.   Kp: 214-215°
    Cl: *4-Chlor-*[2] ⎬ *-3-methyl-1-acetyl-benzol*   20% d.Th.   Kp: 238-242°
    Br: *4-Brom-*[2]   ⎭   30% d.Th.   Kp: 262-264°

X = F: *4-Fluor-*[3] ⎫   96% d.Th.   Kp: 206°
    Cl: *4-Chlor-*[2] ⎬ *-2-methyl-1-acetyl-benzol*   70% d.Th.   Kp: 239-240°
    Br: *4-Brom-*[2]   ⎭   70% d.Th.   Kp: 257-258°

X = F: *2-Fluor-*[3] ⎫   41% d.Th.   Kp: 208-209°
    Cl: *2-Chlor-*[4] ⎬ *-5-methyl-1-acetyl-benzol*   50% d.Th.   Kp: 239-240°
    Br: *2-Brom-*[4]   ⎭   50% d.Th.   Kp: 262°

Die Acylierung von Dihalogen-benzolen mit aliphatischen Carbonsäure-halogeniden verläuft viel schwieriger als die Acylierung des Benzols oder der Monohalogen-benzole. Durch Anwendung von großen Überschüssen an aliphatischem

---

[1] N. P. Buu-Hoï u. D. Jaquignon, Soc. **1952**, 4173.
[2] A. Claus, J. pr. [2] 43, 355 (1891).
[3] N. P. Buu-Hoï u. N. P. Xuong, Soc. **1953**, 387.
[4] A. Claus, J. pr. [2] 46, 21 (1892).

Carbonsäure-halogenid und Aluminiumchlorid und durch Arbeiten bei höheren Temperaturen kann man jedoch Ausbeuten über 50% d. Th. erreichen. Dabei scheint die Acylierung der Difluor-benzole unter milderen Bedingungen durchführbar zu sein als die Acylierung der Dichlor- oder Dibrom-benzole. Die schärfsten Reaktionsbedingungen benötigt man jeweils zur Acylierung der 1,4-Dihalogen-benzole.

2,4-Difluor-acetophenon[1]: Im Laufe von 2 Stdn. werden 78,5 g (1 Mol) frisch destilliertes Acetylchlorid tropfenweise zu einer gerührten, 35° warmen Mischung aus 320 g frisch destilliertem Schwefelkohlenstoff, 144,2 g (1 Mol) 1,3-Difluor-benzol und 200 g (1,5 Mol) Aluminiumchlorid gegeben. Man verrührt noch 2 Stdn. bei 35–40° bis die Chlorwasserstoff-Entwicklung nachläßt, kühlt dann ab und gießt die Reaktionsmischung auf eine Mischung von Eis und konzentrierter Salzsäure. Man äthert aus und destilliert aus der organischen Phase nach dem Trocknen den Äther und den Schwefelkohlenstoff ab. Den Rückstand destilliert man i.Vak., Ausbeute: 125–135 g (80–86% d. Th.); Kp$_{25}$: 80–81°.

2,5-Dichlor-acetophenon[2]: 168 g (1,14 Mol) 1,4-Dichlor-benzol werden mit 308 g (2,3 Mol) wasserfreiem Aluminiumchlorid gemischt; man versetzt mit 180 g (2,3 Mol) Acetylchlorid und erhitzt die Mischung 3 Stdn. auf 130°. Die Reaktionsmischung wird dann durch Zugabe von Eis und verd. Salzsäure zersetzt. Man extrahiert mit Tetrachlormethan. Nach dem Abtrennen der organischen Phase wird diese mit 10%iger Natriumcarbonat-Lösung und mit Wasser gewaschen und getrocknet. Das Tetrachlormethan wird abdestilliert und der Rückstand i.Vak. fraktioniert; Ausbeute: 102 g (47% d. Th.); Kp$_2$: 104–105°; F: 9–10°.

Bei der Acylierung von Dihalogen-benzolen mit unterschiedlichen Halogenatomen mit aliphatischen Carbonsäure-halogeniden tritt die Acyl-Gruppe in p-Stellung zum elektro-negativeren Halogenatom ein, wenn die Halogenatome in o- oder m-Stellung stehen; der Eintritt erfolgt in o-Stellung zum elektronegativeren Halogenatom, wenn die Halogenatome in p-Stellung stehen.

In Tab. 9 (S. 44) sind einige Dihalogen-acetophenone zusammengestellt.

Da die Acylierung von 1,4-Dichlor-benzol bereits sehr schwierig ist, gelingt die Acylierung von Trihalogen- oder Polyhalogen-benzolen mit aliphatischen Carbonsäure-halogeniden nicht mehr.

Bei der Umsetzung von Phenol mit aliphatischen Carbonsäure-halogeniden entsteht ein Gemisch aus Alkyl-(2-hydroxy-phenyl)- und Alkyl-(4-hydroxy-phenyl)-ketonen. Die Isomerenverteilung ist von der Art des angewendeten Katalysators und vom verwendeten Lösungsmittel abhängig. Als Katalysatoren sind Eisen(III)-chlorid[3], Zinkchlorid[4], Titan(IV)-chlorid[5] oder Aluminiumchlorid[6] verwendet worden.

Aluminiumchlorid hat sich als wirksamster Katalysator erwiesen. Die Umsetzungen werden in Schwefelkohlenstoff, 1,2-Dichlor-äthan, 1,1,2,2-Tetrachloräthan oder Nitrobenzol vorgenommen; meist wird in Nitrobenzol gearbeitet. Die Trennung der Isomeren erfolgt auf Grund ihrer unterschiedlichen Löslichkeit in Natronlauge oder durch fraktionierte Destillation. Die Bildung kleiner Mengen von *Hydroxy-propanoyl-* und *-butanoyl-benzol* neben den entsprechenden Phenylestern

[1] M. M. NAD' et al., Izv. Akad. SSSR **1959**, 65; C. A. **53**, 14976 (1959).

[2] M. M. KOTON, I. N. SAMSONOVA u. F. S. FLORINSKY, Ž. obšč. Chim. **22**, 489 (1952); C. A. **47**, 2717 (1953).

[3] M. NENCKI u. E. STOEBER, B. **30**, 1769 (1897).
   F. M. IRVINE u. R. ROBINSON, Soc. **1927**, 2091.

[4] J. F. EIJKMAN, F. BERGEMA u. I. T. HENRARD, Chemisch Weekblad **2**, 79 (1905).

[5] N. M. CULLINANE u. B. F. R. EDWARDS, J. appl. Chem. **9**, 133 (1959).

[6] K. v. AUWERS u. W. MAUSS, A. **460**, 274 (1928).

Tab. 9. Dihalogen-acetophenone durch Acylierung von Dihalogenbenzolen

Keton	Ausbeute [% d.Th.]	F [°C]	Kp [°C]	[Torr]	Literatur
2,5-Difluor-acetophenon	57	—	61	5	1
3,4-Difluor-acetophenon	50	—	94–95	13	2
2,4-Dichlor-acetophenon	70	42	235–240		3
3,4-Dichlor-acetophenon	90	76	135	12	3
2,4-Dibrom-acetophenon	52	68	—		4
2,5-Dibrom-acetophenon	—	39–41	120–124	4	5
3,4-Dibrom-acetophenon	51	64	—		4
4-Fluor-3-brom-acetophenon	60	57	230		6
4-Fluor-2-brom-acetophenon	54	—	128–130	10	6
5-Fluor-2-brom-acetophenon	46	—	144	18	6
4-Chlor-2-brom-acetophenon	70	44	145	12	7
5-Chlor-2-brom-acetophenon	50	—	155–156	15	7

wird auch beobachtet[8], wenn Phenol mit Propionsäure-chlorid oder Buttersäure-chlorid ohne Zusatz eines speziellen Katalysators hoch erhitzt wird.

2- und 4-Hydroxy-1-octanoyl-benzol[9]: Zu einer Lösung von 50 g (0,53 Mol) Phenol in 75 ml 1,1,2,2-Tetrachlor-äthan werden bei 10° innerhalb 30 Min. 66 g (0,5 Mol) Aluminiumchlorid gegeben. Man läßt dann in $1^1/_2$ Stdn. 40,5 g (0,25 Mol) Octansäure-chlorid bei Raumtemp. zutropfen und rührt anschließend 4 Stdn. bei 55°. Man trägt das Reaktionsgemisch auf Eis aus und destilliert 1,1,2,2-Tetrachlor-äthan und überschüssiges Phenol mit Wasserdampf ab. Man trennt die abgeschiedene ölige Schicht ab und behandelt sie mit 500 ml 25%igem Äthanol, in denen 4 g Natriumhydroxid gelöst sind. Der unlösliche Anteil wird mit Salzsäure aufgekocht und nach dem Abkühlen mit Petroläther (Kp: 40–80°) extrahiert. Die Petroläther-Lösung wird mit Wasser gewaschen und über Natriumsulfat getrocknet. Nach dem Abdestillieren des Petroläthers wird der Rückstand 2 mal bei 1 Torr destilliert; Ausbeute: 27,5 g (50% d. Th.) *2-Hydroxy-1-octanoyl-benzol*; Kp_1: 97–99°.

Die alkalische Lösung wird angesäuert und mit Petroläther extrahiert. Aus der organischen Phase wird nach dem Trocknen der Petroläther abdestilliert; Ausbeute: 6,8 g (12,5% d. Th.) *4-Hydroxy-1-octanoyl-benzol*; F: 62,5–63° (aus Petroläther).

2- und 4-Hydroxy-1-heptanoyl-benzol[10]: 135 g (1 Mol) fein gepulvertes Aluminiumchlorid werden in 200 ml Nitrobenzol gelöst. Unter Kühlung mit Eiswasser gibt man eine Lösung von 94 g (1 Mol) Phenol in 100 ml Nitrobenzol und dann eine Mischung aus 148 g (1 Mol) Heptansäure-chlorid und 50 ml Nitrobenzol hinzu. Man überläßt die Reaktionsmischung über Nacht sich selbst und gießt sie dann auf 2 l verd. Salzsäure aus. Man erhitzt 30 Min. unter Rückfluß, kühlt ab, trennt die organische Phase ab und destilliert sie nach dem Trocknen fraktioniert i. Vak.; Ausbeute: 70 g (34% d. Th.) *2-Hydroxy-1-heptanoyl-benzol* (Kp_{11}: 135–160°) und 96 g (47% d. Th.) *4-Hy-*

[1] E. D. BERGMANN u. S. BERKOVIC, J. Org. Chem. **26**, 919 (1961).
[2] J. T. MINOR u. C. A. VANDERWERF, J. Org. Chem. **17**, 1425 (1952).
[3] K. C. KSHATRIYA, N. S. SHODHAN u. K. S. NARGUND, J. indian. chem. Soc. **24**, 373 (1947).
[4] R. B. KANTI u. K. S. NARGUND, J. Karnantak Univ., **1**, 36 (1956); C. A. **52**, 7206 (1958).
[5] M. M. KETON, T. M. KISELEVA u. F. S. FLORINSKY, Ž. prikl. chim. **26**, 666 (1953).
[6] N. N. QUANG, B. K. DIÊP u. N. P. BUU-HOI, R. **83**, 1142 (1964).
[7] N. T. CAM-VAN, B. K. DIÊP u. N. P. BUU-HOI, Tetrahedron **20**, 2195 (1964).
[8] W. H. PERKIN, Soc. **55**, 547 (1889).
[9] A. W. RALSTON u. S. T. BAUER, J. Org. Chem. **5**, 168 (1940).
[10] G. SANDULESCO u. A. GIRARD, Bl. [4] **47**, 1305 (1930).

droxy-1-heptanoyl-benzol (Kp$_{11}$: 160–220°), das kristallin erstarrt. Anhaftendes o-Isomere wird durch Waschen mit Petroläther (Kp: 40–80°) entfernt; Reinausbeute: 80 g (43% d.Th.); F: 91–91,5°.

Eine andere Möglichkeit zur Durchführung der Reaktion besteht darin, zuerst aus Aluminiumchlorid und Phenol ein **Phenoxy-dichlor-aluminat** herzustellen, das man ohne Zusatz eines Lösungsmittels mit guten Ausbeuten mit aliphatischen Carbonsäure-halogeniden acylieren kann. Auch bei dieser Verfahrensvariante entstehen Alkyl-(2-und 4-hydroxy-phenyl)-ketone nebeneinander. Das Verfahren soll sich besonders für molare und größere Ansätze eignen.

Alkyl-(2- und 4-hydroxy-phenyl)-ketone; allgemeine Arbeitsvorschrift[1]: 94 g (1 Mol) Phenol und 133 g (1 Mol) Aluminiumchlorid werden unter energischem Rühren gemischt; man erhitzt die Mischung 15 Min. auf 100°, dabei entweicht 1 Mol Chlorwasserstoff und es bildet sich eine homogene, halbflüssige Masse. Bei ∼ 100° tropft man dann innerhalb 15 Min. unter gutem Rühren 1 Mol eines aliphatischen Carbonsäure-chlorids hinzu. Unter heftiger Reaktion und Abspaltung von Chlorwasserstoff verflüssigt sich die Reaktionsmischung. Man erhitzt dann noch 1 Stde. auf 115–130° und läßt abkühlen. Man erhält ein glasiges, bräunliches Harz, das mit warmem Wasser und Salzsäure zersetzt wird. Das Reaktionsprodukt scheidet sich als stark gefärbtes Öl ab. Man wäscht 2mal mit warmem Wasser und destilliert nach dem Trocknen im Vakuum. Tab. 10 gibt die Ergebnisse dieser Acylierung wieder.

Tab. 10. x-Hydroxy-1-alkanoyl-benzole durch Acylierung von Phenol

	2-Hydroxy-Derivat				4-Hydroxy-Derivat			
HO–〈〉–C(=O)–R	Ausbeute [% d.Th.]	Kp [°C]	Kp [Torr]	F [°C]	Ausbeute [% d.Th.]	Kp [°C]	Kp [Torr]	F [°C]
x-Hydroxy-1-butanoyl-benzol	45	119	9	10–10,5	30			91
x-Hydroxy-1-pentanoyl-benzol	56	130	10	—	29			63
x-Hydroxy-1-hexanoyl-benzol	56	142–143	10	17–17,2	34			61
x-Hydroxy-1-heptanoyl-benzol	48	155–156	10	9,7	41			91–91,5
x-Hydroxy-1-octanoyl-benzol	45	169–170	11	22,3	38	224–225	10	62
x-Hydroxy-1-nonanoyl-benzol	55	180	10	18,4	35	232	10	54,5

Bei der Acylierung von 2- oder 3-Alkyl-phenolen mit aliphatischen Carbonsäure-halogeniden entstehen ebenfalls Isomerengemische, bei der Umsetzung von 4-Alkyl-phenolen können einheitliche Reaktionsprodukte erhalten werden[2].

---

[1] G. SANDULESCO u. A. GIRARD, Bl. [4] **47**, 1306 (1930).
[2] K. W. ROSENMUND u. H. SCHULZ, Ar. **265**, 308 (1927).
    N. M. CULLINANE u. B. F. R. EDWARDS, J. appl. Chem. **9**, 133 (1959).

4-Hydroxy-2-methyl-1-acetyl-benzol[1]: 55 g (0,51 Mol) m-Kresol werden in 200 *ml* Nitrobenzol gelöst und mit 70 g (0,53 Mol) Aluminiumchlorid versetzt. Zu der Mischung läßt man dann unter kräftigem Rühren und gelindem Erwärmen auf ~ 40° 40 g (0,51 Mol) Acetylchlorid zutropfen und rührt weiter, bis keine Chlorwasserstoff-Entwicklung mehr erfolgt. Danach treibt man Nitrobenzol mit Wasserdampf ab, nachdem man die Reaktionsmischung unter Zusatz von Eis angesäuert hat, und fraktioniert den Rückstand der Wasserdampfdestillation.

Man kann auch die Reaktionsmischung mit Wasser verdünnen und die organischen Bestandteile mit Äther extrahieren. Der nach dem Abdestillieren des Äthers verbleibende Rückstand wird dann durch Vakuumdestillation fraktioniert; Ausbeute: ~ 60% d. Th.; F: 128°.

Analog erhält man aus

55 g m-Kresol in 200 *ml* Schwefelkohlenstoff mit 55 g Propionsäure-chlorid *4-Hydroxy-2-methyl-1-propionyl-benzol*; F: 114–115°.

Die Acetylierung von m-Kresol in Nitrobenzol und 1,2-Dichlor-äthan in Gegenwart von Aluminiumchlorid oder Titan(IV)-chlorid ist besonders sorgfältig untersucht worden[2]. Dabei ergaben sich die in Tab. 11 zusammengestellten Zusammenhänge.

Tab. 11. Vergleich der Acetylierung vom m-Kresol in Nitrobenzol und 1,2-Dichlor-äthan

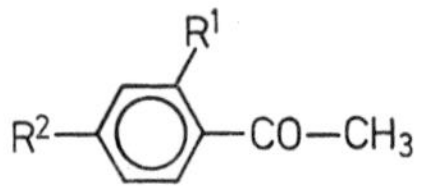

Lösungsmittel	Katalysator	2-Hydroxy-4-methyl-1-acetyl-benzol ($R^1 = OH; R^2 = CH_3$) [%]	4-Hydroxy-2-methyl-1-acetyl-benzol ($R^1 = CH_3; R^2 = OH$) [%]
Nitrobenzol	AlCl₃	31	63
1,2-Dichlor-äthan . .	AlCl₃	42	26
Nitrobenzol	TiCl₄	56	24
1,2-Dichlor-äthan* .	TiCl₄	40	3,4

* neben Essigsäure-3-methyl-phenylester (44,7%).

Dialkyl-phenole reagieren mit aliphatischen Carbonsäure-halogeniden unter den gleichen Bedingungen[3] wie Phenol oder Alkyl-phenole. Es ist bemerkenswert, daß bei der Acetylierung von 2,4-Dimethyl-phenol die Acetyl-Gruppe teilweise m-ständig zur Hydroxy-Gruppe eintritt:

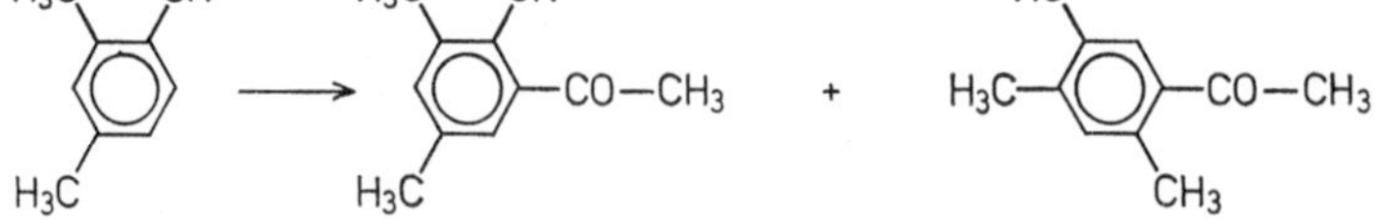

[1] DBP 884497 (1949), Forachemie Ges. f. pharmaz. u. chem.-techn. Produkte mbH, Erf.: K. H. H. KLETTE; C. A. **50**, 4225 (1956).
[2] N. M. CULLINANE u. B. F. R. EDWARDS, J. appl. Chem. **9**, 133 (1959).
[3] DRP 95091 (1897), R. BEHN; C. **1898** I, 1223,
K. W. ROSENMUND u. C. WHA, Ar. **266**, 407 (1928).
H. JOHN u. P. BEETZ, J. pr. [2] **137**, 351 (1933); **143**, 342 (1935).
A. FURKA u. T. SZELL, Soc. **1960**, 2312.

2-Hydroxy-3,5-dimethyl- und 5-Hydroxy-2,4-dimethyl-1-acetyl-benzol[1]: 12,2 g (0,1 Mol) 4-Hydroxy-1,3-dimethyl-benzol, 7,9 g (0,1 Mol) Acetylchlorid, 27,6 g (0,2 Mol) fein gepulvertes Aluminiumchlorid und 100 ml Nitrobenzol werden 18 Stdn. bei 50° verrührt. Die homogene Lösung wird mit Eis abgekühlt und mit 5n Salzsäure zersetzt. Die abgetrennte wäßrige Phase wird mit Äther ausgeschüttelt, der Ätherextrakt wird zur Nitrobenzol-Phase gegeben, aus der dann mit 2n Natronlauge *5-Hydroxy-2,4-dimethyl-1-acetyl-benzol* extrahiert wird. Die wäßrige alkalische Lösung wird einer Wasserdampfdestillation unterworfen, um Spuren organischer Lösungsmittel zu entfernen, und nach dem Abkühlen angesäuert. Auf diese Weise werden 9,2% d. Th. *5-Hydroxy-2,4-dimethyl-1-acetyl-benzol* isoliert (F: 136°, aus Wasser).

Aus dem Nitrobenzol-Äther-Gemisch werden die Lösungsmittel mit Wasserdampf abdestilliert. Der wäßrige Destillationsrückstand wird sauer gestellt und erneut einer Wasserdampfdestillation unterworfen. Aus dem Destillat werden 80% d. Th. *2-Hydroxy-3,5-dimethyl-1-acetyl-benzol* isoliert (F: 54°, schwach gelbe Nadeln aus verd. Äthanol).

Bei der Acetylierung von 5-Hydroxy-1,3-dimethyl-benzol wird ausschließlich *2-Hydroxy-4,6-dimethyl-1-acetyl-benzol* erhalten[2].

Die Acylierung von Dihydroxy- oder Trihydroxy-benzolen mit aliphatischen Carbonsäure-halogeniden kann analog der Umsetzung einfacher Phenole vorgenommen werden. Man arbeitet in Nitrobenzol oder Schwefelkohlenstoff oder in Mischungen beider Lösungsmittel und verwendet Aluminiumchlorid als Katalysator. Auf diese Weise werden aus Brenzcatechin[3] 3,4-Dihydroxy-1-alkanoyl-benzole, aus Resorcin[4] 2,4-Dihydroxy-1-alkanoyl-benzole und aus Hydrochinon[3] 2,5-Dihydroxy-1-alkanoyl-benzole erhalten. Auch durch Alkyl-[5] oder Alkoxy[6]-Gruppen substituierte Resorcine wurden auf diese Weise acyliert. Pyrogallol läßt sich mit niederen aliphatischen Carbonsäure-halogeniden ohne Zusatz eines Lösungsmittels oder eines Katalysators acylieren.

2,3,4-Trihydroxy-1-propanoyl-benzol[7]: Zu 25 g (0,2 Mol) Pyrogallol werden bei Raumtemp. in kleinen Portionen 25 g (0,27 Mol) Propionsäure-chlorid gegeben; die Mischung verflüssigt sich allmählich. Man erhitzt 4 Stdn. auf einem Wasserbade, bis die Mischung wieder fest geworden ist. Nach dem Abkühlen wird mit Benzol gewaschen und aus Wasser umgelöst; Ausbeute: 75% d. Th.; F: 129° (farblose Kristalle).

Analog erhält man *2,3,4-Trihydroxy-1-acetyl-benzol* (34% d. Th.; F: 173°).

2,4,6-Trihydroxy-1-(2-methyl-propanoyl)-benzol[8]: 15 g (0,12 Mol) bei 120° getrocknetes Phloroglucin werden in 60 ml Schwefelkohlenstoff suspendiert. Man versetzt mit 48 g (0,36 Mol) fein gepulvertem Aluminiumchlorid und dann innerhalb 30 Min. mit 45 ml Nitrobenzol. Dabei erfolgt lebhafte Chlorwasserstoff-Entwicklung, es entsteht eine klare Lösung. Man erwärmt bis zum Sieden des Schwefelkohlenstoffs und tropft innerhalb 30 Min. 13 g (0,12 Mol) 2-Methyl-propansäure-chlorid verdünnt mit 5 ml Nitrobenzol zu. 30 Min. nach beendigter Zugabe kühlt man auf 30° ab und gießt das zähflüssige Reaktionsprodukt auf 500 ml Eiswasser, das 20ml konz. Salzsäure enthält. Man treibt die Lösungsmittel schnell mit Wasserdampf ab, filtriert die klare, heiße Lösung von etwas Harz ab und kocht die harzigen Rückstände mehrmals mit Wasser aus. Das Keton fällt beim Abkühlen meist harzig aus, wird aber beim weiteren Umlösen aus Wasser kristallin; Ausbeute: 53,5% d. Th.; F (mit 2 Kristallwasser): 70° (Rhomboeder); F (wasserfrei): 138°.

Analog werden mit Ausbeuten von 47–67% d. Th. entsprechende 2,4,6-Trihydroxy-1-alkanoyl-benzole mit 4–5 Kohlenstoffatomen im Alkylrest hergestellt.

---

[1] N. M. CULLINANE u. B. F. R. EDWARDS, J. appl. Chem. **9**, 133 (1959).

[2] K. v. AUWERS, E. MÜRBE u. J. SCHORNSTEIN, Fortschr. Ch. Phys. **18**, 24 (1924/26).

[3] K. W. ROSENMUND u. H. LOHFERT, B. **61**, 2601 (1928).

[4] K. W. ROSENMUND u. H. SCHULZ, Ar. **265**, 308 (1927).

[5] R. DESAI u. M. EKHLAS, Pr. indian Acad. [A] **8**, 194 (1938).

[6] W. RIEDL u. E. LEUCHT, B. **91**, 2784 (1958).

[7] N. P. BUU-HOÏ, J. Org. Chem. **18**, 1723 (1953).

[8] W. RIEDL, A. **585**, 38 (1954).

Alkoxy-benzole reagieren mit aliphatischen oder cycloaliphatischen Carbon-säure-halogeniden besonders leicht; deshalb ist eine ganze Reihe von Katalysato-ren für diese Umsetzung brauchbar. Gute Ergebnisse werden mit Aluminiumchlorid, Zinn(IV)-chlorid, Titan(IV)-chlorid[1] und Kupfer oder Molybdän erzielt. Als Lö-sungsmittel werden Schwefelkohlenstoff, 1,1,2,2-Tetrachlor-äthan, Chlorbenzol oder Petroläther verwendet.

4-Methoxy-1-acetyl-benzol[2]: Zu 0,1 Mol Anisol werden unter Feuchtigkeitsausschluß 0,12 Mol Acetylchlorid in 120 *ml* Chlorbenzol gegeben. Man kühlt die Mischung unter Rühren auf 0° ab und gibt im Verlaufe von 1–1½ Stdn. 0,06 Mol Zinn(IV)-chlorid gelöst in 30 *ml* Chlorbenzol hinzu; man rührt dann noch 1 Stde. bei Raumtemp. Die Reaktionsmischung wird durch Zugabe einer Mischung aus 45 *ml* Wasser und 4 *ml* konz. Salzsäure zersetzt. Die wäßrige Phase wird ab-getrennt und mit 70 *ml* Chlorbenzol extrahiert. Die Chlorbenzol-Phase wird mit Wasser, 1%iger Natronlauge und wiederum mit Wasser gewaschen, bis das Waschwasser gegen Phenolrot (pH: 7,74) neutral ist. Die Waschwässer werden mit den gleichen 70 *ml* Chlorbenzol, die vorher bereits zur Extraktion der ersten wäßrigen Phase verwendet wurden, durchgeschüttelt. Dann vereinigt man die Chlorbenzol-Extrakte, trocknet sie über Calciumchlorid und destilliert; Ausbeute: 81% d. Th.; Kp_{12}: 135–138°.

4-Methoxy-1-propanoyl-benzol[3]: 80 g (0,86 Mol) Propionsäure-chlorid werden in 200 g Petrol-äther (Kp: 40–80°) gelöst, die Mischung wird auf −5° abgekühlt. Alsdann werden 80 g (0,6 Mol) Aluminiumchlorid und 60 g (0,55 Mol) Anisol unter fortwährendem Schütteln eingetragen. Nach Beendigung der äußerst lebhaften Reaktion wird die Eiskühlung entfernt und das Reaktionsge-misch noch 5 Stdn. bei Raumtemp. sich selbst überlassen. Ist die Reaktion richtig durchgeführt, so hat sich das Aluminiumchlorid in ein schweres, gelbbraunes Öl verwandelt, das mit einer farblosen Petroläther-Schicht bedeckt ist. Das Reaktionsprodukt wird nun mit Eis zersetzt und ausgeäthert. Die ätherische Lösung wird wiederholt mit Salzsäure kräftig durchgeschüttelt, dann mit Wasser gewaschen und über Natriumsulfat getrocknet. Nach dem Abdestillieren des Äthers wird das zurückbleibende Öl i.Vak. destilliert; Ausbeute: 55 g (61% d. Th.); Kp_{14}: 145–148°.

4-Methoxy-1-alkanoyl-benzole aus Anisol durch Acylierung in Gegenwart von Kupfer oder Molybdän; allgemeine Arbeitsvorschrift[4]: Carbonsäure-chlorid und Anisol werden in Gegenwart von 0,01–0,05 g-Atomen Kupfer oder Molybdän 4–16 Stdn. auf 90–150° erhitzt. Es entwickelt sich Chlorwasserstoff. Man dekandiert vom Katalysator, wäscht mit Wasser und destilliert frak-tioniert. Bei der Reaktion wird aus dem Kupfer Kupfer(I)-chlorid gebildet, Molybdän wird nicht verändert und kann für weitere Umsetzungen verwendet werden. Auf diese Weise werden mit Anisol folgende Ergebnisse erhalten:

Carbonsäure-chlorid	Kataly-sator	Reaktions-bedingungen		Keton	Ausbeute [%d.Th.]	Kp		F [°C]
		[°C]	[Stdn]			[°C]	[Torr]	
Acetylchlorid	Cu	90	10	*4-Methoxy-1-acetyl-benzol*	30	130–132	12	38
Buttersäure-chlorid	Mo	90	8	*4-Methoxy-1-butan-oyl-benzol*	45	159–160	20	—
Hexansäure-chlorid	Mo	90	10	*4-Methoxy-1-hex-anoyl-benzol*	60	141–142	5	41

[1] N. M. CULLINANE, S. J. CHARD u. D. M. LEYSHON, Soc. **1952**, 376.
[2] Y. L. GOLDFARB, V. P. L. LITVINOV u. V. I. SHVEDOV, Ž. obšč. Chim. **30**, 535 (1960); engl.: 555.
[3] A. KLAGES, B. **35**, 2262 (1902).
[4] J. P. TSUKERVANIK, Doklady Akad. SSSR **120**, 809 (1958); C. A. **52**, 20015 (1958).

In Tabelle 12 sind einige 4-Methoxy-1-alkanoyl-benzole zusammengestellt, die aus Anisol, den entsprechenden aliphatischen oder cycloaliphatischen Carbonsäure-chloriden und Aluminiumchlorid hergestellt werden.

Tab. 12. 4-Methoxy-1-alkanoyl-benzole aus Anisol durch Acylierung

Keton	Ausbeute [% d. Th.]	F [°C]	Kp [°C]	Kp [Torr]	Literatur
4-Methoxy-1-butanoyl-benzol	46,5	−3 bis −4	162–163	20	1
4-Methoxy-1-(2-methyl-propanoyl)-benzol	—		149–150	14	2
4-Methoxy-1-pentanoyl-benzol	43	27–28	165–167	14	1
4-Methoxy-1-hexanoyl-benzol	52	41	141–142	5	1
4-Methoxy-1-heptanoyl-benzol	43,3	40	—		1
4-Methoxy-1-octanoyl-benzol		52,5–53	—		3
4-Methoxy-1-nonanoyl-benzol	38,2	43	—		1
4-Methoxy-1-decanoyl-benzol		49–50,5	—		3
4-Methoxy-1-undecanoyl-benzol		49	—		4
4-Methoxy-1-dodecanoyl-benzol		62,5	—		4
4-Methoxy-1-tridecanoyl-benzol.		59	—		4
4-Methoxy-1-tetradecanoyl-benzol . . .		68–68,5	—		3,4
4-Methoxy-1-pentadecanoyl-benzol . . .		65–66	—		4
4-Methoxy-1-hexadecanoyl-benzol		72–73	—		3,4
4-Methoxy-1-heptadecanoyl-benzol . . .		70,5	—		4
4-Methoxy-1-octadecanoyl-benzol		77–78	—		3,4
4-Methoxy-1-cyclopropylcarbonyl-benzol .	—		175–181	14	5
4-Methoxy-1-cyclopentylcarbonyl-benzol .	95	15–16	105,5–106	0,5	6
4-Methoxy-1-cyclohexylcarbonyl-benzol .	77	65–65,5	—		6

Die Umsetzung von Alkyl-phenyl-äthern mit höheren Alkyl-Resten mit aliphatischen Carbonsäure-halogeniden wird selten vorgenommen, da man meist mit Carbonsäure-anhydriden und Zinkchlorid oder Carbonsäuren und Phosphorsäure größere Ausbeuten erhält. Äthyl-phenyl-äther[7], Isopropyl-phenyl-äther[8], Butyl-phenyl-äther[9] und (2-Methyl-propyl)-phenyl-äther[10] werden in üblicher Weise mit aliphatischen Carbonsäure-chloriden und Aluminiumchlorid in Schwefelkohlenstoff oder Petroläther mit Ausbeuten unter 50% d. Th. in Ketone überführt. Die Herstellung einiger 4-Propyloxy-1-alkanoyl-benzole gelingt mit katalytischen Mengen an Zinkchlorid als Katalysator.

4-Propyloxy-1-alkanoyl-benzole; allgemeine Arbeitsvorschrift[11]: Ein Mol Propyl-phenyl-äther (Kp: 188–192°) wird mit einem Überschuß von 50% über d. Th. an jeweiligem Carbonsäure-

[1] S. Skraup u. F. Nieten, B. **57**, 1301 (1924).

[2] K. v. Auwers, A. **408**, 250 (1915).

[3] S. Matsuda, M. Ogawa u. Z. Okazaki, Technology Reports Osaka Univ. **6**, 393 (1956); C. A. **52**, 10930 (1958).

[4] R. Majima, K. Nagaoka u. K. Yamada, B. **55**, 216 (1922).

[5] K. Gitschthaler u. W. Klementschitz, Scientia Pharm. **23**, 79 (1955); C. A. **50**, 4872 (1956).

[6] D. H. Hey u. O. C. Musgrave, Soc. **1949**, 3156.

[7] L. Gattermann, R. Ehrhardt u. H. Maisch, B. **23**, 1205 (1890).

[8] W. Bradley u. R. Robinson, Soc. **1926**, 2362.

[9] R. E. Lutz et al., J. Org. Chem. **12**, 667 (1947).

[10] A. Klages, B. **35**, 2262 (1902).

[11] E. Hannig, Ar. **288**, 562 (1955).

chlorid und mit einem Zusatz von 0,05 Mol wasserfreiem Zinkchlorid unter Rückfluß ~30 Min. bis zum Nachlassen der Chlorwasserstoff-Entwicklung gekocht. Nach kurzem Abkühlenlassen wird das Reaktionsgemisch mit Eiswasser zur Zersetzung des jeweiligen überschüssigen Carbonsäure-chlorids verdünnt, i.Vak. fraktioniert destilliert und anschließend rektifiziert. Auf diese Weise werden folgende Verbindungen hergestellt:

4-Propyloxy-1-propanoyl-benzol . . . . 57% d.Th. Kp_{40}: 193°	F: 28–29°
4-Propyloxy-1-butanoyl-benzol . . . . . 66% d.Th. Kp_{60}: 213–215°	F: 30–31°
4-Propyloxy-1-pentanoyl-benzol . . . . 44,5% d.Th. Kp_{15}: 193–198°	F: 20–21°
4-Propyloxy-1-heptanoyl-benzol . . . . . 30,6% d.Th. Kp_{15}: 217–221°	F: 31–32°

Unter speziellen Bedingungen gelingt auch die Acylierung von Alken-(2)-yl-phenyl-äthern mit aliphatischen Carbonsäure-halogeniden.

4-Allyloxy-1-acetyl-benzol[1]: 0,05 Mol Acetylchlorid in 20 *ml* Nitromethan werden bei 0–5° zu einer Lösung von 0,05 Mol Allyl-phenyl-äther und 0,05 Mol Silberperchlorat in 70 *ml* Nitromethan gegeben. Nach 40 Min. bei 0–5° wird das Silberchlorid abfiltriert, dabei läßt man das Filtrat auf zerstoßenes Eis tropfen. Das Silberchlorid wird mit Äther gewaschen; der zum Waschen verwendete Äther wird mit der Nitromethan-Phase vereinigt. Man wäscht die organische Phase mit Natriumhydrogencarbonat-Lösung und dann mit Wasser neutral und destilliert nach dem Trocknen über Natriumsulfat die Lösungsmittel ab. Bei der Vakuumdestillation des verbleibenden Rückstandes werden neben 0,3 g eines Vorlaufes ($Kp_{0,5}$: 40–90°), der aus unverändertem Allyl-phenyl-äther und Essigsäure-phenylester besteht, 8 g (91% d.Th.) Keton ($Kp_{0,5}$: 103–109°) erhalten.

Bei der Durchführung des Ansatzes in Benzol an Stelle von Nitromethan werden nur 0,7 g an gewünschtem Keton erhalten.

Die Acylierung von Alkyl-phenyl-äthern, die am Benzolkern weitere Alkyl-Reste tragen, wird analog der Acylierung der Alkyl-phenyl-äther durchgeführt. Dabei tritt der Acyl-Rest bei 2-Methoxy-1-methyl-benzol in p-Stellung zur Methoxy-Gruppe ein[2]. Bei der Umsetzung von 3-Methoxy-1-methyl-benzol mit Acetylchlorid erfolgt ebenfalls Eintritt der Acetyl-Gruppe in p-Stellung zur Methoxy-Gruppe (*4-Methoxy-2-methyl-1-acetyl-benzol*), bei der Umsetzung mit Propionylchlorid dagegen wird neben *4-Methoxy-2-methyl-1-propanoyl-benzol* auch etwas *2-Methoxy-4-methyl-1-propanoyl-benzol* erhalten[3]. Die Acylierung von 1-Alkoxy-4-methyl-benzolen erfolgt in o-Stellung zur Alkoxy-Gruppe[2,4]. Wenn die Umsetzungen bei höheren Temperaturen als bei Zimmertemperatur vorgenommen werden und überschüssiges Aluminiumchlorid als Katalysator verwendet wird, erfolgt zumindest teilweise Äther-Spaltung, und man erhält Hydroxy-alkanoyl-benzole[5]. Entsprechend verlaufen Acylierungen von Methoxy-dialkyl-[6] oder -trialkyl-benzolen[7]. Bei der

[1] H. BURTON u. D. A. MUNDAY, Soc. **1954**, 1457.
[2] G. STADNIKOFF u. A. BARYSCHEWA, B. **61**, 1996 (1928).
US. P. 1 930 923 (1933), E. R. Squibb & Sons, Erf.: W. G. CHRISTIANSEN u. W. S. JONES; C. A. **28**, 181 (1934).
[3] J. F. MIQUEL, N. P. BUU-HOI u. R. ROYER, Soc. **1955**, 3417.
[4] K. v. AUWERS, A. **364**, 164 (1909).
J. F. MIQUEL, P. MULLER u. N. P. BUU-HOI, Bl. **1956**, 633.
[5] A. J. HILL u. L. E. GRAF, Am. Soc. **37**, 1839 (1915).
[6] K. v. AUWERS u. W. MAUSS, B. **61**, 1495 (1928).
K. v. AUWERS, B. **48**, 90 (1915).
R. ROYER et al., Bl. **1957**, 1379.
R. ROYER, Bl. **1953**, 412.
P. B. TALUKDAR, J. Org. Chem. **21**, 506 (1956).
[7] N. P. BUU-HOI, M. SY u. G. LEJEUNE, R. **75**, 311 (1956).
R. ROYER et al., Bl. **1957**, 1379.

Acetylierung von 5-Methoxy-tetralin tritt die Acetyl-Gruppe in 8-Stellung ein (*5-Methoxy-8-acetyl-tetralin*)[1], während bei einem 6-Methoxy-octahydrophenanthren-Derivat I der Eintritt in o-Stellung zur Methoxy-Gruppe erfolgt[2], da die p-Stellung besetzt ist:

I

6-Methoxy-1,1,4 a-trimethyl-7-acetyl-1,2,3, 4 a,9,10,10 a-octahydro-phenanthren

Die Umsetzung von Alkyl-phenyl-äthern mit Halogen-Atomen am Phenylkern mit aliphatischen Carbonsäure-halogeniden wird meist in Schwefelkohlenstoff oder Nitrobenzol vorgenommen. Dabei tritt der Acyl-Rest bei 2-Halogen-[3] und 3-Halogen-1-alkoxy-benzolen[4] in p-Stellung zur Alkoxy-Gruppe ein. Aus 4-Halogen-1-alkoxy-benzol entstehen bei dieser Reaktion 2-Halogen-4-alkoxy-1-alkanoyl-benzole[5]. Als Nebenreaktionen treten Äther-Spaltungen und Entalkylierungen auf, besonders wenn im Molekül verzweigte Alkyl-Reste vorhanden sind[6]. Acylierungen von Dihalogen-[7] oder Halogen-alkoxy-alkyl-benzolen[8] können ohne Komplikationen verlaufen.

Durch mehrere Alkoxy-Gruppen substituierte Benzole lassen sich mit aliphatischen Carbonsäure-halogeniden in Gegenwart von Aluminiumchlorid, Zinn(IV)-chlorid oder Eisen(III)-chlorid in Schwefelkohlenstoff, Nitrobenzol, Chlorbenzol, Benzol oder Mischungen aus Dichlormethan und Nitrobenzol oder Schwefelkohlenstoff und Nitrobenzol mit wechselndem Erfolg acylieren. Häufig erfolgt teilweise Ätherspaltung.

3,4-Dimethoxy-1-acetyl-benzol[9]: In eine durch Eis gekühlte Mischung von 500 g (3,62 Mol) 1,2-Dimethoxy-benzol, 1250 *ml* Schwefelkohlenstoff und 340 g (4,33 Mol) Acetylchlorid trägt man innerhalb 1 Stde. unter Rühren 500 g (3,75 Mol) fein zerriebenes Aluminiumchlorid ein. Das Reaktionsprodukt scheidet sich bald als rote, krümelige Masse ab, so daß am Ende der Einwirkung ein dicker Brei entstanden ist. Die am Anfang sehr lebhafte Reaktion läßt gegen Schluß nach, weshalb man zuerst die Eiskühlung entfernt und dann das Gefäß kurze Zeit in Wasser von 50° eintauchen läßt. Nach dem Absaugen des Schwefelkohlenstoffs gibt man die rotgefärbte, grobkörnige Doppelverbindung löffelweise auf Eis, das sich in einer von außen mit Eis gekühlten Porzellanschale befindet, darauf bringt man das Gemisch in einen Scheidetrichter und trennt die dunkelrote, ölige Schicht von der darunter befindlichen wäßrigen. Nach dem Ausschütteln mit 50 *ml* Natronlauge bleibt die ölige Flüssigkeit über Nacht stehen, wird dann getrennt, getrocknet und der Schwefelkohlenstoff zunächst abdestilliert. Den Rückstand destilliert man im Vakuum. Zunächst geht eine Fraktion, die aus 3,4-Dimethoxy-1-acetyl-benzol und unangegriffenem 1,2-Dimethoxy-benzol besteht, über, sodann folgt reines Keton, das leicht zu einer Kristallmasse erstarrt; Ausbeute: 500 g (77% d.Th.); Kp$_9$: 158°; F: 50°.

[1] S. I. SERGEVSKAYA u. A. A. KROPACHOVA, Ž. obšč. Chim. **23**, 463 (1953); C. A. **48**, 3323 (1954).

[2] P. N. RAO u. K. RAMAN, Tetrahedron **4**, 294 (1958).

[3] N. P. BUU-HOÏ, N. O. XUONG u. D. LAVIT, J. Org. Chem. **18**, 910 (1953); Soc. **1954**, 1034.

[4] M. OKI, Bl. chem. Soc. Japan **26**, 331 (1953).

[5] N. P. BUU-HOÏ, D. LAVIT u. N. D. XUONG, J. Org. Chem. **19**, 1617 (1954).

[6] R. ROYER et al., Bl. **1957**, 1379.

[7] N. HOAN, C. r. **236**, 614 (1953).

[8] S. KIMOTO, S. SAKAI u. K. OHKUMA, J. pharm. Soc. Japan **69**, 405 (1949).

[9] C. MANNICH, Ar. **248**, 137 (1910).

Wie 1,2-Dimethoxy-benzol verhalten sich auch durch Alkyl-Gruppen[1] substituierte 1,2-Dialkoxy-benzole. Bei der Herstellung von *3,4-Dimethoxy-5-isopropyl-1-acetyl-benzol* bewährt sich Eisen(III)-chlorid als Katalysator[2]. 1,2-Bis-[3,4-dimethoxy-phenyl]-äthan kann bei der Umsetzung mit Acetylchlorid in einem oder in beiden Acylkernen acyliert werden[3].

4-(4,5-Dimethoxy-2-acetyl-phenyl)-butansäure[4]: 32,5 g (0,13 Mol) 4-(3,4-Dimethoxy-phenyl)-butansäure-äthylester in 40 *ml* Dichlormethan werden zu einer Mischung von 12 g (0,09 Mol) Aluminiumchlorid und 6 *ml* (0,085 Mol) Acetylchlorid in 40 *ml* Nitrobenzol gegeben. Man läßt die Reaktionsmischung über Nacht stehen und trägt dann auf Eis und Salzsäure aus. Die organische Phase wird mit Natronlauge und Wasser gewaschen. Bei der Destillation erhält man ein Destillat vom $Kp_{0,5}$: 188°, das alkalisch hydrolysiert wird; Ausbeute: 20 g (83% d.Th., bez. auf Acetylchlorid); F: 88–89°.

Für die Acylierung von 1,3-Dimethoxy-benzol hat sich Zinn(IV)-chlorid in Chlorbenzol besonders bewährt[5]. Bei Verwendung von Aluminiumchlorid als Katalysator wird häufig Äther-Spaltung beobachtet. Durch überschüssiges Aluminiumchlorid und aliphatisches Carbonsäure-halogenid erfolgt leicht Diacylierung.

6-Hydroxy-4-methoxy- und 4,6-Dimethoxy-1,3-diacetyl-benzol[6]: Zu einer Lösung von 20 g (0,145 Mol) 1,3-Dimethoxy-benzol in 80 *ml* getrocknetem Schwefelkohlenstoff fügt man 30 g (0,38 Mol) Acetylchlorid. Unter sorgfältigem Kühlen trägt man dann 40 g (0,3 Mol) gepulvertes Aluminiumchlorid in die Reaktionsmischung ein. Man läßt das Reaktionsgefäß noch 1 Stde. in kaltem Wasser stehen und erwärmt anschließend 5 Min. auf dem Wasserbade, gießt den Schwefelkohlenstoff ab und wäscht das Reaktionsgemisch mit dem gleichen Lösungsmittel nach. Man versetzt den Rückstand mit viel Eis und fügt dann konz. Salzsäure hinzu. Das abgeschiedene Reaktionsprodukt wird abgesaugt, mit Wasser gewaschen und auf einem Tonteller getrocknet. Das Rohprodukt wird in 150 *ml* 10%iger Natronlauge auf 70–80° erwärmt; man filtriert vom Ungelösten ab und wäscht sorgfältig mit Wasser. Das Filtrat wird mit verd. Schwefelsäure angesäuert und das ausfallende Produkt aus Äthanol umkristallisiert; Ausbeute: 8 g (27% d.Th.) *6-Hydroxy-4-methoxy-1,3-diacetyl-benzol* (F: 121–122°).

Der in Alkali unlösliche Rückstand wird aus Äthanol umgelöst; Ausbeute: 5 g (15,5% d.Th.) *4,6-Dimethoxy-1,3-diacetyl-benzol* (F: 171–172°).

Die Acylierung von 1,3-Dimethoxy-benzol mit weiteren Alkyl-Substituenten im Phenylkern verläuft wie die Acylierung des Äthers[7]. Beim 3,5-Dimethoxy-phenylessigsäure-methylester tritt bei der Acetylierung in Nitrobenzol in Gegenwart von Aluminiumchlorid die Acetyl-Gruppe in 2-Stellung ein[8]:

(3,5-Dimethoxy-2-acetyl-phenyl)-essigsäure-methylester

[1] V. J. HARDING u. C. WEIZMANN, Soc. **97**, 1126 (1910).
   J. D. EDWARDS, S. E. McGUIRE u. C. HIGUITE, J. Org. Chem. **29**, 3028 (1964).
   J. SHINODA u. S. SATO, J. pharm. Soc. Japan **548**, 860 (1927); C. A. **22**, 772 (1928).
[2] J. D. EDWARDS u. J. L. CASHAW, Am. Soc. **78**, 3821 (1956).
[3] A. R. BATTERSBY u. R. BRINKS, Soc. **1955**, 2896.
[4] F. H. HOWELL u. D. A. H. TAYLOR, Soc. **1956**, 4252.
[5] Y. L. GOLDFARB, V. P. LITVINOV u. V. I. SHVEDOV, Ž. obšč. Chim. **30**, 535 (1960); engl.: 555.
[6] F. MAUTHNER, J. pr. [2] **119**, 313 (1928).
[7] S. LUDWINOWSKY u. J. TAMBOR, B. **39**, 4037 (1906).
   J. TAMBOR, B. **41**, 793 (1908).
[8] A. J. BIRCH, B. MOORE u. R. W. RICKARDS, Soc. **1962**, 221.

Bei der Acylierung von 1,4-Dimethoxy-benzol mit aliphatischen Carbonsäure-halogeniden in Gegenwart von Aluminiumchlorid scheint es weitgehend von der Reaktionszeit abzuhängen, ob neben der Acylierung Äther-Spaltung erfolgt.

2,5-Dimethoxy-1-acetyl-benzol[1]: 40 g (0,3 Mol) Aluminiumchlorid werden nach und nach in 40 g (0,51 Mol) Acetylchlorid eingetragen; zum Schluß wird bis zum fast vollständigen Verschwinden des Aluminiumchlorids schwach erwärmt. Zu der auf Zimmertemp. abgekühlten sirupösen Masse wird eine Lösung von 50 g (0,36 Mol) 1,4-Dimethoxy-benzol in $100\,ml$ Schwefelkohlenstoff in kleinen Portionen zugegeben. Unter ruhiger Chlorwasserstoff-Entwicklung vollzieht sich die Reaktion. Nach 2stdgm. Stehen wird von der dunkelbraunen unteren Schicht der überstehende Schwefelkohlenstoff abgegossen und durch Zusatz von Wasser die Zers. der Aluminiumchlorid-Verbindung bewirkt. Das sich abscheidende Öl wird in Äther aufgenommen, die ätherische Phase mit Natronlauge und Wasser gewaschen und der Äther nach dem Trocknen abdestilliert. Das zurückbleibende Öl wird i.Vak. fraktioniert; Ausbeute: 30 g (55,5% d.Th., bez. auf Aluminiumchlorid); Kp_{14}: 155–158°; nach einiger Zeit bildet die Verbindung farblose Prismen; F: 20–22°.

2-Hydroxy-5-methoxy-1-pentanoyl-benzol[2]: Zu einer Suspension von 40 g (0,3 Mol) Aluminiumchlorid in $100\ ml$ Schwefelkohlenstoff werden 40 g (0,33 Mol) Pentansäure-chlorid gegeben; die Mischung wird auf dem Wasserbade erhitzt, bis das Aluminiumchlorid verschwunden ist. Man fügt dann nach und nach eine Lösung von 50 g (0,36 Mol) 1,4-Dimethoxy-benzol hinzu. Nach 4 Stdn. wird der Schwefelkohlenstoff abgegossen, die ölige untere Schicht mit Eis und Salzsäure zersetzt und das Reaktionsprodukt in Äther aufgenommen. Der Äther wird nach dem Trocknen abdestilliert und der Rückstand i.Vak. fraktioniert; Ausbeute: 35 g (60% d.Th., bez. auf das eingesetzte Aluminiumchlorid); $Kp_{0,2}$: 146–154°; F: 62°.

Analog der Acylierung des 1,4-Dimethoxy-benzols verläuft die Acylierung von 1,4-Dimethoxy-2-alkyl-benzolen[3].

Die Umsetzung von Trialkoxy- oder Tetraalkoxy-benzolen[4] mit aliphatischen Carbonsäure-halogeniden wird analog der entsprechenden Umsetzung von Mono-alkoxy- oder Dialkoxy-benzolen durchgeführt. Dabei tritt der Acyl-Rest beim 1,2,3-Trimethoxy-benzol[5] in 4-Stellung ein, beim 1,2,4-Trimethoxy-benzol[6] in 5-Stellung. Beim 1,3,5-Trimethoxy-benzol verläuft die Acetylierung in Gegenwart von Aluminiumchlorid teilweise unter Äther-Spaltung[7], diese unterbleibt jedoch, wenn man die Umsetzung bei −5° bis −10° durchführt[8]. Auch konzentrierte Schwefelsäure hat sich als Katalysator für die Acetylierung des 1,3,5-Trimethoxy-benzols bewährt.

2,4,6-Trimethoxy-1-acetyl-benzol[9]: Zu einer Mischung aus 10 g (0,06 Mol) 1,3,5-Trimethoxy-benzol, 10 ml (0,14 Mol) Acetylchlorid und 10 ml Äther werden tropfenweise 5 ml konz. Schwefelsäure gegeben. Man läßt die Mischung 12 Stdn. stehen, versetzt dann mit 200 ml Wasser und arbeitet in üblicher Art und Weise auf; Ausbeute: 12,5 g (∼ 100% d.Th.); F: 97–99°.

Bei einem analog durchgeführten Versuch zur Acetylierung von Anisol werden nur 2% an *4-Methoxy-1-acetyl-benzol* erhalten.

Diphenyläther wird unter den üblichen Bedingungen je nach der angewendeten Menge an aliphatischem Carbonsäure-halogenid und Aluminiumchlorid einmal[10]

---

[1] H. Kauffmann u. A. Beisswanger, B. **38**, 789 (1905).
[2] J. H. Cruickshank u. R. Robinson, Soc. **1938**, 2066.
[3] R. Royer et al., Bl. **1957**, 1379.
 C. R. Ramage u. C. V. Stead, Soc. **1953**, 3602.
 L. Panizzi u. R. Nicolaus, G. **83**, 774 (1953).
[4] C. Kuroda, Soc. **1930**, 767.
[5] W. H. Perkin u. C. Weizmann, Soc. **89**, 1649 (1906).
[6] J. Reidgrodski u. J. Tambor, B. **43**, 1964 (1910).
[7] P. Friedländer u. L. C. Schnell, B. **30**, 2150 (1897).
[8] K. C. Gulati u. K. Venkataraman, Soc. **1936**, 267.
[9] J. G. Belton, N. V. Nowlan u. T. S. Wheeler, Scient. Pr. roy. Dublin Soc. **25**, 19 (1949).
[10] H. Kipper, B. **38**, 2491 (1905).

in 4-Stellung (*4-Phenoxy-1-acetyl-benzol*) oder zweimal[1] in 4,4'-Stellung (*Bis-[4-acetyl-phenyl]-äther*) acyliert. Neben Acetylchlorid wurden auch zahlreiche Chloride höherer aliphatischer Carbonsäuren mit Diphenyläther umgesetzt[2]. Spaltung des Diphenyläthers durch das angewandte Aluminiumchlorid wird bei diesen Umsetzungen nicht beobachtet.

Wenn im Diphenyläther eine 4-Stellung durch eine Methyl-Gruppe blockiert ist, entsteht mit Acetylchlorid *4-(4-Methyl-phenoxy)-1-acetyl-benzol*[3], während man entsprechend aus 3-Methyl-diphenyläther *4-Phenoxy-2-methyl-1-acetyl-benzol*[4] erhält. Beim Bis-[4-methyl-phenyl]-äther erfolgt der Eintritt der Acetyl-Gruppe in 2-Stellung [*2-(4-Methyl-phenoxy)-5-methyl-1-acetyl-benzol*][5]; die Ausbeuten bei dieser Umsetzung sind jedoch gering. Wenn in einem Phenylkern des Diphenyläthers eine Methoxy-Gruppe steht, bestimmt diese die Eintrittsstelle der Acyl-Gruppe. So wird aus 2-Methoxy-diphenyläther[6] *4-Methoxy-3-phenoxy-1-acetyl-benzol* und *4-Methoxy-3-(4-acetyl-phenoxy)-1-acetyl-benzol* erhalten. Beim 3-Methoxy-diphenyläther[4] tritt die Acetyl-Gruppe in 4-Stellung ein; es erfolgt dabei Äther-Spaltung, und man erhält *2-Hydroxy-4-phenoxy-1-acetyl-benzol*. Auch beim 4-Methoxy-diphenyläther[7] wird bei der Umsetzung mit Acetylchlorid in Gegenwart von Aluminiumchlorid die Methoxy-Gruppe gespalten, man erhält *2-Hydroxy-5-phenoxy-1-acetyl-benzol* und *2-Hydroxy-5-(4-acetyl-phenoxy)-1-acetyl-benzol*. Wenn ein Phenylkern des Diphenyläthers ein Chloratom[8] oder eine Nitro-Gruppe[3,9] enthält, erfolgt der Eintritt der Acyl-Gruppe in 4-Stellung des anderen Phenylkernes.

Der Einfluß verschiedener Substituenten in einem Phenylkern des Diphenyläthers auf die Acetylierungsgeschwindigkeit ist untersucht worden[10].

Die Acylierung von Thiophenol oder Homologen ist nicht beschrieben worden, nur die Acetylierung von 3-Methoxy- bzw. 3-Äthoxy-thiophenol ist bekannt.

4-Methoxy-2-mercapto-1-acetyl-benzol[11]: Zu 60 g (0,45 Mol) fein gepulvertem Aluminiumchlorid, die mit trockenem Schwefelkohlenstoff überschichtet sind, setzt man unter Rühren 35 g (0,45 Mol) Acetylchlorid und läßt in dieses Gemenge unter weiterem Rühren und zweckmäßig unter Kühlung 30 g (0,21 Mol) 3-Methoxy-thiophenol einfließen. Die Reaktion beginnt sofort unter lebhafter Chlorwasserstoff-Entwicklung. Ist diese beendet, so trennt sich das Reaktionsgemisch nach kurzem Stehen in 2 Schichten. Man gießt die untere nach Entfernung der Schwefelkohlenstoff-Lösung auf Eiswasser, isoliert das sich ausscheidende Öl und erhitzt dieses einige Zeit mit verd. Salzsäure unter Rückflußkühlung. Durch Aufnehmen des Öles in verd. Natronlauge entfernt man alkaliunlösliche Reaktionsprodukte und reinigt nach dem Ansäuern das Keton durch Destillation i.Vak. oder Umkristallisieren, zweckmäßig aus Äthanol; F: 94—96° (tafel-

[1] W. DILTHEY et al., J. pr. [2] **117**, 351 (1927).
[2] N. P. BUU-HOI, N. D. XUONG u. D. LAVIT, Soc. **1954**, 1034.
  A. W. RALSTON u. C. W. CHRISTENSEN, Ind. Eng. Chem. **29**, 194 (1937).
  US. P. 2033540 (1943), Armour & Co., Erf.: K. W. RALSTON u. C. W. CHRISTENSEN; C. A. **30**, 3123 (1936).
[3] W. DILTHEY et al., J. pr. [2] **117**, 359 (1927).
[4] S. KIMOTO u. K. ASAKI, J. pharm. Soc. Japan **72**, 300 (1952).
[5] S. KIMOTO, J. pharm. Soc. Japan **75**, 501 (1955).
[6] M. TOMITA, J. pharm. Soc. Japan **54**, 897 (1934).
[7] M. TOMITA, J. pharm. Soc. Japan **57**, 689 (1937).
[8] S. KIMOTO, K. ASAKI u. S. KISHI, J. pharm. Soc. Japan **74**, 358 (1954).
[9] A. W. RALSTON u. C. W. CHRISTENSEN, Ind. Eng. Chem. **29**, 194 (1937).
  US. P. 2033540 (1934), Armour & Co., Erf.: A. W. RALSTON u. C. W. CHRISTENSEN; C. A. **30**, 3123 (1936).
[10] S. KIMOTO, J. pharm. Soc. Japan **75**, 727 (1955).
[11] DRP 202632 (1907), Farbwerke Hoechst; C. **1908** II, 1659.

förmige Kristalle, schwer löslich in Äther, Ligroin und kaltem Äthanol, leicht löslich in warmem Äthanol, Natronlauge oder Schwefelalkalien).

Analog erhält man *4-Äthoxy-2-mercapto-1-acetyl-benzol* (F: 64–65°).

Die Acylierung von Alkyl-phenyl-thioäthern mit aliphatischen Carbonsäure-halogeniden in Gegenwart von Aluminiumchlorid in Schwefelkohlenstoff, Nitrobenzol oder Chloroform verläuft glatt. Die Acyl-Gruppe tritt dabei in 4-Stellung zur Alkylmercapto-Gruppe ein, wenn die 4-Stellung besetzt ist, in 2-Stellung.

1-Alkylmercapto-4-acetyl-benzole; allgemeine Arbeitsvorschrift[1]: Zu einer gut gerührten Mischung aus 160 g (1,2 Mol) Aluminiumchlorid und 600 *ml* Chloroform werden 102 g (1,3 Mol) Acetylchlorid gegeben. Während der Zugabe wird die Temp. der Mischung durch Kühlung mit einer Eis-Methanol-Mischung bei 0–10° gehalten. Zu der grauen Suspension wird dann bei 0–5° ein Mol des Alkyl-phenyl-thioäthers zugetropft. Nach Beendigung der Zugabe wird die Kühlung entfernt und die Temp. der Reaktionsmischung auf 20° steigen gelassen. Nach der Hydrolyse trennt man die Chloroform-Schicht ab, trocknet sie und destilliert das Lösungsmittel ab. Wenn der Rückstand beim Abkühlen erstarrt, wird er durch Umkristallisation gereinigt, sonst destilliert man ihn im Vakuum. Folgende Verbindungen werden z. B. auf diese Weise hergestellt:

4-Methylmercapto-1-acetyl-benzol	98% d. Th.	F: 80,6–81,4°
4-Äthylmercapto-1-acetyl-benzol	88% d. Th.	F: 44,6–45,7°
4-Propylmercapto-1-acetyl-benzol	85% d. Th.	F: 37,7–39,1°
4-Butylmercapto-1-acetyl-benzol	66% d. Th.	F: 24–25°

Auch die Umsetzung von Alkyl-phenyl-thioäthern mit Chloriden höherer aliphatischer Carbonsäuren ist beschrieben worden[2]. Die Acylierung von Alkyl-phenylthioäthern mit Substituenten im Alkyl-Rest ist möglich. So erhält man aus Trifluormethylmercapto-benzol mit Acetylchlorid *4-Trifluormethylmercapto-1-acetylbenzol*[3] und aus Phenylmercapto-essigsäure (*4-Acetyl-phenylmercapto)-essigsäure*[4]. Die letztgenannte Umsetzung wird in Nitrobenzol oder einer Mischung aus Nitrobenzol und Schwefelkohlenstoff vorgenommen; die Lösungsmittelmischung bewährt sich dabei als Reaktionsmedium am besten. Bei der Umsetzung von (3-Methyl-phenylmercapto)-essigsäure mit Acetylchlorid wird in Nitrobenzol neben (*3-Methyl-4-acetylphenylmercapto)-* auch wenig (*3-Methyl-2-acetyl-phenylmercapto)-essigsäure* erhalten:

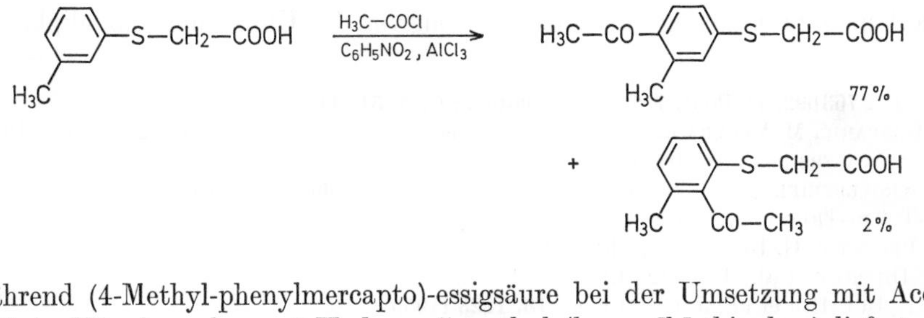

Während (4-Methyl-phenylmercapto)-essigsäure bei der Umsetzung mit Acetylchlorid in Nitrobenzol nur 3-Hydroxy-5-methyl-⟨benzo-[b]-thiophen⟩ liefert, ent-

---

[1] R. A. CUTLER, R. J. STENGER u. C. M. SUTER, Am. Soc. **74**, 5477 (1952).
[2] P. CAGNIANT, C. r. **226**, 1133 (1948).
    N. P. BUU-HOÏ et al., J. Org. Chem. **18**, 1209 (1953).
    E. PROFFT, Chem. Techn. **6**, 366 (1954).
[3] US. P. 2763692, DuPont, Erf.: W. GREGORY; C. A. **51**, 4429 (1957).
[4] D. WALKER u. J. LEIB, J. Org. Chem. **28**, 3080 (1963).

steht bei der gleichen Reaktion in Schwefelkohlenstoff-Nitrobenzol die erwartete (*4-Methyl-2-acetyl-phenylmercapto*)-*essigsäure*:

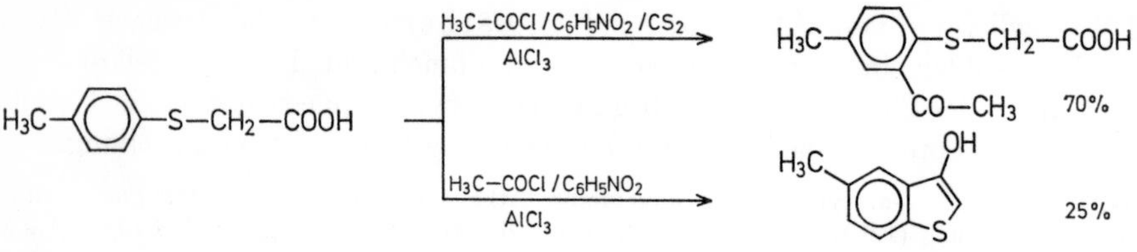

Die Acylierung von Alkyl-phenyl-thioäthern mit Alkyl-Gruppen[1,2] oder Chloratomen[1,3] im Phenylkern mit aliphatischen Carbonsäure-chloriden in Gegenwart von Aluminiumchlorid wird meist in Schwefelkohlenstoff durchgeführt. Die Reaktion glückt auch bei Thioäthern mit verzweigten Seitenketten.

4-(3-Methyl-butylmercapto)-2-methyl-5-isopropyl-1-acetyl-benzol[4]: Man versetzt 0,1 Mol 2-(3-Methyl-butylmercapto)-4-methyl-1-isopropyl-benzol in 60 *ml* Schwefelkohlenstoff mit 0,1 Mol Aluminiumchlorid und dann innerhalb von 10 Min. mit 0,125 Mol Acetylchlorid. Man rührt 5 Stdn. bei 50–55° nach und arbeitet wie üblich auf; Ausbeute: 41% d.Th.; Kp_{14}: 194–208°.

Diphenylsulfid kann analog wie Diphenyläther je nach der angewendeten Menge an aliphatischem Carbonsäure-halogenid und an Aluminiumchlorid einmal oder zweimal acyliert werden[5]; die Acyl-Gruppen treten dabei in 4-Stellung bzw. in 4,4′-Stellung ein. Die Acylierung von 4-Nitro-diphenylsulfid mit Acetylchlorid in Schwefelkohlenstoff in Gegenwart von Aluminiumchlorid gelingt[6] ebenfalls, allerdings nur mit einer Ausbeute von 7% d.Th.

Die Umsetzung von p-Toluolsulfonsäure-chlorid mit Hexansäure-chlorid in Schwefelkohlenstoff mit Aluminiumchlorid als Katalysator ergibt mit guter Ausbeute *4-Methyl-2-hexanoyl-benzolsulfonsäure-chlorid*[7].

Acylierungen von N,N-Dimethyl-anilin mit Propionsäure-chlorid[8], Heptansäure-chlorid[9] oder Decansäure-chlorid[10] werden mit wasserfreiem Zinkchlorid als Katalysator durchgeführt; man erhält die gewünschten Ketone dabei meist nur mit geringen Ausbeuten. Triphenylamin kann mit Acetylchlorid/Aluminiumchlorid zu *Tris-[4-acetyl-phenyl]-amin* umgesetzt werden[11]. N-Monosubstituierte Aniline acyliert man zweckmäßig am Stickstoffatom vor der Umsetzung mit aliphatischen

[1] US. P. 2763692, DuPont, Erf.: W. GREGORY; C. A. **51**, 4429 (1957).
[2] J. GASPARIČ, M. VECERA u. M. JUREČEK, Collect. czech. chem. Commun. 24, 1839, (1959).
    K. v. AUWERS u. F. ARNDT, B. **42**, 537 (1909).
    F. KROLLPFEIFER, K. L. SCHNEIDER u. A. WISSNER, A. **566**, 139 (1950).
[3] V.-T. TRI-TRUC u. N. HOÁN, C. r. **237**, 1016 (1953).
[4] E. PROFFT u. G. BUCHMANN, Chem. Techn. **7**, 141 (1955).
[5] W. DILTHEY et al., J. pr. [2] **124**, 108 (1930).
    N. P. BUU-HOI et al., J. Org. Chem. **18**, 1223 (1953).
    H. H. SZMANT u. F. P. PALOPOLI, Am. Soc. **72**, 1757 (1950).
    L. PETIT u. M. DURSIN, C. r. **258**, 4573 (1964).
    E. FOURNIER et al., Bl. **1966**, 1754.
[6] H. H. SZMANT u. D. H. IRVIN, Am. Soc. **78**, 4386 (1956).
[7] Jap. P. 4718 (1952), N. HOSHI u. M. SAITO; C. A. **48**, 8260 (1954).
[8] S. SKRAUP u. F. NIETEN, B. **57**, 1309 (1924).
[9] V. AUGER, Bl. [2] **47**, 42 (1887).
[10] T. KOSUGE u. M. SATO, J. pharm. Soc. Japan **74**, 1139 (1954).
[11] T. M. BAKER, J. Org. Chem. **30**, 3714 (1965).

Carbonsäure-halogeniden. So erfolgt die Herstellung von *4-(N-Benzoyl-anilino)-1-acetyl-benzol* (*N-Phenyl-N-(4-acetyl-phenyl)-benzoesäure-amid*) aus Benzoesäure-di-phenylamid und Acetylchlorid in Schwefelkohlenstoff in Gegenwart von Aluminium-chlorid[1].

Acetanilid läßt sich glatt in Schwefelkohlenstoff in 4-Stellung mit aliphatischen Carbonsäure-halogeniden acylieren.

4-Acetylamino-1-acetyl-benzol (Essigsäure-4-acetyl-anilid)[2]: Zu 4200 g (31,5 Mol) Aluminium-chlorid und 1200 g (8,9 Mol) Acetanilid in 5,5 l Schwefelkohlenstoff werden unter lebhaftem Rühren 1920 g (24,5 Mol) Acetylchlorid getropft. Man erwärmt dann noch 30 Min. auf dem Wasserbad. Nach dem Abkühlen und Beendigung des Rührens trennt sich die Reaktionsmischung in 2 Schichten. Die untere, rotbraune, dickflüssige wird abgetrennt und auf Eisstücke gegossen, um die Aluminium-Doppelverbindung zu zersetzen. Man erhält eine wenig rot gefärbte, bröcke-lige Masse, die in Wasser gelöst und mit Zuckerkohle entfärbt wird. Nach dem Abkühlen, Ab-saugen und Trocknen erhält man 1342 g (85,3% d.Th.); F: 162–164°.

Analog werden auch höhere aliphatische Carbonsäure-chloride mit Acetanilid umgesetzt[3].

Bei der Acylierung von Essigsäure-2-methyl-[4] bzw. -2-äthyl-anilid[5] mit ali-phatischen Carbonsäure-halogeniden tritt die Acyl-Gruppe in p-Stellung zur Alkyl-Gruppe ein:

$$R = CH_3 \qquad \textit{3-Acetylamino-4-methyl-1-acetyl-benzol}$$
$$C_2H_5 \qquad \textit{3-Acetylamino-4-methyl-1-propanoyl-benzol}$$
$$C_3H_7 \qquad \textit{3-Acetylamino-4-methyl-1-butanoyl-benzol}$$
$$C_5H_{11} \qquad \textit{3-Acetylamino-4-methyl-1-hexanoyl-benzol}$$

Beim Essigsäure-3-methyl-anilid[4] dagegen erfolgt die Acylierung in p-Stellung zur Acetylamino-Gruppe, während beim Essigsäure-4-methyl-anilid der Eintritt der Acyl-Gruppe orthoständig[6] zur Acetylamino-Gruppe erfolgt. Auch die Acylierung verschiedener Essigsäure-dimethyl-anilide ist untersucht worden[7]. Die Umsetzung von Essigsäure-3-chlor-anilid mit Acetylchlorid in Gegenwart von Aluminium-chlorid wird ohne Lösungsmittel vorgenommen[8]; die Acyl-Gruppe tritt in p-Stellung zur Acetylamino-Gruppe ein. Bei der Acylierung von Essigsäure-3-alkoxy-aniliden mit Acetylchlorid erfolgt Äther-Spaltung, und man erhält *4-Acetylamino-2-hydroxy-1-acetyl-benzol*[9].

[1] S. G. P. PLANT u. C. R. WORTHING, Soc. **1955**, 1279.

[2] I. SALLAY u. G. FODOR, Acta chim. Acad. Sci. hung. **2**, 58 (1952).
   Vgl. F. KUNCKELL, B. **33**, 2641 (1900).

[3] M. ISHIDATE u. T. NAMBARA, Pharm. Bull. (Tokyo) **1**, 290 (1953).
   T. KOSUGE u. M. SATO, J. pharm. Soc. Japan **74**, 1139 (1954).

[4] N. P. BUU-HOÏ, B. ECKERT u. R. ROYER, C. r. **233**, 628 (1951).

[5] N. P. BUU-HOÏ, P. JACQUIGNON u. M. MARTY, C. r. **251**, 2978 (1960).
   Vgl. L. H. WERNER u. S. RICCA, Am. Soc. **80**, 2736 (1958).

[6] B. I. ARDASHEV u. V. I. MINKIN, Ž. obšč. chim. **27**, 1261 (1957); C. A. **52**, 2856 (1958).
   A. D. THOMSEN u. H. LUND, Acta Chem. Scand. **23**, 2930 (1969).

[7] B. ECKERT, R. ROYER u. N. P. BUU-HOI, C. r. **233**, 1461 (1951).
   R. C. FUSON u. H. O. HOUSE, J. Org. Chem. **18**, 496 (1953).

[8] V. K. MEHTA u. S. R. PATEL, J. indian chem. Soc. **36**, 100 (1959).

[9] I. K. FELDMAN u. A. A. SIMEONOV, Ž. obšč. chim. **23**, 2043 (1953); C. A. **49**, 3063 (1955).

Elektronenanziehende Substituenten an Benzolkohlenwasserstoffen desaktivieren den Benzolkern so stark, daß elektrophile Substitutionen nicht stattfinden. Diese Desaktivierung kann für den Fall der Friedel-Crafts-Keton-Synthese durch elektronenspendende Substituenten überkompensiert werden. So gelingt die Acylierung von Nitrophenolen oder Nitrophenoläthern mit aliphatischen Carbonsäure-chloriden in Schwefelkohlenstoff oder vorteilhafter in Nitrobenzol als Lösungsmittel in Gegenwart von überschüssigem Aluminiumchlorid. Der Acyl-Rest tritt dabei in p-Stellung zur Hydroxy- oder Alkoxy-Gruppe ein, wenn diese Stellung besetzt ist, in o-Stellung.

3-Nitro-4-hydroxy-1-acetyl-benzol[1]: Zu einer gut gerührten Mischung aus 74 g (0,55 Mol) Aluminiumchlorid und 100 *ml* Nitrobenzol wird eine Mischung aus 28 g (0,2 Mol) 2-Nitro-phenol, 24 g (0,3 Mol) Acetylchlorid und 75 *ml* Nitrobenzol gegeben. Man verrührt die Mischung 2 ½ Stdn. bei 55–60° und dann über Nacht bei Raumtemp.; zur Hydrolyse wird die Reaktionsmischung auf 500 g Eis und 100 *ml* konz. Salzsäure ausgetragen und Nitrobenzol durch Wasserdampfdestillation entfernt. Der Ätherextrakt des Rückstandes wird mit 3%iger Natronlauge extrahiert und die alkalische Lösung angesäuert; Ausbeute: 17,1 g (47,2% d. Th.); F: 132–132,5° (aus Äthanol).

Nach der Extraktion des mit Wasserdampf übergetriebenen Nitrobenzols mit 3%iger Natronlauge wird der alkalische Extrakt angesäuert. Dabei werden 13 g (46,4% der eingesetzten Menge) 2-Nitro-phenol (F: 41–43°) zurückerhalten.

Analog erhält man in Ausbeuten von 43–26% d. Th.

3-Nitro-4-hydroxy-1-propanoyl-benzol	F: 65,4–66,2°
3-Nitro-4-hydroxy-1-butanoyl-benzol	F: 47,6–48,2°
3-Nitro-4-hydroxy-1-pentanoyl-benzol	F: 27,4–28,2°
3-Nitro-4-hydroxy-1-hexanoyl-benzol	F: 37,2–37,6°

Auch 4-Nitro-phenol und 6-Nitro-2-methyl-phenol lassen sich mit Acetylchlorid in Nitrobenzol zu *5-Nitro-2-hydroxy-1-acetyl-benzol* bzw. *5-Nitro-4-hydroxy-3-methyl-1-acetyl-benzol* umsetzen[2]; die dabei angewendeten Reaktionstemperaturen liegen bei 130°.

Bei der Umsetzung von 2-Nitro-1-methoxy- bzw. 2-Nitro-1-äthoxy-benzol mit Acetylchlorid in Schwefelkohlenstoff in Gegenwart von Aluminiumchlorid werden *3-Nitro-4-methoxy-1-acetyl-benzol* und *3-Nitro-4-äthoxy-1-acetyl-benzol* mit geringen Ausbeuten erhalten[3]. Daneben kann *3-Nitro-4-hydroxy-1-acetyl-benzol* isoliert werden. Vorteilhafter ist die Verwendung von Nitrobenzol als Lösungsmittel.

3-Nitro-4-methoxy-1-acetyl-benzol[4]: 15 g (0,11 Mol) fein gepulvertes Aluminiumchlorid werden bei Raumtemp. in 115 g Nitrobenzol gelöst und 10 g (0,13 Mol) Acetylchlorid hinzugefügt. Nun kühlt man auf 0° ab und gibt 15 g (0,1 Mol) 2-Nitro-1-methoxy-benzol hinzu. Den Ansatz läßt man mit aufgesetztem Calciumchloridrohr 24 Stdn. unter Eiskühlung stehen und gibt sodann zur Zers. des Aluminiumchlorids auf Eis. Das Nitrobenzol wird mit Wasserdampf abdestilliert und das zurückgebliebene ölige Reaktionsprodukt, das beim Abkühlen erstarrt, abgenutscht. Zur Entfernung von wenig gebildetem Hydroxy-keton wird einige Male mit verd. Natronlauge gewaschen und das Methoxy-keton aus Äthanol umkristallisiert; Ausbeute: 7 g (36% d.Th.); F: 99°.

Auch Benzoesäure, zweckmäßigerweise eingesetzt als Ester bzw. als Amid, wird durch Einführung von Hydroxy- oder Alkoxy-Gruppen der Friedel-Crafts-Keton-

[1] F. C. Brown, Am. Soc. **68**, 873 (1946).
[2] S. S. Joshi u. H. Singh, Am. Soc. **76**, 4993 (1954).
[3] F. Stockhausen u. L. Gattermann, B. **25**, 3521 (1892).
   W. Borsche u. J. Barthenheier, A. **553**, 250 (1942).
[4] O. Behaghel u. H. Ratz, B. **72**, 1266 (1939).

Synthese zugänglich. Meist führt man die Umsetzung in Nitrobenzol durch, da in Schwefelkohlenstoff unerwünschte Nebenprodukte entstehen[1]. Die Acyl-Gruppe tritt wiederum in p-Stellung zur Hydroxy- oder Alkoxy-Gruppe ein, wenn diese besetzt ist, in o-Stellung. Das als Katalysator verwendete Aluminiumchlorid muß im Überschuß angewendet werden. Auf diese Weise werden aus Salicylsäure und aliphatischen Carbonsäure-halogeniden 2-Hydroxy-5-alkanoyl-benzoesäuren erhalten[1,2]. Besonders hohe Ausbeuten werden erzielt, wenn man an Stelle der freien Salicylsäure Salicylsäure-amid einsetzt[3]. Auch mit Salicylsäure-nitril ist die Synthese durchführbar.

2-Hydroxy-5-acetyl-1-cyan-benzol[4]: 3,57 g (0,03 Mol) Salicylsäure-nitril werden in 7 ml Nitrobenzol gelöst und zu einer Aufschlämmung von 4,5 g (0,034 Mol) Aluminiumchlorid in 8 ml Nitrobenzol und 3 g (0,038 Mol) Acetylchlorid gegeben. Nach eintägigem Stehen unter Feuchtigkeitsausschluß wird mit Eis und konz. Salzsäure zerlegt. Es erfolgt Wasserdampfdestillation, Ausäthern des Destillationsrückstandes und Ausschütteln des Ätherextraktes mit 0,2 n Natronlauge. Aus der alkalischen Lösung erhält man durch Ansäuern 3 g Öl, das sich durch Vakuumdestillation reinigen läßt; Ausbeute: 62% d.Th.; F: 78° (feine, farblose Nadeln).

Bei der Umsetzung von 2-Methoxy-benzoesäure-methylester mit Acetylchlorid in Schwefelkohlenstoff in Gegenwart von Aluminiumchlorid tritt Äther-Spaltung ein, und man isoliert *2-Hydroxy-5-acetyl-benzoesäure-methylester*, dagegen bleibt bei der gleichartigen Umsetzung von 2-Methoxy-benzonitril die Methoxy-Gruppe (*2-Methoxy-5-acetyl-benzoesäure-nitril*) intakt[5].

Die Umsetzung von 4-Hydroxy-benzoesäure-äthylester mit aliphatischen Carbonsäure-halogeniden in Tetrachlormethan führt mit guten Ausbeuten zu 4-Hydroxy-3-alkanoyl-benzoesäure-äthylester[6].

2,4-Dihydroxy-benzoesäure[7] sowie deren Methylester[8] lassen sich in Nitrobenzol durch aliphatische Carbonsäure-chloride glatt acylieren. Bei der Acetylierung von 2,4-Diäthoxy-benzoesäure in überschüssigem Acetylchlorid in Gegenwart von Aluminiumchlorid erfolgt teilweise Äther-Spaltung, während die entsprechende Dimethoxy-Verbindung ohne Komplikationen zur Reaktion gebracht werden kann.

2,4-Dimethoxy-5-acetyl-benzoesäure[9]: Zu einer Lösung von 50 g (0,275 Mol) 2,4-Dimethoxy-benzoesäure in 750 ml frisch rektifiziertem Acetylchlorid fügt man in 20 Min. 250 g (1,87 Mol) fein gepulvertes, frisches Aluminiumchlorid. Unter heftiger Reaktion, starker Chlorwasserstoff-Entwicklung und Rotfärbung geht alles Aluminiumchlorid in Lösung. Dann läßt man die Flüssigkeit in ~ 4 kg Eiswasser einfließen, wodurch sich das Reaktionsprodukt kristallin ausscheidet. Dasselbe wird nach einigem Stehen abgesaugt und gewaschen. Zur Reinigung löst man es mit ~ 50 g Natriumhydrogencarbonat in ~ 1 l Wasser, erhitzt die Lösung auf dem Wasserbad, bis sich das Ungelöste, im wesentlichen Tonerde, gut abgesetzt hat, filtriert und säuert heiß mit Salzsäure an. Das Produkt fällt schön kristallin aus und wird nach dem Erkalten abgesaugt, gewaschen und getrocknet; Ausbeute: 80–90% d.Th.; F: 231–233° (glasglänzende Prismen aus Methanol).

Bei der Acylierung von 2,6-Dihydroxy-4-methoxy-3-methyl-benzoe-säure-methylester mit Butansäure-chlorid in Gegenwart von Aluminiumchlorid

[1] F. Seidel u. O. Engelfried, B. **69**, 2581 (1936).
[2] D. N. Shah u. N. M. Shah, J. Univ. Bombay [A] **18**, 25 (1949); C. A. **44**, 5845 (1950).
[3] R. Granger, M. Corbier u. J. Vinas, C. r. **234**, 1059 (1952).
[4] W. Borsche u. P. Hahn-Weinheimer, A. **570**, 159, (1950).
[5] W. Borsche u. J. Barthenheier, A. **353**, 254 (1942).
[6] M. P. Fadia, V. P. Shukla u. J. J. Trivedi, J. indian chem. Soc. **32**, 117 (1955).
[7] T. Kosuge u. M. Sato, J. pharm. Soc. Japan, Pure chem. Section **74**, 1139 (1954).
[8] P. L. Trivedi u. S. Sethna, J. indian chem. Soc. **28**, 245 (1951).
[9] C. Liebermann u. S. Lindenbaum, B. **41**, 1613 (1908).

zu *2,6-Dihydroxy-4-methoxy-5-methyl-3-butanoyl-benzoesäure-methylester* hat sich eine Mischung von Schwefelkohlenstoff und Nitrobenzol als Reaktionsmedium besonders bewährt[1].

Wie bereits auf S. 35 berichtet, können bei der Acylierung von Dialkyl-, Trialkyl- oder Tetraalkyl-benzolen mit aliphatischen Carbonsäure-halogeniden manchmal auch Diacyl-Derivate isoliert werden. Man kann andererseits Alkyl-phenyl-keto-ne, die im Arylkern mehrere Alkyl-Gruppen tragen, unter drastischen Bedingungen ein zweites Mal acylieren. Diese Reaktion verläuft im allgemeinen mit niedrigen Ausbeuten.

1,3-Dimethyl-4,6-diacetyl-benzol[2]: In 30 g (0,2 Mol) 2,4-Dimethyl-1-acetyl-benzol werden langsam 80 g (0,6 Mol) Aluminiumchlroid eingetragen, so daß die Temp. ~ etwa 40° steigt. Dann läßt man unter gutem Rühren im Laufe von 30 Min. 21 g (0,27 Mol) Acetylchlorid zu-tropfen, wobei unter Erwärmung auf ~ 45° Chlorwasserstoff entweicht. Man steigert dann langsam innerhalb von 2 Stdn. die Temp. auf 85–90° und erhitzt, wenn die Chlorwasserstoff-Ent-wicklung ganz schwach geworden ist, noch 30 Min. auf 90–95°. Die dunkelbraune Schmelze wird mit Wasser zersetzt und das Reaktionsprodukt mit Äther aufgenommen. Nach dem Waschen mit verd. Natronlauge und darauf mit Wasser wird getrocknet, filtriert und der Äther abdestilliert. Der Rückstand, welcher in der Kälte zu einem Kristallkuchen erstarrt, läßt sich durch Umkristalli-sation aus Äthanol oder durch fraktionierte Destillation i. Vak. leicht in unangegriffenes Keton und 4,6-Dimethyl-1,3-diacetyl-benzol zerlegen. Man erhält 15 g (0,1 Mol) vom Ausgangsmaterial zurück und 16 g (42% d. Th., bez. auf Keton) *1,3-Dimethyl-4,6-diacetyl-benzol*; F: 108° (aus Ätha-nol); Kp_{11}: 161–162°.

Ausbeuten, die über 50% d. Th. liegen, erhält man bei der Acylierung von Alkyl-phenyl-ketonen, die in 2,6-Stellung dialkyliert[3] sind, da dann die coplanare Ein-stellung des Acyl-Restes durch sterische Hinderung erschwert wird; dadurch wird der elektronenanziehende Charakter der Acyl-Gruppe verringert.

Die Herstellung von Diacyl-benzolen mit verschiedenen aliphatischen Acyl-Resten durch Acylierung eines Alkyl-phenyl-ketons mit einem von einer anderen Carbonsäure abgeleiteten aliphatischen Carbonsäure-chlorid ist nicht möglich, da bei der Reaktion Umacylierung erfolgt[4]; man erhält Diacyl-Derivate mit gleichen Acyl-Resten. Dies ist verständlich, da ja bei der Einführung einer zweiten Acyl-Gruppe das zur Acylierung verwendete aliphatische Carbonsäure-chlorid im Überschuß angewendet wird.

Bei der Acetylierung von 2-Methoxy-1-acetyl-benzol mit Acetylchlorid in Schwefel-kohlenstoff in Gegenwart von Aluminiumchlorid erfolgt Äther-Spaltung, und man erhält *4-Hydroxy-1,3-diacetyl-benzol*[5].

Aus 2,4-Dihydroxy-benzophenon entsteht bei der Acetylierung nach Friedel-Crafts bei 120° *3,5-Dihydroxy-4-acetyl-* und etwas *2,4-Dihydroxy-3,5-diacetyl-benzophenon*[6].

Bei der Umsetzung von Trimethyl-phenyl-silan mit Acetylchlorid und Aluminiumchlorid wird der Trimethylsilyl-Rest abgespalten und man isoliert

[1] W. Riedl u. R. Mitteldorf, B. **89**, 2589 (1956).

[2] DRP 515540 (1926), I. G. Farb., Erf.: O. Wulff; C. A. **25**, 2439 (1931).
   F. Feist, A. **496**, 99 (1932).

[3] R. C. Fuson u. H. O. House, J. Org. Chem. **18**, 496 (1953).

[4] H. Weil, B. **30**, 1285 (1897).

[5] W. Borsche u. J. Barthenheier, A. **553**, 254 (1942).

[6] US. P. 2891996 (1956), The Dow Chem. Co., Erf.: G. A. Clark u. C. B. Havens; C. A. **54**, 432 (1960).

Acetophenon[1]. Wenn man diese Reaktion jedoch mit Acetylfluorid in Chloroform in Gegenwart von Bortrifluorid als Katalysator durchführt, erhält man *4-Trimethyl-silyl-1-acetyl-benzol* (35% d.Th.)[2]. In Trichlorsilyl-benzol oder 4-Chlor-1-trichlorsilyl-benzol erfolgt in Gegenwart von Aluminiumchlorid und Acetylchlorid ebenfalls Ersatz des Trichlorsilyl-Restes durch den Acetyl-Rest[3]. Die Acylierung nach Friedel-Crafts ist dagegen möglich, wenn sich zwischen dem Trialkylsilyl-Rest und dem Benzolkern mindestens eine CH_2-Gruppe befindet:

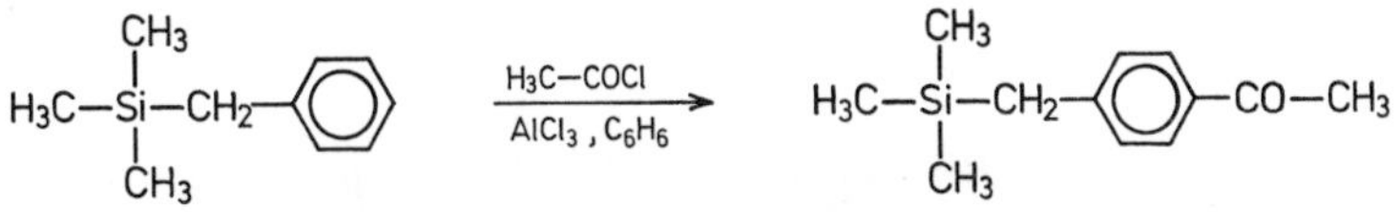

4-Trimethylsilylmethyl-1-acetyl-benzol[4]: Eine Mischung aus 242 g (1,5 Mol) Trimethyl-benzyl-silan und 234 g (3 Mol) Benzol wird im Verlaufe von 2 Stdn. unter Rühren mit 58,5 g (0,75 Mol) Acetylchlorid und 97,5 g (0,75 Mol) Aluminiumchlorid versetzt. Das Reaktionsgefäß wird mit Wasser gekühlt, so daß die Temp. der Reaktionsmischung nicht über 30° steigt. Nach Beendigung der Zugabe wird noch 30–40 Min. bei Raumtemp. gerührt. Man gießt dann die Reaktionsmischung auf Eis aus. Die organische Phase wird in Äther aufgenommen, die Ätherphase wird nach dem Trocknen fraktioniert destilliert. Man isoliert so 225 g Benzol, 134,3 g (0,82 Mol) Trimethyl-benzyl-silan (Kp_{750}: 185–188°) und 105,3 g (77% d.Th., bez. auf umgesetztes Trimethyl-benzyl-silan) *4-Trimethylsilylmethyl-1-acetyl-benzol*; Kp_{14}: 140–141°.

Analog wurden die in Tab. 13 zusammengestellten Ketone erhalten.

Tab. 13. 4-Trialkylsilylmethyl-1-alkanoyl-benzole durch Acylierung von Tri-alkyl-benzyl-silan

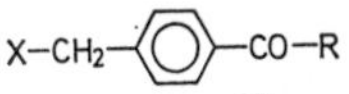

R X $\quad$ $X-CH_2-\langle\bigcirc\rangle-CO-R$		Ausbeute [% d.Th.]	Kp	
			[°C]	[Torr]
$-CH_3$	$-CH_2-Si(CH_3)_3$	*4-(2-Trimethylsilyl-äthyl)-1-acetyl-benzol*	72	152,5–154	11
$-CH_3$	$-Si(C_2H_5)_3$	*4-Triäthylsilylmethyl-1-acetyl-benzol*	35	141–143	4
$-CH_3$	$-CH_2-Si(C_2H_5)_3$	*4-(2-Triäthylsilyl-äthyl)-1-acetyl-benzol*	29	158–160	2
$-C_5H_{11}$	$-Si(CH_3)_3$	*4-Trimethylsilylmethyl-1-he-xanoyl-benzol*	76	150–152	4
$-C_5H_{11}$	$-CH_2-Si(CH_3)_3$	*4-(2-Trimethylsilyl-äthyl)-1-hexanoyl-benzol*	69	163–165	4
$-C_5H_{11}$	$-Si(C_2H_5)_3$	*4-Triäthylsilylmethyl-1-he-xanoyl-benzol*	70	212–213	7

[1] B. N. Dolgor u. O. K. Panina, Ž. obšč. chim. **18**, 1293 (1948); C. A. **43**, 2177 (1949).
[2] H. H. Szmant u. S. Skendrovich, Am. Soc. **76**, 2282 (1954).
[3] A. Y. Yakubovich u. G. V. Motsarev, Ž. obšč. chim. **23**, 771 (1953); C. A. **48**, 4463 (1954).
[4] E. A. Chernyshev, E. N. Klynkina u. A. D. Petrov, Izv. Akad. SSSR **1960**, 1601; C. A. **55**, 8328 (1961).

Die Acetylierung von *4-Methylseleno-1-methyl-benzol*[1] oder von Diphenylselenid[2] in Schwefelkohlenstoff mit Acetylchlorid in Gegenwart von Aluminiumchlorid zu *2-Methylseleno-5-methyl-1-acetyl-benzol* bzw. *Bis-[4-acetyl-phenyl]-selenid* verläuft mit Ausbeuten zwischen 60% und 70% der Theorie.

Bei der Umsetzung von Dichlor-phenyl-arsin oder Chlor-diphenyl-arsin mit aliphatischen Carbonsäure-chloriden in Gegenwart von Aluminiumchlorid erfolgt Ersatz der Dichlorarsin-Gruppe bzw. der Chlor-phenyl-arsin-Gruppe durch den aliphatischen Acyl-Rest[3].

β_3) *Biphenyl oder Biphenyl-Derivate*

Die Acylierung von Biphenyl mit aliphatischen oder cycloaliphatischen Carbonsäure-chloriden in Gegenwart von Aluminiumchlorid erfolgt in p-Stellung eines Phenylkernes; wenn überschüssiges Acylierungsmittel angewendet wird, tritt ein zweiter Acylrest in p'-Stellung ein. Man arbeitet bei der Acylierung in Schwefelkohlenstoff, Nitrobenzol oder Benzol.

4-Acetyl-biphenyl[4]: 50 g (0,64 Mol) Acetylchlorid werden unter Rühren zu einer mit Eiswasser gekühlten Mischung aus 50 g (0,325 Mol) Biphenyl, 100 g Benzol und 70 g (0,52 Mol) Aluminiumchlorid getropft. Die Reaktion verläuft ruhig, gegen Ende des Zutropfens wird die Mischung warm und viskos. Nach einigen Stdn. versetzt man mit zerstoßenem Eis und Benzol. Man saugt die Mischung von unlöslichem Material ab und wäscht die aus dem Filtrat abgetrennte Benzol-Schicht mit verd. Natronlauge und mit Wasser. Nach dem Abdestillieren des Benzols hinterbleibt ein fester Rückstand, der mit den vorher abgetrennten festen Bestandteilen vereinigt wird. Man erhitzt dieses Material bis auf 230°, dabei gehen 14 g praktisch reines *Acetophenon* über. Der beim Abkühlen erstarrende Rückstand ist *4-Acetyl-biphenyl*; Ausbeute: 45 g (72,5% d.Th.); F: 110–115°; F: 120–121°(aus Aceton).

4-Butanoyl-biphenyl[5]: Zu einer Mischung aus 77 g (0,5 Mol) Biphenyl, 270 *ml* trockenem Nitrobenzol und 55 g (0,52 Mol) Buttersäure-chlorid gibt man bei −2° bis −5° 80 g (0,6 Mol) Aluminiumchlorid in Portionen von 5–7 g. Am nächsten Tage wird der gebildete Komplex mit sehr verd. Salzsäure zersetzt, wobei gekühlt wird. Die obere Schicht wird abgetrennt und mit Calciumchlorid getrocknet und fraktioniert i.Vak.; Ausbeute: 37 g (33% d.Th.); Kp$_3$: 170–171°; F: 94°.

4-Alkanoyl-biphenyle durch Acylierung von Biphenyl in Schwefelkohlenstoff; allgemeine Arbeitsvorschrift[6]: 29,3 g (0,22 Mol.) wasserfreies Aluminiumchlorid werden in 75 *ml* Schwefelkohlenstoff suspendiert. Eine Lösung von 0,22 Mol des gewünschten aliphatischen Carbonsäurechlorids und 30,8 g (0,2 Mol) Biphenyl in 75 *ml* Schwefelkohlenstoff wird zur Aluminiumchlorid-Suspension getropft; da dabei nicht gekühlt wird, setzt sofort Rückfluß ein. Man rührt noch 30 Min. ohne Heizung, schließlich 1 Stde. unter Rückfluß auf dem Wasserbad; man destilliert den Schwefelkohlenstoff ab und trägt den Destillationsrückstand in 500 *ml* Eiswasser ein. Es scheidet sich halbfestes Material ab, das nach kurzer Zeit hart wird. Man saugt ab und kristallisiert aus Aceton oder Alkohol um.

Wenn man bei der Durchführung dieser Vorschrift 80 g (0,6 Mol) Aluminiumchlorid und 0,6 Mol an gewünschtem Carbonsäure-chlorid auf 30,8 g (0,2 Mol) Biphenyl einwirken läßt, erhält man als Hauptreaktionsprodukt 4,4'-Dialkanoyl-biphenyl, das durch Destillation oder Umlösen vom daneben gebildeten 4-Alkanoyl-biphenyl getrennt werden kann.

---

[1] J. Gosselck, B. **91**, 2348 (1958).

[2] W. Dilthey et al., J. pr. [2] **124**, 118 (1930).

[3] M. Malinovskii, Ž. obšč. Chim. **19**, 130 (1949); C. A. **43**, 6178 (1950).

[4] W. S. M. Grieve u. D. H. Hey, Soc. **1933**, 970.

[5] E. P. Kaplan, Z. I. Kazakova u. A. D. Petrov, Ž. obšč. Chim. **30**, 372 (1960); engl.: 393.

[6] L. M. Long u. H. R. Henze, Am. Soc. **63**, 1939 (1941).

Tab. 14. 4-Alkanoyl-biphenyle durch Acylierung von Biphenyl

![structure]	Ausbeute [%d.Th.]	F [°C]		Litera-tur
4-Acetyl-biphenyl	90	121		[1]
4-Propanoyl-biphenyl	79	97	(Kp: 344°)	[1,2]
4-Butanoyl-biphenyl	78	94	(Kp: 354–355°)	[1]
4-(2-Methyl-propanoyl)-biphenyl	68	62	(Kp: 346–347°)	[1]
4-Pentanoyl-biphenyl	63	76–78		[1]
4-(3-Methyl-butanoyl)-biphenyl	65	74–76	(Kp: 356°)	[1]
4-Hexanoyl-biphenyl	67	96,5		[1,3]
4-(4-Methyl-pentanoyl)-biphenyl	62	71–72,5		[1]
4-(2-Methyl-pentanoyl)-biphenyl	40	64		[1]
4-(3,3-Dimethyl-butanoyl)-biphenyl	29	88–89		[4]
4-(2-Äthyl-butanoyl)-biphenyl	45	77–79		[1]
4-Heptanoyl-biphenyl	52	85,5–86	(Kp:$_3$ 193°)	[1,3]
4-Octanoyl-biphenyl		100	(Kp$_3$: 200°)	[3]
4-(α-Cyclohexyl-acetyl)-biphenyl	28	101,5–102,5		[4]
4-Dodecanoyl-biphenyl		97–98		[5]
4-Tetradecanoyl-biphenyl		102–103		[5]
4-Hexadecanoyl-biphenyl		104,5–105,5		[6]
4-Octadecanoyl-biphenyl		108–109		[5]
4-Cyclohexylcarbonyl-biphenyl	91	85–86		[7]

Tab. 15. 4,4′-Dialkanoyl-biphenyle durch Acylierung von Biphenyl[8]

R–CO—⟨⟩—⟨⟩—CO–R	Ausbeute [% d.Th.]	F [°C]
4,4′-Diacetyl-biphenyl	45	191
4,4′-Dipropanoyl-biphenyl	31	168
4,4′-Dibutanoyl-biphenyl	31	174,2
4,4′-Bis-[2-methyl-propanoyl]-biphenyl	27	103
4,4′-Dipentanoyl-biphenyl	31	162–163
4,4′-Bis-[3-methyl-butanoyl]-biphenyl	37	113
4,4′-Dihexanoyl-biphenyl	32	164,5
4,4′-Bis-[4-methyl-pentanoyl]-biphenyl	34	138–140
4,4′-Diheptanoyl-biphenyl	29	157,1

[1] L. M. Long u. H. R. Henze, Am. Soc. 63, 1939 (1941).
[2] S. Machlis u. K. C. Blanchard, Am. Soc. 57, 176 (1935).
[3] E. P. Kaplan, Z. I. Kazakova u. A. D. Petrov, Ž. obšč. Chim. 30, 372 (1960); engl.: 393.
[4] J. L. Adelfang, P. H. Hess u. N. H. Cromwell, J. Org. Chem. 26, 1402 (1961).

(Fortsetzung s. S. 64)

Bei der Umsetzung von in 4-Stellung durch einen Alkyl-[1] oder Benzyl[2]-Rest substituierten Biphenylen mit aliphatischen Carbonsäure-chloriden tritt der Acyl-Rest in 4′-Stellung ein. Man arbeitet in Schwefelkohlenstoff in Gegenwart von Aluminiumchlorid bei 0° bis Raumtemperatur. Der Eintritt eines aliphatischen Acyl-Restes erfolgt ebenfalls in 4′-Stellung, wenn in 4-Stellung ein Chlor[3]- oder Brom[4]-Atom steht. Beim 2-Methoxy-biphenyl tritt ein aliphatischer Acyl-Rest im gleichen Kern in 5-Stellung ein[5]. Beim 3-Methoxy-biphenyl erfolgt die Acylierung in 4-Stellung[6]. Bei Durchführung der Reaktion unter milden Bedingungen bleibt dabei die Äther-Gruppierung intakt, in siedendem Dichlormethan erfolgt gleichzeitig Äther-Spaltung.

3-Methoxy-4-acetyl-biphenyl[6]: Zu einer Lösung von 1,9 *ml* (0,027 Mol) Acetylchlorid in 30 *ml* 1,2-Dichlor-äthan werden 3,6 g (0,027 Mol) Aluminiumchlorid gegeben. Die Mischung wird 30 Min. unter Rückfluß erhitzt, um alles in Lösung zu bringen. In 15 Min. läßt man dann eine Lösung von 5 g (0,027 Mol) 3-Methoxy-biphenyl in trockenem 1,2-Dichlor-äthan bei 25° zutropfen. Nach weiteren 30 Min. bei dieser Temp. wird die Reaktionsmischung mit Eis und 10%iger Salzsäure zersetzt, das Reaktionsprodukt wird in Dichlormethan aufgenommen, die Lösung gewaschen und über Magnesiumsulfat getrocknet. Man destilliert das Lösungsmittel ab und fraktioniert den Rückstand i. Vak.; Ausbeute: 2,9 g (47,5% d.Th.): Kp_2: 179–180° (Öl, das bald erstarrt; F: 75–76°); F:77–78° (farblose Kristalle aus Methanol).

3-Hydroxy-4-acetyl-biphenyl[7]: Zu einer Lösung von 10 *ml* (0,14 Mol) Acetylchlorid und 18,5 g (0,14 Mol) Aluminiumchlorid in 75 *ml* Dichlormethan wird eine Lösung von 25 g (0,136 Mol) 3-Methoxy-biphenyl in 75 *ml* Dichlormethan gegeben. Die Mischung wird 11 Stdn. unter Rückfluß erhitzt und dann noch 9 Stdn. bei Raumtemp. stehen gelassen.Nach Aufarbeitung wie beim vorstehenden Präparat werden 19,5 g ($Kp_{2,5}$: 164–180°) eines Destillates erhalten, das zu Kristallen erstarrt (50% d.Th.; F: 68–69°), die aus Cyclohexan umkristallisiert werden; F: 90,5–91,5°.

Die Acetylierung von 3,3′-Dimethoxy-biphenyl in Schwefelkohlenstoff liefert *3,3′-Dimethoxy-4-acetyl-biphenyl*, während in siedendem 1,1,2,2-Tetrachlor-äthan *3-Hydroxy-3′-methoxy-4-acetyl-biphenyl* erhalten wird[7]. Bei der Acylierung von 4-Methoxy-biphenyl mit aliphatischen Carbonsäure-chloriden in Gegenwart von Aluminiumchlorid in Schwefelkohlenstoff, Tetrachlormethan oder Nitrobenzol wird ein

---

[1] E. Berliner u. L. K. Liu, Am. Soc. **75**, 2417 (1953).

N. P. Buu-Hoï, N. Hoan u. R. Royer, Bl. [5] **17**, 489 (1950).

N. P. Buu-Hoï u. R. Royer, R. 70, 825 (1951).

US. P. 2033541 (1935), Armour & Co., Erf.: A. W. Ralston u. C. W. Christensen; C. A. **30**, 3124 (1936).

[2] N. P. Buu-Hoï u. R. Royer, R. **70**, 825 (1951).

[3] D. T. Mowry, M. Renoll u. N. F. Huber, Am. Soc. **68**, 1105 (1946).

US. P. 2033541 (1935), Armour & Co., Erf.: A. W. Ralston u. C. W. Christensen; C. A. **30**, 3124 (1936).

[4] B. R. Carpenter u. E. E. Turner, Soc. **1934**, 869.

[5] N. P. Buu-Hoï u. M. Sy, J. Org. Chem. **21**, 136 (1956).

[6] C. K. Bradsher, F. C. Brown u. H. K. Porter, Am. Soc. **76**, 2359 (1954).

[7] P. I. Mortimer, Austral. J. Chem. **20**, 1295 (1967).

(Fortsetzung v. S. 63)

[5] A. W. Ralston u. C. W. Christensen, Ind. Eng. Chem. **29**, 194 (1937).

[6] S. Matsuda, H. Matsuda u. S. Kikkawa, J. chem. Soc. Japan **57**, 845 (1954).

[7] N. H. Cromwell u. P. H. Hess, Am. Soc. **82**, 137 (1960).

[8] L. M. Long u. H. R. Henze, Am. Soc. **63**, 1939 (1941).

Gemisch aus *4'-Methoxy-4-acetyl-* und *4-Methoxy-3-acetyl-biphenyl* erhalten, in dem die erstgenannte Verbindung überwiegt[1]. Die Anwendung eines Überschusses von 10–20% an Acetylchlorid hat sich bei dieser Acylierung als besonders vorteilhaft gezeigt[2]. Die Acylierung mit höheren aliphatischen Carbonsäure-chloriden scheint einheitlich in 4'-Stellung zu verlaufen[3]. Auch die Acylierung von Biphenyl-Derivaten, die in einem Kern eine Methoxy-Gruppe und ein Chlor-Atom[4] enthalten sowie die Acylierung von 3-Brom-4-hydroxy-biphenyl[5] mit aliphatischen Carbonsäure-chloriden wird beschrieben. Aus 4-Acetylamino-biphenyl erhält man mit Propionsäure-chlorid oder Buttersäure-chlorid *4'-Acetylamino-4-propanoyl-* bzw. *-4-butanoyl-biphenyl*[6]. Beim 2- oder 4-Nitro-biphenyl tritt ein Acetyl-Rest in 4'-Stellung ein.

4'-Nitro-4-acetyl-biphenyl[7]: 24 g (0,3 Mol) Acetylchlorid werden nach und nach unter Umschütteln zu einer Mischung aus 20 g (0,1 Mol) 4-Nitro-biphenyl, 80 g (0,6 Mol) Aluminiumchlorid und 300 *ml* Schwefelkohlenstoff gegeben. Eine Reaktion tritt erst ein, wenn die Mischung auf 45–50° erhitzt wird. Man hält die Reaktionsmischung 10 Stdn. bei dieser Temp. und trägt sie dann in Wasser ein. Man saugt das abgeschiedene bräunliche Produkt ab und erhitzt es mit Benzol unter Rückfluß. Der Benzol-Extrakt wird filtriert, getrocknet und das Benzol abdestilliert; Ausbeute: 14 g (58% d.Th.); F: 145–147°; F: 152–153° (2 mal aus Benzol oder Äthanol).

Analog erhält man *2'-Nitro-4-acetyl-biphenyl* (41% d.Th.; F: 110°).

Aus 4-Acetyl-biphenyl erhält man mit Acetylchlorid in Schwefelkohlenstoff in Gegenwart von Aluminiumchlorid *4,4'-Diacetyl-biphenyl*[8] (51% d.Th.).

9,10-Dihydro-phenanthren reagiert bei der Keton-Synthese nach Friedel-Crafts wie ein 2,2'-Dialkyl-biphenyl, d.h. eine Acyl-Gruppe tritt in 2-Stellung ein[9]. Die Reaktion wird in Schwefelkohlenstoff oder Nitrobenzol vorgenommen und verläuft mit Ausbeuten von 58–90% d.Th. In Dichlormethan entstehen dagegen *2,5-* und *2,7-Diacetyl-9,10-dihydro-phenanthren* nebeneinander[10]. Auch beim 1,8-Dimethyl-9,10-dihydro-phenanthren[11] oder beim 8-Methyl-2-isopropyl-9,10-dihydro-phenanthren[12] tritt bei der Acylierung mit aliphatischen Carbonsäure-chloriden ein Acyl-Rest in 2-Stellung ein. Die Acylierung des 2-Hydroxy-9,10-dihydro-phenanthrens und des 1-Hydroxy-2-acetyl-9,10-dihydro-phenanthrens[13] wird ebenfalls beschrieben; in beiden Fällen erfolgt der Eintritt des Acyl-Restes in 7-Stellung. Beim 2-Methoxy-9,10-dihydro-phenanthren wird unter den gleichen Bedingungen ein Gemisch aus *2-Methoxy-3-acetyl-* und *7-Methoxy-2-acetyl-9,10-dihydro-phenanthren*[13] erhalten.

[1] L. F. FIESER u. C. K. BRADSHER, Am. Soc. **58**, 1738 (1936).
[2] G. W. GRAY, S. B. HARTLEY u. B. JONES, Soc. **1955**, 1412.
[3] N. P. BUU-HOI, N. D. XUONG u. K. VAN THAUG, R. **72**, 774 (1953).
[4] N. P. BUU-HOI, M. SY u. J. RICHE, J. Org. Chem. **22**, 668 (1957).
   N. P. BUU-HOI u. L. PETIT, J. Org. Chem. **24**, 39 (1959).
[5] N. P. BUU-HOI, L. PETIT u. D. C. THANG, Bl. **1960**, 335.
[6] V. S. MISRA u. M. P. KHARE, J. indian chem. Soc. **30**, 43 (1953).
[7] W. S. M. GRIEVE u. D. H. HEY, Soc. **1933**, 969.
[8] S. L. SILVER u. A. LOWY, Am. Soc. **56**, 2429 (1934).
[9] A. BURGER u. E. MOSETTIG, Am. Soc. **57**, 2731 (1935).
   A. BURGER u. E. MOSETTIG, Am. Soc. **58**, 1857 (1936).
   J. A. DIXON u. D. D. NEISWENDER, J. Org. Chem. **25**, 499 (1960).
[10] N. P. BUU-HOI, P. MABILLE u. D. C. THANG, Bl. **1966**, 1667.
[11] S. ITO u. L. G. HUMBLER, Chem. & Ind. **1957**, 397.
[12] G. A. NYMAN, Annales Academiae Scientarum Fennicae [A] **41**, Nr. 5 (1934); C. A. **30**, 2958 (1936).
[13] E. MOSETTIG u. A. H. STUART, Am. Soc. **61**, 5 (1939).

Bei der Acylierung des **Fluorens** mit aliphatischen Carbonsäure-chloriden erweisen sich die 2- und die 7-Stellung als die reaktionsfähigsten; Fluoren verhält sich also ebenfalls wie ein 2,2'-dialkyliertes Biphenyl. Bei der Reaktion von Fluoren mit Acetylchlorid in Gegenwart von Aluminiumchlorid in Schwefelkohlenstoff entsteht bei 0° *2-Acetyl-fluoren*, bei 20–25° ein Gemisch aus *2,7-Diacetyl-fluoren* und *2,3-Diacetyl-fluoren* und in siedendem Schwefelkohlenstoff *2,3-Diacetyl-fluoren*[1]. Auch bei der Umsetzung von Fluoren mit Propionsäure-chlorid wird neben *2-Propanoyl-fluoren* noch *2,7-Dipropanoyl-fluoren* erhalten[2], während bei der Umsetzung mit höheren aliphatischen Carbonsäure-chloriden einheitliche 2-Alkanoyl-Derivate entstehen[3]. Acetylierung und Hexanoylierung gelingen auch in Nitromethan bei 85°–175° in Gegenwart katalytischer Mengen Eisen(III)-chlorid (z.B. *2-Hexanoyl-fluoren*)[4]. 2-Benzyl-fluoren wird in 7-Stellung zu *7-Benzyl-2-acetyl-fluoren* acetyliert[5], bei der Acetylierung von 2-Methoxy-fluoren entsteht ein Keton-Gemisch, aus dem nur *7-Methoxy-2-acetyl-fluoren* rein erhalten werden konnte[6].

Bei der Durchführung einer Friedel-Crafts-Keton-Synthese mit **m-Terphenyl** und Propionsäure-, Buttersäure- oder Octansäure-chlorid in Schwefelkohlenstoff in Gegenwart von Aluminiumchlorid tritt der Acyl-Rest in 4-Stellung ein (*4-Propanoyl-, 4-Butanoyl-, 4-Octanoyl-m-terphenyl*)[7].

Die Acetylierung von 1,3,5-Triphenyl-benzol mit Acetylchlorid/Aluminiumchlorid erfolgt am seitenständigen Aromaten zu *1,3-Diphenyl-5-(4-acetyl-phenyl)-benzol*[8].

β_4) *Naphthalin und Naphthalin-Derivate*

Bei der Acylierung von **Napthalin** mit aliphatischen Carbonsäure-halogeniden in Gegenwart von Aluminiumchlorid entstehen immer 1- und 2-Alkanoyl-naphthaline nebeneinander[9]. Die Anteile der einzelnen Isomeren an der Gesamtausbeute sind abhängig vom verwendeten Lösungsmittel, vom molaren Verhältnis des Aluminiumchlorids zum aliphatischen Carbonsäure-chlorid und von der Reaktionstemperatur[10]. Man hat Verfahrensweisen ausgearbeitet, bei denen jeweils eines der Isomeren bevorzugt gebildet wird.

1-Acetyl-naphthalin[11]: Man bereitet unter starkem Rühren eine Mischung aus 100 *ml* sorgfältig getrocknetem Chloroform, 70 g (0,52 Mol) wasserfreiem Aluminiumchlorid und 38 *ml* (41,9 g; 0,53 Mol) Acetylchlorid; dabei bildet sich unter Wärmeentwicklung der Acetylchlorid-Alumi-

---

[1] K. Dziewonski u. A. Kleszcz, Roczniki Chem. **12**, 167 (1932).
   Vgl. G. Rieveschl u. F. E. Ray, Chem. Reviews **23**, 365 (1938).
[2] K. Dziewoński u. J. Schweiger, Bulletin international de l'académe polonaise des sciences et des lettres [A] **1932**, 293; C. A. **28**, 2347 (1934).
[3] N. P. Buu-Hoï u. P. Cagniant, Bl. [5] **13**, 123 (1946).
   N. P. Buu-Hoï u. R. Royer, R. **67**, 175 (1948).
   N. P. Buu-Hoï, R. Royer u. P. Cagniant, R. **68**, 473 (1949).
[4] A. I. Bokova u. N. G. Sidorova, Ž. Org. Chim. **6**, 1711 (1970); engl.: 1716.
[5] N. P. Buu-Hoï, R. Royer u. E. Bisagni, R. **74**, 24 (1955).
[6] G. W. Gray, J. B. Hartley u. A. Ibbotson, Soc. **1955**, 2686.
[7] N. P. Buu-Hoï u. R. Royer, J. Org. Chem. **16**, 320 (1951).
[8] G. E. Lewis, J. Org. Chem. **31**, 749 (1966).
   D. E. Pearson u. C. A. Buehler, Synthesis **1971**, 455.
[9] G. Baddeley, Soc. **1949**, 599.
[10] P. H. Gore, Chem. Reviews **55**, 229 (1955).
   M. M. T. Anous et al., Ann. Chimica **61**, 474 (1971).
[11] H. F. Bassilios, S. M. Makar u. A. Y. Salem, Bl. [5] **21**, 78 (1954).

niumchlorid-Komplex. Man kühlt auf 20° ab und gibt zu der Mischung in feinem Strahl eine Lösung von 32 g (0,25 Mol) Naphthalin in 100 ml trockenem Chloroform. Es erfolgt lebhafte Chlorwasserstoff-Entwicklung. Während des Zugebens beobachtet man die Bildung eines gelben Produktes. Dann erhitzt man die Mischung für 30 Min. auf 30°. Zur Aufarbeitung zersetzt man das Reaktionsgemisch mit Eis und Salzsäure. Nach dem Waschen und Trocknen der organischen Phase wird das Chloroform abdestilliert und der Rückstand i. Vak. fraktioniert; Ausbeute: 38, 5 g (90% d. Th.); Kp_{15}: 165°; Reinheitsgrad: 99%.

Durch Umsetzung von Naphthalin mit entsprechenden aliphatischen Carbonsäure-chloriden in Schwefelkohlenstoff werden in Gegenwart von Aluminiumchlorid mit Ausbeuten von 60–80% d. Th. 1-*Propanoyl*-[1], *1-Butanoyl*-[1], *1-(2-Methylpropanoyl)*-[1], *1-(3-Methyl-butanoyl)*-[1] und *1-Octadecanoyl-naphthalin*[2] erhalten.

2-Acetyl-naphthalin[3]: In 70 ml trockenem Nitrobenzol (Kp: 206–207°) löst man bei Temp. unter 30° unter starkem Rühren 35 g (0,26 Mol) wasserfreies Aluminiumchlorid. Zu dieser Lösung gibt man in 20 Min. eine Lösung von 32 g (0,25 Mol) Naphthalin und 19 ml (21 g; 0,26 Mol) frisch destilliertem Acetylchlorid in 130 ml Nitrobenzol. Um die Auflösung des Naphthalins im Nitrobenzol zu beschleunigen, ist es zweckmäßig, das Nitrobenzol vor dem Zufügen des Acetylchlorids zu erwärmen. Die Reaktion springt sofort unter Chlorwasserstoff-Entwicklung an. Nach einiger Zeit wird die Chlorwasserstoff-Entwicklung jedoch träge, man kann sie durch kurzzeitiges Evakuieren des Reaktionsgefäßes fördern. Die Reaktionsmischung wird mit Eis und Salzsäure zersetzt, die Farbe der Nitrobenzol-Lösung schlägt dabei von dunkelrot nach blaugrün um. Man wäscht die organische Phase mit Salzsäure, dann mit Wasser, mit Natriumcarbonat-Lösung und schließlich noch 2-3 mal mit Wasser. Die organische Phase wird durch Erhitzen auf 80° i. Vak. während 30 Min. getrocknet, dann destilliert man das Nitrobenzol (Kp_{20}: 110–115°) ab. Das Keton geht beim gleichen Druck bei 178° über; die zwischen 120° und 175° übergehende Fraktion wird einer Redestillation unterworfen. Die Acetyl-naphthaline destillieren in Form eines schwach gelben Öles, das zu einem Kristallkuchen (F: 43–45°) erstarrt; Rohausbeute: 36–38 g (85–89,5% d. Th.).

Man kühlt das erhaltene Keton-Gemisch auf 0° ab und preßt es auf einer kalten Nutsche ab. Beim Kühlen des Filtrates setzt dieses nochmals Kristalle ab, die abgesaugt und mit den bereits isolierten Kristallen vereinigt werden. Man trocknet die Kristalle zwischen Filterpapier; Ausbeute: 28,5 g (67% d. Th.); F: 52°; F: 54° (aus Äthanol).

Auf ähnliche Weise wurden die in Tab. 16 (S. 68) zusammengestellten 2-Alkanoyl-naphthaline hergestellt.

Mit großen Überschüssen an Aluminiumchlorid und Acetylchlorid gelingt auch eine Diacetylierung des Naphthalins in 1,5- und 1,8-Stellung.

1,5-Diacetyl-naphthalin[4]: Zu einer kräftig gerührten Mischung aus 2 l trockenem Schwefelkohlenstoff und 600 g (4,5 Mol) gepulvertem Aluminiumchlorid gibt man in 5 Portionen 128 g (1 Mol) Naphthalin und rührt 1 Stde. nach. Während 2 weiterer Stdn. tropft man dann 200 g (2,55 Mol) Acetylchlorid unter dauerndem Rühren zu. Durch die Reaktionswärme steigt dabei die Temp. des Ansatzes auf ∼ 55°. Nach der Zugabe des Acetylchlorids wird noch 2 Stdn. weitergerührt und anschließend 24 Stdn. auf dem Dampfbad erwärmt. Den erkalteten Ansatz gießt man in ein Eis-Salzsäure-Gemisch, zerdrückt etwa entstandene Klumpen, trennt das Wasser vom Schwefelkohlenstoff und schüttelt ersteres 5mal mit je 2 l Benzol aus. Die Benzol-Auszüge werden mit der Schwefelkohlenstoff-Lösung vereinigt und auf 2 l eingeengt. Anschließend trocknet man die organische Phase mit Natriumsulfat, filtriert und destilliert das restliche Benzol ab; man destilliert danach i. Vak.; Rohausbeute: 75 g eines in der Vorlage erstarrenden gelblichen Öles (Kp_{7-10}: 221–225°), das aus Äthanol umkristallisiert wird; Ausbeute: 69 g (32% d. Th.), schwach gelbe Kristalle; F: 132,8° (weiße Kristalle aus Äthanol/Aktivkohle).

---

[1] L. ROUSSET, Bl. [3] **15**, 62 (1895).

   E. CAILLE, C. r. **153**, 393 (1911).

[2] F. SEIDEL u. O. ENGELFRIED, B. **69**, 2584 (1936).

[3] H. F. BASSILIOS u. A. Y. SALEM, Bl. [5] **19**, 591 (1952).

[4] R. STEPHAN, B. **90**, 297 (1957).

Tab. 16. 2-Alkanoyl-naphthaline durch Acylierung von Naphthalin

⬡⬡—CO—R	Ausbeute [%d.Th.]	F [°C]	Kp [°C]	Kp [Torr]	Literatur
2-Propanoyl-naphthalin	54	60	176–177	13	1
2-Butanoyl-naphthalin		53	186–187	15	1
2-Pentanoyl-naphthalin	64	34	191–192	15	1
2-(3-Methyl-butanoyl)-naphthalin	17	29,5–31	–		2
2-Hexanoyl-naphthalin	49	68	201–203	12	1,3
2-Heptanoyl-naphthalin		60	214–216	13	1
2-Octanoyl-naphthalin	58	58	228–230	16	1,3
2-Nonanoyl-naphthalin	58	58	237–238	17	1
2-Decanoyl-naphthalin	51	52,5	247–248	15	1,3
2-Undecanoyl-naphthalin	58	48	258–260	19	1
2-Dodecanoyl-naphthalin	52	51,9	265–266	17	1,3
2-Tetradecanoyl-naphthalin	50	55,3	280–282	14	1,3
2-Hexadecanoyl-naphthalin		56	220	0,03	1
2-Octadecanoyl-naphthalin		66	235	0,03	1
2-Docosanoyl-naphthalin		75	300–305	1	4

Bei der Umsetzung von 1-Alkyl-[5] oder 1-Benzyl-[6]naphthalinen mit aliphatischen Carbonsäure-chloriden in Gegenwart von Aluminiumchlorid tritt der Acyl-Rest in 4-Stellung ein. Die Reaktion wird meist in Nitrobenzol oder Schwefelkohlenstoff bei Temperaturen unter 0° vorgenommen. Bei 2-Alkyl-[7] oder 2-Benzyl-[8]naphthalinen erfolgt die Acylierung unter den gleichen Bedingungen überwiegend in 6-Stellung, bei der Acetylierung in Schwefelkohlenstoff mit Acetylchlorid in Gegenwart von Aluminiumchlorid werden neben *6-Methyl-2-acetyl-naphthalin* etwas *7-Methyl-1-acetyl-naphthalin* und geringe Mengen *7-Methyl-1,3-diacetyl-naphthalin* isoliert[9].

Die Acetylierung von 1,2-Dimethyl-naphthalin mit Acetylchlorid in Gegenwart von Aluminiumchlorid wird in Schwefelkohlenstoff oder besser in Nitrobenzol vor-

[1] N. P. Buu-Hoi u. P. Cagniant, Bl. [5] **12**, 307 (1945).

[2] L. H. Klemm, A. C. Solomon u. A. J. Kohlik, J. Org. Chem. **27**, 2777 (1962).

[3] J. P. Wibaut, K. Van Nes u. J. Sofberg, R. **73**, 501 (1954).

[4] N. P. Buu-Hoi, N. D. Xuong u. E. Lescot, J. Org. Chem. **21**, 621 (1956).

[5] R. D. Haworth u. C. R. Marin, Soc. **1932**, 2720.
   N. Fröschl u. J. Harlass, M. **59**, 282 (1932).
   W. E. Bachmann u. G. V. Cortes, Am. Soc. **65**, 1333 (1943).

[6] K. Dziewonski u. J. Moszew, Bulletin international de l'academie polonaise des sciences et des lettres [A] **1930**, 66; C. A. **25**, 1515 (1931).

[7] G. A. R. Kou u. W. T. Weller, Soc. **1939**, 792.
   M. F. Bartlett u. K. Wiesner, Chem. & Ind. **1954**, 542.
   B. Bannister u. B. B. Elsner, Soc. **1951**, 1061.

[8] K. Dziewonski u. S. Wodelski, Roczniki Chem. **12**, 366 (1932).

[9] K. Dziewonski u. M. Brand, Bulletin international der l'academie polonaise des sciences et des lettres [A] **1933**, 99. C. A. **27**, 4533 (1933).

genommen[1]; dabei tritt die Acetyl-Gruppe in 4-Stellung ein (*3,4-Dimethyl-1-acetyl-naphthalin*). Dieser Stellung entspricht die 9-Stellung beim 1,2,3,4-Tetrahydro-phenanthren, in der bei der analogen Reaktion auch der Eintritt der Acetyl-Gruppe erfolgt[2]. Ähnlich liegen die Verhältnisse beim 8,9,10,11-Tetrahydro-7H-⟨cyclohepta-[a]-naphthalin⟩, wo unter analogen Bedingungen *6-Acetyl-8,9,10,11-tetrahydro-7H-⟨cyclohepta-[a]-naphthalin⟩* gebildet wird[3]. 2,3-Dimethyl-naphthalin wird in Schwefelkohlenstoff, Chloroform oder 1,2-Dichlor-äthan in 5-Stellung zu *2,3-Dimethyl-5-acetyl-naphthalin* (40% d.Th.) acetyliert; in 1,1,2,2-Tetrachlor-äthan ist *2,3-Dimethyl-1-acetyl-naphthalin* Hauptreaktionsprodukt (41% d.Th.), während man in Nitrobenzol *2,3-Dimethyl-6-acetyl-naphthalin* erhält, wenn man die Umsetzung nach der Perrier-Varianten der Keton-Synthese nach Friedel-Crafts vornimmt[4].

1,4-Dimethyl-naphthalin wird mit Acetylchlorid/Aluminiumchlorid in Schwefelkohlenstoff, 1,2-Dichlor-methan oder Chloroform vorzugsweise in 2-Stellung zu *1,4-Dimethyl-2-acetyl-naphthalin* acyliert; daneben erhält man *1,4-Dimethyl-6-acetyl-naphthalin*. Wird Nitromethan als Lösungsmittel eingesetzt oder wird bei Verwendung von Chloroform die Reihenfolge der Zugabe der Reaktionspartner variiert, kann sich das Verhältnis der Isomeren umkehren[5].

Beim 1,6-Dimethyl-naphthalin erfolgt die Acetylierung mit Acetylchlorid in Schwefelkohlenstoff in Gegenwart von Aluminiumchlorid in 4-Stellung zum *4,7-Dimethyl-1-acetyl-naphthalin*[6].

2,6-Dimethyl-naphthalin wird aus sterischen Gründen bevorzugt in 4-Stellung zu *3,7-Dimethyl-1-acetyl-naphthalin* acetyliert; dabei hat das Lösungsmittel keinen großen Einfluß auf die Eintrittsstelle des Acetyl-Restes[5]. In siedendem 1,2-Dichlor-äthan kann 2,6-Dimethyl-naphthalin durch überschüssiges Acetylchlorid/ Aluminiumchlorid diacetyliert werden. Dabei entstehen mindestens fünf verschiedene *2,6-Dimethyl-x,y-diacetyl-naphthaline*, unter denen *3,7-Dimethyl-1,5-diacetyl-* und *2,6-Dimethyl-1,5-diacetyl-naphthalin* Hauptreaktionsprodukte sind. Durch lange Reaktionszeiten wird die Bildung von *3,7-Dimethyl-1,5-diacetyl-naphthalin* begünstigt[7].

Beim Acenaphthen, das man als 1,8-Dialkyl-naphthalin betrachten kann, erfolgt eine Acylierung mit aliphatischen Carbonsäure-chloriden in Schwefelkohlenstoff oder Nitrobenzol in Gegenwart von Aluminiumchlorid in 5-Stellung, daneben wird jedoch auch etwas von einem 3-Alkanoyl-Derivat gebildet[8].

3- und 5-Propanoyl-acenaphthen[9]: 90 g (0,584 Mol) redestilliertes Acenaphthen, 450 *ml* Nitrobenzol, 54 g (0,584 Mol) Propionsäure-chlorid und 84 g (0,63 Mol) Aluminiumchlorid werden bei 0°–5° verrührt. Man läßt die Mischung sich auf Zimmertemp. erwärmen und zersetzt den gebildeten Komplex nach 12 Stdn. mit verd. Salzsäure. Das Nitrobenzol wird mit Wasserdampf

[1] P. A. Plattner u. A. Rouce, Helv. **27**, 400 (1944).

[2] W. E. Bachmann u. M. W. Crowyn, J. Org. Chem. **8**, 458 (1943).

[3] R. Legros u. P. Cagniant, C. r. **251**, 553 (1960).

[4] P. H. Gore, C. K. Thadani u. S. Thorburne, Soc. [C] **1968**, 2502.

[5] P. H. Gore u. J. A. Hoskins, Soc. [C] **1971**, 3347.

[6] F. Feist, J. pr. [2] **139**, 265 (1943).

[7] P. H. Gore u. M. Yusuf, Soc. [C] **1971**, 2586.

[8] K. Fleischer u. P. Wolff, B. **53**, 925 (1920).

L. F. Fieser u. E. B. Hershberg, Am. Soc. **61**, 1279 (1939).

N. P. Buu-Hoi, R. Royer u. P. Cagniant, R. **68**, 473 (1949).

M. Martynoff, C. r. **244**, 1223 (1957).

[9] D. A. Wade u. A. T. Peters, Soc. **1958**, 3505.

abgeblasen und der Rückstand mit Chloroform extrahiert. Aus dem getrockneten Extrakt wird das Chloroform abdestilliert, den Rückstand extrahiert man mit Äther. Aus der Äther-Lösung scheiden sich beim Abkühlen hellbraune Kristalle ab, die aus Äthanol in Gegenwart von Aktivkohle umkristallisiert werden; Ausbeute: 23 g (18,7% d.Th.) *3-Propanoyl-acenaphthen*; F: 119–120° (farblose Nädelchen).

Die ätherische Mutterlauge wird eingedampft, den hinterbleibenden Rückstand kristallisiert man aus Äthanol in Gegenwart von Aktivkohle um; Ausbeute: 75 g (61,1% d.Th.) *5-Propanoyl-acenaphthen*; F: 65–66°.

Wenn die oben beschriebene Reaktion in siedendem Schwefelkohlenstoff durchgeführt wird, erhält man *3-Propanoyl-acenaphthen* zu 16,1% d.Th. und *5-Propanoyl-acenaphthen* zu 54,6% der Theorie.

Bei der Umsetzung von Acenaphthen in Schwefelkohlenstoff mit Acetylchlorid und Aluminiumchlorid im Überschuß wird *3,6-Diacetyl-acenaphthen* erhalten.

3,6-Diacetyl-acenaphthen[1]: Zu einer auf 3° abgekühlten Mischung aus 400 *ml* Schwefelkohlenstoff, 75 g (0,955 Mol) frisch destilliertem Acetylchlorid und 60 g (0,39 Mol) Acenaphthen gibt man 140 g (1,05 Mol) gepulvertes Aluminiumchlorid derart, daß die Temp. der Reaktionsmischung nicht über 5° steigt. Man stellt das Reaktionsgefäß in Eis und überläßt es über Nacht sich selbst, so daß die Temp. der Mischung langsam auf Raumtemp. ansteigen kann. Dabei scheidet sich eine rotbraune Masse ab, die das Rühren schwierig macht. Der Schwefelkohlenstoff wird abgegossen und der Rückstand mit Eis und Salzsäure zersetzt; man erhält dabei schwarzes Material, das scharf abgesaugt und dann mit 400 *ml* siedendem Äthanol extrahiert wird. Beim Abkühlen der äthanolischen Lösung scheiden sich Kristalle ab. Man wiederholt die Extraktion mit Äthanol, bis sich beim Abkühlen des Äthanols keine Kristalle mehr abscheiden und kristallisiert dann das gesammelte kristalline Material aus Äthanol/Aktivkohle um; Ausbeute: 17,3 g (18,6% d.Th.); F: 148–149°.

Die Acetylierung von 5-Äthyl-acenaphthen erfolgt in 6-Stellung zu *5-Äthyl-6-acetyl-acenaphthen*[2]. 1,2,3,4-Tetramethyl-naphthalin ergibt bei der Acetylierung aus sterischen Gründen nur *1,2,3,4-Tetramethyl-6-acetyl-naphthalin*[3]. Bei der Acetylierung von 1,2,3,6,7,8-Hexahydro-pyren, die mit Acetylchlorid in Gegenwart von Aluminiumchlorid in Benzol durchgeführt wird, erhält man *4-Acetyl-1,2,3,6,7,8-hexahydro-pyren* neben wenig *4,9-Diacetyl-1,2,3,6,7,8-hexahydro-pyren*[4].

Die Acetylierung von 1-Fluor-[5], 1-Chlor-[6] oder 1-Brom[7]-naphthalin wird mit Acetylchlorid in Gegenwart von Aluminiumchlorid in Schwefelkohlenstoff, 1,2-Dichlor-äthan, Chloroform oder Nitrobenzol durchgeführt; dabei tritt die Acetyl-Gruppe definiert in 4-Stellung ein (*5-Fluor-, 5-Chlor- und 5-Brom-1-acetyl-naphthalin*). 2-Chlor-naphthalin ergibt bei der Acetylierung nach Friedel-Crafts in Schwefelkohlenstoff ein Gemisch aus *6-Chlor-2-acetyl-* und *7-Chlor-1-acetyl-naphthalin*[8]. Die Acetylierung von 2-Brom-naphthalin ist besonders eingehend untersucht worden; als Reaktionsprodukte werden *6-Brom-2-acetyl-* und *7-Brom-1-acetyl-naphthalin* isoliert. Das Isomerenverhältnis ist dabei vom verwendeten Lösungsmittel abhängig,

[1] H. J. RICHTER u. B. STOCKER, J. Org. Chem. **24**, 217 (1959).

[2] K. FLEISCHER u. P. WOLFF, B. **53**, 927 (1920).

[3] P. H. GORE u. J. A. HOSKINS, Soc. **1971**, 3347.

[4] H. VOLLMANN et al., A. **531**, 144 (1937).

[5] N. P. BUU-HOI, N. D. XUONG u. R. RIPS, J. Org. Chem. **22**, 197 (1957).

[6] D. T. MOWRY, M. RENOLL u. N. F. HUBER, Am. Soc. **68**, 1107 (1946).
    H. F. BASSILIOS et al., Ann. Chimica **58**, 1139 (1968).

[7] K. DZIEWONSKI u. L. STERNBACH, Bulletin international de l'academie polonaise des sciences et des lettres [A] **1931**, 59; C. A. **25**, 5417 (1931).

[8] R. F. BROWN et al., J. Org. Chem. **11**, 163 (1946).
    S. WINSTEIN, T. L. JACOBS u. B. F. DAY, J. Org. Chem. **13**, 171 (1948).

in Schwefelkohlenstoff oder Chloroform ist *7-Brom-1-acetyl-naphthalin* Hauptprodukt, in Nitrobenzol *6-Brom-2-acetyl-naphthalin*[1]. Auch 1,4-Dichlor-naphthalin[2] und 1,5-Dibrom-naphthalin[3] lassen sich mit Acetylchlorid in siedendem Schwefelkohlenstoff in Gegenwart von Aluminiumchlorid zu *1,4-Dichlor-5-acetyl-* bzw. *1,5-Dibrom-x-acetyl-naphthalin* acetylieren.

Beim 5-Chlor- oder 5-Brom-acenaphthen dagegen entsteht bei der Acetylierung mit Acetylchlorid in Gegenwart von Aluminiumchlorid in Schwefelkohlenstoff bei −15° eine Mischung aus *5-Chlor-3-acetyl-* und *5-Chlor-8-acetyl-* bzw. *5-Brom-3-acetyl-* und *5-Brom-8-acetyl-acenaphthen*[4].

Bei der Umsetzung von α-Naphthol mit Heptansäure-chlorid in Nitrobenzol mit Zinkchlorid als Katalysator erhält man *1-Hydroxy-2-heptanoyl-naphthalin* (40% d.Th.)[5]. Bei der Acetylierung von β-Naphthol mit Acetylchlorid in Nitrobenzol in Gegenwart von Aluminiumchlorid tritt der Acetyl-Rest in 1-Stellung ein (*2-Hydroxy-1-acetyl-naphthalin*).

Mit sehr gutem Erfolg verlaufen jedoch die Acetylierungen von β-Naphtholen in 6-Stellung, wenn man die reaktionsfähige 1-Stellung durch eine Sulfo-Gruppe reversibel verschließt[6]. Auf diese Weise können in Nitrobenzol oder 1,2-Dichlor-äthan *2-Hydroxy-6-acetyl-* oder *2-Hydroxy-6-acetyl-3-carboxy-naphthalin* mit Ausbeuten von 75–80% d.Th. erhalten werden[6].

2-Hydroxy-6-acetyl-naphthalin[6]: Zu einer Lösung von 29 g (0,2 Mol) β-Naphthol in 100 g Nitrobenzol gibt man langsam bei 0–5° 25 g (0.21 Mol) Chlorsulfonsäure und rührt anschließend noch 1 Stde. Die so erhaltene Lösung von 2-Hydroxy-naphthalin-1-sulfonsäure wird bei 30-40° in eine Lösung von 60 g (0,45 Mol) Aluminiumchlorid und 32 g (0,4 Mol) Acetylchlorid in 60 g Nitrobenzol eingerührt. Die Reaktionsmischung wird 8 Stdn. auf 70° erhitzt, bis die Chlorwasserstoff-Entwicklung praktisch beendet ist. Anschließend gießt man auf Eis, wobei sich ein dicker Kristallbrei bildet. Dieser wird abgesaugt und in 400 *ml* heißem Wasser gelöst. Nach Zugabe von 80 g konz. Schwefelsäure wird die wäßrige Lösung 1 Stde. zum Sieden erhitzt. Dadurch wird die Sulfo-Gruppe wieder abgespalten und das anhaftende Nitrobenzol entfernt. Das Reaktionsprodukt scheidet sich als Öl ab, das unterhalb von 100° erstarrt. Nach dem Absaugen und Auswaschen des Niederschlages löst man diesen in warmer, wäßriger Natronlauge und salzt das Natriumsalz des 2-Hydroxy-6-acetyl-naphthalins mit Natriumchlorid aus. Die abgesaugte Kristallmasse wird in heißem Wasser gelöst, die Lösung mit A-Kohle geklärt und mit Salzsäure angesäuert. Das ausgefällte Keton wird heiß abfiltriert, ausgewaschen und getrocknet; Ausbeute: 29,8 g (80% d.Th., bez. auf β-Naphthol); F: 171°.

Die Umsetzung von 2-Hydroxy-1-methyl-naphthalin führt zu *2-Acetoxy-1-methyl-6-acetyl-naphthalin*, allerdings nur mit einer Ausbeute von 12% der Theorie[7]. Auch die Umsetzung von Kohlensäure-dinaphthyl-(2)-ester mit Propionylchlorid in 1,1,2,2-Tetrachlor-äthan wird beschrieben[8] (*2-Hydroxy-x-propanoyl-naphthalin*).

Bei der Acylierung von 1-Alkoxy-naphthalinen mit aliphatischen Carbonsäure-chloriden in Gegenwart von Friedel-Crafts Katalysatoren tritt der Acyl-Rest in 4-Stellung ein. Die Reaktion wird meist in Schwefelkohlenstoff oder Nitrobenzol mit

[1] R. B. GIRDLER, P. H. GORE u. J. A. HOSKINS, Soc. [C] **1966**, 518.
[2] DRP 495332 (1927), I. G. Farb., Erf.: G. KRÄNZLEIN, H. VOLLMANN u. E. DIEFENBACH; C. A. **24**, 3248 (1930).
[3] F. FEIST, A. **496**, 121 (1932).
[4] D. V. NIGHTINGALE, H. E. UNGNADE u. H. E. FRENCH, Am. Soc. **67**, 1263 (1949).
    D. V. NIGHTINGALE u. R. M. BROOKER, Am. Soc. **72**, 5539 (1950).
[5] J. JORAND, Oléagineux **15**, 183 (1960).
[6] DBP. 941373 (1952), Farbf. Bayer, Erf.: H. MORSCHEL; C. A. **52**, 17223 (1958).
[7] T. BISANZ, Roczniki Chem. **30**, 87 (1956).
[8] DRP 520860 (1929), I. G. Farb., Erf.: K. WINTER u. N. ROH; C. A. **25**, 3358 (1931).

Aluminiumchlorid als Katalysator durchgeführt; man erhält die gewünschten Ketone mit Ausbeuten bis zu 85% der Theorie.

1-Methoxy-naphthalin kann mit gutem Erfolg auch mit Acetylchlorid in Gegenwart von Titan(IV)-chlorid in Benzol zu *4-Methoxy-1-acetyl-naphthalin* umgesetzt werden[1]. Die Acylierung dieses Äthers mit Acetylchlorid gelingt auch in einer Mischung aus Essigsäure-anhydrid und Essigsäure in Gegenwart von Natriumperchlorat[2] oder in Diäthyläther mit konz. Schwefelsäure als Katalysator, allerdings nur mit Ausbeuten um 40% der Theorie[3].

4-Methoxy-1-propanoyl-naphthalin[4]: 76 g (0,48 Mol) 1-Methoxy-naphthalin, 48 g (0,51 Mol) Propionsäure-chlorid und 70 g (0,52 Mol) Aluminiumchlorid werden unter Verwendung von 250 ml Schwefelkohlenstoff als Lösungsmittel umgesetzt. Das Aluminiumchlorid wird in die auf 0° abgekühlte Schwefelkohlenstoff-Lösung eingetragen, worauf das Gemisch noch 10 Stdn. auf 50–60° erhitzt wird. Danach wird wie üblich aufgearbeitet und destilliert; Ausbeute: 73% d.Th.; Kp_{15}: 205°; F: 57° (aus Petroläther, Kp: 40–80°).

Umsetzungen von 1-Methoxy-[5] oder 1-Äthoxy-naphthalin[6] mit Acetylchlorid zu *4-Methoxy-* bzw. *4-Äthoxy-1-acetyl-naphthalin* werden analog durchgeführt. Bei der Acylierung von 1-Methoxy-naphthalin mit längerkettigen aliphatischen Carbonsäure-chloriden verwendet man Nitrobenzol als Lösungsmittel und Aluminiumchlorid[7] oder Zinkchlorid[8] als Katalysator. Bei der Verwendung von Zinkchlorid werden bis zu 15% d.Th. an 4,4'-Dimethoxy-binaphthyl-(1,1') als Nebenprodukt erhalten. Auch Cyclohexan-carbonsäure-chlorid kann als Acylierungsmittel verwendet werden[9] (man erhält z.B. *4-Methoxy-* oder *4-Äthoxy-1-cyclohexylcarbonyl-naphthalin*).

Bei der Acylierung von 2-Alkoxy-naphthalinen mit aliphatischen Carbonsäure-chloriden in Gegenwart von Aluminiumchlorid entstehen mehrere isomere Ketone nebeneinander. Es ist vom verwendeten Lösungsmittel abhängig, welches Isomere bevorzugt entsteht. In Schwefelkohlenstoff ist die 1-Alkanoyl-Verbindung das Hauptprodukt, in Nitrobenzol erfolgt die Acylierung überwiegend in 6-Stellung. Nach neuen Untersuchungen wird bei der Acetylierung von 2-Methoxy-naphthalin neben *2-Methoxy-* und *6-Methoxy-* auch etwas *7-Methoxy-1-acetyl-naphthalin* gebildet; beim Arbeiten in Chloroform wird außer den genannten Produkten auch noch *2-Methoxy-1,6-diacetyl-naphthalin* erhalten. Auch geringe Mengen von Hydroxy-acetyl-naphthalinen, die durch Äther-Spaltung des 2-Methoxy-naphthalins entstanden sind, lassen sich in der Reaktionsmischung nachweisen[10].

2-Methoxy-1-acetyl-naphthalin[10]: Zu 34 g (0,255 Mol) Aluminiumchlorid, die mit Schwefelkohlenstoff bedeckt sind, läßt man bei 30–33° in 30 Min. unter Rühren eine Lösung von 38 g (0,24 Mol) 2-Methoxy-naphthalin und 19 g (0,24 Mol) Acetylchlorid in 250 ml Schwefelkohlenstoff fließen. Man erhitzt die Mischung 1 Stde. unter Rückfluß und arbeitet dann wie üblich auf. Bei der Destillation des Reaktionsgemisches isoliert man einen Vorlauf vom Kp_3: 125–145°, der

[1] R. R. Galle, Ž. obšč. Chim. **8**, 402 (1938); C. A. **32**, 7910 (1938).
[2] K. B. L. Mathur et al., Am. Soc. **79**, 3585 (1957).
[3] J. G. Belton, N. V. Nowlan u. T. S. Wheeler, Scient. Pr. roy. Dublin Soc. **25**, 19 (1949).
[4] K. Kindler u. T. Li, B. **74**, 327 (1941).
[5] L. Gattermann, R. Ehrhardt u. H. Maisch, B. **23**, 1208 (1890).
[6] O. Witt u. O. Braun, B. **47**, 3216 (1914).
[7] N. P. Buu-Hoi u. P. Cagniant, R. **67**, 62 (1949).
    N. P. Buu-Hoi u. D. Lavit, J. Org. Chem. **20**, 823 (1955).
    J. Jorand, Oléagineux **15**, 183 (1960).
[8] R. D. Desai u. W. S. Warovdekar, Pr. indian. Acad. **13**, [A] 39 (1941).
[9] N. P. Buu-Hoi u. D. Lavit, J. Org. Chem. **20**, 823 (1955).
[10] R. B. Girdler, P. H. Gore u. J. A. Hoskins, Soc. **1966**, 181.

zu 8,4 g farblosen Kristallen erstarrt, die bei 60–64° schmelzen und überwiegend aus unverändertem 2-Methoxy-naphthalin bestehen.

Die Hauptfraktion geht bei 145–156°/3 Torr über; es handelt sich dabei um eine gelbe Flüssigkeit, aus der sich beim Stehen farblose Kristalle abscheiden, die aus wäßrigem Äthanol umkristallisiert werden; Ausbeute: 11,2 g (23,3% d. Th.); F. 58,5°.

6-Methoxy-2-propanoyl-naphthalin[1]: Eine Lösung von 224 g (1,68 Mol) wasserfreiem Aluminiumchlorid in 1 *l* frisch destilliertem Nitrobenzol wird auf 0°—2° abgekühlt und tropfenweise mit einer Lösung von 212,2 g (1,34 Mol) 2-Methoxy-naphthalin in 336 *ml* Nitrobenzol versetzt. Zu der Mischung werden bei −3° 143 g (1,54 Mol) Propionsäure-chlorid getropft. Man bewahrt die Reaktionsmischung noch 96 Stdn. in Eis auf und gießt sie dann auf eine Mischung von 4 kg Eis und 450 *ml* konz. Salzsäure aus. Das Nitrobenzol wird durch Wasserdampfdestillation entfernt und das Reaktionsprodukt aus dem Rückstand der Wasserdampfdestillation mit Benzol extrahiert. Der nach dem Abdestillieren des Benzols verbleibende Rückstand wird fraktioniert; $Kp_{0,05-0,06}$: 145–162°; F: 97,5–107°; nach Umkristallisation aus Methanol F: 110,5–111,5°.

Andere Autoren empfehlen[2], nach Durchführung der Acylierung auch das Reaktionsprodukt mit Wasserdampf überzutreiben; Ausbeute: 64% der Theorie.

Die Umsetzung von 2-Methoxy-naphthalin mit Chloriden höherer aliphatischer Carbonsäuren in Gegenwart von Aluminiumchlorid in Nitrobenzol führt mit Ausbeuten um 50% d. Th. zu 6-Alkanoyl-Derivaten[3]. Auch Acylierungen mit ω-Cyclopentyl-undecansäure- oder -tridecansäure-chlorid zu *2-Methoxy-1-(11-cyclopentyl-undecanoyl)-naphthalin* bzw. *2-Methoxy-1-(13-cyclopentyl-tridecanoyl)-naphthalin* in Nitrobenzol werden beschrieben[4]. Bei der Acylierung von 2-Methoxy-naphthalin mit Cyclohexan-carbonsäure-chlorid in Schwefelkohlenstoff in Gegenwart von Aluminiumchlorid bei Raumtemperatur tritt teilweise Äther-Spaltung ein; man erhält bei dieser Reaktion *2-Methoxy-1-cyclohexylcarbonyl-naphthalin* (50% d. Th.[5]).

Wie 2-Methoxy-naphthalin ergibt auch 2-Äthoxy-naphthalin bei der Acylierung mit Acetylchlorid in Schwefelkohlenstoff *2-Äthoxy-1-acetyl-naphthalin*[6]. Die Acetylierung der beiden genannten 2-Alkoxy-naphthaline mit Acetylchlorid in Gegenwart von Zinkchlorid in Nitrobenzol oder von konz. Schwefelsäure in Äther ergibt mit Ausbeuten von 21% bzw. 14% d. Th. die entsprechenden *2-Alkoxy-1-acetyl-naphthaline*[7].

Bei der Acetylierung von *2-Methoxy-1-methyl-* bzw. *-1-äthyl-naphthalin* mit Acetylchlorid in Nitrobenzol tritt der Acyl-Rest in die 6-Stellung [*2-Methoxy-1-methyl-(bzw. -1-äthyl)-6-acetyl-naphthalin*] ein[8]. Beim 2-Methoxy-6-methyl-naphthalin tritt bei analog durchgeführten Acylierungen mit Acetylchlorid[9] oder Propionsäure-chlorid[10] der Acyl-Rest in 1-Stellung [*2-Methoxy-6-methyl-1-acetyl-(bzw. -propanoyl)-naphthalin*] ein. Ebenso erhält man aus 2-Methoxy-6-äthyl- bzw.

[1] US. P. 2683738 (1954), W. S. JOHNSON u. R. P. GRABER; C. A. **49**, 10376 (1955).
M. SY u. M. NIEL, Bl. **1966**, 2760.
[2] R. T. RAPALA et al., J. Org. Chem. **27**, 381 (1962).
[3] N. P. BUU-HOI, R. **68**, 774 (1949).
B. BANNISTER u. B. B. ELSNER, Soc. **1951**, 1061.
J. JORAND, Oléagineux **15**, 183 (1960).
[4] N. P. BUU-HOI u. P. CAGNIANT, R. **67**, 62 (1948).
[5] C. O. GUSS u. R. W. LERNER, Am. Soc. **78**, 1237 (1956).
[6] L. GATTERMANN, R. EHRHARDT u. H. MAISCH, B. **23**, 1208 (1890).
[7] J. G. BELTON, N. V. NOWLAN u. T. S. WHEELER, Scient. Pr. roy. Dublin Soc. **25**, 19 (1949).
[8] R. ROBINSON u. F. WEYGAND, Soc. **1941**, 389.
N. P. BUU-HOI, D. LAVIT u. J. COLLARD, J. Org. Chem. **23**, 543 (1958).
[9] T. BISANZ, Roczniki Chem. **32**, 763 (1958).
[10] R. ROYER, A. ch. [12] **1**, 411 (1946).

2-Methoxy-6-propyl-naphthalin *2-Methoxy-6-äthyl-* (bzw. *-6-propyl)-1-acetyl-naphthalin*[1].

2-Methoxy-6-äthyl-1-acetyl-naphthalin[2]: Zu einer mit Wasser gekühlten, gut gerührten Lösung von 50 g (0,27) Mol 2-Methoxy-6-äthyl-naphthalin und 23,2 g (0,295 Mol) Acetylchlorid in 500 *ml* Nitrobenzol gibt man in kleinen Portionen 39,5 g (0,295 Mol) fein gepulvertes Aluminiumchlorid. Man überläßt die Reaktionsmischung bei Raumtemp. über Nacht sich selbst und zersetzt sie dann mit verd. Salzsäure. Das Nitrobenzol wird mit Wasserdampf abgetrieben und der Destillationsrückstand mit Benzol ausgeschüttelt. Die Benzol-Lösung wird nach dem Waschen mit Wasser über Natriumsulfat getrocknet, dann destilliert man das Lösungsmittel bei Normaldruck ab und fraktioniert den Rückstand i. Vak.; Ausbeute: 45 g (73% d.Th.); Kp_{20}: 207°; F: 70° (farblose, glitzernde Blättchen, aus Petroläther: Kp: 40–80°).

Bei der Acetylierung von 2-Methoxy-1,6-dialkyl-naphthalin unter den gleichen Bedingungen tritt der Acetyl-Rest in die 8-Stellung des Naphthalins ein[3].

2-Methoxy-naphthalin, das in 1-Stellung durch ein Chlor[4]- oder ein Brom[5]-Atom substituiert ist, wird durch Acetylchlorid in Nitrobenzol in Gegenwart von Aluminiumchlorid in 6-Stellung acetyliert [*1-Chlor-* (bzw. *1-Brom)-2-methoxy-6-acetyl-naphthalin*].

Bei der Acetylierung von 1,2-Dimethoxy-naphthalin mit Acetyl-chlorid in Nitrobenzol bei 5–7° in Gegenwart von Aluminiumchlorid erfolgt teilweise Aufspaltung der 1-Methoxy-Gruppe, so daß man ein Gemisch von etwa gleichen Mengen *3,4-Dimethoxy-* und *3-Methoxy-4-hydroxy-1-acetyl-naphthalin* erhält[6].

Die Acylierung von 1,4-Dimethoxy-naphthalin mit Buttersäure-chlorid oder Chloriden höherer aliphatischer Carbonsäuren führt zu 1,4-Dimethoxy-6-alkanoyl-Derivaten; daneben werden 1-Hydroxy-4-methoxy-2-alkanoyl-Derivate isoliert[7]. Bei der Umsetzung von 1,5-Dimethoxy-naphthalin mit Acetylchlorid oder Propionsäure-chlorid in Nitrobenzol in Gegenwart von Aluminiumchlorid wird *4,8-Dimethoxy-1-propanoyl-* (bzw. *-acetyl)-naphthalin* gebildet; als Nebenprodukte treten *4,8-Dimethoxy-1,5-diacetyl-(bzw. -1,5-dipropanoyl)-naphthalin* auf[8]. Unter den gleichen Bedingungen erhält man aus 1,6-Dimethoxy-naphthalin mit Acetylchlorid *4,7-Dimethoxy-1-acetyl-naphthalin*[9]. Aus 1,8-Dimethoxy-naphthalin wird auf die gleiche Art *4,5-Dimethoxy-1-acetyl-naphthalin* erhalten[10]. Beim 2,3-Dimethoxynaphthalin tritt bei der analogen Umsetzung mit Acetylchlorid oder Propionsäurechlorid der Acyl-Rest in die 6-Stellung des Naphthalinkernes ein [*6,7-Dimethoxy-2-acetyl-* (bzw. *2-propanoyl)-naphthalin*][11]. Beim 2,7-Dimethoxy-naphthalin erfolgt die in gleicher Art und Weise durchgeführte Acetylierung überraschenderweise in 3-Stellung zum *2,7-Dimethoxy-3-acetyl-naphthalin*[12].

[1] N. P. Buu-Hoi, D. Lavit u. J. Collard, J. Org. Chem. **23**, 543 (1958).
     N. P. Buu-Hoi, D. Lavit u. J. Collard, Croat. chem. Acta **29**, 291 (1957).
[2] N. P. Buu-Hoi, D. Lavit u. J. Collard, J. Org. Chem. **23**, 543 (1958).
[3] N. P. Buu-Hoi, D. Lavit u. J. Collard, Croat. chem. Acta **29**, 291 (1957).
[4] R. Robinson u. J. Willenz, Soc. **1941**, 393.
     M. Sy u. M. Niel, Bl. **1966**, 2760.
[5] R. Royer, A. ch. [12] **1**, 419 (1946).
[6] T. Bisanz, Roczniki Chem. **30**, 115 (1956).
[7] J. Hase u. T. Nichimura, J. pharm. Soc. Japan **75**, 203 (1955).
[8] N. P. Buu-Hoi u. D. Lavit, J. Org. Chem. **20**, 1195 (1955).
[9] N. P. Buu-Hoi u. D. Lavit, Soc. **1956**, 1747.
[10] N. P. Buu-Hoi u. D. Lavit, Soc. **1956**, 2414.
[11] N. P. Buu-Hoi u. D. Lavit, J. Org. Chem. **21**, 23 (1956).
[12] N. P. Buu-Hoi u. D. Lavit, Soc. **1956**, 1748.

2-Methylmercapto-naphthalin kann mit Acetylchlorid in Schwefelkohlen-stoff[1] oder Nitrobenzol[2] in Gegenwart von Aluminiumchlorid acetyliert werden; wenn die Reaktion in Nitrobenzol bei Raumtemperatur durchgeführt wird, erhält man *6-Methylmercapto-2-acetyl-naphthalin* (81% d.Th.).

Auch 1-Acetylamino-naphthalin kann in Schwefelkohlenstoff in Gegenwart von Aluminiumchlorid mit Acetylchlorid acyliert werden. Nach der Verseifung des Acylierungsproduktes isoliert man *4-Amino-1-acetyl-naphthalin* (31% d.Th.). Als Nebenprodukt wird *5-Amino-1-acetyl-naphthalin* erhalten. 1-Amino-naphthalin kann auch direkt in die Friedel-Crafts'sche Keton-Synthese eingesetzt werden[3]. Analog wie 1-Acetylamino-naphthalin kann auch 2-Acetylamino-naphthalin oder 2-Amino-naphthalin mit Acetylchlorid umgesetzt werden. Man erhält dabei, wenn man das Umsetzungsprodukt vor der Isolierung verseift, als Hauptreaktionsprodukt *7-Amino-1-acetyl-* neben *6-Amino-1-acetyl-naphthalin*[4].

7-Amino-1-acetyl-naphthalin[5]: Zu einer gerührten und gekühlten Mischung aus 185 g (1 Mol) 2-Acetylamino-naphthalin und 670 g (5 Mol) Aluminiumchlorid in 2 *l* Schwefelkohlenstoff tropft man im Verlaufe 1 Stde. 84 *ml* (98 g, 1,25 Mol) Acetylchlorid. Die Mischung wird 8 Stdn. bei Raumtemp. gehalten und dann 1 Stde. unter Rückfluß erhitzt; danach wird wie üblich auf-gearbeitet; Ausbeute: 128 g (56% d.Th.; farblose Kristalle); F: 151° (aus Äthanol).

Bei den Bis-[acetylamino]-naphthalinen glückt die Keton-Synthese nach Friedel-Crafts nur beim 1,6-Bis-[acetylamino]-naphthalin und beim 1,7-Bis-[acetyl-amino]-naphthalin. Die Reaktion wird mit Acetylchlorid in Schwefelkohlenstoff oder 1,1,2,2-Tetrachlor-äthan unter Verwendung von 7 Mol Aluminiumchlorid und 2–3 Mol Acetylchlorid pro Mol des zu acetylierenden Diamin-Derivates durchgeführt; die Acetyl-Gruppen treten dabei in p-Stellung zur 1-ständigen Acetylamino-Gruppe ein, man isoliert also *4,7-Bis-[acetylamino]-* bzw. *4,6-Bis-[acetylamino]-1-acetyl-naphthalin*[6]. Bei der Umsetzung von 1-Acetylamino-2-methoxy-naphthalin mit Acetylchlorid in Nitrobenzol in Gegenwart von Aluminiumchlorid bei 5–8° wird *5-Acetylamino-6-methoxy-2-acetyl-naphthalin* (47% d.Th.) isoliert[7].

Die Acylierung von Naphthalin-Derivaten, die Substituenten zweiter Ordnung wie Keton-, Carboxy- oder Sulfonsäure-Gruppen enthalten, glückt dann, wenn der reaktionshemmende Einfluß dieser Substituenten durch elektronenspendende Substituenten vermindert wird. So erhält man aus 5-Acetyl-acenaphthen mit Acetylchlorid in Schwefelkohlenstoff in Gegenwart von Aluminiumchlorid mit Aus-beuten von 70–80% d.Th. *3,6-Diacetyl-acenaphthen*[8]. Mit Zinkchlorid als Katalysator glückt auch die Einführung einer zweiten Acetyl-Gruppe in 1-Hydroxy-2-acetyl-naphthalin; der zweite Acetyl-Rest tritt dabei in p-Stellung zur Hydroxy-Gruppe zum *1-Hydroxy-2,4-diacetyl-naphthalin* ein[9]. Die Umsetzung von 7-Methoxy-4-oxo-1,2,3,4-tetrahydro-phenanthren zum *7-Methoxy-4-oxo-8-acetyl-1,2,3,4-tetrahydro-phe-*

[1] F. KROLLPFEIFER, K. L. SCHNEIDER u. A. WISSNER, A. **566**, 147 (1950).

[2] N. P. BUU-HOI, N. HOÁN u. D. LAVIT, Soc. **1953**, 485.

[3] N. J. LEONARD u. A. M. HYSON, Am. Soc. **71**, 1393 (1949).

[4] N. J. LEONARD u. A. M. HYSON, Am. Soc. **71**, 1392 (1949).

[5] C. F. KOELSCH u. R. M. LINDQUIST, J. Org. Chem. **21**, 658 (1956).

[6] N. J. LEONARD u. A. M. HYSON, Am. Soc. **71**, 1962 (1949).

[7] T. BISANZ, Roczniki Chem. **32**, 766 (1958).

[8] Brit. P. 291347 (1927), I. G. Farb., Erf.: H. MORSCHEL; C. A. **23**, 1137 (1929).

H. J. RICHTER u. F. B. STOCKER, J. Org. Chem. **24**, 214 (1959).

[9] M. AKRAM u. R. D. DESAI, Pr. indian Acad. [A] **11**, 156 (1940).

nanthren mit Acetylchlorid in Nitrobenzol in Gegenwart von Aluminiumchlorid gelingt ebenfalls, allerdings wird dabei teilweise die Methoxy-Gruppe aufgespalten[1]. Auch 1-Hydroxy-naphthalin-2-carbonsäure und 2-Hydroxy-naphthalin-3-carbonsäure können nach Friedel-Crafts zu *1-Hydroxy-4-acetyl-2-carboxy-* bzw. *1-Acetyl-2-hydroxy-3-carboxy-naphthalin* acetyliert werden[2].

1,8-Naphthsulton wird durch aliphatische oder cycloaliphatische Carbonsäurechloride in 1,2,4-Trichlor-benzol in Gegenwart von Aluminiumchlorid in p-Stellung zum Sauerstoffatom acyliert.

4-Acetyl-1,8-naphthsulton[3]: 103 g (0,5 Mol) 1,8-Naphthsulton und 87 g (0,65) Mol Aluminiumchlorid werden in 200 *ml* 1,2,4-Trichlor-benzol bei Raumtemp. gelöst, mit 47 g (0,6 Mol) Acetylchlorid versetzt und unter Rühren auf 60° erwärmt. Die Reaktion setzt bei ungefähr 40° unter kräftiger Chlorwasserstoff-Entwicklung ein. Der gebildete klare Sirup wird noch 40 Min. bei 60° gehalten, bis die Chlorwasserstoff-Entwicklung weitgehend abgeklungen ist. Dann wird innerhalb von 30 Min. auf 100° erwärmt und weitere 2½ Stdn. gerührt. Die noch heiße, leicht bräunlich gefärbte, nun kristalline Masse wird mit 500 g Eis und 30 *ml* 10n Salzsäure zersetzt und das Trichlorbenzol mit Wasserdampf abdestilliert. Das zurückbleibende grobkristalline, hellgelbe Rohketon (119 g; F: 147–153°) wird nach dem Trocknen unter Eiskühlung in 960 g 5%iges Oleum eingerührt, die gebildete Lösung wird 1 Stde. bei 5–10° gehalten und dann in eine Mischung von 1500 g Eis und 70 g Natriumchlorid gegossen. Das als kristalline Masse ausgefallene Acetylnaphthsulton wird abfiltriert und mit Wasser neutral gewaschen; Naphthsulton läuft als Naphthsulton-4-sulfonsäure im Filtrat ab. Das vorgereinigte Keton (109 g; F: 166–168°) wird in 600 *ml* siedendem Chloroform gelöst, von Verunreinigungen filtriert, mit 600 *ml* 95%igem Äthanol versetzt und abgekühlt; Ausbeute: 92 g (74% d.Th.); F: 172–173°.

Analog erhält man *4-Propanoyl-, 4-Butanoyl-, 4-(3-Methyl-butanoyl)-* und *4-Cyclohexylcarbonyl-naphthsulton*.

Auch 1,8-Naphthsultam und N-Methyl-1,8-naphthsultam können mit Acetylchlorid in Nitrobenzol in Gegenwart von Aluminiumchlorid mit Ausbeuten von 62–63% d.Th. zu *N-Methyl-4-acetyl-1,8-naphthsultam* acetyliert werden; die Umsetzung wird bei 60–70° vorgenommen[4].

β_5) Anthracen

Anthracen ergibt mit Acetylchlorid/Aluminiumchlorid in Benzol, Chloroform oder 1,2-Dichlor-äthan zunächst eine komplexe Mischung von *Acetyl-* und *Diacetyl-anthracenen*[5]. Bei −5° bis 0° in Benzol ensteht dabei bei Reaktionszeiten bis zu 3 Stdn. *9-Acetyl-anthracen* als Hauptreaktionsprodukt[6]. Analog erhält man mit Propionsäure-chlorid *9-Propanoyl-anthracen*[6]. Bei einer Reaktionszeit von 20 Stdn. bei Raumtemp. können *1-*(57%) neben *2-*(16%) und *9-Acetyl-anthracen* (10%) sowie *Diacetyl-anthracene* (10%) isoliert werden[5,7]. Wenn die Reaktion bei 10°–15° in Nitrobenzol durchgeführt wird, erhält man ein Gemisch aus *1-* und *2-Acetyl-anthracen*[8]. Unter geeigneten Bedingungen ist eines dieser beiden Ketone Hauptreaktionsprodukt.

2-Acetyl-anthracen[9]: In 1 kg Nitrobenzol werden 133 g (1 Mol) Aluminiumchlorid gelöst. Die Lösung wird auf 0° abgekühlt und mit 78,5 g (1 Mol) Acetylchlorid versetzt. Darauf werden

[1] M. Miyasaka u. S. Nomura, J. pharm. Soc. Japan, **60**, 328 (1940).

[2] G. G. Joshi u. N. M. Shah, J. indian chem. Soc. **31**, 225, 228 (1954).

[3] G. Schetty, Helv. **30**, 1654 (1947).

[4] A. Mustafa u. M. I. Ali, Am. Soc. **77**, 4593 (1955).

[5] P. H. Gore u. C. K. Thadani, Soc. [C] **1966**, 1729.

[6] Org. Synth. Coll. Vol. IV, S. 8, (1963).

[7] D. E. Pearson u. C. A. Buehler, Synthesis **1971**, 455.

[8] P. H. Gore, J. Org. Chem. **22**, 138 (1957).

[9] DRP. 492247 (1926), I. G. Farb., Erf.: A. Lüttringhaus u. F. Kačer; C. A. **24**, 2472 (1930).

unter Kühlung und ständigem Rühren 178 g (1 Mol) Anthracen eingetragen. Die Temp. soll dabei 10°–15° betragen. Nach 4 stdgm. Rühren wird der dunkelrote Kristallbrei mit 1 kg Benzol verdünnt, abgesaugt und mit Benzol gewaschen, bis dieses hell abläuft. Der rote Rückstand wird mit Wasser verrührt und das noch vorhandene Benzol mit Wasserdampf abgeblasen. Das in guter Ausbeute erhaltene Rohprodukt besteht im wesentlichen aus *2-Acetyl-anthracen* mit einem geringen Gehalt an *1-Acetyl-anthracen*. Durch Umkristallisation z.B. aus Eisessig oder aus Chlorbenzol wird das Keton rein (F: 191–192°) erhalten.

Bei der oben beschriebenen Umsetzung ist *1-Acetyl-anthracen* (F: 106–108°) Hauptreaktionsprodukt, wenn man an Stelle der dort angegebenen Mengen 400 g (3 Mol) Aluminiumchlorid und 157 g (2 Mol) Acetylchlorid verwendet[1].

Ein Gemisch aus *1-* und *2-Acetyl-anthracen* wird auch erhalten, wenn man 9-Acetyl-anthracen in Nitrobenzol mit Aluminiumchlorid verrührt[2].

Die Acetylierung von 2-Acetyl-anthracen mit Acetylchlorid in 1,2-Dichloräthan in Gegenwart von Aluminiumchlorid ergibt *1,6-Diacetyl-anthracen* (84% d. Th.), während die analoge Umsetzung des 1-Acetyl-anthracens eine Mischung aus *1,5-* und *1,8-Diacetyl-anthracen* ergibt[3]. Aceanthren liefert mit Acetylchlorid/Aluminiumchlorid bei 0° je nach verwendetem Lösungsmittel und Reaktionsdauer unterschiedliche Gemische von Acetyl-Derivaten:

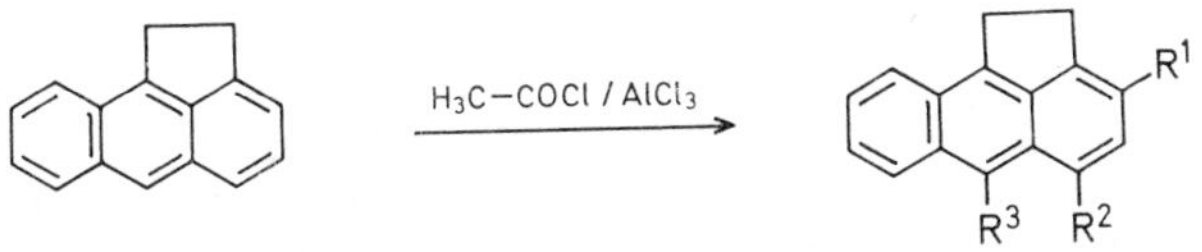

In Nitrobenzol entstehen *3-* (R^1=—CO—CH$_3$, R^2=R^3=H) und *5-Acetyl-aceanthren* (R^2=—CO—CH$_3$, R^1=R^3=H), während in Dichlormethan nach 2 Stdn. *6-Acetyl-aceanthren* (R^3=—CO—CH$_3$, R^1=R^2=H) als Hauptreaktionsprodukt erhalten wird[4].

β_6) *Phenanthren*

Bei der Acetylierung von Phenanthren mit Acetylchlorid in Nitrobenzol entstehen *2-* und *3-Acetyl-phenanthren* nebeneinander[5]. Dabei ist der Anteil der einzelnen Isomeren von der Reaktionszeit abhängig; so werden nach 6 Stdn. bei 25° 16% d. Th. *2-Acetyl-* und 62% d. Th. *3-Acetyl-phenanthren* isoliert, nach 17 Stdn. unter den gleichen Bedingungen betragen die Anteile 26% d. Th. *2-Acetyl-* und 50% d. Th. *3-Acetyl-phenanthren*[6]. In Schwefelkohlenstoff als Reaktionsmedium soll als Hauptreaktionsprodukt *9-Acetyl-phenanthren* gebildet werden[7]. Die Umsetzung von Phenanthren mit einem Überschuß an Aluminiumchlorid und Acetylchlorid zu *9,10-Diacetyl-phenanthren*[8] war nicht reproduzierbar[9]. Neue Untersuchungen über die Acetylierung des Phenanthrens haben ergeben, daß neben den bereits genannten Isomeren auch *1-* und *4-Acetyl-phenanthren* entstehen.

[1] P. H. GORE u. C. K. THADANI, Soc. [C] **1967**, 1498.
[2] E. G. E. HAWKINS, Soc. **1957**, 3859.
[3] P. H. GORE u. C. K. THADANI, Soc. **1966**, 1732.
[4] J.-P. HOEFFINGER, P. JACQUIGNON u. N. P. BUU-HOI, Bl. **1970**, 2534.
[5] E. MOSETTIG u. J. VAN DE KAMP, Am. Soc. **52**, 3705 (1930).
   E. CLAR, B. **76**, 154 (1943).
   J. ASSELINEAU u. A. WILLEMART, Bl. [5] **14**, 116 (1947.
   M. G. KLOETZEL u. U. K. PANDIT, Am. Soc. **78**, 1412 (1956).
[6] P. H. GORE, J. Org. Chem. **22**, 138 (1957).
[7] C. WILLGERODT u. B. ALBERT, J. pr. [2] **84**, 383 (1911).
   P. M. G. BAVIN u. M. J. S. DEWAR, Soc. **1956**, 168.
[8] C. WILLGERODT u. B. ALBERT. J, pr. [2] **84**, 389 (1911).
[9] E. MOSETTIG u. J. VAN DE KAMP, Am. Soc. **52**, 3705 (1930).

Tab. 17. Isomerenverteilung bei der Acetylierung von Phenanthren mit Acetyl-
chlorid/Aluminiumchlorid[1]

Lösungsmittel	wiedergewonnenes Phenanthren [%]	Keton-Ausbeute [% d.Th.]	x-Acetyl-phenanthren [%]				
			1	2	3	4	9
Nitrobenzol[2]	2,8	94	3,5	23,3	64,8	3,5	4,9
Nitromethan	47	50	3,0	26,9	63,6	0,6	5,6
Benzol	15	85	13,5	9,0	47,3	0,8	29,1
1,2-Dichlor-äthan	—	70	1,7	3,8	36,1	5,0	54,1
Chloroform[a]	35	63	16,7	5,0	37,6	1,1	39,6
Schwefelkohlen-stoff[b]	23	76	7,2	14,6	48,5	5,4	24,3

[a] Reaktionszeit 7 Tage
[b] Reaktionszeit 24 Stdn.

Besonders eingehend ist die Acylierung von 1-Methyl-7-isopropyl-phenan-
thren mit Acetylchlorid untersucht worden[3]. Man arbeitet dabei am vorteilhaftesten
in Nitrobenzol in Gegenwart von Aluminiumchlorid bei −5° (*1-Methyl-7-isopropyl-
3-acetyl-phenanthren[4]*). Acephenanthren reagiert mit Acetylchlorid/Aluminium-
chlorid, Zinn(IV)- oder Titan(IV)-chlorid überwiegend zu *6-Acetyl-acephenanthren[5]*.

Bei der Acetylierung von 3-Chlor-phenanthren in Nitrobenzol bei 0° mit Acetylchlorid in Gegenwart von Aluminiumchlorid erhält man *3-Chlor-6-acetyl-phenanthren*
neben zwei Monoacetyl-Derivaten mit unbestimmter Stellung der Acetyl-Gruppe[6].
Aus 9-Brom-phenanthren wird mit Acetylchlorid in Schwefelkholenstoff ein Mono-
acetyl-Derivat erhalten, in dem die Stellung der Acetyl-Gruppe ebenfalls unbekannt
ist[7].

Die Acylierung von Acetoxy-[8,9] und Methoxy-phenanthrenen[9,10] mit Acetylchlorid und in einigen Fällen mit Propionsäure-chlorid in Nitrobenzol in Gegenwart
von Aluminiumchlorid ergibt Methoxy-alkanoyl-phenanthrene, bei denen die
Stellung des Acyl-Restes nicht in allen Fällen bestimmt wurde. Unter analogen Bedingungen wird aus 6-Methoxy-1-methyl-phenanthren und Acetylchlorid *6-
Methoxy-1-methyl-3-acetyl-phenanthren* (21% d. Th.) erhalten[11].

[1] R. B. Girdler, P. H. Gore u. C. K. Thadani, Soc. [C] **1967**, 2619.
[2] E. Mosettig u. J. van de Kamp, Am. Soc. **52**, 3705 (1930).
[3] M. T. Bogert u. T. Hasselstrom, Am. Soc. **53**, 3463 (1931).
     D. E. Adelson u. M. T. Bogert, Am. Soc. **58**, 653 (1936).
     G. A. Nyman, Annales Academiae Scientarum Fennicae [A] **48**, No. 6 (1937); C. A. **33**, 8192 (1939).
[4] W. P. Campbell u. D. Todd, Am. Soc. **62**, 1291 (1940).
     L. A. Sublusky u. T. F. Sanderson, Am. Soc. **76**, 3512 (1954).
[5] J.-P. Hoeffinger, P. Jacquignon u. N. P. Buu-Hoï, Bl. **1970**, 974.
[6] E. L. May u. E. Mosettig, J. Org. Chem. **11**, 431 (1946).
[7] E. Mosettig u. J. van de Kamp, Am. Soc. **54**, 3336 (1932).
[8] H. M. Duvall u. E. Mosettig, Am. Soc. **60**, 2411 (1938).
[9] E. Mosettig u. A. Burger, Am. Soc. **55**, 2987 (1933).
[10] A. Burger u. E. Mosettig, Am. Soc. **56**, 1745 (1934).
[11] W. P. Campbell u. D. Todd, Am. Soc. **62**, 1291 (1940).

β_7) *höher kondensierten alicyclischen Ringsystemen*

Die Acylierung von Pyren mit Acetylchlorid[1] oder Propionsäure-chlorid[2] erfolgt in Gegenwart von Aluminiumchlorid in Nitrobenzol bei Raumtemperatur und führt zu *1-Acetyl-* bzw. *1-Propanoyl-pyren*:

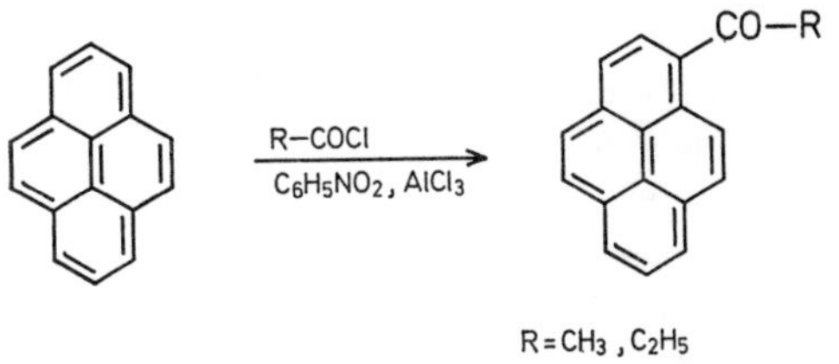

R = CH₃, C₂H₅

Es bereitet jedoch keine Schwierigkeiten bis zu 4 Acyl-Gruppen in 1,3,6,8-Stellung einzuführen.

Beim Chrysen ist der Ort des Eintritts eines Acyl-Restes bei der Acylierung mit aliphatischen Carbonsäure-chloriden in Gegenwart von Aluminiumchlorid vom verwendeten Lösungsmittel abhängig. So sind in Benzol[3] und in Dichlormethan[4] 6-Alkanoyl-chrysene Hauptreaktionsprodukte.

6-Butanoyl-chrysen[5]:

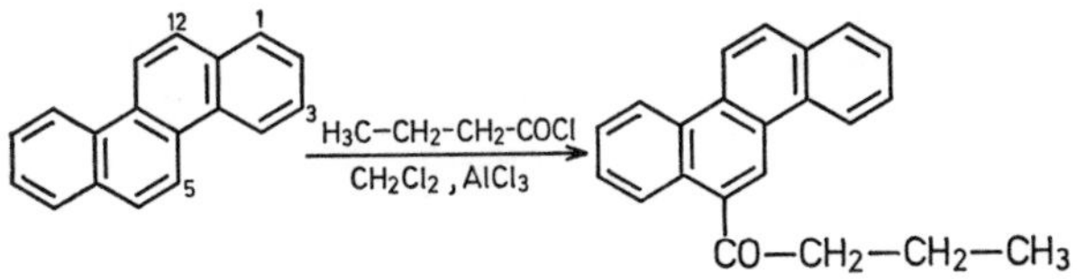

Man löst 69,2 g (0,65 Mol) Buttersäure-chlorid und 90,5 g (0,68 Mol) Aluminiumchlorid in 1,5 l Dichlormethan und gibt in 30 Min. zu der bei +5° heftig gerührten Lösung eine Suspension von 114,2 g (0,5 Mol) gereinigtem[6] Chrysen in 1,5 l Dichlormethan. Nach einer Nacht bei Raumtemp. erhitzt man das Reaktionsgemisch 5 Stdn. unter Rückfluß und zersetzt nach dem Abkühlen den Keton-Aluminiumchlorid-Komplex mit Eis und Salzsäure. Die organische Phase wird mit verd. Natronlauge, dann mit Wasser gewaschen und über Natriumsulfat getrocknet. Man destilliert sodann das Lösungsmittel ab und fraktioniert den Rückstand im Vakuum. Nach einem Vorlauf von 1,5 g erhält man als Hauptprodukt 106 g eines blaßgelben Öles (Kp₁₄: 300–310°), als Nachlauf isoliert man 10 g einer viskosen, gelben Flüssigkeit (Kp₁₄: 310–350°).

Die Hauptfraktion wird zunächst aus Hexan/Aktivkohle und dann aus Eisessig umkristallisiert; Ausbeute: 75 g (50,4% d.Th.); F: 87°.

Aus dem Nachlauf werden nach 2maligem Umkristallisieren aus Eisessig noch geringe Mengen des gleichen Ketons sowie zwei Butanoyl-chrysene (F: 180° bzw. 218°) isoliert.

---

[1] K. Dziewonski u. L. Sternbach, Roczniki Chem. **17**, 101 (1937).

[2] K. Dziewonski u. P. Trzesinski, Bulletin international de l'académie polonaise des sciences et des lettres [A] **1937**, 579; C. A. **32**, 4978 (1938).

[3] DRP 652912 (1934), I. G. Farb., Erf.: H. Vollmann u. H. Becker; C. **1938** I, 2064.

[4] W. Carruthers, Soc. **1953**, 3487.
   N. P. Buu-Hoi u. P. Mabille, Bl. **1965**, 1430.

[5] N. P. Buu-Hoi u. P. Mabille, Bl. **1966**, 1424.

[6] P. Mabille u. N. P. Buu-Hoi, J. Org. Chem. **25**, 1938 (1960).

Analog erhält[1] man

6-Propanoyl-chrysen	60 % d. Th.	F: 135—136°
6-(2-Methyl-propanoyl)-chrysen	44 % d. Th.	F: 124°
6-(3-Methyl-butanoyl)-chrysen	60 % d. Th.	F: 76°
6-Hexanoyl-chrysen	80 % d. Th.	F: 85°
6-Heptanoyl-chrysen	80 % d. Th.	F: 67°
6-Octadecanoyl-chrysen	51 % d. Th.	F: 88°

Weniger eindeutig verläuft die Acylierung des Chrysens in Schwefelkohlenstoff mit Acetylchlorid, wo neben *6-Acetyl-chrysen* noch 2- und *3-Acetyl-chrysen* bzw. *Diacetyl-chrysen* erhalten werden. Mit Propionsäure-chlorid in Schwefelkohlenstoff erhält man dagegen *6-Propanoyl-chrysen* (57% d. Th.).

Auch bei der Acylierung des Chrysens in Nitrobenzol mit aliphatischen Carbonsäure-chloriden werden mehrere isomere Ketone erhalten[2]. Mit 3-Methyl-butansäure-chlorid erhält man unter diesen Bedingungen 2- und *3-(3-Methyl-butanoyl)-chrysen*. Auch bei der analogen Umsetzung von Chrysen mit Cyclohexan-carbonsäure-chlorid werden zwei Ketone, nämlich 2- und *3-Cyclohexylcarbonyl-chrysen* isoliert[3].

6-Äthyl-chrysen[4,5] und 6-Benzyl-chrysen[5] werden in Schwefelkohlenstoff bzw. in Dichlormethan durch Acetylchlorid in Gegenwart von Aluminiumchlorid zu *6-Äthyl-12-acetyl-* bzw. *6-Benzyl-12-acetyl-chrysen* acyliert:

Als Nebenreaktion erfolgt beim 6-Benzyl-chrysen in geringem Umfang Acetylierung im Phenylkern des Benzyl-Restes.

Benzo-[a]-anthracen wird durch Acetylchlorid in Nitrobenzol in Gegenwart von Aluminiumchlorid zu *7-Acetyl-⟨benzo-[a]-anthracen⟩* acyliert[6]; mit Octadecan-

[1] P. Mabille u. N. P. Buu-Hoi, Soc. **1961**, 4912.
   N. P. Buu-Hoi u. P. Mabille, Bl. **1965**, 1430.
   K. Funke u. E. Müller, J. pr. [2] **144**, 245 (1936).
   W. Carruthers, Soc. **1953**, 3487.
   E. Bergmann u. H. E. Schinazi, Am. Soc. **65**, 1415 (1943).
   N. P. Buu-Hoi, J. Org. Chem. **19**, 723 (1954).
[2] W. Carruthers, Soc. **1953**, 3487.
   N. P. Buu-Hoi u. P. Mabille, Bl. **1965**, 1431.
[3] W. Carruthers u. W. J. Cook, Soc. **1954**, 2051.
[4] K. Funke u. J. Ristic, J. pr. [2] **146**, 155 (1936).
[5] P. Mabille u. N. P. Buu-Hoi, J. Org. Chem. **25**, 1092 (1960).
[6] A. Dansi u. C. Ferri, G. **69**, 198 (1939).

säure-chlorid dagegen erhält man unter den gleichen Bedingungen ein Isomeren-gemisch aus *9-* und *10-Octadecanoyl-⟨benzo-[a]-anthracen⟩*[1]. Die Ausbeuten an den einzelnen Isomeren betragen jedoch nur 9% bzw. 12% d. Theorie.

Bei der Acylierung von Benzo-[c]-phenanthren mit Acetylchlorid werden als Reaktionsprodukte nur hochschmelzende Mischungen isoliert[2].

Mit guten Ausbeuten verlaufen dagegen Acylierungen des Triphenylens mit Acetylchlorid oder Propionsäure-chlorid in Schwefelkohlenstoff[3] oder Nitrobenzol[4]. Die Acyl-Gruppen treten bei diesen Umsetzungen in 2-Stellung zu *2-Acetyl-* bzw. *2-Propanoyl-triphenylen* ein:

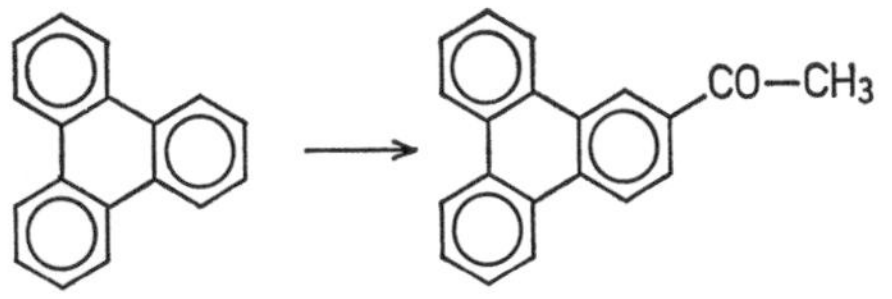

Fluoranthen ergibt bei der Acetylierung mit Acetylchlorid in Schwefelkohlen-stoff eine Mischung aus *3-* und *8-Acetyl-fluoranthen*[5]. In Dichlormethan erhält man neben *3-* und *8-Acetyl-fluoranthen* ein *Diacetyl-fluoranthen* (63% d.Th.) ungeklärter Konstitution[6]. Wenn man Acetylbromid als Acylierungsmittel benutzt, so isoliert man neben den beiden genannten Acetyl-fluoranthenen noch *3,9-Diacetyl-fluoranthen*:

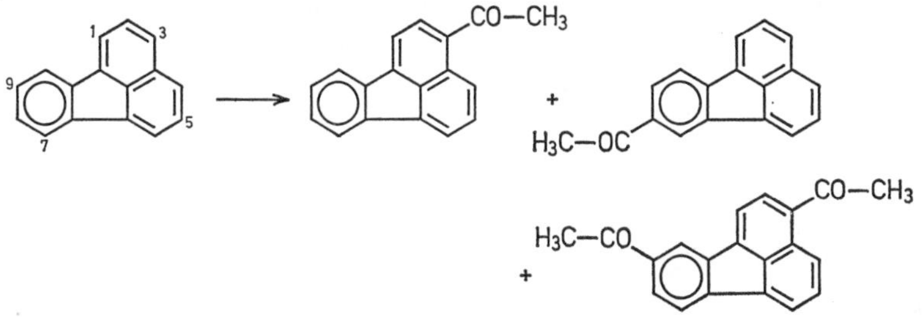

Die Diacetyl-Verbindung wird zum Hauptprodukt, wenn man die Reaktions-mischung erst 72 Stdn. nach der Zugabe des Acetylbromids aufarbeitet[7]. Bei der Acetylierung von 3,8-Dibrom-fluoranthen mit Acetylbromid in Schwefelkohlen-stoff erhält man *3,8-Dibrom-9-acetyl-fluoranthen* neben etwas Tribrom-fluoranthen[8], diese Acetylierung glückt nicht, wenn man Nitrobenzol als Reaktionsmedium ver-wendet.

Mit sehr hoher Ausbeute erfolgt die Umsetzung von Triptycen mit Acetylchlorid in 1,1,2,2-Tetrachlor-äthan bei −20° bis −30° zu *2-Acetyl-triptycen*[9]:

---

[1] M. G. KLOETZEL et al., J. Org. Chem. **26**, 1748 (1961).
[2] M. S. NEWMAN u. A. I. KOSAK, J. Org. Chem. **14**, 380 (1949).
[3] N. P. BUU-HOI u. P. JACQUIGNON, Soc. **1953**, 942.
[4] C. C. BARKER, R. G. EMMERSON u. J. D. PERIAM, Soc. **1955**, 4484.
[5] N. CAMPBELL u. W. W. EASTON, Soc. **1949**, 343.
[6] N. P. BUU-HOI, P. MABILLE u. D. C. THANG, Bl. **1968**, 981.
[7] N. CAMPBELL, W. K. LEADILL u. J. F. K. WILSHIRE, Soc. **1951**, 1404.
[8] N. CAMPBELL, W. K. LEADILL u. J. F. K. WILSHIRE, Soc. **1952**, 4616.
[9] C. J. PAGET u. A. BURGER, J. Org. Chem. **30**, 1329 (1965).

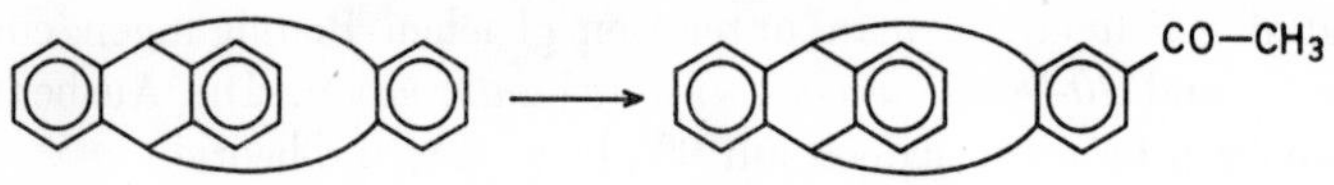

Perylen wird durch Acetylchlorid[1], Propionsäure-chlorid oder Buttersäure-chlorid[2] in Schwefelkohlenstoff in Gegenwart von Aluminiumchlorid in *3,9-Diacetyl-*, *3,9-Dipropanoyl-* bzw. *3,9-Dibutanoyl-perylen* übergeführt:

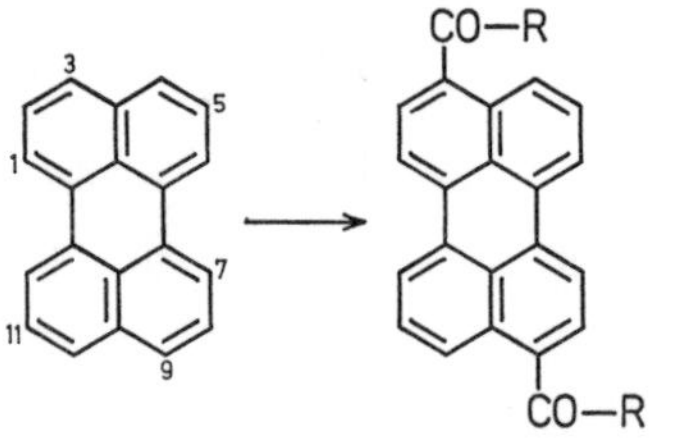

$R = -CH_3, -C_2H_5, -C_3H_7(n)$

Bei der Umsetzung der gleichen Carbonsäure-chloride mit 3,9-Dichlor-perylen unter analogen Bedingungen wird *3,9-Dichlor-4,10-diacetyl-* (bzw. *-4,10-dipropanoyl-* bzw. *-4,10-dibutanoyl)-perylen* gebildet[3].

Die Acylierung des Benzo-[a]-pyrens kann mit Acetylchlorid in Nitrobenzol mit Zinn(IV)-chlorid als Katalysator[4] oder in Schwefelkohlenstoff in Gegenwart von durch Luftfeuchtigkeit verändertem Aluminiumchlorid[5] erfolgen:

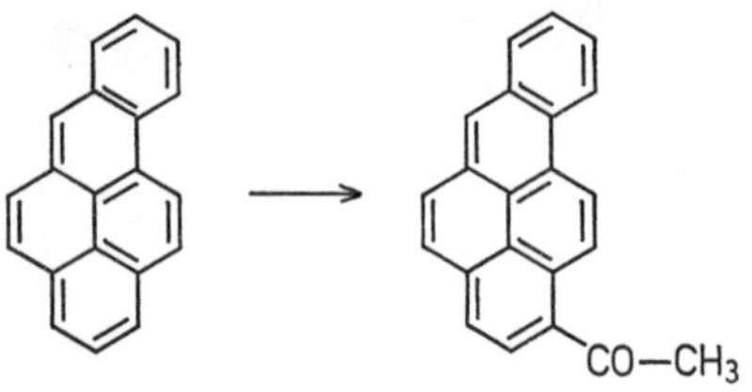

Man isoliert als Hauptreaktionsprodukt *1-Acetyl-⟨benzo-[a]-pyren⟩*. *1-Propanoyl-⟨benzo-[a]-pyren⟩* kann analog hergestellt werden[6].

1H-Benzo-[f]-inden ergibt bei der Acetylierung mit Acetylchlorid in 1,2-Dichlor-äthan ein *4-* oder *5-Acetyl-1H-⟨benzo-[f]-inden⟩* neben einer geringen Menge eines *6-Acetyl*-Derivates[7]. Indeno-[2,1-a]-phenalen liefert mit Acetylbromid *12-Acetyl-⟨indeno-[2,1-a]-phenalen⟩*; diese Umsetzung verläuft ohne Zugabe eines Katalysators[8].

[1] A. Pongratz, M. **48**, 589 (1927).
[2] A. Pongratz u. E. Pöchmüller, M. **51**, 233 (1929).
[3] A. Pongratz, M. **48**, 590 (1927); **50**, 91 (1928).
[4] L. F. Fieser u. E. B. Hershberg, Am. Soc. 1573 (1939).
    P. H. Gore, Chem. Reviews **55**, 270 (1955).
[5] A. Windaus u. K. Raichle, A. **537**, 160 (1939).
[6] N. P. Buu-Hoi, Soc. **1946**, 797.
[7] D. H. Reid, Tetrahedron **3**, 348 (1958).
[8] D. H. Reid, Tetrahedron **3**, 345 (1958).

Biphenylen wird durch Acetylchlorid in Schwefelkohlenstoff in Gegenwart von Aluminiumchlorid zu *2-Acetyl-biphenylen* umgesetzt; daneben entsteht etwas *2,6-Diacetyl-biphenylen*[1]:

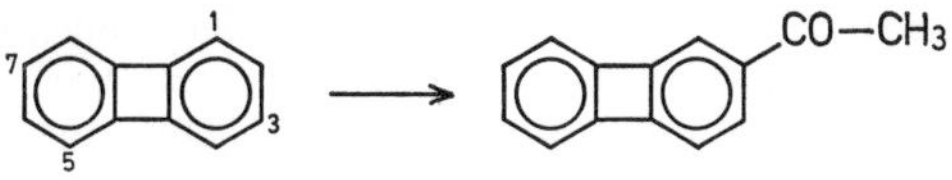

β₈) reaktionsfähigen Heterocyclen

Die Acylierung des **Furans** mit Acetylchlorid in Benzol in Gegenwart von Zinn(IV)-chlorid ergibt nur geringe Ausbeuten an *2-Acetyl-furan*[2]. Sehr mäßige Ausbeuten an *2-Propanoyl-furan* werden auch bei der Umsetzung von Furan mit Propionsäure-chlorid in Schwefelkohlenstoff und Zink, Zinn, Titan(IV)-chlorid oder Quecksilber(II)-chlorid als Katalysator erhalten[3]. Die Perrier-Modifikation der Keton-Synthese nach Friedel-Crafts hat sich bei der Umsetzung von Furan mit Propionsäure-, Buttersäure-, 2-Methyl-propansäure-, Pentansäure- oder Hexansäure-chlorid in Schwefelkohlenstoff in Gegenwart von Aluminiumchlorid bewährt; man isoliert *2-Propanoyl-*, *2-Butanoyl-*, *2-(2-Methyl-propanoyl)-*, *2-Pentanoyl-* und *2-Hexanoyl-furan* mit Ausbeuten von 23%–52% der Theorie[4]. Auch die Verwendung von Octadecansäure-chlorid als Acylierungsmittel wird beschrieben (*2-Octadecanoyl-furan*)[5].

2-Methyl-furan wird durch Acetylchlorid oder Octadecansäure-chlorid[5] mit Aluminiumchlorid in Schwefelkohlenstoff, Zinn(IV)-chlorid in Benzol oder Zink-chlorid in Äther in 5-Stellung zu *5-Methyl-2-acetyl-* (bzw. *-2-octadecanoyl)-furan* acyliert; die Ausbeuten sind durchweg gering[6].

Bemerkenswert verläuft die Umsetzung von **2-Nitro-furan** mit Propionsäure-chlorid in Schwefelkohlenstoff in Gegenwart von Titan(IV)-chlorid, man erhält *5-Chlor-2-propanoyl-furan*[7]:

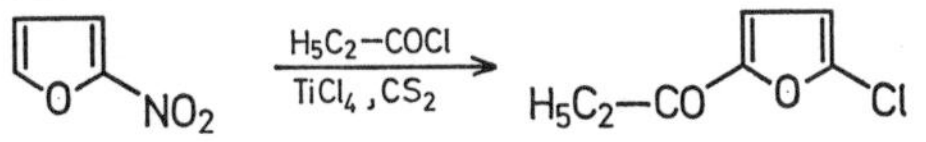

Benzo-[b]-furan verharzt in Gegenwart von Zinn(IV)-chlorid oder Phosphor-säure und ist deshalb als Ausgangsmaterial für Keton-Synthesen nach Friedel-Crafts ungeeignet[8]. 2-Alkyl- oder 2-Aryl-⟨benzo-[b]-furane⟩ wie 2-Methyl-, 2-Äthyl-, 2-Benzyl-, 2-Phenyl-, 2-(4-Methyl-phenyl)-, 2-(4-Chlor-phenyl)- oder 2-(4-Methoxy-phenyl)-⟨benzo-[b]-furane⟩ werden durch aliphatische Carbonsäure-chloride in Schwefelkohlenstoff oder Benzol in Gegenwart von Zinn(IV)-chlorid in 3-Stellung

[1] W. Baker, M. P. V. Bourland u. J. F. W. McOmie, Soc. **1954**, 1476.
    W. Baker, J. W. Barton u. J. F. W. McOmie, Soc. **1958**, 2666.
[2] T. Reichstein, Helv. **13**, 357 (1930).
[3] H. Gilman u. R. R. Burtner, Am. Soc. **57**, 911 (1935).
[4] H. Gilman u. N. O. Calloway, Am. Soc. **55**, 4200 (1933).
[5] US.P. 2033542 (1935), Armour & Co., Erf.: A. W. Ralston u. C. W. Christensen; C. A. **30**, 3124 (1936).
[6] T. Reichstein, Helv. **13**, 357 (1930).
[7] H. Gilman et al., Am. Soc. **57**, 908 (1935).
[8] M. Bisagni, N. P. Buu-Hoi u. R. Royer, Soc. **1955**, 3688.

6*

acyliert[1]. Die Reaktion wird meist bei Raumtemperatur oder darunter vorgenommen. Man erhält die gewünschten 2-Alkyl- (bzw. 2-Aryl)-3-alkanoyl-⟨benzo-[b]-furane⟩ mit Ausbeuten von 50–81% der Theorie.

2-Methyl-3-acetyl-⟨benzo-[b]-furan⟩[2]: Eine Lösung von 30 g (0,23 Mol) 2-Methyl-⟨benzo-[b]-furan⟩ und 14 g (0,18 Mol) Acetylchlorid in 150 ml Schwefelkohlenstoff wird in kleinen Portionen mit insgesamt 40 g (0,15 Mol) Zinn(IV)-chlorid versetzt. Man überläßt die Reaktionsmischung während 16 Stdn. sich selbst und arbeitet wie üblich auf; Ausbeute: 22 g (70 % d.Th.); Kp$_{22}$: 160–161°; F: 52° (nach Umkristallisation aus Pentan: glitzernde farblose Nadeln).

Bei der Umsetzung von 5-Chlor-2-äthyl-⟨benzo-[b]-furan⟩ mit Acetylchlorid in Schwefelkohlenstoff in Gegenwart von Zinn(IV)-chlorid erhält man *5-Chlor-2-äthyl-3-acetyl-⟨benzo-[b]-furan⟩* allerdings nur mit einer Ausbeute von 27% d.Th., da die Acylierung offenbar durch das Chloratom erschwert wird[3]. Aus 4-Methoxy-2-methyl-⟨benzo-[b]-furan⟩ und Acetylchlorid entsteht bei der Umsetzung in Benzol in Gegenwart von Zinn(IV)-chlorid bei 0° ein Gemisch aus 70% *4-Methoxy-2-methyl-7-acetyl-* und 30% *4-Methoxy-2-methyl-3-acetyl-⟨benzo-[b]-furan⟩*[3]:

70%   30%

Die Umsetzung von 4-Methoxy-3-methyl-⟨benzo-[b]-furan⟩ mit Acetylchlorid unter analogen Bedingungen liefert dagegen *4-Methoxy-3-methyl-2-acetyl-⟨benzo-[b]-furan⟩* und nur Spuren einer isomeren Verbindung[4]. Die Acylierung von 3-Benzyl-, 3-(3,4-Dimethoxy-benzyl)-[5] und 3-(4-Methoxy-phenyl)-⟨benzo-[b]-furan⟩[6] mit Acetylchlorid oder Propionsäure-chlorid in Schwefelkohlenstoff mit Zinn(IV)-chlorid als Katalysator liefert *3-Benzyl-, 3-(3,4-Dimethoxy-benzyl)-, 3-(4-Methoxy-phenyl)-2-acetyl-* (bzw. *-2-propanoyl*)-⟨benzo-[b]-furan⟩.

Bei der Acylierung von 6-Hydroxy-4,7-dimethoxy-2-äthoxycarbonyl-⟨benzo-[b]-furan⟩ mit Acetylchlorid oder Propionsäure-chlorid in Nitrobenzol in Gegenwart von Aluminiumchlorid isoliert man *6-Hydroxy-4,7-dimethoxy-5-acetyl-* (bzw. *-5-propanoyl*)-*2-carboxy-⟨benzo-[b]-furan⟩* unter gleichzeitiger Verseifung der Ester-Gruppierung[7]:

R = —CH$_3$, —C$_2$H$_5$

[1] M. Bisagni, N. P. Buu-Hoï u. R. Royer, Soc. **1955**, 3694.
    J. N. Chatterjea, J. indian chem. Soc. **34**, 349 (1957).
    V. T. Suu, N. P. Buu-Hoï u. N. D. Xuong, Bl. **1962**, 1876.
    R. Royer u. E. Bisagni, Bl. **1960**, 390.
    R. Royer, P. Demerseman u. E. Bisagni, Bl. **1960**, 687.
[2] V. T. Suu, N. P. Buu-Hoï u. N. D. Xuong, Bl. **1962**, 1876.
[3] M. Bisagni, N. P. Buu-Hoï u. R. Royer, Soc. **1955**, 3692.
[4] P. Demerseman et al., Bl. **1965**, 1473.
[5] J. N. Chatterjea, J. indian chem. Soc. **34**, 349 (1957).
[6] R. Royer. P. Demerseman u. E. Bisagni, Bl. **1960**, 687.
[7] US.P. 2680119 (1949), Smith, Kline & French Laboratories, Erf.: A. Robertson u. J. R. Clarke; C. A. **49**, 6314 (1955).

Wie 2-Äthyl-⟨benzo-[b]-furan⟩ wird auch 2-Äthyl-⟨naphtho-[2,1-b]-furan⟩ durch Acetylchlorid in Schwefelkohlenstoff in Gegenwart von Zinn(IV)-chlorid in 3-Stellung des Furan-Ringes zu *2-Äthyl-3-acetyl-⟨naphtho-[2,1-b]-furan⟩* acetyliert[1].

2,3-Dimethyl-⟨benzo-[b]-furan⟩ liefert mit überschüssigem Acetylchlorid/Aluminiumchlorid direkt *2,3-Dimethyl-4,7-diacetyl-⟨benzo-[b]-furan⟩*. Bei stöchiometrischer Umsetzung erhält man *2,3-Dimethyl-6-acetyl-⟨benzo-[b]-furan⟩*[2].

2,3-Dimethyl-4- (oder -7)-methoxycarbonyl-⟨benzo-[b]-furan⟩ ergibt mit Acetylchlorid/Aluminiumchlorid *2,3-Dimethyl-6-acetyl-4- (bzw. -7) -methoxycarbonyl-⟨benzo-[b]-furan⟩*[3].

2,3-Dihydro-⟨benzo-[b]-furane⟩ verhalten sich bei der Keton-Synthese nach Friedel-Crafts wie entsprechende Alkoxy-alkyl-benzole, d.h. Acyl-Reste treten in 5-Stellung ein, wenn diese unbesetzt ist. So erhält man aus 2,3-Dihydro-⟨benzo-[b]-furan⟩ und Acetylchlorid, Propionsäure-, Buttersäure- oder Undecansäure-chlorid in Schwefelkohlenstoff in Gegenwart von Aluminiumchlorid bei −10° *5-Acetyl-, 5-Propanoyl-, 5-Butanoyl-, 5-Undecanoyl-2,3-dihydro-⟨benzo-[b]-furan⟩*[4]. Die Acetylierung von 2,3-Dihydro-⟨benzo-[b]-furan⟩, 2-Methyl-2,3-dihydro-⟨benzo-[b]-furan⟩ oder von 2,2-Dimethyl-2,3-dihydro-⟨benzo-[b]-furan⟩ kann auch in 1,2-Dichlor-äthan unter sonst gleichen Bedingungen durchgeführt werden, und man erhält *5-Acetyl-, 2-Methyl-5-acetyl-* bzw. *2,2-Dimethyl-5-acetyl-2,3-dihydro-⟨benzo-[b]-furan⟩*[5]. Im 5-Methyl-2,3-dihydro-⟨benzo-[b]-furan⟩ tritt der Acyl-Rest bei der Umsetzung mit Acetylchlorid, Propionsäure-, Buttersäure- oder Hexadecansäure-chlorid in Schwefelkohlenstoff bei 0° mit Aluminiumchlorid als Katalysator in 7-Stellung ein. Man isoliert *5-Methyl-7-acetyl-, 5-Methyl-7-propanoyl-, 5-Methyl-7-butanoyl-* und *5-Methyl-7-hexadecanoyl-2,3-dihydro-⟨benzo-[b]-furan⟩* mit Ausbeuten zwischen 72% und 88% der Theorie[6]. Auch 5,6-Dimethyl-2,3-dihydro-⟨benzo-[b]-furan⟩ wird unter analogen Bedingungen zu *5,6-Dimethyl-7-acetyl-2,3-dihydro-⟨benzo-[b]-furan⟩* acetyliert, während beim 5,7-Dimethyl-2,3-dihydro-⟨benzo-[b]-furan⟩ ein Acetyl-Rest oder ein Propanoyl-Rest wahrscheinlich in 6-Stellung eintreten[6]. Acylierung in 6-Stellung erfolgt auch bei der Umsetzung von 5-Methoxy-2,3-dihydro-⟨benzo-[b]-furan⟩ mit Acetylchlorid in siedendem Schwefelkohlenstoff oder siedendem Diäthyläther, man isoliert als Reaktionsprodukte *5-Methoxy-* und *5-Hydroxy-6-acetyl-2,3-dihydro-⟨benzo-[b]-furan⟩*[7].

Wie bei den 2,3-Dihydro-⟨benzo-[b]-furan⟩-Derivaten mit blockierter 5-Stellung erfolgt auch bei der Umsetzung von 2,3-Dihydro-⟨naphtho-[2,1-b]-furan⟩ eine Acylierung mit Acetylchlorid oder Propionsäure-chlorid in 9-Stellung[8] zu *9-Acetyl-* bzw. *9-Propanoyl-2,3-dihydro-⟨naphtho-[2,1-b]-furan⟩*.

Dibenzofuran kann mit aliphatischen Carbonsäure-chloriden in Gegenwart von Aluminiumchlorid zu 2-Alkanoyl- und 2,7-Dialkanoyl-⟨dibenzofuran⟩ umgesetzt werden:

---

[1] M. Bisagni, N. P. Buu-Hoi u. R. Royer, Soc. **1955**, 3693.

[2] R. Royer et al., Bl. **1966**, 211.

[3] Y. Kawase, T. Okada u. T. Miwa, Bl. chem. Soc. Japan **43**, 2884 (1970).

[4] G. Chatelus u. P. Cagniant, C. r. **224**, 1777 (1947).
  H. C. Brown u. T. Inukai, Am. Soc. **83**, 4829 (1961).

[5] G. Baddeley u. M. A. Vickars, Soc. **1958**, 4667.

[6] P. Cagniant u. P. Cagniant, Bl. **1957**, 831.

[7] G. R. Ramage u. C. V. Stead, Soc. **1953**, 3604.

[8] P. Cagniant u. P. Cagniant, Bl. **1955**, 935.

Man verwendet Schwefelkohlenstoff, Nitrobenzol[1], Nitroäthan, 1,2-Dichlor-äthan[2] oder Benzol als Reaktionsmedium und arbeitet bei Raumtemperatur oder darunter.

2-Acetyl-⟨dibenzofuran⟩[3]: Zu einer Lösung von 50 g (0,298 Mol) Dibenzofuran und 50 g (0,638 Mol) Acetylchlorid in 150 *ml* Benzol gibt man bei 0° portionsweise 50 g (0,375 Mol) gepulvertes Aluminiumchlorid. Die Farbe der Reaktionsmischung ist zunächst orange und wird nach einiger Zeit grünlich-schwarz. Man bewahrt die Reaktionsmischung 4 Tage bei Raumtemp. auf, hydrolysiert das Aluminiumchlorid dann mit verd. Salzsäure und arbeitet die Reaktionsmischung wie üblich auf; Ausbeute: 36 g (57,5% d. Th.); Kp_{18}: 218–220°; F: 80–81° (aus Äthanol).

Man erhält außerdem noch 10 g eines Destillationsnachlaufes, der im wesentlichen aus *2,7-Diacetyl-⟨dibenzofuran⟩* besteht; F: 162° (aus Äthanol).

In Schwefelkohlenstoff werden analog hergestellt:

2-*Propanoyl*-⟨*dibenzofuran*⟩[4]	41% d. Th.	F: 101,5-102,5°
2-*Butanoyl*-⟨*dibenzofuran*⟩[5]	20% d. Th.	F: 65°
2-(2-*Methyl-propanoyl*)-⟨*dibenzofuran*⟩[5]		F: 57°
2-*Pentanoyl*-⟨*dibenzofuran*⟩[5]	63% d. Th.	F: 99°
2-*Hexanoyl*-⟨*dibenzofuran*⟩[5]	71% d. Th.	F: 87°
2-*Heptanoyl*-⟨*dibenzofuran*⟩[5]	60% d. Th.	F: 75°
2-*Octanoyl*-⟨*dibenzofuran*⟩[5]	52% d. Th.	F: 82-83°
2-*Dodecanoyl*-⟨*dibenzofuran*⟩[6]		F: 74-75°
2-*Octadecanoyl*-⟨*dibenzofuran*⟩		F: 83-84°

2-Alkyl-⟨dibenzofurane⟩, die als Alkyl-Reste einen Äthyl-, Propyl-, Pentyl-, Heptyl- oder einen Octyl-Rest enthalten, werden bei der Umsetzung mit Acetylchlorid oder Propionsäure-chlorid in 7-Stellung acyliert; die Umsetzung wird in Benzol mit Aluminiumchlorid als Katalysator vorgenommen[7]. Man erhält *2-Äthyl-, 2-Propyl-, 2-Pentyl-, 2-Heptyl-* und *2-Octyl-7-acetyl-* (bzw. *-7-propanoyl)-⟨dibenzofuran⟩*. Auch 2-Brom-⟨dibenzofuran⟩ wird durch Acetylchlorid in Schwefelkohlenstoff zum *2-Brom-7-acetyl-⟨dibenzofuran⟩* (32% d. Th.) acetyliert[8,9]. In 2,7-Dibrom-⟨dibenzofuran⟩ tritt der Acetyl-Rest unter analogen Bedingungen in 3-Stellung ein (*2,7-Dibrom-3-acetyl-⟨dibenzofuran⟩*)[9]. Im 2-Methoxy-⟨dibenzofuran⟩ erfolgt bei der Umsetzung mit Acetylchlorid oder Propionsäure-chlorid in Nitrobenzol bei 0° Acylierung zu *2-Methoxy-3-acetyl-* (bzw. *-3-propanoyl)-⟨dibenzofuran⟩*[10]; auch beim

[1] P. Galewsky, A. **264**, 187 (1891).
W. Borsche u. B. Schacke, B. **65**, 2505 (1923).
H. Gilman et al., Am. Soc. **61**, 2841 (1939).
N. P. Buu-Hoi u. R. Royer, R. **67**, 183 (19548).
[2] P. Finocchiaro, Ann. Chimica **59**, 647 (1969).
[3] N. P. Buu-Hoi u. R. Royer, R. **69**, 866 (1950).
[4] E. Mosettig u. R. A. Robinson, Am. Soc. **57**, 2188 (1935).
[5] N. P. Buu-Hoi u. R. Royer, R. **67**, 184 (1948); **69**, 867 (1950).
[6] US.P. 2033542 (1935), Armour & Co., Erf.: A. W. Ralston u. C. W. Christensen; C.A. **30**, 3124 (1936).
A. W. Ralston u. C. W. Christensen, Ind. Eng. Chem. **29**, 195 (1937).
[7] N. P. Buu-Hoi u. R. Royer, R. **69**, 868–70 (1950).
[8] N. P. Buu-Hoi u. R. Royer, R. **67**, 187 (1948).
[9] H. Gilman et al., Am. Soc. **61**, 2841 (1939).
[10] C. Routier, N. P. Buu-Hoi u. R. Royer, Soc. **1956**, 4277.

4-Methoxy-⟨dibenzofuran⟩ tritt bei der Umsetzung mit Acetylchlorid/Aluminium-chlorid in Schwefelkohlenstoff der Acetyl-Rest in den Kern mit der Methoxy-Gruppe ein, und zwar zum *4-Methoxy-1-acetyl-⟨dibenzofuran⟩*[1].

Wenn ein Benzolkern des Dibenzofurans einen elektronenanziehenden Substi-tuenten trägt wie im 4-Methoxycarbonyl- oder 3-Nitro-⟨dibenzofuran⟩, so erfolgt Acetylierung in 7-Stellung zu *7-Acetyl-4-methoxycarbonyl-* bzw. *3-Nitro-7-acetyl-⟨dibenzofuran⟩*, d.h. im anderen Benzolkern[2].

Acylierungen von 6-Ring-Heterocyclen mit einem Sauerstoffatom im Ring mit aliphatischen Carbonsäure-chloriden werden verhältnismäßig selten durchge-führt. Ausgehend von 2-Acetoxy-5-acetoxymethyl-γ-pyron wird durch Erhitzen mit Acetylchlorid in Trifluoressigsäure *2-Acetoxy-5-acetoxymethyl-3-acetyl-γ-pyron* (50% d.Th.) erhalten[3]. Auch die Herstellung von *2-Acetoxy-5-acetoxymethyl-3,6-diacetyl-γ-pyron* aus dem gleichen Ausgangsmaterial wird beschrieben[4].

Die Acylierung von Chroman mit Acetylchlorid oder Propionsäure-chlorid in Schwefelkohlenstoff bei −10° mit Aluminiumchlorid als Katalysator gelingt mit Ausbeuten um 65% d.Th., und man erhält *6-Acetyl-* bzw. *6-Propanoyl-chroman*[5]. Auch die Acetylierung von 7,8-Dimethoxy-2,2-dimethyl-5-carboxy-chroman zu *7,8-Dimethoxy-2,2-dimethyl-6-acetyl-5-carboxy-chroman* mit Acetylchlorid in Diäthyl-äther in Gegenwart von Aluminiumchlorid wird beschrieben[6]. Die Acetylierung von 3,4-Dihydro-cumarin wird in Nitrobenzol mit Acetylchlorid/Aluminiumchlorid durchgeführt und ergibt *6-Acetyl-3,4-dihydro-cumarin* (35% d.Th.). Eine analoge Acetylierung von Cumarin gelingt dagegen nicht[7]. Aus 8-Methoxy-cumarin entsteht dagegen in Schwefelkohlenstoff in Gegenwart von Aluminiumchlorid *8-Methoxy-5-acetyl-cumarin* (78% d.Th.)[8]. Beim Erhitzen von 4-Hydroxy-cumarin mit Acetylchlorid auf 140–160° erfolgt Acetylierung zu *4-Hydroxy-3-acetyl-cumarin* (60% d.Th.); bei der Durchführung der gleichen Reaktion mit Hexansäure-chlorid als Acylierungsmittel erfolgt C-Acylierung zu *4-Hydroxy-3-hexanoyl-cumarin* noch mit 15% d.Th., während mit Chloriden höherer aliphatischer Carbonsäuren nur O-Acylierungsprodukte erhalten werden[9]. 6-Hydroxy-cumarin wird durch Acetyl-chlorid zu *6-Hydroxy-5-acetyl-cumarin* acetyliert. 6-Hydroxy-4-methyl-cumarin, 5- oder 7-Hydroxy-6-carboxy-cumarin lassen sich dagegen nicht acetylieren[10].

Wie Chroman wird auch 2,3,4,5-Tetrahydro-⟨benzo-[b]-oxepin⟩ in p-Stellung zum Ringsauerstoffatom zu *7-Acetyl-2,3,4,5-tetrahydro-⟨benzo-[b]-oxepin⟩* acetyliert[11]:

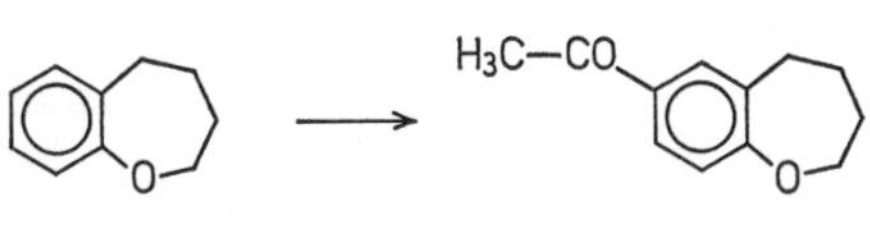

[1] H. GILMAN et al., Am. Soc. **61**, 2841 (1939).
[2] H. GILMAN et al., Am. Soc. **61**, 2839 (1939).
[3] L. L. WOODS u. P. A. DIX, J. Org. Chem. **24**, 1126 (1959).
[4] L. L. WOODS, J. Org. Chem. **24**, 1804 (1959).
[5] G. CHATELUS, C. r. **224**, 202 (1947).
[6] D. H. R. BARTON u. J. B. HENDRICKSON, Chem. & Ind. **1955**, 682.
[7] W. BORSCHE u. P. HAHN-WEINHEIMER, B. **85**, 200 (1952).
[8] W. BORSCHE u. P. HAHN-WEINHEIMER, B. **85**, 201 (1952).
[9] K. ARAKAWA, Pharm. Bull. (Tokyo) **1**, 331 (1953).
[10] V. M. THAKOR, Curr. Sci. **290**, 234 (1951).
[11] P. CAGNIANT, C. r. **229**, 889 (1949).

Xanthen wird durch Acetylchlorid oder Propionsäure-chlorid in Schwefel-kohlenstoff in Gegenwart von Aluminiumchlorid mit recht bescheidenen Ausbeuten zu *2,7-Diacetyl-* bzw. *2,7-Dipropanoyl-xanthen* diacyliert[1]:

$$\text{(Xanthengerüst)} \xrightarrow{11\%} \text{R—CO—(Gerüst)—CO—R}$$

R = —CH₃, —C₂H₅

(R = $-CH_3$, $-C_2H_5$)

Mit Ausbeuten von 50% d. Th. gelingt die Acetylierung von 1-Hydroxy-xan-thon-(9) zu *1-Hydroxy-2-acetyl-xanthon-(9)*, die bei 0° mit Acetylchlorid in Nitro-benzol in Gegenwart von Aluminiumchlorid durchgeführt wird[2].

Die Acetylierung von Benzo-1,3-dioxol läßt sich mit Acetylchlorid in einer Mischung aus Eisessig und Essigsäureanhydrid in Gegenwart von Natriumperchlorat als Katalysator durchführen; man erhält *7-Acetyl-⟨benzo-1,3-dioxol⟩* (30% d. Th.)[3].

Die Acylierung von Dibenzo-1,4-dioxin erfolgt mit Acetylchlorid oder Pro-pionsäure-chlorid in Gegenwart von Aluminiumchlorid oder Aluminiumbromid in 2,7-Stellung[4] zu *2,7-Diacetyl-* bzw. *2,7-Dipropanoyl-⟨dibenzo-1,4-dioxin⟩*:

$$\text{(Dibenzodioxingerüst)} \longrightarrow \text{R—CO—(Gerüst)—CO—R}$$

R = $-CH_3$, $-C_2H_5$

Thiophen wird durch aliphatische oder cycloaliphatische Carbonsäure-halogenide in 2-Stellung acyliert. Derartige Umsetzungen werden unter Verwendung verschie-dener Lösungsmittel und verschiedener Katalysatoren häufig beschrieben. Als Reaktionsmedien eignen sich besonders Benzol oder Schwefelkohlenstoff. Als Katalysatoren haben sich Zinn(IV)-chlorid oder Aluminiumchlorid besonders bewährt. Eine Acylierung mit aliphatischen Carbonsäure-chloriden gelingt auch, wenn man die Reaktionspartner in Gegenwart von Phosphor(V)-oxid längere Zeit erhitzt[5]. Man erhält dabei *2-Acetyl-thiophen* (52% d. Th.), *2-Propanoyl-thiophen* (42,5% d. Th.) und *2-(2-Methyl-propanoyl)-thiophen* (63,7% d. Th.). In der gleichen Größenordnung liegen auch die Ausbeuten an *2-Acetyl-, 2-Propanoyl-* und *2-Butanoyl-thiophen*, wenn man die entsprechenden Carbonsäure-chloride in überschüssigem Thiophen in Gegenwart von Bortrifluorid-Ätherat zur Reaktion bringt[6]. Sehr gering sind die Ausbeuten an *2-Acetyl-thiophen*, die man bei der Umsetzung von Thiophen mit Acetyljodid ohne Katalysator bei —15° bis 0° erhält[7]. Die Angaben über die Ausbeuten bei der Acetylierung von Thiophen mit Acetylchlorid in Gegenwart

[1] N. D. XUONG u. N. P. BUU-HOI, Soc. **1952**, 3743.

[2] J. S. H. DAVIES, F. SCHEINMANN u. H. SUSCHITZKY, Soc. **1956**, 2142.
H. MUSTAFA u. O. H. HISHMAT, Am. Soc. **79**, 2225 (1957).

[3] K. B. L. MATHUR et al., Am. Soc. **79**, 3582 (1957).

[4] M. TOMITA, J. pharm. Soc. Japan **54**, 165 (1934).

[5] W. STEINKOPF, A. **413**, 349 (1917).

[6] R. LEVINE, J. V. HEID u. M. W. FARRAR, Am. Soc. **71**, 1208 (1949).

[7] P. G. STEVENS, Am. Soc. **56**, 451 (1934).

von Aluminiumchlorid in Petroläther[1], Schwefelkohlenstoff[2] oder nach der Perrier-Modifikation in Tetrachlormethan[3] sind widersprüchlich. Die besten Ausbeuten lassen sich erzielen, wenn die Reaktionszeit kurz gehalten wird, so beträgt die Ausbeute an *2-Acetyl-thiophen* bei der Herstellung aus Thiophen und Acetylchlorid in Gegenwart von Aluminiumchlorid in Schwefelkohlenstoff unter Kühlung mit einer Eis-Natriumchlorid-Mischung nach einer Reaktionszeit von 2–3 Stdn. 86% d. Th., nach 10 Stdn. 70% d. Th. und nach 24 Stdn. 45–50% d. Theorie[4]. Am besten reproduzierbar scheint die Acylierung des Thiophens mit aliphatischen oder cyclo-aliphatischen Carbonsäure-chloriden mit Zinn(IV)-chlorid als Katalysator zu verlaufen.

2-Acetyl-thiophen[5]: 8,4 g (0,1 Mol) Thiophen werden unter Rühren und Feuchtigkeitsaus-schluß mit einer Lösung von 9,4 g (0,12 Mol) Acetylchlorid in 120 *ml* Chlorbenzol versetzt. Die Mischung wird auf 0° abgekühlt, dann tropft man im Verlauf von 1–1½ Stdn. bei 0°–3° eine Lösung von 15,6 g (0,06 Mol) Zinn(IV)-chlorid in 30 *ml* Chlorbenzol hinzu. Man rührt noch 1 Stde. bei Raumtemp. nach und zersetzt den entstandenen Komplex dann bei 10°–15° mit einer Mi-schung aus 5 *ml* konz. Salzsäure und 45 *ml* Wasser. Die wäßrige Schicht wird abgetrennt und mit 70 *ml* Chlorbenzol extrahiert. Die zuerst abgetrennte Chlorbenzol-Schicht wird mit Wasser, mit 1%iger Natronlauge und dann wiederum mit Wasser gewaschen, bis dieses gegen Phenolrot (pH: 7,74) neutral ist. Man extrahiert die Waschwässer mit den 70 *ml* Chlorbenzol, die zur Ex-traktion der ersten wäßrigen Phase benutzt worden waren und vereinigt dann die Chlorbenzol-Extrakte. Man trocknet die Chlorbenzol-Lösung über Calciumchlorid, destilliert das Chlorbenzol ab und fraktioniert den Rückstand i. Vak.; Ausbeute: 12,1 g (96% d. Th.); Kp_{10}: 89–90°.

Eine Acetylierung des Thiophens mit Acetylchlorid in Flußsäure glückt nicht[3].

2-Alkyl- oder 2-Phenyl-thiophene werden durch aliphatische Carbonsäure-chloride in 5-Stellung acyliert. Meistens wird in Gegenwart von Aluminiumchlorid gearbeitet[6], aber auch über die Verwendung von Zinn(IV)-chlorid[7], Titan(IV)-chlorid[8] oder Phosphor(V)-oxid[9] als Katalysator wird berichtet. Man nimmt die Umsetzung in Schwefelkohlenstoff, Benzol, Toluol, Chlorbenzol, Ligroin oder Petrol-äther (Kp: 40-80°) vor. Die Reaktionspartner werden in der Regel bei Temperaturen um 0° zusammengebracht, dann läßt man die Temperatur der Reaktionsmischung bis auf Zimmertemperatur steigen. Als Carbonsäure-chloride werden neben Acetyl-chlorid auch Propionsäure-, Buttersäure-[10], 2-Methyl-propionsäure-[11], Pentansäure-[12], Heptansäure-[13] oder Octansäure-chlorid[12] verwendet. Neben 2-Methyl-thiophen[14]

---

[1] A. Peter, B. **17**, 2643 (1884).

[2] N. P. Buu-Hoï u. N. Hoán, R. **68**, 19 (1949).

[3] D. T. Mowry, M. Renoll u. N. F. Huber, Am. Soc. **68**, 1107 (1946).

[4] P. Cagniant u. P. Cagniant, Bl. [5] **19**, 714 (1952).

[5] Y. L. Goldfarb, V. P. Litvinov u. V. I. Shvedov, Ž. obšč. Chim. **30**, 534 (1960); engl.: 555.

[6] R. Demuth, B. **19**, 1859 (1886).
  P. Cagniant u. D. Cagniant, Bl. **1954**, 1356.

[7] Y. L. Goldfarb, V. P. Litvinov u. V. I. Shvedov, Ž. obšč. Chim. **30**, 535 (1960); engl.: 555.

[8] W. Steinkopf u. H.-J. v. Petersdorff, A. **543**, 126 (1940).

[9] W. Steinkopf u. I. Schubert, A. **424**, 15 (1921).

[10] M. Sy, N. P. Buu-Hoï u. N. D. Xuong, Soc. **1954**, 1977.

[11] N. P. Buu-Hoï, Soc. **1958**, 2418.

[12] P. Cagniant u. D. Cagniant, Bl. [5] **19**, 717 (1952).

[13] G. M. Badger, H. J. Rodda u. W. H. F. Sasse, Soc. **1954**, 4163.

[14] R. Demuth, B. **19**, 1859 (1886).
  W. Steinkopf u. I. Schubert, A. **424**, 15 (1921).
  Y. L. Goldfarb, V. P. Litvinov u. V. I. Shvedov, Ž. obšč. Chim. **30**, 535 (1960); engl.: 555.

Tab. 18. Alkyl-thienyl-(2)-ketone durch Acylierung von Thiophen in Schwefelkohlenstoff oder Benzol in Gegenwart von Zinn(IV)-chlorid

	Ausbeute [% d.Th.]	Kp		Litera-tur
		[°C]	[Torr]	
2-Propanoyl-thiophen	42,5	100–101,5	11	1,2
2-Butanoyl-thiophen	78	106–111	8	3
2-(2-Methyl-propanoyl)-thiophen		232	760	1
2-Pentanoyl-thiophen	86	130–133	12	4,3
2-(3-Methyl-butanoyl)-thiophen	63,7	130,5–135	22	2
2-Hexanoyl-thiophen	60–80	116	11	5,6
2-Heptanoyl-thiophen	60–80	152	13	5,7
2-Octanoyl-thiophen	60–80	181	23,5	5,6
2-Nonanoyl-thiophen	60–80	185	18	5,6
2-Decanoyl-thiophen	60–80	194	17	5
2-Undecanoyl-thiophen	60–80	205,5	15,5	8,5
2-(2-Methyl-decanoyl)-thiophen		197–199	18	9
2-Dodecanoyl-thiophen		212–215 (F: 69–70°)	15	8,10
2-Tetradecanoyl-thiophen		205–210 (F: 36°)	4	8,10
2-Octadecanoyl-thiophen		(F: 48–49°)		10
2-Cyclohexylcarbonyl-thiophen		162 (F: 44°)	13	11
2-(3-Cyclohexyl-propanoyl)-thiophen		188	13	11
2-(4-Cyclohexyl-butanoyl)-thiophen		217	14	11
2-(3-Cyclopentyl-propanoyl)-thiophen		191–192	16	12
2-(13-Cyclopentyl-tridecanoyl)-thiophen		260–263	13	11

werden auch 2-Äthyl-[13], 2-Propyl-[14], 2-tert.-Butyl-[15], 2-Nonyl-[16], 2-Phenyl-[17], 2-(4-
Methyl-phenyl)-[18] und 2-(3- oder 4-Chlor-phenyl)-thiophen[19] für die Reaktion ver-

[1] K. Krekeler, B. 19, 675 (1886).
[2] W. Steinkopf u. I. Schubert, A. 424, 8 (1921).
[3] T. F. Grey, J. F. McGhie u. W. Ross, Soc. 1960, 1504.
[4] P. Cagniant u. A. Deluzarche, C. r. 223, 1148 (1946).
[5] P. Cagniant u. A. Deluzarche, C. r. 225, 455 (1947).
[6] E. Campaigne u. J. L. Diedrich, Am. Soc. 70, 391 (1948).
[7] E. Schleicher, B. 19, 664 (1886).
[8] N. P. Buu-Hoi et al., Soc. 1953, 547.
[9] M. Sy, N. P. Buu-Hoi u. N. D. Xuong, C. r. 239, 1813 (1954).
[10] A. W. Ralston u. C. W. Christensen, Ind. Eng. Chem. 29, 194 (1937).
[11] N. P. Buu-Hoi, D. Lavit u. N. D. Xuong, Soc. 1955, 1581.
[12] N. P. Buu-Hoi, M. Sy u. N. D. Xuong, C. r. 240, 786 (1955).
[13] P. Cagniant u. P. Cagniant, Bl. [5] 19, 717 (1952).
　　E. Schleicher, B. 18, 3021 (1885).
[14] H. Ruffi, B. 20, 1744 (1887).
[15] M. Sy, N. P. Buu-Hoi u. N. D. Xuong, Soc. 1954, 1977.
[16] P. Cagniant u. D. Cagniant, Bl. 1954, 1356.
[17] W. Steinkopf u. H.-J. v. Petersdorff, A. 543, 126 (1940).
[18] N. P. Buu-Hoi u. N. Hoán, R. 69, 1455 (1950).
[19] P. Demerseman, N. P. Buu-Hoi u. R. Royer, Soc. 1954, 4195.

wendet. Bei der Umsetzung von 2-Octyl-thiophen mit Acetylchlorid in Ligroin in Gegenwart von Aluminiumchlorid wird neben *5-Octyl-2-acetyl-thiophen* auch etwas *5-Octyl-x,y-diacetyl-thiophen* erhalten[1].

Die Acylierung von 2-Alkyl-thiophenen, die in der Alkyl-Seitenkette durch eine Alkoxycarbonyl-Gruppe substituiert sind, gelingt in Schwefelkohlenstoff oder Benzol in Gegenwart von Zinn(IV)-chlorid ebenfalls. So wird über die Umsetzung von ω-Thienyl-(2)-butansäure-, -pentansäure- oder -hexansäure-estern mit Acetylchlorid, Propionsäure-[2], Octansäure- oder Decansäure-chlorid[3] zu entsprechenden Ketonen berichtet. Bei der Umsetzung von 2-Benzyl-thiophen[4] oder von 2-Phenyl-1-thienyl-(2)-äthan, 3-Phenyl-1-thienyl-(2)-propan oder 4-Phenyl-1-thienyl-(2)-butan mit Acetylchlorid in Gegenwart von Aluminiumchlorid oder Zinn(IV)-chlorid in Schwefelkohlenstoff erfolgt zumindest teilweise Acetylierung in 5-Stellung im Thiophenring und in 4-Stellung im Benzolring[5]:

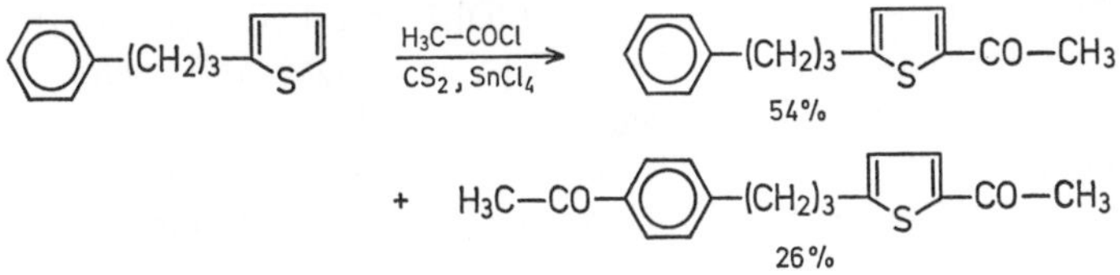

2-(2-Phenyl-vinyl)-thiophen wird durch Acetylchlorid oder Propionsäure-chlorid in Gegenwart von Zinn(IV)-chlorid in Benzol in 5-Stellung zu *5-(2-Phenyl-vinyl)-2-acetyl-* (bzw. *-2-propanoyl-)-thiophen* acyliert[6]. Auch 2-(Fluorenylidenmethyl)-thiophen wird unter analogen Bedingungen nur in 5-Stellung des Thiophenringes zu *9-[5-Acetyl-thienyl-(2)-methylen]-fluoren* acetyliert, ebenso verhält sich 2-(1,2-Di-phenyl-vinyl)-thiophen. 2-Phenyl-1,1-dithienyl-(2)-äthylen wird unter den gleichen Bedingungen in beiden Thiophenringen acetyliert[6]:

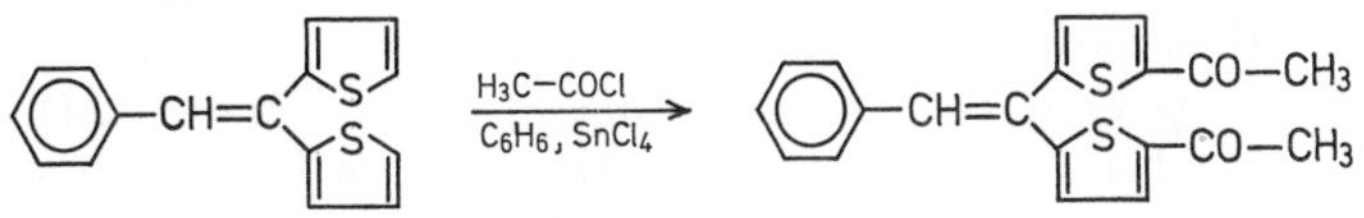

Monoacylierung in 5-Stellung erfolgt auch bei Thiophenen, die in 2-Stellung durch Heterocyclen substituiert sind[7]; beim 2,2′-Bithienyl erfolgt in Schwefelkohlenstoff mit Acetylchlorid in Gegenwart von Zinn(IV)-chlorid Acetylierung zu *5,5′-Diacetyl-2,2′-bithienyl*[8]. Bis-acetylierung tritt ein bei der Umsetzung von Dithienyl-(2)-methan[9] oder von 2,2-Bis-[thienyl-(2)]-propan[10] mit Acetylchlorid in Schwefel-

[1] E. A. v. SCHWEINITZ, B. 19, 645 (1886).

[2] Y. L. GOLDFARB, B. P. FABRICHNYI u. I. F. SHALAVINA, Ž. obšč. Chim. 29, 891 (1959); engl.: 875.

[3] J. D. BU'LOCK, G. N. SMITH u. C. T. BEDFORD, Soc. 1962, 1406.

[4] N. P. BUU-HOI, M. SY u. N. D. XUONG, C. r. 240, 442 (1955).

[5] M. SY, Bl. [5] 22, 1175 (1955).

[6] N. H. NAM, N. P. BUU-HOI u. N. D. XUONG, Soc. 1954, 1690.

[7] N. P. BUU-HOI u. N. HOÁN, R. 68, 441 (1949).

[8] P. DEMRESEMAN, N. P. BUU-HOI u. R. ROYER, Soc. 1954, 4195.

[9] US.P. 2467439 (1947), DuPont, Erf.: B. C. MCKUSICK; C. A. 43, 6011 (1949).
    N. P. BUU-HOI, M. SY u. N. D. XUONG, C. r. 240, 443 (1955).

[10] N. P. BUU-HOI, M. SY u. N. D. XUONG, R. 75, 463 (1956).

kohlenstoff in Gegenwart von Aluminiumchlorid. 5-[Thienyl-(2)-methyl]-2-(8-äthoxy-carbonyl-octyl)-thiophen wird durch Acetylchlorid in Schwefelkohlenstoff in Gegenwart von Zinn(IV)-chlorid nur einmal acetyliert[1].

Die Acylierung von 3-Alkyl-thiophenen mit aliphatischen Carbonsäure-chloriden erfolgt in 2-Stellung, wenn der Alkyl-Rest in 3-Stellung nicht zu sperrig ist. So erhält man aus 3-Methyl-thiophen mit Acetylchlorid in Petroläther in Gegenwart von Aluminiumchlorid *3-Methyl-2-acetyl-thiophen*[2]. Analog verlaufen auch die Acylierungen des 3-Methyl-thiophens mit Propionsäure- oder Buttersäure-chlorid in Schwefelkohlenstoff zu *3-Methyl-2-propanoyl-* (bzw. *-2-butanoyl)-thiophen*[3]. Auch 3-Äthyl-thiophen wird in 2-Stellung zu *3-Äthyl-2-acetyl-thiophen* acetyliert[4], während die Eintrittsstelle eines Acetyl-Restes in das 3-Isopropyl-thiophen nicht gesichert ist[5]. Beim 3-tert.-Butyl-thiophen erfolgt der Eintritt des Acetyl-Restes bei der Umsetzung mit Acetylchlorid in Schwefelkohlenstoff in Gegenwart von Zinn(IV)-chlorid in 5-Stellung, man isoliert also *4-tert.-Butyl-2-acetyl-thiophen*[6].

Als 2,3-Dialkyl-thiophene kann man 4,5,6,7-Tetrahydro-⟨benzo-[b]-thiophen⟩[7] und 5,6,7,8-Tetrahydro-4H-⟨cyclohepta-[b]-thiophen⟩[8] auffassen; beide Verbindungen werden in Schwefelkohlenstoff durch Acetylchlorid/Aluminiumchlorid mit Ausbeuten von 88–90% d. Th. in 2-Stellung zu *2-Acetyl-4,5,6,7-tetrahydro-⟨benzo-[b]-thiophen⟩* bzw. *2-Acetyl-5,6,7,8-tetrahydro-4H-⟨cyclohepta-[b]-thiophen⟩* acetyliert.

Die Acylierung von 2,4-Bis-[4-methyl-phenyl]-thiophen mit Acetylchlorid oder Propionsäure-chlorid in Gegenwart von Zinn(IV)-chlorid liefert *3,5-Bis-[4-methyl-phenyl]-2-acetyl-(bzw. -2-propanoyl)-thiophen*[9].

2,5-Dialkyl-thiophene werden durch aliphatische Carbonsäure-chloride in 3-Stellung acyliert. So erhält man aus 2,5-Dimethyl-thiophen mit Acetylchlorid in Gegenwart von Aluminiumchlorid in Schwefelkohlenstoff[10], mit Phosphor(V)-oxid[11] oder mit Zinn(IV)-chlorid in Chlorbenzol[12] *2,5-Dimethyl-3-acetyl-thiophen*. Analog reagieren höhere aliphatische Carbonsäure-chloride[13]. Auch 2,5-Diäthyl-[14], 2,5-Di-tert.-butyl-[15] oder 2-Methyl-5-tert.-butyl-thiophen[16] werden durch Acetylchlorid oder höhere aliphatische Carbonsäure-chloride in 3-Stellung acyliert (z.B. *2,5-Diäthyl-, 2,5-Di-tert.-butyl-, 2-Methyl-5-tert.-butyl-3-acetyl-thiophen*). Beim 5-Methyl-2-(4-methyl-phenyl)-thiophen tritt bei der Umsetzung mit Acetylchlorid in Schwefelkohlenstoff in Gegenwart von Aluminiumchlorid der Acetyl-Rest im Thiophenring in 3- oder 4-Stellung ein [*5-Methyl-2-(4-methyl-phenyl)-3-(bzw. 4-)-acetyl-thiophen*][17]. 5,5'-Dime-

[1] N. P. Buu-Hoi, M. Sy u. N. D. Xuong, Bl. [5] **22**, 1583 (1955).
[2] R. Demuth, B. **18**, 3026 (1885).
[3] M. Gerlach, A. **267**, 154 (1892).
[4] M. Gerlach, A. **267**, 151 (1892).
[5] A. Thiele, A. **267**, 133 (1892).
[6] M. Sy, N. P. Buu-Hoi u. N. D. Xuong, Soc. **1955**, 21.
[7] P. Cagniant u. P. Cagniant, Bl. [5] 20, 66, (1952).
[8] P. Cagniant u. D. Cagniant, Bl. **1955**, 683.
[9] P. Demerseman, N. P. Buu-Hoi u. R. Royer, Soc. **1954**, 4195.
[10] G. M. Badger, H. J. Rodda u. W. H. F. Sasse, Soc. **1954**, 4163.
[11] W. Steinkopf u. I. Schubert, A. **424**, 18 (1921).
[12] Y. L. Goldfarb, V. P. Litvinov u. V. I. Shvedov, Ž. obšč. Chim. **30**, 535 (1960); engl.: 555.
[13] N. P. Buu-Hoi u. N. Hoán, R. **67**, 319 (1948).
[14] P. Cagniant u. P. Cagniant, Bl. [5] **20**, 69 (1952); Bl. [5] **20**, 722 (1952).
[15] M. Sy, N. P. Buu-Hoi u. N. D. Xuong, Soc. **1954**, 1977.
[16] Y. L. Goldfarb u. I. S. Korsakova, Izv. Akad. SSSR **1954**, 564; C. A. **49**, 9615 (1955).
[17] M. C. Rebstock u. C. D. Stratton, Am. Soc. **77**, 3085 (1955).

thyl-2,2'-bithienyl wird unter analogen Bedingungen in 4,4'-Stellung zu *5,5'-Di-methyl-4,4'-diacetyl-2,2'-bithienyl* bis-acetyliert[1].

Trialkyl-thiophene werden durch aliphatische Carbonsäure-chloride normalerweise an der noch freien Stelle des Thiophenringes acyliert. So tritt ein Acetyl-Rest im 2,3,5-Triäthyl-thiophen[2], im 2,5-Diäthyl-3-propyl- (bzw. -3-butyl-; bzw. -3-pentyl)-thiophen[3], im 2-Methyl- oder 2-Äthyl-4,5,6,7-tetrahydro-⟨benzo-[b]-thiophen⟩[4] oder im 2-Äthyl-5,6,7,8-tetrahydro-4H-⟨cyclohepta-[b]-thiophen⟩[5] in Schwefelkohlenstoff in Gegenwart von Aluminiumchlorid oder Zinn(IV)-chlorid in 3-Stellung ein; man erhält *2,4,5-Triäthyl-3-acetyl-, 2,5-Diäthyl-4-propyl-* (bzw. *-4-butyl* bzw. *-4-pentyl)-3-acetyl-thiophen* sowie *2-Methyl-* (bzw. *2-Äthyl)-3-acetyl-4,5,6,7-tetrahydro-⟨benzo-[b]-thiophen⟩* und *2-Äthyl-3-acetyl-5,6,7,8-tetrahydro-4H-⟨cyclohepta-[b]-thiophen⟩*. Im 2,5-Dimethyl-3-tert.-butyl-, 2-Methyl-3,5-di-tert.-butyl- oder 2-Äthyl-3,5-di-tert.-butyl-thiophen wird bei der Acetylierung mit Acetylchlorid in Benzol in Gegenwart von Zinn(IV)-chlorid die 3-ständige tert.-Butyl-Gruppe abgespalten und durch den Acetyl-Rest ersetzt[6]; man erhält *2,5-Dimethyl-3-acetyl-, 2-Methyl-5-tert.-butyl-3-acetyl-* und *2-Äthyl-5-tert.-butyl-3-acetyl-thiophen*. 2,2',5,5'-Tetramethyl-3,3'-bithienyl wird durch Acetylchlorid/Titan(IV)-chlorid in Benzol zu *2,2',5,5'-Tetramethyl-4,4'-diacetyl-3,3'-bithienyl* diacetyliert[7].

2-Chlor-, 2-Brom-[8] und 2-Jod-thiophen[9] werden durch Acetylchlorid in Chlorbenzol, Tetrachlormethan, Ligroin oder Petroläther (Kp: 40-80°) in Gegenwart von Aluminiumchlorid oder Zinn(IV)-chlorid in 5-Stellung acetyliert. Man isoliert *5-Chlor-* (bzw. *5-Brom-*; bzw. *5-Jod)-2-acetyl-thiophen* meist mit Ausbeuten von 50–90% der Theorie. Die Acylierung des 2-Brom-thiophens mit aliphatischen Carbonsäure-chloriden mit bis zu 6 Kohlenstoffatomen in Schwefelkohlenstoff in Gegenwart von Aluminiumchlorid wird ebenfalls beschrieben[10]. Bei der Umsetzung von 3-Brom-thiophen mit Acetylchlorid/Aluminiumchlorid in Petroläther (Kp: 40-80°) erhält man *3-Brom-2-acetyl-thiophen*[11]. Auch 2-Brom-3-methyl-thiophen wird unter analogen Bedingungen zu *5-Brom-4-methyl-2-acetyl-thiophen* acetyliert[12]. Bei der Umsetzung von 5-Chlor-2-methyl-thiophen mit Acetylchlorid/Zinn(IV)-chlorid in Benzol erhält man wahrscheinlich *5-Chlor-2-methyl-3-acetyl-thiophen* (50% d. Th.)[13]; analog erhält man aus 5-Brom-2-äthyl-thiophen *5-Brom-2-äthyl-3-acetyl-thiophen*[14].

---

[1] E. Lescot, N. P. Buu-Hoi u. N. D. Xuong, Soc. **1959**, 3294.
[2] P. Cagniant u. P. Cagniant, Bl. [5] **20**, 69 (1953).
[3] P. Cagniant u. P. Cagniant, Bl. [5] **20**, 724 (1953).
[4] N. P. Buu-Hoi u. M. Khenissi, Bl. **1958**, 360.
    P. Cagniant u. P. Cagniant, Bl. [5] **20**, 68 (1953).
[5] P. Cagniant u. P. Cagniant, Bl. **1955**, 684.
[6] Y. L. Goldfarb u. I. S. Korsakova, Izv. Akad. SSSR **1954**, 564; C. A. **49**, 9615 (1955).
[7] W. Steinkopf u. H.-J. v. Petersdorff, A. **543**, 126 (1940).
[8] L. Gattermann u. M. Römer, B. **19**, 689, 692 (1886).
    W. G. Emerson u. T. M. Patrick, J. Org. Chem. **13**, 722 (1948).
    Y. L. Goldfarb, V. P. Litvinov u. V. I. Shvedov, Ž. obšč. Chim. **30**, 534 (1960); engl.: 555.
[9] L. Gattermann u. M. Römer, B. **19**, 692 (1886).
[10] N. P. Buu-Hoi u. N. Hoán, R. **68**, 26 (1949).
[11] W. Steinkopf, H. Jacob u. H. Penz, A. **512**, 160 (1934).
[12] W. Steinkopf u. H. Jacob, A. **515**, 282 (1935).
[13] Y. L. Goldfarb, V. P. Litvinov u. V. I. Shvedov, Ž. obšč. Cheim. **30**, 534 (1960); engl.: 555.
[14] Y. L. Goldfarb, M. A. Kalik u. M. L. Kirmalova, Ž. obšč. Chim. **29**, 2034 (1959); engl.: 2003.

Im 2,5-Dichlor-thiophen wird bei der Umsetzung mit Acetylchlorid in Petroläther[1] oder in Schwefelkohlenstoff[2] in Gegenwart von Aluminiumchlorid ein
Chloratom durch einen Acetyl-Rest ersetzt; man erhält also *5-Chlor-2-acetyl-thiophen*.
Analog verläuft die Reaktion, wenn man Propionsäure-chlorid oder Buttersäure-
chlorid als Acylierungsmittel verwendet, man erhält *5-Chlor-2-propanoyl-* (bzw.
-2-butanoyl)-thiophen[3]. Auch im 2,5-Dibrom- oder im 2,5-Dijod-thiophen wird
bei der Umsetzung mit Acetylchlorid/Aluminiumchlorid ein Halogenatom durch den
Acetyl-Rest ersetzt[4] (*5-Brom-* und *5-Jod-2-acetyl-thiophen*). 2,3-Dibrom-, 2,4-
Dibrom- und 3,4-Dibrom-thiophen reagieren mit Acetylchlorid/Aluminium-
chlorid in Petroläther normal, das heißt der Acetyl-Rest tritt in 5-Stellung ein, und
man isoliert[5] *4,5- 3,5-* und *3,4-Dibrom-2-acetyl-thiophen*. 2,3- und 3,4-Dibrom-
thiophen lassen sich auch mit Acetylchlorid/Zinn(IV)-chlorid in Benzol acetylieren,
man erhält dann *4,5-* bzw. *3,4-Dibrom-2-acetyl-thiophen*, jedoch nur mit Ausbeuten
von 3,5% bzw. 1,3% der Theorie[6]. Auch 3,4-Dibrom-2-methyl-thiophen wird
in Petroläther durch Acetylchlorid/Aluminiumchlorid zu *3,4-Dibrom-5-methyl-2-
acetyl-thiophen* acetyliert[7]. Bei der Umsetzung von 2,3,4-Tribrom- bzw. 2,3,5-Tri-
brom-thiophen oder 2,3,4,5-Tetrabrom-thiophen mit Acetylchlorid in Petroläther
in Gegenwart von Aluminiumchlorid wird immer *3,4,5-Tribrom-2-acetyl-thiophen*[8]
erhalten.

Die Acetylierung von 2-Methoxy-thiophen gelingt in Schwefelkohlenstoff mit
Acetylchlorid/Zinn(IV)-chlorid bei −20°; als Reaktionsprodukte isoliert man 15%
d.Th. *5-Methoxy-2-acetyl-thiophen* und 1% d.Th. *2-Methoxy-3-acetyl-thiophen*[9].
Günstiger verläuft die Umsetzung von 2-Methylmercapto-thiophen mit Acetylchlorid in Chlorbenzol in Gegenwart von Zinn(IV)-chlorid; man isoliert *5-Methyl-
mercapto-2-acetyl-thiophen* (56% d.Th.)[6]. Ausbeuten von 86–90% d.Th. erhält man
bei der analog durchgeführten Acetylierung von 5-Methylmercapto-2-methyl-
thiophen oder 5-Äthylmercapto-2-äthyl-thiophen; der Acetyl-Rest tritt bei
diesen Umsetzungen neben dem Alkylmercapto-Rest ein zum *2-Methylmercapto-
5-methyl-3-acetyl-thiophen* und *2-Äthylmercapto-5-methyl-3-acetyl-thiophen*[10]. Auch
2,5-Dimethylmercapto-thiophen kann mit Acetylchlorid in Gegenwart von
Zinn(IV)-chlorid in Benzol acetyliert werden; man erhält *2,5-Dimethylmercapto-3-
acetyl-thiophen* (29% d. Th.)[10].

Auch einige negativ substituierte Thiophene sind der Keton-Synthese nach
Friedel-Crafts zugänglich. So kann man durch Umsetzung von 3-Äthoxycarbonyl-
thiophen mit Acetylchlorid in Schwefelkohlenstoff in Gegenwart von Aluminiumchlorid *2-Acetyl-4-äthoxycarbonyl-thiophen* herstellen[11]. 2,5-Dimethyl-3-äthoxy-

---

[1] W. Steinkopf u. W. Köhler, A. **532**, 265 (1937).
   H. D. Hartough u. L. G. Couley, Am. Soc. **69**, 3097 (1947).
[2] G. B. Bachmann u. L. V. Heisey, Am. Soc. **70**, 2380 (1948).
[3] N. P. Buu-Hoi u. D. Lavit, Soc. **1958**, 1722.
[4] L. Gattermann u. M. Römer, B. **19**, 692 (1886).
   W. Steinkopf u. H. Jacob, A. **515**, 282 (1935).
[5] W. Steinkopf, H. Jacob u. H. Penz, A. **512**, 153 (1934).
[6] Y. L. Goldfarb, V. P. Litvinov u. V. I. Shvedov, Ž. obšč. Chim. **30**, 534 (1960); engl.: 555.
[7] W. Steinkopf, A. **513**, 286 (1934).
[8] W. Steinkopf, H. Jacob u. H. Penz, A. **512**, 162 (1935).
[9] J. Sicé, Am. Soc. **75**, 3700 (1953).
[10] Y. L. Goldfarb, M. A. Kalik u. M. L. Kirmalova, Ž. obšč. Chim. **29**, 2034 (1959); engl.: 2003.
[11] Y. Otsuji et al., J. chem. Soc. Japan, pure Chem. Sect. **80**, 1021 (1959).

carbonyl-thiophen wird durch den Acetylchlorid/Aluminiumchlorid Komplex ohne Lösungsmittel mit 54,6% d. Th. zu *2,5-Dimethyl-4-acetyl-3-äthoxycarbonyl-thiophen* umgesetzt[1]. 2,5-Dimethyl-3-acetyl-thiophen ergibt bei der Reaktion mit Acetylchlorid/Aluminiumchlorid in 1,2-Dichlor-äthan bei 90° *2,5-Dimethyl-3,4-diacetyl-thiophen* (13,2% d. Th.); wenn man die Umsetzung ohne Lösungsmittel bei Raumtemperatur durchführt, erhält man das gleiche Diketon mit 87% der Theorie. Analog reagiert 2,5-Dimethyl-3-(2,2-dimethyl-propanoyl)-thiophen zu *2,5-Dimethyl-4-acetyl-3-(2,2-dimethyl-propanoyl)-thiophen*. Beim 5-Methyl- oder 5-Äthyl-2-acetyl-thiophen erfolgt bei der Umsetzung mit Acetylchlorid/Aluminiumchlorid ohne Lösungsmittel bei 50–55° Acetylierung in 4-Stellung zu *5-Methyl-* bzw. *5-Äthyl-2,4-diacetyl-thiophen*[1].

Die Acetylierung von Benzo-[b]-thiophenen mit Acetylchlorid in Schwefelkohlenstoff in Gegenwart von Aluminiumchlorid[2] oder besser in Benzol in Gegenwart von Zinn(IV)-chlorid[3] ergibt ein Gemisch aus *2-* und *3-Acetyl-⟨benzo-[b]-thiophen⟩*, in dem das letztgenannte Isomere überwiegt:

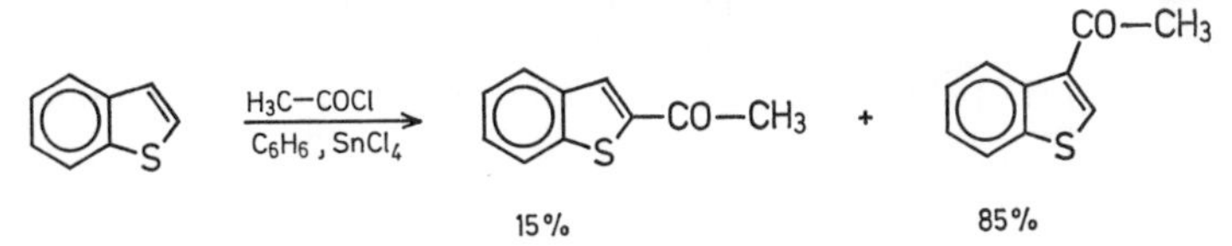

Umsetzungen des Benzo-[b]-thiophens mit Chloriden höherer aliphatischer Carbonsäuren mit bis zu 18 Kohlenstoffatomen in Schwefelkohlenstoff mit Aluminiumchlorid[4] oder Zinn(IV)-chlorid[5] als Katalysator zu entsprechenden 3-Alkanoyl-⟨benzo-[b]thiophenen⟩ werden ebenfalls beschrieben.

Wenn die 3-Stellung des Benzo-[b]-thiophens durch einen Alkyl-Rest besetzt ist, erfolgt Acetylierung in 2-Stellung. So erhält man aus 3-Äthyl-⟨benzo-[b]-thiophen⟩ mit Acetylchlorid/Aluminiumchlorid in Schwefelkohlenstoff[6] oder mit Acetylchlorid/Zinn(IV)-chlorid in Benzol[7] *3-Äthyl-2-acetyl-⟨benzo-[b]-thiophen⟩* und aus 3,4,7- bzw. 3,5,7-Trimethyl-⟨benzo-[b]-thiophen⟩ *3,4,7-* bzw. *3,5,7-Trimethyl-2-acetyl-⟨benzo-[b]-thiophen⟩*[8]. Entsprechend verhalten sich 2-Äthyl-, 2-Benzyl- oder 2-(4-Methoxy-benzyl)-⟨benzo-[b]-thiophen⟩, die unter analogen Bedingungen zu *2-Äthyl-*; *2-Benzyl-* oder *2-(4-Methoxy-benzyl)-3-acetyl-⟨benzo-[b]-thiophen⟩* acetyliert werden[9].

Benzo-[b]-thiophene, die in 2- und 3-Stellung durch Alkyl-Reste substituiert sind, werden durch Acetylchlorid in Benzol oder Schwefelkohlenstoff in Gegenwart von

[1] Y. L. Goldfarb u. V. P. Litvinov, Ž. obšč. Chim. **30**, 2719 (1960); engl.: 2700.

[2] G. Komppa, J. pr. [2] **122**, 329 (1929).

[3] R. Royer, P. Demerseman u. A. Cheutin, Bl. **1961**, 1534.

[4] N. P. Buu-Hoi u. P. Cagniant, R. **67**, 67 (1948).

[5] F. Challenger u. S. A. Miller, Soc. **1939**, 1005.

[6] N. P. Buu-Hoi u. P. Cagniant, B. **76**, 1272 (1943).

[7] R. Royer, P. Demerseman u. A. Cheutin, Bl. **1961**, 1539.

[8] P. Cagniant. P. Faller u. D. Cagniant, Bl. **1964**, 2423.

[9] R. Royer, P. Demerseman u. A. Cheutin, Bl. **1961**, 1539.
   R. Royer et al., J. Org. Chem. **27**, 3812 (1962).

Zinn(IV)-chlorid oder Aluminiumchlorid vorzugsweise in 6-Stellung acetyliert[1]:

2,3-Dimethyl-5-acetyl-   2,3-Dimethyl-6-acetyl-
⟨benzo-[b]-thiophen⟩; 30%   ⟨benzo-[b]-thiophen⟩; 70%

Ebenso verhalten sich 1,2-Dihydro-1H-⟨cyclopenta-[b]-benzothiophen⟩ (zu *6-Acetyl-1,2-dihydro-1H-⟨cyclopenta-[b]-benzothiophen⟩*), 6,7,8,9-Tetrahydro-⟨dibenzo-thiophen⟩ (zu *3-Acetyl-6,7,8,9-tetrahydro-⟨dibenzo-thiophen⟩*), 7,8,9,10-Tetrahydro-6H-⟨benzo-[b]-cyclohepta-[d]-thiophen⟩ (zu *3-Acetyl-7,8,9,10-tetrahydro-6H-⟨benzo-[b]-cyclohepta-[d]-thiophen⟩*). Wenn die 6- bzw. 3-Stellung durch einen Alkyl-Rest besetzt ist, erfolgt Acetylierung in 5- bzw. 4-Stellung[2].

Bei der Acylierung von 3-Methoxy-⟨benzo-[b]-thiophen⟩ mit Acetylchlorid oder Propionsäure-chlorid in Schwefelkohlenstoff in Gegenwart von Aluminiumchlorid wird die Äther-Gruppierung aufgespalten, und man erhält *3-Hydroxy-2-acetyl-*(bzw. *-2-propanoyl)-⟨benzo-[b]-thiophen⟩*[3]. 4-Methoxy-⟨benzo-[b]-thiophen⟩ wird durch Acetylchlorid/Zinn(IV)-chlorid in Benzol fast ausschließlich in 7-Stellung acetyliert:

4-Methoxy-7-acetyl-   4-Methoxy-2-acetyl-⟨benzo-
⟨benzo-[b]-thiophen⟩;   [b]-thiophen⟩; 1%
85%

Wenn die 7-Stellung durch eine Äthyl-Gruppe besetzt ist, tritt der Acetyl-Rest in 2-Stellung ein[4]; man erhält z. B. *4-Methoxy-7-äthyl-2-acetyl-⟨benzo-[b]-thiophen⟩*.

Die Acetylierung des Dibenzo-thiophens mit Acetylchlorid/Aluminiumchlorid wird in verschiedenen Lösungsmitteln durchgeführt. Ältere Autoren empfehlen Nitrobenzol, Tetrachlormethan oder Schwefelkohlenstoff als Reaktionsmedium[5], in einer neueren Arbeit wird eine Mischung aus Benzol und Toluol als besonders

[1] R. ROYER. P. DEMERSEMAN u. A. CHEUTIN, Bl. **1961**, 1539.
    P. FALLER u. P. CAGNIANT, C. r. **253**, 2997 (1961); C. r. **254**, 1447 (1962).
    P. CAGNIANT, P. FALLER u. D. CAGNIANT, Bl. **1964**, 2423.
    P. CAGNIANT u. P. CAGNIANT, Bl. [5] **19**, 633 (1952); **20**, 187 (1953).
    P. CAGNIANT, D. CAGNIANT u. M. MENNRATH, Bl. **1964**, 1765.
[2] R. ROYER, P. DEMERSEMAN u. A. CHEUTIN, Bl. **1961**, 1539.
    P. CAGNIANT, P. FALLER u. D. CAGNIANT, Bl. **1964**, 2423.
[3] F. KROLLPFEIFFER u. K. SCHNEIDER, B. **61**, 1287 (1928).
[4] P. DEMERSEMAN et al., Bl. **1965**, 1479.
[5] A. BURGER, W. B. WARTMAN u. R. E. LUTZ, Am. Soc. **60**, 2629 (1938).
    H. GILMAN u. A. L. JAKOBY, J. Org. Chem. 3, 112 (1938).
    US. P. 2499186 (1948), General Electric Co., Erf.: R. G. FLOWERS u. L. W. FLOWERS; C. A.
        44, 5393 (1950).
    H. GILMAN u. J. F. NOBIS, Am. Soc. **71**, 275 (1949).

günstig bezeichnet. Als Reaktionsprodukte werden *2-* und *3-Acetyl-⟨dibenzo-thiophen⟩*
isoliert:

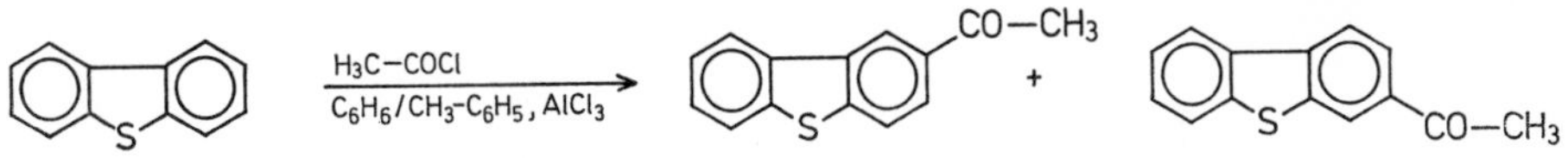

Dem neben dem 2-Isomeren entstehenden Keton wird auch die Struktur eines
4-Acetyl-⟨dibenzo-thiophens⟩ zugeschrieben[1]; aufgrund der Isomerenverteilung, die
bei der Acetylierung von 2,3-Dialkyl-⟨benzo-[b]-thiophenen⟩ erhalten wird, ist jedoch
der Eintritt der Acetyl-Gruppe in 3-Stellung wahrscheinlicher.

2- und 3-Acetyl-⟨dibenzo-thiophen⟩[2]: Zu einer auf 0° abgekühlten Lösung von 60 g (0,33 Mol)
Dibenzo-thiophen und 40 g (0,51 Mol) Acetylchlorid in einer Mischung aus 250 *ml* Benzol und
150 *ml* Toluol werden portionsweise in 2—3 Stdn. 120 g (0,91 Mol) wasserfreies Aluminiumchlorid
gegeben. Man verrührt die Mischung 2—3 Tage bei 0° bis + 10° und zersetzt sie dann unter Eiskühlung mit 5%iger Salzsäure. Die organische Phase wird mit Natriumcarbonat-Lösung und
Wasser gewaschen und dann über Natriumsulfat getrocknet. Das Lösungsmittel und das als
Nebenprodukt gebildete Acetophenon werden abdestilliert, den Rückstand fraktioniert man
im Vakuum. Das Ketongemisch geht bei 180—200°/2 Torr über; Ausbeute: > 55% d.Th.; ~ 20%
sind 2-Acetyl-⟨dibenzo-thiophen⟩.

Bei der Durchführung der Reaktion in Schwefelkohlenstoff oder Nitrobenzol erhält
man das gleiche Isomerengemisch mit Ausbeuten von 35—40% der Theorie. Wenn das Destillat
durch teerige Anteile verunreinigt ist, was besonders leicht eintritt, wenn die Reaktion in Nitrobenzol vorgenommen wird, kann das Produkt durch Waschen mit kaltem Diäthyläther gereinigt
werden. Durch Behandlung mit siedendem Diäthyläther, in dem das 2-Acetyl-Derivat unlöslich
ist, ist die Trennung der Isomeren möglich. F: *2-Acetyl-⟨dibenzo-thiophen⟩* 111,5—112,5°; F:
3-Acetyl-⟨dibenzo-thiophen⟩ 127°.

Auch die Acylierung des Dibenzo-thiophens mit Chloriden höherer aliphatischer
Carbonsäuren mit bis zu 18 Kohlenstoffatomen wird beschrieben[3].

Bei der Behandlung des Dibenzo-thiophens mit Acetylchlorid/Aluminiumchlorid
in siedendem Schwefelkohlenstoff wird in der Hauptsache *2,8-Diacetyl-⟨dibenzo-
thiophen⟩* erhalten[4]. Das zweckmäßigste Verfahren zur Synthese des 2,8-Diacetyl-
⟨dibenzo-thiophens⟩ ist jedoch die Umsetzung von 2-Acetyl-⟨dibenzo-thiophen⟩ mit
Acetylchlorid/Aluminiumchlorid in siedendem Schwefelkohlenstoff[5].

Zur Acylierung von Thieno-[2,3-b]-thiophen mit Acetylchlorid[6] oder von
Thieno-[3,2-b]-thiophen mit Propionsäure-chlorid[7] wird als Katalysator Zinn-
(IV)-chlorid in Schwefelkohlenstoff angewendet.

8-Methyl-3,4-dihydro-2H-⟨benzo-[b]-thiopyran⟩ wird durch Acetyl-
chlorid/Aluminiumchlorid in Schwefelkohlenstoff in 6-Stellung zu *8-Methyl-6-acetyl-
3,4-dihydro-2H-⟨benzo-[b]-thiopyran⟩* acetyliert, die entsprechende 6-Methyl-Ver-

---

[1] A. BURGER u. H. W. BRYANT, J. Org. Chem. **4**, 119 (1939).

[2] I. V. ANDREEVA u. M. M. KOTON, Ž. obšč. Chim. **27**, 997 (1957); engl.: 1079.

[3] N. P. BUU-HOI, P. CAGNIANT u. R. ROYER, R. **68**, 482 (1949).
  A. W. RALSTON u. C. W. CHRISTENSEN, Ind. Eng. Chem. **29**, 194 (1937).

[4] N. M. CULLINANE, A. G. REES u. C. A. J. PLUMMER, Soc. **1939**, 152.
  US. P. 2499186 (1948), General Electric Co., Erf.: R. G. FLOWERS u. L. W. FLOWERS; C. A. **44**,
    5393 (1950).

[5] A. BURGER, W. B. WARTMAN u. R. E. LUTZ, Am. Soc. **60**, 2629 (1938).

[6] F. CHALLENGER u. J. B. HARRISON, J. Inst. Petr. Technol. **21**, 151 (1935).

[7] F. CHALLENGER u. G. M. GIBSON, Soc. **1940**, 306.

bindung in 8-Stellung[1] (*6-Methyl-8-acetyl-3,4-dihydro-2H-⟨benzo-[b]-thiopyran⟩*).
Unter analogen Bedingungen wird auch die Acetylierung von 2,3-Dihydro-1H-
⟨naphtho-[2,1-b]-thiopyran⟩ vorgenommen[2]:

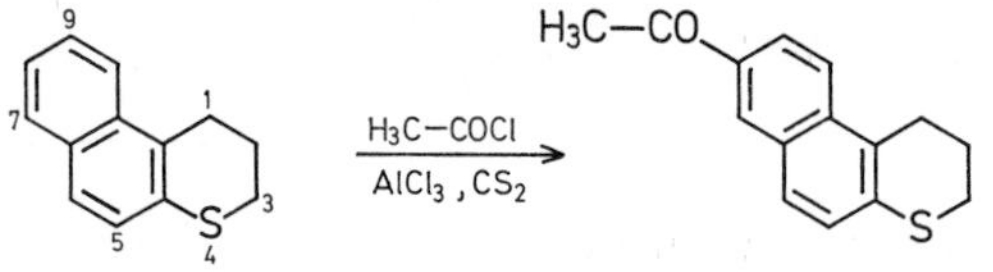

*8-Acetyl-2,3-dihydro-1H-⟨naphtho-[2,1-b]-
thiopyran⟩*

2,3,4,5-Tetrahydro-⟨benzo-[b]-thiepin⟩ wird durch Acetylchlorid/Alumi-
niumchlorid in Schwefelkohlenstoff in p-Stellung zum Schwefelatom zu *7-Acetyl-
2,3,4,5-tetrahydro-⟨benzo-[b]-thiepin⟩* acetyliert[3].

Beim Thianthren erfolgt durch Acetylchlorid in siedendem Schwefelkohlenstoff
Diacylierung zu *2,7-Diacetyl-thianthren*[4]:

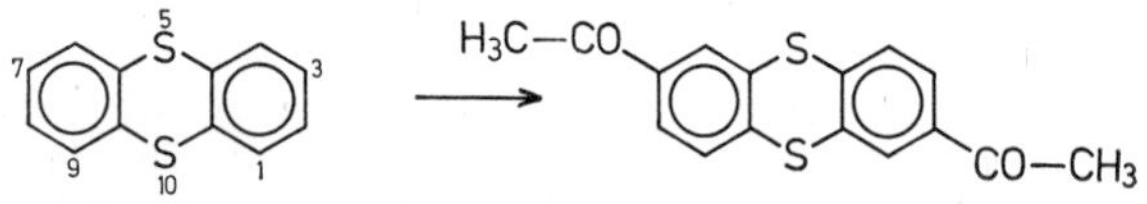

Acylierungen des Selenophens mit Acetylchlorid oder Propionsäure-chlorid
werden meist in Benzol mit Zinn(IV)-chlorid als Katalysator vorgenommen[5]. Auch
die Acylierung des Dibenzo-selenophens mit aliphatischen Carbonsäure-chloriden
wird beschrieben[6].

Pyrrol und N-Methyl-pyrrol sind so nukleophil, daß eine Acetylierung dieser
Verbindungen mit Acetylchlorid sogar ohne Katalysator erfolgt. Man kann die
Umsetzung ohne Lösungsmittel vornehmen, die bei der Reaktion erfolgende teilweise
Verharzung wird jedoch durch Verdünnen der Reaktionsmischung mit Diäthyläther
vermindert. Die Ausbeuten an *2-Acetyl-* bzw. *1-Methyl-2-acetyl-pyrrol* sind beschei-
den[7].

2,5-Dimethyl-1-dodecyl-pyrrol wird durch Propionsäure-chlorid/Alumi-
niumchlorid in Schwefelkohlenstoff in 3-Stellung acyliert.

2,5-Dimethyl-1-dodecyl-3-acetyl-pyrrol[8]: 25 g (0,095 Mol) 2,5-Dimethyl-1-dodecyl-pyrrol und
11 g (0,119 Mol) Propionsäure-chlorid werden in 100 *ml* trockenem Schwefelkohlenstoff gelöst.
Zu der gut geschüttelten, eiskalten Mischung werden portionsweise 25 g (0,187 Mol) fein gepulvertes Aluminiumchlorid gegeben. Man beobachtet keine Entwicklung von Chlorwasserstoff, die

---

[1] P. Cagniant u. D. Cagniant, C. r. **253**, 1703 (1961).
[2] P. Cagniant u. D. Cagniant, Bl. **1961**, 1566.
[3] P. Cagniant u. A. Deluzarche, C. r. **223**, 679 (1946).
[4] E. Cohn u. O. Maior, Revista de chimie (Bucharest) **13**, 619 (1962).
[5] S. Umazawa, Bl. chem. Soc. Japan, **14**, 155 (1939).
　　N. P. Buu-Hoï, P. Demerseman u. R. Royer, C. r. **237**, 398 (1953).
　　P. Demerseman, N. P. Buu-Hoï u. R. Royer, Soc. **1954**, 4194.
[6] N. P. Buu-Hoï u. N. Hoán, J. Org. Chem. **17**, 643 (1952).
[7] B. Oddo, B. **47**, 2431 (1914).
　　K. Hess, B. **48**, 1973 (1915).
[8] N. P. Buu-Hoï, Soc. **1949**, 2885.

Reaktionsmischung färbt sich dunkelrot. Nach 3 Stdn. bei 0° wird das Reaktionsgemisch auf Eis gegossen, die Schwefelkohlenstoff-Schicht wird abgetrennt und mit Wasser und dann mit verd. Natronlauge gewaschen; das Lösungsmittel wird abdestilliert und der Destillationsrückstand i.Vak. fraktioniert; Ausbeute: 15 g (52% d.Th.); Kp_{22}: 288–290° (gelbes, viscoses Öl).

Die Verbindung färbt sich an der Luft rasch dunkel.

Während 2,5-Dimethyl-1-[2,3-(bzw. -3,4)-dimethyl-phenyl]-pyrrol durch Propionsäure-chlorid in Gegenwart von Aluminiumchlorid in Schwefelkohlenstoff bei 0° nur in 3-Stellung zu *2,5-Dimethyl-1-[2,3-(bzw. -3,4)-dimethyl-phenyl]-3-propanoyl-pyrrol* acyliert werden[1], tritt bei der Umsetzung von 2,5-Dimethyl-1-phenyl-pyrrol mit Acetylchlorid in Gegenwart von Aluminiumchlorid in Schwefelkohlenstoff Diacetylierung in 3- und 4-Stellung ein:

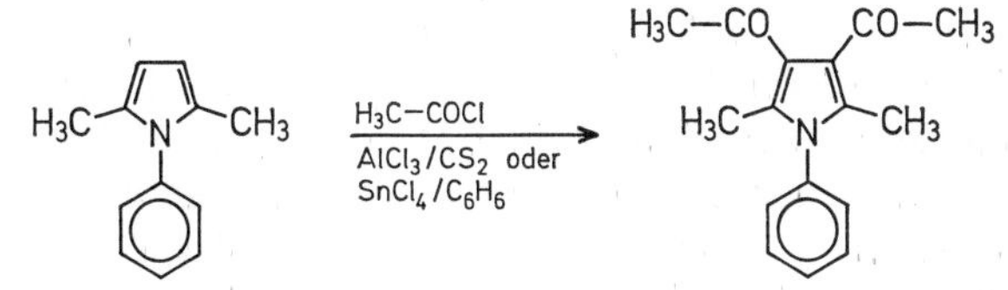

Man erhält das Diacetyl-Derivat mit einer Ausbeute von 40% d.Th., wenn man die Umsetzung bei 40° vornimmt; bei Durchführung der Reaktion bei 0° erhält man das gleiche Reaktionsprodukt mit nur 18% der Theorie. Die Ausbeute ist größer, wenn man für die Umsetzung als Katalysator Zinn(IV)-chlorid und als Reaktionsmedium Benzol verwendet.

2,5-Dimethyl-1-phenyl-3,4-diacetyl-pyrrol[2]: Zu einer Lösung von 20 g (0,117 Mol) 2,5-Dimethyl-1-phenyl-pyrrol und 10 g (0,127 Mol) Acetylchlorid in 100 *ml* trockenem, thiophenfreiem Benzol werden unter Rühren portionsweise 36,5 g (0,136 Mol) Zinn(IV)-chlorid gegeben. Die Mischung wird auf einem Wasserbade 2 Stdn. auf 50° erwärmt und wie üblich aufgearbeitet; Ausbeute: 16 g (52% d.Th.); Kp_{15}: 235–240° nach Umkristallisation aus Methanol; F: 98° (farblose Prismen).

Mit Propionsäure-chlorid erhält man *2,5-Dimethyl-1-phenyl-3,4-dipropanoyl-pyrrol*; 84% d.Th.; Kp_{20}: 252°; F: 66°.

Bei der Umsetzung von 2-Methyl-1,5-diphenyl-pyrrol mit äquimolekularen Mengen Acetylchlorid oder Propionsäure-chlorid in Schwefelkohlenstoff mit Aluminiumchlorid als Katalysator bei 40° oder in Benzol in Gegenwart von Zinn(IV)-chlorid bei 60° erfolgt fast ausschließlich Monoacylierung in 3-Stellung zu *2-Methyl-1,5-diphenyl-3-acetyl-* (bzw. *-3-propanoyl)-pyrrol*[2].

2,3,5-Trimethyl-pyrrol wird durch Acetylchlorid oder Propionsäure-chlorid in Schwefelkohlenstoff in Gegenwart von Aluminiumchlorid zu *2,4,5-Trimethyl-3-acetyl-* (bzw. *-3-propanoyl)-pyrrol* acyliert[3].

Besonders häufig werden Acylierungen von Mono- und Dialkyl-äthoxycarbonyl-pyrrolen beschrieben. Die Umsetzungen werden mit Acetylchlorid in siedendem Schwefelkohlenstoff oder ohne Lösungsmittel mit Aluminiumchlorid als

[1] N. P. Buu-Hoi, Soc. **1949**, 2885.
[2] R. Rips u. N. P. Buu-Hoi, J. Org. Chem. **24**, 552 (1959).
[3] H. Fischer u. F. Schubert, H. **155**, 109 (1926).

7*

Katalysator vorgenommen. Der Acetyl-Rest tritt dabei in die 2-Stellung ein, wenn diese frei ist, sonst in die 3-Stellung[1].

Bis-[3,5-dialkyl-2-pyrryl]-ketone werden unter analogen Bedingungen in den freien 4-Stellungen acetyliert[2]:

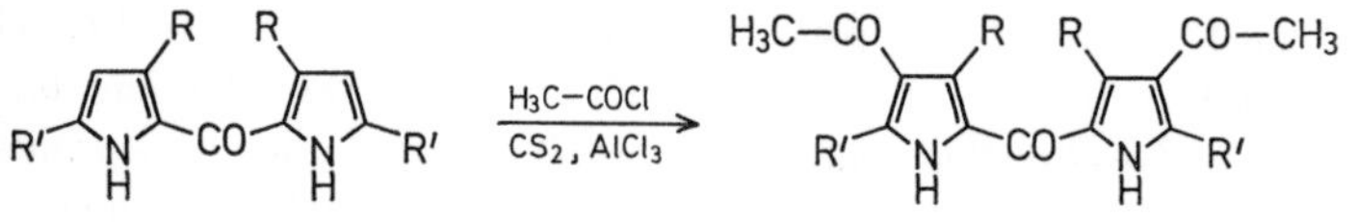

R = R′ = CH$_3$; *Bis-[3,5-dimethyl-4-acetyl-pyrryl-(2)]-keton*
R = R′ = C$_2$H$_5$; *Bis-[3,5-diäthyl-4-acetyl-pyrryl-(2)]-keton*
R = C$_2$H$_5$; R′ = CH$_3$; *Bis-[5-methyl-3-äthyl-4-acetyl-pyrryl-(2)]-keton*

Während sich Indol und 2-Methyl-indol nicht durch aliphatische Carbonsäurechloride nach Friedel-Crafts acylieren lassen, gelingt die Acetylierung von 3-Methylindol in überschüssigem Acetylchlorid mit Zinkchlorid als Katalysator. Die Reaktion scheint dann besonders glatt zu verlaufen, wenn Zinkchlorid verwendet wird, das vorher der Luftfeuchtigkeit ausgesetzt war. Man erhält *3-Methyl-2-acetyl-indol*[3]. Bei der Umsetzung von 1,2-Dimethyl-indol, von 1,2,3-Trimethyl-indol oder von 2,3,4,6-Tetramethyl-indol mit Acetylchlorid in Schwefelkohlenstoff in Gegenwart von Aluminiumchlorid erhält man *1,2-Dimethyl-5-acetyl-*, *1,2,3-Trimethyl-5-acetyl-* und *2,3,4,6-Tetramethyl-5-acetyl-indol*. 7-Methoxy-2,3-dimethyl-indol wird unter analogen Bedingungen in 4-Stellung zu *7-Methoxy-2,3-dimethyl-4-acetylindol* acetyliert[4].

2,3-Dimethyl-1-acetyl-indol ergibt mit Acetylbromid in siedendem Schwefelkohlenstoff *2,3-Dimethyl-1,6-diacetyl-indol* neben wenig von einem *2,3-Dimethyl-1,6,x-triacetyl-indol*[5]. Auch bei der analog durchgeführten Acetylierung von 9-Acetyl-1,2,3,4-tetrahydro-carbazol erfolgt die Acetylierung m-ständig zum Ringstickstoffatom, zu *7,9-Diacetyl-1,2,3,4-tetrahydro-carbazol*[6]:

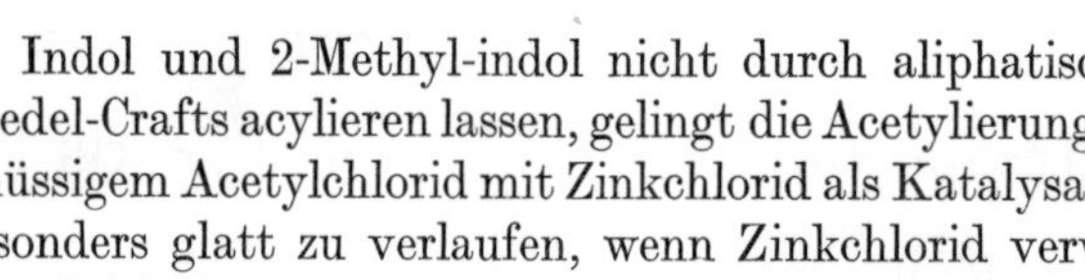

In der gleichen Stellung tritt unter analogen Bedingungen der Acetyl-Rest auch in 6-Methyl-, 6-Chlor- und 6-Brom-9-acetyl-1,2,3,4-tetrahydro-carbazol[7] ein (*6-Methyl-, 6-Chlor-* und *6-Brom-7,9-diacetyl-1,2,3,4-tetrahydro-carbazol*).

---
[1] H. Fischer u. F. Schubert, H. **155**, 101 (1926).
   H. Fischer u. B. Pützer, B. **61**, 1070 (1928).
   H. Fischer u. R. Bäumler, A. **468**, 80, 97 (1929).
   H. Fischer u. W. Kutscher, A. **481**, 201 (1930).
   H. Fischer, M. Goldschmidt u. W. Nüssler, A. **486**, 13 (1931).
   H. Fischer u. H. K. Weichmann, A. **492**, 51 (1931).
[2] H. Fischer u. H. Orth, A. **502**, 247, 257, 258 (1933).
[3] G. Magnini, B. **21**, 1938 (1888).
[4] W. Borsche u. H. Groth, A. **549**, 245 (1941).
[5] W. J. Gandion, W. H. Hook u. S. G. P. Plant, Soc. **1947**, 1633.
[6] S. G. P. Plant u. K. M. Rogers, Soc. **1936**, 40.
[7] S. G. P. Plant u. J. F. Powell, Soc. **1947**, 939.

Carbazol wird bei der Keton-Synthese nach Friedel-Crafts durch Acetylchlorid[1] oder Acetylbromid[2] in Gegenwart von Aluminiumchlorid in Schwefelkohlenstoff zu *3,6-Diacetyl-carbazol* diacetyliert. Analog reagiert Carbazol auch mit höheren Carbonsäure-chloriden mit 12–18 Kohlenstoffatomen[3]. Bei der Acylierung von 9-Methyl-, 9-Äthyl, 9-Butyl-, 9-(3-Methyl-butyl)- und 9-Benzyl-carbazol erhält man mit Acetyl-chlorid oder -bromid oder mit Propionsäure-chlorid in Schwefelkohlenstoff oder besser in Benzol in Gegenwart von Aluminiumchlorid *9-Methyl-, 9-Äthyl-, 9-Butyl-, 9-(3-Methyl-butyl)- und 9-Benzyl-3-acetyl-* (bzw. *-3-propanoyl)-carbazol* neben *9-Methyl-, 9-Äthyl-, 9-Butyl-, 9-(3-Methyl-butyl)- und 9-Benzyl-3,6-diacetyl-* (bzw. *-3,6-dipropanoyl)-carbazol*[4]. Unter analogen Bedingungen erfolgt in 3-Chlor-9-äthyl-, 3-Chlor-9-butyl- oder 3-Brom-9-äthyl-carbazol mit Acetylchlorid, Propionsäure-chlorid oder Buttersäure-chlorid Monoacylierung in 6-Stellung [*3-Chlor-9-äthyl-; 3-Chlor-9-butyl- und 3-Brom-9-äthyl-6-acetyl-* (bzw. *-6-propanoyl-*; bzw. *-6-butanoyl)-carbazol*].

2-Acetyl-carbazol ergibt bei der Umsetzung mit Acetychlorid/Aluminiumchlorid *2,6,9-Triacetyl-carbazol*[5]. Auch 2-Benzoyl-[5] und 3-Benzoyl-carbazol[6] werden durch Acetylbromid in siedendem Schwefelkohlenstoff in Gegenwart von Aluminiumchlorid zu *6-Acetyl-2-* (bzw. *-3)-benzoyl-carbazol* acetyliert. 9-Acetyl-carbazol wird durch Acetylbromid oder Acetylchlorid in Gegenwart von Aluminiumchlorid in Schwefelkohlenstoff in 2-Stellung monoacetyliert[7]:

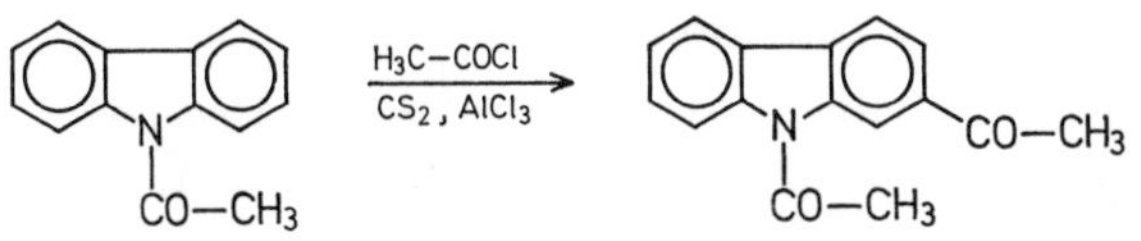

2,9-Diacetyl-carbazol[8]: Eine Mischung aus 20 g (0,096 Mol) 9-Acetyl-carbazol, 25 g (0,32 Mol) Acetylchlorid und 100 *ml* Schwefelkohlenstoff wird unter Kühlung mit 50 g (0,37 Mol) Aluminiumchlorid versetzt. Man erhitzt die Mischung dann 3 Stdn. unter Rückfluß. Nach dem Abkühlen trennt man die untere Schicht ab und gibt sie vorsichtig zu zerstoßenem Eis. Das abgeschiedene feste Material wird abgesaugt, mit Wasser gewaschen und aus Äthanol umkristallisiert; Ausbeute: 15,5 g (64% d.Th.); F: 106–107°.

Wie 9-Acetyl-carbazol wird auch 9-Benzoyl-carbazol durch Acetylbromid/Aluminiumchlorid in Schwefelkohlenstoff zu *2-Acetyl-9-benzoyl-carbazol* acetyliert[9].

[1] N. P. Buu-Hoi u. R. Royer, R. **66**, 540 (1947).

[2] S. G. P. Plant, K. M. Rogers u. S. B. C. Williams, Soc. **1935**, 742.

[3] US. P. 2101559 (1936), Armour & Co., Erf.: A. W. Ralston u. C. W. Christensen; C. A. **32**, 1019 (1938).
A. W. Ralston u. C. W. Christensen, Ind. Eng. Chem. **29**, 195 (1937).

[4] N. P. Buu-Hoi u. R. Royer, R. **66**, 541 (1947).
N. P. Buu-Hoi, Soc. **1949**, 2887.
N. P. Buu-Hoi u. R. Royer, J. Org. Chem. **16**, 1202 (1951).
S. G. P. Plant, K. M. Rogers u. S. B. C. Williams, Soc. **1935**, 744.

[5] D. G. Brooke u. S. G. P. Plant, Soc. **1956**, 2214.

[6] S. G. P. Plant, K. M. Rogers u. S. B. C. Williams, Soc. **1935**, 744.

[7] W. Borsche u. M. Feise, B. **40**, 380 (1907).
DRP 555312 (1931), I. G. Farb., Erf.: A. Bergdolt u. R. Stroebel; C. A. **26**, 5104 (1932).
S. G. P. Plant u. S. B. C. Williams, Soc. **1934**, 1142.

[8] R. H. F. Manske u. M. Kulka, Canad. J. Res. [B] **28**, 445 (1950).

[9] S. G. P. Plant u. S. B. C. Williams, Soc. **1934**, 1142.

Benzo-[b]-carbazol liefert mit Acetylchlorid/Aluminiumchlorid in Dichlormethan ein *Diacetyl-⟨benzo-[b]-carbazol⟩*, in dem die Stellung der Acetyl-Gruppen nicht bestimmt wurde[1].

1,2-Dimethyl-3-acetyl-3H-⟨benzo-[e]-indol⟩ wird in siedendem Schwefelkohlenstoff durch Acetylchlorid in Gegenwart von Aluminiumchlorid in 5-Stellung acetyliert:

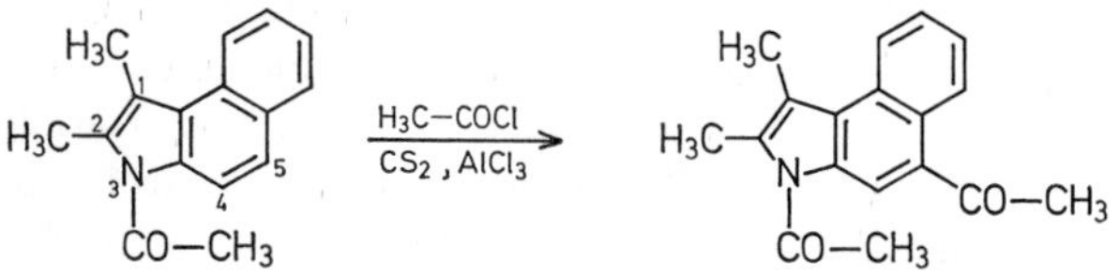

1,2-Dimethyl-3,5-diacetyl-3H-⟨benzo-[e]-indol⟩

8,9,10,11-Tetrahydro-7H-⟨benzo-[c]-carbazol⟩ ergibt unter analogen Bedingungen *5,7-Diacetyl-8,9,10,11-tetrahydro-7H-⟨benzo-[c]-carbazol⟩*[2].

1-Acetyl-indolin und 2-Methyl-1-acetyl-indolin werden durch Acetylchlorid/ Aluminiumchlorid in Schwefelkohlenstoff bei 50° mit Ausbeuten über 80% d. Th. zu *1,5-Diacetyl-* bzw. *2-Methyl-1,5-diacetyl-indolin* acetyliert[3]. Ebenso verhält sich 9-Acetyl-1,2,3,4,4a,9a-hexahydro-carbazol, das unter analogen Bedingungen ein *6,9-Diacetyl-1,2,3,4,4a,9a-hexahydro-carbazol* ergibt[4].

2-Methyl-indolizin wird durch Acetylchlorid in Gegenwart von Aluminiumchlorid in *2-Methyl-1,3-diacetyl-indolizin* übergeführt[5]. Aus 2-Phenyl-indolizin entsteht in 1,1,2,2-Tetrachlor-äthan mit Acetylchlorid/Aluminiumchlorid *2-Phenyl-1,3-diacetyl-indolizin* neben *2-(4-Acetyl-phenyl)-indolizin*[6]:

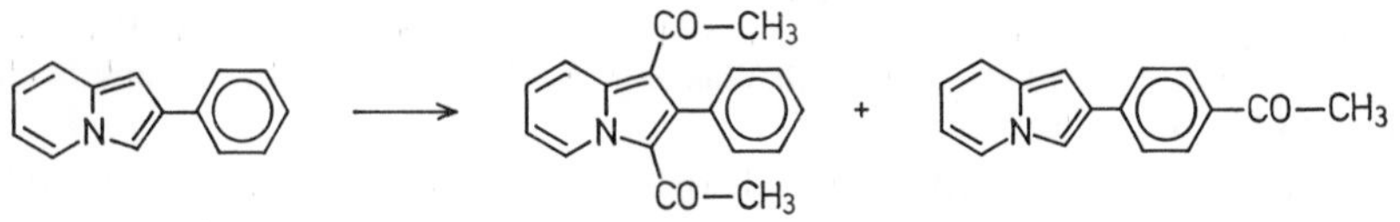

Auch 2-Methyl-1-acetyl- oder 2-Phenyl-1-acetyl-indolizin[5,7] und sogar 1-Acetyl-2-carboxy-indolizin[8] lassen sich mit Acetylchlorid/Aluminiumchlorid zu *2-Methyl-* und *2-Phenyl-1,3-diacetyl-indolizin* bzw. *1,3-Diacetyl-2-carboxy-indolizin* acetylieren.

---

[1] P. MABILLE u. N. P. BUU-HOI, J. Org. Chem. **25**, 1938 (1960).
[2] S. G. P. PLANT u. M. W. THOMPSON, Soc. **1950**, 1065.
[3] A. P. TERENTEV, M. N. PREOBRAZHENSKAYA u. G. M. SOROKINA, Ž. obšč. Chim. **29**, 2875 (1959); engl.: 2835.
[4] D. R. R. MITCHELL u. S. G. P. PLANT, Soc. **1936**, 1298.
[5] E. OCHIAI, J. pharm. Soc. Japan **60**, 55 (1940).
[6] E. T. BORROWS, D. O. HOLLAND u. J. KENYOU, Soc. **1946**, 1073.
[7] E. T. BORROWS, D. O. HOLLAND u. J. KENYON, Soc. **1946**, 1073.
[8] Y. S. ARATA et al., J. pharm. Soc. Japan **77**, 1347 (1957).

Bei der Umsetzung von 2,3-Diphenyl-⟨pyrrolo-[2,1,5-c,d]-indolizin⟩ mit Acetylchlorid/Aluminiumchlorid treten in 1,1,2,2-Tetrachlor-äthan Acetyl-Gruppen in 1- und 4-Stellung ein[1]:

2,3-Diphenyl-1,4-diacetyl-⟨pyrrolo-[2,1,5-c,d]-indozilin⟩

Während sich Pyrazol oder 3,5-Dimethyl-pyrazol[2] nicht nach Friedel-Crafts acylieren lassen, gelingt die Acylierung von 1-Phenyl-pyrazol durch Erhitzen mit Acetylchlorid im Bombenrohr auf 140–150°[3]; man erhält *1-Phenyl-4-acetyl-pyrazol*[4]. 1,3,5-Trimethyl-pyrazol wird durch aliphatische Carbonsäure-chloride in Tetrachlormethan oder Schwefelkohlenstoff in Gegenwart von Aluminiumchlorid ebenfalls in 4-Stellung acyliert. Man muß bei der Umsetzung für einen Überschuß an Aluminiumchlorid sorgen, da ein Teil davon vom Pyrazolkern komplex gebunden wird.

1,3,5-Trimethyl-4-acetyl-pyrazol[5]: Zu einer auf −5° bis −10° abgekühlten Mischung aus 100 *ml* trockenem Tetrachlormethan und 26 g (0,2 Mol) gepulvertem Aluminiumchlorid gibt man zunächst 5,5 g (0,05 Mol) 1,3,5-Trimethyl-pyrazol und dann tropfenweise 7,8 g (0,1 Mol) Acetylchlorid. Die Temp. der Mischung steigt dabei auf 15–20°. Man entfernt die Kühlung, verrührt noch 2 Stdn. und überläßt die Reaktionsmischung über Nacht sich selbst. Man zersetzt den Komplex mit Wasser und fügt Alkali hinzu, bis sich die Aluminiumsalze auflösen. Man trennt die organische Phase ab, trocknet sie über Magnesiumsulfat und destilliert das Lösungsmittel ab. Der Rückstand wird i.Vak. destilliert; Ausbeute: 2,7 g (35,5% d.Th.); Kp$_{11}$: 133–137°; nach Umkristallisation aus Ligroin; F: 69–70° (farblose Kristalle).

Analog erhält man

1,3,5-Trimethyl-4-propanoyl-pyrazol	50,6% d.Th.	F: 43-44°
1,3,5-Trimethyl-4-butanoyl-pyrazol	50% d.Th.	F: 52-53°
1,3,5-Trimethyl-4-(2-methyl-propanoyl)-pyrazol	55% d.Th.	F: 34,5-35°
1,3,5-Trimethyl-4-(3-methyl-butanoyl)-pyrazol	43,3 d.Th.	F: 32,5°
1,3,5-Trimethyl-4-hexanoyl-pyrazol	50% d.Th.	F: 39-40°
1,3,5-Trimethyl-4-octanoyl-pyrazol	46% d.Th.	F: 36°

Auch 3,5-Dimethyl-1-phenyl-pyrazol reagiert entsprechend mit Acetylchlorid/Aluminiumchlorid zu *3,5-Dimethyl-1-phenyl-4-acetyl-pyrazol*, während analoge Umsetzungen von 5-Chlor-3-methyl-1-phenyl-pyrazol mit Acetylchlorid oder von 1-Phenyl-pyrazol mit Acetylchlorid oder Buttersäure-chlorid nicht gelingen.

1,3,5-Trimethyl-pyrazol kann auch durch Erhitzen im Bombenrohr mit Acetylchlorid während 5 Stdn. auf 170° zu *1,3,5-Trimethyl-4-acetyl-pyrazol* acetyliert werden. Mit höheren Carbonsäure-chloriden erfolgt unter diesen Bedingungen zwar auch eine Reaktion, die Konstitution der Reaktionsprodukte ist jedoch nicht geklärt.

5-Oxo-3-methyl-1-phenyl-4,5-dihydro-pyrazol wird durch Acetyl-chlorid, Propionsäure- oder Buttersäure-chlorid in heißem 1,4-Dioxan in Gegenwart von

[1] R. J. WINDGASSEN, W. H. SAUNDERS u. V. BOEKELHEIDE, Am. Soc. **81**, 1465 (1959).

[2] E. OCHIAI, J. pharm. Soc. Japan **60**, 164 (1940).

[3] L. BALBIANO, G. **19**, 136 (1889).

[4] O. SERERINI, Atti Acad. naz. Lincei, Rend., Cl. Sci. fisiche, mat. natur. II, **7**, 377 (1891).

[5] I. I. GRANDBERG et al., Ž. obšč. Chim. **31**, 1887, (1961); engl.: 1765.

Calciumhydroxid mit Ausbeuten von 50–57% d. Th. zu *5-Hydroxy-3-methyl-1-phenyl-4-acetyl-*(bzw.-*4-propanoyl-*; bzw. -*4-butanoyl*)-*pyrazol* acyliert[1]. Auch 5-Oxo-2,3-dimethyl-1-phenyl-4,5-dihydro-pyrazol wird durch aliphatische Carbonsäure-chloride in Gegenwart von Aluminiumchlorid oder ohne Katalysator in 4-Stellung acyliert[2].

Imidazolon-(2) ergibt bei der Umsetzung mit Hexansäure-chlorid in Nitrobenzol in Gegenwart von 2 Mol Aluminiumchlorid *2-Oxo-4-hexanoyl-2,3-dihydro-imidazol* (41% d. Th.)[3]. Unter analogen Bedingungen wird 2-Oxo-4-methyl-2,3-dihydro-imidazol durch Acetylbromid, Buttersäure- oder Hexansäure-chlorid in 5-Stellung zu *2-Hydroxy-4-methyl-5-acetyl-*(bzw.-*5-butanoyl-*; bzw. -*5-hexanoyl*)-*imidazol* acyliert[4].

Die Umsetzung von Benzimidazolon-(2) mit Acetylchlorid[5] oder Tetradecan-säure-chlorid[6] wird in Gegenwart von Aluminiumchlorid in Schwefelkohlenstoff vorgenommen und liefert *2-Hydroxy-5-acetyl-*(bzw.-*5-tetradecanoyl*)-*benzimidazol*.

Imidazolo-[1,5-a]-pyridin und 3-Methyl-⟨imidazolo-[1,5-a]-pyridin⟩ werden durch Acetylchlorid in siedendem Schwefelkohlenstoff in Gegenwart von Aluminium-chlorid in 1-Stellung acetyliert[7]:

R = H; *1-Acetyl-⟨imidazolo-[1,5-a]-pyridin⟩*
R = CH₃; *3-Methyl-1-acetyl-⟨imidazolo-[1,5-a]-pyridin⟩*

Pyridin, Chinolin, 6-Methyl-chinolin, 8-Methyl-chinolin, 6,8-Dimethyl-chinolin, Isochinolin und Acridin lassen sich nicht nach Friedel-Crafts in Ketone überführen. Dagegen glückt, allerdings nur mit einer Ausbeute von 4% d. Th., die Acetylierung von 5,7-Dimethyl-chinolin mit Acetylchlorid/Aluminiumchlorid in siedendem Schwefelkohlenstoff; man erhält *5,7-Dimethyl-6-acetyl-chinolin*[8]. 8-Hydroxy-chinolin wird durch Acetylchlorid[9] oder höhere aliphatische Carbonsäure-chloride[10]

[1] B. S. Jensen, Acta chem. scand. **13**, 1670 (1959).
[2] DRP 270487 (1912), Meister, Lucius & Brüning; C. **1914** I, 1040.
   DRP 668387 (1936), H. P. Kaufmann; C. **1939** I, 1804.
   H. P. Kaufmann, L. S. Huang u. H. Buckmann, B. **75**, 1242 (1942).
[3] R. Duschinsky u. L. A. Dolan, Am. Soc. **68**, 2351 (1946).
[4] R. Duschinsky u. L. A. Dolan, Am. Soc. **67**, 2083 (1945); **68**, 2351 (1946).
[5] J. R. Vaughan u. J. Blodinger, Am. Soc. **77**, 5759 (1955).
[6] US. P. 2843597 (1956), Merck & Co., Erf.: R. L. Clark u. A. A. Pessolano; C. A. **53**, 2256 (1959).
[7] J. D. Bower u. G. R. Ramage, Soc. **1955**, 2835.
[8] W. Borsche u. H. Groth, A. **549**, 252 (1941).
[9] K. Matsumura, Am. Soc. **52**, 4433 (1930).
   V. M. Thakor u. R. C. Shah, J. indian chem. Soc. **31**, 598 (1954).
   US. P. 2875126 (1959), J. R. Geigy AG, Erf.: E. Hodel u. H. Gysin; C. A. **53**, 15101 (1959).
[10] W. H. Edgerton u. J. H. Burckhalter, Am. Soc. **74**, 5209 (1952).
   Fr. P. 1172432 (1958), Companie Française des Matieres Colorantes, Erf.: G. Madgeneye u. J. Pechmèze; C. A. **54**, 19722 (1960).

in Nitrobenzol in Gegenwart von Aluminiumchlorid glatt in 5-Stellung acyliert. Auch 8-Methoxy-chinolin wird durch Acetylchlorid/Aluminiumchlorid in Schwefelkohlenstoff acyliert; man erhält 8-Methoxy-5-acetyl-chinolin (25% d. Th.)[1]. 4-Hydroxy-2-methyl-chinolin ergibt bei der Umsetzung mit Acetylchlorid/Aluminiumchlorid bei 125–135° ein *4-Hydroxy-2-methyl-3-acetyl-chinolin*[2]. 2-Oxo-1-methyl-1,2-dihydro-chinolin reagiert mit Acetylchlorid/Aluminiumchlorid nach zweiwöchigem Erhitzen auf 50–55° zu *2-Oxo-1-methyl-6-acetyl-1,2-dihydro-chinolin* (37,5% d.Th.). Mit Butansäure-, Pentansäure- bzw. Hexansäure-chlorid entstehen Mischungen aus *2-Oxo-1-methyl-3-*(und *-6*)-*butanoyl-* (bzw. *-pentanoyl-*; bzw. *-hexanoyl*)-*1,2-dihydro-chinolin*[3].

Ohne Schwierigkeiten gelingt die Umsetzung von 6-Methyl-1-acetyl-1,2,3,4-tetrahydro-chinolin mit Acetylbromid in Schwefelkohlenstoff in Gegenwart von Aluminiumchlorid zu einem *6-Methyl-1,x-diacetyl-1,2,3,4-tetrahydro-chinolin*; man nimmt an, daß der Acetyl-Rest dabei in 5- oder 7-Stellung eintritt[4].

Während sich 4-Methyl-1,3-thiazol, 2-Amino-4-methyl-1,3-thiazol, 2-Acetylamino-4-methyl-1,3-thiazol und 2-Mercapto-4-methyl-1,3-thiazol nicht mit aliphatischen Carbonsäure-chloriden in Ketone überführen lassen, gelingt diese Operation beim 2-Hydroxy-4-methyl-1,3-thiazol; man führt die Reaktion in Gegenwart von überschüssigem Aluminiumchlorid in Nitrobenzol oder 1,1,2,2-Tetrachlor-äthan bei 90–110° durch. Als Acylierungsmittel werden neben Acetylchlorid auch Buttersäure-, Pentansäure- oder Hexansäure-chlorid verwendet; man erhält *2-Hydroxy-4-methyl-5-acetyl-* (bzw. *-5-butanoyl-*; bzw. *5-pentanoyl-*; bzw. *-5-hexanoyl*)-*1,3-thiazol*[5].

Die Acetylierung des Phenoxathiins ergibt je nach den Reaktionsbedingungen ein *2-Acetyl-*[6] oder *2,8-Diacetyl-phenoxathiin*.

2-Acetyl-phenoxathiin[7]: Zu einer Lösung von 20 g (0,1 Mol) Phenoxathiin und 9,4 g (0,12 Mol) Acetylchlorid in 100 *ml* trockenem Schwefelkohlenstoff werden in kleinen Portionen 13,4 g (0,1 Mol) Aluminiumchlorid gegeben. Die Mischung wird 3–4 Stdn. unter Rückfluß gekocht. Nach der Zers. des Aluminiumchlorid-Komplexes mit Wasser wird das Reaktionsprodukt in Chloroform aufgenommen. Die Chloroform-Lösung wird mit verd. Natronlauge, dann mit Wasser gewaschen und über Natriumsulfat getrocknet, das Chloroform abdestilliert und der Rückstand rektifiziert; Ausbeute: 19,8 g (82% d.Th.); Kp_{20}: 258–260°; F: 113° (aus Äthanol).

Analog erhält man

2-Propanoyl-phenoxathiin	78% d.Th.	F: 71-72°
2-Butanoyl-phenoxathiin.	89% d.Th.	F: 64°
2-Pentanoyl-phenoxathiin	77% d.Th.	F: 63-64°
2-Decanoyl-phenoxathiin	80% d.Th.	F: 68-69°

2,8-Diacetyl-phenoxathiin[8]: 300 g (2,25 Mol) wasserfreies Aluminiumchlorid werden innerhalb von 3 Stdn. portionsweise zu einer Mischung aus 150 g (0,75 Mol) Phenoxathiin, 194 g (2,47 Mol) Acetylchlorid und 1,25 *l* Schwefelkohlenstoff gegeben. Man erhitzt noch 3 Stdn. unter

[1] W. BORSCHE u. H. GROTH, A. **549**, 252 (1941).
[2] V. M. THAKOR u. R. C. SHAH, J. indian chem. Soc. **31**, 599 (1954).
[3] H. TOMISAWA et al., Chem. Pharm. Bull. (Tokyo) **18**, 919 (1970).
[4] F. KUNCKELL, Ber. dtsch. pharm. Ges. **20**, 286 (1910).
[5] E. OCHIAI u. F. NAGASAWA, B. **72**, 1475 (1939).
   Y. YAMAMOTO, J. pharm. Soc. Japan **72**, 1020 (1952).
[6] C. M. SUTER, J. P. McKENZIE u. C. E. MAXWELL, Am. Soc. **58**, 719 (1936).
   M. TOMITA, J. pharm. Soc. Japan **58**, 510 (1938).
   R. G. FLOWERS u. L. W. FLOWERS, Am. Soc. **71**, 3103 (1949).
[7] E. LESCOT, N. P. BUU-HOI u. N. D. XUONG, Soc. **1956**, 2409.
[8] J. F. NOBIS, A. J. BLARDINELLI u. D. J. BLANEY, Am. Soc. **75**, 3386 (1953).

Rückfluß. Der Aluminiumchlorid-Komplex wird mit Eis und Salzsäure zersetzt. Aus dem isolierten Rohprodukt extrahiert man das gebildete *2-Acetyl-phenoxathiin* mit heißem Aceton. Der Rückstand wird aus 1,4-Dioxan umkristallisiert; Ausbeute: 113 g (53% d. Th.) *2,8-Diacetylphenoxathiin*; F: 184–186°.

2-Äthyl-phenoxathiin wird durch Acetylchlorid/Aluminiumchlorid in Schwefelkohlenstoff monoacetyliert; wahrscheinlich entsteht *2-Äthyl-8-acetyl-phenoxathiin*[1].

10-Äthyl-phenoxazin wird in Gegenwart äquimolekularer Mengen Acetylchlorid in Schwefelkohlenstoff in Gegenwart von Aluminiumchlorid zu *10-Äthyl-3,7-diacetyl-phenoxazin* bis-acetyliert[2]. Dagegen tritt in 10-Acetyl-phenoxazin unter analogen Bedingungen nur eine Acetyl-Gruppe ein, und zwar in 2-Stellung zu *2,10-Diacetyl-phenoxazin*. Die Aufarbeitung des Reaktionsgemisches kann so vorgenommen werden, daß man direkt *2-Acetyl-phenoxazin* erhält:

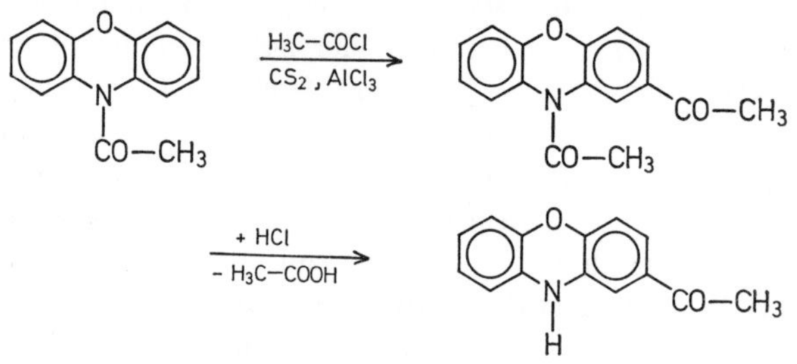

2-Acetyl-phenoxazin[3]: Zu einer Suspension von 22,5 g (0,1 Mol) 10-Acetyl-phenoxazin in 400 ml Schwefelkohlenstoff werden langsam und unter Rühren 40 g (0,3 Mol) gepulvertes Aluminiumchlorid gegeben. Man erhitzt die Mischung während 1 Stde. unter Rückfluß und versetzt sie dann derart mit 11,7 g (0,15 Mol) Acetylchlorid, daß das Rückflußsieden erhalten bleibt. Man erhitzt noch 2 weitere Stdn. unter Rühren und Rückfluß, dann gießt man das Lösungsmittel ab und zersetzt den gummiähnlichen Rückstand mit Eis und Salzsäure. Der dabei erhaltene Niederschlag wird abgesaugt, gewaschen und mit einer Mischung aus 200 ml Eisessig und 50 ml 20% iger Salzsäure 10 Min. unter Rückfluß erhitzt. Das abgeschiedene Material wird nach dem Abkühlen abgesaugt, mit Wasser gewaschen und getrocknet; Rohausbeute: 22 g; F: 209–212°. Durch Extraktion mit Benzol werden daraus 20,2 g (89% d. Th.) Reinprodukt isoliert; F: 212–213°.

Phenothiazin oder 10-Acetyl-phenothiazin ergeben mit Acetylchlorid in Gegenwart eines 100% igen Überschusses an Aluminiumchlorid in Schwefelkohlenstoff mit 40–50% d. Th. *2,10-Diacetyl-phenothiazin*[4]. Wenn man die Umsetzung von 10-Acetyl-phenothiazin mit überschüssigem Acetylchlorid in Gegenwart von Aluminiumchlorid in Schwefelkohlenstoff vornimmt und die Reaktionsmischung 15 Stdn. unter Rückfluß erwärmt, erhält man mit 52–56% d. Th. *2,8,10-Triacetyl-phenothiazin* neben geringen Mengen *2,10-Diacetyl-phenothiazin*[5]. 10-Methyl-phenothiazin wird durch Acetylchlorid/Aluminiumchlorid in Schwefelkohlenstoff zu *10-Methyl-3-acetylphenothiazin* acetyliert[6].

[1] E. Lescot, N. P. Buu-Hoi u. N. D. Xuong, Soc. **1956**, 2409.

[2] H. Vanderhaeghe, J. Org. Chem. **25**, 753 (1960).

[3] H. Vanderhaeghe, J. Org. Chem. **25**, 751 (1960).

[4] R. Baltzly, H. Harfenist u. F. J. Webb, Am. Soc. **68**, 2675 (1946).

    G. A. Gorlach u. N. N. Dykhanov, Medotsinskyaa Promyshlennost SSSR **13**, No. 4, 35 (1959); C. A. **53**, 20066 (1959).

    G. Cauquil u. A. Casadevall, C. r. **238**, 908 (1954).

[5] J. G. Michels u. E. D. Amstutz, Am. Soc. **72**, 890 (1950).

    G. Cauquill u. A. Casadevall, Bl. [5] **22**, 1071 (1955).

[6] A. Burger u. A. C. Schmalz, J. Org. Chem. **19**, 1844 (1854).

Derivate des 9-Aza-10-bora-phenanthrens, die am Bor-Atom durch eine Hydroxy- oder eine Methyl-Gruppe substituiert sind, liefern mit Acetylchlorid in Schwefelkohlenstoff in Gegenwart von Aluminiumchlorid 6-Acetyl- und 6,8-Diacetyl-Derivate[1]:

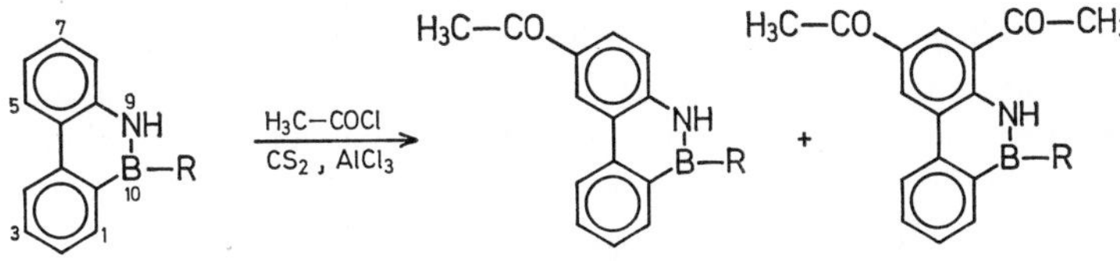

... -9-aza-10-bora-phenanthren

R = OH; *10-Hydroxy-6-acetyl-*   *10-Hydroxy-6.8-diacetyl-*

R = CH$_3$; *10-Methyl-6-acetyl-*   *10-Methyl-6,8-diacetyl-*

Benzo-[d]-1,2-oxazol lagert sich in Nitrobenzol in Gegenwart von Aluminium-chlorid in 2-Hydroxy-benzonitril um. Man erhält deshalb bei der Umsetzung mit Acetylchlorid/Aluminiumchlorid in Nitrobenzol *2-Hydroxy-5-acetyl-1-cyan-benzol.* 3-Methyl-⟨benzo-[d]-1,2-oxazol⟩ ist gegenüber Aluminiumchlorid widerstands-fähiger und liefert *3-Methyl-x-acetyl-⟨benzo-[d]-1,2-oxazol⟩* neben einem durch Ring-öffnung entstandenen Produkt (*2-Hydroxy-5-acetyl-benzonitril*):

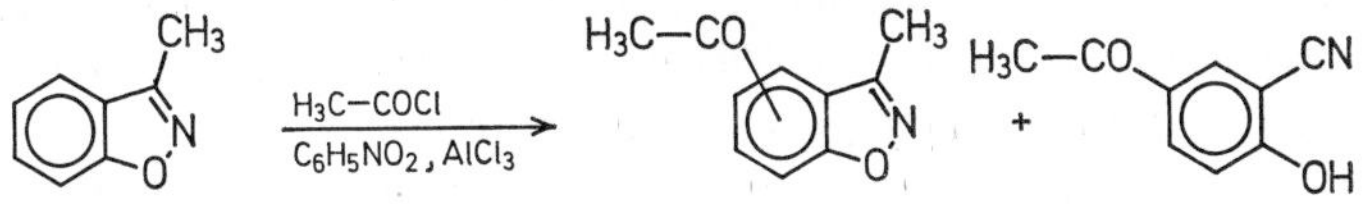

Analog verhalten sich 7-Methoxy-⟨benzo-[d]-1,2-oxazol⟩ und 7-Methoxy-3-methyl-⟨benzo-[d]-1,2-oxazol⟩[2]; man erhält *7-Methoxy-x-acetyl-* und *7-Methoxy-3-methyl-x-acetyl-⟨benzo-[d]-1,2-oxazol⟩.*

β$_9$) *aromatischen Metallkomplexen*

Einige organische Verbindungen erhalten erst durch Komplexbildung mit Metallen aromatischen Charakter und sind dann elektrophilen Substitutionen, z.B. der Keton-Synthese nach Friedel-Crafts, zugänglich. Zu diesen Verbindungstypen gehören z.B. Aluminium-acetylacetonat, Tricarbonyl-cyclopentadienyl-mangan, Ferrocen, Ru-thenocen oder Osmocen.

Rhodium-acetylacetonat[3] ergibt mit Acetylchlorid in 1,2-Dichlor-äthan in Gegenwart von Aluminiumchlorid bei −20° bis −15° *Acetyl-rhodium-acetylacetonat* (32% d.Th.) und *Diacetyl-rhodium-acetylacetonat* (13% d.Th.) neben unverändertem Ausgangsmaterial. Durch Buttersäure-chlorid erfolgt unter sonst analogen Bedin-gungen nur Monoacylierung zum *Butanoyl-rhodium-acetylacetonat* (8,5% d.Th.).

[1] M. J. S. Dewar u. V. P. Kubba, Am. Soc. **83**, 1760 (1961).

[2] W. Borsche u. P. Hahn-Weinheimer, A. **570**, 159 (1950).

[3] J. P. Collman et al., J. Org. Chem. **28**, 1452 (1963).

Aus Aluminium-acetylacetonat[1] wird bei der Umsetzung mit Acetylchlorid/Aluminiumchlorid in siedendem Schwefelkohlenstoff ein *Diacetyl-aluminium-acetylacetonat* (21% d.Th.) erhalten. Eisen(III)-acetylacetonat ist dieser Umsetzung nicht zugänglich.

Tricarbonyl-cyclopentadienyl-mangan, das bei der elektrophilen Substitution reaktionsträger als Anisol, aber reaktionsfähiger als Benzol ist[2], wird durch Acetylchlorid in Gegenwart von Aluminiumchlorid in Schwefelkohlenstoff[3] oder in 1,2-Dichlor-äthan zu *Tricarbonyl-(acetyl-cyclopentadienyl)-mangan* monoacetyliert. Analog verläuft die Acylierung mit Trifluor-acetylchlorid/Aluminiumchlorid in Dichlormethan zu *Tricarbonyl-(trifluoracetyl-cyclopentadienyl)-mangan*[4].

Tricarbonyl-(acetyl-cyclopentadienyl)-mangan[5]: Zu einer Mischung aus 20,4 g (0,1 Mol) Tricarbonyl-cyclopentadienyl-mangan, 16,7 g (0,125 Mol) Aluminiumchlorid und 124 g 1,2-Dichloräthan werden bei Raumtemp. 8,8 g (0,112 Mol) Acetylchlorid getropft. Die Temp. der Reaktionsmischung steigt dabei an, es entwickelt sich Chlorwasserstoff. Man hält die Reaktionsmischung dann noch 5 Stdn. bei 50°, sodann versetzt man mit verd. Salzsäure und extrahiert die Reaktionsmischung mit Äther. Der nach dem Abdestillieren des Äthers verbleibende Rückstand wird unter Stickstoff i. Vak. destilliert; Ausbeute: 21,41 g (87,3% d.Th.); Kp_4: 140°; F: 4° (aus Isooctan und Äther).

Auch Tricarbonyl-(äthyl-[6] oder tert. -butyl[7]-cyclopentadienyl)-mangan werden durch Acetylchlorid/Aluminiumchlorid, am zweckmäßigsten ohne Lösungsmittel, zu *Tricarbonyl-[äthyl-acetyl-* (bzw. *-tert.-butyl-acetyl)-cyclopentadienyl]-mangan* monoacetyliert.

Tetracarbonyl-cyclopentadienyl-vanadium und Tetracarbonyl-(methyl-cyclopentadienyl)-vanadium werden durch Acetylchlorid/Aluminiumchlorid in Schwefelkohlenstoff ebenfalls zu *Tetracarbonyl-[acetyl-(bzw.-methyl-acetyl-cyclopentadienyl)-vanadium* monoacetyliert, während Dicarbonyl-cyclopentadienyl-cobalt unter den angewendeten Reaktionsbedingungen zersetzt wird[8].

Tricarbonyl-toluol-chrom wird in Schwefelkohlenstoff in Gegenwart von Aluminiumtribromid acetyliert [*Tricarbonyl-(methyl-acetyl-benzol)-chrom*][9]; bei der Reaktion werden alle möglichen Isomeren gebildet und zwar im Verhältnis $o : m : p = 38,6 : 14,8 : 46,6$. Ähnlich liegen die Verhältnisse bei der Umsetzung von Tricarbonyl-(äthyl-, isopropyl-, tert.-butyl-benzol)-chrom mit Acetylchlorid/Aluminiumchlorid in Dichlormethan bei 25°[10].

Ferrocen wird durch aliphatische Carbonsäure-chloride in Gegenwart von Aluminiumchlorid monoacyliert, wenn man die Umsetzung nach der Perrier Varianten der Keton-Synthese nach Friedel-Crafts vornimmt. Bei dieser Umsetzung zeigt sich Ferrocen reaktionsfähiger als Anisol. Zur Acylierung werden neben Acetyl-

[1] P. C. DOOLAN u. P. H. GORE, Soc. [C] **1967**, 212.

[2] J. KOZIKOWSKI, R. E. MAGINN u. M. S. KLOVE, Am. Soc. **81**, 2996 (1959).

[3] E. O. FISCHER u. K. PLESZKE, B. **91**, 2725 (1958).
    Brit. P. 864834 (1958), BASF, Erf.: E. O. FISCHER u. K. PLESZKE; C. A. **55**, 22338 (1961).

[4] A. N. NESMEYANOV et al., Izv. Akad. SSSR **1968**, 901; engl.: 861.

[5] Y. M. PAUSHKIN, T. P. VISHNYAKOWA u. I. D. KURASHEVA, Ž. obšč. Chim. **35**, 1682 (1965); engl.: 1684.

[6] A. N. NESMEYANOV, K. N. ANISIMOV u. Z. P. VALUEVA, Izv. Akad. SSSR **1961**, 1780; C. A. **56**, 8733 (1962).

[7] K. N. ANISIMOV u. N. E. KOLOBOVA, Izv. Akad. SSSR **1962**, 721; C. A. **57**, 15135 (1962).

[8] R. RIEMSCHNEIDER, O. GOEHRING u. M. KRÜGER, M. **91**, 305 (1960).

[9] G. E. HERBERICH u. E. O. FISCHER, B. **95**, 2808 (1962).

[10] W. R. JACKSON u. W. B. JENNINGS, Chem. Commun. **1966**, 824.

chlorid[1] (*Acetyl-ferrocen*) auch höhere aliphatische Carbonsäure-chloride verwendet[2].

In Gegenwart von überschüssigem Aluminiumchlorid in Schwefelkohlenstoff[3], Chloroform[1] oder Dichlormethan[4] erfolgt durch aliphatische Carbonsäure-chloride Diacylierung. Bei der Verwendung von Acetylchlorid als Acylierungsmittel ist *1,1'-Diacetyl-ferrocen* Hauptreaktionsprodukt neben 3% *1,2-Diacetyl-ferrocen*[5]. 1,1'-Diacetyl-ferrocen wird auch bei der Acetylierung von 1-Acetyl-ferrocen erhalten[6].

1,1'-Diacetyl-ferrocen[7]: Zu 10 g (0,075 Mol) Aluminiumchlorid und 30 *ml* Schwefelkohlenstoff wird unter langsamem Rühren innerhalb 1 Stde. eine Lösung von 5,6 g (0,03 Mol) Ferrocen und 5,3 g (0,066 Mol) Acetylchlorid in 50 *ml* Schwefelkohlenstoff gegeben. Unter Erwärmung und Chlorwasserstoff-Entwicklung scheidet sich schmieriges, rotviolettes Produkt ab. Nach Beendigung des Zutropfens wird noch 90 Min auf dem Wasserbad zum Sieden erhitzt. Zum abgekühlten Reaktionsgemisch werden nach dem Abdekantieren von Schwefelkohlenstoff unter Rühren 100 g Eis und 10 *ml* verd. Salzsäure gegeben. Der abgeschiedene rote Niederschlag wird im Scheidetrichter mit 250 *ml* Benzol und die wäßrige Lösung nochmals mit 50 *ml* Benzol ausgeschüttelt. Die vereinigten Benzol-Auszüge werden nach dem Trocknen mit Calciumchlorid i.Vak. in Stickstoffatmosphäre weitgehend eingeengt. Der Rückstand wird in ~ 25 *ml* Benzol gelöst und zur Kristallisation in den Kühlschrank gestellt. Die nach einigen Stdn. abgesaugten, mit wenig Benzol gewaschenen, roten Nadeln werden nochmals aus 25 *ml* Benzol umkristallisiert; Ausbeute: 4,8 g (60% d.Th.); F: 131°.

Unter analogen Bedingungen wird Ferrocen auch durch höhere aliphatische Carbonsäure-chloride diacyliert[8]. Die Acylierung von durch Alkyl- oder Aryl-Reste mono- oder di-substituierten Ferrocenen wird beschrieben[9]. Auch die Acylierung von Ferrocenen, die als Substituenten Benzyl-, Thienoyl-, Thienyl-[10] oder Aminocarbonyl-Reste[11] tragen, wird untersucht.

Ruthenocen wird durch Acetylchlorid/Aluminiumchlorid in siedendem Dichlormethan zu *Diacetyl-ruthenocen* diacyliert, während beim Osmocen unter analogen Bedingungen nur Monoacylierung zum *Acetyl-osmocen* erfolgt[12].

Versuche zur Acetylierung von Cyclopentadienyl-benzol-chrom oder -mangan nach Friedel-Crafts verlaufen anomal[13].

---

[1] G. D. Broadhead, J. M. Osgerby u. P. L. Pauson, Soc. **1958**, 653.
[2] M. Vogel, M. Rausch u. H. Rosenberg, J. Org. Chem. **22**, 1018 (1957).
   E. L. De Young, J. Org. Chem. **26**, 1312 (1961).
[3] R. B. Woodward, M. Rosenblum u. M. C. Whiting, Am. Soc. **74**, 3458 (1952).
[4] M. Rosenblum u. R. B. Woodward, Am. Soc. **80**, 5447 (1958).
[5] J. H. Richards u. T. J. Curphey, Chem. & Ind. **1956**, 1456.
[6] H. Riemschneider u. D. Helm, A. **646**, 16 (1961).
[7] H. Riemschneider u. D. Helm, B. **89**, 158 (1956).
[8] M. Vogel, M. Rausch u. H. Rosenberg, J. Org. Chem. **22**, 1018 (1957).
   A. N. Nesmeyanov u. N. A. Volkenau, Dokl. Akad. SSSR **107**, 262 (1956); C. A. **50**, 15519 (1956).
   E. L. De Young, J. Org. Chem. **26**, 1312 (1961).
[9] A. N. Nesmeyanov u. N. A. Volkenau, Dokl. Acad. SSSR **111**, 605 (1956); C. A. **51**, 9599 (1957).
   M. Rosenblum u. R. B. Woodward, Am. Soc. **80**, 5447 (1958).
   A. N. Nesmeyanov et al., Dokl. Akad. SSSR **120**, 1263 (1958); C. A. **53**, 1293 (1956).
   M. Rosenblum, Am. Soc. **81**, 4535 (1959).
   M. Rosenblum u. W. G. Howells, Am. Soc. **84**, 1167 (1962).
   H. Falk u. K. Schlögl, Tetrahedron **22**, 3047 (1966).
[10] K. Schlögl u. H. Pelousek, A. **651**, 1 (1962).
[11] W. F. Little u. R. Eisenthal, Am. Soc. **82**, 1579 (1960).
[12] M. D. Rausch, E. O. Fischer u. H. Grubert, Chem. & Ind. **1958**, 757; Am. Soc. **82**, 81 (1960).
[13] E. O. Fischer u. S. Breitschaft, B. **99**, 2213 (1966).

γ) Ketone aus hetero-substituierten aliphatischen oder cyclo-aliphatischen Carbonsäure-halogeniden und

$γ_1$) *Benzol und seinen Homologen*

Durch negative Substituenten, z.B. durch Halogen-Atome, in a-Stellung aliphatischer Carbonsäure-halogenide wird deren Reaktivität vergrößert.

Wie die Umsetzung des Benzols und seiner Homologen mit aliphatischen Carbonsäure-halogeniden wird auch die Umsetzung mit durch Halogenatome substituierten aliphatischen Carbonsäure-halogeniden vorgenommen. Man benutzt einen Überschuß des zu acylierenden Kohlenwasserstoffs als Lösungsmittel oder arbeitet zur Vermeidung von Nebenreaktionen in inerten Lösungsmitteln wie z.B. Schwefelkohlenstoff oder Dichlormethan. Zweckmäßig vermeidet man größere Überschüsse an Aluminiumchlorid.

Fluor-acetylchlorid wird mit Benzol in Schwefelkohlenstoff[1] oder besser in Dichlormethan in Gegenwart von Aluminiumchlorid zu *ω-Fluor-acetophenon* umgesetzt.

ω-Fluor-acetophenon[2]: 250 g (1,87 Mol) Aluminiumchlorid werden 30 Min. mit 1 *l* Dichlormethan verrührt. Man versetzt dann auf einmal mit einer Lösung von 80 g (0,83 Mol) Fluoracetylchlorid (**Vorsicht**) in 300 *ml* Dichlormethan und verrührt die Mischung während 30 Min. Die dunkelbraune Lösung wird von einem festen Bodensatz in einem Dreihalskolben abdekantiert und auf 0° abgekühlt. Unter lebhaftem Rühren läßt man eine Mischung aus 80 *ml* Benzol und 160 *ml* Dichlormethan innerhalb von 15 Min. zulaufen. Man verrührt noch 20 Min., dann wird der Kolbeninhalt auf Eis und Salzsäure ausgetragen. Die organische Phase wird abgetrennt, mit Wasser und Natriumhydrogencarbonat-Lösung gewaschen und über Calciumchlorid getrocknet. Nach dem Abdestillieren des Dichlormethans wird das Produkt über eine kurze Kolonne destilliert; Ausbeute: 93 g (81% d.Th.); Kp$_1$: 65–70°; F: 27–28° (dicke Platten).

Chlor-acetylfluorid ergibt als Bortrifluorid-Komplex mit Benzol *ω-Chlor-acetophenon* (87% d. Th.)[3]. Die Umsetzung von Chlor-acetylchlorid mit Benzol wird meist so vorgenommen, daß man in eine Mischung aus überschüssigem Benzol und Chlor-acetylchlorid bei Raumtemperatur Aluminiumchlorid einträgt und die Reaktionsmischung nach Beendigung der Chlorwasserstoff-Entwicklung aufarbeitet[4]. Analog wird die Umsetzung von Benzol mit Brom-acetylchlorid zu *ω-Brom-acetophenon* vorgenommen[5].

Difluor-acetylchlorid, Trifluor-acetylchlorid und Difluor-chlor-acetylchlorid können in Schwefelkohlenstoff mit Benzol in Gegenwart von Aluminiumchlorid bei 10° zu *ω,ω-Difluor-, ω,ω,ω-Trifluor-* und *ω,ω-Difluor-ω-chlor-acetophenon* umgesetzt werden[6]. Dichlor-acetylchlorid kann mit Benzol *ω,ω-Dichlor-acetophenon*[7] oder unter etwas schärferen Reaktionsbedingungen *1-Oxo-1,2,2-triphenyl-äthan*[8] ergeben. Die

[1] E. Gryszkiewicz-Trochimowski, A. Sporzynski u. J. Wnuk, R. **66**, 423 (1947).
   W. E. Truce u. B. H. Sack, Am. Soc. **70**, 3959 (1948).
   H. Kitano et al., J. chem. Soc. Japan **58**, 54 (1955).
[2] F. Bergmann u. A. Kalmas, Am. Soc. **76**, 4137 (1954).
[3] G. A. Olah u. S. Kuhn, B. **89**, 866 (1956).
[4] C. Friedel u. J. M. Crafts, A. ch. [6] **1**, 507 (1884).
   A. Collet, Bl. [3] **17**, 506 (1897).
   F. Tutin, Soc. **97**, 2500 (1910).
[5] A. Collet, Bl. [3] **17**, 68 (1897).
[6] S. G. Cohen, H. T. Wolosinski u. P. J. Scheuer, Am. Soc. **71**, 3440 (1949).
[7] H. Gautier, A. ch. [6] **14**, 388 (1888).
[8] A. Collet, Bl. [3] **15**, 22 (1896).

Art des aus Trichlor-acetylchlorid und Benzol entstehenden Reaktionsproduktes ist abhängig von der Qualität des verwendeten Aluminiumchlorids. Mit Aluminiumchlorid, das einige Zeit an der Luft gelagert wurde, wird *ω,ω,ω-Trichlor-acetophenon*[1], mit überschüssigem, frisch sublimiertem Aluminiumchlorid *1-Oxo-1,2,2-triphenyläthan (Triphenyl-vinylalkohol)* erhalten[2].

2-Brom-propansäure-chlorid wird mit Benzol entweder in einem Überschuß dieses Kohlenwasserstoffes[3] oder in Schwefelkohlenstoff[4] in Gegenwart von Aluminiumchlorid zu *2-Brom-1-oxo-1-phenyl-propan* umgesetzt. Mit überschüssigem Benzol erfolgt keine Nebenreaktion[5].

3-Chlor-propansäure-chlorid dagegen geht bei der Umsetzung mit Benzol leicht Nebenreaktionen ein. Je nach den angewendeten Reaktionsbedingungen entsteht *3-Chlor-1-oxo-1-phenyl-propan*[6], *1-Oxo-1,3-diphenyl-propan*[7] oder *Indanon-(1)*[8].

3-Chlor-1-oxo-1-phenyl-propan[9]: Eine Mischung aus 50 g (0,46 Mol) 3-Chlor-propansäure und 45 g (0,33 Mol) Phosphor(III)-chlorid wird auf dem Wasserbad 90 Min. unter Rückfluß erhitzt. Man kühlt die Mischung ab und verdünnt sie mit 200 *ml* Benzol. Dann dekantiert man das Benzol von der am Boden des Gefäßes abgeschiedenen sirupösen Phosphorsäure in einen 1-*l*-Dreihalskolben mit Rührer und Rückflußkühler mit Calciumchlorid-Trockenrohr ab. Zu dieser Lösung des 3-Chlor-propansäure-chlorids in Benzol werden innerhalb von 2 Stdn. in kleinen Portionen 75 g(0,56 Mol) Aluminiumchlorid gegeben. Jede Zugabe ist von Chlorwasserstoff-Entwicklung und einer Wärmetönung begleitet. Die Lösung bleibt hellgelb, bis der Aluminiumchlorid-Zusatz nahezu beendet ist, dann wird der Kolbeninhalt dunkelrot. Anschließend wird die Reaktionsmischung auf dem Wasserbade 1 Stde. rückfließend gekocht, abgekühlt und unter gutem Rühren auf Eis ausgegossen. Die organische Phase wird abgetrennt, mit 100 *ml* Wasser gewaschen, über Calciumchlorid getrocknet und das Benzol ohne Erhitzen durch Durchleiten von Luft abgetrieben; Ausbeute: 65,5 g (85% d.Th.); F: 46–48°. Aus Hexan und Abkühlen der Lösung auf 0° kann die Verbindung umgelöst werden; F: 47–48°.

Die Ausbeute an 3-Chlor-1-oxo-1-phenyl-propan steigt auf 93% d.Th. an, wenn man die Reaktionsmischung nicht unter Rückfluß erhitzt, sondern 15 Stdn. bei Raumtemp. verrührt[10].

Läßt man zuerst das aliphatisch gebundene Chloratom reagieren, dann tritt Ringschluß zum Indanon-(1) ein.

Indanon-(1)[11]: Zu einer Aufschlämmung von 27 g (0,2 Mol) Aluminiumchlorid in 10 g Benzol läßt man bei ~20° langsam eine Lösung von 11 g (0,1 Mol) 3-Chlor-propansäure und 16 g Benzol zufließen. Anschließend wird mehrere Stdn. zum Sieden erhitzt. Die Aufarbeitung kann nach Versetzen mit Eis und Salzsäure so geschehen, daß man das Reaktionsgemisch einer Wasserdampfdestillation unterwirft, wobei anfangs fast nur das Benzol übergeht und später das Indanon-(1), welches kristallin erstarrt; F: 40°.

1-Oxo-1,3-diphenyl-propan[12]: 10 g (0,092 Mol) 3-Chlor-propansäure und 9 g (0,061 Mol) Phosphor(III)-chlorid werden 1 Stde. auf dem Wasserbade erhitzt. Man versetzt die Reaktionsmischung mit 100 *ml* Benzol und dekantiert die benzolische Lösung des 3-Chlor-propansäure-

[1] H. Gautier, A. ch. [6] **14**, 398 (1888).
  H. Biltz, J. pr. [2] **142**, 193 (1935).
  A. Kaluszyner u. S. Reuter, Am. Soc. **75**, 5127 (1953).
[2] M. Delacre, Bl. [3] **13**, 859 (1895).
  H. Biltz, J. pr. [2] **142**, 193 (1935).
[3] A. Collet, Bl. [3] **15**, 716 (1896).
[4] F. Kunckell u. W. Dettmar, B. **36**, 771 (1912).
[5] A. Collet, Bl. [3] **17**, 69 (1897).
[6] A. Collet, Bl. [3] **17**, 80 (1897).
[7] F. Meyer u. W. Fischbach, B. **58**, 1251 (1925).
[8] A. Rahman u. A. E. Gastaminza, R. **81**, 647 (1962).
[9] K. N. Campbell, R. A. LaForge u. B. K. Campbell, J. Org. Chem. **14**, 348 (1949).
[10] S. Searles, K. A. Pollart u. E. F. Lutz, Am. Soc. **79**, 950 (1957).
[11] DRP 485309 (1926), I. G. Farben, Erf.: K. Schirmacher, K. Billig u. K. Horst; C. A. **24**, 861 (1930).
[12] C. F. Allen u. W. E. Barker, Am. Soc. **54**, 741 (1932).

chlorids auf eine Aufschlämmung von 30 g (0,22 Mol) Aluminiumchlorid in 100 *ml* Benzol. Die Mischung wird 90 Min. unter Rückfluß erhitzt und dann mit 200 g Eis und 100 *ml* konz. Salzsäure zersetzt. Der Benzol-Extrakt wird abgetrennt, getrocknet, das Benzol destilliert man i. Vak. ab. Es bleibt eine braune Flüssigkeit zurück, die beim Abkühlen erstarrt. Dieser feste Rückstand wird mit 25 *ml* Petroläther (Kp: 40–80°) gewaschen. Man erhält so 8,5 g, aus dem Petroläther fällt noch ein weiteres Gramm der Verbindung aus; Ausbeute: 9,5 g (49% d. Th.); F: 70–72°.

3-Brom-propansäure-chlorid ergibt bei der Umsetzung mit einem geringen Überschuß an Benzol in siedendem Schwefelkohlenstoff in Gegenwart von Aluminiumchlorid *3-Brom-1-oxo-1-phenyl-propan* (93% d. Th.)[1]. 3-Jod-propansäure-chlorid wird analog wie 3-Chlor-propansäure-chlorid bereitet und mit Benzol zu *3-Jod-1-oxo-1-phenyl-propan* umgesetzt[2].

2,3-Dibrom-propansäure-chlorid ergibt bei der Umsetzung mit einem geringen Überschuß an Benzol in Schwefelkohlenstoff in Gegenwart von Aluminiumchlorid unter Kühlen mit einer Eis-Natriumchlorid-Mischung *2,3-Dibrom-1-oxo-1-phenyl-propan* (95% d. Th.)[3]. Die Umsetzung von Pentafluor-propansäure-chlorid mit Benzol wird so vorgenommen, daß man das Säurechlorid bei −10° in eine Suspension von Aluminiumchlorid in Benzol einleitet; man erhält dabei *Pentafluor-1-oxo-1-phenyl-propan* (44% d. Th.)[4].

Höhere α-Halogen-carbonsäure-chloride oder -bromide wie z.B. 2-Brom-butansäure-[5], 2-Brom-2-methyl-propansäure-chlorid[6] und 2-Brom-3-methyl-butansäure-bromid[7] werden mit Benzol in überschüssigem Benzol oder in Schwefelkohlenstoff in Gegenwart von Aluminiumchlorid meist mit hohen Ausbeuten zu *2-Brom-1-oxo-1-phenyl-butan*, *2-Brom-1-oxo-2-methyl-1-phenyl-propan* und *2-Brom-1-oxo-3-methyl-1-phenyl-butan* umgesetzt.

Wie bei der Umsetzung von 3-Chlor-propansäure mit Benzol entsteht mit 3-Chlor-butansäure *1-Oxo-3-methyl-indan*[8].

2,3-Dibrom-butansäure-chlorid und 2,3-Dibrom-3-methyl-butansäure-chlorid ergeben mit Benzol in Schwefelkohlenstoff in Gegenwart von Aluminiumchlorid bei tiefen Temperaturen *2,3-Dibrom-1-oxo-1-phenyl-butan* und *2,3-Dibrom-1-oxo-3-methyl-1-phenyl-butan*[9]. Auch die Umsetzung von 3,3,3-Tribrom-2,2-dimethyl-propansäure-chlorid mit Benzol zu *3,3,3-Tribrom-1-oxo-2,2-dimethyl-1-phenyl-propan*[10] wird beschrieben.

Die Umsetzung von γ-Halogen-carbonsäure-chloriden wie 4-Chlor-butansäure-, 4-Chlor-3-methyl-butansäure-[11], 4-Brom-butansäure- und 4-Brom-pentansäure-chlorid[12] mit Benzol, entweder mit einem Überschuß dieses Kohlenwasserstoffs

[1] E. L. FOREMAN u. S. M. McELVAIN, Am. Soc. **62**, 1436 (1940).
  T. NAMBARA, J. pharm. Soc. Japan **74**, 13 (1954).
[2] J. HALE u. E. C. BRITTON, Am. Soc. **41**, 846 (1919).
  T. NAMBARA. J. pharm. Soc. Japan **74**, 13 (1954).
[3] E. P. KOHLER, Am. Soc. **42**, 382 (1909).
[4] J. H. SIMONS, W. T. BLACK u. R. F. CLARK, Am. Soc. **75**, 5621 (1953).
[5] A. COLLET, Bl. [3] **15**, 1100 (1896); Bl. [3] **17**, 76 (1897).
[6] A. COLLET, Bl. [3] **17**, 78 (1897).
[7] F. KUNCKELL u. K. A. STAHEL, B. **37**, 1088 (1904).
[8] DRP 485 309 (1926), I. G. Farben, Erf.: K. SCHIRMACHER, K. BILLIG u. K. HORST; C. A. **24**, 861 (1930).
[9] E. P. KOHLER, Am. Soc. **42**, 393, 398 (1909).
[10] F. NERDEL, A. HEYMONS u. H. GAUSAN, B. **91**, 946 (1958).
[11] Belg. P. 577 977 (1959), Erf.: P. A. J. JANSSEN; C. A. **54**, 4629 (1960).
  W. J. CLOSE, Am. Soc. **79**, 1456 (1957).
[12] G. BADDELEY u. R. WILLIAMSON, Soc. **1956**, 4652.

oder in Dichlormethan, ergeben in Gegenwart von Aluminiumchlorid *4-Chlor-* und *4-Brom-1-oxo-1-phenyl-butan*, *4-Chlor-1-oxo-3-methyl-1-phenyl-butan* und *4-Brom-1-oxo-1-phenyl-pentan*. Auch 5-Chlor-pentansäure- und 7-Chlor-heptansäure-chlorid reagieren mit Benzol zu *5-Chlor-1-oxo-1-phenyl-pentan* bzw. *7-Chlor-1-oxo-1-phenyl-heptan*[1].

Die Umsetzung höherer perfluorierter Carbonsäure-chloride wie Heptafluor-butansäure-, Nonafluor-pentansäure- oder Undecafluor-hexansäure-chlorid mit Benzol in Gegenwart von Aluminiumchlorid verläuft ohne Besonderheiten zu *Heptafluor-1-oxo-1-phenyl-butan*, *Nonafluor-1-oxo-1-phenyl-pentan* bzw. *Undecafluor-1-oxo-1-phenyl-hexan*[2].

Wenn man Acetoxy-acetylchlorid in Schwefelkohlenstoff mit überschüssigem Benzol durch Zugeben von Aluminiumchlorid zur Reaktion bringt, erhält man ein Gemisch aus *Acetophenon* und *ω-Hydroxy-acetophenon* (*2-Oxo-2-phenyl-äthanol*)[3]. Auch bei der Umsetzung von 2-Acetoxy-2-methyl-propansäure-chlorid mit Benzol in Gegenwart von Aluminiumchlorid entsteht ein Gemisch von Reaktionsprodukten, nämlich *2-Acetoxy-1-oxo-2-methyl-1-phenyl-propan* und 5-Oxo-2,4,4-trimethyl-2-phenyl-1,3-dioxolan[4]:

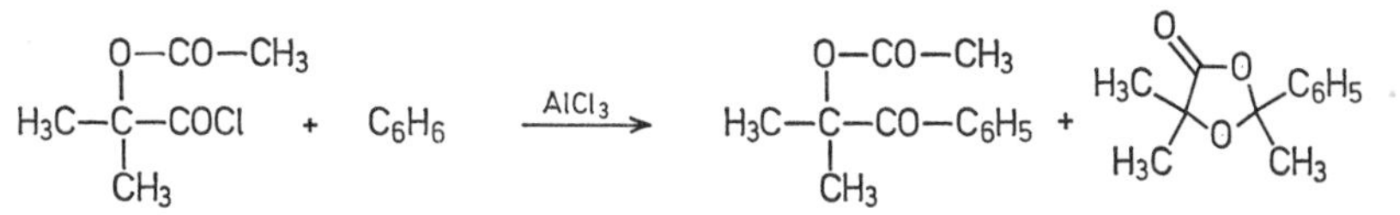

Phenoxy-acetylchlorid ergibt in Benzol in Gegenwart von Aluminiumchlorid bei 15° ein Gemisch aus *2-Phenoxy-1-oxo-1-phenyl-äthan* und *Cumaranon-(3)*. Das cyclische Reaktionsprodukt kann aus dem hydrolysierten Reaktionsgemisch durch Wasserdampfdestillation abgetrennt werden[5]. 1-(Chlorcarbonyl-methoxy)-xanthon (I) ergibt in Benzol mit Aluminiumchlorid *1-(2-Oxo-2-phenyl-äthoxy)-xanthon* (27% d.Th.; II); in Schwefelkohlenstoff wird das Säurechlorid durch Aluminiumchlorid mit einer Ausbeute von 20% d.Th. in III umgewandelt[6]:

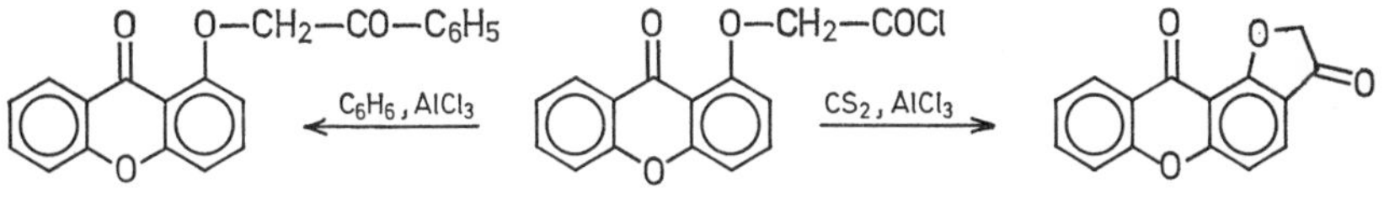

II   I   III; *3,11-Dioxo-2,3-dihydro-11H-⟨furano-[1,2-b]-xanthen⟩*

3-Methylmercapto-propansäure-chlorid kann mit Benzol in Gegenwart von Aluminiumchlorid zu *3-Methylmercapto-1-oxo-1-phenyl-propan* (25% d.Th.) umgesetzt werden[7].

[1] A. N. NESMEYANOV u. L. ZAKHARKIN, Izv. Akad. SSSR **1955**, 224; C. A. **50**, 4849 (1956).
[2] J. H. SIMONS, W. T. BLACK u. R. F. CLARK, Am. Soc. **75**, 5621 (1953).
[3] R. ANSCHÜTZ u. P. FÖRSTER, A. **368**, 89 (1909).
[4] E.-E. BLAISE et HERZOG, C. r. **184**, 1332 (1927).
[5] R. STOERMER u. P. ATENSTÄDT, B. **35**, 3562 (1902).
[6] J. S. H. DAVIES, F. SCHEINMANN u. H. SUSCHITZKY, Soc. **1956**, 2140.
[7] M. PROTIVA u. O. EXNER, Chem. Listy **47**, 738 (1953).

Acetessigsäure-chlorid, das aus Diketen hergestellt wird, ergibt mit Benzol/ Aluminiumchlorid *1,3-Dioxo-1-phenyl-butan*[1]. Zweckmäßiger wird das Diketen direkt eingesetzt[2].

Die Umsetzung von Phthalimido-acetylchlorid[3] oder Chloriden höherer aliphatischer Phthalimido-carbonsäuren[4] mit Benzol in Gegenwart von Aluminiumchlorid führt meist mit guten Ausbeuten zu Phthalimido-1-oxo-1-phenyl-alkanen. Unter analogen Bedingungen gelingt auch die Umsetzung von 6-Benzoylamino-hexansäure-chlorid mit Benzol zu *6-Benzoylamino-1-oxo-1-phenyl-hexan*[5].

Ein recht elegantes Verfahren zur Synthese von Amino-1-oxo-1-phenyl-alkan-hydrochloriden ist die Umsetzung von aliphatischen Amino-carbonsäure-chlorid-hydrochloriden mit Benzol in Schwefelkohlenstoff.

α-Amino-acetophenon-hydrochlorid (2-Amino-1-oxo-1-phenyl-äthan-hydrochlorid)[6]: In einem Dreihalskolben, der mit Rührer und Rückflußkühler versehen ist, werden 100 *ml* Schwefelkohlenstoff, 40 *ml* Benzol und 8,0 g (0,06 Mol) Aluminiumchlorid unter Feuchtigkeitsausschluß in einem Wasserbad auf 50° erwärmt. Unter kräftigem Rühren gibt man in mehreren Anteilen im Laufe von 90 Min. 3,9 g (0,03 Mol) Amino-essigsäure-chlorid-hydrochlorid hinzu, rührt noch weitere 4 Stdn. bei 50°, kühlt dann auf 0° ab und schüttelt mit einem Gemisch aus 150 g zerstoßenem Eis und 10 *ml* konz. Salzsäure durch, bis sich alles gelöst hat. Die abgetrennte wäßrige Phase wird i. Vak. bei einer Badtemp. von 40–45° eingedampft, der Rückstand mit 40 *ml* konz. Salzsäure verrieben. Nach dem Filtrieren wird die Lösung eingedampft, das zurückbleibende Rohprodukt durch 2maliges Umkristallisieren aus Äthanol und Waschen der Kristalle mit Äther gereinigt; Ausbeute: 3,1 g (60% d. Th.); F: 186°.

Analog werden hergestellt:

D,L-2-Amino-1-oxo-1-phenyl-propan	52% d. Th.	F: 184°
3-Amino-1-oxo-1-phenyl-propan	38% d. Th.	F: 128°
D,L-2-Amino-3-methyl-1-oxo-1-phenyl-butan	42% d. Th.	F: 208–209°

Unter Verwendung von aliphatischen Benzoylamino-carbonsäure-chloriden an Stelle der aliphatischen Amino-carbonsäure-chlorid-hydrochloride werden unter sonst analogen Umsetzungsbedingungen folgende Ketone hergestellt:

3-Benzoylamino-1-oxo-1-phenyl-propan	56% d. Th.	F: 96°
D,L-2-Benzoylamino-1-oxo-2-methyl-1-phenyl-propan	44% d. Th.	F: 137–138°

N-Methyl-piperidin-4-carbonsäure-chlorid verhält sich bei der Umsetzung mit Benzol in Gegenwart von überschüssigem Aluminiumchlorid wie ein ω-tert.-Amino-alkansäure-halogenid[7].

1-Methyl-4-benzoyl-piperidin[8]: Eine Mischung aus 135 g (0,75 Mol) 1-Methyl-piperidin-4-carbonsäure-hydrochlorid und 200 *ml* Thionylchlorid wird 6 Stdn. rückfließend gekocht. Nach dem Entfernen des überschüssigen Thionylchlorids gibt man 800 *ml* trockenes Benzol hinzu, es entsteht ein Brei. Unter Rühren versetzt man die Reaktionsmischung im Verlaufe von 15 Min. mit 267 g (2 Mol) Aluminiumchlorid. Die tiefbraune Mischung wird noch 30 Min. gerührt und dann auf 2,5 kg zerstoßenes Eis ausgetragen. Man versetzt die Suspension nun unter Kühlung mit soviel 50%iger Natronlauge, daß eine alkalische Natriumaluminat-Lösung entsteht. Die

[1] C. D. HURD u. C. D. KELSO, Am. Soc. **62**, 1549 (1940).
[2] s. ds. Handb., Bd. VII/4, Kap. Ketene, S. 248.
[3] S. GABRIEL, B. **40**, 2649 (1907).
[4] A. HILDESHEIMER, B. **43**, 2796 (1910).
    S. GABRIEL u. J. COLMAN, B. **41**, 513, 2016 (1908).
    S. GABRIEL, B. **44**, 57 (1911).
[5] S. GABRIEL, B. **42**, 1251 (1909).
[6] H. ZINNER u. G. BROSSMANN, J. pr. [4] **5**, 94 (1957).
[7] N. SPERBER et al., Am. Soc. **73**, 5010 (1951).
[8] E. E. SMISSMANN u. G. HITE, Am. Soc. **81**, 1202 (1959).

Benzolphase wird abgetrennt, die wäßrige Phase wird mit Äther extrahiert. Die benzolische und die ätherischen Lösungen werden vereinigt und mit 6 Portionen von je 300 *ml* 5%iger Salzsäure ausgeschüttelt. Der saure Extrakt wird mit Natronlauge auf p_H : 11 gestellt und erneut mit Äther ausgeschüttelt. Die ätherische Lösung wird über Natriumsulfat getrocknet, filtriert, zu einem dunkelbraunen Öl eingeengt und das Öl fraktioniert destilliert; Ausbeute: 135 g (88% d.Th.); $Kp_{0,5}$: 122° (hellgelbes Öl); nach dem Umkristallisieren aus Pentan fällt das Keton in Kristallen an; F: 40—40,5°.

Analog wird die Umsetzung von Benzol mit 1-Methyl-piperidin-3-carbonsäure-chlorid vorgenommen[1].

Auch 3-[1-Benzoyl-2,3-dihydro-indolyl-(3)-propionsäure-chlorid[2] und 2,6-Dioxo-1,3-dimethyl-1,2,3,6-tetrahydro-purinyl-chlorid   [Theophyllinyl-(7)-essigsäure-chlorid][3] reagieren in Benzol in Gegenwart von Aluminiumchlorid, wie man es erwartet:

3-(3-Oxo-3-phenyl-propyl)-indol

*2,6-Dioxo-1,3-dimethyl-7-(2-oxo-2-
phenyl-äthyl)-1,2,3,6-tetrahydro-
purin*

Monoalkyl-benzole wie Toluol[4], Äthyl-benzol[5] oder Isopropyl-benzol[6] ergeben mit Chlor-acetylchlorid/Aluminiumchlorid in Schwefelkohlenstoff bei Temperaturen von 0°—25° mit hohen Ausbeuten *4-Methyl-*(bzw. *4-Äthyl-*; bzw. *4-Isopropyl*)-*1-chloracetyl-benzol*. Analog verhalten sich Brom-acetyl-bromid oder -chlorid[7], Trichlor-acetylchlorid sowie 2-Brom-propansäure-chlorid und 2-Brom-butansäure-chlorid[8]. Toluol kann mit 3-Chlor-propansäure-chlorid zu *4-Methyl-1-(3-chlor-propanoyl)-benzol* umgesetzt werden. Man nimmt die Umsetzung so vor, daß man zum unter Schwefelkohlenstoff vorgelegten Aluminiumchlorid bei Raumtemperatur eine Mischung aus Toluol und 3-Chlor-propansäure-chlorid zulaufen läßt[9]. Wenn man Toluol mit 3-Chlor-propansäure in Gegenwart von Aluminiumchlorid bei der

[1] E. E. SMISSMANN u. G. HITE, Am. Soc. **81**, 1202 (1959).

[2] E. C. KORNFELD et al., Am. Soc. **78**, 3096 (1956).

[3] J. KLOSA, Ar. **288**, 303 (1955).

[4] F. KUNCKELL, B. **30**, 578 (1897).

[5] K. v. AUWERS, B. **79**, 3759 (1906).

[6] M. S. NEWMAN u. E. K. EASTERBROOK, Am. Soc. **77**, 3764 (1955).

[7] F. KUNCKELL, B. **30**, 1713 (1897).

W. A. JACOBS u. M. HEIDELBERGER, J. biol. Chem. **21**, 455 (1915).

M. C. REBSTOCK u. C. J. STRATTON, Am. Soc. **77**, 4057 (1955).

[8] A. COLLET, C. r. **125**, 305 (1897).

F. KUNCKELL, Ber. dtsch. Pharm. Ges. 22, 180, 242 (1912).

[9] J. KENNER u. F. S. STATHAM, Soc. **1935**, 301.

8*

Siedetemperatur des Toluols zur Reaktion bringt, erhält man *1-Oxo-5-methyl-indan*[1]. Mit 4-Chlor-butansäure-chlorid entsteht aus Toluol in Gegenwart von Aluminiumchlorid bei 10–15° *4-Methyl-1-(4-chlor-butanoyl)-benzol*[2]. Perfluorierte aliphatische Carbonsäure-chloride wie Trifluor-acetylchlorid, Pentafluor-propansäure-, Heptafluor-butansäure-, Nonafluor-pentansäure- oder Undecafluor-hexansäure-chlorid lassen sich mit Toluol in Gegenwart von Aluminiumchlorid zu *4-Methyl-1-trifluoracetyl-[bzw. -1-(pentafluor-propanoyl)-*; bzw. *-1-(heptafluor-butanoyl)-*; bzw. *-1-(nonafluor-pentanoyl)-* bzw. *-1-(undecafluor-hexanoyl)]-benzol* umsetzen; die dabei erzielten Ausbeuten liegen unter 50% der Theorie[3].

Die Umsetzung von Phenoxy-acetylchlorid/Aluminiumchlorid mit Toluol wird bei 15° vorgenommen: man erhält *4-Methyl-1-phenoxyacetyl-benzol*. Die bei der Umsetzung des Phenoxy-acetylchlorids mit Benzol nebenher verlaufende intramolekulare Cyclisierung zu Cumaranon-(3) erfolgt bei der Umsetzung mit Toluol nur in geringem Maße[4].

Die Umsetzung von Toluol mit 6-Benzoylamino- oder 6-Phthalimino-hexansäurechlorid in überschüssigem Toluol in Gegenwart von Aluminiumchlorid bei 60° vorgenommen[5] führt zu *6-Benzoylamino-(bzw. 6-Phthalimino)-1-oxo-1-(4-methyl-phenyl)-hexan*. Bei der Reaktion von Cyan-acetylchlorid/Aluminiumchlorid mit Toluol in Schwefelkohlenstoff bei 30–40° entsteht *3-Oxo-3-(4-methyl-phenyl)-propansäure-nitril*[6].

Die Umsetzung von Dialkyl- oder Polyalkyl-benzolen mit aliphatischen 2-Chlor- oder 2-Brom-carbonsäure-chloriden wird meist in Schwefelkohlenstoff in Gegenwart von Aluminiumchlorid bei Raumtemperatur oder darunter vorgenommen. Die Ausbeuten an Dialkyl-(bzw. Polyalkyl)-[2-chlor-(bzw. -2-brom)-alkanoyl]-benzolen liegen zwischen 30% und 90% der Theorie. Einige der hergestellten Verbindungen sind in Tab. 19 (S. 117) zusammengestellt.

Zur Umsetzung von Tetralin mit Chloracetylchlorid werden katalytische Mengen Phosphor(V)-oxid verwendet. Man erhält bei der hohen Reaktionstemperatur ein Gemisch aus *5-* und *6-Chloracetyl-tetralin*. Bei Raumtemperatur mit Aluminiumchlorid dürfte weitgehend einheitliches *6-Chloracetyl-tetralin* entstehen.

5- und 6-Chloracetyl-tetralin[7]: 225 g (1,7 Mol) Tetralin, 100 g (0,885 Mol) Chlor-acetylchlorid und 2,5 g Phosphor(V)-oxid werden unter Rühren am Rückflußkühler erhitzt, zum Schluß bis auf 190° Innentemp., wobei rund 30 g Chlorwasserstoff-Abspaltung nachgewiesen werden. Der flüssige Kolbeninhalt wird von abgeschiedener kohliger Substanz abgesaugt, letztere mit Benzol extrahiert, die Filtrate fraktioniert. Die Fraktion 190°–200° unter 12 Torr erstarrt zum Teil, die Kristalle werden scharf abgesaugt und so in farblosen Nadeln (F: 63–64°; Kp$_{17}$: 202–203°) erhalten; Ausbeute: *6-Chloracetyl-tetralin* 90 g (48,8% d. Th.).

5-Chloracetyl-tetralin wird aus der flüssigen, vom kristallisierten 6-Chloracetyl-tetralin durch Ausfrieren möglichst befreiten Mutterlauge des Produktes der Kondensation von Tetralin mit Chloracetylchlorid durch Fraktionieren erhalten; Kp$_{0,2}$: 140–142°. Die Verbindung ist nicht zur Kristallisation zu bringen.

---

[1] DRP 485309 (1926), I. G. Farb., Erf.: K. Schirmacher, K. Billig u. K. Horst; C. A. **24**, 861 (1930).
[2] US. P. 2997472 (1959), P. A. J. Janssen; C. A. **56**, 11603 (1962).
  W. J. Close, Am. Soc. **79**, 1456 (1957).
[3] J. H. Simons, W. T. Black u. R. F. Clark, Am. Soc. **75**, 5621 (1953).
[4] R. Stoermer u. P. Atenstädt, B. **35**, 3564 (1902).
[5] K. A. Böttcher, B. **46**, 3159 (1913).
[6] Brit. P. 342373 (1929), I. G. Farb.; C. **1931**, II 638.
[7] G. Schroeter, B. **57**, 2015 (1924).

Tab. 19. Dialkyl- bzw. Polyalkyl-[2-chlor- (bzw. -2-brom)-alkanoyl]-benzole

$R-\overset{\overset{O}{\|}}{C}-\overset{\overset{X}{\|}}{C}H-R'$				F [°C]	Literatur
R	R'	X			
H₃C–⟨⟩–CH₃ (3,4)	H	Cl	3,4-Dimethyl-1-chloracetyl-benzol	73–74	1
	H	Br	3,4-Dimethyl-1-brom-acetyl-benzol	62	2
	CH₃	Br	3,4-Dimethyl-1-(2-brom-propanoyl)-benzol	(Kp₁₅: 165–168°)	3
	C₂H₅	Br	3,4-Dimethyl-1-(2-brom-butanoyl)-benzol	(Kp₈: 157–160°)	3
2,4-Dimethyl	H	Cl	2,4-Dimethyl-1-chloracetyl-benzol	62–63	1
	H	Br	2,4-Dimethyl-1-brom-acetyl-benzol	42–43,5	2
	CH₃	Br	2,4-Dimethyl-1-(2-brom-propanoyl)-benzol	(Kp₂₀₋₂₅: 160–163°)	4
	C₂H₅	Br	2,4-Dimethyl-1-(2-brom-butanoyl)-benzol	(Kp₁₇: 167–172°)	3
2,5-Dimethyl	H	Cl	2,5-Dimethyl-1-chloracetyl-benzol	32	5
	CH₃	Br	2,5-Dimethyl-1-(2-brom-propanoyl)-benzol	(Kp₄₀₋₄₅: 166–168°)	4
	C₂H₅	Br	2,5-Dimethyl-1-(2-brom-butanoyl)-benzol	(Kp₁₆: 159–161°)	3
2-Methyl-5-isopropyl	H	Cl	2-Methyl-5-isopropyl-1-chloracetyl-benzol	(Kp₈: 153–155°)	3,6
2,4,5-Trimethyl	H	Cl	2,4,5-Trimethyl-1-chlor-acetyl-benzol	76	1
	H	Br	2,4,5-Trimethyl-1-brom-acetyl-benzol	56	1
2,4,6-Trimethyl	H	Cl	2,4,6-Trimethyl-1-chlor-acetyl-benzol	68,5	5
	H	Br	2,4,6-Trimethyl-1-brom-acetyl-benzol	55–56	2
Pentamethyl	H	Cl	Pentamethyl-chloracetyl-benzol	110	1
Pentaäthyl	H	Cl	Pentaäthyl-chloracetyl-benzol	104	1
	H	Br	Pentaäthyl-bromacetyl-benzol	82	1

¹ F. KUNCKELL, B. 30, 577, 1713 (1897).
² W. A. JACOBS u. M. HEIDELBERGER, J. biol. Chem. 21, 457 (1915).
³ F. KUNCKELL, Ar. 22, 242 (1912).
⁴ A. COLLET, C. r. 125, 306 (1897).
⁵ A. COLLET, Bl. [3] 17, 509 (1897).
⁶ M. S. MALINOVSKII u. G. K. BARABASHOVA, Ž. obšč. Chim. 19, 2088 (1949); engl.: 559.

Analog wird durch Kondensation von 1,2,3,4,5,6,7,8-Octahydro-phenanthren mit Chlor-acetylchlorid 9-*Chloracetyl-1,2,3,4,5,6,7,8-octahydro-phenanthren* (Kp$_{0,33}$: 81°) erhalten[1].

p-Xylol ergibt mit 3-Chlor-propansäure-chlorid/Aluminiumchlorid in Schwefelkohlenstoff bei Raumtemperatur *2,5-Dimethyl-1-(3-chlor-propanoyl)-benzol* (81% d. Th.)[2]. Das aus p-Xylol und 3-Chlor-butansäure-chlorid unter analogen Bedingungen gebildete *2,5-Dimethyl-1-(3-chlor-butanoyl)-benzol* geht bei der Aufarbeitung weitgehend in *1-Oxo-3,4,7-trimethyl-indan* über[3], während unter analogen Bedingungen aus 1,3,5-Trimethyl-benzol und 3-Chlor-propansäure-chlorid *2,4,6-Trimethyl-1-propanoyl-benzol* gebildet wird[4].

Bei der Umsetzung von m-Xylol bzw. p-Xylol mit 4-Chlor-butansäure-chlorid/Aluminiumchlorid in Schwefelkohlenstoff entsteht in glatter Reaktion *2,4-(bzw. 2,5)-Dimethyl-1-(4-chlor-butanoyl)-benzol*[5].

Aus Dichlor-acetylchlorid und Tetralin wird in Schwefelkohlenstoff in Gegenwart von Aluminiumchlorid bei Raumtemperatur *6-Dichloracetyl-tetralin* erhalten[6]. Auch die Umsetzung von p-Xylol mit 2,3-Dibrom-butansäure-chlorid glückt unter analogen Bedingungen zu *2,5-Dimethyl-1-(2,3-dibrom-butanoyl)-benzol*[3]. m-Xylol ergibt bei 50° ohne Lösungsmittel mit Undecafluor-hexansäure-chlorid/Aluminiumchlorid *2,4-Dimethyl-1-(undecafluor-hexanoyl)-benzol* (81% d. Th.)[7].

Phenoxy-acetylchlorid reagiert mit m-Xylol ohne größere Nebenreaktionen zu *2,4-Dimethyl-1-(phenoxy-acetyl)-benzol*[8]. 2-Acetoxy-2-methyl-propansäure-chlorid ergibt mit p-Xylol ein Gemisch aus *2,5-Dimethyl-1-(2-acetoxy-2-methyl-propanoyl)-benzol* und *2,5-Dimethyl-1-acetyl-benzol*[9]. o,m- und p-Xylol liefert mit 6-Phthalimino-hexansäure-chlorid *2,3-, 2,4-* und *2,5-Dimethyl-1-(6-phthalimino-hexanoyl)-benzol*[10].

Diphenylmethan kann mit Brom-acetylchlorid mit geringer Ausbeute zum *Benzyl-bromacetyl-benzol* umgesetzt werden[11]. Dagegen glückt die Umsetzung von Diphenylmethan oder von höheren α,ω-Diphenyl-alkanen wie 1,2-Diphenyl-äthan, 1,3-Diphenyl-propan, 1,4-Diphenyl-butan, 1,5-Diphenyl-pentan oder 1,10-Diphenyl-decan mit überschüssigem Chlor-acetylchlorid/Aluminiumchlorid in Schwefelkohlenstoff zu *1,2-Bis-[4-chloracetyl-phenyl]-äthan, 1,3-Bis-[4-chloracetyl-phenyl]-propan, 1,4-Bis-[4-chloracetyl-phenyl]-butan, 1,5-Bis-[4-chloracetyl-phenyl]-pentan* bzw. *1,10-Bis-[4-chloracetyl-phenyl]-decan* mit Ausbeuten von 40%–90% der Theorie[12]. 3,4-Diphenyl-hexan wird mit Chlor-acetylchlorid/Aluminiumchlorid nach der Perrier Varianten der Keton-Synthese nach Friedel-Crafts zu *3,4-Bis-[4-chloracetyl-phenyl]-*

[1] G. Schroeter, B. **57**, 2031 (1924).

[2] F. Mayer u. P. Müller, B. **60**, 2281 (1927).

[3] K. v. Auwers u. E. Risse, A. **502**, 292 (1933).

[4] R. C. Fuson u. C. H. McKeever, Am. Soc. **62**, 2089 (1940).

[5] Belg. P. 577977 (1959), P. A. J. Janssen; C. A. **54**, 4629 (1960).

[6] I. Rabcewicz-Zubkowski, Roczniki Chem. **14**, 160 (1934).

[7] J. H. Simons, W. T. Black u. R. F. Clark, Am. Soc. **75**, 5621 (1953).

[8] R. Stoermer u. P. Atenstädt, B. **35**, 3564 (1902).

[9] E. E. Blaise et Herzog, C. r. **184**, 1333 (1927).

[10] K. A. Böttcher, B. **46**, 3163, 3164 (1913).

[11] F. A. Marchetti u. M. L. Stein, Il Farmaco **10**, 243 (1955); C. A. **50**, 4861 (1956).

[12] E. Gryszkiewicz-Trochimowski, O. Gryszkiewicz-Trochimowski u. R. S. Levy, Bl. **1958**, 1158.

hexan umgesetzt[1]. Unter analogen Bedingungen entsteht aus 3-Phenyl-4-(4-methoxy-phenyl)-hexan *4-(4-Methoxy-phenyl)-3-(chloracetyl-phenyl)-hexan*[2].

Ameisensäure-benzylamid (Benzyl-formamid) ergibt mit 3-Chlor-, 3-Brom- oder 3-Jod-propansäure-chlorid in Schwefelkohlenstoff in Gegenwart von Aluminiumchlorid *4-(Formyl-aminomethyl)-1-[3-chlor-*(bzw. *-3-brom-*; bzw. *-3-jod)-propanoyl)-benzol*[3].

Bei der Umsetzung von Phenyl-essigsäure mit Chlor-acetylchlorid/Aluminiumchlorid erhält man *4-Chloracetyl-phenylessigsäure* (30% d. Th.).

4-Chloracetyl-phenylessigsäure[4]: Zu 532g (4 Mol) Aluminiumchlorid und 500 *ml* frisch destilliertem Schwefelkohlenstoff läßt man unter Rühren mit mäßiger Geschwindigkeit 285 g (2,5 Mol) Chloracetylchlorid einfließen. Darauf werden portionsweise 136 g (1 Mol) Phenylessigsäure zugegeben, wobei die Reaktion unter starker Chlorwasserstoff-Entwicklung einsetzt. Nach 2 stdgm. Rühren ist der Kolbeninhalt so zäh, daß man auf 40° erwärmen muß, um weiter turbinieren zu können. Bei dieser Temp. hält man die Reaktion noch 6 Stdn. Dann dekantiert man den Schwefelkohlenstoff ab und läßt das zurückbleibende zähflüssige dunkelbraune Öl langsam unter kräftigem Rühren auf mit Salzsäure übergossenes Eis fließen. Das zunächst harzige Reaktionsprodukt kristallisiert über Nacht, wird abgesaugt und 3mal aus Wasser von 75° (1 g auf 75 *ml*) umkristallisiert; Ausbeute: 63,8 g (30% d. Th.); F: 130°.

Analog, jedoch unter Verwendung von 320 g 2-Chlor-propansäure-chlorid, erhält man *4-(2-Chlor-propanoyl)-phenylessigsäure* (30% d. Th.; F: 145°). Man gelangt zur gleichen Substanz, wenn man unter den gleichen Bedingungen 540 g 2-Brom-propansäure-bromid einsetzt. Bei dieser Reaktion findet also ein Halogen-Austausch statt.

Auch die Umsetzung von Phenylessigsäure-äthylester mit Chlor-acetylchlorid zu *4-Chloracetyl-phenylessigsäure-äthylester*[5] oder mit 2-Brom-propansäure-bromid zu *4-(2-Chlor-propanoyl)-phenylessigsäure-äthylester*[6] wird beschrieben. Bei der Umsetzung von Phenyl-acetonitril mit Chlor-acetylchlorid/Aluminiumchlorid entstehen *2-, 3-* und *4-Chloracetyl-phenylacetonitril* nebeneinander[7].

γ_2) *substituierten Benzolkohlenwasserstoffen*

Fluor-acetylchlorid ergibt bei der Umsetzung mit Monohalogen-benzolen in Gegenwart von Aluminiumchlorid die entsprechenden ω-Fluor-4-halogen-acetophenone[8]. Analog reagieren Chlor-acetylchlorid und Brom-acetylchlorid mit Fluor-[8], Chlor- oder Brom-benzol[9] zu *4-Fluor-ω-chlor-, 4,ω-Dichlor-, ω-Chlor-4-brom-, 4-Fluor-ω-brom-, 4-Chlor-ω-brom-* und *4,ω-Dibrom-acetophenon*. Man verwendet bei diesen Umsetzungen meist einen Überschuß des Halogenbenzols als Reaktionsmedium. Auch bei der Umsetzung von Chlor- oder Brom-benzol mit 2-Brom-propansäure-chlorid/Aluminiumchlorid tritt der Acyl-Rest in p-Stellung zum Halogenatom ein [*4-Chlor-* und *4-Brom-1-(2-brom-propanoyl)-benzol*][10]. 3-Chlor-propansäure und 3-Chlor-butansäure reagieren bei erhöhten Temperaturen mit Chlorbenzol in Gegenwart von Aluminiumchlorid zu einem Gemisch aus *4-Chlor-* und *6-Chlor-1-oxo-indan*

[1] W. C. J. Ross, Soc. **1945**, 539.
[2] J. W. Wilson et al., J. Org. Chem. **18**, 101 (1953).
[3] T. Nambara, J. pharm. Soc. Japan **74**, 13 (1954).
[4] G. Drehfahl u. F. Fischer, A. **598**, 163 (1956).
[5] F. Kunckell, B. **38**, 2611 (1905).
[6] G. Drehfahl u. F. Fischer, A. **598**, 164 (1956).
[7] F. Kunckell, B. **41**, 3047 (1908).
[8] H. Kitano et al., J. chem. Soc. Japan **58**, 54 (1955).
[9] A. Collet, C. r. **125**, 718 (1897).
[10] A. Collet, C. r. **126**, 1578 (1898).

bzw. *4-* und *6-Chlor-1-oxo-3-methyl-indan*[1]. 4-Chlor-butansäure-chlorid kann in Schwefelkohlenstoff in Gegenwart von Aluminiumchlorid mit Fluor-, Chlor- oder Brombenzol zu *4-Fluor-, 4-Chlor-* und *4-Brom-1-(3-chlor-butanoyl)-benzol* umgesetzt werden[2].

Die Umsetzung von 2,3-Dibrom-propansäure-chlorid/Aluminiumchlorid mit Brombenzol zu *4-Brom-1-(2,3-dibrom-propanoyl)-benzol* gelingt in der Kälte in Schwefelkohlenstoff ohne größere Nebenreaktionen[3].

Trifluor-acetylchlorid ergibt mit Chlorbenzol in Schwefelkohlenstoff in Gegenwart von Aluminiumchlorid *4-Chlor-1-trifluoracetyl-benzol*, allerdings nur mit einer Ausbeute von 19% der Theorie[4].

Bei der Umsetzung von 3-Chlor-toluol mit Chlor-acetylchlorid/Aluminiumchlorid in Schwefelkohlenstoff erhält man *4-Chlor-2-methyl-1-chloracetyl-benzol* (70% d. Th.)[5]. Auch bei der Umsetzung von 2-Chlor- oder 3-Chlor-toluol mit 3-Chlor-propansäure-chlorid/Aluminiumchlorid in Schwefelkohlenstoff tritt der Acyl-Rest in p-Stellung zum Chloratom ein, und man erhält *4-Chlor-3-methyl-* bzw. *4-Chlor-2-methyl-1-(3-chlor-propanoyl)-benzol*. Bei der analogen Umsetzung von 4-Chlor-toluol erhält man *2-Chlor-5-methyl-1-(3-chlor-acetyl)-benzol*[6]. Aus 3-Chlor-toluol und 3-Chlor-butansäure-chlorid erhält man *4-Chlor-2-methyl-1-(3-chlor-butanoyl)-benzol*[6].

2-Chlor-toluol reagiert mit Trichlor-acetylchlorid zu *4-Chlor-3-methyl-1-trichlor-acetyl-benzol*.

4-Chlor-3-methyl-1-trichloracetyl-benzol[7]: 14 g (0,105 Mol) wasserfreies Aluminiumchlorid werden in 40 g 2-Chlor-toluol eingetragen. Unter Rühren bei Raumtemp. werden dann 18,2 g (0,1 Mol) Trichlor-acetylchlorid zugetropft; die Mischung wird noch einige Zeit gerührt. Die Reaktionsmischung wird dann auf Eis gegossen, das ölige Reaktionsprodukt wird abgetrennt, mit kaltem Wasser gewaschen, über Calciumchlorid getrocknet und destilliert; Kp_{13}: 162–163°.

1,3-Dichlor-benzol muß zur Umsetzung mit Chlor-acetylchlorid/Aluminiumchlorid in Schwefelkohlenstoff erwärmt werden[8]. Eingehender wird die Umsetzung von 1,4-Dichlor-benzol mit Chlor- und Brom-acetylchloriden beschrieben. Die Umsetzungen werden in überschüssigem 1,4-Dichlor-benzol durch 3 stdgs. Erhitzen auf 80° vorgenommen. Dabei zeigt es sich, daß Dichlor-acetylchlorid ein stärkeres Acylierungsmittel als Chlor-acetylchlorid ist[9]. Bei der Umsetzung von Brom-acetyl-chlorid/Aluminiumchlorid mit 1,4-Dichlor-benzol erhält man *2,5-Dichlor-1-brom-acetyl-benzol* (90% d. Th.). Dibrom-acetylchlorid liefert unter analogen Bedingungen *2,5-Dichlor-1-dibromacetyl-benzol* (80% d. Th.) neben 4% d. Th. 2,5-Dichlor-1,4-dibrom-benzol. Tribrom-acetylchlorid ergibt unter analogen Bedingungen ein Gemisch aus *2,5-Dichlor-1-dibromacetyl-benzol*, 2,5-Dichlor-1-brom-benzol und 2,5-Dichlor-1,4-dibrom-benzol sowie Kohlenmonoxid[10]:

[1] DRP 485309 (1926), I. G. Farb., Erf.: K. Schirmacher, K. Billig u. K. Horst; C. A. **24**, 861 (1930).

[2] Belg. P. 577977 (1959), Erf.: P. A. J. Janssen; C. A. **54**, 4629 (1960).

[3] E. P. Kohler, Am. **42**, 391 (1909).

[4] A. Kaluszyner, S. Reuter u. E. D. Bergmann, Am. Soc. **77**, 4167 (1955).

[5] F. Kunckell, B. **41**, 2648 (1908).

[6] F. Mayer u. P. Müller, B. **60**, 2281 (1927).

[7] Brit. P. 685133 (1950), J. R. Geigy AG, Erf.: W. G. Stoll u. C. J. Morel; C. A. **48**, 3394 (1954).

[8] F. Kunckell, B. **40**, 1703 (1907).

[9] B. I. Stepanov, V. F. Traven u. L. V. Darda, Ž. org. Chim. **2**, 934 (1966); C. A. **65**, 12132 (1966).

[10] B. I. Stepanov u. V. F. Traven, Ž. org. Chim. **1**, 1896 (1965); C. A. **64**, 3396 (1965).

Die Umsetzung von Phenol mit zwei Mol Chlor-acetylchlorid in Gegenwart von zwei Mol Aluminiumchlorid in Schwefelkohlenstoff ergibt *4-Chloracetoxy-1-chlor-acetyl-benzol*[1]. Phenol und p-Kresol lassen sich jedoch auch ohne Verdünnungs-mittel mit Chloracetylchlorid/Aluminiumchlorid zu den entsprechenden ω-Chlor-acetophenonen umsetzen.

2-Hydroxy-5-methyl-1-chloracetyl-benzol und **2-Hydroxy-5-methyl-1,3-bis-[chloracetyl]-ben-zol**[2]: 26,7 g (0,2 Mol) gepulvertes Aluminiumchlorid werden in eine Mischung von 10,8 g (0,1 Mol) p-Kresol und 11,3 g (0,1 Mol) Chlor-acetylchlorid eingetragen. Die Mischung wird während 4 Stdn. unter Rückfluß auf 140° erhitzt. Das Reaktionsgemenge wird mit Eis abgekült, mit 5n Salz-säure angesäuert und mit Wasserdampf destilliert. *2-Hydroxy-5-methyl-1-chloracetyl-benzol* geht mit dem Wasserdampf über und wird aus Benzol umkristallisiert; Ausbeute: 30,5% d.Th.; F: 65°.

Der Rückstand der Wasserdampfdestillation enthält neben schmierigem Material *2-Hydroxy-5-methyl-1,3-bis-[chloracetyl]-benzol*, das durch Extraktion mit 2n Natronlauge abgetrennt und aus der alkalischen Lösung mit Salzsäure wieder gefällt werden kann; Ausbeute: 25,5% d.Th.; F: 168° (aus wäßrigem Äthanol, schwach braune Nadeln).

4-Hydroxy-1-chloracetyl-benzol: 9,4 g (0,1 Mol) Phenol, 11,3 g (0,1 Mol) Chlor-acetylchlorid und 26,7 g (0,2 Mol) Aluminiumchlorid werden gut gemischt und 4 Stdn. auf 140° erhitzt. Die Reaktionsprodukte werden isoliert, wie es bei der Herstellung des 2-Hydroxy-4-methyl-1-chlor-acetyl-benzols beschrieben wird; Ausbeute: 71% d.Th.; F: 148° (schwach bräunliche Nadeln). Daneben erhält man 0,6% d.Th. *2-Hydroxy-1-chloracetyl-benzol*; F: 74° (farblose Nadeln). Der harzige Rückstand wiegt 5,5 g.

2-Hydroxy-4-methyl-1-isopropyl-benzol wird mit Chlor-acetylchlorid nach der Perrier Variante umgesetzt; man erhält *2-Hydroxy-6-methyl-3-isopropyl-1-chloracetyl-benzol*[3].

Bei der Umsetzung von 1,2-Dihydroxy-benzol mit Fluor-acetylchlorid be-nutzt man Phosphoroxychlorid als Kondensationsmittel.

3,4-Dihydroxy-1-fluoracetyl-benzol[4]: Zu 40 g (0,364 Mol) 1,2-Dihydroxy-benzol in 150 ml Benzol werden 25 g (0,163 Mol) Phosphoroxychlorid und 25 g (0,259 Mol) Fluor-acetylchlorid gegeben. Die Mischung wird über Nacht unter Rückfluß erhitzt. Nach dem Abdestillieren des Lösungs-mittels wird der Rückstand in siedendem Wasser gelöst, mit Aktivkohle behandelt und filtriert. Beim Abkühlen kristallisiert das Produkt aus. Dieses Material wird noch einmal aus Wasser umkristallisiert; Ausbeute: 20 g (56% d.Th.); F: 185° (unkorr.).

1,2-Dihydroxy-benzol und 1,2,3-Trihydroxy-benzol können auch ohne Kataly-sator mit Chlor-acetylchlorid oder Brom-acetylchlorid zu *3,4-Dihydroxy-1-chloracetyl-*(bzw. *-1-bromacetyl)-benzol* und *2,3,4-Trihydroxy-1-chloracetyl-*(bzw. *-1-bromacetyl)-benzol* umgesetzt werden[5]. Die dabei erhaltenen Ausbeuten sind jedoch mäßig[6].

[1] F. Kunckell u. F. Johannssen, B. **30**, 1715 (1897).
[2] N. M. Cullinane u. B. F. R. Edwards, J. appl. Chem. **9**, 135 (1959).
[3] H. John u. P. Beetz, J. pr. [2] **149**, 173 (1937).
[4] J. H. Fellman, Nature **179**, 265 (1957).
[5] DRP 71312 (1892), Dr. F. v. Heyden Nachf.
[6] E. Ott, B. **59**, 1070 (1926).

1,3-Dihydroxy-benzol ergibt bei der Umsetzung mit 2-Brom-pentansäure-chlorid/Aluminiumchlorid in Nitrobenzol, zuletzt bei 70°, mit geringer Ausbeute *6-Hydroxy-3-oxo-2-propyl-2,3-dihydro-⟨benzo-[b]-furan⟩*[1].

Anisol reagiert mit Chlor-acetylchlorid/Aluminiumchlorid je nach den Reaktionsbedingungen unterschiedlich. Bei der Umsetzung der Reaktionspartner in Schwefelkohlenstoff wird *4-*[2] neben *2-Methoxy-1-chloracetyl-benzol*[3] erhalten. Wenn die Umsetzung mit überschüssigem Chlor-acetylchlorid/Aluminiumchlorid vorgenommen wird, erhält man *4-Methoxy-1,3-bis-[chloracetyl]-benzol*[4]. Bei der Umsetzung von Anisol mit Chlor-acetylchlorid in Gegenwart von überschüssigem Aluminiumchlorid isoliert man *4-Hydroxy-1-chloracetyl-benzol*[5]; das gleiche Reaktionsprodukt erhält man, wenn man die Umsetzung in siedendem Schwefelkohlenstoff vornimmt[6]. Auch Äthoxy-benzol ergibt mit überschüssigem Chlor-acetylchlorid/Aluminiumchlorid *4-Äthoxy-1,3-bis-[chloracetyl]-benzol*[4]. Analog wie bei der Umsetzung von Methoxy- oder Äthoxy-benzol mit Chlor-acetylchlorid/Aluminiumchlorid verhalten sich diese Verbindungen auch bei der Umsetzung mit Brom-acetylchlorid/Aluminiumchlorid[7], und man erhält *4-Methoxy-* und *4-Äthoxy-1-bromacetyl-* (bzw. *-1,3-bis-[bromacetyl]*)-*benzol*.

Eingehend wird die Umsetzung von Alkoxy-benzolen mit 3-Chlor-propansäure-chlorid/Aluminiumchlorid beschrieben. Man isoliert dabei immer die 4-Alkoxy-1-(3-chlor-propanoyl)-benzole.

4-Alkoxy-1-(3-chlor-propanoyl)-benzole; allgemeine Arbeitsvorschrift[8]: In einem 1-*l*-Dreihalskolben, der mit Rückflußkühler und KPG-Rührer versehen ist, wird ein Gemisch aus 32 g (0,25 Mol) 3-Chlor-propansäure-chlorid, 0,25 Mol Alkoxy-benzol und 200*ml* Schwefelkohlenstoff unter Rühren portionsweise mit 37 g (0,28 Mol) Aluminiumchlorid versetzt. Nach dem Abklingen der Reaktion wird noch 1 Stde. auf dem Wasserbade zum Sieden erhitzt, worauf die Lösung sich tief verfärbt und alles Aluminiumchlorid gelöst ist. Anschließend wird auf eine Mischung aus 500 g Eis und 75*ml* konz. Salzsäure gegossen, der Schwefelkohlenstoff im Scheidetrichter abgetrennt, über Calciumchlorid getrocknet und auf dem nicht zu heißen Wasserbad destilliert. Der Rückstand erstarrt beim Abkühlen, so daß er auf Ton abgedrückt werden kann. Schließlich wird unter Zusatz von Aktivkohle aus Petroläther (Kp.: 40–80°) umkristallisiert. Die Substanzen sind in den üblichen organischen Lösungsmitteln leicht löslich.

Methoxy- und Äthoxy-benzol ergeben bei der Umsetzung mit 4-Chlor-butansäure-chlorid/Aluminiumchlorid in Schwefelkohlenstoff *4-Methoxy-* bzw. *4-Äthoxy-1-(4-chlor-butanoyl)-benzol*[9]. Auch die Umsetzung dieser beiden Äther mit Dichloracetylchlorid zu *4-Methoxy-* bzw. *4-Äthoxy-1-dichloracetyl-benzol* wird beschrieben[10].

Phenoxy-essigsäure kann in Schwefelkohlenstoff mit Chlor-acetylchlorid/Aluminiumchlorid, allerdings mit geringer Ausbeute, zu *4-Chloracetyl-phenoxy-*

[1] B. KAMTHONG u. A. ROBERTSON, Soc. **1939**, 936.
[2] F. KUNCKELL u. F. JOHANNSSON, B. **30**, 1715 (1897).
     T. NAGANO, Am. Soc. **77**, 1692 (1955).
[3] K. v. AUWERS u. M. LEO, B. **59**, 2899 (1926).
[4] F. KUNCKELL u. F. JOHANNSSON, B. **30**, 1715 (1897).
[5] F. KUNCKELL u. F. JOHANNSSON, B. **31**, 170 (1898).
[6] A. ROBERTSON u. R. ROBINSON, Soc. **1923**, 1465.
[7] F. KUNCKELL u. W. SCHEVEN, B. **31**, 173 (1898).
[8] E. PROFFT, F. RUNGE u. A. JUMAR, J. pr. [4] **1**, 71 (1955).
[9] Belg. P. 577977 (1959), P. A. J. JANSSEN; C. A. **54**, 4629 (1960).
     W. J. CLOSE, Am. Soc. **79**, 1455 (1957).
[10] F. KUNCKELL u. F. JOHANNSSON, B. **31**, 171 (1898).

Tab. 20. 4-Alkoxy-1-(3-chlor-propanoyl)-benzole aus Alkoxy-benzolen und
3-Chlor-propansäure-halogenid

RO—◯—C(=O)—CH$_2$—CH$_2$—Cl	Ausbeute [% d.Th.]	F [°C]	Literatur
4-Methoxy-1-(3-chlor-propanoyl)-benzol	53–60	65	1,2,3
4-Äthoxy-1-(3-chlor-propanoyl-benzol	42–46	45	1,3
4-Propyloxy-1-(3-chlor-propanoyl)-benzol	84	52,5	1,4
4-Butyloxy-1-(3-chlor-propanoyl)-benzol	83–90	53,5–54,5	1
4-(2-Methyl-propyloxy)-1-(3-chlor-propanoyl)-benzol. . . .	45	56,5–57	1
4-Pentyloxy-1-(3-chlor-propanoyl)-benzol	30–42	45	1,5
4-(3-Methyl-butyloxy)-1-(3-chlor-propanoyl)-benzol	72–80	52,5	1
4-Hexyloxy-1-(3-chlor-propanoyl)-benzol	70	44	5
4-Heptyloxy-1-(3-chlor-propanoyl)-benzol	82	54,5	5
4-Octyloxy-1-(3-chlor-propanoyl)-benzol	64	48	5
4-Nonyloxy-1-(3-chlor-propanoyl)-benzol	63	62	5
4-Decanyloxy-1-(3-chlor-propanoyl)-benzol	87	61,5–62	5
4-Undecyloxy-1-(3-chlor-propanoyl)-benzol	72	63	5
4-Dodecyloxy-1-(3-chlor-propanoyl)-benzol	70–72	69	1
4-Hexadecanyloxy-1-(3-chlor-propanoyl)-benzol	20	63–64	5

essigsäure umgesetzt werden[6]. Die gleiche Verbindung erhält man mit einer Ausbeute von 44% d.Th., wenn man an Stelle von Phenoxy-essigsäure dessen Methylester einsetzt[7]. 1,2-Diphenoxy-äthan wird durch Chlor-acetylchlorid in p,p′-Stellung zu *1,2-Bis-[4-chloracetyl-phenoxy]-äthan* bis-acyliert[8].

Alkoxy-benzole, die im Phenylkern durch Alkyl-Reste substituiert sind, erleiden bei der Umsetzung mit Halogen-alkansäure-halogeniden/Aluminiumchlorid in siedendem Schwefelkohlenstoff meist eine Äther-Spaltung; man erhält also die entsprechenden Hydroxy-ketone. So entsteht aus 4-Methoxy-1-methyl-benzol und Chlor-acetylchlorid in Schwefelkohlenstoff in Gegenwart von überschüssigem Aluminiumchlorid *2-Hydroxy-5-methyl-1-chloracetyl-benzol* (50–60% d.Th.); als Nebenprodukt isoliert man *2-Hydroxy-5-methyl-1,3-bis-[chloracetyl]-benzol*[9]. Auch bei der Umsetzung dieses Äthers mit 3-Chlor-butansäure-chlorid[10] oder 3-Brom-2-methyl-propansäure-chlorid[11] isoliert man die entsprechenden 2-Hydroxy-ketone

[1] E. Profft, F. Runge u, A. Jumar, J. pr. [4] 1, 71 (1955).
[2] DRP 488608 (1926), I. G. Farb., Erf.: H. Greune u. A. Wolfram; C. 1930 II, 3861.
[3] C. F. H. Allen, H. W. J. Cressman u. A. C. Bell, Canad. J. Res. 8, 440 (1933).
[4] E. Profft, Chem. Techn. 10, 302 (1958).
[5] E. Profft u. A. Jumar, Pharmazie 11, 313 (1956).
[6] F. Kunckell, B. 38, 2609 (1905).
[7] J. B. Niederl u. S. J. Lederer, J. Org. Chem. 17, 1618 (1952).
[8] F. Kunckell u. F. Johannsson, B. 31, 171 (1898).
[9] K. v. Auwers u. K. Müller, A. 364, 164 (1909).
[10] K. v. Auwers, E. Lämmerhirt u. R. Döll, A. 421, 38 (1920).
[11] K. v. Auwers, E. Lämmerhirt u. R. Döll, A. 421, 25 (1920).

[*2-Hydroxy-5-methyl-1-(3-chlor-butanoyl)-* und *-1-(3-brom-2-methyl-propanoyl)-benzol*].
In 4-Phenyl-3-(4-methoxy-phenyl)-hexan tritt bei der Umsetzung mit Chlor-acetyl-chlorid in siedendem Schwefelkohlenstoff in Gegenwart etwa äquivalenter Mengen Aluminiumchlorid der Chloracetyl-Rest in die p-Stellung des unsubstituierten Phenylkerns ein, die Äther-Gruppierung bleibt erhalten[1], und es entsteht *3-(4-Methoxy-phenyl)-4-(4-chloracetyl-phenyl)-hexan*.

Aus 4-Methoxy-1,3-dimethyl-benzol und Chlor-acetylchlorid entstehen in siedendem Schwefelkohlenstoff in Gegenwart von überschüssigem Aluminiumchlorid zwei isomere Verbindungen[2]:

2-Hydroxy-3,5-dimethyl-1-chloracetyl-benzol   *5-Hydroxy-2,4-dimethyl-1-chloracetyl-benzol*

Die Umsetzung von 5-Methoxy-1,3-dimethyl-benzol mit 2-Brom-alkansäure-chloriden wie 2-Brom-propansäure-[3], 2-Brom-butansäure-[4], 2-Brom-2-methyl-propansäure-[5] oder 2-Brom-pentansäure-chlorid[6] in siedendem Schwefelkohlenstoff in Gegenwart von überschüssigem Aluminiumchlorid führt zu Hydroxy-ketonen, die bei der alkalischen Aufarbeitung Alkyl-Derivate des 3-Oxo-2,3-dihydro-⟨benzo-[b]-furans⟩ ergeben:

R = CH₃; R¹ = H: *3-Oxo-2,4,6-trimethyl-2,3-dihydro-⟨benzo-[b]-furan⟩*

R = C₂H₅; R¹ = H: *3-Oxo-4,6-dimethyl-2-äthyl-2,3-dihydro-⟨benzo-[b]-furan⟩*

R = R′ = CH₃: *3-Oxo-2,2,4,6-tetramethyl-2,3-dihydro-⟨benzo-[b]-furan⟩*

R = CH—CH₃; R¹ = H: *3-Oxo-4,6-dimethyl-2-isopropyl-2,3-dihydro-⟨benzo-[b]-furan⟩*
      CH₃

Bei der Umsetzung von 4-Fluor-1-methoxy-benzol mit Brom-acetylchlorid/Aluminiumchlorid in eiskaltem Schwefelkohlenstoff entsteht *5-Fluor-2-methoxy-1-bromacetyl-benzol*[7]. Aus 2-Chlor-1-äthoxy-benzol erhält man mit Chlor-acetyl-chlorid unter analogen Bedingungen *3-Chlor-4-äthoxy-1-chloracetyl-benzol*[8]. Beim

---

[1] J. Wilson et al., J. Org. Chem. **18**, 101 (1953).

[2] K. v. Auwers u. W. Mauss, B. **61**, 1503 (1928).

[3] K. v. Auwers u. W. Müller, B. **50**, 1171 (1917).

[4] K. v. Auwers u. R. Döll, A. **421**, 99 (1920).

[5] K. v. Auwers u. H. Schutte, A. **421**, 69 (1920).

[6] K. v. Auwers u. R. Döll, A. **421**, 102 (1920).

[7] N. P. Buu-Hoi, D. Lavit u. N. D. Xuong, J. Org. Chem. 19, 1618 (1954).

[8] R. E. Lutz et al., J. Org. Chem. **12**, 674 (1947).

4-Chlor-1-methoxy-benzol tritt der Chloracetyl-Rest in kaltem Schwefelkohlenstoff in o-Stellung zur Methoxy-Gruppe (*5-Chlor-2-methoxy-1-chloracetyl-benzol*) ein[1], während bei der Umsetzung des gleichen Ausgangsmaterials mit 2-Brom-2-methylpropansäure-chlorid in siedendem Schwefelkohlenstoff Aufspaltung der Äther-Gruppe und Ersatz des α-ständigen Bromatoms durch eine Hydroxy-Gruppe erfolgt[2]:

*5-Chlor-2-hydroxy-1-(2-hydroxy-
2-methyl-propanoyl)-benzol*

4-Brom-1-methoxy-benzol reagiert mit Chlor-acetylchlorid/Aluminiumchlorid in Schwefelkohlenstoff zu *5-Brom-2-methoxy-1-chloracetyl-benzol*[3]. Nach der Umsetzung von 2-Brom-5-methoxy-1,3-dimethyl-benzol mit 2-Brom-2-methylpropansäure-chlorid/Aluminiumchlorid in siedendem Schwefelkohlenstoff und alkalischer Aufarbeitung des Reaktionsproduktes wird *5-Brom-3-oxo-2,2,4,6-tetramethyl-2,3-dihydro-⟨benzo-[b]-furan⟩* erhalten[4]. Wenn man 2,4-Dichlor-1-methoxybenzol mit Chlor-acetylchlorid umsetzen will, muß man die Reaktionspartner 4 Stdn. in siedendem Schwefelkohlenstoff erhitzen; unter diesen ziemlich drastischen Bedingungen erfolgt ebenfalls Äther-Spaltung, man erhält *3,5-Dichlor-2-hydroxy-1-chloracetyl-benzol*[5].

4-Brom-5-hydroxy-1,3-dimethoxy-benzol wird mit Chlor-acetylchlorid/Aluminiumchlorid in Nitrobenzol bei 18° umgesetzt; man erhält *3-Brom-2-hydroxy-4,6-dimethoxy-1-chloracetyl-benzol* (25% d.Th.)[6]. In (2-Hydroxy-phenoxy)-essigsäure-methylester tritt Chlor-acetylchlorid in Gegenwart von Aluminiumchlorid in Schwefelkohlenstoff in p-Stellung zur Hydroxy-Gruppe ein, man isoliert (*2-Hydroxy-5-chloracetyl-phenoxy*)-*essigsäure*[7].

Bei der Umsetzung von 1,2-Dimethoxy-benzol mit Chlor-acetylchlorid/Aluminiumchlorid tritt der Chloracetyl-Rest in 4-Stellung ein; man benutzt Schwefelkohlenstoff[8] oder Nitrobenzol[9] als Reaktionsmedium. Als Reaktionsprodukte werden *3,4-Dihydroxy-* und *3,4-Dimethoxy-1-chloracetyl-benzol* isoliert. Man kann die Reaktion auch so vornehmen, daß nur eine Methoxy-Gruppe gespalten wird. Man erhält dann *4-Hydroxy-3-methoxy-1-chloracetyl-benzol*[10]. Analog kann man aus 1,2-Dimethoxy-benzol und 2-Brom-propansäure-bromid *4-Hydroxy-3-methoxy-1-(2-brom-propanoyl)-benzol* (35% d.Th.) herstellen[11]. Aus 3,4-Dimethoxy-1-methyl-benzol und Chlor-

[1] H. Jörlander, B. **50**, 1462 (1917).
[2] K. v. Auwers, H. Baum u. H. Lorenz, J. pr. [2] **115**, 90 (1927).
[3] F. Kunckell u. F. Johannsson, B. **30**, 1716 (1897).
    31, 171 (1898).
[4] K. v. Auwers, E. Lämmerhirt u. R. Döll, A. **421**, 72 (1920).
[5] C. J. Schoot u. K. H. Klaassens, R. **75**, 191 (1956).
[6] J. McMillan, Soc. **1954**, 2585.
[7] J. B. Niederl u. S. J. Lederer, J. Org. Chem. **17**, 1618 (1952).
[8] F. Tutin, Soc. **97**, 2510 (1910).
[9] H. Stephen u. C. Weizmann, Soc. **105**, 1049 (1914).
[10] D. D. Pratt u. R. Robinson, Soc. **123**, 753 (1923).
[11] A. B. Cramer u. H. Hibbert, Am. Soc. **61**, 2205 (1939).

acetylchlorid/Aluminiumchlorid erhält man in Schwefelkohlenstoff Mischungen aus *4,5-Dimethoxy-* und *4,5-Dihydroxy-2-methyl-1-chloracetyl-benzol*[1].

1,3-Dimethoxy-benzol ergibt bei der Umsetzung mit Brom-acetylbromid/Aluminiumchlorid nach der Perrier Variante in Schwefelkohlenstoff bei 0° *2-Hydroxy-4-methoxy-1-bromacetyl-benzol*, mit Chlor-acetylchlorid/Aluminiumchlorid entsteht dagegen unter sonst analogen Bedingungen *2,4-Dimethoxy-1-chloracetyl-benzol*[2]. Wenn die Reaktionsmischung längere Zeit unter Rückfluß erhitzt wird, erhält man als Reaktionsprodukt *2-Hydroxy-4-methoxy-1-chloracetyl-benzol*[3].

Aus 1,4-Dimethoxy-benzol entsteht bei der Umsetzung mit Chlor-acetylchlorid in Schwefelkohlenstoff bei Verwendung von sog. feuchtem Aluminiumchlorid und 3stdgm. Erhitzen der Reaktionsmischung *2,5-Dimethoxy-1-chloracetyl-benzol* neben *2-Hydroxy-5-methoxy-1-chloracetyl-benzol*. Die letztgenannte Verbindung entsteht nahezu ausschließlich, wenn man unzersetztes Aluminiumchlorid als Katalysator verwendet und das Rückflußsieden über 20 Stdn. ausdehnt[4]. Mit Brom-acetylbromid/Aluminiumbromid ergibt 1,4-Dimethoxy-benzol in Schwefelkohlenstoff in der Kälte ausschließlich *2,5-Dimethoxy-1-bromacetyl-benzol*[5].

Die Umsetzung von 1,3- oder 1,4-Dimethoxy-benzol mit 4-Chlor-butansäurechlorid/Aluminiumchlorid in Schwefelkohlenstoff zu *2,4-* bzw. *2,5-Dimethoxy-1-(4-chlor-butanoyl)-benzol* wird beschrieben[6].

Bei der Umsetzung von 1,2,4-Trimethoxy-benzol mit Chlor-acetylchlorid/Aluminiumchlorid in Schwefelkohlenstoff unter Kühlen entsteht *2,4,5-Trimethoxy-1-chloracetyl-benzol*[7]. 1,3,5-Trimethoxy-benzol ergibt mit Chlor-acetylchlorid in Ligroin neben anderen Verbindungen *2-Hydroxy-4,6-dimethoxy-1-chloracetyl-benzol*[8]; bei der Umsetzung mit Brom-acetylbromid in Schwefelkohlenstoff in der Kälte bleiben dagegen alle Methoxy-Gruppen intakt, und man erhält *2,4,6-Trimethoxy-1-bromacetyl-benzol*[9].

Diphenyläther kann mit Chlor-acetylchlorid/Aluminiumchlorid in Schwefelkohlenstoff[10] oder ohne Lösungsmittel[11] zu *Bis-[4-chloracetyl-phenyl]-äther* umgesetzt werden. Analog erfolgt die Reaktion mit Brom-acetylchlorid zu *Bis-[4-bromacetylphenyl]-äther*[11]. 4-Methoxy-diphenyl-äther ergibt mit Chlor-acetylchlorid/Aluminiumchlorid *(4-Chloracetyl-phenyl)-(4-hydroxy-3-chloracetyl-phenyl)-äther*[12]. Auch die Chloracetylierung von 2-Methoxy-diphenyläther und von Bis-[2-methylphenyl)-äther wird beschrieben[11].

---

[1] H. STEPHEN u. C. WEIZMANN, Soc. **105**, 1050 (1914).
[2] J. TAMBOR u. E. M. DU BOIS, B. **51**, 749 (1918).
   H. STEPHEN u. C. WEIZMANN, Soc. **105**, 1049 (1914).
[3] K. v. AUWERS u. P. POHL, A. **405**, 264 (1914).
   R. KUHN u. H. A. STAAB, B. **87**, 269 (1954).
[4] K. v. AUWERS u. P. POHL, A. **405**, 281 (1914).
[5] J. TAMBOR, B. **44**, 3215 (1911).
[6] Belg.P. 577977 (1959), P. A. J. JANSSEN; C. A. **54**, 4629 (1960).
[7] M. K. OSKOLÄS, Acta Litterarum ac Scientiarum Regiae Universitatis Hungaricae Francisco-Josephinae, Sectio Chemica, Mineralogica et Physica **2**, 165 (1932); C. A. **27**, 1874 (1933).
[8] P. FRIEDLAENDER u. L. C. SCHNELL, B. **30**, 2153 (1897).
[9] H. DUMONT u. J. TAMBOR, B. **43**, 1969 (1910).
[10] W. C. J. ROSS, Soc. **1945**, 539.
   M. TOMITA, H. KUMAOKA u. M. TAKASE, J. pharm. Soc. Japan **74**, 850 (1954).
[11] DRP 492321 (1927), Schering-Kahlbaum AG, Erf.: O. v. SCHICKH.; C. A. **24**, 2757 (1930).
   O. v. SCHICKH, B. **69**, 242 (1936).
[12] M. TOMITA, J. pharm. Soc. Japan **57**, 689 (1937).

Isopropylmercapto-, Butylmercapto- und (3-Methyl-butylmercapto)-benzol werden in Schwefelkohlenstoff durch 3-Chlor-propansäure-chlorid mit Ausbeuten zwischen 68 und 84% d. Th. in p-Stellung zu *4-Isopropylmercapto-, 4-Butylmercapto-* und *4-(3-Methyl-butylmercapto)-1-(3-chlor-propanoyl)-benzol* acyliert; man setzt das als Katalysator verwendete Aluminiumchlorid als letzte Komponente zu[1]. 4-Methylmercapto-1-methyl-benzol ergibt bei der Chloracetylierung *3-Hydroxy-5-methyl-⟨benzo-[b]-thiophen⟩*:

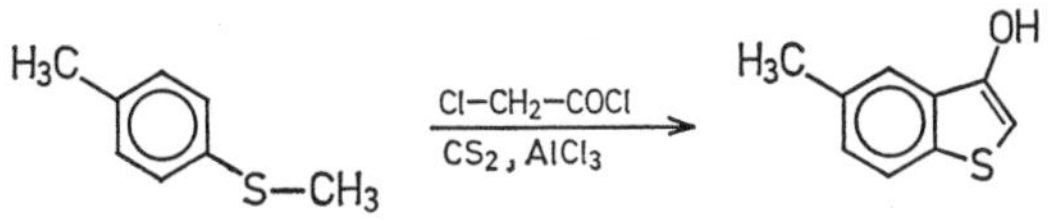

3-Hydroxy-5-methyl-⟨benzo-[b]-thiophen⟩[2]: Zu einer Lösung von 10 g (0,0725 Mol) 4-Methyl-mercapto-1-methyl-benzol und 8,5 g (0,075 Mol) Chlor-acetylchlorid in 100 g trockenem Schwefel-kohlenstoff gibt man allmählich 12 g (0,09 Mol) Aluminiumchlorid und digeriert das Gemisch 5 Stdn. auf dem Wasserbad, wobei die anfangs dunkelrote Flüssigkeit schließlich grünlich gelb und durchsichtig wird. Man destilliert darauf den Schwefelkohlenstoff ab, zersetzt den Rückstand mit Eis und Salzsäure und treibt das 3-Hydroxy-5-methyl-⟨benzo-[b]-thiophen⟩ mit Wasserdampf über. Es erstarrt bereits im Kühler zu weißen Kristallen und ist so gut wie rein. Zum Umkristallisieren eignet sich Ligroin oder Petroläther (Kp: 40–80°) oder ein Gemisch aus beidem; Ausbeute: 5–6 g (42–50% d. Th.); F: 102° (farblose Kristalle).

Diphenylsulfid wird nach der Perrier Modifikation in Schwefelkohlenstoff mit Chlor-acetylchlorid/Aluminiumchlorid umgesetzt und ergibt dabei *Bis-[4-chloracetyl-phenyl]-sulfid*[3].

Acetanilid wird durch Chlor-acetylchlorid/Aluminiumchlorid in Schwefelkohlenstoff bei 0° in p-Stellung zu *4-Acetylamino-1-chloracetyl-benzol* chloracetyliert[4]. Auch Brom-acetylbromid (*4-Acetylamino-1-bromacetyl-benzol*)[5], 3-Halogen-propansäure-chloride[6] und 2,3-Dibrom-propansäure-chlorid [*4-Acetylamino-1-(2,3-dibrom-propa-noyl)-benzol*][7] reagieren analog. Bei der Umsetzung von 2-Acetylamino-1-methyl-benzol mit Brom-acetylbromid[8], 2-Brom-propansäure-bromid[9] oder 3-Jod-propansäure-chlorid[8] erfolgt der Eintritt des Halogenacyl-Restes in p-Stellung zur Methyl-Gruppe zu *3-Acetylamino-4-methyl-1-bromacetyl-[bzw.-1-(2-brom-propanoyl)-; bzw. -1-(3-jod-propanoyl)]-benzol*. Beim 4-Acetylamino-1-methyl-benzol erhält man mit Chlor-acetylchlorid/Aluminiumchlorid unter analogen Bedingungen ein Gemisch aus *2-Acetylamino-5-methyl-1-chloracetyl-benzol* und *5-Acetylamino-2-methyl-1-chloracetyl-benzol*, in dem das letztgenannte Isomere überwiegt[10].

Auch die Chloracetylierung von 4-Acetylamino-1,3-dimethyl-[9] und von 4-Acetylamino-1,2-dimethyl-benzol[11] mit Chlor-acetylchlorid/Aluminiumchlorid

[1] E. Profft, F. Runge u. A. Jumar, J. pr. [4] **1**, 729 (1954).
[2] K. v. Auwers u. F. Arndt, B. **42**, 541 (1909).
[3] M. Tomita, H. Kumaoka u. M. Takase, J. pharm. Soc. Japan **74**, 850 (1954).
[4] F. Kunckell, B. **33**, 2644 (1900).
  J. L. Leiserson u. A. Weissberger, Org. Synth. Coll. Vol. III, 183 (1955).
[5] W. A. Jacobs u. M. Heidelberger, J. biol. Chem. **21**, 455 (1915).
[6] T. Nambara, J. pharm. Soc. Japan **74**, 13 (1954).
[7] M. Ishidate u. T. Nambara, Pharm. Bull. (Tokyo) **1**, 290 (1953).
[8] W. A. Jacobs u. M. Heidelberger, J. biol. Chem. **21**, 460 (1915).
[9] F. Kunckell, B. **33**, 2653 (1900).
[10] F. Kunckell, B. **33**, 2647 (1900).
[11] F. Kunckell u. H. Schmitz, J. pr. [2] **86**, 430 (1912).
  P. Kränzlein, B. **70**, 1780 (1937).

in Schwefelkohlenstoff wurden durchgeführt; man erhält *2-Acetylamino-3,5-(bzw. -4,5)-dimethyl-1-acetyl-benzol*. 5-Acetylamino-indan wird bei analoger Verfahrensweise in 6-Stellung zu *5-Acetylamino-6-chloracetyl-indan* chloracetyliert[1]. Im 5-Acetylamino-1,2,4-trimethyl-benzol tritt ein Chloracetyl- oder 2-Brom propanoyl-Rest in 3-Stellung zu *5-Acetylamino-2,3,6-trimethyl-1-(2-brom-propanoyl)-* (bzw. *-chloracetyl)-benzol* ein[2]. Auch die Umsetzung von 2-Chlor-[3], 3-Chlor-1-acetylamino-benzol[4] und von 3-Chlor-4-acetylamino-1-methyl-benzol[7] mit Chlor-acetylchlorid/Aluminiumchlorid in Schwefelkohlenstoff wird beschrieben; der Chloracetyl-Rest tritt in p-Stellung zum Chloratom ein, wenn diese frei ist, beim 3-Chlor-1-acetylamino-benzol in die 4-Stellung, somit erhält man *4-Chlor-3-acetyl-amino-1-chloracetyl-benzol*, *2-Chlor-4-acetylamino-1-chloracetyl-benzol* und *4-Chlor-5-acetylamino-2-methyl-1-chloracetyl-benzol*.

Aus N-(2,4-Dimethyl-phenyl)-phthalimid, Chlor-acetylchlorid in Schwefelkohlenstoff und Aluminiumchlorid erhält man *5-Phthalimino-2,4-dimethyl-1-chlor-acetyl-benzol*[5].

Die Umsetzung von Salicylsäure-amid mit Chlor- oder Brom-acetylchlorid wird in Nitrobenzol oder besser in Schwefelkohlenstoff in Gegenwart eines großen Überschusses von Aluminiumchlorid durchgeführt; man erhält *2-Hydroxy-5-chlor-acetyl-*(bzw. *-5-bromacetyl)-benzoesäure-amid*[6].

Auch Äthoxyessigsäure-chlorid kann als Acylierungsmittel verwendet werden.

3,4-Dimethoxy-1-äthoxyacetyl-benzol[7]: 11,5 g (0,086 Mol) gepulvertes, wasserfreies Aluminiumchlorid werden zu einer Lösung von 11,5 g (0,083 Mol) 1,2-Dimethoxy-benzol in 50 *ml* Schwefelkohlenstoff gegeben. 10 g (0,0815 Mol) Äthoxy-acetylchlorid werden dann zugetropft. Wenn die Reaktion nachgelassen hat, werden in kleinen Portionen weitere 11,5 g (0,086 Mol) Aluminiumchlorid zugesetzt. Man gießt den Schwefelkohlenstoff von dem abgeschiedenen Aluminiumchlorid-Keton-Komplex ab und zersetzt diesen mit Eis und verd. Salzsäure. Dann destilliert man mit Wasserdampf unumgesetztes 1,2-Dimethoxy-benzol ab. Das zurückbleibende Öl wird in Äther aufgenommen, die ätherische Lösung wäscht man mit verd. Natronlauge, dann trocknet man sie über Calciumchlorid, destilliert den Äther ab und destilliert den Rückstand; Ausbeute: 8 g (43,8% d. Th.); Kp_{20}: 245°–250° (Öl, das beim Abkühlen erstarrt); F: 68° (aus Benzol/Waschbenzin).

γ_3) *Biphenyl oder Biphenyl-Derivaten*

Biphenyl wird bei der Umsetzung mit etwa äquivalenten Mengen Chlor-acetylchlorid/Aluminiumchlorid in Schwefelkohlenstoff zunächst bei 0–5°, schließlich auf dem Wasserbad, in 4-Stellung zu *4-Chloracetyl-biphenyl* (70% d. Th.) und mit Trichlor-acetylchlorid zu *4-Trichloracetyl-biphenyl* monoacyliert[8]. Wenn die Umsetzung mit überschüssigem Chlor-acetylchlorid vorgenommen wird, entsteht *4,4'-Bis-[chloracetyl]-biphenyl*. Analog reagiert Biphenyl mit Brom-acetylbromid zu *4-Brom-*

[1] P. Kränzlein, B. **70**, 1783 (1937).
[2] F. Kunckell, B. **33**, 2653 (1900).
[3] V. K. Metha u. S. R. Patel, J. indian chem. Soc. **36**, 101 (1959).
[4] F. Kunckell u. A. Richartz, B. **40**, 3394 (1907).
[5] F. Bodinus, Chemiker-Zeitung **40**, 326 (1916).
[6] R. Granger, M. Corbier u. J. Vinas, C. r. **234**, 1059 (1952).
[7] D. D. Pratt u. R. Robinson, Soc. **123**, 752 (1923).
[8] A. Collet, Bl. [3] **17**, 510 (1897).
   E. D. Sych, Ukr. chim. Ž. **22**, 80 (1956).

acetyl- bzw. *4,4'-Bis-[bromacetyl]-biphenyl.* Die Bis-Acylierung von Biphenyl kann auch stufenweise erfolgen[1].

4,4′-Bis-[bromacetyl]- oder 4,4′-Bis-[chloracetyl]-biphenyl[2]: Man löst 77 g (0,5 Mol) Biphenyl in 750 *ml* Schwefelkohlenstoff, fügt 200 g (1,5 Mol) pulverisiertes, wasserfreies Aluminiumchlorid hinzu und kühlt die Mischung mit Eis-Natriumchlorid ab. Zu dieser Mischung tropft man unter Rühren 300 g (1,5 Mol) Brom-acetylbromid oder eine äquivalente Menge (170 g) Chlor-acetyl-chlorid. Dabei steigt die Temp. der Mischung an. Wenn die Halogenwasserstoff-Entwicklung zu stürmisch wird, kühlt man erneut. Sobald diese nachläßt, rührt man zunächst bei Raumtemp. und erhitzt schließlich langsam zum Rückfluß, bis die Halogenwasserstoff-Entwicklung nachläßt, was mehrere Stdn. dauert. Die Reaktionsmischung besteht dann aus 2 Schichten, einer farblosen Schwefelkohlenstoff-Schicht, die den Überschuß an Halogen-acetylhalogenid und Aluminium-chlorid enthält, und einer schwereren, dunkelbraunen, die aus dem gebildeten Keton-Aluminium-chlorid-Komplex besteht. Man gießt die Schwefelkohlenstoff-Schicht ab und behandelt die verbleibende dickflüssige Masse unter Kühlung mit Eis-Natriumchlorid mit konz. Salzsäure, die 10% an 95%igem Äthanol enthält. Nach und nach verwandelt sich der dicke, braune Brei in eine kristalline gelbe Masse. Man saugt ab und wäscht mehrere Male mit warmem Wasser und mit Äthanol. Die Ausbeute an rohem Diketon ist nahezu quantitativ, man verliert jedoch einen erheblichen Teil davon bei der Reinigung.

Um das Dibromketon zu **reinigen**, extrahiert man das Rohprodukt mit Benzol und löst das extrahierte Produkt aus 1,4-Dioxan oder besser aus N,N-Dimethyl-formamid um. *4,4-Bis-[bromacetyl]-biphenyl*; Ausbeute: 50–60% d.Th.; F: 227° (hellgelbes Kristallpulver).

Das rohe *4,4′-Bis-[chloracetyl]-biphenyl* kann direkt aus N,N-Dimethyl-formamid umgelöst werden; Ausbeute: 50–60% d.Th.; F: 224° (blaßgelbes Pulver).

Analog erhält man in Gegenwart von Aluminiumchlorid in Schwefelkohlenstoff:

4-(2-Brom-propanoyl)-biphenyl[3]	F: 79–80°
4-(2-Brom-2-methyl-propanoyl)-biphenyl[4]	F: 99–100°
4-(2-Brom-3-methyl-butanoyl)-biphenyl[4]	F: 131–132°

Mit hoher Ausbeute verläuft die Acylierung des Biphenyls mit 3-Chlor-propan-säure-chlorid/Aluminiumchlorid in Schwefelkohlenstoff zu *4-(3-Chlor-propanoyl)-biphenyl*[5].

9,10-Dihydro-phenanthren kann durch etwa äquivalente Mengen Chlor-acetylchlorid/Aluminiumchlorid in Nitrobenzol oder Schwefelkohlenstoff zu *2-Chloracetyl-9,10-dihydro-phenanthren* acyliert werden[6]. **Fluoren** wird durch überschüssiges Chlor-acetylchlorid in Schwefelkohlenstoff in 2,7-Stellung zu *2,7-Bis-[chloracetyl]-fluoren* bis-acyliert[7]. In **2-Acetoxy-fluoren** tritt ein Chloracetyl-Rest in 7-Stellung ein[8].

γ₄) *Naphthalin oder Naphthalin-Derivaten*

Bei der Umsetzung von **Naphthalin** mit Chlor-acetylchlorid/Aluminiumchlorid in Nitrobenzol oder Schwefelkohlenstoff entstehen *1-* und *2-Chloracetyl-naphthalin* nebeneinander[9]. Auch in Gegenwart katalytischer Mengen von Phosphor(V)-oxid entstehen aus Naphthalin und Chlor-acetylchlorid bei 150–180° diese beiden Iso-

---

[1] S. L. SILVER u. A. LOWY, Am. Soc. **56**, 2429 (1934).

[2] E. GRYSZKIEWICZ-TROCHIMOWSKI, O. GRYSZKIEWICZ-TROCHIMOWSKI u. R. S. LEVY, Bl. **1958**, 1156.

[3] A. COLLET, C. r. **125**, 306 (1897).

[4] B. R. CARPENTER u. E. E. TURNER, Soc. **1934**, 869.

[5] J. MOHRBACHER u. N. H. CROMWELL, Am. Soc. **79**, 407 (1957).

[6] A. BURGER u. E. MOSETTIG, Am. Soc. **58**, 1859 (1936).

[7] W. C. J. ROSS, Soc. **1945**, 539.

[8] I. R. McGREGOR, R. F. NEBLETT u. C. H. COOK, J. Org. Chem. **19**, 629 (1954).

[9] I. RABCEWICZ-ZUBKOWSKI, Roczniki Chem. **9**, 538 (1929).
   E. D. SYCH, Ukr. chim. Ž. **22**, 80 (1956).

meren[1]. Das weitaus überwiegende Isomere ist das 1-Chloracetyl-Derivat, doch hängt das Verhältnis der Isomeren zueinander vom Lösungsmittel und den Verfahrensbedingungen ab[2]. Naphthalin wird durch überschüssiges Chlor-acetylchlorid in Gegenwart von Aluminiumchlorid bei 60° zu einem Gemisch aus *1,5-* und *1,8-Bis-[chloracetyl]-naphthalin* bis-acyliert[3]. Bei der Umsetzung von Naphthalin mit Dichlor-acetylchlorid/Aluminiumchlorid kann *2-Dichloracetyl-naphthalin* als Hauptreaktionsprodukt erhalten werden[4].

Naphthalin ergibt bei der Umsetzung mit 3-Chlor-propansäure-chlorid in Nitrobenzol in Gegenwart von Aluminiumchlorid ein Isomerengemisch aus *1-* und *2-(3-Chlor-propanoyl)-naphthalin*, wobei das 2-Derivat überwiegt[5]. Auch Umsetzungen des Naphthalins mit 3-Chlor-[6] und 4-Chlor-butansäure-chlorid[7] zu *2-(3-Chlor-* und *-4-Chlor-butanoyl)-naphthalin* werden beschrieben.

1-Methyl-naphthalin wird durch Chlor-acetylchlorid, 3-Chlor-propansäure- oder 3-Chlor-butansäure-chlorid in Schwefelkohlenstoff in Gegenwart von Aluminiumchlorid in p-Stellung zur Methyl-Gruppe zu *4-Methyl-1-chloracetyl-[bzw. -1-(3-chlor-propanoyl)-; bzw. -1-(3-chlor-butanoyl)]-naphthalin* acyliert[6]. Wahrscheinlich entsteht auch bei der Umsetzung von 1-Methyl-naphthalin mit Cyan-acetylchlorid *4-Methyl-1-cyanacetyl-naphthalin*[8]. Aus 1,6-Dimethyl-naphthalin wird mit 3-Chlor-propansäure-chlorid *4,7-Dimethyl-1-(3-chlor-propanoyl)-naphthalin*[6] erhalten.

Acenaphthen liefert bei der Umsetzung mit Chlor-acetylchlorid/Aluminiumchlorid in Schwefelkohlenstoff *5-Chloracetyl-acenaphthen* (80% d. Th.)[9]. Mit überschüssigem Chlor-acetylchlorid wird ein *Bis-[chloracetyl]-acenaphthen* erhalten[10]. Auch die Umsetzung des Acenaphthens mit Brom-acetylbromid zu *5-Bromacetyl-acenaphthen* wird beschrieben[11]. Mit 3-Chlor-propansäure-chlorid liefert Acenaphthen überwiegend *5-(3-Chlor-propanoyl)-acenaphthen*, daneben wird jedoch auch *3-(3-Chlor-propanoyl)-acenaphthen* beobachtet[12]. Acenaphthen kann auch mit Cyan-acetylchlorid/Aluminiumchlorid in Schwefelkohlenstoff zu *5-Cyanacetyl-acenaphthen* acyliert werden[8].

In 1-Chlor- oder 1-Brom-naphthalin treten in Gegenwart von Aluminiumchlorid in Schwefelkohlenstoff bei Raumtemperatur 3-Chlor-propansäure- oder 3-Chlor-butansäure-chlorid in p-Stellung zum Halogenatom ein; man erhält *4-Chlor-* bzw. *4-Brom-1-(3-chlor-propanoyl)-naphthalin* und *4-Chlor-* bzw. *4-Brom-1-(3-chlor-butanoyl)-naphthalin*[6].

[1] G. SCHROETER, H. MÜLLER u. J. Y. S. HUANG, B. **62**, 655 (1929).

[2] E. KOIKE u. H. OKAWA, Rep. Government chem. ind. Res. Inst. Tokyo, **50**, 1 (1955); C. A. **50**, 11297 (1956).

[3] DRP 576253 (1927), I. G. Farben, Erf.: R. SEDLMAYR u. W. ECKERT; C. A. **27**, 3722 (1933).

[4] I. RABCEWICZ-ZUBKOWSKI, Roczniki Chem. **9**, 538 (1929).

[5] J. KENNER u. F. S. STATHAM, B. **69**, 16 (1936).
    H. DANNENBERG u. A. RAHMAN, B. **88**, 1411 (1955).

[6] F. MAYER u. P. MÜLLER, B. **60**, 2281 (1927).

[7] W. J. CLOSE, Am. Soc. **79**, 1457 (1957).

[8] Brit. P. 342373 (1930), I. G. Farben; C. **1931** II, 639.

[9] F. MAYER u. W. KAUFMANN, B. **53**, 295 (1920).
    E. D. SYCH, Ukr. chim. Ž. **22**, 80 (1956).

[10] Fr. P. 642907 (1927), I. G. Farben; C. **1929** I, 2237.

[11] K. FLEISCHER u. P. WOLFF, B. **53**, 930 (1920).

[12] H. DANNENBERG u. A. RAHMAN, B. **88**, 1411 (1955).

Die Umsetzung von 1-Methoxy-naphthalin mit Chlor-acetylchlorid oder Brom-acetylbromid verläuft in Gegenwart von Aluminiumchlorid ohne Äther-Spaltung, und man erhält *4-Methoxy-1-chloracetyl-(bzw. -1-bromacetyl)-naphthalin*[1]. Analog reagiert 1-Methoxy-naphthalin auch mit Dichlor-acetylchlorid[2] und 3-Chlor-propansäure-chlorid zu *4-Methoxy-1-dichloracetyl-[bzw.-1-(3-chlor-propanoyl)]-naphthalin*[3]. Wie 1-Methoxy- verhält sich auch 1-Äthoxy-naphthalin bei der Umsetzung mit Chlor-acetylchlorid[4], Brom-acetylbromid[5] und Dichlor-acetylchlorid[2]; man erhält *4-Äthoxy-1-chloracetyl-(bzw.-1-bromacetyl-; bzw. -1-dichloracetyl)-naphthalin*. Während die Umsetzung von 1-Methoxy-naphthalin mit Benzoylamino- oder Acetylamino-essig-säure-chlorid in Schwefelkohlenstoff in Gegenwart von Aluminiumchlorid mit recht guter Ausbeute verläuft – zu *4-Methoxy-1-benzoylaminoacetyl-(bzw. -1-acetylamino-acetyl)-naphthalin* – gelingt die analoge Umsetzung von 2-Methoxy-naphthalin nur sehr schlecht[6].

Mit geringem Erfolg verläuft auch die Umsetzung von 2-Methylmercapto-naphthalin mit Chlor-acetylchlorid oder 3-Brom-propansäure-chlorid; unter Aufspaltung der Thioäthergruppierung tritt Ringschluß ein[7]:

1-Oxo-1,2-dihydro-⟨naphtho-[2,1-b]-thiophen⟩

1-Oxo-2,3-dihydro-1H-⟨naphtho-[2,1-b]-thiopyran⟩

γ_5) *höher kondensierten alicyclischen Ringsystemen*

Bei der Umsetzung von Pyren mit Chlor-acetylchlorid/Aluminiumchlorid in Schwefelkohlenstoff bei 0–5° erfolgt Bis-acylierung. Die Acyl-Reste treten in 1,6- und 1,8-Stellung ein[8]:

1,6- und 1,8-Bis-[chloracetyl]-pyren

[1] T. L. Jacobs et al., J. Org. Chem. 11, 23 (1946).
[2] F. Kunckell u. F. Johannssen, B. 31, 172 (1898).
[3] F. Mayer u. P. Müller, B. 60, 2281 (1927).
[4] A. Madinaveitia u. J. Puyal, Anales Real Soc. Espan. Fis. Quim. (Madrid), Ser. [A] 17, 125 (1919); C. 1919 III, 789.
[5] F. Kunckell u. W. Scheven, B. 31, 174 (1898).
[6] B. B. Dey u. J. Rajagopalan, Ar. 277, 395 (1939).
[7] F. Krollpfeifer et al., B. 58, 1670 (1925).
[8] H. Vollmann et al., A. 531, 114 (1937).

9*

In Nitrobenzol gelingt auch die Umsetzung von Pyren mit 3-Chlor-propansäure-chlorid zu einer Monoacyl-Verbindung.

Leicht sind auch vier Acyl-Reste in 1,3,6,8-Stellung einzuführen.

1-(3-Chlor-propanoyl)-pyren[1]: In eine Lösung von 40 g (0,2 Mol) Pyren (reinst) und 142 g (1,1 Mol) 3-Chlor-propansäure-chlorid in 200 *ml* Nitrobenzol werden bei 18°–23° 40 g (0,3 Mol) eisenfreies Aluminiumchlorid portionsweise eingetragen und noch 45 Min. gerührt. Sodann wird unter Rühren auf Eis gegeben, wobei das Keton teilweise auskristallisiert. Nach dem Absaugen kann durch Kühlen des Filtrates mit Eis-Natriumchlorid-Mischung und anschließendes rasches Absaugen ein Teil des noch gelösten Chlorketons gewonnen werden. Aus dem auf diese Weise 2 mal behandelten Filtrat wird anschließend das Nitrobenzol mit Wasserdampf abdestilliert. Der beim Abkühlen fest gewordene Rückstand wird in Chloroform aufgenommen und zur Entfernung der Harzanteile in der Wärme mit Aluminiumoxid behandelt; Ausbeute: 52,5 g (90% d. Th.), gelbe Nadeln; F: 116° (aus Chloroform).

Das 1-(3-Chlor-propanoyl)-pyren ist in der Wärme in Butanol und 1,4-Dioxan löslich, in Äthanol schwer löslich, unlöslich in Äther und Petroläther.

Auch die Umsetzung des Pyrens mit 3-Chlor-butansäure-chlorid/Aluminiumchlorid in Schwefelkohlenstoff wird beschrieben; in diesem Fall erfolgen Acylierung und Alkylierung gleichzeitig, es entsteht ein ringförmiges Keton[2].

γ_6) *reaktionsfähigen Heterocyclen*

Dibenzo-1,4-dioxin wird durch Chlor-acetylchlorid in Gegenwart von Aluminiumchlorid in 2,6-Stellung zu *2,6-Bis-[chloracetyl]-⟨dibenzo-1,4-dioxin⟩* bis-acyliert[3]; analog erhält man mit 3-Chlor-propansäure-chlorid *2,6-Bis-[3-chlor-propanoyl]-⟨dibenzo-1,4-dioxin⟩*[4]. Bei der Umsetzung mit 2 Mol Benzoylamino-essigsäure-chlorid wird *2,6-Bis-[benzoylaminoacetyl]-⟨dibenzo-1,4-dioxin⟩* neben wenig *2-Benzoylamino-acetyl-⟨dibenzo-1,4-dioxin⟩* gebildet. Phthalimino-essigsäure-chlorid tritt dagegen nur einmal in das Molekül ein, man erhält *2-Phthaliminoacetyl-⟨dibenzo-1,4-dioxin⟩*[5].

Die Umsetzung des Thiophens mit Chlor-acetylchlorid ohne Lösungsmittel in Gegenwart von Phosphor(V)-oxid bei 130–140° ergibt *2-Chloracetyl-thiophen* nur mit geringer Ausbeute[6]. Mit hohen Ausbeuten verlaufen dagegen Umsetzungen des Thiophens mit 4-Chlor-butansäure-, 5-Chlor-pentansäure-, 7-Chlor-heptansäure- oder 11-Chlor-undecansäure-chlorid in Benzol in Gegenwart von Zinn(IV)-chlorid bei 0–5°[7] zu *2-(4-Chlor-butanoyl)-*, *2-(5-Chlor-pentanoyl)-*, *2-(7-Chlor-heptanoyl)-* und *2-(11-Chlor-undecanoyl)-thiophen*. Ebenfalls mit guten Ausbeuten verläuft die Umsetzung von 2-Chlor-thiophen mit Chlor-acetylchlorid/Aluminiumchlorid in Tetrachlormethan zu *5-Chlor-2-chloracetyl-thiophen*[8]. Die Umsetzung der Dichlor-thiophene mit Chlor-acetylchlorid oder 3-Chlor-propansäure-chlorid wird in Gegenwart von Aluminiumchlorid in Schwefelkohlenstoff bei Temperaturen um 0° vorgenommen[9]; man erhält die entsprechenden *Dichlor-chloracetyl-[bzw. -(3-chlor-propanyl)]-*

---

[1] E. PROFFT u. I. PÖHLER, J. pr. [4] **17**, 223 (1962).

[2] E. BERGMANN u. W. BOGRACHOV, Am. Soc. **62**, 3018 (1940).

[3] M. TOMITA, J. pharm. Soc. Japan **56**, 168 (1936).

[4] M. TOMITA, J. pharm. Soc. Japan **58**, 130 (1938).

[5] M. TOMITA, J. pharm. Soc. Japan **47**, 131 (1937).

[6] W. STEINKOPF, A. **413**, (348 (1917).

[7] Belg. P. 577977 (1959), P. A. J. JANSSEN; C. A. **54**, 4629 (1960).
    L. I. BELENKII, S. Z. TAITS u. Y. L. GOLDFARB, Izv. Akad. SSSR **1961**, 1706; C. A. **56**, 3435 (1962).

[8] W. G. EMERSON u. T. M. PATRICK. J. Org. Chem. **13**, 722 (1948).

[9] E. PROFFT u. G. SOLF, J. pr. **24**, 38 (1964).

thiophene mit Ausbeuten von 53–94% der Theorie. 2-Phenyl-thiophen und 5-Methyl-2-phenyl-thiophen ergeben mit Brom-acetylbromid/Aluminiumchlorid in siedendem Schwefelkohlenstoff *5-Phenyl-2-bromacetyl-thiophen* und ein *5-Methyl-2-phenyl-x-bromacetyl-thiophen* unbekannter Konstitution[1].

3-Methoxy-⟨benzo-[b]-thiophen⟩ wird durch 3-Chlor-propansäure-chlorid/Aluminiumchlorid in Schwefelkohlenstoff in 2-Stellung acyliert; dabei wird die Methoxy-Gruppe gespalten, man erhält also *3-Hydroxy-2-(3-chlor-propanoyl)-⟨benzo-[b]-thiophen⟩*[2].

Thianthren wird durch Chlor-acetylchlorid in 2,6-Stellung zu *2,6-Bis-[chloracetyl]-thianthren* bis-acyliert[3].

1-Acetyl-2,3-dihydro-indol sowie 2-Methyl-1-acetyl-2,3-dihydro-indol werden durch Chlor-acetylchlorid/Aluminiumchlorid in Schwefelkohlenstoff oder ohne Verwendung eines Lösungsmittels zu *1-Acetyl-6-chloracetyl-2,3-dihydro-indol* bzw. *2-Methyl-1-acetyl-6-chloracetyl-2,3-dihydro-indol* (95 bzw. 75% d.Th.) acyliert[4].

Die Umsetzung von 5-Oxo-2,3-dimethyl-1-phenyl-2,5-dihydro-pyrazol mit Chlor-acetylchlorid ohne Katalysator führt zu *5-Oxo-2,3-dimethyl-1-phenyl-4-chloracetyl-2,5-dihydro-pyrazol*:

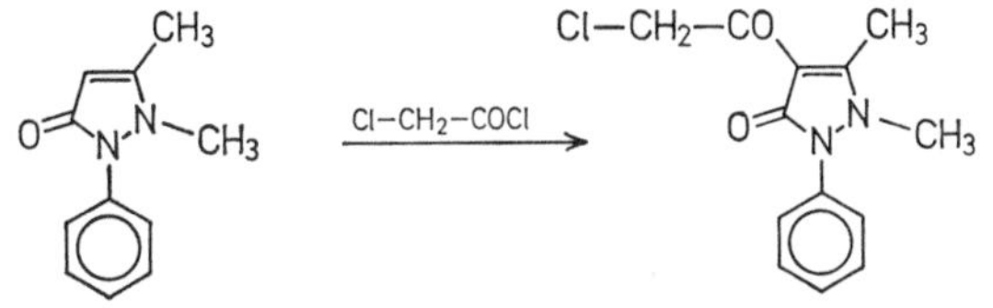

5-Oxo-2,3-dimethyl-1-phenyl-4-chloracetyl-2,5-dihydro-pyrazol[5]: 50 g (0,266 Mol) 5-Oxo-2,3-dimethyl-1-phenyl-2,5-dihydro-pyrazol werden unter gutem Durchrühren nach und nach mit 16 g (0,14 Mol) Chlor-acetylchlorid versetzt. Die sich unter starker Erwärmung bildende halbfeste Masse läßt man zunächst bei Zimmertemp. stehen, dann verrührt man mit wenig Wasser, setzt Ammoniak hinzu und kristallisiert das sich abscheidende Produkt aus Essigsäure-äthylester oder Aceton um; Ausbeute: 22 g (59% d.Th); F: 169°.

Analog wird durch Chlor-acetylierung von 5-Oxo-3-methyl-2-äthyl-1-phenyl-2,5-dihydro-pyrazol *5-Oxo-3-methyl-2-äthyl-1-phenyl-4-chloracetyl-2,5-dihydro-pyrazol* erhalten.

Die Umsetzung von 2-Oxo-4-methyl-2,3-dihydro-imidazol zu *2-Oxo-4-methyl-5-chloracetyl-2,3-dihydro-imidazol* wird bei 60–65° in Gegenwart von Aluminiumchlorid in Nitrobenzol vorgenommen[6]. Die Chlor-acetylierung des 8-Methoxy-chinolins erfolgt in 5-Stellung (*8-Methoxy-5-chloracetyl-chinolin*); wenn man die Umsetzung in Schwefelkohlenstoff vornimmt, erfolgt Äther-Spaltung, und man erhält *8-Hydroxy-5-chloracetyl-chinolin*[7]. In Petroläther als Reaktionsmedium bleibt dagegen die Methoxy-Gruppe intakt[8]. Auch die Umsetzung von 1-Acetyl- und von

[1] M. C. Rebstock u. C. D. Stratton, Am. Soc. **77**, 3085 (1955).

[2] F. Krollpfeiffer u. K. Schneider, B. **61**, 1288 (1928).

[3] M. Tomita, J. pharm. Soc. Japan **58**, 139 (1938).

[4] A. P. Terentev, M. N. Preobrazhenskaya u. G. M. Sorokina, Ž. obšč. Chim. **29**, 2875 (1959); engl.: 2835.

[5] DRP 668387 (1936), H. P. Kaufmann; C. A. **33**, 2150 (1939).

[6] R. Duschinsky u. L. A. Dolan, Am. Soc. **67**, 2083 (1945).

[7] W. Borsche u. H. Groth, A. **459**, 254 (1941).

[8] S. Fränkel u. O. Grauer, B. **46**, 2552 (1913).

6-Methyl-1-acetyl-1,2,3,4-tetrahydro-chinolin mit Chlor-acetylchlorid oder Brom-acetylbromid in Schwefelkohlenstoff in Gegenwart von Aluminiumchlorid wird beschrieben; man erhält *1-Acetyl-6-chloracetyl-*, *1-Acetyl-6-bromacetyl-*, *6-Methyl-1-acetyl-5-*(oder *-7*)*-chloracetyl-*(bzw.*-bromacetyl-1,2,3,4-tetrahydro-chinolin*[1]. 10-Acetyl-9,10-dihydro-acridin wird durch Brom-acetylbromid/Aluminiumchlorid in Schwefelkohlenstoff in 3-Stellung acyliert[2]:

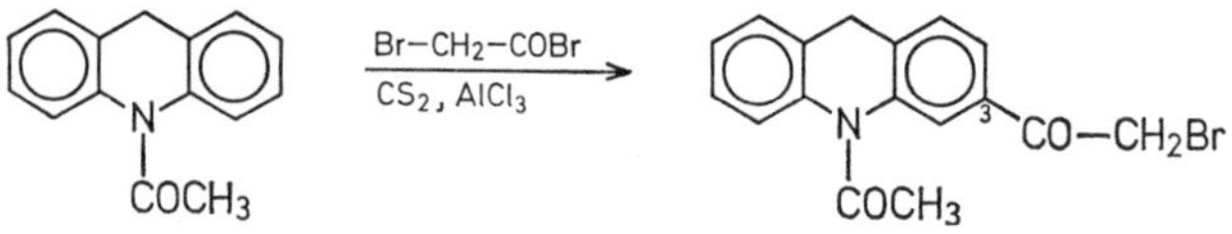

10-Acetyl-3-bromacetyl-9,10-dihydro-acridin

Entsprechend erfolgt die Acylierung von 10-Acetyl-1,2,3,4,4a,9a-hexahydro-acridin mit Brom-acetylbromid/Aluminiumchlorid zu *10-Acetyl-6-bromacetyl-1,2,3,4,4a,9a-hexahydro-acridin*.

Phenoxathiin wird durch Chlor-acetylchlorid/Aluminiumchlorid in 2,8-Stellung zu *2,8-Bis-[chloracetyl]-phenoxathiin* chloracetyliert[3]. Die Chloracetylierung des 10-Acetyl-phenothiazins erfolgt in 2-Stellung:

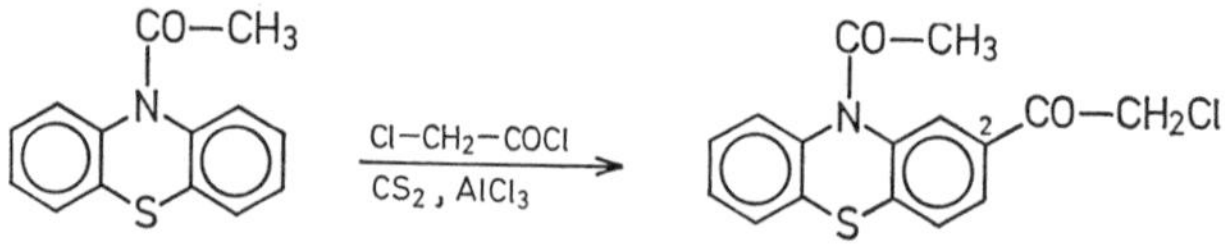

10-Acetyl-2-chloracetyl-phenothiazin[4]: Zu einer Suspension von 24,1 g (0,1 Mol) 10-Acetyl-phenothiazin in einer Lösung von 11,2 g (0,1 Mol) Chlor-acetylchlorid in 400 ml Schwefelkohlenstoff gibt man unter Rühren innerhalb 30 Min. bei 25° 40 g (0,3 Mol) Aluminiumchlorid. Nach 4 stdgm. Rühren wird 150 Min. unter Rückfluß erhitzt. Man kühlt, dekantiert das Lösungsmittel und zersetzt den gummiartigen Rückstand mit einer Mischung aus 300 g Eis und 10 ml konz. Salzsäure. Das dunkelbraune Chlorketon wird abgesaugt, gewaschen und aus Äthanol umgelöst; Ausbeute: 18,9 g (64% d.Th.); F: 171–172,5° (farblose Kristalle).

Eingehend wird auch die Umsetzung von 7-Acetyl-⟨benzo-[c]-phenothiazin⟩, 12-Acetyl-⟨benzo-[b]-phenothiazin⟩ und 12-Acetyl-⟨benzo-[a]-phenothiazin⟩ mit Chlor-acetylchlorid in Gegenwart von überschüssigem Aluminiumchlorid in Schwefelkohlenstoff untersucht. Man erhält folgende Reaktionsprodukte[5]:

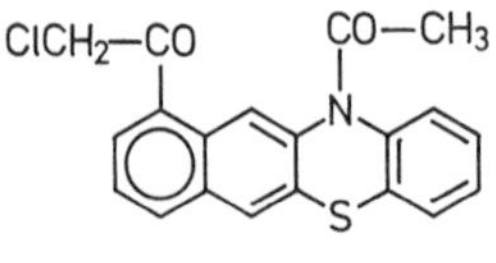

12-Acetyl-10-chloracetyl-⟨benzo-[b]-phenothiazin⟩; 65% d.Th.

[1] F. KUNCKELL u. E. VOLLHASE, B. **42**, 3197 (1909).
   F. KUNCKELL, Ber. dtsch. Pharm. Ges. **20**, 277 (1910).
[2] L. J. SARGENT u. L. F. SMALL, J. Org. Chem. **13**, 450 (1948).
   L. J. SARGENT, J. Org. Chem. **22**, 1495 (1957).
[3] M. TOMITA, J. pharm. Soc. Japan, **58**, 136 (1938).
[4] A. BURGER u. J. B. CLEMENTS, J. Org. Chem. **19**, 1113 (1954).
[5] T. G. JACKSON u. D. A. SHIRLEY, J. Org. Chem. **32**, 1190 (1967).

7-Acetyl-5-chloracetyl-⟨benzo-[c]-phenothiazin⟩, 42% d. Th.

12-Acetyl-2-chloracetyl-⟨benzo-[a]-phenothiazin⟩; 83% d. Th.

δ) Ketone aus araliphatischen Carbonsäure-halogeniden und

δ₁) *Benzol und seinen Homologen*

Phenyl-essigsäure-halogenide verhalten sich bei Keton-Synthesen nach Friedel-Crafts ähnlich wie Halogenide aliphatischer Carbonsäuren, d. h. mit Benzol bzw. seinen Homologen entstehen in Gegenwart von Aluminiumchlorid 1-Oxo-1,2-diaryl-äthane; z. B.:

1-Oxo-1,2-diphenyl-äthan (Desoxybenzoin)[1]; 82% d. Th.

Die Umsetzungen werden häufig so vorgenommen, daß man das Phenyl-essigsäure-halogenid zu einer Suspension von Aluminiumchlorid in einem Überschuß des verwendeten Kohlenwasserstoffs oder in einer Mischung aus dem verwendeten Kohlenwasserstoff und einem inerten Lösungsmittel wie Schwefelkohlenstoff oder Dichlormethan zutropft und dann die Reaktion durch Erhitzen bis zum Sieden beendet.

1-Oxo-2-phenyl-1-(4-methyl-phenyl)-äthan[2]: Zu einer Mischung aus 25 g (0,187 Mol) feingepulvertem Aluminiumchlorid und 150 *ml* Schwefelkohlenstoff werden 10 g (0,109 Mol) Toluol gegeben. Nun setzt man nach und nach 16 g (0,104 Mol) Phenyl-essigsäure-chlorid hinzu, wobei unter Erwärmung eine lebhafte Chlorwasserstoff-Entwicklung stattfindet. Nach 1 stdgm. Stehenlassen bei gewöhnlicher Temp. erwärmt man die Reaktionsmischung noch 15 Min. auf dem Wasserbade zum Sieden und läßt sie dann erkalten. Nach der Zers. der Aluminiumchlorid-Verbindung mit Eis wird der Schwefelkohlenstoff abgeblasen. Das nicht flüchtige Keton erstarrt beim Abkühlen. Man reinigt es am besten durch Umkristallisation aus Methanol; Ausbeute: 19 g (87% d. Th.); F: 107,5°.

Die folgende Vorschrift ist besonders für die Acylierung von Alkyl-benzolen geeignet, die gegen Aluminiumchlorid empfindliche Alkyl-Gruppen enthalten.

[1] C. F. H. ALLEN u. W. E. BARKER, Org. Synth. Coll. Vol. II, 156 (1943).
[2] O. BEHAGHEL u. H. RATZ, B. **72**, 1269 (1939).

Tab. 21. 1-Oxo-2-phenyl-1-(alkyl-phenyl)-äthane durch Umsetzungen von Phenyl-essigsäure-chlorid mit Alkylbenzolen

Reaktionspartner	Reaktionsprodukt	Ausbeute [% d.Th.]	F [°C]	Literatur
C_2H_5	1-Oxo-2-phenyl-1-(4-äthyl-phenyl)-äthan		64	1
C_4H_9	1-Oxo-2-phenyl-1-(4-butyl-phenyl)-äthan	77,3	63,5–64	2
CH_2–CH(CH_3)$_2$	1-Oxo-2-phenyl-1-[4-(2-methyl-propyl)-phenyl]-äthan	65,3	52,5–53,5	2
$C(CH_3)_3$	1-Oxo-2-phenyl-1-(4-tert.-butyl-phenyl)-äthan	76,3	43–44	3
$CH_2C(CH_3)_3$	1-Oxo-2-phenyl-1-[4-(2,2-dimethyl-propyl)-phenyl]-äthan	78	80–81	2
o-Xylol	1-Oxo-2-phenyl-1-(3,4-dimethyl-phenyl)-äthan		95	4
m-Xylol	1-Oxo-2-phenyl-1-(2,4-dimethyl-phenyl)-äthan		(Kp$_{22}$: 206–208°)	4
p-Xylol	1-Oxo-2-phenyl-1-(2,5-dimethyl-phenyl)-äthan		(Kp$_{26}$: 220–230°)	4

[1] C. Söllscher, B. 15, 1681 (1882).
[2] A. Friedmann et al., J. Org. Chem. 24, 518 (1939).
[3] R. C. Fuson u. L. I. Krimen, Am. Soc. 76, 5462 (1954).
[4] H. Wege, B. 24, 3540 (1891).

Tab. 21. (1. Fortsetzung)

Reaktionspartner	Reaktionsprodukt	Ausbeute [% d.Th.]	F [°C]	Literatur
	5-Phenylacetyl-tetralin	74	85	[1]
	1-Oxo-2-phenyl-1-(2,4,6-trimethyl-phenyl)-äthan		(Kp$_{21}$: 204°)	[2]
	1-Oxo-2-phenyl-1-(2,3,4,5-tetramethyl-phenyl)-äthan	60	53	[3]
	1-Oxo-2-phenyl-1-(2,3,5,6-tetramethyl-phenyl)-äthan	73	107	[3]

[1] N. P. Buu-Hoï u. R. Royer, R. 65, 254 (1946).
[2] A. Klages, B. 32, 1564 (1899).
[3] N. P. Buu-Hoï, M. Sy u. J. Riche, Bl. 1960, 1493.

1-Oxo-2-phenyl-1-(alkyl-phenyl)-äthane; allgemeine Arbeitsvorschrift[1]: 12,9 g (0,0969 Mol) Aluminiumchlorid und 11,5 g (0,0745 Mol) Phenyl-essigsäure-chlorid werden in 100 *ml* Schwefel-kohlenstoff verrührt. Dazu tropft man in 15–20 Min. 0,0745 Mol des Kohlenwasserstoffs, der acyliert werden soll. Man erhitzt dann die Reaktionsmischung zum Sieden, kühlt sie auf Raum-temp. ab und gießt sie auf angesäuertes Eiswasser. Man extrahiert die wässerige Phase mit 400 *ml* Äther, wäscht die ätherische Phase 2mal mit je 400 *ml* Wasser, dann mit 100 *ml* 5%iger Natron-lauge und schließlich noch einmal mit 400 *ml* Wasser. Nach dem Trocknen der ätherischen Lösung über Magnesiumsulfat wird der Äther abdestilliert. Eine benzolische Lösung des Rückstandes wird an einer Aluminiumoxidsäule chromatographiert. Das Eluat wird konzentriert, mit Aktiv-kohle geklärt und dann zur Trockene eingedampft. Den Rückstand löst man aus Methanol um.

Auch die Umsetzung von Diphenylmethan[2], Triphenylmethan[2] und 1,2-Di-phenyl-äthan[2] mit jeweils einem Mol Phenyl-essigsäure-chlorid zu den entsprechen-den monoacylierten Derivaten wird beschrieben, man erhält *4-Benzyl-1-phenylacetyl-benzol, 4-Diphenylmethyl-1-phenylacetyl-benzol* bzw. *4-(2-Phenyl-äthyl)-1-phenylacetyl-benzol.* 1,2-Diphenyl-äthan ergibt mit überschüssigem Phenyl-essigsäure-chlorid in Gegenwart von Aluminiumchlorid in Schwefelkohlenstoff *1,2-Bis-[4-phenyl-acetyl-phenyl]-äthan*[3]. Mit geringen Ausbeuten verlaufen Umsetzungen von 1-Oxo-1,2-di-phenyl-äthan, 3-Phenyl-propansäure-äthylester oder -nitril mit Phenyl-essigsäure-chlorid unter Friedel-Crafts-Bedingungen[4].

Wenn man Lösungen von Phenyl-essigsäure-chlorid in Schwefelkohlenstoff mit Aluminiumchlorid versetzt und kein leicht acylierbares Substrat hinzugibt, wird Phenyl-essigsäure-chlorid selbst acyliert. Man beendet die Reaktion durch Zugabe eines Alkohols oder eines leicht acylierbaren Kohlenwasserstoffs und erhält dann Gemische aus 4-Phenylacetyl-phenylessigsäureestern bzw. 4-(2-Oxo-2-aryl-äthyl)-1-phenylacetyl-benzolen und Produkten, die durch mehrfache Acylierung entstanden sind; die Reaktionsgemische enthalten geringe Anteile an m-Isomeren[5]:

[1] A. FRIEDMAN et al., J. Org. Chem. 24, 518 (1959).

[2] N. P. BUU-HOI u. R. ROYER, R. **65**, 254 (1946).

[3] N. P. BUU-HOI, N. HOÁN u. P. JACQUIGNON, Soc. **1951**, 1384.

[4] W. BORSCHE u. F. SINN, A. **553**, 270, 273, 276 (1942).

[5] J. SCHMITT et al., C. r. **240**, 2538 (1955),
    J. SCHMITT u. J. BOITARD, Bl. [5] **22**, 1033 (1955).
    J. SCHMITT, M. SUQUET u. P. COMOY, Bl. [5] **22**, 1055 (1955).

⟨○⟩—CH₂—CO—⟨○⟩—CH₂—CO—⟨○⟩—CH₂—CO—⟨○⟩—CH₃   *4-[2-Oxo-2-(4-methyl-phenyl)-äthyl]-1-(4-phenylacetyl-phenylacetyl)-benzol*

↑ ⟨○⟩—CH₃

I ⟨○⟩—CH₂—COCl →(AlCl₃) ⟨○⟩—CH₂—CO—⟨○⟩—CH₂—CO—⟨○⟩—CH₂—COCl   *4-(4-Phenyl-acetyl-phenyl-acetyl)-phenyl-essigsäure-chlorid*

↓ CH₃OH

⟨○⟩—CH₂—CO—⟨○⟩—CH₂—CO—⟨○⟩—CH₂—COOCH₃   *4-(4-Phenyl-acetyl-phenyl-acetyl)-phenylessig-säure-methylester*

Der Grad der Polykondensation hängt von der verwendeten Aluminium-chlorid-Menge, von der Konzentration und von der Reaktionszeit ab.

Im Phenylkern durch Alkyl-Reste oder durch Heteroatome substituierte Phenyl-essigsäure-chloride reagieren mit Benzol oder Toluol in Gegenwart von Aluminiumchlorid mit Ausbeuten zwischen 60 und 90% d.Th. zu entsprechend substituierten Ketonen.

Naphthyl-(1)-essigsäure-chlorid wird durch Aluminiumchlorid in Nitrobenzol intramolekular zu *Acenaphthenon-(1)* cyclisiert.

Acenaphthenon-(1)[1]: Zu einer Lösung von 10 g (0,049 Mol) Naphthyl-(1)-essigsäure-chlorid in 20 g Nitrobenzol werden 8,5 g (0,064 Mol) Aluminiumchlorid, gelöst in 17 g Nitrobenzol, gegeben. Es beginnt sofort eine lebhafte Reaktion, die nach einiger Zeit nachläßt. Nach ihrer Vollendung gießt man auf Eis und zersetzt so die gebildete Aluminiumchlorid-Doppelverbindung. Das gebildete Acenaphthenon-(1) wird mit dem Nitrobenzol durch Wasserdampf von etwaigen harzigen Nebenprodukten getrennt und schließlich vom Nitrobenzol z.B. durch Destillation i.Vak. befreit und kann aus Ligroin umkristallisiert werden. Die Ausbeute ist mäßig; F: 120–121°.

An Stelle von Nitrobenzol können auch andere Lösungsmittel oder Verdünnungsmittel wie Ligroin, Schwefelkohlenstoff usw. verwendet werden.

Wenn man die Umsetzung mit Benzol oder Toluol als Verdünnungsmittel vornimmt, erhält man überwiegend *Acenaphthenon-(1)* neben *2-Oxo-2-phenyl-* bzw. *2-Oxo-2-(4-methyl-phenyl)-1-naphthyl-(1)-äthan*[2].

α-Cyclopentyl-α-phenyl-essigsäure-chlorid ergibt bei der Umsetzung mit Benzol in Gegenwart von Aluminiumchlorid mit geringen Ausbeuten *2-Oxo-1-cyclopentyl-1,2-diphenyl-äthan*[3]. α,α-Diphenyl-essigsäure-chlorid wird bei der gleichartigen Umsetzung mit Benzol teilweise decarbonyliert, man erhält neben *2-Oxo-1,1,2-triphenyl-äthan* größere Mengen an Triphenylmethan[4]. Ähnlich verhalten sich auch α-Phenyl-α-(4-methyl-phenyl)-, α-Phenyl-α-(4-chlor-phenyl)- und α-(4-Chlorphenyl)-α-(4-methyl-phenyl)-essigsäure-chlorid[5]. Die Reaktion von α,α-Diphenyl-

[1] DRP 230237 (1910), BASF.
[2] N. P. BUU-HOI, N. HOÁN u. N. D. XUONG, Soc. **1951**, 3499.
[3] D. H. HEY u. O. C. MUSGRAVE, Soc. **1949**, 3161.
[4] F. KLINGEMANN, A. **275**, 87 (1893).
[5] M. E. GRUNDY, W.-H. HSÜ u. E. ROTHSTEIN, Soc. **1960**, 375.

Tab. 22. Ketone durch Umsetzung von substituierten Phenyl-essigsäure-chloriden mit Benzol oder Alkylbenzolen

Carbonsäurechlorid	Reaktions-partner	Reaktionsprodukt	Ausbeute [%d.Th.]	F [°C]	Literatur
H₃C—⬡—CH₂–COCl	⬡	2-Oxo-2-phenyl-1-(4-methyl-phenyl)-äthan	60	95,5–96,5	1
	⬡—CH₃	1-Oxo-1,2-bis-[4-methyl-phenyl]-äthan	70	102	2
	⬡⬡ (tetralin)	6-(4-Methyl-phenyl-acetyl)-tetralin		121	
H₃C—⬡(CH₃)(CH₃)—CH₂–COCl	⬡	2-Oxo-2-phenyl-1-(2,4,6-trimethyl-phenyl)-äthan	gering	161–162	4,5
Cl-⬡—CH₂–COCl	⬡	2-Oxo-2-phenyl-1-(2-chlor-phenyl)-äthan	85	69,2–70,4	6
Cl—⬡—CH₂–COCl	⬡	2-Oxo-2-phenyl-1-(4-chlor-phenyl)-äthan	89	136,5–137,5	1
O₂N—⬡—CH₂–COCl	⬡—CH₃	1-Oxo-2-(4-nitro-phenyl)-1-(4-methyl-phenyl)-äthan		114	7
F₅C₆—CH₂–COCl	⬡—CH₃	1-Oxo-2-(pentafluor-phenyl)-1-(4-methyl-phenyl)-äthan	61	114–114,5	8

essigsäure-chlorid mit Toluol verläuft dagegen wesentlich glatter, man kann *1-Oxo-2,2-diphenyl-1-(4-methyl-phenyl)-äthan* (64% d. Th.) isolieren[9].

Aliphatische Carbonsäure-halogenide mit mehr als einer Methylen-Gruppe zwischen dem Aryl-Rest und dem Halogencarbonyl-Rest haben die Tendenz, in Gegenwart von Friedel-Crafts-Katalysatoren intramolekulare Cyclierungen einzugehen.

[1] D. Y. CURTIN u. M. C. CREW, Am. Soc. **76**, 3719 (1954).
[2] RAMART-LUCAS u. F. SALMON-LEGAGNEUR, Bl. [4] **51**, 1080 (1932).
[3] N. P. BUU-HOI, NGUYEN-HOAN u. R. ROYER, Bl. [5] **14**, 84 (1947).
[4] R. C. FUSON, D. H. CHADWICK u. M. L. WARD, Am. Soc. **68**, 392 (1946).
[5] H. H. WEINSTOCK u. R. C. FUSON, Am. Soc. **58**, 1235 (1936).
[6] E. L. SHAPIRO u. E. I. BECKER, Am. Soc. **75**, 4770 (1953).
[7] O. BEHAGHEL u. H. RATZ, B. **72**, 1280 (1939).
[8] N. N. VOROZHTSOV, V. A. BARKHASH u. A. S. ANICHKINA, Ž. org. Chim. **2**, 1903 (1966); C. A. **66**, 65 230 (1967).
[9] C. J. COLLINS, Am. Soc. **81**, 465 (1959).

Diese Cyclisierungstendenz ist besonders groß, wenn die entsprechenden Ketone 5 oder 6 Ringglieder haben[1].

3-Phenyl-propansäure-chlorid wird durch Aluminiumchlorid in Petroläther[2] oder Benzol oder durch Eisen(III)-chlorid in Schwefelkohlenstoff[3] zu *Indanon-(1)* cyclisiert.

Indanon-(1)[4]: Zu einer Suspension von 44,3 g (0,332 Mol) Aluminiumchlorid in 130 g Benzol tropft man 56 g (0,332 Mol) 3-Phenyl-propansäure-chlorid. Die Reaktion beginnt rasch. Nach der Beendigung der Säurechlorid-Zugabe verrührt man, bis kein Chlorwasserstoff mehr entweicht, versetzt dann mit eiskalter verd. Salzsäure und trennt die benzolische Lösung ab. Man wäscht sie mit Natriumcarbonat-Lösung, dann mit Wasser und trocknet sie über Natriumsulfat. Nach dem Abdestillieren des Benzols destilliert man den Rückstand i. Vak.; das Destillat erstarrt beim Abkühlen und wird aus Äthanol umkristallisiert; Ausbeute: 39 g (89% d. Th.); Kp_{12}: 126–127°; F: 92° (kleine, farblose Kriställchen).

Wenn man bei sonst analogen Umsetzungen von 3-Phenyl-propansäure-chlorid an Stelle von Benzol Toluol[5] oder Äthylbenzol[6] verwendet, so erhält man als Reaktionsprodukte Gemische aus *Indanon-(1)* und *1-Oxo-3-phenyl-1-(4-methyl-phenyl)-propan* bzw. *1-Oxo-3-phenyl-1-(4-äthyl-phenyl)-propan.* Durch elektronenliefernde Substituenten im Phenylkern des 3-Phenyl-propansäure-chlorids wird die Cyclisierung erleichtert, wenn Substituenten in m-Stellung zum Propansäure-Rest vorhanden sind, erhält man jedoch Gemische von Cyclisierungsprodukten[7]:

1-Oxo-7-methyl-   1-Oxo-5-methyl-
indan   indan

1   :   1

Durch elektronenanziehende Substituenten im Phenylkern des 3-Phenyl-propansäure-chlorids wird der Ringschluß erschwert oder verhindert. Zwar erhält man aus β-(2-Nitro-phenyl)-propansäure-chlorid und Aluminiumchlorid in siedendem Schwefelkohlenstoff *4-Nitro-1-oxo-indan*[8], eine Cyclisierung von 3-(4-Nitro-phenyl)-propansäure-chlorid gelingt dagegen nicht[9]. β-(2- und 4-Nitro-phenyl)-propansäure-chlorid lassen sich daher mit Ausbeuten von 66% bzw. 69% d. Th. mit Benzol zu *3-Oxo-3-phenyl-1-[2-(bzw. -4)-nitro-phenyl]-propan* umsetzen[10].

[1] W. S. Johnson, Organic Reactions II, S. 114ff., John Wiley & Sons, Inc., New York 1944.
    K. L. Nelson, Ind. Eng. Chem. **47**, 1926 (1955); **48**, 1670 (1956); **50**, 1414 (1958); **51**, 1099 (1959).
[2] J. Thiele u. A. Wahnscheidt, A. **376**, 271 (1910).
[3] E. Wedekind, A. **323**, 255 (1902).
[4] P. Amagat, Bl. [4] **41**, 940 (1927).
[5] E. Rothstein, Soc. 1951, 1460.
[6] N. P. Buu-Hoi, N. Hoán u. N. D. Xuong, Soc. **1951**, 1460.
[7] R. Granger, H. Orzalesi u. A. Muratelle, C. r. **249**, 2337 (1959); **252**, 1971 (1961).
    R. Granger u. H. Orzalesi, C. r. **246**, 779 (1958); **249**, 2782 (1959).
[8] H. Hoyer, J. pr. [2] **139**, 95 (1934).
[9] C. K. Ingold u. H. A. Pigott, Soc. **1923**, 1469.
[10] N. H. Cromwell u. G. D. Mereer, Am. Soc. **79**, 3818 (1957).

Auch 3-(4-Chlor-phenyl-)-propansäure-chlorid ergibt bei der Umsetzung mit Benzol ausschließlich ein offenkettiges Keton [*3-Oxo-3-phenyl-1-(4-chlor-phenyl)-propan*][1].

Durch Alkyl-Reste in 2- und/oder 3-Stellung des Propansäure-Restes wird die Cyclisierungstendenz von 3-Phenyl-propansäure-chloriden ebenfalls erhöht. So erfolgt bei der Umsetzung von 2,2-Dimethyl-3-phenyl-propansäure-chlorid mit Aluminiumchlorid in Toluol oder bei der analogen Umsetzung von 2,2,3-Trimethyl-3-phenyl-butansäure-chlorid in Anisol ausschließlich Cyclisierung zu *1-Oxo-2,2-dimethyl-indan* bzw. *1-Oxo-2,2,3,3-tetramethyl-indan*[2]:

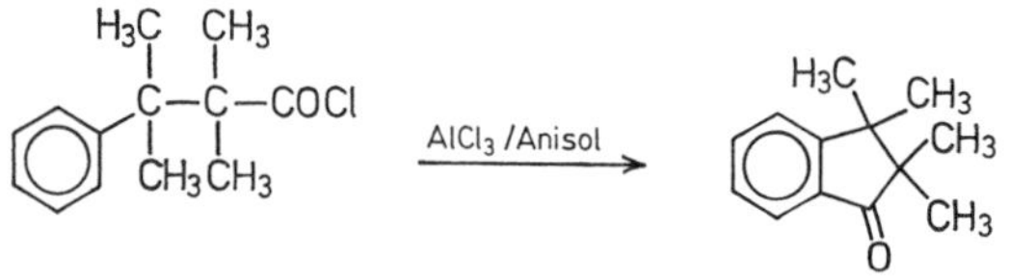

In der Regel führt man Cyclisierungen von 2- und/oder 3-alkyl-substituierten 3-Phenyl-propansäure-chloriden in Schwefelkohlenstoff oder Petroläther (Kp: 40–80°) durch[3]. Auch beim 2-Phthalimino-3-phenyl-propansäure-chlorid überwiegt bei der Umsetzung mit Aluminiumchlorid in Benzol die Cyclisierungstendenz, und man erhält *2-Phthalimino-1-oxo-indan*[4].

Die Umsetzung von 2,3-Dibrom-3-phenyl-propansäure-chlorid (I) mit Benzol oder Brombenzol führt zu *2-Brom-3-oxo-1-phenyl-indan* bzw. *2,6-Dibrom-3-oxo-1-phenyl-indan*[5] (II):

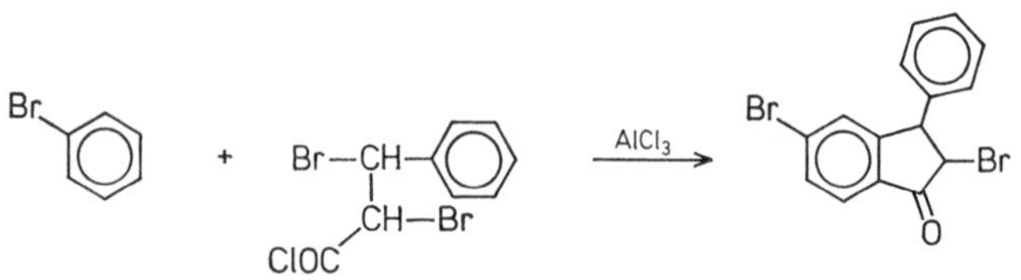

Alkylierung und Acylierung, allerdings ohne Cyclisierung, finden auch bei der Reaktion von 3-Chlor-2-phenyl-propansäure-chlorid mit Benzol statt[6]:

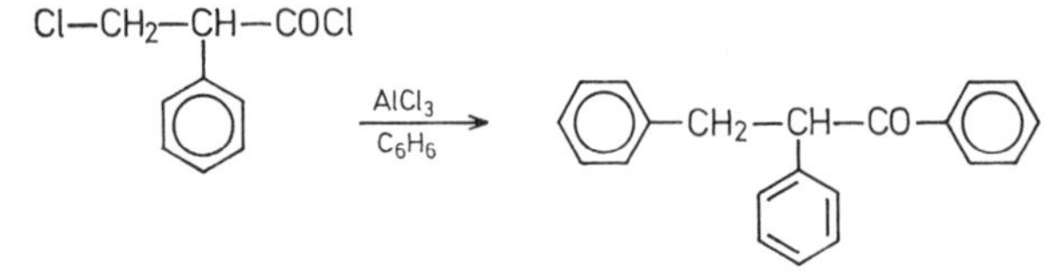

1-Oxo-1,2,3-triphenyl-propan; 90% d.Th.

[1] N. P. Buu-Hoi, N. Hoán u. N. D. Xuong, Soc. **1951**, 1460.
[2] E. Rothstein, Soc. **1951**, 1460.
[3] A. Haller u. E. Bauer, Ann. chim. [9] **16**, 341 (1921).
 R. Granger et al., Bl. **1957**, 810.
 M. Nakuzaki u. M. Maeda, Bl. chem. Soc. Japan, **35**, 1380 (1962).
 A. M. Glatz, A. C. Razus u. C. D. Nenizesco, Rev. Roumaine Chim. **11** 555 (1966); C. A. **65**, 19956 (1966).
[4] E. Pfaehler, B. **46**, 1701 (1913).
[5] E. P. Kohler, G. L. Hertiage u. M. G. Burnley, Am. **44**, 72 (1910).
[6] J. Matti u. M. Perrier, Bl. **1955**, 528.

Indan-2-carbonsäure-chlorid, in dem sich zwischen Benzolkern und Chlor-carbonyl-Gruppe ebenfalls zwei Kohlenstoffatome befinden, ist aus sterischen Grün-den nicht zur Cyclisierung befähigt und reagiert deshalb mit Benzol zu *2-Benzoyl-indan*[1].

3-Naphthyl-(1)-propansäure-chlorid wird in Gegenwart von Aluminium-chlorid in Ligroin zu *1-Oxo-2,3-dihydro-1H-phenalen* cyclisiert[2]:

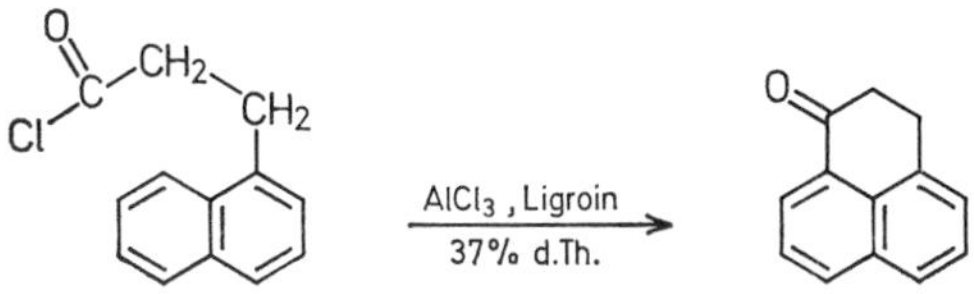

Aus 2-Äthyl-3-[naphthyl-(1)]-propansäure-chlorid entsteht *1-Oxo-2-äthyl-2,3-di-hydro-1H-phenalen* bzw. aus 3-Naphthyl-(2)-propansäure-chlorid das *3-Oxo-2,3-dihydro-1H-⟨benzo-[e]-inden⟩*[3].

4-Phenyl-butansäure-halogenide werden unter Friedel-Crafts-Bedingungen zu *Tetralon-(1)* cyclisiert. Die Umsetzung wird in Petroläther[4], Benzol[5] oder Schwe-felkohlenstoff[6] in Gegenwart von Aluminiumchlorid oder Zinn(IV)-chlorid[7] vorge-nommen und liefert *Tetralon-(1)* mit Ausbeuten von 74–91% der Theorie.

J. v. Braun konnte zeigen, daß bei intramolekularen Cyclisierungen die Tendenz zur Bildung von Sechsringen größer als die von Fünfringen ist. Bei der Umsetzung von 4-Phenyl-2-benzyl-butansäure-chlorid mit Aluminiumchlorid entsteht daher nicht 1-Oxo-2-(2-phenyl-äthyl)-indan, sondern *1-Oxo-2-benzyl-tetralin*[8]:

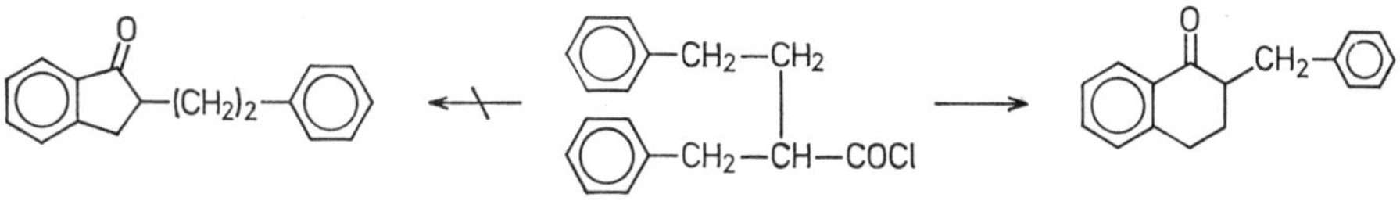

Gute Ausbeuten an alkylierten Tetralonen-(1) erhält man auch bei analogen Umsetzungen von im Kern oder in der Seitenkette alkylierten 4-Phenyl-butansäure-chloriden[9]. Sehr leicht wird auch 4-(4-Methoxy-phenyl)-butansäure-chlorid zu *7-Methoxy-1-oxo-tetralin* cyclisiert.

---

[1] W. H. PERKIN u. G. REVAY, Soc. **65**, 245 (1895).
[2] F. MAYER u. A. SIEGLITZ, B. **55**, 1835, (1922).
  W. KLYNE u. R. ROBINSON, Soc. **1938**, 1991.
[3] F. MAYER u. A. SIEGLITZ, B. **55**, 1935 (1922).
  J. v. BRAUN, G. MANZ u. E. REINSCH, A. **468**, 277 (1929).
[4] F. S. KIPPING u. A. HILL, Soc. **75**, 144 (1899).
[5] P. AMAGAT, Bl. [4], **41**, 940 (1927).
[6] E. L. MARTIN u. L. F. FIESER, Org. Synth. Coll. Vol. **2**, 569 (1943).
[7] G. D. JOHNSON, Org. Synth. Coll. Vol. IV, 900.
[8] J. v. BRAUN, B. **61**, 441 (1928).
[9] F. MAYER u. G. STAMM, B. **56**, 1424 (1923).
  N. P. BUU-HOI et al., J. Org. Chem. **15**, 950 (1950).
  W. COCKER u. P. H. HAYES, Soc. **1951**, 844.

7-Methoxy-1-oxo-tetralin[1]: Zu einer Lösung von 8,8 g (0,045 Mol) 4-(4-Methoxy-phenyl)-butansäure in 175 *ml* Benzol gibt man unter Kühlen mit Eiswasser und Umschwenken 12,5 g (0,06 Mol) Phosphor(V)-chlorid hinzu. Nach 12 Stdn. bei Raumtemp. wird die Mischung erneut abgekühlt und unter Umschwenken mit 9,3 *ml* Zinn(IV)-chlorid versetzt. Nach 1 Stde. im Kälte-bad werden die tiefrote Lösung und der orange Niederschlag in eine Mischung aus Eis und Salz-säure ausgetragen; das Reaktionsprodukt wird in üblicher Art und Weise isoliert und gereinigt; Ausbeute: 6,7 g (83% d.Th.); F: 56–61°.

Nach Destillation (Kp$_{0,2}$: 103°) und Umkristallisation aus Petroläther (Kp: 40–80°) F: 60–61,5°.

Bei der Umsetzung von 4-Phenyl-butansäure-chlorid in Äthylbenzol in Gegenwart von Aluminiumchlorid erfolgt neben der intramolekularen Cyclisierung auch Acylierung des Äthylbenzols, man isoliert *Tetralon-(1)* (70% d.Th.) und *1-Oxo-4-phenyl-1-(4-äthyl-phenyl)-butan* (20% d. Th.)[2].

Durch elektronenanziehende Substituenten im Phenylkern des 4-Phenyl-bu-tansäure-chlorids wird die intramolekulare Cyclisierung verhindert. So reagiert 4-(Nitro-phenyl)-butansäure-chlorid mit hohen Ausbeuten in Gegenwart von Alu-miniumchlorid mit Benzol, Toluol oder Chlorbenzol zu entsprechenden offenkettigen Ketonen[3].

Die intramolekulare Cyclisierung von 4-Aryl-butansäure-chloriden kann als Syn-theseschritt beim Aufbau mehrkerniger aromatischer Systeme verwendet werden. So erhält man bei der Umsetzung von 1,4-Bis-[3-carboxy-propyl]-benzol mit Phosphor(V)-chlorid und dann mit Zinn(IV)-chlorid *4-[1-Oxo-tetralyl-(7)]-butansäure*, die nach Reduktion zur 4-Tetralyl-(6)-butansäure mit Phosphor(V)-chlorid/Zinn(IV)-chlorid 45% eines Cyclisierungsproduktes mit dem Anthracen-Gerüst neben 22% eines Cyclisierungsproduktes mit dem Phenanthren-Gerüst ergibt:

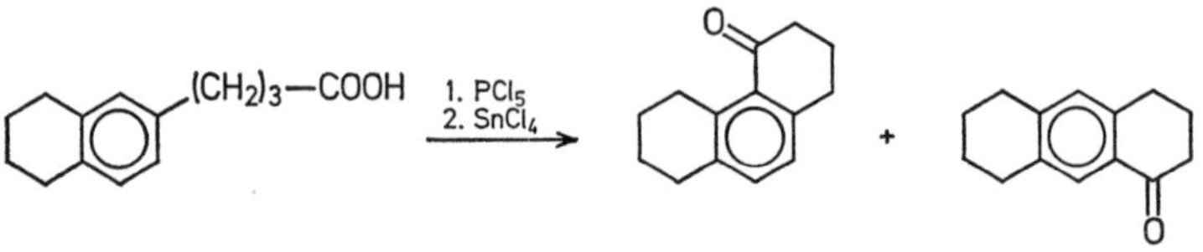

4-Oxo-1,2,3,4,5,6,   1-Oxo-1,2,3,4,5,6,
7,8-octahydro-   7,8-octahydro-
phenanthren   anthracen

Wenn man die Cyclisierung mit Thionylchlorid/Aluminiumchlorid bei 100–120° durchführt, überwiegt das Phenanthren-Derivat bei weitem[4]. Ausgehend von 2,6-Bis-[3-carboxy-propyl]-naphthalin können *Chrysen*[5] und ausgehend von 1,4-Bis-[3-carboxy-propyl]-naphthalin *Triphenylen*[6] synthetisiert werden. Be-sonders eingehend ist die Cyclisierung von 4-Pyrenyl-(1)-butansäure-chlorid zu *7-Oxo-7,8,9,10-tetrahydro-⟨benzo-[a]-pyren⟩* untersucht worden[7]:

[1] W. E. BACHMANN u. W. J. HORTON, Am. Soc. **69**, 59 (1947).
[2] N. P. BUU-HOI, N. HOÁN u. N. D. XUONG, Soc. **1951**, 3499.
[3] Fr. P. 1 463 838 (1965) ≡ Niederl. P. 6 507 438 (1963), C. F. Boehringer & Söhne GmbH;
    C. A. **64**, 17 491 (1966).
[4] A. RAHMAN, A. T. VASQUEZ u. A. A. KAN, J. Org. Chem. **28**, 3571 (1963).
[5] A. RAHMAN u. A. A. KHAN, B. **95**, 1786 (1962).
[6] A. RAHMAN, O. L. TOMBESI u. C. PERL, Chem. & Ind. **1965**, 691.
[7] L. F. FIESER u. M. FIESER, Am. Soc. **57**, 782 (1935).
    L. F. FIESER et al., Am. Soc. **59**, 475 (1937).
    H. VOLLMANN et al., A. **531**, 129 (1937).

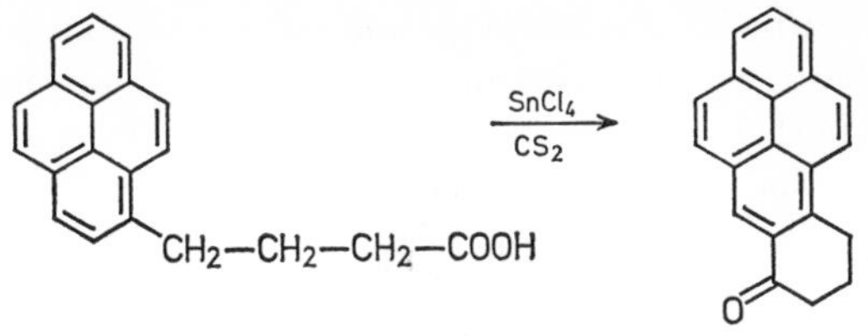

Bei der Anwendung von reinen Ausgangsmaterialien und milden Reaktionsbedingungen werden dabei Ausbeuten bis zu 96% d. Th. erreicht[1].

4-[5-Methoxy-naphthyl-(1)]-butansäure-chlorid wird durch Aluminiumchlorid zu *4-Methoxy-7-oxo-7,8,9,10-tetrahydro-⟨cyclohepta-[d,e]-naphthalin⟩* cyclisiert[2]:

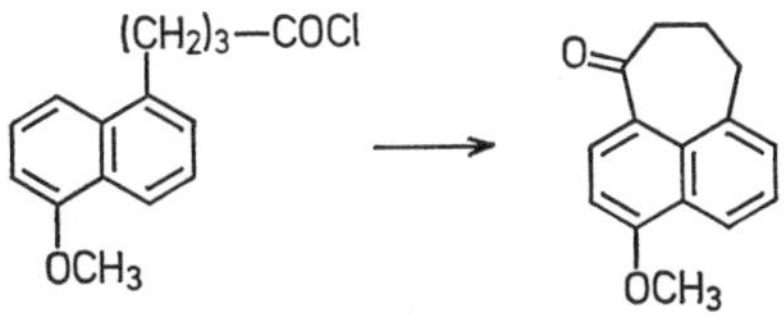

Die Aktivierung der 8-Stellung des Naphthalins durch die 5-Methoxy-Gruppe ermöglicht die Bildung eines Siebenringes.

5-Phenyl-pentansäure-chlorid ergibt bei der Umsetzung mit Aluminiumchlorid in Leichtbenzin *5-Oxo-6,7,8,9-tetrahydro-5H-⟨benzo-cycloheptatrien⟩*[3]:

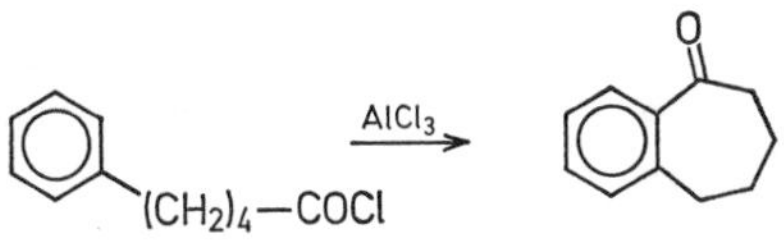

Sehr hohe Ausbeuten an dieser Verbindung erhält man, wenn man die Umsetzung in Schwefelkohlenstoff nach dem Ruggli-Ziegler-Verdünnungsprinzip vornimmt.

5-Oxo-5,6,7,8-tetrahydro-5H-⟨benzo-eycloheptatrien⟩[4]: In einem 3-*l*-Dreihalskolben, versehen mit Tropftrichter, Rückflußkühler und Rührwerk, werden 55 g (0,41 Mol) Aluminiumchlorid und 300 *ml* über Aluminiumchlorid destillierter Schwefelkohlenstoff vorgelegt. In das kräftig gerührte und schwach siedende Gemisch gibt man während 46 Stdn. tropfenweise 38,6 g (0,196 Mol) 5-Phenyl-pentansäure-chlorid, gelöst in 1600 *ml* Schwefelkohlenstoff. Dann wird noch 5 Stdn. weitergerührt und schließlich der Schwefelkohlenstoff direkt aus dem Kolben abdestilliert. Zum Rückstand gibt man ungefähr 1 kg Eis. Anschließend wird mit Wasserdampf destilliert, bis das Destillat klar ist. Das Destillat (4,5 *l*) wird mit Natriumchlorid gesättigt, mit Äther aufgenommen und nach normaler Aufarbeitung i. Vak. destilliert. Nach einem geringen Vorlauf von 0,6 g erhält man eine konstant bei 138–139°/12 Torr übergehende Fraktion; Ausbeute: 27,4 g (0,17 Mol, 87% d. Th.); n_D^{13}: 1,5650.

---

[1] W. E. BACHMANN, M. CARMACK u. S. R. SAPHIR, Am. Soc. **63**, 1682 (1941).
[2] J. LOCKETT u. W. F. SHORT, Soc. **1939**, 787,
    G. A. R. KON u. H. R. SOPER, Soc. **1939**, 790.
[3] F. S. KIPPING u. A. E. HUNTER, Soc. **79**, 602 (1901).
[4] P. A. PLATTNER, Helv. **27**, 804 (1944).

5-Oxo-6,7,8,9-tetrahydro-5H-⟨benzo-cycloheptatrien⟩ entsteht auch, wenn man 5-Phenyl-pentansäure-chlorid in Nitromethan mit Silberperchlorat umsetzt. Wenn die gleiche Umsetzung in Toluol vorgenommen wird, erhält man *1-Oxo-5-phenyl-1-(4-methyl-phenyl)-pentan* als Reaktionsprodukt[1].

Auch bei der Umsetzung von 5-Phenyl-pentansäure-chloriden, die in der aliphatischen Seitenkette durch Alkyl-Reste substituiert sind, mit Aluminiumchlorid in Schwefelkohlenstoff erhält man die entsprechenden 5-Oxo-x-alkyl-6,7,8,9-tetrahydro-5H-⟨benzo-cycloheptatriene⟩[2]. Die Cyclisierung von 4-(4-Methylmercapto-phenyl)-butansäure-chlorid gelingt dagegen nicht[3].

Mit guten Ausbeuten vollzieht sich auch die Cyclisierung von 6-Phenyl-hexansäure-chlorid, wenn man nach dem Ruggli-Ziegler-Verdünnungsprinzip in Schwefelkohlenstoff arbeitet und Aluminiumchlorid als Katalysator verwendet; man erhält *5-Oxo-5,6,7,8,9,10-hexahydro-⟨benzo-cyclooctatetraen⟩*[4].

5-Oxo-5,6,7,8,9,10-hexahydro-⟨benzo-cyclooctatetraen⟩[5]: In einem mit Rührer (Quecksilberverschluß) und Rückflußkühler ausgestatteten 4-*l*-Schliffkolben werden 100 g (0,75 Mol) feingepulvertes Aluminiumchlorid und 1750 *ml* über Aluminiumchlorid destillierter Schwefelkohlenstoff vorgelegt. Unter Rühren und kräftigem Rückflußkochen werden innerhalb von 40 Stdn. 45,6 g (0,216 Mol) 6-Phenyl-hexansäure-chlorid in 1250 *ml* Schwefelkohlenstoff durch den Rückflußkühler derart zugetropft, daß das zurückfließende Lösungsmittel die Säurechlorid-Lösung weiter verdünnt. Nach kurzer Zeit setzt eine Verfärbung des Reaktionsgemisches ein; an der Kolbenwand scheiden sich dunkelbraune Krusten ab. Nach Beendigung der Zugabe des Säurechlorids kocht man noch weitere 2 Stdn., destilliert dann das Lösungsmittel ab und hydrolysiert den Kolbenrückstand mit ∼ 1 kg Eis und Eiswasser. Anschließend wird das Reaktionsprodukt erschöpfend mit Wasserdampf abgeblasen, das Destillat (∼ 5 *l*) nach Sättigen mit Natriumchlorid mit Äther ausgezogen. Nach Vertreiben des Äthers siedet das Keton i. Vak. bei 146–148°; Ausbeute: 29,9 g (68% d. Th.).

Bei der anschließenden Feindestillation geht das Keton als farblose Flüssigkeit über; Kp$_{12}$: 148–148,5°.

Analog erhält man aus 6-(3,5-Dimethyl-phenyl)-hexansäure-chlorid[6] *5-Oxo-2,4-dimethyl-5,6,7,8,9,10-hexahydro-⟨benzo-cyclooctatetraen⟩*.

Bei der intramolekularen Cyclisierung von 7-Phenyl-heptansäure-chlorid könnte 5-Oxo-6,7,8,9,10,11-hexahydro-5H-⟨benzo-cyclononatetraen⟩ erwartet werden; diese Umsetzung gelingt jedoch nicht, neben cyclischen Dimerisations- und Trimerisations-Produkten werden undefinierte polymere Reaktionsprodukte erhalten[6,7]. Ähnlich verhält sich 8-Phenyl-octansäure-chlorid[6]. ω-Phenylalkansäuren mit 9 Kohlenstoffatomen und mehr schließen bei der Umsetzung mit Aluminiumchlorid in Schwefelkohlenstoff nach dem Ruggli-Ziegler Verdünnungsprinzip den Ring nach der p-Stellung des Benzolkerns, es entstehen 5-Oxo-⟨benzo-[a,b,c]-cycloalkadiene-(1,3)⟩[8]:

[1] H. Burton u. D. A. Munday, Soc. **1957**, 1723.
[2] J. Colonge, J. Sibend u. P. Boisdé, Bl. **1953**, 769.
    S. Julia u. Y. Donnet, C. r. **244**, 2515 (1957).
[3] P. Cagniant, C. r. **226**, 1133 (1948).
[4] W. M. Schubert, W. A. Sweeney u. H. K. Latourette, Am. Soc. **76**, 5462 (1954).
    G. D. Hedden u. W. G. Brown, Am. Soc. **75**, 3744 (1953).
[5] R. Huisgen u. W. Rapp, B. **85**, 826 (1952).
[6] W. M. Schubert, W. A. Sweeney u. H. K. Latourette, Am. Soc. **76**, 5462 (1954).
[7] G. D. Hedden u. W. G. Brown, Am. Soc. **75**, 3744 (1953).
[8] R. Huisgen et al., A. **586**, 55 (1954).

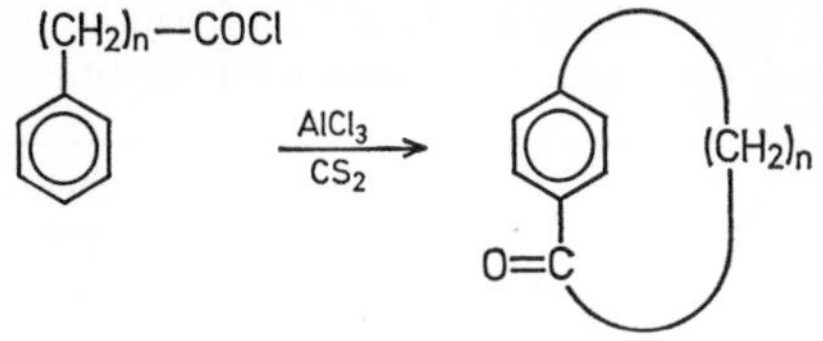

n = 8; *1,4-[1-Oxo-nonandiyl-(1,9)]-benzol*. .   0,7% d.Th.   F: —   Oxim: 129–131°
     9; *1,4-[1-Oxo-decandiyl-(1,10)]-benzol* .   22% d.Th.   F: 92,5–93°   Oxim: 117–117,5°
    10; *1,4-[1-Oxo-undecandiyl-(1,11)]-benzol*   28% d.Th.   F: 44,5–45°   Oxim: 137–137,5°
    11; *1,4-[1-Oxo-dodecandiyl-(1,12)]-benzol*   36% d.Th.   F: 78–78,5°   Oxim: 120–120,5°
    12; *1,4-[1-Oxo-tridecandiyl-(1,13)]-benzol*   36% d.Th.   F: 73,5–74°   Oxim: 120–121°
    13; *1,4-[1-Oxo-tetradecandiyl-(1,14)]-benzol* 35% d.Th.   F: 54–54,5°   Oxim: 128–129°

5-Naphthyl-(1)-pentansäure-chlorid und 6-Naphthyl-(1)-hexansäure-chlorid schließen bei der Hochverdünnungs-Cyclisierung nach der β-Stellung hin einen Ring; man erhält *7-Oxo-8,9,10,11-tetrahydro-7H-⟨cyclohepta-[a]-naphthalin⟩* bzw. *7-Oxo-7,8,9,10,11,12-octahydro-⟨cycloocta-[a]-naphthalin⟩*. 7-Naphthyl-(1)-heptansäure-chlorid, 8-Naphthyl-(1)-octansäure-chlorid und 9-Naphthyl-(1)-nonansäure-chlorid dagegen bilden unter analogen Bedingungen einen Ring zur 7-Stellung des Naphthalin-Gerüstes; man erhält *1,7-[1-Oxo-heptandiyl-(1,7)]-*, *1,7-[1-Oxo-octandiyl-(1,8)]-* und *1,7-[1-Oxo-nonandiyl-(1,9)]-naphthalin*. Beim 10-Naphthyl-(1)-decansäure-chlorid entstehen zwei Reaktionsprodukte nebeneinander, nämlich *1,7-[1-Oxo-decandiyl-(1,10)]-* und *1,4-[1-Oxo-decandiyl-(1,10)]-naphthalin*[1]:

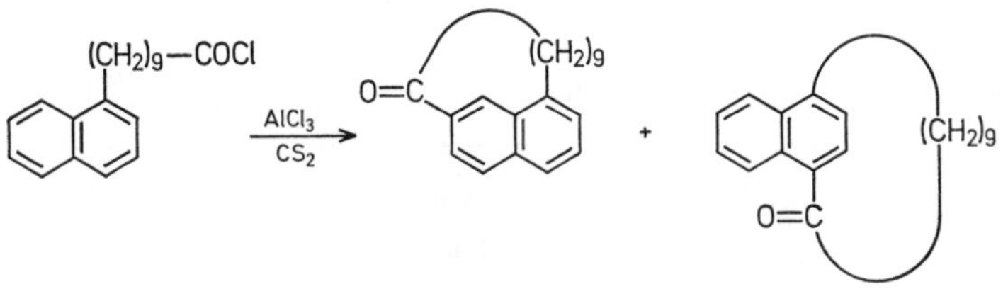

δ₂) *substituierten Benzol-Kohlenwasserstoffen*

Phenyl-essigsäure-chlorid reagiert bei Keton-Synthesen nach Friedel-Crafts mit Monohalogen-benzolen wie ein Fettsäure-chlorid:

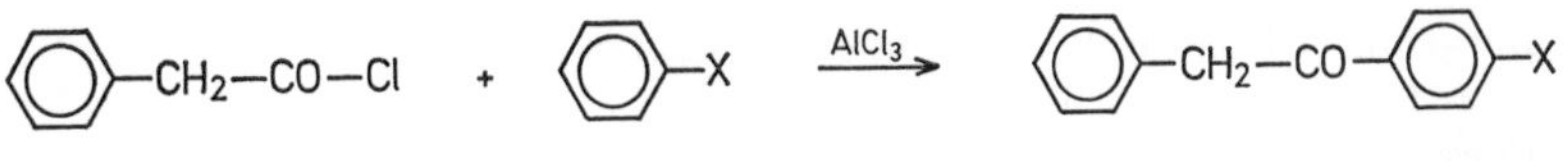

Naphthyl-(1)-essigsäure-chlorid ergibt mit Aluminiumchlorid in Schwefelkohlenstoff in Gegenwart von Chlorbenzol nur 20% d.Th. *1-Oxo-1-(4-chlor-phenyl)-2-[naphthyl-(1)]-äthan* und 40% an *Acenaphthenon-(1)*[2] (s.S. 139). Brombenzol wird durch

---

[1] R. Huisgen u. U. Rietz, Tetrahedron **2**, 271 (1958).
[2] N. P. Buu-Hoï, N. Hoán u. N. D. Xuong, Soc. **1951**, 3499.

Tab. 23. 1-Oxo-2-phenyl-1-(halogen-aryl)-äthane aus Phenyl-essigsäure-chlorid
und Halogen-benzolen und -toluolen

Halogen-benzol bzw. -toluol	Keton	Ausbeute [%d.Th.]	F [°C]	Literatur
Fluorbenzol	*1-Oxo-2-phenyl-1-(4-fluor-phenyl)-äthan*	84	86	1
Chlorbenzol	*1-Oxo-2-phenyl-1-(4-chlor-phenyl)-äthan*	78	104,5–105	2,3
Brombenzol	*1-Oxo-2-phenyl-1-(4-brom-phenyl)-äthan*		115	4
3-Fluor-toluol	*1-Oxo-2-phenyl-1-(4-fluor-2-methyl-phenyl)-äthan*		(Kp_{14}: 196°)	5
4-Fluor-toluol	*1-Oxo-2-phenyl-1-(2-fluor-5-methyl-phenyl)-äthan*	75	(Kp_{17}: 204–206°)	5
3-Chlor-toluol	*1-Oxo-2-phenyl-1-(2-chlor-4-methyl-phenyl)-äthan*	44	51	2

2,3-Dibrom-3-phenyl-propansäure-chlorid/Aluminiumchlorid acyliert und alkyliert,
man erhält *3-Oxo-2,6-dibrom-1-phenyl-indan*[6] (vgl. S. 142).

Die Umsetzung von Phenolen mit Phenyl-essigsäure-chlorid/Aluminiumchlorid
wird meist in Nitrobenzol vorgenommen. Dabei werden die entsprechenden Benzyl-
(hydroxy-phenyl)-ketone mit Ausbeuten von 60–80% d.Th. erhalten.

Tab. 24. 1-Oxo-2-phenyl-1-(hydroxy-aryl)-äthane aus Phenyl-essigsäure-chlorid
und Phenolen

Hydroxy-benzol	Keton	Ausbeute [%d.Th.]	F [°C]	Literatur
Phenol	*1-Oxo-2-phenyl-1-(4-hydroxy-phenyl)-äthan*	60–70	142	7
o-Kresol	*1-Oxo-2-phenyl-1-(4-hydroxy-3-methyl-phenyl)-äthan*	60–70	152	8
Brenzcatechin	*1-Oxo-2-phenyl-1-(3,4-dihydroxy-phenyl)-äthan*		173	9
Resorcin	*1-Oxo-2-phenyl-1-(2,4-dihydroxy-phenyl)-äthan*	80	104	9
Hydrochinon	*1-Oxo-2-phenyl-1-(2,5-dihydroxy-phenyl)-äthan*		170	9
Phloroglucin	*1-Oxo-2-phenyl-1-(2,4,6-trihydroxy-phenyl)-äthan*		163	10

[1] N. P. Buu-Hoi, N. Hoán u. P. Jacquignon, R. **68**, 788 (1949).

[2] N. P. Buu-Hoi u. R. Royer, R. **65**, 256 (1946).

[3] D. Y. Curtin u. M. C. Crew, Am. Soc. **76**, 3722 (1954).

[4] J. H. Speer u. A. S. Hill, J. Org. Chem. **2**, 142 (1938).

[5] N. P. Buu-Hoi u. N. D. Xuong, Soc. **1953**, 388.

[6] E. P. Kohler, G. L. Hertiage u. M. C. Burnley, Am. **44**, 74 (1910).

[7] S. Weisl, M. **26**, 986 (1905).

[8] E. Blau, M. **26**, 1151 (1905).

[9] F. Finzi, M. **26**, 119 (1905).

[10] W. Riedl, A. **585**, 40 (1954).
   K. W. Rosenmund u. M. Rosenmund, B. **61**, 2610 (1928).

Auch die Umsetzung von durch Halogenatome oder Methoxy-Gruppen substituierten Phenyl-essigsäure-chloriden mit Resorcin wird in Nitrobenzol vorgenommen[1].

Aus 3-Phenyl-propansäure-chlorid/Aluminiumchlorid und Phloroglucin erhält man in Nitrobenzol *1-Oxo-3-phenyl-1-(2,4,6-trihydroxy-phenyl)-propan*[2].

Phenyl-essigsäure-chlorid[3] sowie im Phenylkern substituierte Phenyl-essigsäure-chloride reagieren in Schwefelkohlenstoff mit Anisol zu entsprechend substituierten Benzyl-(4-methoxy-phenyl)-ketonen.

1-Oxo-2-(4-brom-phenyl)-1-(4-methoxy-phenyl)-äthan[4]: Eine Lösung von 250 g (1,16 Mol) 4-Brom-phenylessigsäure in 170 ml Thionylchlorid wird 2 Stdn. auf 50° und dann für 2 Stdn. unter Rückfluß erhitzt. Der Thionylchlorid-Überschuß wird i. Vak. entfernt; zum Destillationsrückstand gibt man 2 mal je 150 ml trockenes Benzol und destilliert es i. Vak. ab, um verbliebene Spuren des Thionylchlorids zu entfernen. Das rohe Carbonsäure-chlorid wird in einer Mischung aus 550 ml Anisol und 550 ml Benzol gelöst; zu dieser Lösung werden unter Rühren 400 ml wasserfreies Zinn(IV)-chlorid in 400 ml Benzol gegeben. Nach 16 stdgm. Stehen bei Raumtemp. wird die Mischung mit Eis und Salzsäure hydrolysiert. Das abgeschiedene farblose Keton wird abgesaugt und mit verd. Alkali und Wasser gewaschen und getrocknet. Die Benzol-Schicht wird mit Alkali und Wasser gewaschen, Benzol und überschüssiges Anisol werden durch Vakuumdestillation entfernt; Rohausbeute: 333 g. Das Rohprodukt wird aus Toluol umkristallisiert: Reinausbeute: 251 g (71% d. Th.); F: 140–141°.

Naphthyl-(1)-essigsäure-chlorid ergibt bei der Umsetzung mit Anisol in Schwefelkohlenstoff 50% d. Th. *2-Oxo-2-(4-methoxy-phenyl)-1-naphthyl-(1)-äthan*[5] neben 10% d. Th. *Acenaphthenon-(1)*. Äthoxy-benzol wird durch 4-Methoxy- oder 4-Äthoxy-phenylessigsäure-chlorid/Zinn(IV)-chlorid in Benzol zu *1-Oxo-1,2-bis-[4-methoxy-phenyl]-äthan* bzw. *2-Oxo-2-(4-methoxy-phenyl)-1-(4-äthoxy-phenyl)-äthan* acyliert[6]. Während aus Phenyl-essigsäure-chlorid/Aluminiumchlorid und 2- bzw. 3-Methoxy-1-methyl-benzol in Nitrobenzol bei Raumtemperatur einheitliche Reaktionsprodukte erhalten werden, nämlich *1-Oxo-2-phenyl-1-(4-methoxy-3-methyl-phenyl)-[bzw.-1-(4-methoxy-2-methyl-phenyl)]-äthan*[7], verhält sich 3-Methoxy-1-methyl-benzol bei der Umsetzung mit dem gleichen Säurechlorid in Schwefelkohlenstoff anders. Wenn man die Reaktion bei Raumtemperatur durchführt, erhält man als Reaktionsprodukt ein Isomerengemisch aus *1-Oxo-2-phenyl-1-(2-methoxy-4-methyl-phenyl)-* und *1-Oxo-2-phenyl-1-(4-methoxy-2-methyl-phenyl)-äthan*, nach der analogen Umsetzung bei 70° isoliert man *1-Oxo-2-phenyl-1-(4-methoxy-2-methyl-phenyl)-äthan* und *2-Phenyl-1,1-bis-[4-methoxy-2-methyl-phenyl]-äthylen*[8]. 3-Methoxy-1-methyl-benzol wird durch 4-Nitro- oder 2-Methyl-phenylessigsäure-chlorid in Benzol in Gegenwart von Zinn(IV)-chlorid in p-Stellung zur Methoxy-Gruppe acyliert, man erhält *1-Oxo-2-[4-nitro-(bzw.-2-methyl)-phenyl]-1-(4-methoxy-2-methyl-phenyl)-äthan*[9]. Beim 2-Fluor-1-methoxy-benzol tritt der Acyl-Rest bei der Umsetzung mit Phenyl-essigsäure-chlorid/

---

[1] D. LIBERMANN u. M. MOYENX, Bl. **1956**, 169.
    J. SHINODA u. S. SATO, J. pharm. Soc. Japan, **48**, 791 (1928).
    G. LLOYD u. W. B. WHALLEY, Soc. **1956**, 3209.
[2] K. W. ROSENMUND u. M. ROSENMUND, B. **61**, 2610 (1928).
    J. SHINODA u. S. SATO, J. pharm. Soc. Japan **48**, 791 (1928).
[3] D. Y. CURTIN u. M. C. CREW, Am. Soc. **76**, 3722 (1954).
[4] J. W. WILSON et al., J. Org. Chem. **18**, 99 (1953).
[5] N. P. BUU-HOI, N. HOÁN u. N. D. XUONG, Soc. **1951**, 3499.
[6] W. TADROS, L. EKLADIUS u. A. B. SAKLA, Soc. **1954**, 2351.
[7] O. BEHAGHEL u. H. RATZ, B. **72**, 1274 (1939).
[8] J. F. MIQUEL, N. P. BUU-HOI u. R. ROYER, Soc. **1955**, 3417.
[9] P. HILL u. W. F. SHORT, Soc. **1935**, 1125.

Aluminiumchlorid in Schwefelkohlenstoff in p-Stellung zur Methoxy-Gruppe ein [*1-Oxo-2-phenyl-1-(3-fluor-4-methoxy-phenyl)-äthan*][1], während bei der analogen Umsetzung von 4-Fluor-1-methoxy-benzol die Acylierung in o-Stellung zur Methoxy-Gruppe [*1-Oxo-2-phenyl-1-(5-fluor-2-methoxy-phenyl)-äthan*] erfolgt[2]. Auch die Umsetzung einer Reihe von optisch aktiven Aryl-fettsäure-chloriden, nämlich von 2-Phenyl-propansäure-chlorid[3], Phenyl-(4-methyl-phenyl)-, Phenyl-(4-chlor-phenyl)-essigsäure-chlorid und von 2-Phenyl-2-(4-methyl-phenyl)-propansäure-chlorid, mit Anisol unter Friedel-Crafts-Bedingungen wird beschrieben[4]; man erhält *1-Oxo-2-phenyl-1-(4-methoxy-phenyl)-propan, 2-Oxo-1-phenyl-2-(4-methoxy-phenyl)-1-(4-methyl-phenyl)-äthan,1-Oxo-2-phenyl-2-(4-chlor-phenyl)-1-(4-methoxy-phenyl)-äthan* bzw. *1-Oxo-2-phenyl-1-(4-methoxy-phenyl)-2-(4-methyl-phenyl)-propan.*

3-Phenyl-, 3-(4-Methyl-phenyl)- und 3-(4-Chlor-phenyl)-propansäure-chlorid reagieren in Schwefelkohlenstoff/Aluminiumchlorid mit Anisol mit hohen Ausbeuten zu *1-Oxo-3-phenyl-1-(4-methoxy-phenyl)-propan, 3-Oxo-3-(4-methoxy-phenyl)-1-(4-methyl-phenyl)-propan* und *1-Oxo-3-(4-chlor-phenyl)-1-(4-methoxy-phenyl)-propan*[5].

Bei der Untersuchung der Umsetzung von ω-Phenyl-fettsäure-chloriden mit 2—5 Kohlenstoffatomen in der Fettsäurekette mit Anisol in Gegenwart von Silberperchlorat in Acetonitril, Benzonitril oder Nitromethan hat sich gezeigt, daß auch an sich zum intramolekularen Ringschluß befähigte Säurechloride unter diesen Bedingungen mit hohen Ausbeuten die entsprechenden offenkettigen Ketone bilden[6].

1,3-Dihydroxy-benzol reagiert mit Phenyl-essigsäure-chlorid/Aluminiumchlorid zu *1-Oxo-2-phenyl-1-(2,4-dihydroxy-phenyl)-äthan*, daneben entsteht 1,3-Bis-[phenylacetoxy]-benzol. Analog verläuft die Umsetzung mit 4-Methoxy-phenylessigsäure-chlorid zu *2-Oxo-2-(2,4-dihydroxy-phenyl)-1-(4-methoxy-phenyl)-äthan*. Durch überschüssiges Aluminiumchlorid wird die Ketonbildung begünstigt[7].

Die **Methyläther mehrwertiger Phenole** verhalten sich bei Umsetzungen mit Phenyl-essigsäure-chlorid oder substituierten Phenyl-essigsäure-chloriden nach Friedel-Crafts ähnlich wie Anisol. So entsteht aus 3,4-Dimethoxy-phenyl-essigsäure-chlorid und 1,2-Dimethoxy-benzol in Schwefelkohlenstoff *1-Oxo-1,2-bis-[3,4-dimethoxy-phenyl]-äthan*[8], aus 2,4,6-Trimethoxy-phenyl-essigsäure-chlorid und 1,2-Dimethoxy-benzol erhält man unter sonst analogen Bedingungen *2-Oxo-2-(3,4-dimethoxy-phenyl)-1-(2,4,6-trimethoxy-phenyl)-äthan*[9]. Zumindest teilweise Entmethylierung erfolgt, wenn der Acyl-Rest neben einer Methoxy-Gruppe eintritt. So erhält man bei der Umsetzung von 1,4-Dimethoxy-benzol mit Phenyl-essigsäure-chlorid/Aluminiumchlorid als Reaktionsprodukt eine Mischung aus *1-Oxo-2-phenyl-1-(2,5-dimethoxy-phenyl)-* und *1-Oxo-2-phenyl-1-(2-hydroxy-5-methoxy-phenyl)-äthan*[10]. Ähnlich verhalten sich 2,5-Dimethoxy-4-methyl-1-isopropyl-benzol, wo der Phenylacetyl-Rest in 3-Stellung eintritt [*1-Oxo-2-phenyl-1-(2,5-dimethoxy-6-methyl-3-iso-*

[1] N. P. Buu-Hoï, N. D. Xuong u. D. Lavit, Soc. **1954**, 1034.

[2] N. P. Buu-Hoï, N. D. Xuong u. D. Lavit, J. Org. Chem. **19**, 1617 (1954).

[3] Bruzau, A. ch. [11] **1**, 279 (1934).

[4] W. Bleazard u. E. Rothstein, Soc. **1958**, 3789.

[5] N. P. Buu-Hoï, N. Hoán u. N. D. Xuong, Soc. **1951**, 3499.

[6] H. Burton u. D. A. Munday, Soc. **1957**, 1723.

[7] S. R. Gupta, K. K. Malik u. T. R. Seshadri, Indian J. Chem. **6**, 481 (1968); C. A. **70**, 57577[t] (1969).

[8] G. N. Walker, Am. Soc. **76**, 3999 (1954).

[9] K. Freudenberg u. M. Harder, A. **451**, 213 (1927).

[10] H. Kaufmann u. A. Grombach, A. **344**, 65 (1906).

propyl-phenyl)-äthan][1], und 1,2,4-Trimethoxy-benzol, wo die Acylierung in 5-Stellung erfolgt [*1-Oxo-2-phenyl-1-(2,4,5-trimethoxy-phenyl)-äthan]*[2].

1,3- und 1,4-Dimethoxy-benzol werden bei der Umsetzung mit 2-Brom-3-phenyl-propansäure-chlorid/Aluminiumchlorid in siedendem Schwefelkohlenstoff acyliert, gleichzeitig erfolgt Äther-Spaltung, die Hydroxy-Gruppe schließt bei der alkalischen Aufarbeitung mit dem α-Kohlenstoffatom des Acyl-Restes unter Bromwasserstoff-Abspaltung einen Ring[3]:

Man isoliert als Reaktionsprodukte also *6-Methoxy-* bzw. *5-Methoxy-3-oxo-2-benzyl-2,3-dihydro-⟨benzo-[b]-furan⟩.*

Die Umsetzung von 1,3,5-Trimethoxy-benzol mit 2,4-Dimethoxy-phenyl-essigsäure-chlorid gelingt ohne Äther-Spaltung, wenn man Diäthyläther als Lösungsmittel verwendet und bei Temperaturen um 0° arbeitet, man erhält *1-Oxo-2-(2,4-dimethoxy-phenyl)-1-(2,4,6-trimethoxy-phenyl)-äthan*[4]. Diäthyläther wird ebenfalls als Lösungsmittel bei der Umsetzung von 5-Hydroxy-1,2,3-trimethoxy-benzol mit Phenyl-, 4-Methyl-phenyl- oder 4-Methoxy-phenyl-essigsäure-chlorid verwendet[5]; man erhält *1-Oxo-2-phenyl-*(bzw. *-4-methyl-phenyl-*; bzw. *-4-methoxy-phenyl)-1-(6-hydroxy-2,3,4-trimethoxy-phenyl)-äthan.*

Methylmercapto-benzol ergibt mit Phenyl-essigsäure-chlorid/Aluminiumchlorid in Schwefelkohlenstoff[6] oder 1,1,2,2-Tetrachlor-äthan *1-Oxo-2-phenyl-1-(4-methylmercapto-phenyl)-äthan.*

1-Oxo-2-phenyl-1-(4-methylmercapto-phenyl)-äthan[7]: Zu einer gerührten Lösung von 13 g (0,105 Mol) Methylmercapto-benzol und 18 g (0,104 Mol) Phenyl-essigsäure-chlorid in 75 ml wasserfreiem 1,1,2,2-Tetrachlor-äthan gibt man portionsweise 14,5 g (0,108 Mol) wasserfreies Aluminiumchlorid. Dabei wird die Temp. der Mischung bei 0–5° gehalten. Diese färbt sich intensiv grün. Man verrührt einige Stdn., läßt die Mischung dann bei Raumtemp. über Nacht stehen und gießt auf 500 g Eis und 500 ml konz. Salzsäure. Die abgeschiedenen Kristalle werden abgesaugt und getrocknet; Rohausbeute: 25 g (97% d. Th.); F: 99°.
Nach dem Umkristallisieren aus 125 ml Äthanol erhält man 20,5 g (82,5% d. Th.); F:99,4–99,8°.

Die Umsetzung von 2-Nitro-1-methoxy-benzol mit Phenyl-essigsäure-chlorid/Aluminiumchlorid in Nitrobenzol führt mit mäßigen Ausbeuten zu *1-Oxo-2-phenyl-1-(3-nitro-4-methoxy-phenyl)-äthan*[8].

Triäthylsilyl-benzol reagiert mit Phenyl-essigsäure-chlorid/Aluminiumchlorid unter Ersatz der Triäthylsilyl-Gruppe durch den Acyl-Rest; man isoliert *1-Oxo-1,2-diphenyl-äthan* (∼80% d. Th.)[9].

---

[1] R. ROYER et al., Bl. **1957**, 1386.
[2] G. BARGELLINI u. E. MARTEGIANI, Atti Accad. naz. Lincei, Rend., Cl. Sci. fisiche, mat. natur. [5], II, **20**, 183 (1911); C. **1911** II, 1788.
[3] R. L. SHRINGER u. R. E. DAMSCHRODER, Am. Soc. **60**, 895 (1938).
[4] F. E. KING u. K. G. NEILL, Soc. **1952**, 4755.
[5] M. KRISHNAMURTI u. T. R. SESHADRI, Pr. indian Acad. **39**, 144 (1954).
[6] P. CAGNIANT, C. r. **226**, 1134 (1948).
[7] S. B. COAN, D. E. TRUCKER u. E. I. BECKER, Am. Soc. **77**, 63 (1955).
[8] O. BEHAGHEL u. H. RATZ, B. **72**, 1772 (1939).
   W. BORSCHE u. J. BARTHENHEIER, A. **553**, 255 (1942).
[9] B. N. DOLGOV u. O. K. PANINA, Ž. obšč. Chim. **18**, 1293 (1948); C. A. **43**, 2177 (1949).

δ_3) *Biphenyl oder Biphenyl-Derivaten*

Die Umsetzung von araliphatischen Carbonsäure-chloriden mit Biphenyl oder Biphenyl-Derivaten nach Friedel-Crafts wird meist bei Raumtemperatur in Schwefelkohlenstoff mit Aluminiumchlorid als Katalysator vorgenommen. Unter diesen Bedingungen wird im **Biphenyl** durch Phenyl-essigsäure-chlorid eine 4-Stellung[1] substituiert, in 4-Methyl-[2], 4-Äthyl-[3], 3-Chlor-4-methoxy-[4] und 4-Acetyl-[5] biphenyl tritt der Phenylacetyl-Rest in 4'-Stellung ein, und man erhält *4'-Methyl-, 4'-Äthyl-, 3'-Chlor-4'-methoxy-* und *4'-Acetyl-4-phenylacetyl-biphenyl*. 3-Chlor-2-methoxy-biphenyl ergibt mit Phenyl-essigsäure-chlorid Mischungen aus *3-Chlor-2-methoxy-5-phenylacetyl-* und *3'-Chlor-2'-methoxy-4-phenylacetyl-biphenyl*[6].

Während **Biphenyl** mit 3-(4-Chlor-phenyl)-propansäure-chlorid mit einer Ausbeute von 80% d. Th. *4-[3-(4-Chlor-phenyl)-propanoyl]-biphenyl* ergibt, reagieren Biphenyl und 3-(4-Methyl-phenyl)-propansäure-chlorid unter analogen Bedingungen nicht miteinander; das Carbonsäure-chlorid wird mit hoher Ausbeute intramolekular zu *1-Oxo-6-methyl-2,3-dihydro-inden* cyclisiert[7]. Eine Bis-acylierung des Biphenyls dürfte wegen der leichter erfolgenden Selbstkondensation des Carbonsäure-chlorids nicht möglich sein.

1,3-Diphenyl-benzol wird durch molare Mengen an Phenyl-essigsäure-chlorid/Aluminiumchlorid in 4-Stellung an einem der Phenylkerne zu *4-Phenylacetyl-terphenyl* acyliert[8]. Analog erhält man aus **1,3,5-Triphenyl-benzol**[9] *3',5'-Diphenyl-4-phenylacetyl-biphenyl*. Mit geringen Ausbeuten verläuft die Acylierung von **Fluoren** mit Phenyl-essigsäure-chlorid/Aluminiumchlorid in Schwefelkohlenstoff[10].

δ_4) *Naphthalin oder Naphthalin-Derivaten*

Die Umsetzung von **Naphthalin** mit Phenyl-essigsäure-chlorid/Aluminiumchlorid führt je nach den angewendeten Reaktionsbedingungen zu unterschiedlichen Ergebnissen. Wenn man die Reaktion ohne Lösungsmittel[11] oder in Schwefelkohlenstoff[12] vornimmt, isoliert man eine Mischung aus *1-Phenylacetyl-* und *2-Phenylacetyl-naphthalin*. Mit Nitrobenzol als Lösungsmittel kann man reines *2-Phenylacetyl-naphthalin* erhalten[13].

---

[1] V. Päpcke, B. **21**, 1339 (1888).
    M. Delaville. C. r. **184**, 463 (1927).
[2] N. P. Buu-Hoï, N. Hoán u. R. Royer, Bl. [5] **17**, 492 (1950).
[3] N. P. Buu-Hoï u. R. Royer, **70**, 829 (1951).
[4] N. P. Buu-Hoï, M. Sy u. J. Riché, J. Org. Chem. **22**, 668 (1957).
[5] B. R. Carpenter u. E. E. Turner, Soc. **1934**, 869.
[6] N. P. Buu-Hoï u. L. Petit, J. Org. Chem. **24**, 41 (1959).
[7] N. P. Buu-Hoï, N. Hoán u. N. D. Xuong, Soc. **1951**, 3449.
[8] N. P. Buu-Hoï u. R. Royer, J. Org. Chem. **16**, 320 (1951).
[9] W. Herz u. E. Lewis, J. Org. Chem. **23**, 1652 (1958).
[10] V. Päpcke, B. **21**, 1341 (1888).
[11] C. Graebe u. H. Bungener, B. **12**, 1078 (1879).
     E. Luce, C. r. **180**, 147 (1925).
[12] P. Ruggli u. M. Reinert, Helv. **9**, 71 (1926).
     J. W. Cook u. C. L. Hewett, Soc. **1934**, 376.
[13] E. Koike u. M. Okawa, Rep. Government chem. ind. Res. Inst. Tokyo, **50**, 1 (1955); C. A. **50**, 11297 (1956).

2-Phenylacetyl-naphthalin[1]: Zu einer gut gerührten, eiskalten Lösung von 50 g (0,324 Mol) Phenyl-essigsäure-chlorid und 50 g (0,39 Mol) Naphthalin in 200 ml Nitrobenzol gibt man in kleinen Portionen 50 g (0,37 Mol) Aluminiumchlorid. Nach Stehen über Nacht bei Raumtemp. wird die Reaktionsmischung auf zerstoßenes Eis ausgetragen; man destilliert das Nitrobenzol mit Wasserdampf ab. Den Rückstand nimmt man in Benzol auf. Nach dem Trocknen der Lösung (Natriumsulfat) und dem Abdestillieren des Lösungsmittels wird der Rückstand i. Vak. destilliert und das Keton aus Äthanol umkristallisiert; Ausbeute 25 g (31% d. Th.); Kp_{16}: 238°; F: 100° (farblose Prismen).

Naphthalin reagiert mit 4-Nitro-phenylessigsäure-chlorid in Schwefelkohlenstoff in Gegenwart von Aluminiumchlorid zu *2-(4-Nitro-phenylacetyl)-naphthalin* (50% d. Th.)[2]. Die Umsetzungen von Diphenyl-essigsäure-chlorid[3] und von 3-Phenyl-propansäure-chlorid[4] mit Naphthalin liefern *1-(Diphenylacetyl)-* bzw. *2-(3-Phenyl-propanoyl)-naphthalin*.

1-Methyl-naphthalin wird durch Phenyl-essigsäure-chlorid/Aluminiumchlorid in Schwefelkohlenstoff in 4-Stellung[5] zu *4-Methyl-1-phenylacetyl-naphthalin* acyliert. Bei einer analogen Umsetzung von 2-Methyl-naphthalin soll man ein Isomeren-gemisch aus *7-Methyl-3-* und *-1-phenylacetyl-naphthalin*[6] erhalten. Eindeutig in 6-Stellung verläuft dagegen die Umsetzung von 2,3-Dimethyl-naphthalin mit Phenyl-essigsäure-chlorid in Nitrobenzol in Gegenwart von Aluminiumchlorid (*5,6-Dimethyl-2-phenylacetyl-naphthalin*)[1]. Acenaphthen wird durch Phenyl-essigsäure-chlorid/Aluminiumchlorid in Schwefelkohlenstoff zu *5-Phenylacetyl-acenaphthen* (65% d.Th.) acyliert[7]. Sehr glatt und mit guten Ausbeuten verlaufen auch analoge Umsetzungen von 1-Chlor[8], 1-Brom-[8] und 1-Methoxy-[8,9] naphthalin zu *4-Chlor-, 4-Brom-* und *4-Methoxy-1-phenylacetyl-naphthalin*. Die Phenylacetylierung von 2-Methoxy-naphthalin in kaltem Nitrobenzol soll in 6-Stellung zu *6-Methoxy-2-phenylacetyl-naphthalin* erfolgen[10].

β-Naphthol kann in Schwefelkohlenstoff[11] oder Nitrobenzol[12] mit Phenyl-essig-säure-chlorid/Aluminiumchlorid zu *2-Hydroxy-1-phenylacetyl-naphthalin* umgesetzt werden.

δ_5) *Anthracen, Phenanthren und höher kondensierten alicyclischen Ringsystemen*

Bei der Umsetzung von Anthracen[13] mit Phenyl-essigsäure-chlorid/Aluminium-chlorid in Schwefelkohlenstoff bei Temperaturen unter 0° gelingt es, ein Monoketon, das *2-Phenylacetyl-anthracen*, herzustellen. Analog ist auch aus Phenanthren[13]

---

[1] N. P. Buu-Hoï, N. Hoán u. P. Jacquignon, Soc. **1951**, 1383.

[2] A. Lespagnol, J. Cheymol u. R. Devalder, Rev. sci. **80**, 277 (1942); C. **1944** I, 930.

[3] A. McKenzie u. W. S. Dennler, Soc. **125**, 2109 (1924).

[4] E. Koike u. M. Okawa, Rep. Government chem. ind. Res. Inst. Tokyo, **50**, 1 (1955); C.A. **50**, 11297 (1956).

[5] J. W. Cook u. R. A. E. Galley, Soc. **1931**, 2016.

[6] N. P. Buu-Hoï u. R. Royer, R. **65**, 254 (1946).

[7] V. Päpcke, B. **21**, 1342 (1888).
P. Ruggli u. A. Jenny, Helv. **10**, 228 (1927).

[8] N. P. Buu-Hoï u. R. Royer, R. **65**, 255 (1946).

[9] O. Behaghel u. H. Ratz, B. **72**, 1276 (1939).

[10] N. P. Buu-Hoï, R. **68**, 775 (1949).

[11] T. C. Chadha, H. S. Mahal u. K. Venkataraman, Soc. **1933**, 1462.

[12] T. Bisanz, Roczniki Chem. **30**, 87 (1956).

[13] N. P. Buu-Hoï u. R. Royer, Bl. [5] **13**, 660 (1946).

und Phenyl-essigsäure-chlorid ein *Phenylacetyl-phenanthren* unbekannter Konstitution erhältlich. Ausgehend von Pyren[1] wurde nur mit geringen Ausbeuten *1-Phenyl-acetyl-pyren* erhalten, dabei entstanden größere Mengen an nicht identifizierten Diketonen.

δ_6) reaktionsfähigen Heterocyclen

Bei der Acylierung von Heterocyclen mit araliphatischen Carbonsäure-halogeniden nach Friedel-Crafts ist bisher nur Phenyl-essigsäure-chlorid als Acyl-Komponente angewendet worden. 2-Äthyl-⟨benzo-[b]-furan⟩ wird durch dieses Säurechlorid in Schwefelkohlenstoff mit Zinn(IV)-chlorid als Katalysator in 3-Stellung zu *2-Äthyl-3-phenylacetyl-⟨benzo-[b]-furan⟩* acyliert[2]. Aus 5-Methyl-2,3-dihydro-⟨benzo-[b]-furan⟩ erhält man mit Phenyl-essigsäure-chlorid/Aluminiumchlorid in Schwefelkohlenstoff *5-Methyl-7-phenylacetyl-2,3-dihydro-⟨benzo-[b]-furan⟩*[3]. Dibenzofuran ergibt unter analogen Bedingungen *3-Phenylacetyl-⟨dibenzofuran⟩*[4]. Analog erhält man aus 3-Brom-⟨dibenzofuran⟩ *6-Brom-3-phenylacetyl-⟨dibenzofuran⟩*.

Chroman ergibt bei der Umsetzung mit Phenyl-essigsäure-chlorid/Aluminiumchlorid in Schwefelkohlenstoff bei −10° *6-Phenylacetyl-chroman*[5]. Bei der Acylierung von 3,4-Dihydro-cumarin in Nitrobenzol mit Phenyl-essigsäure-chlorid in Gegenwart von 2 Mol Aluminiumchlorid erfolgt die Acylierung ebenfalls in 6-Stellung zu *6-Phenylacetyl-3,4-dihydro-cumarin*[6]. Unter analogen Bedingungen reagiert Cumarin nicht[6].

Umsetzungen von 2-Äthyl-thiophen[7] und von 2,5-Dichlor-thiophen[8] mit Phenyl-essigsäure-chlorid/Aluminiumchlorid in Schwefelkohlenstoff werden beschrieben, man erhält *5-Äthyl-2-phenylacetyl-* und *2,5-Dichlor-3-phenylacetyl-thiophen*. Die Phenylacetylierung von Dibenzothiophen gelingt in 3-Stellung zu *3-Phenylacetyl-⟨dibenzo-thiophen⟩* unter analogen Bedingungen[9]. Uneinheitlich verläuft dagegen die Umsetzung von Dibenzoselenophen mit Phenyl-essigsäure-chlorid/Aluminiumchlorid in Schwefelkohlenstoff[10].

Bei der Umsetzung von Carbazol oder 9-Methyl-carbazol mit Phenyl-essigsäure-chlorid/Aluminiumchlorid in Benzol erfolgt Diacylierung vorwiegend in 3,6-Stellung[11] zu *3,6-Bis-[phenylacetyl]-* bzw. *9-Methyl-3,6-bis-[phenylacetyl]-carbazol*.

Aus Phenoxathiin und Phenyl-essigsäure-chlorid kann man in Schwefelkohlenstoff in Gegenwart von Aluminiumchlorid *2-Phenylacetyl-phenoxathiin* (79% d. Th.) herstellen[12].

---

[1] N. P. Buu-Hoï u. R. Royer, Bl. [5] **13**, 660 (1946).

[2] M. Bisagni, N. P. Buu-Hoï u. R. Royer, Soc. **1955**, 3694.

[3] P. Cagniant u. D. Cagniant, Bl. **1957**, 832.

[4] N. P. Buu-Hoï u. R. Royer, R. **67**, 186 (1948).

[5] G. Chatelus, C. r. **224**, 203 (1947).

[6] W. Borsche u. P. Hahn-Weinheimer, B. **85**, 200 (1952).

[7] P. Cagniant u. P. Cagniant, Bl. [5] **19**, 714 (1952).

[8] N. P. Buu-Hoï u. D. Lavit, Soc. **1958**, 1723.

[9] N. P. Buu-Hoï u. R. Royer, R. **67**, 187 (1948).

[10] N. P. Buu-Hoï u. N. Hoán, J. Org. Chem. **17**, 646 (1952).

[11] D. A. Kinsley u. S. G. P. Plant, Soc. **1954**, 1342.

[12] E. Lescot, N. P. Buu-Hoï u. N. D. Xuong, Soc. **1956**, 241

ε) Ketone aus olefinischen Monocarbonsäure-halogeniden und

ε₁) *Benzol und seinen Homologen*

α,β-Ungesättigte Monocarbonsäure-halogenide können mit Aromaten bei Keton-Synthesen nach Friedel-Crafts verschiedenartig reagieren. Es besteht die Möglichkeit, daß bei der Umsetzung Alkenyl-aryl-ketone erhalten werden,

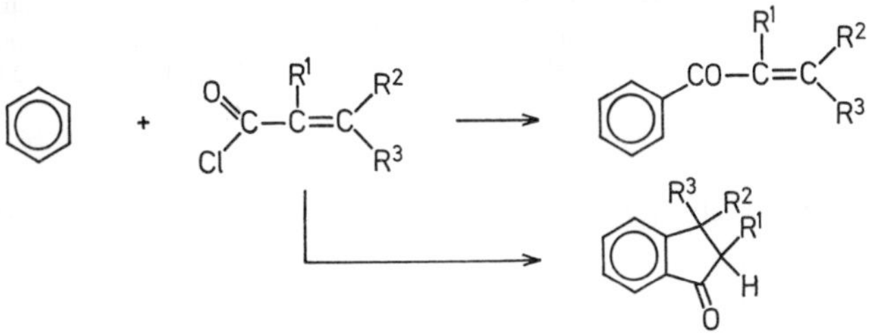

daß gleichzeitig Cyclisierung zu Indanon-(1)-Derivaten erfolgt oder daß das α,β-ungesättigte Monocarbonsäure-halogenid mit zwei Molekülen des Aromaten reagiert und 1-Oxo-1,3-diaryl-alkane entstehen:

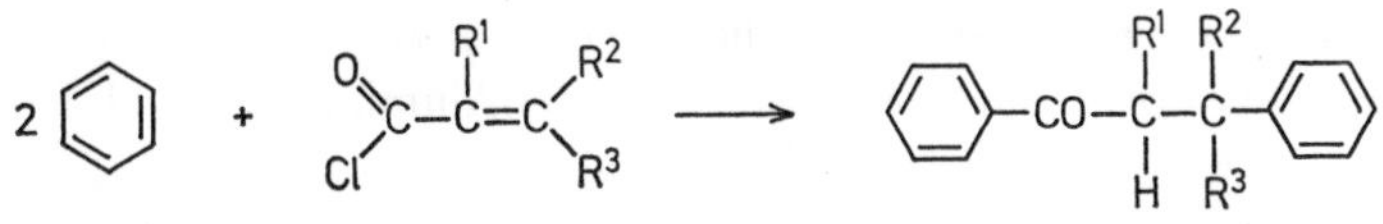

Beispiele für alle angeführten Reaktionsweisen sind bekannt. Welche Reaktion überwiegend abläuft, hängt von den angewendeten Reaktionsbedingungen wie Katalysatormenge, Verdünnungsmittel, Aromatenkonzentration und Reaktionstemperatur ab.

Aus Benzol und Acrylsäure-chlorid erhält man in Schwefelkohlenstoff in Gegenwart von Aluminiumchlorid in der Kälte mit sehr geringen Ausbeuten *Indanon-(1)*[1]. Wenn man dagegen Acrylsäure-chlorid einer warmen Suspension von Aluminiumchlorid in Benzol zusetzt, entsteht *1-Oxo-1,3-diphenyl-propan*.

1-Oxo-1,3-diphenyl-propan[2]: Zu 1000 g Benzol, denen 350 g (2,62 Mol) Aluminiumchlorid zugegeben sind, setzt man bei 65–70° eine Lösung von Acrylsäure-chlorid zu, die durch Umsetzen von 173 g (2,4 Mol) Acrylsäure mit 500 g Phosphor(V)-chlorid in 300 g trockenem Benzol unter Rühren und Kühlen mit Eis-Natriumchlorid erhalten wurde. Nachdem die gesamte, das Acrylsäure-chlorid enthaltende Lösung eingebracht ist, rührt man noch 2–3 Stdn. nach und gießt das Umsetzungsgemisch auf Eis. Die organische Phase wird säurefrei gewaschen. Nach Abdestillieren des nicht umgesetzten Benzols bleiben 270 g zurück, die destilliert werden; Ausbeute: 230 g (45% d. Th.); F: 75°.

Analog erhält man aus Xylol mit Acrylsäurechlorid *1-Oxo-1,3-(dimethyl-phenyl) propane*[2,3].

---

[1] C. Mouren, Bl. [3] **9**, 570 (1893); A. ch. [7], **2**, 199 (1894).
　E. P. Kohler, Am. **42**, 380 (1909).
[2] DBP 1078560 (1957) ≡ Brit. P. 825473 (1959), BASF, Erf.: F. Becke u. H. Bittermann;
　　C. A. **54**, 15321 (1960).
[3] C. Mouren, Bl. [3] **9**, 572 (1893).

Buten-(2)-säure-chlorid reagiert mit Benzol in Schwefelkohlenstoff in Gegenwart von Aluminiumchlorid im direkten Sonnenlicht zu *1-Oxo-1-phenyl-buten-(2)*[1]. Daneben wird noch etwas *1-Oxo-1,3-diphenyl-butan* erhalten. Wie Benzol reagiert auch tert.-Butyl-benzol[2].

1-Oxo-1-(4-tert.-butyl-phenyl)-buten-(2)[2]: Eine Lösung von 134 g (1 Mol) tert.-Butyl-benzol in 500 g Schwefelkohlenstoff wird mit 134 g (1 Mol) Aluminiumchlorid versetzt. Dazu tropft man bei 25° langsam 105 g (1 Mol) Buten-(2)-säure-chlorid. Man läßt die Reaktionsmischung 16 Stdn. stehen und trägt sie dann auf Eis und 250 g konz. Salzsäure aus. Es scheidet sich eine organische Phase ab. Sie wird abgetrennt und mit Wasser, kalter 5%iger Natronlauge und wiederum mit Wasser gewaschen und destilliert; Ausbeute: 110 g (54,5% d.Th.); Kp_1: 118–123°.

Analog erhält man

> *4-Methyl-*[3,4], *4-Octyl-*[2], *4-Dodecyl-1-[buten-(2)-oyl]-benzol*[2]
>
> *Dimethyl-[buten-(2)-oyl]-benzole*[3]
>
> *2,4-Diisopropyl-1-[buten-(2)-oyl]-benzol*[2]; *2,5-Di-tert.-butyl-1-[buten-(2)-oyl]-benzol*[2]

2-Methyl-acrylsäure-chlorid und 2-Chlor-buten-(2)-säure-chlorid ergeben mit Methyl-nonyl-benzol in Gegenwart von Aluminiumchlorid in 1,1,2,2-Tetrachloräthan bei −18° bis −5° die entsprechenden ungesättigten Ketone[2]; man erhält *1-Oxo-2-methyl-1-(methyl-nonyl-phenyl)-propen* bzw. *2-Chlor-1-oxo-1-(methyl-nonyl-phenyl)-buten-(2)*. Auch Hexen-(2)-säure-chlorid ergibt mit Benzol/Aluminiumchlorid bei 50–60° ein ungesättigtes Keton, nämlich *1-Oxo-1-phenyl-hexen-(2)* (54,6% d.Th.)[5]. Aus Benzol und *trans-β*-Brom-acrylsäure-chlorid/Aluminiumchlorid kann *trans-1-Brom-3-oxo-3-phenyl-propen* hergestellt werden[6].

3-Methyl-buten-(2)-säure-chlorid reagiert in Schwefelkohlenstoff in Gegenwart von Aluminiumchlorid im Sonnenlicht mit Benzol zum *1-Oxo-3,3-dimethyl-indan*[7]. Im Arylkern durch Alkyl-Reste substituierte 1-Oxo-3,3-dimethyl-indane entstehen bei analog durchgeführten Umsetzungen von Toluol, Äthyl-benzol, m-Xylol[8] oder 1,2,4-Trimethyl-benzol[9] mit 3-Methyl-buten-(2)-säure-chlorid. 2-Äthyl-buten-(2)-säure-chlorid setzt sich mit Benzol/Aluminiumchlorid bei 80° zu *1-Oxo-3-methyl-2-äthyl-indan* um[10].

Cyclopenten-1-carbonsäure-chlorid ergibt mit Benzol in Gegenwart von einem Mol Aluminiumchlorid bei Raumtemperatur *1-Benzoyl-cyclopenten* (I), in Gegenwart von drei Mol Aluminiumchlorid und bei einer Umsetzungstemperatur von 80° erfolgt gleichzeitig Alkylierung, und es entsteht der Tricyclus II:

---

[1] E. P. KOHLER, Am. **42**, 395 (1909).
    K. v. AUWERS, B. **54**, 992 (1921).
    K. v. AUWERS u. E. RISSE, A. **502**, 299 (1933).
[2] US.P. 2776921 (1957), Röhm & Haas Co,. Philadelphia, Erf.: S. MELAMED; C. A. **51**, 8792 (1957).
[3] K. v. AUWERS u. E. RISSE, A. **502**, 291 (1933).
[4] J. CHIO et al., Kexue Tongkao (Peking) **17**, 461 (1966).
[5] K. E. SCHULTE u. F. ZINNERT, Ar. **288**, 63 (1955).
[6] E. ANGELETTI u. F. MONTANARI, Bollettino sciendificio della facolta di chimica indusdriale, Bologna, **16**, 140 (1958); C. A. **53**, 13099 (1959).
[7] K. v. AUWERS, B. **54**, 992 (1921).
[8] N. P. BUU-HOI u. R. ROYER, Bl. [5] **14**, 814 (1947).
[9] L. I. SMITH u. W. W. PRICHARD, Am. Soc. **62**, 770 (1940).
[10] R. GRANGER et al., C. r. **244**, 1049 (1957).

6-Oxo-⟨benzo-bicyclo
[3.3.0]octen-(2)⟩; II

Ebenso verhalten sich Toluol, Äthyl-benzol und die Xylole[1].

Bei der Umsetzung von Zimtsäure-chlorid/Aluminiumchlorid mit Benzol in Schwefelkohlenstoff bei −20°, bei Raumtemperatur oder nach der Perrier-Varianten erhält man ein Gemisch von Reaktionsprodukten und zwar *1-Oxo-3-phenyl-indan, 1-Oxo-1,3,3-triphenyl-propan* und *3-Chlor-1-oxo-1,3-diphenyl-butan*[2]. Dabei sind *1-Oxo-3-phenyl-indan* oder *1-Oxo-1,3,3-triphenyl-propan*[3] die Hauptreaktionsprodukte. Während Toluol und o-Xylol unter analogen Bedingungen *3-Oxo-1-phenyl-3-[4-methyl- (bzw.- 3,4-dimethyl)-phenyl]-propen* ergeben, erhält man aus m-Xylol und Zimtsäure-chlorid neben *3-Oxo-1-phenyl-3-(2,4-dimethyl-phenyl)-propen* etwas *1-Oxo-5,7-dimethyl-3-phenyl-indan* und aus p-Xylol ausschließlich *1-Oxo-4,7-dimethyl-3-phenyl-indan*[4].

Die Umsetzung von *trans*-Zimtsäure-chloriden, die in m- oder p-Stellung durch eine Methyl-Gruppe, ein Fluor- oder Chlor-Atom substituiert sein können, mit Toluol zu *3-Oxo-1,3-bis-[4-methyl-phenyl]-propen* bzw. *3-Oxo-1-(4-chlor- und -4-fluor-phenyl)-3-(4-methyl-phenyl)-propen* verläuft nahezu quantitativ, wenn man bei 55–60° in Chlorbenzol arbeitet und den abgespaltenen Chlorwasserstoff durch einen trockenen Stickstoffstrom entfernt[5].

trans-α-Chlor-zimtsäure-chlorid ergibt mit Benzol/Aluminiumchlorid im Sonnenlicht *2-Chlor-1-oxo-3-phenyl-indan*[6]. Ebenso verhält sich m-Xylol, das zu *2-Chlor-1-oxo-5,7-dimethyl-3-phenyl-indan* reagiert. β-Chlor-zimtsäure-chlorid reagiert mit Benzol in Gegenwart von überschüssigem Aluminiumchlorid in Schwefelkohlenstoff im Sonnenlicht zu *3-Oxo-1,1-diphenyl-indan*[6].

4-Oxo-4-phenyl-*trans*-buten-(2)-säure-chlorid ergibt mit Benzol/Aluminiumchlorid *1,4-Dioxo-1,4-diphenyl-buten-(2)*. Mit Mesitylen entsteht *1,4-Dioxo-4-phenyl-1-(2,4,6-trimethyl-phenyl)-buten-(2)*[7]. Wie 4-Oxo-4-phenyl-*trans*-buten-(2)-säure-chlorid verhalten sich auch 4-Oxo-2,4-diphenyl-*trans*-buten-(2)-säure-[8] und 2,3-Dibrom-4-oxo-4-phenyl-*trans*-buten-(2)-säure-chlorid[7], die z.B. mit Benzol zu *1,4-Dioxo-1,2,4-triphenyl-trans-buten-(2)*- bzw. *2,3-Dibrom-1,4-dioxo-1,4-diphenyl-trans-buten-(2)* reagieren.

---

[1] A. MARCHAUT, Soc. **1957**, 3325.
[2] E. P. KOHLER, G. L. HERITAGE u. M. C. BURNLEY, Am. **44**, 64 (1910).
K. v. AUWERS u. E. RISSE, A. **502**, 298 (1933).
[3] K. M. JOHNSTON u. J. F. JONES, Soc. [C] **1969**, 814.
[4] K. v. AUWERS u. E. RISSE, A. **502**, 290 (1933).
[5] P. J. SLOOTMAEKERS et al., Bull. Soc. chim. belges **75**, 433 (1966).
A. RASSCHAERT, W. JANSSENS u. P. J. SLOOTMAEKERS, Bull. Soc. chim. belges **75**, 449 (1966).
[6] K. v. AUWERS u. R. HÜGEL, J. pr. [2] **143**, 157 (1935).
[7] R. E. LUTZ, Am. Soc. **52**, 3422 (1930).
[8] C. R. BAUER u. R. E. LUTZ, Am. Soc. **75**, 5997 (1953).

ε_2) *substituierten Benzolkohlenwasserstoffen*

Acrylsäure-chlorid reagiert mit überschüssigen substituierten Benzolkohlenwasserstoffen in Gegenwart von Aluminiumchlorid bei 60–80° zu 1-Oxo-1,3-bis-[subst.-phenyl]-propanen:

$$2 \; X-\langle\bigcirc\rangle \; + \; Cl-CO-CH=CH_2 \; \xrightarrow[60-80°]{AlCl_3} \; X-\langle\bigcirc\rangle-CO-CH_2-CH_2-\langle\bigcirc\rangle-X$$

Die Reaktion wird mit Chlor-benzol, 1,3-Dichlor-benzol, Anisol oder Äthoxy-benzol beschrieben. Man erhält *1-Oxo-1,3-bis-[4-chlor-*; bzw.*-4-methoxy-*; bzw. *-4-äthoxy-*; bzw. *-2,4-dichlor-phenyl]-propan*[1]. Wenn man für die Umsetzung von Anisol mit Acrylsäure-chlorid Schwefelkohlenstoff an Stelle eines großen Anisol-Überschusses als Verdünnungsmittel verwendet, fällt die Ausbeute an *1-Oxo-1,3-bis-[4-methoxy-phenyl]-propan* von 82% auf 40% der Theorie. Aus 1,2-Dimethoxy-benzol und Acrylsäure-chlorid kann man in Chlorbenzol *3,4-Dimethoxy-1-(3-chlor-propanoyl)-benzol* herstellen[2]. Unter analogen Bedingungen erhält man aus 1,2-Dimethoxy-benzol und Methyl-acrylsäure-chlorid *5,6-Dimethoxy-1-oxo-2-methyl-indan* (71% d. Th.)[2].

Buten-(2)-säure-chlorid ergibt mit Brom-benzol in Schwefelkohlenstoff in Gegenwart von Aluminiumchlorid im Sonnenlicht *1-Oxo-1-(4-brom-phenyl)-buten-(2)*[3]. Mit Anisol wird das *1-Oxo-1-(4-methoxy-phenyl)-buten-(2)* erhalten[4]. Bei der entsprechenden Umsetzung von 4-Methoxy-1-methyl-benzol entsteht ein Gemisch aus *1-Oxo-1-(2-hydroxy-5-methyl-phenyl)-buten-(2)*, *4-Oxo-2,6-dimethyl-chroman* und *7-Hydroxy-1-oxo-3,4-dimethyl-indan*[5]. 5-Methoxy-1,3-dimethyl-benzol liefert unter diesen Bedingungen ausschließlich *4-Oxo-2,5,7-trimethyl-chroman*[6]. Während die Umsetzung von 1,3-Dimethoxy-benzol mit Buten-(2)-säure-chlorid/Aluminiumchlorid in Schwefelkohlenstoff nur mit geringen Ausbeuten *1-Oxo-1-(2-hydroxy-4-methoxy-phenyl)-buten-(2)*[7] ergibt, erhält man aus 1,2-Dimethoxy-benzol in Chlorbenzol *1-Oxo-1-(3,4-dimethoxy-phenyl)-buten-(2)* (60% d. Th.). 2-Äthyl-buten-(2)-säure-chlorid reagiert mit 4-Methoxy-1-methyl-benzol zu *4-Oxo-2,6-dimethyl-3-äthyl-chroman*[8].

3-Methyl-buten-(2)-säure-chlorid ergibt mit Anisol in Schwefelkohlenstoff/Aluminiumchlorid *5-Methoxy-1-oxo-3,3-dimethyl-indan*[9]. Mit dem gleichen Säurechlorid entsteht aus 4-Methoxy-1-methyl-benzol in Gegenwart von molaren Mengen an Aluminiumchlorid *1-Oxo-3-methyl-1-(2-hydroxy-5-methyl-phenyl)-buten-(2)*, wäh-

---

[1] Brit. P. 825473 (1959), BASF, Erf.: F. BECKE u. H. BITTERMANN; C. A. **54**, 15321 (1960).

[2] F.-H. MARQUARDT, Helv. **48**, 1942 (1965).

[3] E. P. KOHLER, Am. **42**, 396 (1909).

[4] K. v. AUWERS, E. LÄMMERHIRT u. R. DÖLL, A. **421**, 150 (1920).

[5] K. v. AUWERS, E. LÄMMERHIRT u. R. DÖLL, A. **421**, 30 (1920).

[6] K. v. AUWERS, E. LÄMMERHIRT u. R. DÖLL, A. **421**, 97 (1920).

[7] J. SMITH u. R. H. THOMPSON, Soc. **1960**, 348.

[8] K. v. AUWERS, A. **439**, 146 (1924).

[9] N. P. BUU-HOI u. R. ROYER, Bl. [5] **14**, 815 (1947).

rend man bei Anwesenheit eines Aluminiumchlorid-Überschusses *4-Oxo-2,2,6-tri-methyl-chroman* und *1-Oxo-7-hydroxy-3,3,4-trimethyl-indan* erhält[1]. 5-Methoxy-1,3-dimethyl-benzol reagiert mit 3-Methyl-buten-(2)-säure-chlorid/Aluminiumchlorid zu *4-Oxo-2,2,5,7-tetramethyl-chroman*[2].

Bei der Umsetzung von 2,4-Dihydroxy-benzoesäure-methylester mit 3-Methyl-buten-(2)-säure-chlorid/Aluminiumchlorid in einer Mischung aus Nitrobenzol und Schwefelkohlenstoff bei 50° erhält man *4-Oxo-7-hydroxy-2,2-dimethyl-6-methoxy-carbonyl-chroman* als Hauptreaktionsprodukt, daneben konnte *5-Hydroxy-4-oxo-2,2-dimethyl-6-methoxycarbonyl-chroman* und etwas *1-Oxo-3-methyl-1-(2,4-dihydroxy-5-methoxycarbonyl-phenyl)-buten-(2)* isoliert werden[3].

Anisol reagiert mit Cyclopenten-1-carbonsäure-chlorid in Nitrobenzol bei Gegenwart von einem Mol Aluminiumchlorid bei 0° zu *1-(4-Methoxy-benzoyl)-cyclopenten*(I). In Gegenwart von drei Molen Aluminiumchlorid entsteht der Tricyclus II:

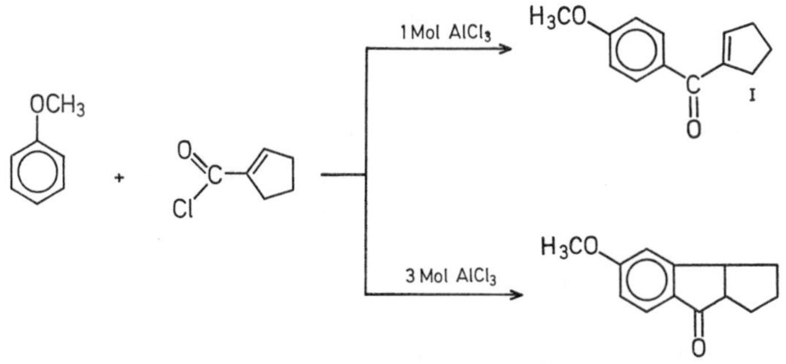

II; *3-Methoxy-6-oxo-⟨benzo-bicyclo[3.3.0]octen-(2)⟩*

Analog verhalten sich auch 1,2- und 1,4-Dimethoxy-benzol[4], die zu *1-[3,4-*(bzw.-*2,5*)-*Dimethoxy-benzoyl*]-*cyclopenten* reagieren.

Sehr wertvoll für die Synthese von substituierten Chalkonen und Flavanonen sind Umsetzungen von Phenolen oder Phenoläthern mit Zimtsäure-chloriden nach Friedel-Crafts.

Während aus o-Kresol und Zimtsäure-chlorid in Nitrobenzol in Gegenwart von Aluminiumchlorid *3-Oxo-1-phenyl-3-(4-hydroxy-3-methyl-phenyl)-propen* (40–50% d.Th.) erhalten wird[5], entsteht aus 5-Hydroxy-1,3-dimethyl-benzol und Zimtsäure-chlorid unter analogen Bedingungen *4-Oxo-5,7-dimethyl-2-phenyl-chroman*(I). Wenn man die Reaktion jedoch in Schwefelkohlenstoff durchführt, erhält man 5,7-Dimethyl-4-phenyl-3,4-dihydro-cumarin(II)[6]:

[1] K. v. AUWERS, E. LÄMMERHIRT u. R. DÖLL, A. **421**, 41 (1920).
[2] K. v. AUWERS, E. LÄMMERHIRT u. R. DÖLL, A. **421**, 101 (1920).
[3] J. NICKL, B. **92**, 1993 (1959).
[4] A. MARCHAUT, Soc. **1957**, 3325.
[5] G. NEURATH, M. **27**, 1148 (1906).
[6] M. SUZUKI, Nippon Kagaku Zasshi **82**, 883 (1961).

Resorcin liefert mit Zimtsäure-chlorid/Aluminiumchlorid in Nitrobenzol *3-Oxo-1-phenyl-3-(2,4-dihydroxy-phenyl)-propen*[1]. Im gleichen Lösungsmittel entsteht aus Resorcin und 2-Benzyliden-butansäure-chlorid bei einer Reaktionszeit von mehreren Stunden ein Gemisch der Stereoisomeren des *7-Hydroxy-4-oxo-3-äthyl-2-phenyl-chromans*[2]. Analog verhalten sich Resorcin und α,β-Diphenyl-acrylsäure-chlorid[3]; man erhält *7-Hydroxy-4-oxo-2,3-diphenyl-chroman*.

Phloroglucin reagiert mit Zimtsäure-chlorid/Aluminiumchlorid in Nitrobenzol zu *3-Oxo-1-phenyl-3-(2,4,6-trihydroxy-phenyl)-propen* und *5,7-Dihydroxy-4-oxo-2-phenyl-chroman*[1,4]. Analog werden aus Phloroglucin und im Phenylkern substituierten Zimtsäure-chloriden zahlreiche 5,7-Dihydroxy-4-oxo-2-(subst.-phenyl)-chromane hergestellt[5].

Alkoxy-benzole ergeben mit Zimtsäure-chlorid in Schwefelkohlenstoff in Gegenwart von einem Mol Aluminiumchlorid Alkoxy-chalkone. Äther-Spaltung erfolgt, wenn zwei Mole Aluminiumchlorid pro Mol Zimtsäure-chlorid verwendet werden und der Acyl-Rest in 2-Stellung zu einer Alkoxy-Gruppe eintritt. Meist wird das Aluminiumchlorid unter Eiskühlung zur Lösung des Phenyläthers und des Zimtsäure-chlorids in Schwefelkohlenstoff zugegeben. Man verrührt dann bei Raumtemperatur bis zum Nachlassen der Chlorwasserstoff-Entwicklung und beendet schließlich die Reaktion durch Erhitzen auf einem Wasserbad.

Besonders günstig verläuft die Umsetzung von 1,2-Dimethoxy-benzol mit Zimtsäure-chlorid/Aluminiumchlorid in Chlorbenzol zu *3-Oxo-1-phenyl-3-(3,4-dimethoxy-phenyl)-propen*.

3-Oxo-1-phenyl-3-(3,4-dimethoxy-phenyl)-propen[6]: Ein Gemisch von 74,0 g (0,5 Mol) Zimtsäure, 3 ml N,N-Dimethyl-formamid, 500 ml Chlorbenzol und 71 g (0,6 Mol) Thionylchlorid wird bei 30° gerührt, bis sich keine Gase mehr entwickeln. Nach Kühlen auf 10° werden zum Gemisch nacheinander 80 g (0,6 Mol) Aluminiumchlorid und eine Lösung von 69 g (0,5 Mol) 1,2-Dimethoxy-benzol in 200 ml trockenem Chlorbenzol gegeben; das Ganze wird 2 Stdn. bei 10°

[1] J. Shinoda u. S. Sato, J. pharm. Soc. Japan **48**, 791 (1928).
[2] S. Fujise, M. Suzuki u. K. Shinoda, Sci. Rep. Tohuku Univ., First Serie **39**, 186 (1956); C. A. **51**, 8084 (1957).
[3] H. A. Offe, B. **80**, 455 (1947).
[4] K. W. Rosenmund u. M. Rosenmund, B. **61**, 2611 (1928).
[5] J. Shinoda u. S. Sato, J. pharm. Soc. Japan **48**, 791, 933, 938 (1928); **49**, 64, 71 (1929); **51**, 571 (1931).
[6] J. M. Sehgal, T. R. Seshadri u. K. L. Vadehra, Pr. indian Acad. [A] **42**, 252 (1955).

Tab. 25. Chalkone aus Phenyläthern und Zimtsäure-chlorid

Phenyläther	Reaktionsprodukt*	Ausbeute [% d.Th.]	F [°C]	Literatur
H₃CO—⟨⟩	H₃CO—⟨⟩—CO–R		106–107	1
H₅C₂O—⟨⟩	H₅C₂O—⟨⟩—CO–R		74–75	1
H₃C—⟨⟩—OCH₃	OCH₃ ⟨⟩—CO–R H₃C	83	55–56	2
	OH ⟨⟩—CO–R H₃C	40	111	2
H₃C—⟨⟩—OCH₃ H₃C	OCH₃ H₃C—⟨⟩—CO–R H₃C	80	78	3
CH₃ H₃C—⟨⟩—OCH₃	H₃C OH ⟨⟩—CO–R H₃C		78	4
OCH₃ H₃CO—⟨⟩	OCH₃ H₃CO—⟨⟩—CO–R	78	79–80	3,5
OC₂H₅ H₅C₂O—⟨⟩	OC₂H₅ H₅C₂O—⟨⟩—CO–R	60	90,5	2,3,6
H₃CO—⟨⟩—OCH₃	OCH₃ ⟨⟩—CO–R H₃CO	75	43	4

Reaktionsprodukt names:
- 3-Oxo-1-phenyl-3-(4-methoxy-phenyl)-propen
- 3-Oxo-1-phenyl-3-(4-äthoxy-phenyl)-propen
- 3-Oxo-1-phenyl-3-(2-methoxy-5-methyl-phenyl)-propen
- 3-Oxo-1-phenyl-3-(2-hydroxy-5-methyl-phenyl)-propen**
- 3-Oxo-1-phenyl-3-(2-methoxy-4,5-dimethyl-phenyl)-propen
- 3-Oxo-1-phenyl-3-(2-hydroxy-3,5-dimethyl-phenyl)-propen**
- 3-Oxo-1-phenyl-3-(2,4-dimethoxy-phenyl)-propen
- 3-Oxo-1-phenyl-3-(2,4-diäthoxy-phenyl)-propen
- 3-Oxo-1-phenyl-3-(2,5-dimethoxy-phenyl)-propen

* R= —CH=CH—C₆H₅
** Unter Verwendung von 200% der theor. erforderlichen Aluminiumchlorid-Menge.

1 F. STOCKHAUSEN u. L. GATTERMANN, B. **25**, 3535 (1892).
2 H. SIMONIS u. C. LEAR, B. **59**, 2908 (1926).
3 K. v. AUWERS u. E. RISSE, B. **64**, 2221 (1931).
4 H. SIMONIS u. S. DANISCHEWSKI, B. **59**, 2918 (1926).
5 S. MATSUEDA, K. SANNOHE u. Y. SAITO, Bl. chem. Soc. Japan **36**, 1528 (1963).
6 D. C. BODANI, V. V. BODANI u. T. S. WHEELER, Current Sci. **6**, 604 (1938).

Tab. 25. (Fortsetzung)

Phenyläther	Reaktionsprodukt*	Ausbeute [% d.Th.]	F [°C]	Literatur
H_5C_2O—⟨ ⟩—OC_2H_5	(Struktur) CO–R, OH, H_5C_2O	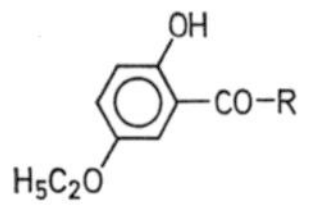 3-Oxo-1-phenyl-3-(2-hydroxy-5-äthoxy-phenyl)-propen	83	1
H_3CO—⟨ ⟩—OCH_3, H_3CO	(Struktur) H_3CO—⟨ ⟩—CO–R, OCH_3, H_3CO	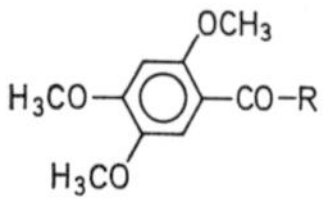 3-Oxo-1-phenyl-3-(2,4,5-trimethoxy-phenyl)-propen	gering	116–118	2
⟨ ⟩—O—⟨ ⟩	⟨ ⟩—O—⟨ ⟩—CO–R	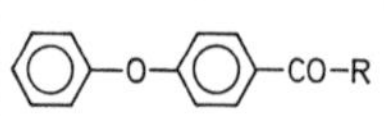 3-Oxo-1-phenyl-3-(4-phenoxy-phenyl)-propen	gut	85	3

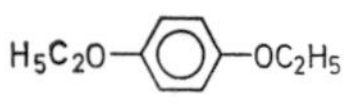

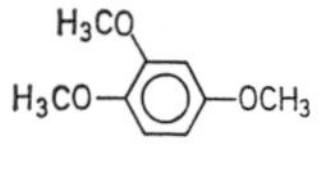

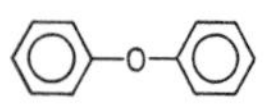

* R= —CH=CH—C_6H_5

gerührt. Zur Aufarbeitung wird auf Eis ausgetragen; die organische Phase wird abgetrennt, mit 2n Natronlauge und mit Wasser gewaschen, mit Natriumsulfat getrocknet und im Wasserstrahlvak. eingeengt, wobei das Chalkon auskristallisiert; Ausbeute: 104,2 g (78% d. Th.); F: 86–87,5°.

Die Acylierung von 1,3,5-Trimethoxy-benzol mit 3-Phenyl-buten-(2)-säurechlorid/Aluminiumchlorid zu *1-Oxo-3-phenyl-1-(2,4,6-trimethoxy-phenyl)-buten-(2)* gelingt in Nitrobenzol mit einer Ausbeute von 50% d. Th.[4]. Äther-Spaltung erfolgt dagegen bei der Umsetzung von Pentamethoxy-benzol mit 4-Methoxy-zimtsäurechlorid in Gegenwart von überschüssigem Aluminiumchlorid in Diäthyläther in der Kälte, und man erhält *3-Oxo-1-(4-methoxy-phenyl)-3-(2-hydroxy-3,4,5,6-tetramethoxy-phenyl)-propen*[5].

Phenyl-propiolsäure-chlorid ergibt bei der Umsetzung mit Phloroglucin in Gegenwart von Aluminiumchlorid in Nitrobenzol in der Kälte mit geringen Ausbeuten *5,7-Dihydroxy-2-phenyl-chromon*:

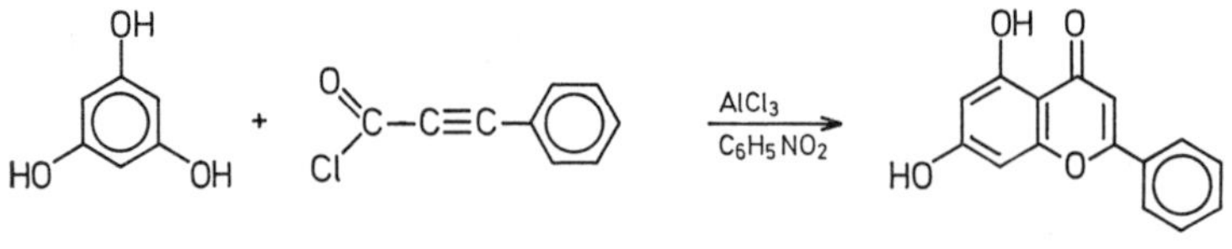

Unter analogen Bedingungen entsteht aus Resorcin *7-Hydroxy-2-phenyl-chromon* und aus Pyrogallol *7,8-Dihydroxy-2-phenyl-chromon*[6].

[1] H. Simonis u. C. Lear, B. **59**, 2908 (1926).

[2] G. Bargellini u. M. Finkelstein, G. **42** II, 421 (1912).

[3] E. P. Kohler, G. L. Heritage u. M. C. Burnley, Am. **44**, 68 (1910).

[4] J. Gripenberg, E. Honkanen u. K. Silander, Acta chem. scand. **10**, 396 (1953).

[5] J. M. Sehgal, T. R. Seshadri u. K. L. Vadehra, Pr. indian Acad. [A] **42**, 252 (1955).

[6] R. Seka u. G. Prosche, M. **69**, 288 (1936).

Durch Umsetzungen von Anisol[1], 4-Methoxy-1-methyl-benzol[2], 1,3-[3,4] und 1,4-Dimethoxy-benzol[3] mit Phenyl-propiolsäure-chlorid/Aluminiumchlorid in kaltem Schwefelkohlenstoff erhält man *3-Oxo-1-phenyl-3-(4-methoxy-phenyl)-propin-(1)*, *3-Oxo-1-phenyl-3-(2-methoxy-5-methyl-phenyl)-propin-(1)* bzw. *3-Oxo-1-phenyl-3-(2,4-* bzw. *2,5-dimethoxy-phenyl)-propin-(1)*.

ε_3) *Biphenyl*

Biphenyl ergibt bei der Umsetzung mit Buten-(2)-säure-chlorid/Aluminiumchlorid in 1,1,2,2-Tetrachlor-äthan eine Mischung aus *1-Oxo-1-biphenylyl-(4)-buten-(2)* und *3-Hydroxy-1-oxo-1-biphenylyl-(4)-butan*[5].

Wahrscheinlich entsteht das Hydroxy-keton aus dem ungesättigten Keton bei der Aufarbeitung des Reaktionsgemisches. Aus Biphenyl und Zimtsäure-chlorid wird in Gegenwart von Aluminiumchlorid in Schwefelkohlenstoff *3-Oxo-1-phenyl-3-biphenylyl-(4)-propen* erhalten[6]. Analog wird die Umsetzung von Biphenyl mit 4-Oxo-2,4-diphenyl-*trans*-buten-(2)-säure-chlorid durchgeführt. Man erhält *1,4-Dioxo-2,4-diphenyl-1-biphenylyl-(4)-trans-buten-(2)* (39% d.Th.)[7].

ε_4) *Naphthalin, Naphthalin-Derivaten und höher kondensierten alicyclischen Ringsystemen*

Acenaphthen wird durch Buten-(2)-säure-chlorid in Schwefelkohlenstoff in Gegenwart von molaren Mengen Aluminiumchlorid in 5-Stellung acyliert. Man erhält *5-[Buten-(2)-oyl]-acenaphthen* (43% d.Th.)[8].

Naphthalin ergibt mit Zimtsäure-chlorid/Aluminiumchlorid in Nitrobenzol *3-Oxo-1-phenyl-3-naphthyl-(2)-propen* (42% d.Th.)[9]. Auch α-Naphthol wird in Nitrobenzol mit Zimtsäure-chlorid umgesetzt; man benutzt dabei Zinkchlorid als Katalysator und arbeitet bei 0–5°. Nach einer Reaktionszeit von 48 Stdn. isoliert man *3-Oxo-1-phenyl-3-[1-hydroxy-naphthyl-(2)]-propen* (31,5% d.Th.)[10]. 1-Methoxy- oder 1-Äthoxy-naphthalin ergeben bei der Acylierung mit Zimtsäure-chlorid *3-Oxo-1-phenyl-3-[4-methoxy-* (bzw. *-4-äthoxy)-naphthyl-(1)]-propen*. Man kann die Umsetzung in Äther mit Schwefelsäure als Katalysator[11] oder besser in Schwefelkohlenstoff in Gegenwart von molaren Mengen an Aluminiumchlorid[12] vornehmen. Unter analogen Bedingungen liefern 2-Methoxy- und 2-Äthoxy-naphthalin *3-Oxo-1-phenyl-3-[2-methoxy-(bzw.-2-äthoxy)-phenyl]-propen*[11,13].

[1] F. STOCKHAUSEN u. L. GATTERMANN, B. **25**, 3538 (1892).

[2] H. SIMONIS u. C. LEAR, B. **59**, 2913 (1926).

[3] H. SIMONIS u. S. DAMISCHEWSKI, B. **59**, 2917 (1926).

[4] K. v. AUWERS u. E. RISSE, B. **64**, 2222 (1931).

[5] N. H. CROMWELL u. R. J. MOHRBACHER, Am. Soc. **75**, 6252 (1953).

[6] E. BERGMANN u. H. A. WOLFF, Am. Soc. **54**, 1647 (1932).

W. E. BACHMANN u. F. Y. WISELOGLE, Am. Soc. **56**, 1559 (1934).

[7] C. R. BAUER u. R. E. LUTZ, Am. Soc. **75**, 6001 (1953).

[8] L. F. FIESER u. E. B. HERSHBERG, Am. Soc. **61**, 1280 (1939).

[9] E. KOIKE u. M. OKAWA, Rep. Government chem. ind. Res. Inst. Tokyo **50**, 1 (1955); C. A. **50**, 11 297 (1956).

[10] R. D. DESAI u. R. M. DESAI, J. Sci. Res. [B] **14**, 498 (1955).

[11] J. G. BELTON, N. V. NOLAN u. T. S. WHEELER, Scient. Pr. roy. Dublin Soc. **25**, 19 (1949).

[12] F. STOCKHAUSEN u. L. GATTERMANN, B. **25**, 3537 (1892).

[13] L. MONTI, G. **60**, 43 (1930).

R. D. DESAI u. R. M. DESAI, J. Sci. Res. [B] **14**, 505 (1955).

11*

Es gelingt, Pyren mit Zimtsäure-chlorid zu einem Monoketon umzusetzen. Die Umsetzung wird zweckmäßigerweise in Chlorbenzol und in Gegenwart von Aluminiumchlorid durchgeführt[1,2].

ε_5) reaktionsfähigen Heterocyclen

Thiophen wird mit Buten-(2)-säure-chlorid in Gegenwart von „Super-Filtrol", einer aktiven Tonerde vom Montmorillonit-Typ, bei 77–122° umgesetzt; dabei erfolgt Monoacylierung, und man erhält 2-[Buten-(2)-oyl]-thiophen (23% d. Th.)[3].

Als Katalysator für die Bis-acylierung von 2,6-Dimethyl-γ-pyron mit Zimt-säure-chlorid wird Trifluoressigsäure verwendet. Man erhitzt die Reaktionsmischung unter Rückfluß bis zum Nachlassen der Chlorwasserstoff-Entwicklung und kann 2,6-Dimethyl-3,5-bis-[3-phenyl-propenoyl]-γ-pyron (85% d. Th.) isolieren[4].

ζ) Ketone aus aromatischen Carbonsäure-halogeniden und

ζ₁) Benzol und seinen Homologen

Aromatische Carbonsäure-chloride sind im allgemeinen weniger reaktionsfähig als aliphatische (S. 173). Anscheinend treten auch in einigen Fällen aliphatische Acyl-Gruppen an anderen Stellen in den aromatischen Kern ein. Dies kann einerseits an den unterschiedlichen Versuchsbedingungen liegen – exakte Vergleiche liegen meist nicht vor; andererseits ist nicht auszuschließen, daß die Versuchsergebnisse falsch interpretiert worden sind.

Bei der Umsetzung von Benzoylchlorid mit Benzol in Gegenwart von Aluminiumchlorid entsteht Benzophenon[5]. Dabei müssen bezogen auf Benzoylchlorid mindestens molare Mengen Aluminiumchlorid verwendet werden[6]. Als Verdünnungsmittel verwendet man am zweckmäßigsten einen Überschuß an Benzol, manchmal arbeitet man jedoch auch in Schwefelkohlenstoff[7,8]. In der Regel wird das Aluminiumchlorid als letzte Komponente zum Reaktionsgemisch gefügt. Die Umsetzung wird meist bei Raumtemperatur begonnen und durch Erhitzen des Reaktionsgemisches auf einem Wasserbad bis zum Aufhören der Chlorwasserstoff-Entwicklung beendet. Die erzielten Ausbeuten liegen oft über 90% der Theorie. Besonders vorteilhaft soll die Umsetzung von Benzoylchlorid mit Benzol dann verlaufen, wenn man überschüssiges Benzol als Lösungsmittel verwendet, 110% der theoretisch erforderlichen Aluminiumchloridmenge einsetzt und bei 25–30° trockene Luft durch das Reaktionsgemisch leitet, um den abgespaltenen Chlorwasserstoff zu entfernen[9].

Kinetische Messungen für die Umsetzung von Benzoylchlorid/Aluminiumchlorid mit Benzol in überschüssigem Benzol[10] oder in Benzoylchlorid[11] sowie für die Umsetzung von Benzoylbromid/Aluminiumbromid mit Benzol in Schwefelkohlenstoff[11] liegen vor. Das Zeitgesetz der durch

[1] R. Scholl, K. Meyer u. J. Donat, B. 70, 2187 (1937).
[2] Fr.P. 803192 (1937,) Ciba; C. A. 31, 2613 (1937).
[3] H. D. Hartough, A. I. Kosak u. J. J. Sardella, Am. Soc. 69, 1015 (1947).
[4] L. L. Woods, J. Org. Chem. 24, 1805 (1959).
[5] C. Friedel u. J. M. Crafts, A. ch. [6] 1, 510 (1884).
[6] C. R. Rubidge u. N. C. Qua, Am. Soc. 36, 735 (1914).
[7] J. F. Norris, R. Thomas u. B. M. Brown, B. 43, 2959 (1910).
[8] J. Böseken, R. 19, 21 (1900).
[9] F. Smeets u. J. Verhulst, Bl. Soc. chim. belges 61, 694 (1952).
[10] S. C. J. Olivier, R. 37, 205 (1917).
[11] H. C. Brown u. F. R. Jensen, Am. Soc. 80, 2291 (1958).

Aluminiumchlorid katalysierten Benzoylierung von Benzol in Benzoylchlorid-Lösung ist unter hohem Druck dem bei Normaldruck gleich; die Geschwindigkeitskonstante wird verdoppelt, wenn der Druck von 1 atü auf 1500 atü erhöht wird[1].

Die Umsetzung von Benzoylchlorid mit Benzol wird auch in Gegenwart anderer Katalysatoren als Aluminiumchlorid vorgenommen, z.B. mit Titan(IV)-[2], Antimon(V)-[3], Thallium-(III)-, Wolfram(VI)-, Uran(IV)- oder Molybdän(V)-chlorid[4]. Man erhält dabei durchweg mit geringeren Ausbeuten Benzophenon als bei der Verwendung von Aluminiumchlorid. Auch in Gegenwart von Kupfer beträgt die Benzophenon-Ausbeute nur 20% der Theorie[5]. Bei der Verwendung von Benzoyliumperchlorat, das aus Benzoylchlorid und Silberperchlorat hergestellt wird, als Acylierungsmittel sind die Benzophenon-Ausbeuten ebenfalls gering[6].

Durch Erhitzen von Benzoylchlorid mit Aromaten in Gegenwart katalytischer Mengen Phosphor-(V)-oxid im Autoklaven auf 200° sollen Benzoyl-aromaten zu ~90% d. Th. entstehen[7].

Bei der Umsetzung von mit ^{36}Cl markiertem Benzoylchlorid mit Benzol-Aluminiumchlorid enthält sowohl der abgeschiedene Benzophenon-Aluminiumchlorid-Komplex als auch der abgespaltene Chlorwasserstoff ^{36}Cl. Im intermediär gebildeten Benzoylchlorid-Aluminiumchlorid-Komplex findet also ein Halogenaustausch statt[8]. Die Herstellung von ^{14}CO-*Benzophenon* erfolgt mit 72–80%iger Ausbeute aus Benzoylchlorid-1-^{14}C/Aluminiumchlorid und Benzol in Schwefelkohlenstoff[9]. Die Umsetzung von Benzoylchlorid/Aluminiumchlorid mit Hexadeutero-benzol ergibt mit guter Ausbeute *2,3,4,5,6-Pentadeutero-benzophenon*[10].

Die Umsetzung von durch Alkyl-Reste substituierten Benzoylchloriden mit Benzol wird in Gegenwart von Aluminiumchlorid meist in überschüssigem Benzol oder besser Chlorbenzol vorgenommen und liefert entsprechend substituierte Benzophenone mit hohen Ausbeuten (vgl. S. 166).

2-Brommethyl-benzoesäure-bromid ergibt mit überschüssigem Benzol in Gegenwart von Aluminiumchlorid *2-Benzyl-benzophenon*, in Gegenwart von äquivalenten Mengen von Benzol und einem großen Aluminiumchlorid-Überschuß isoliert man *Anthron* als Reaktionsprodukt[11]:

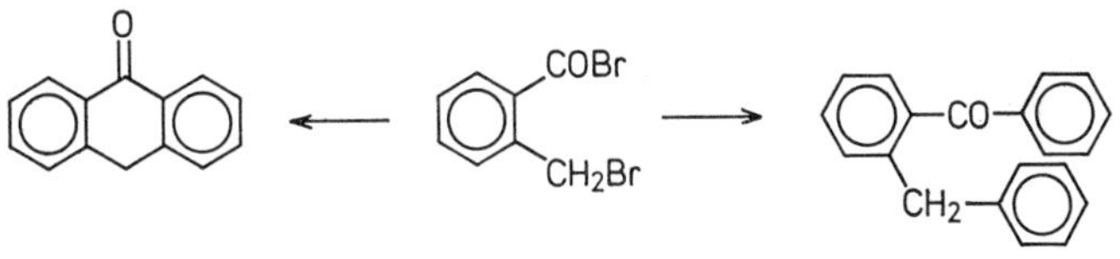

Aus 2-Trichlormethyl-benzoesäure-chlorid und Benzol/Aluminiumchlorid erhält man drei Reaktionsprodukte, nämlich Anthrachinon, *9-Chlor-10-oxo-9-phenyl-9,10-dihydro-anthracen* und *10-Oxo-9,9-diphenyl-9,10-dihydro-anthracen*[12].

[1] D. W. Coillet, S. D. Hamann u. E. F. McCoy, Austral. J. Chem. **18**, 1911 (1965).

[2] N. M. Cullinane, S. J. Chard u. D. M. Leyshon, Soc. **1952**, 378.

[3] A. M. Petrova, Ž. obšč. Chim. **24**, 491 (1954); C. A. **49**, 6150 (1955).

[4] L. I. Kaschtanov, Ž. obžč. Chim. **2**, 515 (1932); **3**, 229 (1933); C. A. **27**, 975 (1933); **28**, 1687 (1934).

[5] I. P. Tsukervanik, Dokl. Akad. SSSR **120**, 809 (1958); C. A. **52**, 20015 (1958).

[6] H. Burton u. P. F. G. Praill, Soc. **1953**, 830.

[7] DRP. 281802 (1913), H. Lecher; Frdl. **12**, 170.

[8] G. Ourerey u. B.-P. Susz, Helv. **4**, 1426 (1961).

[9] J. O. Burr, Am. Soc. **75**, 1991 (1953).
     J. Maniey et al., Bl. [5] **22**, 1248 (1955).
     A. Murray u. D. L. Williams, *Org. Syntheses with Isotopes*, Part I, 663, Intersc. Publ. New York 1958.

[10] N. P. Buu-Hoi u. N. D. Xuong, C. r. **247**, 655 (1958).

[11] F. Mayer u. W. Fischbach, B. **58**, 1252 (1925).

[12] A. Haller u. A. Guyot, C. r. **121**, 104 (1895).

Tab. 26. Benzophenone aus durch Alkyl-Gruppen substituierten Benzoylchloriden und Benzol

Benzophenon	Ausbeute [%d.Th.]	Kp		Literatur
		[°C]	[Torr]	
2-Methyl-benzophenon	60–80	312–315	735	[1,2]
3-Methyl-benzophenon	—	305–311		[1]
4-Methyl-benzophenon	—	(F: 51°)		[1]
4-Isopropyl-benzophenon	80	343	738	[2]
3,5-Dimethyl-benzophenon	89	(F: 68–69°)		[3]
3,4,5-Trimethyl-benzophenon	—	198–200	14	[4]
3,5-Dimethyl-4-äthyl-benzophenon	—	149–152	0,12	[4]
3,5-Dimethyl-4-propyl-benzophenon	—	217–218	18	[4]

Die Umsetzung von Benzoylchloriden, die im Benzolkern durch ein oder mehrere Halogen-Atome substituiert sind, mit Benzol wird wie die Umsetzung von durch Alkyl-Reste substituierten Benzoylchloriden vorgenommen. Man erhält die halogenierten Benzophenone mit guten Ausbeuten[5].

2,4-Dibrom-5-methyl-benzophenon[6]: Mit Hilfe von Thionylchlorid überführt man die 4,6-Dibrom-3-methyl-benzoesäure in ihr Säurechlorid (Kp$_{15}$: 170°). In eine Suspension von 30 g (0,23 Mol) pulverisiertem Aluminiumchlorid in 50 *ml* Benzol tropft man bei Raumtemp. eine Lösung von 31,2 g (0,1 Mol) 4,6-Dibrom-3-methyl-benzoesäure-chlorid in 50 *ml* Benzol. Man erhitzt anschließend 15 Min. auf 50°, zersetzt durch mit Salzsäure angesäuertes Eiswasser und vertreibt das überschüssige Benzol durch Wasserdampf. Man digeriert den Rückstand mit verd. Natronlauge, saugt ab, wäscht mit Wasser und trocknet. Das braune Produkt (35 g), das durch Umkristallisation nur schwierig zu reinigen ist, wird zunächst i. Vak. destilliert (Kp$_{0,05}$: 152°) und dann aus Äthanol umkristallisiert; Ausbeute: 31 g (87% d.Th.); F: 95°.

Die Umsetzung von ortho substituierten Benzoylchloriden, z.B. von 2-Chlor- oder 2,4- bzw. 2,5-Dichlor-benzoylchlorid mit Benzol zu *2-Chlor-* bzw. *2,4-* bzw. *2,5-Dichlor-benzophenon* gelingt bemerkenswerterweise mit sehr guten Ausbeuten auch mit katalytischen Mengen Eisen(III)-chlorid[7].

2-Chlor-benzophenon[7]: 175 g (1 Mol) 2-Chlor-benzoylchlorid werden mit 86 g (1,1 Mol) trockenem Benzol am Rückflußkühler auf 60° erhitzt. Nach Einrühren von 1–2 g sublimiertem Eisen(III)-chlorid setzt sofort Chlorwasserstoff-Entwicklung ein, die bei allmählich bis auf 100° gesteigerter Innentemp. mehrere Stdn. anhält. Anschließend wird Wasserdampf in die Schmelze eingeleitet um überschüssiges Benzol abzuführen bzw. nicht umgesetztes 2-Chlor-benzoylchlorid zu verseifen. Man entfernt die wäßrige Brühe von dem beim Erkalten erstarrenden Kondensationsprodukt, verrührt dieses mit verd. Natriumcarbonat-Lösung und saugt ab. Das mit Wasser gewaschene und i.Vak. getrocknete Produkt kann durch Destillation i.Vak. gereinigt werden (Kp$_3$: 155–156°); hellgelbes Öl, das zu farblosen Kristallen erstarrt; Ausbeute: 173 g (80% d.Th.); F: 44–45°.

[1] E. Ador u. A. A. Rilliet, B. **12**, 2301 (1879).
[2] A. W. Smith, B. **24**, 4046 (1891).
[3] W. E. Truce et al., Am. Soc. **80**, 3628 (1958).
[4] G. Baddeley, S. Varma u. M. Gordon, Soc. **1958**, 3173.
[5] L. Chardonnens, B. Laroche u. G. Gamba, Helv. **48**, 1800 (1965).
[6] L. Chardonnens u. J. Rody, Helv. **41**, 2437 (1958).
[7] DRP Anm. 167559 (1940), I. G. Farb., Erf.: J. Huismann, Deutsche Reichspatente aus dem Gebiet der Organischen Chemie 1939–1945, Band VI/2, S. 2017, Leverkusen, Farbf. Bayer, 1954.

Tab. 27. Benzophenone aus durch Halogenatome substituierten Benzoylchloriden

Benzophenon	Ausbeute [% d.Th.]	F [°C]	Litera- tur
2-Fluor-benzophenon	79	(Kp$_{14}$: 164–166°)	1,2
4-Fluor-benzophenon*	85	52	3
2-Chlor-benzophenon	86	46	4
3-Chlor-benzophenon		83–84	1
4-Chlor-benzophenon	85	75–77	5
2-Brom-benzophenon	97	42	3
3-Brom-benzophenon	theoret.	77	3
4-Brom-benzophenon*	gut	82,5	6
2-Jod-benzophenon		32	7
3-Jod-benzophenon	71	44	7,8
4-Jod-benzophenon*	92	102	3,7
2-Chlor-4-methyl-benzophenon	92	58–60	2
2-Chlor-5-brom-benzophenon	93	100,5–102	9
2,4-Dibrom-benzophenon*		55	10
2,6-Dibrom-benzophenon*	82	121,5	10
2,4,6-Tribrom-benzophenon		147	11

* Die Reaktion wird in Schwefelkohlenstoff durchgeführt.

Hydroxy-benzoylchloride erleiden in der Regel unter den Bedingungen der Friedel-Crafts'schen Reaktion Selbstkondensation[12].

Mit einigen ortho-Hydroxy-aryl-carbonsäure-chloriden, bei denen diese aus sterischen Gründen erschwert ist, gelingt jedoch die normale Friedel-Crafts'sche Synthese. So erhält man aus 2-Hydroxy-naphthalin-3-carbonsäure-chlorid und Benzol mit Aluminiumchlorid bei 70° das *2-Hydroxy-3-benzoyl-naphthalin* ($\sim 80\%$ d.Th.; F: 162°)[12].

Mit 2-Hydroxy-naphthalin-6-carbonsäure-chlorid und 4-Hydroxy-1,3-dimethyl-naphthalin-5-carbonsäure-chlorid hat nur die Kondensation mit hochreaktionsfähigen Aromaten Vorrang vor der Selbstkondensation. Unter Einsatz von Anisol in Schwefelkohlenstoff erhält man *2-Hydroxy-6-(4-methoxy-benzoyl)-naphthalin* (F: 197°) und *4-Hydroxy-4′,5-dimethoxy-1,3-dimethyl-benzophenon* (F: 106°)[12].

Gute Ausbeuten an 2-Hydroxy-benzophenonen werden aus cyclischen Anhydriden der Salicylsäuren mit Phosgen erhalten[13]; z.B. aus 2,4-Dioxo-⟨benzo-1,3-dioxen⟩ das *2-Hydroxy-benzophenon* (73% d. Th.).

[1] E. BERGMANN u. A. BONDI, B. **64**, 1474 (1931).
[2] J. F. BUNNETT u. B. F. HRUTFIORD, J. Org. Chem. **27**, 4155 (1962).
[3] S. A. KOOPAL, R. **34**, 152 (1915).
[4] E. BERLINER, Am. Soc. **66**, 534 (1944).
[5] R. DEMUTH u. M. DITTRICH, B. **23**, 3609 (1890).
[6] P. J. MONTAGNE, R. **27**, 336 (1908).
[7] E. S. NOVIKOVA, Izv.Vyss. Uch. Zav., Chim. i. chim. Techn. **2**, 204 (1959); C.A.**54**, 400 (1960).
[8] B. V. TRONOV u. E. S. NOVIKOVA, Ž. obšč. Chim. **26**, 1994 (1956); C. A. **51**, 5013 (1957).
[9] F. A. VINGIELLO, G. J. BUESE u. P. E. NEWALLIS, J. Org. Chem. **23**, 1140 (1958).
[10] P. J. MONTAGNE u. J. M. VAN CHARANTE, R. **31**, 329 (1912).
[11] G. BADDELEY u. D. VOSS, Soc. **1954**, 422.
[12] DRP. 483148 (1927), I.G. Farb., Erf.: A. ZITSCHER.
[13] W. H. DAVIES, Soc. **1951**, 1357.

2-Methoxy-[1] und 2-Äthoxy-benzoesäure-chlorid[1] ergeben bei der Umsetzung mit Benzol/Aluminiumchlorid *2-Hydroxy-benzophenon*. *2-Hydroxy-3-methyl-benzophenon* erhält man aus 2-Hydroxy-3-methyl-benzoesäure-chlorid/Aluminiumchlorid und Benzol mit 72% der Theorie[2]. Bei der Umsetzung von 3,5-Dichlor-2-hydroxy-[3] oder von 3,5-Dibrom-2-hydroxy-benzoesäure-chlorid[4] mit Benzol arbeitet man in überschüssigem Benzol, während bei der entsprechenden Umsetzung von 3,5-Dijod-2-hydroxy-benzoesäure-chlorid Schwefelkohlenstoff als Verdünnungsmittel verwendet wurde[5]. Man erhält *3,5-Dichlor-*(bzw. *3,5-Dibrom-* und *3,5-Dijod)-2-hydroxy-benzophenon* mit Ausbeuten von 40–60% der Theorie. 2-Chlor-5-methoxy-benzoesäure-chlorid ergibt bei der Umsetzung mit siedendem Benzol in Gegenwart von überschüssigem Aluminiumchlorid *2-Chlor-5-hydroxy-benzophenon*[6].

Anomal verläuft die Umsetzung von 2,6-Dimethoxy-benzoylchlorid/Aluminiumchlorid mit Benzol bei 70–80°, man erhält *2,6-Dimethoxy-benzophenon* und *2,2',4',6-Tetramethoxy-3'-benzoyl-benzophenon* als Reaktionsprodukte. In Diäthyläther bei Raumtemperatur ensteht *2,2',4',6-Tetramethoxy-3'-chlorcarbonyl-benzophenon*, das als 2,2',4',6-Tetramethoxy-3'-methoxycarbonyl-benzophenon isoliert werden kann[7].

Auffallenderweise gelingt die Friedel-Crafts-Kondensation mit 2-Nitro-benzoyl-chlorid[8] nur mit sehr schlechten Ausbeuten, während sie mit den 3- und 4-Isomeren meist glatt durchführbar ist (*3-* bzw. *4-Nitro-benzophenon*).

2-Nitro-benzophenon[9]: In eine Lösung von 10 g (0,054 Mol) 2-Nitro-benzoesäure-chlorid und 4,6 g (0,59 Mol) Benzol in 50 ml 1,1,2,2-Tetrachlor-äthan werden innerhalb 45 Min. 9,8 g (0,06 Mol) sublimiertes Eisen(III)-chlorid in kleinen Portionen eingetragen. Es tritt Chlorwasserstoff-Entwicklung unter gleichzeitiger Erwärmung ein. Durch Kühlung wird die Lösung auf ~ 45° gehalten. Die anfangs gelbgrüne Färbung geht im Verlaufe der Reaktion über Olivgrün in immer dunkler werdendes Blau über. Nach ~ 2 Stdn. läßt die Chlorwasserstoff-Entwicklung nach. Anschließend wird 15 Min. auf ~ 50° erwärmt. Das Reaktionsgemisch wird sodann mit 50 ml Wasser und 10 ml konz. Salzsäure versetzt und das 1,1,2,2-Tetrachlor-äthan samt unverändertem Benzol mit Wasserdampf abgeblasen. Der verbleibende Rückstand erstarrt zu einem harten, schwarzen Kuchen (10,4 g), der zur Entfernung rückgebildeter 2-Nitro-benzoesäure mit 100 ml 10%iger Natriumcarbonat-Lösung verrieben und aufgekocht wird; das Auskochen wird mit der gleichen Natriumcarbonat-Menge noch einmal wiederholt. Der unlösliche Rückstand, ein graues Pulver, wird mit heißem Äthanol aufgenommen, wobei in geringer Menge (0,3 g) ein unlösliches Produkt zurückbleibt, die äthanolische Lösung wird mit Tierkohle entfärbt und mit Wasser bis zur beginnenden Trübung versetzt. Beim Abkühlen scheidet sich das *2-Nitro-benzophenon* in feinen, weißen Nädelchen aus und wird nochmals aus Äthanol umkristallisiert; Ausbeute: 2,5 g (20% d. Th.); F: 105°.

3-Nitro-[10] und 4-Nitro-benzoesäure-chlorid[11] reagieren mit Benzol in einem Überschuß des Reaktionspartners oder in Schwefelkohlenstoff in Gegenwart von Alu-

---

[1] F. ULLMANN u. I. GOLDBERG, B. **35**, 2811 (1902).

[2] D. A. REICH u. D. V. NIGHTINGALE. J. Org. Chem. **21**, 825 (1956).

[3] R. ANSCHÜTZ u. J. F. SHORES, A. **346**, 382 (1906).

[4] R. ANSCHÜTZ u. E. LÖWENBERG, A. **346**, 386 (1906).

  A. H. BLATT, J. Org. Chem. **20**, 591 (1955).

[5] R. ANSCHÜTZ u. F. SCHMITZ, A. **346**, 389 (1906).

[6] Brit. P. 694780 (1950), British Drug House Ltd., Erf.: C. OCKRENT, C. SIMONS u. D. S. MORRIS; C. A. **50**, 408 (1956).

[7] P. FLETCHER u. W. MARLOW, Soc. [C] **1970**, 937.

[8] Das 2-Nitro-benzoylchlorid ist eine recht empfindliche Substanz. Beim Destillieren i. Vak. traten mehrfach *explosions*artige Zersetzungen ein.

[9] M. BOËTIUS u. H. RÖMISCH, B. **68**, 1927 (1935).

[10] P. J. MONTAGNE, R. **36**, 260 (1917).

  E. J. MORICONI, W. F. O'CONNOR u. W. F. FORBES, Am. Soc. **82**, 5459 (1960).

[11] I. K. FELDMAN u. A. I. ZITSEV, Ž. obšč. Chim. **23**, 441 (1953); C. A. **48**, 3312 (1954).

miniumchlorid mit hohen Ausbeuten zu *3-* bzw. *4-Nitro-benzophenon*. Analog erhält man *3-Nitro-4-methyl*[1]-, *2-Chlor-5-nitro*[2]-, *2-Brom-3-nitro*[3]- und *4-Brom-3-nitro-benzophenon*[4].

Mit katalytischen Mengen Eisen(III)-chlorid gelingt es auch hier nach der auf S. 166 beschriebenen Arbeitsweise u. a.

> *6-Chlor-3-nitro-benzophenon*, F: 86°
> *2-Chlor-4-nitro-benzophenon*, F: 108°
> *4,6,2′,4′-Tetrachlor-3-nitro-benzophenon*, F: 110°

herzustellen[5].

4′-Chlor-4-nitro-benzophenon[5]: 185,5 Tle. sublimiertes 4-Nitro-benzoylchlorid werden mit 135 *ml* Chlorbenzol am Rückfluß erhitzt. Unter Rühren trägt man ~ 2 Tle. Eisen(III)-chlorid ein, wobei sich sofort Chlorwasserstoff entwickelt. Innerhalb von 4 Stdn. steigert man die Innentemp. auf ~ 160°, bis die Gasentwicklung aufgehört hat. Die erkaltete Schmelze wird mit Wasserdampf destilliert und das rohe Kondensationsprodukt durch Umlösen aus Isobutanol gereinigt; Ausbeute: ~ 85% d. Th.; F: 98–99°.

Auch 3,5-Dinitro-benzoesäure-chloride wie 2-Chlor-3,5-dinitro-[4] oder 4-Chlor-3,5-dinitro-benzoesäure-chlorid[6] ergeben mit Benzol/Aluminiumchlorid mit hervorragenden Ausbeuten *2-* und *4-Chlor-3,5-dinitro-benzophenon*.

2-Chlor-3,5-dinitro-benzophenon[4]: 5 g (0,02 Mol) scharf getrocknete 2-Chlor-3,5-dinitro-benzoesäure und 5,3 g (0,025 Mol) Phosphor(V)-chlorid werden mit 20 *ml* Benzol unter Rückfluß bis zur Beendigung der Chlorwasserstoff-Entwicklung erhitzt. In die abgekühlte Lösung trägt man 5 g (0,037 Mol) Aluminiumchlorid ein und erwärmt, nachdem die Hauptreaktion beendet ist, die schwach gelbbraune Flüssigkeit noch 20–25 Min. Durch vorsichtiges Eintragen von Eis wird die Aluminiumchlorid-Doppelverbindung zersetzt und das Benzol mit Dampf abgeblasen. Das 2-Chlor-3,5-dinitro-benzophenon hinterbleibt hierbei als graue, kristalline Masse (5,9 g, 96% d.Th.), die aus Eisessig umkristallisiert wird; Ausbeute: 5,4 g (88% d.Th); F: 149° (lange, schwach gelbe Nadeln).

3,5-Dinitro-2-hydroxy-benzoesäure-chlorid reagiert mit Benzol/Aluminiumchlorid zu *2,4-Dinitro-xanthon*[7]:

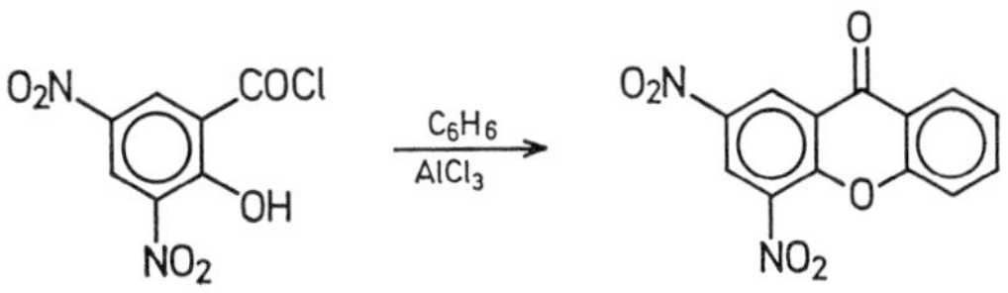

2-p-Tosylamino-benzosäure-chlorid läßt sich mit hohen Ausbeuten mit Benzol/Aluminiumchlorid zu *2-p-Tosylamino-benzophenon* kondensieren[8]. Durch saure Verseifung dieser Verbindung erhält man *2-Amino-benzophenon*[9], das auf anderen Wegen

---

[1] R. WEISS u. J. L. KATZ, M. **50**, 111 (1928).

[2] S. MIDDLETON, Austral. J. Chem. **12**, 221 (1959).

[3] S. G. P. PLANT u. M. L. TOMLINSON, Soc. **1932**, 2191.

[4] F. ULLMANN u. J. BROIDA, B. **39**, 356 (1906).

[5] DRP. Anm. 167559 (1940), I. G. Farb., Erf.: J. HUISMANN; DRP.s aus dem Geb. d. org. Chem. 1939–1945, Band VI/2, S. 2017. Leverkusen, Farbf. Bayer, 1954.

[6] F. ULLMANN u. N. WOSNESSENSKY, A. **366**, 98 (1909).

[7] F. ULLMANN u. H. P. LABHARDT, A. **366**, 87 (1909).

[8] F. ULLMANN u. H. BLEIER, B. **35**, 4274 (1902).

[9] H. J. SCHEIFELE u. D. F. DE TAR, Org. Synth. Coll. Vol. IV, 35, John Wiley & Sons, New York 1963.

nur schlecht zugänglich ist[1]. Auch die Umsetzung von 2-[2] und 4-Dichlorarsino-benzoesäure-chlorid[3] mit Benzol/Aluminiumchlorid wird beschrieben; man erhält *Benzophenon-2-* bzw. *-4-arsinoxid*.

2-Amino-benzophenon[4]:

2-Tosylamino-benzophenon: Zu einer Suspension von 150 g 2-Tosylamino-benzoesäure in 1,5 *l* Benzol werden 120 g Phosphor(V)-chlorid eingerührt und 30 Min. auf 50–60° erhitzt, bis völlige Lösung eingetreten und die Chlorwasserstoff-Entwicklung beendet ist. Nach dem Abkühlen auf Raumtemp. trägt man innerhalb 30 Min. 300 g Aluminiumchlorid ein und rührt noch ~ 1 Stde. auf dem Wasserbad nach. Hierauf wird in ein angesäuertes Eis-Wasser-Gemisch ausgetragen und das Benzol mit Wasserdampf abgetrieben. Der körnige Rückstand wird mit Wasser und verd. Natriumcarbonat-Lösung digeriert und abgesaugt; F: 127° (rein).

2-Amino-benzophenon: Das Rohprodukt wird zur Spaltung in 1,5 *l* konz. Schwefelsäure gelöst, ~ 30 Min. auf dem Wasserbad erwärmt und nach dem Abkühlen unter Außenkühlung mit ~4 kg Eis versetzt. Das als Nebenprodukt entstandene Phenyl-(4-methyl-phenyl)-sulfon wird abfiltriert und die Lösung mit Absorptionskohle geklärt.

Das 2-Amino-benzophenon wird durch Neutralisation mit Ammoniak gefällt, abgesaugt, ausgewaschen und getrocknet; Ausbeute: ~ 70 g (~ 70% d. Th.); F: 103° (rein; gelbe Kristalle).

In gleicher Weise wurden hergestellt[4]:

2-Amino-4′-methyl-benzophenon	F: 95°
2-Amino-4′-methoxy-benzophenon	F: 76°
2-Amino-2′,4-dimethoxy-benzophenon	F: 128°
2-Methylamino-2′,4-dimethoxy-benzophenon	F: 66°
1-(2-Amino-benzoyl)-naphthalin	F: 140,5°

2-Benzoyl-benzoesäure-chlorid reagiert mit Benzol in Gegenwart von Aluminiumchlorid mit nahezu quantitativer Ausbeute zu *Diphenyl-phthalid*[5].

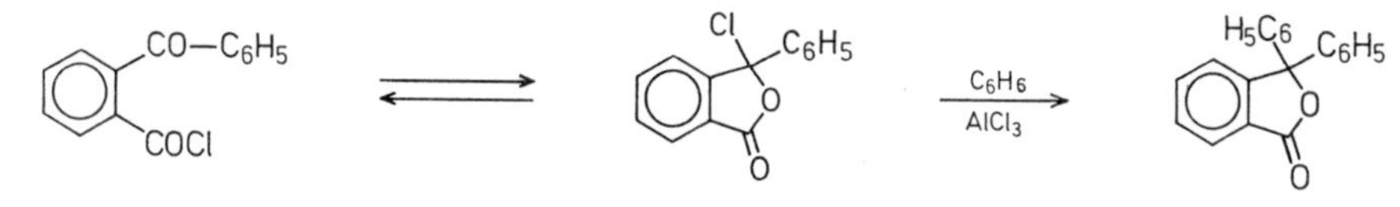

Derivate von Biphenylcarbonsäuren wie 4′-Nitro-biphenyl-[6], 3′-Chlor-4′-methoxy-biphenyl-4-carbonsäure-chlorid[7] oder 5-Methoxy-biphenyl-2-carbonsäure-chlorid[8] liefern mit Benzol/Aluminiumchlorid mit Ausbeuten von 68–85% *4-(4-Nitro-phenyl)-*, *4-(3-Chlor-4-methoxy-phenyl)-benzophenon* bzw. *3-Methoxy-2-phenyl-benzophenon*. Biphenyl-2-carbonsäure-chlorid weicht der Kondensation mit Benzol aus und cycli-

[1] Kritische Betrachtung über die Herstellungsmöglichkeiten von o-Amino-aryl-ketonen s. J. C. E. SIMPSON et al., Soc. **1945**, 646.

[2] W. L. LEWIS u. H. C. CHEETHAM, Am. Soc. **45**, 510 (1923).

[3] W. L. LEWIS u. H. C. CHEETHAM, Am. Soc. **43**, 2119 (1921).

[4] F. ULLMANN u. H. BLEIER, B. **35**, 4273 (1902).
R. STOERMER u. H. FINCKE, B. **42**, 3118 (1909).
Vgl. auch Org. Synth. **IV**, 35.

[5] H. MEYER, M. **25**, 1182 (1904).

[6] W. THEILACKER, W. BERGER u. P. POPPER, B. **89**, 979 (1956).

[7] N. P. BUU-HOI, M. SY u. J. RICHÉ, J. Org. Chem. **22**, 671 (1957).

[8] N. P. BUU-HOI u. M. SY, J. Org. Chem. **21**, 138 (1956).

siert zu *Fluorenon*. Fluoren-1-[1], -4-[2] und -2-carbonsäure-chlorid[3], reagieren mit überschüssigem Benzol in Gegenwart von äquivalenten Mengen an Aluminiumchlorid zu *1-*, *2-* bzw. *4-Benzoyl-fluoren*.

Bei der Umsetzung von Naphthalin-carbonsäure-chloriden mit Benzol/Aluminiumchlorid in einem Überschuß des Reaktionspartners oder in Schwefelkohlenstoff werden *Benzoyl-naphthaline* erhalten.

Tab. 28. Benzoyl-naphthaline aus Naphthalin-carbonsäure-chloriden
und Benzol

Reaktionsprodukt	Ausbeute [% d. Th.]	F [°C]	Literatur
1-Benzoyl-naphthalin*	90	76–77	[4,5]
2-Benzoyl-naphthalin		83	[5]
2-Methyl-1-benzoyl-naphthalin		74	[6]
4-Methyl-1-benzoyl-naphthalin		74–75	[7]
7-Methyl-1-benzoyl-naphthalin*		DNP: 256–257	[8]
7-Äthyl-1-benzoyl-naphthalin*		DNP: 223–224	[8]
3,7-Dimethyl-1-benzoyl-naphthalin*	19	84–85	[9]
5,8-Dichlor-1-benzoyl-naphthalin		93	[10]
2-Hydroxy-3-benzoyl-naphthalin	80	162	[11]

* in Schwefelkohlenstoff
DNP = 2,4-Dinitro-phenylhydrazon

Setzt man 3-Acetoxy-naphthalin-2-carbonsäure-chlorid in überschüssigem Benzol in Gegenwart von Aluminiumchlorid bei 60° um, so erhält man *3-Hydroxy-2-benzoyl-naphthalin* mit geringeren Ausbeuten[12].

Anthracen-1-carbonsäure-chlorid ergibt in Gegenwart von Aluminiumchlorid in siedendem Benzol *1-Benzoyl-anthracen*[13]. Eingehender werden Umsetzungen von Anthrachinon-carbonsäure-chloriden mit Benzol beschrieben. Die Reaktionen werden durchweg in überschüssigem Benzol vorgenommen, häufig bewährt sich dabei Eisen(III)-chlorid als Katalysator.

[1] C. F. Koelsh, Am. Soc. **54**, 4749 (1932).
[2] R. Götz, M. **23**, 33 (1902).
[3] M. Fortner, M. **25**, 449 (1904).
[4] G. Reddelien, B. **46**, 2722 (1913).
[5] W. Borsche, P. Hofmann u. H. Kühn, A. **554**, 32 (1943).
[6] F. Mayer u. A. Sieglitz, B. **55**, 1852, 2940 (1922).
[7] F. Mayer u. A. Sieglitz, B. **55**, 1840 (1922).
[8] F. G. Baddar u. F. L. Warren, Soc. **1939**, 944.
[9] F. G. Baddar, I. M. Dwidar, u. M. Gindy, Soc. **1959**, 1002.
[10] R. S. Cahn, W. O. Jones u. J. L. Simonsen, Soc. **1933**, 444.
[11] H. Rath u. B. Burkhardt, B. **73**, 701 (1940).
    D.R.P. 483148 (1927), I. G. Farb.; Erf.: A. Zitscher.
[12] R. Lesser, E. Kranepuhl u. G. Gad, B. **58**, 2122 (1925).
[13] US. P. 1991687 (1933), DuPont, Erf.: R. N. Lulek u. M. A. Perkins; C. A. **29**, 2366 (1935).

Tab. 29. Benzoyl-anthrachinone aus Anthrachinon-carbonsäure-chloriden
und Benzol

Reaktionsprodukt	Ausbeute [%d.Th.]	F [°C]	Literatur
1-Benzoyl-anthrachinon	60	229	1
2-Methyl-1-benzoyl-anthrachinon*	gering	207–208	2
3-Methyl-1-benzoyl-anthrachinon*		224,5–226	3
1-Chlor-2-benzoyl-anthrachinon	70	196	4
2-Chlor-3-benzoyl-anthrachinon	84	195–200	5
2-Brom-1-benzoyl-anthrachinon*		268–269	6
1,4-Dibenzoyl-anthrachinon*, **		225–226	7

* FeCl$_3$ als Katalysator
** aus 1-Benzoyl-anthrachinon-4-carbonsäure-chlorid

Die Reaktion einiger tetracyclischer Carbonsäure-chloride wie 7-Oxo-6-chlor-carbonyl-7H-⟨benzo-[c]-fluoren⟩[8], 7-Oxo-2-chlorcarbonyl-7H-⟨benzo-[d,e]-anthracen⟩[9] oder von Chrysen-6-carbonsäure-chlorid[10] mit Benzol/Aluminiumchlorid zu *7-Oxo-6-benzoyl-7H-⟨benzo-[c]-fluoren⟩*, *7-Oxo-2-benzoyl-7H-⟨benzo-*[d,e]-*anthracen⟩* und *6-Benzoyl-chrysen* wird beschrieben.

Die Umsetzung von Halogeniden aromatischer Carbonsäuren mit Alkyl-benzolen erfolgt leichter als die mit Benzol.

Während es nicht gelingt, Benzoylfluorid in Gegenwart von Aluminiumchlorid oder von Bortrifluorid mit Benzol zu Benzophenon umzusetzen, erhält man aus Benzoylfluorid/Bortrifluorid oder Bortrifluorid-ätherat und Toluol oder Äthyl-benzol *4-Methyl-* bzw. *4-Äthyl-benzophenon* in mäßigen Ausbeuten[11].

Mit hoher Ausbeute erhält man *4-Methyl-benzophenon* aus Toluol mit Benzoylchlorid/Aluminiumchlorid[12–14]. Zur Steigerung der Ausbeute wird empfohlen, die Lösung des Benzoylchlorids in Toluol zu einer Suspension der benötigten Aluminiumchlorid-Menge in Toluol zuzugeben[15]. Auch die Entfernung des gebildeten

[1] A. Schaarschmidt, B. **48**, 837 (1915).
   R. Scholl u. J. Donat, A. **512**, 10 (1934).
[2] R. Scholl, B. **61**, 980 (1928).
[3] R. Scholl, J. Donat u. O. Böttger, A. **512**, 126 (1934).
[4] A. Schaarschmidt u. J. Herzenberg, B. **51**, 1233 (1918).
[5] F. Ullmann u. I. C. Dasgupta, B. **47**, 553 (1914).
[6] R. Scholl et al., A. **512**, 37 (1934).
[7] C. F. H. Allen u. S. C. Overbaugh, Am. Soc. **57**, 744 (1935).
[8] A. Schaarschmidt, B. **50**, 301 (1917).
[9] N. K. Moshchinskaya, Ž. obšč. Chim. **11**, 45 (1941); C. A. **35**, 5488 (1941).
[10] K. Funke u. E. Müller, J. pr. [2] **144**, 248 (1936).
[11] L. M. Smorgonsky, Ž. obšč. Chim. **21**, 655 (1951); C. A. **45**, 9504 (1951).
[12] K. Elbs, J. pr. [2] **35**, 466 (1887).
[13] P. Bourcet, Bl. [3] **15**, 945 (1896).
[14] L. Chardonnens u. W. Schlapbach, Helv. **29**, 1416 (1946).
[15] A. G. Davies et al., Soc. **1954**, 3475.

Chlorwasserstoffs aus der Reaktionsmischung durch Einblasen von trockener Luft bei 25–30° hat sich als zweckmäßig erwiesen[1].

Die Benzoylierung des Toluols verläuft nicht isomerenfrei. Neben *4-Methyl-benzophenon* erhält man noch *2-Methyl-* und *3-Methyl-benzophenon*. Im Rahmen kinetischer Untersuchungen der Benzoylierung von Toluol in Benzoylchlorid[2] oder Nitrobenzol[3] sind die Anteile der einzelnen Isomeren durch infrarotspektroskopische oder gaschromatographische Untersuchungen bestimmt worden. Dabei hat es sich gezeigt, daß in Nitrobenzol der Anteil an p-Acylierungs-Produkt etwas höher, der Anteil an o-Acylierungs-Produkt etwas geringer ist als in Benzoylchlorid. Durchweg enthält das rohe Reaktionsprodukt um 90% an *4-Methyl-benzophenon* gegen 8% an *2-Methyl-benzophenon* und zwischen 1 und 1,5% an *3-Methyl-benzophenon*. Die Isomerenverteilung wird durch Erhöhung des Druckes, bei dem man die Reaktion vornimmt, nicht verändert[4]. Kinetische Messungen der Benzoylierung von Toluol sind auch in 1,2,4-Trichlor-benzol, 1,2-Dichlor-benzol, Dichlormethan und 1,2-Dichlor-äthan vorgenommen worden[5] sowie Messungen der Acylierung von Toluol durch substituierte Benzoylchloride in Chlorbenzol[6].

Bei der gleichzeitigen Einwirkung von Acetylchlorid und Benzoylchlorid auf Toluol in Schwefelkohlenstoff in Gegenwart von Aluminiumchlorid entsteht überwiegend *4-Methyl-acetophenon*. Acetylchlorid ist also unter den angewendeten Reaktionsbedingungen ein energischeres Acylierungsmittel[7] (s. S. 20).

Die Herstellung von *4-Methyl-benzophenon-¹⁴CO* erfolgt durch Umsetzung von Benzoylchlorid-1-¹⁴C/Aluminiumchlorid mit Toluol in Schwefelkohlenstoff[8].

Für die Umsetzung von Benzoylchlorid mit Toluol werden auch andere Katalysatoren als Aluminiumchlorid angewendet. So entsteht mit Titan(IV)-chlorid *4-Methyl-benzophenon* zu 81% der Theorie[9]. Wenn man die Umsetzung in Gegenwart von Zinkchlorid vornimmt – die Reaktionspartner werden dabei 6–10 Stdn. unter Rückfluß erhitzt – erhält man das *4-Methyl-benzophenon* zu 75% der Theorie[10].

Wesentlich geringer sind die Ausbeuten mit Silberperchlorat[11] oder mit Metallen wie Kupfer oder Molybdän.[12]

Es dürfte jedoch in jedem Falle zweckmäßig sein, in überschüssigem Toluol zu arbeiten; so erhält man z. B. mit substituierten Benzoylchloriden:

2′,4-Dimethyl-benzophenon[13] *3′,4-Dimethyl-benzophenon*[13] *3,5,4′-Trimethyl-benzophenon*[14] *2′-Chlor-4-methyl-benzophenon*[15] *4′-Chlor-4-methyl-benzophenon*[16] *2′-Brom-4-methyl-benzophenon*[16]	60–85% d. Th.

[1] F. SMEETS u. J. VERHULST, Bl. Soc. chim. belges **61**, 694 (1952).
[2] H. C. BROWN u. F. R. JENSEN, Am. Soc. **80**, 2296 (1958).
[3] H. C. BROWN u. H. C. YOUNG, J. Org. Chem. **32**, 719 (1957).
[4] D. W. COILLET, S. D. HAMANN u. E. F. McCOY, Austral. J. Chem. **18**, 1911 (1965).
[5] F. R. JENSEN, G. MARINO u. H. C. BROWN, Am. Soc. **80**, 3303 (1959).
[6] P. J. SLOOTMAKERS, R. ROOSEN u. J. VERHULST, Bl. Soc. chim. belges **71**, 446 (1962).
   P. J. SLOOTMAKERS, A. RASSCHAERT u. W. JANSSENS, Bl. Soc. chim. belges **75**, 199 (1966).
[7] E. H. MAN u. C. R. HAUSER, J. Org. Chem. **17**, 397 (1952).
[8] A. MURRAY u. D. L. WILLIAMS, *Org. Syntheses with Isotopes*, Part I, 662, Interscience Publishers Inc., New York 1958.
[9] N. M. CULLINANE, S. J. CHARD u. P. M. LEYSHON, Soc. **1952**, 386.
[10] A. B. KUCHKAREV u. I. P. TSUKERVANIK, Ž. obšč. Chim. **18**, 320 (1948); C. A. **42**, 6771 (1948).
[11] G. CAUQUILL, H. BARRERA u. R. BARRERA, Bl. [5] 20 1115 (1953).
[12] I. P. TSUKERVANIK, Doklady Akad. SSSR **120**, 809 (1958); C. A. **52**, 20015 (1959).
[13] W. SCHARWIN u. P. SCHORIGIN, B. **36**, 2026 (1903).
[14] W. E. TRUCE et al., Am. Soc. **80**, 3629 (1958).
[15] W. D. COHEN, R. **38**, 117 (1919).
[16] A. HEIDENREICH, B. **27**, 1452 (1894).

$2'$-*Jod-4-methyl-benzophenon*[1]   22% d.Th.

$3'$-*Jod-4-methyl-benzophenon*[2] ⎫

$4'$-*Jod-4-methyl-benzophenon*[3] ⎬   60–85% d.Th.

$4'$-*Methoxy-4-methyl-benzophenon*[4]   mäßig

Während die Umsetzung von 2-Nitro-benzoylchlorid (vgl. S. 168) mit Toluol nur mit schlechten Ausbeuten[5] gelingt, können 3-Nitro-[6] oder 4-Nitro-benzoylchlorid[7] mit Toluol ohne Schwierigkeiten zu *3'*- und *4'-Nitro-4-methyl-benzophenon* umgesetzt werden.

Bei der Umsetzung von Benzophenon-carbonsäure-chloriden mit Toluol können auch Diketone erhalten werden. So entsteht aus 4-(4-Methyl-benzoyl)-benzoesäure-chlorid/Aluminiumchlorid und Toluol *1,4-Bis-[4-methyl-benzoyl]-benzol*[8]. *2,4-Dibrom-5-benzoyl-1-(4-methyl-benzoyl)-benzol* (92% d.Th.) wird aus 2,4-Dibrom-5-benzoyl-benzoesäure-chlorid und Toluol in Schwefelkohlenstoff synthetisiert[9].

Trichlorsilyl-Reste überstehen Keton-Synthesen nach Friedel-Crafts mit Aluminiumchlorid als Katalysator unverändert. So erhält man aus 4-Trichlorsilyl-benzoesäure-chlorid und Toluol in 1,1,2,2-Tetrachlor-äthan oder in überschüssigem Toluol *4'-Trichlorsilyl-4-methyl-benzophenon*[10] Analog erhält man *3'-Trichlorsilyl-4-methyl-benzophenon*[10]. Bei der Umsetzung von 2-[11] oder 4-Dichlorarsino-benzoesäure-chlorid[12] mit Toluol wird der Dichlorarsin-Rest verändert, und man erhält Benzophenone, die Arsinoxide als Substituenten tragen.

Mit Carbonsäure-chloriden höhercyclischer Kohlenwasserstoffe wie 9-Oxo-fluoren-4-carbonsäure-chlorid[13], 3,7-Dimethyl-naphthalin-2-carbonsäure-chlorid[14], Anthrachinon-2-carbonsäure-chlorid[15]oder 1-Chlor-anthrachinon-2-carbonsäure-chlorid[15]werden *9-Oxo-4-(4-methyl-benzoyl)-fluoren*, *3,7-Dimethyl-2-(4-methyl-benzoyl)-naphthalin* und *1-Chlor-2-(4-methyl-benzoyl)-anthrachinon* meist mit guten Ausbeuten in überschüssigem Toluol mit Aluminiumchlorid als Katalysator erhalten. Bei Umsetzungen von 3,6-Dimethyl-naphthalin-2-carbonsäure-chlorid[16], Anthrachinon-1-carbonsäure-chlorid[17] und von 2-Methyl-anthrachinon-1-carbonsäure-chlorid[18] mit Toluol hat sich Eisen-(III)-chlorid als günstig bewährt; man erhält *3,6-Dimethyl-2-(4-methyl-benzoyl)-naphthalin*, *1-(4-Methyl-benzoyl)-* und *2-Methyl-1-(4-methyl-benzoyl)-anthrachinon*. 3-Hydroxy-naphthalin-2-carbonsäure-chlorid wird mit Toluol in Gegenwart von Aluminiumchlorid oder Zinkchlorid in Benzol zu *3-Hydroxy-2-(4-methyl-benzoyl)-naphthalin* umgesetzt[19].

[1] D.F. De Tar u. D.I. Relyea, Am. Soc. **78**, 4304 (1956).

[2] B. V. Trunov u. E. S. Novikova, Ž. obšč. Chim. **26**, 1994 (1956); C. A. **51**, 5013 (1957).

[3] E. S. Novikova, Izv. Vyss. Uch. Zav., Chim i chim Techn. **2**, 204 (1959); C. A. **54**, 400 (1960).

[4] A. Orekhoff u. J. Brouty, Bl. [4] **47**, 623 (1930).

[5] M. Boëtius u. H. Römisch, B. **68**, 1931 (1935).

[6] H. Limpricht u. M. Lenz, A. **286**, 307 (1895).

[7] H. Limpricht u. E. Samietz, A. **286**, 321 (1895).

[8] H. Limpricht, A. **312**, 94 (1900).

[9] L. Chardonnens u. J. Rody, Helv. **41**, 2438 (1958).

[10] R. A. Benkeser u. H. R. Krysiak, Am. Soc. **76**, 600 (1954).

[11] W. L. Lewis u. H. C. Cheetham, Am. Soc. **45**, 512 (1923).

[12] W. L. Lewis u. H. C. Cheetham, Am. Soc. **43**, 2120 (1921).

[13] H. Pick, M. **25**, 979 (1904).

[14] E. A. Coulson, Soc. **1934**, 1411.

[15] A. Schaarschmidt, B. **48**, 838 (1915).

[16] E. A. Coulson, Soc. **1935**, 77.

[17] R. Scholl, B. **61**, 969 (1928).

[18] R. Scholl, H. Dehnert u. L. Wanka, A. **493**, 91 (1932).

[19] Fr. P. 646402 (1927), I. G. Farb.; C. **1929** I, 2702.

Kinetische Untersuchungen der Umsetzungen von Monoalkyl-benzolen mit Alkyl-Resten mit mehr als einem Kohlenstoffatom wie Äthyl-benzol, Isopropyl-benzol oder tert.-Butyl-benzol mit Benzoylchlorid/Aluminiumchlorid sind in Nitrobenzol vorgenommen worden[1].

Als Katalysator für die Herstellung von *4-Äthyl-benzophenon* aus Benzoylchlorid und überschüssigem Äthyl-benzol werden Aluminiumchlorid[2] oder Zinkchlorid[3] verwendet. Bei der Synthese von *2′-Fluor-4-äthyl-benzophenon* aus 2-Fluor-benzoe-säure-chlorid/Aluminiumchlorid und Äthyl-benzol arbeitet man in Schwefelkohlen-stoff. Ausbeuten von 70% d. Th. an *4-Propyl-benzophenon* werden bei der Um-setzung von Propyl-benzol mit Benzoyl-chlorid/Aluminiumchlorid erhalten[4]. Isopropyl-benzol wird mit Benzoylchlorid in Ligroin zu *4-Isopropyl-benzophenon* umgesetzt[5], während die Synthese von *4,4′-Di-tert.-butyl-benzophenon* aus tert.-Butyl-benzol und 4-tert.-Butyl-benzoesäure-chlorid mit gutem Erfolg in Schwefelkohlen-stoff durchgeführt wird[6]. Analog verläuft die Synthese von *4-Octyl-benzophenon* aus Octyl-benzol und Benzoylchlorid/Aluminiumchlorid[7]. Bei der Benzoylierung von Cyclopentyl- oder Cyclohexyl-benzol mit Benzoylchlorid/Aluminiumchlorid arbeitet man nach der Perrier-Varianten der Keton-Synthese nach Friedel-Crafts[8]; man erhält *4-Cyclopentyl-* bzw. *4-Cyclohexyl-benzophenon*.

Benzoylfluorid kann mit Bortrifluorid als Katalysator zur Acylierung von m-Xylol verwendet werden (*2,4-Dimethyl-benzophenon*; 78% d.Th.)[9].

Die Acylierung der Xylole mit Benzoylchlorid/Aluminiumchlorid ist kinetisch in Benzoyl-chlorid[10] und in 1,2-Dichlor-äthan[11] untersucht worden. Kinetische Messungen der Benzoylierung aller Xylole, Trimethyl- und Tetramethyl-benzole sowie des Pentamethyl-benzols wurden in Nitrobenzol durchgeführt[12].

Die Benzoylierung von Benzolkohlenwasserstoffen mit mehr als einem Alkyl-Rest wird, wenn der zu acylierende Kohlenwasserstoff nicht zu wertvoll oder gegenüber Aluminiumchlorid nicht zu empfindlich ist, in einem Überschuß des Kohlenwasser-stoffs durchgeführt. Sonst werden als Verdünnungsmittel Schwefelkohlenstoff, 1,1,2,2-Tetrachlor-äthan, 1,2-Dichlor-äthan, Nitrobenzol oder Chlorbenzol verwendet. Als Katalysator wird meist Aluminiumchlorid eingesetzt.

Die Umsetzung von m-Xylol mit Benzoylchlorid kann auch in Gegenwart von Kupfer erfolgen; man isoliert nach mehrstündigem Erhitzen der Komponenten *2,4-Dimethyl-benzophenon* (30% d.Th.)[13]. Indan, das in Schwefelkohlenstoff mit Benzoylchlorid/Aluminiumchlorid ein Gemisch aus *4-* und *5-Benzoyl-indan* ergibt[14], setzt sich mit Benzoylchlorid in Flußsäure überwiegend zu *5-Benzoyl-indan* um[15]. Die Benzoylierung von 1,3,5-Trimethyl-benzol mit Benzoylchlorid zu *2,4,6-*

[1] H. C. Brown, B. A. Bolto u. F. R. Jensen, J. Org. Chem. **23**, 414 (1958).

[2] C. Söllscher, B. **15**, 1682 (1882).

[3] A. B. Kuchkarev u. I. P. Tsukervanik, Ž. obšč. Chim. **18**, 320 (1948); C.A. **42**, 6771 (1948).

[4] A. W. Smith, B. **24**, 4033 (1891).

[5] A. Klages u. P. Allendorff, B. **31**, 1000 (1898).

[6] N. P. Buu-Hoï et al., Bl. [5] **22**, 1206 (1955).

[7] P. Lipinsky, B. **31**, 938 (1898).

[8] G. Baddeley u. M. Gordon, Soc. **1958**, 4381.

[9] L. M. Smorgonskii, Ž. obšč. Chim. **21**, 655 (1951); C. A. **45**, 9504 (1951).

[10] H. C. Brown u. F. R. Jensen, Am. Soc. **80**, 2296 (1958).

[11] H. C. Brown u. G. Marino, Am. Soc. **81**, 3308 (1959).

[12] H. C. Brown, B. A. Bolto u. F. R. Jensen, J. Org. Chem. **27**, 417 (1958).

[13] I. P. Tsukervanik, Doklady Akad. SSSR **120**, 809 (1958); C. A. **52**, 20015 (1958).

[14] W. Borsche u. M. Pommer, B. **54**, 109 (1941).

[15] L. F. Fieser u. E. B. Hershberg, Am. Soc. **62**, 51 (1940).

Tab. 30. Alkyl-benzophenone aus Benzoylchlorid und Alkyl-benzolen

Reaktionsprodukt	Ausbeute [%d.Th.]	Kp [°C]	[Torr]	Literatur
3,4-Dimethyl-benzophenon	80	(F: 47–48°)		1
2,4-Dimethyl-benzophenon	70–80	180	10	1,2
2,5-Dimethyl-benzophenon	65	36		3
2-Methyl-4-äthyl-benzophenon		318–320	760	4
2-Methyl-5-isopropyl-benzophenon	25,5	183–185	5	1,5
2,5-Diäthyl-benzophenon	65	332–334	760	6
5,9-Dimethyl-2-benzoyl-6,7,8,9-tetrahydro-5H-⟨benzo-cycloheptatrien⟩		198	0,07	7
1,3-Dimethyl-5-benzoyl-indan**		204–205	0,25	7
1,1,3,3-Tetramethyl-5-benzoyl-indan**		(F: 70–71°)		7
6-Benzoyl-tetralin*		222–223	12	8
1,4-Dimethyl-6-benzoyl-tetralin**		205–206	0,25	7
2-Methyl-6-benzoyl-tetralin*		202	4	9
1,1,4,4-Tetramethyl-6-benzoyl-tetralin**		(F: 77–78°)		7
2,4,6-Trimethyl-benzophenon*	66	(F: 35°)		1
2,4,5-Trimethyl-benzophenon*	60–70	328–329	760	1
2,4,6-Triäthyl-benzophenon***	61	210–220	4	10
2,3,4,6-Tetramethyl-benzophenon*		(F: 62–63°)		11
2,3,5,6-Tetramethyl-benzophenon	40	(F: 119°)		12

(structure: H₃C and CH₃ substituents on fused ring system with —CO—C₆H₅)

. * in Schwefelkohlenstoff
** in 1,2-Dichlor-äthan, Perrier-Methode
*** in Petroläther

[1] K. Elbs, J. pr. [2] 35, 467 (1887).
[2] DRP 267271 (1912), Agfa; C. 1913 II, 2014.
    K. v. Auwers, M. Lechner u. H. Bundesmann, B. 58, 47 (1925).
[3] K. Elbs u. E. Larson, B. 17, 2847 (1884).
[4] A. Mailhe, Bl. [4] 35, 367 (1924).
[5] M. S. Malinovsky u. G. K. Barabshova, Ž. obšč. Chim. 19, 2088–93 (1949); C. A. 44, 3939 (1950).
[6] P. N. Fedossejew, Ž. obšč. Chim. 7, 1364 (1937); C. A. 31, 8527 (1937).
[7] G. Baddeley u. M. Gordon, Soc. 1958, 4381.
[8] W. Scharwin, B. 35, 2513 (1902).
[9] E. A. Coulson, Soc. 1935, 82.
[10] A. Klages u. G. Lickroth, B. 32, 1565 (1899).
[11] J. C. Essner u. E. Gossin, Bl. [2] 42, 171 (1884).
[12] R. C. Fuson et al., Am. Soc. 64, 2575 (1942).

Trimethyl-benzophenon kann auch mit recht guten Ausbeuten mit Jod als Katalysator erfolgen[1].

Auch zur Benzoylierung komplizierter, teilweise hydrierter Kohlenwasserstoffe wird Aluminiumchlorid verwendet. Als Lösungsmittel benutzt man beim 1,2,3,3a,4,5,5a,6,7,8-Decahydro-pyren Schwefelkohlenstoff und isoliert *9-Benzoyl-1,2,3,3a,4,5,5a,6,7,8-decahydro-pyren* als Reaktionsprodukt[2]. 1,2,3,4,5,6,7,8-Octahydro-anthracen und 1,2,3,4,5,6,7,8-Octahydro-phenanthren ergeben in Benzol *9-Benzoyl-1,2,3,4,5,6,7,8-octahydro-anthracen* bzw. *-1,2,3,4,5,6,7,8-octahydro-phenanthren*[3]. In 1,1,2,2-Tetrachlor-äthan kann 9-Benzoyl-1,2,3,4,5,6,7,8-octahydro-anthracen noch einmal in 10-Stellung zu *9,10-Dibenzoyl-1,2,3,4,5,6,7,8-octahydro-anthracen* benzoyliert werden[2]. Die Benzoylierung von 1,2,3,3a,8,9-Hexahydro-7H-⟨cyclopenta-[e]-acenaphthen⟩ wird nach der Perrier-Methode in Nitrobenzol durchgeführt, und man erhält *6-Benzoyl-1,2,3,3a,8,9-hexahydro-7H-⟨cyclopenta-[e]-acenaphthen⟩*[4].

1,3-Dimethyl-4-benzoyl-benzol wird durch Benzoylchlorid/Aluminiumchlorid in Schwefelkohlenstoff weiteracyliert; man erhält *2,4-Dimethyl-1,5-dibenzoyl-benzol*[5]. Im Direktverfahren erhält man mit zwei Mol 2,4-Dichlor-benzoylchlorid und m-Xylol *4,6-Dimethyl-1,3-bis-[2,4-dichlor-benzoyl]-benzol*[6].

4,6-Dimethyl-1,3-bis-[2,4-dichlor-benzoyl]-benzol[6]: 230 g 2,4-Dichlor-benzoylchlorid werden mit 53 g m-Xylol am Rückflußkühler auf ∼60° erhitzt. Beim Eintragen von 1–2 g sublimiertem Eisen(III)-chlorid zur gut gerührten Schmelze beginnt sofort die Entwicklung von Chlorwasserstoff, die bei allmählich bis auf ∼140 ° gesteigerter Innentemp. mehrere Stdn. anhält. Das durch Behandeln mit Wasserdampf und Ausziehen mit verd. Natriumcarbonat-Lösung vorgereinigte und getrocknete Kondensationsprodukt, das mit ∼95% Rohausbeute anfällt, kann aus Isobutanol umgelöst werden; F: 137–138°.

Auch Triphenylmethan kann zu einem Monobenzoyl-Derivat (*4-Diphenylmethyl-benzophenon*) umgesetzt werden[7]. In der Reihe der α,ω-Diphenyl-alkane kann man p,p′-Dibenzoyl-Verbindungen synthetisieren[7]:

n = 2	*1,2-Bis-[4-benzoyl-phenyl]-äthan* (in Schwefelkohlenstoff) . .	64% d.Th.	F: 117°
= 4	*1,4-Bis-[4-benzoyl-phenyl]-butan* (in Schwefelkohlenstoff) . .	75% d.Th.	F: 152°
= 6	*1,6-Bis-[4-benzoyl-phenyl]-hexan* (in Nitrobenzol)	43% d.Th.	F: 104°
= 10	*1,10-Bis-[4-benzoyl-phenyl]-decan* (in Nitrobenzol)	20% d.Th.	F: 75°

Auch Hexaalkyl-benzole können unter energischen Bedingungen unter Entalkylierung zu Pentaalkyl-benzophenonen umgesetzt werden. So gelingt die Herstellung von *2,3,4,5,6-Pentamethyl-benzophenon* aus Hexamethyl-benzol und Benzoylchlorid/Aluminiumchlorid in 1,1,2,2-Tetrachlor-äthan bei 80° mit einer

[1] I. A. Kaya, H. C. Klein u. W. J. Burlant, Am. Soc. **75**, 746 (1953).
[2] E. Clar, B. **81**, 520 (1948).
[3] E. Clar, B. **76**, 612, 619 (1943).
[4] H. Dannenberg u. D. Dannenberg, Z. Naturf. [B] **8**, 165 (1953).
[5] E. Clar, B. **64**, 985 (1930).
[6] DRP.-Anm. 167559 (1940), I. G. Farb., Erf.: J. Huismann; DRP.s aus dem Gebiet der org. Chemie 1939–1945, Band VI/2, S. 2017. Leverkusen, Farbf. Bayer, 1954.
[7] A. E. Tschitschibabin, B. **40**, 3969 (1907).
[8] R. C. Fuson u. G. P. Speranza, Am. Soc. **74**, 1622 (1952).

Tab. 31. Benzophenone aus substituierten Benzoylchloriden
und Alkyl-benzolen

Benzophenon	Ausbeute [% d.Th.]	Kp [°C]	[Torr]	Literatur
2,4,2'-Trimethyl-benzophenon *	60	329–330	728	1
2,4,3'-Trimethyl-benzophenon	—	195	17	2
2,4,4'-Trimethyl-benzophenon *	82	169	4	2
2,5,4'-Trimethyl-benzophenon *	89	202	23	2
2,4'-Dimethyl-5-isopropyl-benzophenon *	70	342–343	760	3
4'-Methyl-2,5-diäthyl-benzophenon *	68	330–331	760	3
6-(2-Methyl-benzoyl)-tetralin **	78	180–186	3–4	4
6-(2,4-Dimethyl-benzoyl)-tetralin *		223	10	5
3,7-Dimethyl-6-(4-methyl-benzoyl)-tetralin * . . .		(F: 95°)		5
2,7-Dimethyl-6-(4-methyl-benzoyl)-tetralin * . . .		199	2	5
2,4,5,4'-Tetramethyl-benzophenon *		220	22	6
2,4,6,2',4',6'-Hexamethyl-benzophenon *	80	192–205	11,5	7
2,3,5,6-Tetramethyl-4'-butyl-benzophenon *	91	(F: 69–70°)		8
2,3,4,5,6,4'-Hexamethyl-benzophenon *	54	(F: 37–38°)		9
2,3,4,5,6,2',4',6'-Octamethyl-benzophenon *	82	(F: 125,5– 126°)		9
2'-Chlor-2,4-dimethyl-benzophenon *	—	210	10	10
2'-Chlor-2,5-dimethyl-benzophenon *	89	202	23	2
2'-Brom-2,5-dimethyl-benzophenon *	60	(F: 46°)		11
2,4-Dibrom-2',4'-dimethyl-5-benzoyl-benzophenon *	70	(F: 129°)		12
2,4-Dibrom-2',5'-dimethyl-5-benzoyl-benzophenon *	90	(F: 132°)		11
2,4-Dibrom-2',4',5'-trimethyl-5-benzoyl-benzophenon *	87	(F: 164°)		11
2'-Chlor-2,4,6-trimethyl-benzophenon	80	(F: 100°)		13
2'-Fluor-2,3,5,6-tetramethyl-benzophenon *	80	(F: 103–104°)		14
4'-Fluor-2,3,5,6-tetramethyl-benzophenon *	96	(F: 116– 116,5°)		14

* in Schwefelkohlenstoff
** in Benzol

---

1 A. W. Smith, B. 24, 4050 (1891).

2 G. T. Morgan u. E. A. Coulson, Soc. 1929, 2213.

3 P. N. Fedossejew, Ž. obšč. Chim. 7, 1364 (1937); C. A. 31, 8527 (1937).

4 C. D. Hurd u. L. H. Juel, Am. Soc. 77, 605 (1955).

5 E. A. Coulson, Soc. 1935, 80.

6 G. T. Morgan u. E. A. Coulson, Soc. 1929, 2554.

7 M. Weiler, B. 32, 1910 (1899).

8 R. C. Fuson u. J. R. Larson, Am. Soc. 81, 2150 (1959).

9 H. A. Smith u. R. G. Thompson, Am. Soc. 77, 1778 (1955).

10 DRP 267271 (1912), Agfa; C. 1913 II, 2014.

11 A. Schaarschmidt u. J. Herzenberg, B. 53, 1394 (1920).

12 L. Chardonnens u. J. Rody, Helv. 41, 2438 (1958).

13 J. F. Bunnett u. B. F. Hrutfiord, J. Org. Chem. 27, 4155 (1962).

14 R. C. Fuson u. W. S. Friedlander, Am. Soc. 76, 4990 (1954).

Tab. 31. (Fortsetzung)

Benzophenon	Ausbeute [% d. Th.]	Kp [°C]	[Torr]	Literatur
2'-Chlor-2,3,5,6-tetramethyl-benzophenon*		(F: 119–120,5°)		1
4'-Brom-2,3,5,6-tetramethyl-benzophenon*	86	(F: 182–184°)		2
6-(4-Methoxy-benzoyl)-tetralin*		(F: 92°)		3
6-(4-Hydroxy-benzoyl)-tetralin**		(F: 144–145°)		3
3'-Methoxy-2,4,6-trimethyl-benzophenon*	58	(F: 76°)		4
4'-Methoxy-2,3,5,6-tetramethyl-benzophenon* . . .	90	(F: 144°)		5
2'-p-Tosylamino-2,5-dimethyl-benzophenon . . .		(F: 107–108°)		6
3'-Nitro-3,4-dimethyl-benzophenon*		(F: 100°)		7
3'-Nitro-2,4-dimethyl-benzophenon*		(F: 64°)		7
3'-Nitro-2,5-dimethyl-benzophenon*		(F: 97–98°)		7
4'-Nitro-2,4,6-trimethyl-benzophenon***	91	(F: 126,5–127,5°)		8

* in Schwefelkohlenstoff
** aus Tetralin und 4-Methoxy-benzoesäure-chlorid in Gegenwart von überschüssigem $AlCl_3$ in CS_2.
*** in Benzol

Ausbeute von 37% der Theorie. Hexaäthyl-benzol ergibt in Gegenwart eines Aluminiumchlorid-Überschusses in siedendem Schwefelkohlenstoff *2,3,4,5,6-Pentaäthyl-benzophenon* (40% d. Th.). Die Ausbeute steigt auf 93% d. Th., wenn man die Umsetzung bei 60–65° in 1,1,2,2-Tetrachlor-äthan vornimmt[9].

Benzolkohlenwasserstoffe mit zwei und mehr Alkyl-Resten werden mit Benzoyl-chloriden, die durch Alkyl-Gruppen, Halogen-Atome oder Nitro-Gruppen substituiert sind, meist in Schwefelkohlenstoff in Gegenwart von Aluminium-chlorid umgesetzt. 2-Nitro-benzoesäure-chlorid liefert nur in mäßigen bzw. geringen Ausbeuten die entsprechend substituierten 2-Nitro-benzophenone[10]. Als Katalysator für die Umsetzung von 2,4,6-Tribrom-benzoesäure-chlorid mit m- oder p-Xylol oder 1,3,5-Trimethyl-benzol in Schwefelkohlenstoff wird Aluminiumbromid verwendet[11].

Bei der Umsetzung von 1,2,4,5-Tetramethyl-benzol mit 2,3,5,6-Tetramethyl-benzoesäure-chlorid/Aluminiumchlorid in Schwefelkohlenstoff bei 60° isoliert man ein Gemisch aus drei verschiedenen Benzophenonen:

[1] R. C. Fuson, W. C. Hammann u. W. E. Smith, J. Org. Chem. **19**, 677 (1954).
[2] R. C. Fuson, W. S. Friedlander u. G. W. Parshall, Am. Soc. **76**, 5119 (1954).
[3] P. Castel u. H. Orzaesi, Travaux de la société de pharmacie de Montpellier **10**, 41 (1950); C. A. **49**, 259 (1955).
[4] R. C. Fuson u. S. B. Spek, Am. Soc. **64**, 2447 (1942).
[5] R. C. Fuson, W. D. Emmons u. G. W. Parshall, Am. Soc. **76**, 5467 (1954).
[6] L. Chardonnens u. J. Rody, Helv. **41**, 2438 (1958).
[7] H. Limpricht u. H. Falkenberg, A. **286**, 339 (1895).
[8] R. C. Fuson, W. D. Emmons u. S. G. Smith, Am. Soc. **77**, 2503 (1955).
[9] H. Hopff u. A. K. Wick, Helv. **43**, 1477 (1960).
[10] M. Boëtius u. H. Römisch, B. **68**, 1931 (1935).
[11] G. Baddeley u. D. Voss, Soc. **1954**, 422.

2,3,5,6,2′,3′,5′,6′-Octamethyl-
benzophenon

2,3,4,6,2′,3′,5′,6′-Octamethyl-   2,3,4,6,2′,3′,4′,6′-Octamethyl-
benzophenon   benzophenon

Unter dem Einfluß des Aluminiumchlorids tritt also Isomerisierung ein[1].

Bei Synthesen von vielkernigen Kohlenwasserstoffen werden häufig Benzoyl-
naphthaline oder -anthrachinone, die durch mehrere Alkyl-Gruppen substituiert sind, als Zwischenprodukte benötigt. Die Umsetzungen der Komponenten
werden in Schwefelkohlenstoff oder einem Überschuß des verwendeten Kohlenwasserstoffs vorgenommen, häufig bewährt sich dabei Eisen(III)-chlorid als Katalysator (s. Tab. 32, S. 181).

Für die Benzoylierung von Alkylbenzolen, die am Alkyl-Rest substituiert sind,
wird Aluminiumchlorid als Katalysator verwendet. Die Reaktion gelingt gut, wenn
es sich dabei um einen elektronenspendenden Substituenten handelt.

4-(2-Acetylamino-äthyl)-benzophenon[2]: Zu 46,4 g (0,33 Mol) frisch destilliertem Benzoylchlorid und 49 g (0,3 Mol) Essigsäure-2-phenyl-äthylamid in 200 ml trockenem Nitrobenzol gibt
man unter Rühren und Kühlen in kleinen Portionen 60 g (0,45 Mol) wasserfreies Aluminiumchlorid. Die Mischung wird 8 Stdn. auf einem Dampfbad erhitzt, auf Eis und konz. Salzsäure
ausgetragen, dann destilliert man das Nitrobenzol mit Wasserdampf ab. Der Rückstand wird
mit Äther extrahiert, die Ätherextrakte mit 10%iger Natronlauge und dann mit Wasser gewaschen und über Natriumsulfat getrocknet; der Äther wird abdestilliert und das Keton fraktioniert; Ausbeute: 47 g (56% d.Th.); Kp$_1$: 235–245°. Das Destillat erstarrt nach dem Anreiben
mit Äther; F: 80–82°.

Die Benzoylierung von Alkylbenzolen mit elektronenanziehenden Substituenten
am Alkyl-Rest gelingt dann, wenn sich zwischen dem Benzol-Rest und dem Substituenten mindestens zwei Kohlenstoffatome befinden[3]. So ergibt die Umsetzung von
α-Nitro-toluol mit Benzoylchlorid/Aluminiumchlorid in Schwefelkohlenstoff
keine definierten Reaktionsprodukte. Bei der analogen Umsetzung von (2-Nitro-
äthyl)-benzol kann ein x-(2-Nitro-äthyl)-benzophenon isoliert werden. Mit mäßigen
Ausbeuten erhält man x-(3-Nitro-propyl)-, x-(2-Methoxycarbonyl-äthyl)-, x-(2-Cyan-
äthyl)- und x-(3-Oxo-3-phenyl-propyl)-benzophenon aus Benzoylchlorid/Aluminium-
chlorid und (3-Nitro-propyl)-benzol, 3-Phenyl-propansäure-methylester, 3-Phenyl-
propansäure-nitril oder 1-Oxo-1,3-diphenyl-propan. Bei der Benzoylierung von
3-Phenyl-propanal-oxim wird aus der Oxim-Gruppierung Wasser abgespalten, und
man isoliert 4-(2-Cyan-äthyl)-benzophenon. Mit guten Ausbeuten verlaufen analog

[1] H. Galenkamp u. A. C. Faber, R. 77, 853 (1958).
[2] F. J. Villani et al., Am. Soc. 76, 5624 (1954).
[3] W. Borsche u. F. Sinn, A. 553, 261 (1942).

Tab. 32. Ketone aus Naphthalin- oder Anthrachinon-carbonsäure-chloriden
und Alkyl-benzolen

Ketone	Ausbeute [% d.Th.]	F [°C]	Literatur
2-Methyl-1-[tetralyl-(6)-carbonyl]-naphthalin	70	122,5–123,5	1
1-[7-Methyl-tetralyl-(6)-carbonyl]-naphthalin*		142–143	2
2-[7-Methyl-tetralyl-(6)-carbonyl]-naphthalin*		103–104	2
1-(2,4,6-Trimethyl-benzoyl)-naphthalin	60	159	3
1-(2,3,5,6-Tetramethyl-benzoyl)-naphthalin**		170–171	4
1-(2,4-Dimethyl-benzoyl)-anthrachinon***	80	196	5
2-Methyl-1-(2,4-dimethyl-benzoyl)-anthrachinon***	10	175	6
4-Methyl-1-(2,4-dimethyl-benzoyl)-anthrachinon***	5,7	149–150	7
2,4-Dimethyl-1-(2,4-dimethyl-benzoyl)-anthrachinon . . .		193–194	8
3-Methyl-1-benzoyl-anthrachinon***	84	196,5–198	8
2-Methyl-1-(2,5-dimethyl-benzoyl)-anthrachinon		192–193	6
1-Chlor-2-(2,5-dimethyl-benzoyl)-anthrachinon	sehr gut	175–176	3
1-(2,4,6-Trimethyl-benzoyl)-anthrachinon**	50	167	9

    * in Benzol
   ** in Schwefelkohlenstoff
  *** mit FeCl$_3$ als Katalysator

durchgeführte Benzoylierungen von 1-Oxo-1,4-diphenyl-butan und 1-Oxo-1,5-diphenyl-pentan zu 4-(4-Oxo-4-phenyl-butyl)- bzw. 4-(5-Oxo-5-phenyl-pentyl)-benzophenon.

Die Kondensation von 5-Nitro-2,4,6-trimethyl-benzoesäure-chlorid/Aluminiumchlorid mit 2,4,6-Trimethyl-phenylessigsäure-methylester in Schwefelkohlenstoff liefert 5′-Nitro-2,2′,4,4′,6,6′-hexamethyl-5-methoxycarbonylmethyl-benzophenon[10]:

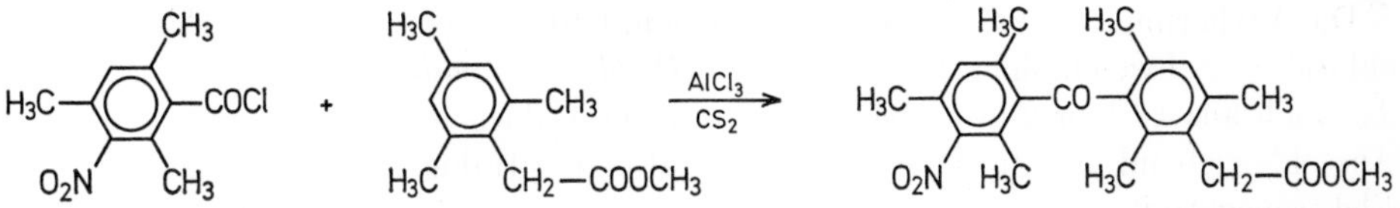

Die durch die Verseifung dieses Esters erhaltene Essigsäure (5′-Nitro-2,4,6,2′,4′,6′-hexamethyl-5-carboxymethyl-benzophenon) kann über ihr Salz mit (−)-Brucin in optische Antipoden zerlegt werden.

---

[1] J. W. Cook, Soc. 1931, 503.
[2] E. Clar, B. 62, 1580 (1929).
[3] R. C. Fuson et al., Am. Soc. 64, 2575 (1942).
[4] R. C. Fuson, G. R. Bakker u. B. Vittimberga, Am. Soc. 81, 4859 (1959).
[5] R. Scholl u. O. Böttger, B. 64, 1878 (1931).
[6] R. Scholl, B. 61, 968 (1928).
[7] R. Scholl et al., A. 512, 34 (1934).
[8] R. Scholl, J. Donat u. O. Böttger, A. 512, 130 (1934).
[9] R. Scholl u. E. J. Müller, B. 68, 813 (1935).
[10] K. V. Narayanan, R. Selvarajan u. S. Swaminathan, Soc. [C] 1968, 540.

ζ_2) *substituierten Benzolkohlenwasserstoffen*

Zur Umsetzung von **Halogen-benzolen** mit Benzoylchlorid/Aluminiumchlorid zu halogenierten Benzophenonen muß man energischere Bedingungen anwenden als zu entsprechenden Umsetzungen von Benzol oder Alkylbenzolen. In der Reihe Fluor-, Jod-, Brom-, Chlor-, Dijod- und Dibrom-benzol verläuft die Reaktion zunehmend schwieriger[1]. In der Regel verzichtet man auf ein Verdünnungsmittel, oft muß die Reaktionsmischung, um eine annehmbare Reaktionsgeschwindigkeit zu erzielen, auf Temperaturen über 100° erhitzt werden.

Die **Kinetik** der Umsetzung von Benzoylchlorid sowie von 2-, 3- oder 4-Jod-benzoesäure-chlorid mit Halogenbenzolen wie Fluor-, Chlor-, Brom-, Jod-, 1,2-Dibrom- und 1,2-Dijod-benzol mit Aluminiumchlorid als Katalysator ist untersucht worden[1,2]. Infrarotspektroskopisch ist die gleiche Umsetzung bei verschiedenen Temp. in Chlorbenzol und in Nitrobenzol verfolgt worden[3].

Tab. 33. **Isomerenverteilung bei der Benzoylierung von Chlorbenzol mit Benzoylchlorid/Aluminiumchlorid in Chlorbenzol oder Nitrobenzol**

Lösungsmittel	Reaktions-temperatur [°C]	Reaktions-zeit [Stdn.]	Ausbeute [% d.Th.]	-benzophenon	
				4-Chlor- [%]	3-Chlor- [%]
Chlorbenzol	80	7	71,5	90	10,2
Nitrobenzol	80	6	43	78,8	21,2
Chlorbenzol	35	15	60,1	100	0
Nitrobenzol	35	16	9,2	100	0

Nahezu quantitative Ausbeuten an *4-Chlor-benzophenon* werden erhalten, wenn man die Umsetzung von Chlorbenzol mit Benzoylchlorid/Aluminiumchlorid während 2 Stdn. bei 115–120° vornimmt[4].

4-Chlor-benzophenon-[14]CO wird aus Benzoylchlorid-1-^{14}C/Aluminiumchlorid und überschüssigem Chlorbenzol mit einer Ausbeute von 70% d. Th. synthetisiert[5].

Die Acylierung von 1-Chlor-3-brom-benzol mit 4-Chlor-benzoylchlorid/Aluminiumchlorid in Schwefelkohlenstoff liefert *4,4'-Dichlor-2-brom-benzophenon* (57% d.Th.), das auch aus 4-Chlor-2-brom-benzoylchlorid und Chlorbenzol erhalten werden kann. Ausschlaggebend für die Orientierung ist also das Halogenatom mit der höheren Elektronegativität.[6]

Zur Synthese von *4'-Chlor-2-amino-benzophenon* setzt man 2-Tosylamino-benzoesäure-chlorid mit Aluminiumchlorid als Katalysator mit überschüssigem Chlorbenzol um und verseift das gebildete *4'-Chlor-2-tosylamino-benzophenon* mit Schwefelsäure[7].

[1] E. S. Novikova, Izv. Vyss. Uch. Zav., Chim i chim Tekhn. **2**, 204 (1959); C. A. **54**, 400 (1960). P. A. Goodman u. P. H. Gore, Soc. [C] **1968**, 966.
[2] H. C. Brown u. F. R. Jensen, Am. Soc. **80**, 2296 (1958).
[3] E. Koike u. M. Okawa, Reports of the Government Chemical Industrial Research Insitute Tokyo **49**, 268 (1954); C. **1950/54**, 7302.
[4] F. Smeets u. J. Verhulst, Bl. Soc. chim. Belg. **61**, 694 (1952).
[5] D. Y. Curtin, E. W. Flynn u. R. F. Nystrom, Am. Soc. **80**, 4601 (1958).
[6] B. K. Diep, T. T. T. Mai u. D. H. Giao, C. r. [C] **267**, 835 (1968).
[7] F. Bell u. J. A. Gibson, Soc. **1955**, 3561.

Tab. 34. Benzophenone aus aromatischen Monocarbonsäure-chloriden und Halogen-benzolen

Benzophenon	Ausbeute [% d.Th.]	F [°C]	Literatur
4-Fluor-benzophenon	85	48,2	1,2
2-(4-Fluor-benzoyl)-naphthalin	54	110–110,8	3
4'-Fluor-3-jod-benzophenon	60,8	84–85	4
4-Chlor-benzophenon	80–90	76,2	1,5,6
4'-Chlor-2-methyl-benzophenon		(Kp₁₄: 194°)	7
2',4-Dichlor-benzophenon*		66–68	8
4,4'-Dichlor-benzophenon*	18	144–145	9
4'-Chlor-4-brom-benzophenon	60	150	10,11
4'-Chlor-3-jod-benzophenon	60,8	135	4
4'-Chlor-3-nitro-benzophenon		95,5	12
4,4'-Dichlor-3-nitro-benzophenon	77	87	13
1-(4-Chlor-benzoyl)-anthrachinon	56	238	14
7-Oxo-6-(4-chlor-benzoyl)-⟨benzo-[c]-fluoren⟩	88	220	15

4-Brom-benzophenon	75–80	81,2	1,16
2',4-Dibrom-benzophenon		51–52	17
3',4-Dibrom-benzophenon	49	132	11
4,4'-Dibrom-benzophenon	43	172–173	18,19
4'-Brom-3-jod-benzophenon	53	155	4
4'-Brom-3-nitro-benzophenon		109,5	12
4,4'-Dibrom-3-nitro-benzophenon		119,5	20
1-(4-Brom-benzoyl)-anthrachinon	10	236	21

* in Schwefelkohlenstoff

[1] G. KOHNSTAM, Soc. 1960, 2073.
[2] S. A. KOOPAL, R. 34, 154 (1915).
[3] M. S. NEWMAN, S. SWAMINATHAN u. R. C. CHATTERJI, J. Org. Chem. 24, 1963 (1959).
[4] B. V. TRONOV u. E. S. NOVIKOVA, Ž. obšč. Chim. 26, 1994 (1956); C. A. 51, 5013 (1957).
[5] M. GOMBERG u. L. H. CONE, B. 39, 3278 (1906).
[6] P. J. MONTAGNE, R. 26, 263 (1907).
[7] H. DE DIESBACH u. P. DOBBELMANN, Helv. 14, 373 (1931).
[8] J. F. NORRIS u. W. C. TWIEG, Am. 30, 397 (1903).
[9] M. DITTRICH, A. 264, 175 (1891).
[10] W. BOCKEMÜLLER u. R. JANSSEN, A. 542, 182 (1939).
[11] M. GOMBERG u. J. C. BAITER, Am. Soc. 51, 2233 (1929).
[12] P. J. MONTAGNE, B. 49, 2269 (1916).
[13] P. J. MONTAGNE, R. 21, 25 (1902).
[14] A. SCHAARSCHMIDT, B. 48, 835 (1915).
[15] A. SCHAARSCHMIDT, B. 48, 1831 (1915).
[16] L. H. CONE u. C. P. LONG, Am. Soc. 28, 520 (1906).
[17] A. HEIDENREICH, B. 27, 1452 (1894).
[18] E. HOFFMANN, A. 264, 163 (1891).
[19] P. J. MONTAGNE, R. 29, 156 (1910).
[20] P. J. MONTAGNE, B. 48, 1031 (1915).
[21] R. SCHOLL u. J. DONAT, A. 512, 15 (1934).

Tab. 34. (Fortsetzung)

Benzophenon	Ausbeute [% d. Th.]	F [°C]	Literatur
4-Jod-benzophenon		100,5	1,2
3',4-Dijod-benzophenon	41	173	3
4,4'-Dijod-benzophenon*	18	233–234	4
4-Chlor-3-methyl-benzophenon	83	82–83	5
2-Chlor-5-methyl-benzophenon	50	35–36	6,7
2',5-Dichlor-2-methyl-benzophenon		(Kp$_{12}$: 225°)	6
3,4-Dichlor-benzophenon	80–90	102	8,9
2,4-Dichlor-benzophenon	80–90	52	8,9
2',4'-Dichlor-2-brom-benzophenon	43	(Kp$_{20}$: 227 –228,5°)	10
2,5-Dichlor-benzophenon	gering	85–86	9,10
2',5'-Dichlor-2-methyl-benzophenon	gering	63,5	11
2,5,2'-Trichlor-benzophenon	gering	145–147	12
2,5,2',4'-Tetrachlor-benzophenon	gering	170	12
3,4-Dibrom-benzophenon	40	119	12
2,4-Dibrom-benzophenon	40	47	8,13
2',5'-Dibrom-3-jod-benzophenon	20	150	3
2,4,6-Tribrom-benzophenon	70–90	147	14
2,5,2'-Trijod-benzophenon.	28	158–159	3
2,4-Dichlor-5-methyl-benzophenon		78	15

* in Schwefelkohlenstoff

Acylierungen von Halogenbenzolen, bei denen das Halogen Brom oder Jod ist, verlaufen nicht immer komplikationslos. So erhält man bei der Umsetzung von 3,5-Dinitro-benzoesäure-chlorid/Aluminiumchlorid mit Brombenzol in Schwefelkohlenstoff ausschließlich *3,5-Dinitro-benzophenon*. Wenn man die Reaktion in Nitrobenzol vornimmt, isoliert man eine Mischung aus *3,5-Dinitro-benzophenon* und *4'-Brom-3,5-dinitro-benzophenon*. Bei der Umsetzung in Brombenzol überwiegt ebenfalls das bromfreie Benzophenon-Derivat. Erst wenn man einen sehr großen Überschuß an Brombenzol verwendet, kann man 45% d. Th. *4'-Brom-3,5-dinitro-*

[1] G. KOHNSTAM, Soc. **1960**, 2073.
[2] S. A. KOOPAL, R. **34**, 154 (1915).
[3] B. V. TRONOV u. E. S. NOVIKOVA, Ž. obšč. Chim. **26**, 1994 (1956); C. A. **51**, 5013 (1957).
[4] P. J. MONTAGNE, B. **51**, 1486 (1918).
[5] G. HELLER, B. **46**, 1500 (1913).
[6] DRP 267271 (1912), Agfa; C. **1913** II, 2014.
[7] F. MAYER u. W. FREUND, B. **55**, 2053 (1922).
[8] J. BÖESEKEN, R. **27**, 15 (1908).
[9] P. A. GOODMAN u. P. H. GORE, Soc. [C] **1968**, 2452.
[10] J. MEISENHEIMER, R. HANSSEN u. A. WÄCHTEROWITZ, J. pr. [2] **119**, 350 (1928).
[11] H. DE DIESBACH u. P. DOBBELMANN, Helv. **14**, 373 (1931).
[12] J. GANZMÜLLER, J. pr. [2] **138**, 311 (1933).
[13] P. J. MONTAGNE u. M. VAN CHARENTE, R. **31**, 317 (1912).
[14] P. J. MONTAGNE, R. **27**, 343 (1908).
[15] J. F. NORRIS u. W. C. TWIEG, Am. **30**, 397 (1903).

benzophenon neben 24% d. Th. *3,5-Dinitro-benzophenon* isolieren. Man erhält *4'-Brom-3,5-dinitro-benzophenon* mit einer Ausbeute von 70–75% d. Th., wenn man die Umsetzung in überschüssigem Brombenzol unter vermindertem Druck vornimmt, so daß der gebildete Chlorwasserstoff sofort aus der Reaktionsmischung entfernt wird[1]. Auf ähnliche Schwierigkeiten dürfte zurückzuführen sein, daß bei Versuchen zur Benzoylierung von 2-Brom-, 3-Brom- und 4-Brom-1-methyl-benzol mit Benzoylchlorid/Aluminiumchlorid nicht genau definierte Gemische von Reaktionsprodukten erhalten worden sind[2]. Auch beim Versuch zur Herstellung von *4,4'-Dijod-benzophenon* aus 4-Jod-benzoesäure-chlorid/Aluminiumchlorid und Jodbenzol in Schwefelkohlenstoff erfolgt teilweise Enthalogenierung, man isoliert neben *4-Jod-benzophenon* nur 4,5% d. Th. *4,4'-Dijod-benzophenon*[3]. Mit einer Ausbeute von 18% an gewünschtem Reaktionsprodukt soll die Umsetzung ablaufen, wenn man sie in direktem Sonnenlicht vornimmt[4].

1,3,5-Trichlor-benzol läßt sich nur sehr schwer mit Benzoylchlorid/Aluminiumchlorid zu *2,4,6-Trichlor-benzophenon* umsetzen. Dazu ist es allerdings notwendig, die Reaktionspartner während mehrerer Wochen auf Temperaturen zwischen 90 und 110° zu erhitzen[5], daß dabei einheitliche Produkte erhalten werden, ist nicht wahrscheinlich.

2-Brommethyl-benzoesäure-bromid reagiert in Schwefelkohlenstoff in Gegenwart von überschüssigem Aluminiumchlorid mit Chlorbenzol zu einem Anthron-Derivat (vgl. S. 165).

Analog erhält man aus 4-Brom-toluol[6] *2-Brom-10-oxo-9,10-dihydro-anthracen*.

Bei der Umsetzung von 2-Fluor-1-brom-benzol mit Benzoylchlorid/Aluminiumchlorid in Schwefelkohlenstoff entsteht *4-Fluor-3-brom-benzophenon*, der Benzoyl-Rest tritt also in p-Stellung zum Fluoratom ein. Ähnlich verhält sich 3-Fluor-1-brom-benzol, aus dem bei einer analogen Umsetzung *4-Fluor-2-brom-benzophenon* erhalten wird. 4-Fluor-1-brom-benzol liefert unter analogen Bedingungen *2-Fluor-5-brom-benzophenon*[7].

Phenole werden durch aromatische Monocarbonsäure-chloride sehr leicht acyliert. Man nimmt die Umsetzung durchweg in Nitrobenzol oder 1,1,2,2-Tetrachloräthan vor und verwendet Aluminiumchlorid oder Titan(IV)-chlorid als Katalysator. Oft genügen bereits schwächer-wirksame Kondensatiomsmittel. Bei Phenol und den Kresolen wurde die Isomerenverteilung bei der Umsetzung mit Benzoylchlorid in Nitrobenzol in Gegenwart von Aluminiumchlorid oder Titan(IV)-chlorid als Katalysator bestimmt[8].

2-Hydroxy-4-methyl-1-isopropyl-benzol ergibt mit Benzoylchlorid/Aluminiumchlorid in Nitrobenzol *4-Hydroxy-2-methyl-5-isopropyl-benzophenon*[9]. Die Benzoylierung von 2-Chlor-phenol wird in Gegenwart von Aluminiumchlorid in

[1] F. BARDONE, C. r. **236**, 829 (1953).
[2] G. HELLER, B. **46**, 1500 (1913).
    F. MAYER u. W. FREUND, B. **55**, 2053 (1922).
[3] E. HOFFMANN, A. **264**, 165 (1891).
[4] P. J. MONTAGNE, B. **51**, 1486 (1918).
[5] P. J. MONTAGNE, R. **26**, 274 (1907).
[6] F. MAYER u. W. FISCHBACH, B. **58**, 1252 (1925).
[7] BUI-KHAC-DIEP, C. r. [C] **263**, 145 (1966).
[8] N. M. CULLINANE u. B. F. R. EDWARDS, J. appl. Chem. **9**, 133 (1959).
[9] K. W. ROSENMUND u. H. SCHULZ, Ar. **265**, 312 (1927).

Tab. 35. Hydroxy-benzophenone aus Phenol oder Kresolen und Benzoylchlorid
in Nitrobenzol*

Hydroxybenzol	Katalysator	-benzophenon	
		o-Isomere [% d. Th.]	p-Isomere [% d. Th.]
Phenol	AlCl₃	6,1 } 2-Hydroxy-	88,7 } 4-Hydroxy-
	TiCl₄	7,4	87,2
o-Kresol . . .	AlCl₃	—	90,7 } 4-Hydroxy-3-methyl-
	TiCl₄	—	87,3
m-Kresol . . .	AlCl₃	8,5 } 2-Hydroxy-4-methyl-	67,7 } 4-Hydroxy-2-methyl-
	TiCl₄	16,9	61
p-Kresol . . .	AlCl₃	33,8 } 2-Hydroxy-5-methyl-	—
	TiCl₄	51,2	—

* Jeweils 0,1 Mol des Phenols wird mit 0,1 Mol Benzoylchlorid in 100 *ml* Nitrobenzol in
Gegenwart von 0,2 Mol Katalysator 18 Stdn. auf 60° erhitzt.

1,1,2,2-Tetrachlor-äthan bei 120–130° vorgenommen und liefert neben *3-Chlor-2-hydroxy-benzophenon* (17,4% d. Th.) als Hauptreaktionsprodukt *3-Chlor-4-hydroxy-benzophenon* (46,5% d. Th.)[1]. Aus 4-Chlor-phenol entsteht unter den gleichen Bedingungen *5-Chlor-2-hydroxy-benzophenon*[1]. Analog erhält man aus 2-Methyl-benzoesäure-chlorid und 4-Chlor-phenol *5'-Chlor-2'-hydroxy-2-methyl-benzophenon*[1].

Die Acylierung von Resorcin mit 2,4,6-Trimethoxy-benzoylchlorid glückt in Gegenwart von Aluminiumchlorid in Nitrobenzol; man erhält *2',4'-Dihydroxy-2,4,6-trimethoxy-benzophenon*[2]. 2,4-Dihydroxy-1-hexyl-benzol liefert in Nitrobenzol mit einer Ausbeute von 52% d. Th. ein Bis-acylierungsprodukt, nämlich *2,6-Dihydroxy-4-hexyl-1,3-dibenzoyl-benzol*[3]. Hydrochinon läßt sich nicht erfolgreich zu *2,5-Dihydroxy-benzophenon* benzoylieren. Die Kondensation von 1,4-Dibenzoyloxy-benzol mit Benzoylchlorid/Aluminiumchlorid liefert *2,5-Dibenzoyloxy-1,4-dibenzoyl-benzol*[4]. Wesentlich glatter läßt sich Phloroglucin in Nitrobenzol mit Benzoylchlorid[5], 4-Methoxy- oder 2,4-Dimethoxy-benzoesäure-chlorid[5] umsetzen, und man erhält *2,4,6-Trihydroxy-*, *2',4',6'-Trihydroxy-4-methoxy-* und *2',4',6'-Trihydroxy-2,4-dimethoxy-benzophenon*.

Phenoläther lassen sich mit Chloriden aromatischer Monocarbonsäuren sehr leicht nach Friedel-Crafts in Ketone überführen. Als Katalysator wird meist Aluminiumchlorid verwendet, vielfach haben sich auch Eisen(III)-, Titan(IV)- und Zinn(IV)-chlorid sowie Jod oder Metalle als brauchbar erwiesen. Man nimmt die Reaktion in Schwefelkohlenstoff, in einem Überschuß des Phenoläthers, in Nitrobenzol, 1,1,2,2-Tetrachlor-äthan oder Benzol vor. Wenn die Äther-Gruppierung nicht gespalten werden soll, darf die angewendete Katalysatormenge — wenn es sich dabei um Aluminiumchlorid handelt — die theoretisch benötigte Menge nicht wesentlich übersteigen, in diesen Fällen ist es auch zweckmäßig, die Reaktion bei Raumtemperatur oder darunter vorzunehmen.

[1] M. HAYASHI, J. pr. [2] **123**, 295 (1929).
[2] G. LLOYD u. W. B. WHALLEY, Soc. **1956**, 3212).
[3] J. VAN ALLEN u. J. F. TINKER, J. Org. Chem. **19**, 1250 (1954).
[4] O. DOEBNER u. M. WOLFF, B. **12**, 661 (1879).
[5] K. W. ROSENMUND u. M. ROSENMUND, B. **61**, 2610 (1928).

Anisol ergibt bei der Umsetzung mit Benzoylfluorid in Gegenwart von Bortrifluorid unter Kühlung *4-Methoxy-benzophenon* (61% d.Th.)[1]. Mit Benzoylchlorid wird Anisol in Schwefelkohlenstoff[2] oder in überschüssigem Anisol[3] umgesetzt. Das nach der Destillation des Rohproduktes erhaltene Material muß durch Umlösen von daneben entstandenem *2-Methoxy-benzophenon* befreit werden.

Folgende Vorschrift, die für die Benzoylierung von Propyloxy-, Butyloxy- und Pentyloxy-benzol angewendet wird, dürfte sich allgemein für Synthesen von 4-Alkoxy-benzophenonen eignen.

4-Alkoxy-benzophenone; allgemeine Arbeitsvorschrift[4]: 0,24 Mol Alkoxy-benzol werden zu einer Mischung aus 0,24 Mol Benzoylchlorid, 0,3 Mol Aluminiumchlorid und 300 *ml* Schwefelkohlenstoff zugetropft; dabei hält man die Temp. der Mischung unter 30°. Nach Stehen über Nacht wird die Reaktionsmischung mit Eis und Salzsäure hydrolysiert. Die Schwefelkohlenstoff-Schicht wird mit 10%iger Natronlauge und mit Wasser gewaschen. Das Lösungsmittel wird abdestilliert und der Destillationsrückstand wie üblich aufgearbeitet. So erhält man z.B.:

4-Propyloxy-benzophenon	59% d.Th. (nach Umkristallisation aus Äthanol); F: 62–63,5°
4-Butyloxy-benzophenon	60% d.Th. (nach 2maliger Destillation); Kp$_5$: 210–219°; F: 34–36°
4-Pentyloxy-benzophenon	36% d.Th. (nach 2maliger Destillation); Kp$_2$: 211–212°; F: 35–36,5°

Hervorragende Ausbeuten an *4-Methoxy-benzophenon* werden bei der Umsetzung von Anisol mit Benzoylchlorid in Schwefelkohlenstoff mit Titan(IV)-chlorid als Katalysator bei 40° erhalten[5]. Mit Erfolg sind für diese Umsetzung auch Aluminium[6], Kupfer, Wolfram oder Molybdän[7] verwendet worden; die Reaktion wird in diesen Fällen in überschüssigem Anisol bei Temperaturen zwischen 90° und dem Siedepunkt des Anisols vorgenommen. Auch Jod eignet sich für die Umsetzung von Anisol[8] oder Äthoxy-benzol (*4-Äthoxy-benzophenon*)[9] mit Benzoylchlorid als Katalysator.

4-Methoxy-benzophenon[8]: Zu einer Mischung aus 37,8 g (0,35 Mol) Anisol und 22,4 g (0,18 Mol) Benzoylchlorid gibt man 1 g Jod und erhitzt 8 Stdn. zum Sieden, bis die Chlorwasserstoff-Entwicklung nachgelassen hat. Nach dem Abkühlen verdünnt man die Reaktionsmischung mit 100 *ml* Benzol und wäscht die organische Phase mit Kaliumcarbonat-Lösung, mit Natriumbisulfit-Lösung und schließlich mit Wasser. Nach dem Trocknen der Lösung destilliert man das Lösungsmittel ab und fraktioniert den Rückstand i.Vak.; Ausbeute: 33,8 g (88% d.Th.); Kp$_1$: 175–179° (gelbes, rasch erstarrendes Öl); F: 53–55°; F: 61–62,5° (aus 90%igem Methanol).

Ebenso wurde für die Umsetzung von Anisol mit 4-Chlor-benzoesäure-chlorid zu *4'-Chlor-4-methoxy-benzophenon*, mit 4-Nitro-benzoesäure-chlorid zu *4'-Nitro-4-methoxy-benzophenon* und mit 4-Methoxy-benzoesäure-chlorid zu *4,4'-Dimethoxy-benzophenon* Jod verwendet[9].

Nach der auf S. 169 beschriebenen Arbeitsweise gelingt es, mit katalytischen Mengen Eisen(III)-chlorid *4,6-Dichlor-3-nitro-2',5'-dimethoxy-benzophenon* (F: 121°) und *2,5-Dichlor-3'-nitro-4'-methoxy-benzophenon* (F: 111°) in vorzüglichen Ausbeuten herzustellen.

[1] L. M. Smorgonsky, Ž. obšč. Chim. **21**, 655 (1951); C. A. **45**, 9504 (1951).
[2] L. Gattermann, R. Ehrhardt u. H. Maisch, B. **23**, 1204 (1890).
[3] B. Jones, Soc. **1936**, 1854.
[4] R. P. Zelinski u. M. Jursich, Am. Soc. **78**, 1016 (1956).
[5] N. M. Cullinane, S. J. Chard u. D. M. Leyshon, Soc. **1952**, 378.
[6] V. D. Azatyan, Doklady Akad. Arm. SSSR **29**, 111 (1959); C. A. **54**, 12044 (1960).
[7] I. P. Tsukervanik, Doklady Akad. SSSR **120**, 809 (1958); C. A. **52**, 20015 (1958).
[8] S. Chodroff u. H. C. Klein, Am. Soc. **70**, 1647 (1948).
[9] I. A. Kaya, H. C. Klein u. W. J. Burlant, Am. Soc. **75**, 745 (1953).

In Gegenwart eines großen Aluminiumchlorid-Überschusses tritt bei der Umsetzung von Äthoxy-benzol mit aromatischen Monocarbonsäure-chloriden in Schwefelkohlenstoff selbst in der Kälte Äther-Spaltung ein.

4'-Hydroxy-3-methyl-benzophenon[1]: 4,64 (0,038 Mol) Äthoxy-benzol und 15,3 g (0,115 Mol) Aluminiumchlorid werden in 165 ml Schwefelkohlenstoff 30 Min. bei 0–5° verrührt. Dazu tropft man innerhalb 30 Min. bei 0–5° eine Lösung von 6,05 g (0,039 Mol) 3-Methyl-benzoesäure-chlorid in 45 ml Schwefelkohlenstoff. Die Mischung wird bei Raumtemp. über Nacht stehen gelassen. Nach dem Behandeln der Reaktionsmischung mit Eis und Salzsäure erhält man einen farblosen Niederschlag, der überwiegend aus dem gewünschten Hydroxy-benzophenon besteht. Dieser wird aus dem inhomogenen Gemisch abgesaugt und mit Wasser nachgewaschen. Man löst ihn in 10%iger Natronlauge, die Lösung wird mit Aktivkohle geklärt. Aus dem Filtrat fällt man das Produkt durch Ansäuern, saugt es ab und wäscht es mit Natriumhydrogencarbonat-Lösung, um 3-Methyl-benzoesäure zu entfernen und trocknet i.Vak.; Ausbeute: 4 g (50% d.Th.); F: 163–164°.

Ein Extrakt der Schwefelkohlenstoff-Lösung mit 10%iger Natronlauge ergibt beim Ansäuern nur eine zu vernachlässigende Fällung. Nach dem Abdestillieren des Schwefelkohlenstoffs verbleibt eine kleine Menge eines roten Öles; es gelingt nicht, dieses zur Kristallisation zu bringen.

Analog erhält man aus Äthoxy-benzol

4'-Hydroxy-3-trifluormethyl-benzophenon	21% d.Th.	F: 144–145°
3',4'-Dichlor-4-hydroxy-benzophenon	40% d.Th.	F: 172–174°
4'-Hydroxy-3-methoxy-benzophenon	51% d.Th.	F: 138°
3',5'-Dinitro-4-hydroxy-benzophenon	60% d.Th.	F: 196–197°

Die Herstellung von *4-Methoxy-benzophenon*-[14]CO gelingt durch Umsetzung von Anisol mit Benzoylchlorid-1-^{14}C/Aluminiumchlorid mit einer Ausbeute von 73% der Theorie[2].

3,4,5-Trimethoxy-benzoesäure-chlorid ergibt mit A n i s o l in Schwefelkohlenstoff in Gegenwart von 150% der theor. erforderlichen Menge Aluminiumchlorid *4-Hydroxy-3,4',5-trimethoxy-benzophenon* (45% d.Th.); daneben entsteht nur ein wenig *3,4,4',5-Tetramethoxy-benzophenon*[3]. Während aus 4-Trimethylsilyl-benzoesäure-chlorid und Anisol in Benzol mit Zinn(IV)-chlorid als Katalysator glatt *4'-Methoxy-4-trimethylsilyl-benzophenon* erhalten wird, bildet sich unter analogen Bedingungen aus 2-Trimethylsilyl-benzoesäure-chlorid und Anisol kein definiertes Reaktionsprodukt[4]. Mit Ausbeuten von 55–70% d.Th. lassen sich 2- und 4-Dichlorarsino-benzoesäure-chlorid mit Anisol oder Äthoxy-benzol in Schwefelkohlenstoff mit Aluminiumchlorid als Katalysator zu Benzophenon-Derivaten umsetzen; man isoliert die entsprechenden *4'-Methoxy-(bzw. 4'-Äthoxy)-benzophenon-2-(bzw. -4)-arsinoxide*[5].

Bei der Umsetzung von 2-M e t h o x y-1-m e t h y l-b e n z o l mit Benzoylchlorid/Aluminiumchlorid in Schwefelkohlenstoff tritt der Acyl-Rest in p-Stellung zur Methoxy-Gruppe ein[6]; man erhält *4-Methoxy-3-methyl-benzophenon* (75% d.Th.). Für diese Umsetzung kann mit gleich gutem Erfolg auch Zinn(IV)-chlorid als Katalysator verwendet werden; bei dieser Arbeitsweise wird Benzol als Verdünnungsmittel benutzt[7]. Mit guten Ausbeuten verläuft auch die Acylierung mit 4-Nitro-benzoesäure-chlorid[8]

---

[1] R. A. BRAGOLE u. R. A. SHEPARD, J. Org. Chem. **25**, 1231 (1960).
[2] A. MURRAY u. D. L. WILLIAMS, *Organic-Syntheses with Isotopes*, S. 663, Interscience Publishers, New York 1958.
[3] H. R. FRANK u. D. S. TARBELL, Am. Soc. **70**, 1276 (1948).
[4] R. A. BENKESER u. H. R. KRYSIAK, Am. Soc. **76**, 599 (1954).
[5] W. L. LEWIS u. H. C. CHEETHAM, Am. Soc. **43**, 2117 (1921).
   W. L. LEWIS u. H. C. CHEETHAM, Am. Soc. **45**, 510 (1923).
[6] W. KÖNIGS u. R. W. CARL, B. **34**, 3897 (1891).
[7] G. STADNIKOFF u. A. BARYSCHEWA, B. **61**, 1998 (1928).
[8] R. S. TADKOD, S. N. KULKARNI u. K. S. NARGUND, Journal of the Karnatak University **3**, No. 1, 78 (1958); C. A. **54**, 8717 (1960).

Tab. 36. Alkoxy-benzophenone aus Phenoläthern und aromatischen Monocarbonsäure-chloriden

Benzophenon	Ausbeute [%d.Th.]	F [°C]	Litera-tur
4'-Methoxy-2-methyl-benzophenon		(Kp$_{23}$: 220°)	1
4'-Methoxy-3-methyl-benzophenon		56	1
4'-Methoxy-4-methyl-benzophenon		90–91	1
4'-Methoxy-2,4,6-trimethyl-benzophenon*,**		78–79	2
2'-Fluor-4-methoxy-benzophenon		49	1
3'-Fluor-4-methoxy-benzophenon		72	1
4'-Fluor-4-methoxy-benzophenon		95	1
2'-Chlor-4-methoxy-benzophenon*		80	1,3
4'-Chlor-4-methoxy-benzophenon	82	125,5	1,3
2'-Brom-4-methoxy-benzophenon		96	1,4
3'-Brom-4-methoxy-benzophenon		80	1
4'-Brom-4-methoxy-benzophenon		154	1
2'-Nitro-4-methoxy-benzophenon***,****	1,4	105	5
3'-Nitro-4-methoxy-benzophenon*		95	1,6
4'-Nitro-4-methoxy-benzophenon		123	1,7
2'-Brom-3'-nitro-4-methoxy-benzophenon		122,5–123	8
2'-Chlor-5'-nitro-4-methoxy-benzophenon*	60	105	9
2'-p-Tosylamino-4-methoxy-benzophenon	95	143	10
4,4'-Dimethoxy-benzophenon		143–144	1
2-Hydroxy-4'-methoxy-3,5-dimethyl-benzophenon*		105–106	11
3,4,4'-Trimethoxy-benzophenon*		98–99	12
3,5,4'-Trimethoxy-benzophenon*	55	97–98	13
4'-Methoxy-4-trimethylsilyl-benzophenon*	80	53,5–54	14
1-(4-Methoxy-benzoyl)-naphthalin*		93	15,16
3-Hydroxy-2-(4-methoxy-benzoyl)-naphthalin*		134–134,5	11
6-Hydroxy-2-(4-methoxy-benzoyl)-naphthalin*		196–197	11
9-Oxo-4-(4-methoxy-benzoyl)-fluoren******		95	17

      * in CS$_2$
    ** AlBr$_3$ als Katalysator
   *** FeCl$_3$ als Katalysator
  **** in 1,1,2,2-Tetrachlor-äthan
 ***** in Benzol mit SnCl$_4$ als Katalysator
****** in Ligroin

[1] B. Jones, Soc. **1936**, 1854.
[2] G. Baddeley u. D. Voss, Soc. **1954**, 422.
[3] P. P. Peterson, Am. **46**, 325 (1911).
[4] A. Heidenreich, B. **27**, 1455 (1894).
[5] M. Boëtius u. H. Römisch, B. **68**, 1932 (1935).
[6] W. Blakey, W. I. Jones u. H. H. Scarborough, Soc. **1927**, 2871.
[7] K. v. Auwers, B. **36**, 3898 (1903).
[8] J. Valravens u. R. H. Martin, Bl. Soc. chim. Belg. **69**, 165 (1960).
[9] F. Ullmann u. H. W. Ernst, B. **39**, 307 (1906).
[10] F. Ullmann u. H. Bleier, B. **35**, 4277 (1902).
[11] Fr. P. 646402 (1928), I. G. Farb.; C. **1929** I, 2702.
[12] S. v. Kostanecki u. J. Tambor, B. **39**, 4026 (1906).
[13] F. Mauthner, J. pr. [2] **87**, 406 (1913).
[14] R. A. Benkeser u. H. R. Krysiak, Am. Soc. **76**, 600 (1954).
[15] W. Borsche, P. Hofmann u. H. Kühn, A. **554**, 35 (1943).
[16] M. Migita, Bl. chem. Soc. Japan, **7**, 377 (1932).
[17] H. Pick, M. **25**, 985 (1904).

Tab. 36. (Fortsetzung)

Benzophenon	Ausbeute [%d. Th.]	F [°C]	Literatur
1-(4-Methoxy-benzoyl)-anthrachinon*		205	1
2-Methyl-1-(4-methoxy-benzoyl)-anthrachinon.	71	204	2
4-Äthoxy-benzophenon		47	3,4
4'-Chlor-4-äthoxy-benzophenon		121	4
2'-Brom-4-äthoxy-benzophenon		79	5
4'-Methoxy-4-äthoxy-benzophenon	50,5	112	6
2'-Nitro-4-äthoxy-benzophenon**		115	7
4'-Methoxy-4-(2-chlor-äthoxy)-benzophenon.		106	4
2'-Chlor-4-(2-chlor-äthoxy)-benzophenon		65	4
4'-Methoxy-4-propyloxy-benzophenon		111	4
4'-Methoxy-4-butyloxy-benzophenon		105–106	4
4'-Äthoxy-4-butyloxy-benzophenon		103	4
3'-Nitro-4-butyloxy-benzophenon		73	4
4'-Methoxy-4-pentyloxy-benzophenon		101	4
4'-Äthoxy-4-pentyloxy-benzophenon		95	4

* FeCl$_3$ als Katalysator
** in CS$_2$

oder 9-Oxo-fluoren-4-carbonsäure-chlorid[8] in Schwefelkohlenstoff in Gegenwart von Aluminiumchlorid zu *4'-Nitro-4-methoxy-3-methyl-benzophenon* bzw. *9-Oxo-4-(4-methoxy-3-methyl-benzoyl)-fluoren*.

Bei der Acylierung von 3-Methoxy-1-methyl-benzol mit Benzoylchlorid/Aluminiumchlorid in Schwefelkohlenstoff entstehen nebeneinander *4-Methoxy-2-methyl-* und *2-Methoxy-4-methyl-benzophenon* und zwar etwa im Verhältnis von 3:1. Die Umsetzung in überschüssigem 3-Methoxy-1-methyl-benzol führt nur zu *4-Methoxy-2-methyl-benzophenon*[9]. Bei der Acylierung mit 4-Nitro-benzoesäure-chlorid[10] oder 3,4,5-Trimethoxy-benzoesäure-chlorid[11] in Gegenwart von Aluminiumchlorid in Schwefelkohlenstoff werden nur *4'-Nitro-2-methoxy-4-methyl-* und *2,3',4',5'-Tetramethoxy-4-methyl-benzophenon* isoliert. Isomerenfrei soll auch die Benzoylierung des 3-Methoxy-1-methyl-benzol mit Zinn(IV)-chlorid als Katalysator in Benzol verlaufen[12].

4-Methoxy-1-methyl-benzol ergibt mit Benzoylchlorid/Zinn(IV)-chlorid in Benzol *2-Methoxy-5-methyl-benzophenon* (77% d.Th.)[12]. Auch bei der Benzoylierung

[1] R. SCHOLL u. J. DONAT, B. **67**, 1920 (1934).
[2] R. SCHOLL, H. DEHNERT u. L. WANKA, A. **493**, 93 (1932).
[3] L. GATTERMANN, R. EHRHARDT u. H. MAISCH, B. **23**, 1206 (1890).
[4] B. JONES, Soc. **1936**, 1954.
[5] A. HEIDENREICH, B. **27**, 1455 (1894).
[6] A. SCHÖNBERG, O. SCHÜTZ u. S. NICKEL, B. **61**, 1380 (1928).
[7] K. v. AUWERS, B. **36**, 3891 (1903).
[8] D. V. NIGHTINGALE, R. L. SUBLETT u. R. H. WISE, Am. Soc. **74**, 2558 (1952).
[9] N. P. BUU-HOÏ, R. ROYER u. B. ECKERT, J. Org. Chem. **17**, 1464 (1952).
    J. F. MIQUEL, N. P. BUU-HOÏ u. R. ROYER, Soc. **1955**, 3419.
[10] R. S. TADKOD, S. N. KULKARNI u. K. S. NARGUND, Journal of the Karnatak University **3**, No. 1, 78 (1958); C. A. **54**, 8717 (1960).
[11] W. H. PERKIN u. C. WEIZMANN, Soc. **89**, 1661 (1906).
[12] G. STADNIKOFF u. A. BARYSCHEWA, B. **61**, 1998 (1928).

von 4-Äthoxy-1-methyl-benzol mit Aluminiumchlorid als Katalysator in Schwefelkohlenstoff tritt der Acyl-Rest in Orthostellung zur Äthoxy-Gruppe ein, und man erhält *2-Äthoxy-5-methyl-benzophenon*[1]. Bei der Acylierung dieser beiden Äther mit 4-Nitro-benzoesäure-chlorid/Aluminiumchlorid in Schwefelkohlenstoff isoliert man neben *4'-Nitro-2-methoxy-(bzw. -2-äthoxy)-5-methyl-benzophenon* auch *4'-Nitro-2-hydroxy-5-methyl-benzophenon*[1,2]. Acylierungen von 4-Methoxy-1-methyl-benzol mit 2-Brom-[3], 4-Methoxy-[2] oder 4-Methoxy-2-methyl-5-isopropyl-benzoesäure-chlorid[4] in Gegenwart von Aluminiumchlorid in Schwefelkohlenstoff zu *2'-Brom-2-methoxy-5-methyl-*, *2,4'-Dimethoxy-5-methyl-* bzw. *2',4-Dimethoxy-2,5'-dimethyl-5-isopropyl-benzophenon* werden beschrieben.

Zur gezielten Herstellung von 2-Methoxy-benzophenonen setzt man 4-Methoxy-1-tert.-butyl-benzol in 1,1,2,2-Tetrachlor-äthan mit katalytischen Mengen Zinkchlorid mit Benzoylchlorid oder substituierten Benzoylchloriden zu entsprechenden 2-Methoxy-5-tert.-butyl-benzophenonen um, aus denen der tert. Butyl-Rest durch Aluminiumchlorid in siedendem Benzol abgespalten werden kann[5].

2-Methoxy-5-tert.-butyl-benzophenon[6]: Eine Mischung aus 100 g (0,61 Mol) 4-Methoxy-1-tert.-butyl-benzol, 85 g (0,605 Mol) Benzoylchlorid, 150 *ml* 1,1,2,2-Tetrachlor-äthan und 0,2 g Zinkchlorid wird 40 Stdn. unter Rückfluß erhitzt. Dann destilliert man aus der dunklen Lösung das Lösungsmittel ab und fraktioniert den Rückstand im Vakuum. Das bei 208–210°/12 Torr übergehende Destillat erstarrt beim Abkühlen. Man kristallisiert es aus Methanol um; Ausbeute: 107 g (66% d. Th.); F: 61–62° (farblose Prismen).

Analog erhält man

2'-Chlor-2-methoxy-5-tert.-butyl-benzophenon	62% d. Th.	F:	61-62°
4'-Chlor-2-methoxy-5-tert.-butyl-benzophenon	60% d. Th.	Kp$_{12}$:	223-225°
2'-Brom-2-methoxy-5-tert.-butyl-benzophenon	68% d. Th.	F:	72-73°
3'-Brom-2-methoxy-5-tert.-butyl-benzophenon	61% d. Th.	Kp$_{12}$:	233-236°
2-Methoxy-4'-methyl-5-tert.-butyl-benzophenon	76% d. Th.	Kp$_{12}$:	222-225°

4-Methoxy-1,3-dimethyl-benzol ergibt mit Benzoylchlorid in Schwefelkohlenstoff eine Mischung von Reaktionsprodukten, nämlich *5-Methoxy-2,4-dimethyl-benzophenon* (60% d. Th.), *5-Hydroxy-2,4-dimethyl-benzophenon* (8% d. Th.) und geringe Mengen *2-Hydroxy-3,5-dimethyl-benzophenon*[3]. Beim 2-Methoxy-1,4-dimethyl-benzol tritt der Benzoyl-Rest unter analogen Bedingungen in p-Stellung zur Methoxy-Gruppe ein, und man isoliert *4-Methoxy-2,5-dimethyl-benzophenon*[3]. Auch bei der Acylierung von 2-Methoxy-4-methyl-1-isopropyl-benzol mit 2-Methoxy- oder 4-Methoxy-[4], 4-Methyl-[7] oder 4-Methoxy-2-methyl-5-isopropyl-benzoesäure-chlorid[4] in Gegenwart von Aluminiumchlorid in Schwefelkohlenstoff tritt der Acyl-Rest stets in p-Stellung zur Methoxy-Gruppe ein, und man erhält *2',4- (bzw. 4,4')-Dimethoxy-2-methyl-5-isopropyl-*, *4-Methoxy-2,4'-dimethyl-5-isopropyl-* und *4,4'-Dimethoxy-2,2'-dimethyl-5,5'-diisopropyl-benzophenon*. Bei einem durch drei Alkyl-Reste substituierten Anisol, dem 2-Methoxy-4,5-dimethyl-1-isopropyl-benzol, wird durch Benzoylchlorid/Aluminiumchlorid in Schwefelkohlenstoff der

---

[1] K. v. Auwers, B. **36**, 3892 (1903).

[2] K. v. Auwers u. E. Rietz, B. **40**, 3518 (1907).

[3] J. Meisenheimer, R. Hanssen u. A. Wächterowitz, J. pr. [2] **119**, 315 (1928).

[4] R. Royer u. E. Bisagni, Bl. **1954**, 491.

[5] Canad. P. 560324 (1958), Dominion Rubber Co., Ltd., Erf.: M. Kulka; C. A. **53**, 10130 (1959).

[6] M. Kulka, Am. Soc. **76**, 5470 (1954).

[7] N. P. Buu-Hoï et al., Bl. [5] **22**, 1206 (1959).

Isopropyl-Rest teilweise verdrängt, und man erhält *2-Methoxy-4,5-dimethyl-benzophenon*; daneben kann man etwas *2-Hydroxy-5,6-dimethyl-3-isopropyl-benzophenon* isolieren[1]:

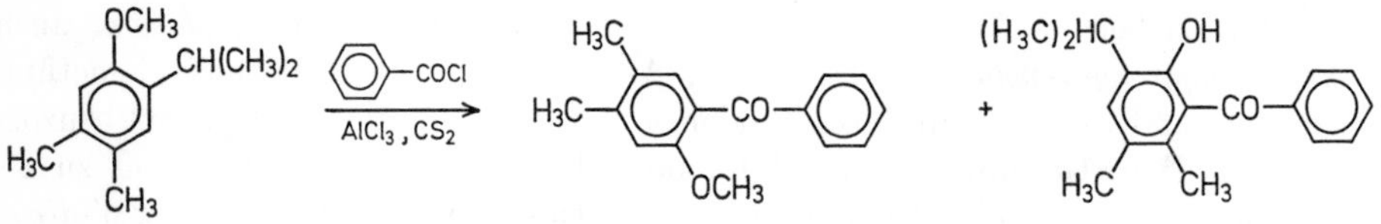

Die Umsetzung von 2-F l u o r - 1 - m e t h o x y-benzol mit Benzoylchlorid-Aluminiumchlorid in Schwefelkohlenstoff führt zu *3-Fluor-4-methoxy-benzophenon*[2]. Aus 4-Fluor-1-methoxy-benzol wird unter analogen Bedingungen *5-Fluor-2-methoxy-benzophenon* erhalten[3]. Bei der Acylierung von 2-C h l o r - 1 - m e t h o x y-benzol mit Benzoylchlorid/Aluminiumchlorid in 1,1,2,2-Tetrachlor-äthan bei 120° tritt teilweise Äther-Spaltung ein; man isoliert neben *3-Chlor-4-methoxy-* auch *3-Chlor-4-hydroxy-benzophenon*[4]. Analog verlaufen Umsetzungen mit 2- und 3-Methyl-benzoesäure-chlorid (*3′-Fluor-4′-methoxy-2-* und *-3-methyl-benzophenon*; *5′-Fluor-2′-methoxy-2-* und *-3-methyl-benzophenon*; *3′-Chlor-4′-methoxy-2-* und *-3-methyl-benzophenon*). Acylierungen von 2-C h l o r - 1 - m e t h o x y-b e n z o l mit 2-Chlor-[2], 4-Chlor-[2] oder 4-Nitro-benzoesäure-chlorid[5] in Schwefelkohlenstoff ergeben dagegen *2′,3-* (bzw. *3,4′*)-*Dichlor-4-methoxy-* und *3-Chlor-4′-nitro-4-methoxy-benzophenon*. Auch im 3-C h l o r - 1 - m e t h o x y - b e n z o l tritt 4-Nitro-benzoesäure-chlorid in p-Stellung zur Methoxy-Gruppe ein, und man isoliert *2-Chlor-4′-nitro-4-methoxy-benzophenon*[5]. 4-C h l o r - 1 - m e t h o x y - b e n z o l wird durch Benzoylchlorid oder substituierte Benzoylchloride in o-Stellung zur Methoxy-Gruppe acyliert. Wenn man dabei unter drastischen Bedingungen arbeitet, z. B. in 1,1,2,2-Tetrachlor-äthan bei 120°, erfolgt Äther-Spaltung, und man isoliert 5-C h l o r - 2 - h y d r o x y - b e n z o p h e n o n[4]. In Schwefelkohlenstoff gelingt die Umsetzung von 4-Chlor-1-methoxy-benzol mit 2-Chlor-[2], 4-Chlor-[2] oder 4-Nitro-benzoesäure-chlorid[5] unter Erhalt der Methoxy-Gruppe zu *2′,5-* (bzw. *4′,5*)-*Dichlor-2-methoxy-* und *5-Chlor-4′-nitro-2-methoxy-benzophenon*.

3-H y d r o x y - 1 - m e t h o x y - b e n z o l wird durch 4-Nitro-benzoesäure-chlorid/Aluminiumchlorid in Schwefelkohlenstoff in o-Stellung zur Hydroxy-Gruppe acyliert, man isoliert also *4′-Nitro-2-hydroxy-4-methoxy-benzophenon*[6]. Unter analogen Bedingungen soll aus 4-H y d r o x y - 1 - m e t h o x y-benzol und 4-Nitro-benzoesäure-chlorid *4′-Nitro-5-hydroxy-2-methoxy-benzophenon* erhalten werden[6].

1,2-D i m e t h o x y-benzol wird durch Benzoylchlorid/Aluminiumchlorid in Schwefelkohlenstoff in 4-Stellung zu *3,4-Dimethoxy-benzophenon* acyliert[7]. Wenn man die

[1] R. Royer et al., Bl. **1957**, 1385.
[2] N. P. Buu-Hoï, N. D. Xuong u. D. Lavit, Soc. **1954**, 1038.
[3] N. P. Buu-Hoï, D. Lavit u. N. D. Xuong, J. Org. Chem. **19**, 1618 (1954).
[4] M. Hayashi, J. pr. [2] **123**, 293 (1929).
[5] R. S. Tadkod et al., Journal of the Karnatak. University **2**, No. 1, 29 (1927); C. A. **53**, 8062 (1959).
[6] R. S. Tadkod, S. N. Kulkarni u. K. S. Nargund, Journal of the Karnatak University **3**, No. **1**, 78 (1958); C. A. **54**, 8717 (1960).
[7] F. Bruggemann, J. pr. [2] **53**, 250 (1896).
    G. N. Walker, Am. Soc. **76**, 3999 (1954).

Reaktion in Gegenwart eines großen Aluminiumchlorid-Überschusses durchführt, erhält man jedoch *4-Hydroxy-3-methoxy-benzophenon*[1]. Auch Umsetzungen von 1,2-Dimethoxy-benzol mit substituierten Benzoylchloriden wie 2-Brom-[2], 4-Nitro-[3], 2-Methoxy-[4], 4-Methoxy-[5] 3,4-Dimethoxy-[5], 3,5-Dimethoxy[6]-, 3-Methoxy-4-äthoxy-[7], 3,4,5-Trimethoxy-benzoesäure-chlorid[8] oder Naphthalin-1-carbonsäure-chlorid[9] werden in Schwefelkohlenstoff in Gegenwart von Aluminiumchlorid vorgenommen; dabei bleiben die Alkoxy-Gruppen durchweg intakt. 3,4-Dimethoxy-1-äthyl-benzol und 3,4-Dimethoxy-1-propyl-benzol werden durch Dimethoxy- oder Trimethoxy-benzoesäure-chloride in o-Stellung zum Alkyl-Rest zu *4,5, x',x'-Tetramethoxy-* bzw. *4,5, x',x',x'-Pentamethoxy-2-äthyl-* und *-2-propyl-benzophenon* acyliert[10]. Beim 4,5-Dimethoxy-1,3-dimethyl-benzol treten Dimethoxy- oder Trimethoxy-benzoyl-Reste unter analogen Bedingungen in 2-Stellung ein; man erhält *3,4,x',x'-Tetramethoxy-* bzw *3,4,x',x',x'-Pentamethoxy-2,6-dimethyl-benzophenon*[10].

Für die Acylierung von 1,3-Dimethoxy-benzol mit Benzoylchlorid in Schwefelkohlenstoff kann man mit etwa gleich gutem Erfolg Aluminiumchlorid oder Titan(IV)-chlorid als Katalysator verwenden[11]; man erhält dabei *2,4-Dimethoxy-benzophenon* (80–86% d. Th.). Bei der Umsetzung mit 3,4-Dimethoxy-benzoesäure-chlorid/Aluminiumchlorid in Benzol erfolgt Äther-Spaltung, und man erhält *2-Hydroxy-3',4,4'-trimethoxy-benzophenon*[12]. Bei einer Acylierung mit 2-Methoxy-benzoesäure-chlorid/Aluminiumchlorid in Chlorbenzol bei 88–120° werden sogar beide o-ständigen Methoxy-Gruppen gespalten, und man kann so *2,2'-Dihydroxy-4-methoxy-benzophenon* herstellen[13]. Wenn die Umsetzung der gleichen Komponenten ohne Zusatz eines Katalysators bei Rückflußtemperatur vorgenommen wird, soll mit einer Ausbeute von 88% d. Th. *2,2',4-Trimethoxy-benzophenon* entstehen[14]. *2,2'-Dihydroxy-4,4'-dimethoxy-benzophenon* wird aus 1,3-Dimethoxy-benzol und 2,4-Dimethoxy-benzoesäure-chlorid/Aluminiumchlorid in Chlorbenzol bei 115° erhalten[15]. Bei der Umsetzung mit einigen substituierten Benzoylchloriden wie 3,4-Dimethoxy-[16], 3,5-Dimethoxy-[17], 4-Methoxy-2-methyl-5-isopropyl-[18] oder 4-Nitro-benzoesäure-chlorid[3] wird keine Äther-Spaltung beobachtet, man erhält *2,4,3',4'-(bzw. 2,4,3',5'-)-Tetramethoxy-*; *2',4,4'-Trimethoxy-2-methyl-5-isopropyl-* und *4'-Nitro-2,4-dimethoxy-benzophenon*.

[1] H. Richtzenhain u. B. Alfredsson, Acta chem. scand. **8**, 1528 (1954).
[2] K. W. Rosenmund u. E. Struck, B. **52**, 1756 (1919).
[3] R. S. Tadkod, S. N. Kulkarni u. K. S. Nargund, Journal of the Karnatak University 3, No. **1**. 78 (1958); C. A. **54**. 8717 (1960).
[4] N. P. Buu-Hoï, E. Lescot u. N. D. Xuong, J. Org. Chem. **23**, 1263 (1958).
[5] S. v. Kostanecki u. J. Tambor, B. **39**, 4026 (1906).
[6] F. Mauthner, J. pr. [2] **87**, 407 (1913).
[7] T. Omaki, J. pharm. Soc. Japan **57**, 22, (1937).
[8] W. H. Perkin u. C. Weizmann, Soc. **89**, 1661 (1906).
[9] H. Waldmann, B. **83**, 175 (1950).
[10] T. Garofano u. G. Werber, Ann. Chim. applic. **50**, 245 (1960).
[11] A. G. Davies et al., Soc. **1957**, 3158.
[12] K. W. Bentley u. R. Robinson, Tetrahedron Letters, **1959**, 2.
[13] US. P. 2853521 (1958), American Cyanamid Co., Erf.: W. B. Hardy, W. S. Forster u. R. A. Coleman; C. A. **53**, 5206 (1959).
[14] J. A. Van Allen, J. Org. Chem. **23**, 1681 (1958).
[15] US. P. 2773903 (1956), American Cyanamid Co., Erf.: W. B. Hardy u. W. S. Forster; C. A. **51**, 16552 (1957).
[16] B. König u. S. v. Kostanecki, B. **39**, 4028 (1906).
[17] F. Mauthner, J. pr. [2] **87**. 407 (1913).
[18] R. Royer u. E. Bisagni, Bl. **1954**, 491.

1,4-Dimethoxy-benzol ergibt mit 3,4-Dimethoxy-benzoesäure-chlorid/Aluminiumchlorid in Schwefelkohlenstoff *2,3′,4′,5-Tetramethoxy-benzophenon*[1]. Unter analogen Bedingungen wird mit Naphthalin-1-carbonsäure-chlorid *1-(2,5-Dimethoxybenzoyl)-naphthalin* erhalten[2]. Die Umsetzung mit 2,3,6-Trimethoxy-benzoesäurechlorid oder 2-Methoxy-3,6-diäthoxy-benzoesäure-chlorid wird in Gegenwart von Aluminiumchlorid in Diäthyläther vorgenommen und liefert *2-Hydroxy-3,3′,6,6′-tetramethoxy-benzophenon* bzw. *2-Hydroxy-2′,5′-dimethoxy-3,6-diäthoxy-benzophenon*[3]. 2,5-Dimethoxy-1-methyl-benzol ergibt mit Benzoylchlorid-Aluminiumchlorid in Schwefelkohlenstoff *2,5-Dimethoxy-4-methyl-benzophenon* (53% d.Th.)[4]. Wenn man 2,5-Dimethoxy-4-methyl-1-isopropyl-benzol unter vergleichbaren Bedingungen umsetzt, isoliert man *2-Hydroxy-5-methoxy-6-methyl-3-isopropyl-benzophenon* mit einer Ausbeute von nur 14,5% der Theorie[4].

2-Hydroxy-1,3-dimethoxy-benzol ergibt mit Benzoylchlorid/Aluminiumchlorid in einer Mischung aus Nitrobenzol und 1,1,2,2-Tetrachlor-äthan *3-Hydroxy-2,4-dimethoxy-benzophenon* neben wenig *2,3-Dihydroxy-4-methoxy-benzophenon*[5]. Mit Zinn(IV)-chlorid im gleichen Verdünnungsmittelgemisch wird dagegen nur *3-Hydroxy-2,4-dimethoxy-benzophenon* erhalten[5].

Bei der Umsetzung von 1,2,3-Trimethoxy-benzol mit 3-Methoxy-4-methyl-[6], 3,4,5-Trimethoxy-[6] oder 3,5-Dimethoxy-benzoesäure-chlorid[7] in Gegenwart von Aluminiumchlorid in Schwefelkohlenstoff wird *2′-Hydroxy-3,3′,4′-trimethoxy-4-methyl-*; *2′-Hydroxy-3,3′,4,4′,5-pentamethoxy-* bzw. *2-Hydroxy-3,3′,4,5′-tetramethoxy-benzophenon* erhalten. 1,2,4-Trimethoxy-benzol liefert dagegen mit Benzoylchlorid[8] oder auch durch Methoxy-Gruppen substituierten Benzoylchloriden[9] überwiegend entsprechende *2,4,5-Trimethoxy-benzophenone*. Auch 1,3,5-Trimethoxy-benzol wird mit Alkoxy-benzoesäure-chloriden wie 4-Methoxy-[10], 3,4-Dimethoxy- oder 3,4,5-Trimethoxy-benzoesäure-chlorid in Gegenwart von Aluminiumchlorid in Schwefelkohlenstoff umgesetzt und liefert *2,4,4′,6-Tetramethoxy-*; *2,3′,4,4′,6-Pentamethoxy-* und *2,3′,4,4′,5′,6-Hexamethoxy-benzophenon*. Für die Umsetzung mit 3,5-Dimethoxy-benzoesäure-chlorid zu *2,3′,4,5′,6-Pentamethoxy-benzophenon* wird Eisen(III)-chlorid als Katalysator verwendet[7]. 1,2,3,5-Tetramethoxy-benzol ergibt mit Benzoylchlorid/Aluminiumchlorid in Schwefelkohlenstoff eine Mischung aus *2-Hydroxy-3,4,6-trimethoxy-benzophenon* und *2,3,4,6-Tetramethoxy-benzophenon*[11].

Diphenyläther kann mit äquivalenten Mengen Benzoylchlorid in Gegenwart von 250% der theoretisch erforderlichen Menge Aluminiumchlorid in Schwefelkohlenstoff mit hervorragenden Ausbeuten zu *4-Phenoxy-benzophenon* umgesetzt

[1] US.P. 2 773 903 (1956), American Cyanamid Co., Erf.: W. B. Hardy u. W. S. Forster; C. A. **51**, 16 552 (1957).

[2] H. Waldmann, B. **83**. 175 (1950).

[3] E. M. Philbin, J. Swirski u. T. S. Wheeler, Soc. **1957**, 4455.

[4] R. Royer et al., B. **1957**, 1379.

[5] L. H. Klemm, H. J. Wolbert u. B. T. Ho, J. Org. Chem. **24**, 954 (1959).

[6] W. H. Perkin u. C. Weizmann, Soc. **89**, 1661 (1906).

[7] F. Mauthner, J. pr. [2] **87**, 407 (1913).

[8] G. Bargellini u. E. Martegiani, Atti Accad. naz. Lincei, Rend. Cl. Sci. fisiche, mat. natur [5] II, **20**, 183 (1911).

[9] T. Garofano u. G. Werber, Ann. Chim. applic. **50**, 245 (1960).
T. R. Gorindachari, K. Nagarajan u. P. C. Parthasarathy, Soc. **1958**, 912.

[10] S. v. Kostanecki u. J. Tambor, B. **39**, 4026 (1906).

[11] G. Bargellini, G. **45** I, 88 (1915).

werden[1]. Diese Umsetzung gelingt auch in überschüssigem Diphenyläther in Gegenwart von katalytischen Mengen Aluminiumchlorid[2] oder Aluminium[3] bei 140–150°. *Bis-[4-benzoyl-phenyl]-äther* wird mit überschüssigem Benzoylchlorid/Aluminiumchlorid in Schwefelkohlenstoff mit hoher Ausbeute erhalten[4]. Auch Umsetzungen von Diphenyläther mit 2- und 4-Dichlorarsino-benzoesäure-chlorid werden beschrieben, man erhält *4'-Phenoxy-benzophenon-2-* (bzw. *-4)-arsinoxid*[5]. 4-Nitro-diphenyläther wird durch Benzoylchlorid/Aluminiumchlorid in Schwefelkohlenstoff in 4'-Stellung zu *4-(4-Nitro-phenoxy)-benzophenon* acyliert[4]. Beim Bis-[4-methyl-phenyl]-äther erfolgt mit äquivalenten Mengen an Benzoylchlorid Acylierung in 2-Stellung zu *4-(4-Methyl-phenoxy)-2-methyl-benzophenon*[6]. Bis-[4-phenoxy-phenyl]-äther reagiert mit zwei Molen Benzoylchlorid/Aluminiumchlorid in Schwefelkohlenstoff zu *Bis-[4-(4-benzoyl-phenoxy)-phenyl]-äther*[7].

Methylmercapto-benzol ergibt mit Benzoylchlorid/Aluminiumchlorid in 1,1,2,2-Tetrachlor-äthan *4-Methylmercapto-benzophenon*[8]. Analog verhält sich Äthylmercapto-benzol in Schwefelkohlenstoff, man isoliert *4-Äthylmercapto-benzophenon*[9]. 4-Chlor-1-methylmercapto-benzol wird durch Benzoylchlorid, Naphthalin-1- oder -2-carbonsäure-chlorid in Gegenwart von Aluminiumchlorid ohne Verdünnungsmittel in 2-Stellung zu *5-Chlor-2-methylmercapto-benzophenon, 1- und 2-(5-Chlor-2-methylmercapto-benzoyl)-naphthalin* acyliert[10]; die dabei erzielten Ausbeuten sind gering. Diphenylsulfid verhält sich wie Diphenyläther, d.h. durch äquivalente Mengen Benzoylchlorid/Aluminiumchlorid in Schwefelkohlenstoff erfolgt Monoacylierung zu *4-Phenylmercapto-benzophenon*, mit überschüssigem Benzoylchlorid erhält man *Bis-[4-benzoyl-phenyl]-sulfid*[7]. Auch die Umsetzung von Diphenylselenid zu *4-Phenylseleno-benzophenon* bzw. *Bis-[4-benzoyl-phenyl]-selenid* wird beschrieben[7].

N,N-Dimethyl-anilin ergibt mit Benzoylchlorid/Aluminiumchlorid in Schwefelkohlenstoff mit geringer Ausbeute *4-Dimethylamino-benzophenon*. Die Acylierung mit 4-Dimethylamino-naphthalin-1-carbonsäure-chlorid zu *4-Dimethylamino-1-(4-dimethylamino-benzoyl)-naphthalin* wird in 1,1,2,2-Tetrachlor-äthan vorgenommen[11]. Die Umsetzung von 2-Dimethylamino-1,3,5-triisopropyl-benzol mit Benzoylchlorid-/Aluminiumchlorid in Schwefelkohlenstoff soll *3-Amino-2,4,6-triisopropyl-benzophenon* liefern[12]. Die entsprechende Umsetzung mit 2-Äthylamino-1,3,5-triisopropyl-benzol verläuft normal zum *3-Äthylamino-2,4,6-triisopropyl-benzophenon*[12].

Acetanilid wird ohne Lösungsmittel mit Benzoylchlorid/Aluminiumchlorid umgesetzt und ergibt *4-Acetylamino-benzophenon*[13]. Analog erhält man *2'-Chlor-4-*

[1] H. KIPPER, B. 38, 2492 (1909).
[2] E. M. SHAMIS u. M. M. DASHEVSKIĬ, Ž. org. Chim. 2, 280 (1966); C. A. 65, 2164 (1966).
[3] V. D. AZATYAN, Doklady Akad. Arm. SSR 29, 111 (1959); C. A. 54, 12044 (1960).
[4] W. DILTHEY et al., J. pr. [2] 117, 353 (1927).
[5] R. C. SHAH u. J. S. CHAUHAL, Soc. 1932, 651.
[6] J. REILLY u. P. J. DRUMM, Soc. 1930, 455.
[7] W. DILTHEY et al., J. pr. [2] 124, 123 (1930).
[8] P. CAGNIANT, C. r. 226, 1134 (1948).
[9] K. v. AUWERS u. C. BEGER, B. 27, 1734 (1894).
[10] R. D. SCHNETZ u. L. CIPORIN, J. Org. Chem. 23, 206 (1958).
[11] B. GOKHLE u. F. A. MASON, Soc. 1931, 125.
[12] J. THIEC, A. ch. [12] 9, 88 (1954).
[13] V. K. MEHTA, M. J. SACHA u. S. R. PATEL, J. indian Chem. Soc. 33, 869 (1956).

acetylamino- und *2′Nitro-4-acetylamino-benzol.* Auch beim Essigsäure-3-methyl-
anilid tritt bei der Acylierung mit Benzoylchlorid, 2-Chlor- oder 4-Nitro-benzoesäure-
chlorid der Acyl-Rest in p-Stellung zur Acetylamino-Gruppe ein[1]. Man isoliert jedoch nicht die 4-Acetylamino-2-methyl-benzophenone, sondern verseift in situ ze
4-Amino-2-methyl-, *2′-Chlor-4-amino-2-methyl-* und *4′Nitro-4-amino-2-methyl-benzo-
phenon.* Mit Essigsäure-4-methyl-anilid gelingen diese Umsetzungen nicht.
Essigsäure-3,4-dimethyl-anilid dagegen ergibt mit 2-Chlor-benzoesäure-chlorid
/Aluminiumchlorid in Schwefelkohlenstoff *2′-Chlor-2-acetylamino-4,5-dimethyl-benzo-
phenon* (80% d. Th.)[2]. 4-Nitro-1-amino-benzol oder Benzoesäure-4-nitro-
anilid reagiert mit einem dreifachen Überschuß an Benzoylchlorid bei 200° mit
Zinkchlorid als Katalysator zu *5-Nitro-2-benzoylamino-benzophenon*[3]:

$$R = H, \ -CO-C_6H_5$$

Auch für die Acylierung von N-(4-Methyl-phenyl)-phthalimid mit Benzoylchlorid wird Zinkchlorid als Katalysator verwendet; die Umsetzung wird bei 170–180°
durchgeführt und liefert ein Gemisch aus *5-Phthalimino-2-methyl-* bzw. *2-Phthal-
imino-5-methyl-benzophenon*[4]. Unter analogen Bedingungen liefert auch N-(2,4,5-
Trimethyl-phenyl)-phthalimid ein Monobenzoyl-Derivat (*5-Phthalimino-2,4,6-tri-
methyl-benzophenon*)[5].

Der desaktivierende Einfluß einer Nitro-Gruppe wird durch zwei Hydroxy-
Gruppen überkompensiert. Deshalb gelingt es, 2-Nitro-1,3-dihydroxy-benzol mit
Benzoylchlorid/Aluminiumchlorid zu acylieren; als Reaktionsprodukte isoliert man
3-Nitro-2,4-dihydroxy-benzophenon und *3-Nitro-2,4-dihydroxy-1,5-dibenzoyl-benzol*[6].

Während Trimethylsilyl-benzol bei der Umsetzung mit Benzoylchlorid/Alu-
miniumchlorid *Benzophenon* liefert[7], wird Trimethyl-benzyl-silan in p-Stellung benzoyliert[8]; das dabei erhaltene *4-(Trimethylsilyl-methyl)-benzophenon* ist gegenüber
Aluminiumchlorid beständig. Chlor-dimethyl-benzyl-silan wird mit Benzoylchlorid/
Aluminiumchlorid in Ligroin zur Reaktion gebracht; man isoliert *Tetramethyl-bis-
[4-benzoyl-benzyl]-siloxan,* das bei der Aufarbeitung aus *4-[(Chlor-dimethyl-silyl)-
methyl]-benzophenon* entsteht[9].

---

[1] V. K. MEHTA, M. J. SACHA u. S. R. PATEL, J. indian Chem. Soc. **33**, 869 (1956).

[2] P. KRÄNZLEIN, B. **70**, 1784 (1937).

[3] A. L. NELSON, Chem. & Ind. **1965**, 653.

[4] E. FROEHLICH, B. **17**, 2673 (1884).

[5] E. FROEHLICH, B. **17**, 1801 (1884).

[6] G. C. AMIN, A. S. K. CHAUGHULEY u. G. V. JADHOF, J. indian chem. Soc. **36**, 621 (1959).

[7] B. N. DOLGOV u. O. K. PANINA, Ž. obšč. Chim. **18**, 1293 (1948); C. A. **43**, 2177 (1949).

[8] A. D. PETROV, E. A. CHERNYSHEV u. I. A. KULISH, Doklady Akad. SSSR **100**, 929 (1955);
     C. A. **49**, 8844 (1955).

[9] K. A. AUDRIANOV, V. A. ODINETS u. A. A. ZHDANOV, Ž. obšč. Chim. **29**, 2702 (1959); engl.:
     2669.

Beim Erhitzen von zwei Molen 3-Methyl-benzoesäure-chlorid mit Aluminiumchlorid auf 80–140° entsteht *2,6-Dimethyl-anthrachinon* (19% d. Th.)[1]. Analog erhält man aus 3,5-Dimethyl-benzoesäure-chlorid das *1,3,5,7-Tetramethyl-anthrachinon*[2].

Nur geringe Ausbeuten an *3-Carboxy-benzophenon* werden bei der Umsetzung von Benzoesäure-äthylester mit Benzoylchlorid in Gegenwart von Aluminiumchlorid oder Zinkchlorid erhalten[3]. Salicylsäure ergibt mit Benzoylchlorid/Aluminiumchlorid in Nitrobenzol *4-Hydroxy-3-carboxy-benzophenon*[4]. Das gleiche Reaktionsprodukt wird auch aus Salicylsäure-äthylester und Benzoylchlorid/Aluminiumchlorid in Schwefelkohlenstoff erhalten[5]. Bei der Umsetzung dieses Esters mit 2-Methoxy-benzoesäure-chlorid in Gegenwart eines großen Aluminiumchlorid-Überschusses erfolgt Äther-Spaltung, und man isoliert *2′,4-Dihydroxy-3-carboxy-benzophenon*[6]. Auch die Umsetzung von Salicylsäure-phenylester mit 3-Nitro-benzoesäurechlorid/Aluminiumchlorid in Schwefelkohlenstoff zu *3′-Nitro-4-hydroxy-3-carboxy-benzophenon* wird beschrieben[5]. Bei der Reaktion von 2-Äthoxy-benzoesäure-äthylester mit Benzoylchlorid in Gegenwart von überschüssigem Aluminiumchlorid erfolgt Äther-Spaltung, und man erhält wiederum *4-Hydroxy-3-carboxy-benzophenon*[6]. Die Umsetzung von 4-Hydroxy-benzoesäure-äthylester mit Benzoylchlorid/Aluminiumchlorid wird bei 120° in 1,1,2,2-Tetrachlor-äthan durchgeführt und liefert *2-Hydroxy-5-carboxy-benzophenon* (70–80% d. Th.)[7]. 3,5-Dimethoxy-benzoesäure und 1-Methoxy-naphthalin-2-carbonsäure-chlorid/Aluminiumchlorid ergeben in 1,1,2,2-Tetrachlor-äthan mehrere Reaktionsprodukte, unter denen ein Tetracenchinon-Derivat das Hauptprodukt ist[8]:

11-Hydroxy-1,3-dimethoxy-5,12-dioxo-5,12-dihydro-naphthacen

1-Hydroxy-2-(4,6-dimethoxy-2-carboxy-benzoyl)-naphthalin

Unter sehr energischen Bedingungen kann auch Benzophenon selbst benzoyliert werden; so erhält man mit Benzoylchlorid-Aluminiumchlorid bei 200–220° ohne Verdünnungsmittel *1,3-Dibenzoyl-benzol* neben wenig *1,3,5-Tribenzoyl-benzol*[9]. 2,4-Dimethyl-benzophenon wird ohne Verdünnungsmittel bei 170° mit Benzoylchlorid umgesetzt; dabei erhält man *4,6-Dimethyl-1,3-dibenzoyl-benzol* neben *2,4-Dimethyl-*

[1] C. SEER, M. **32**, 154 (1911).
[2] C. SEER, M. **33**, 39 (1912).
[3] P. SENFF, A. **220**, 250 (1883).
[4] N. D. SHAH u. N. M. SHAH, J. Univ. Bombay [A] **18**, 25 (1949).
[5] H. LIMPRICHT, A. **290**, 164 (1896).
[6] J. M. VAN DER ZANDEN u. G. DE VRIES, R. **74**, 876 (1955).
[7] M. P. FADIA, V. P. SHUKLA u. J. J. TRIVEDI, J. indian chem. Soc. **32**, 117 (1955).
[8] Y.-T. HUANG et al., Hua Hsüeh Hsüeh Pao **24**, 53 (1958).
[9] O. DISCHENDORFER u. A. VERDINO, M. **66**, 269 (1935).

1,3-dibenzoyl-benzol[1]. 2,3,5,6-Tetramethyl-benzophenon ergibt in überschüssigem
Benzoylchlorid bei 150° bei Gegenwart von Aluminiumchlorid *2,3,5,6-Tetramethyl-
1,4-dibenzoyl-benzol*[2].

ζ_3) *Biphenyl oder Biphenyl-Derivaten*

Biphenyl wird durch molare Mengen an Benzoylchlorid in 4-Stellung zu *4-Phenyl-
benzophenon* acyliert; man führt die Reaktion in überschüssigem Biphenyl[3], in
Schwefelkohlenstoff[4] oder Chlorbenzol mit Aluminiumchlorid durch. In Gegenwart
von überschüssigem Benzoylchlorid entsteht bei höheren Temperaturen auch *4,4'-
Dibenzoyl-biphenyl*[3]. *4-Phenyl-benzophenon* entsteht auch, wenn man die Reaktionspartner in Gegenwart von Aluminium[5] oder Jod[6] unter Rückfluß erhitzt. Substituierte
Benzoylchloride wie 4-Methyl[7], 4-Äthyl-[7], 4-Propyl-[8], 2-,3- bzw. 4-Brom-[9] sowie 4-Chlor-
benzoesäure-chlorid[10] werden mit Biphenyl in Gegenwart von Aluminiumchlorid in
Schwefelkohlenstoff umgesetzt, und man erhält *4'-Methyl-* (bzw. *4'-Äthyl-, 4'-Propyl-,
2'-Brom-, 3'-Brom-, 4'-Brom* und *4'-Chlor)-4-phenyl-benzophenon*. Mit katalytischen
Mengen Eisen(III)-chlorid (vgl. S. 166 u. S. 169) lassen sich auf einfachste Weise
2'-Chlor-4-phenyl-benzophenon und *4,4'-Bis-[2-chlor-benzoyl]-biphenyl* herstellen[11].

2'-Chlor-4-phenyl-benzophenon[11]: Zu einer gut gerührten Mischung aus 175 g 2-Chlor-benzoyl-
chlorid und 170 g Biphenyl werden bei 70° 1–2 g sublimiertes Eisen(III)-chlorid gegeben. Die
sofort kräftig einsetzende Chlorwasserstoff-Entwicklung dauert mehrere Stdn. an, wobei man die
Innentemp. allmählich bis auf ~ 100° ansteigen läßt. Man kann direkt durch Vakuumdestillation
aufarbeiten; Ausbeute: ~ 75% d. Th.; Kp$_{2,5}$: 232; F: 97–98° (aus Äthanol).

4,4'-Bis-[2-chlor-benzoyl]-biphenyl[11]: 193 g 2-Chlor-benzoylchlorid und 77 g Biphenyl werden
zusammengeschmolzen und unter Rühren bei 70° mit ~ 1–2 g sublimiertem Eisen(III)-chlorid
versetzt. Man steigert die Innentemp. innerhalb mehrerer Stdn. auf ~ 160° bis zur Beendigung
der Chlorwasserstoff-Entwicklung. Anschließend leitet man Wasserdampf ein, trennt von der
wäßrigen Phase ab und digeriert den zerkleinerten Rückstand mit verd. Natriumcarbonat-
Lösung. Das Rohprodukt, das in ~ 95%iger Ausbeute anfällt wird aus Chlorbenzol umgelöst;
F: 158–159°.

Acylierungen mit 3- oder 4-Nitro-benzoylchlorid verlaufen wieder am
günstigsten in Benzol[12]. *4-Phenyl-4'-(4-nitro-phenyl)-benzophenon* erhält man
aus 4-(4-Nitro-phenyl)-benzoesäure-chlorid und Biphenyl in Nitrobenzol[13]
bei 120–140°. Mit gutem Erfolg sind Naphthalin-1-[14] und -2-carbonsäure-chlorid[15],
2-Methyl-naphthalin-1-carbonsäure-chlorid[16] sowie Anthrachinon-1-carbonsäure-
chlorid[17] in Schwefelkohlenstoff in Gegenwart von Aluminiumchlorid mit Biphenyl zu

[1] E. CLAR u. F. JOHN, B. **62**, 3021 (1929).
[2] C. FRIEDEL, J. M. CRAFTS u. E. ADOR, C. r. **88**, 881 (1879).
[3] N. WOLF, B. **14**, 2031 (1881).
[4] H. STAUDINGER u. N. KON, A. **384**, 97 (1911).
[5] V. D. AZATYAN, Doklady Akad. Arm. SSR **29**, 111 (1959); C. A. **54**, 12044 (1960).
[6] I. A. KAYE, H. C. KLEIN u. W. J. BURLANT, Am. Soc. **75**, 746 (1953).
[7] W. SCHLENK u. E. BERGMANN, A. **464**, 32 (1928).
[8] N. D. XUONG u. N. P. BUU-HOI, Soc. **1952**, 3741.
[9] M. GOMBERG u. J. C. BAITAR, Am. Soc. **81**, 2233 (1929).
[10] P. DE CEUSTER, Natuurw. Tijdschr. **14**, 188 (1932); C. A. **1932** II, 1296.
[11] DRP. Anm. 167559 (1940), I. G. Farb., Erf.: J. HUISMANN; s. Anm. S. 177, Lit.[6].
[12] D. H. HEY u. E. R. B. JACKSON, Soc. **1936**, 805.
[13] W. THEILACKER, W. BERGER u. P. POPPER, B. **89**, 980 (1956).
[14] J. SCHMIDLIN u. A. GARCIA-BANÙS, B. **45**, 3183 (1912).
[15] M. MIGITA, Bl. chem. Soc. Japan **7**, 382 (1932).
[16] J. W. COOK, Soc. **1931**, 502.
[17] R. SCHOLL, H. DEHNERT u. H. SEMP, B. **56**, 1635 (1923).

1-(bzw. *2-*)-*[Biphenylyl-(4)-carbonyl]-naphthalin, 2-Methyl-1-[biphenylyl-(4)-carbonyl]-naphthalin* oder *1-[Biphenylyl-(4)-carbonyl]-anthrachinon* umgesetzt worden. Für Umsetzungen von Anthrachinon-1-carbonsäure-chlorid[1] in Schwefelkohlenstoff oder von 2-Methyl-anthrachinon-1-carbonsäure-chlorid {zu *2-Methyl-1-[biphenylyl-(4)-carbonyl]-anthrachinon*}[2] in 1,1,2,2-Tetrachlor-äthan mit Biphenyl hat sich auch Eisen(III)-chlorid als Katalysator bewährt.

4-Äthyl-biphenyl und 4-Methoxy-benzoesäure-chlorid[3] ergeben *4'-Methoxy-4-(4-äthyl-phenyl)-benzophenon.* Beim 3,3'-Dimethyl-biphenyl gelingt mit Naphthalin-1-carbonsäure-chlorid Bis-acylierung in 4,4'-Stellung zu *3,3'-Dimethyl-4,4'-bis-[naphthyl-(1)-carbonyl]-biphenyl*[4]. Während 2-Methoxy-biphenyl mit Benzoylchlorid/Aluminiumchlorid in Schwefelkohlenstoff in p-Stellung zur Methoxy-Gruppe, also zu *4-Methoxy-3-phenyl-benzophenon* acyliert werden kann, erhält man analog aus 4-Methoxy-biphenyl *4-(4-Methoxy-phenyl)-benzophenon* neben *4-Methoxy-3,4'dibenzoyl-biphenyl*[5]. Beim 3-Chlor-2-methoxy-biphenyl tritt ein Benzoyl-Rest wahrscheinlich überwiegend in 5-Stellung zu *5-Chlor-4-methoxy-3-phenyl-benzophenon* ein[6], während beim 3-Chlor-[7] und beim 3-Brom-4-methoxy-biphenyl[8] Benzoylierung in 4'-Stellung erfolgt, man erhält also *4-[3-Chlor-* (bzw. *3-Brom)-4-methoxy-phenyl]-benzophenon.*

4-(4-Dimethylamino-phenyl)-benzophenon[9]: Zu einer Mischung aus 100 *ml* Schwefelkohlenstoff und 66 g (0,5 Mol) Aluminiumchlorid läßt man unter Feuchtigkeitsausschluß und gutem Rühren eine Lösung von 30 g (0,15 Mol) 4-Dimethylamino-biphenyl und 22 g (0,157 Mol) Benzoylchlorid in 300 *ml* Schwefelkohlenstoff langsam hinzufließen und erhitzt anschließend unter Rückfluß zum Sieden. Innerhalb von insgesamt 15 Stdn. färbt sich das Reaktionsprodukt erst blau, dann grün und geht schließlich in eine dunkelbraune, zähe Masse über, die mit Eis-Salzsäure-Mischung aufgearbeitet wird. Das Keton scheidet sich aus der wäßrigen Phase nach Alkalizusatz ab und wird aus Äthanol (oder besser Butanon) umkristallisiert; Ausbeute: 80–90% d. Th.; F: 184,5° (goldgelbe Blättchen).

Auch 4-Nitro-biphenyl kann mit gutem Erfolg in 4'-Stellung benzoyliert werden.

4-(4-Nitro-phenyl)-benzophenon[10]: 100 g (0,5 Mol) 4-Nitro-biphenyl, 125 g (0,94 Mol) Aluminiumchlorid und 220 g (1,57 Mol) Benzoylchlorid werden unter Rühren in 400 *ml* Nitrobenzol gelöst, wobei Erwärmung unter Rotbraunfärbung eintritt. Man erhitzt 6 Stdn. auf 100°, dann 3 Stdn. auf 150° und schließlich 5 Stdn. auf 170°, kühlt ab und gießt die schwarze Lösung in Salzsäure 1:1 ein. Das abgeschiedene Öl wird mit Wasserdampf destilliert, bis kein Nitro-benzol mehr übergeht, der zähe Rückstand wird noch heiß abgegossen, da er beim Abkühlen alsbald erstarrt. Man zerkleinert die erstarrte Masse, preßt sie auf Ton ab und extrahiert das so erhaltene braune Pulver mit Aceton im Soxhlet, wobei alles bis auf eine geringe Menge Aluminiumoxid in Lösung geht. Die Aceton-Lösung wird zunächst in der Hitze mit Aktivkohle behandelt, dann mit wenig Wasser versetzt, um einen Teil der Verunreinigungen auszufällen, filtriert und schließlich mit viel Wasser versetzt; Rohausbeute: 75 g (57% d. Th.); nach dem Umkristallisieren aus Aceton 60 g (46% d. Th.); F: 156–157° (schwach gelb gefärbte Nadeln).

[1] R. Scholl u. J. Donat, B. **67**, 1921 (1934).

[2] R. Scholl, H. Dehnert u. L. Wanka, A. **493**, 94 (1932).

[3] N. P. Buu-Hoi u. R. Royer, R. **70**, 829 (1951).

[4] J. W. Cook, Soc. **1931**, 502.

[5] D. H. Hey u. E. R. B. Jackson, Soc. **1936**, 805.

[6] N. P. Buu-Hoi u. L. Petit, J. Org. Chem. **24**, 41 (1959).

[7] N. P. Buu-Hoi, M. Sy u. J. Riché, J. Org. Chem. **22**, 671 (1957).

[8] N. P. Buu-Hoi, L. Petit u. D. C. Thang, Bl. **1960**, 335.

[9] F. Klages u. H. J. Manderla, B. **89**, 993 (1956).

[10] W. Theilacker, W. Berger u. P. Popper, B. **89**, 980 (1956).

1,3-Diphenyl-benzol wird durch molare Mengen Benzoylchlorid oder 4-Methoxy-benzoesäure-chlorid in p-Stellung eines der Phenylkerne acyliert {*4-[Biphenylyl-(3)]-benzophenon* bzw. *4′-Methoxy-4-[biphenylyl-(3)]-benzophenon*}[1]. Ebenso verhält sich Terphenyl bei der Umsetzung mit Benzoylchlorid, man erhält *4-Biphenyl-(4)-benzophenon*[2]. 1,3,5-Triphenyl-benzol liefert dagegen mit Benzoylchlorid *2,4,6-Triphenyl-benzophenon*[3] und mit 4-Methyl-benzoesäure-chlorid *4′-Methyl-2,4,6-tri-phenyl-benzophenon*[4].

Fluoren wird durch Benzoylchlorid[5] oder substituierte Benzoylchloride[6] bei Raumtemperatur in Schwefelkohlenstoff in Gegenwart von Aluminiumchlorid in 2-Stellung acyliert (z.B. *2-Benzoyl-fluoren*). Bei 2-Benzyl- und bei 2-Benzoyl-fluoren gelingt die Einführung eines Benzoyl-Restes in der 7-Stellung[7], und man erhält *2-Benzyl-7-benzoyl-fluoren* bzw *2,7-Dibenzoyl-fluoren*. Die Benzoylierung des 4-Methyl-fluorens in Schwefelkohlenstoff ergibt ein Gemisch aus zwei Teilen *4-Me-thyl-2-* und einem Teil *4-Methyl-7-benzoyl-fluoren*[8].

ζ_4) *Naphthalin oder Naphthalin-Derivaten*

Die Umsetzung des sehr reaktionsfähigen Naphtalins mit Benzoylchlorid/Aluminiumchlorid liefert eine Mischung von *1-* und *2-Benzoyl-naphthalin*. In welchem Verhältnis die beiden Isomeren entstehen, hängt weitgehend von den Reaktionsbedingungen ab. Bei der Durchführung der Reaktion in 1,2-Dichlor-äthan in Gegenwart von molaren Mengen an Benzoylchlorid und Aluminiumchlorid bei 35° erhält man eine Mischung aus 96% *1-Benzoyl-naphthalin* und 4% *2-Benzoyl-naph-thalin*.

1-Benzoyl-naphthalin[9]: Eine Lösung von 128 g (1 Mol) Naphthalin in 250 g 1,2-Dichlor-äthan wird bei 35° zu einer Lösung von 140 g (1,05 Mol) Aluminiumchlorid und 140,5 g (1 Mol) Benzoyl-chlorıd in 250 g 1,2-Dichlor-äthan getropft. Die Mischung wird dann in verd. Salzsäure gegossen, die ölige Schicht wird abgetrennt und destilliert; Ausbeute: 200 g (83% d.Th.); Kp_{15}: 225°; F: 73°. Die Verbindung enthält mindestens 4% an Verunreinigungen.

Wenn man die gleiche Umsetzung in Gegenwart eines großen Benzoylchlorid-Überschusses bei niederen Temperaturen vornimmt, enthält das Reaktionsprodukt nur 60% an *1-*, jedoch 40% an *2-Benzoyl-naphthalin*[10,11]. Auch wenn die Reaktion in Nitrobenzol mit äquivalenten Mengen Benzoylchlorid und Aluminiumchlorid bei 35° durchgeführt wird, steigt der Anteil an *2-Benzoyl-naphthalin* auf ~30%[10]. In Nitro-benzol bei 150° erhält man ein Isomerengemisch aus 60% *2-Benzoyl-* und 38% *1-Benzoyl-naphthalin*[10].

---

[1] N. P. Buu-Hoi u. R. Royer, J. Org. Chem. **16**, 322 (1951).
[2] N. P. Buu-Hoi, B. Eckert u. P. Demerseman, J. Org. Chem. **19, 730** (1954).
[3] G. E. Lewis, J. Org. Chem. **31**, 749 (1966).
   D. E. Pearson u. C. A. Buehler, Synthesis **1971**, 455.
[4] P. N. Fedoseev, Ž. obšč. Chim. **7**, 1364 (1937); C. A. **31**, 8527 (1937).
[5] M. Fortner, M. **23**, 921 (1902).
[6] N. D. Xuong u. N. P. Buu-Hoi, Soc. **1952**, 3741.
   L. Chardonnens u. J. Rody, Helv. **42**, 1328 (1959).
[7] K. Dziewonski et al., Roczniki Chem. **13**, 283 (1933).
[8] L. Chardonnens, R. Dousse u. E. Horwarth, Helv. **53**, 1083 (1970).
[9] US.P. 2487777 (1949), ICI, Erf.: G. Baddeley; C. A. **44**, 2563 (1950).
[10] G. Baddeley, Soc. **1949**, 99.
[11] F. R. Jensen, Am. Soc. **79**, 1226 (1957).

Bei der Acylierung von Naphthalin mit Benzoylchlorid/Aluminiumchlorid in Schwefelkohlenstoff liegen die Ausbeuten an Isomerengemisch zwischen 60% und 80% d.Th.[1]; man erhält dabei bis zu 14% *2-Benzoyl-naphthalin*[2]. Zur Herstellung von möglichst reinem *1-Benzoyl-naphthalin* bewährt sich die Perrier-Variante[3].

Die Benzoylierung des Naphthalins wird auch in Nitromethan[4], Chlorbenzol[5] oder flüssigem Schwefeldioxid[6] beschrieben. Neben Alumiumchlorid werden auch Zink[5], Eisen(III)-[7], Kupfer(I)-[8], Quecksilber(II)-chlorid[8], Phosphor(V)-oxid[9], Phosphor(V)-chlorid[10], Zink[10], Eisen[10] oder Jod[11] mit Erfolg als Katalysatoren für diese Umsetzung angewendet.

Aus Naphthalin und einem mehr als zweimolaren Überschuß an Benzoylchlorid und Aluminiumchlorid wird bei $\sim 80°$ ein Gemisch aus *1,5-* und *1,8-Dibenzoyl-naphthalin* erhalten[12].

1,5-Dibenzoyl-naphthalin[13]: Nach einem techn. Herstellungsverfahren werden 770g (5,5 Mol) Benzoylchlorid und 1100 g (8,2 Mol) Aluminiumchlorid zusammengerührt, wobei die Temp. auf 80–90° ansteigt. Bei 63° trägt man dann 263 g (2 Mol) Naphthalin innerhalb 5 Stdn. ein und rührt noch weitere 8 Stdn. bei 70° nach. Dann wird die Schmelze in Wasser eingerührt, das Rohprodukt abfiltriert, säurefrei gewaschen und mit 2,3 kg Chlorbenzol zum Sieden erhitzt, bis das restliche Wasser überdestilliert ist. Nach dem Abkühlen nutscht man das auskristallisierte 1,5-Dibenzoyl-naphthalin ab und wäscht mit wenig kaltem Chlorbenzol nach. Durch nochmaliges Umlösen aus 1,2 kg Chlorbenzol und Abfiltrieren bei 30° erhält man ~ 330 g ($\sim 50\%$ d.Th.) 1,5-Diketon, das noch $\sim 3\%$ des 1,8-Isomeren enthält; letzteres wird nicht isoliert.

Im Rahmen von Synthesen vielkerniger Kohlenwasserstoffe wird die Acylierung von Naphthalin und von Alkyl-naphthalinen mit Benzoylchlorid und substituierten Benzoylchloriden beschrieben. Als Katalysator wird für diese Umsetzungen ausschließlich Aluminiumchlorid verwendet, als Reaktionsmedium wird Schwefelkohlenstoff bevorzugt. Als Acylierungsmittel werden z.B. 2-Methyl-[14], 3-Methyl-[14,15], 4-Methyl-[14], 2-Chlor[16], 3-Chlor-[17], 4-Chlor-[16], 4-Chlor-3-methyl-, 4-Brom-3-methyl-[18] oder 2-Brom-benzoesäure-chlorid[19] verwendet. Bei der Aufarbeitung der Reaktionsmischungen werden meist nur die 1-Acyl-naphthaline isoliert; so erhält man z.B. *1-[2-(bzw. 3- oder 4)-Chlor-benzoyl]-*, *1-[2- (bzw. 3- oder 4)-Methyl-benzoyl]-*, *1-[4-Chlor-3-methyl-(bzw. 4-Brom-3-methyl)-benzoyl]-* und *1-(2-Brom-benzoyl)-naphthalin*.

[1] E. Caille, C. r. **153**, 393 (1911).
[2] P. J. Montagne, R. **26**, 281 (1907).
[3] L. F. Fieser, *Experiments in Organic Chemistry*, S. 192, D. C. Heath & Co., Boston, Mass. 1935.
[4] I. Reichel u. R. Vilceanu, Revista de chimie (Bucharest) **11**, 206 (1960); C. A. **57**, 11121 (1962).
[5] E. Koike u. K. Okawa, J. chem. Soc. Japan **74**, 971 (1953).
[6] J. Ross et al., Ind. Eng. Chem. **34**, 924 (1942).
[7] E. Chubachi, M. Okawa u. T. Kaneko, J. chem. Soc. Japan **72**, 326 (1951).
[8] Y. Ogata u. J. Ishiguro, Science (Japan) **19**, 134 (1949).
[9] H. Lecher, B. **46**, 2667 (1913).
[10] S. Grucarevic u. V. Merz, B. **6**, 1238 (1873).
[11] S. Chodroff u. H. C. Klein, Am. Soc. **70**, 1648 (1948).
[12] DRP 576253 (1933), I. G. Farb., Erf.: R. Sedlmayr u. W. Eckert; C. A. **27**, 3722 (1933).
[13] BIOS Final Rep. 1313 II (I. G. Farb. Hoechst).
[14] R. Scholl u. C. Seer, A. **394**, 145 (1912).
[15] F. Mayer, E. Fleckenstein u. H. Günther, B. **63**, 1468 (1930).
[16] R. Scholl u. C. Seer, B. **55**, 113 (1922).
[17] R. S. Cahn, W. O. Jones u. J. L. Simonson, Soc. **1933**, 447.
[18] DRP 525187 (1931), I. G. Farb., Erf.: O. Wulff; C. A. **25**, 4012 (1931).
[19] R. J. Knoll u. P. Cohn, M. **16**, 207 (1895).

Aus überschüssigem 3-Chlor-[1], 4-Chlor-[1], 3,4-Dichlor-[1] oder 2-Brom-benzoesäure-chlorid[2] und Naphthalin wird bei 100° *1,5-Bis-[3-(bzw. 4)-chlor-* (bzw. *3,4-dichlor-*; bzw. *2-brom)-benzoyl]-naphthalin* hergestellt.

2-, 3- und 4-Jod-benzoesäure-chloride[3] ergeben mit Naphthalin/Aluminium-chlorid bei 50° ohne Lösungsmittel mit hervorragenden Ausbeuten *1-[2-(bzw. 3- oder 4)-Jod-benzoyl]-naphthalin*[4]. 2,4,6-Tribrom-benzoesäure-chlorid ergibt mit Naphthalin *1-(2,4,6-Tribrom-benzoyl)-naphthalin*[5].

Alkoxy-benzoesäure-chloride wie 2-Methoxy-[6], 4-Methoxy-[7] oder 3,4-Dimethoxy-benzoesäure-chlorid[6] reagieren mit Naphthalin in Schwefelkohlenstoff oder 1,2-Dichlor-äthan überwiegend zu *1-(2- oder 4-Methoxy-benzoyl)-* und *1-(3,4-Dimethoxy-benzoyl-)-naphthalin*. 3- oder 4-Nitro-benzoesäure-chlorid wird mit Naphthalin in Schwefelkohlenstoff zur Reaktion gebracht, man isoliert dabei mit 65–70% d. Th. *1-(3-; bzw. 4-Nitro-benzoyl)-naphthalin*[8]. Während aus 3-Nitro-4-methyl-benzoe-säure-chlorid und Naphthalin in Schwefelkohlenstoff überwiegend *1-(3-Nitro-4-methyl-benzoyl)-naphthalin* erhalten wird, entstehen in Nitrobenzol *1-* und *2-[3-Nitro-4-methyl-benzoyl]-naphthalin* in gleicher Menge[9]. Zur Herstellung von *1-(2-Amino-benzoyl)-naphthalin* wird 2-p-Tosylamino-benzoesäure-chlorid/Aluminiumchlorid in Schwefelkohlenstoff mit Naphthalin kondensiert; das Kondensationsprodukt wird ohne Reinigung sauer zum Aminoketon verseift[10]. Aus 4-Phenyl-benzoesäure-chlorid und Naphthalin[11] entsteht *1-[Biphenylyl-(4)-carbonyl]-naphthalin* neben dem 2-Derivat.

Zur Acylierung von Naphthalin werden auch Naphthalincarbonsäure-halogenide wie Naphthalin-1- oder -2-carbonsäure-chlorid mit Zink als Katalysator[12] sowie 2-Methyl-[13] oder 4-Methyl-naphthalin-1-carbonsäure-chlorid[14] in Schwefelkohlenstoff in Gegenwart von Aluminiumchlorid verwendet. Man erhält *Dinaphthyl-(1)-keton*, *Naphthyl-(1)-naphthyl-(2)-keton* und *2- bzw. 4-Methyl-1-naphthoyl-(1)-naphthalin*. Zur Umsetzung von Fluoren-1-carbonsäure-chlorid/Aluminiumchlorid mit Naphthalin zu *1-Naphthoyl-(1)-fluoren* wird 1,1,2,2,-Tetrachlor-äthan als Lösungsmittel verwendet, während Acylierungen mit Anthrachinon-1-[15] oder -2-carbonsäure-chlorid[11] zu *1- bzw. 2-Naphthoyl-(1)-anthrachinon* in Nitrobenzol durchgeführt werden. 7-Oxo-3-chlorcarbonyl-7H-⟨benzo-[d,e]-anthracen⟩/Aluminiumchlorid wird in Schwefelkohlenstoff mit Naphthalin umgesetzt[16]:

[1] DRP 576253 (1933), I. G. Farb., Erf.; R. Sedlmayr u. W. Eckert; C. A. **27**, 3722 (1933).
[2] Brit.P 353113 (1930), I. G. Farb.; C. **1931** II 2665.
[3] B. V. Tronov u. E. S. Novikova, Ž. obšč. Chim. **26**, 1994 (1956); C. A. **51**, 5013 (1957).
[4] E. S. Novikova, Izv. Vyss. Uch. Zav., Chim. i chim Techn. **2**, 204 (1959); C. A. **54**, 400 (1960).
[5] G. Baddeley u. D. Voss, Soc. **1954**, 418.
[6] H. Waldmann, B. **83**, 174 (1950).
[7] G. Baddeley, Soc. **1949**, 103.
[8] I. S. Ioffe u. S. S. Bravina, Ž. obšč. Chim. **9**, 1133 (1939); C. A. **33**, 8599 (1939).
[9] L. Chardonnens u. H. Thomann, Helv. **39**, 1894 (1956).
[10] F. Ullmann u. H. Bleier, B. **35**, 4277 (1902).
[11] R. Scholl u. C. Seer, A. **394**, 145 (1912).
[12] S. Grucarevic u. V. Merz, B. **6**, 1238 (1873).
[13] N. P. Buu-Hoi u. D. Lavit, Bl. **1960**, 348.
[14] G. D. Buckley, Soc. **1945**, 561.
[15] R. Scholl u. C. Seer, B. **55**, 113 (1922).
[16] A. J. Backhouse u. W. Bradley, Soc. **1955**, 849.

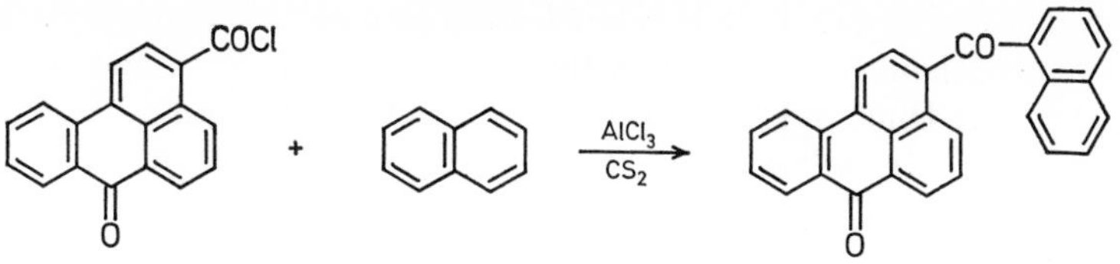

7-Oxo-3-naphthoyl-(1)-7H-⟨benzo-
[d,e]-anthracen⟩

1-Methyl-naphthalin wird durch äquivalente Mengen aromatischer Mono-carbonsäure-chloride/Aluminiumchlorid in Schwefelkohlenstoff in 4-Stellung acyliert. Derartige Acylierungen werden mit Benzoylchlorid[1], 3-Methyl-[2], 4-Methyl-[2], 3-Nitro-benzoesäure-chlorid[3], Naphthalin-1-carbonsäure-chlorid[1,4] und Phenanthren-3-carbonsäure-chlorid[1] beschrieben, und man erhält z.B. *4-Methyl-1-benzoyl-*, *4-Methyl-1-(3-; bzw. 4-methyl-benzoyl)-*, *4-Methyl-1-(3-nitro-benzoyl)-naphthalin*, sowie *4-Methyl-1-naphthoyl-(1)-naphthalin* oder *3-[4-Methyl-naphthoyl-(1)]-phenanthren*. Naphthalin-2-carbonsäure-chlorid ergibt mit 1-Methyl-naphthalin in 1,2-Dichlor-äthan[5] oder Schwefelkohlenstoff[6] in Gegenwart äquivalenter Mengen Aluminium-chlorid *4-Methyl-1-naphthoyl-(1)-naphthalin*; mit überschüssigem Aluminiumchlorid erhält man *7-Oxo-4-methyl-7H-⟨benzo-[d,e]-naphthacen⟩*[6]:

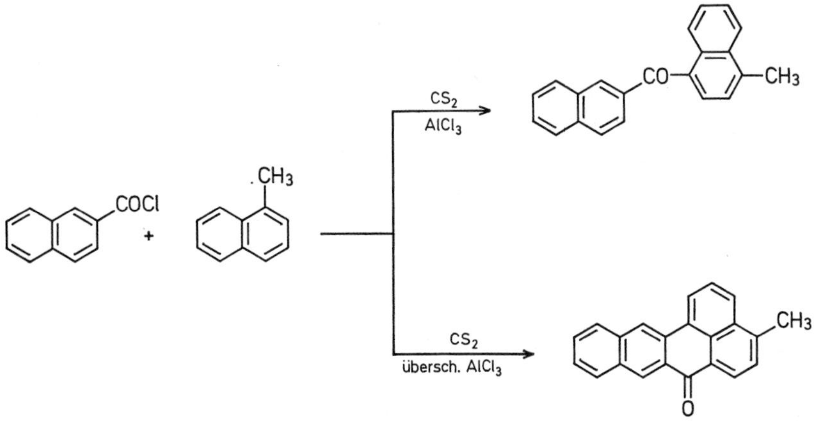

Vielkernige Ringsysteme werden auch bei der Umsetzung von 6-Methyl-naphtha-lin-2-carbonsäure-chlorid[1] oder Phenanthren-2-carbonsäure-chlorid[1] mit 1-Methyl-naphthalin erhalten. Ebenso verhält sich 1-Äthyl-naphthalin bei der Umsetzung mit Naphthalin-2-carbonsäure-chlorid.

2-Methyl-naphthalin wird durch äquivalente Mengen an Benzoylchlorid oder substituierten Benzoylchloriden in Gegenwart von Aluminiumchlorid in Schwefel-

[1] G. D. Buckley, Soc. 1945, 565.
[2] F. Mayer, E. Fleckenstein u. H. Günther, B. 63, 1968 (1930).
[3] L. Chardonnens u. H. Thomann, Helv. 39, 1894 (1956).
[4] J. W. Cook u. A. M. Robinson, Soc. 1938, 510.
[5] US.P. 2487777 (1949), ICI, Erf.: G. Baddeley; C. A. 44, 2563 (1950).
[6] G. D. Buckley, Soc. 1945, 563.

kohlenstoff in 1-Stellung (z. B. *2-Methyl-1-benzoyl-naphthalin*) acyliert[1–3]. An substituierten Benzoylchloriden werden 2-Methyl-[2,3], 3-Methyl-[3,4] und 4-Methyl-[2,3], 4-Isopropyl-[4], 3,4-Dimethyl-[4], 4-Phenyl-[5] oder 4-(2,4-Dimethyl-benzoyl)-benzoesäure-chlorid[6] zur Herstellung von *2-Methyl-1-[2-(bzw. 3-; bzw. 4)-methyl- (bzw. 4-isopropyl-; 3,4-dimethyl-; 4-phenyl)-benzoyl]-naphthalin* oder *2-Methyl-1-[4-(2,4-dimethyl-benzoyl)-benzoyl]-naphthalin* eingesetzt. Auch Naphthalin-1-[7] und -2-carbonsäure-chlorid[3,7], 4-Methyl-naphthalin-1-carbonsäure-chlorid[8], Phenanthren-2-[9] und -3-carbonsäure-chlorid[9,10] und 9,10-Dihydro-phenanthren-3-carbonsäure-chlorid[9] wurden zur Acylierung von 2-Methyl-naphthalin herangezogen. Es werden *2-Methyl-1- und -2-naphthoyl-(1)-naphthalin, 2-Methyl-1-[4-methyl-naphthoyl-(1)]-naphthalin, 1- bzw. 3-[2-Methyl-naphthoyl-(1)]-phenanthren* oder *3-[2-Methyl-naphthoyl-(1)]-9,10-dihydro-phenanthren* erhalten.

Für die Benzoylierung von 1-Benzyl-naphthalin, die in 4-Stellung zu *4-Benzyl-1-benzoyl-naphthalin* erfolgt, kann man Zinkchlorid als Katalysator verwenden[11]. Günstig verläuft die Reaktion in Gegenwart von Aluminiumchlorid in Benzol bei 5°[12]. Analog wird 1-(4-Chlor-benzyl)-naphthalin zu *4-(4-Chlor-benzyl)-1-benzoyl-naphthalin* benzoyliert[12]. Die Acylierung von 2-Benzyl-naphthalin mit Benzoylchlorid mit Zinkchlorid als Katalysator bei 120° liefert *6-Benzyl-2-benzoyl-naphthalin*[13].

Bei der Benzoylierung von 2,3-Dimethyl-naphthalin in Schwefelkohlenstoff[14] oder nach der Perrier-Methode in Chloroform oder Nitrobenzol[15] entsteht als Hauptreaktionsprodukt *2,3-Dimethyl-1-benzoyl-naphthalin* neben *2,3-Dimethyl-5-benzoyl-* und *2,3-Dimethyl-6-benzoyl-naphthalin*. Mit überschüssigem Acylierungsmittel gelingt bei 55–60° auch die Einführung von zwei Benzoyl-Resten, und zwar überwiegend zu *2,3-Dimethyl-1,5-dibenzoyl-naphthalin*; daneben entsteht *2,3-Dimethyl-1,6-dibenzoyl-naphthalin*[15]. Auch bei der Umsetzung von 2,3-Dimethyl-naphthalin mit Naphthalin-1- oder -2-carbonsäure-chlorid in Schwefelkohlenstoff erhält man *2,3-Dimethyl-1-[naphthoyl-(1)- oder -(2)]-naphthalin*[16].

1,6-Dimethyl-naphthalin wird durch äquivalente Mengen Benzoylchlorid/Aluminiumchlorid zu *1,6-Dimethyl-4-benzoyl-naphthalin* acyliert[17]. 2,6-Dimethyl-

[1] F. Mayer u. A. Sieglitz, B. **55**, 1852 (1922).

[2] L. F. Fieser u. E. M. Dietz, B. **62**, 1829 (1929).

[3] K. Dziewoński u. E. Ritt, Bulletin international de l'académie polonaise des sciences et des letters [A] **1927**, 181.

[4] J. W. Cook, Soc. **1932**, 456.

[5] J. W. Cook, Soc. **1930**, 1092.

[6] E. Clar, F. John u. R. Avenarius, B. **72**, 2147 (1939).

[7] E. Clar, B. **62**, 355 (1929).

[8] J. W. Cook, Soc. **1931**, 493.

[9] J. C. Nichol et al., Am. Soc. **69**, 376 (1947).

[10] J. W. Cook, Soc. **1931**, 506.

[11] K. Dziewoński et al., Bulletin international de l'académie polonaise des sciences et des lettres [A] **1929**, 650.

[12] Brit.P. 333666 (1929), I. G. Farb.; C. A. **1930**, II, 3196.

[13] K. Dziewonski u. S. Wodelski, Roczniki Chem. **12**, 366 (1932).

[14] L. F. Fieser u. M. A. Peters, Am. Soc. **54**, 3750 (1932).

[15] P. H. Gore, C. K. Thadani u. S. Thorburn, Soc. [C] **1968**, 2502.

[16] J. W. Cook. Soc. **1933**, 1596.

[17] J. W. Cook, Soc. **1931**, 492.

naphthalin ergibt mit äquivalenten Mengen Benzoylchlorid[1,2] oder mit substituierten Benzoylchloriden wie 3-[3] oder 4-Methyl-benzoesäure-chlorid[2] überwiegend 1-Acyl-Derivate; z.B. *2,6-Dimethyl-1-benzoyl-naphthalin*[2] oder *2,6-Dimethyl-1-(3-;* bzw. *4-methyl-benzoyl)-naphthalin.* Monoacylierung zu *2,6-Dimethyl-1-[naphthoyl-(1)- oder -(2)]-naphthalin* gelingt auch mit Naphthalin-1-[4] oder -2-carbonsäure-chlorid[5]. Mit überschüssigem Benzoylchlorid[2,6] oder Naphthalin-2-carbonsäure-chlorid[5] erhält man *2,6-Dimethyl-1,5-dibenzoyl-* bzw. *2,6-Dimethyl-1,5-bis-[naphthoyl-(2)]-naphthalin.*

Die Acylierung des Acenaphthens mit Benzoylchlorid/Aluminiumchlorid in Schwefelkohlenstoff[7], Nitrobenzol[8] oder Flußsäure[9] erfolgt in 5-Stellung zu *5-Benzoyl-acenaphthen.* Mit überschüssigem Acylierungsmittel gelingt in Nitrobenzol auch die Herstellung von *3,6-Dibenzoyl-acenaphthen*[10]. Auch Phosphor(V)-oxid[11] oder Aluminium[12] werden als Katalysatoren für die Umsetzung von Acenaphthen mit Benzoylchlorid verwendet. Acylierung zu *5-(2-Methyl-benzoyl)-, 5-(2,4,6-Trimethyl-benzoyl-, 5-[Naphthoyl-(1)- oder -(2)]- bzw. 5-[2-Methyl-naphthoyl-(1)]-acenaphthen* erfolgt auch in Schwefelkohlenstoff in Gegenwart von Aluminiumchlorid mit 2-Methyl-benzoesäure-chlorid[13], 2,4,6-Trimethyl-benzoesäure-chlorid[14], Naphthalin-1-[15] oder -2-carbonsäure-chlorid[16] oder 2-Methyl-naphthalin-1-carbonsäure-chlorid[17]. In Gegenwart von überschüssigem Aluminiumchlorid erhält man mit Naphthalin-2-carbonsäure-chlorid ein Sechsringsystem[16]:

5-Oxo-1,2-dihydro-5H-⟨indeno-[6,7,1-q,r,a]-naphthacen⟩

2,7-Dimethyl-naphthalin wird in Schwefelkohlenstoff durch äquivalente Mengen an aromatischen Monocarbonsäure-chloriden wie Benzoylchlorid[2], 3- oder 4-Methyl-benzoesäure-chlorid[2], Naphthalin-1- oder -2-carbonsäure chlorid[4] oder 4 Methyl-

[1] E. Clar, H. Wallenstein u. R. Avenarius, B. **62**, 953 (1929).
   P. H. Gore u. M. Yusuf, Soc. [C] **1971**, 2586.
[2] J. W. Cook, Soc. **1932**, 456.
[3] J. W. Cook, Soc. **1933**, 1596.
[4] J. W. Cook, Soc. **1931**, 492.
[5] L. F. Fieser u. E. M. Dietz, B. **62**, 1827 (1929).
[6] R. Scholl, J. Donat u. S. Hass, B. **68**, 2038 (1935).
[7] C. Graebe u. P. Haas, A. **327**, 96 (1903).
   G. Perrier, Bl. [3] **31**, 860 (1904).
[8] E. J. Chu, J. chin. chem. Soc. **7**, 14 (1939).
[9] L. F. Fieser u. E. B. Hershberg, Am. Soc. **61**, 1278 (1939).
[10] H. J. Richter u. F. B. Stocher, J. Org. Chem. **24**, 216 (1959).
[11] K. Dziewoński u. M. Rychlik, B. **58**, 2241 (1925).
[12] V. D. Azatyan, Doklady Akad. Arm. SSR **29**, 111 (1959); C. A. **54**, 12044 (1960).
[13] B. P. Geyér u. S. Zuffanti, Am. Soc. **57**, 1788 (1935).
[14] R. C. Fuson u. F. E. Mange, J. Org. Chem. **19**, 807 (1954).
[15] L. F. Fieser u. E. B. Hershberg, Am. Soc. **57**, 1683 (1935).
[16] G. D. Buckley, Soc. **1945**, 565.
[17] S. T. Bowden u. W. E. Harris, Soc. **1939**, 308.

naphthalin-1-carbonsäure-chlorid[1] zu *2,7-Dimethyl-1-benzoyl-, 2,7-Dimethyl-1-(3-oder 4-methyl-benzoyl)-naphthalin, 2,7-Dimethyl-1-[naphthoyl-(1)- oder -(2)-]- sowie 2,7-Dimethyl-1-[4-methyl-naphthoyl-(1)]-naphthalin* monoacyliert. Mit überschüssigem Benzoylchlorid wird ein Diacylierungsprodukt erhalten[2].

1,2,3,4-Tetrahydro-phenanthren wird durch aromatische Monocarbonsäure-chloride wie 2-Methyl-[3], 2,4,5-Trimethyl-benzoesäure-chlorid[3], 2-Methyl-naphthalin-1-carbonsäure-chlorid[3] oder Naphthalin-2-carbonsäure-chlorid[4] in Schwefelkohlenstoff zu *9-[2-Methyl- (bzw. 2,4,5-Trimethyl)-benzoyl]-, 9-[Naphthoyl-(2)]-* sowie *9-[2-Methyl-naphthoyl-(1)]-1,2,3,4-tetrahydro-phenanthren* acyliert. 2,3-Dihydrophenalen verhält sich bei der Umsetzung mit Benzoylchlorid oder 2-, 3- bzw. 4-Methyl-benzoesäure-chlorid wie Acenaphthen, d.h. der Acyl-Rest tritt in 6-Stellung ein[5], und man erhält *6-Benzoyl-, 6-[2- (bzw. 3-; bzw. 4-Methyl-benzoyl]-2,3-dihydrophenalen.* Je nach der angewendeten Benzoylchlorid/Aluminiumchlorid-Menge erhält man aus 1,2,3,6,7,8-Hexahydro-pyren ein *Benzoyl-* oder ein *Dibenzoyl-1,2,3,6,7,8-hexahydro-pyren*[6]. Die Benzoylierung von 1,4-Dimethyl-naphthalin ergibt in Nitromethan oder Chloroform *1,4-Dimethyl-2-benzoyl-naphthalin* neben wenig *1,4-Dimethyl-6-benzoyl-naphthalin*[7].

Über die Acylierung von Monohalogen-naphthalinen liegen nur wenige Angaben vor. Es konnte erwartet werden, daß 1-Chlor-naphthalin in 5- und 8-Stellung substituiert wird. Anscheinend treten jedoch die Acyl-Gruppen praktisch nur in 4-Stellung ein [auch aus Phthalsäureanhydrid und 1-Chlor-naphthalin erhält man *1-Chlor-4-2-(carboxy-benzoyl)-naphthalin*, s. S. 368].

1-Chlor-naphthalin ergibt bei der Umsetzung mit 7-Methyl-inden-4-carbonsäure-chlorid/Aluminiumchlorid in 1,1,2,2-Tetrachlor-äthan mit geringer Ausbeute ein pentacyclisches Keton[8]:

*9-Chlor-12-oxo-1,2,3,12-tetrahydro-
⟨benzo-[f,g]-cyclopenta-[a]-
anthracen⟩*

Mit 3-Nitro-4-methyl-benzoesäure-chlorid/Aluminiumchlorid in Schwefelkohlenstoff erhält man *1-Chlor-4-(3-nitro-4-methyl-benzoyl)-naphthalin*[9].

2-Brom-naphthalin führt zu 2-Brom-1- und -6-acyl-naphthalin[10].

5-Chlor- oder 5-Brom-acenaphthen ergibt mit Benzoylchlorid in Nitrobenzol ein Isomerengemisch, das *6-Chlor- bzw. 6-Brom-3-benzoyl-acenaphthen* und *5-Chlor-*

[1] J. W. Cook, Soc. **1931**, 492.
[2] E. Clar, H. Wallenstein u. R. Avenarius, B. **62**, 959 (1929).
[3] N. P. Buu-Hoi u. G. Saint-Ruf, Soc. **1960**, 2846.
[4] G. D. Buckley, Soc. **1945**, 565.
[5] L. F. Fieser u. E. B. Hershberg, Am. Soc. **60**, 1663 (1938).
[6] H. Vollmann et al., A. **531**, 144 (1937).
[7] P. H. Gore u. J. A. Hoskins, Soc. [C] **1971**, 3347.
[8] L. F. Fieser u. V. Desreux, Am. Soc. **60**, 2262 (1938).
[9] L. Chardonnens u. H. Thomann, Helv. **39**, 1896 (1956).
[10] P. H. Gore u. R. B. Girdler, unveröffentlicht.

bzw. *5-Brom-3-benzoyl-acenaphthen* enthält; im Gemisch überwiegen die 6-Halogen-3-benzoyl-Isomeren[1,2].

Die Benzoylierung des 1,4-Dichlor-naphthalins wird in Gegenwart von Aluminiumchlorid in Schwefelkohlenstoff durchgeführt und liefert *1,4-Dichlor-5-benzoyl-naphthalin* (75–80% d. Th.)[3]. Ebenso werden Umsetzungen mit 2- und 4-Methyl-, 2- und 4-Chlor-benzoesäure-chlorid oder Naphthalin-1- oder -2-carbonsäure-chlorid zu *1,4-Dichlor-5-(2-;* bzw. *4-methyl-benzoyl)-, 1,4-Dichlor-5-(2-;* bzw. *4-chlor-benzoyl)-naphthalin* oder *1,4-Dichlor-5-[naphthoyl-(1)-;* bzw. *-(2)]-naphthalin* beschrieben[3]. Auch 1,4-Dibrom-naphthalin liefert unter analogen Bedingungen z.B. *1,4-Dibrom-5-benzoyl-naphthalin*[3]. Aus 1,5-Dichlor-naphthalin und Benzoylchlorid/Aluminiumchlorid in Schwefelkohlenstoff erhält man *1,5-Dichlor-4-benzoyl-naphthalin*[3]. 1,5-Dichlor-2,6-dimethyl-naphthalin wird bei der Umsetzung mit überschüssigem Benzoylchlorid/Aluminiumchlorid bei 60–70° ohne Lösungsmittel zu *1,5-Dichlor-2,6-dimethyl-4,8-dibenzoyl-naphthalin* bis-benzoyliert[4].

Bei der Acylierung von 1-Naphthol mit Benzoylchlorid verwendet man Zinkchlorid als Katalysator und arbeitet bei 0 –5° in Nitrobenzol. Man erhält *4-Hydroxy-1-benzoyl-naphthalin* als Hauptreaktionsprodukt neben wenig *1-Hydroxy-2-benzoyl-naphthalin*[5]. Analog erhält man mit 2-Methoxy- und 4-Methoxy-benzoesäure-chlorid *4-Hydroxy-1-(2- und 4-methoxy-benzoyl)-naphthalin*[5]. Wenn man 1-Naphthol ohne Lösungsmittel bei 130–140° mit 4-Methoxy-benzoesäure-chlorid/Zinkchlorid umsetzt, erhält man *1-Hydroxy-2-(4-methoxy-benzoyl)-naphthalin*[5]. Man kann *4-Hydroxy-1-benzoyl-naphthalin* auch durch Benzoylierung von Estern des 1-Naphthols herstellen. Als geeignet erweist sich Benzoesäure-naphthyl-(1)-ester, dieser Ester wird ohne Lösungsmittel mit Benzoylchlorid/Zinkchlorid umgesetzt[6], oder Kohlensäure-dinaphthyl-(1)-ester, der mit Benzoylchlorid in Tetrachlor-äthan in Gegenwart von Aluminiumchlorid zur Reaktion gebracht wird[7]. Unter analogen Bedingungen kann Kohlensäure-dinaphthyl-(1)-ester auch mit 2,5-Dichlor-benzoesäure-chlorid acyliert werden[7]; und man erhält *4-Hydroxy-1-(2,5-dichlor-benzoyl)-naphthalin*.

Analog erhält man aus 2-Naphthol oder seinen Estern 1-Acyl-Verbindungen[7–9].

Der reversible Verschluß der 1-Stellung durch eine Sulfonsäure-Gruppe führt zu *2-Hydroxy-6-benzoyl-naphthalin* (s. S. 71). Auch 6-Brom-2-hydroxy-naphthalin wird durch Benzoylchlorid/Aluminiumchlorid in Schwefelkohlenstoff zu *6-Brom-2-hydroxy-1-benzoyl-naphthalin* acyliert[10]. In Gegenwart des Dreifachen der theoretisch erforderlichen Menge an Aluminiumchlorid in 1,1,2,2-Tetrachlor-äthan gelingt auch die Umsetzung von 2,3-Dihydroxy-naphthalin mit Benzoylchlorid zu *2,3-Dihydroxy-1-benzoyl-naphthalin*[11].

[1] L. CHARDONNENS u. H. THOMANN, Helv. **39**, 1896 (1956).

[2] D. V. NIGHTINGALE u. R. M. BROOKER, Am. Soc. **72**, 5539 (1950).

[3] DRP 495332 (1927), I. G. Farb., Erf.: G. KRÄNZLEIN, H. VOLLMANN u. E. DIEFENBACH; C. A. **24**, 3248 (1930).

[4] DRP 576253 (1933), I. G. Farb., Erf.: R. SEDLMAYR u. W. ECKERT; C. A. **27**, 3722 (1933).

[5] R. D. DESAI u. R. M. DESAI, J. sci. Ind. Research (India) [B] **14**, 498 (1955).

[6] R. SCHOLL u. C. SEER, A. **394**, 151 (1912).

[7] DRP 520860 (1929), I. G. Farb., Erf.: K. WINTER u. N. H. ROH; C. A. **25**, 3358 (1931).

[8] G. PERRIER, C. r. **116**, 1141 (1893).

[9] O. DISCHENDORFER u. W. DANZIGER, M. **48**, 335 (1927).

[10] W. DILTHEY u. O. DORNHEIM, J. pr. [2] **150**, 54 (1938).

[11] H. WALDMANN, B. **83**, 171 (1950).
T. BISANZ u. J. PREJSNER, Roczniki Chem. **44**, 1041 (1970).

Für die Acylierung von 1-Methoxy-naphthalin mit Benzoylchlorid/Aluminium-chlorid wird Schwefelkohlenstoff[1] oder Nitrobenzol[2] als Lösungsmittel verwendet, der Benzoyl-Rest tritt dabei in 4-Stellung ein.

4-Methoxy-1-benzoyl-naphthalin[1]: 48 g (0,3 Mol) 1-Methoxy-naphthalin werden in 200 g Schwefelkohlenstoff gelöst, mit 43 g (0,3 Mol) Benzoylchlorid gemischt und innerhalb 30 Min. mit 60 g (0,45 Mol) feingepulvertem Aluminiumchlorid versetzt. Es wird noch 2 Stdn. unter Rückfluß gekocht, die Masse vorsichtig mit 300 ml 10%iger Salzsäure versetzt und darauf das Ganze mit Wasserdampf destilliert. Der Rückstand, ein dunkles Öl, wird zunächst mit verd. Natronlauge gekocht, wobei sich sozusagen nichts löst, was zeigt, daß keine Verseifung einge-treten ist. Beim Erkalten wird das Rohketon fest und wird nach 3 maligem Umkristallisieren aus 95%igem Äthanol rein erhalten; Ausbeute: 68% d.Th.; F: 82–83° (ohne Zers.; sternförmig ange-ordnete gelbe Kristalle aus Äthanol).

In der neueren Literatur wird der Schmelzpunkt mit 78,8–80,4° angegeben[3].

Auch Titan(IV)-chlorid kann als Katalysator für diese Umsetzung verwendet werden[4]. 1-Methoxy-naphthalin wird durch 7-Methyl-indan-4-carbonsäure-chlorid in Gegenwart von Aluminiumchlorid in 1,1,2,2-Tetrachlor-äthan zu *7-Methyl-4-[4-methoxy-naphthoyl-(1)]-indan* acyliert[5]. Ebenso verhalten sich 2,4,6-Trimethyl-[6] oder 2-p-Tosylamino-benzoesäure-chlorid[7] in Schwefelkohlenstoff, und man erhält *4-Me-thoxy-1-(2,4,6-trimethyl-benzoyl)-* bzw. *-1-(2-p-tosylamino-benzoyl)-naphthalin.*

2-Methoxy-naphthalin ergibt mit Benzoylchlorid/Aluminiumchlorid bei 25° in 1,1,2,2-Tetrachlor-äthan *2-Hydroxy-1-benzoyl-naphthalin* (53% d.Th.) neben *2-Me-thoxy-1-benzoyl-naphthalin* (22% d. Th.)[8]. In Nitrobenzol erhält man 76% d. Th. *2-Hydroxy-1-benzoyl-naphthalin* und 10% d.Th. des entsprechenden Methyläthers[9]. In Schwefelkohlenstoff entsteht nur *2-Hydroxy-1-benzoyl-naphthalin*[10]. Eingehend wird die Benzoylierung des 2-Methoxy-naphthalins unter Verwendung von Eisen, Eisen(III)-, Kupfer(I)-, Kupfer(II)-chlorid oder von unterschüssigen Mengen an Aluminiumchlorid als Katalysator in 1,2-Dichlor-äthan, Nitrobenzol oder ohne Lösungsmittel beschrieben. Man isoliert dabei neben *2-Methoxy-1-benzoyl-naphthalin* noch geringe Mengen an *2-Methoxy-6-benzoyl-naphthalin*[11]. Auch Titan(IV)-chlorid[4] oder Jod werden als Katalysatoren für diese Reaktion benutzt.

2-Methoxy-1-benzoyl-naphthalin[12]: Eine Mischung aus 71,1 g (0,45 Mol) 2-Methoxy-naphthalin, 42,3 g (0,3 Mol) Benzoylchlorid und 4,5 g Jod wird 7½ Stdn. unter Rückfluß erhitzt und an-schließend in 200 ml Äther gelöst. Die braune Lösung wird 2 mal mit je 50 ml 10%iger Kalium-carbonat-Lösung und dann 2mal mit je 50 ml 10%iger Natriumhydrogensulfit-Lösung ge-waschen. Nach dem Trocknen über wasserfreiem Kaliumcarbonat wird der Äther abdestilliert und der Rückstand i. Vak. fraktioniert; Ausbeute: 56,5 g (72% d.Th.): Kp$_2$: 200–205° (erstarrt beim Abkühlen); F: 124–125° (nach 2maligem Umkristallisieren aus Heptan).

---

[1] H. E. Fierz-David u. G. Jaccard, Helv. **11**, 1045 (1928).

[2] L. F. Fieser u. C. K. Bradsher, Am. Soc. **61**, 420 (1939).

[3] N. S. Dokunikhin u. L. A. Gaeva, Ž. obšč. Chim. **28**, 2944 (1958); C. A. **53**, 9183 (1959).

[4] R. R. Galle, Ž. obšč. Chim. **8**, 402 (1938); C. A. **32**, 7910 (1938).

[5] L. F. Fieser u. V. Desreux, Am. Soc. **60**, 2260 (1938).

[6] R. C. Fuson u. F. T. Fang, Am. Soc. **77**, 3781 (1955).

[7] F. Ullmann u. W. Denzler, B. **39**, 4332 (1906).

[8] L. F. Fieser, Am. Soc. **53**, 3558 (1931).

[9] R. D. Desai u. R. M. Desai, J. sci. Ind. Research (India) [B] **14**, 505 (1955); C. A. **50**, 14672 (1956).

[10] F. E. Ray u. W. H. Moomaw, Am. Soc. **55**, 3835 (1933).
   R. S. Baichwal u. M. L. Khorana, J. sci. Ind. Research (India) [B] **12**, 41 (1953); C. A. **48**, 3323 (1954).

[11] I. N. Zemzina u. I. P. Tsukervanik, Ž. obšč. Chim. **33**, 2605 (1963); engl.: 2539.

[12] I. A. Kaye, H. C. Klein u. W. J. Burlant, Am. Soc. **75**, 745 (1953).

Umsetzungen von 2-Methoxy-naphthalin in Schwefelkohlenstoff in Gegenwart von Aluminiumchlorid in der Kälte werden auch mit 2,4,6-Trimethyl-[1], 4-Methoxy-[2] und 2-p-Tosylamino-benzoesäure-chlorid[3] beschrieben; die Acylierung erfolgt immer in 1-Stellung zu *2-Methoxy-1-[2,4,6-trimethyl-(bzw. 4-methoxy-; bzw. 2-p-tosylamino)-benzoyl]-naphthalin*. Wie 2-Methoxy-naphthalin wird auch 2-Phenoxy-naphthalin in Schwefelkohlenstoff durch Benzoylchlorid/Aluminiumchlorid in 1-Stellung zu *2-Phenoxy-1-benzoyl-naphthalin* acyliert[4].

Wenn in einem 2-Methoxy-naphthalin die 1-Stellung besetzt ist, wie im 2-Methoxy-1-methyl- oder 2-Äthoxy-1-methyl-naphthalin, erfolgt die Acylierung durch Benzoylchlorid/Aluminiumchlorid bei 0° in Nitrobenzol in 6-Stellung zu *2-Methoxy- und 2-Äthoxy-1-methyl-6-benzoyl-naphthalin*[5].

1,5-Dimethoxy-naphthalin wird durch einen Überschuß an Benzoylchlorid/Aluminiumchlorid zu *1,5-Dimethoxy-4,8-dibenzoyl-naphthalin* bis-acyliert[6]. Unter analogen Bedingungen erhält man aus 2,6-Dimethoxy-naphthalin *2,6-Dihydroxy-1,5-dibenzoyl-naphthalin*[6,7].

1,8-Naphthsulton wird durch Benzoylchlorid oder substituierte Benzoylchloride wie 2,4-Dichlor-, 4-Chlor-3-nitro- oder 3- bzw. 4-Nitro-benzoesäure-chlorid in 6-Stellung zu *6-Benzoyl-, 6-(2,4-Dichlor-benzoyl)-, 6-(4-Chlor-3-nitro-benzoyl)-* oder *6-(3- bzw. 4-Nitro-benzoyl)-1,8-naphthsulton* acyliert. Die Umsetzungen werden bei 60–100° mit Aluminiumchlorid in 1,2,4-Trichlor-benzol vorgenommen[8]. Auch Naphthsultam und N-Methyl-naphthsultam werden durch Benzoyl-chlorid, 4-Nitro- oder 4-Chlor-benzoesäure-chlorid in Gegenwart von Aluminiumchlorid mit Ausbeuten von 57–82% d. Th. acyliert. Die Reaktionen werden bei 60–100° in Nitrobenzol vorgenommen, der Acyl-Rest tritt in 5-Stellung ein[9], und man erhält *5-(4-Nitro-; bzw. 4-Chlor-benzoyl)-naphthsultam, 5-Benzoyl-naphthsultam* und *N-Methyl-5-benzoyl-* bzw. *N-Methyl-5-(4-nitro-* und *4-chlor-benzoyl)-naphthsultam*.

Als Katalysator für die Umsetzung von 1-Amino-naphthalin oder 1-Benzoyl-amino-naphthalin mit Benzoylchlorid wird Zinkchlorid verwendet. Die Umsetzung erfolgt bei 180–200° ohne Lösungsmittel und liefert *4-Benzoylamino-1-benzoyl-naphthalin*[10]. In Gegenwart eines Überschusses an Benzoylchlorid[11] oder bei einer analogen Umsetzung von 4-Benzoylamino-1-benzoyl-naphthalin[10] erhält man *4-Benzoylamino-1,3-dibenzoyl-naphthalin*. Aus 2-Amino-naphthalin und Benzoyl-chlorid/Zinkchlorid erhält man bei 180° *2-Benzoylamino-1-benzoyl-naphthalin*[12].

1-Hydroxy-naphthalin-2-carbonsäure wird durch Benzoylchlorid/Aluminiumchlorid in Nitrobenzol zu *1-Hydroxy-4-benzoyl-2-carboxy-naphthalin* acy-

[1] I. A. KAYE, H. C. KLEIN u. W. J. BURLANT, Am. Soc. **75**, 745 (1953).
[2] R. D. DESAI u. R. M. DESAI, J. sci. Ind. Research (India) [B] **14**, 505 (1955); C. A. **50**, 14 672 (1956).
[3] F. ULLMANN u. W. DENZLER, B. **39**, 4332 (1906).
[4] W. DILTHEY, F. QUINT u. F. DAHN, J. pr. [2] **141**, 73 (1934).
[5] T. BISANZ u. W. JASIOBEDZKI, Roczniki Chem. **30**, 103 (1956).
[6] H. FIERZ-DAVID u. G. JACCARD, Helv. **11**, 1045 (1928).
[7] L. F. FIESER u. W. C. LOTHROP, Am. Soc. **57**, 1463 (1935).
[8] G. SCHETTY, Helv. **30**, 1656 (1947).
[9] A. MUSTAFA u. M. I. ALI, Am. Soc. **77**, 4594 (1955).
[10] K. DZIEWOŃSKI u. L. STERNBACH, Roczniki Chem. **13**, 704 (1933).
[11] K. DZIEWOŃSKI u. L. STERNBACH, Bulletin international de l'académie polonaise des sciences et des lettres [A] **1935**, 327; C. A. **30**, 2971 (1936).
[12] K. DZIEWOŃSKI, L. KWIECINSKI u. L. STERNBACH, Roczniki Chem. **14**, 1136 (1934).

liert[1]. Unter analogen Bedingungen ergibt 2-Hydroxy-naphthalin-3-carbonsäure *2-Hydroxy-1-benzoyl-3-carboxy-naphthalin*[1].

In 1-Benzoyl-naphthalin kann durch Benzoylchlorid/Aluminiumchorid noch ein weiterer Benzoyl-Rest eingeführt werden, der in 5- und 8-Stellung eintritt (vgl. S. 67)[2].

1-Benzoyl-naphthalin und 3- oder 4-Chlor-benzoesäure-chlorid liefern bei 55° in Schwefelkohlenstoff[2] *5-Benzoyl-1-(3-* oder *4-chlor-benzoyl)-naphthalin*. 5-Benzoyl-acenaphthen soll durch Benzoylchlorid in 6-Stellung zu *5,6-Dibenzoyl-acenaphthen* acyliert werden[3].

2,6-Dimethyl-1-[naphthoyl-(1)- bzw. (2)]-naphthalin wird durch Benzoylchlorid/Aluminiumchlorid in 5-Stellung des methylierten Naphthalinkernes zu *2,6-Dimethyl-5-benzoyl-1-[naphthoyl-(1)-; bzw. -(2)]-naphthalin* acyliert[4]. Auch Naphthalin-2-carbonsäure-chlorid reagiert mit 2,6-Dimethyl-1-[naphthoyl-(2)]-naphthalin zu *2,6-Dimethyl-1,5-bis-[naphthoyl-(2)]-naphthalin*[5]. 1-Hydroxy-2-acetyl-naphthalin wird durch Benzoylchlorid/Aluminiumchlorid in 4-Stellung zu *4-Hydroxy-3-acetyl-1-benzoyl-naphthalin* acyliert[6]. Bei der Umsetzung von 1-Oxo-1H-phenalen mit Benzoylchlorid in Gegenwart von Aluminiumchlorid und Zinkchlorid in der Schmelze bei 130–140° wird neben anderen Isomeren *1-Oxo-2-benzoyl-1H-phenalen* erhalten[7]:

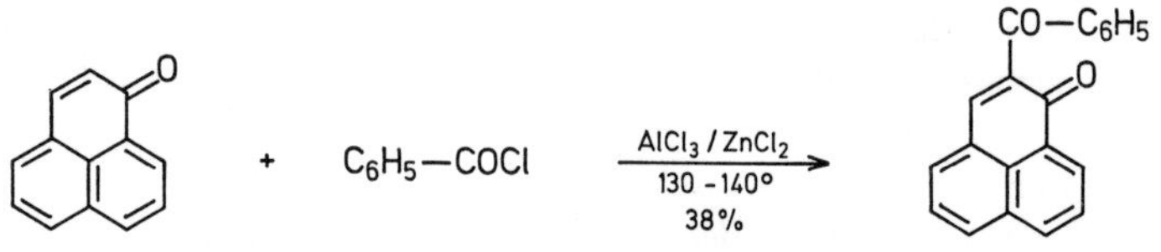

1-Phenyl-naphthalin ergibt mit Benzoylchlorid/Aluminiumchlorid in Schwefelkohlenstoff *4-Phenyl-1-benzoyl-naphthalin* (90% d. Th.)[8]. Die Umsetzung von 1,1-Binaphthyl mit überschüssigem Benzoylchlorid in Gegenwart von Aluminiumchlorid in Schwefelkohlenstoff[9] oder Nitrobenzol[10] liefert *4,4'-Dibenzoyl-1,1'-binaphthyl*.

ξ_5) *Anthracen oder Anthracen-Derivaten*

Anthracen ergibt bei der Umsetzung mit Benzoylchlorid nach Friedel-Crafts unter verschiedenen experimentellen Bedingungen nur *9-Benzoyl-anthracen*[11]. Als Katalysatoren sind dabei Aluminium-, Titan(IV)-, Zirkon(IV)-, Antimon(V)-, Eisen(III)- Zinn(IV)- und Zink-chlorid wirksam, die Aktivität der Katalysatoren nimmt in der angegebenen Reihenfolge ab. Als Verdünnungsmittel werden Schwefelkohlen-

[1] G. G. JOSHI u. N. M. SHAH, J. indian chem. Soc., **31**, 227 (1954).

[2] DRP 525187 (1931), I. G. Farb., Erf.: O. WULFF; C. A. **25**, 4012 (1931).

[3] Fr.P. 642907 (1927), I. G. Farb.; C. A. **23**, 1417 (1929).

[4] J. W. COOK, Soc. **1931**, 506.

[5] L. F. FIESER u. E. M. DIETZ, B. **62**, 1832 (1929).

[6] P. E. POPOV, Ž. obšč. Chim. **5**, 986 (1935); C. A. **30**, 1049 (1936).

[7] L. F. FIESER u. L. W. NEWTON, Am. Soc. **64**, 917 (1942).

[8] J. v. BRAUN u. E. ANTON, B. **67**, 1051 (1934).

[9] R. SCHOLL u. C. SEER, A. **394**, 171 (1912).

[10] C. SEER u. R. SCHOLL, A. **398**, 90 (1913).

[11] P. H. GORE u. J. A. HOSKINS, Soc. **1964**, 5666.

stoff[1,2], Nitrobenzol[1,3] oder 1,2-Dichlor-äthan[1] verwendet. Die Ausbeute an *9-Benzoyl-anthracen* ist quantitativ, wenn man z.B. Anthracen mit 110% d.Th. an Aluminium-chlorid und 165% d.Th. an Benzoylchlorid während 24 Stdn. in Nitrobenzol bei 0° umsetzt[1]. Wenn man aus dem Reaktionsgemisch durch Einleiten von trockenem Stickstoff den abgespaltenen Chlorwasserstoff entfernt, fällt die Ausbeute an *9-Benzoyl-anthracen* stark ab (vgl. dazu das Verhalten von Acetylchlorid, S. 77).

Ausbeuten von 58% d.Th. an *9-Benzoyl-anthracen* erhält man auch, wenn man Anthracen und Benzoylchlorid ohne Katalysator in Nitrobenzol rückfließend kocht[4]. Unter ähnlichen Bedingungen wird Anthracen auch durch Naphthalin-1-carbon-säure-chlorid in 9-Stellung zu *9-Naphthoyl-(1)-anthracen* acyliert[4].

Als Verdünnungsmittel für die Umsetzung von Anthracen mit Anthrachinon-2-carbonsäure-chlorid, 1- oder 3-Chlor-anthrachinon-2-carbonsäure-chlorid/Alumi-niumchlorid wird 1,2,4-Trichlor-benzol verwendet. Neben *2-[Anthryl-(9)-carbonyl]-*, *1-Chlor-2-[anthryl-9)-carbonyl]-* und *3-Chlor-2-[anthryl-(9)-carbonyl]-anthrachinon* iso-liert man dabei auch *2-[Anthryl-(2)-carbonyl]-*, *1-* und *3-Chlor-2-[anthryl-(2)-carbonyl]-anthrachinon*[5].

9,10-Dimethyl-anthracen wird durch Benzoylchlorid/Aluminiumchlorid zu *9,10-Dimethyl-2-benzoyl-anthracen* acyliert[6].

Bei der Umsetzung von 9-Brom-anthracen mit Benzoylchlorid/Aluminium-chlorid in 1,2-Dichlor-äthan erhält man *9-Brom-10-benzoyl-anthracen* neben wenig *9,10-Dibenzoyl-anthracen*[1]. Aus 9,10-Dibrom-anthracen entsteht unter analogen Bedingungen, allerdings nur mit einer Ausbeute von ∼2% d.Th., ebenfalls *9-Brom-10-benzoyl-anthracen*[1]. In 9-Acetyl-anthracen wird bei der Umsetzung mit Benzoyl-chlorid/Aluminiumchlorid in 1,2-Dichlor-äthan der Acetyl-Rest durch den Benzoyl-Rest ersetzt, man erhält *9-Benzoyl-anthracen* (92% d. Th.)[1]. Aus 1-Benzoyl-anthracen und Benzoylchlorid/Aluminiumchlorid soll in Nitrobenzol *1,10-Dibenzoyl-anthracen* erhalten werden[7]. Diese Verbindung ist auch durch Benzoylierung von Anthracen-1-carbonsäure zugänglich, die anschließend in das Säurechlorid überführt wird, das seinerseits bei der Umsetzung mit Benzol *1,10-Dibenzoyl-anthracen* ergibt[7].

ζ₆) *Phenanthren und Phenanthren-Derivaten*

Bei der Umsetzung von Phenanthren mit Benzoylchlorid/Aluminiumchlorid nach der Perrier-Varianten entstehen alle möglichen Monobenzoyl-phenanthrene nebeneinander (s. Tab. 37, S. 212).

1-Benzoyl-phenanthren[8]: Eine Mischung aus 114 *ml* (0,98 Mol) Benzoylchlorid und 150 g (1,12 Mol) Aluminiumchlorid wird erhitzt, bis eine klare Lösung entstanden ist. Man kühlt die Mischung ab, fügt 850 *ml* Schwefelkohlenstoff hinzu und löst den Komplex unter Rühren. Innerhalb 20 Min. gibt man 175 g (0,98 Mol) Phenanthren zu dieser Lösung. Nach weiteren

[1] P. H. Gore u. J. A. Hoskins, Soc. 1964, 5666.

[2] E. Lippmann u. F. Fleissner, B. 32, 2249 (1889).
    E. Lippmann u. E. Keppich, B. 33, 3087 (1900).

[3] F. Krollpfeifer, B. 56, 2364 (1923).

[4] C. D. Nenitzescu, D. A. Isăcescu u. C. N. Ionescu, A. 491, 218 (1931).
    P. Rona u. U. Feldman, Soc. 1958, 1739.

[5] H. de Diesbach, H. Lempen u. H. Benz, Helv. 15, 1244 (1932).

[6] P. de Bruyn, C. r. 228, 1811 (1949).

[7] US.P. 1991687 (1933), DuPont, Erf.: R. N. Lulek u. M. A. Perkins; C. A. 23, 2366 (1935).

[8] P. H. Gore, J. Org. Chem. 22, 138 (1957).

Tab. 37. Isomerenverteilung bei der Umsetzung von Phenanthren mit Benzoyl-
chlorid/Aluminiumchlorid bei 25° in verschiedenen Lösungsmitteln nach der
Perrier-Varianten der Keton-Synthese nach Friedel-Crafts[1]

Lösungsmittel	Gesamtausbeute [% d. Th.]	x-Benzoyl-phenanthren [%]				
		1-	2-	3-	4-	9-
Dichlormethan	87	22	7,8	29	2,8	38
Chloroform	85	22	8,0	33	3,3	34
1,2-Dichlor-äthan	91	24	5,1	29	2,7	39
1,1,2,2-Tetrachlor-äthan	95	21	7,2	32	2,9	37
Schwefelkohlenstoff	89	23	41	32	3,1	38
Nitromethan	85	15	17	49	1,1	18
Nitrobenzol	84	14	17	49	3,1	17

20 Min. läßt die zunächst lebhafte Entwicklung von Chlorwasserstoff nach, man kühlt dann auf 0°
ab. Der ausgefallene Komplex wird abgetrennt und mit einer Mischung aus Eis und 10 n-Salzsäure
zersetzt. Man läßt den noch anhaftenden Schwefelkohlenstoff verdampfen und saugt dann das
abgeschiedene 1-Benzoyl-phenanthren ab; Ausbeute: 38 g; F: 141–142°.

Die Mutterlauge wird mit Chloroform extrahiert. Der Chloroform-Extrakt wird mit Wasser gewaschen und dann bis auf 120 ml eingeengt. Man versetzt ihn mit 50 ml Äther und bewahrt ihn
bei 0° auf. Es kristallisieren weitere 2,8 g aus; Gesamtausbeute: 40,8 g (0,145 Mol); F: 148–149,5°
(aus Aceton).

Bei der Umsetzung von Phenanthren mit einem Überschuß an Benzoylchlorid/
Aluminiumchlorid ohne Lösungsmittel bei Wasserbadtemperatur werden Diben-
zoyl-phenanthrene erhalten[2]. Als Hauptreaktionsprodukt der Umsetzung von
Phenanthren mit 2-Methyl-benzoesäure-chlorid/Aluminiumchlorid in Nitrobenzol
isoliert man *3-(2-Methyl-benzoyl)-phenanthren* neben wenig *2-(2-Methyl-benzoyl)-
phenanthren*[3]. 9-Methyl-phenanthren wird durch Triphenylen-2-carbonsäure-chlorid/
Aluminiumchlorid in 10-Stellung zu *2-[9-Methyl-phenanthryl-(10)-carbonyl]-tri-
phenylen* acyliert[4].

ζ_7) *polycyclischen Kohlenwasserstoffen*

Pyren wird durch molare Mengen Benzoylchlorid in Gegenwart von Aluminiumchlorid oder Eisen(III)-chlorid in 1-Stellung acyliert. Die Umsetzung wird in Schwefelkohlenstoff[5], 1,1,2,2-Tetrachlor-äthan[6] oder Benzol vorgenommen:

---

[1] P. H. GORE et al., Soc. [C] **1971**, 2329.
[2] E. KLAR u. W. KELLY, Am. Soc. **76**, 3504 (1954).
[3] W. E. BACHMANN u. L. H. PENEE, Am. Soc. **57**, 1130 (1935).
[4] E. CLAR, Tetrahedron **6**, 357 (1959).
[5] R. SCHOLL u. C. SEER, A. **394**, 161 (1912).
[6] R. SCHOLL, K. MEYER u. J. DONAT, B. **70**, 2185 (1937).

1-Benzoyl-pyren[1]: Eine Lösung von 101 g (0,5 Mol) Pyren und 75 g (0,535 Mol) Benzoyl-chlorid in 1 l Benzol wird unter Rühren bei Raumtemp. mit 100 g (0,75 Mol) gepulvertem, wasser-freiem Aluminiumchlorid versetzt, wobei die Temp. auf ~ 35° ansteigt. Nach 1stdgm. Nachrüh-ren bei Raumtemp. wird mit Wasser zersetzt und das überschüssige Benzol sowie geringe Mengen von nebenher entstandenem Benzophenon mit Wasserdampf abgetrieben. Der anfangs harzige Rückstand wird beim Verreiben in der Kälte fest; Rohausbeute: 140–145 g (92–95% d.Th.); F: 128° (aus Äthanol gelbe, in konz. Schwefelsäure stark blaustichig rot lösliche Prismen).

Mit überschüssigem Benzoylchlorid werden Gemische aus *1,6-*, *1,8-Dibenzoyl-*[1] sowie *Tribenzoyl-pyren*[2] erhalten. Eine Mischung aus 1,6- und 1,8-Dibenzoyl-pyren erhält man auch, wenn man Pyren und Benzoylchlorid in 1,2-Dichlor-benzol in Gegenwart von Kupfer während 5 Stdn. auf 160° erhitzt[3]. In siedendem 1,1,2,2-Tetrachlor-äthan gelingt mit überschüssigem Benzoylchlorid und Eisen(III)-chlorid die Herstellung von *1,3,6,8-Tetrabenzoyl-pyren* (90% d.Th.)[4].

Monoacylierung des Pyrens in Gegenwart von Aluminiumchlorid wird auch mit 4-Methyl-[5], 2,4-Dimethyl-[6], 2,4,5-Trimethyl-[6] und 4-Brom-benzoesäure-chlorid[4], Naphthalin-carbonsäure-chlorid[4,5] und 2-Methyl-naphthalin-1-carbonsäure-chlorid[7] in Benzol sowie mit 4-Äthyl-benzoesäure-chlorid in 1,1,2,2-Tetrachlor-äthan[8] und mit Pyren-1-carbonsäure-chlorid[9] in Schwefelkohlenstoff beschrieben. Man erhält dabei z.B. *1-(4-Methyl-benzoyl)-*, *1-(2,4-Dimethyl-benzoyl)-*, *1-(2,4,5-Trimethyl-benzoyl)-*, *1-(4-Brom-benzoyl)-*, *1-Naphthoyl-(1)-*, *1-[2-Methyl-naphthoyl-(1)]-* bzw. *1-(4-Äthyl-benzoyl)-pyren* sowie *Dipyrenyl-(1)-ketcn.* Für die entsprechende Umsetzung von 2-Methyl-benzoesäure-chlorid mit Pyren zu *1-(2-Methyl-benzoyl)-pyren* kann man Nitro-benzol als Lösungsmittel verwenden[10]. Bei der Umsetzung von Pyren mit überschüssi-gem Naphthalin-1- oder -2-carbonsäure-chlorid/Aluminiumchlorid in Schwefel-kohlenstoff erhält man Gemische aus *1,6-* und *1,8-Dinaphthoyl-(1)-* bzw. *-(2)-pyren*[2]. Pyren wird durch überschüssiges 2-Chlor-benzoesäure-chlorid in Gegenwart von katalytischem Eisen(III)-chlorid in siedendem 1,1,2,2-Tetrachlor-äthan zu *1,3,6,8-Tetrakis-[2-chlor-benzoyl]-pyren* tetraacyliert[11]. Bei der Benzoylierung von 2-Methyl-pyren mit Aluminiumchlorid in Chloroform tritt der Benzoyl-Rest überraschender-weise in 6-Stellung ein[12], man erhält *2-Methyl-6-benzoyl-pyren*.

[1] H. VOLLMANN et al., A. **531**, 108 (1937).
[2] R. SCHOLL u. C. SEER, A. **394**, 161 (1912).
[3] CZ 95450 (1960), J. ARIENT u. J. MARHAN; C. A. **55**, 7379 (1961).
[4] R. SCHOLL, K. MEYER u. J. DONAT, B. **70**, 2185 (1937).
[5] Fr. P. 803192 (1936), CIBA; C. **1937** I, 1800.
[6] N. P. BUU-HOI u. D. LAVIT, Tetrahedron **8**, 5 (1960).
[7] N. P. BUU-HOI, D. LAVIT u. O. CHALVET, Tetrahedron **8**, 11 (1960).
[8] N. P. BUU-HOI, P. ECKERT u. P. DEMERSEMAN, J. Org. Chem. **19**, 729 (1954).
[9] Fr.P. 812375 (1937), CIBA; C. **1937** II, 3959.
[10] J. W. COOK u. C. L. HEWETT, Soc. **1933**, 404.
     E. CLAR, B. **69**, 1684 (1936).
[11] DRP. Anm. 167559 (1940), I. G. Farb., Erf.: J. HUISMANN; Deutsche Reichspatente aus dem Gebiet der Organischen Chemie 1939–1945, Band VI/2, S. 2017, Leverkusen, Farbf. Bayer, 1954.
[12] A. TREIBS u. G. MÖBIUS, A. **619**, 122 (1958).

Chrysen wird durch Benzoylchlorid/Aluminiumchlorid in Schwefelkohlenstoff in 6-Stellung acyliert[1]:

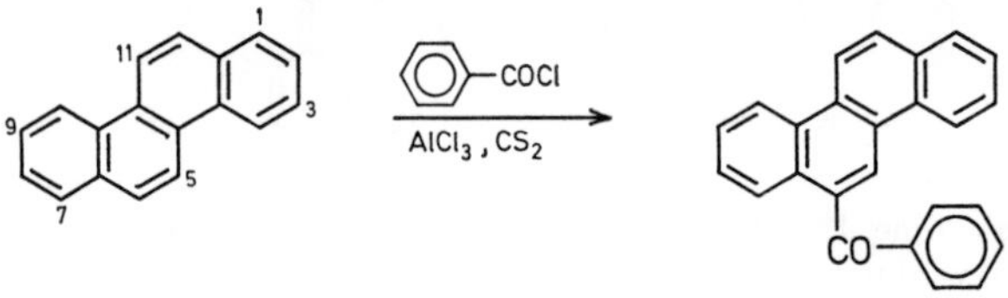

6-Benzoyl-chrysen[2]: Zu einer Suspension von 22,8 g (0,1 Mol) Chrysen in 1000 *ml* trockenem Schwefelkohlenstoff, der 20 *ml* (0,17 Mol) Benzoylchlorid enthält, werden unter Rühren 16 g (0,12 Mol) fein gepulvertes Aluminiumchlorid in kleinen Portionen im Verlaufe von 10 Min. gegeben; die Mischung wird 14 Stdn. bei Raumtemp. sich selbst überlassen, dann erhitzt man sie 4 Stdn. unter Rückfluß. Nach Zersetzen mit Eis und Salzsäure und Zugabe von ~ 1000 *ml* Dichlormethan wird die organische Phase mit Wasser gewaschen und filtriert. Nach dem Abdestillieren der Lösungsmittel hinterbleibt eine braune, halbkristalline Masse, die mehrfach mit heißem Wasser gewaschen wird, um die Benzoesäure zu lösen; der Rückstand wird zunächst aus Toluol, dann aus Benzol-Äthanol umkristallisiert; Ausbeute: 22,5 g (62% d.Th.); F: 192° (schwach gelbe Blättchen).

Die Verbindung löst sich blutrot in Schwefelsäure.

Durch Konzentrieren der Mutterlauge erhält man noch weitere 2–3 g *6-Benzoyl-chrysen* neben 0,1–0,2 g eines Benzoyl-chrysens unbestimmter Struktur (F: 256°).

Die Benzoylierung des Chrysens kann auch in Benzol vorgenommen werden[3]. Bei der Umsetzung von Chrysen mit überschüssigem Benzoylchlorid/Aluminiumchlorid erhält man zwei isomere *Dibenzoyl-chrysene*[4], eines davon ist *6,12-Dibenzoyl-chrysen*[5].

Chrysen ergibt mit 2-Methyl-benzoesäure-chlorid/Aluminiumchlorid in Schwefelkohlenstoff *6-(2-Methyl-benzoyl)-chrysen* (58% d.Th.)[6]. Unter analogen Bedingungen erhält man *6-(2,4-Dimethyl-benzoyl)-chrysen*[6].

Aus 2-Äthyl-chrysen und Benzoylchlorid/Aluminiumchlorid wird in Schwefelkohlenstoff ein *2-Äthyl-x-benzoyl-chrysen* unbestimmter Konstitution erhalten[5]. Bei der Umsetzung von 6-Äthyl-chrysen mit Benzoylchlorid oder 4-Äthyl-benzoesäurechlorid in Schwefelkohlenstoff in Gegenwart von Aluminiumchlorid erhält man *6-Äthyl-12-benzoyl-* bzw. *6-Äthyl-12-(4-äthyl-benzoyl)-chrysen* mit Ausbeuten zwischen 50% und 60% der Theorie[2].

7-Oxo-7H-⟨benzo-[d,e]-anthracen⟩ (Benzanthron) wird bei 125° durch Benzoylchlorid in Gegenwart von überschüssigem Aluminiumchlorid überwiegend zu *7-Oxo-3-benzoyl-7H-⟨benzo-[d,e]-anthracen⟩* (*3-Benzoyl-benzanthron*) benzoyliert[7]:

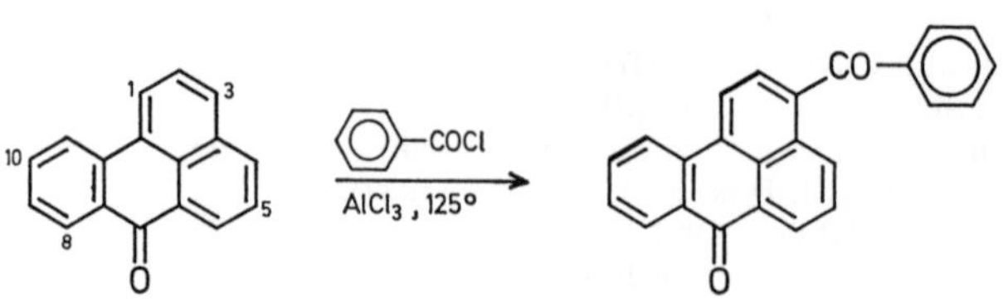

[1] K. FUNKE u. E. MÜLLER, J. pr. [2] **144**, 242 (1936).
[2] P. MABILLE u. N. P. BUU-HOI, J. Org. Chem. **25**, 1093 (1960).
[3] DRP 652912 (1937), I. G. Farb., Erf.: H. VOLLMANN u. H. BECKER; C. **1938** I, 2064.
[4] K. FUNKE, E. MÜLLER u. L. VADASZ, J. pr. [2] **144**, 265 (1936).
[5] K. FUNKE u. J. RISTIC, J. pr. [2] **146**, 151 (1936).
[6] P. MABILLE u. N. P. BUU-HOI, J. Org. Chem. **25**, 1095 (1960).
[7] N. K. MOSHCHINSKAYA, Ž. obšč. Chim. **9**, 1376 (1939); C. A. **34**, 1653 (1940).

Mit 3-Nitro-benzoesäure-chlorid erhält man *7-Oxo-3-* und *-9-(3-nitro-benzoyl)-7H-⟨benzo-[d,e]-anthracen⟩* [3- und *9-(3-Nitro-benzoyl)-benzanthron*][1]. Die Acylierung mit 3,4-Dichlor-benzoesäure-chlorid   zu   *7-Oxo-3-(3,4-dichlor-benzoyl)-7H-⟨benzo-[d,e]-anthracen⟩* [*3-(3,4-Dichlor-benzoyl)-benzanthron*] nimmt man bei 155–160° in einer Aluminiumchlorid/Kaliumchlorid-Schmelze vor[2].

Im Zuge der Synthese vielkerniger Kohlenwasserstoffe wurde Triphenylen mit 2-Methyl-naphthalin-1-carbonsäure-chlorid umgesetzt. Die Acylierung wird in Gegenwart von Aluminiumchlorid in Schwefelkohlenstoff durchgeführt, man erhält *2-[2-Methyl-naphthoyl-(1)]-triphenylen*[3].

Bei der Umsetzung von Perylen mit jeweils zweieinhalb Mol Benzoylchlorid und Aluminiumchlorid in Schwefelkohlenstoff erhält man *3,9-Dibenzoyl-perylen*[4]:

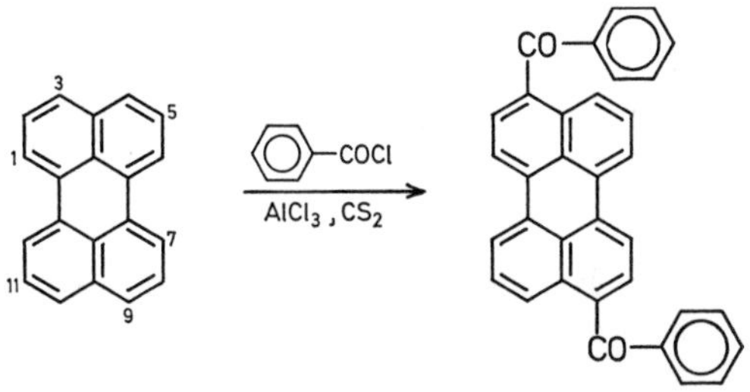

Wenn man die Umsetzung in überschüssigem Benzoylchlorid vornimmt, isoliert man *3,4-Dibenzoyl-perylen* als Hauptreaktionsprodukt neben *3,9-Dibenzoyl-perylen*[5]. Auch ein *Tribenzoyl-perylen* wurde erhalten[6].

Bis-acylierungen des Perylens unter milden Bedingungen, meist in Schwefelkohlenstoff in Gegenwart von Aluminiumchlorid, werden mit 2-[7], 3-[8] und 4-Methyl-[9], mit 2-[10], 3-[10] und 4-Chlor[11], mit-2-[10] und 4-Brom-[12], mit 2-Jod-[10] sowie mit 4-Methoxy-benzoesäure-chlorid[13] beschrieben; dabei werden als Hauptprodukt *3,9-Bis-[2-* (bzw. *3-; bzw. 4-)-methyl-benzoyl]-, 3,9-Bis-[2-* (bzw. *3-; bzw. 4-)-chlor-benzoyl]-, 3,9-Bis-[2-* (bzw. *4-)-brom-benzoyl]-, 3,9-Bis-[2-jod-benzoyl]-* und *3,9-Bis-[4-methoxy-benzoyl]-perylen* erhalten. 3,9-Dichlor-[14] oder 3,9-Dibrom-perylen[15] werden in Schwefelkohlenstoff durch Benzoylchlorid/Aluminiumchlorid zu *3,9-Dichlor-* (bzw. *3,9-Dibrom)-4,10-dibenzoyl-perylen* bis-acyliert. Bis-acylierung des 3,9-Dichlor-perylens

[1] A. J. BACKHOUSE u. W. BRADLEY, Soc. **1955**, 851.
[2] DRP 742811 (1943), I. G. Farb., Erf.: W. BRAUN; C. A. **40**, 3612 (1946).
[3] N. P. BUU-HOI, D. LAVIT u. O. CHALVET, Tetrahedron **8**, 11 (1960).
[4] R. SCHOLL, C. SEER u. R. WEITZENBÖCK, B. **43**, 2208 (1910).
    A. ZINKE, F. LINNER u. O. WOLFBAUER, B. **58**, 326 (1925).
[5] A. ZINKE u. O. BENNDORF, M. **56**, 157 (1930).
[6] A. ZINKE u. E. GESELL, M. **67**, 190 (1936).
[7] A. PONGRATZ. M. **48**, 585 (1927).
[8] A. PONGRATZ, M. **56**, 163 (1930).
[9] A. PONGRATZ, M. **52**, 1661 (1929).
[10] W. SCHARWIN u. L. S. SSOBOROWSKI, Ж. **61**, 789 (1929); C. **1931** II, 236.
[11] A. PONGRATZ u. G. MARKGRAF, M. **66**, 176 (1935).
[12] A. PONGRATZ u. E. PÖCHMÜLLER, M. **51**, 232 (1929).
[13] A. ZINKE u. K. FUNKE, B. **58**, 2222 (1925).
[14] A. ZINKE, A. PONGRATZ u. K. FUNKE, B. **58**, 331 (1925).
[15] A. ZINKE, F. LINNER u. O. WOLFBAUER, B. **58**, 326 (1925).

wird auch mit 4-Chlor- oder 4-Brom-benzoesäure-chlorid beschrieben[1] {*3,9-Dichlor-4,10-bis-[4-chlor-* (bzw. *4-brom)-benzoyl]-perylen*}. Bei der Umsetzung von 3,9-Di-benzoyl-perylen mit Benzoylchlorid/Aluminiumchlorid wird ein *Tribenzoyl-perylen* erhalten[2].

Fluoranthen ergibt mit Benzoylchlorid/Aluminiumchlorid in Schwefelkohlenstoff *8-Benzoyl-fluoranthen* neben wenig *3-Benzoyl-fluoranthen*[3]:

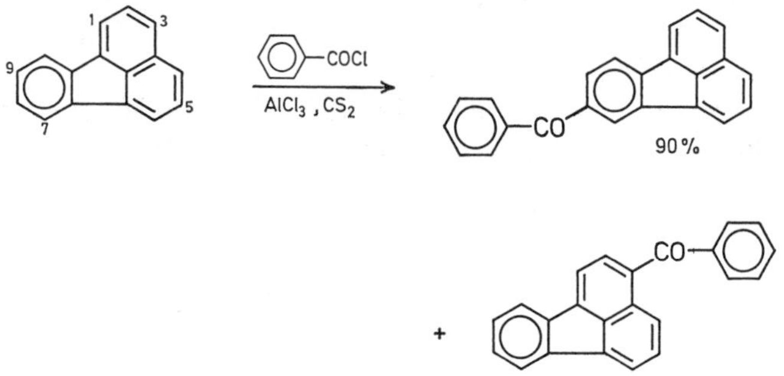

Bei der Umsetzung von **Biphenylen** mit Benzoylchlorid/Aluminiumchlorid in Schwefelkohlenstoff erhält man *2-Benzoyl-biphenylen*[4].

ζ_8) *reaktionsfähigen Heterocyclen*

Furan wird durch Benzoylfluorid/Bortrifluorid[5] oder durch Benzoylchlorid/Bortrifluorid-ätherat[6] zu *2-Benzoyl-furan* benzoyliert. Die dabei erzielten Ausbeuten sind jedoch gering. Aus 2,5-Dimethyl-furan und Benzoylchlorid/Aluminiumchlorid erhält man in Schwefelkohlenstoff *2,5-Dimethyl-3-benzoyl-furan* (7% d. Th.)[7]. Erfolgreicher verläuft die Umsetzung von 2,5-Dimethyl-furan mit Naphthalin-2-carbonsäure-chlorid mit Zinn(IV)-chlorid als Katalysator.

2,5-Dimethyl-3-naphthoyl-(2)-furan[8]: Zu einer eiskalten Lösung von 10,5 g (0,11 Mol) 2,5-Dimethyl-furan und 21 g (0,11 Mol) Naphthalin-2-carbonsäure-chlorid in 200 *ml* wasserfreiem Benzol tropft man unter Rühren eine Lösung von 30 g (0,115 Mol) Zinn(IV)-chlorid in 50 *ml* Benzol. Man verrührt noch 30 Min. bei Raumtemp. und dann noch 15 Min. bei 35°. Die abgekühlte Reaktionsmischung wird mit verd. Salzsäure zersetzt und mit Chloroform extrahiert, die organische Phase wäscht man mit 10%iger Salzsäure, mit 10%iger Natronlauge und dann mit Wasser; man trocknet sie über Natriumsulfat, destilliert das Lösungsmittel ab, fraktioniert und kristallisiert aus Hexan um; Ausbeute: 11 g (40% d. Th.); $Kp_{0,02}$: 137–140°; F: 76° (farblose Nädelchen).

Die Acylierung von 2-Alkyl-⟨benzo-[b]-furan⟩ mit Chloriden aromatischer Monocarbonsäuren erfolgt in 3-Stellung. Man verwendet Zinn(IV)-chlorid als Katalysator und arbeitet in Schwefelkohlenstoff oder besser in Benzol. Während man aus 2-Äthyl-⟨benzo-[b]-furan⟩ und Benzoylchlorid/Zinn(IV)-chlorid in Schwefelkohlen-

[1] A. ZINKE, K. FUNKE u. A. PONGRATZ, B. **58**, 799 (1925).

[2] A. ZINKE u. E. GESELL, M. **67**, 190 (1936).

[3] J. v. BRAUN u. G. MANZ, A. **496**, 134 (1932).

[4] J. M. BLATCHLY, J. F. W. McOMIE u. S. D. THATTE, Soc. **1962**, 5092.

[5] L. M. SMORGONSKII, Ž. obšč. Chim. **21**, 655 (1951); C. A. **45**, 9504 (1951).

[6] U.S.P. 2515123 (1950), Socony Vacuum Oil Co., Erf.: H. D. HARTOUGH; C. A. **44**, 8955 (1950).

[7] H. GILMAN u. N. O. CALLOWAY, Am. Soc. **55**, 4202 (1933).

[8] G. M. BADGER u. B. J. CHRISTIE, Soc. **1956**, 3437.

stoff *2-Äthyl-3-benzoyl-⟨benzo-[b]-furan⟩* mit einer Ausbeute von nur 20% d.Th. erhält[1], gelingt die entsprechende Umsetzung mit 4-Methoxy-benzoesäure-chlorid in Benzol zu *2-Äthyl-3-(4-methoxy-benzoyl)-⟨benzo-[b]-furan⟩* mit 78% d. Th.[2]. Mit guten Ausbeuten verlaufen auch Umsetzungen von 3-Methoxy-benzoesäure-chlorid mit 2-Äthyl-⟨benzo-[b]-furan⟩ zu *2-Äthyl-3-(3-methoxy-benzoyl)-⟨benzo-[b]-furan⟩*[3] oder von 4-Methoxy-benzoesäure-chlorid mit 2-Propyl-, 2-Benzyl-[3] oder 5-Chlor-2-äthyl-⟨benzo-[b]-furan⟩ zu *2-Propyl-* (bzw. *2-Benzyl-* oder *5-Chlor-2-äthyl)-3-(4-methoxy-benzoyl)-⟨benzo-[b]-furan⟩*[4]. Die Acylierung von 2-(4-Methoxy-phenyl)-⟨benzo-[b]-furan⟩ durch 4-Methoxy-benzoesäure-chlorid/Zinn(IV)-chlorid in Benzol erfolgt ebenfalls in 3-Stellung zu *2-(4-Methoxy-phenyl)-3-(4-methoxy-benzoyl)-⟨benzo-[b]-furan⟩*[2]. 3-(3,4-Dimethoxy-benzyl)-⟨benzo-[b]-furan⟩ wird durch Benzoylchlorid/Zinn(IV)-chlorid in Schwefelkohlenstoff in 2-Stellung zu *3-(3,4-Dimethoxy-benzyl)-2-benzoyl-⟨benzo-[b]-furan⟩* acyliert[5].

2,3-Dihydro-⟨benzo-[b]-furan⟩ reagiert mit Benzoylchlorid oder substituierten Benzoylchloriden wie 3,4-Dimethoxy- oder 2,3,4-Trimethoxy-benzoesäure-chlorid in Gegenwart von Aluminiumchlorid in Schwefelkohlenstoff in 5-Stellung[6]; man erhält *5-Benzoyl-, 5-(3,4-Dimethoxy-benzoyl)-* bzw. *5-(2,3,4-Trimethoxy-benzoyl)-2,3-dihydro-⟨benzo-[b]-furan⟩*.

Bei der Umsetzung von Dibenzofuran mit Benzoylchlorid erhält man meist *2-Benzoyl-* und *2,8-Dibenzoyl-⟨dibenzofuran⟩* nebeneinander[7]:

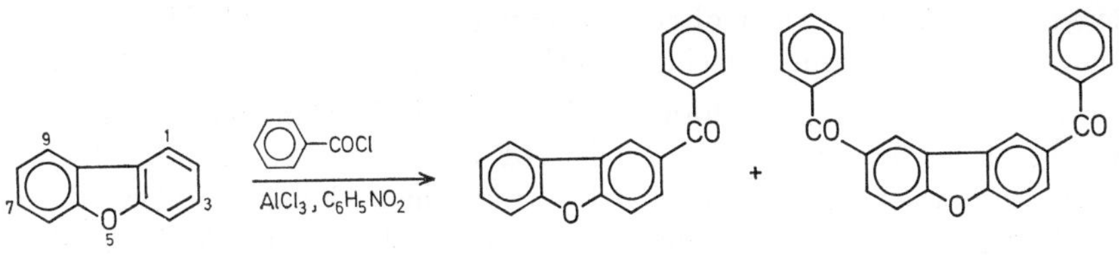

Wenn 0,31 Mol Benzoylchlorid zur Umsetzung mit 0,26 Mol Dibenzofuran eingesetzt werden, erhält man 37,1% reines *2-Benzoyl-⟨dibenzofuran⟩*, ein Diketon wird nicht isoliert. Bei Verwendung von 0,82 Mol Benzoylchlorid werden 32,8% *2,8-Dibenzoyl-⟨dibenzofuran⟩* erhalten, man findet kein Monoketon.

Die Umsetzung von Dibenzofuran mit 2-Methyl-benzoesäure-chlorid oder 2-Methyl-naphthalin-1-carbonsäure-chlorid wird in Gegenwart von Aluminiumchlorid in Schwefelkohlenstoff vorgenommen; man erhält mit guten Ausbeuten *2-(2-Methyl-benzoyl)-* und *2-[2-Methyl-naphthoyl-(1)]-⟨dibenzofuran⟩*[8]. Auch die Umsetzung von 2-Methoxy-⟨dibenzofuran⟩ mit Benzoylchlorid/Aluminiumchlorid in Nitrobenzol wird beschrieben[9]. Derivate des γ-Pyrons wie 2,6-Dimethyl-, 5-Acetoxy-2-acetoxymethyl-, 5-Hydroxy-2-chlormethyl- und 5-Acetoxy-2-chlormethyl-γ-pyron bzw.

[1] E. Bisagni, N. P. Buu-Hoï u. R. Royer, Soc. 1955, 3693.
[2] R. Royer, P. Demerseman u. E. Bisagni, Bl. 1960, 685.
[3] Österr. P. 205 966 (1959), Société des Laboratories Labaz; C. 1962, 2086.
[4] N. P. Buu-Hoï et al., Soc. 1957, 2596.
[5] J. N. Chatterjea, J. indian chem. Soc. 34, 354 (1957).
[6] S. v. Kostanecki, V. Lampe u. C. Marschalk, B. 40, 3665 (1907).
[7] R. G. Johnson, H. B. Willis u. H. Gilman, Am. Soc. 76, 6407 (1954).
   T. Keumi, K. Kitagawa u. Y. Oshima, J. chem. Soc. Japan, ind. Chem. Sect. 73, 536 (1970).
[8] N. P. Buu-Hoï u. D. Lavit, Soc. 1959, 40.
[9] C. Routier, N. P. Buu-Hoï u. R. Royer, Soc. 1956, 4278.

2,6-Dimethyl-γ-thiopyron werden durch Benzoylchlorid oder 2-Methyl-benzoe-
säure-chlorid in siedender Trifluoressigsäure mit hervorragenden Ausbeuten mono-[1]
oder bis-acyliert[2].

Die Umsetzung von Chroman mit Benzoylchlorid/Aluminiumchlorid wird bei
−10° in Schwefelkohlenstoff vorgenommen und liefert *6-Benzoyl-chroman* (65%
d. Th.)[3]. Analog wird die Acylierung mit 3,4-Dimethyl-benzoesäure-chlorid zu
6-(3,4-Dimethyl-benzoyl)-chroman durchgeführt[4]. Die Benzoylierung von 2-Chro-
manon gelingt in Nitrobenzol, der Acyl-Rest tritt wahrscheinlich ebenfalls in 6-
Stellung zu *2-Oxo-6-benzoyl-chroman* ein[5]. 4-Oxo-chroman ergibt mit äquivalenten
Mengen Benzoylchlorid in siedender Trifluoressigsäure ein Monoacylierungspro-
dukt[1] (*4-Oxo-x-benzoyl-chroman*), mit zwei Mol Benzoylchlorid ein Diacylierungsprodukt[2] (*4-Oxo-x,y-dibenzoyl-chroman*).

Cumarin wird durch Benzoylchlorid/Aluminiumchlorid in Nitrobenzol nicht
angegriffen[5], dagegen gelingt die Benzoylierung verschiedener Hydroxy-cumarine.
So erhält man beim Erhitzen von 5-Hydroxy-4-methyl-cumarin mit Benzoylchlorid-
Aluminiumchlorid auf 160–165° während 90 Min. *5-Hydroxy-4-methyl-6-benzoyl-
cumarin*[6]. Unter analogen Bedingungen tritt in 6-Hydroxy-cumarin ein Benzoyl-
Rest wahrscheinlich in die 5-Stellung zu *6-Hydroxy-5-benzoyl-cumarin* ein[7], während
7-Hydroxy-cumarin in 8-Stellung zu *7-Hydroxy-8-benzoyl-cumarin* benzoyliert
wird[8]. 5,7-Dihydroxy-4-methyl-cumarin wird durch Benzoylchlorid/Aluminium-
chlorid bei 170–180° zu *5,7-Dihydroxy-4-methyl-6,8-dibenzoyl-cumarin* diacyliert[6].
7-Hydroxy-2,3-dimethyl-chromon ergibt mit Benzoylchlorid in Gegenwart
von überschüssigem Aluminiumchlorid *7-Hydroxy-2,3-dimethyl-8-benzoyl-chromon*[9].

Die Umsetzung von Xanthen mit Benzoylchlorid/Aluminiumchlorid wird in
Schwefelkohlenstoff vorgenommen und liefert *2-Benzoyl-xanthen*[10]. Auch in 1-Hydro-
xy-xanthone wie z. B. 1-Hydroxy-, 1-Hydroxy-3-methyl-xanthon oder 1-Hydroxy-
⟨benzo[b]-xanthon⟩ tritt der Benzoyl-Rest in 2-Stellung zu *1-Hydroxy-2-benzoyl-*
bzw. *1-Hydroxy-3-methyl-2-benzoyl-xanthon* und *1-Hydroxy-2-benzoyl-⟨benzo-[b]-xan-*
thon⟩ ein[11]:

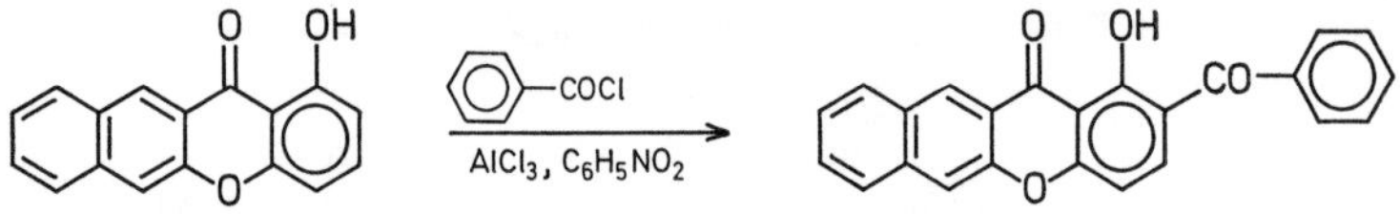

Man führt die Reaktion bei Wasserbadtemp. in Nitrobenzol in Gegenwart des Doppelten der theor. erforderlichen Menge an Benzoylchlorid durch und erhält Ausbeuten von
54–71% der Theorie.

[1] L. L. Woods u. P. A. Dix, J. Org. Chem. **24**, 1126 (1959).
[2] L. L. Woods, J. Org. Chem. **24**, 1804 (1959).
[3] G. Chatelus, C. r. **224**, 202 (1947).
[4] S. v. Kostanecki, V. Lampe u. C. Marschalk, B. **40**, 3665 (1907).
[5] W. Borsche u. P. Hahn-Weinheimer, B. **85**, 198 (1952).
[6] R. J. Parikh u. V. M. Thakor, J. indian chem. Soc. **31**, 139 (1954).
[7] V. M. Thakor, Curr. Sci. **20**, 234 (1951).
[8] V. M. Marathey u. J. M. Athavale, Journal of the University of Poona, Science and Tech-
    nology **1953**, 90; C. A. **49**, 11638 (1955).
[9] S. M. Parikh u. V. M. Thakor, J. indian chem. Soc. **36**, 842 (1959).
[10] J. Heller u. S. v. Kostanecki, B. **41**, 1325 (1908).
[11] A. Mustafa u. O. H. Hishmat, Am. Soc. **79**, 2228 (1957).

Die Acylierung des Thiophens mit Chloriden aromatischer Monocarbonsäuren erfolgt sehr leicht; dabei tritt der Acyl-Rest in 2-Stellung ein. Man kann die Umsetzung mit Benzoylchlorid in Benzol[1] oder Schwefelkohlenstoff[2] mit Aluminiumchlorid als Katalysator bei 15–25° vornehmen und erhält dabei mit Ausbeuten bis zu 90% d. Th. *2-Benzoyl-thiophen*.

Mit gutem Erfolg werden auch Titan(IV)-chlorid in Benzol[3], Zinn(IV)-chlorid in Benzol[4] oder Leichtbenzin[5] sowie Jod[6] oder Zink-chlorid[7] als Katalysatoren für diese Umsetzung verwendet. 85%ige Phosphorsäure ist ebenfalls als Katalysator für diese Umsetzung geeignet[8].

2-Benzoyl-thiophen[9]: Man versetzt 168 g (2 Mol) Thiophen mit 141,5 g (1 Mol) Benzoylchlorid und 10 g 85%iger Phosphorsäure. Diese Mischung wird im Verlaufe 1 Stde. zum Sieden erhitzt und 5 Stdn. rückfließend gekocht. Man kühlt die Reaktionsmischung dann ab und gießt sie in 300 g 20%ige Natronlauge. Nach der Zers. des nicht umgesetzten Benzoylchlorids wird das überschüssige Thiophen abdestilliert. Als Rückstand verbleiben 168 g (0,885 Mol) 2-Benzoyl-thiophen. Dieses Rohprodukt wird durch Destillation und durch Umkristallisation aus Petroläther, der gerade soviel Äthanol enthält, daß eine klare Lösung entsteht, gereinigt; Ausbeute: 158 g (84% d. Th.); F: 56,5–57° (stäbchenförmige Kristalle).

2-Benzoyl-thiophen entsteht auch ohne Lösungsmittel in Gegenwart von Phosphor-(V)-oxid[10], Bortrifluorid-ätherat[11], Bortrifluorid/Essigsäure-Komplex[12] oder Glauconit (Superfiltrol)[13].

Umsetzungen von Thiophen mit substituierten Benzoylchloriden können in Gegenwart aller oben aufgeführten Katalysatoren durchgeführt werden. So verwendet man für die Umsetzung von Thiophen mit 2-Methyl-benzoesäure-chlorid [zu *2-(2-Methyl-benzoyl)-thiophen*] Phosphor(V)-oxid als Kondensationsmittel[10], während die Acylierung mit 4-Methyl-benzoesäure-chlorid [zu *2-(4-Methyl-benzoyl)-thiophen*] in Gegenwart von Zinn(IV)-chlorid in Benzol vorgenommen wird[14]. Die Umsetzung mit 4-Chlor-benzoesäure-chlorid zu *2-(4-Chlor-benzoyl)-thiophen* kann man in Schwefelkohlenstoff mit Aluminiumchlorid als Katalysator[15] oder in Gegenwart von Jod ohne Lösungsmittel durchführen[16]. Acylierungen mit 4-Brom-benzoesäure-chlorid/Aluminiumchlorid in Schwefelkohlenstoff[15] oder mit Jod-benzoesäure-chloriden/Zinn(IV)-chlorid in Benzol[17] zu *2-(4-Brom-benzoyl)-thiophen* bzw. *2-(x-Jod-benzoyl)-thiophen* werden beschrieben, wie auch die Herstellung von *2-[2- bzw. 4-Methoxy-benzoyl]-*[15,16,18],

[1] A. Comey, B. **17**, 790 (1884).

[2] W. Minnis, Org. Synth. Coll. Vol. II, S. 520.

[3] G. Stadnikoff u. L. Kaschtanoff, B. **61**, 1391 (1928).

[4] G. Stadnikoff u. I. Goldfarb, B. **61**, 2341 (1928).

[5] G. Stadnikoff u. W. Rakowsky, B. **61**, 268 (1928).

[6] H. D. Hartough u. A. I. Kosak, Am. Soc. **68**, 2640 (1946).

[7] H. D. Hartough u. A. I. Kosak, Am. Soc. **69**, 1013 (1947).

[8] H. D. Hartough u. A. I. Kosak, Am. Soc. **69**, 3095 (1947).

[9] US.P. 2458520 (1949), Socony Vacuum Oil Co., Erf.: A. I. Kosak u. H. D. Hartough; C. A. **43**, 2644 (1949).

[10] W. Steinkopf, A. **413**, 349 (1917).

[11] R. Levine, J. V. Heid u. M. W. Farrar, Am. Soc. **71**, 1208 (1949).

[12] H. D. Hartough u. A. I. Kosak, Am. Soc. **70**, 867 (1948).

[13] H. D. Hartough, A. I. Kosak u. J. J. Sardella, Am. Soc. **69**, 1014 (1947).

[14] N. H. Nam, N. P. Buu-Hoi u. N. D. Xuong, Soc. **1954**, 1694.

[15] N. P. Buu-Hoi, N. Hoan u. N. D. Xuong, R. **69**, 1095 (1950).

[16] I. A. Kaye, H. C. Klein u. W. J. Burlant, Am. Soc. **75**, 746 (1953).

[17] A. Weitkamp u. C. S. Hamilton, Am. Soc. **59**, 2699 (1937).

[18] N. P. Buu-Hoi, E. Lescot u. N. D. Xuong, J. Org. Chem. **23**, 1263 (1958).

2-(2-Nitro-benzoyl)-[1], *2-(2-p-Tosylamino-benzoyl)-*[1,2] und *2-Naphthoyl-(2)-thiophen*[3].
Aus 2-Methyl-thiophen erhält man analog *5-Methyl-2-[4-chlor-* (bzw. *4-brom-;*
bzw. *4-methoxy)-benzoyl]-thiophen*[4] bzw. aus 2-Äthyl-thiophen *5-Äthyl-2-benzoyl-*[5]
5-Äthyl-2-[4-methyl[6]- (bzw. *4-äthyl-;* bzw. *4-methoxy)-benzoyl]-*[6] und *5-Äthyl-2-*
[fluorenyl-(2)-carbonyl]-thiophen[6]. Bei der Umsetzung von 2,5-Dimethyl-thiophen
mit Benzoylchlorid oder substituierten Benzoylchloriden in Schwefelkohlenstoff in
Gegenwart von Aluminiumchlorid erhält man die entsprechenden 3-Acyl-thio-
phene[4,7]; z.B. *2,5-Dimethyl-3-benzoyl-thiophen.*

2-Halogen-thiophene werden durch Chloride aromatischer Monocarbonsäuren
in 5-Stellung acyliert. So erhält man aus 2-Chlor-thiophen und Benzoylchlorid in
Schwefelkohlenstoff in Gegenwart von Aluminiumchlorid oder mit Jod als Katalysator ohne besondere Lösungsmittel *5-Chlor-2-benzoyl-thiophen* und analog *5-Chlor-2-*
(4-methyl-benzoyl)-[4], *5-Chlor-2-[2-*[4](bzw. *4)*[4,8]-chlor-benzoyl]-, *5-Chlor-2-(4-brom-ben-*
zoyl)-[4] und *5-Chlor-2-(4-methoxy-benzoyl)-thiophen*[4]. Wie 2-Chlor- verhält sich auch
2-Brom-thiophen[4,9]. Die Umsetzung von 2-Jod-thiophen zu *5-Jod-2-benzoyl-*
thiophen nimmt man mit Benzoylchlorid/Zinn(IV)-chlorid in Benzol vor[10].

2,5-Dichlor-thiophen ergibt mit Benzoylchlorid/Aluminiumchlorid in Schwefelkohlenstoff das *2,5-Dichlor-3-benzoyl-thiophen*[11]. Aus 2,3-Dibrom-thiophen und
Benzoylchlorid/Aluminiumchlorid erhält man in Leichtbenzin *4,5-Dibrom-2-benzoyl-*
thiophen[12]. Unter analogen Bedingungen ergibt 3,4-Dibrom-thiophen *3,4-Dibrom-2-*
benzoyl-thiophen[12], 3,4-Dibrom-2-methyl-thiophen wird in 5-Stellung zu *3,4-Dichlor-5-*
methyl-2-benzoyl-thiophen benzoyliert[13].

2-(4-Methyl- oder 4-Chlor-phenyl)-thiophen werden durch 4-Methoxy-
benzoesäure-chlorid oder Naphthalin-2-carbonsäure-chlorid in Gegenwart von
Aluminiumchlorid oder Zinn(IV)-chlorid in 5-Stellung des Thiophenringes zu *5-*
(4-Chlor-phenyl)-2-(4-methoxy-benzoyl)- bzw. *-2-naphthoyl-(2)-thiophen* sowie *5-(4-*
Methoxy-phenyl)-2-(4-methyl-phenyl)- bzw. *-2-naphthoyl-thiophen* acyliert[14]. Während
sich für die Benzoylierung von 2-Phenyl-thiophen mit Benzoylchlorid zu *5-Phenyl-*
2-benzoyl-thiophen Zinn(IV)- chlorid gut als Katalysator eignet, benötigt man für die
Umsetzung von 5-Methyl-2-phenyl-thiophen zu *2-Methyl-5-phenyl-3-benzoyl-*
thiophen Aluminiumchlorid als Katalysator[15]. Aus 2,2'-Bithienyl und Benzoyl-
chlorid/Titan(IV)-chlorid in Benzol erhält man *5,5'-Dibenzoyl-2,2'-bithienyl*[16] (16%
d. Th.).

---

[1] W. Steinkopf u. E. Günther, A. **522**, 31 (1936).
[2] C. L. Arens u. G. C. Barrett, Soc. **1960**, 2098.
[3] N. H. Nam, N. P. Buu-Hoi u. N. D. Xuong, Soc. **1954**, 1964.
[4] N. P. Buu-Hoi, N. Hoan u. N. D. Xuong, R. **69**, 1095 (1950).
[5] J. Marcusson, B. **26**, 2461 (1893).
[6] N. P. Buu-Hoi, Soc. **1958**, 2419.
[7] N. P. Buu-Hoi u. N. Hoán, R. **67**, 309 (1948).
[8] I. A. Kaye, H. C. Klein u. W. J. Burlant, Am. Soc. **75**, 746 (1953).
[9] N. P. Buu-Hoi u. N. Hoán, R. **68**, 5 (1949).
[10] A. Weitkamp u. C. S. Hamilton, Am. Soc. **59**, 2699 (1937).
[11] R. M. Acheson, Soc. **1956**, 703.
    N. P. Buu-Hoi u. D. Lavit, Soc. **1958**, 1723.
[12] W. Steinkopf, H. Jacob u. H. Penz, A. **512**, 156 (1934).
[13] W. Steinkopf, A. **513**, 286 (1934).
[14] N. P. Buu-Hoi u. N. Hoán, R. **69**, 1464 (1950).
[15] P. Demerseman, N. P. Buu-Hoi u. R. Royer, Soc. **1954**, 4195.
[16] W. Steinkopf u. W. Hanske, A. **541**, 255 (1939).

Benzo-[b]-thiophen ergibt mit Benzoylchlorid/Zinn(IV)-chlorid in Benzol eine Mischung aus 2- und *3-Benzoyl-⟨benzo-[b]-thiophen⟩*, in der das 3-Isomere überwiegt[1]. Die analogen Acylierungen ergeben wahrscheinlich auch Gemische aus 2- und *3-(2-Methyl-benzoyl)-*[2], 2- und *3-[2-Methyl-naphthoyl-(1)]-*[2] und 2- und *3-[1-Methyl-naphthoyl-(2)]-⟨benzo-[b]-thiophen⟩*[3]. Aus Benzo-[b]-thiophen und 4-Methoxy-benzoesäure-chlorid/Zinn(IV)-chlorid erhält man in Benzol ein Gemisch von Reaktionsprodukten, das zu 70% aus *3-(4-Methoxy-benzoyl)-* und zu 30% aus *2-(4-Methoxy-benzoyl)-⟨benzo-[b]-thiophen⟩* besteht[1]. 2-Methyl-[4] und 2-Äthyl-⟨benzo-[b]-thiophen⟩[5] werden durch Benzoylchlorid einheitlich zu *2-Methyl-* und *2-Äthyl-3-benzoyl-⟨benzo-[b]-thiophen⟩* acyliert. 3-Äthyl-⟨benzo-[b]-thiophen⟩ liefert mit Benzoylchlorid[1] oder 4-Methoxy-benzoesäure-chlorid[5] *3-Äthyl-2-benzoyl-* bzw. *3-Äthyl-2-(4-methoxy-benzoyl)-⟨benzo-[b]-thiophen⟩*. Aus 2,3-Diäthyl-⟨benzo-[b]-thiophen⟩ und 4-Methoxy-benzoesäure-chlorid/Aluminiumchlorid erhält man in Schwefelkohlenstoff ein Gemisch aus *2,3-Diäthyl-5-* und *-6-(4-methoxy-benzoyl)-⟨benzo-[b]-thiophen⟩*[5]. Die Acylierung des 3-Methoxy-⟨benzo-[b]-thiophens⟩ durch Benzoylchlorid/Aluminiumchlorid erfolgt in 2-Stellung; dabei wird die Äther-Gruppe gespalten, und man isoliert *3-Hydroxy-2-benzoyl-⟨benzo-[b]-thiophen⟩*[6].

Aus Selenophen und Benzoylchlorid erhält man mit Zinn(IV)-chlorid in Schwefelkohlenstoff oder in Gegenwart von Phosphor(V)-oxid bei 100° mit geringen Ausbeuten *2-Benzoyl-selenophen*[7].

2,5-Dimethyl-1-phenyl-pyrrol ergibt mit 4-Methoxy-benzoesäure-chlorid in Gegenwart von Zinn(IV)-chlorid in Benzol oder von Aluminiumchlorid in Schwefelkohlenstoff *2,5-Dimethyl-1-phenyl-3-(4-methoxy-benzoyl)-pyrrol* und *2,5-Dimethyl-1-phenyl-3,4-bis-[4-methoxy-benzoyl]-pyrrol*[8]. Aus 5-Methyl-1,2-diphenyl-pyrrol und Benzoylchlorid/Aluminiumchlorid in Schwefelkohlenstoff erhält man bei 40° *5-Methyl-1,2-diphenyl-4-benzoyl-pyrrol* (39% d.Th.), während mit Benzoylchlorid oder 4-Methoxy-benzoesäure-chlorid in Gegenwart von Zinn(IV)-chlorid in Benzol Gemische aus *5-Methyl-1,2-diphenyl-3-benzoyl-[bzw. -3-(4-methoxy-benzoyl)]-pyrrol und 5-Methyl-1,2-diphenyl-3,4-dibenzoyl-(bzw. -3,4-bis-[4-methoxy-benzoyl])-pyrrol)* erhalten werden[8].

Im 7-Methoxy-2,3-dimethyl-indol tritt der Acyl-Rest bei der Umsetzung mit Benzoylchlorid/Aluminiumchlorid in Schwefelkohlenstoff in 4-Stellung ein[9], und man erhält *7-Methoxy-2,3-dimethyl-4-benzoyl-indol*. Beim 9-Acetyl- oder 9-Benzoyl-1,2,3,4-tetrahydro-carbazol erfolgt unter analogen Bedingungen Benzoylierung zu *9-Acetyl-7-benzoyl-* bzw. *7,9-Dibenzoyl-1,2,3,4-tetrahydro-carbazol*[9].

Carbazol wird durch überschüssiges Benzoylchlorid/Aluminiumchlorid in siedendem Schwefelkohlenstoff zu *3,6-Dibenzoyl-carbazol* bis-acyliert[10]. Die Umsetzung von 3-Chlor-9-äthyl-carbazol mit Benzoylchlorid/Aluminiumchlorid wird in Benzol vorgenommen und ergibt *3-Chlor-9-äthyl-6-benzoyl-carbazol*[11]. Auch in 2-

[1] R. ROYER, P. DEMERSEMAN u. A. CHEUTIN, Bl. **1961**, 1534.
[2] G. M. BADGER u. B. J. CHRISTIE, Soc. **1956**, 3436.
[3] G. M. BADGER u. B. J. CHRISTIE, Soc. **1958**, 914.
[4] R. GAERTNER, Am. Soc. **74**, 767 (1952).
[5] ROYER et al., J. Org. Chem. **27**, 3812 (1962).
[6] F. KROLLPFEIFER u. K. SCHNEIDER, B. **61**, 1284 (1928).
[7] S. UMEZAWA, Bl. chem. Soc. Japan **14**, 155 (1939).
[8] R. RIPS u. N. P. BUU-HOI, J. Org. Chem. **24**, 552 (1959).
[9] W. BORSCHE u. H. GROTH, A. **549**, 251 (1941).
[10] S. G. P. PLANT u. M. L. TOMLINSON, Soc. **1932**, 2190.
[11] N. P. BUU-HOI u. R. ROYER, J. Org. Chem. **16**, 1204 (1951).

Acetyl-[1] oder 3-Acetyl[2]-carbazol tritt ein Benzoyl-Rest in 6-Stellung (*2- bzw. 3-Acetyl-6-benzoyl-carbazol*) ein. 2-Benzoyl-carbazol verhält sich bei der Benzoylierung wie 2-Acetyl-carbazol, d.h. die Acylierung erfolgt in 6-Stellung zu *2,6-Dibenzoyl-carbazol*. Bei der Acylierung von 9-Acyl-carbazolen wie 9-Acetyl- oder 9-Benzoyl-carbazol mit Benzoylchlorid/Aluminiumchlorid tritt der Benzoyl-Rest vorwiegend in 2-Stellung ein[2], z.B. *9-Acetyl-2-benzoyl* bzw. *2,9-Dibenzoyl-carbazol*.

Die Acylierung des 2-Oxo-1,2-dihydro-⟨benzo-[c,d]-indols⟩ (1,8-Naphtholactam) mit Benzoylchlorid oder 2-Chlor-benzoesäure-chlorid wird in Gegenwart von Aluminiumchlorid ohne Lösungsmittel bei 90° vorgenommen und führt mit hervorragenden Ausbeuten[3] zum *2-Oxo-6-benzoyl-(bzw. -2-chlor-benzoyl)-1,2-dihydro-⟨benzo-[c,d]-indol⟩{4-Benzoyl-[bzw.4-(2-Chlor-benzoyl)]-1,8-naphtholactam}*

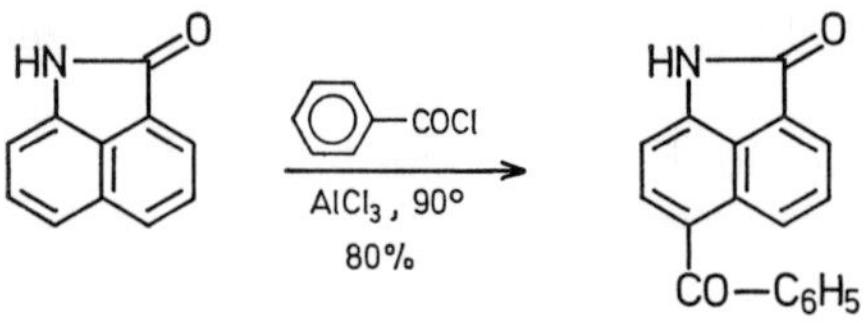

2-Phenyl-indolizin reagiert mit Benzoylchlorid bei Raumtemperatur ohne Katalysator; man erhält *2-Phenyl-1-benzoyl-indolizin*[4]:

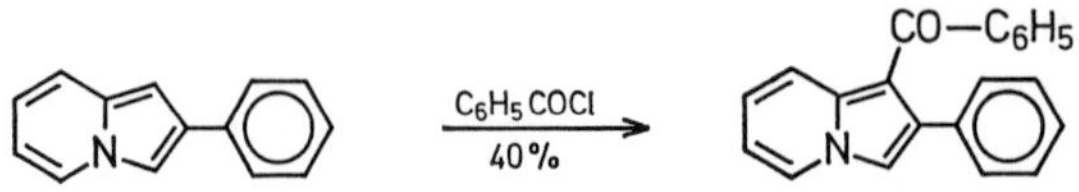

Pyrazol-Derivate mit freier 4-Stellung werden durch Benzoyl-chlorid oder substituierte Benzoylchloride in 4-Stellung acyliert. So entsteht aus 5-Chlor-3-methyl-1-phenyl-pyrazol und Benzoylchlorid/Aluminiumchlroid in Schwefelkohlenstoff *5-Chlor-3-methyl-1-phenyl-4-benzoyl-pyrazol*[5]. Wie Benzoylchlorid verhalten sich auch 2- oder 4-Methyl-, 2-Chlor- und 4-Brom-benzoesäure-chlorid[5], man erhält *5-Chlor-3-methyl-1-phenyl-4-[2- oder 4-methyl-(bzw. 2-chlor-; bzw. 4-brom)-benzoyl]-pyrazol*. Analog verlaufen auch Umsetzungen von 5-Chlor-3-methyl-1-(4-methyl-phenyl)-pyrazol oder 5-Chlor-1,3-diphenyl-pyrazol mit Benzoylchlorid[6], die zu *5-Chlor-3-methyl-1-(4-methyl-phenyl)-4-benzoyl-* bzw. *5-Chlor-1,3-diphenyl-4-benzoyl-pyrazol* führen. 5-Oxo-2,3-dimethyl-1-phenyl-2,5-dihydro-pyrazol wird beim Erhitzen mit Benzoylchlorid[7] oder 2- bzw. 4-Nitro-benzoesäure-chlorid ohne Lösungsmittel und ohne Katalysator mit hohen Ausbeuten zu *5-Oxo-2,3-dimethyl-1-phenyl-4-benzoyl-* [bzw. *4-(2- oder 4-nitro-benzoyl]-2,5-dihydro-pyrazol* acyliert[8].

Imidazolon-(2) ergibt mit Benzoylchlorid in Gegenwart von überschüssigem Aluminiumchlorid in Nitrobenzol bei 60–65° *2-Oxo-4-benzoyl-2,3-dihydro-imidazol*

[1] D. G. Brooke u. S. G. P. Plant, Soc. **1956**, 2213.

[2] S. G. P. Plant, K. M. Rogers u. S. B. C. Williams, Soc. **1935**, 743.

[3] N. S. Dokunikhin u. L. A. Gaeva, Ž. obšč. Chim. **28**, 2944 (1958); C. A. **53**, 9183 (1959).

[4] E. T. Borrows, D. O. Holland u. J. Kenyon, Soc. **1946**, 1074.

[5] A. Michaelis u. C. A. Rojahn, B. **50**, 743 (1917).

[6] C. A. Rojahn, B. **55**, 292 (1922).

[7] DRP 668387 (1938), H. P. Kaufmann; C. A. **33**, 2150 (1939).

[8] H. P. Kaufmann, L. S. Huang u. H. Buckmann, B. **75**, 1236 (1942).

(58% d. Th.)[1]. Unter analogen Bedingungen wird 2-Oxo-4-methyl-2,3-dihydro-imidazol zu *2-Oxo-4-methyl-5-benzoyl-2,3-dihydro-imidazol* benzoyliert[2].

8-Hydroxy-chinolin wird mit Benzoylchlorid/Aluminiumchlorid in Nitrobenzol[3] oder ohne Lösungsmittel bei 110–120° zu *8-Hydroxy-5-benzoyl-chinolin* (77% d. Th.) und 8-Methoxy-chinolin zu *8-Methoxy-5-benzoyl-chinolin* kondensiert[4,5].

2-Hydroxy-4-methyl-1,3-thiazol ergibt mit Benzoylchlorid in Gegenwart von Aluminiumchlorid in 1,1,2,2-Tetrachlor-äthan *2-Hydroxy-4-methyl-5-benzoyl-1,3-thiazol*[6]. Im 7-Methoxy-3-phenyl-⟨benzo-[d]-1,2-oxazol⟩ tritt der Acyl-Rest bei der Umsetzung mit Benzoylchlorid/Aluminiumchlorid in Nitrobenzol wahrscheinlich in 4-Stellung ein[7]; man erhält *7-Methoxy-3-phenyl-4-benzoyl-⟨benzo-*[*d*]-*1,2-oxazol*⟩.

ζ_9) *aromatischen Metallkomplexen*

(vgl. a. ds. Handb., Bd. XIII/8)

Rhodium-acetylacetonat reagiert mit Benzoylchlorid in 1,2-Dichlor-äthan wie eine aromatische Verbindung und liefert ein Monobenzoyl- und ein Dibenzoyl-Derivat[8]:

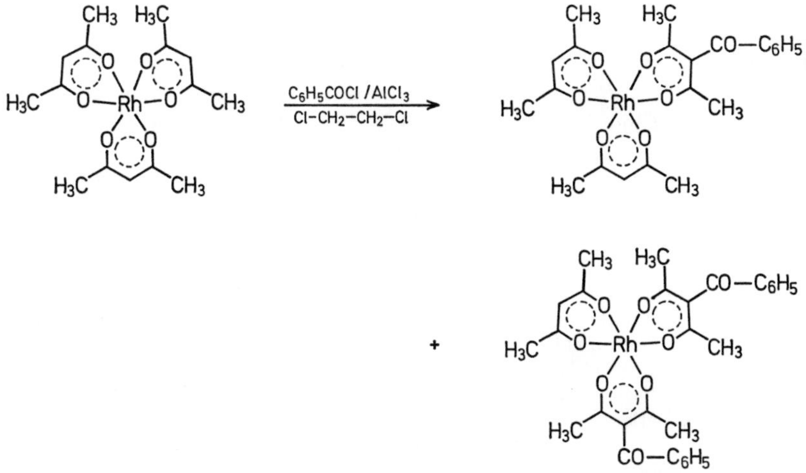

Rhodium-(benzoyl-acetyl-acetonat)

Rhodium-(dibenzoyl-acetyl-acetonat)

Auch Cyclopentadienyl-tricarbonyl-mangan reagiert unter Stickstoff mit Benzoylchlorid/Aluminiumchlorid in Schwefelkohlenstoff wie ein Aromat und ergibt (*Benzoyl-cyclopentadienyl*)*-tricarbonyl-mangan*[9,10]:

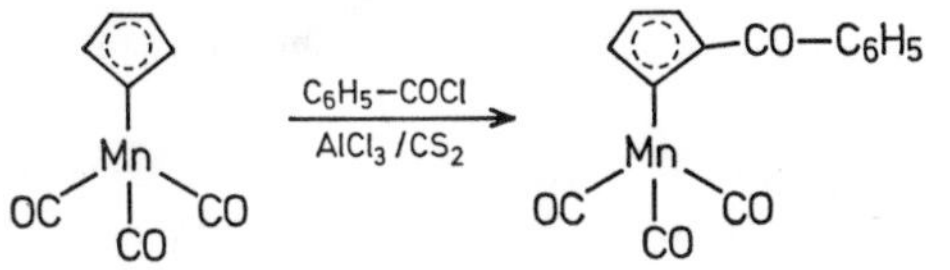

[1] R. Duschinsky u. L. A. Dolan, Am. Soc. **68**, 2351 (1946).
[2] R. Duschinsky u. L. A. Dolan, Am. Soc. **67**, 2083 (1945).
[3] V. M. Thakor u. R. C. Shah, J. indian chem. Soc. **31**, 599 (1954).
[4] K. Matsumara, Am. Soc. **52**, 4433 (1930).
[5] W. Borsche u. H. Groth, A. **549**, 253 (1941).
[6] Y. Yamamoto, J. pharm. Soc. Japan. **72**, 1020 (1952).
[7] W. Borsche u. P. Hahn-Weinheimer, A. **570**, 164 (1950).
[8] J. P. Collman et al., J. Org. **28**, 1453 (1963).
[9] E. O. Fischer u. K. Pleszke, B. **91**, 2724 (1958).
[10] J. Kozikowski, R. E. Maginn u. M. S. Klove, Am. Soc. **81**, 2995 (1959).

Analog wird die Umsetzung von (Methyl-cyclopentadienyl)-tricarbonyl-mangan mit Benzoylchlorid vorgenommen; man erhält dabei zwei verschiedene (*Methyl-benzoyl-cyclopentadienyl)-tricarbonyl-mangane*[1] mit einer Gesamtausbeute von 73% der Theorie. Die Benzoylierung von (Äthyl-[2] und tert.-Butyl[3]-cyclopentadienyl)-tricarbonyl-mangan zu (*Äthyl-benzoyl-cyclopentadienyl)*- bzw. (*tert.-Butyl-benzoyl-cyclopentadienyl)-tricarbonyl-mangan* wird ohne Lösungsmittel vorgenommen.

Wie Cyclopentadienyl-tricarbonyl-mangan kann auch Cyclopentadienyl-di-carbonyl-cobalt in (*Benzoyl-cyclopentadienyl)-dicarbonyl-cobalt* überführt werden[4].

Ferrocen ergibt mit überschüssigem Benzoylchlorid/Aluminiumchlorid in Schwefelkohlenstoff *1,1'-Dibenzoyl-ferrocen* (70% d. Th.)[5]:

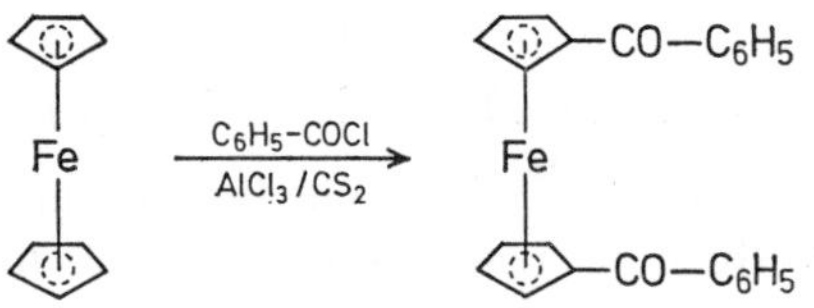

Mit noch höheren Ausbeuten gelingt diese Umsetzung in 1,2-Dichlor-äthan[6]. Wenn man nur molare Mengen an Benzoylchlorid und Aluminiumchlorid anwendet, erhält man mit 70–75% d. Th. *1-Benzoyl-ferrocen*[6]. Monoacylierung wird auch mit 4- oder 3-Methyl-, 4-Fluor-, 4-Chlor-, 4-Brom oder 4-Methoxy-benzoylchlorid/Aluminium-chlorid in Dichlormethan beschrieben {*1-[4-(bzw. 3)-Methyl-benzoyl]*-; *1-[4-Fluor-*(bzw. *4-Chlor-*; bzw. *4-Brom-*; bzw. *4-Methoxy)-benzoyl]-ferrocen*; 48–74% d. Th.}[7]. Über die Bis-acylierung des Ferrocens wird auch mit 4-Chlor-[8] und 4-Fluor-benzoe-säure-chlorid[9] berichtet.

1,1'-Bis-[4-fluor-benzoyl]-ferrocen[9]: Eine Mischung aus 37,1 g (0,263 Mol) 4-Fluor-benzoe-säure, 48 *ml* (0,658 Mol) Thionylchlorid und 25 *ml* Benzol wird 7 Stdn. rückfließend gekocht. Flüchtige Anteile werden dann i. Vak. entfernt, man gibt 90 *ml* Dichlormethan hinzu und ver-setzt die Lösung mit 31,1 g (0,233 Mol) gepulvertem, wasserfreiem Aluminiumchlorid. Zu der in einem Eisbad gekühlten Mischung wird dann eine Lösung von 17,3 g (0,093 Mol) Ferrocen in 90 *ml* Dichlormethan im Verlaufe von 90 Min. getropft und die Reaktionsmischung über Nacht bei Raumtemp. gerührt. Man gießt die Lösung dann auf Eis, rührt 4 Stdn. und extrahiert die wäßrige Phase mit Chloroform. Die organischen Phasen werden vereinigt, 2mal mit Wasser und 1mal mit 5%iger Natronlauge gewaschen, getrocknet, i. Vak. eingedampft und der Rückstand aus 150 *ml* Toluol umkristallisiert; Ausbeute: 30,4 g (76% d. Th.); F: 129–130,5°.

Analog erhält man

1,1'-Bis-[4-chlor-benzoyl]-ferrocen   52% d. Th.;   F: 186°

[1] J. Kozikowski, R. E. Maginn u. M. S. Klove, Am. Soc. **81**, 2995 (1959).
[2] A. N. Nesmeyanov, K. N. Anisomov u. Z. P. Valueva, Izv. Akad. SSSR **1961**, 1780; C. A. **56**, 8733 (1962).
[3] K. N. Anisimov u. N. E. Kolobova, Izv. Akad. SSSR **1962**, 721; C. A. **57**, 15135 (1962).
[4] US. P. 2916503 (1959), Ethyl Co., Erf.: J. Kozikowski; C. A. **54**, 5693 (1960).
[5] R. Riemschneider u. D. Helm, B. **89**, 158 (1956).
   A. N. Nesmeyanov u. N. A. Volkenau, Doklady Akad. SSSR **107**, 262 (1952); C. A. **50**, 15519 (1956).
[6] M. D. Rausch, M. Vogel u. H. Rosenberg, J. Org. Chem. **22**, 905 (1957).
[7] V. D. Tyurin et al., Izv. Akad. SSSR **1968**, 1866; engl. 1767.
[8] R. Riemschneider u. D. Helm, A. **646**, 14 (1961).
[9] R. L. Schaaf u. C. T. Lenk, J. Org. Chem. **28**, 3238 (1963).

1-Acetyl-ferrocen wird durch Benzoylchlorid/Aluminiumchlorid in Schwefelkohlenstoff zu *1'-Acetyl-1-benzoyl-ferrocen* acyliert[1]. Analog verhalten sich höhere Alkanoyl-ferrocene[2]. Auch die Benzoylierung von Ferrocen-1-carbonsäureamid gelingt bei −30° in 1,2-Dichlor-äthan[3], und man erhält *1'-Benzoyl-1-aminocarbonyl-ferrocen*.

Bei der Umsetzung von Ferrocen-1-carbonsäure-chlorid mit Ferrocen in Gegenwart von Aluminiumchlorid in Dichlormethan erhält man *Bis-[ferrocenyl]-keton*[4].

Ruthenocen liefert mit überschüssigem Benzoylchlorid/Aluminiumchlorid in Dichlormethan 64% d.Th. *Benzoyl-* und 29% d.Th. *1,1'-Dibenzoyl-ruthenocen*[4]. Mit Ferrocen-1-carbonsäure-chlorid erhält man *Ferrocenylcarbonyl-ruthenocen*[4]. Mit 2-Methoxy-benzoylchlorid/Aluminiumchlorid entsteht eine Mischung aus (*2-Methoxy-* und *2-Hydroxy-benzoyl*)-*ruthenocen*[5]. Osmocen wird bei der Benzoylierung nur einmal (*Benzoyl-osmocen*) acyliert[4].

η) Ketone aus heterocyclischen Carbonsäure-halogeniden und

η_1) *Benzol und seinen Homologen*

Furan-2-carbonsäure-chlorid ergibt mit Benzol[6] oder Toluol[6,7] in Schwefelkohlenstoff in Gegenwart von Titan(IV)-chlorid[6] oder Aluminiumchlorid[7] mit guten Ausbeuten *2-Benzoyl-* bzw. *2-(4-Methyl-benzoyl)-furan*. Analog lassen sich auch Chloride der Furan-2-carbonsäure, die in 5-Stellung durch eine Methyl- oder Nitro-Gruppe oder durch ein Bromatom substituiert sind, zu *5-Methyl-* (bzw. *5-Nitro-*; bzw. *5-Brom*)-*2-benzoyl-*[bzw.-*2-(4-methyl-benzoyl)*]*-furan* umsetzen[6]. Umsetzungen des Furan-2-carbonsäure-chlorids mit 1,3,5-Trimethyl- bzw. 1,2,4,5-Tetramethyl-benzol zu *2-[2,4,6-Trimethyl-benzoyl-* (83% d.Th.) bzw. *2-(2,3,5,6-Tetramethyl-benzoyl)]-furan* (83% d.Th.) werden in Schwefelkohlenstoff mit Aluminiumchlorid als Katalysator beschrieben[8]. 2-Methoxy-dibenzofuran-3-carbonsäure-chlorid ergibt mit Benzol/Aluminiumchlorid bei Raumtemperatur *2-Methoxy-3-benzoyl-⟨dibenzo-furan⟩*[9]. α-Pyron-5-carbonsäure-chlorid läßt sich mit Benzol, Toluol oder Äthylbenzol in einem Überschuß des Kohlenwasserstoffs mit Aluminiumchlorid als Katalysator zu *5-Benzoyl-, 5-(4-Methyl-benzoyl)-* und *5-(4-Äthyl-benzoyl)-α-pyron* umsetzen[10].

Aus Thianaphthen-3-carbonsäure-chlorid/Aluminiumchlorid erhält man in überschüssigem Benzol *3-Benzoyl-thianaphthen* (93% d.Th.)[11].

[1] A. N. Nesmeyanov u. A. N. Volkenau, Doklady Akad. SSSR 111, 605 (1956); C. A. 51, 9599 (1957).
[2] R. Dabard u. H. Platin, C. r. 263, 1153 (1966).
[3] W. F. Little u. R. Eisenthal, Am. Soc. 82, 1579 (1960).
[4] M. D. Rausch, E. O. Fischer u. H. Grubert, Am. Soc. 82, 80 (1960).
[5] C. Kashima, R. Kobayashi u. N. Sugiyama, J. Chem. Soc. Japan, Pure Chem. Sect. 90, 1053 (1969).
[6] S. Yoshina, A. Tanaka u. K. Yamamoto, J. pharm. Soc. Japan, 88, 997 (1968).
[7] H. Sugisawa, H. Sugiyama u. K. Aso, Tohoku Journal of Agricultural Research 12, 245 (1961); C. A. 57, 16535 (1962).
[8] R. C. Fuson u. H. P. Wallingford, Am. Soc. 75, 5951 (1953).
[9] C. Routier, N. P. Buu-Hoi u. R. Royer, Soc. 1956, 4278.
[10] R. H. Wiley u. S. C. Slaymaker, Am. Soc. 78, 2396 (1956).
[11] R. Royer, P. Demerseman u. A. Cheutin, Bl. 1961, 1538.

Eine gewisse Bedeutung kommt den Umsetzungen von Pyridin- und Chinolin-carbonsäure-halogeniden mit Benzol und seinen Homologen zu Benzoyl-pyridinen bzw. -chinolinen zu, da derartige Ketone nach Friedel-Crafts nur auf diesem Wege synthetisierbar sind. Pyridin oder Chinolin lassen sich ja durch Carbonsäure-halogenide/Aluminiumchlorid nicht acylieren. Bei der Durchführung der Reaktionen ist zu beachten, daß Aluminiumchlorid im Überschuß angewendet werden muß, da ein Teil davon am Stickstoffatom des Heterocyclus komplex gebunden wird.

Aus Pyridin-2-carbonsäure-chlorid und Benzol erhält man in Gegenwart von überschüssigem Aluminiumchlorid *2-Benzoyl-pyridin*[1]. Analog erhält man *3-* bzw. *4-Benzoyl-pyridin* aus Pyridin-3- bzw. -4-carbonsäure-chlorid[2].

4-Benzoyl-pyridin[1]: In einen 2-*l*-Dreihalskolben mit Rückflußkühler, Rührer und Tropftrichter gibt man 88,5 g (0,7 Mol) Pyridin-4-carbonsäure. Man tropft unter Rühren 500 *ml* Thionylchlorid hinzu und erhitzt die Mischung 90 Min. auf einem Dampfbad. Der größte Teil des Thionylchlorids (80%) wird i.Vak. abdestilliert; zum Rückstand gibt man 500 *ml* Benzol. Die Reaktionsmischung wird dann mit Eis-Natriumchlorid-Mischung abgekühlt und innerhalb 30 Min. mit 348 g (2,6 Mol) wasserfreiem, körnigem Aluminiumchlorid versetzt. Man läßt die Temp. auf 20° ansteigen, erhitzt 6 Stdn. unter Rühren und trägt auf Eis und Salzsäure aus. Die Benzol-Schicht wird abgetrennt, die saure Lösung mit Äther ausgeschüttelt und die Benzol- und Äther-Phase verworfen. Die saure Lösung wird mit einem Überschuß an konz. Natronlauge so alkalisch gestellt, daß sich das Aluminiumoxid löst und dann einige Male mit Chloroform extrahiert. Die vereinigten Chloroform-Extrakte werden mit Wasser gewaschen und über Natriumsulfat getrocknet. Nach dem Abdestillieren des Lösungsmittels wird der Rückstand i.Vak. destilliert; Kp_{10}: 170–172° (hellgelbes Öl, das beim Abkühlen erstarrt); Ausbeute 115 g (91% d.Th.); F: 70–71° (aus Äthanol).

Die Umsetzung von Pyridin-3-carbonsäure-chlorid/Aluminiumchlorid mit Toluol wird ebenfalls in einem Überschuß des Kohlenwasserstoffs vorgenommen und liefert *3-(4-Methyl-benzoyl)-pyridin*[3]. 2-Dimethylamino-1-phenyl-äthan kann mit Pyridin-2-carbonsäure-chlorid/Aluminiumchlorid in Nitrobenzol zu *2-[4-(2-Dimethylamino-äthyl)-benzoyl]-pyridin* umgesetzt werden; die Ausbeute liegt jedoch bei ～ 10% der Theorie[4].

2,6-Dimethyl-4-phenyl-pyridin-3-carbonsäure-chlorid wird durch überschüssiges Aluminiumchlorid in Nitrobenzol intramolekular cyclisiert[5]:

9-Oxo-1,3-dimethyl-9H-
⟨*indeno-[2,1-c]-pyridin*⟩

Chinolin-2-carbonsäure-chlorid liefert mit überschüssigem Benzol/Aluminiumchlorid *2-Benzoyl-chinolin*[6]. Analog werden auch 2-Phenyl- und 2-Chlor-chinolin-4-

[1] F. J. VILLANI, M. S. KING u. D. PAPA, J. Org. Chem. **17**, 249 (1952).
[2] R. WOLFFENSTEIN u. F. HARTWICH, B. **48**, 2047 (1915).
   F. J. VILLANI u. M. S. KING, Org. Synth. Coll. Vol. IV, 88.
[3] O. HALLA, M. **32**, 749 (1911).
[4] F. J. VILLANI et al., Am. Soc. **76**, 5623 (1954).
[5] W. BORSCHE u. H. HAHN, A. **537**, 219 (1939).
[6] E. BESTHORN, B. **41**, 2002 (1908).

carbonsäure-chlorid mit Benzol zu *2-Phenyl-*(bzw. *2-Chlor)-4-benzoyl-chinolin* umgesetzt[1]. Wenn am Chinolin ein Phenylkern und eine Carbonsäure-chlorid-Gruppierung als o-ständige Substituenten angeordnet sind, erfolgt in Nitrobenzol in Gegenwart von Aluminiumchlorid Ringschluß[1]:

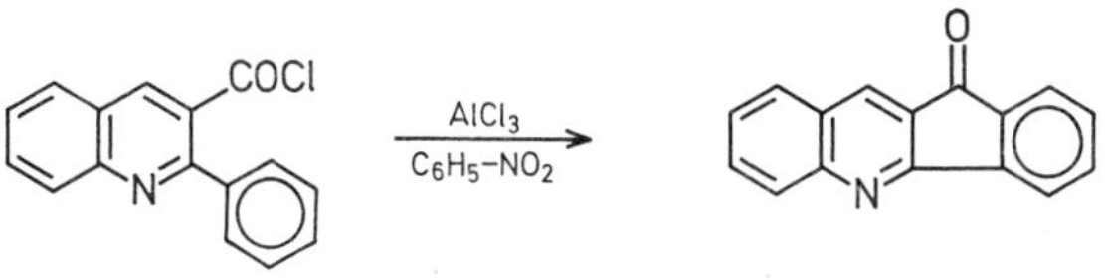

11-Oxo-11H-⟨indeno-
[1,2-b]-chinolin⟩

Pyrazol-carbonsäure-chloride wie z.B. 1-Phenyl-pyrazol-5-carbonsäure-chlorid, 1,4,5-Triphenyl-pyrazol-3-carbonsäure-chlorid oder 3-Methyl-1,5-diphenyl-pyrazol-4-carbonsäure-chlorid ergeben in Benzol in Gegenwart von Aluminiumchlorid *1-Phenyl-5-benzoyl-, 1,4,5-Triphenyl-3-benzoyl-* und *3-Methyl-1,5-diphenyl-4-benzoyl-pyrazol.* 3-Methyl-1-phenyl-5-benzyl-pyrazol-4-carbonsäure-chlorid wird unter analogen Bedingungen ebenfalls cyclisiert[2]:

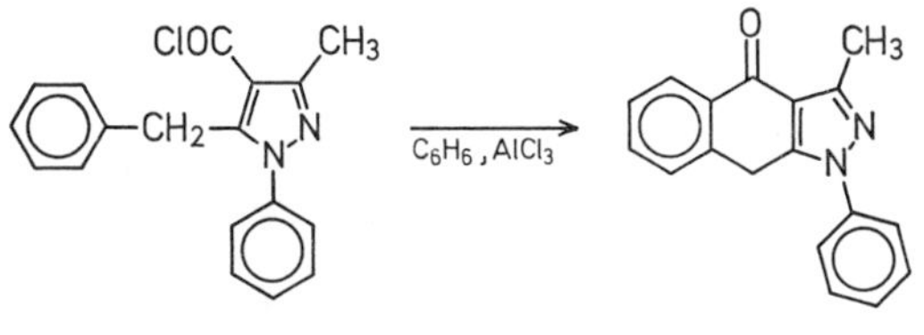

4-Oxo-3-methyl-1-phenyl-
4,9-dihydro-1H-
⟨naphtho-[2,3-d]-pyrazol⟩

1-Phenyl-1,2,3-triazol-5-carbonsäure-chlorid wird in Benzol in Gegenwart von Aluminiumchlorid in *1-Phenyl-5-benzoyl-1,2,3-triazol* übergeführt. Entsprechend entsteht in Toluol *1-Phenyl-5-(4-methyl-benzoyl)-1,2,3-triazol.* In Benzol ergibt 1,5-Diphenyl-1,2,3-triazol-4-carbonsäure-chlorid *1,5-Diphenyl-4-benzoyl-1,2,3-triazol,* während 1-Phenyl-5-benzyl-1,2,3-triazol-4-carbonsäure-chlorid unter analogen Bedingungen quantitativ cyclisiert[2]:

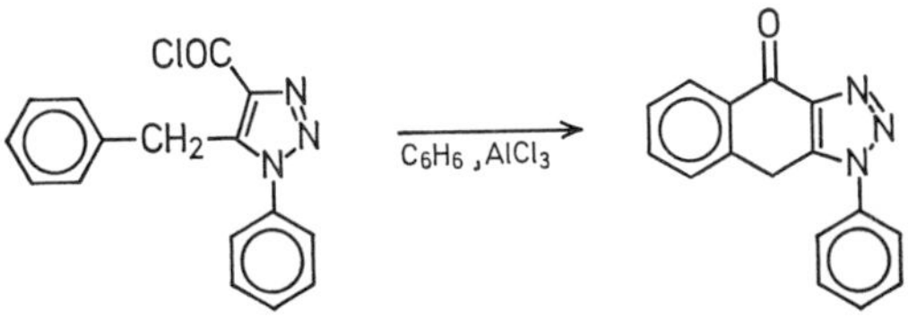

4-Oxo-1-phenyl-4,9-
dihydro-1H-⟨naphtho-
[2,3-d]-1,2,3-triazol⟩

---

[1] W. BORSCHE u. F. SINN, A. **532**, 146 (1937).
[2] W. BORSCHE u. H. HAHN, A. **537**, 219 (1939).

15*

$\eta_2)$ *substituierten Benzol-Kohlenwasserstoffen*

5-Methyl-furan-2 carbonsäure-chlorid ergibt mit Chlor- oder Brom-benzol in Schwefelkohlenstoff mit Titan(IV)-chlorid als Katalysator mit geringen Ausbeuten *5-Methyl-2-(4-chlor-* oder *4-brom-benzoyl)-furan*[1]. Unter den gleichen Bedingungen reagieren Furan-2-carbonsäure-chlorid sowie 5-Brom- oder 5-Nitro-furan-2-carbonsäure-chlorid nicht mit Halogenbenzolen[1]. Bei der Umsetzung von Furan-2-carbonsäure-chlorid/Aluminiumchlorid mit Phenol in Schwefelkohlen-stoff oder Nitrobenzol erhält man *2-(4-Hydroxy-benzoyl)-furan*[2]. Auch Essigsäure-phenylester ist in Schwefelkohlenstoff durch Furan-2-carbonsäure-chlorid zu *2-(4-Acetoxy-benzoyl)-furan* acylierbar[2]. Mit Ausbeuten von 75–80% d. Th. kann Resorcin durch Furan-2-carbonsäure-chlorid/Aluminiumchlorid in Schwefelkohlen-stoff oder Nitrobenzol zu *2-(2,4-Dihydroxy-benzoyl)-furan* kondensiert werden[2]. Für die Umsetzung von Anisol oder Äthoxy-benzol mit Furan-2-carbonsäure-chlorid oder mit in 5-Stellung durch eine Methyl- oder Nitro-Gruppe oder durch ein Bromatom substituierten Furan-2-carbonsäure-chloriden benutzt man Titan(IV)-chlorid als Katalysator und arbeitet in Schwefelkohlenstoff. Man erhält *2-(4-Methoxy-* bzw. *4-Äthoxy-benzoyl)-furan* sowie *5-Methyl-* (bzw. *5-Nitro-*; bzw. *5-Brom)-2-(4-methoxy-* oder *4-äthoxy-benzoyl)-furan* mit Ausbeuten zwischen 18% und 48% der Theorie[1]. Höhere Ausbeuten erzielt man bei der Umsetzung von Äthoxy-[3] oder Butyloxy-benzol[4] mit Furan-2-carbonsäure-chlorid/Aluminiumchlorid in Benzol oder Schwefel-kohlenstoff; man erhält *2-(4-Äthoxy-benzoyl)-* (95% d. Th.) bzw. *2-(4-Butyloxy-benzoyl)-furan*. Auch Umsetzungen von substituierten Alkyl-phenyl-äthern wie z. B. von 2-Methoxy-1-methyl-[5], 2-Methoxy-4-methyl-1-isopropyl-[3], 2-Chlor-1-äthoxy- und 4-Chlor-1-äthoxy-benzol[6] mit Furan-2-carbonsäure-chlorid/Aluminiumchlorid in Schwefelkohlenstoff oder Nitrobenzol zu *2-(4-Methoxy-3-methyl-benzoyl)-*, *2-(4-Methoxy-2-methyl-5-isopropyl-benzoyl)-*, *2-(5-Chlor-2-methoxy-benzoyl)-* bzw. *2-(3-Chlor-4-methoxy-benzoyl)-furan* werden beschrieben. Acetanilid läßt sich in Schwefel-kohlenstoff nur mit 5-Methyl- oder 5-Nitro-furan-2-carbonsäure-chlorid/Titan(IV)-chlorid zu *5-Methyl-* bzw. *5-Nitro-2-(4-acetylamino-benzoyl)-furan* um-setzen; mit Furan-2-carbonsäure-chlorid oder 5-Brom-furan-2-carbonsäure-chlorid werden unter analogen Bedingungen keine Ketone erhalten[1]. Für die Acylierung von Anisol oder 1,2-Dimethoxy-benzol mit ⟨Benzo-[b]-furan⟩-2-carbonsäure-chlorid verwendet man Aluminiumchlorid[7] und erhält *2-(4-Methoxy-benzoyl)-* bzw. *2-(3,4-Dimethoxy-benzoyl)-⟨benzo-[b]-furan⟩*.

Während die Umsetzung von Chlor- oder Brom-benzol mit α-Pyron-5-carbon-säure-chlorid/Aluminiumchlorid in Benzol mit Ausbeuten von 81–91% d. Th. *5-(4-Brom-* bzw. *4-Chlor-benzoyl)-α-pyron* ergibt[8], erhält man bei der analogen Um-setzung von Anisol *5-(4-Methoxy-benzoyl)-α-pyron* nur mit einer Ausbeute von 10% der Theorie[8,9].

---

[1] S. Yoshina, A. Tanaka u. K. Yamamoto, J. pharm. Soc. Japan **88**, 997 (1968).

[2] H. Gilman u. J. B. Dickey, R. **52**, 391 (1933).

[3] N. P. Buu-Hoï, R. **68**, 773 (1949).

[4] H. Leditschke, B. **86**, 124 (1953).

[5] H. Sugisawa, H. Sugiyama u. K. Aso, Tohoku Journal of Agricultural Research **12**, 245 (1961); C. A. **57**, 16535 (1962).

[6] N. P. Buu-Hoï, N. D. Xuong u. D. Lavit, Soc. **1954**, 1035.

[7] F. Zwayer u. S. v. Kostanecki, B. **41**, 1335 (1908).

[8] R. H. Wiley u. S. C. Slaymaker, Am. Soc. **78**, 2393 (1956).

[9] R. H. Wiley u. L. H. Knabeschuh, Am. Soc. **77**, 1617 (1955).

Die Acylierung von 2-Chlor- oder 2-Brom-1-methoxy-benzol mit Thiophen-2-carbonsäure-chlorid oder 5-Methyl-thiophen-2-carbonsäure-chlorid wird in Schwefelkohlenstoff mit Aluminiumchlorid vorgenommen, man erhält *2-[3-Chlor-(bzw. 3-Brom)-4-methoxy-benzoyl]-* bzw. *5-Methyl-2-[3-chlor-(bzw. 3-brom)-4-methoxy-benzoyl]-thiophen*[1]. Aus Thiophen-2-carbonsäure-chlorid und 3-Propyloxy- bzw. 3-Octyloxy-phenol entsteht unter analogen Bedingungen *2-[2-Hydroxy-4-propyloxy-(bzw. 4-octyloxy)-benzoyl]-thiophen*[2]. Unter analogen Bedingungen wird die Acylierung von Methylmercapto-benzol mit Thiophen-2-carbonsäure-chlorid, 5-Chlor- oder 5-Brom-thiophen-2-carbonsäure-chlorid zu *2-(4-Methylmercapto-benzoyl)-, 5-Chlor-(bzw. 5-Brom)-2-(4-methylmercapto-benzoyl)-thiophen* durchgeführt[3]. Analog verhält sich auch Äthylmercapto-benzol bei der Umsetzung mit Thiophen-2-carbonsäure-chlorid oder 5-Brom-thiophen-2-carbonsäure-chlorid/Aluminiumchlorid in Schwefelkohlenstoff; man erhält *2-(4-Äthylmercapto-benzoyl)-* bzw. *5-Brom-2-(4-äthylmercapto-benzoyl)-thiophen*[3]. Bei der Acylierung von 4-Chlor-1-methylmercapto-benzol mit Thiophen-2-carbonsäure-chlorid/Aluminiumchlorid ohne Lösungsmittel erfolgt gleichzeitig Spaltung der Thioäther-Gruppierung[4]:

2-(5-Chlor-2-mercapto-benzoyl)-thiophen

Die Umsetzung von Anisol mit ⟨Benzo-[b]-thiophen⟩-2-carbonsäure-chlorid/Aluminiumchlorid in Schwefelkohlenstoff ergibt *2-(4-Methoxy-benzoyl)-⟨benzo-[b]-thiophen⟩* (85% d. Th)[5].

Anisol kann mit Pyridin-2- oder -3-carbonsäure-chlorid/Aluminiumchlorid in Schwefelkohlenstoff zu *2-* und *3-(4-Methoxy-benzoyl)-pyridin* umgesetzt werden[6].

η_3) *Biphenyl oder Biphenyl-Derivaten*

Die Umsetzung von Biphenyl mit Thiophen-2-carbonsäure-chlorid[7] oder substituierten Thiophen-2-carbonsäure-chloriden wie 3-Methyl- oder 5-Methyl-[7] oder 5-Chlor-thiophen-2-carbonsäure-chlorid wird durchweg mit Aluminiumchlorid in Schwefelkohlenstoff vorgenommen und liefert *2-[Biphenylyl-(4)-carbonyl]-, 3-* oder *5-Methyl-2-[biphenylyl-(4)-carbonyl]-* und *5-Chlor-2-[biphenylyl-(4)-carbonyl]-thiophen* mit guten Ausbeuten. 3-Chlor-4-methoxy-biphenyl wird durch Thiophen-2-carbonsäure-chlorid/Zinn(IV)-chlorid in 4'-Stellung acyliert[8]:

[1] N. P. Buu-Hoï, N. D. Xuong u. D. Lavit, Soc. **1954**, 1035.

[2] J. B. Zimin et al., Izv. Akad. SSSR **1968**, 2393; C. A. **70**, 20 613 (1969).

[3] N. P. Buu-Hoï, N. Hoán u. N. D. Xuong, R. **69**, 1100 (1950).

[4] R. D. Schnetz u. L. Ciporin, J. Org. Chem. **23**, 207 (1958).

[5] R. Royer et al., J. Org. Chem. **27**, 3812 (1962).

[6] R. Wolffenstein u. F. Hartwich, B. **48**, 2047 (1915).

[7] N. P. Buu-Hoï u. N. Hoán, R. **68**, 5 (1949).

[8] N. P. Buu-Hoï et al., Bl. **1959**, 447.

2-[3'-Chlor-4'-methoxy-biphenylyl-
(4)-carbonyl]-thiophen

Fluoren wird durch Furan-2-carbonsäure-chlorid[1] oder durch Thiophen-2-carbonsäure-chlorid in Schwefelkohlenstoff/Aluminiumchlorid in 2-Stellung zu 2-[*Fluorenyl-(2)-carbonyl*]-*furan* und -*thiophen* acyliert. Mit guten Ausbeuten ergeben auch analog durchgeführte Umsetzungen von Fluoren mit 3-Methyl- oder 5-Methyl-thiophen-2-carbonsäure-chlorid[2], 2,5-Dimethyl-thiophen-3-carbonsäure-chlorid[3] oder 5-Chlor-[4] oder 5-Brom-thiophen-2-carbonsäure-chlorid[2] 3- bzw. *5-Methyl-2-[fluorenyl-(2)-carbonyl]-, 2,5-Dimethyl-2-[fluorenyl-(2)-carbonyl]-, 5-Chlor-* und *3-Brom-2-[fluorenyl-(2)-carbonyl]-thiophen*.

η_4) *Naphthalin, Naphthalin-Derivaten oder höheren kondensierten alicyclischen Ringsystemen*

Naphthalin wird bei der Umsetzung mit Furan-2-carbonsäure-chlorid[5], Thiophen-2-carbonsäure-chlorid oder Pyridin-3-carbonsäure-chlorid[6] in Schwefelkohlenstoff in Gegenwart von Aluminiumchlorid überwiegend zu *2-Naphthoyl-(1)-furan, -thiophen* bzw. *3-Naphthoyl-(1)-pyridin* acyliert. Analog werden Umsetzungen von 2-Methyl-naphthalin und 2,3-Dimethyl-naphthalin mit Thiophen-2-carbonsäure-chlorid zu *2-[2-Methyl-naphthoyl-(1)]-* bzw. *2-[2,3-Dimethyl-naphthoyl-(1)]-thiophen* vorgenommen[2]. 1-Methoxy-naphthalin wird in Nitrobenzol mit ⟨Benzo-[b]-furan⟩-2-carbonsäure-chlorid/Aluminiumchlorid zu *2-[4-Methoxy-naphthoyl-(1)]-⟨benzo-[b]-furan⟩*[7] kondensiert.

Pyren ergibt bei der Umsetzung mit Thiophen-2-carbonsäure-chlorid/Aluminiumchlorid in Schwefelkohlenstoff eine Mischung aus *3,8-* und *3,10-Dithienoyl-(2)-pyren*[5].

η_5) *reaktionsfähigen Heterocyclen*

Während 5-Methyl-furan-2-carbonsäure-chlorid in Schwefelkohlenstoff in Gegenwart von Titan(IV)-chlorid mit Furan und mit 5-Methyl-furan *5-Methyl-2-furoyl-(2)-furan* bzw. *Bis-[5-Methyl-furyl-(2)]-keton* ergibt, lassen sich durch analoge Umsetzungen von Furan-2-carbonsäure-chlorid sowie 5-Brom- oder 5-Nitro-furan-2-carbonsäure-chlorid mit Furan oder 2-Methyl-furan keine Ketone erhalten[8]. Dagegen

[1] N. P. Buu-Hoï u. R. Royer, R. **67**, 186 (1948).
[2] N. P. Buu-Hoï u. N. Hoán, R. **68**, 5 (1949).
[3] N. P. Buu-Hoï u. N. Hoán, R. **67**, 327 (1948).
[4] N. P. Buu-Hoï, N. Hoán u. N. D. Xuong, R. **69**, 1083 (1950).
[5] R. Scholl u. C. Seer, A. **394**, 173 (1912).
[6] R. Wolffenstein u. F. Hartwich, B. **48**, 2048 (1915).
[7] N. P. Buu-Hoï et al., Soc. **1957**, 628.
[8] S. Yoshina, A. Tanaka u. K. Yamamoto, J. pharm. Soc. Japan **88**, 997 (1968).

verläuft die Umsetzung von Furan-2-carbonsäure-chlorid/Aluminiumchlorid mit Dibenzofuran in Schwefelkohlenstoff glatt[1]:

3-Furoyl-(2)-⟨dibenzofuran⟩

Thiophen und in 2-Stellung substituierte Thiophen-Derivate wie 2-Äthyl-thiophen[2], 2-Chlor-thiophen[3] oder 2-(4-Chlor-phenyl)-thiophen werden durch Furan-2-carbonsäure-chlorid/Aluminiumchlorid zu *5-Chlor-* bzw. *5-(4-Chlor-phenyl)-2-furoyl-thiophen* acyliert. Analog setzt sich auch Thiophen mit 5-Methyl- oder 5-Brom-furan-2-carbonsäure-chlorid zu *5-Methyl-* bzw. *5-Brom-2-thienoyl-(2)-furan* um. Aus 2,5-Dimethyl-thiophen wird *2,5-Dimethyl-3-furoyl-(2)-thiophen* erhalten[4].

Die Acylierung des Dibenzofurans mit Thiophen-2-carbonsäure-chlorid/Aluminiumchlorid in Schwefelkohlenstoff führt zum *3-Thienoyl-(2)-⟨dibenzofuran⟩*[5]. Zur Umsetzung von Thiophen mit Thiophen-2-carbonsäure-chlorid, man erhält dabei *Dithienyl-(2)-keton*, verwendet man Zinn(IV)-chlorid als Katalysator[6]. *Dithienyl-(2,3')-keton* wird durch Umsetzung von Thiophen mit Thiophen-3-carbonsäure-chlorid/Zinn(IV)-chlorid in Benzol hergestellt.

Dithienyl-(2,3')-keton[7]: Eine Mischung aus 8,4 g (0,1 Mol) frisch destilliertem Thiophen, 7,3 g (0,05 Mol) frisch hergestelltem Thiophen-3-carbonsäure-chlorid und 50 ml trockenem Benzol wird auf 0° abgekühlt und im Verlaufe von 30 Min. tropfenweise mit 13 g (0,05 Mol) frisch destilliertem Zinn(IV)-chlorid versetzt. Die Mischung wird 3 Stdn. bei Raumtemp. verrührt und schließlich 3 Stdn. unter Rückfluß erhitzt. Nach dem Zersetzen des Komplexes mit Eis und Salzsäure wird die Benzol-Schicht in üblicher Art und Weise aufgearbeitet. Nach dem Entfernen des Lösungsmittels und anschließender Destillation wird ein in der Vorlage erstarrendes schweres Öl aufgefangen; Ausbeute: 6,1 g (65% d. Th.); Kp$_2$: 133–136°; F: 61° (aus Hexan, farblose Nadeln).

Auch die Umsetzung von Thiophen mit 5-Methyl-thiophen-2-carbonsäure-chlorid wird in Benzol mit Zinn(IV)-chlorid als Katalysator vorgenommen, man erhält *5-Methyl-2-thienoyl-(2)-thiophen*[8]. Die Acylierung des 2-Methyl-thiophens mit 5-Methyl-thiophen-[6] oder 5-Chlor-thiophen-2-carbonsäure-chlorid[3], die zu *Bis-[5-methyl-thienyl-(2)]-keton* bzw. *5-Methyl-2-[5-chlor-thienoyl-(2)]-thiophen* führt, wird dagegen in Schwefelkohlenstoff in Gegenwart von Aluminiumchlorid durchgeführt. Auch Umsetzungen von 2-Äthyl-thiophen mit Thiophen-2-carbonsäure-chlorid oder 5-Äthyl-, 5-Chlor- oder 5-Brom-thiophen-2-carbonsäure-chlorid {*5-Äthyl-2-thienoyl-(2)-thiophen*, *Bis-[5-äthyl-thienyl-(2)]-keton* und *5-Äthyl-2-[5-chlor-(bzw.-5-brom)-thienoyl-(2)]-thiophen*} werden beschrieben[2]. Die Acylierung des 2,5-Dimethyl-thiophens mit Thiophen-2-carbonsäure-chlorid[6] oder 5-Brom-thiophen-2-carbonsäure-chlorid liefert analog *2,5-Dimethyl-3-thienoyl-(2)-thiophen* bzw. *2,5-Dimethyl-3-[5-brom-thienoyl-(2)]-thiophen*. Besonders gute Ausbeuten werden bei der Umsetzung von

[1] N. P. Buu-Hoï u. R. Royer, R. **67**, 186 (1948).
[2] N. P. Buu-Hoï, Soc. **1958**, 2418.
[3] N. P. Buu-Hoï, N. Hoán u. N. D. Xuong, R. **69**, 1083 (1950).
[4] N. P. Buu-Hoï u. N. Hoán, R. **67**, 309 (1948).
[5] N. P. Buu-Hoï u. R. Royer, R. **69**, 867 (1950).
[6] N. P. Buu-Hoï u. N. Hoán, R. **68**, 5 (1949).
[7] E. E. Campaigne u. H. L. Thomas, Am. Soc. **77**, 5368 (1955).
[8] Y. L. Goldfarb u. P. A. Konstantinov, Izv. Akad. SSSR **1956**, 992; C. A. **51**, 5041 (1957).

2,5-Dimethyl-thiophen mit 2,5-Dimethyl-thiophen-3-carbonsäure-chlorid zu *2,5,2′,5′-Tetramethyl-dithienyl-(3)-keton* oder von 2,5-Di-tert.-butyl-thiophen mit 2,5-Di-tert.-butyl-thiophen-3-carbonsäure-chlorid zu *Bis-[2,5-di-tert.-butyl-thienyl-(3)]-keton* erhalten, wenn man die Reaktion in Benzol durchführt und Zinn(IV)-chlorid als Katalysator verwendet[1]. 2-Chlor-thiophen wird durch Thiophen-2-carbonsäure-chlorid sowie durch 5-Chlor- oder 5-Brom-thiophen-2-carbonsäure-chlorid in Schwefelkohlenstoff in Gegenwart von Aluminiumchlorid zu *5-Chlor-2-thienoyl-(2)-thiophen, Bis-[5-chlor-thienyl-(2)]-keton* bzw. *5-Brom-2-[5-chlor-thienoyl-(2)]-thiophen* acyliert[2]. Analog verhält sich 5-Brom-thiophen bei der Umsetzung mit 5-Brom-thiophen-2-carbonsäure-chlorid, man erhält *Bis-[5-brom-thienyl-(2)]-keton*[3]. Die Acylierung von 2,5-Dichlor-thiophen mit Thiophen-2-carbonsäure-chlorid/Aluminiumchlorid erfolgt in 3-Stellung zu *2,5-Dichlor-3-thienoyl-(2)-thiophen*[4]. 2-(4-Methyl-phenyl)-thiophen und 2-(4-Chlor-phenyl)-thiophen reagieren unter analogen Bedingungen in der 5-Stellung zu *5-[4-Methyl-(bzw.-4-Chlor)-phenyl]-2-thienoyl-(2)-thiophen*[5]. Für die Monoacylierung von 2,2′-Bithienyl mit Thiophen-2-carbonsäure-chlorid oder 5-Methyl-thiophen-2-carbonsäure-chlorid, die zu *5-Thienoyl-(2)-* bzw. *5-[5-Methyl-thienoyl-(2)]-bithienyl-(2,2′)* führt, wird Zinn(IV)-chlorid als Katalysator verwendet[6].

4-Hydroxy-cumarin sowie 6-Methyl- oder 6-Chlor-4-hydroxy-cumarin werden durch Pyridin-carbonsäuren oder Chinolin-2- oder -4-carbonsäure in Phosphoroxychlorid mit hervorragenden Ausbeuten in 3-Stellung acyliert, man erhält u.a. *4-Hydroxy-* bzw. *6-Methyl-* und *6-Chlor-4-hydroxy-3-[chinolyl-(2- oder 4)-carbonyl]-cumarin*.

4-Hydroxy-3-pyridoyl-(3)-cumarin[7]: 5 g 4-Hydroxy-cumarin werden mit 7–8 g Pyridin-3-carbonsäure verrieben und mit 15–20 *ml* Phosphoroxichlorid versetzt. Unter starker Erwärmung und Chlorwasserstoff-Entwicklung setzt eine sofortige Reaktion ein, so daß vorerst bis zum Abflauen der exothermen Reaktion gekühlt wird. Dann wird das Reaktionsgut noch 15–30 Min. auf dem Wasserbade erwärmt. Es resultiert eine leicht bewegliche, bräunliche Flüssigkeit, die nach dem Abkühlen unter Rühren in die 5fache Menge Eiswasser gegossen wird. Es fallen schwach braune Nadeln aus, die durch Lösen in wenig Äthanol und Zusatz von Wasser als farblose Nadeln anfallen; Ausbeute: 85–90% d.Th.; F: 91–93°.

Analog erhält man

6-Methyl-4-hydroxy-3-pyridoyl-(3)-cumarin 85—90% d.Th.   F: 117—119°
6-Chlor-4-hydroxy-3-pyridoyl-(3)-cumarin . . 85—90% d.Th.   F: 140°

2,4-Dimethyl-5-äthoxycarbonyl-pyrrol kann in Gegenwart von Phosphoroxichlorid in Chloroform mit 2,4-Dimethyl-5-äthoxycarbonyl-pyrrol-3-carbonsäure-chlorid zu einem Keton kondensiert werden[8]:

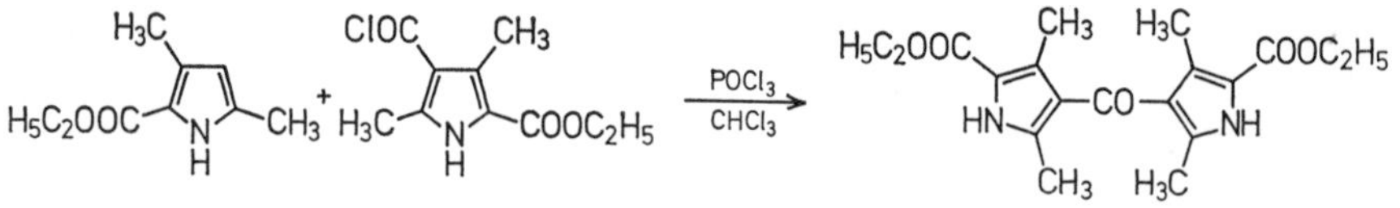

[1] Y. L. Goldfarb u. P. A. Konstantinov, Izv. Akad. SSSR **1959**, 121; C. A. **53**, 16103 (1959).
[2] N. P. Buu-Hoï, N. Hoán u. N. D. Xuong, R. **69**, 1083 (1950).
[3] N. P. Buu-Hoï u. N. Hoán, R. **68**, 5 (1949).
[4] N. P. Buu-Hoï u. D. Lavit, Soc. **1958**, 1723.
[5] N. P. Buu-Hoï u. N. Hoán, R. **69**, 1455 (1950).
[6] E. Lescot, N. P. Buu-Hoï u. N. D. Xuong, Soc. **1959**, 3236.
[7] DDRP 14639 (1956), H. Starke, Erf.: J. Klosa; C. A. **53**, 10255 (1959).
[8] A. Treibs u. K. Hintermeier, A. **605**, 42 (1957).

Bis-[2,4-Dimethyl-3-äthoxycarbonyl-pyrryl-(3)]-keton: Die Lösung von 1,1 g 2,4-Dimethyl-5-äthoxycarbonyl-pyrrol-3-carbonsäure-chlorid und 2,4 g 2,4-Dimethyl-5-äthoxycarbonyl-pyrrol (1 : 3 Mol) in 20 *ml* Chloroform wird mit 10 *ml* Phosphoroxichlorid 4 Stdn. zum Sieden erhitzt. Nach dem Abdampfen der blutroten Lösung wird aus dem Rückstand mit Äthanol/Wasser ein schwach rotes Kristallisat erhalten, das 2mal aus Äthanol-Wasser umkristallisiert wird; Ausbeute: 50% d.Th. (ber. auf das Carbonsäure-chlorid); F: 253°.

ϑ) Ketone aus Aromaten und Phosgen

Unter den Bedingungen der Friedel-Crafts'schen Synthese reagiert das Phosgen mit Aromaten sehr differenziert. In 1. Stufe führt es zu den Carbonsäure-chloriden, z.B.:

In diesen ist das Chlor erheblich weniger reaktionsfähig als im Phosgen, so daß es besonders bei solchen Aromaten, wie z.B. Chlorbenzol, deren Elektronendichte herabgesetzt ist, glatt gelingt, die Carbonsäure-chloride zu isolieren (z.B. *4-Chlorbenzoylchlorid*).

Benzoesäure[1] bzw. Benzoylchlorid lassen sich nicht mit Carbonsäure-chloriden nach Friedel-Crafts im aromatischen Kern kondensieren. Leitet man jedoch in eine Schmelze aus AlCl$_3$-NaCl-KCl und Benzoesäure (bzw. deren Substitutionsprodukten) zwischen 130–155° das hochreaktive Phosgen ein, dann tritt eine Carbonsäure-chlorid-Gruppe in m-Stellung ein. Da das so entstandene *Isophthalsäure-dichlorid* nicht weiterreagiert, ist dessen Ausbeute vorzüglich.

Bei der Aufarbeitung wurde jedoch nur *Isophthalsäure* isoliert. Es dürfte ohne Schwierigkeiten möglich sein, nach dem Verdünnen der Schmelze mit Nitrobenzol bei niederer Temperatur direkt mit Aromaten zu den Diketonen weiterzukondensieren.

In den Fällen, bei denen der Aromat jedoch besonders reaktiv ist, erhält man direkt die Ketone. Das klassische Beispiel hierfür ist die Herstellung von *Michlers Keton* aus N,N-Dimethyl-anilin, Phosgen und Zinkchlorid.

Allerdings hat diese Methode der Direktherstellung vielfach den Nachteil, daß man mit Aromaten, die bereits primär zu 2 isomeren Carbonsäure-chloriden führen, vielfach Keton-Gemische aus 3 Isomeren erhält, die oft nur schwer zu trennen sind.

4,4'-Bis-[dimethylamino]-benzophenon[2]:

4- und 2-Dimethylamino-benzoesäure-chlorid: Unter den üblichen Vorsichtsmaßnahmen läßt man zu 2 kg N,N-Dimethyl-anilin bei 15° innerhalb 12 Stdn. 400 g gekühltes fl. Phosgen zutropfen. Im Laufe von 36 Stdn. läßt man die Temp. auf 30° ansteigen. Dann werden innerhalb 3 Stdn. 140 g wasserfreies Zinkchlorid eingerührt. Durch schwaches Kühlen wird die Temp. auf 30° eingestellt. In der 1. Phase bildet sich ein Dimethylamino-benzoesäure-chlorid-Gemisch (~80% para und 20% ortho).

4,4'-Bis-[dimethylamino]-benzophenon: Die breiige Masse des Säurechlorid-Gemisches wird 24 Stdn. auf 42°, weitere 48 Stdn. auf 42–50° und zum Schluß 6 Stdn. auf 80° erhitzt. Hierauf rührt man in Eis und 2,4 *l* konz. Salzsäure ein. Der ausgeschiedene Kristallbrei

[1] DRP. 745447 (1940), I. G. Farb., Erf.: W. Braun; C. 1944 II, 165.
[2] s. Ullmann, Bd. 9, S. 561 (1957).
BIOS Final Rep. 986.
H. E. Fierz-David u. L. Blangey, *Farbenchemie*, 4. Aufl., S. 93, J. Springer, Wien 1938.

wird abgesaugt, mit heißem Wasser und wenig Salzsäure angeteigt, erneut abgesaugt, ausgewaschen, mit ammoniakhaltigem Wasser nachgewaschen und i. Vak. getrocknet; Ausbeute: ~ 720 g (~ 67% d. Th.); F: ~ 170°; aus Benzin (Kp: 180°) F: 174° (silbrige Blättchen).

Als Nebenprodukte fallen an 19% o,p'- und 3% o,o'-Di-Keton, Dimethylamino-benzoesäuren und ~ 2% Kristallviolett.

In gleicher Weise kann N,N-Diäthyl-anilin umgesetzt werden. 2-Dimethylamino-toluol[1] reagiert nicht einheitlich.

4,4'-Difluor-benzophenon[2]: Unter starkem Rühren und Kühlen mit Eis leitet man in eine Mischung aus 96 g (1 Mol) Fluorbenzol, 350 g (2,6 Mol) wasserfreiem Aluminiumchlorid und 100 *ml* Schwefelkohlenstoff innerhalb 4 Stdn. 120 g (1,21 Mol) Phosgen ein. Man läßt die Temp. auf 20° ansteigen und entfernt den Phosgen-Überschuß durch Einleiten von Stickstoff. Die Mischung wird auf Eis gegossen und die organische Phase abgetrennt. Nach dem Abdestillieren des Schwefelkohlenstoffs und des unveränderten Fluorbenzols wird der Rückstand aus Äthanol umgelöst; Ausbeute: 45 g (41,2% d. Th.); F: 104–105°.

4,4'-Dimethoxy-benzophenon (F: 143–144°) wird in guten Ausbeuten durch Eintragen von Aluminiumchlorid in eine vorgelegte Lösung der ber. Mengen Anisol und Phosgen in Tetrachlormethan erhalten[3].

4,4'-Dimethyl-benzophenon[4]: In 200 g einer 20%igen Lösung von Phosgen in Toluol trägt man innerhalb von 3–4 Stdn. 100 g Aluminiumchlorid ein, wobei mit dem Chlorwasserstoff überschüssiges Phosgen entweicht. Nach der üblichen Aufarbeitung hinterbleibt eine kristalline Masse, die noch das 4,2'-Isomere enthält. Nach mehrmaligem Umlösen aus Äthanol erhält man das reine Keton; F: 95°.

In ähnlicher Weise wurden u. a. erhalten:

Benzophenon[5]	*Bis-[acenaphthyl-(5)]-keton*[7]
2,4,2',4'-Tetramethyl-benzophenon[5]	*Bis-[pyrenyl-(3)]-keton*[8]
2,4,5,2',4',5'-Hexamethyl-benzophenon[6]	

Bei der Kondensation von 1,3-Diäthoxy-benzol mit Phosgen und Aluminiumchlorid in 1,2-Dichlor-äthan bei einem Temperaturverlauf von 0–50° entsteht als Hauptprodukt *2,2'-Dihydroxy-4,4'-diäthoxy*-benzophenon[9, vgl. a. 10].

Anstelle von Phosgen kann man auch Tetrachlormethan z. B. mit Benzol bei 20° kondensieren und das entstandene *Diphenyl-dichlor-methan* mit Wasserdampf zu *Benzophenon* hydrolysieren[11] (Gesamtausbeute ~ 85% d. Th.).

In diesem Zusammenhang sei erwähnt, daß 1-Hydroxy-naphthalin-2-carbonsäure und -2-sulfonsäure bei 20° in konz. Schwefelsäure mit Benzotrichlorid zu 4-Hydroxy-1-benzoyl-naphthalin-3-carbonsäure bzw. -3-sulfonsäure kondensieren[12], aus denen die Säure-Gruppen abgespalten werden können. 1-Hydroxy-naphthalin reagiert mit Benzotrichlorid in Gegenwart einer konz. Natriumacetat-Lösung und Kupferpulver bei 20° oder in Nitrobenzol und Zinkoxid bei ~ 100° zu *4-Hydroxy-1-benzoyl-naphthalin*[13].

Der Ersatz des Phosgens durch Oxalylchlorid ist im Folgenden beschrieben.

[1] B. RASSOW u. O. REUTER, J. pr. **85**, 489 (1912).

[2] G. OLÁH, A. PAVLÁTH u. I. KUHN, Acta chim. Acad. Sci. hung. **7**, 89 (1955).

[3] K. AUWERS, A. **356**, 127 (1907).

[4] H. LIMPRICHT, A. **312**, 92 (1900).

[5] R. E. WILSON u. E. W. FULLER, J. Ind. Eng. Chem. **14**, 406 (1922).

[6] F. WENZEL u. F. WOBISCH, M. **35**, 987 (1914).

[7] K. DZIEWONSKI et al., Roczniki Chem. **13**, 154 (1933); C. **1933** I, 3566.

[8] A. BERG, Acta chem. scand. **3**, 658 (1949).

[9] US. P. 2 693 492 (1954), General Aniline & Film Co., Erf.: P. E. HOCH; C. A. **49**, 14 805 (1955).

[10] US. P 2 789 140 (1957), General Aniline & Film Co., Erf.: W. H. v. GLAHN u. L. N. STANLEY; C. A. **51**, 13 927 (1957).

[11] Vgl. Org. Synth. Coll. Vol. **I**, 95, 2. Ed. 1956.

[12] DRP. 378 908, 378 909 (1922), CIBA; Frdl. **14**, 469 ff.

[13] DRP. 418 033, 418 034 (1923), CIBA; Frdl. **15**, 298 ff.

ι) Ketone aus Di- oder Poly-carbonsäure-halogeniden und

ι₁) *Benzol und seinen Homologen*

Die Anfangsglieder der Dicarbonsäure-dichlorid-Reihe nehmen bei der Friedel-Crafts'schen Kondensation eine Sonderstellung ein. Das Oxalylchlorid zerfällt bereits bei wenig erhöhter Temperatur in Gegenwart von Aluminiumchlorid in Phosgen und Kohlenmonoxid, so daß es praktisch nur mit sehr reaktionsfähigen Aromaten, bei denen die Reaktionstemperatur möglichst bei 0° liegt, gelingt, α,β-Diketone herzustellen; s. z. B. S. 247.

Oxalylchlorid kann daher allgemein an Stelle von Phosgen eingesetzt werden[1,2], z. B. zur Herstellung von Dithienyl-(2)-keton, Dipyrryl-(2)-keton u. a. S. 256.

Die Kondensation mit Malonsäure-dichloriden führt nicht ausschließlich zu 1,3-Diketonen, denn es fallen auch Monokondensationsprodukte an, die zur Kohlendioxid-Abspaltung neigen, oder es treten Ringschlüsse zu Indan-1,3-dionen ein:

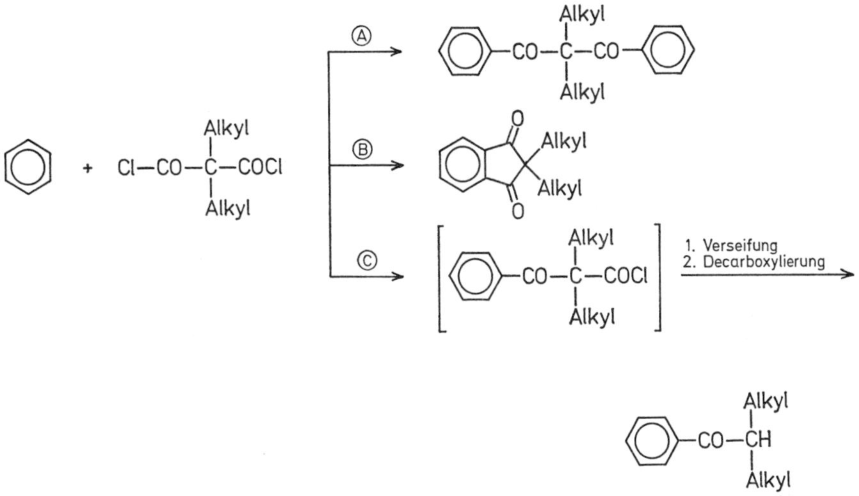

Die Kondensation von Dicarbonsäure-dichloriden I aus solchen Dicarbonsäuren, die leicht innere Anhydride bilden, ist nur von geringer Bedeutung, da diese

im Gleichgewicht mit II stehen und infolgedessen mehr oder weniger Kondensationsprodukte vom Typ

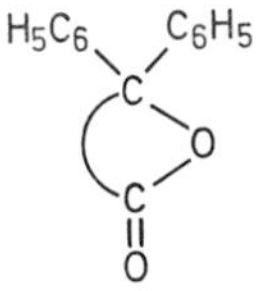

entstehen. Auf derartige Dicarbonsäure-dichloride wird daher nur kurz verwiesen.

---

[1] H. Staudinger, B. **41**, 3566 (1908).
[2] H. A. Fahim, Soc. **1949**, 520.

Mit den Anhydriden erhält man, wenn auch in 2 Stufen, stets bessere Ausbeuten an Diketonen.

Eigentlich erst ab Glutarsäure-dichlorid wird die Herstellung von Diketonen unkomplizierter.

4,4'-Diäthyl-benzil[1]: In eine aus 200 g wasserfreiem Aluminiumchlorid, 35 g Harnstoff und 65 g (0,52 Mol) Äthylbenzol bereitete Schmelze läßt man bei 0–5° unter Rühren langsam 38 g (0,3 Mol) Oxalsäure-dichlorid einfließen und rührt noch 4–5 Stdn. bei der gleichen Temp. weiter. Dann zerlegt man die Schmelze mit Eis, säuert mit Salzsäure an, schüttelt das ausgeschiedene Öl mit Äther aus, wäscht die ätherische Lösung mit verd. Natriumcarbonat Lösung, dann mit Wasser und trocknet sie mit wasserfreiem Natriumsulfat. Nach dem Verdampfen des Äthers wird das zurückbleibende Öl unter vermindertem Druck fraktioniert; Kp_4: 205–206° (goldgelbes Öl).

Benzil entsteht neben *Benzophenon* auch bei der Umsetzung von Benzol mit Oxalsäure-dibromid/Aluminiumbromid in Schwefelkohlenstoff, allerdings nur mit einer Ausbeute von 24% der Theorie[2].

Aus Malonsäure-dichlorid/Aluminiumchlorid und Benzol entsteht *1,3-Dioxo-1,3-diphenyl-propan* neben *3-Oxo-3-phenyl-propansäure*. Mit Toluol erhält man *1,3 Dioxo-1,3-bis-[4-methyl-phenyl]-propan* neben *4-Methyl-1-acetyl-benzol*[3]. Äthyl-benzol und die Xylole verhalten sich analog[3].

Bei der Acylierung des Benzols mit Äthyl-malonsäure-dichlorid/Aluminiumchlorid erhält man *1-Oxo-1-phenyl-2-benzoyl-butan* (*1,1-Dibenzoyl-propan*) neben Propiophenon und mit Äthylbenzol *1,3-Dioxo-2-äthyl-1,3-bis-[4-äthyl-phenyl]-propan* neben 1,3-Diäthyl-benzol[4,5]. Methyl-malonsäure-dichlorid liefert unter analogen Bedingungen mit Toluol *1,3-Dioxo-2-methyl-1,3-bis-[4-methyl-phenyl]-propan*[3].

Die Reaktion (A) (Formelschema S. 235) wird durch einen Überschuß an Kohlenwasserstoff begünstigt, die Umsetzung (B) ist erleichtert, wenn der Benzolring durch Alkyl-Reste substituiert ist oder wenn die Alkyl-Reste des Dialkyl-malonsäure-dichlorids mindestens Äthyl-Reste sind. So erhält man bei der Umsetzung von Dimethyl-malonsäure-dichlorid/Aluminiumchlorid in überschüssigem Benzol *1,3-Dioxo-2,2-dimethyl-1,3-diphenyl-propan* als Hauptreaktionsprodukt[6]. Wenn man Dimethyl-malonsäure-dichlorid mit nur einem Mol Benzol in Gegenwart von zwei Mol Aluminiumchlorid in Schwefelkohlenstoff reagieren läßt, ist *1-Oxo-2-methyl-1-phenyl-propan* Hauptreaktionsprodukt neben etwas *1,3-Dioxo-2,2-dimethyl-1,3-diphenyl-propan* und sehr geringen Mengen an *1,3-Dioxo-2,2-dimethyl-indan*[1]. 4-Methyl-1-isopropyl-benzol ergibt unter analogen Bedingungen *1,3-Dioxo-2,2,4-trimethyl-7-isopropyl-indan*[7]. Auch Tetralin[8] und 2a,3,4,5-Tetrahydro-acenaphthen[9] reagieren mit Dimethyl-malonsäure-dichlorid zu 1,3-Dioxo-2,2-dimethyl-indan-Derivaten (Formel s. S. 237).

Diäthyl-malonsäure-dichlorid ergibt bei der Umsetzung mit äquivalenten Mengen Benzol in Schwefelkohlenstoff *1,3-Dioxo-2,2-diäthyl-indan* als Hauptreaktionsprodukt

---

[1] DBP. 913891 (1952), BASF, Erf.: W. Braun; C. A. **52**, 14691 (1958).
[2] H. Staudinger, B. **45**, 1596 (1912).
[3] A. Béhal u. V. Auger, Bl. [3] **9**, 696 (1893).
[4] V. Auger, A. ch. [6] **22**, 349 (1891).
[5] A. Béhal u. V. Auger, C. r. **110**, 194 (1890).
[6] E. Rothstein u. R. W. Saville, Soc. **1949**, 1966.
[7] M. Freund u. K. Fleischer, A. **399**, 182 (1913).
[8] K. Fleischer u. F. Siefert, A. **422**, 272 (1921).
[9] K. Fleischer u. F. Siefert, B. **53**, 1255 (1920).

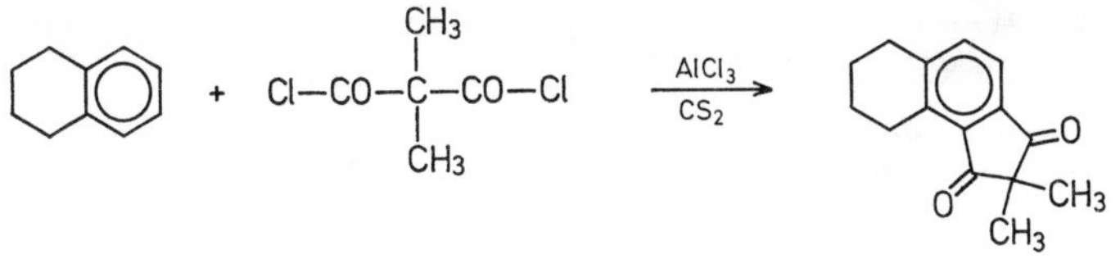

1,3-Dioxo-2,2-dimethyl-2,3,
6,7,8,9-hexahydro-1H-
⟨benzo-[e]-inden⟩

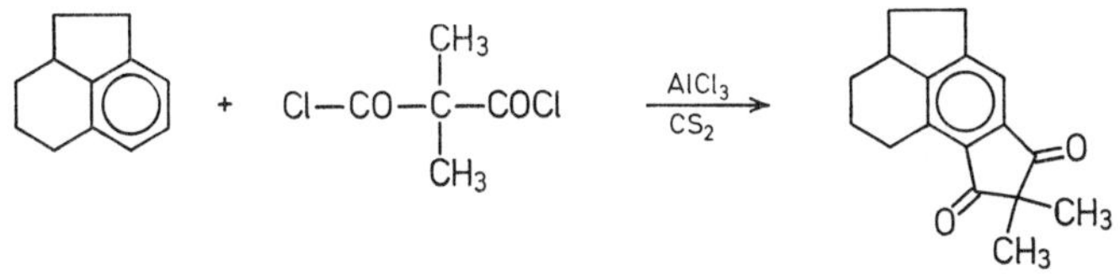

7,9-Dioxo-8,8-dimethyl-1,2,
3,3a,4,5,7,8-octahydro-9H-
⟨cyclopenta-[e]-
acenaphthylen⟩

neben *3,3-Dibenzoyl-pentan*[1,2]. Aus Toluol und Diäthyl-malonsäure-dichlorid erhält man unter analogen Bedingungen zwei isomere *1,3-Dioxo-x-methyl-2,2-diäthyl-indane* neben *3,3-Bis-[4-methyl-benzoyl-]-pentan*[3]:

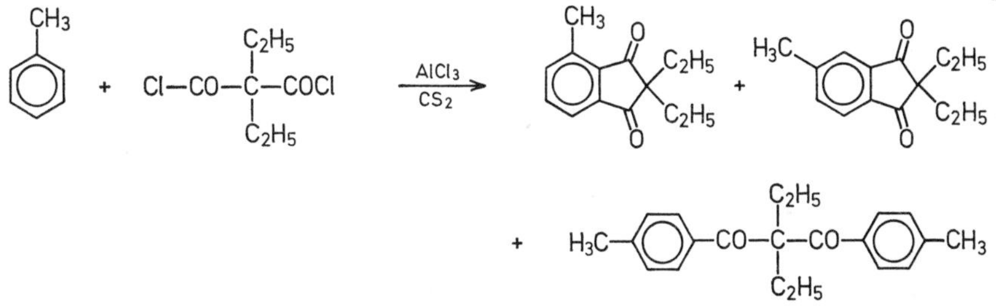

Zu 1,3-Dioxo-2,2-diäthyl-indan-Derivaten {*1,3-Dioxo-x,y-dimethyl-2,2-diäthyl-indan,* *1,3-Dioxo-x-methyl-2,2-diäthyl-y-isopropyl-indan,* *1,3-Dioxo-2,2-diäthyl-1,2,3,5,6,7-* *hexahydro-⟨cyclopenta-[f]-inden⟩* bzw. *1,3-Dioxo-4-äthyl-2,2-diäthyl-2,3,6,7,8,9-hexa-* *hydro-1H-⟨benzo-[e]-inden⟩*} führen auch Umsetzungen von Diäthyl-malonsäure-dichlorid mit mehrfach alkylierten Benzolen wie z.B. m- oder p-Xylol[4], 4-Methyl-1-isopropyl-benzol[2,3], Indan[5] oder 6-Methyl-tetralin[6]. Analog verhält sich Dipropyl-malonsäure-dichlorid, man erhält *1,3-Dioxo-2,2-dipropyl-indan* und *4,4-Dibenzoyl-heptan* und mit 4-Methyl-1-isopropyl-benzol *1,3-Dioxo-4-methyl-2,2-dipropyl-7-iso-propylindan*[7].

[1] M. FREUND u. K. FLEISCHER, A. **373**, 306 (1910).
[2] M. FREUND, K. FLEISCHER u. E. GOFFERJÉ, A. **414**, 1 (1918).
[3] K. FLEISCHER, A. **422**, 231 (1921).
[4] M. FREUND u. K. FLEISCHER, A. **411**, 14 (1916).
[5] J. v. BRAUN, G. KIRSCHBAUM u. H. SCHUHMANN, B. **53**, 1155 (1920)
[6] K. FLEISCHER u. E. RETZE, B. **56**, 228 (1923).
[7] M. FREUND u. K. FLEISCHER, A. **399**, 182 (1913).

Aus Difluor-malonsäure-dichlorid/Aluminiumchlorid und überschüssigem Benzol wird nur *2,2-Difluor-1,3-dioxo-1,3-diphenyl-propan* erhalten.

2,2-Difluor-1,3-dioxo-1,3-diphenyl-propan[1]: Eine Lösung von 8,6 g (0,049 Mol) Difluor-malonsäure-dichlorid in 25 *ml* wasserfreiem Benzol wird bei 10° zu einer gerührten Suspension von 14,7 g (0,11 Mol) gepulvertem Aluminiumchlorid in 100 *ml* Benzol getropft. Die Mischung wird 30 Min. bei Raumtemp. gerührt und dann auf 100 g zerstoßenes Eis und 10 *ml* konz. Salzsäure gegossen. Nach der Trennung der Schichten wird die wäßrige Phase mit Benzol extrahiert, die vereinigten benzolischen Lösungen werden mit verd. Salzsäure, mit Wasser, mit verd. Natronlauge und noch 1 mal mit Wasser gewaschen, über Natriumsulfat getrocknet. Das Benzol wird abdestilliert; Ausbeute: 9 g (68% d.Th.). Nach 2 Sublimationen bei 85–90°/0,25 Torr und Umkristallisation aus Methanol; F: 59–59,5° (glänzende Blättchen).

Bei der Umsetzung von Bernsteinsäure-dichlorid/Aluminiumchlorid mit Benzol können drei Reaktionsprodukte entstehen, nämlich *4-Oxo-4-phenyl-butansäure, 1,4-Dioxo-1,4-diphenyl-butan*[2] und *γ,γ-Diphenyl-γ-butyrolacton*[3] (analog der sog. Phthalid-Kondensation des Phthalsäure-dichlorids S. 235 u. 241).

Größere Mengen an *4-Oxo-4-phenyl-butansäure* entstehen, wenn man weniger als zwei Mol Benzol pro Mol Bernsteinsäure-dichlorid verwendet. In überschüssigem Benzol werden bis zu 55% d.Th. an *1,4-Dioxo-1,4-diphenyl-butan* erhalten[4]. Die Entstehung des Lactons scheint durch milde Reaktionsbedingungen begünstigt zu werden[5,6]. Bei der Umsetzung von Bernsteinsäure-dichlorid/Aluminiumchlorid mit überschüssigem Toluol unter gelindem Erwärmen entstehen *1,4-Dioxo-1,4-bis-[4-methyl-phenyl]-butan* und *γ,γ,Bis-[4-methyl-phenyl]-γ-butyrolacton* nebeneinander[7, vgl. 8], während bei den Reaktionen mit m- oder p-Xylol und 1,2,4-Trimethyl-benzol nur *1,4-Dioxo-1,4-bis-[2,4-(bzw.-2,5)-dimethyl-phenyl]-butan* und *4-Oxo-4-[2,4-(bzw.-2,5)-dimethyl-phenyl]-butansäure* beobachtet werden[2].

2,3-Diphenyl-bernsteinsäure-dichlorid ergibt mit überschüssigem Benzol in Gegenwart von Aluminiumchlorid *1,4-Dioxo-1,2,3,4-tetraphenyl-butan* (89% d.Th.)[9]. Auch Umsetzungen von *d,l*-2,3-Dibrom-, *d,l*-2,3-Dichlor- und *meso*-2,3-Dichlor-bernsteinsäure-dichlorid mit Benzol zu *2,3-Dichlor-(bzw.-2,3-Dibrom)-1,4-dioxo-1,4-diphenyl-butan* werden beschrieben[5].

[1] E. J. P. FEAR, J. THROWER u. J. VEITCH, Soc. **1956**, 3202.
[2] A. CLAUS, B. **20**, 1374 (1887).
[3] V. AUGER, Bl. [2] **49**, 345 (1888).
[4] M. PROTIVA, M. BOROVIČKA u. J. PLIML, Collect. czech. chem. Commun. **21**, 607 (1956).
[5] R. E. LUTZ, Am. Soc. **49**, 1106 (1927).
[6] W. BORSCHE, A. **526**, 17 (1936).
[7] H. LIMPRICHT, A. **312**, 115 (1900).
[8] H. BURTON u. D. A. MUNDAY, Soc. **1957**, 1727.
[9] J. A. McRAE, A. B. BANNARD u. R. B. ROSS, Canad. J. Res. [B] **28**, 82 (1950).

trans-Cyclobutan-1,2-dicarbonsäure-dichlorid ergibt mit überschüssigem Benzol in Gegenwart von Aluminiumchlorid bei 60° *trans-1,2-Dibenzoyl-cyclobutan*[1]. Wenn man eine Mischung der *cis-* und *trans*-Form dieses Dicarbonsäure-dichlorids unter analogen Bedingungen mit Benzol umsetzt, erhält man fast ausschließlich *trans-1,2-Dibenzoyl-cyclobutan*[2]. *trans*-Cyclopentan-1,2-dicarbonsäure-dichlorid wird in Schwefelkohlenstoff mit Benzol oder 1,3,5-Trimethyl-benzol zur Reaktion gebracht, man isoliert dabei *trans-1,2-Dibenzoyl-*bzw. *trans-1,2-Bis-[2,4,6-trimethyl-benzoyl]-cyclopentan* (76% bzw. 51% d.Th.)[3]. Analog werden ausgehend vom *trans*-Cyclohexan-1,2-dicarbonsäure-dichlorid mit mäßigen Ausbeuten *trans-1,2-Dibenzoyl-*, *trans-1,2-Bis-[2,4,6-trimethyl-benzoyl]-*, bzw. *trans-1,2-Bis-[2,3,4, 6-(bzw. 2,3,5,6)-tetramethyl-benzoyl]-cyclohexan* gewonnen[4].

Glutarsäure-dichlorid ergibt mit überschüssigem Benzol[5,6] und etwas mehr als zwei Mol Aluminiumchlorid *1,5-Dioxo-1,5-diphenyl-pentan* (76% d. Th.)[7] neben wenig *5-Oxo-pentansäure*. Umsetzungen von Glutarsäure-dichlorid oder 3-Methyl-glutarsäure-dichlorid mit Hexylbenzol oder *1,3,5-Trimethyl-benzol* zu *1,5-Dioxo-1,5-bis-[4-hexyl-phenyl]-*, *1,5-Dioxo-1,5-bis-[2,4,6-trimethyl-phenyl]-*, *1,5-Dioxo-3-methyl-1,5-bis-[4-hexyl-phenyl]-* und *1,5-Dioxo-3-methyl-1,5-bis-[2,4,6-trimethyl-phenyl]-pentan* werden in Schwefelkohlenstoff unter sonst analogen Bedingungen vorgenommen[6].

1,5-Dioxo-3,3-dimethyl-1,5-diphenyl-pentan[8]: In einen 2-*l*-Dreihalskolben, der mit KPG-Rührer, Tropftrichter und Rückflußkühler versehen ist, gibt man 150 g (1,12 Mol) fein gepulvertes Aluminiumchlorid und 750 *ml* (8,5 Mol) Benzol. Unter Kühlung in einem Eisbad läßt man innerhalb von 45 Min. 98,5 g (0,5 Mol) 3,3-Dimethyl-glutarsäure-dichlorid, welches mit absol. Benzol verdünnt ist, zutropfen. Während der Zugabe wird intensiv gerührt. Nach Zugabe des Säurechlorides entfernt man die Kühlung und rührt noch weitere 2 Stdn. bei Zimmertemperatur. Darauf gibt man das Reaktionsgemisch langsam unter Rühren in eine Mischung von 0,5 kg Eis und 200 *ml* konz. Salzsäure. Nach dem Abtrennen der Benzol-Schicht schüttelt man die wäßrige Lösung nochmals mit Benzol aus und wäscht die vereinigten Benzol-Lösungen mit verd. Natriumcarbonat-Lösung und darauf mit Wasser. Nach dem Abdestillieren des Benzols erhält man einen zähen Sirup, der nach dem Anreiben mit einer kleinen Menge Methanol kristallin erstarrt. Dieses Rohprodukt wird unter Zusatz von Tierkohle aus Methanol umkristallisiert; Ausbeute: 97 g (69,3% d. Th.); F: 89°.

Durch erneutes Umkristallisieren aus Ligroin (Kp: 40–80°) erhält man das Diketon analysenrein; F: 93° (korr.).

Aus 3,3-Dimethyl-glutarsäure-dichlorid und überschüssigem 1,3,5-Trimethyl-benzol erhält man in Schwefelkohlenstoff *1,5-Dioxo-3,3-dimethyl-1,5-bis-[2,4,6-trimethyl-phenyl]-pentan* (43% d. Th.)[6].

Hexandisäure-dichlorid und Benzol führt zu *1,6-Dioxo-1,6-diphenyl-hexan* (~ 80% d. Th.)[9] neben wenig *6-Oxo-6-phenyl-hexansäure*[10]. Analog verlaufen Um-

---

[1] T.-Y. Kao u. R. C. Fuson, Am. Soc. **54**, 1120 (1932).

[2] E. Ellingboe u. R. C. Fuson, Am. Soc. **56**, 1774 (1934).

[3] R. C. Fuson et al., J. Org. Chem. **10**, 121 (1945).

[4] R. C. Fuson, S. C. Speck u. W. R. Hatchard, J. Org. Chem. **10**, 55 (1945).

[5] V. Auger, A. ch. [6] **22**, 358 (1891).

[6] M. Lipp, F. Dallacker u. S. Munnes, A. **618**, 110 (1958).

[7] C. G. Overberger u. J. J. Monagle, Am. Soc. **78**, 4470 (1956).

[8] H. Stetter u. H.-J. Krause, B. **87**, 210 (1954).

[9] R. C. Fuson u. J. T. Walker, Org. Synth. Coll. Vol. II, S. 169.

[10] E. Bauer, A. ch. [9] **1**, 343 (1914).

setzungen von Hexandisäure-dichlorid mit Toluol[1,2], m- oder p-Xylol[1] oder 1,3,5-Tri-methyl-benzol[1,3], die zu *1,6-Dioxo-1,6-bis-[4-methyl-* (bzw. *2,4-* oder *-2,5-dimethyl)-phenyl]-* bzw. *1,6-Dioxo-1,6-bis-[2,4,6-trimethyl-phenyl]-hexan* neben *6-Oxo-6-[4-methyl-*(bzw. *2,4-* oder *2,5-dimethyl)-phenyl]-* bzw. *6-Oxo-6-[2,4,6-trimethyl-phenyl]-hexansäure* führen. Hexandisäure-dichlorid/Aluminiumchlorid ergibt auch mit 3-Phenyl-propansäure-äthylester in Schwefelkohlenstoff ein Diketon[4]:

$$Cl-CO-(CH_2)_4-COCl \ + \ 2 \ \langle\bigcirc\rangle-CH_2-CH_2-COOC_2H_5 \ \xrightarrow[\substack{AlCl_3 \\ 50\%}]{CS_2}$$

$$(H_5C_2O-CO-CH_2-CH_2-\langle\bigcirc\rangle-CO-CH_2-CH_2-)_2$$

1,6-Dioxo-1,6-bis-[4-(2-äthoxycarbonyl-äthyl)-phenyl]-hexan

Wie Hexandisäure-dichlorid reagieren auch Heptandisäure-dichlorid[5], Nonandisäure-dichlorid[5], Decandisäure-dichlorid[6] oder Dodecandisäure-dichlorid[7] mit Benzol. Die Ausbeuten an *1,7-Dioxo-1,7-diphenyl-heptan, 1,9-Dioxo-1,9-diphenyl-nonan, 1,10-Dioxo-1,10-diphenyl-decan* und *1,12-Dioxo-1,12-diphenyl-dodecan* liegen meist um 70% der Theorie.

Fumarsäure-dichlorid ergibt mit überschüssigem Benzol in Gegenwart von mehr als zwei Mol Aluminiumchlorid *1,4-Dioxo-1,4-diphenyl-trans-buten-(2)*. Um hohe Ausbeuten zu erzielen (bis zu 83% d. Th.), muß man das Säurechlorid als letzte Komponente zum Reaktionsgemisch fügen[8-10]. Aus den Benzolhomologen werden analog mit Ausbeuten bis zu 60% d. Th. erhalten *1,4-Dioxo-1,4-bis-[4-methyl-phenyl]-trans-buten-(2)*[8], *1,4-Dioxo-1,4-bis-[4-äthyl-*(bzw. *4-propyl-; 4-butyl-; 4-pentyl-; 4-hexyl)-phenyl]-, 1,4-Dioxo-1,4-bis-[2,4-dimethyl-*(und *2,4,6-triisopropyl)-phenyl]-trans-butene-(2)*[11-13] und *1,4-Dioxo-1,4-bis-[2,4,6-trimethyl-phenyl]-trans-buten-(2)*[10].

2-Methyl-fumarsäure-dichlorid (Mesaconsäure-dichlorid) ergibt mit Benzol in einem Überschuß des Kohlenwasserstoffs[14] oder in Schwefelkohlenstoff[15] *1,4-Dioxo-2-methyl-1,4-diphenyl-trans-buten-(2)*. Analog verlaufen die Umsetzungen mit 1,3,5-Trimethyl-benzol zu *1,4-Dioxo-2-methyl-1,4-bis-[2,4,6-trimethyl-phenyl]-trans-buten-(2)*[16] und von Dimethyl-fumarsäure-dichlorid zu *1,4-Dioxo-2,3-dimethyl-1,4-diphenyl-* bzw. *-1,4-bis-[2,4,6-trimethyl-phenyl]-trans-buten-(2)*[17].

[1] W. Borsche, B. **52**, 2077 (1919).
[2] M. Ogawa u. S. Tanaka, J. chem. Soc. Japan, Ind. Chem. Sect. **55**, 299 (1952).
[3] T.-Y. Kao u. Y.-J. Lo, J. chin. chem. Soc. **3**, 355 (1935).
[4] J. Abell u. D. J. Cram, Am. Soc. **76**, 4409 (1954).
[5] L. Etaix, A. ch. [7] **9**, 389 (1896).
[6] W. Borsche u. J. Wollemann, B. **44**, 3185 (1911).
[7] C. G. Overberger u. M. Lapkin, Am. Soc. **77**, 4656 (1955).
[8] J. B. Conant u. R. E. Lutz, Am. Soc. **45**, 1303 (1923).
[9] R. E. Lutz, Org. Synth. Coll. Vol. III, 248 (1955).
[10] R. E. Lutz, Am. Soc. **52**, 3423 (1930).
[11] C. Weygand u. W. Lanzendorf, J. pr. [2] **151**, 204 (1938).
[12] E. A. Coulson, Soc. **1934**, 1410.
[13] R. C. Fuson u. J. Corse, Am. Soc. **67**, 2054 (1945).
[14] R. C. Fuson, C. L..Fleming u. R. Johnson, Am. Soc. **60**, 1994 (1938).
[15] R. E. Lutz u. R. J. Taylor, Am. Soc. **55**, 1177 (1933).
[16] R. E. Lutz u. D. H. Terry, Am. Soc. **64**, 2426 (1942).
[17] R. E. Lutz u. R. J. Taylor, Am. Soc. **55**, 1599 (1933).

Dibrom-fumarsäure-dichlorid ergibt mit überschüssigem Benzol *2,3-Dibrom-1,4-dioxo-1,4-diphenyl-trans-buten-(2)*[1]. Mit 1,3,5-Trimethyl-benzol in Schwefelkohlenstoff entsteht das erwartete *2,3-Dibrom-1,4-bis-[2,4,6-trimethyl-phenyl]-trans-buten-(2)*. Wenn man diese Umsetzung jedoch in Benzol vornimmt, erhält man, wahrscheinlich wegen sterischer Hinderung, ausschließlich *2,3-Dibrom-1,4-dioxo-1,4-diphenyl-trans-buten-(2)*[1].

Hexadien-(2,4)-disäure-dichlorid (Muconsäure-dichlorid) reagiert mit überschüssigem Benzol in Gegenwart von Aluminiumchlorid zu *1,6-Dioxo-1,6-diphenyl-hexadien-(2,4)*. Wie bei Acylierungen mit Fumarsäure-dichlorid muß auch in diesem Fall das Säurechlorid als letzte Komponente zur Reaktionsmischung zugefügt werden. Die Ausbeuten an Diketon liegen bei 89% der Theorie[2].

Aus 2-(Chlorcarbonyl-methyl)-glutarsäure-dichlorid (Methantriessigsäure-trichlorid) und Benzol erhält man in Gegenwart von Aluminiumchlorid *1,5-Dioxo-3-(2-oxo-2-phenyl-äthyl)-1,5-diphenyl-pentan* (23% d. Th.)[3]. Aus 3-(Chlorcarbonyl)-glutarsäure-dichlorid (Tricarballylsäure-trichlorid) und Benzol entsteht nicht das erwartete 1,5-Dioxo-1,5-diphenyl-3-benzoyl-pentan; denn das Säurechlorid reagiert in den isomeren Lactonformen:

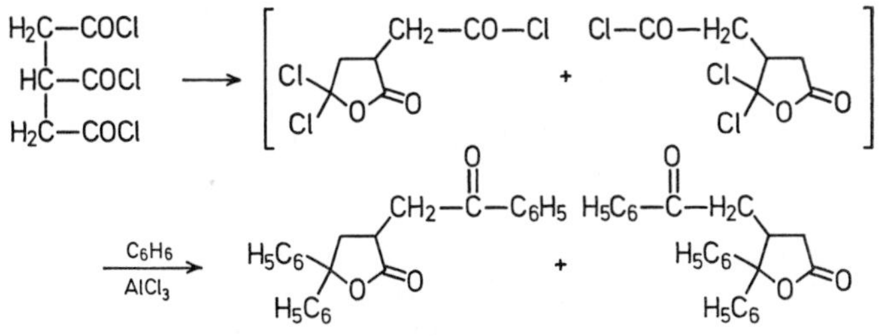

I; *α-(2-Oxo-2-phenyl-äthyl)-
γ,γ-diphenyl-γ-butyrolacton*   II; *β-(2-Oxo-2-phenyl-äthyl)-
γ,γ-diphenyl-γ-butyrolacton*

Dabei ist I das Hauptreaktionsprodukt[4].

Analoge Kondensationen des Tricarballylsäure-trichlorids mit Toluol oder m-Xylol führen zu *α-[2-Oxo-2-(4-methyl-phenyl)-äthyl]-8,8-bis-(4-methyl-phenyl)-γ-butyrolacton* bzw. *α-[2-Oxo-2-(2,4-dimethyl-phenyl)-äthyl]-γ,γ-bis-[2,4-dimethyl-phenyl)-γ-butyrolacton*[4].

Die Umsetzungen mit Phthalsäure-dichlorid sind nicht zu empfehlen,

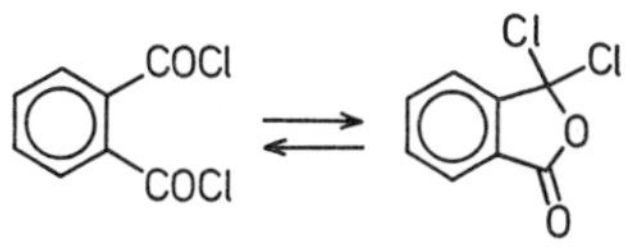

[1] R. E. Lutz, Am. Soc. **52**, 3405 (1930).
[2] P. S. Bailey u. J. H. Ross, Am. Soc. **71**, 2371 (1949).
[3] H. Stetter u. H. Stark, B. **92**, 735 (1959).
[4] W. Borsche u. H. Schmidt, B. **72**, 1830 (1939).

da es mit Benzol in der Wärme vorwiegend zu *1,1-Diphenyl-phthalid*[1] führt:

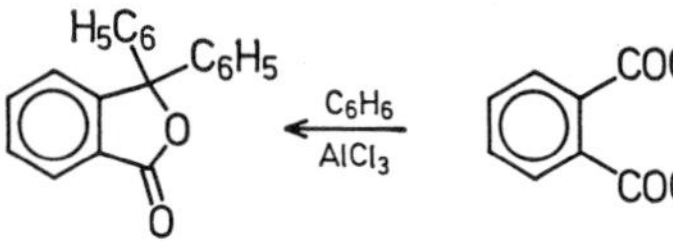

Wenn man Phthalsäure-dichlorid in Gegenwart von Aluminiumchlorid mit 1,3,5-Trimethyl-benzol, 1,3,5-Triäthyl-benzol, 1,3,5-Triisopropyl-benzol, 1,2,4,5-Tetramethyl-benzol oder 1,2,3,5-Tetramethyl-benzol umsetzt, dann entstehen wohl aus sterischen Gründen *1,2-Bis-[2,4,6-trimethyl-* (bzw. *2,4,6-triäthyl-*; bzw. *2,4,6-triisopropyl-* sowie *2,3,5,6-tetramethyl-* und *2,3,4,6-tetramethyl)-benzoyl]-benzol*[2, vgl. a. 3-5].

1,2-Bis-[2,4,6-trimethyl-benzoyl]-benzol[2]: 45 g (0,22 Mol) Phthalsäure-dichlorid werden langsam zu einer gerührten Mischung aus 86 g (0,72 Mol) 1,3,5-Trimethyl-benzol, 50 g (0,37 Mol) Aluminiumchlorid und 110 *ml* Schwefelkohlenstoff getropft. Während des Zutropfens wird die Mischung mit einem Eisbad gekühlt, dann rührt man noch 12 Stdn. bei Raumtemp. Man zersetzt den Aluminiumchlorid-Komplex mit kalter, verd. Salzsäure. Das Lösungsmittel und unverändertes 1,3,5-Trimethyl-benzol werden durch Wasserdampfdestillation entfernt. Das Diketon, das als viskoses Öl zurückbleibt, wird mit 150 *ml* Äther behandelt. Das sich abscheidende feste, gelbe Material wird abgesaugt und mehrfach mit verd. Natriumcarbonat-Lösung, dann mit heißem Äthanol gewaschen und aus einer Mischung aus Waschbenzin und Benzol umkristallisiert; Ausbeute: 50 g (61% d. Th.); F: 230–232° (fast farblose Kristalle).

Isophthalsäure-dichlorid ergibt mit Benzol in einem Überschuß des Kohlenwasserstoffs in Gegenwart von etwas mehr als zwei Mol Aluminiumchlorid *1,3-Dibenzoyl-benzol* neben *3-Benzoyl-benzoesäure (3-Carboxy-benzophenon)*[6]. Analog verläuft die Umsetzung mit m-Xylol zu *1,3-Bis-[2,4-dimethyl-benzoyl]-benzol* neben *3-(2,4-Dimethyl-benzoyl)-benzoesäure (2',4'-Dimethyl-3-carboxy-benzophenon)*[7]. 1,3,5-Trimethyl-benzol setzt man in Schwefelkohlenstoff mit Isophthalsäure-dichlorid um; man isoliert *1,3-Bis-[2,4,6-trimethyl-benzoyl]-benzol* (94% d. Th.)[8].

Auch Umsetzungen von 4,6-Dimethyl-isophthalsäure-dichlorid[9] und von 5-Nitro-4,6-dimethyl-isophthalsäure-dichlorid[10] mit überschüssigem Benzol liefern die erwarteten Diketone (*4,6-Dimethyl-1,3-dibenzoyl-benzol* bzw. *5-Nitro-4,6-dimethyl-1,3-dibenzoyl-benzol*) neben den entsprechenden 3-Benzoyl-benzoesäuren [*4,6-Dimethyl-3-benzoyl-benzoesäure (2,4-Dimethyl-5-carboxy-benzophenon)* bzw. *5-Nitro-4,6-dimethyl-3-benzoyl-benzoesäure (3-Nitro-2,4-dimethyl-5-carboxy-benzophenon)*]. Analog werden 4,6-Dibrom-isophthalsäure-dichlorid mit Benzol[11] oder Toluol[12] oder 4,6-Dibrom-5-nitro-

[1] M. Copisarew, Soc. **111**, 10 (1917).

[2] R. C. Fuson, S. B. Speck u. W. R. Hatchard, J. Org. Chem. **10**, 55 (1945).

[3] M. Copisarew u. C. Weizmann, Soc. **107**, 882 (1915).

[4] E. Clar, D. G. Stewart, Am. Soc. **76**, 3504 (1958).

[5] H. Burton u. D. A. Munday, Soc. **1957**, 1731.

[6] E. Ador, Bl. [2] **33**, 56 (1880).

[7] E. Clar, F. John u. B. Hawran, B. **62**, 945 (1929).

[8] R. C. Fuson et al., Am. Soc. **64**, 2574 (1942).

[9] H. de Diesbach, Helv. **6**, 539 (1923).

[10] H. de Diesbach u. L. Chardonnens, Helv. **7**, 614 (1924).

[11] L. Chardonnens u. R. Ritter, Helv. **38**, 393 (1955).

[12] L. Chardonnens u. M. Schmitz, Helv. **39**, 1981 (1956).

isophthalsäure-dichlorid[1] mit Benzol zur Reaktion gebracht. Man erhält *4,6-Dibrom-1,3-dibenzoyl-*(bzw. *-1,3-bis-[4-methyl-benzoyl])-benzol* neben *4,6-Dibrom-3-benzoyl-* [bzw. *-3-(4-methyl-benzoyl)]-benzoesäure (2,4-Dibrom-5-carboxy-* bzw. *2,4-Dibrom-4'-methyl-5-carboxy-benzophenon)* sowie *4,6-Dibrom-5-nitro-1,3-dibenzoyl-benzol* neben *4,6-Dibrom-5-nitro-3-benzoyl-benzoesäure (2,4-Dibrom-3-nitro-5-carboxy-benzophenon).*

Terephthalsäure-dichlorid reagiert mit Benzol[2], Toluol[3] oder m-Xylol[4] in einem Überschuß des Kohlenwasserstoffs in Gegenwart von Aluminiumchlorid zu entsprechenden 1,4-Dibenzoyl-benzolen (*1,4-Dibenzoyl-benzol, 1,4-Bis-[4-methyl-* (bzw. *2,4-dimethyl)-benzoyl]-benzol*); daneben entstehen die zugehörigen 4-Benzoyl-benzoesäuren [*4-Benzoyl-benzoesäure (4-Carboxy-benzophenon), 4-(4-Methyl-benzoyl)-benzoesäure (4'-Methyl-4-carboxy-benzophenon)* sowie *4-(2,4-Dimethyl-benzoyl)-benzoesäure (2',4'-Dimethyl-4-carboxy-benzophenon)*]. Bei der Umsetzung von einem Mol Terephthalsäure-dichlorid mit nur einem Mol m-Xylol in Schwefelkohlenstoff erhält man 35% d. Th. an *4-(2,4-Dimethyl-benzoyl)-benzoesäure (2',4'-Dimethyl-4-carboxy-benzophenon)* und 33% d. Th. an *1,4-Bis-[2,4-dimethyl-benzoyl]-benzol*[5]. Die Acylierung von 1,3,5-Trimethyl-benzol, 1,3,5-Triäthyl-benzol, 1,3,5-Triisopropyl-benzol oder 1,2,4,5-Tetramethyl-benzol mit Terephthalsäure-dichlorid in Schwefel-kohlenstoff führt zu den entsprechenden Diketonen {*1,4-Bis-[1,3,5-trimethyl-*(bzw. *1,3,5-triäthyl-;* bzw. *1,3,5-triisopropyl-* sowie *2,4,5,6-tetramethyl)-benzoyl]-benzol*} (44–67% d. Th.)[6], in Gegenwart eines großen Aluminiumchlorid-Überschusses in siedendem Schwefelkohlenstoff und bei einer Reaktionszeit von 22 Stdn., reagiert Terephthalsäure-dichlorid auch mit Hexaäthyl-benzol zu *1,4-Bis-[2,3,4,5,6-penta-äthyl-benzoyl]-benzol* (70% d. Th.)[7].

Wie Terephthalsäure-dichlorid verhält sich auch 2,5-Dimethyl-terephthalsäure-dichlorid bei Umsetzungen mit Benzol oder Toluol; man erhält *2,5-Dimethyl-1,4-di-benzoyl-*(bzw. *-1,4-bis-[4-methyl-benzoyl]-benzol* neben *2,5-Dimethyl-4-benzoyl-*[bzw. *-4-(4-methyl-benzoyl)]-benzoesäure (2,5-Dimethyl-4-carboxy-* bzw. *2,5,4'-Trimethyl-4-carboxy-benzophenon).*

Biphenyl-2,2'-dicarbonsäure-dichlorid ergibt mit Benzol oder Alkyl-benzolen je nach dem, wie man die Reaktionspartner aufeinander einwirken läßt, verschiedene Reaktionsprodukte. Wenn man zu einer Lösung des Säurechlorids in Benzol Aluminiumchlorid gibt, erhält man *9-Oxo-4-benzoyl-fluoren*[8]:

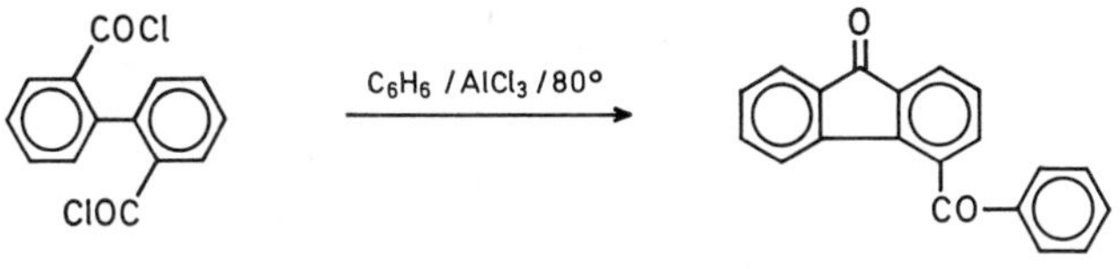

Wenn man jedoch zu einer Lösung von Biphenyl-2,2'-dicarbonsäure-dichlorid in Nitrobenzol zunächst Aluminiumchlorid und erst nach der Bildung des Säurechlorid-

[1] L. Chardonnens, M. Schmitz u. F. Maritz, Helv. **41**, 1254 (1958).
[2] E. Nölting u. O. Kohn, B. **19**, 146 (1886).
[3] E. Connerade, Bl. Soc. chim. Belg. **40**, 144 (1931).
[4] E. Clar, F. John u. B. Hawran, B. **62**, 945 (1929).
[5] E. Clar, F. John u. R. Avenarius, B. **72**, 2139 (1939).
[6] R. C. Fuson et al., Am. Soc. **64**, 25ä4 (1942).
[7] H. Hopff u. A. K. Wick, Helv. **43**, 1478 (1960).
[8] D. V. Nightingale, H. E. Heiner u. H. E. French, Am. Soc. **72**, 1875 (1950).

Aluminiumchlorid-Komplexes Benzol hinzugibt, isoliert man *9-Oxo-fluoren-4-carbon-
säure* als einziges Reaktionsprodukt[1]. In überschüssigem Toluol erhält man mit Bi-
phenyl-2,2'-dicarbonsäure-dichlorid und 2,7 Mol Aluminiumchlorid *2,2'-Bis-[4-methyl-
benzoyl]-biphenyl* (70% d. Th.)[1]. In Nitrobenzol werden bei der gleichen Umsetzung
9-Oxo-4-(4-methyl-benzoyl)-fluoren und *9-Oxo-fluoren-4-carbonsäure* als Reaktionsprodukte isoliert[1]. Analog verlaufen Umsetzungen des Säurechlorids mit o-[1], m-[1,2] oder
p-Xylol[1,3] sowie 1,3,5-Trimethyl-benzol[1,2], die zu *9-Oxo-4-[3,4- (bzw. 2,4-; bzw. 2,5)-
dimethyl-(bzw. 2,4,6-trimethyl)-benzoyl]-fluoren* neben *9-Oxo-fluoren-4-carbonsäure* führen. Als Verdünnungsmittel für die Acylierung von 1,2,4,5-Tetramethyl-benzol mit
Diphenyl-2,2'-dicarbonsäure-dichlorid zu *9-Oxo-4-(2,3,5,6-tetramethyl-benzoyl)-fluoren*
wird 1,1,2,2-Tetrachlor-äthan verwendet. Aus 6,6'-Dinitro-biphenyl-2,2'-dicarbon-
säure-dichlorid und Benzol oder Alkylbenzolen wie Toluol, m- oder p-Xylol oder
1,3,5-Trimethyl-benzol werden in Gegenwart von drei Mol Aluminiumchlorid in einem
Überschuß des Kohlenwasserstoffs entsprechende 6,6'-Dinitro-2,2'-diaroyl-biphenyle
{*6,6'-Dinitro-2,2'-dibenzoyl-, 6,6'-Dinitro-2,2'-bis-[4-methyl-(bzw. 2,4- oder 2,5-dimethyl-
und 2,4,6-trimethyl)-benzoyl]-biphenyl*} mit Ausbeuten zwischen 72% und 84% d.Th.
hergestellt[4]. Umsetzungen dieses Säurechlorids mit überschüssigem 1,2,4,5-Tetra-
methyl-benzol oder Pentamethyl-benzol in Schwefelkohlenstoff[4] führt zu *6,6'-Dinitro-
2,2'-bis-[2,3,5,6-tetramethyl-(bzw. pentamethyl)-benzoyl]-biphenyl*.

4,4'-Dimethyl-benzophenon-3,3'-dicarbonsäure-dichlorid   ergibt   mit   überschüssigem Benzol in Gegenwart von Aluminiumchlorid *4,4'-Dimethyl-3,3'-dibenzoyl-
benzophenon*[5]. Naphthalin-1,4-dicarbonsäure-dichlorid wird mit Benzol[6] oder
1,3,5-Trimethyl-benzol[7] in Schwefelkohlenstoff mit Aluminiumchlorid zu entsprechenden 1,4-Diaroyl-naphthalinen (*1,4-Dibenzoyl-* bzw. *1,4-Bis-[2,4,6-trimethyl-
benzoyl]-benzol*) umgesetzt. *1,5-Dibenzoyl-naphthalin* wird aus Naphthalin-1,5-
dicarbonsäure-dichlorid und Benzol in Nitrobenzol mit einer Ausbeute von 75%
d.Th. erhalten[6]. Besonderheiten bietet Naphthalin-1,8-dicarbonsäure-dichlorid, das
bei der Umsetzung mit Benzol zunächst in der Kälte, schließlich bei 80°, *8-Benzoyl-
naphthalin-1-carbonsäure*   neben   *8-(Hydroxy-diphenyl-methyl)-naphthalin-1-carbon-
säure-lacton* ergibt:

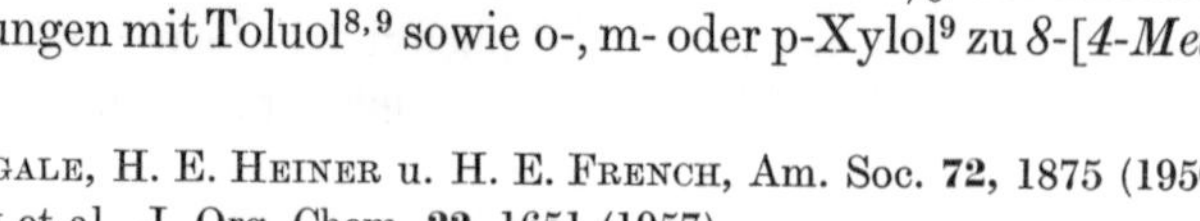

Ein Teil des Säurechlorids reagiert also auch hier in einer isomeren Form[8]. Mit
äquivalenten Mengen Benzol in 1,1,2,2-Tetrachlor-äthan erhält man *8-Ben-
zoyl-naphthalin-1-carbonsäure* mit Ausbeuten von 64—72% der Theorie[9]. Analog verlaufen Umsetzungen mit Toluol[8,9] sowie o-, m- oder p-Xylol[9] zu *8-[4-Methyl-(bzw. 2,4-;*

[1] D. V. NIGHTINGALE, H. E. HEINER u. H. E. FRENCH, Am. Soc. **72**, 1875 (1950).

[2] E. J. MORICONI et al., J. Org. Chem. **22**, 1651 (1957).

[3] F. BELL u. F. BRIGGS, Soc. **1938**, 1564.

[4] E. J. MORICONI et al., Am. Soc. **81**, 5950 (1959).

[5] H. DE DIESBACH, H. LEMPEN u. H. BENZ, Helv. **15**, 1249 (1932).

[6] R. SCHOLL u. H. NEUMANN, B. **55**, 118 (1922).

[7] R. C. FUSON et al., Am. Soc. **64**, 2573 (1942).

[8] H. E. FRENCH u. J. E. KIRCHER, Am. Soc. **63**, 3270 (1941).

[9] F. A. MASON, Soc. **125**, 2119 (1924).

bzw. *2,5-* oder *3,4-Dimethyl)-benzoyl]-naphthalin-1-carbonsäure*. Binaphthyl-(1,1')-4,4'- oder -5,5'-dicarbonsäure-dichlorid werden mit Benzol in Gegenwart von Aluminiumchlorid bei 70–80° zu *4,4'-Dibenzoyl-* bzw. *5,5'-Dibenzoyl-binaphthyl-(1,1')* umgesetzt[1]. Die Acylierung von Benzol durch Anthracen-1,4- oder -1,5-dicarbonsäure-dichlorid/Aluminiumchlorid zu *1,4-* bzw. *1,5-Dibenzoyl-anthracen* wird zweckmäßig in einem Benzol-Überschuß durchgeführt[2].

Die Ausbeuten an Diaroyl-anthrachinon, die durch Umsetzung von Anthrachinon-dicarbonsäure-dichloriden mit Benzol oder Alkylbenzolen in einem Überschuß des Kohlenwasserstoffs oder in Nitrobenzol mit Eisen(III)-chlorid oder Aluminiumchlorid erhalten werden, sind sehr unterschiedlich. Wenn eine der Carbonsäure-chlorid-Gruppen einer Carbonyl-Gruppe benachbart ist, entstehen oft Lactone als Hauptprodukte der Reaktion. So erhält man aus Anthrachinon-1,3-dicarbonsäure-dichlorid/Eisen(III)-chlorid und siedendem Benzol nur 29% d. Th. *1,3-Dibenzoyl-anthrachinon*[3] neben *9-Hydroxy-10-oxo-9-phenyl-3-benzoyl-9,10-dihydro-anthracen-1-carbonsäure-lacton*:

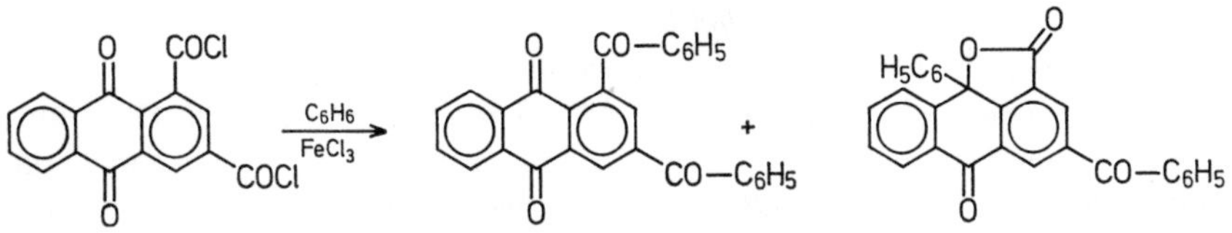

Ähnlich verlaufen Acylierungen von Benzol, Toluol, m-Xylol oder 1,3,5-Trimethylbenzol mit Anthrachinon-1,4-dicarbonsäure-dichlorid {zu *1,4-Dibenzoyl-*, *1,4-Bis-[4-methyl-(bzw. 2,4-dimethyl-; bzw. 2,4,6-trimethyl)-benzoyl]-anthrachinon*}[4] oder von Benzol sowie m- oder p-Xylol mit Anthrachinon-1,5-dicarbonsäure-dichlorid zu *1,5-Dibenzoyl-*, *1,4-Bis-[2,4- und 2,5-dimethyl-benzoyl]-anthrachinon*[5]. Dagegen erhält man aus Anthrachinon-1,6- oder -2,6-dicarbonsäure-dichlorid und m-Xylol in Nitrobenzol mit Aluminiumchlorid als Katalysator die zugehörigen *Bis-[2,4-dimethyl-benzoyl]-anthrachinone* mit Ausbeuten von 60% der Theorie[6]. Auch Umsetzungen von Anthrachinon-1,3,5,7-tetracarbonsäure-tetrachlorid mit Toluol oder m-Xylol {*1,3,5,7-Tetrakis-[4-methyl-(bzw. 2,4-dimethyl)-benzoyl]-anthrachinon*} und von Anthrachinon-1,4,5,8-tetracarbonsäure-tetrachlorid mit m-Xylol (*1,4,5,8-Tetrakis-[2,4-dimethyl-benzoyl]-anthrachinon*) werden beschrieben[7].

Hohe Ausbeuten an *1,6-, 1,8-* oder *4,9-Dibenzoyl-pyrenen* werden bei der Acylierung von siedendem Benzol durch Pyren-1,6-, -1,8- oder -4,9-dicarbonsäure-dichlorid mit Aluminiumchlorid als Katalysator erhalten[8]. Analog wird die Umsetzung von Pyren-1,3,6,8-tetracarbonsäure-tetrachlorid mit Benzol (*1,3,6,8-Tetrabenzoyl-pyren*) vorgenommen[8]. Chrysen-6,12-dicarbonsäure-dichlorid ergibt mit siedendem Benzol/

[1] C. SEER u. F. SCHOLL, A. **398**, 89 (1913).
[2] US. P. 1991687 (1933), DuPont, Erf.: R. N. LULEK u. M. A. PERKINS; C. A. **29**, 2366 (1935).
[3] R. SCHOLL, J. DONAT u. O. BÖTTGER, A. **512**, 124 (1934).
[4] R. SCHOLL u. K. MEYER, A. **512**, 112 (1934).
[5] R. SCHOLL, H. K. MEYER u. W. WINKLER, A. **494**, 201 (1934).
[6] R. SCHOLL u. K. MEYER, B. **65**, 1396 (1932).
[7] R. SCHOLL, K. MEYER u. A. KELLER, A. **513**, 295 (1934).
[8] H. VOLLMANN et al., A. **531**, 1 (1937).

Aluminiumchlorid *6,12-Dibenzoyl-chrysen*[1,2]; *3,9-Dibenzoyl-, 3,9-Bis-[4-methyl-*(bzw. *3,4-, 2,4-* sowie *2,5-dimethyl)-benzoyl]-perylen* werden aus Perylen-3,9-dicarbon-säure-dichlorid und Benzol[3] sowie Toluol, o-, m- oder p-Xylol[4] erhalten.

2,5-Dimethyl-furan-3,4-dicarbonsäure-dichlorid ergibt mit einem Benzolüber-schuß in Gegenwart von etwas mehr als zwei Mol Aluminiumchlorid *4,9-Dioxo-1,3-dimethyl-4,9-dihydro-⟨naphtho-[2,3-c]-furan⟩*. Dabei muß das Säurechlorid als letzte Komponente zum Reaktionsgemisch gegeben werden:

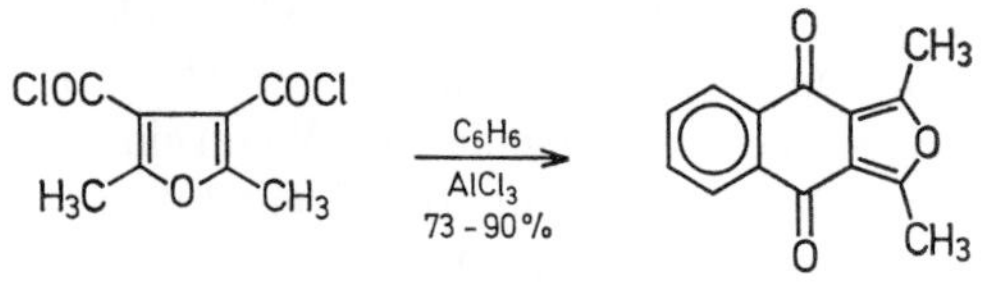

Bei der Umsetzung des Säurechlorids mit Toluol erhält man neben *4,9-Dioxo-1,3,6-trimethyl-4,9-dihydro-⟨naphtho-[2,3-c]-furan⟩* auch *2,5-Dimethyl-3,4-bis-[4-methyl-benzoyl]-furan*. Analog erhält man mit o-, m- oder p-Xylol *4,9-Dioxo-1,3,5,6-*(bzw. *-1,3,5,7-*; bzw. *-1,3,5,8)-tetramethyl-⟨naphtho-[2,3-c]-furan⟩* neben *2,5-Dimethyl-3,4-bis-[3,4-*(bzw.*-2,4-*; bzw. *-2,5)-dimethyl-benzoyl]-furan*. Mit 1,3,5-Trimethyl-benzol ent-steht *2,5-Dimethyl-3,4-bis-[2,4,6-trimethyl-benzoyl]-furan* neben wenig *2,5-Dimethyl-3-(2,4,6-trimethyl-benzoyl)-furan-4-carbonsäure*[5]. Umsetzungen von 2,5-Diphenyl-fu-ran-3,4-dicarbonsäure-dichlorid mit Benzol, Toluol und o-, m- oder p-Xylol ergeben ebenfalls cyclische Diketone {*4,9-Dioxo-1,3-diphenyl-5,6-*(bzw. *-5,7-*; bzw.*-5,8)-di-methyl-⟨naphtho-[2,3-c]-furan⟩*, mit 1,3,5-Trimethyl-benzol erhält man *2,5-Diphenyl-3,4-bis-[2,4,6-trimethyl-benzoyl]-furan*[5].

2,5-Dimethyl-1-butyl-pyrrol-3,4-dicarbonsäure-dichlorid ergibt mit Benzol, Toluol sowie o-, m- oder p-Xylol jeweils in einem Überschuß des Kohlenwasserstoffs die cyclischen Verbindungen[6] *4,9-Dioxo-1,3-dimethyl-*(bzw. *-1,3,6-trimethyl-*; bzw. *-1,3,6,7-tetramethyl)-2-butyl-4,9-dihydro-2H-⟨benzo-[f]-isoindol⟩*.

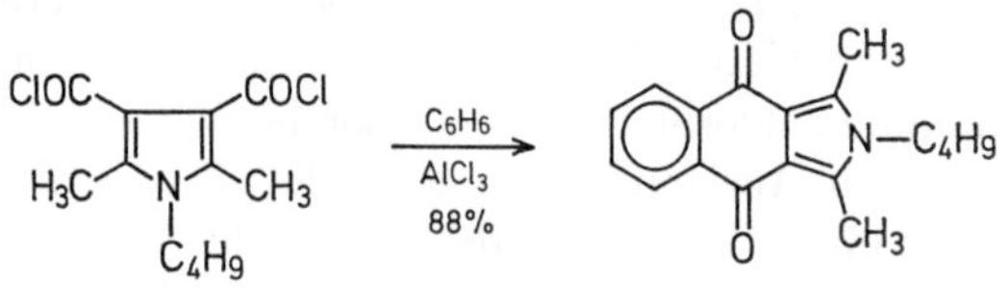

Mit 1,3,5-Trimethyl-benzol erhält man *2,5-Dimethyl-1-butyl-3,4-bis-[2,4,6-tri-methyl-benzoyl]-pyrrol*[6].

Aus Pyridin-2,5-dicarbonsäure-dichlorid und Benzol kann *2,5-Dibenzoyl-pyridin* hergestellt werden; man verwendet Schwefelkohlenstoff als Verdünnungsmittel und etwas mehr als drei Mol Aluminiumchlorid[3]. Analog wird aus Pyridin-2,6-dicarbon-säure-dichlorid und Benzol *2,6-Dibenzoyl-pyridin* erhalten[7]. Die Herstellung von *2,3,5,6-Tetrabenzoyl-pyridin* aus Dibenzoyl-pyridin-dicarbonsäure-dichlorid und Ben-zol wird beschrieben[8].

[1] K. Funke, E. Müller u. L. Vadasz, J. pr. [2] **144**, 265 (1936).
[2] K. Funke u. J. Ristic, J. pr. [2] **146**, 141 (1936).
[3] A. Pongratz, M. 52, 7 (1929).
[4] A. Pongratz, M. **56**, 163 (1930).
[5] D. V. Nightingale u. B. Sukornick, J. Org. Chem. **24**, 497 (1959).
[6] D. V. Nightingale u. J. A. Gallagher, J. Org. Chem. **24**, 501 (1959).
[7] R. Wolffenstein u. F. Hartwich, B. **48**, 2043 (1915).
[8] G. Machek, M. **59**, 175 (1932).

ι_2) *substituierten Benzol-Kohlenwasserstoffen*

Oxalsäure-dichlorid reagiert mit Phenoläthern häufig zu Benzil-Derivaten. Die Umsetzungen werden meist in Schwefelkohlenstoff in Gegenwart von mehr als zwei Mol Aluminiumchlorid pro Mol Oxalsäure-dichlorid durchgeführt. Als letzte Komponente wird entweder Aluminiumchlorid oder Oxalsäure-dichlorid zur gekühlten Reaktionsmischung gegeben. Auf diese Weise wird aus Anisol und Oxalsäure-dichlorid *4,4'-Dimethoxy-benzil* (80–90% d.Th.) erhalten[1,2]. Analog entsteht, allerdings mit geringeren Ausbeuten, aus Äthoxy-benzol *4,4'-Diäthoxy-benzil*[3] und aus 2-Methoxy-1-methyl-benzol *4,4'-Dimethoxy-3,3'-dimethyl-benzil*[2]. Das Hauptprodukt der Umsetzung von 1,2-Dimethoxy-benzol mit Oxalsäure-dichlorid ist *3,3',4,4'-Tetramethoxy-benzophenon* neben wenig *3,3',4,4'-Tetramethoxy-benzil*[1]. 1,3-Dimethoxy-benzol reagiert in 1,2-Dichlor-äthan mit Oxalsäure-dichlorid/Aluminiumchlorid zu *2,2',4,4'-Tetra-methoxy-benzil.*

2,2',4,4'-Tetramethoxy-benzil[4]: Eine gut gerührte Mischung aus 35 *ml* 1,3-Dimethoxy-benzol, 12,9 g (∼ 0,1 Mol) Oxalsäure-dichlorid und 200 *ml* 1,2-Dichlor-äthan wird auf 0° abgekühlt und langsam mit 30 g (0,225 Mol) Aluminiumchlorid versetzt, dabei wird die Temp. der Mischung unter 15° gehalten. Die Reaktionsmischung wird tieffarbig. Man verrührt noch 1 Stde. bei 15–20°; dann erhitzt man für 30 Min. auf 60°. Nach dem Abkühlen wird der Aluminiumchlorid-Komplex mit kalter, verd. Salzsäure zerlegt, die organische Schicht abgetrennt, mit Wasser und verd. Natronlauge gewaschen, getrocknet und destilliert. Man erhält einen Vorlauf von 5 *ml* 1,3-Di-methoxy-benzol. Das Reaktionsprodukt destilliert bei 240–260°/1 Torr und wird 2mal aus Äthanol umkristallisiert; Ausbeute: 19 g (57% d.Th.); F: 129–130° (farblose Kristalle).

Beim Erhitzen einer Mischung aus überschüssigem 1,3-Dimethoxy-benzol und Oxalsäure-dichlorid auf 170–180° während 90 Min. entsteht mit einer Ausbeute von 38% d.Th. *2,2',4,4'-Tetramethoxy-benzophenon*[4]. Während 1,4-Dimethoxy-benzol bei der Umsetzung mit Oxalsäure-dichlorid/Aluminiumchlorid *2,2',5,5'-Tetramethoxy-benzophenon* ergibt[1], erhält man bei der anlogen Umsetzung von 1,2,4-Trimethoxy-benzol *2,2',4,4',5,5'-Hexamethoxy-benzil* neben *2,2',4,4',5,5'-Hexamethoxy-benzo-phenon*[5]. In absolutem Benzol entsteht aus 1,2,4-Trimethoxy-benzol und Oxalsäure-dichlorid/Aluminiumchlorid *(2,4,5-Trimethoxy-phenyl)-glyoxylsäure [2-Oxo-2-(2,4,6-trimethoxy-phenyl)-essigsäure]*[5].

Diphenyläther ergibt mit Oxalsäure-dichlorid/Aluminiumchlorid in Schwefel-kohlenstoff *4,4'-Diphenoxy-benzil*[6]. Bei der analogen Umsetzung von Diphenylsulfid erhält man *4,4'-Bis-[phenylmercapto]-benzil*[7]. Aus Bis-[4-methyl-phenyl]-äther und Oxalsäure-dichlorid erhält man *2,7-Dimethyl-xanthon*[8]:

---

[1] H. Staudinger, E. Schlenker u. H. Goldstein, Helv. **4**, 334 (1921).

[2] P. C. Mitter u. H. Mukherjee, J. indian chem. Soc. **16**, 393 (1939).

[3] A. Schönberg u. O. Kramer, B. **55**, 1174 (1922).

[4] J. A. von Allen, J. Org. Chem. **23**, 1679 (1958).

[5] M. K. Oskolás, Acta Sci. Regiae Univ. Hung. Franzisco-Josephinae, Sect. Chem. Mineral. Phys. **2**, 165 (1932); C. A. **27**, 1874 (1933).

[6] A. Schönberg u. O. Kramer, B. **55**, 1174 (1922).

[7] W. Dilthey et al., J. pr. [2] **141**, 331 (1934).

[8] S. K. Kimoto et al., J. pharm. Soc. Japan **73**, 506 (1953).

Aus N,N-Dimethyl-anilin und Oxalsäure-dichlorid/Aluminiumchlorid kann man in Schwefelkohlenstoff *4,4'-Bis-[dimethylamino]-benzil* (38–40% d. Th.) herstellen[1].

Malonsäure-dichlorid reagiert in Gegenwart von etwas mehr als zwei Mol Aluminiumchlorid mit überschüssigem Anisol in Schwefelkohlenstoff nur mit 3% zu *1,3-Dioxo-1,3-bis-[4-methoxy-phenyl]-propan*[2]. Aus 4-Methoxy-1-methyl-benzol und Malonsäure-dichlorid/Aluminiumchlorid in Nitrobenzol erhält man *4-Hydroxy-6-methyl-cumarin*[3]. Unter analogen Bedingungen entsteht aus 1,3-Dimethoxy-benzol *1,3-Dioxo-1,3-bis-[2,4-dimethoxy-phenyl]-propan* neben etwas *1,3-Dioxo-3-(2-hydroxy-4-methoxy-phenyl)-1-(2,4-dimethoxy-phenyl)-propan*. 1,4-Dimethoxy-benzol liefert mit Malonsäure-dichlorid in Schwefelkohlenstoff *4-Hydroxy-6-methoxy-cumarin*. Unter analogen Bedingungen entstehen aus 1,4-Dimethoxy-benzol und Methyl- oder Äthyl-malonsäure-dichlorid *4-Hydroxy-6-methoxy-3-methyl-*(bzw. *-3-äthyl)-cumarin*[3]. Auch 1,3-Dimethoxy-benzol liefert mit Äthyl-malonsäure-dichlorid ein Cumarin-Derivat, nämlich *4-Hydroxy-7-methoxy-3-äthyl-cumarin*[3]. Aus 1,2- oder 1,4-Dimethoxy-benzol und Dialkyl-malonsäure-dichloriden wie Dimethyl- oder Diäthyl-malonsäure-dichlorid erhält man unter anderem Indandion-(1,3)-Derivate[4]; z.B. *4,5-*(bzw. *4,7)-Dimethoxy-1,3-dioxo-2,2-diäthyl-indan*.

Bernsteinsäure-dichlorid ergibt mit überschüssigem Anisol in Gegenwart von Aluminiumchlorid in Schwefelkohlenstoff bei −5° bis −10° *γ,γ-Bis-[4-methoxy-phenyl]-γ-butyrolacton*[5]. Wenn man diese Reaktion jedoch in siedendem Schwefelkohlenstoff vornimmt, erhält man überwiegend *1,4-Dioxo-1,4-bis-[4-methoxy-phenyl]-butan*.

1,4-Dioxo-1,4-bis-[4-methoxy-phenyl]-butan[5]: In ein Gemisch von 60 g (0,56 Mol) Anisol, 180 *ml* Schwefelkohlenstoff und 70 g (0,52 Mol) gepulvertem wasserfreiem Aluminiumchlorid, das unter Rühren auf dem Wasserbad von 60° zum Sieden erhitzt ist, werden 33 g (0,21 Mol) Bernsteinsäure-dichlorid innerhalb 3 Min. getropft. Die Reaktion tritt sofort unter heftiger Chlorwasserstoff-Entwicklung ein und ist nach 45 Min. beendet. Nach dem Erkalten wird der Schwefelkohlenstoff abgegossen, der feste Kolbeninhalt zersetzt und mit 200 *ml* Äther aufgenommen. Das darin praktisch unlösliche Diketon fällt in farblosen Kristallen an und wird aus Essigsäureäthylester umkristallisiert; Ausbeute: 11–13 g (18–21% d. Th.); F: 154° (Blättchen).
Bei der Aufarbeitung des Ätherextraktes werden 8 g (13% d. Th.) *γ,γ-Bis-[4-methoxy-phenyl]-γ-butyrolacton* isoliert; F: 108–109°.

Aus 1,2-Dimethoxy-benzol und Bernsteinsäure-dichlorid/Aluminiumchlorid in 1,1,2,2-Tetrachlor-äthan entsteht *1,4-Dioxo-1,4-bis-[3,4-dimethoxy-phenyl]-butan* neben etwas *4-Oxo-4-(3,4-dimethoxy-phenyl)-butansäure*[6].

Als Verdünnungsmittel für die Acylierung von Anisol durch Glutarsäure-dichlorid/Aluminiumchlorid erweist sich Dichlormethan als zweckmäßig[7].

1,5-Dioxo-1,5-bis-[4-methoxy-phenyl]-pentan[7]: 134 g (0,79 Mol) Glutarsäure-dichlorid werden im Verlaufe 1 Stde. zu einer kalten Lösung von 164 g (1,5 Mol) Anisol und 225 g (1,7 Mol) Aluminiumchlorid in 1 *l* Dichlormethan getropft. 2 Stdn. nach der Beendigung des Zutropfens gießt

---

[1] C. Tüzün, M. Ogliaruso u. E. J. Becker, Org. Synth. **41**, 1 (1961).

[2] J. van Steenis, R. **66**, 29 (1947).

[3] J. F. Garden, N. F. Hayes u. R. H. Thomson, Soc. **1956**, 3315.

[4] M. Freund u. K. Fleischer, A. **409**, 268 (1915).
  K. Fleischer, A. **422**, 231 (1921).

[5] E. Buchta u. G. Schaeffer, A. **597**, 129 (1955).

[6] F. Yamada u. S. Matsuda, J. chem. Soc. Japan, Ind. Chem. Sect. **59**, 59 (1956).

[7] M. Rosenblum et al., Am. Soc. **84**, 2732 (1962).

man die dunkelrote Reaktionsmischung auf eine Mischung aus 2 kg Eis und 200 *ml* konz. Salzsäure; die organische Phase wird abgetrennt und die wäßrige Phase mit 4 Portionen von je 1 *l* Benzol extrahiert. Die vereinigten organischen Phasen werden mit Wasser, mit Natrium-carbonat-Lösung und mit ges. Natriumchlorid-Lösung bis zur neutralen Reaktion gewaschen. Man destilliert das Benzol dann auf dem Wasserbad ab und füllt den Rückstand mit Äthanol auf 500 *ml* auf. Beim Abkühlen auf Raumtemp. scheiden sich 66 g (27% d.Th.) ab; F: 99,5–100,5°.

Wenn man die Reaktion in Schwefelkohlenstoff durchführt, isoliert man neben dem Diketon größere Mengen *5-Hydroxy-5,5-bis-[4-methoxy-phenyl]-pentansäurelacton*[1]. Die Umsetzung von Alkoxybenzolen mit n-Alkoxy-Gruppen bis zu sechs Kohlenstoffatomen mit Glutarsäure-dichlorid/Aluminiumchlorid in Schwefelkohlenstoff zu entsprechenden 1,5-Dioxo-1,5-bis-[4-alkoxy-phenyl]-pentanen mit Ausbeuten von 30–44% d.Th. wird beschrieben[2]. In der gleichen Größenordnung liegen auch die Ausbeuten an Diketonen {*1,5-Dioxo-1,5-bis-[3,4-dimethoxy-*(bzw. *2,3,4-trimethoxy)-phenyl]-pentan*}, die man aus 1,2-Dimethoxy-benzol[3] oder 1,2,3-Trimethoxy-benzol und Glutarsäure-dichlorid unter analogen Bedingungen erhält. Auch 3-Methyl-glutarsäure-dichlorid und 3,3-Dimethyl-glutarsäure-dichlorid ergeben mit Anisol *1,5-Dioxo-3-methyl-* (bzw. *-3,3-dimethyl)-1,5-bis-(4-methoxy-phenyl)-pentan*[2].

Aus Hexandisäure-dichlorid und überschüssigem Chlorbenzol erhält man in Gegenwart von Aluminiumchlorid *1,6-Dioxo-1,6-bis-[4-chlor-phenyl]-hexan* (75% d.Th.)[4]. Daneben werden 13% d.Th. an *6-Oxo-6-(4-chlor-phenyl)-hexansäure* isoliert. Für die Umsetzung von Anisol mit Hexandisäure-dichlorid zu *1,6-Dioxo-1,6-bis-[4-methoxy-phenyl]-hexan* verwendet man Schwefelkohlenstoff als Verdünnungsmittel[5]. 2-Nitro-1-methoxy-benzol läßt sich mit Hexandisäure-dichlorid/Aluminiumchlorid in Nitrobenzol zu *1,6-Dioxo-1,6-bis-[3-nitro-4-methoxy-phenyl]-hexan* umsetzen[6]. Die Acylierung von 1,2-Dimethoxy-benzol mit Hexandisäure-dichlorid[7], Nonandisäure-dichlorid[7, 8] oder Decandisäure-dichlorid[8, 9] wird in 1,1,2,2-Tetrachlor-äthan durchgeführt; man erhält *1,6-Dioxo-1,6-bis-[3,4-dimethoxy-phenyl]-hexan, 1,9-Dioxo-1,9-bis-[3,4-dimethoxy-phenyl]-nonan* bzw. *1,10-Dioxo-1,10-bis-[3,4-dimethoxy-phenyl]-decan* meist mit guten Ausbeuten. Analog werden Umsetzungen mit zahlreichen anderen Phenolen und Phenoläthern vorgenommen[10].

Fumarsäure-dichlorid ergibt mit Chlorbenzol in Schwefelkohlenstoff in Gegenwart von Aluminiumchlorid bei 45–50° *1,4-Dioxo-1,4-bis-[4-chlor-phenyl]-buten-(2)* (51% d.Th.)[11]. Analog werden 2- oder 4-Chlor-1-methyl-benzol[12] oder Brombenzol[12, 13] mit Fumarsäure-dichlorid zu *1,4-Dioxo-1,4-bis-[3-chlor-4-methyl-*(bzw.

---

[1] S. G. P. Plant u. M. L. Tomlinson, Soc. **1935**, 856.

[2] M. Lipp, F. Dallacker u. S. Munnes, A. **618**, 110 (1958).

[3] M. Pailer u. W. R. Reifschneider, M. **84**, 585 (1953).

[4] S. Skraup u. S. Guggenheimer, B. **58**, 2488 (1925).

[5] E. M. Richardson u. E. E. Reid, Am. Soc. **62**, 413 (1940).

[6] W. Borsche u. J. Barthenheier, A. **553**, 250 (1942).

[7] F. Yamada u. S. Matsuda, J. chem. Soc. Japan, Ind. Chem. Sect. **59**, 59 (1956).

[8] Jap. P. 429 (1956), Erf.: Y. Sumiki u. S. Tamura; C. A. **51**, 5829 (1957).

[9] S. Tamura et al., Journal of the Agricultural Chemical Society of Japan **27**, 877 (1953); C. A. 50, 6402 (1956).

[10] D. Chakravarti u. A. Chakravarti, J. Indian Chem. Soc. **46**, 743 (1969).

[11] J. B. Conant u. R. E. Lutz, Am. Soc. **45**, 1303 (1923).

[12] J. B. Conant u. R. E. Lutz, Am. Soc. **47**, 881 (1925).

[13] E. Campaigne u. W. O. Foye, J. Org. Chem. **17**, 1405 (1952).

-5-chlor-2-methyl-phenyl]- sowie *1,4-Dioxo-1,4-bis-[4-brom-phenyl]-buten-(2)* umgesetzt. Schwierigkeiten bereitet die Acylierung von Brom-1,3,5-trimethyl-benzol mit Fumarsäure-dichlorid/Aluminiumchlorid in Schwefelkohlenstoff, da Brom-1,3,5-trimethyl-benzol sich in Gegenwart von Aluminiumchlorid zu Dibrom- bzw. Tribrom-1,3,5-trimethyl-benzol und 1,3,5-Trimethyl-benzol disproportioniert[1]. Die Umsetzung von Anisol mit Fumarsäure-dichlorid wird in Nitrobenzol vorgenommen und ergibt *1,4-Dioxo-1,4-bis-[4-methoxy-phenyl]-buten-(2)* (31% d.Th.)[2]. Auch die Herstellung von *1,4-Dioxo-1,4-bis-[4-phenoxy-phenyl]-buten-(2)* aus Diphenyläther und Fumarsäure-dichlorid/Aluminiumchlorid in Schwefelkohlenstoff wird beschrieben[3]. Als Verdünnungsmittel für die Acylierung von Acetanilid verwendet man 1,1,2,2-Tetrachlor-äthan.

1,4-Dioxo-1,4-bis-[4-acetylamino-phenyl]-buten-(2)[4]: Eine Mischung aus 53,2 g (0,4 Mol) Aluminiumchlorid und 208 g 1,1,2,2-Tetrachlor-äthan wird unter 5° abgekühlt. Man gibt 29,8 g (0,22 Mol) Essigsäure-anilid und dann nach und nach eine Lösung von 15,3 g (0,1 Mol) Fumarsäure-dichlorid hinzu. Die Mischung wird dann langsam auf 70–80° erhitzt und bei dieser Temp. gehalten, bis die Reaktion beendet ist. Die Reaktionsmischung wird abgekühlt und auf 1 kg Eis und 25 *ml* konz. Salzsäure ausgetragen. Die abgetrennte organische Phase wird sorgfältig gewaschen, dann destilliert man das Lösungsmittel mit Wasserdampf ab. Das zurückbleibende feste Material wird mit Äthanol angerührt, abgesaugt und mit Äthanol gewaschen; Ausbeute: 26,2 g (80% d.Th.); F: 278° (aus Eisessig).

2-Methyl-fumarsäure-dichlorid (Mesaconsäure-dichlorid) reagiert mit überschüssigem Brombenzol in Gegenwart von Aluminiumchlorid bei Wasserbadtemperaturen nur einmal, man isoliert *4-Oxo-2-methyl-4-(4-brom-phenyl)-buten-(2)-säure*[5]. Dibrom-fumarsäure-dichlorid ergibt bei der Umsetzung mit Brombenzol dagegen das erwartete *2,3-Dibrom-1,4-dioxo-1,4-bis-[4-brom-phenyl]-buten-(2)*[6].

Phthalsäure-dichlorid ergibt auch mit substituierten Benzolkohlenwasserstoffen wie Halogenbenzolen oder Phenoläthern fast ausschließlich Phthalid-Derivate (s. S. 241).

Bei der Umsetzung von Isophthalsäure-dichlorid mit Anisol in Schwefelkohlenstoff in Gegenwart von Aluminiumchlorid erhält man *1,3-Bis-[4-methoxy-benzoyl]-benzol*[7]. Wenn man die Reaktionsmischung, die überschüssiges Aluminiumchlorid enthält, 3 Stdn. rückfließend kocht, erfolgt neben der Acylierung Äther-Spaltung, und man isoliert *1,3-Bis-[4-hydroxy-benzoyl]-benzol*[8]. Die Umsetzung von 4,6-Dimethyl-isophthalsäure-dichlorid mit überschüssigem 1,4-Dimethoxy-benzol/Aluminiumchlorid ergibt nach 7–8stdgm. Erhitzen auf 150° *4,6-Dimethyl-1,3-bis-[2-hydroxy-5-methoxy-benzoyl]-benzol*[9]. Bei einer analogen Umsetzung dieses Säurechlorids mit 1,4-Dichlor-benzol erhält man *4,6-Dimethyl-1,3-bis-[2,5-dichlor-benzoyl]-benzol* (75% d.Th.)[9].

[1] R. E. Lutz, E. C. Johnson u. J. L. Wood, Am. Soc. **60**, 716 (1938).
   R. E. Lutz u. C. J. Kibler, Am. Soc. **62**, 1520 (1940).
[2] E. Campaigne u. W. O. Foye, J. Org. Chem. **17**, 1405 (1952).
[3] R. E. Lutz, Am. Soc. **52**, 3423 (1930).
[4] US. P. 2852503 (1958), American Cyanamid Co., Erf.: R. S. Long u. J. E. Pretka; C. A. **53**, 15095 (1959).
[5] R. E. Lutz u. R. J. Taylor, Am. Soc. **55**, 1168 (1933).
[6] R. E. Lutz u. W. M. Eisher, Am. Soc. **56**, 2698 (1934).
[7] R. Weiss u. L. Chledowski, M. **65**, 357 (1935).
[8] F. F. Blicke u. R. H. Patelski, Am. Soc. **60**, 2283 (1938).
[9] H. de Diesbach, Helv. **6**, 539 (1923).

Terephthalsäure-dichlorid reagiert mit Anisol wie Isophthalsäure-dichlorid, unter milden Reaktionsbedingungen erhält man *1,4-Bis-[4-methoxy-benzoyl]-benzol*[1], nach längerem Erhitzen in Schwefelkohlenstoff isoliert man *1,4-Bis-[4-hydroxy-benzoyl]-benzol*[2]. Wenn man die Umsetzung der Reaktionspartner in Nitromethan mit Silberperchlorat als Katalysator vornimmt, erhält man *1,4-Bis-[4-methoxy-benzoyl]-benzol*[3]. Auch Umsetzungen von 2,5-Dimethyl-terephthalsäure-dichlorid mit 1,4-Dichlor-benzol[4] (?), Anisol oder 1,2-Dimethoxy-benzol[5] werden beschrieben, man erhält 2,5-*Dimethyl-1,4-bis-[2,5-dichlor(?)-(bzw. -3,4-dimethoxy- oder -4-methoxy)-benzoyl]-benzol.*

Biphenyl-2,2'-dicarbonsäure-dichlorid ergibt mit überschüssigem Anisol bei −10° und langsamem Aluminiumchlorid-Zusatz *2,2'-Bis-[4-methoxy-benzoyl]-biphenyl*[6,7]. Wenn man eine Lösung von Biphenyl-2,2'-dicarbonsäure-dichlorid in Nitrobenzol bei 0° mit Aluminiumchlorid versetzt und 1 Stde. bei Raumtemperatur verrührt, erhält man eine Mischung aus *9-Oxo-4-(4-methoxy-benzoyl)-fluoren* und *9,9-Bis-(4-methoxy-phenyl)-4-(4-methoxy-benzoyl)-fluoren*:

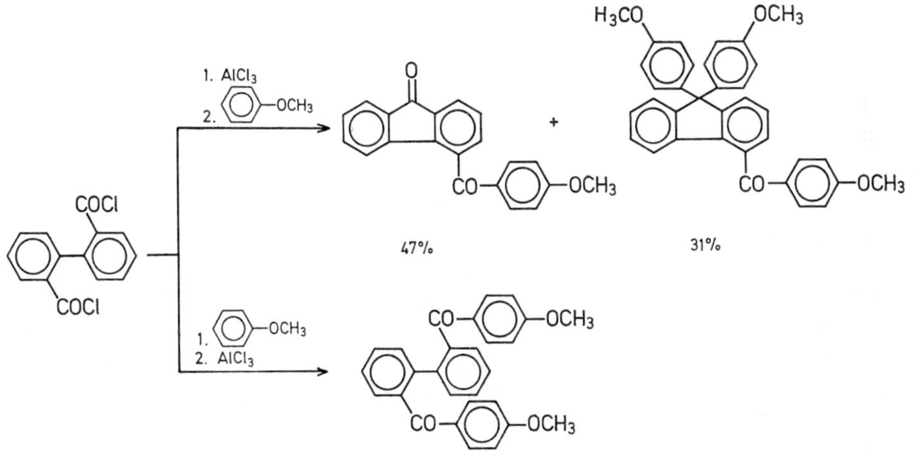

Wie Anisol verhalten sich auch 2-Methoxy-1-methyl-benzol und 1,2-Dimethoxy-benzol. Bei der Umsetzung mit Biphenyl-2,2'-dicarbonsäure-dichlorid[7] erhält man entweder *2,2'-Bis-[4-methoxy-3-methyl-* (bzw. *-3,4-dimethoxy)-benzoyl]-biphenyl* oder ein Gemisch aus *9-Oxo-4-[4-methoxy-3-methyl-(bzw.-3,4-dimethoxy)-benzoyl]-fluoren* und *9,9-Bis-[4-methoxy-4-methyl-phenyl]-4-(4-methoxy-3-methyl-benzoyl)-fluoren* bzw. *9,9-Bis-[3,4-dimethoxy-phenyl]-4-(3,4-dimethoxy-benzoyl)-fluoren.* Aus 3- oder 4-Methoxy-1-methyl-benzol und dem Säurechlorid entstehen in einem Überschuß des verwendeten Äthers oder in einem Lösungsmittel wie Schwefelkohlenstoff, Nitrobenzol oder 1,1,2,2-Tetrachlor-äthan bei tiefen Temperaturen *2,2'-Bis-[4-methoxy-*

[1] N. P. Buu-Hoï, T. B. Loc u. N. D. Xuong, Soc. **1957**, 3964.
[2] F. F. Blicke u. R. H. Patelski, Am. Soc. **69**, 2283 (1938).
[3] H. Burton u. D. A. Munday, Soc. **1957**, 1727.
[4] H. de Diesbach, Helv. **6**, 539 (1923).
[5] H. de Diesbach u. K. Strebel, Helv. **8**, 556 (1925).
[6] D. V. Nightingale, H. E. Heiner u. H. E. French, Am. Soc. **72**, 1875 (1950).
[7] D. V. Nightingale, R. L. Sublett u. R. H. Wise, Am. Soc. **74**, 2557 (1952).

2-methyl-(bzw. *-2-methoxy-5-methyl)-benzoyl]-biphenyl*, wenn man Aluminiumchlorid als letzte Komponente zusetzt. Wenn man das Säurechlorid mit dem Aluminiumchlorid in einem Lösungsmittel ~1 Stde. bei Raumtemperatur verrührt und den Phenoläther als letzte Komponente hinzufügt, erhält man *9-Oxo-4-[4-methoxy-2-methyl-*(bzw. *-2-methoxy-5-methyl)-benzoyl]-fluoren*[1]. 1,4-Dimethoxy-benzol reagiert unter den angegebenen Bedingungen nicht mit Biphenyl-2,2′-dicarbonsäure-dichlorid[1]. 6,6′-Dinitro-biphenyl-2,2′-dicarbonsäure-dichlorid ergibt mit überschüssigem Anisol in Gegenwart von 3 Mol Aluminiumchlorid pro Mol des Säurechlorids *6,6′-Dinitro-2,2′-bis-[4-methoxy-benzoyl]-biphenyl* (78% d. Th.)[2].

Umsetzungen von Biphenyl-4,4′-dicarbonsäure-dichlorid oder von Naphthalin-1,5-dicarbonsäure-dichlorid mit 3-Chlor-1-methyl-benzol werden in einem Überschuß des Kohlenwasserstoffs in Gegenwart von Aluminiumchlorid vorgenommen, und man erhält *4,4′-Bis-[2-chlor-4-methyl-benzoyl]-biphenyl* bzw. *1,5-Bis-[2-chlor-4-methyl-benzoyl]-naphthalin*[3]. Anthracen-9,10-dicarbonsäure-dichlorid ergibt mit überschüssigem Anisol/Aluminiumchlorid *9,10-Bis-[4-methoxy-benzoyl]-anthracen*[4]. Aus Anthrachinon-1,3,5,7-tetracarbonsäure-tetrachlorid und überschüssigem Chlorbenzol erhält man mit Aluminiumchlorid als Katalysator *1,3,5,7-Tetrakis-[4-chlor-benzoyl]-anthrachinon* neben *9,10-Bis-[4-chlor-phenyl]-3,7-bis-[4-chlor-benzoyl]-1,4-dicarboxy-anthracen*[5]. Chrysen-6,12-dicarbonsäure-dichlorid und überschüssiges Chlorbenzol/Aluminiumchlorid ergeben *6,12-Bis-[4-chlor-benzoyl]-chrysen*[6].

2,5-Dimethyl-furan-3,4-dicarbonsäure-dichlorid ergibt bei der Umsetzung mit Phenoläthern wie Anisol, 2- bzw. 4-Methoxy-1-methyl-benzol oder 1,3-Dimethoxybenzol in 1,1,2,2-Tetrachlor-äthan in Gegenwart von mehr als zwei Mol Aluminiumchlorid *2,5-Dimethyl-3,4-bis-[4-methoxy-*(bzw. *-4-methoxy-3-methyl-*; bzw. *-2-methoxy-5-methyl-*; bzw.*-2,4-dimethoxy)-benzoyl]-furan*[7]. Analog verläuft die Umsetzung von 2,5-Diphenyl-furan-3,4-dicarbonsäure-dichlorid mit Anisol, 1,2- oder 1,3-Dimethoxybenzol zu *2,5-Diphenyl-3,4-bis-[4-methoxy-*(bzw. *3,4-* oder *2,4-dimethoxy)-benzoyl]-furan*. Mit 2- oder 4-Methoxy-1-methyl-benzol erhält man dagegen *5-Methoxy-4,9-dioxo-6-*(bzw. *-8)-methyl-1,3-diphenyl-4,9-dihydro-⟨naphtho-[2,3-c]-furan⟩*[7]:

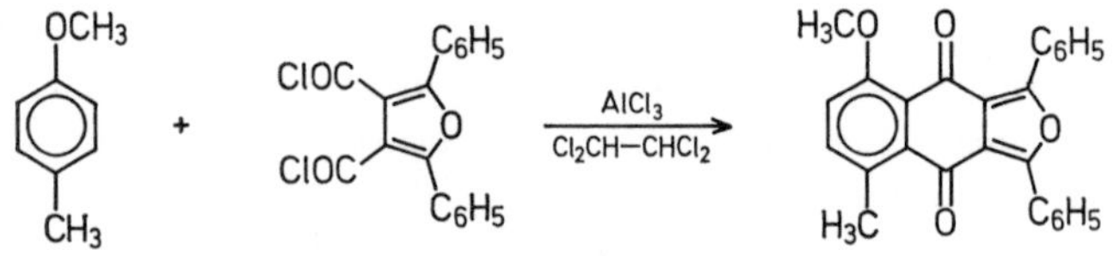

Bei der Umsetzung der beiden genannten Furan-3,4-dicarbonsäure-dichloride mit 3-Methoxy-1-methyl-benzol isoliert man nur amorphe Reaktionsprodukte[7].

[1] D. V. NIGHTINGALE, R. L. SUBLETT u. R. H. WISE, Am. Soc. **74**, 2557 (1952).
[2] E. J. MORICONI et al., Am. Soc. **81**, 5950 (1959).
[3] DRP 597717 (1934), I. G. Farb., Erf.: G. KRÄNZLEIN, E. DIEFENBACH u. M. CORELL; C. A. **28**, 5472 (1934).
[4] J. RIGAUDY u. J.-M. FARTHONAT, Bl. **1954**, 1261.
[5] R. SCHOLL, K. MEYER u. A. KELLER, A. **513**, 295 (1934).
[6] DRP 691644 (1940), I. G. Farb., Erf.: H. VOLLMANN u. H. BECKER; C. A. **35**, 4218 (1941).
[7] D. V. NIGHTINGALE u. H. L. NEEDLES, J. Heterocyclic Chem. **1**, 74 (1964).

ι_3) *Biphenyl oder Biphenyl-Derivaten*

Aus Biphenyl und Oxalsäure-dichlorid/Aluminium-chlorid wurde nur Biphenyl-4-carbonsäure isoliert. Wenn die 4,4′-Stellungen des Biphenyls durch Methyl-Gruppen verschlossen sind, erhält man Phenanthrenchinone. So entsteht aus 4,4′-Dimethyl-biphenyl- und molaren Mengen Oxalsäure-dichlorid in Gegenwart von Aluminiumchlorid in Schwefelkohlenstoff in der Kälte 2,7-Dimethyl-phenanthren-chinon neben 4,4′-Dimethyl-biphenyl-2,2′-dicarbonsäure[1]. Bei der analog durchgeführten Umsetzung von 2,2′,4,4′,5,5′-Hexamethyl-biphenyl mit Oxalsäure-dichlorid isoliert man 47% d. Th. 1,2,4,5,7,8-Hexamethyl-phenanthrenchinon neben 2,2′,4,4′, 5,5′-Hexamethyl-phenanthren-dicarbonsäure[2].

Aus Fluoren und überschüssigem Dimethyl-malonsäure-dichlorid/Aluminium-chlorid erhält man in Schwefelkohlenstoff *x-(2-Methyl-propanoyl)-fluoren* und zwei *1,3-Dioxo-2,2-dimethyl-2,3-dihydro-1H-⟨cyclopenta-[a; bzw. b]-fluorene⟩*[3]. Dipropyl-malonsäure-dichlorid ergibt unter ähnlichen Bedingungen mit Biphenyl *1,3-Dioxo-2,2-dipropyl-x-phenyl-2,3-dihydro-inden*[4].

Fumarsäure-dichlorid wird mit Biphenyl in Benzol[5] oder besser in Nitrobenzol zu *1,4-Dioxo-1,4-diphenyl-buten-(2)* umgesetzt.

1,4-Dioxo-1,4-diphenyl-buten-(2)[6]: Zu einer Lösung von 85 g (0,55 Mol) Biphenyl in 300 *ml* Nitrobenzol gibt man 80 g (0,6 Mol) Aluminiumchlorid. Die dunkle heiße Lösung wird in einem Eisbad abgekühlt, dann tropft man im Verlaufe von 15 Min. 38 g (0,25 Mol) Fumarsäure-dichlorid hinzu. Man rührt die Reaktionsmischung noch 20 Min. und trägt sie auf Eis und Salzsäure aus. Es scheidet sich festes gelbes Material ab, das zunächst durch Dekantieren, dann durch Absaugen vom Nitrobenzol und der wäßrigen Phase getrennt wird. Das Rohprodukt wird aus Chloroform umkristallisiert; Ausbeute: 90 g (93% d. Th.); F: 247–248° (kleine gelbe Kristalle).

Terephthalsäure-dichlorid wird mit Biphenyl in Gegenwart von Aluminium-chlorid ohne Lösungsmittel bei Wasserbadtemperatur umgesetzt; man isoliert *1,4-Bis-[4-phenyl-benzoyl]-benzol* neben *4-(4-Phenyl-benzoyl)-benzoesäure* (*4′-Phenyl-4-carboxy-benzophenon*)[7].

ι_4) *Naphthalin oder Naphthalin-Derivaten*

Bei der Umsetzung von 2-Methyl-naphthalin mit Oxalsäure-dichlorid/Alu-miniumchlorid in Schwefelkohlenstoff unter Eiskühlung erhält man, allerdings mit geringen Ausbeuten, *3-Methyl-acenaphthenchinon, 1,2-Dioxo-1,2-bis-[2-methyl-naph-thyl-(1)]-äthan* und 2-Methyl-naphthalin-1-carbonsäure[8]. Bei analog durchgeführten Umsetzungen von Oxalsäure-dichlorid mit 1,6-, 2,6- oder 2,7-Dimethyl-naphthalin entsteht neben den entsprechenden Naphthalincarbonsäuren *3,6-, 3,7-, bzw. 3,8-Dimethyl-acenaphthenchinon*[8]. Aus 1-Methoxy-naphthalin wird mit Aluminiumchlorid in Ligroin *Bis-[4-methoxy-naphthyl-(1)]-keton*[9] erhalten, hingegen soll in Schwefel-

[1] C. LIEBERMANN, B. **44**, 1453 (1911).

[2] C. LIEBERMANN u. M. KARDOS, B. **46**, 198 (1913).

[3] M. FREUND, K. FLEISCHER u. J. STEMMER, A. **414**, 44 (1918).

[4] M. FREUND u. K. FLEISCHER, A. **399**, 234 (1913).

[5] H. G. ODDY, Am. Soc. **45**, 2160 (1923).

[6] R. ADAMS u. M. H. GOLD, Am. Soc. **62**, 2041 (1940).

[7] W. SCHLENK u. M. BRAUNS, B. **46**, 4061 (1913).

[8] R. LESSER u. G. GAD, B. **60**, 242 (1927).

[9] M. GIUA, G. **47** I, 51 (1917).

kohlenstoff *1,2-Dioxo-1,2-bis-[4-methoxy-naphthyl-(1)]-äthan*[1] entstehen[vgl. a. 2]. Das Hauptprodukt der Reaktion von 2-Methoxy- oder 2-Äthoxy-naphthalin mit molaren Mengen Oxalsäure-dichlorid ist *1,2-Dioxo-1,2-dihydro-⟨naphtho-[2,1-b]-furan⟩*[1]:

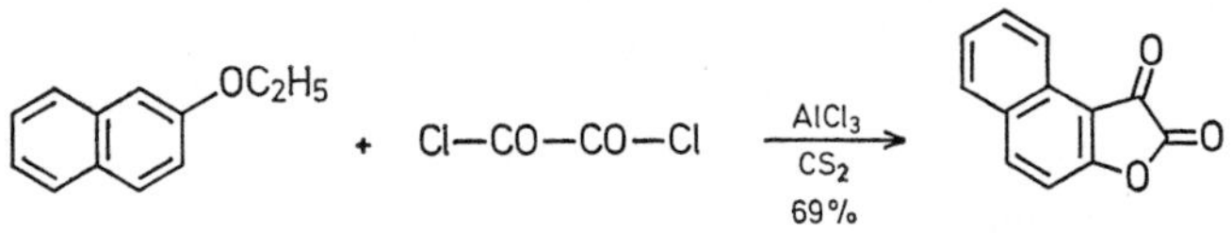

1,6-Dimethoxy-naphthalin ergibt mit Oxalsäure-dichlorid/Aluminiumchlorid in Schwefelkohlenstoff *6-Methoxy-1,2-dioxo-1,2-dihydro-⟨naphtho-[2,1-b]-furan⟩* neben *3,6-Dimethoxy-acenaphthenchinon*[3]. Bei der analogen Umsetzung von 2,7-Dimethoxy-naphthalin erhält man *8-Methoxy-1,2-dioxo-1,2-dihydro-⟨naphtho-[2,1-b]-furan⟩* und *3,8-Dimethoxy-acenaphthenchinon*[3].

Oxalsäure-dibromid reagiert mit Acenaphthen in Gegenwart von Aluminium-chlorid in Schwefelkohlenstoff mit sehr schlechten Ausbeuten zu *1,2-Dioxo-1,2,5,6-tetrahydro-⟨cyclopent-[f,g]-acenaphthylen⟩*[4]:

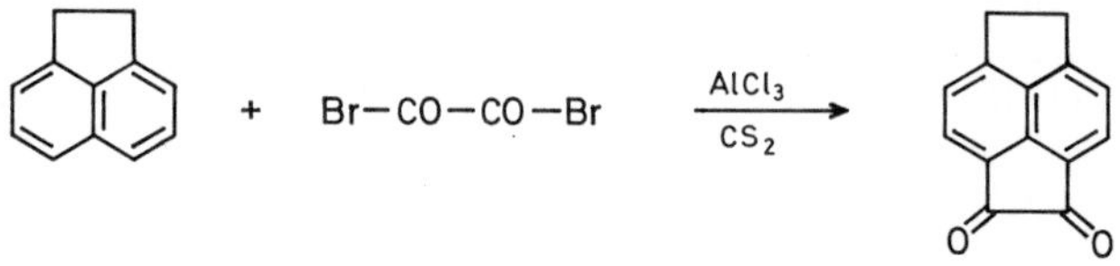

Auch Malonsäure-dichlorid[5] und Malonsäure-dibromid[6] kondensieren mit Naph-thalin in Schwefelkohlenstoff z. T. in peri-Stellung; man erhält *1,3-Dioxo-2,3-dihydro-1H-phenalen*:

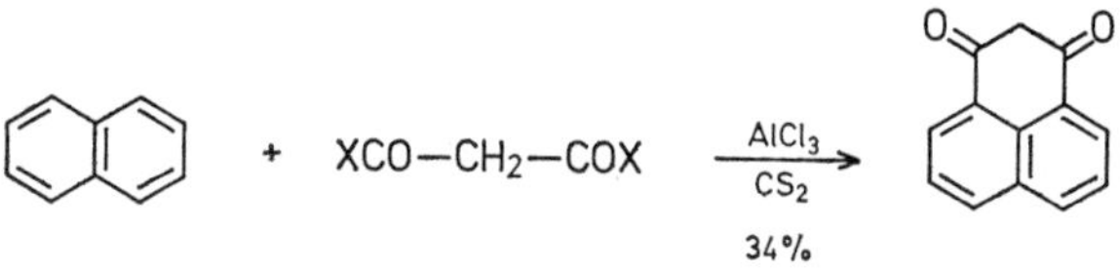

Bei der analog durchgeführten Umsetzung von Acenaphthen mit Malonsäure-dibromid entsteht *5,7-Dioxo-1,2,6,7-tetrahydro-5H-⟨cyclopenta-[c,d]-phenalen⟩*[7].

Aus Naphthalin und Dimethyl-[8] oder Diäthyl-malonsäure-dichlorid[9] erhält man *1,3-Dioxo-2,2-dimethyl-*(bzw. *-2,2-diäthyl)-2,3-dihydro-1H-phenalen* neben *1,3-Dioxo-*

[1] H. Staudinger, E. Schlenker u. H. Goldstein, Helv. **4**, 334 (1921).
[2] R. R. Galle, Ž. obšč. Chim. **8**, 402 (1938); C. A. **32**, 7910 (1938).
[3] R. Lesser u. G. Gad, B. **60**, 242 (1927).
[4] K. Fleischer u. P. Wolff, B. **53**, 925 (1920).
[5] DRP. 283365 (1913), BASF; C. **1915** I, 965.
[6] K. Fleischer u. E. Retze, B. **55**, 3280 (1927).
[7] K. Fleischer, H. Hittel u. P. Wolff, B. **53**, 1847 (1920).
[8] M. Freund u. K. Fleischer, A. **399**, 182 (1913).
[9] M. Freund u. K. Fleischer, A. **373**, 291 (1910).

2,2-dimethyl-(bzw. *-2,2-diäthyl)-2,3-dihydro-1H-⟨benzo-[f]-inden⟩* und *1,3-Dioxo-2,2-di-methyl-*(bzw. *-2,2-diäthyl)-2,3-dihydro-1H-⟨benzo-[e]inden⟩:*

Analog verlaufen Umsetzungen von Dialkyl-malonsäure-dichoriden mit 2-Methyl-naphthalin[1] cder Acenaphthen[2,3].

Bei der Umsetzung von **Fumarsäure-dichlorid** mit Naphthalin/Aluminium-chlorid in Benzol erhält man *1,4-Dioxo-1,4-dinaphthyl-(1)-buten-(2)* (41% d.Th.)[4].

Bei der Acylierung von Naphthalin mit **Isophthalsäure-dichlorid**/Alumi-niumchlorid in Schwefelkohlenstoff entsteht mit einer Ausbeute von 89% d.Th. *1,3-Dinaphthoyl-(1)-benzol*[5]. Analog erhält man mit 2-Methyl-naphthalin *1,3-Bis-[2-methyl-naphthoyl-(1)]-benzol*[6]. 4,6-Dichlor-isophthalsäure-dichlorid wird mit Naph-thalin in Dichlormethan umgesetzt und ergibt *4,6-Dichlor-1,3-dinaphthoyl-(1)-benzol*[7]. Kohlensäure-dinaphthyl-(1)-ester mit Isophthalsäure-dichlorid in 1,1,2,2-Tetrachlor-äthan führt zu *3-[4-Hydroxy-naphthoyl-(1)]-benzoesäure*[8].

Aus **Terephthalsäure-dichlorid** und Naphthalin in Schwefelkohlenstoff wird *1,4-Dinaphthoyl-(1)-benzol* (93% d.Th.)[5] und aus 2-Methyl-naphthalin *1,4-Bis-[2-methyl-naphthoyl-(1)]-benzol*[6] erhalten.

Mit einer Ausbeute von nur 12% d.Th. gelingt die Acylierung von Naphthalin mit **Biphenyl-2,2'-dicarbonsäure-dichlorid** in Schwefelkohlenstoff in Gegenwart von drei Mol Aluminiumchlorid zu *2,2'-Dinaphthoyl-(1)-biphenyl*[9]. Die Acylierung von Naphthalin mit **Perylen-3,9-dicarbonsäure-dichlorid** wird in Schwefelkohlen-stoff vorgenommen und ergibt *3,9-Dinaphthoyl-(1)-perylen*[10].

ι₅) Anthracen, Phenanthren oder höher kondensierten alicyclischen Ringsystemen

Anthracen ergibt mit molaren Mengen **Oxalsäure-dichlorid** in Schwefelkohlen-stoff in Gegenwart von Aluminiumchlorid unter Eiskühlung *1,2-Dioxo-aceanthren*[11];

[1] K. FLEISCHER, A. **422**, 231 (1921).
[2] M. FREUND u. K. FLEISCHER, A. **373**, 291 (1910).
[3] M. FREUND u. K. FLEISCHER, A. **402**, 51 (1913).
[4] R. E. LUTZ, Am. Soc. **52**, 3423 (1930).
[5] C. SEER u. O. DISCHENDORFER, M. **34**, 1493 (1913).
[6] E. CLAR, F. JOHN u. R. AVENARIUS, B. **72**, 2139 (1939).
[7] E. CLAR, W. KEMP u. D. G. STEWART, Tetrahedron, **3**, 325 (1958).
[8] DRP. 520860 (1929), I. G. Farb., Erf.: K. WINTER u. N. H. ROH; C. A. **25**, 3358 (1931).
[9] E. J. MORICONI et al., J. Org. Chem. **22**, 1651 (1957).
[10] A. PONGRATZ, M. **52**, 7 (1929).
[11] C. LIEBERMANN u. M. ZSUFFA, B. **44**, 202 (1911).

analog erhält man aus 2-Methyl-anthracen *1,2-Dioxo-3-methyl-aceanthren*[1,2]. Aus Chlor-anthracenen wie 1-Chlor-, 2-Chlor-, 1,5-Dichlor- oder 1,8-Dichlor-anthracen entstehen unter ähnlichen Bedingungen 7- bzw. *9-Chlor-1,2-dioxo-aceanthren* sowie die *5,10-* und *5,7-Dichlor*-Derivate[1]. 9,9'-Bianthryl reagiert in Gegenwart von Aluminium-chlorid in Schwefelkohlenstoff mit zwei Molekülen Oxalsäure-dichlorid zu *1,1',2,2'-Tetraoxo-bi-[aceanthryl-(6)]*[2,3], Benzo-[a]-anthracen mit einem Molekül Oxalsäure-dichlorid zu *1,2-Dioxo-1,2-dihydro-⟨benzo-[e]-aceanthrylen⟩*[4]. Pyren ergibt mit Oxal-säure-dichlorid/Aluminiumchlorid in siedendem Schwefelkohlenstoff *Dipyrenyl-(1)-keton*[5].

Anthracen reagiert mit Malonsäure-dichlorid/Aluminiumchlorid in eiskaltem Schwefelkohlenstoff in peri-Stellung, man isoliert u. a. *1,3-Dioxo-2,3-dihydro-1H-⟨benzo-[d,e]-anthracen⟩*[6]:

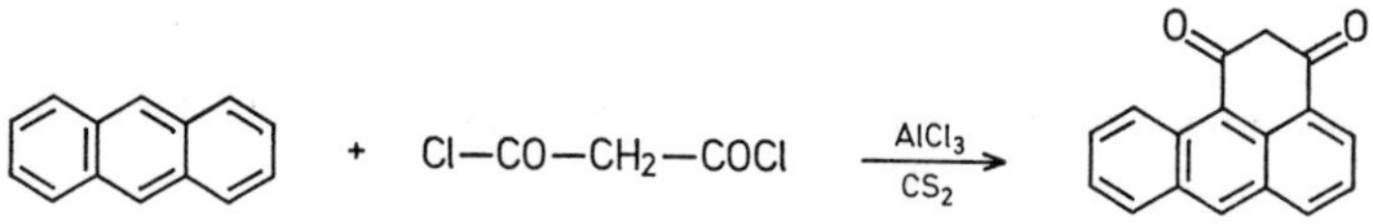

Isomere 1,3-Dioxo-2,2-dialkyl-indan-Derivate entstehen bei der Umsetzung von Anthracen[7,8], Phenanthren[7,8] oder 1-Methyl-7-isopropyl-phenanthren mit Dimethyl- oder Diäthyl-malonsäure-dichlorid; z.B. *2,2-Diäthyl-1,3-dioxo-2,3-dihydro-1H-⟨cyclo-penta-[a oder b]-anthracen⟩*, „Phenanthren-diäthyl-indandion" oder „Reten-diäthyl-indandion".

Perylen ergibt mit molaren Mengen Bernsteinsäure-dichlorid in Schwefel-kohlenstoff/Aluminiumchlorid *3-[1-Oxo-3-carboxy-propyl]-perylen[4-Oxo-4-perylenyl-(3)-butansäure]*[9]. Polycyclische Diketone werden bei der Umsetzung von Perylen-3,9-dicarbonsäure-dichlorid/Aluminiumchlorid mit Anthracen oder Phenan-thren in Schwefelkohlenstoff erhalten[10]; z.B. *3,9-Bis-[anthracenoyl-(9)]-* bzw. *-[phe-nanthrenoyl-(9)]-perylen*.

ι_6) reaktionsfähigen *Heterocyclen*

Thiophen ergibt mit Oxalsäure-dichlorid und Titan(IV)-chlorid als Kataly-sator *Dithienyl-(2)-keton*[11]. 2,4-Dimethyl-pyrrol und Oxalsäure-dichlorid, setzen sich in einer Mischung aus Äther und Petroläther bei −30° ohne Katalysator zu *Bis-[3,5-dimethyl-pyrryl-(2)]-keton* und *[3,5-Dimethyl-pyrryl-(2)]-glyoxylsäure*[12] um; auf ähn-

[1] C. Liebermann u. D. Butescu, B. **45**, 1213 (1912).

[2] A. Dansi u. A. Sempronj, G. **66**, 182 (1936).

[3] C. Liebermann, M. Kardos u. G. Mühle, B. **48**, 1648 (1915).

[4] G. M. Badger u. A. R. M. Gibbs, Soc. **1949**, 799.

[5] A. Berg, Acta chem. scand. **3**, 655 (1949).

[6] M. Kardos, B. **46**, 2086 (1913).

[7] M. Freund u. K. Fleischer, A. **399**, 182 (1913).

[8] M. Freund u. K. Fleischer, A. **373**, 291 (1910).

[9] A. Zinke, H. Troger u. E. Ziegler, B. **73**, 1042 (1940).

[10] A. Pongratz u. A. Halabarda, M. **56**, 163 (1930).

[11] R. R. Galle, Ž. obšč. Chim. **8**, 402 (1938); C. A. **32**, 7910 (1938).

[12] C. D. Nenitzescu, I. Necsiu u. M. Zalman, Comunicarile Academici Republicii Populare Romine **8**, 659 (1958); C. A. 17092 (1959).

liche Weise erhält man aus 2,5-Dimethyl-3-äthoxycarbonyl-pyrrol und Oxalsäure-dichlorid *Bis-[3,5-dimethyl-4-äthoxycarbonyl-pyrryl-(2)]-keton*[1].

Diäthyl-malonsäure-dichlorid ergibt mit Thiophen ein Gemisch aus *2-(2-Äthyl-butanoyl)-thiophen* und *3,3-Dithienoyl-(2)-pentan*[2]:

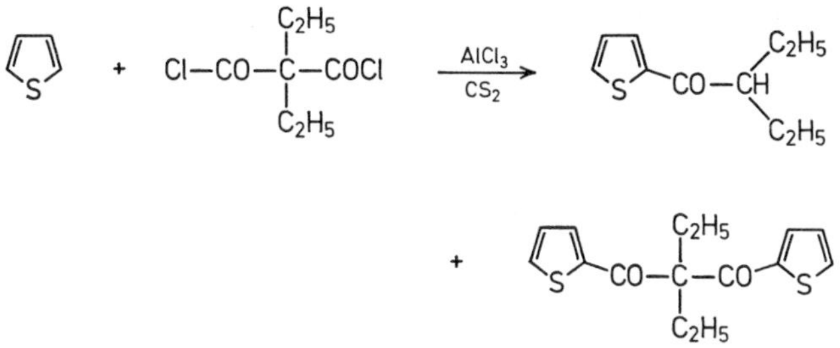

Analog verhält sich Dipropyl-malonsäure-dichlorid, man erhält *2-(2-Propyl-pentanoyl)-thiophen* neben *4,4-Dithienoyl-(2)-heptan*[3]. Thianthren ergibt mit Diäthyl-malonsäure-dichlorid/Aluminiumchlorid in Schwefelkohlenstoff *1,3-Dioxo-2,2-diäthyl-2,3-dihydro-1H-⟨cyclopenta-thianthren⟩* unbekannter Konstitution[2].

Hexandisäure-dichlorid reagiert mit Thiophen ohne Lösungsmittel mit Orthophosphorsäure zu *6-Oxo-6-thienyl-(2)-hexansäure*[4]. Mit Zinn(IV)-chlorid erhält man *1,6-Dioxo-1,6-dithienyl-(2)-hexan*.

1,6-Dioxo-1,6-dithienyl-hexan[5]: Eine Mischung aus 18,3 g (0,1 Mol) Hexandisäure-dichlorid, 35 *ml* (0,44 Mol) Thiophen und 150 *ml* Benzol oder 1,2-Dichlor-äthan wird auf −3° abgekühlt. Zu der gekühlten und gerührten Mischung werden 59 g (0,225 Mol) Zinn(IV)-chlorid derart getropft, daß die Temp. unter 0° bleibt. Dann wird die dunkelrote Reaktionsmischung noch 1 Stde. bei Raumtemp. verrührt und unter starkem Rühren auf Eis und Salzsäure ausgetragen. Das Diketon wird mit heißem Benzol extrahiert, wenn Benzol als Lösungsmittel verwendet wird, oder es wird abgesaugt, wenn man in 1,2-Dichlor-äthan arbeitet. Das Diketon wird aus Benzol/Aktivkohle oder aus Äthanol-Aktivkohle umkristallisiert; Ausbeute: 23,8 g (85,3% d.Th.); F: 125–127° (fast farblose Nadeln).

Aus 1,3,5-Trimethyl-pyrrol und Hexandisäure-dichlorid/Aluminiumchlorid wurden nur 5% *1,6-Dioxo-1,6-bis-[1,3,5-trimethyl-pyrryl-(4)]-hexan* erhalten[6].

ϰ) Die Umsetzung von Dicarbonsäure-ester-halogeniden

Durch Kondensation von Aromaten mit den Ester-chloriden von Dicarbon-säuren mit Aluminiumchlorid lassen sich Aryl-ketocarbonsäureester her-stellen.

Diese Variante der Friedel-Crafts'schen Reaktion ist jedoch mit einigen Nachteilen verbunden:

① Die Ester-chloride sind nur umständlich und nicht leicht rein herzustellen. Beim Versuch, diese durch Destillation zu reinigen treten immer wieder Umlagerungen in Dicarbonsäure-diester und -dichloride ein, und die niederen Glieder, wie Oxalsäure-, Malonsäure- und Bern-

---

[1] C. D. NENITZESCU, I. NECSIU u. M. ZALMAN, Comunicarile Academici Republicii Populare Romine **8**, 659 (1958); C.A. 17092 (1959).

[2] M. FREUND u. K. FLEISCHER, A. **373**, 304 (1910).

[4] M. FREUND u. K. FLEISCHER, A. **399**, 182 (1913).

[3] US. P. 2549600 (1951), Socony-Vacuum Oil Co., Erf.: H. D. HARTOUGH u. A. I. KOSAK; C.A. **45**, 8046 (1951).

[5] R. D. SCHUETZ u. R. A. BALDWIN, J. Org. Chem. **27**, 2845 (1962).

[6] I. I. GRANDBERG et al., Ž. obšč. Chim. **31**, 1887 (1961); engl.: 1765.

steinsäure-ester-chloride sind sehr zersetzlich. Derartige Umlagerungen bzw. Zerfallsreaktionen können auch bei einer längeren Reaktionsdauer in Gegenwart von Aluminiumchlorid eintreten (s. S. 235).

Hinweise zur Herstellung höherer Dicarbonsäure-ester-chloride finden sich in Org. Synth. III, S. 171.

Die dazu erforderlichen Halbester stellt man durch Umestern molarer Mengen Dicarbonsäuren und Diester her. Die so erhaltenen rohen Monoester, die noch Ausgangsmaterialien enthalten, werden mit Thionylchlorid in die Dicarbonsäure-ester-chloride überführt und diese durch rasches Destillieren unter 1 Torr fraktioniert[1].

② Nach der Kondensation wird meist ein Teil des Esters bei der Aufarbeitung verseift, so daß man entweder nachverestern oder vollständig verseifen muß.

Es dürfte daher in den meisten Fällen einfacher sein und zu einer höheren Gesamtausbeute führen, wenn man von den Carbonsäureanhydriden oder den Di-halogeniden solcher Dicarbonsäuren, die keine cyclischen Anhydride bilden, ausgeht, diese mit $\sim$ ein Mol Aluminiumchlorid kondensiert und die Keto-carbonsäuren durch Lösen in verd. Natriumcarbonat-Lösung abtrennt.

$\varkappa_1$) Ketone aus Dicarbonsäure-ester-halogeniden und Benzol und seinen Homologen

Die Acylierung von Benzol und seinen Homologen mit Oxalsäure-ester-chloriden erlaubt die Herstellung von Phenylglyoxylsäure-estern. Man verwendet pro Mol des Oxalsäure-ester-chlorids ein Mol Aluminiumchlorid und benutzt z. B. Schwefelkohlenstoff[2] oder Nitrobenzol[3] als Lösungsmittel. Das Säurechlorid wird in der Regel als letzte Komponente zur Reaktionsmischung gefügt, meist beginnt man die Reaktion unter Eiskühlung und beendet sie bei Raumtemperatur. Die Umsetzung des Benzols mit Oxalsäure-äthylester-chlorid[2,3] oder Oxalsäure-pentylester-chlorid[4] zu *Phenyl-glyoxylsäure-äthylester* bzw. *-pentylester* verläuft mit Ausbeuten von 53–70% der Theorie[2,3]. Bei der Acylierung von Toluol[3,5,6], Äthylbenzol[3], Propylbenzol[3], Dodecylbenzol[7] oder Cyclohexylbenzol[3] liegen die Ausbeuten an *4-Methyl-, 4-Äthyl-, 4-Propyl-, 4-Dodecyl-* bzw. *4-Cyclohexyl-phenyl-glyoxylsäure-äthylester* bei 76–79% der Theorie.

(4-Butyl-phenyl)-glyoxylsäure-methylester[8]: 150 g (1,12 Mol) wasserfreies Aluminiumchlorid werden unter Rühren und Kühlen allmählich in 370 *ml* Nitrobenzol eingetragen. Nachdem sich fast alles gelöst hat, werden 137 g (1,12 Mol) Oxalsäure-methylester-chlorid zugefügt und darauf unter weiterem Rühren und Kühlen innerhalb 30 Min. 150 g (1,12 Mol) Butyl-benzol zugetropft, wobei sich das Reaktionsgemisch dunkelbraun färbt. Anschließend wird 5 Stdn. bei Raumtemp. weitergerührt, mit 750 *ml* Äther verdünnt und unter heftigem Umschütteln auf fein zerstoßenes Eis gegossen. Die nacheinander mit Wasser, Natriumhydrogencarbonat- und Natriumchlorid-Lösung gewaschene Ätherschicht wird über Natriumsulfat getrocknet und eingedampft, zuletzt im Vakuum. Die Hochvakuumdestillation des Rückstandes liefert 135,6 g (55% d.Th.); $Kp_{0,1}$: 127–132° (gelbes Öl); $n_D^{20} = 1,5245$.

Während sich m-[5,6] oder p-*Xylol*[9] sowie 1,2,4-Trimethyl- oder 1,3,5-Trimethylbenzol ohne Schwierigkeiten mit Oxalsäure-äthylester-chlorid zu (*2,4-*; bzw. *2,5-*

[1] E. FOURNEAU u. S. SABETAY, Bl. [4] **43**, 861 (1928); **45**, 841 (1929).
[2] L. BOUVEAULT, Bl. [3] **15**, 1014 (1893).
[3] K. KINDLER, W. METZENDORF u. SCHI-YIN-KWOK, B. **76**, 308 (1943).
[4] L. ROSER, B. **14**, 940 (1881).
[5] L. BOUVEAULT, C. r. **122**, 1207 (1896).
[6] L. BOUVEAULT, Bl. [3] **17**, 366 (1897).
[7] R. HULS u. J. BRICTEUX, Bull. Soc. roy. Sci. Liège **23**, 322 (1954).
[8] C. VOGEL u. M. MATTER, Helv. **42**, 527 (1959).
[9] L. BOUVEAULT, Bl. [3] **17**, 940 (1897).

Dimethyl-; bzw. *2,4,5-*; bzw. *2,4,6-Trimethyl-phenyl)-glyoxylsäure-äthylester* kondensieren lassen, erhält man aus 4-Methyl-1-isopropyl-benzol und Oxalsäure-äthylesterchlorid (*Methyl-isopropyl-phenyl)-glyoxylsäure-äthylester* und Methyl-äthyl-isopropylbenzol[1]. Die letztgenannte Verbindung ist das Hauptprodukt, wenn man die Reaktionszeit bei 20° auf 10 Stunden ausdehnt[2] (Zerfall des Oxalsäure-äthylester-chlorids in Kohlenmonoxid, Chlorwasserstoff und Äthylen).

Malonsäure-äthylester-chlorid ergibt bei der Umsetzung mit Benzol und Aluminiumchlorid *3-Oxo-3-phenyl-propansäure-äthylester*[3]. Analog erhält man aus Toluol *3-Oxo-3-(4-methyl-phenyl)-propansäure-äthylester* und aus p-Xylol *3-Oxo-3-(2,5-dimethyl-phenyl)-propansäure-äthylester*[3].

Die Umsetzung von Bernsteinsäure-äthylester-chlorid mit Benzol zu *4-Oxo-4-phenyl-butansäure-äthylester* wurde in einem Benzolüberschuß in Gegenwart von zwei Mol Aluminiumchlorid vorgenommen.

4-Oxo-4-phenyl-butansäure[4]: In eine Mischung aus 200 *ml* wasserfreiem Benzol und 82,3 g (0,5 Mol) Bernsteinsäure-äthylester-chlorid werden bei 5–10° unter Rühren 133 g (1 Mol) Aluminiumchlorid eingetragen. Man läßt die Temp. der Reaktionsmischung auf Raumtemp. steigen, dann erhitzt man 2½–3 Stdn. auf dem Wasserbade. Nach Stehen über Nacht wird der Kolbeninhalt mit einer Mischung aus gleichen Teilen Eis und Salzsäure versetzt. Man destilliert das überschüssige Benzol mit Wasserdampf ab und nimmt den öligen Rückstand in Äther auf. Der Äther wird abdestilliert und der zurückbleibende rohe Ester mit 350 *ml* 10%iger alkoholischer Natriumhydroxid-Lösung verseift. Nach dem Verdünnen mit Wasser und Abdestillieren des Alkohols wird die wäßrige Lösung filtriert, abgekühlt und angesäuert. Das Rohprodukt wird aus einer Benzol-Leichtbenzin-Mischung umgelöst; Ausbeute: 75 g (84% d.Th.); F: 113–114°.

Aus Isopropylbenzol und Bernsteinsäure-äthylester-chlorid wurde *4-Oxo-4-(4-isopropyl-phenyl)-butansäure-äthylester* erhalten[3]. Diphenylmethan kann durch Bernsteinsäure-methylester-chlorid/Aluminiumchlorid in 4,4'-Stellung diacyliert werden:

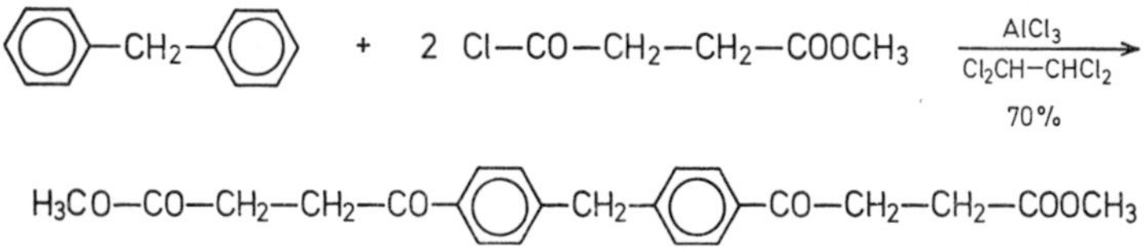

Bis-[4-(3-methoxycarbonyl-propanoyl)-phenyl]-methan[5]: Eine Mischung aus 16,8 g (0,1 Mol) Diphenylmethan, 30 g (0,2 Mol) Bernsteinsäure-methylester-chlorid und 200 *ml* 1,1,2,2-Tetrachlor-äthan wird in einer Eis-Natriumchlorid-Mischung auf 0° abgekühlt. Man fügt 60 g (0,45 Mol) Aluminiumchlorid innerhalb 30 Min. zu der gerührten Mischung und rührt noch weitere 30 Min. bei 0°. Man läßt die Temp. innerhalb 1½ Stdn. auf 27° steigen, trägt das dunkle viskose Öl auf Eis aus und nimmt mit Chloroform auf. Der Extrakt wird mit 2n Salzsäure, Wasser, verd. Natriumcarbonat-Lösung und noch einmal mit Wasser gewaschen. Die Lösung wird getrocknet, das Lösungsmittel abdestilliert und das zurückbleibende gelbe Öl aus Benzol und Hexan umkristallisiert; Ausbeute: 27 g (70% d.Th.); F: 87,2–92,2° (farblose Plättchen).

Ebenso reagiert 1,2-Diphenyl-äthan zu *1,2-Bis-[4-(3-äthoxycarbonyl-propanoyl)-phenyl]-äthan* (55% d.Th.)[6]. [4.4]Paracyclophan ergibt mit molaren Mengen Bern-

[1] L. BOUVEAULT, Bl. [3] **17**, 940 (1897).
[2] A. VERLEY, Bl. [3] **17**, 906 (1897).
[3] F. MARGUERY, Bl. [3] **33**, 548 (1905).
[4] D. PAPA, E. SCHWENK u. H. HANKIN, Am. Soc. **69**, 3018 (1947).
[5] J. ABELL u. D. J. CRAM, Am. Soc. **76**, 4411 (1954).
[6] R. C. FUSON u. G. SPERANZA, Am. Soc. **74**, 1621 (1952).

steinsäure-methylester-chlorid in 1,1,2,2-Tetrachlor-äthan bei −5° *6-(3-Methoxycarbonyl-propanoyl)-[4.4]paracyclophan* (61% d. Th.)[1]. 6-Alkyl-tetraline wie 6-Methyl-, 6-Äthyl-, 6-Butyl- oder 6-Octyl-tetralin werden durch Bernsteinsäure-methylesterchlorid mit hohen Ausbeuten in 7-Stellung zu *6-Methyl-, 6-Äthyl-, 6-Butyl-* bzw. *6-Octyl-7-(3-methoxycarbonyl-propanoyl)-tetralin* acyliert[2].

a,a-Dimethyl-bernsteinsäure-methylester-chlorid ergibt mit überschüssigem Benzol in Gegenwart von mehr als zwei Mol Aluminiumchlorid *4-Oxo-2,2-dimethyl-4-phenyl-butansäure-methylester*[3]:

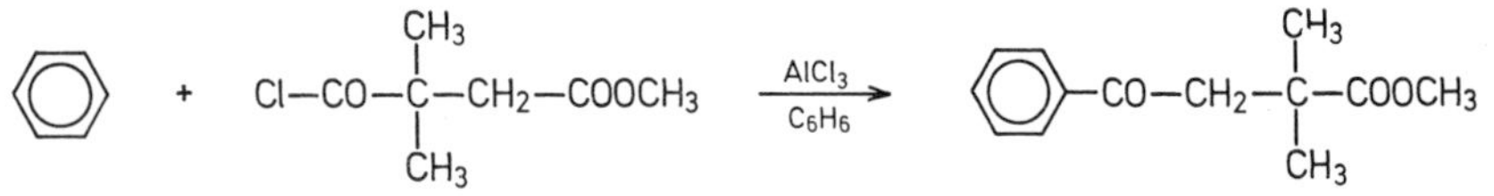

Während der Reaktion findet also eine Umlagerung statt. Wenn man die Reaktion anfänglich unter sorgfältiger Kühlung durchführt und die Reaktionsmischung anschließend noch eine Stunde rückfließend kocht, entweicht aus dem Reaktionsgemisch neben Chlorwasserstoff auch Kohlenmonoxid und man isoliert 3-Methyl-3-phenyl-butansäure-methylester als einziges Reaktionsprodukt[4]. Auch mit Toluol entsteht *4-Oxo-2,2-dimethyl-4-(4-methyl-phenyl)-butansäure-methylester*[3]. Ebenso verhält sich a,a-Diäthyl-bernsteinsäure-methylester-chlorid. (1-Chlorcarbonyl-cyclopentyl)-essigsäure-methylester ergibt mit Benzol (*1-Benzoyl-cyclopentyl)-essigsäure-methylester*[5] und (1-Phenyl-cyclopentyl)-essigsäure-methylester. Bei der Umsetzung des gleichen Säurechlorids mit überschüssigem Toluol oder mit Äthylbenzol in Schwefelkohlenstoff wurden dagegen die umgelagerten *1-[2-Oxo-2-(4-methyl-* bzw. *-4-äthyl-phenyl)-äthyl]-cyclopentan-1-carbonsäure-methylester* isoliert[6].

Aus a-Phenyl-bernsteinsäure-methylester-chlorid und Benzol entsteht *4-Oxo-2,4-diphenyl-butansäure-methylester* und aus β-Phenyl-bernsteinsäure-methylester-chlorid und Benzol *4-Oxo-3,4-diphenyl-butansäure-methylester*; bei diesen Umsetzungen findet also keine Umlagerung statt[7]. (4-Cyclohexyl-cyclohexyl)-bernsteinsäure-äthylesterchlorid ergibt dagegen mit Benzol den umgelagerten *4-Oxo-2-(4-cyclohexyl-cyclohexyl)-4-phenyl-butansäure-äthylester*[8].

Glutarsäure-äthylester-chlorid wird mit o- oder p-Xylol in 1,1,2,2-Tetrachloräthan in Gegenwart von zwei Mol Aluminiumchlorid bei 0° umgesetzt; man erhält dabei *5-Oxo-5-[3,4-(bzw. -2,5)-dimethyl-phenyl]-pentansäure-äthylester*[9]. Unter analogen Bedingungen kann Diphenylmethan in 4,4'-Stellung zu *Bis-[4-(4-äthoxycarbonylbutanoyl)-phenyl]-methan* diacyliert werden[10]. Tetralin ergibt mit Glutarsäure-äthyl-

[1] D. J. CRAM u. R. A. REEVES, Am. Soc. **80**, 3094 (1958).

[2] P. CAGNIANT u. D. CAGNIANT, Bl. **1958**, 1448.

[3] S. C. SEN-GUPTA, J. pr. [2] **151**, 82 (1938).

[4] M. A. SABOOR, Soc. **1945**, 922.

[5] S. C. SEN-GUPTA, J. indian chem. Soc. **11**, 389 (1934).

[6] S. C. SEN-GUPTA, J. indian chem. Soc. **16**, 349 (1936).

[7] R. ANSCHÜTZ, C. HAHN u. P. WALTER, A. **354**, 147 (1907).

[8] L. F. FIESER et al., Am. Soc. **70**, 3186 (1948).

[9] C. L. ANDERSON et al., Am. Soc. **77**, 598 (1959).

[10] D. J. CRAM u. M. F. ANTAR, Am. Soc. **80**, 3103 (1958).

ester-chlorid in Schwefelkohlenstoff mit einer Ausbeute von 60% d. Th. *6-(4-Äthoxy-carbonyl-butanoyl)-tetralin*[1].

6-(3-Methoxycarbonyl-butanoyl)-tetralin[2]: Eine Lösung von 132 g (1 Mol) Tetralin in 1 l Nitrobenzol wird unter Rühren und Kühlen mit einem Eisbad mit 268 g (2 Mol) Aluminiumchlorid versetzt. Eine Lösung von 165 g (1 Mol) Glutarsäure-methylester-chlorid in 300 ml Nitrobenzol wird bei 0–5° langsam dazugetropft. Die dunkle Lösung wird noch 4 Stdn. unter Eiskühlung gerührt und über Nacht bei Raumtemp. stehen gelassen. Die Lösung wird dann in einem Scheidetrichter mit Eis und Salzsäure durchgeschüttelt, man trennt die untere organische Phase ab. Die wäßrige Phase wird 1 mal mit Äther ausgeschüttelt; die vereinigten organischen Phasen werden i. Vak. eingedampft, der Rückstand wird während 30 Min. mit Methanol und Schwefelsäure rückfließend gekocht, um geringe Mengen freier Säure zu verestern, und der Ester destilliert; Ausbeute: 184 g (71% d. Th.); $Kp_{0,5}$: 183,5°; F: 53–54°.

Aus 5,8-Dimethyl-tetralin und Glutarsäure-äthylester-chlorid in 1,1,2,2-Tetrachloräthan bei 0–5° wird nach anschließender Verseifung *5,8-Dimethyl-6-(4-carboxy-butanoyl)-tetralin* (88% d. Th.) erhalten[3]. *β,β*-Dimethyl-glutarsäure-methylester-chlorid ergibt mit überschüssigem Benzol *5-Oxo-3,3-dimethyl-5-phenyl-pentansäure-methylester*[4].

Hexandisäure-ester-chloride reagieren mit überschüssigem Benzol zu *6-Oxo-6-phenyl-hexansäure-methylester*[5] bzw. *6-Oxo-6-phenyl-hexansäure-äthylester* (80% d. Th.)[6]. Ausgezeichnete Ausbeuten an *6-Oxo-6-(4-methyl-phenyl)-hexansäure* werden mit Toluol und anschließende Verseifung des Esters erzielt[7]. Diphenylmethan kann mit Hexandisäure-methylester-chlorid zum *Bis-[4-(5-methoxycarbonyl-pentanoyl)-phenyl]-methan*[8] 1,2-Diphenyl-äthan zum *1,2-Bis-[4-(5-äthoxycarbonyl-pentanoyl)-phenyl]-äthan* diacyliert werden[9]. Aus 5,8-Dimethyl-tetralin wird bei 0–5° in 1,1,2,2-Tetrachlor-äthan nach Verseifung des Esters *5,8-Dimethyl-6-(5-carboxy-pentanoyl)-tetralin* (96% d. Th.)[3] erhalten.

Heptandisäure-methylester-chlorid wird mit überschüssigem Toluol und 2,4 Mol Aluminiumchlorid zu *7-Oxo-7-phenyl-heptansäure-methylester* umgesetzt[7]. Auch die Diacylierung von 1,2-Diphenyl-äthan mit Heptandisäure-äthylester-chlorid zum *1,2-Bis-[4-(6-äthoxycarbonyl-hexanoyl)-phenyl]-äthan* in Schwefelkohlenstoff wird beschrieben. 5,8-Dimethyl-tetralin ergibt mit dem gleichen Säurechlorid in 1,1,2,2-Tetrachlor-äthan *5,8-Dimethyl-6-(6-äthoxycarbonyl-hexanoyl)-tetralin*[3].

Octandisäure-methylester-chlorid reagiert analog mit Toluol zu *8-Oxo-8-(4-methyl-phenyl)-octansäure-methylester*, der durch alkalische Verseifung mit einer Ausbeute von 75% d. Th. in *8-Oxo-8-(4-methyl-phenyl)-octansäure*[7] überführt wird. **Nonandisäure**-ester-chloride[10], **Decandisäure**-ester-chloride[2,11] sowie **Tetradecandisäure**-ester-chloride[7] ergeben z. B. *9-Oxo-9-phenyl-* bzw. *9-Oxo-9-(4-methyl-phenyl)-nonansäure-methylester* bzw. *-äthylester*; *10-Oxo-10-phenyl-* bzw. *10-Oxo-10-(4-methyl-phenyl)-* oder *10-Oxo-10-(2,5-dimethyl-phenyl)-decansäure-methylester* bzw. *-äthylester* sowie *14-Oxo-14-(4-methyl-phenyl)-tetradecansäure-methylester*.

[1] H. BARRERA i COSTA, A. ch. [12] 4, 84 (1949).
[2] L. F. FIESER et al., Am. Soc. 70, 3197 (1948).
[3] H. STETTER, B. SCHÄFER u. H. SPANGENBERGER, B. 89, 1620 (1956).
[4] A. T. BLOMQUIST u. F. JAFFE, Am. Soc. 80, 3405 (1958).
[5] G. CAUQUIL et al., Bl. 1955, 513.
[6] S. GRATEAU, C. r. 191, 947 (1930).
[7] R. HUISGEN u. V. VOSSIUS, M. 88, 517 (1957).
[8] D. J. CRAM u. M. F. ANTAR. Am. Soc. 80, 3103 (1958).
[9] R. C. FUSON u. G. SPERANZA, Am. Soc. 74, 1621 (1952).
[10] H. S. RAPER u. E. J. WAYNE, Biochem. J. 22, 188 (1928).
[11] D. PAPA, E. SCHWENK u. H. HANKIN, Am. Soc. 69, 3018 (1947).

Aus Maleinsäure-äthylester-chlorid und Benzol in Gegenwart von zwei Mol Aluminiumchlorid bei 0–20° entsteht *trans-4-Oxo-4-phenyl-buten-(2)-säure-äthylester* (80% d. Th.)[1]. Analog werden Acylierungen von Benzol mit Fumarsäure-methylester-chlorid [→ *4-Oxo-4-phenyl-buten-(2)-säure-methylester*][2], Dimethyl-fumarsäure-äthylester-chlorid [→ *4-Oxo-2,3-dimethyl-4-phenyl-buten-(2)-säure-äthylester*][3] oder Dibrom-fumarsäure-methylester-chlorid [→ *2,3-Dibrom-4-oxo-4-phenyl-buten-(2)-säure-methylester*][4,5] vorgenommen.

Phthalsäure-methylester-chlorid reagiert mit Benzol in Gegenwart von zwei Mol Aluminiumchlorid zu *2-Methoxycarbonyl-benzophenon*[6]. Analog erhält man *4'-Methyl-*[7], *2',4'-Dimethyl-*[7] und *2',5'-Dimethyl-2-methoxycarbonyl-benzophenon*[6].

Ohne Schwierigkeit lassen sich Isophthalsäure- und Terephthalsäure-methylester-chlorid in gleicher Weise mit Benzol, Toluol oder m-Xylol umsetzen, zur Vervollständigung der Reaktion wird einige Stunden auf 80–100° erhitzt[7]. 1,2,4,5-Tetramethyl-benzol ergibt mit Terephthal-säure-methylester-chlorid in 1,1,2,2-Tetrachlor-äthan nach alkalischer Verseifung des zunächst erhaltenen Methylesters *2',3',5',6'-Tetramethyl-4-carboxy-benzophenon* mit einer Ausbeute von 73% der Theorie[8]. 4-Methyl-phthalsäure-2-methylester-1-chlorid reagiert mit Benzol zu *4-Methyl-2-methoxycarbonyl-benzophenon*, während aus 3-Methyl-phthalsäure-1-methylester-2-chlorid und Benzol unter analogen Bedingungen neben *6-Methyl-2-methoxycarbonyl-benzophenon* auch Diphenylmethyl-phthalid erhalten wird[9]. Auch Umsetzungen von 3- bzw. 5- bzw. 6-Nitro-phthalsäure-2-alkylester-1-chloriden mit Benzol oder Toluol werden beschrieben[10].

cis-9,10-Dihydro-anthracen-9-carbonsäure-methylester-10-carbonsäure-chlorid wird in Benzol in Gegenwart von 4,5 Mol Aluminiumchlorid decarbonyliert, und man erhält 9,10-Dihydro-anthracen-9-carbonsäure-methylester. Das Säurechlorid reagiert dagegen wie erwartet mit Toluol bei −18° bis −10° zu *cis-10-(4-Methyl-benzoyl)-9-methoxycarbonyl-9,10-dihydro-anthracen*, analog verlaufen Umsetzungen mit den Xylolen zu *cis-10-(Dimethyl-benzoyl)-9-methoxycarbonyl-9,10-dihydro-anthracen*[11].

Umsetzungen von Pyridin-2,3- und -3,4-dicarbonsäure-2-(bzw. -4)-methylester-3-chloriden mit Benzol[12] oder Toluol[13] zu *3-Benzoyl-2-(bzw. -4)-methoxycarbonyl-pyridin* bzw. *3-(4-Methyl-benzoyl)-2-methoxycarbonyl-pyridin* werden beschrieben.

---

[1] D. Papa et al., Am. Soc. **70**, 3356 (1948).

[2] R. E. Lutz, Am. Soc. **52**, 3423 (1930).

[3] R. E. Lutz u. R. J. Taylor, Am. Soc. **55**, 1593 (1933).

[4] R. E. Lutz, Am. Soc. **52**, 3405 (1930).

[5] R. E. Lutz u. W. M. Eisher, Am. Soc. **56**, 2698 (1934).

[6] C. Dufraisse u. A. Allais, Bl. [5] **11**, 531 (1944).

[7] M. E. Smith, Am. Soc. **43**, 1920 (1921).

[8] R. C. Fuson, G. W. Parshall u. E. H. Hess, Am. Soc. **77**, 3776 (1955).

[9] M. Hayashi et al., Bl. chem. Soc. Japan **11**, 184 (1936).

[10] W. A. Lawrance, Am. Soc. **42**, 1871 (1920);
W. A. Lawrance, Am. Soc. **43**, 2577 (1921);
B. H. Chase u. D. H. Hey, Soc. **1952**, 523.

[11] J. Rigaudy, A. ch. [12] **5**, 398 (1950).

[12] A. Kirpal, M. **30**, 355 (1909);
A. Kirpal, M. **31**, 295 (1910);
C. M. Jephcott, Am. Soc. **50**, 1189 (1928).

[13] O. Halla, M. **32**, 749 (1911).

$\varkappa_2$) *substituierten Benzol-Kohlenwasserstoffen*

Anisol reagiert mit Oxalsäure-äthylester-chlorid in Nitrobenzol[1] zu *4-Methoxy-phenylglyoxylsäure-äthylester*, der allerdings beim Abtreiben des Nitrobenzols mit Wasserdampf in stark saurem Milieu weitgehend zu *4-Methoxy-phenylglyoxylsäure* verseift wird[2]. Man verwendet ein bis zwei Mol Aluminiumchlorid, gibt die Komponenten bei 0° zusammen und rührt dann bei Raumtemperatur einige Stunden nach. Die Ausbeute an *4-Methoxy-phenylglyoxylsäure* liegt bei 80% der Theorie[2].

Analog erhält man aus

2-Methoxy-1-methyl-benzol[1]	→	*4-Methoxy-3-methyl-phenylglyoxylsäure-äthylester*
4-Methoxy-1-methyl-benzol[2]	→	*2-Methoxy-5-methyl-phenylglyoxylsäure-äthylester*
1,2-Dimethoxy-benzol[3]	→	*3,4-Dimethoxy-phenylglyoxylsäure-äthylester*
1,3-Dimethoxy-benzol[3]	→	*2,4-Dimethoxy-phenylglyoxylsäure-äthylester*
1,2-Diäthoxy-benzol[3]	→	*3,4-Diäthoxy-phenylglyoxylsäure-äthylester*
2-Fluor-1-methoxy-benzol[4]	→	*3-Fluor-4-methoxy-phenylglyoxylsäure-äthylester*

1,4-Dimethoxy-benzol ergibt in Schwefelkohlenstoff mit Oxalsäure-äthylester-chlorid/Aluminiumchlorid, die Reaktionsmischung wird zur Beendigung der Umsetzung einige Stunden unter Rückfluß erhitzt, *2,5-Dimethoxy-phenylglyoxylsäure-äthylester*[5]. 2,4,6-Trinitro-diphenyläther reagiert mit Oxalsäure-äthylester-chlorid in 4′-Stellung, zu *4-(2,4,6-Trinitro-phenoxy)-phenylglyoxylsäure-äthylester*[6]. Während aus Phenol und Oxalsäure-äthylester-chlorid nach saurer Aufarbeitung *4-Hydroxy-phenylglyoxylsäure* nur mit einer Ausbeute von 20% d. Th. erhalten wird, liegen die Ausbeuten an *2,4-Dihydroxy*-[7], *2,4-Dihydroxy-3-methyl*-[7], *2,4-Dihydroxy-6-methyl*[7]- bzw. *2,4-Dihydroxy-5-methyl-3-äthyl-phenylglyoxylsäure* bei 60–72% der Theorie[2].

2,4-Dihydroxy-3-äthyl-5-methyl-phenylglyoxylsäure[2]: Zu einer Lösung von 6 g (0,04 Mol) 2,6-Dihydroxy-3-methyl-1-äthyl-benzol und 5,4 g (0,04 Mol) Oxalsäure-äthylester-chlorid in 50 *ml* Nitrobenzol werden bei 0° unter Rühren portionsweise 10,5 g (0,08 Mol) Aluminiumchlorid gegeben. Nach der Beendigung der Aluminiumchlorid-Zugabe wird die Reaktionsmischung 24 Stdn. unter Feuchtigkeitsausschluß bei Raumtemp. stehen gelassen. Dann wird der Aluminiumchlorid-Komplex in üblicher Weise mit zerstoßenem Eis und Salzsäure zersetzt, das Nitrobenzol durch Wasserdampfdestillation entfernt und der abgekühlte Rückstand mit Äther extrahiert. Die ätherische Lösung wird 3mal mit dem halben Vol. an ges. Natriumhydrogencarbonat-Lösung gewaschen, aus den vereinigten Waschlösungen fällt beim Ansäuern mit verd. Salzsäure die freie Säure aus, die aus Wasser umkristallisiert wird; Ausbeute: 6 g (70% d. Th.); F: 137–138°. (gelbe Plättchen).

Nitrobenzol wird auch als Lösungsmittel bei der Umsetzung von 3,4-Dimethoxy-phenylessigsäure-methylester mit Oxalsäureäthylester-chlorid zu *4,5-Dimethoxy-2-carboxymethyl-phenylglyoxylsäure* verwendet[8]. N,N-Dimethyl-anilin reagiert mit Oxalsäure-äthylester-chlorid in Diäthyläther (!) in Gegenwart von überschüssigem Aluminiumchlorid zu *4-Dimethylamino-phenylglyoxylsäure-äthylester*,

---

[1] K. KINDLER, W. METZENDORF u. DSCHI-YIN-KWOK, B. **76**, 308 (1943).
[2] R. D. SPRENGER, P. M. RUOFF u. A. H. FRAZER, Am. Soc. **72**, 2874 (1950).
[3] L. BOUVEAULT, Bl. [3] **17**, 943 (1897).
[4] G. LOCK, M. **86**, 511 (1955).
[5] H. KAUFFMANN u. H. GROMBACH, A. **344**, 68 (1906).
[6] L. BOUVEAULT, Bl. [3] **17**, 947 (1897).
[7] US. P. 2868836 (1959), Merck & Co., Inc., Erf.: E. A. KACZKA, J. W. RICHTER u. C. H. SHUNK; C. A. **53**, 9156 (1959).
[8] O. C. MUSGRAVE, Soc. **1957**, 1104.

wenn man N,N-Dimethyl-anilin als letzte Komponente rasch zur Reaktionsmischung gibt (60% d.Th.). Wenn das Aluminiumchlorid als letzte Komponente zur Reaktionsmischung gefügt wird, reagiert das Primärprodukt mit einem weiteren Molekül N,N-Dimethyl-anilin zum *Bis-[4-dimethylamino-phenyl]-glykolsäure-äthylester*[1].

Bernsteinsäure-äthylester-chlorid wird mit Alkoxy-benzolen wie Methoxy- bzw. Äthoxy-benzol oder 3-Methoxy-1-methyl-benzol bei 0° in 1,1,2,2-Tetrachloräthan in Gegenwart von zwei Mol Aluminiumchlorid zu 4-Oxo-4-aryl-butansäureäthylestern umgesetzt, die aber nicht als solche isoliert, sondern direkt zur *4-Oxo-4-[4-methoxy-* (bzw. *4-äthoxy-*; bzw. *4-methoxy-2-methyl)-phenyl]-butansäure* verseift wurden[2]. Für die Umsetzung von 1,3-Dimethoxy-benzol mit Bernsteinsäure-äthylesterchlorid/Aluminiumchlorid zu *4-Oxo-4-(2,4-dimethoxy-phenyl)-butansäure-äthylester* wird eine Mischung aus Schwefelkohlenstoff und Nitrobenzol als Lösungsmittel verwendet[3]. Bei der Acylierung von alkylsubstituierten 1,3-Dimethoxy-benzolen tritt besonders leicht Ätherspaltung ein. Um dieser Schwierigkeit zu begegnen, verwendet man nur ein Mol Aluminiumchlorid und arbeitet in Benzol.

4-Oxo-4-(2,4-dimethoxy-5-cyclohexyl-phenyl)-butansäure[4]: In eine Lösung von 55 g (0,25 Mol) 1,3-Dimethoxy-5-cyclohexyl-benzol und 38 g (0,25 Mol) Bernsteinsäure-methylester-chlorid in 250 *ml* Benzol rührt man bei 5–10° 32,5 g (0,25 Mol) Aluminiumchlorid ein. Die Mischung wird noch 3¹/₂ Stdn. bei 5–10°, dann 6 Stdn. bei Raumtemp. gerührt und schließlich hydrolysiert. Die benzolische Lösung wird sorgfältig mit Wasser gewaschen und der rohe Ester, nach Abdestillieren des Lösungsmittels i.Vak. durch Rückflußkochen mit einer Lösung von 16 g Natriumhydroxid in 160 *ml* Methanol während 30 Min. verseift. Nach dem Abdestillieren des Methanols und Zugeben von 500 *ml* Wasser wird die Lösung des Natriumsalzes mit Äther gewaschen und angesäuert. Die rohe Säure (67,2 g) die einen negativen Eisen(III)-chlorid-Test gibt, schmilzt bei 158–160°. Nach dem Umlösen aus 200 *ml* Benzol erhält man 55,2 g (69% d.Th.); F: 168,5° (farblose Kristalle).

Analog erhält man[4] aus

3,4-Dimethoxy-1-cyclohexylmethyl-benzol	→	*4-Oxo-4-(4,5-dimethoxy-2-cyclohexylmethyl-phenyl)-butansäure*
1,3-Diäthoxy-2-cyclohexyl-benzol	→	*4-Oxo-4-(2,4-diäthoxy-3-cyclohexyl-phenyl)-butansäure*
2,4-Dimethoxy-1-cyclopentyl-benzol	→	*4-Oxo-4-(2,4-dimethoxy-5-cyclopentyl-phenyl)-butansäure*
2,4-Dimethoxy-1-hexyl-benzol	→	*4-Oxo-4-(2,4-dimethoxy-5-hexyl-phenyl)-butansäure*
2,4-Dimethoxy-1-(2-cyclohexyl-äthyl)-benzol	→	*4-Oxo-4-[2,4-dimethoxy-5-(2-cyclohexyl-äthyl)-phenyl]-butansäure*
2,4-Dimethoxy-1-(5-cyclohexyl-pentyl)-benzol	→	*4-Oxo-4-[2,4-dimethoxy-5(5-cyclohexyl-pentyl)-phenyl]-butansäure*
2,4-Dimethoxy-1-benzyl-benzol	→	*4-Oxo-4-(2,4-dimethoxy-5-benzyl-phenyl)-butansäure*
1,4-Dimethoxy-2-cyclohexylmethyl-benzol	→	*4-Oxo-4-(2,5-dimethoxy-4-cyclohexylmethyl-phenyl)-butansäure*

Wenn man eine Lösung von 4-[6-Methoxy-3,4-dihydro-naphthyl-(1)]-butansäuremethylester und Bernsteinsäure-methylester-chlorid in Schwefelkohlenstoff bei 0° zu einer Suspension von Aluminiumchlorid in Schwefelkohlenstoff gibt, erfolgt neben

[1] A. Guyot, C. r. **144**, 1120 (1907).
[2] D. Papa, E. Schwenk u. H. Hankin, Am. Soc. **69**, 3018 (1947).
[3] W. H. Perkin u. E. Ormerod, Soc. **81**, 234 (1902).
[4] R. R. Burtner, Am. Soc. **75**, 2341 (1953).

einer Acylierung eine Disproportionierung zu Naphthalin und 1,2,3,4-Tetrahydro-naphthalin-Derivaten I[1]:

2-Methoxy-5-(3-carboxy-propyl)-1-
(3-carboxy-propanoyl)-naphthalin   I

I; R^1 = H; R^2 = —CO—$(CH_2)_2$—COOH; *6-Methoxy-1-(3-carboxy-propyl)-5-(3-carboxy-propanoyl)-tetralin*

I; R^2 = H; R^1 = —CO—$(CH_2)_2$—COOH; *6-Methoxy-1-(3-carboxy-propyl)-7-(3-carboxy-propanoyl)-tetralin*

Die Umsetzung von 1-(2,5-Dimethoxy-phenyl)-1-(2-aminocarbonyl-phenyl)-äthan mit Bernsteinsäure-methylester-chlorid bei 45–50° in Polyphosphorsäure liefert direkt die *4-Oxo-4-{2,5-dimethoxy-4-[1-(2-aminocarbonyl-phenyl)-äthyl]-phenyl}-butansäure* (45% d. Th.)[2]. Phenyl-bernsteinsäure-methylester-chlorid ergibt mit 1,2-Dimethoxy-benzol in siedendem Schwefelkohlenstoff in Gegenwart von Aluminiumchlorid *4-Oxo-2-phenyl-4-(3,4-dimethoxy-phenyl)-butansäure-methylester*[3]. Aus dem gleichen Säurechlorid und 4-Methoxy-1-cyclohexyl-benzol erhält man in Benzol *4-Oxo-2-phenyl-4-(2,4-dimethoxy-5-cyclohexyl-phenyl)-butansäure-methylester*[4].

Glutarsäure-methylester-chlorid wird mit Methoxy-benzol[5], 1,4-Dimethoxy-benzol[6] oder 1,2,3-Trimethoxy-benzol[7] in Gegenwart von zwei Mol Aluminiumchlorid in 1,1,2,2-Tetrachlor-äthan bei Temperaturen um 0° zu *5-Oxo-5-[4-methoxy-(bzw. -2,5-dimethoxy-; bzw. 2,3,4-trimethoxy)-phenyl]-pentansäure-äthylester* umgesetzt. Meist werden jedoch nicht die Ester isoliert, sondern die nach der alkalischen Verseifung erhaltenen Säuren.

5-Oxo-5-(4-methoxy-phenyl)-pentansäure-methylester[8]: Zu einer bei 0° gerührten Lösung von 196 g (1,82 Mol) Anisol in 653 *ml* wasserfreiem 1,1,2,2-Tetrachlor-äthan gibt man langsam 425,6 g (3,2 Mol) Aluminiumchlorid, und tropft bei 0° 231,2 g (1,96 Mol) Glutarsäure-methylester-chlorid hinzu. Man rührt noch $3^1/_2$ Stdn. bei 0° und läßt die Temp. über Nacht auf Raumtemp. steigen. Die Reaktionsmischung wird mit Eis und überschüssiger Salzsäure zersetzt und das Lösungsmittel zusammen mit nicht umgesetztem Anisol mit Wasserdampf überdestilliert. Der ölige Rückstand der aus einem Gemisch von Ester und Säure besteht, wird in Äther aufgenommen, der Extrakt mit Wasser ausgeschüttelt und über Natriumsulfat getrocknet. Nach dem Abdestillieren des Äthers wird der Rückstand durch mehrstdges Kochen am Rückfluß mit einer Mischung aus 154 g

[1] R. Robinson u. J. Walker, Soc. **1938**, 183.

[2] M. Gates u. C. L. Dickinson, J. Org. Chem. **22**, 1398 (1957).

[3] R. Robinson u. P. C. Young, Soc. **1935**, 1414.

[4] R. R. Burtner u. J. M. Brown, Am. Soc. **75**, 2334 (1953).

[5] D. Papa, E. Schwenk u. H. Hankin, Am Soc. **69**, 3018 (1947).

[6] C. L. Anderson et al., Am. Soc. **77**, 598 (1955).

[7] H. J. E. Loewenthal, Soc. **1953**, 3962.

[8] W. S. Johnson u. R. E. Ireland, Am. Soc. **79**, 1995 (1957).

Methanol, 4,8 *ml* konz. Schwefelsäure und 480 *ml* 1,2-Dichlor-äthan wieder vollständig in den Ester zurückverwandelt. Nach dem Waschen mit Wasser und anschließend mit einer Natrium-hydrogencarbonat-Lösung wird die organische Phase mit Natriumsulfat getrocknet. Der nach dem Abdestillieren des Lösungsmittels verbleibende Rückstand wird aus einer Mischung von Äther und Petroläther (Kp: 60–68°) umgelöst; Ausbeute: 286,4 g (73% d.Th.); F: 52–54° (farblose Blättchen).

Auch die Acylierung von Methylmercapto-benzol mit Glutarsäure-äthylester-chlorid/Aluminiumchlorid wird in 1,1,2,2-Tetrachlor-äthan durchgeführt, man erhält dabei *5-Oxo-5-(4-methylmercapto-phenyl)-pentansäure-äthylester*[1]. Aus 4-(3-Methoxy-phenyl)-butansäure-methylester und Glutarsäure-methylester-chlorid/Aluminium-chlorid erhält man in Schwefelkohlenstoff *4-Methoxy-2-(3-methoxycarbonyl-propyl)-1-(4-methoxycarbonyl-butanoyl)-benzol*[2]:

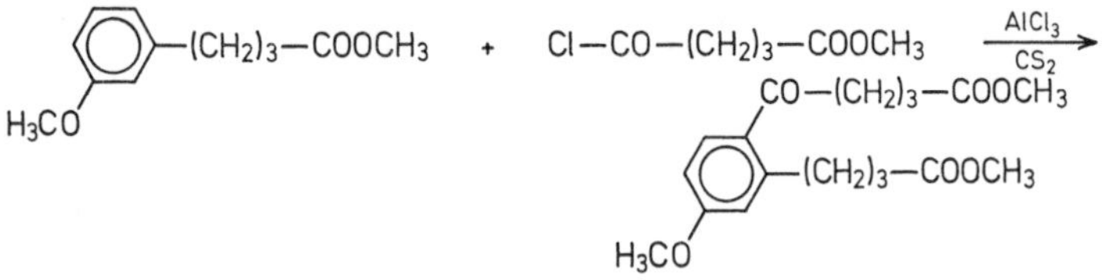

Hexandisäure-äthylester-chlorid wird mit Anisol in Gegenwart von zwei Mol Aluminiumchlorid[3] in 1,1,2,2-Tetrachlor-äthan umgesetzt; nach der Verseifung des zunächst gebildeten Esters erhält man *6-Oxo-6-(4-methoxy-phenyl)-hexansäure* (66–95% d.Th.)[4]. Für die Umsetzung von 2-Methoxy-1-cyclohexyl-benzol, die bei 3–8° mit einem Mol Aluminiumchlorid vorgenommen wird, verwendet man Benzol[5] als Lösungsmittel, und man erhält *6-Oxo-6-(4-methoxy-3-cyclohexyl-phenyl)-hexan-säure-methylester*. 4-Methoxy-1-cyclohexyl-benzol wird in Nitrobenzol in Gegenwart von zwei Mol Aluminiumchlorid zur Reaktion gebracht [*6-Oxo-6-(2-methoxy-5-cyclo-hexyl-phenyl)-hexansäure-methylester*][6]. 2,4-Dimethoxy-1-cyclohexyl-benzol setzt man in Benzol zu *6-Oxo-6-(2,4-dimethoxy-5-cyclohexyl-phenyl)-hexansäure-methylester* um[7], ebenso Diphenyläther zu *6-Oxo-6-(4-phenoxy-phenyl)-hexansäure-äthylester*[4]. *6-Oxo-6-(4-hydroxy-phenyl)-hexansäure* kann man durch direkte Acylierung von Phenol mit Hexandisäure-methylester-chlorid/Aluminiumchlorid in Chlorbenzol bei Temperaturen unter 15° herstellen; die Ausbeute liegt allerdings nur bei 25% der Theorie. Für die Acylierung von Chlor- oder Brombenzol zu *6-Oxo-6-[4-chlor-(bzw. -4-brom)-phenyl]-hexansäure-äthylester* bewährt sich Schwefelkohlenstoff[4]. Jodbenzol liefert in über-schüssigem Jodbenzol *6-Oxo-6-(4-jod-phenyl)-hexansäure-äthylester* (32% d.Th.)[8].

Decandisäure-äthylester-chlorid wird mit Methoxy- bzw. Äthoxy-benzol in Gegenwart von zwei Mol Aluminiumchlorid in 1,1,2,2-Tetrachlor-äthan umgesetzt; nach der alkalischen Verseifung der zunächst entstandenen Ester erhält man *10-Oxo-10-[4-methoxy-(bzw. -4-äthoxy)-phenyl]-decan*säure (>90% d.Th.)[9]. Wenn man eine

[1] P. CAGNIANT, C. r. **226**, 1133 (1948).
[2] R. ROBINSON u. J. WALKER, Soc. **1937**, 60.
[3] M. G. PRATT, J. O. HOPPE u. S. ARCHER, J. Org. Chem. **13**, 576 (1948).
[4] L. F. FIESER et al., Am. Soc. **70**, 3197 (1948).
[5] R. R. BURTNER u. J. M. BROWN, Am. Soc. **75**, 2334 (1953).
[6] US. P. 2589224 (1952), G. D. Searle & Co., Erf.: R. R. BURTNER; C. A. **47**, 607 (1953).
[7] R. R. BURTNER, Am. Soc. **75**, 2341 (1953).
[8] W. H. STRAIN, J. T. PLATI u. S. L. WARREN, Am. Soc. **64**, 1436 (1942).
[9] D. PAPA, E. SCHWENK u. H. HANKIN, Am. Soc. **69**, 3018 (1947).

Lösung von 1,4-Dimethoxy-benzol und Decandisäure-äthylester-chlorid/Aluminium-chlorid in Nitrobenzol sechs Stunden auf 70° erwärmt, erhält man *10-Oxo-10-(2,5-dihydroxy-phenyl)-decansäure-äthylester* (40% d.Th.)[1], analog mit 1,2-Dimethoxy-benzol *10-Oxo-10-(3,4-dimethoxy-phenyl)-decansäure-äthylester* und mit Resorcin *10-Oxo-10-(2,4-dihydroxy-phenyl)-decansäure-äthylester*[1]. Als Reaktionsmedium für die Monoacylierung von Diphenyläther mit Decandisäure-äthylester-chlorid zum *10-Oxo-10-(4-phenoxy-phenyl)-decansäure-äthylester* bewährt sich besonders Benzol, während Chlor- oder Brombenzol am günstigsten in Schwefelkohlenstoff zur Reaktion gebracht werden[2].

10-Oxo-10-(4-chlor-phenyl)-decansäure[2]: 64 g (0,48 Mol) Aluminiumchlorid werden portionsweise in eine gekühlte Lösung von 35 g (0,31 Mol) Chlorbenzol und 52 g (0,21 Mol) Decandisäure-äthylester-chlorid in 150 *ml* Schwefelkohlenstoff eingetragen. Die Mischung wird über Nacht unter Rückfluß erhitzt, dann mit Eis behandelt und einer Wasserdampfdestillation unterworfen. Das feste Produkt, das vorwiegend aus freien Carbonsäuren besteht, wird in warmer verd. Natronlauge gelöst, die Lösung mit Kohle geklärt und mit 50 g Natriumchlorid versetzt (Lösungsvol. ~ 500 *ml*). Das abgeschiedene Natriumsalz wird abgesaugt, mit Eiswasser und etwas Äther gewaschen, in Wasser gelöst und wie vorher ausgesalzen. Nach einer dritten Fällung aus einer Lösung in 300 *ml* Wasser durch 25 g Natriumchlorid wird das reinweiße Salz in Wasser suspendiert, man säuert an und saugt die abgeschiedene Säure ab. Der Filterkuchen wird getrocknet und aus Benzol und etwas Ligroin umgelöst; Ausbeute: 28,8 g (46,5% d.Th.); F: 98,5–100,8°.

Analog erhält man aus Brombenzol 10-Oxo-10-(4-brom-phenyl)-decansäure; 47% d.Th.; F: 115,5–117,5.

Maleinsäure-äthylester-chlorid ergibt nach Umsetzung mit Alkoxybenzolen wie Äthoxy-, 1,3-Dimethoxy- bzw. 1,4-Dimethoxy-benzol und anschließender Verseifung *4-Oxo-4-[4-äthoxy-* (bzw. *2,4-dimethoxy-*; bzw. *2,5-dimethoxy)-phenyl]-buten-(2)-säure*[3]. Die Reaktion wird in 1,1,2,2-Tetrachlor-äthan in Gegenwart von zwei Mol Aluminium-chlorid pro Mol des Säurechlorids vorgenommen.

Methyl-fumarsäure-methylester-[3] oder -äthylester-chlorid[4] und **Dibrom-fumarsäure-methylester-chlorid**[5] werden in Gegenwart von überschüssigem Aluminium-chlorid in Schwefelkohlenstoff mit Brombenzol umgesetzt; man erhält *4-Oxo-2-methyl-4-(4-brom-phenyl)-buten-(2)-säure-methylester*, bzw. *-äthylester* sowie *2,3-Dibrom-4-oxo-4-(4-brom-phenyl)-buten-(2)-säure-methylester* mit Ausbeuten von 66% der Theorie.

Die Umsetzung von **Phthalsäure-methylester-chlorid** mit Alkoxy-benzolen wie Methoxy-,1,2-, 1,3-, 1,4-Dimethoxy-benzol und 4-Chlor-1-methoxy-benzol wird in Gegenwart von Aluminiumchlorid in Schwefelkohlenstoff vorgenommen; man erhält *4'-Methoxy-2-methoxycarbonyl-benzophenon, 3',4'-* (bzw. *2',4'-*; bzw. *2',5'*)-*Dimethoxy-2-methoxycarbonyl-benzophenon* sowie *5'-Chlor-2'-methoxy-2-methoxycarbonyl-benzophenon* mit Ausbeuten zwischen 40 und 70% der Theorie[6]. Bei der analog vorgenommenen Umsetzung von N,N-Dimethyl-anilin mit Phthalsäure-methylester-chlorid erhält man *4'-Dimethylamino-2-methoxycarbonyl-benzophenon* (60% d. Th.)[6]. Auch 2-Hydroxy-isophthalsäure-methylester-chlorid wird mit 4-Methoxy-1-methyl- bzw. 1,4-Dimethoxy-benzol in Gegenwart von Aluminiumchlorid in

[1] A. Fujita et al., J. pharm. Soc. Japan **76**, 37 (1956).

[2] L. F. Fieser et al., Am. Soc. **70**, 3197 (1948).

[3] R. E. Lutz u. R. J. Taylor, Am. Soc. **55**, 1168 (1933).

[4] R. E. Lutz, D. T. Merritt u. M. Couper, J. Org. Chem. **4**, 95 (1939).

[5] R. E. Lutz u. W. M. Eisher, Am. Soc. **56**, 2698 (1934).

[6] C. Dufraisse u. A. Allais, Bl. [5] **11**, 531 (1944).

Schwefelkohlenstoff umgesetzt. Nach der Verseifung der zunächst entstandenen Methylester erhält man *2-Hydroxy-2'-methoxy-5'-methyl-3-carboxy-benzophenon* bzw. *2-Hydroxy-2',5'-dimethoxy-3-carboxy-benzophenon*[1].

cis-10-Chlorcarbonyl-9-methoxycarbonyl-9,10-dihydro-anthracen reagiert mit überschüssigem Anisol in Gegenwart von vier Mol Aluminiumchlorid zu *cis-10-(4-Methoxy-benzoyl)-9-methoxycarbonyl-9,10-dihydro-anthracen* (95% d.Th.). In gleicher Weise wurden *cis-10-[3,4-(bzw. -2,4; bzw. 2,5)-Dimethoxy-benzoyl]-9-methoxycarbonyl-9,10-dihydro-anthracen* mit Ausbeuten von 85% d. Th. hergestellt[2].

$\varkappa_3$) Biphenyl oder Biphenyl-Derivaten

Biphenyl kann durch **Oxalsäure**-äthylester-chlorid in Gegenwart von einem Mol Aluminiumchlorid in siedendem Schwefelkohlenstoff monoacyliert werden[3]; man erhält *Biphenylyl-(4)-glyoxylsäure-äthylester* mit einer Ausbeute von 70% der Theorie. In gleicher Weise erhält man aus Decandisäure-methylester-chlorid *4,4'-Bis-[9-methoxycarbonyl-nonanoyl]-biphenyl*[4].

Bei der Umsetzung von 9,10-Dihydro-phenanthren mit zwei Mol **Bernsteinsäure**-methylester-chlorid in Gegenwart von zwei Mol Aluminiumchlorid in Schwefelkohlenstoff isoliert man eine Mischung aus einem Mono- II und einen Diacyl-Derivat I[5] (wahrscheinlich nicht isomerenfrei):

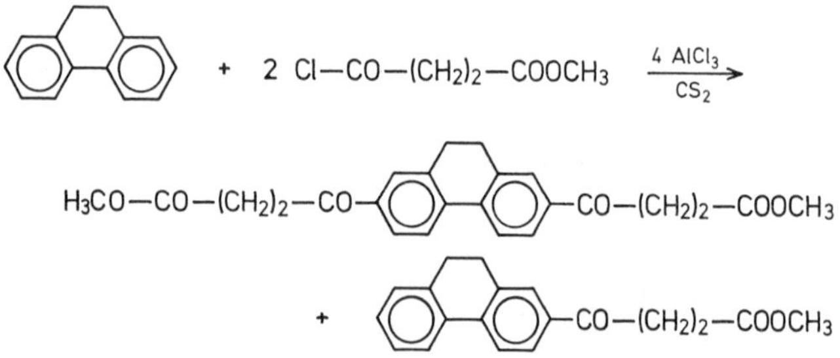

48% d.Th.; *2,7-Bis-[3-methoxycarbonyl-propanoyl]-9,10-dihydro-phenanthren*, I
36% d.Th.; *2-(3-Methoxycarbonyl-propanoyl)-9,10-dihydro-phenanthren*, II

Die Acylierung von 2,4-Dimethoxy-biphenyl mit dem gleichen Säurechlorid in Gegenwart von nur einem Mol Aluminiumchlorid in Benzol ergibt nach der Verseifung *2,4-Dimethoxy-5-(3-carboxy-propanoyl)-biphenyl*[6]. Aus Biphenyl und **Dimethylfumarsäure**-methylester-chlorid erhält man in Schwefelkohlenstoff *trans-4-Oxo-2,3-dimethyl-4-biphenylyl-(4)-buten-(2)-säure-methylester*[7].

---

[1] A. Moshfegh, S. Fallab u. H. Erlenmeyer, Helv. **40**, 1157 (1957).
[2] J. Rigaudy, A. ch. [12] **5**, 398 (1950).
[3] L. Rousset, Bl. [3] **17**, 809 (1897).
    F. F. Blicke u. M. Grier, Am. Soc. **65**, 1725 (1943).
[4] H. Dehne u. H. Schubert, Z. Chemie **8**, 110 (1968).
[5] D. D. Philips, Am. Soc. **75**, 3223 (1953).
[6] R. R. Burtner, Am. Soc. **75**, 2341 (1953).
[7] R. E. Lutz u. M. Couper, J. Org. Chem. **6**, 77 (1941).

$\varkappa_4$) *Naphthalin, Naphthalin-Derivaten oder höher kondensierten alicyclischen Ringsystemen*

Naphthalin wird mit Oxalsäure-äthylester-chlorid in Schwefelkohlenstoff[1] oder 1,1,2,2-Tetrachlor-äthan[2] in Gegenwart von einem Mol Aluminiumchlorid umgesetzt. Man erhält dabei mit einer Ausbeute von 46% d.Th. *Naphthyl-(1)-glyoxylsäure-äthylester* neben etwas *Naphthyl-(2)-glyoxylsäure-äthylester*. Die Acylierung von 1-Methyl-naphthalin ergibt [*4-Methyl-naphthyl-(1)]-glyoxylsäure-äthylester* (47% d. Th.)[3]. Acenaphthen wird in 5-Stellung acyliert.

Acenaphthyl-(5)-glyoxylsäure-äthylester[4]: 40 g (0,29 Mol) Oxalsäure-äthylester-chlorid werden unter Kühlen und Rühren in eine Lösung von 60 g (0,45 Mol) Aluminiumchlorid in 150 *ml* Nitrobenzol eingetragen, allmählich mit 40 g (0,26 Mol) Acenaphthen versetzt und 4 Stdn. bei Raumtemp. weitergerührt. Nach dem Zers. mit Eis und Salzsäure wird mit Äther ausgeschüttelt, die ätherische Lösung mit Wasser gewaschen und getrocknet. Durch Vakuumdestillation des Ätherrückstandes wird Nitrobenzol zurückgewonnen; bei 0,005 Torr destillieren 62 g (94% d.Th.) über; F: 74–75° (aus Äthanol F: 80,5°).

Benzo-[a]-anthracen wird durch Oxalsäure-äthylester-chlorid in Nitrobenzol in Gegenwart von zwei Mol Aluminiumchlorid in 10-Stellung acyliert[5]:

10-Carboxycarbonyl-⟨benzo-[a]-anthracen⟩

1-Methoxy-[1] oder 1-Äthoxy-naphthalin[6] werden zum [*4-Methoxy-* (bzw. *4-Äthoxy*)-*naphthyl-(1)]-glyoxylsäure-äthylester* und 2-Methoxy-naphthalin[1] zum [*2-Methoxy-naphthyl-(1)]-glyoxylsäure-äthylester* kondensiert.

Naphthalin ergibt bei der Umsetzung mit Bernsteinsäure-äthylester-chlorid in 1,1,2,2-Tetrachlor-äthan als Hauptreaktionsprodukt *4-Oxo-4-naphthyl-(2)-butansäure*; wenn man die gleiche Reaktion in Nitrobenzol vornimmt, isoliert man *4-Oxo-4-naphthyl-(1)-butansäure*.

4-Oxo-4-[naphthyl-(2- und -1)]-butansäure[7]: Zu einer Mischung aus 200 *ml* wasserfreiem 1,1,2,2-Tetrachlor-äthan und 82 g (0,5 Mol) Bernsteinsäure-äthylester-chlorid gibt man bei 0° 133 g (1 Mol) wasserfreies Aluminiumchlorid. Bei 0° tropft man eine Lösung von 64 g (0,5 Mol) Naphthalin in 200 *ml* 1,1,2,2-Tetrachlor-äthan hinzu. Die Reaktionsmischung wird 3 Stdn. bei 0° verrührt, dann läßt man über Nacht die Temp. auf 20° steigen. Die Reaktionsmischung wird zersetzt, das Lösungsmittel und überschüssiges Naphthalin werden mit Wasserdampf abdestilliert, den Rückstand extrahiert man zweimal mit Äther. Die Ätherextrakte werden eingedampft, und der Ester mit 300 *ml* einer 10%igen alkoholischen Natriumhydroxid-Lösung verseift. Die klare alkoholische Lösung wird mit Wasser verdünnt, der Alkohol i.Vak. abdestilliert und die wäßrige

[1] L. ROUSSET, Bl. [3] **17**, 300 (1897).
[2] F. F. BLICKE u. R. F. FELDKAMP, Am. Soc. **66**, 1087 (1944).
[3] G. LOCK u. R. SCHNEIDER, B. **91**, 1770 (1958).
[4] G. LOCK u. R. SCHNEIDER, B. **88**, 565 (1955).
[5] G. M. BADGER u. J. W. COOK, Soc. **1940**, 409.
[6] L. ROUSSET, Bl. [3] **17**, 811 (1897).
[7] D. PAPA, E. SCHWENK u. H. HANKIN, Am. Soc. **69**, 3022 (1947).

Lösung nach dem Abkühlen angesäuert. Man erhält 97 g (85% d. Th.) einer Isomerenmischung vom F: 151,5–156,5°. Das Rohprodukt wird aus 1 l 50%igem Äthanol umgelöst und die Lösung langsam auf Raumtemp. abgekühlt; Ausbeute: 63 g (55% d. Th.) *4-Oxo-4-naphthyl-(2)-butansäure*; F: 172,5–173°.

Beim Verdünnen des Filtrates mit Wasser fallen 28 g (25% d. Th.) *4-Oxo-4-naphthyl-(1)-butansäure* aus; aus verd. Essigsäure und verd. Methanol, F: 129–130°.

4-Oxo-4-naphthyl-(1)-butansäure[1]: Die Acylierung des Naphthalins mit Bernsteinsäure-äthylester-chlorid wird wie vorstehend ausgeführt, das 1,1,2,2-Tetrachlor-äthan wird jedoch durch das gleiche Vol. Nitrobenzol ersetzt; Rohausbeute: 85 g (75% d. Th.); F: 120–122,5°; aus verd. Essigsäure und dann aus wäßrigem Methanol, F: 130–131°.

1-Alkyl-naphthaline wie 1-Methyl-, 1-Butyl- oder 1-Octyl-naphthalin werden durch Bernsteinsäure-methylester-chlorid in Schwefelkohlenstoff in Gegenwart von überschüssigem Aluminiumchlorid in 4-Stellung z.B. zu *4-Methyl-, 4-Butyl-* bzw. *4-Octyl-1-(3-methoxycarbonyl-propanoyl)-naphthalin* acyliert[2]. Unter analogen Bedingungen entsteht aus 1,2-Dimethyl-naphthalin *3,4-Dimethyl-1-(3-methoxycarbonyl-propanoyl)-naphthalin*[2] und aus 1-Methoxy-naphthalin nach der alkalischen Verseifung *4-Methoxy-1-(3-carboxy-propanoyl)-naphthalin*[3]. Die Acylierung von 1-Chlor-2-methoxy-naphthalin mit Bernsteinsäure-methylester-chlorid in Nitrobenzol erfolgt in 6-Stellung zum *5-Chlor-6-methoxy-2-(3-carboxy-propanoyl)-naphthalin* (78% d. Th.)[4]. Aus 6-Methoxy-1-(3-methoxycarbonyl-propyl)-naphthalin wird *2-Methoxy-5-(3-carboxy-propyl)-1-(3-carboxy-propanoyl)-naphthalin*[4] erhalten:

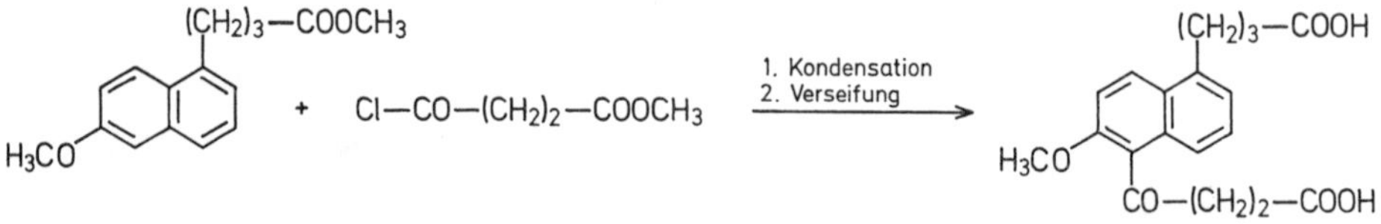

Glutarsäure-äthylester-chlorid reagiert in Gegenwart von Aluminiumchlorid in Schwefelkohlenstoff mit Naphthalin zu einer Mischung aus *5-Oxo-5-[naphthyl-(2 und 1)]-pentansäure-äthylester*[5]. Unter analogen Bedingungen wird 1-Äthyl-naphthalin zu *4-Äthyl-1-(4-äthoxycarbonyl-butanoyl)-naphthalin* acyliert[3]. Aus 2-Methoxy-naphthalin und α,α-Dimethyl-β-äthyl-glutarsäure-methylester-chlorid/Aluminiumchlorid entsteht in Nitrobenzol bei 0–5° *5-Oxo-5-[6-methoxy-naphthyl-(2)]-2,2-dimethyl-3-äthyl-pentansäure-methylester*[6]:

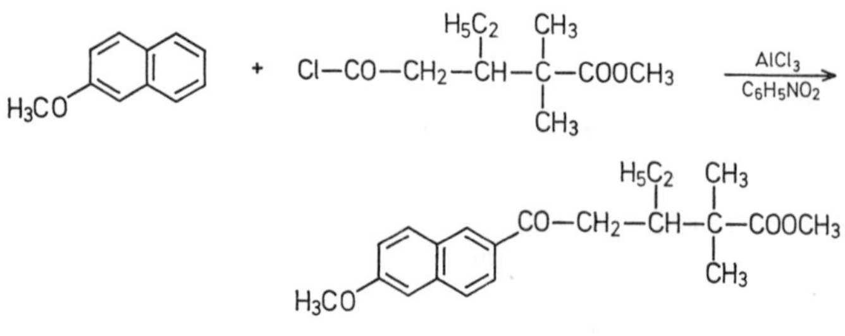

[1] D. Papa, E. Schwenk u. H. Hankin, Am. Soc. **69**, 3022 (1947).
[2] P. Cagniant u. D. Cagniant, Bl. **1953**, 1448.
[3] US. P. 2623065 (1952), G. D. Searle & Co., Erf.: R. R. Burtner; C. A. **47**, 9364 (1953).
[4] R. Robinson u. J. M. C. Thompson, Soc. **1938**, 2009.
[5] R. Legros u. P. Cagniant, C. r. **251**, 553 (1960).
[6] A. Ormancey u. A. Horeau, Bl. **1955**, 962.

Hexandisäure-äthylester-chlorid ergibt mit Naphthalin in Nitrobenzol bei 5–10° in Gegenwart von etwas mehr als zwei Mol Aluminiumchlorid nach Verseifung *6-Oxo-6-[naphthyl-(1- und -2)]-hexansäure*[1]. Fluoranthen reagiert mit Hexandisäure-methylester-chlorid/Aluminiumchlorid in Nitrobenzol bei 0° in 8-Stellung[2]:

8-(5-Methoxycarbonyl-
pentanoyl)-fluoranthen

Analog erhält[3] man mit

Nonandisäure-methylester-chlorid	→	*8- neben wenig 3-(8-Methoxycarbonyl-octanoyl)-fluoranthen*
Decandisäure-methylester-chlorid	→	*8- neben wenig 3-(9-Methoxycarbonyl-nonanoyl)-fluoranthen*

$\varkappa_5$) *reaktionsfähigen Heterocyclen*

Bei der Umsetzung von Oxalsäure-äthylester-chlorid mit 2,3-Dihydro-⟨benzo-[b]-furan⟩ in Schwefelkohlenstoff in Gegenwart von überschüssigem Aluminiumchlorid erhält man *5-(Äthoxycarbonyl-carbonyl)-2,3-dihydro-⟨benzo-[b]-furan⟩*[4,5]. Unter analogen Bedingungen tritt der Glyoxylsäure-Rest in 5-Methyl-2,3-dihydro-⟨benzo-[b]-furan⟩ in 7-Stellung ein, man isoliert *5-Methyl-7-(äthoxycarbonyl-carbonyl)-2,3-dihydro-⟨benzo-[b]-furan⟩* (55% d. Th.)[6]. Auch die Acylierung des Chromans mit Oxalsäure-äthylester-chlorid/Aluminiumchlorid erfolgt in p-Stellung zum Sauerstoffatom, es entsteht *6-(Äthoxycarbonyl-carbonyl)-chroman*[5]. Als Lösungsmittel für die Umsetzung mit 4-Methoxy-⟨dibenzofuran⟩ verwendet man Nitrobenzol, und erhält *4-Methoxy-6-(äthoxycarbonyl-carbonyl)-⟨dibenzofuran⟩* (43% d. Th.)[7].

Wenn man eine Lösung von Thiophen und Oxalsäure-äthylester-chlorid in Petroläther (Kp: 40–80°) in eine Suspension von Aluminiumchlorid in Petroläther einfließen läßt, erhält man *2-(Äthoxycarbonyl-carbonyl)-thiophen* (50% d. Th.).[8]

2-Methyl-indolizin reagiert mit Oxalsäure-äthylester-chlorid in Benzol ohne Katalysator zum entsprechenden Glyoxylsäureester:

2-Methyl-1-(äthoxycarbonyl-
carbonyl)-indolizin

Die Reaktion ist bei Raumtemperatur nach ~ 12 Stdn., bei Rückflußtemp. nach 30 Min. beendet[9].

[1] L. F. FIESER u. J. SMUSZKOWICZ, Am. Soc. **70**, 3352 (1948).
[2] US. P. 2773091 (1956), G. D. Searle & Co., Erf.: R. R. BURTNER; C. A. **51**, 8142 (1957).
[3] A. CORBELLINI, G. **96**, 404 (1966).
[4] G. CHATELUS u. P. CAGNIANT, C. r. **224**, 1777 (1947).
[5] G. CHATELUS, A. ch. [12] **4**, 505 (1949).
[6] P. CAGNIANT u. D. CAGNIANT, Bl. **1957**, 827.
[7] H. GILMAN u. L. CHENEY, Am. Soc. **61**, 3149 (1939).
[8] W. STEINKOPF u. A. WOLFRAM, A. **437**, 22 (1924).
[9] D. O. HOLLAND u. J. H. C. NAYLER, Soc. **1955**, 1504.

2-(9-Chlor-nonyl)-thiophen wird durch Malonsäure-äthylester-chlorid in 5-Stellung acyliert; man arbeitet bei dieser Umsetzung in Benzol mit Zinn(IV)-chlorid als Katalysator und erhält *5-(9-Chlor-nonyl)-2-(2-äthoxycarbonyl-acetyl)-thiophen* (71,5% d. Th.)[1].

Bernsteinsäure-methylester-chlorid ergibt mit 2,3-Dihydro-⟨benzo-[b]-furan⟩ in Schwefelkohlenstoff in Gegenwart von überschüssigem Aluminiumchlorid *5-(3-Methoxycarbonyl-propanoyl)-2,3-dihydro-⟨benzo-[b]-furan⟩* (73% d. Th.)[2]. Unter analogen Bedingungen werden 5-Methyl- und 5-Äthyl-2,3-dihydro-⟨benzo-[b]-furan⟩ in 7-Stellung zum *5-Methyl-* bzw. *5-Äthyl-7-(3-methoxycarbonyl-propanoyl)-2,3-dihydro-⟨benzo-[b]-furan⟩* acyliert[3]. *7-Methoxy-2-äthyl-⟨benzo-[b]-furan⟩* wird durch Bernsteinsäure-methylester-chlorid in 4-Stellung zu *7-Methoxy-2-äthyl-4-(3-methoxycarbonyl-propanoyl)-⟨benzo-[b]-furan⟩* substituiert[4]. Chroman reagiert mit Bernsteinsäure-methylester-chlorid in 6-Stellung, zum *6-(3-Methoxycarbonyl-propanoyl)-chroman* (60% d. Th.)[5,6].

Für die Umsetzung von Bernsteinsäure-methylester-chlorid mit Thiophen kann man Aluminiumchlorid[7] oder Zinn(IV)-chlorid[8] als Katalysator verwenden.

2-(3-Methoxycarbonyl-propanoyl)-thiophen[7]: 42 g (0,5 Mol) Thiophen und 75 g (0,5 Mol) Bernsteinsäure-methylester-chlorid werden in 300 *ml* Schwefelkohlenstoff gelöst. Zu der auf 0° abgekühlten Lösung gibt man im Verlaufe von 30 Min. unter lebhaftem Rühren 75 g (0,56 Mol) Aluminiumchlorid, anschließend rührt man die Mischung noch 3 Stdn. bei Raumtemp. Nach dem Zers. des Aluminiumchlorid-Komplexes und der wie üblich durchgeführten Aufarbeitung wird destilliert; Ausbeute: 64 g (65% d. Th.); nach 2. Destillation; Kp$_{17}$: 178°.

2-Methyl-[9] und 2-Äthyl-thiophen[7] werden durch Bernsteinsäure-methylester-chlorid/Aluminiumchlorid in Schwefelkohlenstoff zu *5-Methyl-* bzw. *5-Äthyl-2-(3-methoxycarbonyl-propanoyl)-thiophen* acyliert. Für die Umsetzung von Hexadecyl-thiophen zu *5-Hexadecyl-2-(3-methoxycarbonyl-propanoyl)-thiophen* wurde Zinn(IV)-chlorid in Benzol als Katalysator[10] eingesetzt. 2,5-Diäthyl-thiophen ergibt mit Bernsteinsäure-äthylester-chlorid/Aluminiumchlorid in Schwefelkohlenstoff *2,5-Diäthyl-3-(3-methoxycarbonyl-propanoyl)-thiophen* (64% d. Th.)[11]. Aus 3,4-Dimethoxy-thiophen in Benzol mit Zinn(IV)-chlorid fällt nach der alkalischen Verseifung des zunächst entstandenen Esters *3,4-Dimethoxy-2-(3-carboxy-propanoyl)-thiophen*[12] an. Dithienyl-(2)-methan wird durch zwei Mol Bernsteinsäure-methylester-chlorid/Zinn(IV)-chlorid in Benzol in 5,5'-Stellung zu *Bis-[5-(3-methoxycarbonyl-propanoyl)-thienyl-(2)]-methan* diacyliert[13].

---

[1] S. Z. TAITS u. Y. L. GOLDFARB, Izv. Akad. SSSR 1960 (1698); C. A. 55, 8318 (1961).

[2] P. CAGNIANT u. D. CAGNIANT, Bl. 1955, 931.

[3] P. CAGNIANT u. D. CAGNIANT, Bl. 1957, 827.

[4] R. ROYER et al., Bl. 1967, 2405.

[5] G. CHATELUS u. P. CAGNIANT, C. r. 224, 1777 (1947).

[6] G. CHATELUS, A. ch. [12] 4, 505 (1949).

[7] P. CAGNIANT u. P. CAGNIANT, Bl. 1953, 62.

[8] B. P. FABRICHNYI, I. F. SHALAVINA u. Y. L. GOLDFARB, Ž. obšč. Chim. 28, 2520 (1958); C. A. 53, 3052 (1959).

[9] P. CAGNIANT u. D. CAGNIANT, Bl. 1955, 1252.

[10] K. E. MILLER, C. HAYMAKER u. H. GILMAN, J. Org. Chem. 24, 622 (1959).

[11] P. CAGNIANT u. P. CAGNIANT, Bl. 1953, 713.

[12] W. FAGER, Am. Soc. 67, 2217 (1945).

[13] Y. L. GOLDFARB u. M. L. KIRMALOVA, Izv. Akad. SSSR 1955, 570; C. A. 50, 6422 (1956).

Benzo-[b]-thiophen ergibt mit Bernsteinsäure-methylester-chlorid/Aluminium-chlorid[1] oder Zinn(IV)-chlorid[2] bei 0–5° in hoher Ausbeute *2-(3-Methoxycarbonyl-propanoyl)-⟨benzo-[b]-thiophen⟩*. 6-Methoxy-⟨benzo-[b]-thiophen⟩ wird in 2-Stellung zu *6-Methoxy-2-(3-methoxycarbonyl-propanoyl)-⟨benzo-[b]-thiophen⟩* acyliert[3]. Analoge Umsetzungen von 5,6,7,8-Tetrahydro-⟨benzo-[b]-thiophen⟩[1] und von 4,5,6,7-Tetra-hydro-8H-⟨cyclohepta-[b]-thiophen⟩[4] zu *2-(3-Methoxycarbonyl-propanoyl)-5,6,7,8-tetrahydro-⟨benzo-[b]-thiophen⟩* bzw. *4,5,6,7-tetrahydro-8H-⟨cyclohepta-[b]-thiophen⟩* wurden ebenfalls durchgeführt. Aus Thiachroman entsteht ein Gemisch aus *6-* neben wenig *8-(3-Methoxycarbonyl-propanoyl)-thiachroman*[4,5]. 1,2,4,5-Tetra-hydro-⟨benzo-[d]-thiepin⟩ wird durch Bernsteinsäure-methylester-chlorid in 7-Stellung acyliert[5]:

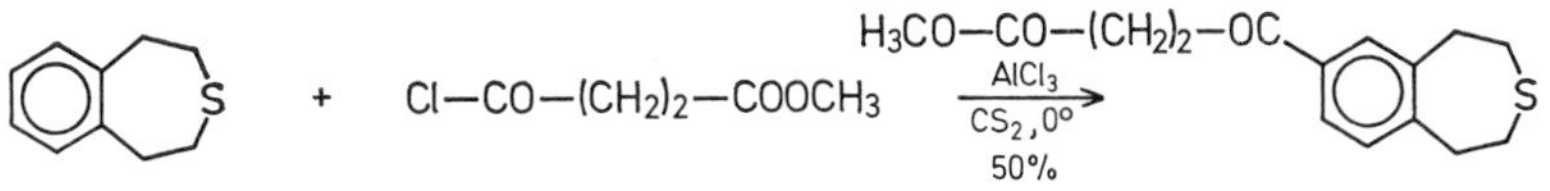

N-Acetyl-phenothiazin wird mit Bernsteinsäure-methylester-chlorid in Gegen-wart von mehr als drei Mol Aluminiumchlorid in siedendem Schwefelkohlenstoff kondensiert; nach alkalischer Verseifung des zunächst erhaltenen Esters wird mit 58% d.Th. *2-(3-Carboxy-propanoyl)-phenothiazin* isoliert[6]. N-Methyl-1,8-naphthsultam ergibt *N-Methyl-4-(methoxycarbonyl-propanoyl)-1,8-naphtsultam*[7].

Glutarsäure-äthylester-chlorid läßt sich mit 2,3-Dihydro-⟨benzo-[b]-fu-ran⟩[8,9] oder Chroman[8,9] in Schwefelkohlenstoff mit Aluminiumchlorid zu *5-(4-Äthoxycarbonyl-butanoyl)-2,3-dihydro-⟨benzo-[b]-furan⟩* bzw. *6-(4-Äthoxycarbonyl-buta-noyl)-chroman* mit Ausbeuten von 60–62% d.Th. kondensieren. Aus Thiophen wird *2-(4-Äthoxycarbonyl-butanoyl)-thiophen* (75% d.Th.)[4,10,11] erhalten. 2-Äthyl-thiophen[4] wird durch Glutarsäure-äthylester-chlorid/Aluminiumchlorid zu *2-Äthyl-5-(4-äthoxy-carbonyl-butanoyl)-thiophen* acyliert und 2,5-Diäthyl-thiophen zu *2,5-Diäthyl-3-(4-äthoxycarbonyl-butanoyl)-thiophen*[12]. Die Umsetzung von 2-(4-Methoxycarbonyl-butyl)-thiophen mit Glutarsäure-methylester-chlorid/Zinn(IV)-chlorid wird in Benzol vorge-nommen, und führt zu *5-(4-Methoxycarbonyl-butyl)-2-methoxycarbonyl-butanoyl)-thio-phen*[13].

---

[1] P. Cagniant u. P. Cagniant, Bl. **1952**, 336.

[2] R. B. Mitra u. B. D. Tilak, J. sci Ind. Research (India) **15** [B], 497 (1956); C. A. **51**, 5784 (1957).

[3] M. K. Battercharjee et al., Tetrahedron **10**, 215 (1960).

[4] P. Cagniant u. D. Cagniant, Bl. **1955**, 680.

[5] P. Cagniant u. D. Cagniant, Bl. **1961**, 1560.

[6] R. Baltzly, M. Harfenist u. F. J. Webb, Am. Soc. **68**, 2673 (1946).

[7] A. Mustafa u. M. I. Ali, Am. Soc. **77**, 4593 (1955).

[8] G. Chatelus u. P. Cagniant, C. r. **224**, 1777 (1947).

[9] G. Chaletus, A. ch. [12] **4**, 505 (1949).

[10] P. Cagniant u. A. Deluzarche, C. r. **223**, 1012 (1946).

[11] B. P. Fabrichnyi, I. F. Shalavina u. Y. L. Gol'dfarb, Ž. obšč. Chim. **28**, 2520 (1958); C. A. **53**, 3052 (1959).

[12] P. Cagniant u. P. Cagniant, Bl. **1953**, 713.

[13] Y. L. Goldfarb, S. Z. Taits u. L. I. Belenkyi, Izv. Akad. SSSR **1957**, 1262; C. A. **52**, 6310 (1958).

Benzo-[b]-thiophen ergibt mit Glutarsäure-äthylester-chlorid/Aluminium-chlorid in Schwefelkohlenstoff eine Mischung aus 2- und *3-(4-Äthoxycarbonyl-butanoyl)-⟨benzo-[b]-thiophen⟩*, dabei ist das 2-Derivat Hauptreaktionsprodukt[1]. Aus 4,5,6,7-Tetrahydro-⟨benzo-[b]-thiophen⟩[2] oder Thiochroman[3] erhält man *2-(4-Äthoxycar-bonyl-butanoyl)-4,5,6,7-tetrahydro-⟨benzo-[b]-thiophen⟩* bzw. *6-(4-Äthoxycarbonyl-butan-oyl)-thiochroman*.

Durch Acylierung von Thiophen mit β-Methyl-glutarsäure-methylester-chlorid/Zinn(IV)-chlorid in Benzol entsteht *2-(3-Methyl-4-methoxycarbonyl-butanoyl)-thiophen* (86% d. Th.)[4]. Die Kondensation von 2-Oxo-4-methyl-2,3-dihydro-imidazol mit β-Methyl-glutarsäure-äthylester-chlorid/Aluminiumchlorid wird in Nitrobenzol bei 30–40° durchgeführt[5]:

2-Oxo-5-methyl-4-(3-methyl-4-äthoxycarbonyl-butanoyl)-2,3-dihydro-imidazol

Analog verläuft die Umsetzung von β,β-Dimethyl-glutarsäure-äthylester-chlorid zum *2-Oxo-5-methyl-4-(3-methyl-4-äthoxycarbonyl-butanoyl)-2,3-dihydro-imidazol*[5].

Hexandisäure-äthylester-chlorid wird mit Thiophen[4,6,7] oder substituierten Thiophenen wie 2-Octyl-[8], 2-Hexadecyl-[9], 2-(3-Cyclopentyl-propyl)-[10] oder 2-(8-Äthoxycarbonyl-octyl)-thiophen[11] mit Aluminiumchlorid oder Zinn(IV)-chlorid als Katalysator in Schwefelkohlenstoff oder in Benzol bei 0° zu *2-(5-Äthoxycarbonyl-pentanoyl)-thiophen, 5-Octyl-, 5-Hexadecyl-, 5-(3-Cyclopentyl-propyl)- oder 5-(8-Äthoxy-carbonyl-octyl)-2-(5-äthoxycarbonyl-pentanoyl)-thiophen* kondensiert. Bei der Um-setzung von einem Mol Dithienyl-(2)-methan mit einem Mol Hexandisäure-äthyl-ester-chlorid und einem Mol Zinn(IV)-chlorid in Schwefelkohlenstoff bei 0° erfolgt nur Monoacylierung[11]:

5-[Thienyl-(2)-methyl]-2-(5-äthoxy-carbonyl-pentanoyl)-thiophen

[1] P. Cagniant u. P. Cagniant, Bl. **1952**, 629.
[2] P. Cagniant, C. r. **230**, 100 (1950).
[3] P. Cagniant u. A. Deluzarche, C. r. **223**, 1012 (1946).
[4] B. P. Fabrichnyi, I. F. Shalavina u. Y. L. Gol'dfarb, Ž. obšč. Chim. **28**, 2520, (1958); C. A. **53**, 3052 (1959).
[5] C. Chang, Scientia Sinica (Peking) **4**, 537 (1955); C. A. **50**, 12031 (1956).
[6] D. Papa, E. Schwenk u. H. Hankin, Am. Soc. **69**, 3021 (1947).
[7] P. Cagniant, D. Cagniant u. A. Deluzarche, Bl. **1948**, 1083.
[8] T. F. Grey, J. F. McGhie u. W. Ross, Soc. **1960**, 1502.
[9] K. E. Miller, C. Haymaker u. H. Gilman, J. Org. Chem. **24**, 622 (1959).
[10] N. P. Buu-Hoi, M. Sy u. N. D. Xuong, C. r. **240**, 785 (1955).
[11] N. P. Buu-Hoi, M. Sy u. N. D. Xuong, Bl. **1955**, 1583.

Nach alkalischer Verseifung des Esters erhält man *5-[Thienyl-(2)-methyl]-2-(5-carb-oxy-pentanoyl)-thiophen* (60–70% d. Th.).

Heptandisäure-[1] oder Octandisäure-äthylester-chlorid[2] wurden mit Thiophen in Schwefelkohlenstoff bei 0° mit Aluminiumchlorid umgesetzt. Man erhält *2-(6-Äthoxycarbonyl-hexanoyl)*- bzw. *2-(7-Äthoxycarbonyl-heptanoyl)-thiophen* mit Ausbeuten von 78% bzw. 69% der Theorie. Die Kondensation des Octandisäure-äthylester-chlorid mit Thiophen wird mit Zinn(IV)-chlorid durchgeführt[3].

Aus Nonandisäure-äthylester-chlorid und Thiophen oder substituierten Thiophenen[1-4] wurden zahlreiche Ketocarbonsäureester hergestellt ebenso aus Decandisäure-äthylester-chlorid. 2-Oxo-4-methyl-2,3-dihydro-imidazol wird mit Decandisäure-äthylester-chlorid oder Dodecandisäure-äthylester-chlorid in Nitrobenzol in Gegenwart von überschüssigem Aluminiumchlorid bei 65–85° umgesetzt; die Acylierungen erfolgen jeweils in 5-Stellung zu *2-Oxo-5-methyl-4-(9-äthoxycarbonyl-nonanoyl)-2,3-dihydro-imidazol* bzw. *2-Oxo-5-methyl-4-(11-äthoxycarbonyl-undecanoyl)-2,3-dihydro-imidazol*[5].

3-Nitro-phthalsäure-2-alkylester-1-chlorid lagert sich in Gegenwart von Zinn(IV)-chlorid in Benzol in 3-Nitro-phthalsäure-1-alkylester-2-chlorid um[6]. Deshalb entsteht bei dessen Kondensation mit Thiophen in Benzol und Zinn(IV)-chlorid nach der Verseifung immer *2-(6-Nitro-2-carboxy-benzoyl)-thiophen*[7]:

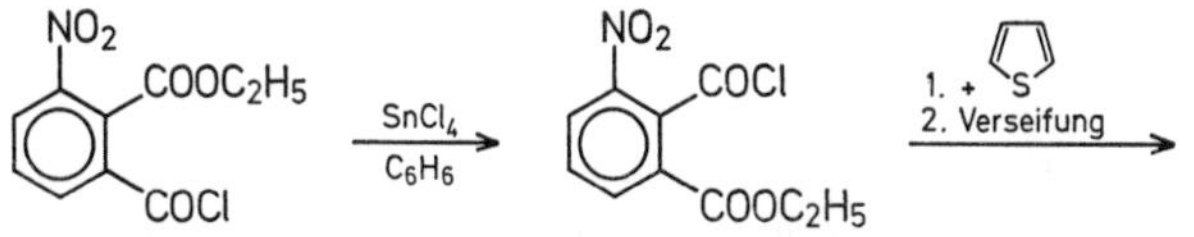

Unter analogen Bedingungen entsteht aus 4-Nitro-phthalsäure-1-äthylester-2-chlorid *2-(5-Nitro-2-carboxy-benzoyl)-thiophen*[8].

3-Methyl-4-(2-methoxycarbonyl-äthyl)-2-chlorcarbonyl-pyrrol ergibt bei der Umsetzung mit 2,4-Dimethyl-3-acetyl-pyrrol in Schwefelkohlenstoff mit Aluminiumchlorid als Katalysator *[3-Methyl-4-(2-methoxycarbonyl-äthyl)-pyrryl-(2)]-[3,5-di-methyl-4-acetyl-pyrryl-(2)]-keton*[9, vgl. a. 10]:

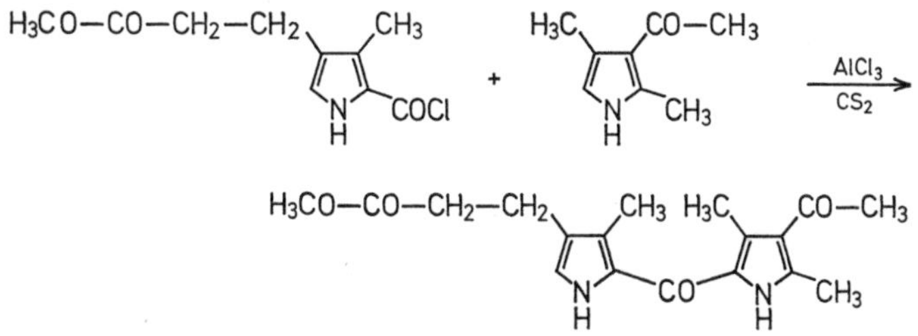

[1] P. CAGNIANT u. D. CAGNIANT, Bl. **1954**, 1349.
[2] P. CAGNIANT, D. CAGNIANT u. A. DELUZARCHE, Bl. **1948**, 1083.
[3] T. F. GREY, J. F. McGHIE u. W. ROSS, Soc. **1960**, 1502.
[4] N. P. BUU-HOI, M. SY u. N. D. XUONG, Bl. **1955**, 1583.
[5] C. CHANG, Scientia Sinica (Peking) **4**, 537 (1955); C. A. **50**, 12031 (1956).
[6] R. GONZALVES u. E. V. BROWN, J. Org. Chem. **19**, 4 (1954).
[7] R. GONZALVES, M. R. KEGELMAN u. E. V. BROWN, J. Org. Chem. **17**, 705 (1952).
[8] V. WEINMAYR, Am. Soc. **74**, 4353 (1952).
[9] H. FISCHER u. H. ORTH, A. **502**, 237 (1933).
[10] H. FISCHER u. H. ORTH, A. **489**, 62 (1931).

λ_1) Ketone aus Carbonsäure-imid-chloriden und reaktionsfähigen Aromaten

λ_1) *mit offenkettigen Carbonsäure-imid-chloriden*

Carbonsäure-imid-chloride können wegen ihrer gegenüber Carbonsäure-chloriden verminderten Reaktionsfähigkeit nur zur Acylierung von reaktionsfähigen Aromaten verwendet werden. Dabei bilden sich in der ersten Stufe Ketonimine, die sauer zu den entsprechenden Ketonen verseift werden:

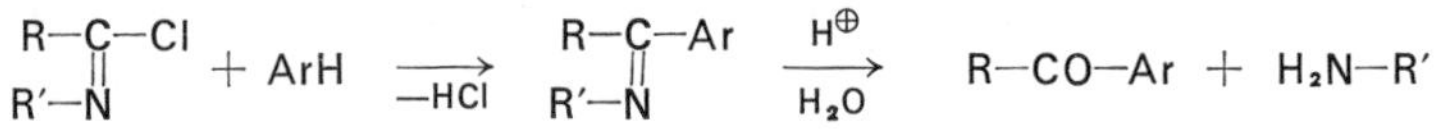

$$\begin{array}{c} R-\overset{\underset{\|}{}}{C}-Cl \\ R'-N \end{array} + ArH \xrightarrow[-HCl]{} \begin{array}{c} R-\overset{\underset{\|}{}}{C}-Ar \\ R'-N \end{array} \xrightarrow[H_2O]{H^\oplus} R-CO-Ar + H_2N-R'$$

In der präparativen Chemie spielen derartige Umsetzungen keine bedeutende Rolle.

Chlor-acetimidchlorid[1] reagiert beim Erhitzen mit 1,3-Dihydroxy-benzol auf 50–60° unter Chlorwasserstoff-Abspaltung zu *ω-Chlor-2,4-dihydroxy-acetophenon-imin*, das durch Wasser zu *ω-Chlor-2,4-dihydroxy-acetophenon* verseift wird. Beim Erhitzen von Benzoesäure-phenylimid-chlorid mit 1,3-Dihydroxy-benzol zunächst auf 50°, dann auf 150°, erhält man *2,4-Dihydroxy-benzophenon-phenylimin*, das mit 25%iger Chlorwasserstoffsäure zu *2,4-Dihydroxy-benzophenon* hydrolysiert wird[2] (Ausbeute: 20% d. Th.)[3].

Wesentlich bessere Ausbeuten werden erhalten, wenn die Umsetzung von Benzoe-säure-phenylimid-chlorid mit reaktionsfähigen Aromaten in Gegenwart von etwas mehr als einem Mol Aluminiumchlorid vorgenommen wird. Während mit Benzol keine Umsetzung erzielt wird, entsteht aus Methoxy-benzol das *4-Methoxy-benzo-phenon* (89,5% d. Th.)[4]. Mit ggf. substituierten Benzoesäure-phenylimid-chloriden/ Aluminiumchlorid und N,N-Dimethyl- oder N,N-Diäthyl-anilin werden in Schwefel-kohlenstoff oder Benzol nach Verseifung der primär gebildeten Keton-phenylimide 4-Dialkylamino-benzophenone mit Ausbeuten von 50–80% d. Th. erhalten[5]. Aus Oxalsäure-bis-[phenylimid-chlorid] entsteht in Gegenwart von Alumi-niumchlorid mit Methoxybenzol nach saurer Verseifung das *4,4'-Dimethoxy-benzil*. Mit 2-Hydroxy-naphthalin erhält man *2,3-Dioxo-2,3-dihydro-⟨naphtho-[1,2-b]-furan⟩*:

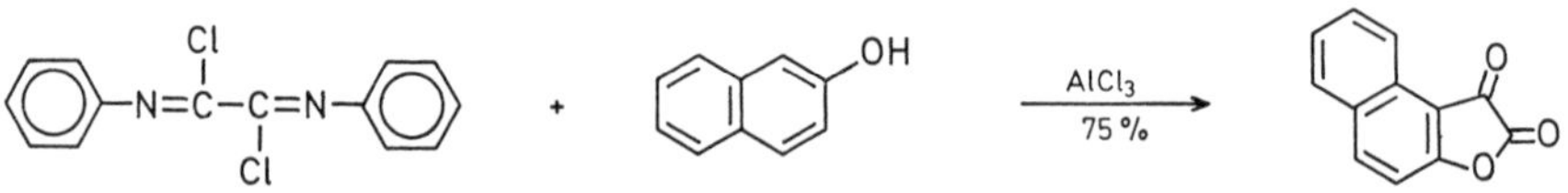

Unter analogen Bedingungen wurden aus 2-Methoxy- bzw. 2-Äthoxy-naphthalin die *3-Methoxy-* (75% d. Th.) bzw. *3-Äthoxy-acenaphthenchinone-(1,2)* (44% d. Th.)[4] er-halten[4].

[1] J. Tröger u. O. Lüning, J. prakt. [2] **69**, 347 (1904).
[2] H. Stephen, Soc. **1920**, 1529.
[3] A. W. Chapman, Soc. **1922**, 1676.
[4] H. Staudinger, H. Goldstein u. E. Schlenker, Helv. **4**, 342 (1921).
[5] R. C. Shah u. J. S. Chaubal, Soc. **1932**, 650.

λ₂) mit cyclischen Carbonsäure-imid-chloriden

Die zahlreichen Heteroaromaten, welche das Strukturelement

$$Hal\!-\!\underset{|}{C}\!=\!N\!-$$

ein oder mehrmals enthalten, sind cyclische Imid-chloride mit reaktionsfähigen Halogenatomen und reagieren praktisch wie Carbonsäure-chloride (z. B. Cyanurchlorid).

Der Vollständigkeit wegen seien deren Umsetzungen nach Art der Friedel-Crafts'schen Synthese kurz aufgeführt, obwohl die entstandenen cyclischen Imide nicht zu Carbonylverbindungen hydrolysiert werden können.

Aus diesen Verbindungsklassen ist das 2-Chlor-chinolin[1] am wenigsten reaktionsfähig. Es läßt sich mit 1,3-Dihydroxy-benzol (Resorcin) bzw. 4-Chlor-1,3-dihydroxy-benzol mittels Aluminiumchlorid in Nitrobenzol bei 100° zu *2-(2,4-Dihydroxy-phenyl)-chinolin* bzw. *2-(5-Chlor-2,4-dihydroxyphenyl)-chinolin* kondensieren.

Analog werden aus 2-Chlor-⟨benzo-1,3-thiazol⟩ und 1,3-Dihydroxy-benzol oder 4-Chlor-1,3-dihydroxy-benzol *2-(2,4-Dihydroxy-phenyl)-* bzw. *2-(5-Chlor-2,4-dihydroxy-phenyl)-⟨benzo-1,3-thiazol⟩* erhalten[1]. Die Acylierung von 1,3-Dihydroxy-benzol ist auch mit 3,6-Dichlor-pyrazin/Aluminiumchlorid in Nitrobenzol bei 20° zu *6-Chlor-3-(2,4-dihydroxy-phenyl)-pyrazin* (65% d.Th.) möglich[2]. Mit dem verbliebenen Chloratom ist keine weitere Acylierung durchführbar. 2,4,6-Trichlor-pyrimidin soll in Gegenwart von Aluminiumchlorid mit 1-Methoxy-naphthalin Gemische aus *2,6-* und *2,4-Dichlor-4-* bzw. *-6-[4-methoxy-naphthyl-(1)]-pyrimidin* ergeben[3].

Am reaktionsfähigsten ist das Cyanurchlorid, das mit Aromaten in Gegenwart von Aluminiumchlorid, je nach den angewendeten Reaktionsbedingungen einmal[3,4], zweimal[5] oder dreimal[6] kondensiert werden kann. Aus 2,4-Dichlor-6-methoxy-1,3,5-triazin und Aromaten erhält man 6-H y d r o x y - 2,4 - d i a r y l - 1,3,5 - t r i a z i n e[6], während 2-Chlor-4,6-dimethoxy-1,3,5-triazin nicht zur Reaktion gebracht werden konnte.

Anscheinend erzielt man vielfach bessere Ausbeuten an obigen Kondensationsprodukten durch Umsetzen der cyclischen Imid-chloride mit Grignard-Verbindungen.

μ) Ketone aus Carbonsäure-amiden und N,N-disubstituierten Anilinen oder reaktionsfähigen Heterocyclen

Die Synthese von 4-Dimethylamino-benzophenon durch Erhitzen von N,N-Dimethyl-anilin mit Benzoylchlorid gelingt nicht, es wird Chlormethan abgespalten und man isoliert N-Methyl-benzanilid[7]. Auch in Gegenwart von Aluminiumchlorid erhält man nur in geringen Ausbeuten *4-Dimethylamino-benzophenon*[8]. Als Methode der Wahl zur Synthese von N,N-disubstituierten 4-Amino-benzophenonen bietet

[1] G. ILLUMINATI u. H. GILMAN, Am. Soc. **74**, 2896 (1952).

[2] A. POLLAK, B. STANOVNIK u. M. TIŠLER, J. Org. Chem. **31**, 4297 (1966).

[3] Belg.P. 629911 (1963), ICI, Erf.: E. HEMINGWAY u. G. H. KEATS; C. A. **61**, 10814 (1964).

[4] US.P. 2325803 (1943), General Aniline and Film Co., Erf.: K. SCHMIDT u. O. WAHL; C. A. **38**, 431 (1944).
    DAS. 1273479 (1962), ICI, Erf.: J. R. ATKINSON u. S. HARTLEY ≡ Belg. P. 625678 (1963); C. A. **62**, 5368 (1965).
    Brit.P. 1001713 (1965), ICI; C. A. **64**, 2206 (1966).

[5] Brit.P. 1083487 (1965) ≡ Nied.P. 6515773 (1966), Ciba; C. A. **65**, 17142 (1966).

[6] T. ISHIKAWA et al., YUKI KAGAKU KYOKAI SHI **24**, 406, 784 (1966); **25**, 55 (1967); C. A. **65**, 2261, 18583 (1966); **66**, 95005 (1967).

[7] O. HESS, B. **18**, 685 (1885).

[8] R. C. SHAH u. J. S. CHAUBAL, Soc. **1932**, 650.

sich die Umsetzung von ggf. substituierten Benzaniliden mit N,N-disubstituierten Anilinen in Gegenwart von Phosphoroxichlorid an[1]:

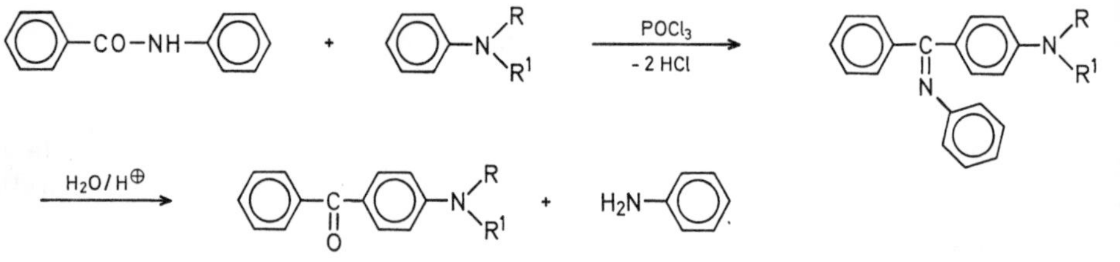

Der Mechanismus dieser elektrophilen Substitution[2] dürfte dem Mechanismus der daraus hervorgegangenen Aldehyd-Synthese nach Vilsmeier[3] ähnlich sein.

Die reaktiven Zwischenstufen werden nach I[3] oder II[4] formuliert:

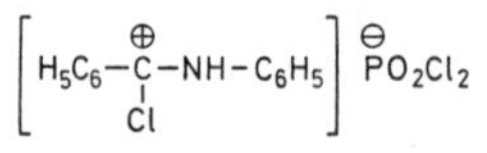

Aber auch Benzoesäure-methylamid, -dimethylamid, -N-methyl-anilid[2], -naphthyl-(1)- bzw. -(2)-amid[1] sind brauchbar. Sehr mäßige Ausbeuten werden mit N-Methyl-oder N,N-Dimethyl-acetamid erzielt[2]. Das Phosphoroxichlorid kann nicht durch Phosgen oder Thionylchlorid ersetzt werden. Im Gegensatz zur Aldehyd-Synthese nach Vilsmeier ist es nicht möglich, aus Benzamid und Phosphoroxichlorid zunächst einen Komplex zu bilden und diesen dann mit dem N,N-disubstituierten Anilin umzusetzen; die drei Reaktionspartner müssen gleichzeitig anwesend sein.

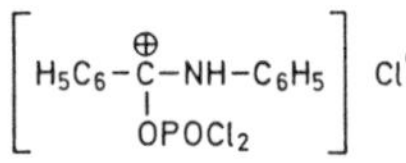

N,N-Disubstituierte 4-Amino-benzophenone; allgemeine Arbeitsvorschrift[5]: 1 Mol Benzanilid und 2—2,5 Mol N,N-Dialkyl-anilin werden auf dem Wasserbad erhitzt, bis eine flüssige Mischung erhalten wird. Man gibt dann unter äußerer Kühlung nach und nach 1—2,5 Mol Phosphoroxichlorid hinzu. Die Mischung wird erhitzt, bis die Reaktion beendet ist (~ 3–4 Stdn.) (eine Probe muß sich in verd. Chlorwasserstoffsäure völlig lösen) und dann in heißer verd. Chlorwasserstoffsäure gelöst. Anschließend wird die abgekühlte und filtrierte Lösung alkalisch gestellt und das überschüßige N,N-Dialkyl-anilin und Anilin mit Wasserdampf überdestilliert. Das Rohketon wird entweder durch Destillation i.Vak. oder durch Umkristallisation gereinigt.

Auf diese Weise wurden u.a. die in Tab. 38 (S. 279) aufgeführten Ketone hergestellt.

Pyrrole und Indole können durch N,N-disubstituierte Amide aliphatischer oder aromatischer Carbonsäuren in Gegenwart von Phosphoroxichlorid in Ketone überführt werden[6,7]. Mit 2-Äthoxy-naphthalin, Fluoren oder Thiophen gelingen derartige Acylierungen nicht[7]. Der Acylrest tritt beim Pyrrol in 2-Stellung ein, wenn diese besetzt ist, in die 3-Stellung.

---

[1] DRP. 41751, 44077 (1887), Farbw. Hoechst; Frdl. **1**, 44; **2**, 23.
[2] H. H. Bosshard u. H. Zollinger, Helv. **42**, 1659 (1959).
[3] Vgl. ds. Handb., Bd. VII/1, Kap. Aldehyde, S. 29ff.
[4] H. Bredereck et al., B. **92**, 837 (1959).
[5] R. C. Shah, R. K. Deshpande u. J. S. Chaubal, Soc. **1932**, 642.
[6] W. C. Anthony, J. Org. Chem. **25**, 2049 (1960).
[7] G. G. Kleinspehn u. A. E. Briod, J. Org. Chem. **26**, 1652 (1961).

Tab. 38. N,N-Disubstituierte 4-Amino-benzophenone aus Benzaniliden, N,N-disubstituierten Anilinen und Phosphoroxichlorid

Benzanilid	$H_5C_6-NR_2$ R	.....-benzophenon	Ausbeute [% d.Th.]	F [°C]	Literatur
Benzanilid	CH_3	4-Dimethylamino-	85	92–93	[1–4]
	C_2H_5	4-Diäthylamino-	70	80–81	[1,5]
2-Chlor-benzanilid	C_2H_5	2'-Chlor-4-diäthylamino-	50	79	[5]
4-Brom-benzanilid	CH_3	4'-Brom-4-dimethylamino-	75	128–129	[5]
2-Nitro-benzanilid	CH_3	2'-Nitro-4-dimethylamino-	gering	251–253	[5]
4-Nitro-benzanilid	C_2H_5	4'-Nitro-4-diäthylamino-	60	116–117	[5]
4-Dimethylamino-benzanilid	C_2H_5	4'-Dimethylamino-4-diäthylamino-		94	[1,4]
	*	4'-Dimethylamino-4-(N-methyl-anilino)-		141–142	[1]
2-Methoxy-benzanilid	CH_3	2'-Methoxy-4-dimethyl-amino-	55	74	[5]
4-Methoxycarbonyl-oxy-benzanilid	CH_3	4'-Hydroxy-4-dimethylamino-	60	199–200	[5]

* N-Methyl-diphenylamin

2-(4-Chlor-butanoyl)-pyrrol[6]: Innerhalb 5 Min. werden 48 g (0,315 Mol) frisch destilliertes Phosphoroxichlorid bei 0° in 50 g (0,33 Mol) N,N-Dimethyl-4-chlor-butansäure-amid eingerührt. Nach 30 Min. läßt man die Temp. auf Raumtemp. ansteigen. Falls notwendig, wird gekühlt, um zu verhindern, daß die Temp. 30° überschreitet. Zu der auf 5° abgekühlten, hellgelben Mischung fügt man 92 ml 1,2-Dichlor-äthan. Man löst 20,4 g (0,304 Mol) frisch destilliertes Pyrrol in 92 ml 1,2-Dichlor-äthan, gibt diese Lösung innerhalb 60 Min. zum gekühlten, gerührten Reaktionsgemisch, läßt die Temp. des Ansatzes bis auf Raumtemp. ansteigen und kocht noch 20 Min. rückfließend. Danach gibt man eine Lösung von 228 g (1,68 Mol) krist. Natriumacetat in 300 ml Wasser zu und setzt das Rückflußkochen 15 Min. fort. Nach dem Abkühlen wird mit 3 Portionen von je 300 ml Äther ausgeschüttelt, die vereinigten Ätherextrakte werden sorgfältig mit konz. Natriumcarbonat-Lösung gewaschen und über Natriumcarbonat getrocknet. Nach dem Abdestillieren des Äthers erhält man ein braunes Kristallisat, das durch Chromatographie über Silicagel gereinigt werden kann. Eluierung erfolgt mit einer Mischung aus Äther und Benzol (50 : 50). Ausbeute: 32 g (62% d.Th.); F. 70–71° (farblose Kristalle).

3-Benzoyl-indol[7, vgl.8]: Eine Mischung aus 14 ml (0,15 Mol) Phosphoroxichlorid, 36 g (0,24 Mol) N,N-Dimethyl-benzamid und 13 g (0,122 Mol) Indol wird 2 Stdn. auf 84° erhitzt. Dann kühlt man ab, gibt verd. Natronlauge hinzu und rührt bis eine feine Suspension entstanden ist. Der feste Rückstand wird abgesaugt und mit Äthanol extrahiert; Ausbeute: 13,5 g (51% d.Th.); F: 241–243,5°.

[1] DRP. 41751, 44077 (1887), Farbw. Hoechst; Frdl. **1**, 44; **2**, 23.
[2] H. H. Bosshard u. H. Zollinger, Helv. **42**, 1659 (1959).
[3] C. D. Hurd u. C. M. Webb, Org. Synth. Coll. Vol. I, 217 (1956).
[4] J. Meisenheimer, E. v. Budkewicz u. G. Kanarow, A. **423**, 75 (1921).
[5] R. C. Shah, R. K. Deshpande u. J. S. Chaubal, Soc. **1932**, 642.
[6] G. H. Cooper, J. Org. Chem. **36**, 2897 (1971).
[7] W. C. Anthony, J. Org. Chem. **25**, 2049 (1960).
[8] DRP. 614326 (1935), I. G. Farb., Erf.: P. Wolff u. W. Werner; C. **1936** I, 181.

Tab. 39. Acyl-pyrrole bzw. -indole aus Pyrrolen bzw. Indolen und Carbon-
säure-dialkylamiden/Phosphoroxichlorid

Hetero-aromat	Carbonsäure-dialkylamid	Acyl-heteroaromat	Ausbeute [% d.Th.]	F [°C]	Literatur
Pyrrol	N,N-Dimethyl-acetamid	*2-Acetyl-pyrrol*	49	91–92	1
2,5-Dimethyl-pyrrol	N,N-Dimethyl-acetamid	*2,5-Dimethyl-3-acetyl-pyrrol*	40	94,5–95	2
2,4-Dimethyl-3-äthoxy-carbonyl-pyrrol	N,N-Dimethyl-acetamid	*2,4-Dimethyl-5-acetyl-3-äthoxycarbonyl-pyrrol*	67	140–141	2
	Bernsteinsäure-methylester-piperidid	*2,4-Dimethyl-5-(3-methoxycarbonyl-pro-panoyl)-3-äthoxy-carbonyl-pyrrol*	40	149–150,5	2
	Benzoesäure-morpho-lid	*2,4-Dimethyl-5-benzoyl-3-äthoxycarbonyl-pyrrol*	62	109–110,5	2
Indol	Propansäure-dimethylamid	*3-Propanoyl-indol*	85,5	171–173	1
	N,N-Dimethyl-chloracetamid	*3-Chloracetyl-indol*	36,6	233–234	1
5-Benzyloxy-indol	N,N-Dimethyl-acetamid	*5-Benzoyloxy-3-acetyl-indol*	71	189–190	1
2-Methyl-indol	N,N-Dimethyl-acetamid	*2-Methyl-3-acetyl-indol*	98	195–196	1
	2,2-Dimethyl-propan-säure-dimethyl-amid	*2-Methyl-3-(2,2-dimethyl-propanoyl)-indol*	49	134–135	1
	2-Äthoxy-3-methyl-butansäure-di-methylamid	*2-Methyl-3-(2-äthoxy-3-methyl-butanoyl)-indol*	24	106–109	1
	3-Methyl-butan-säure-dimethyl-amid	*2-Methyl-3-(3-methyl-butanoyl)-indol*	62	139–141	1
1-Äthyl-indol	N,N-Dimethyl-acet-amid	*1-Äthyl-3-acetyl-indol*	76	87–89	1
1,2-Dimethyl-indol	4-Chlor-benzoesäure-anilid	*1,2-Dimethyl-3-(4-chlor-benzoyl)-indol*		161,5–162	3
1-Methyl-2-phenyl-indol	4-Chlor-benzoesäure-anilid	*1-Methyl-2-phenyl-3-(4-chlor-benzoyl)-indol*		158,5	3

1 W. C. ANTHONY, J. Org. Chem. 25, 2049 (1960).
2 G. G. KLEINSPEHN u. A. E. BRIOD, J. Org. Chem. 26, 1652 (1961).
3 DRP. 614326 (1935), I. G. Farb., Erf.: P. WOLFF u. W. WERNER; C. 1936 I, 181.

2. Direkte Einführung der R—CO-Gruppe durch Umsetzung von Aromaten oder reaktionsfähigen Heterocyclen mit Carbonsäuren, Carbonsäure-anhydriden, Carbonsäure-estern, Lactonen oder Ketenen

a) Ketone aus Carbonsäuren und Aromaten bzw. reaktionsfähigen Heteroaromaten in Gegenwart von

bearbeitet von Dr. CARL-WOLFGANG SCHELLHAMMER
Farbenfabriken Bayer AG, Leverkusen

a_1) *Aluminiumchlorid und anderen Metallhalogeniden*

Acylierungen von Aromaten mit freien Carbonsäuren sind nur dann von präparativer Bedeutung, wenn sich diese mit schwächer als Aluminiumchlorid wirksamen Kondensationsmitteln durchführen lassen, z. B. bei Kondensationen von Phenolen mit Zinkchlorid oder Bortrifluorid und intermolekularen Ringschlüssen mit Schwefelsäure oder Fluorwasserstoff.

Ist jedoch Aluminiumchlorid erforderlich, dann müssen davon mindestens 2 Mol eingesetzt werden, da das 1. Mol zur Carbonsäure-chlorid-Bildung benötigt wird. In diesen Fällen ist es jedoch vorteilhafter, die freie Carbonsäure zunächst mit Thionylchlorid, Phosphor (III)- oder (V)-chlorid in das erheblich reaktionsfähigere Carbonsäure-chlorid überzuführen. Reste Thionychlorid müssen durch Stickstoffdurchleiten bei erhöhter Temperatur entfernt werden. Entstandenes Phosphoroxichlorid stört jedoch die Weiterkondensation mit Aluminiumchlorid nicht. Bei der Herstellung des Carbonsäure-chlorids mit Phosphor(III)-chlorid scheidet sich die Phosphorige Säure ab und läßt sich leicht abtrennen. Das universelle Kondensationsmittel für aliphatische und aromatische Carbonsäuren sowohl mit Olefinen als auch mit Aromaten ist Polyphosphorsäure (s. S. 299), die besonders bei intramolekularen Ringschlüssen gute Dienste leistet (s. S. 421).

Ketone aus Benzol und Carbonsäuren mit Aluminiumchlorid als Katalysator; allgemeine Arbeitsvorschrift[1]: Zu einer Suspension von 400 g (3 Mol) Aluminiumchlorid in 780 g (10 Mol) Benzol tropft man bei Raumtemp. eine Lösung von einem Mol der Carbonsäure in 780 g (10 Mol) Benzol und erhitzt die Mischung dann 16 Stdn. unter Rückfluß. Man zersetzt das Aluminiumchlorid mit Eiswasser und wäscht die benzolische Phase mit 10%iger Natronlauge. Aus dem alkalischen Extrakt wird die unumgesetzte Säure wiedergewonnen. Die benzolische Phase wird über Magnesiumsulfat getrocknet. Nach dem Abdestillieren des Benzols wird das Keton i. Vak. destilliert.

Nach dieser Vorschrift werden folgende Ketone hergestellt:

Keton	Ausbeute [% d.Th.]	Wiedergewonnene Carbonsäure [%]
Acetophenon	84	0
Propiophenon	75,1	10
Butyrophenon (Butanoyl-benzol)	94,4	28
1-Oxo-2-methyl-1-phenyl-propan	70	19
1-Oxo-1-phenyl-hexadecan	78	0
Benzoyl-cyclohexan	27	8
1-Oxo-1,2-diphenyl-äthan	88	37
Benzophenon	46,6	85

---

[1] A. M. GLATZ u. A. C. RAZUS, Rev. Roumaine de Chimie **11**, 551 (1966); C. A. **65**, 18519 (1966).

Die angegebenen Ausbeuten sind auf umgesetzte Säuren bezogen. Mit Chloressigsäure oder 2,2-Dimethyl-propansäure werden keine Ketone erhalten.

Tab. 40. Ketone aus substituierten Benzolkohlenwasserstoffen und Carbonsäuren in Gegenwart von drei Mol Aluminiumchlorid

Carbonsäure	Benzol-Derivat	Keton	Ausbeute [% d.Th.]	F [°C]	Literatur
Essigsäure	Toluol	4-Methyl-1-acetyl-benzol	80	−23	1
Buttersäure	Toluol	4-Methyl-1-butanoyl-benzol	35	(Kp: 245–247°)	2
2-Methyl-propan-säure	Toluol	4-Methyl-1-(2-methyl-propanoyl)-benzol	27	(Kp: 235–237°)	2
3-Methyl-butan-säure	Toluol	4-Methyl-1-(3-methyl-butanoyl)-benzol	33,8	(Kp: 253–256°)	2
Benzoesäure	Toluol	4- und 2-Methyl-benzo-phenon	60		3
	Chlorbenzol	4-Chlor-benzophenon	82	78,5	4
		2-Chlor-benzophenon	11,9	45,5–46	
	1,2-Dichlor-benzol	3,4-Dichlor-benzophenon	79,5	104	4
4-Methyl-benzoe-säure	Chlorbenzol	4′-Chlor-4-methyl-benzo-phenon	81,5	128,5	4
		2′-Chlor-4-methyl-benzo-phenon	10,9	99,5	
4-Chlor-benzoe-säure	Chlorbenzol	4,4′-Dichlor-benzophenon + 2′,4-Dichlor-benzo-phenon	82,5 12,5	148 62–63	4

Bei der Umsetzung von Buttersäure mit Benzol mit drei Mol Zinn(IV)-chlorid pro Mol der eingesetzten Carbonsäure entsteht kein *Butyrophenon*, dagegen erhält man mit Toluol *4-Methyl-1-butanoyl-benzol* (63% d.Th.)[5].

Bei der Acylierung von Toluol mit Essigsäure oder Benzoesäure mit Titan (IV)-chlorid als Katalysator erhält man *4-Methyl-1-acetyl-benzol* bzw. *4-Methyl-benzophenon* nur in mäßigen Ausbeuten[6]. Benzoesäure und Anisol ergeben *4-Methoxy-benzophenon* (21% d.Th.)[6]. In Gegenwart von Molybdän(V)-chlorid entsteht aus Benzoesäure und Toluol *4-Methyl-benzophenon* (70% d.Th.)[7].

β-Chlor-alkansäuren ergeben mit Benzol oder substituierten Benzolkohlen-wasserstoffen in Gegenwart von Aluminiumchlorid cyclische Ketone.

Indanon-(1)[8]: Zu einer Suspension von 27 g (0,2 Mol) Aluminiumchlorid in 10 g Benzol tropft man langsam bei Raumtemp. eine Lösung von 11 g (0,1 Mol) 3-Chlor-propansäure in 16 g Benzol. Man erhitzt dann mehrere Stdn. unter Rückfluß. Nach dem Zersetzen des Aluminiumchlorid-Komplexes mit Eis und Salzsäure wird eine Wasserdampfdestillation durchgeführt, wobei zunächst das Benzol und dann das Indanon-(1) übergeht; F: 40° (blättchenförmige Kristalle).

[1] P. H. GROGGINS, R. H. NAGEL u. A. J. STIRTON, Ind. eng. Chem. **26**, 1317 (1934).
[2] M. S. MALINOWSKI u. F. F. KISLOVA, Ž. obšč. Chim. **18**, 1643 (1948); C. A. **43**, 2601 (1949).
[3] J. F. NORRIS u. A. J. KLEMKA, Am. Soc. **62**, 1432 (1940).
[4] A. P. NEWTON u. P. H. GROGGINS, Ind. eng. Chem. **27**, 1397 (1935).
[5] A. M. GLATZ u. A. C. RAZUS, Rev. Roumaine de Chimie **11**, 551 (1966); C. A. **65**, 18519 (1966).
[6] N. M. CULLINANE, S. J. CHARD u. D. M. LEYSHON, Soc. **1952**, 376.
[7] M. L. LARSON, Am. Soc. **82**, 1223 (1960).
[8] DRP 485309 (1926), I. G. Farb., Erf.: K. SCHIRMACHER u. K. BILLIG; Frdl. **16**, 687.

Analog werden erhalten:

3-Chlor-propansäure	+ Toluol	→	*1-Oxo-4-methyl-indan*	
			+ *1-Oxo-6-methyl-indan*	
	+ Chlorbenzol	→	*4-Chlor-1-oxo-indan*	F: 91–92°
			+ *6-Chlor-1-oxo-indan*	F: 79°
3-Chlor-butansäure	+ Benzol	→	*1-Oxo-3-methyl-indan*	Kp: 255°
	+ Chlorbenzol	→	*4-Chlor-1-oxo-3-methyl-indan*	F: 47°
			+ *6-Chlor-1-oxo-3-methyl-indan*	Kp: 275°
	+ m-Xylol	→	*1-Oxo-3,4,6-trimethyl-indan*	Kp: 250°

An Stelle der β-Chlor-alkansäuren kann man auch α,β-ungesättigte Carbonsäuren mit Aromaten zu cyclischen Ketonen kondensieren. Auf diese Weise erhält man aus Buten-(2)-säure mit Chlorbenzol eine Mischung aus *4-* und *6-Chlor-1-oxo-3-methyl-indan* und mit 1,3-Dichlor-benzol *4,6-Dichlor-1-oxo-3-methyl-indan* (F:77–78°)[1]. Beim Rückflußkochen einer benzolischen Lösung von Buten-(2)-säure mit drei Mol Aluminiumchlorid während 16 Stdn. erhält man *1-Oxo-3-methyl-indan* (65% d.Th.)[2] und aus Penten-(2)-säure *4-Oxo-1-methyl-tetralin* (25% d.Th.) und *1-Oxo-3-äthyl-indan* (9% d.Th.) neben geringen Mengen 3- und 4-Phenyl-pentansäure[3]. Aus Penten-(3)- oder -(4)-säure/Aluminiumchlorid und Benzol erhält man *4-Oxo-1-methyl-tetralin* (35% d.Th.) und *4-Phenyl-pentansäure* (43% d.Th.)[3], aus Hexen-(2)-säure ein Gemisch aus *1-Oxo-3-propyl-indan*, *5-Oxo-9-methyl-6,7,8,9-tetrahydro-5H-⟨benzo-[a]-cycloheptatrien⟩* oder *4-Oxo-1-äthyl-tetralin*[2].

Phenyl-alkansäuren, in denen der Abstand des Phenyl-Restes von der Carboxy-Gruppe mindestens zwei Kohlenstoffatome beträgt, können z.B. bei der Behandlung mit einer Aluminiumchlorid-Natriumchlorid-Schmelze cyclische Ketone ergeben[4]:

3-Phenyl-propansäure	→	*Indanon*	85% d.Th.
3-(3-Hydroxy-phenyl)-propansäure	→	*5-Hydroxy-1-oxo-indan*	60% d.Th.
		+ *7-Hydroxy-1-oxo-indan*	15% d.Th.
3-(2-Nitro-phenyl)-propansäure	→	*4-Nitro-1-oxo-indan*	10% d.Th.
4-Phenyl-butansäure	→	*Tetralon-(1)*	73% d.Th.
5-Phenyl-pentansäure	→	*5-Oxo-6,7,8,9-tetrahydro-5H-*	22% d.Th.
		⟨benzo-[a]-cycloheptatrien⟩	

Die Umsetzung von freien Dicarbonsäuren ist ohne Bedeutung. Bilden diese Anhydride, so setzt man zweckmäßig diese ein (s. S. 332). Bei langkettigen Dicarbonsäuren geht man von den Dicarbonsäure-dichloriden (s. S. 235) und für nur halbseitige Umsetzungen von den Dicarbonsäure-ester-chloriden (s. S. 257) aus.

In Gegenwart von Silicium(IV)-chlorid und von Aluminiumchlorid können Dicarbonsäuren mit Benzol zu Benzoyl-alkansäuren kondensiert werden[5].

Dieses Verfahren dürfte jedoch gegenüber den üblichen keinerlei Vorteile aufweisen.

Bei der Umsetzung von Hydrochinon mit Maleinsäure in einer Aluminiumchlorid-Natriumchlorid-Schmelze entsteht *5,8-Dihydroxy-naphthochinon-(1,4)*[4] (30%

---

[1] DRP 485309 (1926), I. G. Farb., Erf. K. Schirmacher u. K. Billig; Frdl. **16**, 687.

[2] A. M. Glatz, A. C. Razus u. C. D. Nenitzesco, Rev. Roumaine de Chimie **11**, 555 (1966); C. A. **65**, 19956ᵃ (1966).

[3] M. F. Ansell u. G. F. Whitfield, Tetrahedron Letters **1968**, 3075.

[4] D. B. Bruce, A. J. S. Sorrie u. R. H. Thomson, Soc. **1953**, 2403.

[5] Y. K. Yuryev, G. B. Elyakov u. Z. B. Belyakova, Ž. obšč. Chim. **24**, 1568 (1954); engl.: 1555.

d. Th.) und mit Bernsteinsäure *5,8-Dihydroxy-1,4-dioxo-tetralin* (25% d. Th.). Siebenring-Diketone bilden sich bei der Kondensation von Hydrochinon mit Glutarsäure zum *1,4-Dihydroxy-5,9-dioxo-6,7,8,9-tetrahydro-5H-⟨benzo-[a]-cycloheptatrien⟩* (33% d. Th.) bzw. von 1,4-Dihydroxy-naphthalin mit Glutarsäure zum *5,11-Dihydroxy-6,10-dioxo-7,8,9,10-tetrahydro-6H-⟨cyclohepta-[b]-naphthalin⟩* (7% d. Th.). Mit Adipinsäure reagiert Hydrochinon in einer Aluminiumchlorid-Natriumchlorid-Schmelze zu *6-Oxo-6-(2,5-dihydroxy-phenyl)-hexansäure* (9% d. Th.).[1]

α₂) *Zinkchlorid*

In Gegenwart von Zinkchlorid können Carbonsäuren mit Phenolen zu Hydroxy-ketonen umgesetzt werden (Nencki-Reaktion[2]). Die Kondensation vollzieht sich bei Temperaturen zwischen 130° und 230°, die benötigte Zinkchlorid-Menge beträgt praktisch 1,5 Mol pro Mol Phenol, die Carbonsäuren werden meist im Überschuß eingesetzt. Die Reaktionszeiten variieren zwischen 30 Min. und einigen Stunden.

Mit Phenol erhält man nur geringe Ausbeuten an Hydroxy-ketonen, Dihydroxy-und Trihydroxy-benzole ergeben mittlere bis gute Ketonausbeuten. Längerkettige Carbonsäuren sind für diese Art der Keton-Synthese besser geeignet als z. B. Essigsäure oder Propionsäure, wahrscheinlich wegen ihres höheren Siedepunktes.

2,3,4-Trihydroxy-1-hexanoyl-benzol[3]: 136 g (1 Mol) wasserfreies Zinkchlorid werden unter Erhitzen in 250 g (2,1 Mol) Hexansäure gelöst. Man gibt 136 g (1 Mol) 1,2,3-Trihydroxy-benzol zu der Lösung und erhitzt sie anschließend 90 Min. auf 130–140°. Die unumgesetzte Hexansäure wird i. Vak. abdestilliert, das zurückbleibende schwere Öl wird mehrfach mit Wasser gewaschen und aus einer Mischung aus Toluol und Petroläther (Kp: 60–80°) umgelöst; Ausbeute: 68 g (32,1% d. Th.); F: 83–85°. Nach nochmaligem Umlösen aus dem gleichen Lösungsmittelgemisch steigt der Schmelzpunkt auf 86,5–87°.

α-Naphthol wird durch Carbonsäuren mittels Zinkchlorid in 2-Stellung acyliert. Die dabei erzielten Ausbeuten sind oft gut, so daß dieses Acylierungsverfahren für die Herstellung von 1-Hydroxy-2-acyl-naphthalinen geeignet ist.

1-Hydroxy-2-propanoyl-naphthalin[4]: 200 g (1,46 Mol) geschmolzenes Zinkchlorid werden zerkleinert und mit 300 g (4,05 Mol) Propionsäure erwärmt, bis sich alles gelöst hat. Zu der warmen Lösung gibt man 300 g (2,08 Mol) 1-Naphthol, erhitzt die Mischung in einem Ölbad für 45 Min. zum gelinden Rückflußkochen (145–150°). Die Lösung wird erst orange, dann hellrot; wenn man sie dunkelrot werden läßt, entsteht eine Menge Teer. Nach dem Abkühlen und Stehen über Nacht wird langsam auf 60° erwärmt und mit dem gleichen Vol. warmem Eisessig verdünnt, dabei scheiden sich aus der roten Lösung große, gelbgrüne Kristalle ab, die man nach dem Absaugen mit 200 g 85%iger Essigsäure anschlämmt und nach dem Abfiltrieren aus heißem Äthanol umlöst. Nach dem Klären der roten Mutterlauge mit A-Kohle erhält man eine zweite Ausbeute an Kristallen. Das heiße Filtrat wird abgekühlt und verdünnt, das auskristallisierte Produkt wird aus Äthanol umgelöst. Die Verbindung kann durch Lösen in 2%igem äthanolischem Natriumhydroxid, Erwärmen mit Aktivkohle, Filtration und Fällen mit Salzsäure oder durch Vakuumdestillation gereinigt werden; Gesamtausbeute: 200 g (48% d. Th.); F: 81–82°.

---

[1] D. B. Bruce, A. J. S. Sorrie u. R. H. Thomson, Soc. **1953**, 2403.

[2] M. Nencki u. N. Sieber, J. pr. [2] **23**, 147, 256 (1881).

[3] M. C. Hart u. E. H. Woodruff, Am. Soc. **58**, 1957 (1936).

[4] O. N. Witt, B. **21**, 321 (1888).
  P. Friedlaender, B. **28**, 1946 (1895).
  A. Hantzsch, B. **39**, 3080 (1906).

Tab. 41. Hydroxy-ketone aus Phenolen und Carbonsäuren mit Zinkchlorid als Kondensationsmittel

Phenol	Carbonsäure	Keton	Ausbeute [% d.Th.]	F [°C]	Literatur
Phenol	Essigsäure	*2-Hydroxy-1-acetyl-benzol*	2	28	
		4-Hydroxy-1-acetyl-benzol	3	106–7	1
	Propionsäure	*4-Hydroxy-1-propanoyl-benzol*	10	155	1,2
	Pentansäure	*4-Hydroxy-1-pentanoyl-benzol*	5	62–3	1
Phenol	Hexansäure	*4-Hydroxy-1-hexanoyl-benzol*	8	63–64	1
	Heptansäure	*4-Hydroxy-1-heptanoyl-benzol*	9	93–94	1
	Phenyl-essig-säure	*1-Oxo-2-phenyl-1-(4-hydroxy-phenyl)-äthan*		142	3
2-Hydroxy-1-methyl-benzol	Propionsäure	*4-Hydroxy-3-methyl-1-pro-panoyl-benzol*	15	86,5	4
	Phenyl-essig-säure	*1-Oxo-2-phenyl-1-(4-hydroxy-3-methyl-phenyl)-äthan*	20	152	5
3-Hydroxy-1-methyl-benzol	Propionsäure	*4-Hydroxy-2-methyl-1-pro-panoyl-benzol*	11	45–46	1,4
	Buttersäure	*4-Hydroxy-2-methyl-1-butanoyl-benzol*	17	74–75	1
	Phenyl-essig-säure	*1-Oxo-2-phenyl-1-(4-hydroxy-2-methyl-phenyl)-äthan*		142	5
1,2-Dihydroxy-benzol	Essigsäure	*3,4-Dihydroxy-1-acetyl-benzol*	20	116	1
	Undecansäure	*3,4-Dihydroxy-1-undecanoyl-benzol*	15	105	6
	Dodecansäure	*3,4-Dihydroxy-1-dodecanoyl-benzol*	20	97–98	6
	Tetradecan-säure	*3,4-Dihydroxy-1-tetradecanoyl-benzol*	20	98–99	6
	Hexadecan-säure	*3,4-Dihydroxy-hexadecanoyl-benzol*	10	99–100	6
	Octadecan-säure	*3,4-Dihydroxy-octadecanoyl-benzol*	10	100–101	6
2-Hydroxy-1-methoxy-benzol	Essigsäure	*4-Hydroxy-3-methoxy-1-acetyl-benzol*	5	113–114	1
1,3-Dihydroxy-benzol	Essigsäure	*2,4-Dihydroxy-1-acetyl-benzol*		142	7
3-Hydroxy-1-methoxy-benzol	Essigsäure	*2-Hydroxy-4-methoxy-1-acetyl-benzol*	29	50	1
1,4-Dihydroxy-benzol	Essigsäure	*2,5-Dihydroxy-1-acetyl-benzol*		202	7

[1] E. COULTHARD, J. MARSHALL u. F. L. PYMAN, Soc. **1930**, 280.
[2] A. GOLDZWEIG u. A. KAISER, J. pr. [2] **43**, 86 (1891).
[3] S. WEISL, M. **26**, 977 (1905).
[4] N. P. BUU-HOÏ, R. **68**, 759 (1959).
[5] E. BLAU, M. **26**, 1149 (1905).
[6] R. D. HAWORTH u. P. WOODCOCK, Soc. **1946**, 999.
[7] M. NENCKI u. N. SIEBER, J. pr. [2] **23**, 147, 256 (1881).

Tab. 41. (Fortsetzung)

Phenol	Carbonsäure	Keton	Ausbeute [% d. Th.]	F [°C]	Literatur
1,2,3-Trihydroxy-benzol	Essigsäure	*2,3,4-Trihydroxy-1-acetyl-benzol*	58	170	[1,2]
	Propionsäure	*2,3,4-Trihydroxy-1-propanoyl-benzol*	35	128–129	[2]
	Buttersäure	*2,3,4-Trihydroxy-1-butanoyl-benzol*	36	101–102	[2,3]
	2-Methyl-propansäure	*1-Oxo-2-methyl-1-(2,3,4-tri-hydroxy-phenyl)-propan*	40	118	[4]
	Pentansäure	*2,3,4-Trihydroxy-1-pentanoyl-benzol*	70	84–84,5	[2,4]
	Hexansäure	*2,3,4-Trihydroxy-1-hexanoyl-benzol*	70	86–87	[2–4]
	Heptansäure	*2,3,4-Trihydroxy-1-heptanoyl-benzol*	11	78–78,5	[2]
	Octansäure	*2,3,4-Trihydroxy-1-octanoyl-benzol*	40	73–74	[3]
	Decansäure	*2,3,4-Trihydroxy-1-decanoyl-benzol*	75–80	78–79	[4]
	Undecansäure	*2,3,4-Trihydroxy-1-unde-canoyl-benzol*	15	105	[3]
	Dodecansäure	*2,3,4-Trihydroxy-1-dode-canoyl-benzol*	20	97–98	[3]
	Tridecansäure	*2,3,4-Trihydroxy-1-tri-decanoyl-benzol*		84–85	[4]
	Tetradecansäure	*2,3,4-Trihydroxy-1-tetra-decanoyl-benzol*	20	98–99	[3]
	Pentadecansäure	*2,3,4-Trihydroxy-1-penta-decanoyl-benzol*		87–88	[4]
	Hexadecansäure	*2,3,4-Trihydroxy-1-hexa-decanoyl-benzol*	10	99–100	[3]
	Octadecansäure	*2,3,4-Trihydroxy-1-octa-decanoyl-benzol*	25	91–93	[3]
	Eicosansäure (Arachin-säure)	*2,3,4-Trihydroxy-eicosanoyl-benzol*	12	100	[5]
	Docosansäure (Behensäure)	*2,3,4-Trihydroxy-docosanoyl-benzol*	70	100–101	[6]

[1] M. NENCKI u. N. SIEBER, J. pr. [2] **23**, 147, 256 (1881).
[2] M. C. HART u. E. H. WOODRUFF, Am. Soc. **58**, 1957 (1936).
[3] R. D. HAWORTH u. P. WOODCOCK, Soc. **1946**, 999.
[4] N. P. BUU-HOÏ, J. Org. Chem. **18**, 1723 (1953).
[5] N. P. BUU-HOÏ u. D. LAVIT, Croat. chem. acta **29**, 287 (1957); C. A. **53**, 16084 (1959).
[6] N. P. BUU-HOÏ, J. Org. Chem. **19**, 1770 (1954).

Tab. 42. 1-Hydroxy-2-acyl-naphthalin aus Carbonsäuren und Hydroxy-naph-
thalinen durch Erhitzen mit Zinkchlorid

Hydroxy-naphthalin	Carbonsäure	Keton	Ausbeute [%d.Th.]	F [°C]	Literatur
α-Naphthol	Essigsäure	*1-Hydroxy-2-acetyl-naphthalin*	30	103	[1]
	Buttersäure	*1-Hydroxy-2-butanoyl-naphthalin*		78	[2]
	2-Methyl-pro-pansäure	*1-Hydroxy-2-(2-methyl-propa-noyl)-naphthalin*		79	[2]
	Pentansäure	*1-Hydroxy-2-pentanoyl-naphthalin*		75,5–76,5	[3]
	3-Methyl-butan-säure	*1-Hydroxy-2-(3-methyl-buta-noyl)-naphthalin*		65–66,5	[3]
	Hexansäure	*1-Hydroxy-2-hexanoyl-naph-thalin*		62–63	[3]
	Decansäure	*1-Hydroxy-2-decanoyl-naph-thalin*		72	[4]
	Undecansäure	*1-Hydroxy-2-undecanoyl-naphthalin*		70	[5]
	Dodecansäure	*1-Hydroxy-2-dodecanoyl-naphthalin*	65	74–75	[6]
	Hexadecan-säure	*1-Hydroxy-2-hexadecanoyl-naphthalin*	70	83–84	[6]
	Octadecansäure	*1-Hydroxy-2-octadecanoyl-naphthalin*	55	81–82	[6]
	Eicosansäure (Arachinsäure)	*1-Hydroxy-2-eicosanoyl-naphthalin*		91	[5]
	Cyclohexan-carbonsäure	*1-Hydroxy-2-cyclohexanoyl-naphthalin*		109	[5]
	3-Cyclohexyl-propansäure	*1-Oxo-3-cyclohexyl-1-[1-hydro-xy-naphthyl-(2)]-propan*		79	[5]
	Phenyl-essig-säure	*1-Oxo-2-phenyl-1-[1-hydroxy-naphthyl-(2)]-äthan*	36	96	[7]
	3-Phenyl-pro-pansäure	*1-Oxo-3-phenyl-1-[1-hydroxy-naphthyl-(2)]-propan*	44	99	[7]
	Benzoesäure	*1-Hydroxy-2-benzoyl-naph-thalin*		77	[8]
	4-Methoxy-benzoesäure	*1-Hydroxy-2-(4-methoxy-benzoyl)-naphthalin*	10	128–129	[9]
	Zimtsäure	*1-Oxo-3-phenyl-1-[1-hydroxy-naphthyl-(2)]-propen*	18	125–126	[9]

[1] O. N. WITT, Bd. 21, 321 (1888).
P. FRIEDLÄNDER, B. 28, 1946 (1895).
A. HANTZSCH, B. 39, 3080 (1906).
[2] A. GOLDZWEIG u. A. KAISER, J. pr. [2] 43, 86 (1891).
[3] Y. F. CHI u. C. T. JANG, Am. Soc. 63, 3155 (1941).
[4] T. KOSUGE u. M. SATO, J. pharm. Soc. Japan 74, 1139 (1954); C. A. 49, 14717 (1955).
[5] N. P. BUU-HOÏ u. D. LAVIT, Croat. Chem. acta 29, 287 (1957); C. A. 53, 16084 (1959).
[6] R. D. DESAI u. W. S. WARAVDEKAV, Pr. indian Acad. 12 [A], 507 (1940); C. A. 35, 3624 (1941).
[7] U. S. CHEEMA u. J. VENKATARAMAN, Soc. 1932, 918.
[8] S. R. EDMINSON u. T. P. HILDITCH, Soc. 97, 223 (1910).
[9] R. D. DESAI u. R. M. DESAI, J. sci. Ind. Research (India) 14 [B], 498 (1955); C. A. 50, 14672 (1956).

Tab. 42. (Fortsetzung)

Hydroxy-naphthalin	Carbonsäure	Keton	Ausbeute [% d. Th.]	F [°C]	Literatur
1-Hydroxy-7-methyl-naphthalin	Essigsäure	*1-Hydroxy-7-methyl-2-acetyl-naphthalin*	50	73	1
1,8-Dihydroxy-naphthalin	Essigsäure	*1,8-Dihydroxy-2-acetyl-naphthalin*		100–101	2
1,6-Dihydroxy-naphthalin	Octansäure	*1,6-Dihydroxy-2-octanoyl-naphthalin*		136	3
1,4-Dihydroxy-naphthalin	Decansäure	*1,4-Dihydroxy-2-decanoyl-naphthalin*		(Kp$_2$: 170–172°)	4

Die Ausbeute an *1-Hydroxy-2-acetyl-naphthalin* kann bis auf 85% d. Th. gesteigert werden, wenn man einen Teil der Essigsäure durch Essigsäureanhydrid ersetzt[5] ebenso bei der Synthese von *1-Oxo-2-phenyl-1-[1-hydroxy-naphthyl-(2)]-äthan* aus Phenylessigsäure und α-Naphthol oder von *1-Oxo-3-phenyl-1-[1-hydroxy-naphthyl-(2)]-propan* aus 3-Phenyl-propansäure und α-Naphthol[6].

3-Hydroxy-2-carboxy-naphthalin kondensiert mit 1,3-Dihydroxy-benzol/Zinkchlorid beim Erhitzen auf 200° während 4 Stdn. zu *1-Hydroxy-12-oxo-12H-⟨benzo-[b]-xanthen⟩*[7]:

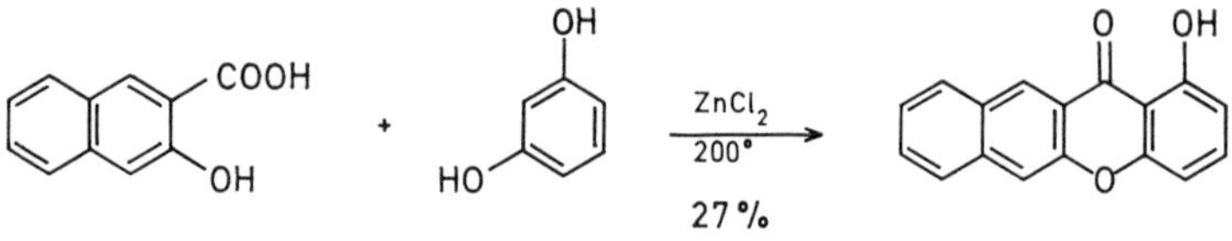

Bei der Umsetzung von Malonsäure mit α-Naphthol in Gegenwart von Zinkchlorid erhält man *1-Hydroxy-2-acetyl-naphthalin* neben *4-Hydroxy-⟨benzo-[h]-cumarin⟩*[8]:

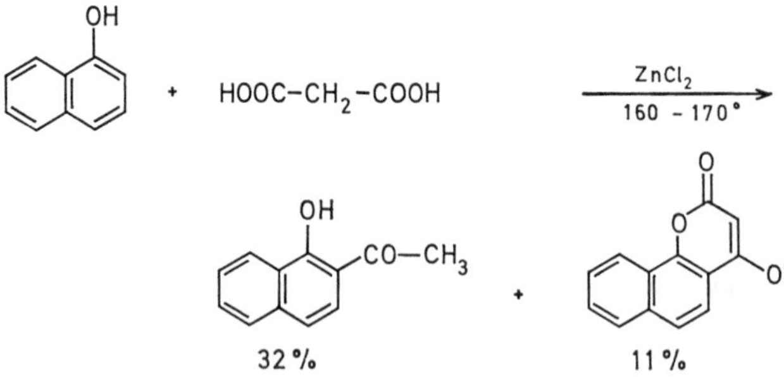

[1] G. Di Modica u. S. Tira, Ann. Chimica **46**, 523 (1956); C. A. **51**, 13828 (1957).
[2] DRP 126199 1900), M. Lange; C. **1901** II, 1287.
[3] N.P. Buu-Hoï u. D. Lavit, Croat, chem. acta **29**, 287 (1957; C.A. **53**, 16084 (1959).
[4] T. Kosuge u. M. Sato, J. pharm. Soc. Japan **74**, 1139 (1954); C.A. **49**, 14717 (1955).
[5] O. N. Witt u. D. Braun, B. **47**, 3216 (1914).
B. A. Bull u. R. C. Fuson, Am. Soc. **56**, 736 (1934).
[6] U.S. Cheema u. J. Venkataraman, Soc. **1932**, 918.
[7] A. Mustafa u. O. H. Hishmat, Am. Soc. **79**, 2225 (1957).
[8] R. Sudzuki, Sci. Rep. Tohoku Univ. [1] **22**, 176 (1933); C. A. **27**, 3929 (1933).

a_3) *Bortrifluorid*

Bortrifluorid eignet sich hervorragend als Katalysator für die Kondensation von aliphatischen, araliphatischen oder aromatischen Carbonsäuren mit Hydroxy- oder Alkoxy-benzolen zu H y d r o x y - oder A l k o x y - k e t o n e n[1], indem man M i s c h u n g e n von Hydroxy- oder Alkoxy-benzolen und Carbonsäuren mit Bortrifluorid sättigt und anschließend einige Stunden erwärmt. Entsprechend der Zugänglichkeit der Ausgangsmaterialien werden die Hydroxy-benzole oder die Carbonsäuren im Überschuß eingesetzt. Dabei benötigt man pro Mol der zur Acylierung verwendeten Carbonsäure etwas mehr als ein Mol Bortrifluorid. Als L ö s u n g s m i t t e l eignen sich zum Beispiel Tetrachlormethan oder Nitrobenzol. Die verschiedenen angewendeten Arbeitstechniken können am besten durch einige Herstellungsvorschriften erläutert werden.

4-Hydroxy-1-acetyl-benzol[2]: Eine Lösung von Phenol in der doppelt molaren Menge Eisessig wird bei 0° mit Bortrifluorid gesättigt ($\sim 1^1/_2$ Stdn.) und 2 Stdn. auf 70° erwärmt. Das Reaktionsgemisch wird mit Natriumacetat-Lösung zerlegt und das Keton durch Wasserdampfdestillation abgetrennt; Ausbeute: 90–95% d.Th.; F: 108° (farblose Nadeln aus Wasser).

Bei dieser Verfahrensweise entstehen $\sim$ 5% *2-Hydroxy-1-acetyl-benzol*[3]. Das V e r h ä l t n i s von o- und p-Isomeren ist abhängig von der Reaktionstemperatur[4]. So erhält man bei der Acylierung von Phenol mit Propionsäure/Bortrifluorid bei 70° 6% *2-Hydroxy*- und 84% *4-Hydroxy-1-propanoyl-benzol*, unter Druck bei 160° 45% *2-Hydroxy*- und nur 1% 4-Hydroxy-*1-propanoyl-benzol*. In diesem Fall bilden sich allerdings größere Mengen an harzigen Nebenprodukten. 3-Hydroxy-1-methyl-benzol wird unter den üblichen Bedingungen durch Essigsäure überwiegend in 6-Stellung acetyliert.

2-Hydroxy-4-methyl- und 4-Hydroxy-2-methyl-1-acetyl-benzol[4]: In eine Lösung von 54,1 g (0,5 Mol) 3-Hydroxy-1-methyl-benzol in 60,1 g (1 Mol) Eisessig wird bis zur Sättigung unter Kühlen Bortrifluorid eingeleitet (Aufnahme 71 g). Das kristalline, grünlichblaue Reaktionsgemisch wird dann im Ölbad 2 Stdn. auf 70° erwärmt, nach dem Erkalten mit überschüssiger Natriumacetat-Lösung zersetzt und das abgeschiedene Phenol in Äther aufgenommen. Die Ätherschicht wäscht man bis zum Verschwinden der sauren Reaktion mit ges. Natriumhydrogencarbonat-Lösung, trocknet sie über Natriumsulfat und destilliert den Äther ab. Der verbleibende Rückstand wird i. Vak. fraktioniert. Zwischen 116–119° (14 Torr) gehen 48,9 g (65,1% d.Th.) *2-Hydroxy-4-methyl-1-acetyl-benzol* über. Im Kolben hinterbleiben 19,5 g eines braunen, kristallinen Rückstandes. Nach mehrmaligem Umkristallisieren aus Benzol unter Zusatz von A-Kohle können 12 g (16% d.Th.) *4-Hydroxy-2-methyl-1-acetyl-benzol* (F: 131°) erhalten werden.

Bei analoger Arbeitsweise erhält man mit Propionsäure *2-Hydroxy-4-methyl-1-propanoyl-benzol* (92,6% d.Th.; F: 43–44°) neben 4-Hydroxy-2-methyl-1-propanoyl-benzol (5,7% d.Th.; F: 120°).

Bei der Acylierung von H a l o g e n - p h e n o l e n, z.B. von 4-Chlor-1-hydroxy-benzol, empfiehlt es sich, die Umsetzungen oberhalb 100° im Einschmelzrohr vorzunehmen.

5-Chlor-2-hydroxy-1-acetyl-benzol[5]: 12,8 g (0,1 Mol) 4-Chlor-1-hydroxy-benzol, gelöst in 12 g (0,2 Mol) Eisessig, werden in einer starkwandigen 100 *ml*-Ampulle aus Jenaer Glas unter Kühlen mit Eiswasser mit Bortrifluorid gesättigt, wobei 19 g Bortrifluorid aufgenommen werden. Die zugeschmolzene Ampulle wird in einem Ölbad 3 Stdn. auf 125–150° erhitzt. Beim Abkühlen er-

---

[1] H. MEERWEIN, B. **66**, 411 (1933).

[2] K. FREUDENBERG u. K. WEINGES, A. **590**, 140 (1954).

[3] D. KÄSTNER in W. FOERST, *Neuere Methoden der präparativen organischen Chemie I*, S. 441, Verlag Chemie GmbH, Weinheim/Bergstr. 1949.

[4] K. KINDLER, H. OELSCHLÄGER u. P. HENRICH, Ar. **287**, 210 (1954).

[5] K. KINDLER u. H. OELSCHLÄGER, B. **87**, 194 (1954).

starrt das Reaktionsgemisch zu gelben Kristallen. Nach vorsichtigem Öffnen der Ampulle wird in der üblichen Weise mit Natriumacetat zersetzt und das sich abscheidende Keton in Äther aufgenommen. Nach dem Waschen der Ätherschicht mit Natriumhydrogencarbonat-Lösung und Trocknen über Natriumsulfat wird der Äther abgedampft und der verbleibende Rückstand i. Vak. destilliert. Ohne Vorlauf gehen 15,3 g (90% d. Th.) Keton über; Kp_{14}: 125–126°: F; 54°.

2′,4′-Dihydroxy-4-methoxy-benzophenon[1]: In eine Mischung aus 22 g (0,2 Mol) 1,3-Dihydroxy-benzol, 30 g 4-Methoxy-benzoesäure und 50 ml Tetrachlormethan werden unter Rühren und Feuchtigkeitsausschluß 18 g Bortrifluorid eingeleitet. Die Reaktionsmischung wird auf einem Dampfbad 4 Stdn. erhitzt, dann trägt man sie in eine Lösung von 55 g Natriumacetat in 300 ml Wasser aus. Man saugt ab und löst den Filterkuchen (57 g) in 400 ml 5%iger Natronlauge. In die alkalische Lösung leitet man Kohlendioxid, bis sie nur noch schwach alkalisch ist. Der Niederschlag wird abgesaugt und getrocknet; Rohausbeute: 44 g (90% d.Th.); F: 158–160°. Dieses Rohprodukt wird in 150 ml heißem Methanol gelöst, die Lösung mit 10 g A-Kohle geklärt. Zum Filtrat fügt man 50 ml Wasser, saugt den farblosen, kristallinen Niederschlag nach 4 Stdn. ab und trocknet ihn; Reinausbeute: 39,5 g (81% d.Th.); F: 165°.

Alkyl-Reste werden bei Acylierungen mit Bortrifluorid bis ∼ 50° nicht verändert; wenn die Reaktionsgemische jedoch stärker erwärmt werden, kann Desalkylierung eintreten. So isoliert man bei der Umsetzung von 4-Hydroxy-1-[2-methyl-butyl-(2)]-benzol mit Propionsäure/Bortrifluorid bei 80° *4-Hydroxy-1-propanoyl-benzol* neben *2-Hydroxy-5-[2-methyl-butyl-(2)]-1-propanoyl-benzol*[2].

Auch Spaltungen von Methoxy-Gruppen in Gegenwart von Bortrifluorid werden beschrieben. So entstehen aus 4-Methoxy-1,3-dimethyl-benzol und Essigsäure/Bortrifluorid nach 16 Stdn. bei 70° *2-Hydroxy-3,5-dimethyl-1-acetyl-benzol* (48,5% d.Th.) und *2-Methoxy-3,5-dimethyl-1-acetyl-benzol* (21,5% d.Th.)[3]. Während aus 1,3-Dimethoxy-benzol und Essigsäure/Bortrifluorid bei 70° 2,4-Dimethoxy-1-acetyl-benzol (27,8% d.Th.) erhalten wird, entsteht nach 3 stdm. Erwärmen des Reaktionsgemisches auf 125° neben wenig *2,4-Dimethoxy-1-acetyl-benzol 2-Hydroxy-4-methoxy-1-acetyl-benzol* (42,2% d.Th.)[4]. 1,4-Dimethoxy-benzol ergibt bereits beim 2 stdgn. Erhitzen auf 70° mit Essigsäure/Bortrifluorid *2-Hydroxy-5-methoxy-1-acetyl-benzol* als Haupttreaktionsprodukt, selbst bei einer Reaktionstemperatur von 50° erfolgt überwiegend Ätherspaltung[4].

α-Naphthole werden durch Carbonsäuren/Bortrifluorid vorwiegend in 2-Stellung acyliert. Die Durchführung der Reaktion erfolgt wie bei der Acylierung von Hydroxybenzolen beschrieben.

Zur Acylierung von Hydroxybenzolen in Gegenwart von Bortrifluorid können auch olefinische Carbonsäuren verwendet werden, ohne daß Arylierungen an der C=C-Doppelbindung eintreten. So erhält man aus Ölsäure und Phenol *1-Oxo-1-(4-hydroxy-phenyl)-octadecen-(9)*[5] und aus 1,2,3-Trihydroxy-benzol und Zimtsäure *1-Oxo-3-phenyl-1-(2,3,4-trihydroxy-phenyl)-propen*[6].

Die Acetylierung von Thiophen zu *2-Acetyl-thiophen* (25% d. Th.) kann mit Essigsäure/Bortrifluorid bei 45° in Schwefelkohlenstoff vorgenommen werden[7].

---

[1] J. Van Allen u. J. F. Tinker, J. Org. Chem. **19**, 1243 (1954).

[2] N. P. Buu-Hoï, M. Sy u. N. D. Xuong, Bl. **1956**, 629.

[3] D. Kästner in W. Foerst, *Neuere Methoden der präparativen organischen Chemie I*, S. 441, Verlag Chemie GmbH, Weinheim/Bergstr. 1949.

[4] H. Oelschläger, Ar. **288**, 102 (1955).

[5] DRP 682077 (1939), I. G. Farb., Erf.: G. Balle u. P. Heimke; C. A. **36**, 2565 (1942).

[6] R. Mani u. K. Venkataraman, Curr. Sci. (India) **23**, 220 (1954); C. A. **49**, 11589 (1955).

[7] R. Levine, J. V. Heid u. M. W. Farrar, Am. Soc. **71**, 1207 (1949).

Tab. 43. Hydroxy- oder Alkoxy-ketone durch Umsetzung von Hydroxy- oder Alkoxy-benzolen mit Carbonsäuren/Bortrifluorid

Carbonsäure	Hydroxy-, Alkoxy-benzol	Keton	Ausbeute [%d.Th.]	F [°C]	Literatur
Essigsäure	Methoxy-benzol	*4-Methoxy-1-acetyl-benzol*	98	(Kp$_{18}$: 143–144°)	[1,2]
	4-Hydroxy-1-methyl-benzol	*2-Hydroxy-5-methyl-1-acetyl-benzol*	95	49–50	[3]
	4-Hydroxy-1-pentyl-benzol	*2-Hydroxy-5-pentyl-1-acetyl-benzol*	87	(Kp$_7$: 145–148°)	[4]
	4-Fluor-1-hydroxy-benzol	*5-Fluor-2-hydroxy-1-acetyl-benzol*	89	57	[5]
	4-Brom-1-hydroxy-benzol	*5-Brom-2-hydroxy-1-acetyl-benzol*	44,2	56	[5]
	4-Hydroxy-1,3-dimethyl-benzol	*2-Hydroxy-3,5-dimethyl-1-acetyl-benzol*	97		[1]
	3-Hydroxy-1,4-dimethyl-benzol	*6-Hydroxy-2,5-dimethyl-1-acetyl-benzol*	94,5	131–132	[3]
	4-Hydroxy-1,2-dimethyl-benzol	*2-Hydroxy-4,5-dimethyl-1-acetyl-benzol*	80	71	[3]
	5-Hydroxy-1,3-dimethyl-benzol	*6-Hydroxy-2,4-dimethyl-1-acetyl-benzol*	92,8	62	[3]
	2-Chlor-5-hydroxy-1-methyl-benzol	*5-Chlor-2-hydroxy-4-methyl-1-acetyl-benzol*	86,2	66	[5]
	1,2-Dihydroxy-benzol	*3,4-Dihydroxy-1-acetyl-benzol*	43	116	[6]
	1,3-Dihydroxy-benzol	*2,4-Dihydroxy-1-acetyl-benzol*	94	147	[6]
	1,4-Dihydroxy-benzol	*2,5-Dihydroxy-1-acetyl-benzol*	88	195–197	[6]
	5-Hydroxy-1,2,3-trimethoxy-benzol	*6-Hydroxy-2,3,4-trimethoxy-1-acetyl-benzol*	60–70		[7]
	2-Hydroxy-biphenyl	*6-Hydroxy-3-acetyl-biphenyl*		173	[8]
Propionsäure	4-Hydroxy-1-methyl-benzol	*2-Hydroxy-5-methyl-1-propanoyl-benzol*	80	(Kp$_{13}$: 126–128°	[3]
	4-Hydroxy-1-butyl-(2)-benzol	*2-Hydroxy-5-butyl-(2)-1-propanoyl-benzol*	71	(Kp$_6$: 134–137°)	[4]
	4-Hydroxy-1-decyl-benzol	*2-Hydroxy-5-decyl-1-propanoyl-benzol*	81	(Kp$_1$: 161–165°)	[4]
	4-Chlor-1-hydroxy-benzol	*5-Chlor-2-hydroxy-1-propanoyl-benzol*	81,5	59–60	[5]
	4-Brom-1-hydroxy-benzol	*5-Brom-2-hydroxy-1-propanoyl-benzol*	59	75	[5]
	5-Hydroxy-1,3-dimethyl-benzol	*2-Hydroxy-4,6-dimethyl-1-propanoyl-benzol*	90,2	78	[3]

[1] D. Kästner in W. Foerst, *Neuere Methoden der präparativen ogranischen Chemie I*, S. 441, Verlag Chemie GmbH, Weinheim/Bergstr. 1949.
[2] V. Gold u. T. Riley, Soc. **1961**, 1676.
[3] K. Kindler, H. Oelschläger u. P. Henrich, Ar. **287**, 210 (1954).
[4] E. C. Armstrong et al., Am. Soc. **82**, 1928 (1960).
[5] K. Kindler u. H. Oelschläger, B. **87**, 194 (1954).
[6] H. Oelschläger, Ar. **288**, 102 (1955).
[7] R. Mani u. K. Venkataraman, Curr. Sci. (India) **23**, 220 (1954); C.A. **49**, 11589 (1955).
[8] N. P. Buu-Hoï u. J. Seailles, J. Org. Chem. **20**, 606 (1955).

Tab. 43. (1. Fortsetzung)

Carbonsäure	Hydroxy-, Alkoxy-benzol	Keton	Ausbeute [% d.Th.]	F [°C]	Literatur
Propionsäure	1,2-Dihydroxy-benzol	3,4-Dihydroxy-1-propanoyl-benzol		148	1
	1,2-Dimethoxy-benzol	3,4-Dimethoxy-1-propanoyl-benzol	54	58–60	2
	2-Hydroxy-3-methoxy-1-propyl-benzol	4-Hydroxy-5-methoxy-3-propyl-1-propanoyl-benzol	70	85–86	3
	2-Hydroxy-3-methoxy-1-isopropyl-benzol	4-Hydroxy-3-methoxy-5-isopropyl-1-propanoyl-benzol	60	87–88	3
	1,3-Dihydroxy-benzol	2,4-Dihydroxy-1-propanoyl-benzol	79	101	2,4
	1,4-Dihydroxy-benzol	2,5-Dihydroxy-1-propanoyl-benzol	71	97–98	2,5
	2,5-Dihydroxy-1-hexadecyl-benzol	2,5-Dihydroxy-4-hexadecyl-1-propanoyl-benzol	50	93–94	5
	2-Hydroxy-5-methoxy-1-hexadecyl-benzol	2-Hydroxy-5-methoxy-3-hexadecyl-1-propanoyl-benzol	54	65,4–66,5	5
	2-Hydroxy-biphenyl	6-Hydroxy-3-propanoyl-biphenyl		154	1
Buttersäure	Phenol	4-Hydroxy-1-butanoyl-benzol	81	91	6
	2-Hydroxy-1-methyl-benzol	4-Hydroxy-3-methyl-1-butanoyl-benzol	84	130	6
	3-Hydroxy-1-methyl-benzol	4-Hydroxy-2-methyl-1-butanoyl-benzol	8,4	102	6
		+ 2-Hydroxy-4-methyl-1-butanoyl-benzol	84,8	14,5	
	4-Hydroxy-1-pentyl-benzol	2-Hydroxy-5-pentyl-1-butanoyl-benzol	88	(Kp$_{16}$: 185–192°)	5
	4-Fluor-1-hydroxy-benzol	5-Fluor-2-hydroxy-1-butanoyl-benzol	79,7	38–39	7
	4-Chlor-1-hydroxy-benzol	5-Chlor-2-hydroxy-1-butanoyl-benzol	86	55	7
	5-Hydroxy-1,3-dimethyl-benzol	2-Hydroxy-4,6-dimethyl-1-butanoyl-benzol	85	60	6
	2-Chlor-5-hydroxy-1-methyl-benzol	5-Chlor-2-hydroxy-4-methyl-1-butanoyl-benzol	82	61	7
	1,2-Dihydroxy-benzol	3,4-Dihydroxy-1-butanoyl-benzol	61	147	1,2
	1,3-Dihydroxy-benzol	2,4-Dihydroxy-1-butanoyl-benzol	81	70	2
	1,4-Dihydroxy-benzol	2,5-Dihydroxy-1-butanoyl-benzol	72	87–88	2

1 N.P. Buu-Hoï u. J. Seailles, J. Org. Chem. 20, 606 (1955).
2 H. Oelschläger, Ar. 288, 102 (1955).
3 E. Alder u. B. Stenemur, B. 89, 291 (1956).
4 M. Clere-Bory, H. Pachéco u. C. Mentzer, Bl. [5] 22, 1083 (1955).
5 E.C. Armstrong et al., Am. Soc. 82, 1928 (1960).
6 K. Kindler, H. Oelschläger u. P. Henrich, Ar. 287, 210 (1954).
7 K. Kindler u. H. Oelschläger, B. 87, 194 (1954).

Tab. 43. (2. Fortsetzung)

Carbonsäure	Hydroxy-, Alkoxy-benzol	Keton	Ausbeute [% d.Th.]	F [°C]	Literatur
2-Methyl-propansäure	4-Hydroxy-1-methyl-benzol	*2-Hydroxy-5-methyl-1-(2-methyl-propanoyl)-benzol*	78,7	(Kp$_{18}$: 131–132°)	1
	5-Hydroxy-1,3-dimethyl-benzol	*6-Hydroxy-2,4-dimethyl-1-(2-methyl-propanoyl)-benzol*	63	93	1
	1,3-Dihydroxy-benzol	*2,4-Dihydroxy-1-(2-methyl-propanoyl)-benzol*	79	(Kp$_{0,4}$ 150–151°)	2
	1,4-Dihydroxy-benzol	*2,5-Dihydroxy-1-(2-methyl-propanoyl)-benzol*	51	55	2
Pentansäure	4-Hydroxy-1-pentyl-benzol	*2-Hydroxy-5-pentyl-1-pentanoyl-benzol*	77	(Kp$_1$: 122–127°)	3
	1,3-Dihydroxy-benzol	*2,4-Dihydroxy-1-pentanoyl-benzol*	79	63	2
	2,5-Dihydroxy-2-octyl-benzol	*2,5-Dihydroxy-4-octyl-1-pentanoyl-benzol*	65	59–60	3
3-Methyl-butansäure	Phenol	*4-Hydroxy-1-(3-methyl-butanoyl)-benzol*	51,8	95–96	1
	3-Hydroxy-1-methyl-benzol	*2-Hydroxy-4-methyl-1-(3-methyl-butanoyl)-benzol*	78	(Kp$_{18}$: 152–156°)	1
	1,3-Dihydroxy-benzol	*2,4-Dihydroxy-1-(3-methyl-butanoyl)-benzol*	71	73	2
	1,4-Dihydroxy-benzol	*2,5-Dihydroxy-1-(3-methyl-butanoyl)-benzol*	71	111	2
Hexansäure	Phenol	*4-Hydroxy-1-hexanoyl-benzol*	66,5	61	1
	3-Hydroxy-1-methyl-benzol	*2-Hydroxy-4-methyl-1-hexanoyl-benzol*	88	20–21	1
	2-Chlor-5-hydroxy-1-methyl-benzol	*5-Chlor-2-hydroxy-4-methyl-1-hexanoyl-benzol*	85,5	56–57	4
	1,2-Dihydroxy-benzol	*3,4-Dihydroxy-1-hexanoyl-benzol*	55	94	2
	1,3-Dihydroxy-benzol	*2,4-Dihydroxy-1-hexanoyl-benzol*	90	58	2,5
	1,4-Dihydroxy-benzol	*2,5-Dihydroxy-1-hexanoyl-benzol*	94	85–86	2
4-Methyl-pentansäure	1,3-Dihydroxy-benzol	*2,4-Dihydroxy-1-(4-methyl-pentanoyl)-benzol*	72	83–84	2
Octansäure	4-Hydroxy-1-pentyl-benzol	*2-Hydroxy-5-pentyl-1-octanoyl-benzol*	66	(Kp$_1$: 172–175°)	3
	5-Hydroxy-1,3-dimethyl-benzol	*6-Hydroxy-2,4-dimethyl-1-octanoyl-benzol*	91	22	1
	1,4-Dihydroxy-benzol	*2,5-Dihydroxy-1-octanoyl-benzol*	69	84,5–86	3
	4-Hydroxy-1-methoxy-benzol	*2-Hydroxy-5-methoxy-1-octanoyl-benzol*	55	42,5–44	3
	2,5-Dihydroxy-1-octyl-benzol	*2,5-Dihydroxy-4-octyl-1-octanoyl-benzol*	70	82–83	3
	2-Hydroxy-5-methoxy-1-octyl-benzol	*2-Hydroxy-5-methoxy-4-octyl-1-octanoyl-benzol*	43	31–32	3

[1] K. KINDLER, H. OELSCHLÄGER u. P. HENRICH, Ar. 287, 210 (1954).
[2] H. OELSCHLÄGER, Ar. 288, 102 (1955).
[3] E. C. ARMSTRONG et al., Am. Soc. 82, 1928 (1960).
[4] K. KINDLER u. H. OELSCHLÄGER, B. 87, 194 (1954).
[5] N. P. BUU-HOÏ u. J. SEAILLES, J. Org. Chem. 20, 606 (1955).

Tab. 43. (3. Fortsetzung)

Carbonsäure	Hydroxy-, Alkoxy-benzol	Keton	Ausbeute [% d.Th.]	F [°C]	Literatur
Nonansäure	1-Hydroxy-4-pentyl-benzol	*2-Hydroxy-5-pentyl-1-nonanoyl-benzol*	73	(Kp$_1$: 143–145°)	1
Decansäure	2-Hydroxy-1-methyl-benzol	*4-Hydroxy-3-methyl-1-decanoyl-benzol*	73	72,5–74	1
	4-Hydroxy-1-methyl-benzol	*2-Hydroxy-5-methyl-1-decanoyl-benzol*	67	(Kp$_1$: 145°)	1
	5-Hydroxy-1,3-dimethyl-benzol	*2-Hydroxy-4,6-dimethyl-1-decanoyl-benzol*	86	33	2
Dodecansäure	Phenol	*4-Hydroxy-1-dodecanoyl-benzol*	84	71	2
	4-Hydroxy-1-pentyl-benzol	*2-Hydroxy-5-pentyl-1-dodecanoyl-benzol*	66	(Kp$_2$: 189–194°)	1
	1,3-Dihydroxy-benzol	*2,4-Dihydroxy-1-dodecanoyl-benzol*	79	84	3
	2,5-Dihydroxy-1-dodecyl-benzol	*2,5-Dihydroxy-4-dodecyl-1-dodecanoyl-benzol*	37	88–90	1
	1,2,3-Trihydroxy-benzol	*2,3,4-Trihydroxy-1-dodecanoyl-benzol*		78	4
Tetradecansäure	2-Chlor-5-hydroxy-1-methyl-benzol	*5-Chlor-2-hydroxy-4-methyl-1-tetradecanoyl-benzol*		81	4
Hexadecansäure	Phenol	*4-Hydroxy-1-hexadecanoyl-benzol*		86	4
	2-Hydroxy-1-methyl-benzol	*2-Hydroxy-5-methyl-1-hexadecanoyl-benzol*		61	4
	2-Chlor-5-hydroxy-1-methyl-benzol	*5-Chlor-2-hydroxy-4-methyl-1-hexadecanoyl-benzol*		86	4
	1,2-Dihydroxy-benzol	*3,4-Dihydroxy-1-hexadecanoyl-benzol*		101–102	5
	1,3-Dihydroxy-benzol	*2,4-Dihydroxy-1-hexadecanoyl-benzol*		95	4,5
	1,4-Dihydroxy-benzol	*2,5-Dihydroxy-1-hexadecanoyl-benzol*		106–107	1,5
	4-Hydroxy-1-methoxy-benzol	*2-Hydroxy-5-methoxy-1-hexadecanoyl-benzol*		57,5–59	1
	2,5-Dihydroxy-1-methyl-benzol	*2,5-Dihydroxy-4-methyl-1-hexadecanoyl-benzol*	69	94–94,5	1
	2,5-Dihydroxy-1-propyl-benzol	*2,5-Dihydroxy-4-propyl-1-hexadecanoyl-benzol*	56	76,5–77,5	1
	5-Hydroxy-2-methoxy-1-methyl-benzol	*2-Hydroxy-5-methoxy-4-methyl-1-hexadecanoyl-benzol*	37	66–67	1
	1,2,3-Trihydroxy-benzol	*2,3,4-Trihydroxy-1-hexadecanoyl-benzol*		92	4
Octadecansäure	Phenol	*4-Hydroxy-1-octadecanoyl-benzol*		89	4
	2-Hydroxy-1-methyl-benzol	*4-Hydroxy-3-methyl-1-octadecanoyl-benzol*	86	72–73	1
	4-Hydroxy-1-methyl-benzol	*2-Hydroxy-5-methyl-1-octadecanoyl-benzol*		69	4

[1] E.C. ARMSTRONG et al., Am. Soc. **82**, 1928 (1960).
[2] K. KINDLER, H. OELSCHLÄGER u. P. HENRICH, Ar. **287**, 210 (1954).
[3] H. OELSCHLÄGER, Ar. **288**, 102 (1955).
[4] N.P. BUU-HOÏ u. J. SEAILLES, J. Org. Chem. **20**, 606 (1955).
[5] M.T. RICHERT-MELLIER, OLÉAGINEUX **17**, 491 (1962); C.A. **57**, 8484 (1962).

Tab. 43. (4. Fortsetzung)

Carbonsäure	Hydroxy-, Alkoxy-Benzol	Keton	Ausbeute [% d. Th.]	F [° C]	Literatur
Octadecansäure	2-Chlor-5-hydroxy-1-methyl-benzol	*5-Chlor-2-hydroxy-4-methyl-1-octadecanoyl-benzol*		88	1
	1,3-Dihydroxy-benzol	*2,4-Dihydroxy-1-octadecanoyl-benzol*		99	1
	1,4-Dihydroxy-benzol	*2,5-Dihydroxy-1-octadecanoyl-benzol*	85	108–110	2
	4-Hydroxy-1-methoxy-benzol	*2-Hydroxy-5-methoxy-1-octadecanoyl-benzol*	46	59,5–61,5	2
	1,2,3-Trihydroxy-benzol	*2,3,4-Trihydroxy-1-octadecanoyl-benzol*		93	1
	1,3,5-Trihydroxy-benzol	*2,4,6-Trihydroxy-1-octadecanoyl-benzol*		126	1
Docosansäure	Phenol	*4-Hydroxy-1-docosanoyl-benzol*	75	96–97	1
	4-Hydroxy-1-methyl-benzol	*2-Hydroxy-5-methyl-1-docosanoyl-benzol*	90–95	80–81	1
	2-Chlor-5-hydroxy-1-methyl-benzol	*5-Chlor-2-hydroxy-4-methyl-1-docosanoyl-benzol*		92–93	1
Chlor-essigsäure	1,2-Dihydroxy-benzol	*3,4-Dihydroxy-1-chloracetyl-benzol*		173	1
	1,3-Dihydroxy-benzol	*2,4-Dihydroxy-1-chloracetyl-benzol*		132	1
	1,2,3-Trihydroxy-benzol	*2,3,4-Trihydroxy-1-chlor-acetyl-benzol*		167	1
Phenyl-essigsäure	Phenol	*1-Oxo-2-phenyl-1-[4-hydroxy-phenyl]-äthan*	87,3	142	3
	3-Hydroxy-1-methyl-benzol	*1-Oxo-2-phenyl-1-[2-hydroxy-4-methyl-phenyl]-äthan*	88,5	32–33	3
		+ *1-Oxo-2-phenyl-1-[4-hydroxy-2-methyl-phenyl]-äthan*	3,1	138–139	
	4-Hydroxy-1-methyl-benzol	*1-Oxo-2-phenyl-1-[2-hydroxy-5-methyl-phenyl]-äthan*	89	64	3
	4-Chlor-1-hydroxy-benzol	*1-Oxo-2-phenyl-1-[5-chlor-2-hydroxy-phenyl]-äthan*	67,5	69	4
	1,3-Dihydroxy-benzol	*1-Oxo-2-phenyl-1-[2,4-di-hydroxy-phenyl]-äthan*	66	115	5
	1,4-Dihydroxy-benzol	*1-Oxo-2-phenyl-1-[2,5-di-hydroxy-phenyl]-äthan*	56	112	5
3-Phenyl-propansäure	Phenol	*1-Oxo-3-phenyl-1-(4-hydroxy-phenyl)-propan*	96,5	69,5	3
	1,3-Dihydroxy-benzol	*1-Oxo-3-phenyl-1-(2,4-di-hydroxy-phenyl)-propan*	90	97–98	5
4-Cyclohexyl-hexansäure	Phenol	*1-Oxo-4-cyclohexyl-1-(4-hydroxy-phenyl)-hexan*	70	99	1
Benzoesäure	Phenol	*4-Hydroxy-benzophenon*	52	134	3
	3-Hydroxy-1-methyl-benzol	*2-Hydroxy-4-methyl-benzo-phenon*	94	62,5	3

1 N.P. Buu-Hoï u. J. Seailles, J. Org. Chem. **20**, 606 (1955).
2 E.C. Armstrong et al., Am. Soc. **82**, 1928 (1960).
3 K. Kindler, H. Oelschläger u. P. Henrich, Ar. **287**, 210 (1954).
4 K. Kindler u. H. Oelschläger, B. **87**, 194 (1954).
5 H. Oelschläger, Ar. **288**, 102 (1955).

Tab. 43 (5. Fortsetzung)

Carbonsäure	Hydroxy-, Alkoxy-Benzol	Keton	Ausbeute [% d. Th.]	F [°C]	Literatur
Benzoesäure	4-Chlor-1-hydroxy-benzol	*5-Chlor-2-hydroxy-benzophenon*	70	94	1
	5-Hydroxy-1,3-dimethyl-benzol	*6-Hydroxy-2,4-dimethyl-benzophenon*	58,5	142	2
	1,3-Dihydroxy-benzol	*2,4-Dihydroxy-benzophenon*	69	143–144	3
	1,4-Dihydroxy-benzol	*2,5-Dihydroxy-benzophenon*	61	124	3
4-Chlor-benzoesäure	3-Hydroxy-1-methyl-benzol	*4'-Chlor-2-hydroxy-4-methyl-benzophenon*	70,3	81,5	2
	4-Hydroxy-1-methyl-benzol	*4'-Chlor-2-hydroxy-5-methyl-benzophenon*	89,5	66–67	2
4-Hydroxy-benzoesäure	3-Hydroxy-1-methyl-benzol	*2',4-Dihydroxy-4'-methyl-benzophenon*	68	148–149	2
4-Methoxy-benzoesäure	3-Hydroxy-1-methyl-benzol	*2-Hydroxy-4'-methoxy-4-methyl-benzophenon*	81	96–97	2
	1,3-Dihydroxy-benzol	*2',4'-Dihydroxy-4-methoxy-benzophenon*	67	164	3
Naphthyl-(1)-essigsäure	2-Hydroxy-1,3-dimethyl-benzol	*2-Oxo-2-(4-hydroxy-3,5-dimethyl-phenyl)-1-naphthyl-(1)-äthan*			4
Pyrenyl-(1)-essigsäure	2-Hydroxy-1,3-dimethyl-benzol	*2-Oxo-2-(4-hydroxy-3,5-dimethyl-phenyl)-1-pyrenyl-(1)-äthan*			4
4-Pyrenyl-(1)-butansäure	2-Hydroxy-1,3-dimethyl-benzol	*4-Oxo-4-(4-hydroxy-3,5-dimethyl-phenyl)-1-pyrenyl-(1)-butan*			4
1-Carboxy-pyren	2-Hydroxy-1,3-dimethyl-benzol	*1-(4-Hydroxy-3,5-dimethyl-benzoyl)-pyren*			4

a_4) *Fluorwasserstoff und Perchlorsäure*

Fluorwasserstoff eignet sich als mildes Kondensationsmittel für inter- oder intra-molekulare Acylierungen von reaktionsfähigen Aromaten mit Carbonsäuren.

Außerdem ist Fluorwasserstoff ein gutes Lösungsmittel und wasserbindendes Mittel[5]. Es ist deshalb notwendig, Fluorwasserstoff in großem Überschuß anzuwenden. Die Umsetzungen werden meist in Eisen- oder Kupfer-Autoklaven vorgenommen (s. S. 21).

Eine Acylierung von Benzol mit Benzoesäure in Fluorwasserstoff bei Raumtemperatur gelingt nicht[6]. Doch bereits Toluol ergibt *4-Methyl-benzophenon* (27,3% d. Th.)[7]. Unter analogen Bedingungen entsteht mit Essigsäure *4-Methyl-1-acetyl-benzol* und mit Pentansäure *4-Methyl-1-pentanoyl-benzol*[7]. Indan ergibt mit Essigsäure nach

[1] K. KINDLER u. H. OELSCHLÄGER, B. 87, 194 (1954).
[2] K. KINDLER, H. OELSCHLÄGER u. P. HENRICH, Ar. 287, 210 (1954).
[3] H. OELSCHLÄGER, Ar. 288, 102 (1955).
[4] R. J. SHOZDA et al., Am. Soc. 78, 1716 (1956).
[5] K. WIECHERT, Die Chemie 56, 333 (1943).
[6] L. F. FIESER u. E. B. HERSHBERG, Am. Soc. 61, 1272 (1939).
[7] J. H. SIMONS, D. I. RANDALL u. S. ARCHER, Am. Soc. 61, 1795 (1939).

Tab. 44. Acylierung von Naphtholen mit Carbonsäuren und Bortrifluorid

Naphthol	Carbonsäure	Keton	Ausbeute [% d.Th.]	F [°C]	Literatur
α-Naphthol	Propionsäure	1-Hydroxy-2-propanoyl-naphthalin		82	[1]
	Tetradecansäure	1-Hydroxy-2-tetradecanoyl-naphthalin	90	80–82	[1,2]
	Hexadecansäure	1-Hydroxy-2-hexadecanoyl-naphthalin	82	75–77	[1,2]
	Octadecansäure	1-Hydroxy-2-octadecanoyl-naphthalin		82	[1]
	Docosansäure	1-Hydroxy-2-docosanoyl-naphthalin		94	[1]
	11-Brom-undecansäure	1-Hydroxy-2-(11-brom-undecanoyl)-naphthalin	75	104–105	[2]
	4-Phenyl-butansäure	1-Oxo-4-phenyl-1-[1-hydroxy-naphthyl-(2)]-butan	72	104–105	[2]
β-Naphthol	Propionsäure	2-Hydroxy-1-propanoyl-naphthalin		72	[1]
	Octadecansäure	2-Hydroxy-1-octadecanoyl-naphthalin	81	64,5	[3]
	Docosansäure	2-Hydroxy-1-docosanoyl-naphthalin		79–80	[1]

dreitägigem Stehen in Fluorwasserstoff-Lösung bei 20° *5-Acetyl-indan* (73% d.Th.)[4]. Analog werden erhalten aus

Indan und Naphthalin-1-carbonsäure	→	*5-Naphthoyl-(1)-indan*[4]
Acenaphthen und Essigsäure	→	3- und *5-Acetyl-acenaphthen*[5]
Acenaphthen und Phenylessigsäure	→	3- und *5-Phenylacetyl-acenaphthen*[6]
Acenaphthen und Benzoesäure	→	*5-Benzoyl-acenaphthen*[5].

Aus Phenol und Essigsäure werden nach 17 stündigem Stehen in Fluorwasserstoff *4-Hydroxy-1-acetyl-benzol* (40% d.Th.)[7], aus 2,4-Dihydroxy-1-äthyl-benzol und Benzoesäure in Fluorwasserstoff bei 100° *2,4-Dihydroxy-5-äthyl-benzophenon*[8] bzw. aus 4-Hydroxy-1-methoxy-benzol mit Zimtsäure bei 80° *3-Oxo-1-phenyl-3-(2-hydroxy-5-methoxy-phenyl)-propen*[9] erhalten. Analog entsteht *3-Oxo-1-phenyl-3-(2,4-dihydroxy-phenyl)-propen*[10].

Bei der Umsetzung von α,β-ungesättigten Carbonsäuren mit reaktionsfähigen Aromaten können neben Acylierungen auch cyclisierende Alkylierungen eintreten. So erhält man z.B. aus Buten-(2)-säure und Acenaphthen nach 24stündigem Stehen

[1] N.P. Buu-Hoï u. J. Seailles, J. Org. Chem. **20**, 606 (1955).

[2] G. Fawaz u. L. F. Fieser, Am. Soc. **72**, 996 (1950).

[3] N. P. Buu-Hoï u. D. Lavit, J. Org. Chem. **20**, 823 (1955).

[4] L. F. Fieser u. E. B. Hershberg, Am. Soc. **62**, 49 (1940).

[5] L.F. Fieser u. E.B. Hershberg, Am. Soc. **61**, 1272 (1939).

[6] L. F. Fieser u. G. W. Kilmer, Am. Soc. **62**, 1354 (1940).

[7] J.H. Simons, D.I. Randall u. S. Archer, Am. Soc. **61**, 1795 (1939).

[8] J. A. Van Allan u. J. F. Tinker, J. Org. Chem. **19**, 1243 (1954).

[9] H. A. Offe u. W. Barkow, B. **80**, 464 (1947).

[10] H. A. Offe u. W. Barkow, B. **80**, 458 (1947).

in Fluorwasserstoff-Lösung *9-Oxo-7-methyl-4,5,8,9-tetrahydro-7H-⟨cyclopenta-[e]-ace-naphthylen⟩*[1]:

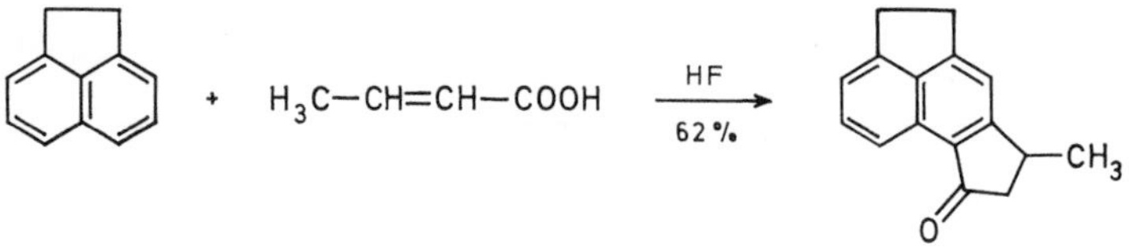

Bei der Umsetzung von Dihydroxy-benzolen mit α,β-ungesättigten Carbonsäuren kann sich eine Hydroxy-Gruppe an die C=C-Doppelbindung addieren, es entstehen dann Hydroxy-chromanone. So führt die Umsetzung von α,β-Diphenyl-acryl-säure mit 1,3-Dihydroxy-benzol zu *7-Hydroxy-4-oxo-2,3-diphenyl-chroman*[2] oder mit 1,4-Dihydroxy-benzol zu *6-Hydroxy-4-oxo-2,3-diphenyl-chroman*[3]:

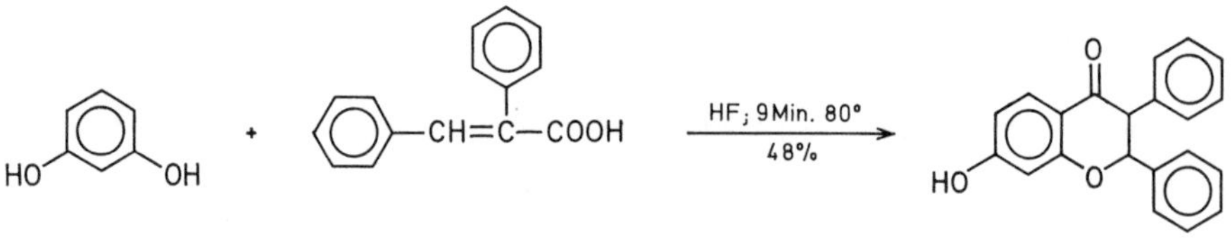

Besonders hohe Ausbeuten an *7-Hydroxy-4-oxo-2,2-dimethyl-chroman* erhält man, wenn man in eine Lösung von 1,3-Dihydroxy-benzol und 3-Methyl-buten-(2)-säure in Nitrobenzol bei 100° Fluorwasserstoff einleitet.

7-Hydroxy-4-oxo-2,2-dimethyl-chroman[3]: 2 g (0,02 Mol) 3-Methyl-buten-(2)-säure und 2,2 g (0,02 Mol) 1,3-Dihydroxy-benzol werden in 100 *ml* Nitrobenzol bei 100° gelöst. In diese Lösung wird während 1 Stde. ein langsamer Strom von Fluorwasserstoff eingeleitet. Nach dem Erkalten erfolgt erschöpfende Extraktion des Nitrobenzols mit 10%iger Natronlauge; die alkalische Lösung wird angesäuert und ausgeäthert. Die Äther-Lösung wird getrocknet und der Äther verdampft; Ausbeute: 2,76 g (72% d.Th.); F: 172° (aus Methanol).

3-Phenyl-propansäure wird durch Fluorwasserstoff nach eintägigem Stehen bei Raumtemperatur zu *Indanon-(1)* (*1-Oxo-indan*) cyclisiert (73% d.Th.). Mit noch besseren Ausbeuten erhält man unter analogen Bedingungen aus 4-Phenyl-butan-säure *Tetralon-(1)* (92% d.Th.). Die Cyclisierung von 4-Acenaphthyl-(5)-butansäure zu *7-Oxo-4,5,7,8,9,10-hexahydro-acephenanthrylen* ist nach 3¹/₂ Stunden[1] beendet:

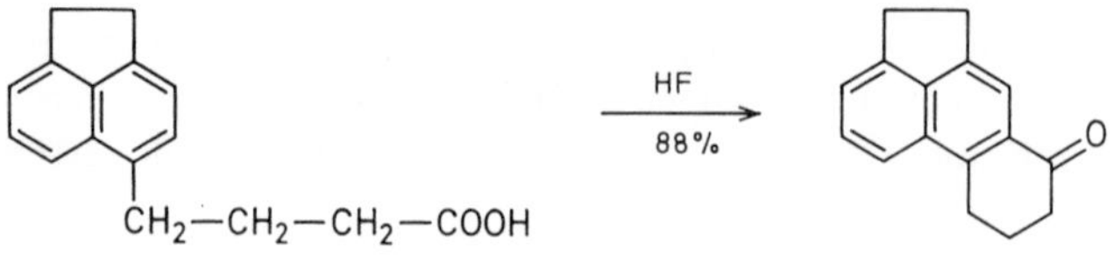

Für die Synthese von *Benzo-[a]-anthron* (*7-Oxo-7,12-dihydro-⟨benzo-[a]-anthracen⟩* aus 2-[Naphthyl-(1)-methyl]-benzoesäure genügt eine Reaktionszeit von 10 Minuten[1] vgl. [2]:

[1] L.F. FIESER u. E.B. HERSHBERG, Am. Soc. **61**, 1272 (1939).
[2] H. A. OFFE u. W. BARKOW, B. **80**, 458 (1947).
[3] H. A. OFFE u. W. BARKOW, B. **80**, 464 (1947).

Es ist bemerkenswert, daß man Resorcin mit Essigsäure in Gegenwart katalytischer Mengen Perchlorsäure kondensieren kann[1].

2,4-Dihydroxy-1-acetyl-benzol[1]: 2,2 g (0,02 Mol) 1,3-Dihydroxy-benzol werden in 2–3 *ml* Eisessig gelöst, man fügt 2 Tropfen 70%ige Perchlorsäure hinzu und erhitzt die Mischung 30 Min. unter Rückfluß. Man trägt die Reaktionsmischung in Wasser aus, das ausgefallene Keton wird abgesaugt und getrocknet; Ausbeute: 1 g (33% d.Th.); F: 143° (aus Wasser).

Analog wurden hergestellt:

1,3-Dihydroxy-benzol	+ Propionsäure	→	*2,4-Dihydroxy-1-propanoyl-benzol*	70% d.Th. F: 97°
	+ Butansäure	→	*2,4-Dihydroxy-1-butanoyl-benzol*	47% d.Th. F: 58°
	+ Phenyl-essig-säure	→	*1-Oxo-2-phenyl-1-(2,4-dihydroxy-phenyl)-äthan*	30% d.Th.* F: 115°
1,4-Dihydroxy--benzol	+ Propionsäure	→	*2,5-Dihydroxy-1-propanoyl-benzol*	12% d.Th. F: 92°
1,2,3-Trihydroxy-benzol	+ Essigsäure	→	*2,3,4-Trihydroxy-1-acetyl-benzol*	30% d.Th. F: 173°
	Propionsäure	→	*2,3,4-Trihydroxy-1-propanoyl-benzol*	33% d.Th.* F: 127°
	Buttersäure	→	*2,3,4-Trihydroxy-1-butanoyl-benzol*	25% d.Th. F: 95°
	Phenyl-essig-säure	→	*1-Oxo-2-phenyl-1-(2,3,4-trihydroxy-phenyl)-äthan*	25% d.Th. F: 147°

* Erhitzungszeit 1 Stde.

α_5) *Polyphosphorsäure bzw. Phosphoroxichlorid*

Leicht acylierbare Kohlenwasserstoffe, Phenole oder Phenoläther können durch Carbonsäuren in Polyphosphorsäure acyliert werden[2]. Polyphosphorsäure ist auch ein geeignetes Medium für intramolekulare Acylierungen[3]. Wenn α,β-ungesättigte Carbonsäuren als Acylierungsmittel verwendet werden, können neben Acylierungen auch cyclisierende Alkylierungen eintreten.

Über die Herstellung und Eigenschaften der sog. Polyphosphorsäuren s. S. 21. Ihr Gesamtgehalt an Phosphor(V)-oxid soll möglichst 85% nicht unterschreiten (Einzelheiten s. S. 20). Die Acylierungen werden meist bei Temperaturen von 50–100° vorgenommen. Unter den angewendeten Bedingungen sind Alkoxy-Gruppen und Ester-Gruppen gegenüber Polyphosphorsäure meist stabil, so daß dieses Verfahren zur Herstellung von Ketonen, die diese Gruppierungen enthalten, gut brauchbar ist.

---

[1] V. V. Mezheritskii u. G. N. Dorofeenko, Ž. org. Chim. **5**, 515 (1969); engl.: 502.
[2] J. P. Marthe u. S. Munavelli, Bl. **1963**, 2679.
[3] E. S. Krongauz, A. L. Rusanov u. T. L. Renard; Russ. Chem. Reviews **1970**, 1591; engl.: 747.

Wenn bei Umsetzungen von Aromaten mit aliphatischen Carbonsäuren Temperaturen über 100° angewendet werden, kann das primär gebildete Keton mit einem zweiten Mol des Aromaten zu einem Kohlenwasserstoff weiterreagieren[1]; z.B.:

$+ \text{HOOC}-\text{CH}_2-\text{CH}_3 \xrightarrow[\text{145°}]{\text{Polyphosphorsäure}}$

$\ldots\text{CO}-\text{CH}_2-\text{CH}_3 \rightleftharpoons \ldots \text{C}=\text{CH}-\text{CH}_3 \; + \; \ldots$

$\xrightarrow[\text{145°}]{\text{Polyphosphorsäure}}$

1,1-Bis-[2,4,6-trimethyl-phenyl]-propen-(1)

oder auch eine völlige Disproportionierung eintreten.

2,4,2′,4′-Tetramethyl-benzophenon[2]: Eine Mischung aus 1,7 g (0,013 Mol) 2,4-Dimethyl-benzoesäure, 30 ml m-Xylol und 35 ml Polyphosphorsäure wird in 1 Stde. auf 150° angeheizt. Unter Stickstoff wird diese Temp. gehalten. Bei ~ 80° nimmt die Mischung eine grüne Farbe an, die langsam dunkler wird. Am Ende der Reaktionszeit ist die Masse grünbraun. Die Reaktionsmischung wird mit 100 ml deionisiertem Wasser hydrolysiert; Ausbeute: 1,8 g (67% d.Th.); Kp_{17}: 200–201°.

Die bei der Acylierung von aromatischen Kohlenwasserstoffen mit Carbonsäuren in Polyphosphorsäure angewendeten Reaktionsbedingungen können stark variieren.

(4-Methyl-benzoyl)-cyclohexan[3]: Eine Mischung aus 13,8 g (0,108 Mol) Cyclohexan-carbonsäure, 30 ml (26,1 g; 0,287 Mol) Toluol und 70 g Polyphosphorsäure (85% P_2O_5) wird unter starkem Rühren 6 Stdn. auf 100° erhitzt. Nach dem Abkühlen auf Raumtemp. versetzt man mit 100 ml Eiswasser. Dann schüttelt man das Reaktionsgemisch mehrfach mit Äther aus. Die vereinigten Ätherextrakte werden 3mal mit je 10 ml 10%iger Natronlauge gewaschen. Nach dem Trocknen über Natriumsulfat destilliert man den Äther und das überschüssige Toluol ab, zuletzt i.Vak.; Rohausbeute: 19,8 g; $\text{Kp}_{0,15}$: 97–100°; F: 65–66°; Reinausbeute: 17,5 g (80% d.Th.).

Bei der Umsetzung von Phenolen mit Carbonsäuren in Polyphosphorsäure unter zu milden Bedingungen entstehen größere Mengen Carbonsäure-phenylester[4]. Die Tendenz zur Bildung von Phenylestern an Stelle von Ketonen wächst auch mit steigender Kettenlänge der zur Acylierung verwendeten aliphatischen oder araliphatischen Carbonsäuren[5].

[1] H. R. SNYDER u. R. W. ROESKE, Am. Soc. **74**, 5820 (1952).
[2] M. L. LARSON, Am. Soc. **82**, 1223 (1960).
[3] F. P. 1394364 (1964), Sicedison S.p.A.; C. A. **63**, 9877 (1965).
[4] K. NAKAZAWA u. S. MATSUURA, J. pharm. Soc. Japan **74**, 69 (1954).
[5] K. NAKAZAWA u. K. KUSUDA, J. pharm. Soc. Japan **75**, 257 (1955).

Tab. 45. Ketone durch Acylierung von aromatischen Kohlenwasserstoffen mit Carbonsäuren in Polyphosphorsäure

Carbonsäure	Kohlenwasserstoff	Reaktionstemperatur [°C]	Reaktionszeit [Stdn.]	Reaktionsprodukt	Ausbeute [% d.Th.]	F [°C]	Literatur
Essigsäure	Toluol	85	2,5	4-Methyl-1-acetyl-benzol	75		1
Chloressigsäure	1,3,5-Trimethylbenzol	145	5	2,4,6-Trimethyl-1-chlor-acetyl-benzol	16	67–69,5	2
				2,4,6-Trimethyl-1,3-bis-[chloracetyl]-benzol	3	136–137	
4-Methyl-benzoesäure	Toluol	145	5	4,4'-Dimethyl-benzophenon	53	93–94	3
2,3,5,6-Tetramethyl benzoesäure	m-Xylol	78	0,55	2,3,5,6,2',4'-Hexamethyl-benzophenon	60	113–114	3
	Naphthalin	90	4	1-(2,3,5,6-Tetramethyl-benzoyl)-naphthalin	17	169–170	3

4-Hydroxy-acetyl-benzol[4]: Eine Lösung von 6 g (0,0638 Mol) Phenol und 3,9 g (0,065 Mol) Eisessig in 90 g Polyphosphorsäure wird $1^1/_2$ Stdn. bei 70–75° verrührt. Die Farbe der Reaktionsmischung ändert sich im Verlaufe von 30 Min. von farblos nach orangerot und vertieft sich dann langsam zu rotbraun. Beim Zugeben von Eiswasser fällt ein flockiger, brauner Niederschlag aus. Die Mischung wird 3mal mit jeweils 60 ml Äther ausgeschüttelt und die vereinigten Auszüge mit drei 25 ml-Portionen 10%iger Natronlauge extrahiert. Aus dem nach dem Trocknen eingedampften Äther wird kein Reaktionsprodukt erhalten. Die alkalische Lösung wird mit Salzsäure angesäuert und das in Freiheit gesetzte Hydroxy-keton in Äther aufgenommen, dieser über Magnesiumsulfat getrocknet und dann eingedampft; Ausbeute: 5,8 g (67% d.Th.); F: 105–108° (aus Benzol: farblose Kristalle; F. 109°).

Eine eingehende Untersuchung der Reaktionsprodukte zeigt, daß neben *4-Hydroxy-* auch einige Prozent *2-Hydroxy-1-acetyl-benzol* entstanden sind[5]. Wenn man eine ähnliche Reaktionsmischung nur 10 Min. lang auf einem Wasserbade erhitzt, isoliert man neben unumgesetztem Ausgangsmaterial 12% d.Th. *Essigsäure-phenylester* und 13% d.Th. *4-Hydroxy-1-acetyl-benzol[6]*.

Bei der Acylierung von Phenolen mit Carbonsäuren in Polyphosphorsäure können auch dadurch Komplikationen eintreten, daß im Kondensationsprodukt Hydroxy-Gruppen durch Phosphorsäure verestert werden. In derartigen Fällen ist es zweckmäßig, die mit Wasser verdünnte Reaktionsmischung mit Salzsäure zu kochen.

3',4',5'-Trihydroxy-2,3,4-trimethoxy-benzophenon[7]: In 30 ml Phosphorsäure (90%ig, d: 1,75) werden 48 g Phosphor(V)-oxid eingetragen, die Mischung wird 30 Min. bei 80° verrührt. In die

[1] S. Dev, J. indian chem. Soc. **33**, 703 (1956).
[2] H.R. Snyder u. R.W. Roeske, Am. Soc. **74**, 5820 (1952).
[3] R. C. Fuson, G. R. Bakker u. B. Vittimberga, Am. Soc. **81**, 4858 (1959).
[4] H.R. Snyder u. C.T. Elston, Am. Soc. **77**, 364 (1955).
[5] K. Nakazawa u. K. Kusuda, J. pharm. Soc. Japan **75**, 257 (1955).
[6] K. Nakazawa u. S. Matsuura, J. pharm. Soc. Japan **74**, 69 (1954).
[7] D. C. Ayres u. R. C. Denney, Soc. **1961**, 4506.

Tab. 46. Hydroxy- oder Alkoxy-ketone aus Hydroxy- oder Alkoxy-benzolen und
Carbonsäuren in Polyphosphorsäure

Carbonsäure	Hydroxy- bzw. Alkoxy-benzol	Keton	Ausbeute [%d.Th.]	F [°C]	Literatur
Essigsäure	Anisol	*4-Methoxy-1-acetyl-benzol*	91	38–39	1–3
	1,2-Dihydroxy-benzol	*3,4-Dihydroxy-1-acetyl-benzol*	59	(Kp$_{11}$: 127–133°)	4
	2-Hydroxy-1-methoxy-benzol	*4-Hydroxy-3-methoxy-1-acetyl-benzol*	36	114	4
	1,2-Dimethoxy-benzol	*3,4-Dimethoxy-1-acetyl-benzol*	83	(Kp$_{7,5}$: 160–164°)	4,5
	1,3-Dihydroxy-benzol	*2,4-Dihydroxy-1-acetyl-benzol*	71	142	4,6
	3-Hydroxy-1-methoxy-benzol	*4-Hydroxy-2-methoxy-1-acetyl-benzol*	27	134	4
		+ 2-Hydroxy-4-methoxy-1-acetyl-benzol	25	51	
	1,3-Dimethoxy-benzol	*2,4-Dimethoxy-1-acetyl-benzol*	98,4	40	4,5
	1,4-Dimethoxy-benzol	*2,5-Dimethoxy-1-acetyl-benzol*	45,5	149–154	5
	1,2,3-Trimethoxy-benzol	*2,3,4-Trimethoxy-1-acetyl-benzol*	96	(Kp$_{18}$: 179–180°)	5
	1,2,4-Trimethoxy-benzol	*2,4,5-Trimethoxy-1-acetyl-benzol*	84,5	96–100	5
	1,3,5-Trimethoxy-benzol	*2,4,6-Trimethoxy-1-acetyl-benzol*	76	102	7
	1,2,3,5-Tetrameth-oxy-benzol	*2,3,4,6-Tetramethoxy-1-acetyl-benzol*	81	49–52	8
Propionsäure	Phenol	*2-Hydroxy-1-propanoyl-benzol*	5	(Kp$_{15}$: 115°)	3,9
		+ 4-Hydroxy-1-propanoyl-benzol	81	147	
	Anisol	*4-Methoxy-1-propanoyl-benzol*	64	(Kp$_{11}$: 136°)	3
	1,2-Dihydroxy-benzol	*3,4-Dihydroxy-1-propanoyl-benzol*	12	146	3
	2-Hydroxy-1-methoxy-benzol	*4-Hydroxy-3-methoxy-1-propanoyl-benzol*	61	(Kp$_{11}$: 162–168°)	3
	1,2-Dimethoxy-benzol	*3,4-Dimethoxy-1-propanoyl-benzol*	98	60	4,10
	1,3-Dihydroxy-benzol	*2,4-Dihydroxy-1-propanoyl-benzol*	65	101	3
	3-Hydroxy-1-methoxy-benzol	*4-Hydroxy-2-methoxy-1-propanoyl-benzol*	28	117	3
		+ 2-Hydroxy-4-methoxy-1-propanoyl-benzol	30	60	

[1] S. Dev, J. indian chem. Soc. **33**, 703 (1956).
[2] P. D. Gardner, Am. Soc. **76**, 4550 (1954).
[3] K. Nakazawa u. K. Kusuda, J. pharm. Soc. Japan **74**, 495 (1954).
[4] K. Nakazawa, J. pharm. Soc. Japan **74**, 836 (1954).
[5] W. J. Horton u. J. T. Spence, Am. Soc. **77**, 2894 (1955).
[6] K. Nakazamwa u. S. Matsuura, J. pharm. Soc. Japan **74**, 69 (1954).
[7] K. Nakazawa u. S. Matsuura, J. pharm. Soc. Japan **74**, 1254 (1954).
[8] P. D. Gardner, W. J. Horton u. R. E. Pinock, Am. Soc. **78**, 2541 (1956).
[9] K. Nakazawa u. K. Kusuda, J. pharm. Soc. Japan **75**, 257 (1955).
[10] P. D. Gardner, Am. Soc. **78**, 3421 (1956).

Tab. 46. (1. Fortsetzung)

Carbonsäuren	Hydroxy- bzw. Alkoxy-benzol	Keton	Ausbeute [% d. Th.]	F [°C]	Literatur
Propionsäure	1,3-Dimethoxy-benzol	*2,4-Dimethoxy-1-propanoyl-benzol*	82	78	1
	1,3,5-Trimethoxy-benzol	*2,4,6-Trimethoxy-1-propanoyl-benzol*	53	89	2
Butansäure	Phenol	*2-Hydroxy-1-butanoyl-benzol*	5	(Kp$_9$: 119°)	3,4
		+ 4-Hydroxy-1-butanoyl-benzol	76	92	
	Anisol	*4-Methoxy-1-butanoyl-benzol*	60	144	1
	1,2-Dimethoxy-benzol	*3,4-Dimethoxy-1-butanoyl-benzol*	91	52–57	5
	1,3-Dihydroxy-benzol	*2,4-Dihydroxy-1-butanoyl-benzol*	44	73	6
2-Methyl-propansäure	1,2-Dimethoxy-benzol	*3,4-Dimethoxy-1-(2-methyl-propanoyl)-benzol*	87,3	(Kp$_{0,7}$: 117–126°)	5
Pentansäure	Phenol	*2-Hydroxy-1-pentanoyl-benzol*	2	(Kp$_{10}$: 130°)	1,4
		+ 4-Hydroxy-1-pentanoyl-benzol	47	77	
	Anisol	*4-Methoxy-1-pentanoyl-benzol*	72	(Kp$_{12}$: 162°)	4
Hexansäure	Phenol	*4-Hydroxy-1-hexanoyl-benzol*	40	62	1,4
	Anisol	*4-Methoxy-1-hexanoyl-benzol*		38	1
Phenylessig-säure	Phenol	*Phenyl-essigsäure-phenylester*	74	42	4
		+ 1-Oxo-2-phenyl-1-(4-hy-droxy-phenyl)-äthan	19	143	1
	Anisol	*1-Oxo-2-phenyl-1-(4-methoxy-phenyl)-äthan*	73	75	1
3-Phenyl-pro-pansäure	Phenol	*3-Phenyl-propansäure-phenyl-ester*	67		1,4
		+ 1-Oxo-3-phenyl-1-(4-hydro-xy-phenyl)-propan	18	74	1
		+ 1-Oxo-3-phenyl-1-(2-hydro-xy-phenyl)-propan	13	36–37	
	Anisol	*1-Oxo-3-phenyl-1-(4-methoxy-phenyl)-propan*	50	97	1
Benzoesäure	Phenol	*2-Hydroxy-benzophenon*	1	41	4
		+ 4-Hydroxy-benzophenon	9	132	7
		+ Benzoesäure-phenylester	90	69	8
	Anisol	*4-Methoxy-benzophenon*	91,2	64	7,9
	1,2-Dimethoxy-benzol	*3,4-Dimethoxy-benzophenon*	58	100	6
	1,3-Dimethoxy-benzol	*2,4-Dimethoxy-benzophenon*	83	86	6
	1,2,3-Trimethoxy-benzol	*2,3,4-Trimethoxy-benzophenon*	92	55	7

1 K. NAKAZAWA u. K. KUSUDA, J. pharm. Soc. Japan **74**, 495 (1954).

2 K. NAKAZAWA u. S. MATSUURA, J. pharm. Soc. Japan **74**, 1254 (1954).

3 K. NAKAZAWZA u. S. MATSUURA, J. pharm. Soc. Japan **74**, 69 (1954).

4 K. NAKAZAWA u. K. KUSUDA, J. pharm. Soc. Japan **75**, 257 (1955).

5 P. D. GARDNER, Am. Soc. **78**, 3421 (1956).

6 K. NAKAZAWA, J. pharm. Soc. Japan **74**, 836 (1954).

7 K. NAKAZAWA, S. MATSUURA u. S. BABA, J. pharm. Soc. Japan **74**, 498 (1954).

8 K. NAKAZAWA u. S. BABA, J. pharm. Soc. Japan **75**, 378 (1955).

9 P. D. GARDNER, Am. Soc. **76**, 4550 (1954).

Tab. 46. (2. Fortsetzung)

Carbonsäuren	Hydroxy- bzw. Alkoxy-benzol	Keton	Ausbeute [% d. Th.]	F [° C]	Literatur
4-Hydroxy-benzoesäure	Phenol	*4,4'-Dihydroxy-benzophenon*	47	207	[1]
		+ *4-Hydroxy-benzoesäure-phenylester*	12	175	[2]
	Anisol	*4'-Hydroxy-4-methoxy-benzophenon*	26	151	[3]
2-Methoxy-benzoesäure	Phenol	*4'-Hydroxy-2-methoxy-benzophenon*	61	149	[2]
		+ *2-Methoxy-benzoesäure-phenylester*	5	61	
4-Methoxy-benzoesäure	Phenol	*4'-Hydroxy-4-methoxy-benzophenon*	75	151	[3]
		+ *4-Methoxy-benzoesäure-phenylester*	13	74	[2]
	Anisol	*4,4'-Dimethoxy-benzophenon*	82	144–146	[3,4]
4-Hydroxy-3-methoxy-benzoesäure	Anisol	*4-Hydroxy-3,4'-dimethoxy-benzophenon*	84	109–110	[5]
	1,2-Dimethoxy-benzol	*4-Hydroxy-3,3',4'-trimethoxy-benzophenon*	95	118–119	[4]
3,4-Dimethoxy-benzoesäure	1,2-Dimethoxy-benzol	*3,4,3',4'-Tetramethoxy-benzophenon*	70	142,5–145	[6]
3,4,5-Trimethoxy-benzoesäure	1,2,3-Trimethoxy-benzol	*3,4,5,2',3',4'-Hexamethoxy-benzophenon*	87	121	[5]
2,3,5,6-Tetramethyl-benzoesäure	Anisol	*4'-Methoxy-2,3,5,6-tetramethyl-benzophenon*	80	144–145	[7]
	Diphenyläther	*4'-Phenoxy-2,3,5,6-tetramethyl-benzophenon*	52	145–146,5	[7]
	1,2-Dimethoxy-benzol	*3',4'-Dimethoxy-2,3,5,6-tetramethyl-benzophenon*	76	125–128	[7]

so hergestellte Polyphosphorsäure werden 4 g (0,0235 Mol) 3,4,5-Trihydroxy-benzoesäure und 3,95 (0,0235 Mol) 1,2,3-Trimethoxy-benzol eingetragen; die Lösung wird 1 Stde. auf 90° erwärmt und dann in 100 *ml* Eiswasser gegossen. Dabei scheiden sich 0,5 g eines Feststoffes ab, weitere 2,2 g können mit Äther extrahiert werden. Bei diesen Fraktionen handelt es sich um Mischungen der Ausgangsmaterialien, in denen 1,2,3-Trimethoxy-benzol überwiegt. Die wäßrige Lösung wird 2 Stdn. mit 200 *ml* 2n Salzsäure gekocht und dann 4 mal mit je 100 *ml* Äther ausgeschüttelt. Das Eindampfen der über Magnesiumsulfat getrockneten Ätherphase ergibt 2,7 g (39% d. Th.) Keton, nach dem Umlösen aus wäßrigem Äthanol (1 : 1) F: 181–182°.

4-Oxo-4-(2,3,4-trimethoxy-phenyl)-butansäure-methylester[8]: Eine Lösung von 16,8 g (0,1 Mol) 1,2,3-Trimethoxy-benzol und 20 g (0,151 Mol) Bernsteinsäure-monomethylester wird während 2$^1/_2$ Stdn. bei 45° mit 230 g Polyphosphorsäure behandelt. Die Reaktionsmischung ergibt mit 700 *ml* Eis und Wasser eine Suspension. Nach dem Abkühlen auf 5° wird das Rohprodukt abgesaugt, mit kaltem Wasser gewaschen und der feuchte Filterkuchen aus Methanol-Wasser umgelöst; Ausbeute: 22,2 g (78,8% d. Th.); F: 48–49° (hellgelbe Nadeln).

[1] K. NAKAZAWA u. S. MATSUURA, J. pharm. Soc. Japan **74**, 1254 (1954).
[2] K. NAKAZAWA u. S. BABA, J. pharm. Soc. Japan **75**, 378 (1955).
[3] K. NAKAZAWA, S. MATSUURA u. S. BABA, J. pharm. Soc. Japan **74**, 498 (1954).
[4] L. H. KLEMM u. G. M. BOWER, J. Org. Chem. **23**, 344 (1958).
[5] D. C. AYERS u. R. C. DENNEY, Soc. **1961**, 4506.
[6] L. H. KLEMM, E. P. ANTONIADES u. C. D. LIND, J. Org. Chem. **27**, 519 (1962).
[7] R. C. FUSON, G. R. BARKER u. B. VITTIMBERGA, Am. Soc. **81**, 4858 (1959).
[8] P. D. GARDNER, Am. Soc. **76**, 4550 (1954).

Analog, jedoch bei einer Reaktionstemperatur von 30° während $4^1/_2$ Stdn., erhält man aus Anisol und Bernsteinsäure-monomethylester *4-Oxo-4-(4-methoxyphenyl)-butansäure-methylester* (75% d. Th.; F: 48–49°).

Anormal verlaufen Acetylierungen von 1,2,4,5-Tetramethoxy-benzol, 1,4-Dimethoxy-2,5-diacetoxy-benzol und 1,4-Dihydroxy-2,5-dimethoxy-benzol mit Eisessig/Polyphosphorsäure. Man erhält dabei mit mäßigen Ausbeuten *2,4,5-Trimethoxyacetophenon* bzw. *4-Hydroxy-2,5-dimethoxy-acetophenon* und *2,5-Dimethoxy-1,4-benzochinon*[1].

Bei Acylierungen von Phenol mit substituierten Benzoesäuren verläuft die Acylierung entsprechend folgender Reihenfolge der Substituenten schwieriger:

$$CH_3O > OH > CH_3 > H > Cl > NO_2.$$

Acylierungen mit in o-Stellung substituierten Benzoesäuren gelingen praktisch nicht[2].

α-Naphthol wird durch aliphatische Carbonsäuren mit Polyphosphorsäure bei 100° zu 1-Hydroxy-2-acyl- und 1-Hydroxy-4-acyl-naphthalinen[3] kondensiert. Mit wachsender Kettenlänge der Carbonsäuren nimmt der Anteil an 4-Acyl-Derivaten ab. Bei Verwendung von zwei Mol Essigsäure oder Propionsäure pro Mol α-Naphthol erfolgt Diacylierung zu *1-Hydroxy-2,4-diacetyl-(bzw. -dipropanoyl)-naphthalin*[3]. 2-Methoxy-naphthalin ergibt mit Essigsäure in Polyphosphorsäure bei 85° *2-Methoxy-6-acetyl-naphthalin* (82% d. Th.)[4].

1,3,5-Trihydroxy-benzol wird durch überschüssige Essigsäure bei 100° in Polyphosphorsäure dreimal acyliert, man erhält also *2,4,6-Trihydroxy-1,3,5-triacetylbenzol*. Analog verläuft die Umsetzung mit Propionsäure zu *2,4,6-Trihydroxy-1,3,5-tripropanoyl-benzol* und von 3,5-Dihydroxy-1-methoxy-benzol zu *4,6-Dihydroxy-2-methoxy-1,3,5-triacetyl-* (bzw. *-tripropanoyl)-benzol*. In 5-Hydroxy-1,3-dimethoxy-benzol treten zwei Acetyl- oder Propionyl-Reste in die 2- und 4-Stellung zu *6-Hydroxy-2,4-dimethoxy-1,3-diacetyl-(bzw. -dipropanoyl)-benzol* ein[5].

3-Äthoxy-propansäure sowie 3-Chlor- und 3-Brom-propansäure reagieren bei 40° in Polyphosphorsäure mit zwei Molekülen 1,3-Dimethoxy-benzol[6]:

I; *1-Oxo-1,3-bis-[2,4-dimethoxy-phenyl]-propan*

---

[1] W. SCHÄFER u. R. LEUTE, Tetrahedron Letters **1965**, 1846.
[2] K. NAKAZAWA u. S. BABA, J. pharm. Soc. Japan **75**, 378 (1955).
[3] K. NAKAZAWA u. S. TSUBOUCHI, J. pharm. Soc. Japan **74**, 1256 (1954).
[4] B.P. GUPTA u. C. N. HAKSAR, Agra Univ. J. Res. (Sci.) **11**, 165 (1962); C. A. **59**, 1546 (1963).
[5] K. NAKAZAWA u. S. MATSUURA, J. pharm. Soc. Japan **74**, 1254 (1954).
[6] T. R. KASTURI u. K. M. DAMODARAN, Canad. J. Chem. **47**, 1529 (1969).

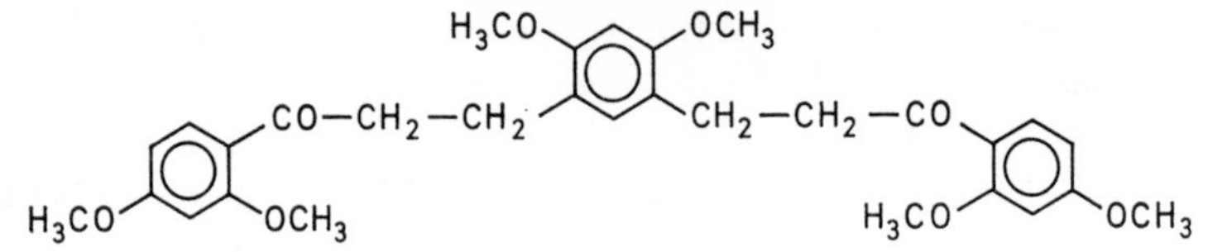

II; *4,6-Dimethoxy-1,3-bis-[3-oxo-3-(2,4-dimethoxy-phenyl)-propyl]-benzol*

Wenn man eine Mischung von 2,3,5,6-Tetramethyl-benzoesäure und m-Xylol einige Stunden in Polyphosphorsäure auf 150° erhitzt, erhält man *2,4,2',4'-Tetra-methyl-benzophenon* (I) und 1,2,4,5-Tetramethyl-benzol (II)[1]:

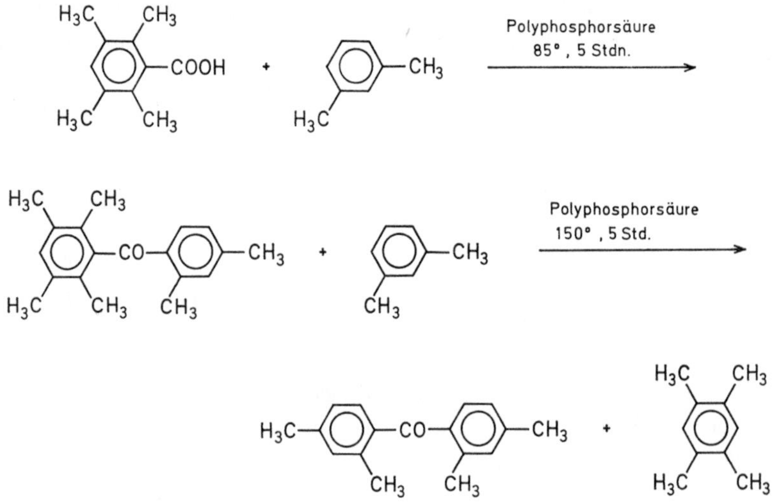

Im Verlaufe der Reaktion wird das zunächst gebildete *2,3,5,6,2',4'-Hexamethyl-benzophenon* zu 1,2,4,5-Tetramethyl-benzol und 2,4-Dimethyl-benzoesäure aufge-spalten, die mit überschüssigem m-Xylol zu *2,4,2',4'-Tetramethyl-benzophenon* weiter-reagiert. Ebenso entsteht *4,4'-Dimethoxy-benzophenon* aus 4'-Methoxy-2,3,5,6-tetra-methyl-benzophenon in Anisol (45% d. Th.) und *4,4'-Diphenoxy-benzophenon* aus 4'-Phenoxy-2,3,5,6-tetramethyl-benzophenon in Diphenyläther (41% d. Th.)[1].

Phenol ergibt mit Zimtsäure beim Erhitzen auf einem Wasserbad während 13 Mi-nuten *3-Oxo-1-phenyl-3-(4-hydroxy-phenyl)-propen* (20% d. Th.)[2]. Analog entsteht mit Anisol *3-Oxo-1-phenyl-3-(4-methoxy-phenyl)-propen* (45% d. Th.)[2]. Anisol reagiert mit Buten-(2)-säure in Polyphosphorsäure bei 55° zu *1-Oxo-1-(4-methoxy-phenyl)-buten-(2)* (80% d. Th.) und mit Hexadien-(2,4)-säure zu *1-Oxo-1-(4-methoxy-phenyl)-hexadien-(2,4)*[3].

[1] R. C. Fuson, G. R. Bakker u. B. Vittimberga, Am. Soc. **81**, 4858 (1959).
[2] K. Nakazawa u. K. Kusuda, J. pharm. Soc. Japan **74**, 495 (1954).
[3] S. Dev, J. indian chem. Soc. **33**, 703 (1956).

1-Oxo-1-(4-methoxy-phenyl)-hexadien-(2,4)[1]: Ein Gemisch aus 5,6 g (0,05 Mol) feingepulverter Sorbinsäure und 5,4 g Anisol (0,05 Mol) wird in Polyphosphorsäure [70 g Phosphor(V)-oxid und 30 ml Phosphorsäure] eingerührt und 30 Min. auf 55° erhitzt. Anschließend zersetzt man die dunkelrote Masse mit Eiswasser, wobei sich eine feste Masse abscheidet. Diese wird zunächst mit 50 ml Benzol dann 2mal mit je 50 ml Äther extrahiert. Diese vereinigten Auszüge werden nach dem Waschen mit Wasser und Trocknen destillativ aufgearbeitet. Man erhält ein leicht gelbliches Destillat, das erstarrt; Ausbeute: 6 g (60% d. Th.); $Kp_{0,3}$: 160–165°; F: 92–93° (gelbe Kristalle aus Benzol-Hexan).

Analog erhält man *1-Oxo-1-phenyl-buten-(2)*; 80% d. Th.; Kp_3: 143–145°.

1,3-Dihydroxy-benzol und 2,6-Dihydroxy-1,4-dimethyl-benzol sollen unter den genannten Bedingungen mit Hexadien-(2,4)-säure ungesättigte Ketone ergeben [*1-Oxo-1-(2,4-dihydroxy-phenyl)-hexadien-(2,4)* und *1-Oxo-(2,4-dihydroxy-3,5-dimethyl-phenyl)-hexadien-(2,4)*][2]. Auch 1,3-Dimethoxy-benzol reagiert mit Zimtsäure bei 95° in Polyphosphorsäure zu einem ungesättigten Keton [*3-Oxo-1-phenyl-3-(2,4-dimethoxy-phenyl)-propen*][3]. Die Umsetzung von 1,3,5-Trihydroxy-benzol mit α-Methyl-zimtsäure in Polyphosphorsäure liefert *3-Oxo-2-methyl-1-phenyl-3-(2,4,6-trihydroxy-phenyl)-propen*[4].

Unter ähnlichen Bedingungen reagiert 1,2,3-Trimethoxy-benzol mit α-Methyl-zimtsäure zu *3-Oxo-2-methyl-1-phenyl-3-(2,3,4-trimethoxy-phenyl)-propen*[3].

Bei der Umsetzung von 1,2-Dimethoxy-benzol mit Zimtsäure erfolgen Acylierung und cyclisierende Alkylierung nebeneinander, man isoliert *5,6-Dimethoxy-1-oxo-3-phenyl-indan*[5].

5,6-Dimethoxy-1-oxo-3-phenyl-indan[3]: Ein Gemisch von 83 g Polyphosphorsäure, 13,8 g (0,1 Mol) 1,2-Dimethoxy-benzol und 15,6 g (0,105 Mol) Zimtsäure wird 40 Min. bei 95° gerührt und hierauf in 100 ml Toluol und 100 ml Wasser eingerührt. Nach Abkühlung werden die Phasen getrennt und die wäßrige Phase 2mal mit je 100 ml Toluol extrahiert. Die organischen Phasen werden mit 100 ml 2n Natronlauge und dann 2mal mit 100 ml Wasser bis p_H 7 gewaschen, mit Natriumsulfat getrocknet, i. Vak. eingedampft und der Rückstand aus Isopropanol umkristallisiert; Ausbeute: 20,3 g (75,7% d. Th.); F: 107–108°.

Analog verlaufen folgende Umsetzungen:

1,2-Dimethoxy-benzol	+ α-Methyl-zimtsäure	→ *5,6-Dimethoxy-1-oxo-2-methyl-3-phenyl-indan* 60% d. Th.
	+ Methylacrylsäure	→ *5,6-Dimethoxy-1-oxo-2-methyl-indan* 70% d. Th.
	+ Buten-(2)-säure	→ *5,6-Dimethoxy-1-oxo-3-methyl-indan* 73,6% d. Th.
	+ 3-Methyl-buten-(2)-säure	→ *5,6-Dimethoxy-1-oxo-3,3-dimethyl-indan* 69,7% d. Th.
	+ Acrylsäure	→ *5,6-Dimethoxy-1-oxo-indan* 4,1% d. Th.
1,2,3-Trimethoxy-benzol	+ Methylacrylsäure	→ *5,6,7-Trimethoxy-1-oxo-2-methyl-indan* 10,6% d. Th.
	+ Buten-(2)-säure	→ *5,6,7-Trimethoxy-1-oxo-3-methyl-indan* 1,14% d. Th.

Das Hauptreaktionsprodukt der Umsetzung von 1,2-Dimethoxy-benzol mit Acrylsäure ist *1-Oxo-1,3-bis-[3,4-dimethoxy-phenyl]-propan*.

---

[1] S. DEV, J. indian chem. Soc. **33**, 703 (1956).
[2] J. SMITH u. R. H. THOMSON, Soc. **1960**, 346.
[3] F.-H. MARQUARDT, Helv. **48**, 1476 (1965).
[4] N. HASEBE, J. chem. Soc. Japan, pure chem. Sect. **89**, 534 (1968); C. A. **70**, 3455 (1969).
[5] F.-H. MARQUARDT, Helv. **48**, 1486 (1965).

Die Kondensation von 1,3-Dihydroxy-benzol mit α,β-Diphenyl-acrylsäure in Polyphosphorsäure führt zu *7-Hydroxy-4-oxo-2,3-diphenyl-chroman*[1]:

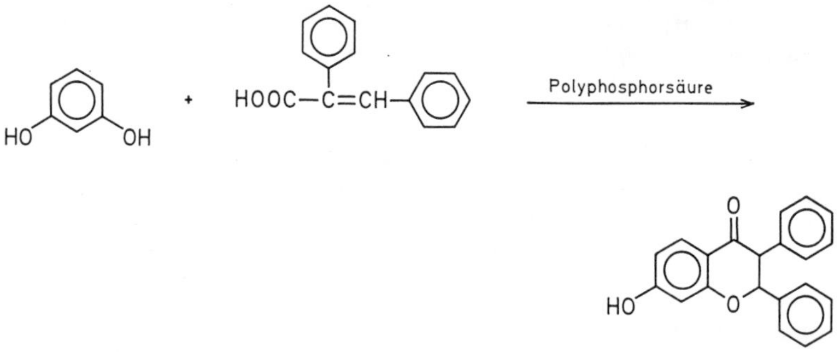

Analog entsteht mit 1,2-Dihydroxy-benzol *8-Hydroxy-4-oxo-2,3-diphenyl-chroman*. 1,4-Dihydroxy-benzol ergibt dagegen unter den gleichen Bedingungen *6-Hydroxy-3,4-diphenyl-3,4-dihydro-cumarin*, es erfolgt also nur eine Kernalkylierung[1].

Auch Acylierungen von Heterocyclen sind mit Polyphosphorsäure durchführbar. So gelingt die Einführung des Acetyl-Restes in die 3-Stellung des 4-Hydroxy-3-oxo-4-phenyl-butansäure-lactons (*5-Phenyl-tetronsäure*)[2]:

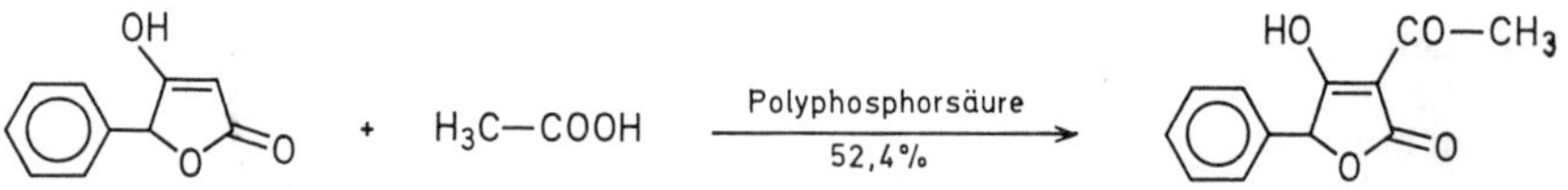

2-Acetyl-thiophen[3]: Eine Lösung von 10 g (0,119 Mol) Thiophen und 14,3 g (0,238 Mol) Essigsäure in 100 g Polyphosphorsäure wird 3 Stdn. bei 75° gerührt. Nach der Hydrolyse wird das flüssige Produkt mit Äther extrahiert. Der Ätherextrakt wird über Magnesiumsulfat getrocknet und dann destilliert; Ausbeute: 10,5 g (70% d. Th.); $Kp_{0,7}$: 55–56°; $n_D^{20} = 1,5660$.

Mit Hilfe von Polyphosphorsäure gelingt die intramolekulare Cyclisierung zahlreicher araliphatischer Carbonsäuren. So erhält man aus 3-Phenyl-propansäure bei 60–95° *1-Oxo-indan* [*Indanon-(1)*; 62% d. Th.] und aus 4-Phenyl-butansäure bei 125° *1-Oxo-tetralin* [*Tetralon-(1)*; 86% d. Th.][4]. Auch cyclische Ketone mit sieben Ringgliedern sind mit Hilfe von Polyphosphorsäure synthetisierbar, so z. B. *5-Oxo-6,7,8,9-tetrahydro-5H-⟨cycloheptabenzol⟩* aus 5-Phenyl-pentansäure oder *7-Oxo-1,2,3,7,8,9,10,10a-octahydro-⟨cyclohepta-[d,e]-naphthalin⟩* aus 4-[1,2,3,4-Tetrahydro-naphthyl-(1)]-butansäure[5]:

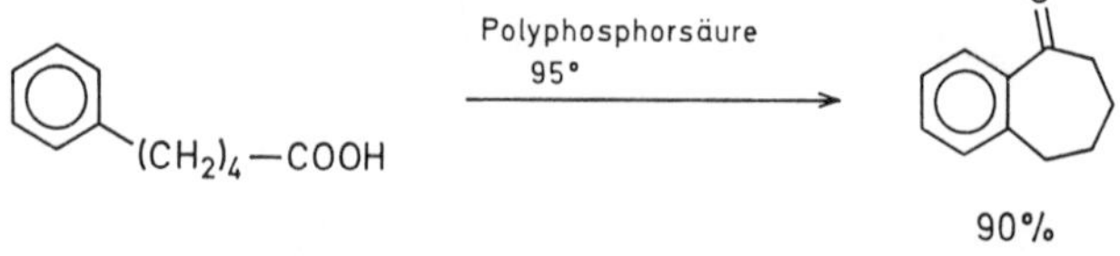

[1] N. Hasebe u. H. Omura, J. chem. Soc. Japan, pure chem. Sect. **89**, 99 (1968); C. A. **69**, 2810 (1968).

[2] R. B. Zhurin u. N. S. Vulfson, Ž. obšč. Chim. **30**, 2467 (1960); engl.: 2452.

[3] H. R. Snyder u. C. T. Elston, Am. Soc. **77**, 364 (1955).

[4] H. R. Snyder u. F. X. Werber, Am. Soc. **72**, 2965 (1950); Org. Synth. Coll. Vol. III, 798 (1955).

[5] R. C. Gilmore u. W. J. Horton, Am. Soc. **73**, 1411 (1951).

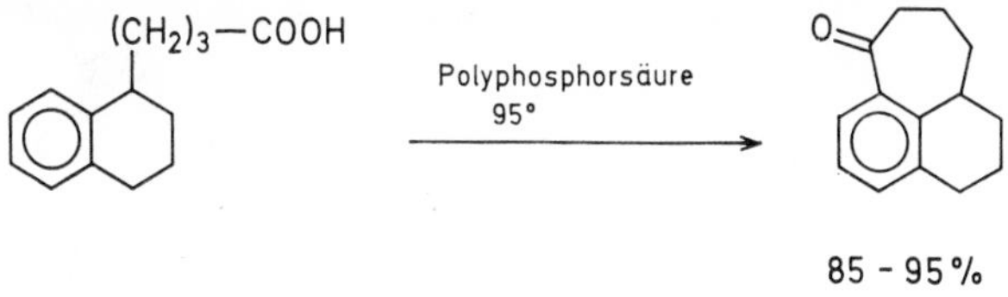

85 - 95%

2,3,4-Trimethoxy-5-oxo-6,7,8,9-tetrahydro-5H-(cyclohepta-benzol)[1]: Eine Mischung aus 3 g (0,0123 Mol) 5-(3,4,5-Trimethoxy-phenyl)-pentansäure und 20 g Polyphosphorsäure wird 50 Min. unter dauerndem Rühren auf einem Dampfbad auf 75–80° erhitzt. Das rötliche Reaktionsgemisch wird abgekühlt und in 60 ml Eiswasser eingerührt, die erhaltene Suspension wird 5 mal mit Äther extrahiert, der Extrakt mit Wasser, Natriumhydrogencarbonat-Lösung und noch 1 mal mit Wasser gewaschen. Nach dem Trocknen wird die Lösung eingedampft; Ausbeute: 2,94 g (94% d. Th.); F: 97–100° (farblose Kristalle; aus Äthanol-Wasser, F: 99,5–101,5°).

6,7-Dimethoxy-1-oxo-3-carboxy-tetralin[2]: Eine Mischung aus 9,1 g (0,034 Mol) (3,4-Dimethoxy-benzyl)-bernsteinsäure und 37 g Polyphosphorsäure wird unter Rühren 15 Min. auf 90° erhitzt. Nach der Hydrolyse wird die rote Lösung das Rohprodukt abgesaugt, mit kaltem Wasser gewaschen und mit heißem Äthanol verrieben; Rohausbeute: 5,2 g (69% d. Th.); F: 219,5–221,5° (nach Umkristallisation aus Methanol, F: 226–227,5°).

4-[7-Methoxy-naphthyl-(1)]-butansäure ergibt bei 85° in Polyphosphorsäure *6-Methoxy-1-oxo-1,2,3,4-tetrahydro-phenanthren* (80% d. Th.). Die Acylierung erfolgt also in der 2-Stellung und nicht in der 8-Stellung[3]. Auch komplizierte polycyclische Systeme lassen sich durch intramolekulare Cyclisierungen mit Hilfe von Polyphosphorsäure aufbauen. So erhält man aus 3-Oxo-2-carboxymethyl-1-naphthyl-(2)-cyclopentan *11,17-Dioxo-11,12,13,14,15,16-hexahydro-17H-⟨cyclopenta-[a]-phenanthren⟩*[4]:

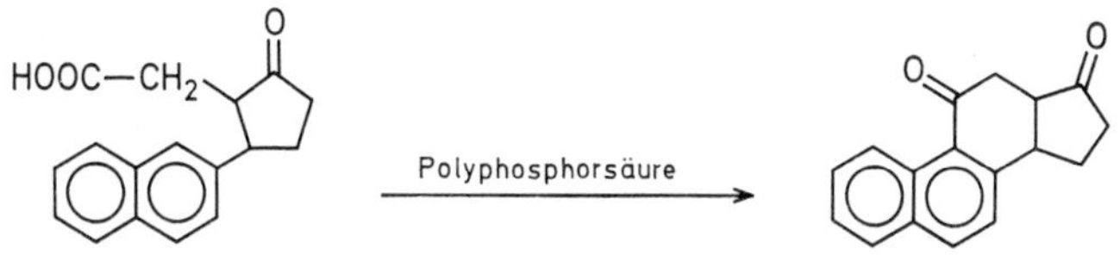

Auch die folgenden Ringschlußreaktionen gelingen mit vorzüglichen Ausbeuten:

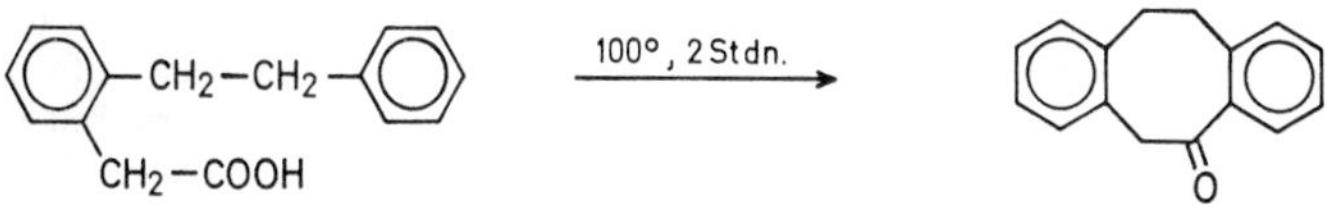

5-Oxo-5,6,11,12-tetrahydro-⟨dibenzo-[a;e]-cyclooctate-traen⟩[5]; 93% d. Th.

Durch Erhitzen von 3-(Bis-[4-methyl-phenyl]-methyl)-glutarsäure auf 130° wird nach 45 Min. 5,8-Dioxo-1,12-dimethyl-5,6,6a,7,8,12b-hexahydro-⟨benzo-[c]-phenanthren⟩ (82% d. Th.) erhalten[6]:

[1] J. Koo, Am. Soc. **75**, 720 (1953).
[2] E. C. Horning u. G. M. Walker, Am. Soc. **74**, 5147 (1952).
[3] W. E. Bachmann u. W. J. Horton, Am. Soc. **69**, 58 (1947).
[4] A. Koerber u. R. Robinson, Soc. **1938**, 1995.
[5] A. C. Cope u. R. D. Smith, Am. Soc. **77**, 4596 (1955).
[6] M. S. Newman u. R. M. Wise, Am. Soc. **78**, 450 (1956).

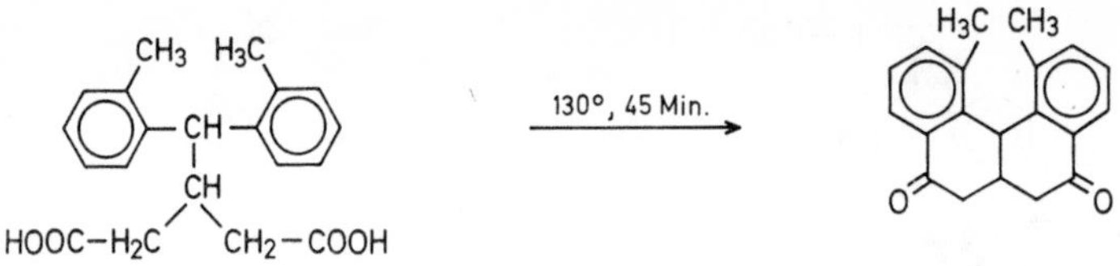

Wie unterschiedlich Cyclisierungen mit verschiedenen Kondensationsmitteln verlaufen können zeigt folgendes Beispiel. Aus 8-Phenyl-octen-(*trans*-5)-säure-chlorid erhält man durch Einwirkung von Aluminiumchlorid in Schwefelkohlenstoff direkt *1-Oxo-1,2,3,4,4a,9,10,10a-octahydro-phenanthren*[1] durch Kondensation mit Polyphosphorsäure dagegen *7-Oxo-1,2,3,4,8,9,10,10a-octahydro-7H-⟨cyclohepta-[d,e]-naphthalin⟩*[2]:

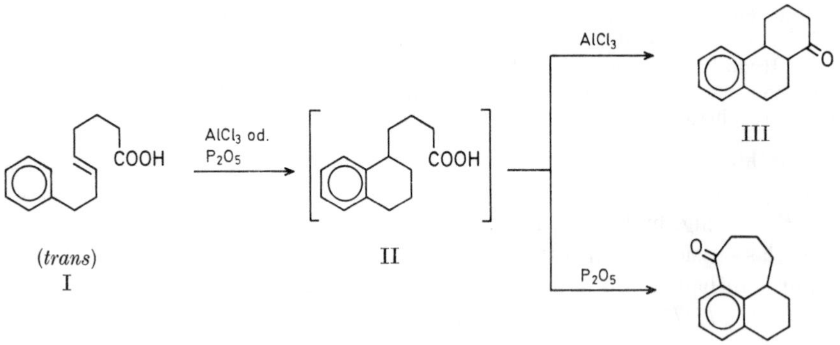

Alkyl-benzole wie z.B. Toluol, p-Xylol, Mesitylen, Durol, Methyl-naphthaline, Indan oder Tetralin ergeben beim Erhitzen mit Benzoesäure, substituierten Benzoesäuren oder Naphthoesäuren mit Phosphoroxichlorid während mehrerer Stunden Benzophenone bzw. Naphthophenone[3].

Phosphoroxichlorid wirkt oft spezifisch bei der Cyclisierung von Aryl-alkansäuren, die über ein Heteroatom verknüpft sind (s. S. 421).

4-Methyl-benzophenon[4]: Ein Gemisch aus 200 *ml* Toluol, 60 g (0,49 Mol) Benzoesäure und 45 *ml* (75,3 g, 0,49 Mol) frisch destilliertem Phosphoroxichlorid wird 6 Stdn. unter Rückfluß erhitzt. Es tritt Chlorwasserstoff-Entwicklung auf. Hierauf wird das dunkel gefärbte Reaktionsgut vom nicht umgesetzten Toluol i. Vak. befreit. Der Rückstand wird mit dem 10 fachen Vol. Wasser versetzt und ausgeäthert. Die ätherische Lösung wird zunächst mit 2n Natriumcarbonat-Lösung ausgeschüttelt, hierauf mit Wasser gewaschen, mit frisch geglühtem Natriumsulfat getrocknet und der Äther verdampft. Der ölige Rückstand wird fraktioniert (Kp₃: 136–138°). Das Destillat erstarrt; Ausbeute: ~ 40 g (42% d.Th.); F: 58–60°.

Analog können hergestellt werden:

4'-Chlor-4-methyl-benzophenon	63% d.Th.	F: 117–119°
2'-Chlor-4-methyl-benzophenon	56% d.Th.	F: 98–100°
2'-Brom-4-methyl-benzophenon	55% d.Th.	F: 92– 94°
4'-Nitro-4-methyl-benzophenon	40% d.Th.	F: 123–125°

[1] M. F. Ansell u. S. S. Brown, Chem. & Ind. **1956**, 984.
[2] R. C. Gilmore jr. u. W. J. Horton, Am. Soc. **73**, 1411 (1951).
[3] US.P. 2645663 (1953), Union Carbide and Carbon Co., Erf.: L. W. Newton; C. A. **48**, 8825 (1954).
[4] J. Klosa, Ar. **288**, 48 (1955).

Beim Versetzen einer Mischung von 4-Hydroxy-cumarin und Nicotinsäure mit Phosphoroxichlorid tritt eine stark exotherme Reaktion ein. Nach anfänglichem Kühlen wird 15–30 Minuten rückfließend gekocht und dann auf Eis ausgetragen. Bei der Aufarbeitung isoliert man *4-Hydroxy-3-nicotinoyl-cumarin* (85–90% d. Th.; F: 91–93°)[1]. Analog werden folgende Verbindungen hergestellt:

Pyridyl-(4)-[4-hydroxy-cumarinyl-(3)]-keton	F: 102–104°
Pyridyl-(2)-[4-hydroxy-cumarinyl-(3)]-keton	F: 97–99°
[6-Methyl-pyridyl-(2)]-[4-hydroxy-cumarinyl-(3)]-keton	F: 87–89°
Chinolyl-(4)-[4-hydroxy-cumarinyl-(3)]-keton	F: 98–100°
Pyridyl-(2)-[4-hydroxy-6-chlor-cumarinyl-(3)]-keton	F: 156–158°
Pyridyl-(3)-[4-hydroxy-6-chlor-cumarinyl-(3)-]-keton	F: 140°
Pyridyl-(4)-[6-chlor-4-hydroxy-cumarinyl-(3)]-keton	F: 160–162°
[6-Methyl-pyridyl-(2)]-[6-chlor-4-hydroxy-cumarinyl-(3)]-keton	F: 161–163°
Pyridyl-(2)-[4-hydroxy-6-methyl-cumarinyl-(3)]-keton	F: 116–118°
Pyridyl-(3)-[4-hydroxy-6-methyl-cumarinyl-(3)]-keton	F: 117–119°
Pyridyl-(4)-[4-hydroxy-6-methyl-cumarinyl-(3)]-keton	F: 120–122°
[6-Methyl-pyridyl-(2)]-[4-hydroxy-6-methyl-cumarinyl-(3)]-keton	F: 115–117°

Beim Erhitzen einer Mischung aus 2-Hydroxy-3- (bzw. -4)-methyl-benzoesäure und 1,3-Dihydroxy- bzw. 1,3,5-Trihydroxy-benzol mit Phosphoroxichlorid-Zinkchlorid auf 65–70° erhält man mit Ausbeuten um 40% d. Th. Benzophenone[2]. Folgende Verbindungen werden auf diese Weise synthetisiert:

2',4',2-Trihydroxy-3-methyl-benzophenon	F: 116–117°
2',4',2-Trihydroxy-4-methyl-benzophenon	F: 153–154°
2',3',4',2-Tetrahydroxy-3-methyl-benzophenon	F: 137–138°
2',3',4',2-Tetrahydroxy-4-methyl-benzophenon	F: 122–123°

Analog durchgeführte Umsetzungen von Salicylsäure oder substituierten Salicylsäuren mit 3,5-Dihydroxy-1-methyl-benzol oder 1,3,5-Trihydroxy-benzol ergeben Xanthone[2].

Statt Polyphosphorsäure kann auch Phosphor(V)-oxid als Kondensationsmittel – jedoch ohne erkennbare Vorteile – eingesetzt werden. Zur Acylierung von aromatischen Carbonsäuren mit Aromaten und Phosphor(V)-oxid sind ~ 10 Stdn. und 180–220° erforderlich[3-7].

β) Ketone aus Monocarbonsäure-anhydriden und Aromaten oder reaktionsfähigen Heterocyclen

bearbeitet von Dr. CARL-WOLFGANG SCHELLHAMMER

Farbenfabriken Bayer AG, Leverkusen

β₁) *Monocarbonsäure-anhydride als Kondensationsmittel*

Anhydride von Carbonsäuren können sowohl als Kondensations- als auch als Acylierungsmittel Verwendung finden.

[1] DDR.-P. 14639 (1958), H. Starke, Erf.: J. Klosa; C. A. 53, 10255 (1959).
[2] V. V. Kane, A. B. Kulkarni u. R. C. Shah, J. sci. Ind. Research (India) 18 [B], 28 (1959); C. A. 53, 21920 (1959).
[3] M. Kollarits u. V. Merz, B. 5, 447 (1872).
[4] M. Kollarits u. V. Merz, B. 6, 536 (1873).
[5] H. D. Hartough u. A. I. Kosak, Am. Soc. 69, 3098 (1947).
[6] G. M. Badger, H. J. Rodder u. W. H. F. Sasse, Soc. 1954, 4162.
[7] H. P. Kaufmann, L. S. Huang u. H. Bückmann, B. 75, 1236 (1942).

Als Kondensationsmittel wirken vor allem die Anhydride starker Carbonsäuren, wie Chloressigsäureanhydrid[1] und besonders Trifluoressigsäureanhydrid[2].
Diese setzen sich zunächst mit den (schwächeren) zur Acylierung bestimmten
Carbonsäuren zu gemischten Anhydriden[3] um und die abgespaltene, z. B. Trifluoressigsäure, wirkt als Kondensationsmittel. Da diese bei weitem nicht die polarisierende
Wirkung wie etwa Aluminiumchlorid besitzt, können auf diese Weise nur hoch-
reaktionsfähige Aromaten zu Ketonen kondensiert werden.

Tab. 47. (4-Methoxy-phenyl)-alkyl-, -aralkyl- oder -aryl-ketone
48 stdgs. Erhitzen von 0,2 Mol Chlor-essigsäure-anhydrid, 0,1 Mol Anisol und 0,1 Mol Carbonsäure auf 170–180° [1].

Carbonsäure	Keton	Ausbeute [% d.Th.]	F [°C]
Essigsäure	*4-Methoxy-1-acetyl-benzol*	87–90	38,5
Propionsäure	*4-Methoxy-1-propanoyl-benzol*	88	27
Buttersäure	*4-Methoxy-1-butanoyl-benzol*	87	(Kp$_{12}$: 152–153°)
Hexansäure	*4-Methoxy-hexanoyl-benzol*	95	(Kp$_{14}$: 172–174°)
Hexadecansäure	*4-Methoxy-hexadecanoyl-benzol*	80	75
Ölsäure	*1-Oxo-1-(4-methoxy-phenyl)-octadecen-(9)*	35	43
Phenyl-essigsäure	*1-Oxo-2-phenyl-1-(4-methoxy-phenyl)-äthan*	90	77–78
Diphenyl-essigsäure	*1-Oxo-2,2-diphenyl-1-(4-methoxy-phenyl)-äthan*	92	130
Benzoesäure	*4-Methoxy-benzophenon*	93	61–62
2-Methyl-benzoesäure	*4'-Methoxy-2-methyl-benzophenon*	88	Kp$_{13}$: 202–204°
2-Brom-benzoesäure	*2'-Brom-4-methoxy-benzophenon*	69	96
4-Methoxy-benzoesäure	*4,4'-Dimethoxy-benzophenon*	98,4	146

Beim Erhitzen einer Mischung aus 3-Phenyl-propansäure, Anisol und Chlor-
essigsäure-anhydrid auf 170–180° erhält man *1-Oxo-indan* [*Indanon-(1)*] (74% d.Th.).
Analog liefert 3,3,3-Triphenyl-propionsäure *3-Oxo-1,1-diphenyl-indan* (67% d.Th.).
In diesen Fällen ist also die intramolekulare Acylierung gegenüber der Acylierung des
Anisols[1] begünstigt.

Acylierungen mit Trifluor-essigsäure-anhydrid als Kondensationsmittel
verlaufen unter wesentlich milderen Bedingungen. Man kommt mit Temperaturen
bis 60° aus. Bei höheren Temperaturen tritt teilweise Verharzung ein. Man nimmt

[1] F. UNGER, A. **504**, 267 (1933).
[2] E. J. BOURNE et al., Soc. **1951**, 718.
[3] E. J. BOURNE et al., Soc. **1954**, 2006.

die Umsetzungen so vor, daß man zunächst 1–1,5 Mol der Carbonsäure mit 1,5–2,5 Mol Trifluor-essigsäure-anhydrid mischt und ein Mol des zu acylierenden Substrates als letzte Komponente zusetzt.

2,4,6-Trimethyl-benzophenon[1]: 1 *ml* (0,865 g, 0,0072 Mol) 1,3,5-Trimethyl-benzol wird zu einer Lösung von 0,99 g (0,0081 Mol) Benzoesäure in 1,5 *ml* Trifluoressigsäureanhydrid gegeben. Die Mischung wird 3 Stdn. auf 60° erhitzt. Man neutralisiert die Reaktionsmischung mit wäßriger Natriumhydrogencarbonat-Lösung und extrahiert dann erschöpfend mit Chloroform. Die Extrakte werden über Magnesiumsulfat getrocknet und eingedampft. Es hinterbleibt ein Öl, das i. Vak. destilliert wird; Ausbeute: 0,83 g (52% d. Th.); Kp_{15}: 208–212°.

Analog werden folgende Umsetzungen vorgenommen:

Essigsäure	+ Anisol	→	*4-Methoxy-1-acetyl-benzol*	75% d. Th.	F: 38°
	+ Phenetol	→	*4-Äthoxy-1-acetyl-benzol*	89% d. Th.	F: 36–37°
	+ Furan	→	*2-Acetyl-furan*	43% d. Th.	Kp_{11}: 75°
	+ Thiophen	→	*2-Acetyl-thiophen*	50% d. Th.	*
Benzoesäure	+ Anisol	→	*4-Methoxy-benzophenon*	56% d. Th.	F: 62°
Zimtsäure	+ Anisol	→	*3-Oxo-1-phenyl-3-(4-methoxy-phenyl)-propen*	82% d. Th.	F: 106°

* isoliert als Semicarbazon (F: 190–191°).

Heptafluor-butansäure-anhydrid zeigt gegenüber Trifluor-essigsäure-anhydrid keine Vorteile.

4-Phenyl-butansäure wird durch Trifluor-essigsäure-anhydrid bei 60–70° quantitativ zu *1-Oxo-tetralin* [*Tetralon-(1)*] cyclisiert[2]. Analog durchgeführte Versuche zur Cyclisierung von 3-Phenyl-propansäure zu *1-Oxo-indan* [*Indanon-(1)*] verlaufen dagegen unbefriedigend.

Kondensationen von 2-Nitro-benzoesäure mit Benzol, 1,3,5-Trimethyl-benzol oder Anisol in Trifluor-essigsäure-anhydrid zu *2-Nitro-*, *2′-Nitro-4-methoxy-* bzw. *2′-Nitro-2,4,6-trimethyl-benzophenon* verlaufen mit besseren Ausbeuten, wenn man die Reaktionsmischung mit Bortrifluorid sättigt.

(4-Nitro-phenyl)-(4-acetyl-phenyl)-sulfid[3]: 42 g (0,2 Mol) Trifluor-essigsäure-anhydrid werden bei 0° mit 12 g (0,2 Mol) Eisessig versetzt. Man läßt die Mischung zur Bildung des gemischten Anhydrides einige Zeit stehen, dann gibt man 46,2 g (0,2 Mol) Phenyl-(4-nitro-phenyl)-sulfid hinzu. Durch die Reaktionsmischung leitet man 1¹/₂ Stdn. Bortrifluorid, dann erstarrt sie. Man versetzt mit Wasser, saugt das abgeschiedene Material ab und löst es aus Äthanol um; Ausbeute: 21,5 g; F: 117–118°.

24,7 g Phenyl-(4-nitro-phenyl)-sulfid können zurückgewonnen werden (Ausbeute bez. auf umgesetztes Produkt: 87% d. Th.).

Analog wird mit Benzoesäure *4-(4-Nitro-phenylmercapto)-benzophenon* (96,5% d. Th.; F: 142–143°) erhalten.

β₂) Monocarbonsäure-anhydride als Acylierungsmittel von

ββ₁) Benzol und seinen Homologen

Für die Herstellung von Ketonen aus Carbonsäure-anhydriden und Aromaten

---

[1] E. J. BOURNE et al., Soc. **1951**, 718.
[2] R. J. FERRIER u. J. M. TEDDER, Soc. **1957**, 1435.
[3] H. H. SZMANT u. D. A. IRWIN, Am. Soc. **78**, 4386 (1956).

oder Heterocyclen benötigt man mindestens zwei Mol Aluminiumchlorid pro Mol des Carbonsäure-anhydrids[1].

Das erste Mol wird zur Bildung des Carbonsäure-chlorids und das zweite zur Kondensation benötigt[1].

Der Nachteil dieses Verfahrens ist, daß von dem Anhydrid nur ein Acyl-Rest zur Keton-Bildung ausgenutzt wird, es sei denn, daß man vier oder mehr Moleküle Aluminiumchlorid einsetzt[1–3].

Auch mit anderen Kondensationsmitteln reagiert nur ein Acyl-Rest, es sei denn, die Acylierung erfolgt so leicht, daß davon katalytische Mengen genügen. In diesen Fällen kann man schließlich auch von den freien Carbonsäuren ausgehen.

Die Verwendung von Carbonsäure-anhydriden ist eigentlich nur bei Essigsäure-anhydrid und den cyclischen Carbonsäureanhydriden von Bedeutung.

Auch mit dem Anhydrid aus Essigsäure und Schwefelsäure lassen sich Acylierungen durchführen, s. S. 324, 458.

Acylierungen mit Carbonsäure-anhydriden werden in den üblichen Verdünnungsmitteln vorgenommen[4].

Die Reihenfolge des Zusammengebens der Reaktionspartner variiert, häufig wird das Carbonsäure-anhydrid als letzte Komponente hinzugefügt.

Als Katalysatoren für die Acetylierung von Benzol mit Essigsäure-anhydrid werden Aluminiumchlorid[1], Aluminiumbromid[2], Titan(IV)-chlorid[5], Bortrifluorid[6,7] sowie Äthansulfonsäure[8] verwendet. Beim 16stündigem Rückfluß kochen einer Mischung aus überschüssigem Benzol, Essigsäure-anhydrid und 3,3 Mol Aluminiumchlorid pro Mol Essigsäure-anhydrid erhält man über 80% d.Th. *Acetophenon*[9].

Bei der Acetylierung von Toluol mit Essigsäure-anhydrid entstehen isomere *Methyl-acetyl-benzole* deren Anteile je nach der Art des verwendeten Katalysators[10] schwanken. Auch bei der Acylierung höherer Alkyl-benzole entstehen Isomere.

[1] P. H. Groggins u. R. Nagel, Ind. Eng. Chem. 26, 1313 (1934).

[2] Y. Takegami u. H. Shiugu, J. chem. Soc. Japan, ind. Chem. Sect. 55, 717 (1952); C. A. 49, 3064 (1955).

[3] W. R. Edwards u. E. C. Sibille, J. Org. Chem. 28, 674 (1963).

[4] A. M. Sladkov, Ž. obšč. Chim. 28, 1742 (1958); engl.: 1791.

[5] N. M. Cullinane, S. J. Chard u. D. M. Leyshon, Soc. 1952, 376.

[6] H. Meerwein u. D. Vossen, J. pr. [2] 141, 149 (1934).

[7] H. G. Walker, J. J. Sanderson u. C. R. Hauser, Am. Soc. 75, 4109 (1953).

[8] US.P. 2483566 (1949), Universal Oil Products Co., Erf.: R. B. Thompson; C. A. 44, 1539 (1950).

[9] E. J. Salmi u. E. Väihkönen, Suomen Kem. 19 [B], 132 (1946); C. A. 41, 5481 (1947).

[10] U. S. Chema u. J. Venkataraman, Soc. 1932, 918.

Tab. 48. Acetylierung von Toluol mit Essigsäure-anhydrid in Gegenwart verschiedener Katalysatoren (überschüssiges Toluol als Verdünnungsmittel)

Katalysator	x-Methyl-1-acetyl-benzol [%]		
x =	2	3	4
$AlCl_3$	6,2	5,2	88,6
BF_3	5,0	0,9	94,1
$BF_3 \cdot H_3PO_4$	10,2	1,9	87,9
H_2SO_4	15,3	2,6	82,1
J_2	29,1	3,2	67,7
Polyphosphorsäure	12,0	3,2	84,8
$ZnBr_2$	11,9	2,8	85,3
$ZnCl_2$	13,6	3,1	83,3
ZnJ_2	17,2	2,9	79,9

4-Alkyl-1-acetyl-benzole; allgemeine Arbeitsvorschrift[1]: Eine Mischung aus 0,5 Mol Alkylbenzol und einem Mol Essigsäure-anhydrid wird unter Einhaltung einer Reaktionstemp. von 10° zu einer Suspension von 1,2 Mol Aluminiumchlorid in 1 Mol Benzol fließen gelassen. Man verrührt die Reaktionsmischung noch 1 Stde. bei 10° und trägt sie dann auf eine Mischung von Eis und konz. Salzsäure aus. Die ölige Schicht wird abgetrennt, mit Wasser, Natriumcarbonat-Lösung und schließlich noch einmal mit Wasser gewaschen; man trocknet sie über Calciumchlorid und destilliert anschließend im Vakuum.

Nach dieser Vorschrift werden folgende 4-Alkyl-1-acetyl-benzole hergestellt:

4-Methyl-1-acetyl-benzol	85% d.Th.	Kp$_2$: 120°
4-Äthyl-1-acetyl-benzol	74% d.Th.	Kp$_3$: 86°
4-Isopropyl-1-acetyl-benzol	70% d.Th.	Kp$_3$: 100°
4-Butyl-1-acetyl-benzol	65% d.Th.	Kp$_3$: 112°
4-Butyl-(2)-1-acetyl-benzol	62% d.Th.	Kp$_{3-4}$: 122°
4-tert.-Butyl-1-acetyl-benzol	60% d.Th.	Kp$_{20}$: 135°

o- und p-Xylol werden beim längeren Kontakt mit Aluminiumchlorid teilweise isomerisiert. Es ist deshalb zweckmäßig, bei der Herstellung von *3,4-* bzw. *2,5-Dimethyl-acetophenon* das o- bzw. p-Xylol als letzte Komponente innerhalb 30 Min. zuzugeben und anschließend noch 1 Stde. unter Rückfluß zum Sieden zu erhitzen[2].

Die nachfolgende Tab. 49 zeigt, wie die Ausbeuten und die Isomerenverhältnisse durch die Reihenfolge der Zugabe der Reaktionspartner beeinflußt werden.

Tab. 49. Acetylierung von o-, m- und p-Xylol (0,125 Mol) mit Acetanhydrid (0,1 Mol)/Aluminiumchlorid (0,28 Mol) in Schwefelkohlenstoff (50 ml)[2].

Acyliertes Xylol	Zuletzt zugefügte Komponente	Gesamtausbaute [% d.Th.]	[%] x,y-Dimethyl-acetophenon		
			x,y = 3,4	2,4	2,5
o-	Acetanhydrid	96	88	12	—
o-	o-Xylol	89	98	2	—
o-	AlCl$_3$	71	99	1	—
p-	Acetanhydrid	99	—	31	69
p-	p-Xylol	91	—	—	100
m-	Acetanhydrid	86	—	100	—
m-	m-Xylol	90	—	100	—

---

[1] A.M. SLADKOV, Ž. obšč. Chim. **28**, 1742 (1958); engl.: 1791.
[2] L. FRIEDMAN u. R. KOCA, J. Org. Chem. **33**, 1255 (1968).

Tab. 50. Alkyl-alkanoyl-benzole durch Acylierung von Alkyl-benzolen mit Carbonsäure-anhydriden/Aluminiumchlorid in Schwefelkohlenstoff

	Ausbeute [%d.Th.]	Kp [°C]	Kp [Torr]	Literatur
4-Methyl-1-acetyl-benzol	84	93,5	7	1–3
4-Äthyl-1-acetyl-benzol	85	130	23	4
4-Butyl-1-acetyl-benzol		167	33	4
4-Heptyl-1-acetyl-benzol	45	176–179	13	4
4-(2-Äthyl-cyclohexyl)-1-acetyl-benzol	40	189	17	4
2-Methyl-4-tert.-butyl-1-acetyl-benzol	16	147	17	5
2,4-Dimethyl-1-acetyl-benzol	54	113	18	6
2,4,6-Trimethyl-1-acetyl-benzol	72	121–123	18	1,6
2,4,5-Trimethyl-1-acetyl-benzol	80	120–123	10	6
2,4,6-Triäthyl-1-acetyl-benzol	80	115–118	5	7
2,3,4,5-Tetramethyl-1-acetyl-benzol	70	122–124	8	6
1,2,4,5-Tetramethyl-3-acetyl-benzol	80	129–131 (F: 73°)	10	6
1,3,4,5-Tetramethyl-2-acetyl-benzol	81	135–137	16	6
2,3,4,5,6-Pentamethyl-1-acetyl-benzol	80	144–145	8	6
4-Methyl-4-propanoyl-benzol	86	97–98	5,5	1,8
4-Äthyl-1-propanoyl-benzol		101–106	3,5	8
4-Propyl-1-propanoyl-benzol		114–116	4	8
4-Butyl-1-propanoyl-benzol		122–124	3–4	8
4-Pentyl-1-propanoyl-benzol		142–148	4,5	8
4-Hexyl-1-propanoyl-benzol		140–146	2,5–3	8
4-Heptyl-1-propanoyl-benzol		128–130	1,5	8
4-Octyl-1-propanoyl-benzol		153–157	1	8
4-Decyl-1-propanoyl-benzol		181–187	2	8
4-Dodecyl-1-propanoyl-benzol		(F:33–35°)		8
4-Methyl-1-butanoyl-benzol	86	114	6	1
2,6-Dimethyl-4-tert.-butyl-1-butanoyl-benzol		128–130	2	9
4-Methyl-1-chloracetyl-benzol	46–59	(F: 54,5–55°)		1

Wenn man bei der Acetylierung von Di-, Tri- oder Tetramethyl-benzolen in Schwefelkohlenstoff das Verhältnis Aromat: Essigsäure-anhydrid: Aluminiumchlorid wie 1 : 2,3 : 6 wählt, erhält man neben Monoacetyl- auch Diacetyl-Derivate[6].

Auch für das Arbeiten in Nitrobenzol liegen zahlreiche Beispiele vor.

6-Methyl-5-acetyl-indan[10]: Zu einer gekühlten Mischung von 223 g (1,67 Mol) Aluminiumchlorid, 500 ml Nitrobenzol und 100 g (0,76 Mol) 5-Methyl-indan tropft man im Verlaufe 1 Stde. 102 g (1 Mol) Essigsäure-anhydrid. Anschließend verrührt man noch $1^1/_2$ Stdn. bei 30°. Bei der wie üblich durchgeführten Aufarbeitung erhält man 106,8 g (81% d.Th.); Kp_{11}: 152–158°.

---

1 C. R. NOLLER u. R. ADAMS, Am. Soc. 46, 1889 (1924).
2 R. ADAMS u. C. R. NOLLER, Org. Synth. Coll. Vol. I, S. 111, John Wiley & Sons Inc., New York 1941.
3 E. H. MAN u. C. R. HAUSER, J. Org. Chem. 17, 397 (1952).
4 M. SULZBACHER u. E. BERGMANN, J. Org. Chem. 13, 303 (1948).
5 E. P. TAYLOR u. G. E. WATTS, Soc. 1952, 1123.
6 L. I. SMITH u. C. GUSS, Am. Soc. 59, 804 (1937).
7 R. C. FUSON u. J. CORSE, Am. Soc. 60, 2063 (1938).
8 T. UEDA et al., Pharm. Bull. (Japan) 4, 182 (1956); C. A. 51, 7323 (1957).
9 A. A. ZAVITSAS, Baskerville chem. J. (City Coll. N. T.) 9, 4 (1958/9); C. A. 53, 18891 (1959).
10 R. T. ARNOLD u. R. A. BARNES, Am. Soc. 66, 960 (1944).

Analog erhält man aus Indan und Propionsäure-anhydrid *5-Propanoyl-indan* (80% d. Th.; Kp_{12}: 159°) und bei 0° folgende Ketone[1]:

6-Acetyl-tetralin	68% d. Th.	Kp_{11}:	160–163
7-Methyl-6-acetyl-tetralin	60% d. Th.	Kp_{10}:	151–156
7-Propyl-6-acetyl-tetralin	72% d. Th.	Kp_{5}:	150–155
7-Isopropyl-6-acetyl-tetralin	66% d. Th.	Kp_{4}:	147–150
6-Propanoyl-tetralin	68% d. Th.	Kp_{11}:	160–163
7-Methyl-6-propanoyl-tetralin	76% d. Th.	Kp_{11}:	162–166
7-Propyl-6-propanoyl-tetralin	78% d. Th.	Kp_{16}:	182–186
7-Isopropyl-6-propanoyl-tetralin	57% d. Th.	$Kp_{14,5}$:	170–175

Benzoesäure-anhydrid reagiert beim Rückflußkochen mit überschüssigem Benzol in Gegenwart von 3 Mol Aluminiumchlorid zu *Benzophenon* (53% d. Th.)[2]. Mit Titan(IV)-chlorid als Katalysator werden 65% d. Th. *Benzophenon* erhalten[3]. Die Kondensation von Benzoesäure-anhydrid mit Benzol gelingt auch mit Phosphor(V)-oxid, allerdings erst bei 200°[4]. Mit den gleichen Kondensationsmitteln werden auch Umsetzungen von Benzoesäure-anhydrid mit Toluol zu *4-Methyl-benzophenon* beschrieben[3–5].

a,ω-**Diphenyl-alkane** können durch Essigsäure-anhydrid je nach den angewendeten Bedingungen an einem oder an beiden Phenylkernen acyliert werden[6].

Bei der Acylierung von Benzol mit **gemischten** aliphatischen Monocarbonsäureanhydriden entstehen in der Regel beide denkbaren Acyl-benzole. Bei der Umsetzung von Benzol mit Ameisensäure-Essigsäure-Anhydrid erhält man allerdings keinen Benzaldehyd sondern nur *Acetophenon*[7]. Meistens ist das Keton, das sich von der höheren Carbonsäure ableitet, Hauptreaktionsprodukt[8]. Auch hier zeigt sich, daß stets der Acyl-Rest aus der schwächsten Carbonsäure bevorzugt eintritt (s. S. 311) vgl. [8,9].

Bei sorgfältig durchgeführten Acylierungen von Benzol in **Schwefelkohlenstoff** mit Alkansäure-Essigsäure-Anhydriden unter Kühlung werden folgende Ketone als Reaktionsprodukte erhalten[7]:

---

[1] L. I. SMITH u. C.-P. LO, Am. Soc. **70**, 2209 (1948).

[2] C. R. RUBIDGE u. N. C. QUA, Am. Soc. **36**, 732 (1914).

[3] N. M. CULLINANE, S. J. CHARD u. D. M. LEYSHON, Soc. **1952**, 376.

[4] M. KOLLARITS u. V. MERZ, B. **6**, 536 (1873).

[5] E. H. MAN u. C. R. HAUSER, J. Org. Chem. **17**, 397 (1952).

[6] D. J. CRAM u. H. STEINBERG, Am. Soc. **73**, 5691 (1951).
   H. STEINBERG u. D. J. CRAM, Am. Soc. **74**, 5388 (1952).
   D. J. CRAM u. N. L. ALLINGER, Am. Soc. **76**, 726 (1954).
   N. L. ALLINGER u. D. J. CRAM, Am. Soc. **76**, 2362 (1954).
   J. ABELL u. D. J. CRAM, Am. Soc. **76**, 4406 (1954).

[7] W. R. EDWARDS u. E. C. SIBILLE, J. Org. Chem. **28**, 674 (1963).

[8] R. E. LUTZ et al., J. Org. Chem. **12**, 617 (1947).
   G. OLAH, A. PAVLATH u. I. KUHN, Acta chim. Acad. Sci. hung. **7**, 85 (1955); C. A. **50**, 11262 (1956).

[9] G. L. BEZBORODKO, Plast. Massen **1961**, 64.

Tab. 51. Acylierung von Benzol in Schwefelkohlenstoff mit
Alkansäure-Essigsäure-Anhydriden

Gemischtes Anhydrid der Essigsäure mit	Gesamtausbeute an Ketonen [% d. Th.]	Mol-% jedes Ketons in der Gesamtausbeute	
		Höheres Keton	Acetophenon
Propionsäure	66,9	65,5 Propiophenon	34,5
Butansäure	71,0	72,9 1-Oxo-1-phenyl-butan	27,1
2-Methyl-propansäure	61,0	60,9 1-Oxo-2-methyl-1-phenyl-propan	39,1
Pentansäure	76,7	80,1 1-Oxo-1-phenyl-pentan	19,9
2-Methyl-butansäure	56,3	69,3 1-Oxo-2-methyl-1-phenyl-butan	30,2
3-Methyl-butansäure	61,7	80,7 1-Oxo-3-methyl-1-phenyl-butan	19,3
Hexansäure	75,0	72,1 1-Oxo-1-phenyl-hexan	27,9
Heptansäure	65,5	75,1 1-Oxo-1-phenyl-heptan	24,9
Octansäure	64,6	74,1 1-Oxo-1-phenyl-octan	25,9

$\beta\beta_2$) *substituierten Benzol-Kohlenwasserstoffen*

Halogen-benzole wie Fluor-[1], Chlor-[2] oder Brom-benzol[2,3] werden durch Essigsäure-anhydrid/Aluminiumchlorid in p-Stellung zum Halogenatom acetyliert [*4-Fluor-* (bzw. *4-Chlor-*; bzw. *4-Brom)-1-acetyl-benzol*].

Aus Chlorbenzol erhält man *4-Chlor-1-acetyl-benzol* (85–88% d. Th.)[4] und aus 2-Chlor-1-methyl-benzol *4-Chlor-3-methyl-1-acetyl-benzol* (70% d. Th.) bzw. aus 4-Chlor-1-methyl-benzol *4-Chlor-1-methyl-3-acetyl-benzol* (34% d. Th.)[5] und mit Propionsäure-anhydrid und 2-Brom-1,3,5-trimethyl-benzol *3-Brom-2,4,6-trimethyl-1-propanoyl-benzol*[6].

Zur Acylierung von 2,4-Dibrom-1-hydroxy-benzol mit Essigsäure-anhydrid, Propionsäure-anhydrid oder Butansäure-anhydrid/Aluminiumchlorid benutzt man Nitrobenzol als Lösungsmittel. Man erhält *3,5-Dibrom-2-hydroxy-1-acetyl-*(bzw. *-propanoyl-* oder *-butanoyl)-benzol* mit Ausbeuten unter 50% der Theorie[7]. Zur Acylierung von 4-Hydroxy-1-methyl-benzol mit Hexansäure-anhydrid zu *2-Hydroxy-5-methyl-1-hexanoyl-benzol* bei 120° benutzt man Zinkchlorid als Katalysator[8]. Zur Acetylierung von 1,3-Dihydroxy-benzol bewährt sich Bortrifluorid als Kondensationsmittel.

2,4-Dihydroxy-1-acetyl-benzol[9]: Eine Mischung aus 55 g (0,5 Mol) 1,3-Dihydroxy-benzol, 54,5 g (0,53 Mol) Essigsäure-anhydrid und 75 ml wasserfreiem Äther wird unter Eiskühlung mit Bortrifluorid gesättigt. Man läßt die Reaktionsmischung dann 96 Stdn. in einem Eisschrank stehen. Die schwere, gelbe, kristalline Masse wird dann zerkleinert und auf 200 g Eis ausgetragen.

---

[1] R. E. Lutz et al., J. Org. Chem. **12**, 617 (1947).
   G. Olah, A. Pavlath u. I. Kuhn, Acta chim. Acad. Sci. hung. **7**, 85 (1955); C. A. **50**, 11262 (1956).
[2] R. Adams u. C. R. Noller, Org. Synth. Coll. Vol. I, S. 111. John Wiley & Sons Inc., New York 1941.
[3] C. R. Noller u. R. Adams, Am. Soc. **46**, 1889 (1924).
[4] G. L. Bezborodko, Plast. Massen **1961**, 64.
[5] C. F. H. Allen u. M. P. Bridges, Am. Soc. **49**, 1846 (1927).
[6] R. Adams u. M. W. Miller, Am. Soc. **62**, 53 (1940).
[7] C. M. Christian u. G. C. Amin, J. indian chem. Soc. **36**, 111 (1959); C. A. **53**, 21757 (1959).
[8] Jap. P. 4717 (1952), N. Hoshi u. M. Saito; C. A. **48**, 8260 (1954).
[9] J. R. Killelea u. H. G. Lindwall, Am. Soc. **70**, 428 (1948).

Der Äther wird abdestilliert und die dunkelgelbe Masse mit kaltem Wasser gewaschen; Ausbeute: 73 g (96% d.Th.); F: 138–142°. Umkristallisation erfolgt aus 1,2 l Wasser (A-Kohle); Ausbeute: 69 g (90% d.Th.); F: 144–145°.

Alkyl-phenyl-äther können mit sehr gutem Erfolg durch Carbonsäure-anhydrid/Aluminiumchlorid in Schwefelkohlenstoff acyliert werden.

Tab. 52. Acylierung von Alkyl-phenyl-äthern mit Carbonsäureanhydriden/ Aluminiumchlorid in Schwefelkohlenstoff

Anhydrid der	Alkyl-phenyl-äther	Keton	Ausbeute [%d.Th.]	Kp [°C]	[Torr]	Literatur
Essig-säure	Anisol	4-Methoxy-1-acetyl-benzol	90–94	139 (F:36–37,5°)	15	1,2
	4-Methoxy-1-methyl-benzol	2-Methoxy-5-methyl-1-acetyl-benzol	64–70	120,5	7	1
	2-Methoxy-1-methyl-benzol	4-Methoxy-3-methyl-1-acetyl-benzol	73	116 (F:26–26,5°)	3	1
	3-Methoxy-1-methyl-benzol	4-Methoxy-2-methyl-1-acetyl-benzol	77–80	116,5 (F: 39–40°)	3	1
Propion-säure	Anisol	4-Methoxy-1-propanoyl-benzol	87	125 (F: 24–26°)	4	1
	4-Methoxy-1-methyl-benzol	2-Methoxy-5-methyl-1-propanoyl-benzol	86	118,5	3	1
	3-Chlor-1-methoxy-benzol	2-Chlor-4-methoxy-1-propanoyl-benzol	61	152–153	12	3
	3-Brom-1-methoxy-benzol	2-Brom-4-methoxy-1-propanoyl-benzol	65	146–147	6	3
	3-Jod-1-meth-oxy-benzol	2-Jod-4-methoxy-1-propanoyl-benzol	58	(F: 61–63°)		3
	3-Methoxy-1-methyl-benzol	4-Methoxy-2-methyl-1-propanoyl-benzol	52	(F: 43°)		
		+ 2-Methoxy-4-methyl-1-propanoyl-benzol	32	142–144	19	4
Butan-säure	4-Methoxy-1-methyl-benzol	2-Methoxy-5-methyl-1-butanoyl-benzol	84	123	3	1
	3-Methoxy-1-methyl-benzol	4-Methoxy-2-methyl-1-butanoyl-benzol	78	161–163	15	
		+ 2-Methoxy-4-methyl-1-butanoyl-benzol	5	*		4
Pentan-säure	2-Methoxy-1-methyl-benzol	4-Methoxy-3-methyl-1-pentanoyl-benzol	83	151,5 (F: 31–33°)	4	1
Benzoe-säure	3-Methoxy-1-methyl-benzol	4-Methoxy-2-methyl-benzophenon	62	219–220	18	
		+ 2-Methoxy-4-methyl-benzophenon	21	204–205	16	4

* Semicarbazon F: 192°

[1] C. R. NOLLER u. R. ADAMS, Am. Soc. **46**, 1889 (1924).
[2] R. ADAMS u. C. R. NOLLER, Org. Synth. Col. Vol. I, S. 111. John Wiley & Sons Inc., New York 1941.
[3] M. OKI, Bl. chem. Soc. Japan **26**, 331 (1953).
[4] J. F. MIQUEL, N. P. BUU-Hoï u. R. ROYER, Soc. **1955**, 3417.

Für die Acetylierung des Anisols werden auch einige andere Kondensationsmittel verwendet, z. B. Silberperchlorat[1], Perchlorsäure[2], Titan(IV)-chlorid[3], Trifluoressigsäure[4], Orthophosphorsäure[5] oder Polyphosphorsäure[6]. Die dabei erhaltenen Ausbeuten an *1-Methoxy-4-acetyl-benzol* sind durchweg geringer als die mit Aluminiumchlorid als Kondensationsmittel erhaltenen.

Anisol kann durch Essigsäure-anhydrid auch in Gegenwart von $\sim$ 0,02 Mol Eisen-(III)-chlorid pro Mol zu *1-Methoxy-4-acetyl-benzol* (70% d.Th.) acetyliert werden[7]. Zur Acetylierung von Alkyl-phenyl-äthern eignen sich auch katalytische Mengen Zinkchlorid.

1-Heptyloxy-4-acetyl-benzol[8]: Eine Mischung aus 76,8 g (0,4 Mol) Heptyl-phenyl-äther, 60 g (0,59 Mol) Essigsäure-anhydrid und 0,5 g wasserfreiem Zinkchlorid wird 30 Min. rückfließend gekocht. Während des Erhitzens wird die Reaktionsmischung beträchtlich dunkler. Man kühlt sie ab und gießt sie in 100 *ml* Wasser ein. Die wäßrige Schicht wird dekantiert, die organische Phase nimmt man in Äther auf. Die ätherische Lösung wird über wasserfreiem Natriumsulfat getrocknet; man destilliert den Äther ab und fraktioniert den Rückstand i. Vak.; Ausbeute: 54,5 g (58% d.Th.); Kp$_3$: 166–167°; F: 45°.

Tab. 53. 4-Alkoxy-1-acetyl-benzole aus Alkyl-phenyl-äthern und Essigsäure-anhydrid in Gegenwart katalytischer Mengen Zinkchlorid

RO—⟨◯⟩—CO—CH₃ *4-RO-1-acetyl-benzol*	Ausbeute [% d.Th.]	Kp		F [°C]	Literatur
		[°C]	[Torr]		
4-Methoxy-	53			39,5	9
4-Äthoxy-	55			38	9
4-Propyloxy-	76			21–22	9
4-Isopropyloxy-				43	9
4-Butyloxy-	73	160–162	11		9
4-(2-Methyl-propyloxy)-	60	149–151	10		9
4-(3-Methyl-butyloxy)-	75	172–173	11		9
4-Pentyloxy-	69,5	132	0,4	29,5–30	10
4-Hexyloxy-	86	147–148	3		8,10
4-Heptyloxy-	69,8	157	0,3		8,10
4-Octyloxy-	74,5	166–167	2	32	8,10
4-Nonyloxy-	56,6	163	0,4		10
4-Decyloxy-	59	194–195	4	37	8
4-Dodecyloxy-				50	9
4-Hexadecyloxy-	78,5			55–56	10
4-Cyclohexyloxy-		186–187	12		9
4-Allyloxy-		138–142	10		9

[1] H. BURTON u. P. F. G. PRAILL, Soc. **1950**, 2034.
[2] H. BURTON u. P. F. G. PRAILL, Soc. **1950**, 1203.
[3] M. SULZBACHER u. E. BERGMANN, J. Org. Chem. **13**, 303 (1948).
[4] M. S. NEWMAN, Am. Soc. **67**, 345 (1945).
[5] A. I. KOSAK u. H. D. HARTOUGH, Am. Soc. **69**, 3144 (1947).
[6] P. D. GARDNER, Am. Soc. **76**, 4550 (1954).
[7] Russ. P. 166011 (1965), I. P. TSUKERVANIK u. F. Y. VALINKOVA; C. A. **62**, 10375 (1965).
[8] H. NAJER, P. CHABRIER u. R. GIUDICELLI, Bl. **1956**, 613.
[9] E. PROFFT, Chem. Techn. **4**, 241 (1952).
[10] E. PROFFT, Arzneimittel-Forsch. **8**, 268 (1958).

Analog erhält man mit Diphenyläther *4-Phenoxy-1-acetyl-benzol* (24% d.Th.; Kp_{13}: 190–195°)[1]. Bei Acylierungen von Alkoxy-alkyl-benzolen mit Essigsäure-anhydrid/Zinkchlorid tritt der Acetyl-Rest vorwiegend in p-Stellung zur Alkoxy-Gruppe ein[1]. So entsteht mit

3-Propyloxy-1-methyl-benzol	→ *4-Propyloxy-2-methyl-1-acetyl-benzol*	Kp_{10}: 155–157°
2-Propyloxy-1-methyl-benzol	→ *4-Propyloxy-3-methyl-1-acetyl-benzol*	Kp_{10}: 155–157°
2-(3-Methyl-butyloxy)-1-methyl-benzol	→ *4-(3-Methyl-butyloxy)-3-methyl-1-acetyl-benzol*	Kp_{13}: 143°
3-Propyloxy-4-isopropyloxy-1-methyl-benzol	→ *4-Propyloxy-5-isopropyloxy-2-methyl-1-acetyl-benzol*	$Kp_{0,7}$: 132–134°

Allyl-phenyl-äther kann durch Essigsäureanhydrid auch in Nitromethan mit Silberperchlorat als Kondensationsmittel zu *4-Allyloxy-1-acetyl-benzol* (93% d.Th.) acyliert werden. Diese Acylierung gelingt auch mit katalytischen Mengen Perchlorsäure[2].

Als Lösungsmittel für die Acetylierung von 5-Methoxy-tetralin verwendet man Nitrobenzol.

5-Acetyl-8-methoxy-tetralin[3]: In eine Lösung von 90 g (0,67 Mol) Aluminiumchlorid in 200 *ml* redestilliertem Nitrobenzol tropft man bei 0–5° 26 g (0,25 Mol) Essigsäure-anhydrid und 39 g (0,24 Mol) 5-Methoxy-tetralin, so daß 5° nicht überschritten werden. Nach 5 Stdn. wird die Reaktionsmischung mit Eis und Salzsäure zersetzt. Das Nitrobenzol wird mit Wasserdampf abgetrieben; Ausbeute: 33,3 g (67% d.Th.); Kp_8: 164–166°.

Die Acylierung von 2,3-Dimethoxy-1-methyl-benzol kann in 5- oder 6-Stellung erfolgen. In Benzol entstehen mit Essigsäure-anhydrid, Propionsäure-anhydrid oder 2-Methyl-propansäure-anhydrid/Aluminiumchlorid überwiegend 5-Acyl-Derivate, nämlich *3,4-Dimethoxy-5-methyl-1-acetyl* (54% d.Th.), *-propanoyl-* (67% d.Th.) bzw. *-(2-methyl-propanoyl)-benzol* (71% d.Th.) neben den entsprechenden 6-Acyl-Verbindungen. Der Anteil der 5-Isomeren wird umso größer, je sperriger der Acyl-Rest ist. In Polyphosphorsäure erfolgt bei 45° und einer Reaktionszeit von 1,5 Stunden die Acylierung überwiegend in 6-Stellung[4] [zu *3,4-Dimethoxy-2-methyl-1-acetyl-* (bzw. *-propanoyl-*; bzw. *-2-methyl-propanoyl)-benzol*].

Bei der Acylierung von 1,2,3-Trimethoxy-benzol mit Essigsäure-anhydrid in Polyphosphorsäure werden beide Acylreste des Anhydrids ausgenutzt.

2,3,4-Trimethoxy-1-acetyl-benzol[5]: 16,8 g (0,1 Mol) 1,2,3-Trimethoxy-benzol und 6 g (0,059 Mol) Essigsäure-anhydrid werden durch gelindes Erwärmen gelöst. Man fügt 150 g Polyphosphorsäure hinzu und verrührt die Lösung 3 Stdn. bei 45°. Die Reaktionsmischung färbt sich rot. Man trägt den Kolbeninhalt auf 600 *ml* Eiswasser aus und extrahiert die wäßrige Lösung 2mal mit Äther. Die Ätherphase wird mit verd. Natriumhydrogencarbonat-Lösung und dann mit Wasser gewaschen. Nach dem Abdestillieren des Äthers wird i. Vak. fraktioniert; Ausbeute: 19,7 g (93,5% d.Th.); Kp_{18}: 179–180°.

Für die Kondensation von Carbonsäure-anhydriden mit Anisol kann auch Chloressigsäure als Kondensationsmittel verwendet werden. Zur Acylierung werden Mischungen aus 0,1 Mol Chloressigsäure, 0,1 Mol Anisol und 0,2 Mol des Carbonsäure-

---

[1] E. PROFFT, Chem. Techn. **4**, 241 (1952).
[2] H. BURTON u. D. A. MUNDAY, Soc. **1954**, 1456.
[3] R. T. ARNOLD, R. BUCKLES u. J. STOLTENBERG, Am. Soc. **66**, 208 (1944).
[4] J. D. EDWARDS, S. E. McGUIRE u. C. HIGUITE, J. Org. Chem. **29**, 3028 (1964).
[5] P. D. GARDNER, Am. Soc. **76**, 4550 (1954).

anhydrids im Bombenrohr 48 Stunden auf 170–180° erhitzt. Folgende Ketone werden auf diese Weise erhalten[1]:

4-Methoxy-1-acetyl-benzol	88–90% d.Th.
1-Oxo-2-methyl-1-(4-methoxy-phenyl)-propan	97,2% d.Th.
1-Oxo-3-methyl-1-(4-methoxy-phenyl)-butan	80% d.Th.
1-Oxo-2-phenyl-1-(4-methoxy-phenyl)-äthan	98% d.Th.

Mit Benzoesäure-anhydrid entsteht *4-Methoxy-benzophenon* nur in Spuren.

Mit Gemischen aus Carbonsäure-anhydriden und Trifluoressigsäure-anhydrid werden erwartungsgemäß nur schlechte Keton-Ausbeuten erhalten[2], da nur die freie Trifluoressigsäure als Kondensationsmittel wirksam ist.

Alkylmercapto-benzole können wie entsprechende Alkyl-phenyl-äther mit Carbonsäure-anhydriden acyliert werden. Als Kondensationsmittel bewähren sich besonders Aluminiumchlorid in Schwefelkohlenstoff[3] oder katalytische Mengen Zinkchlorid[4]. Die Acyl-Reste treten vorwiegend in p-Stellung zum Alkylmercapto-Rest ein.

Auch cyclische Acetale aus Brenzcatechin werden durch Carbonsäure-anhydride bei 0° mit Bortrifluorid in 5-Stellung acyliert; z. B.:

Auf diese Weise werden z.B. folgende Verbindungen hergestellt:

2,2-Dimethyl-5-acetyl-⟨benzo-1,3-dioxol⟩[5]	86% d.Th.	F: 47°
Cyclohexan-⟨spiro-2⟩-5-acetyl-⟨benzo-1,3-dioxol⟩[5]	77% d.Th.	F: 52°
2-Methyl-2-äthyl-5-propanoyl-⟨benzo-1,3-dioxol⟩[6]	80% d.Th.	Kp_{14}: 167–168°
2,2-Diäthyl-5-phenylacetyl-⟨benzo-1,3-dioxol⟩[6]	85% d.Th.	F: 64°
2,2-Dipropyl-5-benzoyl-⟨benzo-1,3-dioxol⟩[6]	40% d.Th.	Kp_{12}: 236–237°

Anilin ergibt beim Erhitzen mit Zinkchlorid und Essigsäure-anhydrid auf 200° *4-Amino-1-acetyl-benzol* (34–41% d.Th.)[7]. Analog entsteht aus 2-Amino-1-methyl-benzol *4-Amino-3-methyl-1-acetyl-benzol*[7] und aus 2-Amino-1-äthyl-benzol *4-Amino-3-äthyl-1-acetyl-benzol*[8]; die dabei erhaltenen Ausbeuten sind ebenfalls gering. Acetanilid wird durch Rückflußkochen mit Essigsäure-anhydrid und Jod als Katalysator zu *4-Acetylamino-1-acetyl-benzol* (19,4% d.Th.) acyliert[9].

Der reaktionshemmende Einfluß von Substituenten zweiter Ordnung wie z.B. von Nitro-, Carboxyl-, Carbonsäureester- oder Acyl-Gruppen wird durch zwei Hydroxy-Gruppen aufgehoben. Es gelingt also, 2-Nitro-1,3-dihydroxy-benzol mit Essigsäure-anhydrid/Aluminiumchlorid in Nitrobenzol zu acylieren. Man erhält *3-Nitro-2,4-*

[1] F. UNGER, A. **504**, 267 (1933).
[2] E. J. BOURNE et al., Soc. **1954**, 2006.
[3] US. P. 2763692 (1956), Du Pont, Erf.: W. A. GREGORY; C. A. **51**, 4429 (1957).
[4] E. PROFFT, Chem. Techn. **5**, 239 (1953).
[5] J. HOCH u. G. TSATSAS, C. r. **234**, 2610 (1952).
[6] G. TSATSAS u. J. HOCH, C. r. **236**, 494 (1953).
[7] J. KLINGEL, B. **18**, 2696 (1885).
[8] M. MARTY, N. P. BUU-HOÏ u. P. JACQUIGNON, Soc. **1961**, 384.
[9] S. CHODROFF u. H. C. KLEIN, Am. Soc. **70**, 1647 (1948).

dihydroxy-1-acetyl-benzol[1]. Wenn ein Essigsäure-anhydrid-Überschuß vorhanden ist, erfolgt gleichzeitig Veresterung der 1-Hydroxy-Gruppe zu *3-Nitro-4-acetoxy-2-hydroxy-1-acetyl-benzol*[2]. Unter analogen Bedingungen entsteht mit 4-Nitro-1,3-dihydroxy-benzol *3-Nitro-2,6-dihydroxy-1-acetyl-benzol* neben etwas *5-Nitro-2,4-dihydroxy-1-acetyl-benzol* und mit 4-Nitro-3-hydroxy-1-methoxy-benzol *3-Nitro-2-hydroxy-6-methoxy-1-acetyl-benzol*[3]. Auch 2,4-Dihydroxy-benzoesäure-methylester wird in Nitrobenzol mit Essigsäure-anhydrid/Aluminiumchlorid acyliert, und zwar zu einer Mischung aus *2,4-Dihydroxy-3-* und *-5-acetyl-benzoesäure-methylester*[4,5]. Wenn die 5-Stellung besetzt ist, z. B. durch eine Methyl-[6] oder eine Äthyl-Gruppe[7] oder durch ein Chlor- oder Brom-Atom[7], dann tritt der Acyl-Rest in 3-Stellung ein. In Nitrobenzol gelingt auch die Acetylierung von 2,4-Dihydroxy-1-acetyl-benzol zu *2,4-Dihydroxy-1,3-diacetyl-benzol*[5]. Die Acetylierung von 2,4-Dihydroxy-6-methoxy-benzoesäure-methylester zu *2,4-Dihydroxy-6-methoxy-3-acetyl-benzoesäure-methylester* wurde mit Bortrifluorid durchgeführt[8].

ββ₃) Biphenyl, Naphthalin und höher kondensierten alicyclischen Ringsystemen

Die Acetylierung von B i p h e n y l kann mit Essigsäure-anhydrid/Aluminiumchlorid in Schwefelkohlenstoff erfolgen; man erhält dabei *4-Acetyl-biphenyl* mit einer Ausbeute von 80% der Theorie[9]. Unter analogen Bedingungen gelingt auch die Acetylierung des F l u o r e n s zu *2-Acetyl-fluoren*[10]. Diese Acetylierung kann aber auch in Nitrobenzol bei Temperaturen um 0°[11] oder in Benzol mit Zinn(IV)-chlorid durchgeführt werden[12].

N a p h t h a l i n wird beim Erhitzen mit Essigsäure-anhydrid in Fluorwasserstoff auf 50–60° während 68 Stunden zu einer Mischung aus *1-* und *2-Acetyl-naphthalin* acetyliert[13]. Mit Benzoesäure-anhydrid/Bortrifluorid in Nitrobenzol ergibt Naphthalin ausschließlich *1-Benzoyl-naphthalin*[14]. Bei der Umsetzung von 2-Methyl-naphthalin mit Essigsäure-anhydrid/Eisen(III)-chlorid in 2-Nitro-propan bei −5° erhält man 68,4% d.Th. eines Gemisches von *2-Methyl-acetyl-naphthalinen*, 88% davon sind *2-Methyl-6-acetyl-naphthalin*[15]. A c e n a p h t h e n soll in Fluorwasserstoff durch Erhitzen mit Essigsäure-anhydrid auf 50° während 1½ Stunden überwiegend zu *3-Acetyl-acenaphthen* (37% d.Th.; F: 103–104,5°) acyliert[13] werden. Mit Bortrifluorid entsteht *5-Acetyl-acenaphthen* (F: 70°)[16].

---

[1] S. Seshadri u. P. L. Trivedi, J. Org. Chem. **22**, 1633 (1957).

[2] G. C. Amin, A. S. U. Changhuley u. G. V. Jadhav, J. indian. chem. Soc. **36**, 617 (1959); C. A. **54**, 17304 (1960).

[3] R. M. Naik, V. M. Thakor u. R. C. Shah, Pr. indian Acad. **37** [A], 765 (1953); C. A. **48**, 10665 (1954).

[4] R. D. Desai u. M. Ekhlas, Pr. indian Acad. **8** [A], 194 (1938); C. A. **33**, 2119 (1939).

[5] P. L. Trivedi u. S. Sethna, J. indian chem. Soc. **28**, 245 (1951); C. A. **46**, 10132 (1952).

[6] P. R. Saraiya u. R. C. Shah, Pr. indian Acad. **31**, 213 (1950); C. A. **46**, 5013 (1952).

[7] J. I. Setalvad u. N. M. Shah, J. indian chem. Soc. **34**, 289 (1957); C. A. **52**, 1957 (1958).

[8] W. B. Whalley, Soc. **1951**, 3229.

[9] N. L. Drake u. J. Bronitzky, Am. Soc. **52**, 3715 (1930).

[10] F. E. Ray u. G. Rieveschl, Am. Soc. **65**, 836 (1943); Org. Synth. Coll. Vol. III, 23 (1955).

[11] W. E. Bachmann u. J. C. Sheehan, Am. Soc. **62**, 2687 (1940).

[12] P. de Bruyn, C. r. **228**, 1953 (1949).

[13] L. F. Fieser u. E. B. Hershberg, Am. Soc. **62**, 49 (1940).

[14] P. H. Given u. D. L. Hammick, Soc. **1947**, 1237.

[15] US.P. 3234286 (1966), DuPont, Erf.: F. R. Lawrence; C. A. **64**, 12620 (1966).

[16] M. Martynoff, C. r. **244**, 1220 (1957).

1-Methoxy-naphthalin ergibt mit einer Acetylierungsmischung aus Essig-säure-anhydrid und konzentrierter Schwefelsäure nach 24 Stunden mit einer Aus-beute von 50% d. Th. *4-Methoxy-1-acetyl-naphthalin*[1]. Für die Acetylierung von 1-Propyloxy- oder 1-(3-Methyl-butyloxy)-naphthalin mit Essigsäure-anhydrid in Gegenwart katalytischer Mengen Zinkchlorid genügt kurzes Rückflußkochen; man erhält dabei wahrscheinlich *4-Propyloxy-1-acetyl-* bzw. *4-(3-Methyl-butyloxy)-1-acetyl-naphthalin*[2]. 2-Methoxy-naphthalin ergibt mit Essigsäure-anhydrid/Aluminium-chlorid in Schwefelkohlenstoff *2-Methoxy-1-acetyl-naphthalin* (69–70% d. Th.)[3] und 2-Äthoxy-naphthalin *2-Äthoxy-1-acetyl-naphthalin*[4]. Aus 2-Methoxy-naphthalin und Propionsäure-anhydrid in Gegenwart katalytischer Mengen Eisen(III)-chlorid bei 90° entsteht in 80%iger Ausbeute ein Keton-Gemisch, das zu 87% aus *2-Methoxy-1-* und zu 4% aus *-6-propanoyl-naphthalin* besteht[5]. Bei der Umsetzung von 2-Methoxy-naphthalin mit Benzoesäure-anhydrid/Bortrifluorid in Nitrobenzol erfolgt Äther-spaltung, und man isoliert *2-Hydroxy-1-benzoyl-naphthalin* (70% d. Th.)[6].

1,4-Dimethoxy-naphthalin wird durch Essigsäure- oder Propionsäure-anhydrid/ Aluminiumchlorid in Schwefelkohlenstoff in 2-Stellung acyliert, man isoliert *1,4-Dihydroxy-2-acetyl-* bzw. *1,4-Dihydroxy-2-propanoyl-naphthalin* mit Ausbeuten von 70–75% der Theorie[7].

Nach siebenstündigem Rückflußkochen von Anthracen mit Essigsäure-anhydrid in 1,2-Dichlor-äthan mit katalytischen Mengen Jod erhält man mit einer Ausbeute von 43% d. Th. ein Gemisch aus *1-Acetyl-* und *9-Acetyl-anthracen*. Mit Jodmonochlorid entsteht *9-Acetyl-anthracen* als Hauptprodukt neben sehr wenig *1-Acetyl-anthracen*[8]. 9,10-Dimethyl-anthracen wird durch Essigsäure-anhydrid/Zinn(IV)-chlorid in Benzol zu *9,10-Dimethyl-2-acetyl-anthracen* acyliert[9]; unter analogen Bedingungen ent-stehen aus 2,9,10-Trimethyl-, 2-Chlor-9,10-dimethyl- oder 2-Methoxy-9,10-dimethyl-anthracen *2,9,10-Trimethyl-3-acetyl-*, *2-Chlor-9,10-dimethyl-* bzw. *2-Methoxy-9,10-dimethyl-3-acetyl-anthracen*[10]. 1-Chlor-9,10-dimethyl-anthracen liefert unter den gleichen Bedingungen *1-Chlor-9,10-dimethyl-4-acetyl-anthracen*[10]. Anthracen wird durch Benzoesäure-anhydrid/Aluminiumchlorid in Schwefelkohlenstoff zu *9-Benzoyl-anthracen* acyliert, daneben entsteht etwas *9,10-Dibenzoyl-anthracen*[11]. Unter analogen Bedingungen gelingt die Umsetzung von 9-Benzyl-anthracen zu *10-Benzyl-9-benzoyl-anthracen*[12] und von 9-Phenyl-anthracen zu *10-Phenyl-9-benzoyl-anthracen*. Auch die Weiterbenzoylierung von 9-Benzoyl-anthracen zu *9,10-Dibenzoyl-anthracen* ist möglich[11].

Phenanthren kann mit Essigsäure-anhydrid durch langes Erhitzen mit Fluor-wasserstoff auf 50–55° in eine Mischung von *2-* und *3-Acetyl-phenanthren* überge-

[1] W. Schneider u. F. Kunau, B. **54**, 2302 (1921).
[2] E. Profft, Chem. Techn. **4**, 241 (1952).
[3] C. R. Noller u. R. Adams, Am. Soc. **46**, 1889 (1924).
[4] H. Silberman u. S. Silberman, Austral. J. Sci. **19**, 115 (1956).
[5] I. N. Zemzina, I. P. Cukervanik u. N. J. Novgorodova, Ž. org. Chim. **6**, 132 (1970); engl.: 131.
[6] P, H. Given u. D. L. Hammick, Soc. **1947**, 1237.
[7] P. P. T. Sah, R. **59**, 1029 (1940).
[8] P. H. Gore u. J. A. Hoskins, Soc. **1965**, 5744.
[9] P. de Bruyn, C. r. **228**, 1809 (1949).
[10] P. de Bruyn, C. r. **228**, 1953 (1949).
[11] J. W. Cook, Soc. **1926**, 1282.
[12] J. W. Cook, Soc. **1926**, 2160.

führt werden[1]. Auch die Acetylierung von Phenanthren mit Essigsäure-anhydrid/ Zinn(IV)-chlorid wird erwähnt[2]. Mit Propionsäure-anhydrid/Aluminiumchlorid in Nitrobenzol entstehen aus Phenanthren *2-* und *3-Propanoyl-phenanthren*[3]. 4H-⟨Cyclopenta-[d,e,f]-phenanthren⟩ ergibt unter analogen Bedingungen eine Mischung aus *1-* und *3-Acetyl-4H-⟨cyclopenta-[d,e,f]-phenanthren⟩*[4]:

30%   21%

Pyren wird durch Carbonsäure-anhydride/Aluminiumchlorid in Nitrobenzol in 1-Stellung acyliert.

1-Acetyl-pyren[5]: Zu einer auf −5° abgekühlten Lösung von 66 g (0,5 Mol) Aluminiumchlorid in 200 *ml* Nitrobenzol gibt man 26 *ml* (0,276 Mol) Essigsäure-anhydrid und dann im Verlaufe von 10 Min. 50 g (0,25 Mol) fein gepulvertes Pyren. Man rührt noch 3 Stdn. bei 10° und weitere 4 Stdn. bei 0°, dann wird die Reaktionsmischung hydrolysiert, das Nitrobenzol wird mit Wasserdampf abgetrieben und das Keton bei 1 Torr destilliert. Man löst dann aus Methanol (A-Kohle) um; Ausbeute: 53,7 g (88% d.Th.); F. 89–90° (gelbe Plättchen).

Analog werden folgende Ketone hergestellt:

1-Propanoyl-pyren	85% d.Th.	F: 79–80°
1-Butanoyl-pyren	85% d.Th.	F: 73–74°
1-(2-Methyl-propanoyl)-pyren	82% d.Th.	F: 87–89°
1-(3-Methyl-butanoyl)-pyren	85% d.Th.	F: 82–82,5°

Beim Erhitzen von 2-Methyl-pyren mit einer Mischung aus Essigsäure-anhydrid und Eisessig in Gegenwart von Zinkchlorid als Kondensationsmittel entsteht *2-Methyl-8-acetyl-pyren*[6].

Benzo-[c]-phenanthren ergibt mit Essigsäure-anhydrid/Aluminiumchlorid in Chlorbenzol *5-Acetyl-⟨benzo-[c]-phenanthren⟩*[7] (diese Umsetzung glückt nicht mit Acetylchlorid).

ββ₄) reaktionsfähigen Heterocyclen

Furan wird durch Carbonsäure-anhydride unter milden Bedingungen in Gegenwart von Zinkchlorid[8,9], Bortrifluorid-Ätherat[10], 85%iger Phosphorsäure[11], Jod[12,13] oder Jodwasserstoffsäure[12,13] in 2-Stellung acyliert.

[1] L. F. FIESER u. E. B. HERSHBERG, Am. Soc. **62**, 49 (1940).
[2] P. DE BRUYN, C. r. **228**, 1953 (1949).
[3] U. V. PANDIT u. M. C. KLOETZEL, Am. Soc. **83**, 482 (1961).
[4] W. E. BACHMANN u. J. C. SHEEHAN, Am. Soc. **63**, 2598 (1941).
[5] W. E. BACHMANN u. M. CARMACK, Am. Soc. **63**, 2494 (1941).
[6] W. TREIBS u. G. MÖBIUS, A. **619**, 122 (1958).
[7] M. S. NEWMAN u. A. I. KOSAK, J. Org. Chem. **14**, 375 (1949).
[8] H. D. HARTOUGH u. A. I. KOSAK, Am. Soc. **69**, 1012 (1947).
[9] J. V. HEID u. R. LEVINE, J. Org. Chem. **13**, 409 (1948).
[10] S. HILLERS u. J. BERKLAVA, Latrijas PSR Zinatnu Akad. Vestis 1956, 53; C. A. **51**, 5747 (1957).
[11] H. D. HARTOUGH u. A. I. KOSAK, Am. Soc. **69**, 3093 (1947).
[12] H. D. HARTOUGH u. A. I. KOSAK, Am. Soc. **68**, 2639 (1946).
[13] US. P. 2460822 (1949), Socony Vacuum Oil Co., Erf.: H. D. HARTOUGH u. A. I. KOSAK; C. A. **43**, 3465 (1949).

2-Acetyl-furan[1]: 102 g (1 Mol) Essigsäure-anhydrid und 34 g (0,5 Mol) Furan werden in einem Eisbad auf 0° abgekühlt. Man fügt 2 g (0,015 Mol) Zinkchlorid hinzu und hält die Temp. 1 Stde. bei 0–5°, dann 3 Stdn. bei 15–20°. Nach Ausgießen der Reaktionsmischung in Wasser und Neutralisieren wird wie üblich aufgearbeitet; Ausbeute: 36,6 g (66% d.Th.); Kp_5: 45–48°; F: 30–32°.

Bei Verwendung von 0,5–0,7 Mol Zinkchlorid pro Mol Furan kann man die Ausbeute auf mehr als 80% d. Th. steigern[2].

Tab. 54. 2-Acyl-furane aus (substituierten) Furanen und Carbonsäure-anhydriden in Gegenwart verschiedener Katalysatoren

2-Acyl-furan	Katalysator	Ausbeute [% d.Th.]	Kp [°C]	[Torr]	Literatur
5-Methyl-2-acetyl-furan	BF$_3$-Ätherat	42	71–73	8	3
3-Methyl-2-acetyl-furan	BF$_3$-Ätherat	20	70–72	20	4
5-Trimethylsilyl-2-acetyl-furan	J$_2$	25	78,5–79	3–4	5
5-Acetyl-2-methoxycarbonyl-furan	SnCl$_4$	50	181–185	17	6
5-Acetyl-2-äthoxycarbonyl-furan	SnCl$_4$	45	(F: 86°)		4
3-Methyl-5-acetyl-2-äthoxycarbonyl-furan	SnCl$_4$	4	(F: 96°)		4
2-Acetyl-3,4-dimethoxycarbonyl-furan	SnCl$_4$	18	(F: 108°)		7
2,5-Dimethyl-3-acetyl-furan	BF$_3$-Ätherat	65	95	23	8
2,5-Diphenyl-3-acetyl-furan	SnCl$_4$	80	(F: 62–64°)		9
2-Propanoyl-furan	H$_3$PO$_4$	77	61–63	6	10
5-Methyl-2-propanoyl-furan	BF$_3$-Ätherat	52	69,5–70	4,5	3
2,5-Dimethyl-3-propanoyl-furan	BF$_3$-Ätherat	63	105–108	23	8
2-Butanoyl-furan	H$_3$PO$_4$	93	76–78	7	10
5-Methyl-2-butanoyl-furan	BF$_3$-Ätherat	62	80–81	4	3
2,5-Dimethyl-3-butanoyl-furan	BF$_3$-Ätherat	60	115–117	23	8
2-(3-Methyl-butanoyl)-furan	BF$_3$-Ätherat	55	88	20	4
5-Methyl-2-(3-methyl-butanoyl)-furan	BF$_3$-Ätherat	30	104	25	4
3-Methyl-2-(3-methyl-butanoyl)-furan	BF$_3$-Ätherat	30	90	20	4
2-Benzoyl-furan	H$_3$PO$_4$	70	120 (F:43,5–44°)	0,5	10
3,5-Dimethyl-2-benzoyl-furan	SnCl$_4$	29	140	15	11

Benzo-[b]-furan wird durch Essigsäure-anhydrid/Bortrifluorid-Ätherat in *2-Acetyl-⟨benzo-[b]-furan⟩*[12] überführt.

Mit Essigsäure-anhydrid/Aluminiumchlorid in Schwefelkohlenstoff gelingt die Acetylierung von 2,6-Dimethyl-4H-pyron zu *2,6-Dimethyl-3-acetyl-4H-pyron*[13].

[1] H. D. HARTOUGH u. A. I. KOSAK, Am. Soc. **69**, 1012 (1947).
[2] S. HILLERS u. J. BERKLAVA, Latrijas PSR Zinatnu Akad. Vestis **1956**, 53; C. A. **51**, 5747 (1957).
[3] M. W. FARRAR u. R. LEVINE, Am. Soc. **72**, 3695 (1950).
[4] P. A. FINAN u. G. A. FOTHERGILL, Soc. **1963**, 2783.
[5] R. A. BENKESER u. R. B. CURRIE, Am. Soc. **70**, 1780 (1948).
[6] G. MODENA u. R. PASSERINI, Boll. sci. Fac. Chim. ind. Bologna **13**, 72 (1955); C. A. **50**, 10074 (1956).
[7] H. GILMAN et al., Am. Soc. **57**, 907 (1935).
[8] R. LEVINE, J. V. HEID u. M. W. FARRAR, Am. Soc. **71**, 1207 (1949).
[9] R. E. LUTZ u. R. J. ROWLETT, Am. Soc. **70**, 1359 (1948).
[10] H. D. HARTOUGH u. A. I. KOSAK, Am. Soc. **69**, 3093 (1947).
[11] H. GILMAN u. N. O. CALLOWAY, Am. Soc. **55**, 4197 (1933).
[12] M. W. FARRAR u. R. LEVINE, Am. Soc. **72**, 4433 (1950).
[13] L. L. WOODS, J. Org. Chem. **22**, 341 (1957).

Unter energischen Bedingungen, d.h. mit Aluminiumchlorid als Katalysator bei Temperaturen von 140–170° ohne Lösungsmittel, kann man Hydroxy-cumarine mit Carbonsäure-anhydriden acylieren. Auf diese Weise werden hergestellt[1]:

7-Hydroxy-4-methyl-8-acetyl-cumarin	46% d.Th.	F: 167–168°
5-Hydroxy-4-methyl-6-acetyl-cumarin	27% d.Th.	F: 182–183°
5-Hydroxy-4,7-dimethyl-6-acetyl-cumarin	21% d.Th.	F: 177–178°
5,7-Dihydroxy-4-methyl-6,8-diacetyl-cumarin	9% d.Th.	F: 163–164°
5,7-Dihydroxy-4-methyl-6,8-dibenzoyl-cumarin	4% d.Th.	F: 254–255°

Analog können auch 4H-Chromone acyliert werden[2]:

7-Hydroxy-2-methyl-8-acetyl-4H-chromon	70% d.Th.	F: 187°
7-Hydroxy-2,3-dimethyl-8-acetyl-4H-chromon	65% d.Th.	F: 215°
7-Hydroxy-2-phenyl-8-acetyl-4H-chromon	60% d.Th.	F: 212°
5-Hydroxy-2-phenyl-6-acetyl-4H-chromon	55% d.Th.	F: 200°
5,7-Dihydroxy-2,3-dimethyl-6-(bzw. -8)-acetyl-4H-chromon	50% d.Th.	F: 165°
7-Hydroxy-2,3-dimethyl-8-propanoyl-4H-chromon	55% d.Th.	F: 163°

Thiophen wird durch Carbonsäure-anhydride in Gegenwart der verschiedensten Katalysatoren sehr leicht in 2-Stellung acyliert.

Als Katalysatoren werden z. B. Aluminiumchlorid in Nitrobenzol[3], Zinkchlorid[4], Bortrifluorid-Ätherat[5], Jod[6], 85%ige Phosphorsäure[7,8], Tonerde[9] oder sulfonierte Copolymere aus Styrol, Äthyl-styrol und Divinyl-benzol[10] verwendet. Die am häufigsten benutzten Katalysatoren sind Phosphorsäure[11], Bortrifluorid-Ätherat oder Jod.

Von den zahlreichen Varianten der Herstellung von 2-Acetyl-thiophen dürfte die Acylierung des Thiophens (2 Mol) mit Essigsäure-anhydrid (1 Mol) und 85%iger Phosphorsäure bei 75° die einfachste sein (s. Org. Synth. III, S. 14).

Substituierte 2-Acyl-thiophene; allgemeine Arbeitsvorschrift: In einen 500 ml-Dreihalskolben mit Rührer mit Quecksilberverschluß, Rückflußkühler (mit Silica-Gel-Trockenrohr) und Thermometer, das bis in die Reaktionsmischung reicht, bringt man 0,5 Mol des substituierten Thiophens und 0,58 Mol des gewünschten Carbonsäure-anhydrids. Zu der stark gerührten Mischung gibt man auf einmal 7 g Bortrifluorid-Ätherat. Die Temp. steigt rasch auf 90–115°. Man rührt noch 30 Min., während sich die Mischung auf Raumtemp. abkühlt. Zur Hydrolyse der Reaktionsmischung gibt man 200 ml Wasser hinzu, dann extrahiert man mehrfach mit Äther. Die vereinigten Ätherextrakte werden mit ges. Natriumcarbonat-Lösung gewaschen und dann über Silica-Gel getrocknet. Das Lösungsmittel wird bei Normaldruck abdestilliert, den Rückstand fraktioniert man im Vakuum.

Bei der Acylierung von 2-Chlor- oder 2-Brom-thiophen erfolgt nur sehr geringer Temperaturanstieg. Die Reaktionsmischungen werden deshalb 30 Min. auf 100° erhitzt.

---

[1] R. J. Parikh u. V. M. Thakor, J. indian chem. Soc. **31**, 137 (1954); C. A. **49**, 4639 (1955).
[2] S. M. Parikh u. V. M. Thakor, J. indian chem. Soc. **36**, 841 (1959); C. A. **54**, 21071 (1960).
[3] US. P. 2462697 (1949), Du Pont, Erf.: W. Weinmayr; C. A. **43**, 3850 (1949).
[4] H. D. Hartough u. A. I. Kosak, Am. Soc. **69**, 1012 (1947).
[5] J. V. Heid u. R. Levine, J. Org. Chem. **13**, 409 (1948).
[6] H. D. Hartough u. A. I. Kosak, Am. Soc. **68**, 2639 (1946).
[7] H. D. Hartough u. A. I. Kosak, Am. Soc. **69**, 3093 (1947).
[8] J. Kellett u. H. E. Rasmussen, Ind. eng. Chem. **40**, 384 (1948).
[9] US. P. 2458519 (1949), Socony Vacuum Oil Co., Erf.: A. I. Kosak u. H. D. Hartough; C. A. **43**, 2644 (1949).
[10] US. P. 2711414 (1955), Dow Chemical Co., Erf.: T. R. Norton; C. A. **50**, 5759 (1956).
[11] A. I. Kosak u. D. H. Hartough, Org. Synth. Coll. Vol. III, 14 (1955).

Tab. 55. 2-Acyl-thiophene aus (substituierten) Thiophenen und Carbonsäure-
anhydriden in Gegenwart verschiedener Katalysatoren

2-Acyl-thiophen	Katalysator	Ausbeute [% d.Th.]	Kp		Litera-tur
			[°C]	[Torr]	
2-Acetyl-thiophen	H_3PO_4	~80	77 (F: 10–11°)	4	1
5-Methyl-2-acetyl-thiophen	H_3PO_4	91	82,5 (F: 27–28°)	2	1,2
5-tert.-Butyl-2-acetyl-thiophen	H_3PO_4	81	114	4	2
5-Pentyl-(2)-2-acetyl-thiophen	H_3PO_4	71	121–125	6	2
5-(2,2-Dimethyl-propyl)-2-ace-tyl-thiophen	H_3PO_4	84	111	2	2
5-Trimethylsilyl-2-acetyl-thio-phen	J_2	13	104–105	4	3
5-Chlor-2-acetyl-thiophen	H_3PO_4	70	73 (F: 46,5–47°)	2,5	1,2
5-Brom-2-acetyl-thiophen	H_3PO_4	75	107,5–110 (F: 94–95°)	5	2
5-Methylmercapto-2-acetyl-thiophen	H_3PO_4	56,2	(F: 53°)		4
2-Propanoyl-thiophen	H_3PO_4	89	88	8	1
5-Methyl-2-propanoyl-thiophen	BF₃-Ätherat	52	69,5–70	4,5	5
5-Chlor-2-propanoyl-thiophen	BF₃-Ätherat	78	96–97 (F: 46,5–47,5°)	4,5	5
5-Brom-2-propanoyl-thiophen	BF₃-Ätherat	71	112–113 (F: 52–53°)	5	5
2-Butanoyl-thiophen	BF₃-Ätherat	89	96	4	6
5-Methyl-2-butanoyl-thiophen	BF₃-Ätherat	62	80–81	4	5
5-Chlor-2-butanoyl-thiophen	BF₃-Ätherat	83	106–107 (F: 38–39°)	4,5	5
5-Brom-2-butanoyl-thiophen	BF₃-Ätherat	83	124–125 (F: 34-35°)	5	5
2-Benzoyl-thiophen	H_3PO_4	81	120–121 (F: 56–57°)	2	1

2-Acetyl-thiophen wird durch Essigsäure-anhydrid/Zinkchlorid zu *2,5-Diacetyl-thiophen* acyliert[7]. 3-Methyl-thiophen ergibt bei der Acylierung Isomerengemische von 3- und 4-Methyl-2-acyl-thiophenen, wobei das 3-Methyl-2-acyl-thiophen[5] überwiegt:

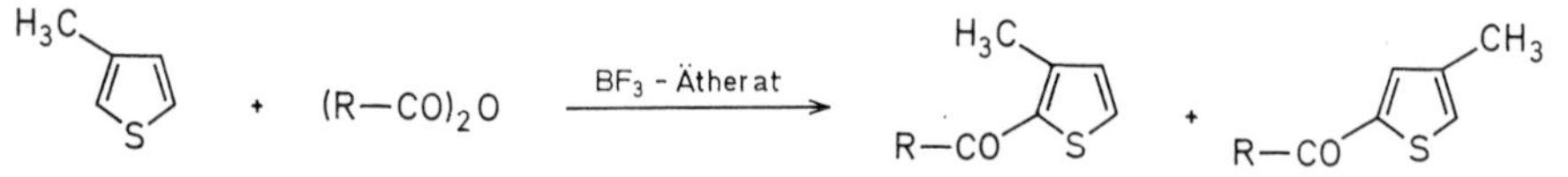

R = CH₃;   *3-Methyl-2-acetyl-thiophen*;   *4-Methyl-2-acetyl-thiophen*
            71% d.Th.; Kp₄: 74–74,5°   12% d.Th.; Kp₄: 85–85,5°
R = C₂H₅;   *3-Methyl-2-propanoyl-thiophen*;   *4-Methyl-2-propanoyl-thiophen*;
            80% d.Th.; Kp₄: 85–86°   11% d.Th.; Kp₅: 98–99°
R = C₃H₇;   *3-Methyl-2-butanoyl-thiophen*   *4-Methyl-2-butanoyl-thiophen*;
            59% d.Th.; Kp₅: 98–99°   38% d.Th.; Kp₅: 108,5–110°

[1] H. D. HARTOUGH u. A. I. KOSAK, Am. Soc. **69**, 3093 (1947).
[2] H. D. HARTOUGH u. L. G. COULEY, Am. Soc. **69**, 3096 (1947).
[3] R. A. BENKESER u. R. B. CURRIE, Am. Soc. **70**, 1780 (1948).
[4] Y. L. GOLDFARB, M. A. KALIK u. M. L. KIRMALOVA, Ž. obšč. Chim. **29**, 2034 (1959); engl.: 2003.
[5] M. W. FARRAR u. R. LEVINE, Am. Soc. **72**, 3695 (1950).
[6] J. V. HEID u. R. LEVINE, J. Org. Chem. **13**, 409 (1948).
[7] H. D. HARTOUGH u. A. I. KOSAK, Am. Soc. **69**, 1012 (1947).

2,5-Dimethyl-thiophen wird durch Carbonsäure-anhydride mit Bortrifluorid-Ätherat zu *2,5-Dimethyl-3-acetyl-, -3-propanoyl-* bzw. *-3-butanoyl-thiophen*[1] kondensiert. 2,5-Di-tert.-butyl-thiophen kann mit Essigsäure-anhydrid/Phosphorsäure zu *2,5-Di-tert.-butyl-3-acetyl-thiophen* acyliert werden[2]. Bei der Umsetzung von 2,5-Dichlor-thiophen mit Essigsäure-anhydrid/Phosphorsäure erhält man *5-Chlor-2-acetyl-thiophen*, es erfolgt also teilweise Enthalogenierung[3]. 2,5-Bis-[methylmercapto]-thiophen ergibt mit Essigsäure-anhydrid/Phosphorsäure *2,5-Bis-[methylmercapto]-3-acetyl-thiophen*[4] vgl. a. [5].

Bi-[thienyl-(2)] wird durch Essigsäure-anhydrid mit Phosphorsäure zu *5,5'-Diacetyl-bi-[thienyl-(2)]* acyliert[6]. Unter analogen Bedingungen entsteht aus Ter-[thienyl-(2,5)] *5,5''-Diacetyl-ter-[thienyl-(2,5)]*[7] bzw. aus 2,3'-Bi-thienyl *5-Acetyl-2,3'-bi-thienyl*[8].

Benzo-[b]-thiophen ergibt mit Essigsäure-anhydrid in Gegenwart von Bortrifluorid-Ätherat eine Mischung von *3-* und *2-Acetyl-⟨benzo-[b]-thiophen⟩*[1]:

74% d. Th.

17% d. Th.

Unter analogen Bedingungen erhält man mit 2-Methyl-⟨benzo-[b]-thiophen⟩ *2-Methyl-3-acetyl-⟨benzo-[b]-thiophen⟩*[9].

Zur Acetylierung von Cyclopenta-[c]-thiapyran mit Essigsäure-anhydrid wird Zinn(IV)-chlorid als Katalysator verwendet; man isoliert dabei *5,7-Diacetyl-⟨cyclopenta-[c]-thiopyran⟩*[10]. Benzo-1,4-dithiin wird durch Essigsäure-anhydrid/Phosphorsäure zu *2-Acetyl-⟨benzo-1,4-dithiin⟩* acetyliert[11].

Selenophen verhält sich bei Acylierungen ähnlich wie Thiophen[12].

Pyrrol ergibt beim mehrstündigen Rückflußkochen mit Essigsäure-anhydrid ohne Katalysator mit geringen Ausbeuten *2-Acetyl-pyrrol*[13]. Diese 2-Acylierung ver-

[1] M. W. Farrar u. R. Levine, Am. Soc. **72**, 4433 (1950).

[2] H. D. Hartough u. L. G. Conley, Am. Soc. **69**, 3096 (1947).

[3] US. P. 2484706 (1950), Socony Vacuum Oil Co., Erf.: H. D. Hartough u. A. I. Kosak; A. C. **44**, 1544 (1950).

[4] Y. L. Goldfarb, M. A. Kalik u. M. L. Kirmalova, Ž. obšč. Chim. **29**, 2034 (1959); engl.; 2003.

[5] W. R. Edwards u. R. J. Eckert, J. Org. Chem. **31**, 1283 (1966).

[6] H. Wynberg u. A. Logothetis, Am. Soc. **78**, 1958 (1956).

[7] H. Wynberg u. A. Bantjes, Am. Soc. **82**, 1447 (1960).

[8] H. Wynberg, A. Logothetis u. D. ver Ploeg, Am. Soc. **79**, 1972 (1957).

[9] R. Gaertner, Am. Soc. **74**, 766 (1952).

[10] A. G. Anderson u. W. F. Harrison, Tetrahedron Letters **1960**, Nr. 2, 11.

[11] W. E. Parham et al., Am. Soc. **76**, 4957 (1954).

[12] E. G. Kataev u. M. V. Palkina, Uchenye Zapinski Kazan. Gosundarst. Univ. im. V. I. Ulyanova Lenina, Chim. **113**, 115 (1953); C. A. **52**, 3762 (1958).

[13] R. Schiff, B. **10**, 1500 (1877).

läuft glatter, wenn man Natriumacetat zur Reaktionsmischung gibt[1]. Beim mehrstündigen Erhitzen von Pyrrol mit überschüssigem Essigsäure-anhydrid auf 250° im Bombenrohr erhält man *2,5-Diacetyl-pyrrol*[2]. Unter analogen Bedingungen sind *2-Propanoyl-* und *2,5-Dipropanoyl-pyrrol* zugänglich[3]. Trifluor-essigsäure-anhydrid reagiert mit Pyrrol beim 4stündigen Verrühren in Benzol bei 0° zu *2-Trifluoracetyl-pyrrol* (66% d.Th.)[4]. Beim Erhitzen von Pyrrol mit Benzoesäure-anhydrid/Natriumbenzoat auf 200° erhält man *2-Benzoyl-pyrrol*[1]. Auch 1-Methyl-pyrrol wird beim Rückflußkochen mit Essigsäure-anhydrid/Natriumacetat oder mit Zinkchlorid bzw. Bortrifluorid-Ätherat zu *1-Methyl-2-acetyl-pyrrol* acyliert[1,5].

1-Methyl-2-acetyl-pyrrol[5]: 16,2 g (0,2 Mol) 1-Methyl-pyrrol, 20,4 g (0,2 Mol) Essigsäure-anhydrid und 27,3 g (0,2 Mol) frisch geschmolzenes und gepulvertes Zinkchlorid werden in trockenem Äther 1 Stde. verrührt und dann über Nacht mit 600 *ml* Wasser hydrolysiert. Die beiden Schichten werden getrennt, nach dem Sättigen mit Natriumchlorid wird die wäßrige Schicht noch 2mal mit Äther ausgeschüttelt. Die vereinigten Ätherphasen werden über Magnesiumsulfat getrocknet, der Äther abdestilliert und der Rückstand i.Vak. destilliert; Ausbeute: 9,8 g (40% d.Th.); Kp_{22}: 88–91°.

Mit Bortrifluorid-Ätherat erhält man nur 30% der Theorie. 1-Methyl-pyrrol ergibt beim 8stündigen Erhitzen mit Essigsäure-anhydrid auf 250° *1-Methyl-2,5-diacetyl-pyrrol*[6]. Analog werden auch *1-Äthyl-2,5-diacetyl-*[7] oder *1-Benzyl-2,5-diacetyl-pyrrol*[6] hergestellt.

2-Alkyl-pyrrole werden beim Erhitzen mit Essigsäure-anhydrid/Natriumacetat in 5-Stellung acyliert. Auf diese Weise werden *5-Äthyl-2-acetyl-*[8] bzw. *5-Isopropyl-2-acetyl-pyrrol*[9] erhalten. Die Acetylierung von 3-Nitro-1-methyl-pyrrol gelingt mit Essigsäure-anhydrid/Bortrifluorid-Ätherat bei 100° zu *4-Nitro-1-methyl-2-acetyl-pyrrol*[5]. Unter analogen Bedingungen entsteht aus 2-Nitro-1-methyl-pyrrol *2-Nitro-1-methyl-4-acetyl-pyrrol*[5]. Für die Acetylierung von 5-Methyl-1,3-diphenyl-pyrrol oder von 5-Methyl-1,3-diphenyl-4-benzoyl-pyrrol mit siedendem Essigsäure-anhydrid benötigt man einige Tropfen Schwefelsäure als Katalysator; man erhält dabei *5-Methyl-1,3-diphenyl-2,4-diacetyl-* bzw. *5-Methyl-1,3-diphenyl-2-acetyl-4-benzoyl-pyrrol*[10].

Beim Rückflußkochen von Indol mit Essigsäure-anhydrid entstehen *1,3-Diacetyl-* und *3-Acetyl-indol* nebeneinander[11].

1,3-Diacetyl-indol[12]: 25 g (0,214 Mol) Indol, 25 *ml* Eisessig und 225 *ml* Essigsäure-anhydrid werden 24 Stdn. rückfließend gekocht. Das Lösungsmittel wird i.Vak. abgezogen, den kristallinen Rückstand löst man aus Äthanol um; Ausbeute: 16–18 g (41–45% d.Th.); F: 150–151°.

[1] G. L. CIAMICIAN u. M. DENNSTEDT, G. **13**, 455 (1883); B. **17**, 2944 (1884).
[2] G. CIAMICIAN u. P. SILBER, B. **18**, 1466 (1885).
[3] M. DENNSTEDT u. J. ZIMMERMANN, B. **20**, 1760 (1887).
[4] W. D. COOPER, J. Org. Chem. **23**, 1382 (1958).
[5] H. J. ANDERSON, Canad. J. Chem. **35**, 20 (1957).
[6] G. CIAMICIAN u. P. SILBER, B. **20**, 1368 (1887).
[7] C. U. ZANETTI, B. **22**, 2515 (1889).
[8] M. DENNSTEDT u. J. ZIMMERMANN, B. **19**, 2189 (1886).
[9] M. DENNSTEDT u. J. ZIMMERMANN, B. **20**, 850 (1887).
[10] G. K. ALMSTRÖM, A. **409**, 291 (1915).
[11] G. CIAMICIAN u. C. ZANETTI, B. **22**, 1976 (1889).
[12] J. E. SAXTON, Soc. **1952**, 3592.

Analog verhalten sich 2-Methyl-[1], 1,2-Dimethyl-[2] und 2-Phenyl-indol[2], die *2-Methyl-1,3-diacetyl-* und *2-Methyl-3-acetyl-indol, 1,2-Dimethyl-3-acetyl-indol* bzw. *2-Phenyl-1,3-diacetyl-* und *2-Phenyl-3-acetyl-indol* ergeben. 1,2,3-Trimethyl-indol ergibt beim Kochen mit Essigsäure-anhydrid mit Toluolsulfonsäure als Katalysator *1,2,3-Trimethyl-5-* und *-7-* bzw. *-x-acetyl-indol*[3].

1,2-Dimethyl-3H-⟨benzo-[e]-indol⟩ wird mit Essigsäure-anhydrid und einigen Tropfen Schwefelsäure zu *1,2-Dimethyl-3,5-diacetyl-3H-⟨benzo[e]-indol⟩* acetyliert[4]. Unter analogen Bedingungen entsteht aus 7,8,9,10-Tetrahydro-⟨benzo-[e]-cyclopenta-[b]-indol⟩ *5,7-Diacetyl-7,8,9,10-tetrahydro-⟨benzo-[e]-cyclopenta-[b]-indol⟩*[5], und aus 8,9,10,11-Tetrahydro-7H-⟨benzo-[c]-carbazol⟩ *5,7-Diacetyl-8,9,10,11-tetrahydro-7H-⟨benzo-[c]-carbazol⟩*[6].

Carbazol wird in Nitrobenzol durch Essigsäure-anhydrid oder Benzoesäure-anhydrid/Aluminiumchlorid vorwiegend zu *3,6-Diacetyl-* bzw. *3,6-Dibenzoyl-carbazol* acyliert[7].

Die Acetylierung des 2-Methyl- und des 2-Phenyl-indolizins nimmt man ähnlich wie die Acetylierung des Pyrrols vor. Beim Rückflußsieden mit Essigsäure-anhydrid/Natriumacetat entsteht *2-Methyl-3-acetyl-* bzw. *2-Phenyl-3-acetyl-indolizin,* beim Erhitzen mit überschüssigem Essigsäure-anhydrid auf 230–250° *2-Methyl-1,3-diacetyl-* bzw. *2-Phenyl-1,3-diacetyl-indolizin*[8]. Pyrrolo-[2,1,5-c,d]-indolizin(Cycl[3.2.2]azin) wird in 1,1,2,2-Tetrachlor-äthan mit Essigsäure-anhydrid/Zinn(IV)-chlorid acetyliert. Man erhält dabei *1-Acetyl-* (30% d.Th.) und *1,4-Diacetyl-⟨pyrrolo-[2,1,5-c,d]-indolizin⟩* (*1,4-Diacetyl-cycl[3.2.2]azin*) (33% d.Th.)[9].

5-Oxo-2,3-dimethyl-1-phenyl- und 5-Oxo-3-methyl-1,2-diphenyl-2,5-dihydro-pyrazol werden durch Essigsäure-anhydrid/Aluminiumchlorid in Schwefelkohlenstoff zu *5-Oxo-2,3-dimethyl-1-phenyl-4-acetyl-* (76% d.Th.) bzw. *5-Oxo-3-methyl-1,2-diphenyl-4-acetyl-2,5-dihydro-pyrazol* (75,3% d.Th.) acetyliert[10].

10-Methyl-phenothiazin wird durch Essigsäure-anhydrid/Aluminiumchlorid in siedendem Schwefelkohlenstoff zu *10-Methyl-3,7-diacetyl-phenothiazin* acyliert, und zwar auch dann, wenn nur 1 Mol Essigsäure-anhydrid verwendet wird. Unter analogen Bedingungen entstehen aus 10-Äthyl- und 10-Phenyl-phenothiazin *10-Äthyl-3,7-diacetyl-* bzw. *10-Phenyl-3,7-diacetyl-phenothiazin.* 2-Acetyl-phenothiazin ergibt unter den gleichen Reaktionsbedingungen *2,7-Diacetyl-phenothiazin.* Wenn im 10-Alkyl-phenothiazin die 3-Stellung durch einen Alkyl-Rest besetzt ist, tritt eine Acetyl-Gruppe in 2-Stellung ein. So erhält man aus 3,10-Dimethyl-phenothiazin *3,10-Dimethyl-2,7-diacetyl-phenothiazin* und aus 10-Methyl-3-äthyl-phenothiazin *10-Methyl-3-äthyl-2,7-diacetyl-phenothiazin*[11].

---

[1] O. R. JACKSON, B. **14**, 879 (1881).
[2] W. BORSCHE u. H. GROTH, A. **549**, 238 (1941).
[3] N. N. SUVOROV, N. P. SOROKINA u. Y. N. SHEINKER, Ž. obšč. Chim. **29**, 979 (1959); engl.: 962.
[4] S. G. P. PLANT u. M. W. THOMPSON, Soc. **1950**, 1065.
[5] S. A. BRYANT u. S. G. P. PLANT, Soc. **1931**, 93.
[6] S. H. OAKESHOTT u. S. G. P. PLANT, Soc. **1928**, 1840.
[7] D. R. MITCHELL u. S. G. P. PLANT, Soc. **1936**, 1295.
[8] E. T. BORROWS, D. O. HOLLAND u. J. KENNYON, Soc. **1946**, 1069.
[9] R. J. WINDGASSEN, W. H. SAUNDERS u. V. BOECKELHEIDE, Am. Soc. **81**, 1459 (1959).
[10] T. TAKAHASHI u. K. KANEMATSU, Chem. Pharm. Bull. (Tokyo) **6**, 374 (1958); C. A. **53**, 7144 (1959).
[11] G. CAUQUIL u. A. CASADEVALL, Bl. [5] **22**, 1061 (1955).

γ) **Keto-carbonsäuren aus Di- oder Polycarbonsäure-anhydriden und**

bearbeitet von Dr. CARL-WOLFGANG SCHELLHAMMER

Farbenfabriken Bayer AG, Leverkusen

γ₁) *Benzol und seinen Homologen*

Bei der Acylierung von Benzol und seinen Homologen mit cyclischen Di- oder Poly-carbonsäure-anhydriden entstehen in der Regel **Keto-carbonsäuren**[1] meist in sehr guten Ausbeuten.

Als **Katalysator** wird fast ausschließlich **Aluminiumchlorid** verwendet. Pro Mol cyclischen Anhydrids werden auch hier zwei Mol Aluminiumchlorid benötigt.

Der Reaktionsmechanismus ist der gleiche wie bei den Monocarbonsäure-anhydriden (s. S. 313).

Durch Einwirkung des ersten Moleküls Aluminiumchlorid entsteht ein Carbonsäure-chlorid, das

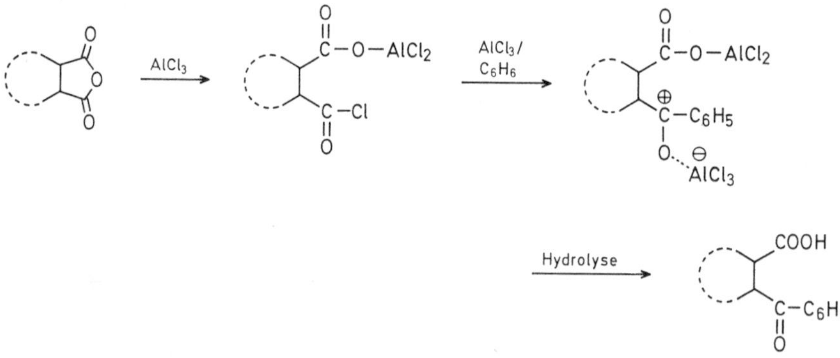

mit dem zweiten Molekül den reaktionsfähigen Komplex ergibt, der zur Friedel-Crafts'schen Synthese befähigt ist.

Entsprechend ist auch hier der Reaktionsverlauf. Beim Eintragen des ersten Moleküls Aluminiumchlorid tritt praktisch noch keine Chlorwasserstoff-Entwicklung auf. Diese setzt erst – meist stürmisch – bei der Zugabe des zweiten Moleküls ein.

Zur Herstellung von **Aroyl-carbonsäuren** kann man das cyclische Anhydrid nicht durch die entsprechenden Dicarbonsäure-dichloride ersetzen, da diese vorwiegend in der isomeren Form reagieren und zu sog. „Phthalid-Typen" führen (s. S. 235):

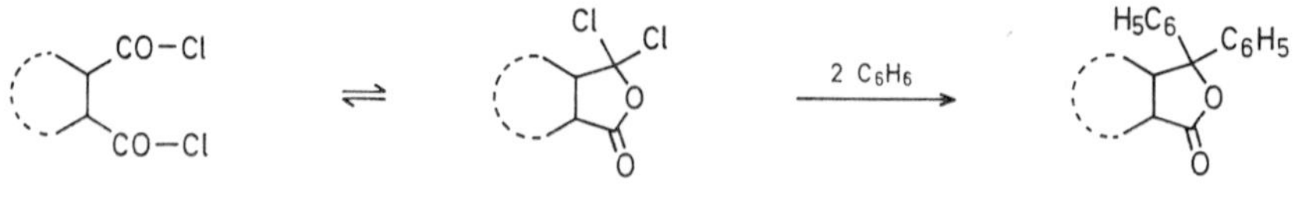

Die Umsetzungen mit aromatischen Kohlenwasserstoffen werden meist in einem Überschuß desselben oder in gebräuchlichen Verdünnungsmitteln (s. S. 17) vorgenommen.

---

[1] E. BERLINER, *The Friedel and Crafts reaction with aliphatic dibasic acid anhydrides in Organic Reactions*, Bd. V, S. 229, John Wiley & Sons, New York 1949.

Bei den Kondensationen von cyclischen Carbonsäure-anhydriden sind Temperaturen oberhalb 100° tunlichst zu vermeiden, da sich dabei der Aluminiumchlorid-Komplex des Keto-carbonsäure-chlorids teilweise in den des 3-Chlor-3-phenyl-phthalids umlagert:

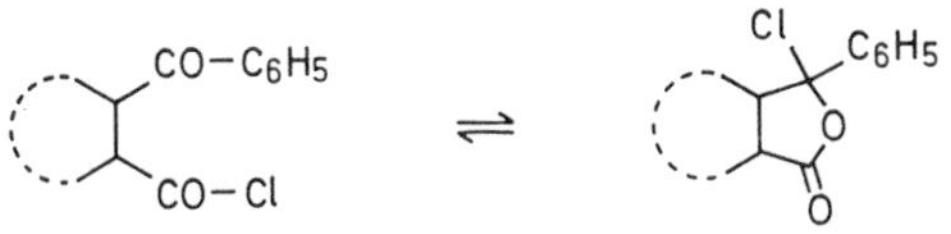

Dadurch können beträchtliche Mengen an „Phthaliden" entstehen. Zu deren Abtrennung sollte man daher stets die rohe Keto-carbonsäure in einer Natriumcarbonat-Lösung lösen und das unlösliche Phthalid abfiltrieren.

4-Oxo-4-(2,5-dimethyl-phenyl)-butansäure[1]: 60 g (0,44 Mol) fein gepulvertes Aluminiumchlorid werden langsam zu einer Lösung von 20 g (0,2 Mol) Bernsteinsäure-anhydrid und 23,3 g (0,22 Mol) p-Xylol in 75 ml trockenem 1,1,2,2-Tetrachlor-äthan gegeben. Nach Zugabe von ~ der Hälfte des Aluminiumchlorids beginnt eine lebhafte Chlorwasserstoff-Entwicklung. Den Rest des Aluminiumchlorids fügt man in Portionen hinzu, wobei man jedesmal das Nachlassen dieser Reaktion abwartet. Man läßt das Reaktionsgemisch dann noch 12 Stdn. bei Raumtemp. stehen, gießt unter Umrühren in 500 ml Eiswasser und 15 ml konz. Salzsäure ein. Nachdem man das Reaktionsgemisch mit Wasserdampf destilliert hat, trennt man die erstarrte Säure ab und reinigt sie durch 3maliges Umfällen mit Salzsäure aus ihrer Lösung in wäßriger Natriumcarbonat-Lösung; Ausbeute: 35,6 g (86% d.Th.); F: 82–84°. Zur vollständigen Reinigung kann die Säure i.Vak. destilliert werden; Kp_1: 215°; F: 86°.

Aus 1,4-Di-tert.-butyl-benzol wird bei der Umsetzung mit Bernsteinsäure-anhydrid/ Aluminiumchlorid in Schwefelkohlenstoff bei −15° ein tert.-Butyl-Rest abgespalten, und man erhält *4-Oxo-4-(4-tert.-butyl-phenyl)-butansäure*[2] und analog aus Hexaäthyl-benzol durch 22stdgs. Kochen in Schwefelkohlenstoff *4-Oxo-4-(pentaäthyl-phenyl)-butansäure*[3].

Indan wird in Nitrobenzol in 5-Stellung zu *4-Oxo-4-indanyl-(5)-butansäure* (65% d.Th.)[4] und 1,2,3,4-Tetrahydro-naphthalin zu *4-Oxo-4-[1,2,3,4-tetrahydro-naphthyl-(6)]-butansäure* (69% d.Th.)[5] kondensiert.

Bei der Umsetzung von Methyl-bernsteinsäure-anhydrid mit Benzol entsteht hauptsächlich *4-Oxo-2-methyl-4-phenyl-* neben *4-Oxo-3-methyl-4-phenyl-butansäure*[6,7].

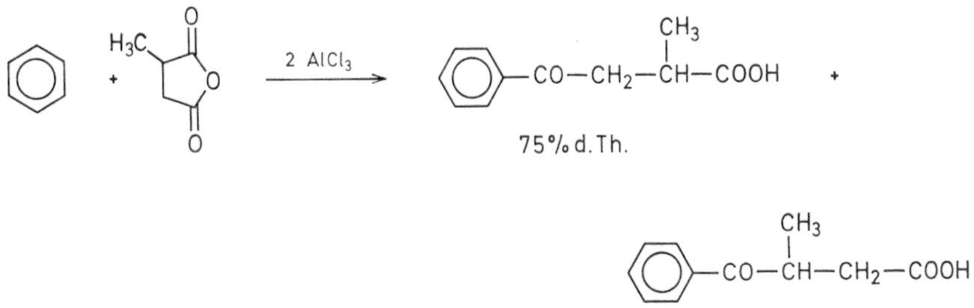

1 H. STETTER, B. SCHÄFER u. H. SPANGENBERGER, B. **89**, 1620 (1956).
2 C. C. PRICE et al., J. Org. Chem. **7**, 517 (1942).
3 H. HOPFF u. A. K. WICK, Helv. **43**, 1473 (1960).
4 N. P. BUU-HOÏ u. P. JACQUIGNON, J. Org. Chem. **24**, 126 (1959).
5 J. D. REINHEIMER u. S. TAYLOR, J. Org. Chem. **19**, 802 (1954).
6 F. MAYER u. G. STAMM, B. **56**, 1424 (1923).
7 E. R. ALEXANDER u. A. MURDAK, Am. Soc. **72**, 3194 (1950).

Tab. 56. 4-Oxo-4-phenyl-butansäuren durch Acylierung von Benzol und seinen Homologen mit Bernsteinsäure-anhydrid/Aluminiumchlorid

4-Oxo-4-phenyl-butansäure	Ausbeute [% d.Th.]	F [°C]	Literatur
4-Oxo-4-phenyl-butansäure	90	116,5	1
4-Oxo-4-(4-methyl-phenyl)-butansäure	80–90	129	2
4-Oxo-4-(4-äthyl-phenyl)-butansäure	80	107–108	3
4-Oxo-4-(4-propyl-phenyl)-butansäure	63	120–121	4
4-Oxo-4-(4-isopropyl-phenyl)-butansäure	80–90	142	2
4-Oxo-4-(4-butyl-phenyl)-butansäure	85	111–112,5	5
4-Oxo-4-[4-butyl-(2)-phenyl]-butansäure	67	95,5–96,5	5
4-Oxo-4-(4-tert.-butyl-phenyl)-butansäure	56	123,5–125	5
4-Oxo-4-[4-pentyl-(2)-phenyl]-butansäure	83	74–76	5
4-Oxo-4-(4-hexyl-phenyl)-butansäure		97–98	6
4-Oxo-4-(3,4-dimethyl-phenyl)-butansäure	80–90	129	2
4-Oxo-4-(2,4-dimethyl-phenyl)-butansäure	61	113,6	7
4-Oxo-4-(2-methyl-5-isopropyl-phenyl)-butansäure	70	76–77	8
4-Oxo-4-(2,4,5-trimethyl-phenyl)-butansäure		98	9
4-Oxo-4-(2,4,6-trimethyl-phenyl)-butansäure		106	9
4-Oxo-4-(2,3,4,5-tetramethyl-phenyl)-butansäure	97	124–125	10
4-Oxo-4-(2,3,5,6-tetramethyl-phenyl)-butansäure	43	160–161	11
4-Oxo-4-(pentamethyl-phenyl)-butansäure		104	9
4-Oxo-4-(4-benzyl-phenyl)-butansäure	85	185–186	12
4-Oxo-4-(4-cyclohexyl-phenyl)-butansäure	74	136–136,5	5

Toluol ergibt mit Methyl-bernsteinsäure-anhydrid/Aluminiumchlorid in 1,1,2,2-Tetrachlor-äthan eine Isomerenmischung, aus der *4-Oxo-2-methyl-4-(4-methyl-phenyl)-butansäure* (54% d. Th.) und *4-Oxo-3-methyl-4-(4-methyl-phenyl)-butansäure* (33% d.Th.) isoliert werden können[13]. In Nitrobenzol soll ausschließlich *4-Oxo-2-methyl-4-(4-methyl-phenyl)-butansäure*[14] entstehen. Unter analogen Bedingungen werden folgende 4-Oxo-2-alkyl-4-(alkyl-phenyl)-butansäuren hergestellt:

[1] E. Burcker, A. ch. [5] **26**, 433 (1882).
   L. F. Sommerville u. C. H. F. Allen, Org. Synth. Coll. Vol. II, 81 (1943).
   E. L. Martin u. L. F. Fieser, Org. Synth. Coll. Vol. II, 82 (1943).
[2] E. de Barry Barnett u. F. G. Sanders, Soc. **1933**, 434.
[3] F. G. Baddar u. F. L. Warren, Soc. **1939**, 944.
[4] L. I. Smith u. C.-P. Lo, Am. Soc. **70**, 2209 (1948).
[5] J. D. Reinheimer u. S. Taylor, J. Org. Chem. **19**, 802 (1954).
[6] F. K. Kirchner, J. H. Bailey u. C. J. Cavallito, Am. Soc. **71**, 1210 (1949).
[7] W. L. Mosby, J. Org. Chem. **18**, 485 (1953).
[8] S. Dev u. P. C. Guha, J. indian chem. Soc. **25**, 13 (1948).
[9] F. Muhr, B. **28**, 3215 (1895).
[10] M. C. Kloetzel, R. P. Dayton u. H. L. Herzog, Am. Soc. **72**, 273 (1950).
[11] R. C. Fuson u. W. C. Hamman, Am. Soc. **74**, 1626 (1952).
[12] L. F. Fieser et al., Am. Soc. **70**, 3197 (1948).
[13] F. G. Baddar, I. M. Dwidar u. M. Gindy, Soc. **1959**, 1002.
[14] S. Dev, J. indian chem. Soc. **25**, 69 (1948).

4-Oxo-2-methyl-4-(4-äthyl-phenyl)-butansäure[1]	52% d. Th.	F: 108–109°
4-Oxo-2-methyl-4-(4-isopropyl-phenyl)-butansäure[2]		F: 118–119°
4-Oxo-2-methyl-4-(2,4-dimethyl-phenyl)-butansäure[3]		F: 77°
4-Oxo-2-methyl-4-(2-methyl-5-isopropyl-phenyl)-butansäure[4]		F: 118–119°
4-Oxo-2-methyl-4-(2,3,4,5-tetramethyl-phenyl)-butansäure[5]	81% d. Th.	F: 130–131°
4-Oxo-2-äthyl-4-(2,5-dimethyl-phenyl)-butansäure[1]	85% d. Th.	F: 100–102°

Zur Umsetzung von Äthyl-bernsteinsäure-anhydrid/Aluminiumchlorid mit Benzol zu *4-Oxo-2-äthyl-4-phenyl-butansäure* verwendet man mit Vorteil Dichlormethan als Verdünnungsmittel[6]. Aus Cyclohexyl-bernsteinsäure-anhydrid/Aluminiumchlorid erhält man in überschüssigem Benzol *4-Oxo-2-cyclohexyl-4-phenyl-butansäure* (73% d. Th.)[7]. Methylen-bernsteinsäure-anhydrid ergibt mit Benzol in einem Überschuß des Kohlenwasserstoffs[8] oder in Schwefelkohlenstoff[9] *4-Oxo-2-methylen-4-phenyl-butansäure*. Auch bei der Acylierung von Benzol mit Brom-bernsteinsäure-anhydrid/Aluminiumchlorid entsteht *2-Brom-4-oxo-4-phenyl-butansäure*[10].

Mit α,α-Dialkyl-bernsteinsäure-anhydriden sollten ebenfalls isomere Keto-carbonsäuren entstehen, man isoliert jedoch nur 4-Oxo-2,2-dialkyl-4-phenyl-butansäuren als Reaktionsprodukte. So entsteht aus α,α-Dimethyl-bernsteinsäure-anhydrid/Aluminiumchlorid in überschüssigem Benzol[11,12] *4-Oxo-2,2-dimethyl-4-phenyl-butansäure* (80–90% d. Th.) und mit Toluol *4-Oxo-2,2-dimethyl-4-(4-methyl-phenyl)-butansäure*[13]. Mit Indan erhält man in Nitrobenzol *4-Oxo-2,2-dimethyl-4-indanyl-(5)-butansäure* (20% d. Th.)[14]. α-Methyl-α-äthyl-[15] und α,α-Diäthyl-bernsteinsäure-anhydrid[13] werden mit überschüssigem Benzol zu *4-Oxo-2-methyl-2-äthyl-* bzw. *4-Oxo-2,2-diäthyl-4-phenyl-butansäure* umgesetzt. Aus 1-Carboxymethyl-1-carboxy-cyclopentan-anhydrid (α,α-Tetramethylen-bernsteinsäure-anhydrid)[16] und 1-Carboxymethyl-1-carboxy-cyclohexan-anhydrid (α,α-Pentamethylen-bernsteinsäure-anhydrid)[17] erhält man *1-(2-Oxo-2-phenyl-äthyl)-1-carboxy-cyclopentan* bzw. *-cyclohexan*.

α,β-Dimethyl-bernsteinsäure-anhydrid reagiert mit überschüssigem Benzol in Gegenwart von Aluminiumchlorid zu *4-Oxo-2,3-dimethyl-4-phenyl-butansäure* (86% d. Th.)[18]. In überschüssigem Toluol erhält man *4-Oxo-2,3-dimethyl-4-(4-methyl-phenyl)-butansäure*[19]. Isopropyl-benzol[20] sowie 4-Methyl-1-isopropyl-benzol[21] führen zu *4-*

[1] W. Cocker u. P. H. Hayes, Soc. **1951**, 844.
[2] R. C. Gupta u. M. S. Muthana, J. indian Inst. Sci. **35** [A], 263 (1953); C. A. **49**, 239 (1955).
[3] R. C. Gupta u. M. S. Muthana, J. indian Inst. Sci. **35** [A], 310 (1953); C. A. **49**, 9572 (1955).
[4] R. C. Gupta u. M. S. Muthana, J. indian Inst. Sci. **35** [A], 131 (1953); C. A. **48**, 9347 (1954).
[5] B. J. Abadir, J. W. Cook u. D. T. Gibson, Soc. **1953**, 8.
[6] W. Cocker et al., Soc. **1960**, 2230.
[7] C. D. Gutsche, N. N. Saha u. H. E. Johnson, Am. Soc. **79**, 4441 (1957).
[8] S. Discon, N. Gregory u. L. F. Wiggins, Soc. **1949**, 2139.
[9] R. E. Lutz et al., Am. Soc. **75**, 5039 (1953).
[10] G. P. Rice, Am. Soc. **52**, 2094 (1930).
[11] E. N. Marvell u. A. O. Geiszler, Am. Soc. **74**, 1259 (1952).
[12] M. A. Saboor, Soc. **1945**, 922.
[13] S. C. S. Gupta, J. pr. [2] **151**, 82 (1938).
[14] S. C. S. Gupta, J. indian chem. Soc. **16**, 89 (1939).
[15] G. R. Clemo u. H. G. Dickenson, Soc. **1937**, 255.
[16] S. C. S. Gupta, J. indian chem. Soc. **11**, 389 (1934); **16**, 349 (1939).
[17] R. D. Desai u. M. A. Wall, Pr. indian Acad. **6** [A], 135 (1937); C. A. **32**, 508 (1938).
[18] E. Rothstein u. M. A. Saboor, Soc. **1943**, 425.
[19] M. Kobayashi, J. chem. Soc. Japan, pure Chem. Sect. **74**, 367 (1953); C. A. **48**, 6399 (1954).
[20] R. C. Gupta u. M. S. Muthana, J. indian Inst. Sci. **35** [A], 307 (1953); C. A. **49**, 9572 (1955).
[21] R. C. Gupta u. M. S. Muthana, J. indian Inst. Sci. **35** [A], 259 (1953); C. A. **49**, 239 (1955).

Oxo-2,3-dimethyl-4-(4-isopropyl-phenyl)- bzw. *-4-(2-methyl-5-isopropyl-phenyl)-butansäure.*

Trimethyl-bernsteinsäure-anhydrid ergibt mit Benzol *4-Oxo-2,2,3-trimethyl-4-phenyl-butansäure* (55% d. Th.)[1]. Unter analogen Bedingungen reagiert Tetramethyl-bernsteinsäure-anhydrid mit Benzol bzw. Toluol zu *4-Oxo-2,2,3,3-tetramethyl-4-phenyl-* bzw. *-4-(4-methyl-phenyl)-butansäure*; dabei wird Kohlenmonoxid abgespalten, ein Zeichen dafür, daß teilweise Decarbonylierung erfolgt[1].

Phenyl-bernsteinsäure-anhydrid ergibt mit überschüssigem Benzol in Gegenwart von Aluminiumchlorid eine Isomerenmischung, die etwa aus gleichen Teilen *4-Oxo-2,4-* bzw. *-3,4-diphenyl-butansäure* besteht[2]. Wenn man die Umsetzung in 1,1,2,2-Tetrachlor-äthan vornimmt, erhält man *4-Oxo-3,4-diphenyl-butansäure* als Hauptreaktionsprodukt[3], in Nitrobenzol entsteht dagegen eine Mischung von Reaktionsprodukten, die 89% *4-Oxo-2,4-* und nur 11% *-3,4-diphenyl-butansäure* enthält[4]. Auch bei der Umsetzung von (4-Nitro-phenyl)- oder (4-Chlor-phenyl)-bernsteinsäure-anhydrid mit überschüssigem Benzol entstehen Isomerenmischungen, die etwa gleiche Mengen an *4-Oxo-4-phenyl-2-[4-nitro-* (bzw. *-4-chlor)-phenyl]-* und *3-[4-nitro-* (bzw. *-4-chlor)-phenyl]-butansäure* enthalten, in Nitrobenzol erhält man in diesen Fällen nahezu ausschließlich *4-Oxo-4-phenyl-3-[4-nitro-(bzw.-4-chlor)-phenyl]-butansäure*. Wenn man Benzol mit (4-Methoxy-phenyl)-bernsteinsäure-anhydrid acyliert, erhält man in einem Überschuß des Kohlenwasserstoffs genauso wie in Nitrobenzol nur *4-Oxo-4-phenyl-2-(4-methoxy-phenyl)-butansäure*[4]. Ähnlich liegen die Verhältnisse bei der Acylierung von Toluol mit Phenyl-bernsteinsäure-anhydrid, (4-Nitro-phenyl)- oder (4-Chlor-phenyl)-bernsteinsäure-anhydrid[4]. Äthyl-benzol ergibt mit Phenyl-bernsteinsäure-anhydrid/Aluminiumchlorid in Nitrobenzol *4-Oxo-2-phenyl-4-(4-äthyl-phenyl)-butansäure*[3]. Mit 1,2,4,5-Tetramethyl-benzol erhält man in Schwefelkohlenstoff eine Isomerenmischung, die zu zwei Dritteln aus *4-Oxo-3-phenyl-4-(2,3,5,6-tetramethyl-phenyl)-butansäure* und zu einem Drittel aus *4-Oxo-2-phenyl-4-(2,3,5,6-tetramethyl-phenyl)-butansäure* besteht[5].

Aus *α,β*-Diphenyl-bernsteinsäure-anhydrid und überschüssigem Benzol entsteht in Gegenwart von Aluminiumchlorid *4-Oxo-2,3,4-triphenyl-butansäure* (74,5% d. Th.)[6], aus Toluol *4-Oxo-2,3-diphenyl-4-(4-methyl-phenyl)-butansäure* und aus 1,2-Dimethyl-benzol in 1,1,2,2-Tetrachlor-äthan *4-Oxo-2,3-diphenyl-4-(3,4-dimethyl-phenyl)-butansäure*[6].

cis-Cycloalkan-dicarbonsäure-anhydride werden in Gegenwart von Aluminiumchlorid mit Benzol zu 2-Benzoyl-cycloalkan-1-carbonsäuren umgesetzt. Auf diese Weise erhält man aus *cis*-Cyclobutan-1,2-dicarbonsäure-anhydrid[7] *2-Benzoyl-cyclobutan-1-carbonsäure* und aus *cis*-Cyclohexan-1,2-dicarbonsäure-anhydrid[8] *2-Benzoyl-cyclohexan-1-carbonsäure* (90% d. Th.).

---

[1] E. ROTHSTEIN u. M. A. SABOOR, Soc. **1943**, 425.

[2] A. ALI et al., Soc. **1937**, 1013.

[3] F. G. BADDAR, A. M. FLEIFEL u. S. SHERIF, J. Chem. U. A. R. **3**, 47 (1960); C. A. **55**, 10404 (1961).

[4] M. A. WALI et al., Pr. indian Acad. **14** [A], 139 (1941); C. A. **36**, 1598 (1942).

[5] R. C. FUSON u. R. G. BANNISTER, Am. Soc. **74**, 1629 (1952).

[6] J. A. McRAE, R. A. B. BANNARD u. R. B. Ross, Canad. J. Res. **28** [B], 73, (1950).

[7] E. ELLINGBOE u. R. C. FUSON, Am. Soc. **56**, 1774 (1934).

[8] L. F. FIESER u. F. C. NOVELLO, Am. Soc. **64**, 802 (1942).

Bei der analogen Umsetzung von Glutarsäure-anhydrid/Aluminiumchlorid mit Benzol[1] erhält man *5-Oxo-5-phenyl-pentansäure*[2], mit Toluol die *5-Oxo-5-(4-methyl-phenyl)-pentansäure* (69% d. Th.)[3].

5-Oxo-5-[1,2,3,4-tetralinyl-(6)]-pentansäure[4]: Eine Lösung von 50 g (0,38 Mol) 1,2,3,4-Tetra-hydro-naphthalin und 28 g (0,25 Mol) Glutarsäure-anhydrid in 300 *ml* trockenem Benzol wird unter Rühren auf 10° abgekühlt. Man fügt 67 g (0,5 Mol) Aluminiumchlorid portionsweise derart hinzu, daß die Temp. unter 15° bleibt. Die Mischung wird noch 8 Stdn. gerührt und dann über Nacht bei Raumtemp. stehen gelassen. Man zersetzt die Reaktionsmischung in üblicher Weise mit Eis und Säure, nach dem Abdestillieren des Benzols mit Wasserdampf wird die in Natrium-carbonat lösliche Fraktion nach dem Klären mit A-Kohle 3mal aus Benzol/Ligroin umgelöst; Ausbeute: 26 g (43 % d. Th.); F: 92–93°.

β-Methyl-glutarsäure-anhydrid reagiert mit Benzol zu *5-Oxo-3-methyl-5-phenyl-pentansäure* (90% d. Th.)[5], *β,β*-Dimethyl-glutarsäure-anhydrid zur *5-Oxo-3,3-di-methyl-5-phenyl-pentansäure* (83% d. Th.)[6] und *β*-Methyl-*β*-äthyl-glutarsäure-anhydrid zu *5-Oxo-3-methyl-3-äthyl-5-phenyl-pentansäure*[7]. 1,1-Bis-[carboxymethyl]-cyclopen-tan-anhydrid (*β,β*-Tetramethylen-glutarsäure-anhydrid) und 1,1-Bis-[carboxy-methyl]-cyclohexan-anhydrid (*β,β*-Pentamethylen-glutarsäure-anhydrid) ergeben *1-(2-Oxo-2-phenyl-äthyl)-1-carboxymethyl-cyclopentan* bzw. *-cyclohexan*[7].

α-Phenyl-glutarsäure-anhydrid ergibt bei der Umsetzung mit überschüssigem Benzol mit Aluminiumbromid *5-Oxo-2,5-diphenyl-pentansäure* (67% d. Th.)[8]. Aus *β*-Phenyl-glutarsäure-anhydrid entsteht in Benzol neben unidentifizierten Reak-tionsprodukten das Selbstkondensationsprodukt *3-Oxo-1-carboxymethyl-indan*[7]:

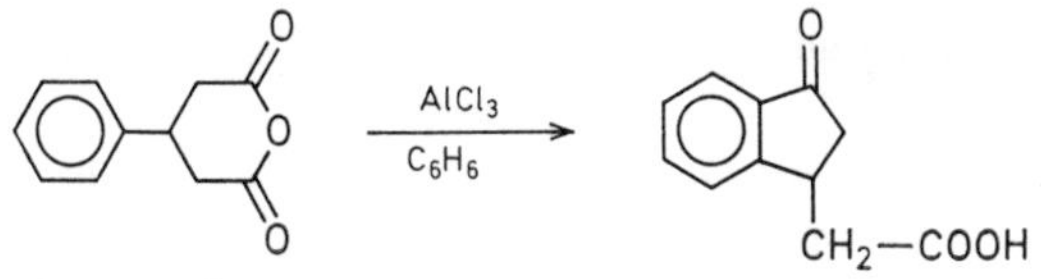

Höhere Alkandisäuren wie z. B. Hexandisäure (Adipinsäure) oder Decandisäure bilden beim Erhitzen mit überschüssigem Essigsäureanhydrid polymere Anhydride der allgemeinen Formel

$$[-CO-(CH_2)_x-CO-O-]_n$$
$$(x > 3)$$

Bei der Acylierung von Benzol entstehen daraus nebeneinander *α,ω*-Dioxo-*α,ω*-diphenyl-alkane, *ω*-Oxo-*ω*-phenyl-alkansäuren und Alkandisäuren:

[1] E. BURCKER, A. ch. [5] **26**, 433 (1882).
   L. F. SOMMERVILLE u. C. H. F. ALLEN, Org. Synth. Coll. Vol. II, 81 (1943).
   E. L. MARTIN u. L. F. FIESER, Org. Snyth. Coll. Vol. II, 82 (1943).
[2] D. J. CRAM u. H. U. DAENIKER, Am. Soc. **76**, 2743 (1954).
[3] F. D. CARTER, I. L. SIMONSEN u. H. O. WILLIAMS, Soc. **1940**, 451.
[4] L. F. FIESER et al., Am. Soc. **70**, 3197 (1948).
[5] K. SATO u. D. MIYAMOTO, J. chem. Soc. Japan, pure Chem. Sect. **75**, 225 (1954); C. A. **49**, 10260 (1959).
[6] A. T. BLOMQUIST u. F. JAFFE, Am. Soc. **80**, 3405 (1958).
[7] A. ALI et al., Soc. **1937**, 1013.
[8] E. C. HORNIG u. A. F. FINELLI, Am. Soc. **71**, 3204 (1949).

$$\left[-CO-(CH_2)_x-CO-O-\right]_n \;+\; C_6H_6 \;\xrightarrow{\;AlCl_3\;}$$

$$\frac{n}{4}\; \langle\bigcirc\rangle-CO-(CH_2)_x-CO-\langle\bigcirc\rangle \;+\; \frac{n}{2}\; \langle\bigcirc\rangle-CO-(CH_2)_x-COOH$$

$$+\; \frac{n}{4}\; HOOC-(CH_2)_x-COOH$$

1,6-Dioxo-1,6-diphenyl-hexan und 6-Oxo-6-phenyl-hexansäure[1]: 146 g (1 Mol) Hexandisäure (Adipinsäure) und 400 *ml* Essigsäure-anhydrid werden 6 Stdn. rückfließend gekocht. Das überschüssige Essigsäure-anhydrid und die bei der Reaktion gebildete Essigsäure werden i.Vak. bei Badtemp. bis 120° abdestilliert. Das gebildete Poly-anhydrid wird in 400 *ml* trockenem, heißem Benzol gelöst. In 1,5 *l* trockenem Benzol, die sich in einem Dreihalskolben mit Rührer und Thermometer befinden, werden 300 g (2,25 Mol) Aluminiumchlorid suspendiert. Dazu tropft man im Verlaufe 1 Stde. die benzolische Lösung des Poly-anhydrids und läßt die Mischung über Nacht stehen. Man gibt dann Eis und 250 *ml* konz. Salzsäure zur Reaktionsmischung, trennt die Benzolschicht ab und extrahiert sie mit verd. Natriumhydroxid-Lösung. Aus der zuerst abgetrennten wäßrigen Phase scheidet sich eine geringe Menge von Kristallen ab, die aus Adipinsäure bestehen. Die alkalische Lösung wird angesäuert, der dabei abgeschiedene kristalline Niederschlag abgesaugt und getrocknet; Ausbeute an *6-Oxo-6-phenyl-hexansäure*: 78 g (37,8% d.Th.); F: 70–76° (aus Benzol-Petroläther).

Die benzolische Phase wird bis auf ein kleines Vol. konzentriert, beim Abkühlen scheidet sich *1,6-Dioxo-1,6-diphenyl-hexan* ab; Ausbeute: 56,5 g (21,2% d.Th.); F: 105–106° (aus Äthanol).

Analog erhält man aus polymerem Decandisäure-anhydrid *10-Oxo-10-phenyl-decansäure* (38,2% d.Th.) und *1,10-Dioxo-1,10-diphenyl-decan* (21,7% d.Th.). Auch die Umsetzung von 1,2,3,4-Tetrahydro-naphthalin mit polymerem Hexandisäure-anhydrid zu *6-Oxo-6-[1,2,3,4-tetrahydro-naphthyl-(6)]-hexansäure* und *1,6-Dioxo-1,6-bis-[1,2,3,4-tetrahydro-naphthyl-(6)]-hexan* wird beschrieben[2].

Glutaconsäure-anhydrid [Penten-(*cis*-2)-disäure-anhydrid] reagiert in Benzol mit Aluminiumchlorid als Katalysator zu *5-Oxo-5-phenyl-penten-(2)-säure* (25% d.Th.)[3].

Die Kondensation von Maleinsäure-anhydrid mit Aromaten und 2 Mol Aluminiumchlorid verläuft meist mit sehr guten Ausbeuten zu 4-Oxo-4-aryl-buten-(2)-säuren. Dabei findet jedoch ein Konfigurationswechsel statt, denn die erhaltenen Keto-carbonsäuren sind ausschließlich *trans*-Verbindungen[4]. Wahrscheinlich tritt diese Umlagerung auch bei der Kondensation von Anhydriden anderer α,β-ungesättigter Dicarbonsäuren ein. Zu beachten ist weiterhin, daß sich durch längeres Kochen des Reaktionsgemisches ein zweites Molekül Kohlenwasserstoff an die reaktionsfähige C=C-Doppelbindung anlagern kann und so 4-Oxo-2,4-diaryl-butansäuren[5] erhalten werden. Bei der Aufarbeitung der ungesättigten Keto-carbonsäuren muß Erwärmen mit verd. Salzsäure vermieden werden, da sonst 2-Hydroxy-4-oxo-4-aryl-butansäuren entstehen[6].

---

[1] J. W. Hill, Am. Soc. **54**, 4105 (1932).

[2] B. Bannister u. B. B. Elsner, Soc. **1951**, 1055.

[3] D. M. Barroso, J. Pascual u. J. Sistare, Anales Real. Españ. Fis. Quim. (Madrid), **53** [B], 659 (1957); C. A. **54**, 3400 (1960).

[4] N. Sugiyama et al., Bl. chem. Soc. Japan **41**, 971 (1968).

[5] R. Pummerer u. E. Buchta, B. **69**, 1005 (1936).

[6] M. J. Bougault, Ann. chim. et phys. **15**, 491 (1908).

4-Oxo-4-aryl-buten-(*trans*-2)-säuren; allgemeine Arbeitsvorschrift[1]: 1 Mol gepulvertes Maleinsäure-anhydrid wird zu einer Suspension von 2,5 Mol fein gepulvertem Aluminiumchlorid in Dichlor-methan oder 1,2-Dichlor-äthan gegeben; die Mischung wird 30 Min. bei Raumtemp. gerührt. Dann gibt man 1 Mol des zu acylierenden Kohlenwasserstoffs hinzu. Nach 30 Min. wird die Reaktionsmischung mit verd. Salzsäure zersetzt, das Lösungsmittel abdestilliert und das feste Reaktionsprodukt aus Benzol/Benzin (1 : 1) oder verd. Essigsäure umgelöst.

Folgende 4-Oxo-4-phenyl-buten-(*trans*-2)-säuren werden auf diese Weise erhalten:

4-Oxo-4-phenyl-buten-(2)-säure	85% d.Th.	F: 96–97°
4-Oxo-4-(4-methyl-phenyl)-buten-(2)-säure	70% d.Th.	F: 137–138°
4-Oxo-4-(2,5-dimethyl-phenyl)-buten-(2)-säure	89% d.Th.	F: 89–90°
4-Oxo-4-(2,4-dimethyl-phenyl)-buten-(2)-säure	91% d.Th.	F: 117–118°
4-Oxo-4-(3,4-dimethyl-phenyl)-buten-(2)-säure	76% d.Th.	F: 122–123°
4-Oxo-4-(2,4,6-trimethyl-phenyl)-buten-(2)-säure	83% d.Th.	F: 140–141°
4-Oxo-4-(2,4,5-trimethyl-phenyl)-buten-(2)-säure	80% d.Th.	F: 148–149°
4-Oxo-4-(2,3,5,6-tetramethyl-phenyl)-buten-(2)-säure	83% d.Th.	F: 182–183°
4-Oxo-4-(2,3,4,5-tetramethyl-phenyl)-buten-(2)-säure	76% d.Th.	F: 122-123°

In Org. Synthesis[2] findet sich eine Herstellungsvorschrift für *4-Oxo-4-phenyl-buten-(trans-2)-säure*, wonach 1 Mol Maleinsäure-anhydrid in ~ 700 *ml* Benzol mit ~ 2,2 Mol Aluminiumchlorid zum Schluß unter Rückflußsieden kondensiert werden. Die Ausbeute beträgt ~ 85% der Theorie.

Zahlreiche Alkyl-benzole mit Alkyl-Resten bis zu 12 Kohlenstoffatomen werden mit Maleinsäure-anhydrid/Aluminiumchlorid in Schwefelkohlenstoff zu entsprechenden 4-Oxo-4-(4-alkyl-phenyl)-buten-(2)-säuren umgesetzt[3]. Aus 1,4-Di-tert.-butyl-benzol entsteht unter diesen Bedingungen *4-Oxo-4-(4-tert.-butyl-phenyl-buten-(2)-säure*[4]. Zur Acylierung von Cyclohexyl-benzol und von 1,2,3,4-Tetrahydro-naphthalin verwendet man 1,1,2,2-Tetrachlor-äthan als Verdünnungsmittel, man erhält dabei *4-Oxo-4-(4-cyclohexyl-phenyl)-buten-(2)-säure* (68% d.Th.) bzw. *4-Oxo-4-[1,2,3,4-tetrahydro-naphthyl-(6)]-buten-(2)-säure*[5] (50% d.Th.).

Methyl-maleinsäure-anhydrid reagiert in Benzol mit Aluminiumchlorid zu einer Mischung aus *4-Oxo-3-methyl-4-phenyl-buten-(2)-säure* (46% d.Th.) und *4-Oxo-2-methyl-4-phenyl-buten-(2)-säure* (14% d.Th.)[6]. Auch bei der Umsetzung mit Toluol in einem Überschuß des Kohlenwasserstoffs erhält man ein Gemisch aus *4-Oxo-2-(und -3-methyl-4-(4-methyl-phenyl)-buten-(2)-säure*[7]. Aus Phenyl-maleinsäure-anhydrid und überschüssigem Benzol entsteht *4-Oxo-3,4-diphenyl-buten-(2)-säure* (50% d.Th.)[8]. Brom-maleinsäure-anhydrid reagiert in Benzol zu *2-Brom-4-oxo-4-phenyl-buten-(2)-säure* (32% d.Th.) und *3-Brom-4-oxo-4-phenyl-buten-(2)-säure*[9]. Aus Dimethyl-maleinsäure-anhydrid und Benzol erhält man *4-Oxo-2,3-dimethyl-4-phenyl-buten-(2)-säure* (49% d.Th.); die Umsetzung verläuft in Schwefelkohlenstoff mit besserer Ausbeute als in überschüssigem Benzol[10]. Analog werden auch Toluol[11] und 1,3,5-Tri-

[1] G. BADDELEY, G. HOLT u. S. M. MAKAR, Soc. **1952**, 3289.
[2] O. GRUMMIT u. E. I. BECKER, Org. Synth. Coll. Vol. III, 109 (1955).
[3] F. K. KIRCHNER, J. H. BAILEY u. C. J. CAVALLITO, Am. Soc. **71**, 1210 (1949).
[4] C. C. PRICE et al., J. Org. Chem. **7**, 517 (1942).
[5] D. PAPA et al., Am. Soc. **70**, 3356 (1948).
[6] R. E. LUTZ et al., Am. Soc. **75**, 5039 (1953).
[7] F. MAYER u. G. STAMM, B. **56**, 1424 (1923).
[8] C. R. BAUER u. R. E. LUTZ, Am. Soc. **75**, 5997 (1953).
[9] G. P. RICE, Am. Soc. **52**, 2094 (1930).
[10] R. E. LUTZ u. R. J. TAYLOR, Am. Soc. **55**, 1593 (1933).
[11] M. KOBAYASHI, J. chem. Soc. Japan, pure Chem. Sect. **74**, 367 (1953); C. A. **48**, 6399 (1954).

methyl-benzol[1] mit Dimethyl-maleinsäure-anhydrid zu *4-Oxo-2,3-dimethyl-4-[4-methyl-* (bzw. *2,4,6-trimethyl)-phenyl]-buten-(2)-säure* umgesetzt. Dibrom-maleinsäure-anhydrid ergibt mit überschüssigem Benzol/Aluminiumchlorid *cis-2,3-Dibrom-4-oxo-4-phenyl-buten-(2)-säure* (63% d. Th.), die analoge Umsetzung mit 1,3,5-Tri-methyl-benzol zu *2,3-Dibrom-4-oxo-4-(2,4,6-trimethyl-phenyl)-buten-(2)-säure* (79% d. Th.) wird in Schwefelkohlenstoff vorgenommen[2].

Cyclopenten-(1)-1,2-dicarbonsäure-anhydrid wird in Gegenwart von Alu-miniumchlorid mit Benzol oder Toluol in einem Überschuß des Kohlenwasserstoffs bei 60–70° umgesetzt; man erhält dabei *2-Benzoyl-* bzw. *2-(4-Methyl-benzoyl)-cyclo-penten-(1)-1-carbonsäure*[3], (*cis*), Umsetzungen mit Äthyl-benzol[3], 2,3-Dihydro-inden[4] oder 1,2,3,4-Tetrahydro-naphthalin werden unter Eiskühlung in Nitrobenzol vor-genommen, man erhält dabei *2-(4-Äthyl-benzoyl)-cyclopenten-(1)-1-carbonsäure,* *5-[1-Carboxy-cyclopenten-(1)-oyl-(2)]-indan* und *6-[1-Carboxy-1-cyclopenten-(1)-oyl-(2)]-tetralin.*

Überschüssiges Benzol wird durch Cyclohexen-(1)-4,5-dicarbonsäure-anhydrid/Aluminiumchlorid bei Rückflußtemperatur acyliert und alkyliert, man erhält eine Mischung von *4-* und *5-Phenyl-2-benzoyl-1-carboxy-cyclohexan* (98% d. Th.)[5].

Es gibt auch einige cyclische Carbonsäureanhydride, die sich nicht in normaler Weise mit Aromaten und Aluminiumchlorid kondensieren lassen. So erhält man z. B. aus dem Anhydrid I und Benzol die *2,2,3-Trimethyl-3-phenyl-cyclopentan-1-carbon-säure*[6] (II):

Mit Anisol hingegen entsteht die erwartete *1,2,2-Trimethyl-3-(4-methyl-benzoyl)-cyclopentan-1-carbonsäure*[7].

Das Dienaddukt aus Hexachlor-cyclopentadien und Maleinsäureanhydrid läßt sich in normaler Weise mit Aluminiumchlorid und Aromaten zu *1,2,3,4,7,7-Hexachlor-6-benzoyl-5-carboxy-bicyclo[2.2.1]hepten-(2)* kondensieren[8] (Ein Ringschluß zum Chinon war jedoch nicht durchzuführen).

[1] R. E. LUTZ u. R. J. TAYLOR, Am. Soc. 55, 1593 (1933).
[2] R. E. LUTZ, Am. Soc. 52, 3405 (1930).
[3] S. C. S. GUPTA u. N. N. SAHA, J. indian chem. Soc. 29, 331 (1952).
[4] S. C. S. GUPTA u. A. BATTACHARJEE, J. indian chem. Soc. 30, 805 (1953).
[5] E. SCHEFCZIK, B. 98, 1270 (1965).
[6] E. ROTHSTEIN u. R. W. SAVILLE, Soc. 1949, 1961.
[7] W. BLEAZARD u. E. ROTHSTEIN, Soc. 1961, 68.
[8] E. T. McBEE u. W. R. DIVELEY, Am. Soc. 77, 493 (1955).

Bei der Acylierung von Benzol mit Phthalsäure-anhydrid/Aluminiumchlorid erhält man *Benzophenon-2-carbonsäure*. Die Umsetzung kann nach allen gängigen Varianten der Keton-Synthese nach Friedel-Crafts vorgenommen werden und ist von technischer Bedeutung, da die Reaktionsprodukte Zwischenprodukte zur Herstellung von Anthrachinon-Derivaten sind; die Ausbeuten an *Benzophenon-2-carbonsäure* liegen durchweg über 90% der Theorie[1,2].

Aluminiumchlorid-Benzophenon-2-carbonsäure-Komplexe lassen sich durch Erhitzen nicht zu Anthrachinon kondensieren. Hierzu muß man erst die Keto-carbonsäuren in Freiheit setzen, die sich dann leicht, z. B. durch Erhitzen mit konz. Schwefelsäure oder 20%-igem Oleum, zu Anthrachinon cyclisieren lassen.

Bei der Acylierung von Alkyl-benzolen mit Phthalsäure-anhydrid/Aluminiumchlorid kann es zweckmäßig sein, die Umsetzung bei Temperaturen um 0° zu beginnen und bei Raumtemperatur zu beenden, um Abspaltung von Alkyl-Gruppen oder Isomerisierungen zu vermeiden[3].

An die technische Herstellung von *4-Methyl-benzophenon-2-carbonsäure* lehnt sich die folgende Vorschrift an:

4-Methyl-benzophenon-2'-carbonsäure[4]: In eine Mischung von 2,6 kg (28,6 Mol) Toluol und 0,99 kg (7,4 Mol) frischem, körnigem Aluminiumchlorid rührt man langsam 0,55 kg (3,7 Mol) Phthalsäure-anhydrid ein und hält dabei die Temp. durch schwaches Kühlen auf ∼ 50°. Mit dieser Variante entsteht ein gleichmäßiger Strom von Chlorwasserstoff und man vermeidet so die meist stürmisch einsetzende Chlorwasserstoff-Entwicklung beim Eintragen des zweiten Moles Aluminiumchlorid. Nach ∼ 3 stdgr. Reaktionszeit ist die Chlorwasserstoff-Entwicklung beendet. Man rührt dann die Reaktionsmasse in ein vorgelegtes Eis- und Schwefelsäure-Gemisch ein, trennt die organische Phase ab, wäscht sie säurefrei und entzieht ihr das Reaktionsprodukt mittels verd. Natronlauge. Nach dem Filtrieren und Einrühren in verd. Schwefelsäure fällt die 4-Methyl-benzophenon-2'-carbonsäure grobkristallin aus; Ausbeute: 0,84 kg (95% d. Th.); F: 133—137°.

Bei der Umsetzung von Phthalsäure-anhydrid mit Toluol mit Titan(IV)-chlorid als Katalysator entsteht *3,3-Bis-[4-methyl-phenyl]-phthalid* als Hauptreaktionsprodukt (60% d.Th.)[5]. Indan wird durch Phthalsäure-anhydrid/Aluminiumchlorid in Schwefelkohlenstoff zu *5-(2-Carboxy-benzoyl)-indan* (80% d.Th.) acyliert[6]. Die Umsetzung von Tetralin in Benzol liefert *6-(2-Carboxy-benzoyl)-tetralin* (97% d.Th.)[7]. Unter analogen Bedingungen entsteht mit 6-Methyl-tetralin *6-Methyl-7-(2-carboxy-benzoyl)-tetralin* (85% d.Th.)[8]. Beim 24 stündigen Erhitzen von Hexamethyl-benzol mit Phthalsäure-anhydrid/Aluminiumchlorid in 1,1,2,2-Tetrachlor-äthan auf 80—85° entsteht *2',3',4',5',6'-Pentamethyl-2-carboxy-benzophenon* (12,1% d.Th.). Hexaäthyl-benzol liefert bereits nach 6 stündigem Erhitzen mit Phthalsäure-anhydrid/Aluminiumchlorid in 1,2-Dichlor-benzol *2',3',4',5',6'-Pentaäthyl-2-carboxy-benzophenon* (26% d.Th.)[9].

---

[1] L. F. Fieser, *Experiments in Organic Chemistry*, S. 183, D. C. Heath & Co., New York 1935.

[2] H. E. Fierz-David u. L. Blangey, *Grundlegende Operationen der Farbenchemie*, 8. Aufl., S. 223, Springer-Verlag, Wien 1952.

[3] G. F. Lewenz u. K. T. Serijan, Am. Soc. **75**, 4087 (1953).

[4] Fiat Final Report No. 1313 II, S. 39.

[5] N. M. Cullinane, S. J. Chard u. D. M. Leyshon, Soc. **1952**, 376.

[6] J. v. Braun, G. Kirschbaum u. H. Schuhmann, B. **53**, 1155 (1920).

[7] L. F. Fieser, Am. Soc. **53**, 2329 (1931).

[8] M. S. Newman u. R. Gaertner, Am. Soc. **72**, 264 (1950).

[9] H. Hopff u. A. K. Wick, Helv. **43**, 1473 (1960).

Tab. 57. Alkyl-benzophenon-2-carbonsäuren durch Acylierung von Alkyl-benzolen mit Phthalsäure-anhydrid/Aluminiumchlorid

Benzophenon-2-carbonsäure	Ausbeute [% d.Th.]	F [°C]	Literatur
4'-Methyl-2-carboxy-benzophenon	96	139,6–140,5	1
4'-Äthyl-2-carboxy-benzophenon		130,7–131,6	2
4'-Propyl-2-carboxy-benzophenon	90	125,4–126,2	3
4'-Isopropyl-2-carboxy-benzophenon*	78,3	129–130	4
4'-Butyl-2-carboxy-benzophenon*	67	99–100	4
4'-Butyl-(2)-2-carboxy-benzophenon		129–129,6	4
4'-(2-Methyl-propyl)-2-carboxy-benzophenon		125,2–126,8	2
4'-tert.-Butyl-2-carboxy-benzophenon*	65,6	148–149	4
4'-Pentyl-2-carboxy-benzophenon*	40	99–100	4
4'-Heptyl-2-carboxy-benzophenon*	71	103	4
4'-Octyl-2-carboxy-benzophenon*	41	80	4
4'-Dodecyl-2-carboxy-benzophenon*	43,3	96–97	4
4'-Cyclohexyl-2-carboxy-benzophenon		179–180	5
3',4'-Dimethyl-2-carboxy-benzophenon	99	167	6
2',4'-Dimethyl-2-carboxy-benzophenon**	89	142–143	7
2',5'-Dimethyl-2-carboxy-benzophenon**	95	149–150	7
2',4',6'-Trimethyl-2-carboxy-benzophenon*	73	211–212	7
2',4',5'-Trimethyl-2-carboxy-benzophenon*	69	146–147	7
2',3',4'-Trimethyl-2-carboxy-benzophenon**	69	160–161	7
2',3',4',5'-Tetramethyl-2-carboxy-benzophenon**	85	162–163	7
2'.3',5',6'-Tetramethyl-2-carboxy-benzophenon**	89	263–264	7

* in Schwefelkohlenstoff
** in Dichlormethan oder 1,2-Dichlor-äthan

3-Methyl-phthalsäure-anhydrid liefert in Gegenwart von Aluminiumchlorid mit Benzol eine Mischung von *3-Methyl-2-carboxy-*, *6-Methyl-2-carboxy-benzophenon* und *7-Methyl-3,3-diphenyl-phthalid*[8]:

23,4% d.Th.   14% d.Th.   9,5% d.Th.

1 L. F. Fieser, Org. Synth. Coll. Vol. I, S. 517 (1941).
2 G. F. Lewenz u. K. T. Serijan, Am. Soc. 75, 4087 (1953).
3 R. Scholl, J. Potschiwawscheg u. J. Lenko, M. 32, 687 (1911).
4 A. T. Peters u. F. M. Rowe, Soc. 1945, 181.
5 N. P. Buu-Hoï, P. Cagniant u. C. Mentzer, Bl. [5] 11, 127 (1944).
6 G. Heller, B. 43, 2890 (1910).
7 G. Baddeley, G. Holt u. S. M. Makar, Soc. 1952, 2415.
8 M. S. Newman u. C. D. McCleary, Am. Soc. 63, 1542 (1941).

Mit 1,3-Dimethyl-benzol erhält man *2′,4′,3-* und *2′,4′,6-Trimethyl-2-carboxy-benzophenon* sowie *7-Methyl-bis-[2,4-dimethyl-phenyl]-phthalid*[1]. Nach der Umsetzung mit 1,3,5-Trimethyl-benzol isoliert man, wahrscheinlich infolge sterischer Hinderung, *2′,4′,6′,3-* (68% d. Th.) und *2′,4′,6′,6-Tetramethyl-2-carboxy-benzophenon* (16% d. Th.); es entsteht kein Phthalid[1].

4-Methyl-phthalsäure-anhydrid ergibt beim Rückflußkochen mit überschüssigem Benzol in Gegenwart von Aluminiumchlorid *4-* und *5-Methyl-2-carboxy-benzophenon*[2]. Analog erhält man mit Toluol *4,4′-* und *5,4′-Dimethyl-2-carboxy-benzophenon*[3]. Aus 4-tert.-Butyl-phthalsäure-anhydrid/Aluminiumchlorid und Benzol entsteht wahrscheinlich *4-tert.-Butyl-2-carboxy-benzophenon* als Hauptreaktionsprodukt[4]. Mit tert.-Butyl-benzol, die Umsetzung wird in einem Überschuß des Kohlenwasserstoffs ausgeführt, erhält man *4,4′-Di-tert.-butyl-2-carboxy-benzophenon* (60% d. Th.)[5].

Zur Umsetzung von 3,6-Dimethyl-phthalsäure-anhydrid/Aluminiumchlorid mit Benzol muß man die Reaktionsmischung 8 Stunden rückfließend kochen, da infolge sterischer Hinderung die Reaktion nur schwer eintritt; man erhält *3,6-Dimethyl-2-carboxy-benzophenon* (72% d. Th.)[6]. Analog verlaufen Umsetzungen mit Toluol[7] zu *3,6,4′-Trimethyl-2-carboxy-benzophenon* und mit 1,3-Dimethyl-benzol zu *3,6,2′,4′-Tetramethyl-2-carboxy-benzophenon*[6]. Mit 1,3,5-Trimethyl-benzol entsteht *3,6,2′,4′,6′-Pentamethyl-2-carboxy-benzophenon* (34% d. Th.)[6].

Aus 3,4-Dimethoxy-phthalsäure-anhydrid und überschüssigem Toluol entsteht in Gegenwart von überschüssigem Aluminiumchlorid bei 45–55° *2-Hydroxy-3-methoxy-4′-methyl-6-carboxy-benzophenon*[8]. Bei der Umsetzung von 4,5-Dimethoxy-phthalsäure-anhydrid/Aluminiumchlorid mit überschüssigem Benzol, die Reaktionsmischung wird 6 Stunden rückfließend gekocht, erfolgt nur teilweise Ätherspaltung, und man erhält *3,4-Dimethoxy-* und *4-Hydroxy-3-methoxy-* bzw. *3-Hydroxy-4-methoxy-6-carboxy-benzophenon*[9].

3-Halogen-phthalsäure-anhydride wie 3-Fluor-[10], 3-Chlor-[11] oder 3-Brom-phthalsäure-anhydrid[12] liefern beim 3–4 stündigen Rückflußkochen mit Benzol/Aluminiumchlorid mit hohen Ausbeuten *6-Halogen-2-carboxy-benzophenone*; z. B.:

6-Fluor-2-carboxy-benzophenon	91% d. Th.	F: 180°
6-Chlor-2-carboxy-benzophenon	96,5% d. Th.	F: 232,8–234,2°
6-Brom-2-carboxy-benzophenon	89% d. Th.	F: 231,5°

3-Chlor-phthalsäure-anhydrid ergibt mit 1,3-Dimethyl-benzol/Aluminiumchlorid in Schwefelkohlenstoff *6-Chlor-2′,4′-dimethyl-2-carboxy-benzophenon* (89% d. Th.), mit 1,3,5-Trimethyl-benzol entsteht dagegen eine Mischung aus *6-Chlor-* (81% d. Th.)

[1] M. S. NEWMAN u. C. W. MUTH, Am. Soc. **72**, 5191 (1950).
[2] M. HAYASHI, Soc. **1930**, 1513.
[3] G. T. MORGAN u. E. A. COULSON, Soc. **1929**, 2551.
[4] R. B. CONTRACTOR u. A. T. PETERS, Soc. **1949**, 1314.
[5] B. W. LARNER u. A. T. PETERS, Soc. **1952**, 680.
[6] M. S. NEWMAN u. B. T. LORD, Am. Soc. **66**, 733 (1944).
[7] F. MAYER u. O. STARK, B. **64**, 2003 (1931).
[8] P. C. MITTER u. H. G. BISWAS, J. indian chem. Soc. **5**, 769 (1928).
[9] A. OLIVERIO, G. **64**, 139 (1934).
[10] M. BENTOV u. E. D. BERGMANN, Bl. **1961**, 1316.
[11] M. S. NEWMAN u. P. G. SCHEURER, Am. Soc. **78**, 5004 (1956).
[12] H. N. STEPHENS, Am. Soc. **43**, 1950 (1921).
E. H. HUNTRESS, K. PFISTER u. K. H. T. PFISTER, Am. Soc. **64**, 2845 (1942).

Tab. 58. Halogen-2-carboxy-benzophenone aus Di- oder Poly-halogen-phthal-säure-anhydriden/Aluminiumchlorid und Kohlenwasserstoffen

2-Carboxy-benzophenon	Ausbeute [% d.Th.]	F [°C]	Literatur
3,4-oder 5,6-Dichlor-2-carboxy-benzophenon	96	216	1
3,6-Dichlor-2-carboxy-benzophenon	55	168,5	1
3,6-Dichlor-3',4'-dimethyl-2-carboxy-benzophenon		181	2
3,6-Dichlor-3',4'-dimethyl-2-carboxy-benzophenon		164	2
3,6-Dichlor-3',5'-dimethyl-2-carboxy-benzophenon		152	2
3,6-Dijod-2-carboxy-benzophenon	60	218–222	3
4,5-Dichlor-2-carboxy-benzophenon	68	209	1
4,5-Dichlor-3',4'-dimethyl-2-carboxy-benzophenon	80	184	4
4,5-Dijod-2-carboxy-benzophenon	80	244–245	3
3,4,6-Trichlor-2-carboxy-benzophenon		177	5
3,5,6-Trichlor-2-carboxy-benzophenon			5
3,4,5,6-Tetrachlor-2-carboxy-benzophenon		190,2–191,7 bzw. 203–203,5*	6
3,4,5,6-Tetrachlor-4'-methyl-2-carboxy-benzophenon	94	174,5	7
3,4,5,6-Tetrachlor-4'-äthyl-2-carboxy-benzophenon		176,3–177,1	6
3,4,5,6-Tetrachlor-2',4'-dimethyl-2-carboxy-benzophenon		231,1–231,7	6
3,4,5,6-Tetrachlor-2',5'-dimethyl-2-carboxy-benzophenon		245,2–247,2	6
3,4,5,6-Tetrachlor-3',4'-dimethyl-2-carboxy-benzophenon		182,3–182,8	6
3,4,5,6-Tetrachlor-2',4',6'-trimethyl-2-carboxy-benzophenon		233,3–233,8	6
3,4,5,6-Tetrachlor-2',4',5'-trimethyl-2-carboxy-benzophenon		209,2 bzw. 218,2–218,8*	6
3,4,5,6-Tetrabrom-2-carboxy-benzophenon		230–232	8
3,4,5,6-Tetrajod-4'-methyl-2-carboxy-benzophenon	91	266	7

* tritt in zwei Modifikationen auf.

[1] F. Ullmann u. G. Billig, A. **381**, 11 (1911).
[2] D. Harrop, R. V. Norris u. C. Weizmann, Soc. **95**, 1312 (1909).
[3] R. W. Higgins u. C. Suter, Am. Soc. **61**, 2662 (1939).
[4] E. de Barry Barnett, N. F. Goodway u. H. W. Watson, B. **66**, 1876 (1933).
[5] C. Graebe u. S. Rostowzew, B. **34**, 2107 (1901).
[6] G. F. Lewenz u. K. T. Serijan, Am. Soc. **75**, 5753 (1953).
[7] W. A. Lawrance, Am. Soc. **43**, 2577 (1921).
[8] A. Hofmann, M. **36**, 805 (1915).

und *3-Chlor-2',4',6'-trimethyl-2-carboxy-benzophenon* (18,1% d. Th.)[1]. 4-Chlor- und 4-Brom-phthalsäure-anhydrid/Aluminiumchlorid reagieren mit überschüssigem Benzol zu *4-* und *5-Chlor-*[2] bzw. *-Brom-2-carboxy-benzophenon*[3].

3-Nitro-phthalsäure-anhydrid ergibt mit überschüssigem Benzol[4] oder Toluol[5] in Gegenwart von Aluminiumchlorid Mischungen von *3-* und *6-Nitro-2-carboxy-benzophenon* bzw. von *3-* und *6-Nitro-4'-methyl-2-carboxy-benzophenon*. Analog erhält man aus 4-Nitro-phthalsäure-anhydrid *4-* und *5-Nitro-2-carboxy-benzophenon*[6] bzw. *4-* und *5-Nitro-4'-methyl-2-carboxy-benzophenon*[7] bzw. *4-* und *5-Nitro-2',4'-dimethyl-2-carboxy-benzophenon*[8]. Das Hauptreaktionsprodukt der Umsetzung von 3,5-Di-nitro-phthalsäure-anhydrid/Aluminiumchlorid mit Toluol ist *4,6-Dinitro-4'-methyl-2-carboxy-benzophenon*[9].

Auch bei der Umsetzung von 3- und 4-Acetylamino-phthalsäure-anhydrid mit Benzol erhält man isomere Benzophenon-carbonsäuren; man verseift die primär erhaltenen Acetylamino-Verbindungen sauer und isoliert dann *6-Amino-2-carboxy-benzophenon* (51% d. Th.) neben wenig *3-Amino-2-carboxy-benzophenon* und *7- (oder 4)-Amino-3,3-diphenyl-phthalid* (11% d. Th.) bzw. *4-* und *5-Amino-2-carboxy-benzophenon*[4].

Durch Kondensation von 3- bzw. 4-Sulfo-phthalsäureanhydrid mit Benzol und Aluminiumchlorid bei einer Außentemp. vom 130–160° erhält man Sulfo-carboxy-benzophenone, die sich mit Oleum zu den Anthrachinon-sulfonsäuren ringschließen lassen[10].

Aus Benzol-1,2,3-tricarbonsäure-1,2-anhydrid können mit Benzol/Aluminiumchlorid je nach den angewendeten Reaktionsbedingungen verschiedene Reaktionsprodukte erhalten werden. Beim kurzen Erhitzen der Reaktionsmischung auf dem Wasserbad erhält man *3-Benzoyl-phthalsäure* oder *2,6-Dibenzoyl-benzoesäure*. Beim 6stündigen Kochen der Reaktionsmischung entsteht *2,3-Dibenzoyl-benzoesäure*, und mit dem Kaliumsalz des Benzol-1,2,3-tricarbonsäure-anhydrids als Ausgangsmaterial erhält man *2-Benzoyl-isophthalsäure*[9].

4-Phenyl-phthalsäure-anhydrid reagiert mit Benzol/Aluminiumchlorid beim längeren Erhitzen auf 80° zu *4-* und *5-Phenyl-2-carboxy-benzophenon*[11]. 3,6-Diphenyl-phthalsäure-anhydrid wird in Benzol durch Aluminiumchlorid zu *9-Oxo-2-phenyl-1-carboxy-fluoren* cyclisiert[12]. Benzophenon-2',3,4-tricarbonsäure-anhydrid ergibt mit Benzol *4-Benzoyl-2',3-dicarboxy-benzophenon* als Hauptreaktionsprodukt. Analog verhält sich Fluorenon-2,3-dicarbonsäure-anhydrid bei der Umsetzung mit Benzol, man isoliert *9-Oxo-2-benzoyl-3-carboxy-fluoren* (93% d. Th.)[13].

[1] M. S. Newman u. P. G. Scheurer, Am. Soc. 78, 5004 (1956).
[2] H. N. Stephens, Am. Soc. 43, 1950 (1921).
  E. H. Huntress, K. Pfister u. K. H. T. Pfister, Am. Soc. 64, 2845 (1942).
[3] E. Egerer u. H. Meyer, M. 34, 69 (1913).
[4] M. Hayashi et al., Bl. chem. Soc. Japan 11, 184 (1936); C. A. 30, 5965 (1936).
[5] W. A. Lawrance, Am. Soc. 42, 1871 (1920); 43, 2577 (1921).
[6] J. Rainer, M. 29, 431 (1908).
[7] M. Hayashi u. A. Nakayama, J. Soc. chem. Ind. Japan Spl. 1934, 328; C. A. 28, 5818 (1934).
[8] M. Hayashi, S. Tsuruoka u. A. Nakayama, J. chem. Soc. Japan 56, 1093 (1935); C. A. 30, 1046 (1936).
[9] C. Graebe u. M. Leonhardt, A. 290, 217 (1896).
[10] E. Schwenk u. H. Waldmann, Ang. Ch. 45, 17 (1932).
[11] E. C. Butterworth et al., Soc. 1938, 1386.
[12] C. Weizmann, E. Bergmann u. L. Haskelberg, Soc. 1939, 391.
[13] W. C. Lothrop u. J. A. Coffmann, Am. Soc. 63, 2564 (1941).

Naphthalin-1,2-dicarbonsäure-anhydrid reagiert mit überschüssigem Benzol zu einer Mischung aus *1-Benzoyl-2-carboxy-* und *2-Benzoyl-1-carboxy-naphthalin*[1]. Mit 1,2,3-Trimethyl-benzol entsteht *2-(2,3,4-Trimethyl-benzoyl)-1-carboxy-naphthalin* als Hauptreaktionsprodukt[2], während mit 1,2,3,4-Tetramethyl-benzol in Nitrobenzol ausschließlich *2-(2,3,4,5-Tetramethyl-benzoyl)-1-carboxy-naphthalin* erhalten wird[2].

Naphthalin-1,8-dicarbonsäure-anhydrid ließ sich nicht mit aromatischen Kohlenwasserstoffen zu Keto-carbonsäuren kondensieren. Mit Phenolen erhält man Verbindungen vom „Phthalein-Typ"[3].

2-Benzoyl-3-carboxy-naphthalin[4]: 30 g (0,151 Mol) Naphthalin-2,3-dicarbonsäure-anhydrid werden in 150 *ml* Benzol suspendiert. In die Mischung trägt man 60 g (0,45 Mol) gepulvertes Aluminiumchlorid ein. Man erhält eine orange Lösung. Nach ungefähr 1 stdgm. Erwärmen auf dem Wasserbad wird mit Wasser zersetzt, das Benzol mit Wasserdampf abgetrieben und die in fester Form abgeschiedene Ketonsäure abfiltriert, gewaschen und getrocknet; Ausbeute: 39,5 g (95% der Theorie); F: 209°.

1-Phenyl-naphthalin-2,3-dicarbonsäure-anhydrid wird durch Aluminiumchlorid in Benzol zu *7-Oxo-6-carboxy-7H-⟨benzo-[c]-fluoren⟩* (99% d. Th.) cyclisiert[5].

Beim Erhitzen von Anthracen-2,3-dicarbonsäure-anhydrid mit Benzol/Aluminiumchlorid erhält man *2-Benzoyl-3-carboxy-anthracen*[6]. Analog entsteht mit Phenanthren-9,10-dicarbonsäure-anhydrid *9-Benzoyl-10-carboxy-phenanthren*[7].

Benzol-1,2,4,5-tetracarbonsäure-dianhydrid ergibt bei der Umsetzung mit Benzol/Aluminiumchlorid *4,6-Dibenzoyl-isophthalsäure* als Hauptreaktionsprodukt neben 2,5-Dibenzoyl-*terephthalsäure*[6]; die Gesamtausbeute liegt bei 60% der Theorie[8]. Benzol-hexacarbonsäure-trianhydrid reagiert unter analogen Bedingungen zu *2,4,6-Tribenzoyl-benzol-1,3,5-tricarbonsäure*[9].

1,3-Dioxo-isochroman (Homophthalsäure-anhydrid) ergibt mit überschüssigem, siedenden Benzol in Gegenwart von Aluminiumchlorid *1-Oxo-1-phenyl-2-(2-carboxy-phenyl)-äthan*[10] (s. a. S. 361):

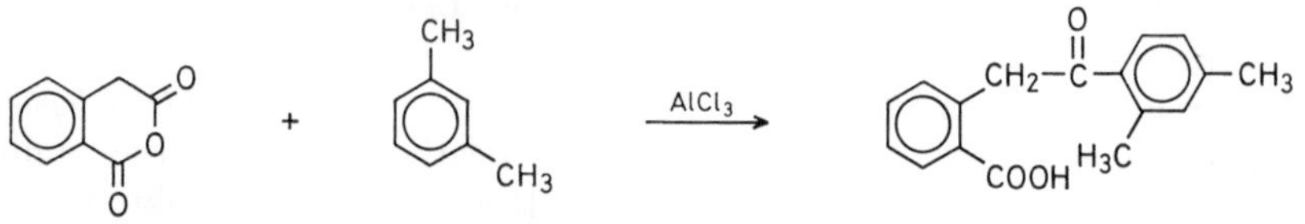

1-Oxo-1-(2,4-dimethyl-phenyl)-2-(2-carboxy-phenyl)-äthan[11]: Eine Lösung von 14 g (0,132 Mol) 1,3-Dimethyl-benzol in 25 *ml* 1,1,2,2-Tetrachlor-äthan wird im Verlaufe von 15 Min. zu einer gut gerührten Mischung von 10,5 g (0,065 Mol) Homophthalsäure-anhydrid und 20 g (0,15 Mol) gepulvertem Aluminiumchlorid in 150 *ml* 1,1,2,2-Tetrachlor-äthan getropft. Man rührt die Mischung 24 Stdn., trägt sie auf zerstoßenes Eis aus und erhitzt sie nach Zugabe von 30 *ml*

[1] H. WALDMANN, J. pr. [2] **131**, 71 (1931).
[2] R. H. MARTIN, Soc. **1943**, 239.
[3] G. F. JAUBERT, B. **28**, 991 (1895).
[4] DRP 518925 (1927), I. G. Farb., Erf.: G. KRÄNZLEIN u. H. VOLLMANN; C. A. **25**, 3494 (1931).
[5] L. F. FIESER u. L. M. JOSHEL, Am. Soc. **62**, 957 (1940).
[6] E. PHILIPPI u. R. SEKA, M. **43**, 621 (1922).
[7] A. JEANES u. R. ADAMS, Am. Soc. **59**, 2608 (1937).
[8] W. H. MILLS u. M. MILLS, Soc. **101**, 2194 (1912).
[9] H. MEYER u. H. RAUDNITZ, B. **63**, 2010 (1930).
[10] C. GRAEBE u. F. TRÜMPY, B. **31**, 375 (1898).
[11] R. L. HUANG u. K.-H. LEE, Soc. **1959**, 923.

konz. Salzsäure 30 Min. auf 70°. Die organische Phase wird abgetrennt, die wäßrige Schicht extrahiert man mit Äther. Die vereinigten organischen Lösungen werden mit Wasser gewaschen und 3mal mit 10%iger Natriumhydroxid-Lösung ausgeschüttelt. Der alkalische Extrakt wird nach dem Waschen mit Äther mit verd. Salzsäure angesäuert und der Niederschlag in Äther aufgenommen. Nach dem Abdestillieren des Äthers erhält man 9,5 g (54% d.Th.); F: 135–136° (aus Benzol-Cyclohexan).

Mit guten Ausbeuten liefert Phthalonsäure-anhydrid mit Benzol oder Toluol die entsprechenden Benzil-carbonsäuren[1]:

R = H   2-Carboxy-benzil
R = CH$_3$ 4'-Methyl-2-carboxy-benzil

Biphenyl-2,2'-dicarbonsäure-anhydrid wird durch Aluminiumchlorid in Benzol[2] oder Toluol[3] zu 9-Oxo-4-carboxy-fluoren cyclisiert; ein Teil dieser Carbonsäure kann zu 9-Oxo-4-benzoyl- bzw. 9-Oxo-4-(4-methyl-benzoyl)-fluoren weiterreagieren. Bei Temperaturen bis höchstens 25° entstehen aus Biphenyl-2,2'-dicarbonsäure-anhydrid und 1,2- oder 1,3-Dimethyl-benzol oder 1,3,5-Trimethyl-benzol 3',4'-Dimethyl- oder 2',4'-Dimethyl- bzw. 2',4',6'-Trimethyl-2-(2-carboxy-phenyl)-benzophenon[4]. Mit 1,4-Dimethyl-benzol wird neben 2',5'-Dimethyl-2-(2-carboxy-phenyl)-benzophenon auch 2,2'-Bis-[2,5-dimethyl-benzoyl]-biphenyl erhalten[4]. 4,4'-Dinitro-biphenyl-2,2'-dicarbonsäure-anhydrid reagiert mit 1,3-Dimethyl- oder 1,3,5-Trimethyl-benzol bei Zimmertemperatur zu 5-Nitro-2',4'-dimethyl-2-(5-nitro-2-carboxy-phenyl)- bzw. 5-Nitro-2',4',6'-trimethyl-2-(5-nitro-2-carboxy-phenyl)-benzophenon[5].

2,5-Diphenyl-furan-3,4-dicarbonsäure-anhydrid, das Anhydrid wird als letzte Komponente zur Reaktionsmischung gegeben, reagiert mit Benzol/Aluminiumchlorid zu 2,5-Diphenyl-4-benzoyl-3-carboxy-furan[6]. Analog erhält man mit Toluol, 1,2- bzw. 1,3-Dimethyl- oder 1,3,5-Trimethyl-benzol 2,5-Diphenyl-4-[4-methyl- (bzw. -3,4-dimethyl-; bzw. -2,4-dimethyl-; bzw. -2,4,6-trimethyl)-phenyl]-3-carboxy-furan[6].

Benzo-[b]-thiophen-2,3-dicarbonsäure-anhydrid reagiert mit Benzol/Aluminiumchlorid zu 3-Benzoyl-2-carboxy-⟨benzo-[b]-thiophen⟩ (92% d.Th.)[7]. Analog entsteht mit Toluol 3-(4-Methyl-benzoyl)-2-carboxy-⟨benzo-[b]-thiophen⟩.

Benzol wird durch 1-Butyl-2,5-dimethyl-pyrrol-3,4-dicarbonsäure-anhydrid diacyliert, man erhält direkt 4,9-Dioxo-1,3-dimethyl-2-butyl-2H-⟨benzo-[f]-isoindol⟩ (12% d.Th.). Analog entsteht mit Toluol 4,9-Dioxo-1,3,6-trimethyl-2-butyl-2H-⟨benzo-[f]-isoindol⟩[8].

[1] R. L. Huang u. K.-H. Lee, Soc. 1959, 923.
[2] R. Götz, M. 23, 27 (1902).
[3] H. Pick, M. 25, 979 (1904).
[4] F. Bell u. F. Briggs, Soc. 1939, 1561.
[5] F. Bell u. F. Briggs, Soc. 1941, 282.
[6] D. V. Nightingale u. B. Sukornick, J. Org. Chem. 24, 497 (1959).
[7] F. Mayer, A. 488, 259 (1931).
[8] D. V. Nightingale u. J. A. Gallagher, J. Org. Chem. 24, 501 (1959).

Pyridin-2,3-dicarbonsäure-anhydrid liefert mit Benzol/Aluminiumchlorid *3-Benzoyl-2-carboxy-pyridin*[1]. Mit Toluol entsteht *3-(4-Methyl-benzoyl)-2-carboxy-pyridin* neben sehr wenig *2-(4-Methyl-benzoyl)-3-carboxy-pyridin*[2]. Analog erhält man mit 1,3-Dimethyl-benzol *3-(2,4-Dimethyl-benzoyl)-2-carboxy-pyridin* als Hauptreaktionsprodukt[2]. Pyridin-3,4-dicarbonsäure-anhydrid reagiert mit Benzol/Aluminiumchlorid zu einem Gemisch aus *3-Benzoyl-4-carboxy-* und *4-Benzoyl-3-carboxypyridin*[3]. Bei der Umsetzung von Pyridin-2,3,5,6-tetracarbonsäure-dianhydrid mit Benzol erhält man eine Mischung von isomeren *Dibenzoyl-dicarboxy-pyridinen*[4].

Auch cyclische Anhydride von N-Carboxy-amino-carbonsäuren wie z.B. Anhydro-N-carboxy-amino-essigsäure (2,5-Dioxo-tetrahydro-1,3-oxazol) oder Anhydro-N-methyl-N-carboxy-amino-essigsäure (2,5-Dioxo-3-methyl-tetrahydro-1,3-oxazol) können mit Erfolg zu Keton-Synthesen nach Friedel-Crafts herangezogen werden:

$$R = -H, -CH_3$$

Bei der Umsetzung erfolgt Decarboxylierung, und man erhält *2-Amino-* (bzw. *2-Methylamino)-1-oxo-1-phenyl-äthan*[5].

2-Amino-1-oxo-1-phenyl-äthan-Hydrochlorid[5]: Eine Suspension von 2 g (0,02 Mol) Anhydro-N-carboxy-amino-essigsäure (2,5-Dioxo-tetrahydro-1,3-oxazol) in 10 *ml* Dichlormethan wird auf −10° abgekühlt und portionsweise unter Rühren mit 6 g (0,045 Mol) Aluminiumchlorid versetzt. Man gibt dann 4 g (0,05 Mol) Benzol zu der Mischung und läßt die Temp. auf Raumtemp. steigen. Bei 20° beginnt lebhafte Gasentwicklung. Durch gelindes Kühlen hält man die Temp. bei 10–20°, bis diese beendet ist (∼ 2 Stdn.). Die Reaktionsmischung wird auf 80 g Eis und 5 *ml* konz. Salzsäure gegossen und filtriert. Die Dichlormethan-Schicht wird abgetrennt und verworfen. Beim Sättigen der wäßrigen Phase mit Chlorwasserstoff bei 0° fällt anorganisches Material aus, das abfiltriert wird. Das Filtrat wird zur Trockene eingedampft. Umkristallisation des Rückstandes aus Äthanol/Aceton ergibt farblose Kristalle; Ausbeute: 1,9 g (56% d.Th.); F: 185,5° (Zers.).

Analog erhält man *2-Methylamino-1-oxo-1-phenyl-äthan-Hydrochlorid*, F: 215−217° (Zers.).

Anhydro-N-carboxy-DL-β-phenyl-α-alanin (2,5-Dioxo-4-benzyl-tetrahydro-1,3-oxazol) wird durch Aluminiumchlorid in Dichlormethan zu *2-Amino-1-oxo-indan* cyclisiert[5]:

Die Verbindung wird als Pikrat mit einer Ausbeute von 54% d.Th. isoliert.

Eine Mischung von Isatosäure-anhydrid (2,4-Dioxo-1,2-dihydro-4H-⟨benzo-[d]-1,3-oxazin⟩) und Aluminiumchlorid ergibt mit Benzol nach 8stündigem Rückflußkochen *2-Amino-benzophenon* (43% d.Th.)[5].

---

[1] A. KIRPAL, M. **31**, 295 (1910).
[2] O. HALLA, M. **32**, 747 (1911).
[3] A. KIRPAL, M. **30**, 355 (1909).
[4] G. MACHEK, M. **59**, 175 (1932).
[5] F. S. STATHAM, Soc. **1951**, 213.

2-Sulfo-benzoesäure-anhydrid läßt sich mit Aromaten und Aluminium-chlorid bei Wasserbadtemperatur – wobei eine homogene Schmelze entsteht – glatt zu den Benzophenon-2-sulfon-säuren[1] kondensieren. Mit Phenolen entstehen auch hier Phthalide[2].

γ_2) substituierten Benzol-Kohlenwasserstoffen

Monohalogen-benzole werden mit Bernsteinsäure-anhydrid in Gegenwart von 2 Mol Aluminiumchlorid zu *4-Oxo-4-(4-halogen-phenyl)-butansäuren* umgesetzt. Man nimmt die Reaktion zweckmäßig in einem Überschuß des Kohlenwasserstoffs vor.

Tab. 59. 4-Oxo-4-(halogen-phenyl)-butansäuren aus Halogen-benzolen oder Halogen-alkyl-benzolen durch Umsetzung mit Bernsteinsäure-anhydrid/Aluminiumchlorid

4-Oxo-4-(halogen-phenyl)-butansäure	Ausbeute [% d.Th.]	F [°C]	Literatur
4-Oxo-4-(4-brom-phenyl)-butansäure	74	148–149	3
*4-Oxo-4-(4-fluor-phenyl)-butansäure**	30	101–102	4
4-Oxo-4-(4-chlor-phenyl)-butansäure	48	132–133	4,5
*4-Oxo-4-(4-jod-phenyl)-butansäure**	14	180,5–181,8	4
4-Oxo-4-(3,4-dichlor-phenyl)-butansäure	58	166–167	6
4-Oxo-4-(2,4-dichlor-phenyl)-butansäure	13	77,5–78	6
4-Oxo-4-(4-fluor-3-methyl-phenyl)-butansäure	34	119	7
*4-Oxo-4-(4-chlor-3-methyl-phenyl)-butansäure**	60	117–118	4

* in Schwefelkohlenstoff

Phenol wird am zweckmäßigsten in 1,1,2,2-Tetrachlor-äthan mit Bernstein-säure-anhydrid/Aluminiumchlorid umgesetzt; man erhitzt die Reaktionsmischung 2 Stdn. auf 120–140° und erhält 20–35% d.Th. *4-Oxo-4-(2-hydroxy-phenyl)*- neben 3–15% d.Th. *4-Oxo-4-(4-hydroxy-phenyl)-butansäure*[8]. Bei der Umsetzung von 2-Hydroxy-1-methyl-benzol unter analogen Bedingungen entsteht *4-Oxo-4-(2-hydroxy-3-methyl-phenyl)-butansäure* neben *4-Oxo-4-(4-hydroxy-3-methyl-phenyl)-butansäure*[8] und mit 3-Hydroxy-1-methyl-benzol *4-Oxo-4-(2-hydroxy-4-methyl-phenyl)-butansäure* als Hauptreaktionsprodukt[9], 4-Hydroxy-1-methyl-benzol liefert ausschließlich *4-Oxo-4-(2-hydroxy-5-methyl-phenyl)-butansäure*[8].

[1] C. KRANNICH, B. 33, 3485 (1900).

[2] W. R. ORNDORFF u. M. L. WILLARD, Am. Soc. 51, 1406 (1929).

[3] L. F. FIESER u. A. M. SELIGMAN, Am. Soc. 60, 170 (1938).

[4] L. F. FIESER et al., Am. Soc. 70, 3197 (1948).

[5] S. SKRAUP u. E. SCHWAMBERGER, A. 462, 135 (1928).

[6] E. A. STECK, R. P. BRUNDAGE u. L. T. FLETCHER, Am. Soc. 75, 1117 (1953).

[7] N. P. BUU-HOI, N. D. XUONG u. R. RIPS, J. Org. Chem. 22, 193 (1957).

[8] J. D. RAWAL, K. V. BOKIL u. K. S. NARGUND, J. Univ. BOMBAY, 7, Pt. 3, 184, (1938); C. A. 33, 3779 (1939).

[9] J. E. DAVIES u. J. C. ROBERTS, Soc. 1956, 2173.

Tab. 60. 4-Oxo-4-(alkoxy-phenyl)-butansäuren durch Umsetzung von Alkyl-phenyl-äthern mit Bernsteinsäure-anhydrid/Aluminiumchlorid

4-Oxo-4-(alkoxy-phenyl)-butansäure	Ausbeute [% d.Th.]	F [°C]	Literatur
4-Oxo-4-(4-methoxy-phenyl)-butansäure	93	145–146	1
4-Oxo-4-(4-äthoxy-phenyl)-butansäure	82	137–139	2
4-Oxo-4-(4-propyloxy-phenyl)-butansäure	90	118–119	3
4-Oxo-4-(4-butyloxy-phenyl)-butansäure	80–90	112	4
4-Oxo-4-[4-(2-methyl-propyloxy)-phenyl]-butansäure	80–90	131–132	4
4-Oxo-4-[4-(3-methyl-butyloxy)-phenyl]-butansäure	91	120	3
4-Oxo-4-(4-hexyloxy-phenyl)-butansäure	80–90	109	4
4-Oxo-4-(4-methoxy-3-methyl-phenyl)-butansäure	73	143	5
4-Oxo-4-(4-methoxy-3-cyclohexyl-phenyl)-butansäure		161	6
4-Oxo-4-(4-methoxy-2-methyl-phenyl)-butansäure	75	135–137,5	2
4-Oxo-4-(2-methoxy-5-methyl-phenyl)-butansäure	84	107–108	7
4-Oxo-4-(4-methoxy-2,3-dimethyl-phenyl)-butansäure	50	172–173	8
4-Oxo-4-(5-methoxy-2,4-dimethyl-phenyl)-butansäure	65	129–130	9,10
4-Oxo-4-(4-methoxy-2,5-dimethyl-phenyl)-butansäure	93	131–132	11
4-Oxo-4-(3-chlor-4-methoxy-phenyl)-butansäure		189	12
4-Oxo-4-(5-chlor-2-methoxy-phenyl)-butansäure	25	119–121	2
4-Oxo-4-(3-brom-4-methoxy-phenyl)-butansäure	59	189,5–191,5	2
4-Oxo-4-(3-fluor-4-methoxy-phenyl)-butansäure	96	170–171	13
4-Oxo-4-(5-chlor-2-methoxy-4,6-dimethyl-phenyl)-butansäure	83	178–181	14
4-Oxo-4-(3,4-dimethoxy-phenyl)-butansäure	62	165	15
4-Oxo-4-(2,4-dimethoxy-phenyl)-butansäure	67	146–147	16
4-Oxo-4-(2,5-dimethoxy-phenyl)-butansäure	58	99–101	1

[1] L. F. Fieser et al., Am. Soc. **70**, 3197 (1948).
[2] J. D. Reinheimer u. J. C. Smith, J. Org. Chem. **17**, 1505 (1952).
[3] E. Profft, F. Runge u. A. Jumar, J. pr. [4] **1**, 57 (1954).
[4] J. J. Trivedi u. K. S. Nargund, J. Univ. Bombay **11**, Pt. 3, 127 (1942); C. A. **37**, 2005 (1943).
[5] S. N. Sawhnay u. C. N. Kachra, J. indian chem. Soc. **36**, 486 (1959).
[6] R. R. Butner u. J. M. Brown, Am. Soc. **75**, 2334 (1953).
[7] A. S. Dreiding u. A. J. Tomasewski, Am. Soc. **76**, 540 (1954).
[8] W. Cocker, Soc. **1946**, 36.
[9] W. Cocker, C. Lipman u. D. R. A. Whyte, Soc. **1950**, 1519.
[10] R. Futaki, J. Org. Chem. **23**, 451 (1958).
[11] M. Yanagita u. R. Futaki, J. Org. Chem. **21**, 949 (1956).
[12] N. Hoanu u. N. P. Buu-Hoï, C. r. **224**, 1228 (1947).
[13] N. P. Buu-Hoi, N. D. Xuong u. R. Rips, J. Org. Chem. **22**, 193 (1957).
[14] J. P. Brown u. E. B. McCall, Soc. **1957**, 3875.
[15] E. C. Hornig u. J. Koo, Am. Soc. **73**, 5828 (1951).
[16] J. E. Davies, F. E. King u. J. C. Roberts, Soc. **1955**, 2782.

Anisol reagiert mit Bernsteinsäure-anhydrid/Aluminiumchlorid mit hohen Ausbeuten zu *4-Oxo-4-(4-methoxy-phenyl)-butansäure*. Die Umsetzung wird bei 0–25° in 1,1,2,2-Tetrachlor-äthan[1], Nitrobenzol[2], Nitroäthan[3] oder Nitro-propan[4] vorgenommen.

4-Oxo-4-(4-methoxy-2-methyl-5-isopropyl-phenyl)-butansäure[5]: In eine auf 0° abgekühlten Mischung von 32 g (0,2 Mol) 1-Methoxy-5-methyl-2-isopropyl-benzol, 22 g (0,22 Mol) Bernsteinsäure-anhydrid und 200 ml frisch destilliertem Nitrobenzol gibt man portionsweise unter gutem Rühren 59 g (0,42 Mol) Aluminiumchlorid. Während der Zugabe, die ~ 1$^1/_2$ Stdn. dauert, wird die Temp. bei ± 2° gehalten und anschließend noch 2 Stdn. bei dieser Temp. verrührt. Dann läßt man die Temp. der rotvioletten Mischung langsam auf 30° steigen. Nach Stehen über Nacht wird mit Eis und 55 ml konz. Salzsäure zersetzt und das Nitro-benzol durch Wasserdampfdestillation entfernt, es hinterbleibt eine graue, viskose Flüssigkeit, die beim Abkühlen zu einem harten Kuchen erstarrt. Man löst diesen in Natriumcarbonat-Lösung, klärt mit A-Kohle, filtriert und schüttelt das Filtrat mit Äther aus. Die kalte alkalische Lösung wird mit Salzsäure kongosauer (p$_H$ = 3) gestellt, es scheidet sich bräunlich gefärbte Keto-carbonsäure ab, die sofort erstarrt; Ausbeute: 49,3 g (93,3% d.Th.); F: 91–93°.

Bei Alkoxy-benzolen, die orthoständig zu Alkoxy-Gruppe acyliert werden, besteht die Gefahr einer Ätherspaltung, wenn man die Reaktion bei höheren Temperaturen vornimmt oder einen Aluminiumchlorid-Überschuß anwendet. So erhält man mit 1,4-Dimethoxy-benzol[6] und Bernsteinsäure-anhydrid/Aluminiumchlorid in Nitrobenzol bei 60° *4-Oxo-4-(2-hydroxy-5-methoxy-phenyl)-butansäure* (51% d.Th.) und mit 1,2,3-Trimethoxy-benzol[7] in 1,1,2,2-Tetrachlor-äthan *4-Oxo-4-(2-hydroxy-3,4-dimethoxy-phenyl)-butansäure* (66% d.Th.).

Diphenyläther kann in Schwefelkohlenstoff[8] oder in Benzol[9] zu *4-Oxo-4-(4-phenoxy-phenyl)-butansäure* (F: 119–120°) zwischen 20–80° mit einer Ausbeute ~ 90% d.Th. acyliert werden. In 1,2-Dichlor-äthan gelingt auch die Bis-acylierung zu *Bis-[4-(3-carboxy-1-oxo-propyl)-phenyl]-äther[10]*.

Methylmercapto-benzol und 2-Chlor-1-methylmercapto-benzol werden in 1,1-2,2-Tetrachlor-äthan in p-Stellung zur Methylmercapto-Gruppe succinoyliert, und man erhält *4-Oxo-4-(4-methylmercapto-phenyl)-* bzw. *4-Oxo-4-(3-chlor-4-methylmercapto-phenyl)-butansäure[11]*. Analog verhalten sich Alkylmercapto-benzole mit höheren Alkyl-Resten[12].

Acetanilid wird durch Bernsteinsäure-anhydrid/Aluminiumchlorid in p-Stellung zu *4-Oxo-4-(4-acetylamino-phenyl)-butansäure* acyliert[13]. Analog werden *4-Oxo-4-(4-acetylamino-2-methyl-phenyl)-butansäure* (47% d.Th.) und *4-Oxo-4-(2-acetylamino-4,5-dimethyl-phenyl)-butansäure[14]* erhalten. 4-Methyl-acetanilid reagiert nicht in Nitrobenzol.

[1] L. F. FIESER u. E. HERSHBERG, Am. Soc. **58**, 2314 (1939).
[2] K. W. ROSENMUND u. D. SHAPIRO, Ar. **272**, 313 (1934).
[3] W. G. DAUBEN u. R. E. ADAMS, Am. Soc. **70**, 1759 (1948).
[4] D. G. THOMAS u. A. H. NATHAN, Am. Soc. **70**, 331 (1948).
[5] P. B. TALUKDAR, J. Org. Chem. **21**, 506 (1956).
[6] W. E. NEWHALL, Am. Soc. **77**, 5646 (1955).
[7] P. C. MITTER u. S. DE, J. indian chem. Soc. **16**, 35 (1939).
[8] H. KIPPER, B. **38**, 2490 (1905).
[9] HUANG-MINLON, Am. Soc. **68**, 2487 (1946).
[10] W. A. W. CUMMINGS u. K. WHITTAKER, J. appl. Chem. **12**, 86 (1962).
[11] R. S. JOSHI et al., J. Karnatak Univ. **4**, 38 (1959); C. A. **55**, 7346 (1961).
[12] V. R. DANI u. K. S. NARGUND, J. Karnatak Univ. **4**, 32 (1959); C. A. **55**, 7346 (1961).
[13] J. P. ENGLISH et al., Am. Soc. **67**, 2263 (1945).
[14] A. H. REES, Soc. **1959**, 3111.

4-Oxo-4-(4-acetylamino-phenyl)-butansäure[1]: In eine Suspension von 185 g (1,39 Mol) Aluminiumchlorid in 200 *ml* Schwefelkohlenstoff wird eine Mischung aus 50 g (0,37 Mol) Acetanilid und 37 g (0,37 Mol) Bernsteinsäure-anhydrid rasch eingerührt. Nach dem Nachlassen der Chlorwasserstoff-Entwicklung entfernt man die Kühlung und rührt, solange die Steifheit der dunkelroten Reaktionsmischung es erlaubt ($\sim$ 2 Stdn.). Nach 2 tägigem Stehenlassen bei Raumtemp. wird abgesaugt und mit Wasser gewaschen. Das feste Material wird in Natriumhydrogencarbonat-Lösung gelöst und filtriert. Beim Ansäuern fällt ein gelbes Pulver (F: 193–198°) aus. Die Ausbeuten bei verschiedenen Ansätzen liegen zwischen 43,5–52 g (50–60% d.Th.). Nach 2 maligem Umkristallisieren aus Äthanol (A-Kohle) erhält man farblose Kristalle; F: 202–205°.

Methyl-bernsteinsäure-anhydrid und überschüssiges Chlorbenzol/Aluminiumchlorid führt bei $\sim$ 100° zu *4-Oxo-2-methyl-4-(4-chlor-phenyl)-butansäure* als Hauptreaktionsprodukt[2]. Unter analogen Bedingungen erhält man mit 1,2-Dichlorbenzol *4-Oxo-2-methyl-* und *4-Oxo-3-methyl-4-(3,4-dichlor-phenyl)-butansäure* (24:1)[3]. Bei der Umsetzung mit Phenol in 1,1,2,2-Tetrachlor-äthan wird nur *4-Oxo-2-methyl-4-(2-hydroxy-phenyl)-butansäure* isoliert[4].

Anisol liefert mit Methyl-bernsteinsäure-anhydrid/Aluminiumchlorid in Nitrobenzol *4-Oxo-2-methyl-* und *4-Oxo-3-methyl-4-(4-methoxy-phenyl)-butansäure* (13 : 1)[5]. Wenn man die Umsetzung in 1,1,2,2-Tetrachlor-äthan vornimmt, erhält man ein Verhältnis von 3 : 1. Aus 1,3-Dimethoxy-benzol entsteht in Nitrobenzol *4-Oxo-2-methyl-* (66,7% d.Th.) und *-3-methyl-4-(2,4-dimethoxy-phenyl)-butansäure* (19,2% d.Th.)[6] bzw. aus Anisol mit Äthyl-, Propyl-, Pentyl-, Hexyl-, Tetradecyl- oder Hexadecyl-bernsteinsäure-anhydrid *4-Oxo-2-äthyl-4-(4-methyl-phenyl)-butansäure* bzw. *2-(2-Oxo-2-phenyl-äthyl)-pentansäure, -heptansäure, -octansäure, -hexadecansäure* bzw. *-octadecansäure*[7].

4-Oxo-2-äthyl-4-(2,5-dimethoxy-phenyl)-butansäure[8]: 48 g (0,375 Mol) Äthyl-bernsteinsäure-anhydrid und 49 g (0,355 Mol) 1,4-Dimethoxy-benzol in 165 *ml* Nitro-propan werden unter Rühren bei 0–5° mit 100 g (0,75 Mol) Aluminiumchlorid in 185 *ml* Nitro-propan allmählich versetzt, 18 Stdn. bei 3–8° weiter gerührt und wie üblich aufgearbeitet; Ausbeute: 80,5 g (85% d.Th.); F: 121° (farblose Kristalle aus Äthanol).

Phenyl-bernsteinsäure-anhydrid reagiert mit Anisol in Nitrobenzol zu einer Mischung von isomeren Keto-carbonsäuren, in der *4-Oxo-2-phenyl-4-(4-methoxy-phenyl)-butansäure* Hauptreaktionsprodukt ist[9].

Mit α,β-Diäthyl-bernsteinsäure-anhydrid in Benzol erhält man *2-Äthyl-3-(4-methoxy-benzoyl)-pentansäure*[10], mit α-,β-Diphenyl-bernsteinsäure-anhydrid in 1,1,2,2-Tetrachlor-äthan *4-Oxo-2,3-diphenyl-4-(4-methoxy-phenyl)-butansäure*[11] und mit Tetramethyl-bernsteinsäure-anhydrid/Aluminiumchlorid in siedendem Schwefelkohlenstoff *4-Oxo-2,2,3,3-tetramethyl-4-(4-methoxy-phenyl)-butansäure* (54% d.Th.)[12].

---

[1] J. P. ENGLISH et al., Am. Soc. **67**, 2263 (1945).

[2] D. K. GENGE u. J. J. TRIVEDI, J. indian chem. Soc. **36**, 598 (1959).

[3] E. A. STECK, R. P. BRUNDAGE u. L. T. FLETCHER, Am. Soc. **75**, 1117 (1953).

[4] P. C. MITTER u. L. K. DE, J. indian chem. Soc. **16**, 199, (1939).

[5] F. G. BADDAR, H. A. FAHIM u. A. M. FLEIFEL, Soc. **1955**, 3302.

[6] H. SCHMID u. M. BURGER, Helv. **35**, 928 (1952).

[7] S. U. MEHTA, K. V. BOKIL u. K. S. NARGUND, J. Univ. Bombay, **12** [A], Pt. 3, 64, (1943); C. A. **38**, 2328 (1944).

[8] O. BRUNNER u. P. HANKE, M. **85**, 88 (1954).

[9] F. G. BADDAR, A. M. FLEIFEL u. S. SHERIF, J. Chem. U. A. R. **3**, 47 (1960); C. A. **55**, 10404 (1961).

[10] B. R. BAKER, Am. Soc. **65**, 1572 (1943).

[11] J. A. McRAE, R. A. B. BANNARD u. R. B. Ross, Canad. J. Res. **28** [B], 73 (1950).

[12] E. ROTHSTEIN u. R. W. SAVILLE, Soc. **1949**, 1950.

Glutarsäure-anhydrid läßt sich mit Alkoxy-benzolen unter den gleichen Bedingungen wie Bernsteinsäure-anhydrid umsetzen.

Wenn man eine Reaktionsmischung aus Anisol und Glutarsäure-anhydrid/Aluminiumchlorid in Nitrobenzol bei 3° 12 Tage aufbewahrt, beträgt die Ausbeute an *5-Oxo-5-(4-methoxy-phenyl)-pentansäure* 96% d.Th.[1]. Äthoxy-benzol ergibt ohne Verdünnungsmittel bei −5° bis −10° mit Glutarsäure-anhydrid/Aluminiumchlorid *5-Oxo-5-(4-äthoxy-phenyl)-pentansäure* (64% d.Th.)[2], mit 1,2-Dimethoxy-benzol *5-Oxo-5-(3,4-dimethoxy-phenyl)-pentansäure* (83% d.Th.)[3] und mit 1,2,3-Trimethoxy-benzol bei 0–5° in einer Mischung aus 1,1,2,2-Tetrachlor-äthan und Nitrobenzol *5-Oxo-5-(2,3,4-tri-methoxy-phenyl)-* neben *5-Oxo-5-(2-hydroxy-3,4-dimethoxy-phenyl)-pentansäure*[4]. Bei der Umsetzung von β-(4-Methoxy-phenyl)-glutarsäure-anhydrid mit Alkoxy-benzolen bei 15–20° in Nitrobenzol wird Aluminiumchlorid als letzte Komponente zur Reaktionsmischung gegeben, und man erhält z.B. *5-Oxo-3-(4-methoxy-phenyl)-5-[2,4-(oder -2,5)-dimethoxy-phenyl]-pentansäure* (60–70% d.Th.)[5].

Aus Poly-adipinsäure-anhydrid und Anisol erhält man in Gegenwart von Aluminiumchlorid in Nitrobenzol[6] vgl. a. [7] *6-Oxo-6-(4-methoxy-phenyl)-hexansäure* (33% d.Th.) und *1,6-Dioxo-1,6-bis-[4-methoxy-phenyl]-hexan* (47% d.Th.), aus 1,2-Dimethoxy-benzol mit geringen Ausbeuten *6-Oxo-6-(3,4-dimethoxy-phenyl)-hexansäure* und *1,6-Dioxo-1,6-bis-[3,4-dimethoxy-phenyl]-hexan*[8]. Aus 1,2-Dimethoxy-benzol mit polymerem Decandisäure-anhydrid/Aluminiumchlorid entsteht in Tetrachlormethan *1,10-Dioxo-1,10-bis-[3,4-dimethoxy-phenyl]-decan* als Hauptreaktionsprodukt neben *10-Oxo-10-(3,4-dimethoxy-phenyl)-decansäure*[9].

Tricarballylsäure-anhydrid (β-Carboxy-glutarsäure-1,3'-anhydrid) kann in einer Mischung aus Nitrobenzol und 1,2-Dichlor-äthan mit Anisol in Gegenwart von 3 Mol Aluminiumchlorid pro Mol des Anhydrids zu *α-[2-Oxo-2-(4-methoxy-phenyl)-äthyl]-bernsteinsäure* umgesetzt werden[10]:

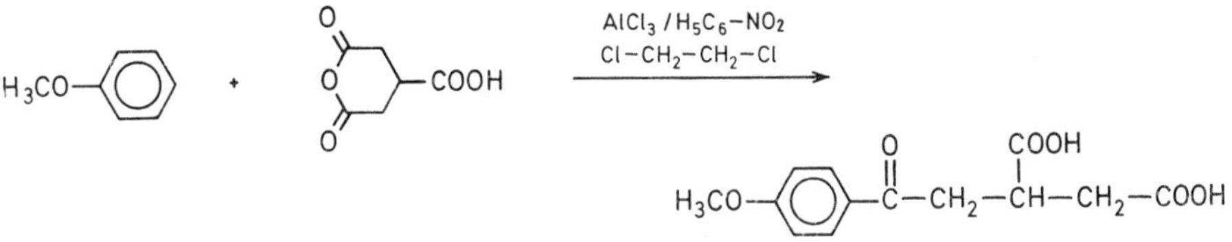

Maleinsäure-anhydrid ergibt mit Halogen-benzolen und 2 Mol Aluminiumchlorid 4-Oxo-4-(halogen-phenyl)-buten-(*trans*-2)-säuren (s. S. 338). Auf diese Weise werden folgende 4-Oxo-4-(halogen-phenyl)-buten-(2)-säuren hergestellt[11]:

[1] W. S. Johnson, A. R. Jones u. W. P. Schneider, Am. Soc. **72**, 2395 (1950).
[2] J. M. van der Zanden, R. **58**, 181 (1939).
[3] J. A. Barltrop, A. J. Johnson u. G. D. Meakins, Soc. **1951**, 181.
[4] E. C. Horning u. S. Koo, Am. Soc. **73**, 5830 (1951).
[5] J. J. Nerurkar et al., J. Org. Chem. **25**, 1491 (1960).
[6] M. G. Pratt, J. O. Hoppe u. S. Archer, J. Org. Chem. **13**, 576 (1948).
[7] S. G. P. Plant u. M. E. Tomlinson, Soc. **1935**, 1092.
[8] S. Tamura, K. Okura u. T. Hayashi, J. agric. chem. Soc. Japan **28**, 318 (1953); C.A. **50**, 6401 (1956).
[9] S. Tamura et al., J. agric. chem. Soc. Japan **27**, 491 (1953); C. A. **50**, 6402 (1956).
[10] R. L. Clarke, W. T. Hunter u. S. J. Marsala, Am. Soc. **81**, 5710 (1959).
[11] D. Papa et al., Am. Soc. **70**, 3356 (1948).

4-Oxo-4-(4-chlor-phenyl)-buten-(2)-säure	62% d.Th.	F: 154–155ᵛ
4-Oxo-4-(4-brom-phenyl)-buten-(2)-säure	90% d.Th.	F: 157–160°
*4-Oxo-4-(4-jod-phenyl)-buten-(2)-säure**	10% d.Th.	F: 186–187°
4-Oxo-4-(4-chlor-3-methyl-phenyl)-buten-(2)-säure	30% d.Th.	F: 130–131°
4-Oxo-4-(2-chlor-5-methyl-phenyl)-buten-(2)-säure	39% d.Th.	F: 135–136°
4-Oxo-4-(3,4-dichlor-phenyl)-buten-(2)-säure	56% d.Th.	F: 142–143°
*4-Oxo-4-(2,4-dichlor-phenyl)-buten-(2)-säure**	17% d.Th.	F: 190–191°

* in 1,1,2,2-Tetrachlor-äthan

Bei der Umsetzung von Phenol mit Maleinsäure-anhydrid/Aluminiumchlorid in 1,2-Dichlor-äthan bei Temperaturen bis 20° erhält man *4-Oxo-4-(4-hydroxy-phenyl)-* (11,5–13,5% d.Th.) und *-4-(2-hydroxy-phenyl)-buten-(2)-säure* (2,5–4% d.Th.)[1]. In siedendem Benzol erfolgen Acylierung und Alkylierung nebeneinander und es entsteht *4-Oxo-2,4-bis-[4-hydroxy-phenyl]-butansäure*[2,3]. Durch Umsetzung von Alkylphenolen mit Maleinsäure-anhydrid/Aluminiumchlorid zwischen 20–40° in 1,2-Dichlor-äthan wurden folgende Verbindungen hergestellt[4]:

4-Oxo-4-(2-hydroxy-5-methyl-phenyl)-buten-(2)-säure	F: 173–174°
4-Oxo-4-(2-hydroxy-4,5-dimethyl-phenyl)-buten-(2)-säure	F: 192–193°
4-Oxo-4-(2-hydroxy-3,5-dimethyl-phenyl)-buten-(2)-säure	F: 134–138°
4-Oxo-4-(2-hydroxy-4,6-dimethyl-phenyl)-buten-(2)-säure	F: 186–187°
4-Oxo-4-(2,4-dihydroxy-phenyl)-buten-(2)-säure	F: 218–220°

Die Acylierung von Alkoxy-benzolen mit Maleinsäure-anhydrid/Aluminiumchlorid z.B. in Nitrobenzol wird meist bei 0° vorgenommen.

Tab. 61. 4-Oxo-4-(alkoxy-phenyl)-buten-(*trans*-2)-säuren (s.S. 339) aus Alkoxy-benzolen und Maleinsäure-anhydrid/Aluminiumchlorid

4-Oxo-4-(alkoxy-phenyl)-buten-(2)-säure	Ausbeute [% d.Th.]	F [°C]	Literatur
4-Oxo-4-(4-methoxy-phenyl)-buten-(2)-säure	70	138–139	2
4-Oxo-4-(4-äthoxy-phenyl)-buten-(2)-säure	60	145,5–146,5	2
4-Oxo-4-(4-methoxy-3-methyl-phenyl)-buten-(2)-säure	100	163	5
4-Oxo-4-(4-methoxy-2-methyl-phenyl)-buten-(2)-säure	92	141	5
4-Oxo-4-(2-methoxy-5-methyl-phenyl)-buten-(2)-säure	82	126	5
4-Oxo-4-(3-chlor-4-methoxy-phenyl)-buten-(2)-säure	67	178–180	6
4-Oxo-4-(2-chlor-4-methoxy-phenyl)-buten-(2)-säure	26	188–189	6
4-Oxo-4-(5-chlor-2-methoxy-phenyl)-buten-(2)-säure	5	145–146	6
4-Oxo-4-(3,4-dimethoxy-phenyl)-buten-(2)-säure	50	178	4,5
4-Oxo-4-(2,4-dimethoxy-phenyl)-buten-(2)-säure		191–192	4
*4-Oxo-4-(2,5-dimethoxy-phenyl)-buten-(2)-säure**	11	147	2,4

Bei der Umsetzung von Maleinsäure-anhydrid/Aluminiumchlorid mit Diphenyläther in Schwefelkohlenstoff erhält man *4-Oxo-4-(4-phenoxy-phenyl)-buten-(2)-säure*

[1] W. Koga, J. Chem. Soc. Japan, pure Chem. Sect. **77**, 1276 (1956); C. A. **53**, 5186 (1959).
[2] D. Papa et al., Am. Soc. **70**, 3356 (1948).
[3] M. T. Bogert u. J. J. Ritter, Am. Soc. **47**, 526 (1925).
[4] G. Baddeley, S. M. Makar u. M. G. Ivinson, Soc. **1953**, 3969.
[5] K. P. Dave u. K. S. Nargund, J. Univ. Bombay **7**, Pt. 3, 191 (1938); C. A. **33**, 3779 (1939).
[6] H. G. A. Sattar et al., J. Karnatak Univ. **3**, 73 (1958); C. A. **54**, 5557 (1960).

(25,5% d. Th.)[1]. Aus Acetanilid in Schwefelkohlenstoff erhält man *4-Oxo-4-(4-acetyl-amino-phenyl)-buten-(2)-säure* (85% d. Th.)[2].

Methyl-maleinsäure-anhydrid ergibt mit überschüssigem Chlorbenzol/ Aluminiumchlorid bei 80–90° *4-Oxo-3-methyl-4-(4-chlor-phenyl)-buten-(2)-säure* (52% d. Th.)[3]. Mit Brombenzol in Schwefelkohlenstoff entsteht, zweckmäßig mit 3 Mol Aluminiumchlorid[4], *4-Oxo-3-methyl-4-(4-brom-phenyl)-buten-(2)-säure* (47% d. Th.)[5]. Ebenfalls in Schwefelkohlenstoff erhält man aus Dimethyl-maleinsäure-anhydrid und Brombenzol *4-Oxo-2,3-dimethyl-4-(4-brom-phenyl)-buten-(2)-säure* (40% d. Th.)[6].

Phthalsäure-anhydrid wird mit Halogen-benzolen oder Halogen-alkyl-benzolen meist in einem Überschuß des Kohlenwasserstoffs mit mindestens 2 Mol Aluminiumchlorid zwischen 50° und 100° kondensiert. Bei den Umsetzungen entstehen **halogenierte Derivate der Benzophenon-2-carbonsäure**.

Tab. 62. x'-Halogen-2-carboxy-benzophenon durch Umsetzung von Halogen-benzolen oder Halogen-alkyl-benzolen mit Phthalsäure-anhydrid/Aluminium-chlorid

x'-Halogen-2-carboxy-benzophenon	Ausbeute [% d. Th.]	F [°C]	Literatur
4'-Fluor-2-carboxy-benzophenon	90	137–137,5	7
4'-Chlor-2-carboxy-benzophenon	95,2	147,5	8
4'-Brom-2-carboxy-benzophenon	86	167	9
4'-Jod-2-carboxy-benzophenon*		200	7
2'-Fluor-4'-methyl-2-carboxy-benzophenon		129	10
2'-Chlor-5'-methyl-2-carboxy-benzophenon	70	164–165	11,12
4'-Brom-3'-methyl-2-carboxy-benzophenon	60	183–184	13
3',4'-Dichlor-2-carboxy-benzophenon	71	192,5	14
2',4'-Dichlor-5'-methyl-2-carboxy-benzophenon	60	140	15
2',5'-Dichlor-2-carboxy-benzophenon	59,3	167	16
2',4'-Dichlor-2-carboxy-benzophenon**	72	106–107	17

* in Schwefelkohlenstoff
** in 1,1,2,2-Tetrachlor-äthan

[1] G. P. RICE, Am. Soc. **48**, 269 (1926).
[2] D. PAPA et al., Am. Soc. **70**, 3356 (1948).
[3] M. SEMONSKY u. A. CERNY, Chem. Listy **46**, 563 (1952); C. A. **47**, 10503 (1953).
[4] R. E. LUTZ u. A. W. WINNE, Am. Soc. **56**, 445 (1934).
[5] R. E. LUTZ u. R. J. TAYLOR, Am. Soc. **55**, 1168 (1933).
[6] R. E. LUTZ u. M. COUPER, J. Org. Chem. **6**, 77 (1941).
[7] F. C. HAHN u. E. E. REID, Am. Soc. **46**, 1645 (1924).
[8] P. H. GROGGINS u. H. P. NEWTON, Ind. eng. Chem. **21**, 369 (1929).
[9] F. ULLMANN u. M. SONE, A. **380**, 336 (1911).
[10] O. R. QUAYLE u. E. E. REID, Am. Soc. **47**, 2357 (1925).
[11] G. HELLER u. K. SCHÜLKE, B. **41**, 3627 (1908).
[12] J. REILLY u. P. J. DRUMM, Soc. **1927**, 2814.
[13] G. HELLER, B. **45**, 792 (1912).
    G. HELLER u. K. MÜLLER-BARDORFF, B. **58**, 497 (1925).
[14] P. H. GROGGINS u. H. P. NEWTON, Ind. eng. Chem. **25**, 1030 (1933).
[15] F. D. STRONDER u. R. ADAMS, Am. Soc. **49**, 2043 (1927).
[16] I. M. KOGAN u. T. N. GANINA, Org. Chem. Ind. (USSR) **1**, 87 (1936); C. A. **30**, 5216 (1936).
[17] A. A. GOLDBERG, Soc. **1931**, 2829.
    E. DE BARRY BARNETT, N. F. GOODWAY u. J. W. WATSON, B. **66**, 1876 (1933).

4-Chlor-benzophenon-2′-carbonsäure[1]: In eine Mischung aus 3 kg (26,6 Mol) Chlorbenzol und 1,053 kg (7,8 Mol) frischem, körnigem Aluminiumchlorid werden bei 75–80° in ∼ 4 Stdn. 0,54 kg (3,65 Mol) Phthalsäure-anhydrid eingerührt; dabei muß schwach gekühlt werden. Man erwärmt 1 weitere Stde. auf 75–80°, bis die gleichmäßige Chlorwasserstoff-Entwicklung beendet ist und trägt dann die Reaktionsmasse in ein vorgelegtes Eis- und Schwefelsäure-Gemisch aus, trennt die organische Phase ab, wäscht sie säurefrei und entzieht ihr das Reaktionsprodukt mittels verd. Natronlauge. Nach Filtrieren und Einrühren in verd. Schwefelsäure fällt die 4-Chlor-benzophenon-2′-carbonsäure grobkristallin aus; Ausbeute: 0,9 kg (95% d.Th.); F: 148–150°.

Analog erhält man aus 1,2 kg (8,15 Mol) 1,2 Dichlor-benzol, 0,645 kg (4,8 Mol) Aluminiumchlorid und 0,3 kg (2 Mol) Phthalsäure-anhydrid bei 95° *3,4-Dichlor-benzophenon-2′-carbonsäure*; Ausbeute: 0,531 kg (90% d.Th.); F: 178–182°.

Umsetzungen von 1,3- oder 1,4-Dichlor-benzol mit Phthalsäure-anhydrid/Aluminiumchlorid verlaufen entgegen Literaturangaben[2,3] unbefriedigend.

2-Chlor-1-methyl-benzol ergibt bei der Umsetzung mit Phthalsäure-anhydrid/Aluminiumchlorid eine Mischung von *4′-Chlor-3′-methyl-2-carboxy-* und *2′-Chlor-3′*-methyl-2-carboxy-benzophenon[3]. Mit 3-Chlor-1-methyl-benzol erhält man *4′-Chlor-2′-methyl-2-carboxy-benzophenon* neben wenig *2′-Chlor-4′-methyl-2-carboxy-benzophenon*[4]. Aus 3- oder 4-Brom-1-methyl-benzol soll infolge Isomerisierung *4′-Brom-3′-methyl-2-carboxy-benzophenon* erhalten werden[5].

Die Kondensation von Phenol zu *2′-* und *4′-Hydroxy-2-carboxy-benzophenon* wird zweckmäßig in 1,1,2,2-Tetrachlor-äthan bei 115–130° durchgeführt[6,7]. Aus 2-Hydroxy-oder 3-Hydroxy-1-methyl-benzol werden *2′-* und *4′-Hydroxy-3′-methyl-2-carboxy-benzophenon* bzw. *2′-Hydroxy-4′-methyl-2-carboxy-* und *4′-Hydroxy-2′-methyl-2-carboxy-benzophenon*[6] erhalten. 4-Hydroxy-1-methyl-benzol liefert unter den genannten Bedingungen nur *2′-Hydroxy-5′-methyl-2-carboxy-benzophenon* (87,3% d.Th.)[6].

3′,4′-Dihydroxy-2-carboxy-benzophenon[8]: 25 g (0,227 Mol) 1,2-Dihydroxy-benzol werden mit 25 g (0,169 Mol) Phthalsäure-anhydrid gemischt und bei 110° innerhalb 30 Min. in eine Schmelze aus 200 g Aluminiumchlorid und 40 g Natriumchlorid eingetragen. Unter ständigem Rühren wird sodann noch 1 Stde. auf 130–138° (Innentemp.) erhitzt. Die weinrote Schmelze wird nach dem Erstarren und Abkühlen mit Eiswasser versetzt, mit Salzsäure angesäuert und aufgekocht. Aus dem Filtrat kristallisiert das Keton in schwach gelblichen Kristallen; Ausbeute: 25 g (57% d.Th.); F: 207°.

1,3-Dihydroxy-benzol ergibt mit Phthalsäure-anhydrid nach 24 stdgm. Erhitzen auf 126° ohne Kondensationsmittel *2′,4′-Dihydroxy-2-carboxy-benzophenon* (67,4% d.Th.)[9]. Ausbeuten von 85–90% werden in Nitrobenzol oder Nitromethan bei 20° mit Aluminiumchlorid innerhalb 3–6 Stdn. erhalten, wenn trockene Luft durch das Reaktionsgemisch geleitet wird[10]. Aus 1,4-Dihydroxy-benzol und

---

[1] Fiat Final Report 1313 II, 38, 40.
[2] A. A. Goldberg, Soc. **1931**, 2829.
    E. de Barry Barnett, N. F. Goodway u. J. W. Watson, B. **66**, 1876 (1933).
[3] I. M. Kogan u. T. N. Ganina, Org. Chem. Ind. (USSR) **1**, 87 (1936); C. A. **30**, 5216 (1936).
[4] S. Keimatsu, I. Hirano u. T. Tanabe, J. pharm. Soc. Japan **49**, 85 (1929); C. **1929** II, 1536.
[5] G. Heller, B. **45**, 792 (1912).
    G. Heller u. K. Müller-Bardorff, B. **58**, 497 (1925).
[6] F. Ullmann u. W. Schmidt, B. **52**, 2098 (1919).
[7] F. F. Blicke u. O. J. Weinkauff, Am. Soc. **54**, 1446 (1932).
[8] H. Waldmann, J. prakt. [2] **150**, 99 (1938).
[9] W. R. Orndorff u. E. Kling, Am. Soc. **46**, 2276 (1924).
[10] J. Gronowska u. J. Ruminski, Roczniki Chem. **43**, 2043 (1969).

Phthalsäure-anhydrid entsteht beim 1 stdgn. Erhitzen in einer Aluminiumchlorid/Natriumchlorid-Schmelze auf 120–125° *2′,5′-Dihydroxy-2-carboxy-benzophenon* (55% d. Th.)[1].

Zur Umsetzung von Alkoxy-benzolen mit Phthalsäure-anhydrid/Aluminiumchlorid verwendet man 1,1,2,2-Tetrachlor-äthan oder Nitrobenzol als Lösungsmittel und arbeitet bei niedrigen Temperaturen.

Tab. 63. x′-Alkoxy-2-carboxy-benzophenon durch Umsetzung von Alkoxy-benzolen mit Phthalsäure- anhydrid/Aluminiumchlorid

x′-Alkoxy-*2-carboxy-benzophenon*	Ausbeute [% d.Th.]	F [°C]	Literatur
4′-Methoxy-	88–89	145	2,3
4′-Äthoxy-	64	134,8–135,5	2
4′-Butoxy-	66	119–120	2
*4′-Methoxy-3′-methyl-**		176	4
2′-Methoxy-5′-methyl-	25	157,5–158,5	2
3′,4′-Dimethoxy-	22	239–241	2
2′,4′-Dimethoxy-	68–70	162,5–164,5	2,3
*2′,5′-Dimethoxy-**		162	5
*2′,3′,4′-Trimethoxy-**		169	6

* in Schwefelkohlenstoff

Diphenyläther ergibt mit Phthalsäure-anhydrid/Aluminiumchlorid in Schwefelkohlenstoff *4′-Phenoxy-2-carboxy-benzophenon* (80% d. Th.)[7]. Bis-[4-methyl-phenyl]-äther wird unter analogen Bedingungen in 2-Stellung zu *2′-(4-Methyl-phenoxy)-5′-methyl-2-carboxy-benzophenon*[8] acyliert.

Zu beachten ist, daß sich Phthalsäure-anhydrid mit zwei Molekülen besonders reaktionsfähiger Aromaten wie Phenolen, Phenoläther, N,N-Dialkyl-anilinen oder 3-Dialkylamino-phenolen leicht zu substituierten 3,3-Diaryl-phthaliden kondensieren läßt. Gegebenenfalls treten gleichzeitig Ringschlüsse zu Pyron-Farbstoffen ein[9]. So erhält man durch Verschmelzen von einem Mol Phthalsäure-anhydrid in Gegenwart von Zinkchlorid mit zwei Mol dieser Aromaten aus

Phenol → Phenolphthalein

Resorcin → Fluorescein

Pyrogallol → Gallein-Farbstoffe

3-Dialkylamino-phenolen → Rhodamin-Farbstoffe

[1] K. ZAHN u. P. OCHWAT, A. **462**, 72 (1928).

[2] J. D. REINHEIMER et al., Am. Soc. **77**, 1909 (1955).

[3] L. C. KIN, A. ch. [11] **13**, 317 (1940).

[4] W. H. BENTLEY, H. D. GARDNER u. C. WEIZMANN, Soc. **91**, 1626 (1907).

[5] K. LAGODZINSKI, B. **28**, 116 (1895).

[6] W. H. BENTLEY u. C. WEIZMANN, Soc. **93**, 435 (1908).

[7] E. DE BARRY BARNETT u. N. F. GOODWAY, B. **63**, 3048 (1930).

[8] J. REILLY u. P. J. DRUMM, Soc. **1927**, 2814.

[9] K. VENKATARAMAN, *The Chemistry of Synthetic Dyes*, Vol. II, S. 734, 743 ff., Academic Press Inc., New York 1952.

Durch Kondensation von Phthalsäure-anhydrid mit 4-Chlor-phenol in konz. Schwefelsäure und Borsäure bei 195° wird 1,4-Dihydroxy-anthrachinon (75%) technisch hergestellt[1,2]. In diesem Fall ist eine Weiterkondensation des primär entstandenen Phthalsäure-mono-(4-chlor-phenylesters) mit dem verhältnismäßig reaktionsträgen 4-Chlor-phenol zum Phthalid sehr erschwert.

Methylmercapto-benzol wird durch Phthalsäure-anhydrid/Aluminiumchlorid ohne Lösungsmittel bei 80° in *4'-Methylmercapto-2-carboxy-benzophenon* (40% d. Th.)[3] und 4-Methylmercapto-1-methyl-benzol in Schwefelkohlenstoff in *2'-Methylmercapto-5'-methyl-2-carboxy-benzophenon* überführt.

N,N-Dimethyl-anilin kann in Schwefelkohlenstoff mit Phthalsäure-anhydrid/Aluminiumchlorid zu *4'-Dimethylamino-2-carboxy-benzophenon* umgesetzt werden[4], ebenso die N,N-Dialkyl-aniline. Acetamino-benzole benötigen 3 Mol Aluminiumchlorid. Auf diese Weise erhält man aus Acetanilid in 1,1,2,2-Tetrachlor-äthan bei 100° *4'-Acetylamino-2-carboxy-benzophenon*[5] und aus 4-Acetylamino-1,2-dimethyl-benzol *2'-Acetylamino-4',5'-dimethyl-2-carboxy-benzophenon* (68% d. Th.)[6]. 1-Acetyl-amino-3-methyl-benzol liefert nach der sauren Verseifung *2'-Amino-4'-methyl-2-carboxy-benzophenon* (41% d. Th.)[6].

Während die Acylierung von 2-Nitro-1-hydroxy-benzol mit Phthalsäure-anhydrid/Aluminiumchlorid zu *3'-Nitro-4'-hydroxy-2-carboxy-benzophenon* glückt, läßt sich erwartungsgemäß 2,4-Dinitro-1-hydroxy-benzol nicht acylieren[7].

3-Methyl-phthalsäure-anhydrid reagiert mit überschüssigem Chlorbenzol und Aluminiumchlorid zu *4'-Chlor-6-methyl-2-carboxy-benzophenon*[8]. Mit Phenol erfolgt die Umsetzung unter den gleichen Bedingungen wie die von Phthalsäure-anhydrid (s. S. 356); man isoliert *2'-* und *4'-Hydroxy-6-methyl-2-carboxy-benzophenon*[8]. Unter analogen Bedingungen[9] oder in einer Aluminiumchlorid/Natriumchlorid-Schmelze[10] bei 180° erhält man mit 1,4-Dihydroxy-benzol *2',5'-Dihydroxy-6-methyl-2-carboxy-benzophenon*. 2-Chlor-1-hydroxy-benzol reagiert mit 3-Methyl-phthalsäure-anhydrid zu *3'-Chlor-4'-hydroxy-6-methyl-2-carboxy-benzophenon* (83,6% d. Th.)[8,11], während mit 3-Chlor-1-hydroxy-benzol *4'-Chlor-2'-hydroxy-* (23,8% d. Th.) und *2'-Chlor-4'-hydroxy-6-methyl-2-carboxy-benzophenon* (17,8% d. Th.)[8,9] entstehen. Mit 4-Chlor-1-hydroxy-benzol erhält man *5'-Chlor-2'-hydroxy-6-methyl-2-carboxy-benzophenon*[8,12]. Analog verhalten sich auch die Monochlor-methoxy-benzole, bei denen unter den angewandten Reaktionsbedingungen Ätherspaltung erfolgt, man erhält also *3'-Chlor-4'-hydroxy-6-methyl-2-carboxy-benzophenon* (80,5% d. Th.)[11], *4'-Chlor-2'-hydroxy-* und *2'-Chlor-4'-hydroxy-6-methyl-2-carboxy-benzophenon*[8,9] und *5'-Chlor-2'-hydroxy-6-methyl-2-carboxy-benzophenon* (75% d. Th.)[8,12].

[1] FIAT Final Rep. **1313**, II, 47.
[2] H. E. FIERZ-DAVID u. L. BLANGEY, *Grundlegende Operationen der Farbenchemie*, 8. Aufl., S. 234, Springer-Verlag, Wien 1952.
[3] J. REILLY u. P. J. DRUMM, Soc. **1927**, 2814.
[4] H. LIMPRICHT, A. **300**, 228 (1898).
   A. HALLER u. A. GUYOT, Bl. [3] **25**, 165 (1901).
[5] T. TSUNODA, Chiba Daigaku Kogakubu Kenkyu Hokoku **7**, 19 (1956); C. A. **54**, 9861 (1960).
[6] P. KRÄNZLEIN, B. **70**, 1952 (1937).
[7] I. REICHEL u. R. VILCEANU, Rev. chim. acad. rep. populaire Roumaine **5**, 67 (1960); C. A. **55**, 12340 (1960).
[8] M. HAYASHI et al., Bl. chem. Soc. Japan **11**, 184 (1936); C. A. **30**, 5965 (1936).
[9] M. HAYASHI, Soc. **1930**, 1524.
[10] F. MAYER u. O. STARK, B. **64**, 2003 (1931).
[11] M. HAYASHI, Soc. **1930**, 1520.
[12] M. HAYASHI, Soc. **1927**, 2516.

4-Methyl-phthalsäure-anhydrid reagiert mit 4-Chlor-1-hydroxy-benzol in 1,1,2,2-Tetrachlor-äthan zu einer Mischung aus *5'-Chlor-2'-hydroxy-4-* und *-5-methyl-2-carboxy-benzophenon*[1,2].

3-Methoxy-phthalsäure-anhydrid ergibt mit 3-Hydroxy-1-methyl-benzol bei der Umsetzung bei 116° mit Aluminiumchlorid *2'-Hydroxy-6-methoxy-4'-methyl-2-carboxy-benzophenon* (31% d.Th.)[3]. Auch mit 3,4-Dimethoxy-phthalsäure-anhydrid erfolgt Acylierung mit der sterisch anscheinend am stärksten gehinderten Carbonyl-Gruppe; so erhält man mit Anisol in Benzol *2,3,4'-Trimethoxy-6-carboxy-benzophenon*[4], mit 3-Methoxy-1-methyl-benzol *2,3,4'-Trimethoxy-2'-methyl-6-carboxy-benzophenon*[5] und mit 1,2-Dimethoxy-benzol *2,3,3',4'-Tetramethoxy-6-carboxy-benzophenon*[5]. Analog verhält sich auch 3,5-Dimethoxy-phthalsäure-anhydrid.

2'-Hydroxy-2,4-dimethoxy-4'-methyl-6-carboxy-benzophenon[6]: Zu einer Aufschlämmung von 200 g (1,5 Mol) Aluminiumchlorid in 400 *ml* absol. Benzol gibt man im Verlaufe von 2 Stdn. tropfenweise unter Rühren, Feuchtigkeitsausschluß und Kühlung mit Eiswasser eine 40° warme Lösung von 100 g (0,48 Mol) 3,5-Dimethoxy-phthalsäure-anhydrid in 400 *ml* frisch destilliertem 3-Hydroxy-1-methyl-benzol. Es wird 12 Stdn. bei Raumtemp., 3 Stdn. bei 50°, 2 Stdn. bei 60°, 3 Stdn. bei 70° und anschließend nochmals 12 Stdn. bei Raumtemp. gerührt, dann gießt man das Reaktionsgemisch in 1 *l* 2n Salzsäure und 1 kg Eis. Nach einigen Stdn. werden 3-Hydroxy-1-methyl-benzol und Benzol mit Wasserdampf abgeblasen, das ausgefallene schmutziggrüne Reaktionsprodukt wird von der wäßrigen Phase abgetrennt (aus dieser kristallisiert beim Erkalten unverändertes Ausgangsmaterial aus) und in 3 *l* warmer n Natronlauge gelöst. In die permanganatfarbene Lösung leitet man solange Kohlendioxid ein, bis sie gelb geworden ist und sich das Phthalein als gelber Niederschlag abgeschieden hat. Nach dem Filtrieren und Ansäuern des Filtrates mit Salzsäure scheidet sich ein hellrotes, harziges Produkt ab, das nach einiger Zeit fest wird. Aus einer heiß ges. Methanol-Lösung kristallisiert die Oxo-carbonsäure aus, sie wird nach dem Waschen mit Äther getrocknet; Ausbeute: 62–93 g (40–60% d.Th.); F: 233° (nach mehrmaligem Umkristallisieren aus Methanol).

3,6-Dimethoxy-phthalsäure-anhydrid wird mit 2-Hydroxy-1-methyl-benzol/Aluminiumchlorid ohne Lösungsmittel bei 75° umgesetzt; dabei erhält man *2'-Hydroxy-3,5-dimethoxy-3'-methyl-2-carboxy-benzophenon*[7]. Bei der analog durchgeführten Umsetzung mit 3-Hydroxy-1-methyl-benzol entsteht *2'-Hydroxy-3,6-dimethoxy-4'-methyl-2-carboxy-benzophenon* (50% d.Th.) neben *3,6-Dimethoxy-3,3-bis-[4-hydroxy-2-methyl-phenyl]-phthalid*[7]. 4,5-Dimethoxy-phthalsäure-anhydrid liefert mit 1,2-Dimethoxy-benzol/Aluminiumchlorid nach 36stdgm. Rückflußsieden in Schwefelkohlenstoff *3,3',4,4'-Tetramethoxy-6-carboxy-benzophenon*[8].

3-Chlor-phthalsäure-anhydrid wird in einer Aluminiumchlorid/Natriumchlorid-Schmelze bei 170° mit 1,2-Dihydroxy-benzol zu *3-* und *6-Chlor-3',4'-dihydroxy-2-carboxy-benzophenon*[9] und 4-Chlor-phthalsäure-anhydrid zu *4-* und *5-Chlor-3',4'-dihydroxy-2-carboxy-benzophenon*[9] kondensiert.

3,4-Dichlor-phthalsäure-anhydrid reagiert mit 2-Chlor-methyl-benzol/Aluminiumchlorid zu *2,3,4'-* bzw. *4,4',5-Trichlor-3'-methyl-6-carboxy-benzophenon*[10], in 1,1,2,2-Tetrachlor-äthan soll mit 4-Hydroxy-1-methyl-benzol *5,6-Dichlor-2-hydroxy-*

[1] M. Hayashi et al., Bl. chem. Soc. Japan **11**, 184 (1936); C. A. **30**, 5965 (1936).
[2] M. Hayashi, Soc. **1930**, 1513.
[3] A. C. Bellaart u. C. Königsberger, R. **79**, 1289 (1960).
[4] A. Bistrzycki u. D. W. Y. Schepper, B. **31**, 2790 (1898).
[5] A. Bistrzycki u. K. Kramer, Helv. **6**, 750 (1923).
[6] H. Brockmann. F. Kluge u. H. Muxfeldt, B. **90**, 2302 (1957).
[7] G. D. Graves u. R. Adams, Am. Soc. **45**, 2439 (1923).
[8] R. D. Haworth u. C. R. Marin, Soc. **1931**, 1363.
[9] H. Waldmann, J. pr. [2] **150**, 99 (1938).
[10] S. Keimatsu u. I. Hirano, J. pharm. Soc. Japan **49**, 147 (1929); C. A. **23**, 3464 (1929).

5'-methyl-2-carboxy-benzophenon entstehen[1]. Bei der Umsetzung von 3,6-Dichlor-phthalsäure-anhydrid mit 2-Methoxy-toluol/Aluminiumchlorid in siedendem Schwefelkohlenstoff erhält man *3,6-Dichlor-4'-hydroxy-3'-methyl-2-carboxy-benzophenon*[2].

Die Acylierung von 4-Hydroxy-1-methyl-benzol wird bei 120° in 1,1,2,2-Tetrachloräthan vorgenommen und liefert *3,6-Dichlor-2'-hydroxy-5'-methyl-2-carboxy-benzophenon* (82,8% d.Th.)[3].

4,5-Dichlor-phthalsäure-anhydrid ergibt mit überschüssigem 2-Chlor-1-methyl-benzol *3,4,4'-Trichlor-3'-methyl-6-carboxy-benzophenon*[4]. Mit 1,2-Dichlor-benzol erhält man bei Wasserbadtemperatur *3,3',4,4'-Tetrachlor-6-carboxy-benzophenon*[5].

Tetrachlor-phthalsäure-anhydrid ist ein sehr energisch-reagierendes Acylierungsmittel, mit dem es sogar gelingt, 1,4-Dichlor-benzol und 1,2,4-Trichlor-benzol umzusetzen. Die Reaktionen werden oberhalb von 100° in Gegenwart von Aluminiumchlorid vorgenommen. Es wurden so hergestellt *3,4,5,6,4'-Pentachlor-2-carboxy-benzophenon*, *3,4,5,6,2',5'-Hexachlor-2-carboxy-benzophenon*, *3,4,5,6,2',3',5'-* oder *3,4,5,6,2',4',5'-Heptachlor-2-carboxy-benzophenon*[6]. Mit Phenol entsteht in 1,1,2,2-Tetrachlor-äthan bei 125° *3,4,5,6-Tetrachlor-2'-hydroxy-2-carboxy-benzophenon*[7], während man mit Anisol *3,4,5,6-Tetrachlor-4'-methoxy-2-carboxy-benzophenon* erhält[8].

Aus Tetrabrom-phthalsäure-anhydrid wurden erhalten *3,4,5,6,4'-Pentabrom-2-carboxy-benzophenon*, *2',5'-Dichlor-3,4,5,6-tetrabrom-2-carboxy-benzophenon*, *3,4,5,6,2', 5'-Hexabrom-2-carboxy-benzophenon*[6] und *3,4,5,6-Tetrabrom-4'-methoxy-2-carboxy-benzophenon*[9].

3-Nitro-phthalsäure-anhydrid und Anisol mit Aluminiumchlorid bei 20° ergeben ein Gemisch von *3-* und *6-Nitro-4'-methoxy-2-carboxy-benzophenon*[10]. Analog entsteht aus 4-Nitro-phthalsäure-anhydrid *4-* und *5-Nitro-4'-methoxy-2-carboxy-benzophenon*[10].

3,5-Dinitro-, 3-Acetylamino- und 3-Hydroxy-phthalsäure-anhydrid reagieren bei der Umsetzung mit 3-Hydroxy-1-methyl-benzol/Aluminiumchlorid bei 130° auffallenderweise zu *4,6-Dinitro-2'-hydroxy-4'-methyl-2-carboxy-benzophenon*, *6-Acetylamino-2'-hydroxy-4'-methyl-2-carboxy-benzophenon* bzw. *2',6-Dihydroxy-4'-methyl-2-carboxy-benzophenon*[11].

Bei der Umsetzung von Pyromellitsäure-anhydrid/Aluminiumchlorid mit 2- oder 4-Chlor-1-methyl-benzol bei 135° entstehen Isomerengemische, nämlich *4,6-Bis-[3-chlor-4-methyl-benzoyl]-isophthalsäure* und *2,5-Bis-[3-chlor-4-methyl-benzoyl]-terephthalsäure* bzw. *4,6-Bis-[5-chlor-2-methyl-benzoyl]-isophthalsäure* und *2,5-Bis-[5-chlor-2-methyl-benzoyl]-terephthalsäure*, vorwiegend jeweils das erstgenannte Isomere[12].

[1] A. M. v. KNESEBECK u. F. ULLMANN, B. 55, 306 (1922).
[2] G. M. WALSH u. C. WEIZMANN, Soc. 97, 685 (1910).
[3] S. KEIMATSU, I. HIRANO u. T. TANABE, J. pharm. Soc. Japan 49, 85 (1929); C. 1929 II, 1536.
[4] S. KEIMATSU u. I. HIRANO, J. pharm. Soc. Japan 49, 147 (1929); C. A. 23, 3464 (1929).
[5] E. DE BARRY BARNETT, N. F. GOODWAY u. J. W. WATSON, B. 66, 1876 (1933).
[6] A. HOFMANN, M. 36, 805 (1915).
[7] F. ULLMANN u. W. SCHMIDT, B. 52, 2098 (1919).
[8] W. R. ORNDORFF u. R. R. MURRAY, Am. Soc. 39, 679 (1917).
[9] N. P. BUU-HOÏ u. P. JACQUIGNON, C. r. 247, 2377 (1958).
[10] P. C. MITTER u. P. N. DUTT, J. indian chem. Soc. 13, 228 (1936).
[11] R. EDER u. C. WIDMER, Helv. 6, 3 (1922).
[12] H. DE DIESBACH u. V. SCHMIDT, Helv. 7, 644 (1924).

(2-Carboxy-phenyl)-essigsäure-anhydrid reagiert mit überschüssigem Anisol/Aluminiumchlorid zu *2-Oxo-2-(4-methoxy-phenyl)-1-(2-carboxy-phenyl)-äthan*[1], mit 1,4-Dihydroxy-benzol soll dagegen in einer Aluminiumchlorid/Natriumchlorid-Schmelze bei 180° *2′,5′-Dihydroxy-2-carboxymethyl-benzophenon* neben einem tricyclischen Diketon (*1,4-Dihydroxy-5,11-dioxo-10,11-dihydro-5H-⟨dibenzo-[a;e]-cycloheptatrien⟩*)[2] entstehen (vgl. S. 346):

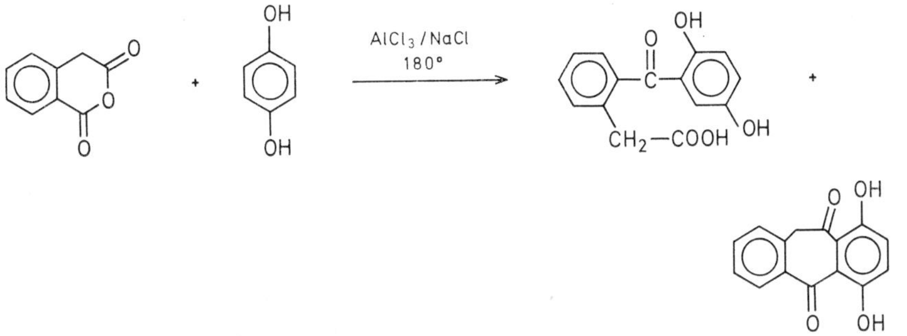

Biphenyl-2,2′-dicarbonsäure-anhydrid ergibt mit Anisol in Gegenwart von Aluminiumchlorid *2′-(4-Methoxy-benzoyl)-2-carboxy-biphenyl* neben wenig *2,2′-Bis-[4-methoxy-benzoyl]-biphenyl*[3]. Bei der analog durchgeführten Umsetzung mit Äthoxy-benzol entsteht *2′-(4-Äthoxy-benzoyl)-2-carboxy-biphenyl*[3]. Bei der Reaktion mit Phenol bei 120° und Zinn(IV)-chlorid erhält man *2,2′-Bis-[4-hydroxy-benzoyl]-biphenyl* und *2′-(4-Hydroxy-benzoyl)-2-carboxy-biphenyl*, mit konzentrierter Schwefelsäure entsteht nach 5 Stdn. bei 115° *2′-(4-Hydroxy-benzoyl)-2-carboxy-biphenyl*[3].

Naphthalin-1,2-dicarbonsäure-anhydrid soll mit überschüssigem Chlorbenzol in Gegenwart von Aluminiumchlorid bei 90–100° *1-(4-Chlor-benzoyl)-2-carboxy-naphthalin* ergeben[4]. Mit Fluorbenzol in 1,2-Dichlor-benzol entsteht dagegen eine Mischung aus *1-(4-Fluor-benzoyl)-2-carboxy-naphthalin* (48% d.Th.) und *2-(4-Fluor-benzoyl)-1-carboxy*-naphthalin (19% d.Th.). Mit Anisol in 1,1,2,2-Tetrachloräthan erhält man *1-(4-Methoxy-benzoyl)-2-carboxy-naphthalin* (28% d.Th.) und *2-(4-Methoxy-benzoyl)-1-carboxy-naphthalin* (12% d.Th.)[5].

Pyridin-2,3-dicarbonsäure-anhydrid reagiert mit überschüssigem Chlorbenzol in Gegenwart von Aluminiumchlorid bei 100° zu *3-(4-Chlor-benzoyl)-2-carboxy-pyridin* (71% d.Th.)[6].

Chlorbenzol oder Brombenzol ergeben beim Erhitzen mit ⟨Benzo-[b]-thiophen⟩-2,3-dicarbonsäure-anhydrid/Aluminiumchlorid *3-[4-Chlor-*(bzw. *-4-Brom)-benzoyl]-2-carboxy-⟨benzo-[b]-thiophen⟩*[7]. Analog entsteht mit Anisol *3-(4-Methoxy-benzoyl)-2-carboxy-⟨benzo-[b]-thiophen⟩*[7]. Wenn man eine Mischung des An-

[1] A. Hoveau u. J. Jacques, Bl. **1948**, 53.
[2] A. J. S. Sorrie u. R. H. Thomson, Soc. **1955**, 2244.
[3] F. Bell u. F. Briggs, Soc. **1938**, 1516.
[4] H. Waldmann, J. prakt. [2] **127**, 195 (1930).
[5] R. M. Peck, Am. Soc. **78**, 997 (1956).
[6] I. M. Kogan u. C. A. Shchukina, J. appl. Chem. (USSR) **19**, 925 (1946); C. A. **42**, 572 (1948).
[7] F. Mayer, A. **488**, 259 (1931).

hydrids mit 1,3-Dihydroxy-benzol und Zinkchlorid auf 170° erhitzt, erhält man *3-(2,4-Dihydroxy-benzoyl)-2-carboxy-⟨benzo-[b]-thiophen⟩* neben einem Fluorescein-Derivat:

γ₃) Biphenyl, Naphthalin oder höher kondensierten alicyclischen Ringsystemen

Biphenyl wird durch Bernsteinsäure-anhydrid/Aluminiumchlorid in Nitrobenzol[1] oder 1,1,2,2-Tetrachlor-äthan[2] bei 5–28° zu *4-Oxo-4-biphenylyl-(4)-butansäure* (70–74% d. Th.) acyliert. Aus 2-Methoxy-biphenyl erhält man *4-Oxo-4-[2-methoxy-biphenylyl-(3)]-butansäure*[3]. 4-Methoxy-biphenyl liefert ein Gemisch aus *4-Oxo-4-[4-methoxy-biphenylyl-(3)]-butansäure* (60% d.Th.) und *4-Oxo-4-[4'-methoxy-biphenylyl-(4)]-butansäure* (24% d. Th.)[4] und 2,2'-Dimethoxy-biphenyl in Nitrobenzol *4-Oxo-4-[2',6-dimethoxy-biphenylyl-(3)]-butansäure*[5]. Mit 4,4'-Dimethoxy-biphenyl entsteht ausschließlich *4-Oxo-4-[4,4'-dimethoxy-biphenylyl-(3)]-butansäure*[5]. Beim 2,2',4,4'-Tetramethoxy-biphenyl kann man in Nitrobenzol bei 0° eine Bis-succinoylierung zu *2,2',4,4'-Tetramethoxy-5,5'-bis-[1-oxo-3-carboxy-propyl]-biphenyl* durchführen[6].

Auch **Naphthalin** wird mit Bernsteinsäure-anhydrid/Aluminiumchlorid bei tiefen Temperaturen in einem Verdünnungsmittel[2, 7, 8] umgesetzt. Als Reaktionsprodukte entstehen *4-Oxo-4-naphthyl-(2- und -1)-butansäure*.

4-Oxo-4-naphthyl-(1- und 2)-butansäure[9]: Im Verlaufe von 2 Stdn. trägt man in eine Mischung aus 160 g (1,25 Mol) Naphthalin, 600 g Nitrobenzol und 90 g (0,9 Mol) Bernsteinsäure-anhydrid unter Rühren, bei Temp. unter 8°, 220 g (1,65 Mol) Aluminiumchlorid ein. Innerhalb 1 Stde. läßt man die Temp. der Mischung auf 20° ansteigen. Nach 24 Stdn. wird mit Eis und Salzsäure hydrolysiert. Man saugt ab und erhält auf diese Weise einen graugrünen Filterkuchen A und ein Filtrat B. Der Filterkuchen wird mit verd. Salzsäure gewaschen und dann einer Wasserdampfdestillation unterworfen, um anhaftendes Nitrobenzol und überschüssiges Naphthalin zu entfernen. Man erhitzt den Festkörper dann mit überschüssiger Natriumcarbonat-Lösung, die Salz-Lösung wird filtriert, das Filtrat mit 250 *ml* konz. Salzsäure angesäuert und die abgeschiedene Säure abgesaugt, mit Wasser gewaschen und bei 100° getrocknet. Man isoliert 101 g Produkt

[1] D. H. HEY u. R. WILKINSON, Soc. **1940**, 1030.
[2] J. D. REINHEIMER u. S. TAYLOR, J. Org. Chem. **19**, 802 (1954).
[3] R. R. BURTNER u. J. M. BROWN, Am. Soc. **75**, 2334 (1953).
[4] L. F. FIESER u. C. K. BRADSHER, Am. Soc. **58**, 1738 (1936).
[5] F. G. BADDAR, H. A. FAHIM u. A. M. FLEIFEL, Soc. **1955**, 2199.
[6] R. R. BURTNER, Am. Soc. **75**, 2341 (1953).
[7] R. D. HAWORTH, Soc. **1932**, 1125.
[8] US P. 2339789 (1944), Du Pont, Erf.: J. F. LONTZ; C. A. **38**, 3992 (1944).
[9] J. COLONGE u. R. DOMENECH, Bl. **1952**, 634.

(F: 145–150°). Durch Umlösen aus 350 *ml* Methanol erhält man 72 g (35% d.Th.; F: 169°) reine *4-Oxo-4-naphthyl-(2)-butansäure*.

Aus dem nitrobenzolischen Filtrat B und der methanolischen Mutterlauge der Umlösung erhält man nach der Aufarbeitung unreine *4-Oxo-4-naphthyl-(1)-butansäure*, die man über ihren Methylester reinigt; Ausbeute: 94 g (46% d.Th.); F: 126°.

In Chlorbenzol soll die Ausbeute an *4-Oxo-4-naphthyl-(2)-butansäure* 85% d. Th. betragen[1].

Bei der Umsetzung von 1-Methyl-naphthalin mit Bernsteinsäure-anhydrid/ Aluminiumchlorid entsteht nur *4-Oxo-4-[4-methyl-naphthyl-(1)]-butansäure* (80% d.Th.)[2] und aus 1-Äthyl-naphthalin *4-Oxo-4-[4-äthyl-naphthyl-(1)]-butansäure*[3]. 2-Methyl-naphthalin liefert hauptsächlich *4-Oxo-4-[6-methyl-naphthyl-(2)]-butan-säure*[4] neben *4-Oxo-4-[2-methyl-naphthyl-(1)]-butansäure*[5]. 1,3-Dimethyl-naph-thalin wird in 1,1,2,2-Tetrachlor-äthan in 7-Stellung succinoyliert, man isoliert *4-Oxo-4-[6,8-dimethyl-naphthyl-(2)]-butansäure*[6]. Aus 2,3-Dimethyl-naphthalin und Bernsteinsäure-anhydrid/Aluminiumchlorid entsteht *4-Oxo-4-[6,7-dimethyl-naphthyl-(1)]-butansäure*[7]. Dagegen wird 2,7-Dimethyl-naphthalin unter analogen Be-dingungen in 1-Stellung acyliert man erhält *4-Oxo-4-[2,7-dimethyl-naphthyl-(1)]-butansäure*[8]. 2,3,6-Trimethyl-[9] und 1,2,3,4-Tetramethyl-naphthalin[10] er-geben in Nitrobenzol *4-Oxo-4-[3,6,7-trimethyl-* bzw. *-5,6,7,8-tetramethyl-naphthyl-(2)]-butansäure*.

1-Chlor-naphthalin wird bei der Umsetzung mit Bernsteinsäure-anhydrid/Alu-miniumchlorid in 1,1,2,2-Tetrachlor-äthan teilweise isomerisiert, so daß neben *4-Oxo-4-[4-chlor-naphthyl-(1)]-butansäure* auch etwas *4-Oxo-4-[6-chlor-naphthyl-(2)]-butansäure* entsteht[11]. 2-Chlor-naphthalin liefert als Hauptreaktionsprodukt *4-Oxo-4-[6-chlor-naphthyl-(2)]-butansäure*, während 2-Brom-naphthalin in Nitrobenzol praktisch nicht reagiert[11].

Wenig erfolgreich verläuft die Succinoylierung von α-Naphthol zu *4-Oxo-4-[4-hydroxy-naphthyl-(1)]-butansäure* (5–10% d.Th.) bzw. von β-Naphthol zu *4-Oxo-4-[2-hydroxy-naphthyl-(1)]-butansäure*[12].

1-Methoxy-naphthalin läßt sich glatt in 4-Stellung acylieren.

4-Oxo-4-[4-methoxy-naphthyl-(1)]-butansäure[13]: Innerhalb 30 Min. trägt man in ein Gemisch aus 158 g (1 Mol) 1-Methoxy-naphthalin und 104 g (1,04 Mol) Bernsteinsäure-anhydrid in 2 *l* Benzol 287 g (2,08 Mol) Aluminiumchlorid ein, wobei die Temp. auf 60° ansteigt. Die Mischung wird noch 15 Min. ohne Heizung und 1 Stde. unter Rückfluß gerührt. Nach der Hydrolyse der heißen, gut flüssigen Mischung mit Eis und Salzsäure wird das Benzol mit Wasserdampf abdestilliert. Die rohe Säure wird mit 2%-iger Natriumhydroxid-Lösung bei 85° gelöst, mit A-Kohle behandelt und durch langsames Hinzufügen von verd. Salzsäure ausgefällt; Ausbeute: 233 g (90% d.Th.); F: 172–173°.

---

[1] US. P. 2339789 (1944), Du Pont, Erf.: J. F. LONTZ; C. A. **38**, 3992 (1944).
[2] R. D. HAWORTH u. C. R. MAVIN, Soc. **1932**, 2720.
[3] W. E. BACHMANN u. W. S. STRUWE, J. Org. Chem. **4**, 472 (1939).
[4] R. D. HAWORTH, B. M. LETSKY u. C. R. MAVIN, Soc. **1932**, 1784.
[5] R. M. OREN u. M. T. BOGERT, Am. Soc. **63**, 127 (1941).
[6] G. R. CLEMO u. N. D. GHATGE, Soc. **1956**, 1068.
[7] H. R. MARTIN u. J. SENDERS, Bl. Soc. chim. Belg. **64**, 221 (1955).
[8] L. F. FIESER u. M. A. PETERS, Am. Soc. **54**, 4347 (1932).
[9] W. CARRUTHERS u. J. D. GRAY, Soc. **1957**, 2422.
[10] C. L. HEWETT, Soc. **1940**, 293.
[11] E. BERLINER, Y.-W. CHU u. N. SHIEH, J. Org. Chem. **23**, 633 (1958).
[12] E. BERLINER, S. B. DANIELS u. A. SURMACKA, Am. Soc. **73**, 4970 (1951).
     W. I. AWAD, F. G. BADDAR u. A. E. MAREI, Soc. **1954**, 4538.
[13] R. R. BURTNER u. J. M. BROWN, Am. Soc. **73**, 897 (1951).

Ähnlich wird 1-Äthoxy-naphthalin zu *4-Oxo-4-[4-äthoxy-naphthyl-(1)]-butansäure* (82% d. Th.) umgesetzt[1].

Die Konstitution der bei der Succinoylierung von 2-Methoxy-naphthalin erhaltenen Produkte ist stark vom verwendeten Lösungsmittel abhängig. In 1,1,2,2-Tetrachlor-äthan entsteht *4-Oxo-4-[2-methoxy-naphthyl-(1)]-butansäure* als einziges Reaktionsprodukt, in Schwefelkohlenstoff zusätzlich noch *4-Oxo-4-[6-methoxy-naphthyl-(2)]-butansäure*. In Nitrobenzol ist die letztgenannte Verbindung Hauptreaktionsprodukt[2]. 2-Äthoxy-naphthalin liefert in Nitrobenzol *4-Oxo-4-[6-äthoxy-naphthyl-(2)]-butansäure* neben *4-Oxo-4-[2-äthoxy-naphthyl-(1)]-butansäure*, während in Schwefelkohlenstoff fast ausschließlich *4-Oxo-4-[2-äthoxy-naphthyl-(1)]-butansäure* erhalten wird[3]. Aus 1-Methoxy-7-methyl-naphthalin entsteht in Nitrobenzol *4-Oxo-4-[4-methoxy-6-methyl-naphthyl-(1)]-butansäure*[4] und aus 2-Methoxy-6-methyl-naphthalin *4-Oxo-4-[2-methoxy-6-methyl-naphthyl-(1)]-butansäure*[5]. Die Succinoylierung von 1,5-, 1,7- oder 2,6-Dimethoxy-naphthalin führt mit hohen Ausbeuten zu *4-Oxo-4-[4,8-dimethoxy*[6]- (bzw. *-4,6-dimethoxy-*[7]; bzw. *-2,6-dimethoxy)-naphthyl-(1)]-butansäure*.

Aus 2-Methylmercapto-naphthalin erhält man *4-Oxo-4-[6-methylmercapto-naphthyl-(2)]-butansäure*[8].

2-Acetylamino-naphthalin wird durch Bernsteinsäure-anhydrid in Gegenwart von 3 Mol Aluminiumchlorid in siedendem Schwefelkohlenstoff zu *4-Oxo-4-[2-acetylamino-naphthyl-(1)]-butansäure* acyliert[9]. Aus 1-Acetylamino-6-methoxy- oder -7-methoxy-naphthalin bei 0° in Nitrobenzol erhält man *4-Oxo-4-[5-acetylamino-2-methoxy-naphthyl-(1)]-butansäure* (58,3% d. Th.)[10] bzw. *4-Oxo-4-[4-acetylamino-6-methoxy-naphthyl-(2)]-butansäure* (84% d. Th.)[11] und aus 1-Acetylamino-8-methoxy-naphthalin die *4-Oxo-4-[5-acetylamino-4-methoxy-naphthyl-(1)]-butansäure* (88,4 % d. Th.)[10].

Aus Fluoren[12,13] erhält man bei 60–80° mit ausgezeichneten Ausbeuten *4-Oxo-4-fluorenyl-(2)-butansäure*, daneben entstehen 2–3% *4-Oxo-4-fluorenyl-(3)-butansäure*[14]. Acenaphthen ergibt *4-Oxo-4-acenaphthenyl-(5)-butansäure* (73–81% d. Th.)[15] und *4-Oxo-4-acenaphthenyl-(3)-butansäure* (15% d. Th.)[16]. Anthracen in Dichlormethan bei 0° liefert *4-Oxo-4-anthryl-(1-*; bzw. *-2* und *-9)-butansäure* sowie ein durch Diacylierung entstandenes Reaktionsprodukt unbekannter Konstitution[17].

[1] J. D. REINHÉIMER u. J. C. SMITH, J. Org. Chem. **17**, 1505 (1952).
[2] M. GHOSAL, J. Org. Chem. **25**, 1856 (1960).
[3] S. I. SERGIEVSKAYA, A. V. DANILOVA u. A. A. CHEMERISSKAYA, Ž. obšč. Chim. **20**, 2314 (1950); engl.: 2411.
[4] L. RUZICKA u. H. WALDMANN, Helv. **15**, 907 (1932).
[5] R. ROYER, A. ch. [12] **1**, 395 (1946).
[6] L. F. FIESER u. E. B. HERSHBERG, Am. Soc. **58**, 2382 (1936).
[7] R. A. BARNES u. W. M. BUSH, Am. Soc. **80**, 4714 (1958).
[8] N. P. BUU-HOÏ, N. HOAN u. D. LAVIT, Soc. **1953**, 485.
[9] A. H. REES, Soc. **1959**, 3111.
[10] L. E. MILLER et al., Am. Soc. **71**, 2120 (1949).
[11] L. E. MILLER u. E. F. MORELLO, Am. Soc. **70**, 1900 (1948).
[12] G. SAINT-RUF, N. P. BUU-HOÏ u. P. JACQUIGNON, Soc. **1959**, 3237.
[13] C. F. KOELSCH, Am. Soc. **55**, 3885 (1933).
[14] W. C. LOTHROP u. J. A. COFFMANN, Am. Soc. **63**, 2564 (1941).
[15] L. F. FIESER, Org. Synth. Coll. Vol. III, 6 (1955).
[16] L. F. FIESER u. M. A. PETERS, Am. Soc. **54**, 4347 (1932).
[17] R. SCHOENTAL, Soc. **1952**, 4403.

Aus 9,10-Dimethyl-anthracen wird mit einer Mischung aus Aluminiumchlorid und Zinn(IV)-chlorid *4-Oxo-4-[9,10-dimethyl-anthryl-(2)]-butansäure*[1] und aus 9,10-Diphenyl-anthracen in kaltem Chlorbenzol mit Aluminiumchlorid *4-Oxo-4-[9,10-diphenyl-anthryl-(2)]-butansäure*[2] erhalten. Phenanthren wird in kaltem Nitrobenzol hauptsächlich in 3-Stellung succinoyliert, man erhält *4-Oxo-4-phenanthryl-(3)-butansäure* (60% d.Th.)[3] neben *4-Oxo-4-phenanthryl-(2)-butansäure* (5% d.Th.)[4]. Ebenso verhalten sich 3- und 4-Methyl-phenanthren, die unter analogen Bedingungen *4-Oxo-4-[6- bzw. 5-Methyl-phenanthryl-(3)]-butansäure* ergeben[5]. 9,10-Dihydro-phenanthren reagiert mit Bernsteinsäure-anhydrid in Nitrobenzol[6] oder 1,2-Dichlor-äthan[7] wie Biphenyl, es entsteht *4-Oxo-4-[9,10-dihydro-phenanthryl-(2)]-butansäure* (90–96% d.Th.). Fluoranthen wird zu *4-Oxo-4-fluoranthenyl-(8)-butansäure* (43% d.Th.) neben wenig *4-Oxo-4-fluoranthenyl-(3)-butansäure*[8] acyliert. 1H-⟨Cyclopropa-[l]-phenanthren⟩ liefert unter analogen Bedingungen *4-Oxo-1H-⟨cyclopropa-[l]-phenanthren⟩-yl-(1)-butansäure* (45,3% d.Th.)[9], Triphenylen die *4-Oxo-4-triphenylenyl-(2)-butansäure*[10] und Pyren bzw. Benzo-[a]-pyren bei 0° *4-Oxo-4-pyrenyl-(1)-butansäure*[11] bzw. *4-Oxo-4-⟨benzo-[a]-pyren⟩-yl-(1)-butansäure*[12].

Methyl-bernsteinsäure-anhydrid reagiert wie Bernsteinsäure-anhydrid mit Biphenyl oder Biphenyl-Derivaten, man erhält also mit Biphenyl in Nitrobenzol *4-Oxo-2-methyl-4-biphenylyl-(4)-butansäure*, mit 4-Methoxy-biphenyl *4-Oxo-2-methyl-4-[4-methoxy-biphenylyl-(3)]-butansäure* und *4-Oxo-2-methyl-4-[4'-methoxy-biphenylyl-(4)]-butansäure* und mit 2,2'-Dimethoxy-biphenyl *4-Oxo-2-methyl-4-[2,2'-dimethoxy-biphenylyl-(5)]-butansäure*[13]. Mit Naphthalin entstehen unter analogen Bedingungen etwa gleiche Mengen an *4-Oxo-2-methyl-4-naphthyl-(1; bzw. 2)-butansäure*[14]. Fluoren wird durch dieses Anhydrid in Gegenwart von Aluminiumchlorid zu *4-Oxo-2-methyl-4-fluorenyl-(2)-butansäure* acyliert[13]. Mit Phenanthren entsteht *4-Oxo-2-methyl-4-phenanthryl-(3)-butansäure*[15].

α,α-Dimethyl-bernsteinsäure-anhydrid und α,β-Dimethyl-bernsteinsäure-anhydrid reagieren mit Naphthalin in Nitrobenzol zu einer Mischung aus *4-Oxo-2,2-dimethyl-4-naphthyl-(1- und -2)- bzw. 4-Oxo-2,3-dimethyl-4-naphthyl-(1- und -2)-butansäure*[16]. Nach der analog durchgeführten Umsetzung von α-Methyl-α-äthyl-bernsteinsäure-anhydrid mit Naphthalin wird nur *4-Oxo-2-methyl-2-äthyl-4-naphthyl-*

[1] P. DE BRUYN, C. r. **228**, 1809 (1949).
[2] R.-G. DOURIS, C. r. **232**, 2233 (1951).
[3] R. D. HAWORTH u. C. R. MAVIN, Soc. **1933**, 1012.
[4] W. E. BACHMANN u. J. T. BRADBURY, J. Org. Chem. **2**, 175 (1937).
[5] W. E. BACHMANN u. G. D. CORTES, Am. Soc. **65**, 1329 (1943).
     W. E. BACHMANN u. R. O. EDGERTON, Am. Soc. **62**, 2550 (1940).
[6] A. BURGER u. E. MOSETTIG, Am. Soc. **59**, 1302 (1937).
     L. F. FIESER u. W. S. JOHNSON, Am. Soc. **61**, 168 (1939).
[7] D. D. PHILLIPS u. E. J. McWHORTER, Am. Soc. **76**, 4948 (1954).
[8] N. P. BUU-HOÏ, D. LAVIT u. J. WAMY, Soc. **1959**, 1845.
[9] L. F. FIESER u. J. CASON, Am. Soc. **62**, 1293 (1940).
[10] N. P. BUU-HOÏ u. P. JACQUIGNON, Soc. **1953**, 941.
[11] J. W. COOK u. C. L. HEWETT, Soc. **1933**, 398.
     W. E. BACHMANN, M. CARMACK u. S. R. SATIR, Am. Soc. **63**, 1682 (1941).
[12] N. P. BUU-HOÏ u. D. LAVIT, Tetrahedron **8**, 1 (1960).
[13] F. G. BADDAR, H. A. FAHIM u. A. M. FLEIFEL, Soc. **1955**, 2199.
[14] DR. HAWORTH, Soc. **1932**, 1125.
[15] J. W. COOK u. G. A. D. HASLEWOOD, Soc. **1934**, 428.
[16] L. F. FIESER u. W. H. DAUDT, Am. Soc. **63**, 782 (1941).

(1)-butansäure isoliert[1]. Phenyl-bernsteinsäure-anhydrid soll bei der Umsetzung mit Biphenyl in Schwefelkohlenstoff nur *4-Oxo-3-phenyl-4-biphenylyl-(4)-butansäure* ergeben[2] während mit Fluoren in Nitrobenzol eine Mischung aus *4-Oxo-2-phenyl-4-fluorenyl-(2)-* und *4-Oxo-3-phenyl-4-fluorenyl-(2)-butansäure* erhalten wird[3]. α,β-Diphenyl-bernsteinsäure-anhydrid reagiert in kaltem Nitrobenzol mit Naphthalin wie erwartet zu einer Mischung von *4-Oxo-2,3-diphenyl-4-naphthyl-(1-* und *-2)-butansäure*[4].

Bei der Umsetzung von 1-Methoxy-naphthalin mit Glutarsäure-anhydrid in 1,1,2,2-Tetrachlor-äthan bei 0° erhält man *5-Oxo-5-[4-methoxy-naphthyl-(1)]-pentansäure* (38% d. Th.)[5]. Mit 2-Methoxy-naphthalin in Nitrobenzol erhält man *5-Oxo-5-[6-methoxy-naphthyl-(2)]-pentansäure*[6] als Hauptreaktionsprodukt neben *5-Oxo-5-[2-methoxy-naphthyl-(1)]-pentansäure*[7].

Poly-adipinsäure-anhydrid und Poly-decandisäure-anhydrid werden mit 1-Methoxy-naphthalin in 1,1,2,2-Tetrachlor-äthan bei 0° umgesetzt; nach der alkalischen Aufarbeitung isoliert man dabei *6-Oxo-6-[4-methoxy-naphthyl-(1)]-hexansäure* (28% d. Th.) bzw. *10-Oxo-10-[4-methoxy-naphthyl-(1)]-decansäure* (15% d. Th.)[5].

Bei der Acylierung von Naphthalin mit Carboxymethyl-bernsteinsäure-anhydrid/Aluminiumchlorid in Nitrobenzol erhält man *4-Oxo-2-carboxymethyl-4-naphthyl-(1)-butansäure* bzw. mit 2-Methyl-2-carboxymethyl-bernsteinsäure-anhydrid *4-Oxo-2-methyl-2-carboxymethyl-4-naphthyl-(1)-butansäure*[8]. Aus 2-Fluor-naphthalin wird analog *4-Oxo-2-methyl-2-carboxymethyl-4-[2-fluor-naphthyl-(6)-;* bzw. *-(8)]-butansäure* erhalten[9].

Bei der Umsetzung von Maleinsäure-anhydrid mit Biphenyl in Benzol bei 60–80° entsteht *4-Oxo-4-biphenylyl-(4)-buten-(trans-2)-säure* (80% d. Th.)[10], mit 2-Methoxy-biphenyl *4-Oxo-4-[2-methoxy-biphenylyl-(5)]-buten-(trans-2)-säure*[11].

4-Oxo-4-naphthyl-(1- und 2)-buten-(2)-säure[12]: Zu einer gerührten Lösung von 98 g (1 Mol) Maleinsäure-anhydrid in 300 *ml* Dichlormethan gibt man portionsweise 280 g (2,1 Mol) Aluminiumchlorid. Nach 30 Min. wird die Lösung vorsichtig von ungelöstem Aluminiumchlorid abdekantiert und zu einer Lösung von 128 g (1 Mol) Naphthalin in 150 *ml* Dichlormethan hinzugefügt. Die Umsetzung vollzieht sich sehr rasch, man trägt die Reaktionsmischung auf Eis aus.

Die organische Phase wird abgetrennt und mit konz. Salzsäure geschüttelt. Es scheiden sich 108 g (48% d. Th.) gelbe Kristalle (F: 135–155°) ab, die abgetrennt werden. Aus dem Filtrat fallen langsam 56 g (25% d. Th.) gelbe Kristalle aus (F: 120–130°), die beim Umlösen aus Eisessig oder aus 1,2-Dichlor-äthan *4-Oxo-4-naphthyl-(1)-buten-(2)-säure* (F: 144–145°; goldgelbe Kristalle) ergeben. Beim Umlösen des zuerst isolierten Kristallisates aus 1,2 Dichlor-äthan erhält man *4-Oxo-4-naphthyl-(2)-buten-(2)-säure* (F: 164–165°).

1-Methyl-naphthalin wird durch Maleinsäure-anhydrid/Aluminiumchlorid in 1,2-Dichlor-äthan einheitlich in *4-Oxo-4-[4-methyl-naphthyl-(1)]-buten-(2)-säure* (68%

[1] R. L. BARKER, u. G. R. CLEMO, Soc. **1940**, 1277.
[2] C. C. PRICE u. A. J. TOMISEK, Am. Soc. **65**, 439 (1943).
[3] F. G. BADDAR, A. M. FLEIFEL, u. S. SHERIF, J. Chem. U. A. R. **3**, 47 (1960); C. A. **55**, 10404 (1961).
[4] J. A. MCRAE, R. A. B. BANNARD u. R. B. ROSS, Canad. J. Res. **28** [B], 73 (1950).
[5] R. R. BURTNER u. J. M. BROWN, Am. Soc. **73**, 897 (1951).
[6] D. S. SMITH u. K. RORIG, J. Org. Chem. **26**, 1761 (1961).
[7] A. L. GREEN u. D. H. HEY, Soc. **1954**, 4306.
[8] K. R. TATTA u. J. C. BARDHAN, Soc. [C] **1968**, 893.
[9] M. HARNIK u. E. V. JENSEN, Israel J. Chem. **3**, 79 (1965); C. A. **63**, 8278 (1965).
[11] H. G. ODDY, Am. Soc. **45**, 2156 (1923).
[11] R. R. BURTNER u. J. M. BROWN, Am. Soc. **75**, 2334 (1953).
[12] G. BADDELEY et al., Soc. **1952**, 3605.

d.Th.)[1] und 2-Methyl-naphthalin in *4-Oxo-4-[6-methyl-naphthyl-(2)]-buten-(2)-säure* (48% d.Th.)[2] überführt. Aus 1-Methoxy-naphthalin in Nitrobenzol erhält man *4-Oxo-4-[4-methoxy-naphthyl-(1)]-buten-(2)-säure* (88% d.Th.)[3]. β-Naphthol ergibt mit Maleinsäure-anhydrid/Aluminiumchlorid bei längerem Stehen in Nitrobenzol bei Raumtemperatur *4-Oxo-2-carboxy-2,3-dihydro-4H-⟨benzo-[f]-chromen⟩*[4].

Acenaphthen wird bei 0° in Nitrobenzol zu *4-Oxo-4-acenaphthenyl-(5)-buten-(2)-säure* (32% d.Th.) acyliert, allerdings in sehr schwer zu reinigender Form[5]. Anthracen kann mit Maleinsäure-anhydrid nicht acyliert werden, da die Diels-Alder-Addition zuerst erfolgt[6]. Bei der Umsetzung von Phenanthren mit Maleinsäure-anhydrid/ Aluminiumchlorid erfolgen Acylierung und Alkylierung nebeneinander und man erhält u. a. *3-Oxo-1-carboxy-1,3-dihydro-2H-⟨cyclopenta-[l]-phenanthren⟩*[7]:

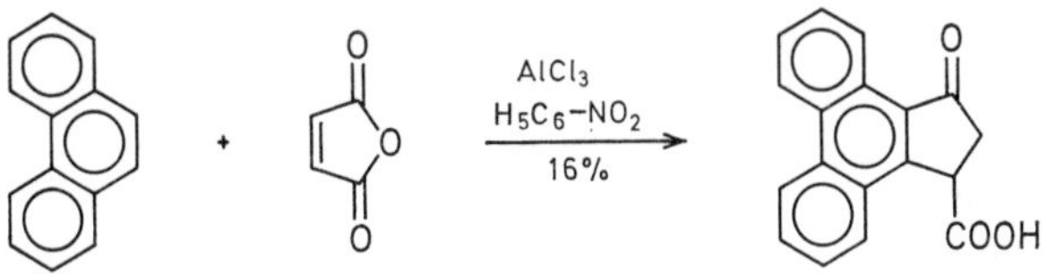

Fluoren wird durch das aus Maleinsäure-anhydrid und zwei Mol Aluminiumchlorid in 1,2-Dichlor-äthan bereitete Addukt zu *4-Oxo-4-fluorenyl-(2)-buten-(2)-säure*[8] acyliert.

Alle diese Maleinsäure-anhydrid-Kondensate dürften *trans*-Verbindungen sein (s. S. 328).

Dimethyl-maleinsäure-anhydrid ergibt mit Biphenyl in Schwefelkohlenstoff *cis-4-Oxo-2,3-dimethyl-4-biphenylyl-(4)-buten-(2)-säure* (50% d.Th.)[9].

Biphenyl wird mit Phthalsäure-anhydrid/Aluminiumchlorid zweckmäßig nach Art eines Backverfahrens bei 60–65° ohne Lösungsmittel kondensiert, man erhält dabei *4'-Phenyl-2-carboxy-benzophenon* mit nahezu quantitativer Ausbeute[2,10]. 2,2'-Dimethyl-biphenyl wird durch 2 Mol Phthalsäure-anhydrid in Schwefelkohlenstoff zu *2,2'-Dimethyl-5,5'-bis-[2-carboxy-benzoyl]-biphenyl*[11] bisacyliert. 4,4'-Dimethyl-biphenyl liefert unter vergleichbaren Bedingungen *2'-Methyl-5'-(4-methyl-phenyl)-2-carboxy-benzophenon*[12]. Aus 2-Chlor- und 4-Chlor-biphenyl entstehen bei 80–85° nach dem Backverfahren mit hohen Ausbeuten *4'-(2- bzw. 4-Chlor-phenyl)-2-carboxy-benzophenon*[10]. 4-Acetylamino-diphenyl ergibt in einer Aluminiumchlorid/Natrium-chlorid-Schmelze bei 120° *4'-(4-Acetylamino-phenyl)-2-carboxy-benzophenon* (87% d.Th.)[13]. 4,4'-Dimethoxy-biphenyl wird in Nitrobenzol bei 70–80° in Gegenwart von

[1] S. M. MAKAR, L. F. BASSILIOS u. A. Y. SALEM, Soc. **1958**, 2437.

[2] R. SCHOLL u. W. NEOVINS, B. **44**, 1075 (1911).

[3] K. P. DAVE, K. V. BOKIL u. K. S. NARGUND, J. Univ. Bombay **10**, 122 (1941); C. A. **36**, 3800 (1942).

[4] K. P. BARR, F. M. DEAN u. H. D. LOCKSLEY, Soc. **1959**, 2425.

[5] L. F. FIESER u. M. A. PETERS, Am. Soc. **54**, 4347 (1932).

[6] P. YATES u. P. EATON, Am. Soc. **82**, 4436 (1960).

[7] C. W. DEWALT et al., J. Org. Chem. **22**, 582 (1957).

[8] A. E. KRETOV u. V. V. LUTVINOV, Ž. obšč. Chim. **31**, 2880 (1961); engl.: 2682.

[9] R. E. LUTZ u. M. COUPER, J. Org. Chem. **6**, 77 (1941).

[10] P. H. GROGGINS, Ind. eng. Chem. **22**, 620 (1930).

[11] R. SCHOLL u. C. SEER, B. **44**, 1091 (1911).

[12] C. SEER u. E. KARL, M. **33**, 535 (1912).

[13] P. KRÄNZLEIN, B. **71**, 2328 (1938).

überschüssigem Phthalsäure-anhydrid/Aluminiumchlorid zu einer Mischung aus *2'-Hydroxy-5'-(4-hydroxy-phenyl)-2-carboxy-benzophenon* und *4,4'-Dihydroxy-5,5'-bis-[2-carboxy-benzoyl]-biphenyl*[1] acyliert.

Die Acylierung von Naphthalin mit Phthalsäure-anhydrid/Aluminiumchlorid kann leicht in allen Lösungsmitteln bei 0–20° durchgeführt werden. Man erhält Mischungen aus *1-* und *2-(2-Carboxy-benzoyl)-naphthalin* (Gesamtausbeute: 91–93% d. Th.; ~ 65% 1- ~35% 2-Isomeres)[2]. 1-Methyl-naphthalin wird in Benzol zu *4-Methyl-1-(2-carboxy-benzoyl)-naphthalin* (90% d. Th.)[3] acyliert.

Das Hauptreaktionsprodukt der Umsetzung von 2-Methyl-naphthalin mit Phthalsäure-anhydrid ist *2-Methyl-1-(2-carboxy-benzoyl)-naphthalin* neben wenig *6-Methyl-2-(2-carboxy-benzoyl)-naphthalin*[4]. Das günstigste Reaktionsmedium für die Umsetzung von 1-Chlor-naphthalin mit Phthalsäure-anhydrid/Aluminiumchlorid ist Schwefelkohlenstoff bei 0°; man erhält dabei *4-Chlor-1-(2-carboxy-benzoyl)-naphthalin*[5]. Mit 2-Chlor-naphthalin in 1,1,2,2-Tetrachlor-äthan entsteht eine Mischung aus *6-* und *7-Chlor-1-(2-carboxy-benzoyl)-naphthalin*[6], 1-Chlor-2-methyl-naphthalin ergibt unter diesen Bedingungen *5-Chlor-6-methyl-2-(2-carboxy-benzoyl)-naphthalin*[7]. 1-Hydroxy-naphthalin wird durch Phthalsäure-anhydrid/Aluminiumchlorid bei 30° in 1,1,2,2-Tetrachlor-äthan zu *1-Hydroxy-2-(2-carboxy-benzoyl)-naphthalin* (56% d. Th.) und *4-Hydroxy-1-(2-carboxy-benzoyl)-naphthalin* (14% d. Th.)[6] kondensiert. Beim Erhitzen von 2-Hydroxy-naphthalin mit Phthalsäure-anhydrid/Aluminiumchlorid auf 180–250° erfolgt *peri*-Diacylierung und es entsteht *6-Hydroxy-5,12-dioxo-6H-⟨benzo-[e]-naphtho-[1,8,8a–a,b]-cycloheptatrien⟩* (*2-Hydroxy-1,8-phthaloyl-naphthalin*)[8]. 1-Acetylamino-naphthalin wird in einer Aluminiumchlorid/Natriumchlorid-Schmelze bei 130° überwiegend zu *1-Acetylamino-2-(2-carboxy-benzoyl)-naphthalin* acyliert[9]. Aus 1-Methoxy-naphthalin erhält man *4-Methoxy-1-(2-carboxy-benzoyl)-naphthalin* (96% d. Th.)[10,11] bzw. analog aus 1-Äthoxy-naphthalin *4-Äthoxy-1-(2-carboxy-benzoyl)-naphthalin* (80% d. Th.)[12]. Aus 2-Methoxy-naphthalin und Phthalsäure-anhydrid/Aluminiumchlorid in Nitrobenzol[13] entsteht bei 0° *2-Methoxy-1-(2-carboxy-benzoyl)-naphthalin*[14], bei Wasserbadtemperatur erfolgt Ätherspaltung und man isoliert *2-Hydroxy-1-(2-carboxy-benzoyl)-naphthalin*[14].

Fluoren ergibt mit Phthalsäure-anhydrid/Aluminiumchlorid in 1,1,2,2-Tetrachlor-äthan *2-(2-Carboxy-benzoyl)-fluoren* (80% d. Th.)[15]. Mit Acenaphthen in Schwefel-kohlenstoff erhält man *5-(2-Carboxy-benzoyl)-acenaphthen*[16]. Anthracen wird in Benzol

[1] R. Scholl u. C. Seer, B. **44**, 1091 (1911).
[2] A. Eitel u. R. Fialla, M. **79**, 112 (1948).
[3] M. S. Newman u. R. Gaertner, Am. Soc. **72**, 264 (1950).
[4] L. F. Fieser u. M. A. Peters, Am. Soc. **54**, 3742 (1932).
    L. F. Fieser u. M. Fieser, Am. Soc. **55**, 3342 (1933).
[5] M. C. Kloetzel et al., J. Org. Chem. **26**, 1748 (1961).
[6] T. Tsunoda, Chiba Daigaku Kogakubu Kenkyu Hokoku **7**, 19 (1956); C. A. **54**, 9861 (1960).
[7] N. B. Desai u. K. Venkataraman, Tetrahedron **5**, 305 (1959).
[8] I. M. Heilbron, D. H. Hey u. A. Wilkinson, Soc. **1938**, 699.
[9] E. Clar, B. **69**, 1671 (1936).
[10] R. Scholl, C. Seer u. A. Zinke, M. **41**, 583 (1920).
[11] L. F. Fieser u. E. M. Dietz, Am. Soc. **51**, 3141 (1929).
[12] J. D. Reinheimer et al., Am. Soc. **77**, 1909 (1955).
[13] M. Badgar, Soc. **1947**, 940.
[14] L. F. Fieser, Am. Soc. **53**, 3546 (1931).
[15] E. de Barry Barnett, N. F. Goodway u. J. W. Watson, B. **66**, 1876 (1933).
[16] C. Graebe et al., A. **327**, 77 (1903).

bei 0–20° mit hohen Ausbeuten in *9-(2-Carboxy-benzoyl)-anthracen*[1] vgl. a. [2] über-
führt. Aus Phenanthren wird *3,6-Bis-[2-carboxy-benzoyl]-phenanthren* neben einem
Gemisch isomerer Säuren[3] erhalten und aus Fluoranthen ein Gemisch aus *3-* und
8-(2-Carboxy-benzoyl)-fluoranthen[4,5]. Chrysen wird mit Phthalsäure-anhydrid in
Benzol zu *6-(2-Carboxy-benzoyl)-chrysen* umgesetzt[6], mit Triphenylen erhält man
unter analogen Bedingungen *2-(2-Carboxy-benzoyl)-triphenylen*[7]. Pyren liefert in
Benzol bei 40–50° *1-(2-Carboxy-benzoyl)-pyren* (90% d.Th.)[8], während in 1,1,2,2-
Tetrachlor-äthan bei 70° in Gegenwart von überschüssigem Phthalsäure-anhydrid
1,6- und *1,8-Bis-[2-carboxy-benzoyl]-pyren* erhalten werden[9].

3-Fluor-phthalsäure-anhydrid wird mit Naphthalin in Gegenwart von 1,2-Di-
chlor-benzol bei 85–90° zu *1-(6-Fluor-2-carboxy-benzoyl)-* (13% d.Th.) und *2-(6-Fluor-
2-carboxy-benzoyl)-naphthalin*[10] (53% d.Th.) umgesetzt.

4-Chlor-phthalsäure-anhydrid wird mit 1-Chlor-naphthalin/Aluminiumchlorid
nach dem Backverfahren bei 100° zur Reaktion gebracht, man erhält dabei *4-Chlor-1-
(4-* oder *5-chlor-2-carboxy-benzoyl)-naphthalin*[11]. 4-Brom-phthalsäure-anhydrid reagiert mit Naphthalin in Nitrobenzol bei 25° zu *2-(4-* und *5-Brom-2-carboxy-benzoyl)-
naphthalin*[12]. 3,6-Dichlor-phthalsäure-anhydrid wird mit Naphthalin in siedendem Schwefelkohlenstoff umgesetzt, dabei soll *1-(3,6-Dichlor-2-carboxy-benzoyl)-
naphthalin* entstehen[13]. Unter analogen Bedingungen liefert *Tetrachlor*-phthalsäure-
anhydrid *1-(3,4,5,6-Tetrachlor-2-carboxy-benzoyl)-naphthalin* (78% d.Th.)[13] und 2-Hy-
droxy-naphthalin bei 120–130° in 1,1,2,2-Tetrachlor-äthan *2-Hydroxy-1-(3,4,5,6-
tetrachlor-2-carboxy-benzoyl)-naphthalin* (95,7% d.Th.)[14]. Aus Fluoren und Acenaphthen in Benzol bei 50° entstehen *2-(3,4,5,6-Tetrachlor-2-carboxy-benzoyl)-fluoren* bzw.
5-(3,4,5,6-Tetrachlor-2-carboxy-benzoyl)-acenaphthen[15] und aus Pyren *1-(3,4,5,6-Tetra-
chlor-2-carboxy-benzoyl)-pyren* (70% d.Th.)[15]. Tetrabrom-phthalsäure-anhydrid[15]
verhält sich wie Tetrachlor-phthalsäure-anhydrid[15].

3,5-Dimethoxy-phthalsäure-anhydrid wird mit 1-Hydroxy-naphthalin und
Borsäure als Katalysator bei 195° zu *1-Hydroxy-2-(4,6-dimethoxy-2-carboxy-benzoyl)-
naphthalin* kondensiert[16].

Benzol-1,2,4,5-tetracarbonsäure-bis-anhydrid liefert mit Naphthalin in
Benzol oder 1,1,2,2-Tetrachlor-äthan bei 50–60° eine Mischung von *4,6-Dinaph-
thoyl-(1)-isophthalsäure* und *2,5-Dinaphthoyl-(2)-terephthalsäure*[17]. Unter ähnlichen Be-

[1] G. HELLER, B. **45**, 665 (1912).
[2] E. CLAR, B. **81**, 169 (1948).
[3] E. CLAR u. W. KELLY, Am. Soc. **76**, 3502 (1954).
[4] J. v. BRAUN, G. MANZ u. B. KRATZ, A. **496**, 170 (1932).
[5] N. CAMPBELL, A. MARKS u. D. H. REID, Soc. **1950**, 3466.
[6] H. BEYER u. J. RICHTER, B. **73**, 1319 (1940).
[7] E. CLAR, B. **81**, 68 (1948).
[8] E. CLAR, B. **69**, 1671 (1936).
[9] E. CLAR, Soc. **1949**, 2013.
[10] M. S. NEWMAN u. S. BLUM, J. Org. Chem. **29**, 1414, 1416 (1964).
[11] H. WALDMANN u. G. STESKAL, J. prakt. [2] **127**, 201 (1930).
[12] M. C. KLOETZEL et al., J. Org. Chem. **26**, 1748 (1961).
[13] C. GRAEBE u. W. PETER, A. **340**, 259 (1905).
[14] F. ULLMANN u. W. SCHMIDT, B. **52**, 2098 (1919).
[15] N. P. BUU-HOÏ u. P. JACQUIGNON, C. R. **247**, 2377 (1958).
[16] Y.-T. HUANG, Hua Hsueh Hsueh Pao, **24**, 53 (1958); C. A. **53**, 3171 (1959).
[17] H. DE DIESBACH u. V. SCHMIDT, Helv. **7**, 644 (1924).
    E. CLAR, B. **76**, 257 (1943).

dingungen entstehen mit Phenanthren[1] oder Pyren[2] *4,6-Diphenanthroyl-(9)-iso-phthalsäure* und *2,5-Diphenanthroyl-(9)-terephthalsäure* bzw. *4,6-Dipyrenoyl-(1)-isophthalsäure* und *2,5-Dipyrenoyl-(1)-terephthalsäure*[1].

Naphthalin-1,2-dicarbonsäure-anhydrid soll mit Naphthalin in Schwefel-kohlenstoff zu einem Gemisch aus *1-Naphthoyl-(1-* und *-2)-2-carboxy-naphthalin* reagieren[3] und analog Naphthalin-2,3-dicarbonsäure-anhydrid zu *3-Naph-thoyl-(1-* und *-2)-2-carboxy-naphthalin*[4]. Mit Pyren in 1,1,2,2-Tetrachlor-äthan wird mit nahezu quantitativer Ausbeute *3-Pyrenoyl-(1)-2-carboxy-naphthalin* erhalten[2].

Aus Pyridin-2,3-dicarbonsäure-anhydrid wurden mit Ausbeuten von 10–22% d. Th. *3-(4-Phenyl-benzoyl)-2-carboxy-pyridin*, *3-Naphthoyl-(1-* und *-2)-2-carboxy-pyridin* bzw. *3-Acenaphthenoyl-(5)-2-carboxy-pyridin*[5] hergestellt.

⟨Benzo-[b]-thiophen⟩-2,3-dicarbonsäure-anhydrid liefert mit Naph-thalin in Nitrobenzol bei 25° mit Aluminiumchlorid *3-Naphthoyl-(1-* und *-2)-2-car-boxy-⟨benzo-[b]-thiophen⟩*[6] und mit Acenaphthen *3-Acenaphthenoyl-(5)-2-carboxy-⟨benzo-[b]-thiophen⟩*[7].

γ_4) *reaktionsfähigen Heterocyclen*

2-Äthyl-⟨benzo-[b]-furan⟩ wird durch Bernsteinsäure-anhydrid in Gegen-wart von zwei Mol Aluminiumchlorid in Nitrobenzol in 3-Stellung acyliert; man erhält *2-Äthyl-3-(3-carboxy-propanoyl)-⟨benzo-[b]-furan⟩* (65% d. Th.)[8]. Im gleichen Lösungs-mittel erhält man mit Chroman *6-(3-Carboxy-propanoyl)-chroman* (60% d. Th.)[9]. Die Succinoylierung von 7-Hydroxy-4-methyl-cumarin gelingt durch zweistündiges Er-hitzen der Reaktionspartner ohne Lösungsmittel auf 130–140°, man erhält *7-Hydroxy-4-methyl-8-(3-carboxy-propanoyl)-cumarin* in sehr geringer Ausbeute[10]. Die Acylierung von Dibenzofuran mit Bernsteinsäure-anhydrid/Aluminiumchlorid bei 0° in Nitro-benzol[11,12] führt zu *2-(3-Carboxy-propanoyl)-⟨dibenzofuran⟩* (83% d. Th.). Aus 2-Methyl-⟨dibenzofuran⟩ entsteht unter analogen Bedingungen *8-Methyl-2-(3-carboxy-pro-panoyl)-⟨dibenzofuran⟩* neben wenig *2-Methyl-3-(3-carboxy-propanoyl)-⟨dibenzofuran⟩*[13] und aus 2-Methoxy-⟨dibenzofuran⟩ ausschließlich *2-Methoxy-4-(3-carboxy-pro-panoyl)-⟨dibenzofuran⟩*[14]. Die Succinoylierung des Xanthens[15] ergibt in 1,1,2,2-Tetra-chlor-äthan[16] bei 0° *2-(3-Carboxy-propanoyl)-xanthen* (96% d. Th.).

Thiophen und Thiophen-Derivate werden am günstigsten in Nitrobenzol bei 0° succinoyliert; dabei tritt der Acyl-Rest in eine 2-Stellung ein.

[1] E. Clar, W. Kelly u. W. G. Niven, Soc. **1956**, 1833.
[2] B. Boggiano u. E. Clar, Soc. **1957**, 2681.
[3] H. Waldmann, J. prakt. [2] **135**, 1 (1932).
[4] H. Waldmann u. H. Mathiowetz, B. **64**, 1713 (1931).
[5] C. M. Jephcott, Am. Soc. **50**, 1189 (1928).
[6] F. Mayer et al., A. **488**, 259 (1931).
[7] A. T. Peters u. D. Walker, Soc. **1956**, 1429.
[8] E. Bisagni u. R. Royer, C. r. **250**, 3339 (1960).
[9] G. Chatelus, A. ch. [12] **4**, 505 (1949).
[10] P. L. Trivedi u. S. Sethna, J. indian chem. Soc. **29**, 141 (1952).
[11] E. Mosettig u. R. A. Robinson, Am. Soc. **57**, 902 (1935).
[12] H. Gilman et al., Am. Soc. **61**, 2836 (1939).
[13] J. N. Chatterjea, J. indian chem. Soc. **34**, 347 (1957).
[14] C. Routier, N. P. Buu-Hoï u. R. Royer, Soc. **1956**, 4276.
[15] US.P. 2480220 (1949), G. D. Searle & Co., Erf.: R. R. Burtner u. J. M. Brown; C. A. **44**, 1142 (1950).
[16] A. M. El-Abbady, S. Ayoub u. F. G. Baddar, Soc. **1960**, 2556.

4-Oxo-4-thienyl-(2)-butansäure; allgemeine Arbeitsvorschrift[1]: 100 g (1 Mol) Bernsteinsäure-anhydrid und 294 g (2,2 Mol) wasserfreies Aluminiumchlorid werden in 1 l Nitrobenzol gelöst, die Lösung wird mit Eis abgekühlt. Eine Lösung von 1 Mol Thiophen oder eines Thiophen-Derivates in 500 ml Nitrobenzol wird in 30 Min. unter Rühren zugetropft. Man kühlt noch weitere 30 Min., dann rührt man 5 Stdn. bei Raumtemperatur. Nach dem Zersetzen der Reaktionsmischung mit Eis und 20%iger Salzsäure wird das Lösungsmittel mit Wasserdampf abdestilliert. Die überstehende Flüssigkeit wird abdekantiert, zum Rückstand gibt man 1,5 l 10%ige Natriumcarbonat-Lösung. Die dabei erhaltene Lösung wird nochmals mit Wasserdampf behandelt, um die letzten flüchtigen Anteile zu entfernen, und dann mit A-Kohle geklärt. Man fällt die rohe Säure mit Salzsäure aus. Die Ausbeuten an gereinigten Produkten liegen zwischen 55 und 63% der Theorie.

Auf diese Weise werden folgende Oxo-carbonsäuren hergestellt:

4-Oxo-4-[thienyl-(2)]-butansäure	F: 118–119°
4-Oxo-4-[2-äthyl-thienyl-(5)]-butansäure	F: 95°
4-Oxo-4-[2,5-dimethyl-thienyl-(3)]-butansäure	F: 111°
4-Oxo-4-[2,5-dimethyl-3-äthyl-thienyl-(4)]-butansäure	F: 92°
4-Oxo-4-[2-heptyl-thienyl-(5)]-butansäure	F: 102°
4-Oxo-4-[2-(5-äthyl-octyl)-thienyl-(5)]-butansäure	F: 70°
4-Oxo-4-[5-brom-thienyl-(2)]-butansäure	F: 141°

Tab. 64. 4-Oxo-4-thienyl-butansäuren aus Thiophen-Derivaten und Bernstein-säure-anhydrid/Aluminiumchlorid in Nitrobenzol

4-Oxo-4-thienyl-butansäure	Ausbeute [% d. Th.]	F [°C]	Literatur
4-Oxo-4-[2-methyl-thienyl-(5)]-butansäure	88	113	2
4-Oxo-4-[2-tert.-butyl-thienyl-(5)]-butansäure		114	3
4-Oxo-4-[2-isopropyl-thienyl-(5)]-butansäure		111	3
4-Oxo-4-[2-(2-methyl-decyl)-thienyl-(5)]-butansäure		110	4
4-Oxo-4-[2-dodecyl-thienyl-(5)]-butansäure		107	3
4-Oxo-4-[3-tert.-butyl-thienyl-(2)]-butansäure		119	4
4-Oxo-4-[2,3-dimethyl-thienyl-(5)]-butansäure	69	111	5
4-Oxo-4-[3-methyl-2-äthyl-thienyl-(5)]-butansäure	41	128	5
4-Oxo-4-[2,5-diäthyl-thienyl-(3)]-butansäure	71	80	6
4-Oxo-4-[2-(4-methyl-phenyl)-thienyl-(5)]-butansäure	92	206	7
4-Oxo-4-[5-chlor-thienyl-(2)]-butansäure	66	122	8

Die Succinoylierung von Benzo-[b]-thiophen führt mit einer Ausbeute von 85% d. Th. zu einem Gemisch, das zu 90% aus *3-(3-Carboxy-propanoyl)-⟨benzo-[b]-thiophen⟩* – und zu 10% aus *2-(3-Carboxy-propanoyl)-⟨benzo-[b]-thiophen⟩* – besteht[9]. 2,3-Diäthyl-⟨benzo-[b]-thiophen⟩ wird unter analogen Bedingungen in 6-Stellung acyliert, man erhält *2,3-Diäthyl-6-(3-carboxy-propanoyl)-⟨benzo-[b]-thiophen⟩* (95%

[1] G. M. Badger, H. J. Rodda u. W. H. F. Sasse, Soc. **1954**, 4162.
[2] N. P. Buu-Hoï, N. Hoan u. N. H. Khôi, R. **69**, 1053 (1950).
[3] M. Sy, N. P. Buu-Hoï u. N. D. Xuong, C. r. **239**, 1813 (1954).
[4] M. Sy, N. P. Buu-Hoï u. N. D. Xuong, Soc. **1955**, 21.
[5] J. Lamy, D. Lavit u. N. P. Buu-Hoï, Soc. **1958**, 4202.
[6] P. Cagniant u. P. Cagniant, Bl. **1953**, 713.
[7] N. P. Buu-Hoï u. D. Lavit, Bl. **1958**, 290.
[8] N. P.-Buu-Hoï, N. Hoan u. N. D. Xuong, R. **69**, 1083 (1950).
[9] P. Cagniant u. P. Cagniant, Bl. **1952**, 336.

d. Th.)[1]. Die Succinoylierung von 3-Methoxy-⟨benzo-[b]-thiophen⟩ bei 0° in 1,1,2,2-Tetrachlor-äthan   ergibt   *3-Methoxy-2-(3-carboxy-propanoyl)-⟨benzo-[b]-thiophen⟩*[2]. Thiochroman reagiert mit Bernsteinsäure-anhydrid/Aluminiumchlorid in Nitrobenzol bei 0° zu *6-(3-Carboxy-propanoyl)-thiochroman* (90% d. Th.)[3].

Dibenzothiophen wird in Nitrobenzol[4,5] bei 0° zu *2-(3-Carboxy-propanoyl)-⟨dibenzothiophen⟩* (66% d. Th.) und 4-Methyl-⟨dibenzothiophen⟩ zu *4-Methyl-2-(3-carboxypropanoyl)-⟨dibenzothiophen⟩*[6] umgesetzt.

Thioxanthen und Thianthren werden bei 50–60° in Benzol zu *2-(3-Carboxy-propanoyl)-thioxanthen* bzw. *-thianthren* acyliert[7]. Carbazol[8] sowie N-Methyl-[8] oder N-Äthyl-carbazol[9] werden in Nitrobenzol bei 0° mit hohen Ausbeuten zu *3,6-Bis-[3-carboxy-propanoyl]-carbazol* bzw. *9-Methyl-* bzw. *9-Äthyl-3,6-bis-[3-carboxy-propanoyl]-carbazol* succinoyliert. Zur Umsetzung von Benzimidazolon mit Bernsteinsäure-anhydrid/Aluminiumchlorid muß man eine Lösung der Reaktionspartner in 1,1,2,2-Tetrachlor-äthan ~ 3 Stunden auf 100° erhitzen; man erhält *2-Oxo-6-(3-carboxy-propanoyl)-2,3-dihydro-⟨benzimidazol⟩* (9% d. Th.)[10]. Die Succinoylierung von Phenoxathiin wird am zweckmäßigsten in siedendem Benzol vorgenommen, man isoliert dabei eine Mischung aus *2-* und *3-(3-Carboxy-propanoyl)-phenoxathiin*[7].

Methyl-bernsteinsäure-anhydrid ergibt in Gegenwart von Aluminiumchlorid in Nitrobenzol mit Thiophen *4-Oxo-2-methyl-4-thienyl-(2)-butansäure*, allerdings nur mit geringer Ausbeute[11]. α,β-**Dimethyl**-bernsteinsäure-anhydrid wird mit Thioxanthen in Benzol zu *2-(1-Oxo-2-methyl-3-carboxy-butyl)-thioxanthen* umgesetzt[7].

Die Acylierung von Chroman mit **Glutarsäure**-anhydrid/Aluminiumchlorid wird bei −10° in Nitrobenzol vorgenommen, man erhält dabei *6-(4-Carboxy-butanoyl)-chroman* (65% d. Th.)[12]. Unter den gleichen Bedingungen werden auch Thiophen[13], 2,5-Dimethyl-thiophen[14] sowie 4,5,6,7-Tetrahydro-⟨benzo-[b]-thiophen⟩[15] zu *5-Oxo-5-thienyl-(2)-* (39% d. Th.), *5-Oxo-5-[2,5-dimethyl-thienyl-(3)]-pentansäure* (75% d. Th). bzw. *2-(4-Carboxy-butanoyl)-4,5,6,7-tetrahydro-⟨benzo-[b]-thiophen⟩* (65% d. Th.) umgesetzt. Benzo-[b]-thiophen ergibt mit Glutarsäure-anhydrid genauso wie mit Bernsteinsäure-anhydrid zwei Isomere: *2-* und *3-(4-Carboxy-butanoyl)-⟨benzo-[b]-thiophen⟩*[16].

Polymere Anhydride von Hexandisäure, Octandisäure, Nonandisäure und Decandisäure werden mit Thiophen mit Zinn(IV)-chlorid als Katalysator in Benzol bei 0° zur Reaktion gebracht. Man erhält dabei *6-Oxo-6-thienyl-(2)-hexansäure, 8-Oxo-8-thienyl-(2)-octansäure, 9-Oxo-9-thienyl-(2)-nonansäure* und *10-Oxo-10-thienyl-*

[1] R. Royer, P. Demerseman u. A. Cheutin, Bl. **1961**, 1534.
[2] R. R. Burtner u. J. M. Brown, Am. Soc. **73**, 897 (1951).
[3] P. Cagniant u. A. Deluzarche, C. R. **223**, 1012 (1946).
[4] N. P. Buu-Hoï u. P. Cagniant, B. **76**, 1269 (1943).
[5] E. G. G. Werner, R. **68**, 520 (1949).
[6] E. Campaigne, J. Ashby u. S. W. Osborn, J. heterocyclic Chem. **6**, 885 (1969).
[7] US.P. 2480220 (1949), G. D. Searle & Co., Erf.: R. R. Burtner u. J. M. Brown; C. A. **44**, 1142 (1950).
[8] D. R. Mitchell u. S. G. P. Plant, Soc. **1936**, 1295.
[9] N. P. Buu-Hoï u. D. Lavit, Bl. **1958**, 290.
[10] J. P. English et al., Am. Soc. **67**, 295 (1945).
[11] R. Kitchen u. R. B. Sandin, Am. Soc. **67**, 1645 (1945).
[12] G. Chatelus, A. ch. [12] **4**, 505 (1949).
[13] P. Cagniant u. A. Deluzarche, C. R. **222**, 1301 (1946).
[14] P. Cagniant u. P. Cagniant, Bl. **1953**, 713.
[15] P. Cagniant u. P. Cagniant, Bl. **1953**, 921.
[16] P. Cagniant u. P. Cagniant, Bl. **1952**, 629.

(2)-decansäure und *1,8-Dioxo-1,8-dithienyl-(2)-octan, 1,9-Dioxo-1,9-dithienyl-(2)-nonan* sowie *1,10-Dioxo-1,10-dithienyl-(2)-decan*[1].

Maleinsäure-anhydrid/Aluminiumchlorid und Thiophen oder 2-Chlor-thiophen in 1,1,2,2-Tetrachlor-äthan ergeben *4-Oxo-4-thienyl-(2)-* (34% d.Th.) bzw. *4-Oxo-[5-chlor-thienyl-(2)]-buten-(2)-säure* (53% d.Th.)[2].

Phthalsäure-anhydrid wird mit zwei Mol Aluminiumchlorid in Nitrobenzol bei 25–50° mit Dibenzofuran zu *2-(2-Carboxy-benzoyl)-⟨dibenzofuran⟩*[3] umgesetzt. Die Acylierung von Thiophen oder substituierten Thiophenen mit Phthalsäure-anhydrid/Aluminiumchlorid wird in Nitrobenzol oder Schwefelkohlenstoff vorgenommen, man gibt das Thiophen oder Thiophen-Derivat in der Regel als letzte Komponente zur Reaktionsmischung.

Tab. 65. (2-Carboxy-benzoyl)-thiophene aus Thiophen oder Thiophen-Derivaten und Phthalsäure-anhydrid/Aluminiumchlorid

(2-Carboxy-benzoyl)-thiophen	Ausbeute [% d.Th.]	F [°C]	Literatur
2-(2-Carboxy-benzoyl)-thiophen *	74,4	145	4
2-Methyl-5-(2-carboxy-benzoyl)-thiophen *	86	133	4
2-Äthyl-5-(2-carboxy-benzoyl)-thiophen **	21	101	5
3-Methyl-5-(2-carboxy-benzoyl)-thiophen *	78	135	4
2,5-Dimethyl-3-(2-carboxy-benzoyl)-thiophen *	62	127–128	6
5-Chlor-2-(2-carboxy-benzoyl)-thiophen **	61	101	7
5-Brom-2-(2-carboxy-benzoyl-thiophen **	56	152	7

* in Nitrobenzol
** in Schwefelkohlenstoff

Benzo-[b]-thiophen ergibt in Nitrobenzol mit Phthalsäure-anhydrid/Aluminiumchlorid *2-(2-Carboxy-benzoyl)-⟨benzo-[b]-thiophen⟩* (35% d.Th.)[8]. Dagegen entsteht aus Naphtho-[1,2-b]-thiophen unter analogen Bedingungen eine Mischung von *2-* und *3-(2-Carboxy-benzoyl)-⟨naphtho-[1,2-b]-thiophen⟩*[9]. Thianthren mit Phthalsäure-anhydrid/Aluminiumchlorid in Schwefelkohlenstoff führt zu *2-(2-Carboxy-benzoyl)-* und *2,7-Bis-[2-carboxy-benzoyl]-thianthren*[10]. Carbazol wird bei 60° in Nitrobenzol vorwiegend zu *3,6-Bis-[2-carboxy-benzoyl]-carbazol* (47% d.Th.) acyliert[11]. Mit 9-Methylcarbazol in Benzol entstehen, auch bei Anwendung einer äquivalenten Menge Phthalsäure-anhydrid, *9-Methyl-3-(2-carboxy-benzoyl)-* und *9-Methyl-3,6-bis-[2-carboxy-*

[1] J. H. BILLMAN u. F. H. TRAVIS, Proc. Indiana Acad. Sci. **54**, 101 (1944); C. A. **40**, 1826 (1946).
[2] D. PAPA et al., Am. Soc. **70**, 3356 (1948).
[3] W. BORSCHE u. B. SCHACKE, B. **56**, 2498 (1923).
[4] V. WEINMAYR, Am. Soc. **74**, 4353 (1952).
[5] N. P. BUU-HOÏ, Soc. **1958**, 2418.
[6] W. STEINKOPF, T. BARLAG u. H. J. v. PETERSDORFF, A. **540**, 7 (1939).
[7] N. P.-BUU-HOÏ, N. HOAN u. N. D. XUONG, R. **69**, 1083 (1950).
[8] F. MAYER et al., A. **488**, 259 (1931).
[9] W. L. F. AMAREGO, Soc. **1960**, 433.
[10] R. SCHOLL u. C. SEER, B. **44**, 1233 (1911).
[11] R. SCHOLL u. W. NEOVINS, B. **44**, 1249 (1911).

benzoyl]-carbazol[1] und mit 9-Äthyl-carbazol[2] in Chlorbenzol[3] *9-Äthyl-3-(2-carboxy-benzoyl)-* und *9-Äthyl-3,6-bis-[2-carboxy-benzoyl]-carbazol.* 2-Oxo-2,3-dihydro-⟨benzimidazol⟩, 2-Oxo-5-methyl- und 2-Oxo-1,3-dimethyl-2,3-dihydro-⟨benzimidazol⟩ werden mit Phthalsäure-anhydrid/Aluminiumchlorid bei 90° in 1,1,2,2-Tetrachlor-äthan zu *2-Oxo-5-(2-carboxy-benzoyl)-2,3-dihydro-⟨benzimidazol⟩, 2-Oxo-5-methyl-6-(2-carboxy-benzoyl)-2,3-dihydro-⟨benzimidazol⟩* bzw. *2-Oxo-1,3-dimethyl-5-(2-carboxy-benzoyl)-2,3-dihydro-⟨benzimidazol⟩*[4] umgesetzt. Phenoxathiin wird in Nitrobenzol bei Raumtemperatur zu *2-(2-Carboxy-benzoyl)-phenoxathiin* acyliert[5]. Mit sehr unbefriedigenden Ausbeuten verlaufen Umsetzungen von Phenothiazin oder N-Methyl-phenothiazin mit Phthalsäure-anhydrid[6].

3,6-Dichlor-phthalsäure-anhydrid wird mit Thiophenen unter den gleichen Bedingungen wie Phthalsäure-anhydrid umgesetzt; man erhält z. B. *2-(3,6-Dichlor-2-carboxy-benzoyl)-thiophen, 2-Methyl-5-(3,6-dichlor-2-carboxy-benzoyl)-thiophen, 3-Methyl-5-(3,6-dichlor-2-carboxy-benzoyl)-thiophen* und *2,5-Dimethyl-3-(3,6-dichlor-2-carboxy-benzoyl)-thiophen*; die Ausbeuten liegen zwischen 44 und 64% d.Th.[4]. 3-Nitro-phthalsäure-anhydrid ergibt mit Thiophen in Nitrobenzol bei 80° *2-(6-Nitro-2-carboxy-benzoyl)-thiophen*[7], und 4-Nitro-phthalsäure-anhydrid *2-(4-Nitro-2-carboxy-benzoyl)-thiophen*[7,8].

δ) Ketone aus Carbonsäure-estern oder Lactonen und Aromaten

bearbeitet von Dr. CARL-WOLFGANG SCHELLHAMMER
Farbenfabriken Bayer AG, Leverkusen

Die Umsetzung von Carbonsäureestern mit Aromaten hat praktisch keine Bedeutung, da die gleichzeitig mit der Acylierung erfolgende Kernalkylierung des Aromaten nicht zu vermeiden ist[9-12]. Stets tritt zuerst Alkylierung ein. Anders liegen jedoch die Verhältnisse bei der Umsetzung von Lactonen mit Aromaten, da in diesen Fällen durch gleichzeitige Acylierung und Alkylierung ohne Schwierigkeiten die Synthese cyclischer Ketone möglich wird. Außerdem ist es notwendig, zwei Mol Aluminiumchlorid pro Mol des Carbonsäure-alkylesters und Reaktionstemperaturen von 70–100° anzuwenden. Bei der Verwendung von geringeren Aluminiumchlorid-Mengen oder bei tieferen Temperaturen erhält man nur Mono-, Di- oder Trialkyl-benzole.

[1] F. EHRENREICH, M. **32**, 1103 (1911).

[2] M. COPISAROW u. C. WEIZMANN, Soc. **107**, 878 (1915).

[3] V. A. IGNATYUK-MAISTRENKO u. N. S. TIKHONOV, Anilinokrasochnaya Prom. **4**, 473 (1934); C. A. **29**, 1089 (1935).

[4] L. S. EFROS, B. A. PORAI-KOSHITS u. S. G. FARBENSTEIN, Ž. obšč. Chim. **23**, 1691 (1953); engl.: 1779.

[5] E. LESCOT, N. P. BUU-HOÏ u. N. D. XUONG, Soc. **1956**, 2408.

[6] R. SCHOLL u. C. SEER, B. **44**, 1233 (1911).

[7] R. GONCALVES ,W. R. KEGELMAN u. E. V. BROWN, J. Org. Chem. **17**, 705 (1952).

[8] V. WEINMAYR, Am. Soc. **74**, 4353 (1952).

[9] E. BOWDEN, Am. Soc. **60**, 645 (1938).
    L. I. KASHTANOV, Ž. obšč. Chim. **2**, 515 (1932); C. **1932**, I, 600.

[10] DRP 637384 (1936), I. G. Farb.; C. A. **31**, 703 (1937).

[11] J. F. NORRIS u. P. ARTHUR, Am. Soc. **62**, 874 (1940).

[12] D. N. KURSSANOW u. R. R. SELVIN, Ž. obšč. Chim. **9**, 2173 (1939); C. **1940** I, 3242.

4-Äthyl-1-acetyl-benzol[1]: Zu einer Mischung von 133 g (1 Mol) fein gepulvertem, wasserfreiem Aluminiumchlorid und 39 g (0,5 Mol) Benzol, die sich in einem mit einem gut wirkenden Rückflußkühler und einer Rührvorrichtung versehenen Kolben befindet, werden unter Kühlung 44 g (0,5 Mol) Essigsäure-äthylester zugetropft. Schon nach der Zugabe geringer Mengen des Esters verflüssigt sich die Mischung unter Erwärmung und lebhafter Chlorwasserstoff-Entwicklung. Nach beendigter Zugabe des Esters bleibt die Reaktionsmischung 30 Min. ohne äußere Kühlung sich selbst überlassen und wird dann anschließend auf dem Wasserbad erwärmt. Die Reaktionsmischung wird dann, bevor sie völlig erkaltet ist, mit Eis zersetzt. Das abgeschiedene Öl wird nach dem Zusatz von Salzsäure in Benzol aufgenommen, getrocknet, vom Lösungsmittel befreit und i.Vak. destilliert. Farbloses Öl von angenehmem Geruch; Ausbeute: 40,7–48,1 g (55–65% d.Th.); Kp_{10}: 114°.

Bei der analog durchgeführten Umsetzung von Benzol mit Carbonsäure-estern werden folgende Verbindungen erhalten:

Essigsäure-methylester	*4-Methyl-1-acetyl-benzol*	Kp_{21}: 100°	
Buttersäure-äthylester	*4-Äthyl-1-butanoyl-benzol*	Kp_{13}: 142–143°	65–70% d.Th.
Buttersäure-propylester	*4-Propyl-1-butanoyl-benzol*	Kp_{12}: 144–146°	
Buttersäure-isobutylester	*4-tert.-Butyl-1-butanoyl-benzol*	Kp_{13}: 154–157°	
Phenylessigsäure-äthylester	*2-Oxo-2-phenyl-1-(4-äthyl-phenyl)-äthan*	F: 64°	50% d.Th.

Die Umsetzung von 2-Acetoxy-propen mit überschüssigem Benzol/Aluminiumchlorid bei Rückflußtemperatur vollzieht sich ohne Alkylierung, man isoliert nur Acetophenon (74% d.Th.)[2]. 2-Methyl-naphthalin ergibt mit 2-Acetoxy-propen in Nitro-propan ein Gemisch von 2-Methyl-x-acetyl-naphthalinen (81,5% d.Th.), das 64% *2-Methyl-6-acetyl-naphthalin* enthält[3]. 1,3-Diacetoxy-butan reagiert mit Benzol/Aluminiumchlorid zu 1-Acetoxy-3-phenyl-butan und wenig *2-(3-Phenyl-butyl)-1-acetyl-benzol*, unter schärferen Reaktionsbedingungen erhält man *1-Methyl-7-acetyl-indan* (13% d.Th.)[4], der Diester wirkt also in erster Linie alkylierend.

Nicht zu empfehlen sind Carbonsäure-phenylester als Acylierungsmittel[5], da gleichzeitige Acylierung des Phenols eintritt. Wenn man Essigsäure-4-nitro-phenylester als Acylierungsmittel verwendet, unterbleibt die Acylierung des abgespaltenen Phenols, und man isoliert nur *Acetophenon* (82% d.Th.)[5]. Analog erhält man in Benzol aus Toluol mit Essigsäure-4-nitro-phenylester *4-Methyl-1-acetyl-benzol* (78% d.Th.) und mit Benzoesäure-4-nitro-phenylester *4-Methyl-benzophenon* (70% d.Th.)[6].

Wie Alkansäure-alkylester verhalten sich auch γ-Lactone bei der Umsetzung mit Aromaten, d.h. in Gegenwart von molaren Mengen an Aluminiumchlorid und bei niedrigen Temperaturen erfolgt nur Alkylierung und man erhält 4-Aryl-butansäuren[7]. Bei Anwesenheit von mindestens zwei Mol Aluminiumchlorid erfolgen Alkylierung und Acylierung und man erhält cyclische Ketone. So gelingt die Herstellung von *Tetralon-(1)* aus Butyrolacton und überschüssigem Benzol in Gegenwart von 4 Mol Aluminiumchlorid beim 16 stündigen Rückflußkochen mit einer Ausbeute von mehr als 90% der Theorie[8].

---

[1] DRP 637384 (1936), I. G. Farb.; C. A. **31**, 703 (1937).

[2] C. D. Hurd u. L. L. Gershbein, Am. Soc. **74**, 3185 (1952).

[3] US.P. 3234286 (1961), DuPont, Erf.: F. R. Lawrence; C. A. **64**, 12620 (1966).

[4] R. M. Lagidze, Trudy Inst. Khim. im. P. G. Melikishvili, Akad. Nauk Gruzin SSR **12**, 157 (1956); C. A. **52**, 4519 (1958).

[5] J. F. Norris u. B. M. Sturgis, Am. Soc. **61**, 1413 (1939).

[6] E. H. Man u. C. R. Hauser, J. Org. Chem. **17**, 397 (1952).

[7] J. F. Eijkmamm, Chem. Weekblad **1**, 421 (1904); C. **1904** I, 1416.

[8] W. E. Truce u. C. E. Olson, Am. Soc. **74**, 4721 (1952); Org. Synth. Coll. Vol. IV, 898 (1963).

4-Oxo-1,1-dimethyl-tetralin[1]: Zu einer gerührten Suspension von 220 g (1,65 Mol) Aluminium-chlorid in 350 *ml* Benzol tropft man bei 5° im Verlaufe von 45 Min. eine Lösung von 63 g (0,55 Mol) γ,γ-Dimethyl-butyrolacton in 100 *ml* Benzol. Man erwärmt das Reaktionsgemisch langsam auf 90–100° und hält es 3 Stdn. bei dieser Temperatur. Die nach dem Zersetzen mit Eis und Salzsäure erhaltene Benzolschicht wird mit verd. Salzsäure, mit Wasser und mit Natriumcarbonat-Lösung gewaschen. Bei der Destillation über eine Kolonne werden 66,7 g (70% d.Th.) Keton erhalten; Kp_6: 119–120°.

3,4,4-Trimethyl-butyrolacton reagiert mit Benzol in Gegenwart von mehr als zwei Äquivalenten Aluminiumchlorid zu einer Mischung aus *1-Oxo-3,4,4-* (53%) und *1-Oxo-3,3,4-trimethyl-tetralin* (41%). Daneben isoliert man *1-Oxo-3,4-dimethyl-1-phenyl-pentan* (6%)[2].

Bei der Umsetzung von 1,2-Dimethyl-benzol mit γ-Valerolacton/Aluminiumchlorid werden 4-(3,4-Dimethyl-phenyl)-pentansäure (53% d.Th.) und *1-Oxo-7,8-dimethyl-* oder *1-Oxo-6,7-dimethyl-tetralin* (15% d.Th.)[3] isoliert. Phenole wie Phenol, 4-Hydroxy-1-methyl-benzol, 4-Chlor-1-hydroxy-benzol oder 1,4-Dihydroxy-benzol ergeben bei der Umsetzung mit γ-Butyrolacton in einer Aluminiumchlorid/Natriumchlorid-Schmelze bei 180–200° während 2 Min. nicht wie erwartet Tetralone sondern In-danone. Man isoliert *7-Hydroxy-1-oxo-3-methyl-indan* (50% d.Th.) neben *4-Hydroxy-1-oxo-3-methyl-indan* (8% d.Th.), *7-Hydroxy-1-oxo-3,4-dimethyl-indan* (57% d.Th.) neben *4-Hydroxy-1-oxo-3,7-dimethyl-indan* (4% d.Th.), *4-Chlor-7-hydroxy-1-oxo-3-methyl-indan* und *4,7-Dihydroxy-1-oxo-3-methyl-indan*. Aus γ-Valerolacton und 1,4-Dihydroxy-benzol entsteht unter den angegebenen Bedingungen *4,7-Dihydroxy-1-oxo-3-äthyl-indan*[4].

Azlactone reagieren wie Acylamino-acetylchloride mit aromatischen Kohlen-wasserstoffen in Gegenwart von Aluminiumchlorid zu Acylamino-ketonen[5]:

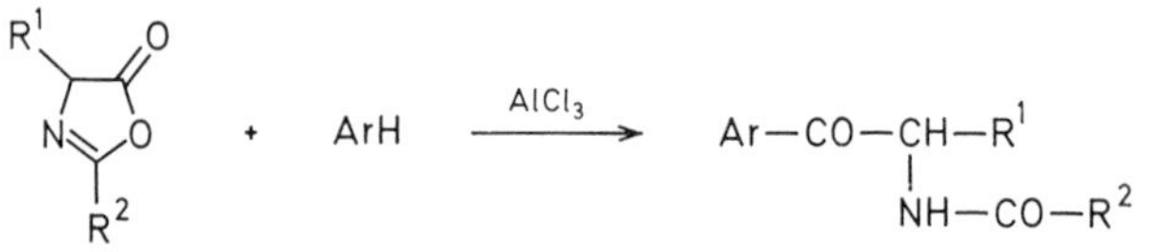

2-Acylamino-1-oxo-1-aryl-alkane; allgemeine Arbeitsvorschrift[5]: 0,1 Mol des Azlactons werden in der 5fachen Menge des Aromaten gelöst; diese Lösung wird zu einer gerührten Suspension von 0,25 Mol Aluminiumchlorid in der gleichen Menge des Aromaten getropft (10–20 Min.). Die Reaktion ist schwach exotherm. Anschließend erhitzt man die Reaktionsmischung 1 Stde. auf 50–60° und überläßt sie dann über Nacht sich selbst. Der Aluminiumchlorid-Komplex wird mit Eis und etwas Salzsäure zersetzt, die Aromaten-Schicht abgetrennt und über Natriumsulfat getrocknet. Nach dem Entfernen des Lösungsmittels erhält man ein kristallines Produkt, das, falls notwendig, aus Äthanol umgelöst wird.

[1] R. T. ARNOLD, J. S. BUCKLEY u. J. RICHTER, Am. Soc. **69**, 2322 (1947).
[2] J. W. HUFFMAN u. J. J. STARNES, J. Org. Chem. **37**, 487 (1972).
[3] W. L. MOSBY, Am. Soc. **74**, 2564 (1952).
[4] D. B. BRUCE, A. J. S. SORRIE u. R. H. THOMSON, Soc. **1953**, 2403.
    N. F. HAYES u. R. H. THOMSON, Soc. **1956**, 1585.
[5] E. CHIORANESKU, L. BUKHEN-BRYLÉDRYANU u. R. SHTERNBERG, Izv. Akad. SSSR **1961**, 144;
    engl.: 126.

Auf diese Weise werden folgende Verbindungen hergestellt:

2-Benzoylamino-1-oxo-1-phenyl-äthan	F: 123°	81% d.Th.
2-Benzoylamino-1-oxo-1-phenyl-propan	F: 103°	82% d.Th.
2-Benzoylamino-1-oxo-1-phenyl-butan	F: 101°	84% d.Th.
2-Benzoylamino-1-oxo-1,3-diphenyl-propan	F: 144°	28% d.Th.
2-Acetylamino-1-oxo-1,2-diphenyl-äthan	F: 134°	60% d.Th.
2-Benzoylamino-1-oxo-1-(4-methyl-phenyl)-propan	F: 113°	81% d.Th.

In Schwefelkohlenstoff bei 20–46° unter Zugabe des Aluminiumchlorids als letzte Komponente[1] werden folgende Ketone erhalten:

2-Benzoylamino-1-oxo-1-(2,4-dimethyl-phenyl)-äthan	F: 130°	78% d.Th.
2-Benzoylamino-1-oxo-1-[naphthyl-(1)]-äthan	F: 148°	39,5% d.Th.
2-Benzoylamino-1-oxo-1-[acenaphthyl-(5)]-äthan	F: 160–161°	90% d.Th.
2-Benzoylamino-1-oxo-1-[biphenylyl-(4)]-äthan	F: 185–186°	70,6% d.Th.
2-Benzoylamino-1-oxo-1-(4-cyclohexyl-phenyl)-äthan	F: 113°	34,5% d.Th.
2-Benzoylamino-1-oxo-1-[fluorenyl-(2)]-äthan	F: 157°	97% d.Th.
2-Benzoylamino-1-oxo-1-[phenanthryl-(3)]-äthan	F: 155–156°	27,5% d.Th.

Wie 5-Oxo-2-phenyl-4,5-dihydro-1,3-oxazol verhalten sich auch 5-Oxo-2-biphenylyl[2] bzw. 5-Oxo-2-naphthyl-(1)-4,5-dihydro-1,3-oxazol[3] bei der Umsetzung mit aromatischen Kohlenwasserstoffen, man erhält 2-(4-Phenyl-benzoylamino)-1-oxo-1-aryl- bzw. 2-[Naphthoyl-(1)-amino]-1-oxo-1-aryl-äthan.

Wenn man das Azlacton der Benzoylamino-essigsäure (5-Oxo-2-phenyl-4,5-dihydro-1,3-oxazol) nach der angegebenen Vorschrift mit Methoxy-benzol umsetzt, erfolgt teilweise Ätherspaltung, und man erhält *2-Benzoylamino-1-oxo-1-(4-hydroxy-phenyl)*- (20% d.Th.) und *2-Benzoylamino-1-oxo-1-(4-methoxy-phenyl)-äthan* (16% d.Th.)[4].

Bei der Umsetzung von 5-Oxo-2-methyl-4-benzyl-, 5-Oxo-2-methyl-4-(2-phenyl-äthyl)- bzw. 5-Oxo-2-methyl-4-(3-phenyl-propyl)-4,5-dihydro-1,3-oxazol mit Aluminiumchlorid erfolgt intramolekulare Cyclisierung, und man erhält *2-Acetylamino-1-oxo-indan*, *2-Acetylamino-1-oxo-tetralin* bzw. *6-Acetylamino-5-oxo-6,7,8,9-tetrahydro-5H-⟨benzo-[a]-cycloheptatrien⟩*[5]:

n = 1,2,3; 63–65 % d. Th.

Bei der Umsetzung von 5-Oxo-2-phenyl-4-benzyliden-4,5-dihydro-1,3-oxazol mit Benzol[6] in Gegenwart von Feuchtigkeit[7,8] entstehen *2-Benzoylamino-1-oxo-1-phenyl-äthan* und Triphenylmethan, in absolut trockenem Milieu unterbleiben diese Reak-

---

[1] P. T. FRANGOPOL et al., Tetrahedron **16**, 59 (1961).

[2] A. T. BALABAN et al., Tetrahedron **19**, 169 (1963).

[3] E. CIORANESCU et al., Revue de Chimie (Bucharest) **7**, 755 (1962).

[4] E. BOWDEN, Am. Soc. **60**, 645 (1938).
    L. I. KASHTANOV, Ž. obšč. Chim. **2**, 515 (1932); C. **1932** I, 600.

[5] E. CHIORANESKU u. L. BUKHEN-BYRLEDRYANU, Izv. Akad. SSSR **1961**, 149; engl.: 130.

[6] W. I. AWAD u. M. S. HAFEZ, J. Org. Chem. **26**, 2055 (1961).

[7] R. FILLER u. Y. S. RAO, J. Org. Chem. **27**, 2403 (1962).

[8] E. CHIORANESKU et al., Tetrahedron Letters **1962**, 349.

tionen, und man isoliert 5-Oxo-4-diphenylmethyl-2-phenyl-4,5-dihydro-1,3-oxazol[1]. Bei der intramolekularen Cyclisierung von 5-Oxo-2-phenyl-4-benzyliden-4,5-dihydro-1,3-oxazol in 1,1,2,2-Tetrachlor-äthan erhält man *2-Benzoylamino-1-oxo-inden* (73% d. Th.) und 1-Phenyl-3-carboxy-isochinolin[2,3].

ε) Ketone aus Ketenen und Aromaten

bearbeitet von Dr. CARL-WOLFGANG SCHELLHAMMER
Farbenfabriken Bayer AG, Leverkusen

Ketene, die außerordentlich leicht Chlorwasserstoff unter Bildung von Carbonsäure-chloriden anlagern, reagieren auch wie diese. Mit Keten selbst und Aromaten werden jedoch nach Friedel-Crafts nur schlechte Keton-Ausbeuten erhalten, da das hochreaktive Keten zu zahlreichen Nebenreaktionen führt (s. ds. Handb., Bd. VII/4, S. 186).

Die Acetylierung von Naphthalin führt zu *1-Acetyl-naphthalin*[4]. Mit 1,2,3,4-Tetrahydro-naphthalin erhält man in Schwefelkohlenstoff *6-Acetyl-tetralin* (24% d.Th.) und mit Biphenyl *4-Acetyl-biphenyl* (23,4% d. Th.)[4]. Auch die Acetylierung von Toluol, Äthyl-benzol, Propyl-benzol und Propyl-(2)-benzol ist beschrieben[5-7]. N,N-Dimethyl-anilin ergibt mit Zinkchlorid/Essigsäure als Katalysator *4-Dimethylamino-1-acetyl-benzol* (12,4% d. Th.)[8].

Ausgezeichnete Ausbeuten an Acetoacetyl-Verbindungen erhält man jedoch aus Diketen und Aromaten. Diketen verhält sich wie das praktisch nicht herstellbare Acetoacetylchlorid (diese Verfahren sind bereits in ds. Handb., Bd. VII/4, S. 248, beschrieben).

Ein Beispiel zur Herstellung von 1,3-Dioxo-1-phenyl-butan aus Benzol, einem Mol Diketen und zwei Mol Aluminiumchlorid findet sich in ds. Handb., Bd. VII/4, S. 248.

Die technisch hergestellten Verbindungen Keten und Diketen sind auch wertvolle Ausgangmaterialien zum Aufbau höherer Carbonsäure-chloride, die zu Friedel-Crafts'schen Synthesen herangezogen werden können (s. ds. Handb., Bd. VII/4, S. 182ff., 251), z. B.:

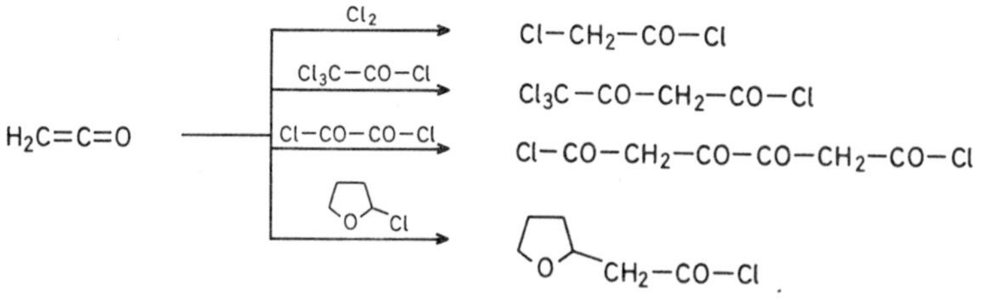

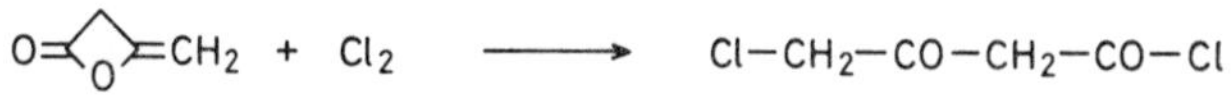

[1] R. FILLER u. L. M. HEBRON, J. Org. Chem. **23**, 1815 (1958).
[2] W. I. AWAD u. M. S. HAFEZ, J. Org. Chem. **26**, 2055 (1961).
[3] R. FILLER u. Y. S. RAO, J. Org. Chem. **27**, 2403 (1962).
[4] J. W. WILLIAMS u. J. M. OSBORN, Am. Soc. **61**, 3438 (1939).
[5] R. E. DUNBAR u. R. T. ARNDTS, Proc. N. Dakota Acad. Sci. **14**, 57 (1960); C. A. **57**, 11083 (1962).
[6] M. FRERI u. I. MAXIMOFF, G. **70**, 836 (1940).
[7] F. S. SPRING u. T. VICKERSTAFT, Soc. **1935**, 1873.
[8] B. N. DASHKEVICH, Nauchn. Zap. Uzhgorodzk Gos. Univ. **22**, 128 (1957); C. A. **54**, 7626 (1960).

ζ) Ketone durch Umlagerung von Carbonsäure-arylestern (Fries-Verschiebung)

bearbeitet von Prof. Dr. Hans Henecka
Farbenfabriken Bayer AG, Elberfeld

Phenylester aliphatischer oder aromatischer Carbonsäuren gehen unter dem Einfluß von mindestens einem Mol Aluminiumchlorid über in ein Gemisch von 2- und 4-Acyl-phenolen[1]:

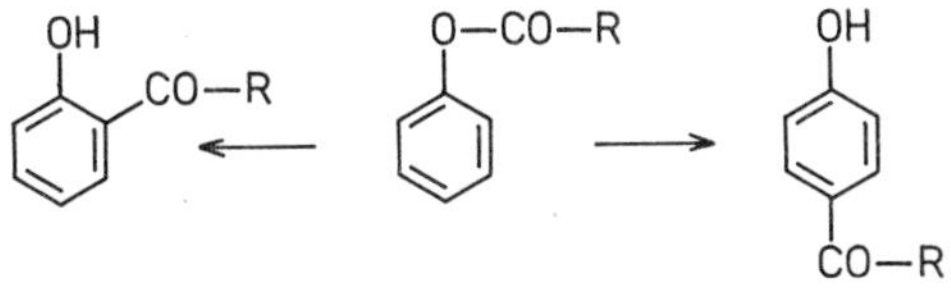

Neuere Untersuchungen zum Mechanismus[2] der Fries-Reaktion haben ergeben, daß weder ein reiner intramolekularer Umlagerungsmechanismus (Reaktion 1. Ordnung), noch ausschließlich ein intermolekularer Acylierungsmechanismus (Reaktion 2. Ordnung) vorliegt. Vielmehr laufen beide Mechanismen in Abhängigkeit von der Konstitution des Phenylesters, der Menge des Aluminiumchlorids, der Reaktionstemperatur, der Polarität des Lösungsmittels und der Konzentration nebeneinander her; hierbei bestehen Anzeichen dafür, daß die Verschiebung nach der o-Stellung hauptsächlich intra-, die nach der p-Stellung vorwiegend intermolekular verläuft.

Im allgemeinen führt man die Fries-Verschiebung in der Weise durch, daß man den Phenylester ohne Anwendung eines Lösungsmittels allmählich mit der äquimolaren Menge Aluminiumchlorid versetzt und danach mehrere Stunden auf der erforderlichen Reaktionstemperatur hält. Das dabei unter Chlorwasserstoff-Entwicklung entstehende Gemisch des o- und p-Acyl-phenols läßt sich in seiner prozentualen Zusammensetzung in gewissem Umfang durch die gewählten Reaktionsbedingungen beeinflussen. Hohe Temperatur (>100°) begünstigt i.allg. die Bildung des o-Isomeren, während bei tiefen Temperaturen bevorzugt das p-Acyl-phenol entsteht[3], dessen Bildung weiterhin begünstigt wird durch Wahl eines polaren Lösungsmittels, wie besonders Nitrobenzol. Naturgemäß verläuft die Umlagerung in Nitrobenzol bei 25° langsam, während die Reaktion mit steigender Temperatur mit der Verschiebung des p/o-Verhältnisses zugunsten der o-Verbindung zusätzlich rascher verläuft. Bei der Umlagerung des 4-Acetoxy-1-methyl-benzols, das nur nach der o-Stellung umlagern kann, entsteht z.B. bei 10 Min. Verbacken mit Aluminiumchlorid bei 60° 6%, bei 90° 60% und bei 120° 100% *2-Hydroxy-5-methyl-acetophenon.*

Hydroxy-acyl-benzole (Acyl-phenole) durch Fries-Verschiebung; allgemeine Arbeitsvorschrift:
Arbeitet man ohne Lösungsmittel, so versetzt man 1 Mol des Esters allmählich mit mindestens 1,2 Mol gepulvertem Aluminiumchlorid und erhitzt dann mindestens 30 Min. auf 120–160° (meist 130–140°), wobei unter kräftiger Chlorwasserstoff-Entwicklung eine goldgelbe bis rotbraune Masse ent-

---

[1] K. Fries u. G. Fink, B. **41**, 4271 (1908); s.a. Org. Reactions **1**, 342 (1942).
[2] S. z.B.: G. A. Olah, Friedel-Crafts and Related Reactions, Vol. III, Part 1, S. 502f.; Interscience Publishers, John Wiley a. Sons Inc., New York-London-Sydney 1964.
  s.a. Y. Ogata u. H. Tabuchi, Tetrahedron **20**, 1661 (1964); dort frühere Literatur.
[3] K. W. Rosenmund u. W. Schnurr, A. **460**, 77 (1928).

steht, die kalt glasig erstarrt. Man zerlegt die Aluminium-Verbindung durch Eis/verd. Salzsäure, zum Schluß unter Erwärmen. Das zumeist als ölige Schicht sich abscheidende Reaktionsprodukt nimmt man mit Äther oder Benzol auf, entzieht dieser Lösung die Hydroxy-acyl-benzole durch Ausschütteln von verd. Natron- oder Kalilauge und isoliert die Acyl-phenole aus der alkalischen Lösung durch Ansäuern. Die Trennung der 2-Acyl-phenole von den entsprechenden p-Verbindungen ist leicht durchführbar, da die 2-Acyl-phenole, bedingt durch die Möglichkeit der Ausbildung eines Chelats, z. B.:

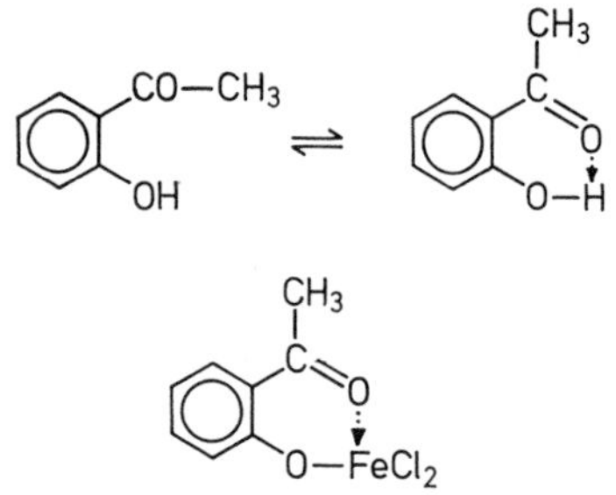

wesentlich leichter flüchtig sind als die 4-Acyl-phenole. Bei den niederen Gliedern der Reihe gelingt diese Trennung bereits durch Destillation mit Wasserdampf, mit dem nur die o-Verbindung flüchtig ist. Da auch nur die o-Verbindung als Chelat Eisen(III)-chlorid-Reaktion gibt, kann man den Verlauf dieser Trennung leicht verfolgen. Ist das 2-Acyl-phenol mit Wasserdampf schwerer flüchtig, so gelingt die Trennung von der p-Verbindung gewöhnlich bereits bei einmaliger Vakuumdestillation des Gemisches, da die o-Verbindung zumeist $\sim$ 50° tiefer siedet als die p-Verbindung. Da die Kristallisationstendenz der p-Verbindung oft höher ist als die des o-Derivates, kann man auch so verfahren, daß man die Hauptmenge der p-Verbindung aus dem Gemisch kristallin abscheidet und dann aus dem abgetrennten Öl die o-Verbindung durch Destillation von den noch beigemengten p-Isomeren trennt, das man aus dem Destillationsrückstand bzw. der hochsiedenden Fraktion zusätzlich gewinnt.

Arbeitet man in Nitrobenzol, so löst man den Phenolester in der 3–5-fachen Menge trockenen Nitrobenzols, fügt, wenn nötig, unter Kühlung 1,2—1,3 Mol Aluminiumchlorid zu und läßt die erhaltene gelbrote bis tiefbraune Lösung bei Zimmertemp. stehen oder erwärmt auf 60°. Man vermeide es jedoch, Phenylester in Nitrobenzol mit Aluminiumchlorid auf Temp. über 100° zu erhitzen, da hierbei sehr *heftige Zers.* sich ereignen können. Zur Aufarbeitung zerlegt man durch Verrühren mit Eiswasser/verd. Salzsäure, nimmt, wenn nötig, mit Äther auf, extrahiert mit verdünntem Alkali und isoliert das Acyl-phenol wie zuvor beschrieben.

Die Fries-Verschiebung ist breitester Anwendung fähig, da mit dieser Reaktion ganz allgemein Arylester beliebiger Carbonsäuren in 2- bzw. 4-Hydroxy-1-acyl-aryle überführbar sind:

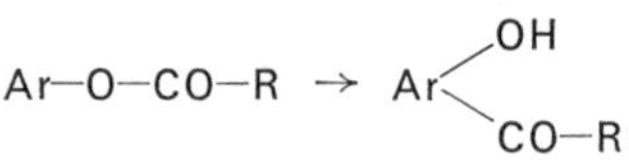

So sind die Arylester beliebiger Fettsäuren mit Ausnahme der Ameisensäure der Reaktion zugänglich, wobei mit Ansteigen der Molekulargröße des Restes R die Tendenz zur Bildung des o-Derivates zunimmt[1].

Arylester aromatischer Carbonsäuren gehen die Fries-Reaktion etwas schwieriger ein als die Arylester aliphatischer Säuren; außerdem neigen z.B. Benzoesäureester mehr zur Verschiebung in die p-Stellung[2].

[1] R. BALTZLY u. A. BASS, Am. Soc. **55**, 4292 (1933).
[2] S. z.B. Benzoesäure-phenylester: K. W. ROSENMUND u. W. SCHNURR, A. **460**, 89 (1928).

Anstelle von Aluminiumchlorid sind insbesondere Zinn(IV)- und Titan(IV)-chlorid analog als Kondensationsmittel brauchbar[1]; auch Bortrifluorid und seine Solvate katalysieren die Fries-Verschiebung[2]. Auch Ionenaustauscher in der Säureform bewirken bei 60–110° die Fries-Verschiebung[3], ebenso wie eine UV-Bestrahlung aromatischer Ester[4].

Gewöhnlich arbeitet man mit etwa 1,2 Mol Aluminiumchlorid pro Mol Phenylester; Erhöhung der Menge des Kondensationsmittels begünstigt i.allg. die Entstehung des p-Isomeren. So ergibt die Umlagerung des 3-Acetoxy-1-methyl-benzol

I   II

45% *2-Hydroxy-4-methyl-* (II) und 30% *4-Hydroxy-2-methyl-acetophenon* (I), wenn man 0,2 Mol des Esters mit 0,22 Mol Aluminiumchlorid in 200 *ml* Nitrobenzol 92 Stdn. stehen läßt. Arbeitet man hingegen mit 0,40 Mol Aluminiumchlorid in 400 *ml* Nitrobenzol, so erhält man nach 66 Stdn. 28% II und 63,5% I[5].

Während Essigsäure-phenylester beim Verbacken mit 1,2 Mol Aluminiumchlorid bei 120° 40% *2-Hydroxy-* und 50% *4-Hydroxy-acetophenon* ergibt, verändert bereits Substitution durch Methyl das o/p-Verhältnis: unter gleichen Bedingungen gibt 2-Acetoxy-1-methyl-benzol 16% *2-Hydroxy-3-methyl-* und 65% *4-Hydroxy-3-methyl-acetophenon* und 3-Acetoxy-1-methyl-benzol 73% *3-Hydroxy-2-methyl-* und nur 20% *4-Hydroxy-2-methyl-acetophenon*[6]. Auch höher alkylierte Phenole wie die verschiedenen Xylenole[7], 2-Hydroxy-4-methyl-1-isopropyl-benzol (Thymol) und 3-Hydroxy-4-methyl-1-isopropyl-benzol (Carvacrol)[8], geben zumeist die erwarteten Umwandlungsprodukte, nämlich die entsprechenden 2-Acyl-phenole beim Verbacken

[1] J. d'ANS u. H. ZIMMER, B. **85**, 585 (1952).
  s.a. A. W. RALSTON et al., J. Org. Chem. **7**, 522 (1942).
  T. YOSHIMO et al., J. chem. Soc. Japan **57**, 898 (1954); J. Soc. org. synth. Chem. Japan **21**, 463 (1963).
  F. KRAUSZ u. R. MARTIN, C. r. **256**, 5594 (1963).
  ZrCl$_4$: N. M. CULLINANE et al., Soc. **1961**, 3842.
[2] D. KÄSTNER in *Neuere Methoden der präparativen organischen Chemie* I, S. 444, Verlag Chemie GmbH Berlin. 1943
  s.a. z.B. P. da RE u. L. CIMATORIBUS, J. Org. Chem. **26**, 3650 (1961).
[3] US.P. 3098099 (1960), Union Carbide Corp., Erf.: L. B. CONTE u. F. N. APEL; C.A **59**, 13886 (1963).
[4] H. KOBSA, J. Org. Chem. **27**, 2293 (1962).
  J. C. ANDERSON u. C. B. REESE, Soc. **1963**, 1781.
  s.a. O. C. CHAPMANN, *Organic Photochemistry*, Vol. 1, Marcel Dekker, Inc., New York 1967.
[5] R. BALTZLY, W. S. IDE u. A. P. PHILLIPS, Am. Soc. **77**, 2522 (1955).
[6] K. W. ROSENMUND u. W. SCHNURR, A. **460**, 65 (1928);
  s.a. M. JULIA u. F. CHASTRETTE, Bl. **1962**, 2255.
[7] K. v. AUWERS et al., A. **447**, 162 (1926); **460**, 240 (1928); **464**, 293 (1928).
  J. VENE et al., Bl. **1963**, 1813 (3,4-Dimethyl-phenol).
[8] K. W. ROSENMUND u. W. SCHNURR, A. **460**, 56 (1928).
  A. B. SEN u. S. S. PARMAR, J. Indian Chem. Soc. **29**, 407 (1952); **30**, 61 (1953).

bei 120–150°, die 4-Acyl-phenole in Nitrobenzol bei Zimmertemperatur, wenn auch bei di- oder trialkylierten Phenolen gelegentlich neben den erwarteten Produkten Isomere unter Alkyl-Wanderung beobachtet wurden[1].

Auch halogenierte Phenole sind der Fries-Reaktion zugänglich: aus 2-, 3- und 4-Chlor-phenylestern entstehen unter üblichen Bedingungen die erwarteten Reaktionsprodukte[2]; 2-Fluor-1-acetoxy-benzol ergibt *3-Fluor-2-hydroxy-acetophenon*[3], 2,4-Dichlor-5-methyl-1-acetoxy-benzol gibt *3,5-Dichlor-2-hydroxy-4-methyl-acetophenon*[4] und aus 4-Fluor-2-halogen-phenylestern entstehen die zu erwartenden 4-Fluor-6-halogen-1-acyl-phenole[5].

Durch 2,6-Disubstitution der phenolischen Hydroxy-Gruppe tritt eine sterische Behinderung der Umlagerung der Essigsäureester nicht ein; 2,6-Dichlor-[6] und 2,6-Dibrom-[7] 1-acetoxy-benzol geben mit Aluminiumchlorid bei 120° *3,5-Dichlor-* bzw. *3,5-Dibrom-4-hydroxy-acetophenon*.

Entgegen früheren Feststellungen[8] gelingt die Fries-Reaktion mit 2-Nitro-1-acetoxy-benzol dann, wenn man eine Lösung des Esters (0,1 Mol) in Nitrobenzol zu einer Lösung von Aluminiumchlorid (0,45 Mol) in Nitrobenzol gibt und 90 Min. auf 95° erhitzt[9]; man erhält *3-Nitro-4-hydroxy-acetophenon* (33% d. Th.). 3-Nitro-[10] und 4-Nitro-1-acetoxy-benzol[11] sind ebenfalls umlagerungsfähig, wobei man *4- (bzw. 5)-Nitro-2-hydroxy-1-acetophenon* erhält. Das gleiche gilt für 2-, 3- und 4-Acetamino-1-acetoxy-benzol[12]: so erhält man z. B. *3-Acetamino-4-hydroxy-acetophenon* mit 75% Ausbeute, wenn man 2-Acetamino-1-acetoxy-benzol (3 g) in einer Lösung von Aluminiumchlorid (3,9 g) in Nitrobenzol (50 *ml*) einen Tag stehen läßt.

Umlagerungsfähig sind auch die O-Acyl-Derivate von Hydroxy-benzoesäuren. 2-Acetoxy-benzoesäure (O-Acetyl-salicylsäure, 3 g) gibt beim Zufügen zu 7 g (3,3 Mol) Aluminiumchlorid in 35 *ml* Nitrobenzol nach lebhafter Reaktion 2,5 g (83% d. Th.) *2-Hydroxy-5-acetyl-benzoesäure*[13]; das gleiche Produkt entsteht beim

---

[1] K. v. Auwers et al., A. **447**, 162 (1926); **460**, 240 (1928).
   s.a. F. Krausz u. R. Martin, C. r. **257**, 693 (1964).
[2] F. C. Chen u. T. H. Tsai, J. Taiwan Pharm. Assoc. **4**, 42 (1951); C. A. **49**, 5374 (1955).
   F. C. Chen et al., J. Org. Chem. **27**, 310 (1962).
   A. Ballio u. L. Almirante, Ann. Chim. (Rome) **41**, 421 (1951).
   E. Klarmann et al., Am. Soc. **55**, 2576 (1933).
   K. A. Thaker, J. indian chem. Soc. **40**, 539 (1963).
[3] F. C. Chen et al., J. Org. Chem. **27**, 310 (1962).
[4] S. E. Cremer u. D. S. Tarbell, J. Org. Chem. **26**, 3653 (1961).
[5] K. C. Joshi u. J. S. Gupta, J. indian chem. Soc. **40**, 851 (1963).
[6] D. S. Tarbell u. P. E. Fanta, Am. Soc. **65**, 2169 (1943).
   C. Fuson u. S. L. Scott, Am. Soc. **63**, 2843 (1941).
[7] G. G. Joshi u. N. M. Shah, J. indian chem. Soc. **31**, 220 (1954).
[8] K. W. Rosenmund u. W. Schnurr, A. **460**, 65 (1928).
   H. Lindemann u. S. Romanoff, J. pr. [2] **122**, 227 (1929).
[9] F. C. Brown, Am. Soc. **68**, 872 (1946).
[10] A. Gerecs et al., Acta Chim. Acad. Sci Hung. **8**, 295 (1955); C. A. **49**, 6169 (1955).
[11] A. S. U. Choughuley u. G. C. Amin, Science and Culture (Calcutta) **19**, 614 (1954); C. A. **49**, 10875 (1955).
   s.a. T. Széll u. J. Egyed, J. org. Chem. **27**, 2225 (1962).
[12] M. Julia u. M. Baillarge, Bl. **1952**, 639.
[13] D. N. Shah u. N. M. Shah, J. indian Chem. Soc. **26**, 235 (1949).
   s.a. K. C. Amin, G. S. Patel u. S. R. Patel J. Indian Chem. Soc. **41**, 833 (1964) (Halogen-2-hydroxy- und 2-Hydroxy-x-methyl-benzoesäuren).

Verbacken bei 120–125°. Arbeitet man in Nitrobenzol bei Zimmertemperatur, so gelingt die Umlagerung auch bei 2-Acetoxy-benzoesäure-methylester[1], wobei man *2-Hydroxy-5-acetyl-benzoesäure-methylester* erhält. Glatt gelingt die Reaktion auch mit Hydroxy-benzoesäure-amiden[2]; 2-Acetoxy-benzoesäure-amid geht in Nitrobenzol mit Aluminiumchlorid bei 20° in *2-Hydroxy-5-acetyl-benzoesäure-amid* (90% d. Th.) über.

Aus 2-Benzoyloxy-benzonitril entsteht bei 140° mit Aluminiumchlorid *2-Hydroxy-5-benzoyl-benzonitril (4-Hydroxy-3-cyan-benzophenon)* (40% d. Th.)[3].

Auch die Ester der Dihydroxy-benzole (Brenzcatechin, Resorcin und Hydrochinon) geben die Fries-Reaktion[4]. Aus 1,2-Diacetoxy-benzol entsteht *3,4-Dihydroxy-1-acetyl-benzol* (80% d. Th.):

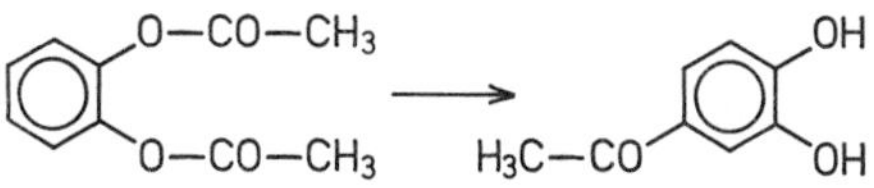

wenn man die Nitrobenzol-Lösung des 1,2-Diacetoxy-benzols mit Aluminiumchlorid 2 Stdn. auf 75° erwärmt, wobei nur eine Acetyl-Gruppe umgelagert, die zweite jedoch (bei der Aufarbeitung) verseift wird. Setzt man dem 1,2-Diacetoxy-benzol bei dieser Umwandlung noch 1 Mol freies Brenzcatechin hinzu, so wird auch der zweite Acetyl-Rest verwertet, da sich primär durch Umesterung aus 1,2-Diacetoxy-benzol und freiem Brenzcatechin 2-Hydroxy-1-acetoxy-benzol bildet (Ausbeute: 88% d. Th. *3,4-Dihydroxy-acetophenon*).

1,3-Diacetoxy-benzol gibt beim Verschmelzen mit 3 Mol Aluminiumchlorid bei 140–145° 90 Min. 28% d. Th. *2,4-Dihydroxy-acetophenon* (II) und 48% d. Th. *2,4-Dihydroxy-1,3-diacetyl-benzol* (III), dessen Menge bei 180° auf 60% ansteigt[5]:

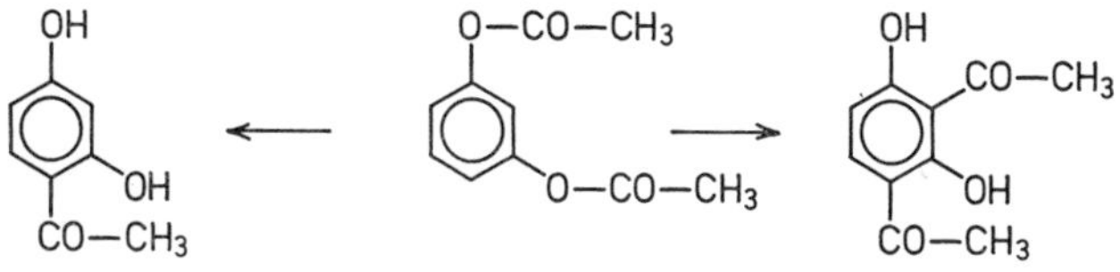

[1] J. H. AMIN u. R. D. DESAI, J. Sci. Ind. Research (India) **13 B**, 178 (1954); C. A. **49**, 6881 (1955).
  s. a. G. ILLARI, G. **77**, 339 (1947).
[2] R. GRANGER, M. CORBIER u. J. VINAS, C. r. **234**, 1058 (1952).
[3] A. ERNDT, Roczniki Chem. **36**, 921 (1962); C. A. **59**, 3810 (1963).
[4] K. W. ROSENMUND u. H. LOHFERT, B. **61**, 2601 (1928).
  E. MILLER et al., Am. Soc. **60**, 7 (1938).
[5] R. D. DESAI u. C. K. MAVANI, Proc. Indian Acad. Sci. **29 A**, 269 (1949); C. A. **44**, 2470 (1950)
  2,5-Diacetoxy-1-methyl-benzol: B. W. BYCROFT, J. A. KNIGHT u. J. C. ROBERTS, Soc. **1963**, 5148.

Besonders leicht lagert sich 2-Hydroxy-1-chloracetyl-benzol bereits beim Kochen in benzolischer Lösung unter dem Einfluß von Phosphoroxychlorid in *3,4-Dihydroxy-1-chloracetyl-benzol* um, dem Ausgangsmaterial der Adrenalin-Synthese nach Stolz[1]:

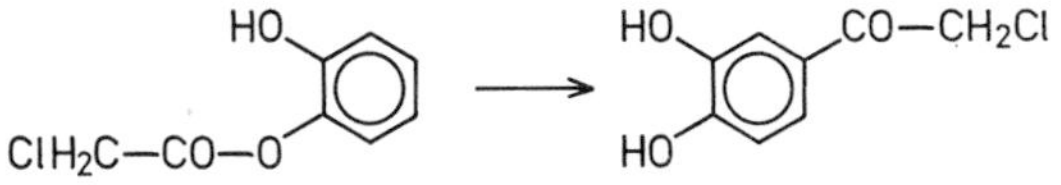

1,4-Diacetoxy-benzol[2] gibt nur einmalige Umlagerung. Mit 3 Mol Aluminium-chlorid entstehen beim Verbacken bei 130–140° 50% d.Th. *2,5-Dihydroxy-aceto-phenon*, bei 165° 58% der Theorie.

Ähnliche Ergebnisse wurden mit den Estern von Pyrogallol[3], Phloroglucin[3,4] und Hydroxy-hydrochinon[3,5] erhalten.

Da Alkoxy-Gruppen durch Aluminiumchlorid bei höherer Temperatur verseift werden, lassen sich alkoxylierte Phenylester, wie z.B. 2-Acetoxy-1-meth-oxy-benzol nur bei vorsichtiger Reaktionsführung in Nitrobenzol mit Aluminium-chlorid umlagern[6]. Aus 2-Acetoxy-1-methoxy-benzol entsteht hierbei *4-Hy-droxy-3-methoxy-acetophenon* (∼50% d. Th.).

Das durch Fries-Verschiebung beispielsweise aus 4-Hydroxy-1-methyl- bzw. 4-Chlor-1-acetoxy-benzol erhaltene 5-Chlor-2-hydroxy-acetophenon bzw. 2-Hy-droxy-5-methyl-acetophenon ist als Ester abermals einer Fries-Reaktion zugäng-lich[7]. So entsteht z.B. aus 2-Acetoxy-5-methyl-acetophenon beim Verschmelzen mit Aluminiumchlorid *2-Hydroxy-5-methyl-1,3-diacetyl-benzol* (70–80% d. Th.):

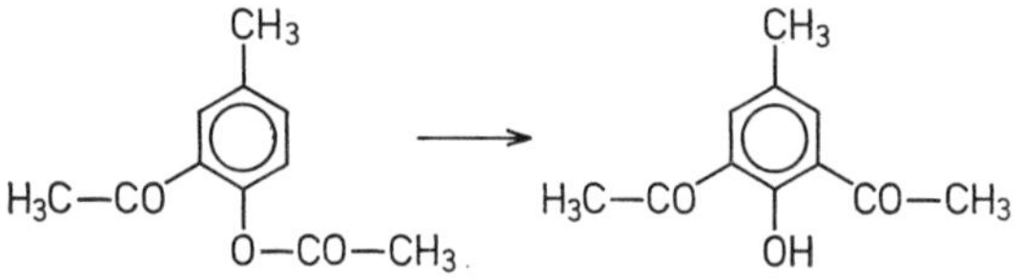

Glatt gelingt die Fries-Verschiebung in der Reihe der Ester der Naphthole, wobei unter ähnlichen Bedingungen wie in der Phenol-Reihe die zu erwartenden Umlagerungsprodukte entstehen. 1-Acetoxy-naphthalin gibt mit 3,3 Mol Alu-miniumchlorid bereits bei 65–70° in 1 Stde. *1-Hydroxy-2-acetyl-naphthalin* (60% d.Th.) neben nur Spuren von *4-Hydroxy-1-acetyl-naphthalin*, das seinerseits als Hauptprodukt entsteht, wenn man 1-Acetoxy-naphthalin mit 3,3 Mol Aluminiumchlorid in Nitro-

[1] F. Stolz, B. **37**, 4149 (1904).
   E. Ott, B. **59**, 1071 (1926).
[2] R. D. Desai u. C. K. Mavani, Proc. Indian Acad. Sci **29 A**, 269 (1949); C. A. **44**, 2470 (1950). 2,5-Diacetoxy-1-methyl-benzol B. W. Bycroft, J. A. Knight u. J. C. Roberts, Soc. **1963**, 5148.
[3] R. D. Desai u. C. K. Mavani, J. Sci. Ind. Res. (India) **12 B**, 236 (1953); C. A. **48**, 12018 (1954).
[4] R. D. Desai u. C. K. Mavani, Current Sci. (India) **10**, 524 (1941); C. A. **36**, 4105 (1942).
[5] US. P. 2 763 691 (1957): Eastman Kodak Co., Erf.: M. B. Knowles; C. A. **51**, 8791 (1957).
[6] C. E. Coulthard, J. Marshall u. F. L. Pyman, Soc. **1930**, 288.
[7] A. B. Sen u. S. B. Singh, J. indian chem. Soc. **41**, 461 (1964).

benzol 24 Stdn. stehen läßt[1]. Bei länger dauernder Einwirkung von Aluminiumchlorid (72 Stdn.) in Nitrobenzol entsteht *4-Hydroxy-1,3-diacetyl-naphthalin*.

Aus 2-Acetoxy-naphthalin erhält man beim Verbacken mit 3,3 Mol Aluminiumchlorid bei 100–120° *2-Hydroxy-1-acetyl-naphthalin* (45% d. Th.)[2] neben einer geringen Menge *2-Hydroxy-8-acetyl-naphthalin*[3]. In Nitrobenzol bei Raumtemperatur
bildet sich hier jedoch ebenfalls das Produkt der o-Umlagerung, das *2-Hydroxy-1-acetyl-
naphthalin*[2].

Weniger glatt verläuft die Umlagerung bei entsprechenden Benzoesäureestern[2].
1-Benzoyloxy-naphthalin gibt in Nitrobenzol mit 3,3 Mol Aluminiumchlorid in der
Kälte *4-Hydroxy-1-benzoyl-naphthalin* (50% d. Th.), das auch beim Verbacken
bei 120°, wenn auch in schlechterer Ausbeute, entsteht. Aus 2-Benzoyloxy-naphtha-
lin erhält man nach der Nitrobenzol-Methode *2-Hydroxy-1-benzoyl-naphthalin*
(65–70% d. Th.).

Ähnlich der Salicylsäure sind auch Acyloxy-naphthoesäuren in Gestalt ihrer
Ester der Fries-Reaktion zugänglich[3]. Aus 1-Acetoxy-naphthalin-2-carbonsäure-
methylester entsteht beim Verbacken mit 3,3 Mol Aluminiumchlorid bei 110–115°
mit 90% Gesamtausbeute ein Gemisch von *1-Hydroxy-4-acetyl-naphthalin-2-carbon-
säure* und deren *-methylester*; analog gelingt die Umlagerung des 2-Acetoxy-naphtha-
lin-3-carbonsäure-methylesters zu *2-Hydroxy-1-acetyl-naphthalin-3-carbonsäure*.

Zur Herstellung entsprechender O-Benzoyl-Derivate der o-Hydroxy-naphthoesäuren
empfiehlt sich die direkte Friedel-Crafts-Acylierung der Methylester[3] mit Benzoylchlorid, da
die Fries-Umlagerung der Benzoesäureester nicht glatt verläuft.

Zur Fries-Umlagerung von Diacyloxy-naphthalinen ersetzt man Aluminiumchlorid durch die analog wirkende Ansolvosäure Zinkchlorid, zweckmäßig in
Eisessig als Lösungsmittel.

1-Hydroxy-4-acetoxy-2-acetyl-naphthalin[4]: 25 g (0,108 Mol) 1,4-Diacetoxy-naphthalin (F:
128–129°) gibt man zu einer Lösung von 25 g (0,183 Mol) Zinkchlorid (wasserfrei; geschmolzen
und pulverisiert) in 50 ml Eisessig und erhitzt 30 Min. zum Sieden (Kochtemp.: 135–140°). Nach
dem Abkühlen gießt man unter Rühren in viel Wasser, wobei sich ein bald kristallisierendes Öl
abscheidet. Man saugt ab, trocknet, löst in 125 ml kochendem Benzol, entfärbt die heiße Lösung
mit etwas Tierkohle und kühlt ab, wobei man 1,5–2 g *2-Acetyl-1,4-naphthohydrochinon* (F: 206°)
erhält.

Beim Einengen der Mutterlauge auf etwa 40 ml erhält man beim Abkühlen 18 g (~ 80% d. Th.)
1-Hydroxy-4-acetoxy-2-acetyl-naphthalin; F: 103–104° (gelbe Blättchen mit grüner Fluoreszenz).

Analog entsteht aus 1,5-Dihydroxy-naphthalin *1,5-Dihydroxy-2-acetyl-naphthalin*.

Während bei der Fries-Verschiebung des 2-Acetoxy-naphthalins das neben 2-
Hydroxy-1-acetyl-naphthalin noch mögliche 3-Hydroxy-2-acetyl-naphthalin nicht
erhalten wurde, entsteht aus 2-Acetoxy-anthracen beim Verbacken mit Aluminiumchlorid ein Gemisch aus *2-Hydroxy-1-acetyl-* und *2-Hydroxy-3-acetyl-anthracen*[5].

---

[1] G. G. Joshi u. N. M. Shah, J. indian chem. Soc. **29**, 225 (1952).
s. a. K. Fries, B. **54**, 709 (1921); **58**, 2835 (1925).
H. Lederer, J. pr. **135**, 49 (1932).
R. W. Stoughton, Am. Soc. **57**, 202 (1935).
[2] G. G. Joshi u. N. M. Shah, J. indian chem. Soc. **29**, 225 (1952).
[3] G. G. Joshi u. N. M. Shah, J. indian chem. Soc. **31**, 325 (1954).
[4] C. J. P. Spruit, R. **66**, 655 (1947).
[5] J. L. Ferrari, J. M. Hunsberger u. H. S. Gutowsky, Am. Soc. **87**, 1247 (1965).

Aus 2-Acyloxy-biphenyl-Derivaten entstehen bei der Fries-Reaktion als Produkt einer p-Verschiebung 2-Hydroxy-5-acyl-biphenyle[1] und aus 4-Acyloxy-biphenyl neben den erwarteten Derivaten des 4-Hydroxy-3-acyl-biphenyls bemerkenswerterweise auch solche des 4-Hydroxy-4'-acyl-biphenyl[2]:

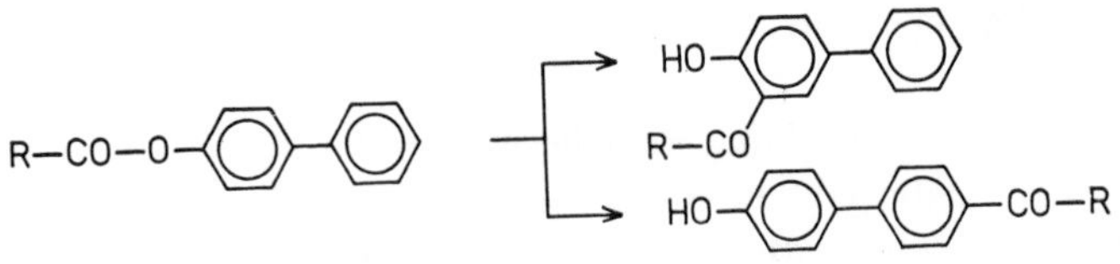

Auch Carbonsäureester aromatisch-heterocyclischer Hydroxy-Verbindungen sind der Fries-Verschiebung zugänglich. 4-Acetoxy-cumarin geht mit einer äquimolaren Menge Aluminiumchlorid sowohl nach dem Back-Verfahren (100–150°) als auch in der Kälte in Nitrobenzol über in *4-Hydroxy-3-acetyl-cumarin*[3].

4-Acetoxy-6-methyl-1-phenyl-α-pyridon geht beim Erwärmen mit der gleichen Gewichtsmenge Aluminiumchlorid bei 50° exotherm in *4-Hydroxy-6-methyl-1-phenyl-3-acetyl-α-pyridon* (70% d.Th.)[4] über:

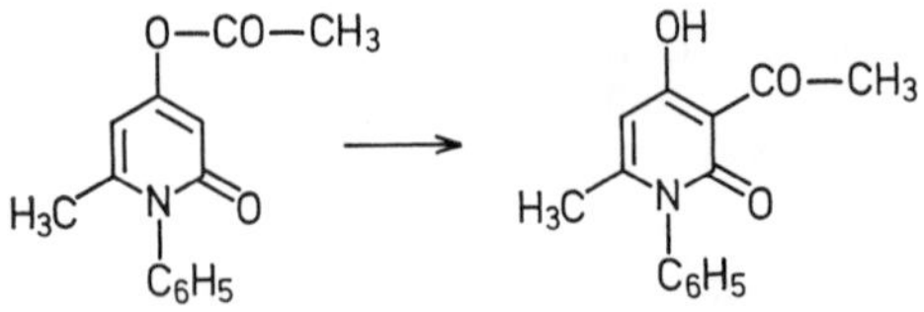

Auch 3-Acetoxy-1-phenyl-pyrazol läßt sich mit Aluminiumchlorid in Schwefelkohlenstoff zu *3-Hydroxy-1-phenyl-4-acetyl-pyrazol* umlagern[5] (48% d.Th.):

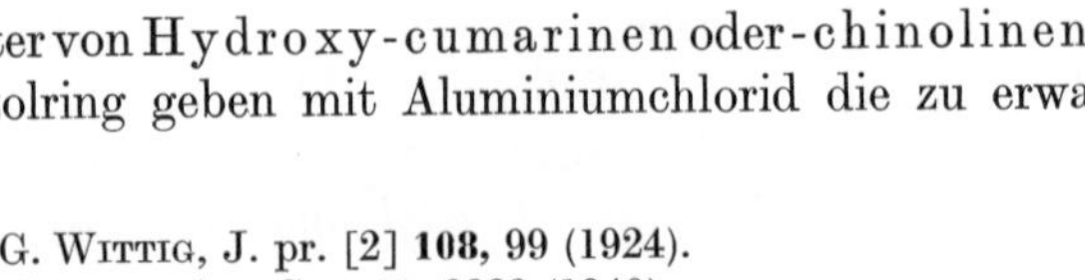

Eine Umlagerung im Heteroring wurde auch beim 2-Benzoyloxy-pyridin beobachtet, wobei jedoch nur zu ~ 1%[6] *2-Hydroxy-5-benzoyl-pyridin* erhalten wurde.

Carbonsäureester von Hydroxy-cumarinen oder-chinolinen mit der Hydroxy-Gruppe im Benzolring geben mit Aluminiumchlorid die zu erwartenden Umlage-

[1] K. v. AUWERS u. G. WITTIG, J. pr. [2] 108, 99 (1924).
   S. HARRIS u. J. S. PIERCE, Am. Soc. 62, 2223 (1940).
[2] F. F. BLICKE u. O. J. WEINKAUFF, Am. Soc. 54, 330 (1932).
   L. F. FIESER u. C. K. BRADSHER, Am. Soc. 58, 1738, 2337 (1936).
   D. H. HEY u. E. R. B. JACKSON, Soc. 1936, 802.
   K. H. CHECTHAM u. D. H. HEY, Soc. 1937, 770.
[3] J. KLOSA, Ar. 289, 71 (1956).
[4] N. S. VUL'FSON, G. M. SUCHOTINA u. L. B. SENJAVINA, Izv. Akad. SSSR 1966, 1605; C. A. 66, 94885e (1967); s.a. C. A. 65, 10556h (1966).
[5] D. F. O'BRIEN u. J. W. GATES, J. Org. Chem. 31, 1538 (1966).
[6] R. ADAMS, J. HINE u. J. CAMPBELL, Am. Soc. 71, 387 (1949).

rungen innerhalb des Benzolringes dieser Heterocyclen. 8-Acyloxy-chinoline geben die 8-Hydroxy-5-acyl-chinoline[1] und z.B. 7-Acyloxy-cumarine die 7-Hydroxy-8-acyl-cumarine[2]; ein Übertritt des Acyl-Restes aus einem im Benzolring stehenden Ester in den Heteroring findet demnach nicht statt.

Synthetisch wertvoll ist die Fries-Reaktion der Phenylester α,β-ungesättigter Carbonsäuren, die durch eine nach der Umlagerung eintretende Cyclisierung zu Hydroxy-oxo-indanen[3] führt: so entsteht z.B. aus Buten-(2)-säure-4-methyl-phenylester (Crotonsäure-4-methyl-phenylester) beim Verschmelzen mit der doppelten Menge Aluminiumchlorid bei 120° durch Cyclisierung des intermediär gebildeten 2-Hydroxy-5-methyl-1-[buten-(2)-oyl]-benzol *7-Hydroxy-3,4-dimethyl-indanon-(1)*:

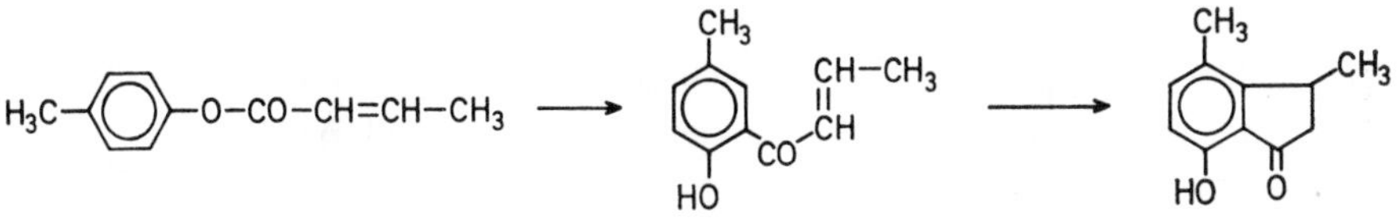

Ebenso erhält man aus 3-Methyl-buten-(2)-säure-phenylester[4] beim Verbacken mit Aluminiumchlorid bei 130–140° *7-Hydroxy-1-oxo-3,3-dimethyl-indan.*

Analog reagieren mit Aluminiumchlorid die α-Halogen-fettsäureester der Phenole[5]. Aus 2-Brom-propansäure-4-methyl-phenylester bildet sich *7-Hydroxy-4-methyl-indanon-(1)* und aus 2-Brom-2-methyl-propansäure-4-methyl-phenylester *7-Hydroxy-2,4-dimethyl-indanon-(1)*:

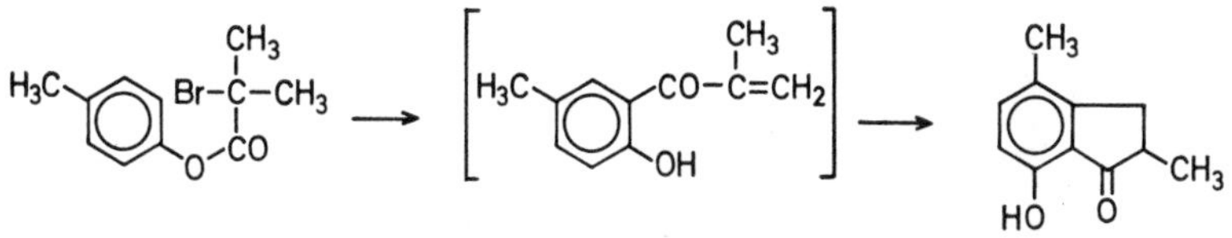

Aus 2-Brom-2-methyl-propansäure-3-methyl-phenylester entstehen beim Verbacken mit Aluminiumchlorid nebeneinander *7-Hydroxy-2,5-dimethyl-* und *5-Hydroxy-2,7-dimethyl-indanon-(1)*[6]:

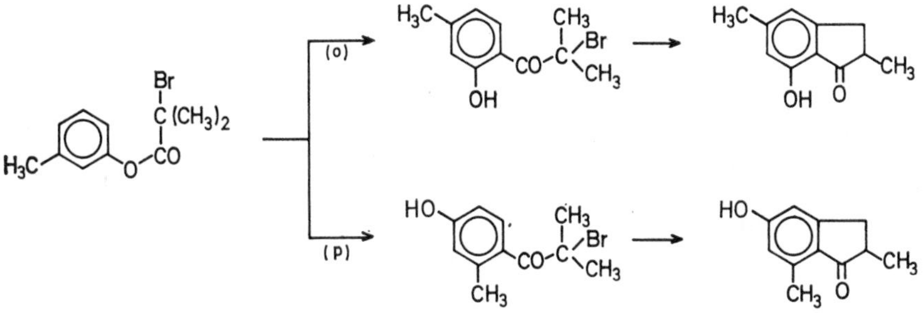

[1] V. M. THAKOR u. R. C. SHAH, J. indian chem. Soc. **31**, 597 (1954).

[2] s. z.B.: R. J. PARIKH u. V. M. THAKOR, J. indian chem. Soc. **31**, 137 (1954).
    D. N. SHAH u. N. M. SHAH, J. Org. Chem. **19**, 1681 (1954).

[3] K. v. AUWERS u. E. LÄMMERHIRT, A. **421**, 36 (1920).

[4] K. v. AUWERS u. W. MAUSS, B. **61**, 420 (1928).

[5] K. v. AUWERS, B. **44**, 3692 (1911); **49**, 2410 (1916).

[6] K. v. AUWERS, A. **439**, 162 (1924).

Führt man die Einwirkung des Aluminiumchlorids auf Phenylester α,β-ungesättigter Carbonsäuren in siedendem Schwefelkohlenstoff durch, so unterbleibt zumeist die Fries-Verschiebung, da nunmehr unmittelbar Cyclisation zu Dihydrocumarinen eintritt[1]:

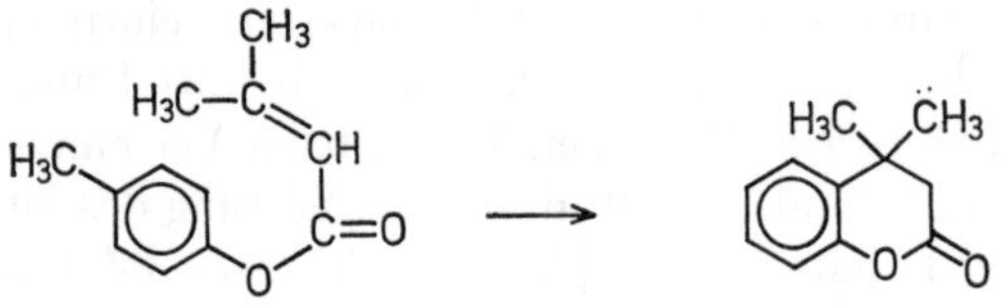

Unterwirft man α,β-ungesättigte Carbonsäureester solcher Phenole, die leicht die Fries-Verschiebung eingehen, dieser milden Behandlung mit Aluminiumchlorid, so erhält man, wie z.B. beim 3-Methyl-buten-(2)-säure-3-methyl-phenylester (I) neben dem entsprechenden Dihydrocumarin als Folgeprodukte einer Fries-Verschiebung durch Cyclisierung unter dem Einfluß von Aluminiumchlorid *5-Hydroxy-1-oxo-3,3,7-trimethyl-indan* (III) über das durch p-Verschiebung entstehende Keton (II [*4-Hydroxy-2-methyl-1-[2-methyl-buten-(2)-oyl]-benzol*] und daneben zwei Chromanon-Derivate V und VII, [*2,2,5-Trimethyl-*(bzw. *2,2,7-Trimethyl*)-*chromanon-(4)*] die wahrscheinlich sekundär aus den beiden möglichen Produkten der o-Verschiebung IV und VI während der Aufarbeitung unter dem Einfluß von Alkali entstanden sind[2]:

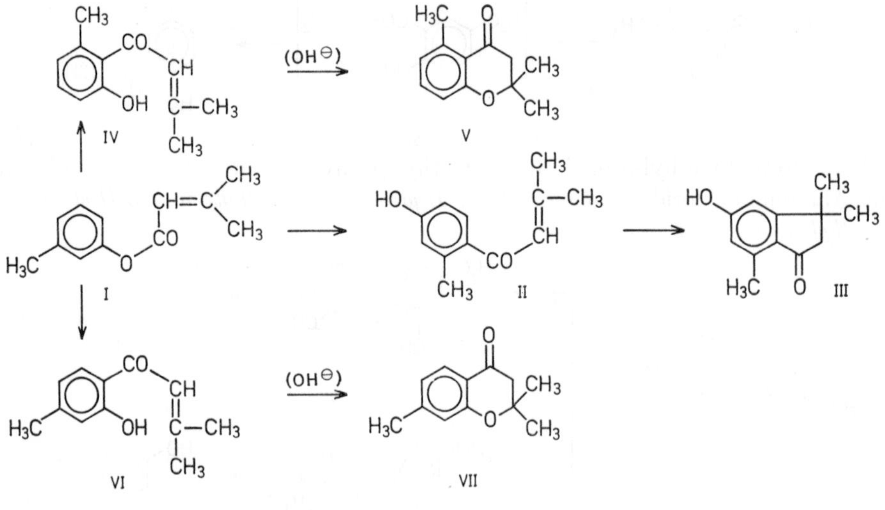

Die bei Estern des β-Naphthols besonders leicht eintretende Fries-Reaktion macht es verständlich, daß 3-Methyl-buten-(2)-säure-naphthyl-(2)-ester bereits in siedendem

---

[1] J. Colonge u. R. Chambard, Bl. **1953**, 573.
s.a. T. Amakasu u. K. Sato, J. Org. Chem. **31**, 1433 (1966).
[2] Über die durch Alkali katalysierte Cyclisierung α,β-ungesättigter Acylphenole zu Chromanonen siehe K. v. Auwers, A. **421**, 9, 16 (1920).

Schwefelkohlenstoff unter dem Einfluß von Aluminiumchlorid übergeht in *4-Hydroxy-3-oxo-1,1-dimethyl-2,3-dihydro-1H-phenalen*[1]:

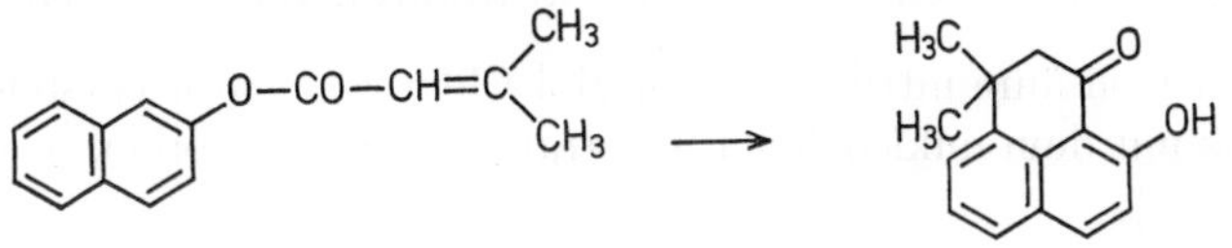

Bernsteinsäure-mono-(chlor-phenylester) reagieren mit Aluminiumchlorid in 1,1,2,2-Tetrachlor-äthan zu den erwarteten Propansäure-Derivaten[2], z.B.:

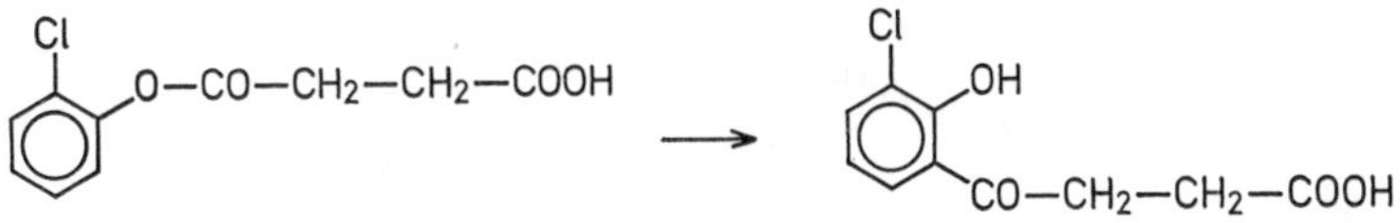

4-Oxo-4-(3-chlor-2-hydroxy-phenyl)-butansäure

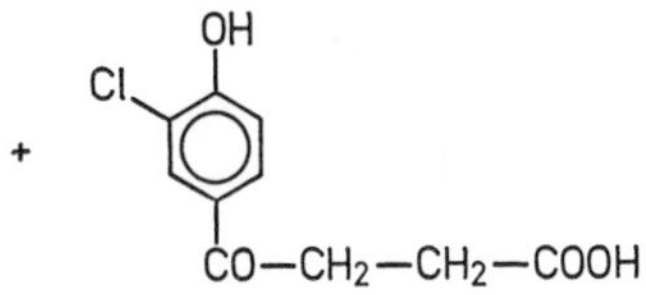

4-Oxo-4-(3-chlor-4-hydroxy-phenyl)-butansäure

3. Direkte Einführung von R-CO-Gruppen durch Umsetzung von Aromaten bzw. reaktionsfähiger Heterocyclen mit Carbonsäure-nitrilen

bearbeitet von

Dr. CARL-WOLFGANG SCHELLHAMMER

Farbenfabriken Bayer AG, Leverkusen

Allgemeines über die Hoesch-Keton-Synthesen

Bei der Hoesch-Synthese werden hochreaktive Aromaten oder Heterocyclen in Gegenwart von Salzsäure und meist eines Friedel-Crafts-Katalysators wie z. B. Zinkchlorid oder Aluminiumchlorid mit Carbonsäure-nitrilen zu Iminoketon-hydrochloriden umgesetzt, die bei der Verseifung Ketone ergeben[3]. Bei dieser „Iminoacylierung" bildet das Nitril durch Addition eines Protons ein Carbeniumion, durch das das Substrat an dem Kohlenstoffatom mit der größten Elektronendichte elektro-

---

[1] J. COLONGE u. R. CHAMBARD, Bl. **1953**, 583.

[2] F. G. BADDAR, J. ENAYAT u. S. M. ABDEL-WAHAB, Soc. **1967**, 343.

[3] P. E. SPOERRI u. A. S. DU BOIS, Org. React., Bd. V, S. 387 ff., John Wiley & Sons, New York 1949.

phil substituiert wird[1]. Da ersteres weit weniger reaktionsfähig und instabiler als ein Acylanion ist, erklärt sich, daß der Hoesch'schen Keton-Synthese nur eine sehr schmale Anwendungsbreite und geringe präparative Bedeutung zukommt. Für den Ablauf der Reaktion werden folgende Mechanismen vorgeschlagen[2]:

① Aus dem Carbonsäure-nitril und zwei Mol Chlorwasserstoff entsteht ein Imido-chlorid, das mit dem nukleophilen Substrat, z. B. mit Resorcin, reagiert:

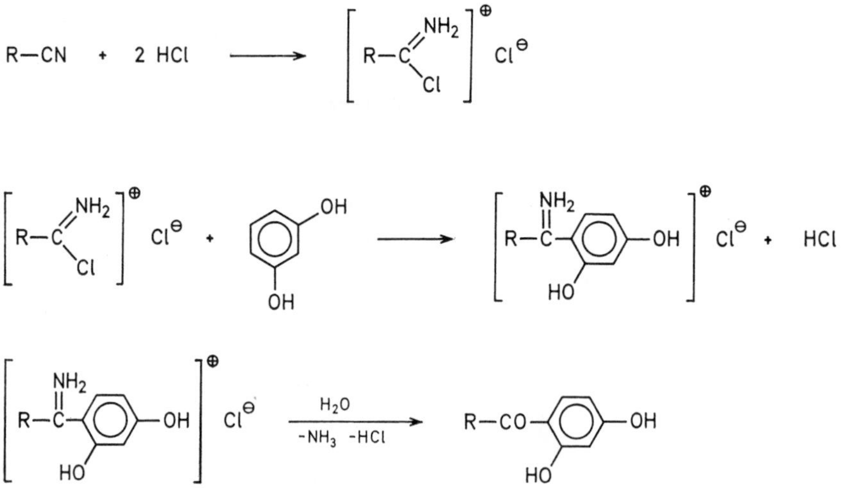

② Aus dem Carbonsäure-nitril und Chlorwasserstoff bildet sich ein instabiler Komplex, in dem der elektrophile Charakter des Kohlenstoffatoms der Nitril-Gruppe verstärkt ist; dadurch wird die Bildung einer kovalenten Bindung zwischen dem positiv polarisierten Kohlenstoffatom der Nitril-Gruppe und dem elektronenreichsten Kohlenstoffatom des Substrates erleichtert:

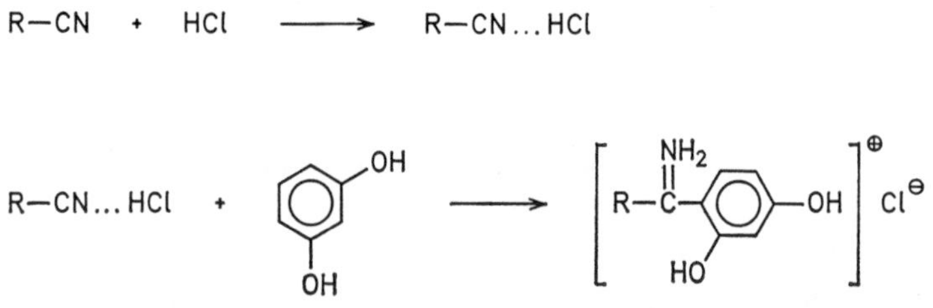

Da Imido-dichloride nur bei niedrigen Temperaturen stabil sind, könnte das erste Reaktionsschema für Hoesch-Synthesen um 0°, das zweite Reaktionsschema für Umsetzungen bei höheren Temperaturen zutreffend sein[2]. Tatsächlich sind Reaktionstemperaturen oberhalb von Raumtemperaturen für Hoesch-Synthesen im allgemeinen nicht günstig, in der Regel arbeitet man bei 0° oder darunter[3].

---

[1] W. Ruske in G. A. Olah, *Friedel-Crafts and Related Reactions*, Bd. III/1, S. 383ff., Interscience Publishers, New York 1964.
[2] E. N. Zilberman u. N. A. Rybakova, Ž. obšč. Chim. **30**, 1922 (1960); engl.: 1972.
[3] J. Houben u. W. Fischer, B. **60**, 1759 (1927).

In einigen Fällen, bei denen es sich um intramolekulare Ringschlüsse oder stabile Ausgangs- und Endprodukte handelt, können auch recht robuste Versuchsbedingungen, wie Aluminiumchlorid-Schmelzen oberhalb 100°, mit gutem Erfolg angewandt werden (s. S. 424).

Für Hoesch-Synthesen können Nitrile aliphatischer oder aromatischer Carbonsäuren, die substituiert sein können, verwendet werden. Ungeeignet für diese Reaktion sind jedoch β-Hydroxy-, β- oder γ-Halogen-, α,β-ungesättigte und β-Oxo- oder -Imino-carbonsäure-nitrile, die „abnormale Hoesch-Reaktionen" eingehen[1]. Nitrile aromatischer Carbonsäuren, die o-substituiert sind, reagieren aus sterischen Gründen nicht. Negativ substituierte Carbonsäure-nitrile sind erhöht reaktionsfähig, so kann Trichlor-acetonitril im Gegensatz zu Acetonitril auch mit aromatischen Kohlenwasserstoffen, z.B. mit Benzol, zur Reaktion gebracht werden. Nicht negativ substituierte Nitrile wie z. B. Acetonitril oder Benzonitril lassen sich nur mit stark nukleophilen Reaktionspartnern wie z. B. Resorcin oder 1,3-Dialkoxy-benzolen kondensieren.

Als Reaktionsmedium für Hoesch-Synthesen wird nahezu ausschließlich Diäthyläther verwendet, weniger gut eignen sich z.B. Essigsäure-methylester[2], Benzol[3] oder Äthylbromid[2].

Das am weitaus häufigsten für Imino-Acylierungen verwendete Kondensationsmittel ist Zinkchlorid, gelegentlich werden jedoch auch Aluminiumchlorid, Eisen(III)-chlorid, Zinn(IV)-chlorid oder Titan(IV)-chlorid verwendet[4]. Die günstigste Zinkchlorid-Menge liegt bei 0,2 bis 0,4 Mol pro Mol des verwendeten Carbonsäure-nitrils[4].

Zur Verseifung der zunächst gebildeten Keton-imin-hydrochloride genügt es in der Regel, diese 30–60 Minuten mit siedendem Wasser zu verrühren. Die Ausbeuten an Ketonen können ausgezeichnet sein.

α) Ketone aus aliphatischen Carbonsäure-nitrilen und

a_1) substituierten carbocyclischen Aromaten

Aliphatische Carbonsäure-nitrile reagieren unter den Bedingungen der Hoesch-Synthese nicht mit Benzol, Alkyl-benzolen, Monoalkoxy-benzolen oder Diphenyläther[5]. Mit Phenolen werden α-Imino-äther-hydrochloride (Carbonsäure-phenylester-imid-hydrochloride) gebildet,

die sich nicht zu entsprechenden Keton-iminen umlagern lassen[6]. Auch 2-Naphthol bildet mit Acetonitril ein Imino-äther-hydrochlorid, während aus 1-Naphthol und Acetonitril in Diäthyläther in Gegenwart von Chlorwasserstoff eine Mischung aus Acetimino-α-naphthyläther-hydrochlorid und *4-Hydroxy-1-(1-imino-äthyl)-naphtha-*

[1] W. Ruske in G. A. Olah, *Friedel-Crafts and Related Reactions*, Bd. III/1, S. 383ff., Interscience Publishers, New York 1964.

[2] J. Houben u. W. Fischer, B. **60**, 1759 (1927).

[3] F. Krollpfeiffer, B. **56**, 2360 (1923).

[4] E. N. Zilberman u. N. A. Rybakova, Ž. obšč. Chim. **32**, 591 (1962); engl.: 581.

[5] A. Korczynski u. A. Nowakowsky, Roczniki Chem. **8**, 254 (1928); Bl. [4] **43**, 329 (1928).

[6] J. Houben, B. **59**, 2878 (1926).

lin-hydrochlorid erhalten wird[1]. Wenn man dem Reaktionsgemisch Zinkchlorid hinzufügt, steigt die nach Verseifung des primär gebildeten Keton-imins erhaltene Ausbeute an *4-Hydroxy-1-acetyl-naphthalin* auf 38% d.Th.[2]. 1-Methoxy-naphthalin reagiert nur in Gegenwart von Zinkchlorid oder Aluminiumchlorid mit Acetonitril zu *4-Methoxy-1-(1-imino-äthyl)-naphthalin-hydrochlorid*, die nach Verseifung erhaltenen Ausbeuten an *4-Methoxy-1-acetyl-naphthalin* sind jedoch gering[2]. 9-Methoxy-anthracen ergibt mit Acetonitril/Aluminiumchlorid/Chlorwasserstoff in Benzol *10-Methoxy-9-(2-imino-äthyl)-anthracen-hydrochlorid*. Dieses Keton-imin wird durch siedendes Wasser zu *10-Methoxy-9-acetyl-anthracen* verseift, mit siedender verdünnter Salzsäure erfolgt Hydrolyse zu *Anthron*[3]:

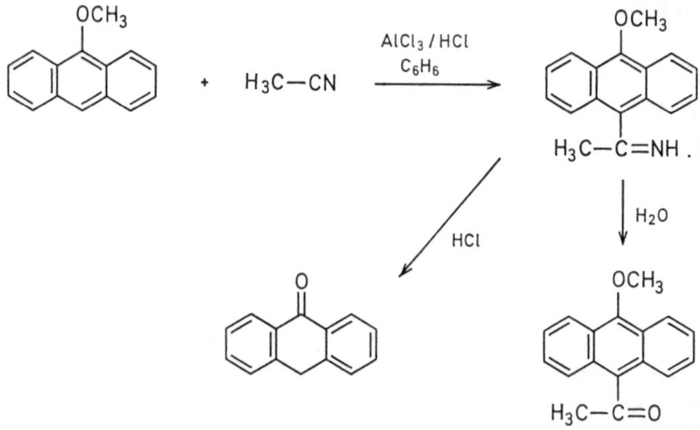

1,2- oder 1,4-Dihydroxy-benzol und deren Monoalkyl- oder Dialkyl-äther lassen sich mit aliphatischen Carbonsäure-nitrilen nicht zu Keton-iminen umsetzen, da sich die durch die elektronenliefernden Substituenten bewirkten Aktivierungen nicht addieren. Beim 1,3-Dihydroxy-benzol oder bei 3-Hydroxy-1-alkoxy- bzw. 1,3-Dialkoxy-benzolen dagegen sind Kohlenstoffatome durch einen o- und einen p-ständigen Substituenten aktiviert; diese Verbindungen sind deshalb für Imino-Acylierungen geeignet.

Ketone aus einem aliphatischen Carbonsäure-nitril und Dihydroxy- bzw. Trihydroxy-benzol; allgemeine Arbeitsvorschrift: Eine Lösung des Phenols und des Carbonsäure-nitrils in wasserfreiem Diäthyläther wird mit Zinkchlorid versetzt und unter Kühlen mit Eis oder Eis-Salz-Mischung mit Chlorwasserstoff gesättigt. Nach der Abscheidung von kristallinem Material, dies kann Min., Stdn. oder Tage dauern, saugt man ab, wäscht den das Keton-imin-hydrochlorid enthaltenden Filterrückstand mit Äther und erhitzt ihn anschließend ~ 1 Stde. mit Wasser unter Rückfluß. Das gebildete Keton wird dann durch Wasserdampfdestillation oder durch Extraktion der Reaktionsmischung mit einem mit Wasser nicht mischbaren Lösungsmittel abgetrennt und auf übliche Art und Weise isoliert.

Derivate des 2,4,6-Trihydroxy-benzols (Phloroglucins), die einen elektronenanziehenden Substituenten tragen, können in Gegenwart von Aluminiumchlorid imino-acyliert werden. Bis auf die Verwendung von Aluminiumchlorid an Stelle von Zinkchlorid arbeitet man analog wie oben beschrieben.

---

[1] J. Houben, B. **59**, 2878 (1926).
[2] J. Houben u. W. Fischer, B. **60**, 1759 (1927).
[3] F. Krollpfeiffer, B. **56**, 2360 (1923).

Tab. 66. Ketone durch Umsetzung von Acetonitril mit Dihydroxy- oder Trihydroxy-benzolen bzw. ihren Äthern in Diäthyläther mit Chlorwasserstoff/Zinkchlorid

Ausgangsverbindung	Keton	Ausbeute [% d.Th.]	F [°C]	Literatur
R = H	2,4-Dihydroxy-1-acetyl-benzol	70	144–145	1–3
R = CH₃	2,4-Dimethoxy-1-acetyl-benzol		39–40	4
R = CH₃	2,4-Dihydroxy-5-methyl-1-acetyl-benzol	70	170	5
R = C₂H₅	2,4-Dihydroxy-5-äthyl-1-acetyl-benzol		115	5
R = C₃H₇	2,4-Dihydroxy-5-propyl-1-acetyl-benzol		108	5
R = C₄H₉	2,4-Dihydroxy-5-butyl-1-acetyl-benzol		95–96	5
R = C₅H₁₁	2,4-Dihydroxy-5-pentyl-1-acetyl-benzol		110–111	5
R = C₆H₁₃	2,4-Dihydroxy-5-hexyl-1-acetyl-benzol		86–87	6
R = H	4,6-Dihydroxy-2-methyl-1-acetyl-benzol		159	1
R = CH₃	4-Hydroxy-6-methoxy-2-methyl-1-acetyl-benzol		79	7
	2,3,4-Trihydroxy-1-acetyl-benzol		169–170	7
	2,4,5-Trihydroxy-1-acetyl-benzol	gering	201	8

1 K. Hoesch, B. 48, 1122 (1915).
2 J. Houben, B. 59, 2878 (1926).
3 L. E. Hinkel u. G. J. Treharne, Soc. 1945, 866.
4 J. Shinoda, J. pharm. Soc. Japan 48, 111 (1927).
5 J. Murai, Sci. Rept. Saitama Univ., A. 1, 129 (1954); C. A. 50, 981 (1956).
6 K. Hoesch u. T. V. Zarzecki, B. 50, 462 (1917).
7 J. Murai, Sci. Rept. Saitama, Univ., A. 1, 23 (1954); C. A. 49, 3889 (1955).
8 M. Healey u. R. Robinson, Soc. 1934, 1625.

Tab. 66. (Fortsetzung)

Ausgangsverbindung	Keton	Ausbeute [% d. Th.]	F [°C]	Literatur
$R = R' = R'' = H$	2,4,6-Trihydroxy-1-acetyl-benzol	93	218,5	1–3
$R, R' = H; R'' = CH_3$	4,6-Dihydroxy-2-methoxy-1-acetyl-benzol		205–207	4
$R' = H; R = R'' = CH_3$	4-Hydroxy-2,6-dimethoxy-1-acetyl-benzol		186	4,5
$R' = R'' = R = CH_3$	2,4,6-Trimethoxy-1-acetyl-benzol		84–85	5
$R = H; R' = (CH_3)_2CH\text{—}CH_2\text{—}CH_2\text{—}CH_2\text{—}$	2,4,6-Trihydroxy-3-(3-methyl-butyl)-1-acetyl-benzol	93	188	6
$R = CH_3; R' = C_2H_5$	6-Hydroxy-2,4-dimethoxy-3-äthyl-1-acetyl-benzol 8 + 4-Hydroxy-2,6-dimethoxy-3-äthyl-1-acetyl-benzol 1	81	66–68 · 184–186	7
$R = H$	4,6-Dihydroxy-2,5-dimethoxy-1-acetyl-benzol		129	8
$R = CH_2\text{—}C_6H_5$	3,6-Dimethoxy-2,4-dibenzyloxy-1-acetyl-benzol		128–129	9
	6-Hydroxy-2-isopropyl-5-acetyl-2,3-dihydro-⟨benzo-[b]-furan⟩		70–71	10

[1] K. HOESCH, B. 48, 1122 (1915).

[2] K. C. GULATI, S. R. SETH u. K. VENKATARAMAN, Org. Synth. Coll. Vol. II, 522 (1943).

[3] H. P. HOWELLS u. J. G. LITTLE, Am. Soc. 54, 2451 (1932).

[4] R. KUHN u. I. LÖW, B. 77, 202 (1944).

[5] J. SHINODA, J. pharm. Soc. Japan 48, 111 (1927).

[6] E. SPÄTH u. K. EITER, B. 74, 1851 (1941).

[7] W. GRUBER u. F. TRAUB, M. 77, 414 (1947).

[8] F. WESSELY u. G. H. MOSER, M. 56, 97 (1930).

[9] V. D. N. SASTRI u. T. R. SHESADRI, Pr. indian Acadddd., A. 24, 243 (1946); C. A. 41, 2417 (1947).

[10] B. KAMTOUGH u. A. ROBERTSON, Soc. 1939, 933.

Tab. 67. Ketone aus Acetonitril und Hydroxy-acetyl-benzolen bzw. Hydroxy-
benzoesäure-Derivaten
in Diäthyläther mit Chlorwasserstoff/Aluminiumchlorid

Ausgangsmaterial	Reaktionsprodukt	Ausbeute [% d. Th]	F [°C]	Literatur
2,4,6-Trihydroxy-1-acetyl-benzol	*2,4,6-Trihydroxy-1,3-diacetyl-benzol*	14	167–9	1
4,6-Dihydroxy-2-methoxy-1-acetyl-benzol	*4,6-Dihydroxy-2-methoxy-1,3-diacetyl-benzol*	23	255–7	1
6-Hydroxy-2,4-dimethoxy-1-acetyl-benzol	*6-Hydroxy-2,4-dimethoxy-1,3-diacetyl-benzol*		127	1,2
4,6-Dihydroxy-2-methoxy-benzoesäure-methylester	*2,4-Dihydroxy-6-methoxy-3-acetyl-benzoesäure-methylester*		170	3
2,4,6-Trihydroxy-isophthalsäure-diäthyl-ester	*2,4,6-Trihydroxy-5-acetyl-isophthal-säure-diäthylester*	9	128–30	1

Carbonsäure-nitrile höherer aliphatischer Carbonsäuren werden wie Acetonitril mit 1,3-Dihydroxy- oder Trihydroxy-benzolen umgesetzt.

Anilin soll mit Acetonitril in Gegenwart von Chlorwasserstoff in Diäthyläther
ein Additionsprodukt ergeben, aus dem beim Erhitzen im Bombenrohr auf 250–300°
nach Verseifung *4-Amino-1-acetyl-benzol* erhalten wird[4].

α₂) reaktionsfähigen Heterocyclen

Bei der Umsetzung einer Lösung von 2,4-Dimethyl-pyrrol und Acetonitril in
Diäthyläther mit Chlorwasserstoff unter Eiskühlung erhält man *3,5-Dimethyl-2-
(1-imino-äthyl)-pyrrol-hydrochlorid*, das durch siedendes Wasser zu *3,5-Dimethyl-2-
acetyl-pyrrol* verseift wird[5]. Analog entsteht aus 2,4-Dimethyl-3-äthoxycarbonyl-
pyrrol 2,4-*Dimethyl-5-acetyl-3-äthoxycarbonyl-pyrrol*; durch Zusatz von Zinkchlorid
wird die Ausbeute nicht verbessert[6].

β) Ketone aus heterosubstituierten aliphatischen Carbonsäure-nitrilen und

β₁) carbocyclischen Aromaten

Während Chlor-acetonitril nicht mit Benzol zur Reaktion gebracht werden kann,
entsteht aus Dichlor-acetonitril und Benzol in Gegenwart von Aluminiumchlorid
und von Chlorwasserstoff bei Temperaturen bis 70° ein Keton-imin-hydrochlorid,

---

[1] W. Gruber u. F. Traub, M. **77**, 414 (1947).

[2] J. Houben u. W. Fischer, J. pr. [2] **123**, 89 (1929).

[3] W. B. Whalley, Soc. **1951**, 3229.

[4] W. Hao-Tsing, Am. Soc. **66**, 1421 (1944).

[5] H. Fischer, B. Weiss u. M. Schubert, B. **56**, 1194 (1923).

[6] H. Fischer, K. Schneller u. W. Zerweck, B. **55**, 2390 (1922).

Tab. 68. Ketone aus höheren aliphatischen Carbonsäure-nitrilen und Dihydroxy- bzw. Trihydroxy-benzolen bzw. ihren Äthern in Diäthyläther mit Chlorwasserstoff/Zinkchlorid

Carbonsäure-nitril	Phenol	Keton	Ausbeute [% d.Th.]	F [°C]	Literatur
H_3C-CH_2-CN	R = H	2,4-Dihydroxy-1-propanoyl-benzol		97,5	1
	R = CH$_3$	2,4-Dihydroxy-3-methyl-1-propanoyl-benzol	37	128–130	2
	R = CH$_3$	2,4-Dihydroxy-5-methyl-1-propanoyl-benzol		109–110	3
	R = C$_2$H$_5$	2,4-Dihydroxy-5-äthyl-1-propanoyl-benzol		69–70	3
	R = C$_3$H$_7$	2,4-Dihydroxy-5-propyl-1-propanoyl-benzol		82	3
	R = C$_4$H$_9$	2,4-Dihydroxy-5-butyl-1-propanoyl-benzol		62–63	3
	R = C$_5$H$_{11}$	2,4-Dihydroxy-5-pentyl-1-propanoyl-benzol		52–53	3
	R = C$_6$H$_{13}$	2,4-Dihydroxy-5-hexyl-1-propanoyl-benzol		50–51	3
		2,4,6-Trihydroxy-1-propanoyl-benzol	73,3	175–176	4
$H_3C-(CH_2)_2-CN$	R = H	2,4-Dihydroxy-1-butanoyl-benzol		70	4
	R = CH$_3$	2,4-Dihydroxy-5-methyl-1-butanoyl-benzol		155–157	2

[1] A. SONN, B. 54, 773 (1921).
[2] H. A. SHAH u. R. C. SHAH, Soc. 1940, 245.
[3] J. MURAI, Sci. Rept. Saitama Univ., A. 1, 129 (1954); C. A. 50, 981 (1956).
[4] P. KARRER u. S. ROSENFELD, Helv. 4, 707 (1921).

Tab. 68. (Fortsetzung)

Carbonsäure-nitril	Phenol	Keton	Ausbeute [% d.Th.]	F [°C]	Literatur
$H_3C{-}(CH_2)_2{-}CN$	(Struktur: OH, R', OH, R'', RO) R = R' = R'' = H	2,4,6-Trihydroxy-1-butanoyl-benzol	71,7	181	1–3
	R = CH₃; R' = R'' = H	4,6-Dihydroxy-2-methoxy-1-butanoyl-benzol (+ 2,6-Dihydroxy-4-methoxy-1-butanoyl-benzol)		130 (113)	2
	R = R'' = H; R' = CH₃	2,4,6-Trihydroxy-3-methyl-1-butanoyl-benzol		154–155	2
	R = R' = CH₃; R'' = H	4,6-Dihydroxy-2-methoxy-3-methyl-1-butanoyl-benzol (+ 2,6-Dihydroxy-4-methoxy-3-methyl-1-butanoyl-benzol)		116,5 (156–160)	4
	R = H; R' = R'' = CH₃	2,4-Dihydroxy-6-methoxy-3-methyl-1-butanoyl-benzol		151,5	2
		2,4,6-Trihydroxy-3,5-dimethyl-1-butanoyl-benzol		140	2
$H_3C{-}CH{-}CH{-}CN$ (CH₃)	2,4,6-Trihydroxy-benzol	2,4,6-Trihydroxy-1-(2-methyl-propanoyl)-benzol		177–178	2
$H_3C{-}(CH_2)_3{-}CN$	2,4,6-Trihydroxy-benzol	2,4,6-Trihydroxy-1-pentanoyl-benzol	85	149	1
	1,3,5-Trihydroxy-benzol	2,4,6-Trihydroxy-1-(3-methyl-butanoyl)-benzol		145	5–7
$H_3C{-}CH{-}CH{-}CH_2{-}CN$	1,3-Dihydroxy-benzol	2,4-Dihydroxy-1-hexanoyl-benzol		56–57	8
$H_3C{-}(CH_2)_4{-}CN$	1,3,5-Trihydroxy-benzol	2,4,6-Trihydroxy-1-hexanoyl-benzol		120–121	1,9
(CH₃)	1,3-Dihydroxy-benzol	2,4-Dihydroxy-1-(4-methyl-pentanoyl)-benzol		83–84	6
$H_3C{-}CH{-}(CH_2)_2{-}CN$	1,3,5-Trihydroxy-benzol	2,4,6-Trihydroxy-1-(4-methyl-pentanoyl)-benzol		122,5	1,6
$H_3C{-}(CH_2)_5{-}CN$	1,3-Dihydroxy-benzol	2,4-Dihydroxy-1-heptanoyl-benzol		48–49	6
	1,3,5-Trihydroxy-benzol	2,4,6-Trihydroxy-1-heptanoyl-benzol	66	107	6
$H_3C{-}(CH_2)_6{-}CN$	1,3-Dihydroxy-benzol	2,4-Dihydroxy-1-octanoyl-benzol		52	6,10
	1,3,5-Trihydroxy-benzol	2,4,6-Trihydroxy-1-octanoyl-benzol		124	6
$H_3C{-}(CH_2)_7{-}CN$	1,3-Dihydroxy-benzol	2,4-Dihydroxy-1-nonanoyl-benzol	65	50	10
$H_3C{-}(CH_2)_8{-}CN$	1,3-Dihydroxy-benzol	2,4-Dihydroxy-1-decanoyl-benzol	82	69	10
$H_3C{-}(CH_2)_9{-}CN$	1,3-Dihydroxy-benzol	2,4-Dihydroxy-1-undecanoyl-benzol	72	62	10
$H_3C{-}(CH_2)_{16}{-}CN$	1,3-Dihydroxy-benzol	2,4-Dihydroxy-1-octadecanoyl-benzol	83	97	10
	1,3,5-Trihydroxy-benzol	2,4,6-Trihydroxy-1-octadecanoyl-benzol		124	6

1 H. P. HOWELLS u. J. G. LITTLE, Am. Soc. 54, 2451 (1932).
2 P. KARRER, Helv. 2, 466 (1919).
3 DRP 364883 (1922), Farbw. Höchst; Frdl. 14, 1423.
4 P. KARRER u. F. WIDMER, Helv. 3, 392 (1920).
5 E. SPÄTH u. K. ELTER, B. 74, 1851 (1941).
6 P. KARRER u. S. ROSENFELD, Helv. 4, 707 (1921).
7 T. S. KENNY, A. ROBERTSON u. S. W. GEORGE, Soc. 1939, 1601.
8 J. HOUBEN u. H. W. WOLLENWEBER, Biochem. Ztschr. 204, 448 (1929).
9 E. KLARMANN u. W. FIGDOR, Am. Soc. 48, 803 (1926).
10 N. A. RYBAKOVA u. E. N. ZILBERMAN, Ž. obšč. Chim. 33, 466 (1963); engl.: 458.

das durch siedendes Wasser zu *ω,ω-Dichlor-acetophenon* (83% d.Th.) verseift werden kann[1]. Die Umsetzung von Trichlor-acetonitril wird mit einer ganzen Anzahl von Aromaten beschrieben. Man arbeitet dabei in einem Überschuß des zu acylierenden Kohlenwasserstoffs oder besser in Chlorbenzol und benutzt Aluminiumchlorid/Chlorwasserstoff als Katalysator.

Tab. 69. *ω,ω,ω*-Trichlor-acetophenone durch Umsetzung von Trichlor-acetonitril mit Aromaten in Gegenwart von Aluminiumchlorid/Chlorwasserstoff

Aromat	Keton	Ausbeute [%d.Th.]	Kp		Literatur
			[°C]	[Torr]	
Benzol	*ω,ω,ω-Trichlor-acetophenon*	70	120–121	15	2
Toluol	*4-Methyl-1-trichloracetyl-benzol*	93	137	10	2,3
o-Xylol	*3,4-Dimethyl-1-trichloracetyl-benzol*	60	157–158	11	2
m-Xylol	*2,4-Dimethyl-1-trichloracetyl-benzol*	94	150–152	18	2
p-Xylol	*2,5-Dimethyl-1-trichloracetyl-benzol*	83	150–155	16	2
1,3,5-Trimethyl-benzol	*2,4,6-Trimethyl-1-trichloracetyl-benzol*		148–149	10	2,3

Trichlor-acetonitril ergibt bei der Umsetzung mit Tetralin in Chlorbenzol in Gegenwart von Aluminiumchlorid/Chlorwasserstoff bei 0° ein Gemisch von Keton-iminhydrochloriden, aus dem nach Verseifung mit Salzsäure *6-Trichloracetyl-1,2,3,4-tetrahydro-naphthalin* (14% d.Th.) isoliert werden kann. Mit Naphthalin wird eine Mischung aus *1-* und *2-Trichloracetyl-naphthalin* (29% d.Th.) erhalten[2].

Trichlormethyl-keton-imine werden durch Kalilauge in Nitrile und Chloroform aufgespalten[4].

$$R-\underset{\underset{\displaystyle CCl_3}{\|}}{\overset{\overset{\displaystyle NH}{\|}}{C}} \xrightarrow{KOH} R-CN \; + \; HCCl_3$$

analog *ω,ω,ω*-Trichlor-acetophenone in Carbonsäuren und Chloroform:

$$R-CO-CCl_3 \xrightarrow{H_2O} R-COOH + HCCl_3$$

β₂) substituierten carbocyclischen Aromaten

Beim Einleiten von Chlorwasserstoff in eine Lösung von Phenol und Chlor-acetonitril in Diäthyläther entsteht Chlor-essigsäure-phenylester-imid-hydrochlorid[5]. Aus Äthoxy-benzol und Chlor-acetonitril in Diäthyläther erhält man in Gegenwart von Zinkchlorid/Chlorwasserstoff ein Keton-imin-hydrochlorid, aus dem nach Verseifung *4-Äthoxy-1-chloracetyl-benzol* erhalten wird, allerdings nur mit einer Ausbeute von 8,5% der Theorie[6]. 1-Hydroxy-naphthalin reagiert mit Chlor-acetonitril in

---

[1] J. HOUBEN u. W. FISCHER, B. **64**, 2645 (1931).
[2] J. HOUBEN u. W. FISCHER, J. pr. [2] **123**, 313 (1929).
[3] J. HOUBEN u. W. FISCHER, B. **63**, 2455 (1930).
[4] J. HOUBEN u. W. FISCHER, B. **66**, 339 (1933).
[5] J. HOUBEN, B. **59**, 2878 (1926).
[6] J. HOUBEN u. W. FISCHER, B. **60**, 1759 (1927).

Tab. 70. Chlormethyl-ketone aus Dihydroxy- oder Trihydroxy-benzolen bzw. ihren Äthern in Diäthyläther mit Zinkchlorid/Chlorwasserstoff

Aromat		Keton	Ausbeute [%d.Th.]	F [°C]	Litera-tur
$R=R'=R''=H$		*2,4-Dihydroxy-1-chlor-acetyl-benzol*	90	131	1
$R'=R''=H; R=CH_3$		*4-Hydroxy-2-methoxy-1-chloracetyl-benzol*		173–174	2
		+ 2-Hydroxy-4-methoxy-1-chloracetyl-benzol			
$R''=H; R=R'=CH_3$		*2,4-Dimethoxy-1-chlor-acetyl-benzol*	69	114–115	3
$R=R'=H; R''=CH_3$		*2,4-Dihydroxy-5-methyl-1-chloracetyl-benzol*		156	4
$R=R'=H; R''=C_2H_5$		*2,4-Dihydroxy-5-äthyl-1-chloracetyl-benzol*	88	161	4,5
$R=R'=H; R''=C_3H_7$		*2,4-Dihydroxy-5-propyl-1-chloracetyl-benzol*		156–157	4
$R=R'=H; R''=C_4H_9$		*2,4-Dihydroxy-5-butyl-1-chloracetyl-benzol*		155–156	4
$R=R'=H; R''=C_5H_{11}$		*2,4-Dihydroxy-5-pentyl-1-chloracetyl-benzol*		148–149	5
$R=R'=H; R''=C_6H_{13}$		*2,4-Dihydroxy-5-hexyl-1-chloracetyl-benzol*		145	4
$R=R'=CH_3; R''=C_2H_5$		*2,4-Dimethoxy-5-äthyl-1-chloracetyl-benzol*	83	139	4
$R=H$		*2,3,4-Trihydroxy-1-chlor-acetyl-benzol*		169–170	6
$R=C_2H_5$		*2,3,4-Trihydroxy-5-äthyl-1-chloracetyl-benzol*	60	131–132,5	5
		2,4,6-Trimethoxy-1-chlor-acetyl-benzol	80	95–96	7
$R=H; R'=CH_3$		*2,4-Dihydroxy-3,6-dime-thoxy-1-chloracetyl-benzol*	25	150,5–151,5	8
$R'=H; R=CH_3$		*6-Hydroxy-2,3,4-trimeth-oxy-1-chloracetyl-benzol*	42	107–107,5	8

1 A. SONN, B. **50**, 1262 (1917).
2 A. SONN, B. **52**, 923 (1919).
3 A. SONN, B. **51**, 1829 (1918).
4 J. MURAI, Sci. Rept. Saitama Univ. **1** A, 147 (1954); C. A. **50**, 981 (1956).
5 J. MURAI, Sci. Rept. Saitama, Univ. **1** A, 23 (1954); C. A. **49**, 3889 (1955).
6 M. YAMASHITA, Sci. Rept. Tôhoku Univ. [1] **24**, 202 (1935); C. **1936** I, 337.
7 K. FREUDENBERG, H. FIKENTSCHER u. M. HARDER, A. **441**, 157 (1925).
8 R. L. SHRINER, E. J. MATSON u. R. F. DAMSCHRODER, Am. Soc. **61**, 2322 (1939).

Äther mit Chlorwasserstoff ebenfalls zu einem Keton-imin-hydrochlorid, aus dem durch Kochen mit Essigsäure *4-Hydroxy-1-chloracetyl-naphthalin* entsteht. 2-Hydroxy-naphthalin reagiert unter analogen Bedingungen zu Chloressigsäure-naphthyl-(2)-ester-imid-hydrochlorid[1] und 2-Oxo-2,3-dihydro-⟨naphtho-[2,3-b]-furan⟩[2]. Aus 2-Methoxy-naphthalin und Chlor-acetonitril erhält man dagegen in Diäthyläther mit Zinkchlorid/Chlorwasserstoff *2-Methoxy-1-chloracetyl-naphthalin* (60% d. Th.)[2]. Hydrochinon ergibt unter den angegebenen Bedingungen mit Chloracetonitril kein Keton sondern Chlor-essigsäure-4-hydroxy-phenylester[2]. Im 1,4-Dimethoxy-benzol wird eine Äthergruppierung aufgespalten und man isoliert Chlor-essigsäure-4-methoxy-phenylester[2].

2,4,6-Trihydroxy-1-chloracetyl-benzol[3]: In einem 2-*l*-Dreihalskolben mit Rührer mit Quecksilberverschluß, Rückflußkühler, 250 *ml* Tropftrichter und einem Einleitungsrohr für Chlorwasserstoff bringt man 100 g (0,79 Mol) 1,3,5-Trihydroxy-benzol, 20 g (0,15 Mol) Zinkchlorid und 400 *ml* wasserfreien Diäthyläther. In die gerührte Lösung wird Chlorwasserstoff eingeleitet. Wenn sich das Zinkchlorid und das Phloroglucin unter Bildung von zwei flüssigen Phasen aufgelöst haben, tropft man eine Lösung von 30 g (0,4 Mol) Chlor-acetonitril in 200 *ml* wasserfreiem Äther hinzu. Man rührt noch 6 Stdn. und leitet noch 10 Stdn. lang Chlorwasserstoff ein. Nach Stehen über Nacht wird der Äther vom abgeschiedenen gelben Feststoff abgegossen. Nach dem Waschen mit zwei 100-*ml*-Portionen Äther wird das gelbe Keton-imin-hydrochlorid durch Versetzen mit 500 g Eis und 1 stgds. Erhitzen der Mischung auf 100° hydrolysiert. Beim Abkühlen scheiden sich 56 g eines gelben, voluminösen Niederschlags ab. Beim Eindampfen des dekantierten Äthers erhält man zusätzliches Rohprodukt. Beide Niederschläge werden aus Wasser unter Zusatz von Tierkohle umkristallisiert; Ausbeute: 71 g (88% d. Th.); F: 188–191° (Zers.).

Das Chlor-keton geht beim längeren Kochen mit Wasser in *4,6-Dihydroxy-⟨benzo-[b]-furan⟩* über[4].

Bei der analogen Umsetzung von 1,3,5-Trihydroxy-2-methoxy-benzol, man arbeitet in Diäthyläther mit Chlorwasserstoff als Kondensationsmittel, erhält man eine Mischung aus *4,6-Dihydroxy-5-* und *-7-methoxy-⟨benzo-[b]-furan⟩*[5]. Für die Umsetzung von 2,4,6-Trihydroxy-1-acetyl-benzol mit Chlor-acetonitril verwendet man Aluminiumchlorid/Chlorwasserstoff als Katalysator, und isoliert nach Hydrolyse des Keton-imin-hydrochlorids ein Gemisch aus *4,6-Dihydroxy-5-* und *-7-acetyl-⟨benzo-[b]-furan⟩*[6,7]. Analog erhält man aus 2,4,6-Trihydroxy-isophthalsäure-diäthylester *4,6-Dihydroxy-5,7-diäthoxycarbonyl-⟨benzo-[b]-furan⟩*[8].

Brom-acetonitril verhält sich ähnlich wie Chlor-acetonitril. Mit Äthoxy-benzol erhält man in Diäthyläther in Gegenwart von Zinkchlorid/Chlorwasserstoff *4-Äthoxy-1-bromacetyl-benzol*, allerdings nur mit einer Ausbeute von 8% der Theorie[9]. Unter analogen Bedingungen ergibt 1-Äthoxy-naphthalin *4-Äthoxy-1-bromacetyl-naphthalin*[9]. Auch Umsetzungen mit 1,3-Dihydroxy-benzol zu *4,6-Dihydroxy-1-bromacetyl-benzol*[10,11], mit 1,3-Dimethoxy-benzol zu *2,4-Dimethoxy-1-bromacetyl-benzol* oder mit 1,3,5-Trimethoxy-benzol zu *2,4,6-Trimethoxy-1-bromacetyl-benzol*[12] werden beschrieben.

[1] J. HOUBEN, B. **59**, 2878 (1926).
[2] S. EBINE, Sci, Rept. Saitama Univ. **2** A, 105 (1956); C. A. **51**, 7322 (1957).
[3] R. L. SHRINER u. F. GROSSER, Am. Soc. **64**, 382 (1942).
[4] A. SONN, B. **50**, 1262 (1917).
[5] R. L. SHRINER, E. J. MATSON u. R. F. DAMSCHRODER, Am. Soc. **61**, 2322 (1939).
[6] W. GRUBER u. F. TRAUB, M. **77**, 414 (1947).
[7] W. GRUBER u. F. E. HOYOS, M. **80**, 303 (1949).
[8] E. N. ZILBERMAN u. N. A. RYBAKOVA, Ž. obšč. Chim. **30**, 1922 (1960); engl.: 1972.
[9] J. HOUBEN u. W. FISCHER, B. **60**, 1759 (1927).
[10] A. SONN, B. **52**, 923 (1919).
[11] A. SONN u. S. FALKENHEIM, B. **55**, 2975 (1922).
[12] K. FREUDENBERG, H. FIKENTSCHER u. M. HARDER, A. **441**, 157 (1925).

3-Chlor-propansäure-nitril reagiert unter den Bedingungen der Hoesch-Reaktion anomal, d.h. zuerst reagiert das Chloratom[1]. Analog verhält sich 4-Chlor-butansäure-nitril[1].

Dichlor-acetonitril ergibt mit Phenol/Äther/Chlorwasserstoff Dichlor-essigsäure-phenyl-ester-imid-hydrochlorid, es erfolgt also keine Acylierung[2].

Aus Trifluor-acetonitril und 1,3-Dihydroxy-benzol erhält man *2,4-Dihydroxy-1-trifluoracetyl-benzol.*

2,4-Dihydroxy-1-trifluoracetyl-benzol[3]: Eine Lösung von 4 g (0,036 Mol) 1,3-Dihydroxy-benzol in 125 *ml* Diäthyläther, die 3 g (0,022 Mol) Zinkchlorid enthält, wird bei −5° mit Chlorwasserstoff gesättigt; dann fügt man 12 g (0,126 Mol) Trifluor-acetonitril hinzu. Nach kurzer Zeit scheidet sich farbloses, kristallines Material ab, das nach 24 Stdn. bei 0° abgetrennt, mit Diäthyläther gewaschen und in 40 *ml* Wasser gelöst wird. Die wäßrige Lösung wird 15 Min. auf dem Wasserbade erhitzt. Da das sich abscheidende rote Öl nicht leicht fest wird, wird es in Diäthyläther aufgenommen, die ätherische Lösung wird getrocknet und eingedampft; den Rückstand extrahiert man wiederholt mit warmem Benzin (Kp: 80–110°); Ausbeute: 4,7 g (63% d.Th.); F: 103° (farblose Nadeln).

Tab. 71. Trifluormethyl-ketone aus Dihydroxy- oder Trihydxoxy-benzolen bzw. ihren Äthern in Diäthyläther mit Zinkchlorid/Chlorwasserstoff

Aromat		Keton	Ausbeute [% d.Th.]	F [°C]	Literatur
OH, R, OH, R'	R=C$_2$H$_5$; R'=H	*2,4-Dihydroxy-3-äthyl-1-trifluoracetyl-benzol*	74	139	4
	R'=C$_2$H$_5$; R=H	*2,4-Dihydroxy-5-äthyl-1-trifluoracetyl-benzol*	70	99	4
OCH$_3$, OCH$_3$, OH		*2-Hydroxy-4,5-dimethoxy-1-trifluoracetyl-benzol*	62	82	4
OR, R^3, R^{2}O, OR^1	R=R^1=R^3=H; R^2=CH$_3$	*4,6-Dihydroxy-2-methoxy-1-trifluoracetyl-benzol*	32	154	4
	R=R^3=H; R^1=R^2=CH$_3$	*6-Hydroxy-2,4-dimethoxy-1-trifluoracetyl-benzol*	5	87	5
	R^3=H; R=R^1=R^2=CH$_3$	*2,4,6-Trimethoxy-1-trifluoracetyl-benzol*	hoch	60	4
	R^1=R^2=H; R=R^3=CH$_3$	*2,6-Dihydroxy-4-methoxy-3-methyl-1-trifluoracetyl-benzol*	22	145	5
	R^2=H; R=R^1=R^2=CH$_3$	*2-Hydroxy-4,6-dimethoxy-3-methyl-1-trifluoracetyl-benzol*	51	100	5

---

[1] E. Chapman u. H. Stephen, Soc. **127**, 885 (1925); W. D. Langley u. R. Adams, Am. Soc. **44**, 2320 (1922).

[2] J. Houben, B. **59**, 2878 (1926).

[3] F. Krollpfeiffer, B. **56**, 2360 (1923).

[4] W. B. Whalley, Soc. **1951**, 665.

[5] W. B. Whalley, Soc. **1951**, 3229.

Trichlor-acetonitril reagiert mit Chlor-benzol und 4-Chlor-1-methyl-benzol in Gegenwart von überschüssigem Aluminiumchlorid und von Chlorwasserstoff praktisch nicht bei 80–100°, während unter den gleichen Bedingungen mit 2-Chlor-1-methyl-benzol *4-Chlor-3-methyl-1-trichloracetyl-benzol* mit einer Ausbeute von 40% d.Th. und mit 3-Chlor-1-methyl-benzol *4-Chlor-2-methyl-1-trichloracetyl-benzol* mit einer Ausbeute von 15% d.Th. erhalten wird[1].

Selbst Trichlor-acetonitril reagiert mit Phenol in Diäthyläther in Gegenwart von Chlorwasserstoff nur zu Trichlor-essigsäure-phenylester-imid-hydrochlorid[2]. In Chlor-benzol hingegen wird mit Aluminiumchlorid/Chlorwasserstoff bei 60° ein Keton-imin-hydrochlorid erhalten, aus dem bei der Verseifung mit hohen Ausbeuten *4-Hydroxy-1-trichloracetyl-benzol* anfällt[3]. Unter den gleichen Bedingungen ergeben auch andere Monohydroxy-benzole ω,ω,ω-Trichlor-acetophenone.

Während sich aus Trichlor-acetonitril und Diphenyläther in Diäthyläther mit Zinkchlorid/Chlorwasserstoff nur Spuren eines Ketons bilden[4], erhält man in Chlor-benzol mit Aluminiumchlorid/Chlorwasserstoff *4-Phenoxy-1-trichloracetyl-benzol* (70% d.Th.)[1]. In der weitaus überwiegenden Anzahl der Fälle kommt man jedoch mit Zinkchlorid/Chlorwasserstoff als Katalysator aus.

1,4-Diäthoxy-benzol wird bei der Umsetzung mit Trichlor-acetonitril in Diäthyläther in Gegenwart von Zinkchlorid/Chlorwasserstoff gespalten, man erhält Trichlor-essigsäure-4-äthoxy-phenylester[5]. 1,4-Dimethoxy-benzol reagiert unter den genannten Bedingungen nicht.

Glykolsäure-nitril gibt mit 1,3-Dihydroxy-benzol in Diäthyläther mit Zinkchlorid/Chlorwasserstoff *2,4-Dihydroxy-1-(hydroxy-acetyl)-benzol*.

2,4-Dihydroxy-1-(hydroxy-acetyl)-benzol[6]: 10,5 g (0,184 Mol) Glykolsäure-nitril und 15,3 g (0,175 Mol) 1,3-Dihydroxy-benzol (Resorcin) werden in 120 ml absol. Diäthyläther gelöst und etwas Zinkchlorid zugefügt. Man leitet nun bis zur Sättigung Chlorwasserstoff ein und läßt über Nacht stehen. Das gebildete Imin-hydrochlorid wird abfiltriert, gut mit Diäthyläther gewaschen und hierauf mit soviel Wasser übergossen, daß es gerade davon bedeckt ist; dann erwärmt man 1–2 Stdn. gelinde auf dem Dampfbad und läßt zur Kristallisation abkühlen; Rohausbeute: 12 g (45% d.Th.); nach 3maligem Umkristallisieren aus Wasser F: 189°.

Andere Autoren geben an, daß bei dieser Umsetzung *6-Hydroxy-2-oxo-2,3-dihydro-⟨benzo-[b]-furan⟩* entsteht[7]. Aus 1,3-Dimethoxy-benzol erhält man unter analogen Bedingungen *2,4-Dimethoxy-1-(hydroxy-acetyl)-benzol,* aus 2,4,6-Trihydroxy-benzol entsteht *4,6-Dihydroxy-2-oxo-2,3-dihydro-⟨benzo-[b]-furan⟩*[7]. Auch 2-Hydroxy-propansäure-nitril reagiert in Diäthyläther mit Chlorwasserstoff als Kondensationsmittel mit 1,3-Dihydroxy-benzol bzw. 3-Hydroxy-1-methoxy-benzol unter Ringschluß, man erhält *6-Hydroxy-* bzw. *6-Methoxy-2-methyl-2-oxo-2,3-dihydro-⟨benzo-[b]-furan⟩*[7]. 2-Hydroxy-3-methyl-butansäure-nitril ergibt dagegen mit 1,3-Dihydroxy-benzol in Diäthyläther mit Zinkchlorid/Chlorwasserstoff *2-Hydroxy-1-oxo-3-methyl-1-(2,4-dihydroxy-phenyl)-butan*[8].

Methoxy-acetonitril reagiert mit Dihydroxy- oder Trihydroxy-benzolen bzw. mit den Alkyläthern in Gegenwart von Chlorwasserstoff bzw. von Zinkchlorid/Chlorwasserstoff in Diäthyläther zu den entsprechenden Acetophenonen.

---

[1] J. Houben u. W. Fischer, B. **64**, 2645 (1931).

[2] J. Houben, B. **59**, 2878 (1926).

[3] J. Houben u. W. Fischer, J. pr. [2] **123**, 262 (1929).

[4] A. Sonn, B. **51**, 1829 (1918).

[5] J. Houben u. W. Fischer, B. **60**, 1759 (1927).

[6] P. Karrer u. H. Biedermann, Helv. **10**, 441 (1927).

[7] W. K. Slater u. H. Stephen, Soc. **117**, 309 (1920).

[8] M. Yamashita, Sci. Rep. Tôhoku Univ. [1] **24**, 205 (1935); C. **1936** I, 338.

Tab. 72. Trichlormethyl-ketone aus Hydroxy- oder Alkoxy-benzolen in Diäthyläther mit Zinkchlorid/Chlorwasserstoff

Aromat		Keton	Ausbeute [% d.Th.]	F [°C]	Literatur
OR, R'	$R=CH_3$; $R'=H$	4-Methoxy-1-trichloracetyl-benzol	70	33–34,5	[1]
	$R'=2—Br$	3-Brom-4-methoxy-1-trichloracetyl-benzol	5		[1]
	$R'=3—CH_3$	4-Methoxy-2-methyl-1-trichloracetyl-benzol	50	(Kp$_{0,8}$: 130°)	[1]
	$R'=4—CH_3$	2-Methoxy-4-methyl-1-trichloracetyl-benzol	10	(Kp$_{12}$: 150–155°)	[1]
	$R=C_2H_5$; $R'=H$	4-Äthoxy-1-trichloracetyl-benzol	80–83	63–64	[1]
	$R'=2—CH_3$	4-Äthoxy-3-methyl-1-trichloracetyl-benzol	79	67–68	[1]
OCH₃, OCH₃		3,4-Dimethoxy-1-trichloracetyl-benzol	55	101–102	[1]
OR, OR', R''	$R=R'=R''=H$	2,4-Dihydroxy-1-trichloracetyl-benzol		142,5	[2]
	$R=R''=H$; $R'=CH_3$	4-Hydroxy-2-methoxy-1-trichloracetyl-benzol	40	144	[3]
	$R''=H$; $R=R'=CH_3$	2,4-Dimethoxy-1-trichloracetyl-benzol	hoch	55	[1,2]
	$R=R'=H$; $R''=CH_3$	2,4-Dihydroxy-5-äthyl-1-trichloracetyl-benzol		13,8	[2]
	$R''=C_4H_9$	2,4-Dihydroxy-5-butyl-1-trichloracetyl-benzol		95–98	[2]
	$R''=C_6H_{11}$	2,4-Dihydroxy-5-hexyl-1-trichloracetyl-benzol		71–73	[2]
	$R=R'=CH_3$; $R''=C_2H_5$	2,4-Dimethoxy-5-äthyl-1-trichloracetyl-benzol		55,6–56	[2]
OCH₃, OCH₃, OCH₃		2-Hydroxy-3,4-dimethoxy-1-trichloracetyl-benzol	42	68–70	[2]
OCH₃, OCH₃, OH		2-Hydroxy-4,5-dimethoxy-1-trichloracetyl-benzol	107	26	[3]

[1] J. HOUBEN u. W. FISCHER, B. **60**, 1759 (1927).
[2] S. EBINE, Sci. Rept. SAITAMA Univ. **2** A., 69 (1955); C. A. 50, 11 971 (1956).
[3] W. B. WHALLEY, Soc. **1951**, 665.

Tab. 73. Trichlormethyl-ketone aus Monohydroxy-benzolen in Chlor-benzol mit Aluminiumchlorid/Chlorwasserstoff

Aromat	Keton	Ausbeute [% d.Th.]	F [°C]	Literatur
(Phenol mit OH, Rest R) 2–CH₃	4-Hydroxy-3-methyl-1-trichloracetyl-benzol	90	90–91	1
3–CH₃	4-Hydroxy-2-methyl-1-trichloracetyl-benzol (+ 2-Hydroxy-4-methyl-1-trichloracetyl-benzol)	18 (37)	84–86 (Kp₁₇: 162–163°)	1
4–CH₃	2-Hydroxy-5-methyl-1-trichloracetyl-benzol	14		1
(Phenol mit OH, R, R¹) R=R¹=CH₃	4-Hydroxy-2,5-dimethyl-1-trichloracetyl-benzol	70	85–86	2
R=iso—C₃H₇; R¹=CH₃	4-Hydroxy-5-methyl-2-isopropyl-1-trichloracetyl-benzol			2
R=CH₃; R′=iso-C₃H₇	4-Hydroxy-2-methyl-5-isopropyl-1-trichloracetyl-benzol	23	99–100	2
(OCH₃, H₃C, CH₃)	6-Methoxy-2,4-dimethyl-1-trichloracetyl-benzol + 4-Methoxy-2,6-dimethyl-1-trichloracetyl-benzol		(Kp₁₁: 168–170°)	2
(OCH₃, R′O, OR) R=R′=H	4,6-Dihydroxy-2-methoxy-1-trichloracetyl-benzol	50–60	152	3
R=H; R′=CH₃	4-Hydroxy-2,6-dimethoxy-1-trichloracetyl-benzol	38	117	4
R=R′=CH₃	2,4,6-Trimethoxy-1-trichloracetyl-benzol	38	116	3
(Naphthalin mit OR) R=H	4-Hydroxy-1-trichloracetyl-naphthalin		100–101	5
R=C₂H₅	4-Äthoxy-1-trichloracetyl-naphthalin	95	74–74,5	5

¹ J. Houben u. W. Fischer, J. pr. [2] **123**, 262 (1929).
² J. Houben u. W. Fischer, B. **63**, 2455 (1930).
³ W. B. Whalley, Soc. **1951**, 665.
⁴ W. B. Whalley, Soc. **1951**, 3229.
⁵ J. Houben u. W. Fischer, B. **60**, 1759 (1927).

Tab. 74. (Methoxy-acetyl)-benzole aus Methoxy-acetonitril und Dihydroxy-
oder Trihydroxy-benzolen bzw. ihren Äthern

in Diäthyläther mit Chlorwasserstoff (A)
mit Zinkchlorid/Chlorwasserstoff (B)

Aromat	Methode	Keton	Ausbeute [% d.Th.]	F [°C]	Literatur
R=R'=R''=H	A	2,4-Dihydroxy-1-(methoxy-acetyl)-benzol	70	136	1
R=R''=H; R'=CH$_3$	B	2-Hydroxy-4-methoxy-1-(methoxy-acetyl)-benzol		66	1
R''=H; R=R'=CH$_3$	B	2,4-Dimethoxy-1-(methoxy-acetyl)-benzol	19	61–62	1
R=R'=H; R''=CH$_3$	A	2,4-Dihydroxy-3-methyl-1-(methoxy-acetyl)-benzol		203–205	2
	B	2,4,5-Trihydroxy-1-(methoxy-acetyl)-benzol	50	95	3
R=R'=H	A	2,4,6-Trihydroxy-1-(methoxy-acetyl)-benzol		192	1
R=H; R'=CH$_3$	B	4,6-Dihydroxy-2-methoxy-1-(methoxy-acetyl)-benzol		208	4
R=R'=CH$_3$	B	6-Hydroxy-2,4-dimethoxy-1-(methoxy-acetyl)-benzol		103–104	5
		+ 4-Hydroxy-2,6-dimethoxy-1-(methoxy-acetyl)-benzol		259–260	
R=H; R'=OCH$_3$	A	4,6-Dihydroxy-2,3-dimethoxy-1-(methoxy-acetyl)-benzol		129–130	6
R'=H; R=OCH$_3$	A	4,6-Dihydroxy-2,5-dimethoxy-1-(methoxy-acetyl)-benzol	82	150–151	7

1 W. K. SLATER u. H. STEPHEN, Soc. 117, 309 (1920).
2 S. RANGASWAMI u. T. R. SESHADRI, Proc. Indian Acad. Sci. A, 8, 214 (1938); C. A. 33, 2122 (1939).
3 M. HEALEY u. R. ROBINSON, Soc. 1934, 1625.
4 R. KUHN u. I. LÖW, B. 77, 202 (1944).
5 L. R. ROW u. T. R. SESHADRI, Proc. Indian Acad. Sci. A, 23, 23 (1946); C. A. 40, 5050 (1946).
6 E. CHAPMAN, A. G. PERKIN u. R. ROBINSON, Soc. 1927, 3015.
7 W. BAKER, R. NODZU u. R. ROBINSON, Soc. 1929, 74.

Äthoxy- und Phenoxy-acetonitril werden in Diäthyläther mit 1,3-Dihydroxy-benzol mit Zinkchlorid/Chlorwasserstoff zu *2,4-Dihydroxy-1-[äthoxy-* (bzw. *-phenoxy)-acetyl]-benzol* umgesetzt[1]. Um Komplikationen bei der Umsetzung von Glykolsäure-nitril mit Dihydroxy- oder Trihydroxy-benzolen zu vermeiden, kann man die Hydroxy-Gruppe des Glykolsäure-nitrils verestern. So entsteht aus Acetoxy-acetonitril und 1,3-Dihydroxy-benzol in Diäthyläther in Gegenwart von Chlorwasserstoff *2,4-Dihydroxy-1-(acetoxy-acetyl)-benzol* (67% d. Th.)[2]. Mit 2,4,6-Trihydroxy-benzol erhält man analog *2,4,6-Trihydroxy-1-(hydroxy-acetyl)-benzol*, da die Ester-Gruppierung bei der Aufarbeitung des Reaktionsgemisches gespalten wird[3]. Auch Benzoyloxy-acetonitril reagiert in Diäthyläther/Chlorwasserstoff mit 1,3-Dihydroxy, zu *2,4-Dihydroxy-1-(benzoyloxy-acetyl)-benzol* (72% d. Th.)[4]. Die Verseifung des Keton-imin-hydrochlorids wird mit 50%igem Äthanol durchgeführt. Analog erhält man mit

1,3,5-Trihydroxy-benzol	→	*2,4,6-Trihydroxy-1-(benzoyloxy-acetyl)-benzol*[4]
3,5-Dihydroxy-1-methoxy-benzol	→	*4,6-Dihydroxy-2-methoxy-1-(benzoyloxy-acetyl)-benzol*[5]
5-Hydroxy-1,3-dimethoxy-benzol	→	*6-Hydroxy-2,4-dimethoxy-1-(benzoyloxy-acetyl)-benzol*[5]

Methoxycarbonyloxy-acetonitril ergibt mit 1,3-Dihydroxy-benzol in Diäthyläther mit Zinkchlorid/Chlorwasserstoff *2,4-Dihydroxy-1-(methoxycarbonyloxy-acetyl)-benzol*[6], analog erhält man aus Äthoxycarbonyloxy-acetonitril mit 1,3-Dihydroxy-benzol *2,4-Dihydroxy-1-(äthoxycarbonyloxy-acetyl)-benzol* und mit 1,3-Dimethoxy-benzol *2,4-Dimethoxy-1-(äthoxycarbonyloxy-acetyl)-benzol*[6]. 3-Äthoxycarbonyloxy-propansäure-nitril alkyliert 1,3-Dihydroxy-benzol zu 3-(2,4-Dihydroxy-phenyl)- und 3-(2,6-Dihydroxy-phenyl)-propansäure[7].

Amino-acetonitril kann nach Acylierung ebenfalls zu Hoesch-Synthesen herangezogen werden. So erhält man aus Benzoylamino-acetonitril und 1,3-Dihydroxy-benzol in Diäthyläther mit Zinkchlorid/Chlorwasserstoff *2,4-Dihydroxy-1-(benzoylamino-acetyl)-benzol*[6]. Unter analogen Bedingungen kann Äthoxycarbonylamino-acetonitril zu *2,4-Dihydroxy-1-(äthoxycarbonylamino-acetyl)-benzol* umgesetzt werden[6]. Für die Reaktion von Piperidino-acetonitril mit 1,3-Dihydroxy-benzol muß man Essigsäure-äthylester als Lösungsmittel verwenden, da Piperidino-acetonitril-hydrochlorid in Diäthyläther unlöslich ist. Man arbeitet mit Zinkchlorid/Chlorwasserstoff als Katalysator und erhält *2,4-Dihydroxy-1-(piperidino-acetyl)-benzol-hydrochlorid*[8]. Analog entsteht mit 1,3,5-Trihydroxy-benzol *2,4,6-Trihydroxy-1-(piperidino-acetyl)-benzol*[8].

2-Oxo-propansäure-nitril kann in Diäthyläther in Gegenwart von Chlorwasserstoff mit 1,3-Dihydroxy-benzol zu einem Keton-imin-hydrochlorid kondensiert werden, aus dem bei der Verseifung mit 20%iger Natriumchlorid-Lösung *1,2-Dioxo-1-(2,4-dihydroxy-phenyl)-propan* entsteht[9]. Zinkchlorid stört bei dieser Re-

[1] A. Sonn, B. **52**, 923 (1919).
[2] E. H. Charlesworth, J. J. Chavan u. R. Robinson, Soc. **1933**, 370.
[3] J. J. Chavan u. R. Robinson, Soc. **1933**, 368.
[4] T. Heap u. R. Robinson, Soc. **1926**, 2336.
[5] R. Kuhn u. I. Löw, B. **77**, 202 (1944).
[6] A. Sonn u. S. Falkenheim, B. **55**, 2975 (1922).
[7] E. Chapman u. H. Stephen, Soc. **127**, 885 (1925);
    W. D. Langley u. R. Adams, Am. Soc. **44**, 2320 (1922).
[8] M. Yamashita, Sci. Rep. Tôhoku Univ. [1] **21**, 545 (1932); C. **1933**, I, 1946.
[9] W. Borsche u. K. Diacont, B. **63**, 2740 (1930).

aktion. Analog entsteht aus 2-Oxo-butansäure-nitril und 1,3-Dihydroxy-benzol (Resorcin) *1,2-Dioxo-1-(2,4-dihydroxy-phenyl)-butan*[1]. In diesem Fall wird die Verseifung des intermediär erhaltenen Keton-imin-hydrochlorids mit halbnormaler Salzsäure vorgenommen.

β₃) *reaktionsfähigen Heterocyclen*

Für die Umsetzung von Pyrrol mit Chlor-acetonitril, die bei 0° in Diäthyläther vorgenommen wird, reicht Chlorwasserstoff als Kondensationsmittel aus; nach der Verseifung des Keton-imin-hydrochlorids mit Wasser erhält man *2-Chloracetyl-pyrrol* (20% d.Th.)[2]. Unter analogen Bedingungen werden 2,4-Dimethyl-pyrrol[3], 2,3,4-Trimethyl-pyrrol[4] und 2,3,5-Trimethyl-pyrrol mit Chlor-acetonitril zu *3,5-Dimethyl-*, *3,4,5-Trimethyl-2-chloracetyl-pyrrol* bzw. *2,4,5-Trimethyl-3-chloracetyl-pyrrol* umgesetzt. Auch 2,4-(bzw. 2,5)-Dimethyl-3-äthoxycarbonyl-pyrrol[5] und 3,5-Dimethyl-2-äthoxycarbonyl-pyrrol[3] reagieren mit Chlor-acetonitril unter diesen Bedingungen zu *2,4-Dimethyl-5-chloracetyl-3-äthoxycarbonyl-*, *2,5-Dimethyl-4-chloracetyl-3-äthoxycarbonyl-* bzw. *3,5-Dimethyl-4-chloracetyl-2-äthoxycarbonyl-pyrrol*. 2-Methyl-indol wird durch Chlor-acetonitril in 3-Stellung zu *2-Methyl-3-chloracetyl-indol* acyliert, man verwendet dabei Chloroform als Lösungsmittel und Chlorwasserstoff als Kondensationsmittel[6]. Bei der Umsetzung von 6-Hydroxy-3-methyl-⟨benzo-[b]-furan⟩ mit Chlor-acetonitril in Diäthyläther kondensiert man mit Zinkchlorid/Chlorwasserstoff und isoliert nach der üblichen Aufarbeitung *6-Hydroxy-3-methyl-2-chloracetyl-⟨benzo-[b]-furan⟩*[7].

Aus Trifluor-acetonitril und Indol erhält man *3-Trifluoracetyl-indol*[8]. Analog entsteht aus 1-Methyl-indol *1-Methyl-3-trifluoracetyl-indol* und aus 2-Methyl-indol *2-Methyl-3-trifluoracetyl-indol*[8]. Wenn die 3-Stellung besetzt ist wie z.B. im 3-Methyl-indol, tritt der Acyl-Rest in 2-Stellung ein, man isoliert *3-Methyl-2-tri-fluoracetyl-indol*[8]. Auch im aromatischen Kern substituierte Indole werden in 3-Stellung acyliert, so entsteht aus 7-Methyl-indol *7-Methyl-3-trifluoracetyl-indol*, aus 5,6-Methylendioxy-indol *5,6-Methylendioxy-3-trifluoracetyl-indol* und aus 5,6-Dimethoxy-indol *5,6-Dimethoxy-3-trifluoracetyl-indol*[8]. Benzo-[b]-furan und substituierte Benzo-[b]-furane werden durch Trifluor-acetonitril in 2-Stellung acyliert, wenn diese frei ist. Die Umsetzungen werden in Diäthyläther mit Zinkchlorid/Chlorwasserstoff vorgenommen. Auf diese Weise erhält man aus[9]:

3-Methyl-⟨benzo-[b]-furan⟩	→	*3-Methyl-2-trifluoracetyl-⟨benzo-[b]-furan⟩*
5-Methoxy-⟨benzo-[b]-furan⟩	→	*5-Methoxy-2-trifluoracetyl-⟨benzo-[b]-furan⟩*
6-Hydroxy-⟨benzo-[b]-furan⟩	→	*6-Hydroxy-2-trifluoracetyl-⟨benzo-[b]-furan⟩*
6-Methoxy-⟨benzo-[b]-furan⟩	→	*6-Methoxy-2-trifluoracetyl-⟨benzo-[b]-furan⟩*
5,6-Dimethoxy-⟨benzo-[b]-furan⟩	→	*5,6-Dimethoxy-2-trifluoracetyl-⟨benzo-[b]-furan⟩*
5-Hydroxy-3-methyl-⟨benzo-[b]-furan⟩	→	*5-Hydroxy-3-methyl-2-trifluoracetyl-⟨benzo-[b]-furan⟩*

[1] W. BORSCHE u. K. DIACONT, B. **63**, 2740 (1930).
[2] F. F. BLICKE et al., Am. Soc. **65**, 2465 (1943).
[3] H. FISCHER, B. WEISS u. M. SCHUBERT, B. **56**, 1194 (1923).
[4] H. FISCHER u. B. WALACH, A. **450**, 109 (1926).
[5] H. FISCHER, K. SCHNEIDER u. W. ZERWECK, B. **55**, 2390 (1922).
[6] DRP 395092 (1922), Kalle & Co. AG; Frdl. **14**, 518.
[7] P. KARRER, A. GLATTFELDER u. F. WIDMER, Helv. **3**, 541 (1920).
[8] W. B. WHALLEY, Soc. **1954**, 1651.
[9] W. B. WHALLEY, Soc. **1953**, 4379.

5-Methoxy-3-methyl-⟨benzo-[b]-furan⟩	→	*5-Methoxy-3-methyl-2-trifluoracetyl-⟨benzo-[b]-furan⟩*
6-Hydroxy-3-methyl-⟨benzo-[b]-furan⟩	→	*6-Hydroxy-3-methyl-2-trifluoracetyl-⟨benzo-[b]-furan⟩*
4,6-Dimethoxy-3-methyl-[benzo-[b]-furan⟩	→	*4,6-Dimethoxy-3-methyl-2-trifluoracetyl-⟨benzo-[b]-furan⟩*
5,6-Dimethoxy-3-methyl-⟨benzo-[b]-furan⟩	→	*5,6-Dimethoxy-3-methyl-2-trifluoracetyl-⟨benzo-[b]-furan⟩*

Ausnahmen bilden Cumarone mit 4- oder 7-ständigen Methoxy-Gruppen. So entsteht unter den genannten Bedingungen aus 7-Methoxy-⟨benzo-[b]-furan⟩ *7-Methoxy-4-* oder *-5-trifluoracetyl-⟨benzo-[b]-furan⟩*; 4,6-Dimethoxy-⟨benzo-[b]-furan⟩ reagiert zu einer Mischung aus *4,6-Dimethoxy-2-* und *-7-trifluoracetyl-⟨benzo-[b]-furan⟩*, in der das erstgenannte Isomere überwiegt[1]. Aus 7-Methoxy-3-methyl-⟨benzo-[b]-furan⟩ und Trifluor-acetonitril erhält man *7-Methoxy-3-methyl-2-trifluoracetyl-⟨benzo-[b]-furan⟩* neben einer Verbindung mit unbekannter Stellung des Trifluoracetyl-Restes[1].

Für die Umsetzungen von Trichlor-acetonitril mit Pyrrolen ist Chloroform das Lösungsmittel der Wahl. Dabei ist Chlorwasserstoff als Kondensationsmittel ausreichend, die Reaktionstemperatur liegt in der Regel bei 0°. Wie bei entsprechenden Umsetzungen von Chlor-acetonitril tritt der Trichloracetyl-Rest in eine freie 2-Stellung, sonst in 3-Stellung ein. Nach der Verseifung des Trichlormethyl-keton-imin-hydrochlorids mit Wasser erhält man die entsprechenden Ketone meist mit guter Ausbeute. Folgende Umsetzungen werden beschrieben[2]:

2,4-Dimethyl-pyrrol	→	*3,5-Dimethyl-2-trichloracetyl-pyrrol*
2,3,4-Trimethyl-pyrrol	→	*3,4,5-Trimethyl-2-trichloracetyl-pyrrol*
2,4-Dimethyl-3-äthyl-pyrrol	→	*3,5-Dimethyl-4-äthyl-2-trichloracetyl-pyrrol*
2,4-Dimethyl-3-acetyl-pyrrol	→	*3,5-Dimethyl-4-acetyl-2-trichloracetyl-pyrrol*
3,5-Dimethyl-2-äthoxycarbonyl-pyrrol	→	*3,5-Dimethyl-4-trichloracetyl-2-äthoxycarbonyl-pyrrol*

Wie Trifluor-acetonitril reagiert auch Trichlor-acetonitril mit Indol oder substituierten Indolen in 3-Stellung. So entsteht aus Indol und Trichlor-acetonitril in Diäthyläther in Gegenwart von Zinkchlorid/Chlorwasserstoff *3-(2,2,2-Trichlor-1-imino-äthyl)-indol-hydrochlorid*, bei dessen Verseifung mit Wasser mit einer Ausbeute von 50% d. Th. *3-Trichloracetyl-indol* erhalten wird[3]. Unter analogen Bedingungen erhält man aus 7-Methyl-indol *7-Methyl-3-trichloracetyl-indol*[3]. Für die Kondensation von 2-Methyl-indol mit Trichlor-acetonitril (zu *2-Methyl-3-trichloracetyl-indol*) verwendet man Chloroform als Lösungsmittel und kommt mit Chlorwasserstoff als Kondensationsmittel aus[4].

Durch Hydroxy-, Methoxy- oder Methyl-Gruppen substituierte Benzo-[b]-furane werden durch Trichlor-acetonitril in Diäthyläther in Gegenwart von Zinkchlorid/Chlorwasserstoff in 2-Stellung acyliert. Nach der Verseifung der zunächst entstandenen 2-(2,2,2-Trichlor-1-imino-äthyl)-⟨benzo-[b]-furan⟩-hydrochloride mit Wasser erhält man folgende Ketone[1]:

3-Methyl-⟨benzo-[b]-furan⟩	→	*3-Methyl-2-trichloracetyl-⟨benzo-[b]-furan⟩*
6-Hydroxy-⟨benzo-[b]-furan⟩	→	*6-Hydroxy-2-trichloracetyl-⟨benzo-[b]-furan⟩*
6-Methoxy-⟨benzo-[b]-furan⟩	→	*6-Methoxy-2-trichloracetyl-⟨benzo-[b]-furan⟩*

[1] W. B. WHALLEY, Soc. **1953**, 4379.
[2] H. FISCHER u. P. VIAUD, B. **64**, 193 (1931).
[3] W. B. WHALLEY, Soc. **1954**, 1651.
[4] J. HOUBEN u. W. FISCHER, B. **64**, 2645 (1931).

4-Hydroxy-3-methyl-⟨benzo-[b]-furan⟩ → *4-Hydroxy-3-methyl-2-trichloracetyl-⟨benzo-[b]-furan⟩*[1]

5-Hydroxy-3-methyl-⟨benzo-[b]-furan⟩ → *5-Hydroxy-3-methyl-2-trichloracetyl-⟨benzo-[b]-furan⟩*

5-Methoxy-3-methyl-⟨benzo-[b]-furan⟩ → *5-Methoxy-3-methyl-2-trichloracetyl-⟨benzo-[b]-furan⟩*

4,6-Dimethoxy-3-methyl-⟨benzo-[b]-furan⟩ → *4,6-Dimethoxy-3-methyl-2-trichloracetyl-⟨benzo-[b]-furan⟩*

5,6-Dimethoxy-3-methyl-benzo⟨-[b]-furan⟩ → *5,6-Dimethoxy-3-methyl-2-trichloracetyl-⟨benzo-[b]-furan⟩*

Für die Umsetzung von Thiophen mit Trichlor-acetonitril, die in Diäthyläther vorgenommen wird, verwendet man den aus Aluminiumchlorid und Chlorwasserstoff gebildeten Komplex als Kondensationsmittel[2]. Das Thiophen wird dabei als letzte Komponente zur Reaktionsmischung zugegeben; man erhält *2-Trichloracetyl-thiophen* (35% d.Th.).

Wenn man in eine Lösung von 2,4-Dimethyl-pyrrol und Oxalsäure-äthylester-nitril in Chloroform bei 0° bis zur Sättigung Chlorwasserstoff einleitet, erhält man ein Keton-imin-hydrochlorid, das durch Wasser zu *3,5-Dimethyl-2-(äthoxyoxalyl)-pyrrol* hydrolysiert wird[3]:

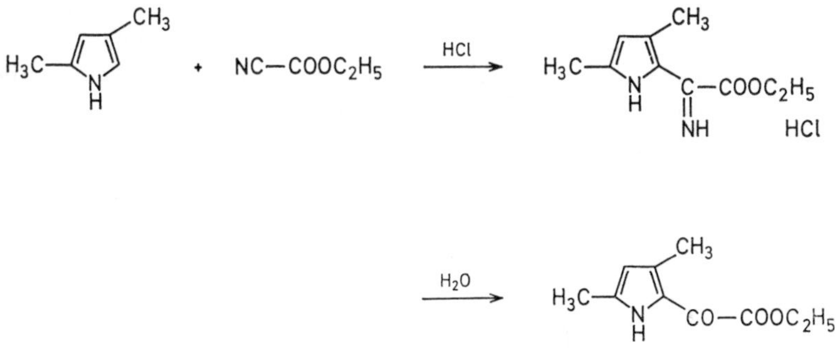

Aus 2,4-Dimethyl-3-äthoxycarbonyl-pyrrol und Oxalsäure-äthylester-nitril erhält man in Diäthyläther in Gegenwart von Chlorwasserstoff nach Hydrolyse des Keton-imin-hydrochlorids *3,5-Dimethyl-4-äthoxycarbonyl-2-äthoxyoxalyl-pyrrol* (75% d.Th.). Unter analogen Bedingungen entsteht aus:

2,5-Dimethyl-3-äthoxycarbonyl-pyrrol → *2,5-Dimethyl-4-äthoxycarbonyl-3-äthoxy-oxalyl-pyrrol*[4,5]   97% d.Th.

2,4-Dimethyl-3-acetyl-pyrrol → *3,5-Dimethyl-4-acetyl-2-äthoxyoxalyl-pyrrol*[4]   84% d.Th.

Auch die Anwendung von Cyan-essigsäure-äthylester wird beschrieben. So entsteht mit 2,4-Dimethyl-3-äthoxycarbonyl-pyrrol in Äther in Gegenwart von Chlorwasserstoff *3,5-Dimethyl-4-äthoxycarbonyl-2-(äthoxycarbonyl-acetyl)-pyrrol*[4].

[1] W. B. WHALLEY, Soc. **1951**, 3229.
[2] J. HOUBEN u. W. FISCHER, J. pr. [2] **123**, 313 (1929).
[3] H. FISCHER u. P. VIAUD, B. **64**, 193 (1931).
[4] H. FISCHER, K. SCHNELLER u. W. ZERWECK, B. **55**, 2390 (1922).
[5] DRP 395092 (1922), Kalle & Co. AG; Frdl. **14**, 518.

γ) Ketone aus araliphatischen Carbonsäure-nitrilen und

γ₁) *substituierten carbocyclischen Aromaten*

Araliphatische Carbonsäure-nitrile können unter den Bedingungen der Hoesch-Reaktion nicht mit Monohydroxy-benzolen zu Ketonen umgesetzt werden, eine Ausnahme bildet 1-Hydroxy-naphthalin, das mit Phenyl-acetonitril in Diäthyläther mit Zinkchlorid/Chlorwasserstoff *4-Hydroxy-1-(phenyl-acetyl)-naphthalin* ergibt[1]. Aus Phenyl-acetonitril und 1,3-Dihydroxy-benzol erhält man unter den üblichen Bedingungen *1-Oxo-2-phenyl-1-(2,4-dihydroxy-phenyl)-äthan*[2].

1-Oxo-2-phenyl-1-(2,4-dihydroxy-phenyl)-äthan[3]: 10 g (0,091 Mol) 1,3-Dihydroxy-benzol und 10 g (0,085 Mol) Phenyl-acetonitril werden in 60 *ml* trockenem Diäthyläther gelöst; man versetzt die Lösung mit 4g gepulvertem Zinkchlorid und leitet unter Rückflußkochen innerhalb 2 Stdn. einen mäßig raschen Strom von Chlorwasserstoff ein. Nach Stehen des verschlossenen Reaktionsgefäßes über Nacht haben sich nur wenige Kristalle, die wahrscheinlich das Keton-imin-hydrochlorid sind, aus der unteren, sirupösen Schicht abgeschieden. Die Mischung wird mit 80 *ml* 5 n Salzsäure versetzt und mit Diäthyläther ausgeschüttelt, um unverändertes Ausgangsmaterial zu entfernen. Die wäßrige Lösung wird kurze Zeit auf einem Wasserbade erhitzt, es trennt sich ein braunes Öl ab. Nach dem Abkühlen entfernt man die wäßrige Phase und kocht das braune Öl noch einmal mit Wasser. Beim Abkühlen scheiden sich glitzernde Blättchen ab, das Öl erstarrt. Das Keton wird abfiltriert und aus verd. Äthanol oder besser aus viel Wasser umgelöst; Ausbeute: 14,5 g (75% d.Th.); F: 115°.

Unter analogen Bedingungen, meist wird die Reaktionsmischung jedoch unter Kühlen mit Chlorwasserstoff gesättigt, werden aus 1,3-Dihydroxy-alkyl-benzolen und Phenyl-acetonitril folgende Ketone hergestellt:

→ *2,4-Dihydroxy-3-methyl-1-(phenyl-acetyl)-benzol*

R = CH₃	→ *2,4-Dihydroxy-5-methyl-1-(phenyl-acetyl)-benzol*
R = C₂H₅	→ *2,4-Dihydroxy-5-äthyl-1-(phenyl-acetyl)-benzol*
R = C₃H₇	→ *2,4-Dihydroxy-5-propyl-1-(phenyl-acetyl)-benzol*
R = C₄H₉	→ *2,4-Dihydroxy-5-butyl-1-(phenyl-acetyl)-benzol*
R = C₅H₁₁	→ *2,4-Dihydroxy-5-pentyl-1-(phenyl-acetyl)-benzol*
R = C₆H₁₃	→ *2,4-Dihydroxy-5-hexyl-1-(phenyl-acetyl)-benzol*

Für die Umsetzung von 1,3,5-Trihydroxy-benzol mit Phenyl-acetonitril in Diäthyläther werden Zinkchlorid[3,4] oder Zinkbromid[5] und Chlorwasserstoff als Kondensationsmittel verwendet; dabei zeigt sich das Zinkchlorid dem Zinkbromid überlegen.

2,4,6-Trihydroxy-1-(phenyl-acetyl)-benzol[6]: 10 g (0,06 Mol) 1,3,5-Trihydroxy-benzol werden in 200 *ml* absol. Äther gelöst, mit 2 g Zinkchlorid und 13 g (0,114 Mol) Phenyl-acetonitril

---

[1] J. Houben u. W. Fischer, B. **60**, 1759 (1927).

[2] E. Klarmann, Am. Soc. **48**, 791 (1926).

[3] E. Chapman u. H. Stephen, Soc. **123**, 404 (1923).

[4] E. Klarmann u. W. Figdor, Am. Soc. **48**, 803 (1926).

[5] I. Inagaki u. M. Ogawa, Bull. Nagoya City Univ. Pharm. School, Nr. 3, 16 (1956); C. A. **51**, 1884 (1957).

[6] DRP. 407666 (1924), Farbw. Hoechst, Erf.: M. Bockmühl u. W. Herrmann; Frdl. **14**, 1424.

versetzt und mit trockenem Chlorwasserstoff gesättigt. Nach einigem Stehen kristallisiert das Keton-imin-hydrochlorid aus, das abgesaugt und mit Äther gewaschen wird. Das Hydrochlorid wird in ~ 500–600 *ml* Wasser gelöst und die Lösung 20 Min. im Sieden erhalten. Dabei scheidet sich das Keton ölig ab und wird beim Abkühlen fest. Zur Reinigung löst man das Rohprodukt in Diäthyläther, trocknet mit Natriumsulfat, schüttelt mit Tierkohle und destilliert drei Viertel des Diäthyläthers ab. Den Rückstand versetzt man mit Benzol, wobei das reine Keton in farblosen Kristallen erstarrt, die abgesaugt und mit Benzol gewaschen werden; F: 165–166°; aus Wasser kristallisiert das Keton mit einem Mol Kristallwasser; F: 88–89°.

Unter den gleichen Bedingungen wie Phenyl-acetonitril wird auch (4-Methyl-phenyl)-acetonitril mit 1,3-Dihydroxy- oder 1,3,5-Trihydroxy-benzol umgesetzt; man erhält dabei *2-Oxo-2-[2,4-dihydroxy-* (bzw. *-2,4,6-trihydroxy)-phenyl]-1-(4-methyl-phenyl)-äthan*[1].

(4-Hydroxy-phenyl)-acetonitril kann mit 1,3,5-Trihydroxy-benzol zu *1-Oxo-2-(4-hydroxy-phenyl)-1-(2,4,6-trihydroxy-phenyl)-äthan* kondensiert werden; dabei genügt Chlorwasserstoff als Kondensationsmittel[2]. Mit 5-Hydroxy-1,3-dimeth-oxy-benzol entsteht eine Mischung aus *1-Oxo-2-(4-hydroxy-phenyl)-1-[6-hydroxy-2,4-dimethoxy-* (bzw. *-4-hydroxy-2,6-dimethoxy)-phenyl]-äthan*[3]. Für diese Kondensation sowie für die Umsetzung mit 1,3,5-Trimethoxy-benzol zu *1-Oxo-2-(4-hydroxy-phenyl)-1-(2,4,6-trimethoxy-phenyl)-äthan* werden Zinkchlorid und Chlorwasserstoff als Kondensationsmittel benötigt.

(4-Methoxy-phenyl)-acetonitril liefert bei der Kondensation mit 3-Hydroxy-1-methoxy-benzol eine Mischung aus *1-Oxo-2-(4-methoxy-phenyl)-1-[2-hydroxy-4-methoxy-* (bzw. *-4-hydroxy-2-methoxy)-phenyl]-äthan*[4,5]; man nimmt die Reaktion in Diäthyläther mit Zinkchlorid/Chlorwasserstoff vor. Unter analogen Bedingungen entsteht mit 1,3,4-Trihydroxy-benzol *2-Oxo-2-(2,4,6-trihydroxy-phenyl)-1-(4-methoxy-phenyl)-äthan* (92% d.Th.)[6]. Mit wesentlich geringeren Ausbeuten verlaufen Kondensationen von (4-Methoxy-phenyl)-acetonitril mit 2,6-Dihydroxy-4-methoxy-1-me-thyl-benzol zu *1-Oxo-2-(4-methoxy-phenyl)-1-(2,4-dihydroxy-6-methoxy-3-methyl-phen-yl)-äthan* (44% d.Th.)[7] oder mit 3,5-Dihydroxy-1,2-dimethoxy-benzol zu *1-Oxo-2-(4-methoxy-phenyl)-1-(2,6-dihydroxy-3,4-dimethoxy-phenyl)-äthan* (29% d.Th.)[8].

Auch (Dialkoxy-phenyl)-acetonitrile wurden zu Hoesch-Synthesen herangezogen. So erhält man aus (3,4-Dimethoxy-phenyl)-acetonitril und 1,3,5-Tri-methoxy-benzol in Diäthyläther mit Zinkchlorid/Chlorwasserstoff *1-Oxo-2-(3,4-dimethoxy-phenyl)-1-(2,4,6-trimethoxy-phenyl)-äthan*[9]. Unter analogen Bedingungen wird die Umsetzung von (3,4-Methylendioxy-phenyl)-acetonitril mit 1,3-Dihydroxy-benzol zu *2-Oxo-2-(2,4-dihydroxy-phenyl)-1-(3,4-methylendioxy-phenyl)-äthan* vorgenommen[10]. Auch Phenyl-acetonitrile mit Ester-Gruppierung können eingesetzt werden. Man erhält z.B. aus [4,5-Dimethoxy-2-(methoxycarbonyl-methyl-oxy-phenyl)-acetonitril und 1,3-Dihydroxy-benzol in Diäthyläther mit Zink-

[1] E. CHAPMAN u. H. STEPHEN, Soc. **123**, 404 (1923).
[2] W. BAKER u. R. ROBINSON, Soc. **1926**, 2713.
[3] G. ZEMPLÉN, R. BOGNÁR u. L. FARKAS, B. **76**, 267 (1943).
[4] E. L. ANDERSON u. G. F. MARRIAN, J. biol. Chem. **127**, 649 (1939).
[5] F. WESSELY, F. LECHNER u. K. DINJAŠKI, M. **63**, 201 (1933).
[6] R. L. SHRINER u. C. J. HULL, J. Org. Chem. **10**, 288 (1945).
[7] R. L. SHRINER u. C. J. HULL, J. Org. Chem. **10**, 228 (1945).
[8] R. L. SHRINER u. R. W. STEPHENSON, Am. Soc. **64**, 2737 (1942).
[9] K. FREUDENBERG, G. CARRARA u. E. COHN, A. **446**, 87 (1925).
[10] E. SPÄTH u. O. SCHMIDT, M. **53-54**, 454 (1929).

chlorid/Chlorwasserstoff nach alkalischer Verseifung der Ester-Gruppierung *2-Oxo-2-*
(2,4-dihydroxy-phenyl)-1-[4,5-dimethoxy-2-(carboxy-methoxy)-phenyl]-äthan[1]:

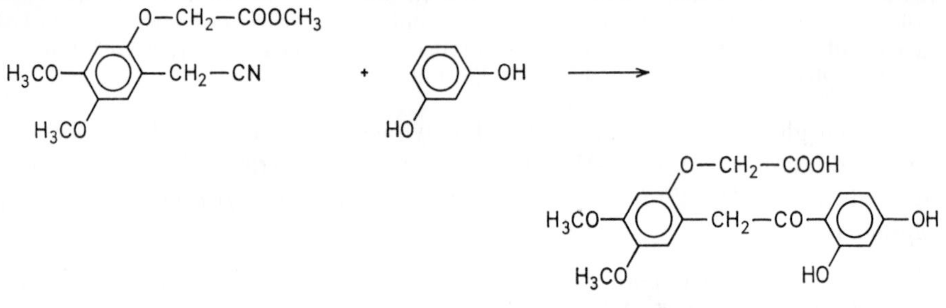

Unter analogen Bedingungen, allerdings ohne alkalische Verseifung der Ester-
Gruppe, entsteht mit 2,4-Dihydroxy-1-(3-methyl-butyl)-benzol *1-Oxo-2-[4,5-dimeth-
oxy-2-(methoxycarbonyl-methoxy)-phenyl]-1-[2,4-dihydroxy-3-(3-methyl-butyl)-phenyl]-
äthan*[1] und mit 2,4,6-Trihydroxy-1-(3-methyl-butyl)-benzol *1-Oxo-2-[4,5-dimethoxy-
2-(methoxycarbonyl-methoxy)-phenyl]-1-[2,4,6-trihydroxy-3-(3-methyl-butyl)-phenyl]-
äthan*[2].

Auch durch Chloratome, Nitro- oder Cyan-Gruppen im Kern substituierte Phenyl-
acetonitrile ergeben auf übliche Weise mit 1,3-Dihydroxy- oder 1,3,5-Trihydroxy-
benzol Ketone.

3-Phenyl-propansäure-nitril ergibt bei der Umsetzung mit 1,3-Dihydroxy-
benzol in Diäthyläther/Chlorwasserstoff oder auch in Gegenwart von Zinkchlorid
1-Oxo-3-phenyl-1-(2,4-dihydroxy-phenyl)-propan.

1-Oxo-3-phenyl-1-(2,4-dihydroxy-phenyl)-propan[3]: Eine Lösung von 10 g (0,09 Mol) 1,3-Di-
hydroxy-benzol und 10 g (0,076 Mol) 3-Phenyl-propansäure-nitril in 75 *ml* trockenem Diäthyläther
wird bei 0° mit trockenem Chlorwasserstoff gesättigt. Nach 48 Stdn. fügt man Wasser hinzu und
destilliert den Diäthyläther ab; das Keton-imin wird durch 30 Min. Erhitzen auf dem Dampfbad
hydrolysiert. Man nimmt das ölige Reaktionsprodukt in Chloroform auf, die Lösung wird mit
wäßriger Natronlauge ausgeschüttelt, aus dieser das Keton durch Ansäuern abgeschieden und
aus verd. Essigsäure umkristallisiert; F: 88° (farblose Nadeln).

Analog erhält man mit 3,5-Dihydroxy-1-methyl-benzol *1-Oxo-3-phenyl-1-(2,4-di-
hydroxy-6-methyl-phenyl)-propan* und mit 1,3,5-Trihydroxy-benzol *1-Oxo-3-phenyl-
1-(2,4,6-trihydroxy-phenyl)-propan*[3] vgl. a. [4].

Durch Umsetzung von 2-Brom-3-phenyl-propansäure-nitril mit 1,3,5-
Trimethoxy-benzol in Diäthyläther in Gegenwart von Zinkchlorid/Chlorwasser-
stoff entsteht *2-Brom-1-oxo-3-phenyl-1-(2,4,6-trihydroxy-phenyl)-propan*[5]. Wenn man
unter analogen Bedingungen 3-(4-Acetoxy-phenyl)-propansäure-nitril mit 1,3,5-Tri-
methoxy-benzol zur Reaktion bringt, erhält man nach Verseifung der Ester-Gruppierung *1-Oxo-3-(4-hydroxy-phenyl)-1-(2,4,6-trihydroxy-phenyl)-propan*[6]. Aus 3-(3,4-

[1] A. Robertson, Soc. **1933**, 1163.
[2] T. S. Kenny, A. Robertson u. S. W. George, Soc. **1939**, 1601.
[3] W. Baker, Soc. **127**, 2349 (1925).
[4] E. Klarmann, Am. Soc. **48**, 2358 (1926).
[5] K. Freudenberg, H. Fikentscher u. M. Harder, A. **441**, 157 (1925).
[6] E. Fischer u. O. Nouri, B. **50**, 611 (1917).

Tab. 75. Ketone aus [Chlor-(bzw. Nitro-, bzw. Cyan)-phenyl]-acetonitrilen und 1,3-Dihydroxy- oder 1,3,5-Trihydroxy-benzol in Diäthyläther und Zinkchlorid/Chlorwasserstoff

Phenyl-acetonitril	Phenol	Keton	F [°C]	Litera-tur
2-Chlor-	1,3-Dihydroxy-benzol	*1-Oxo-2-(2-chlor-phenyl)-1-(2,4-di-hydroxy-phenyl)-äthan*	142	1
	1,3,5-Trihydroxy-benzol	*1-Oxo-2-(2-chlor-phenyl)-1-(2,4,6-trihydroxy-phenyl)-äthan*	172	1
4-Chlor-	1,3-Dihydroxy-benzol	*1-Oxo-2-(4-chlor-phenyl)-1-(2,4-dihydroxy-phenyl)-äthan*	153–154	2
	1,3,5-Trihydroxy-benzol	*1-Oxo-2-(4-chlor-phenyl)-1-(2,4,6-trihydroxy-phenyl)-äthan*	221–222	2
2-Nitro-	1,3,5-Trihydroxy-benzol	*1-Oxo-2-(2-nitro-phenyl)-1-(2,4,6-trihydroxy-phenyl)-äthan*	202	3
3-Nitro-	1,3-Dihydroxy-benzol	*1-Oxo-2-(3-nitro-phenyl)-1-(2,4-dihydroxy-phenyl)-äthan*	156,5	3
	1,3,5-Trihydroxy-benzol	*1-Oxo-2-(3-nitro-phenyl)-1-(2,4,6-trihydroxy-phenyl)-äthan*	211–212	3
4-Nitro-	1,3,5-Trihydroxy-benzol	*1-Oxo-2-(4-nitro-phenyl)-1-(2,4,6-trihydroxy-phenyl)-äthan*	247	3
2-Cyan-	1,3-Dihydroxy-benzol	*2-Oxo-2-(2,4-dihydroxy-phenyl)-1-(2-cyan-phenyl)-äthan*	174	4
	1,3,5-Trihydroxy-benzol	*2-Oxo-2-(2,4,6-trihydroxy-phenyl)-1-(2-cyan-phenyl)-äthan*	240,5	4
		+2-Oxo-2-(2,4,6-trihydroxy-phenyl)-1-(2-carboxy-phenyl)-äthan	255,5	
3-Cyan-	1,3-Dihydroxy-benzol	*2-Oxo-2-(2,4-dihydroxy-phenyl)-1-(3-cyan-phenyl)-äthan*	170	4
	1,3,5-Trihydroxy-benzol	*2-Oxo-2-(2,4,6-trihydroxy-phenyl)-1-(3-cyan-phenyl)-äthan*	273	4
4-Cyan-	1,3,5-Trihydroxy-benzol	*2-Oxo-2-(2,4,6-trihydroxy-phenyl)-1-(4-cyan-phenyl)-äthan*	249	4

Dimethoxy-phenyl)-propansäure-nitril und 1,3-Dihydroxy-benzol in Diäthyläther/Chlorwasserstoff entsteht *3-Oxo-3-(2,4-dihydroxy-phenyl)-1-(3,4-dimethoxy-phenyl)-propan*[5] und aus 3-(3,4-Methylendioxy-phenyl)-propansäure-nitril *3-Oxo-3-(2,4-dihydroxy-phenyl)-1-(3,4-methylendioxy-phenyl)-propan*[5, 6]. Die Umsetzung von 3-(6-Brom-3,4-methylendioxy-phenyl)-propansäure-nitril mit 1,3-Dihydroxy-benzol, die in Gegenwart von Zinkchlorid/Chlorwasserstoff vorgenommen wird, liefert *3-Oxo-3-(2,4-dihydroxy-phenyl)-1-(6-brom-3,4-methylendioxy-phenyl)-propan*[7].

γ_2) reaktionsfähigen Heterocyclen

2-Methyl-indol wird durch Phenyl-acetonitril in Diäthyläther in Gegenwart von Chlorwasserstoff in 3-Stellung acyliert.

[1] I. ORITO, Sci. Rep. Tôhoku Univ. [1] **18**, 121 (1929); C. A. **24**, 98 (1930).
[2] E. CHAPMAN u. H. STEPHEN, Soc. **123**, 404 (1923).
[3] M. YAMASHITA, Sci. Rep. Tôhoku Univ. [1] **18**, 615 (1929); C. **1930** I, 2460.
[4] M. YAMASHITA, Sci. Rep. Tôhoku Univ. [1] **22**, 167 (1933); C. **1933** II, 872.
[5] W. BAKER u. R. ROBINSON, Soc. **127**, 1424 (1925).
[6] E. SPÄTH u. O. SCHMIDT, M. **53-54**, 454 (1929).
[7] W. BAKER, Soc. **1926**, 1074.

2-Methyl-3-(phenyl-acetyl)-indol[1]:

2-Methyl-3-(1-imino-2-phenyl-äthyl)-indol-hydrochlorid: In eine Lösung von 2,5 g (0,021 Mol) 2-Methyl-indol und 5 g (0,043 Mol) frisch destilliertem Phenyl-acetonitril in 9 ml Diäthyläther wird $5^1/_2$ Stdn. lang trockener Chlorwasserstoff eingeleitet, dann läßt man das gut verschlossene Reaktionsgefäß drei Tage im Eisschrank stehen. Man filtriert dann den violetten Niederschlag des Keton-imin-hydrochlorids ab und wäscht ihn mit Diäthyläther; Ausbeute: 5,3 g (89% d. Th.).

2-Methyl-3-(phenyl-acetyl)-indol: Zur Verseifung wird das Hydrochlorid in siedendem Wasser gelöst, filtriert und auf dem Wasserbade mit wenigen Tropfen Ammoniak-Lösung versetzt. Der ausfallende kristalline Niederschlag wird nach dem Abfiltrieren und Trocknen zuerst aus verd. Äthanol, dann aus verd. Essigsäure umkristallisiert; Ausbeute: 3,8 g (72% d. Th.); F: 196–197° (schwach gelbstichige Nadeln).

δ) Ketone aus aromatischen Nitrilen und

δ₁) *substituierten carbocyclischen Aromaten*

Auch aromatische Nitrile reagieren unter den Bedingungen der Hoesch-Synthese nicht mit Monohydroxy-benzolen oder 1,4-Dihydroxy-benzol[2] unter Bildung von Ketonen. Es gelingt jedoch, Benzonitril in Diäthyläther mit Zinkchlorid/Chlorwasserstoff mit 1-Hydroxy-naphthalin zu *4-Hydroxy-1-(C-phenyl-iminocarbonyl)-naphthalin-hydrochlorid* umzusetzen; beim Kochen dieser Verbindung mit Wasser entsteht *4-Hydroxy-1-benzoyl-naphthalin*[3]. Aus 2-Hydroxy-naphthalin erhält man nur 4% d. Th. *2-Hydroxy-1-benzoyl-naphthalin*.

9-Methoxy-anthracen ergibt mit Benzonitril in Benzol mit Aluminiumchlorid/Chlorwasserstoff ein Keton-imin-hydrochlorid[4], das durch konzentrierte Schwefelsäure zu *9-Benzoyl-anthron-(10)* (*10-Oxo-9-benzoyl-9,10-dihydro-anthracen*) verseift wird[5]:

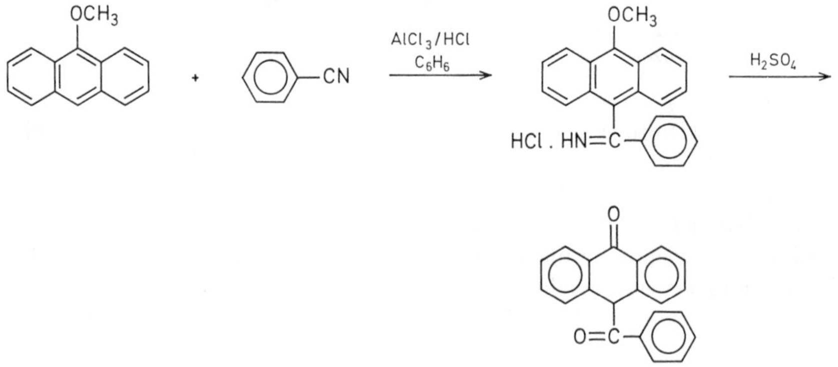

Analog verläuft die Umsetzung von 9-Methoxy-anthracen mit 4-Chlor-benzonitril zu *9-(4-Chlor-benzoyl)-anthron-(10)* [*10-Oxo-9-(4-chlor-benzoyl)-9,10-dihydro-anthracen*][5].

[1] R. Seka, B. 56, 2058 (1923).
[2] E. Bresson u. J. B. Culbertson, Proc. Iowa Acad. Sci. 36, 266 (1929); C. A. 25, 1230 (1931).
[3] J. Houben u. W. Fischer, B. 60, 1759 (1927).
[4] F. Krollpfeiffer, B. 56, 2360 (1923).
[5] F. Krollpfeiffer, A. 462, 46 (1928).

Benzonitril reagiert mit 1,3-Dihydroxy-benzol in Diäthyläther mit Zinkchlorid/Chlorwasserstoff zu *2,4-Dihydroxy-benzophenon*[1]. Die besten Ausbeuten werden erhalten, wenn man Resorcin bei Temperaturen unter 0° als letzte Komponente zur Reaktionsmischung gibt und diese vor der Aufarbeitung bis zu 12 Tagen aufbewahrt[2]. Unter Verwendung von Aluminiumchlorid, Titan(IV)-chlorid oder Zinn(IV)-chlorid sind die Ausbeuten geringer als mit Zinkchlorid[3]. Für die Herstellung von *2,4-Dihydroxy-benzophenon* kann man die Verwendung von Diäthyläther vermeiden.

2,4-Dihydroxy-benzophenon[4]: 165 g (1,5 Mol) 1,3-Dihydroxy-benzol und 120 g (0,88 Mol) Zinkchlorid werden mit 309 g Benzonitril bei 25–30° 30 Min. verrührt. Dann leitet man während mehrerer Stdn. Chlorwasserstoff ein, bis die Mischung gesättigt ist, besser bis 95 bis 106 g (2,6–3 Mol) Chlorwasserstoff absorbiert worden sind. Die Reaktionsmischung wird 8 Stdn. bei 50° gehalten, während dieser Zeit läßt man den sich abspaltenden Chlorwasserstoff entweichen. Dann gibt man zur Reaktionsmischung 800 g kaltes Wasser und rührt sie mehrere Stdn. bei Raumtemp.; man unterwirft sie dann einer Wasserdampfdestillation, um alle flüchtigen Bestandteile zu entfernen. Der Rückstand wird abgekühlt, das abgeschiedene Material wird abgesaugt, mit Wasser gewaschen und getrocknet; Ausbeute: 300 g (1,4 Mol, 93,3% d. Th.); F: 143–144° (Reinheit: 97%).

2,4-Dihydroxy-4-alkyl-benzole ergeben mit Benzonitril in Diäthyläther in Gegenwart von Zinkchlorid/Chlorwasserstoff 2,4-Dihydroxy-5-alkyl-benzophenone[5] Mit 3,5-Dihydroxy-1-methyl-benzol erhält man unter analogen Bedingungen *4,6-Dihydroxy-2-methyl-benzophenon*[1]. 1,3,5-Trihydroxy-benzol ergibt mit Benzonitril unter den üblichen Bedingungen der Hoesch-Synthese mit einer Ausbeute von 65% d. Th. *2,4,6-Trihydroxy-benzophenon*[1,6]. Während aus 3,5-Dihydroxy-1-methoxy-benzol und Benzonitril nur *4,6-Dihydroxy-2-methoxy-benzophenon* entsteht[7], erhält man aus 5-Hydroxy-1,3-dimethoxy-benzol ein Gemisch von *6-Hydroxy-2,4-dimethoxy-* und *4-Hydroxy-2,6-dimethoxy-benzophenon*[8].

4-Methyl-benzonitril reagiert mit 1,3-Dihydroxy-benzol in Diäthyl-äther mit Zinkchlorid/Chlorwasserstoff zu *2,4-Dihydroxy-4'-methyl-benzophenon* (81% d. Th.)[9]. 2-Hydroxy-benzonitril ergibt unter den gleichen Bedingungen mit 1,3,5-Trihydroxy-benzol ein Keton-imin, bei dessen Hydrolyse mit verdünnter Natronlauge *1,3-Dihydroxy-xanthon* erhalten wird[10]:

---

[1] K. Hoesch, B. **48**, 1122 (1915).
[2] E. N. Zilberman u. N. A. Rybakova, Ž. obšč. Chim. **30**, 1922 (1960); engl.: 1972.
[3] E. N. Zilberman u. N. A. Rybakova, Ž. obšč. Chim. **32**, 591 (1962); engl.: 581.
[4] US. 3371119 (1968), DuPont, Erf.: M. S. Whelen; C. A. **69**, 35748 (1968).
[5] J. Murai, Sci. Rept. Saitama Univ. A, **1**, 139 (1954); C. A. **50**, 981 (1956).
[6] E. Klarmann u. W. Figdor, Am. Soc. **48**, 803 (1926).
[7] P. Karrer, Helv. **2**, 486 (1919).
[8] P. Karrer u. N. Lichtenstein, Helv. **11**, 789 (1928).
[9] N. A. Rybakova u. E. N. Zilberman, Ž. obšč. Chim. **33**, 466 (1963); engl.: 458.
[10] N. Nishikawa u. R. Robinson, Soc. **121**, 839 (1922).

Tab. 76. Ketone durch Umsetzung von substituierten Benzonitrilen mit Di-
hydroxy- oder Trihydroxy-benzolen
in Diäthyläther mit Zinkchlorid/Chlorwasserstoff

subst. Benzo-nitril	Phenol	Keton	Ausbeute [% d.Th.]	F [°C]	Litera-tur
3-Hydro-xy-	1,3,5-Trihydroxy-benzol	2,3',4,6-Tetrahydroxy-benzophe-non	41	246	1
4-Hydro-xy-	1,3,5-Trihydroxy-benzol	2,4,4',6-Tetrahydroxy-benzophe-non	17	210	1
3,4-Dihy-droxy-	1,3,5-Trihydroxy-benzol	2,3',4,4',6-Pentahydroxy-benzo-phenon	37	220	2
3,4-Di-acetoxy	1,2,4-Trihydroxy-benzol	2,3',4,4',5-Pentahydroxy-benzo-phenon	18	242	3
	1,3,5-Trimethoxy-benzol	3',4'-Dihydroxy-2,4,6-trimethoxy benzophenon		219–220	4
4-Hydro-xy-3-metho-xy-	1,3-Dihydroxy-benzol	2,4,4'-Trihydroxy-3'-methoxy-benzophenon	20	210	2
	1,3,5-Trihydroxy-benzol	2,4,4',6-Tetrahydroxy-3'-metho-xy-benzophenon	33		2
	1,3,5-Trimethoxy-benzol	4'-Hydroxy-2,3',4,6-tetramethoxy-benzophenon	15	242	3
3,4-Me-thylen-dioxy-	1,3-Dihydroxy-benzol	2',4'-Dihydroxy-3,4-methylendi-oxy-benzophenon	21a	215–216	5
	1,3,5-Trihydroxy-benzol	2',4',6'-Trihydroxy-3,4-methylen-dioxy-benzophenon			4
	5-Hydroxy-1,3-di-methoxy-benzol	4'-Hydroxy-2',6'-dimethoxy-3,4-methylendioxy-benzophenon	b	165–166	5
	1,3,5-Trimethoxy-benzol	2',4',6'-Trimethoxy-3,4-methylen-dioxy-benzophenon	46c	132–133	5
2,6-Dime-thoxy-	1,3,5-Trihydroxy-benzol	2',4',6'-Trihydroxy-2,6-dimeth-oxy-benzophenon	7	216–218	3
3-Chlor-	1,3-Dihydroxy-benzol	3'-Chlor-2,4-dihydroxy-benzo-phenon	52	197–197,5	6
	1,3,5-Trihydroxy-benzol	3'-Chlor-2,4,6-trihydroxy-benzo-phenon	39	169,5–170	6
4-Chlor-	1,3-Dihydroxy-benzol	4'-Chlor-2,4-dihydroxy-benzo-phenon	67	151–152	6
	1,2,3-Trihydroxy-benzol	4'-Chlor-2,3,4-trihydroxy-benzo-phenon	25	157–158	3
	1,3,5-Trihydroxy-benzol	4'-Chlor-2,4,6-trihydroxy-benzo-phenon	43	169–169,5	6
	1,2,4-Trihydroxy-benzol	4'-Chlor-2,4,5-trihydroxy-benzo-phenon	55	260	3

a) Mit Eisen(III)-chlorid/Chlorwasserstoff als Katalysator liegt die Ausbeute bei 37% d. Th.
b) Mit Eisen(III)-chlorid/Chlorwasserstoff als Katalysator erhält man eine Mischung aus 6'-Hy-
   droxy-2',4'-dimethoxy-3,4-methylendioxy-benzophenon (11% d.Th.; F: 142°) und 4'-Hydroxy-
   2',6'-dimethoxy-3,4-methylendioxy-benzophenon (46% d.Th.; F: 165–166°).
c) Mit Eisen(III)-chlorid/Chlorwasserstoff als Katalysator liegt die Ausbeute bei 85% d. Th.

1 N. NISHIKAWA u. R. ROBINSON, Soc. 121, 839 (1922).
2 K. HOESCH u. T. V. ZARZECKI, B. 50, 462 (1917),
3 A. KORCZYNSKI u. A. NOWAKOWSKY, Roczniki Chem. 8, 254 (1928); Bl. [4] 43, 329 (1928).
4 E. SPÄTH u. H. BRETSCHNEIDER, M. 49, 429 (1928).
5 J. HOUBEN u. W. FISCHER, J. pr. [2] 123, 89 (1929).
6 I. ORITO, Sci. Rep. Tôhoku Univ. [1] 18, 121 (1929); C. A. 24, 98 (1930).

Tab. 76. (Fortsetzung)

subst. Benzonitril	Phenol	Keton	Ausbeute [% d. Th.]	F [° C]	Literatur
4-Brom-	1,3-Dihydroxy-benzol	*4'-Brom-2,4-dihydroxy-benzo-phenon*	50	164	[1]
3-Nitro-	1,3-Dihydroxy-benzol	*3'-Nitro-2,4-dihydroxy-benzo-phenon*	11	228	[2]
	2,4-Dihydroxy-1-äthyl-benzol	*3'-Nitro-2,4-dihydroxy-5-äthyl-benzophenon*	69	132	[3]
	1,3,5-Trihydroxy-benzol	*3'-Nitro-2,4,6-trihydroxy-benzo-phenon*		194	[2]
4-Nitro-	1,3-Dihydroxy-benzol	*4'-Nitro-2,4-dihydroxy-benzo-phenon*	17	200	[1,2]
	1,3,5-Trihydroxy-benzol	*4'-Nitro-2,4,6-trihydroxy-benzo-phenon*	46	246–247	[1,2]
	5-Hydroxy-1,3-di-methoxy-benzol	*4'-Nitro-6-hydroxy-2,4-dimeth-oxy-benzophenon*	4	176,5–177	[4]
		4'-Nitro-4-hydroxy-2,6-dimethoxy-benzophenon		216–217	

Unter den gleichen Bedingungen entsteht aus 5-Nitro-2-hydroxy-benzonitril und 1,3,5-Trihydroxy-benzol ein Keton-imin, bei dessen saurer Hydrolyse Ringschluß zu *7-Nitro-1,3-dihydroxy-xanthon* eintritt[5]. Aus 2-Acetoxy-benzonitril und 1,3-Dihydroxy-benzol erhält man nach alkalischer Hydrolyse des Keton-imins *3-Hydroxy-xanthon* neben wenig *2,2',4-Trihydroxy-benzophenon*[6]. Mit 1,2,3-Trihydroxy-benzol ist *2,2',3,4-Tetrahydroxy-benzophenon* Hauptreaktionsprodukt neben etwas *3,4-Dihydroxy-xanthon*[6]. Ähnlich liegen die Verhältnisse bei der Umsetzung von 2,4-Diacetoxy-benzonitril mit 1,3-Dihydroxy-benzol, man erhält nach Hydrolyse des Keton-imins mit 25%iger Schwefelsäure *2,2',4,4'-Tetrahydroxy-benzophenon* neben sehr wenig *3,6-Dihydroxy-xanthon*, während mit 1,2,3-Trihydroxy-benzol nur *2,2',3,4,4'-Pentahydroxy-benzophenon* entsteht[6].

In 2-Stellung durch Chloratome, Nitro- oder Cyan-Gruppen substituierte Benzonitrile reagieren infolge sterischer Hinderung unter den Bedingungen der Hoesch-Synthese nicht mit 1,3-Dihydroxy- oder 1,3,5-Trihydroxy-benzol.

δ₂) reaktionsfähigen Heterocyclen

Benzonitril reagiert mit 2,4-Dimethyl-3-äthoxycarbonyl-pyrrol in Gegenwart von Chlorwasserstoff in Diäthyläther bei Raumtemperatur zu einem Keton-iminhydrochlorid, aus dem beim Erhitzen mit Wasser *2,4-Dimethyl-5-benzoyl-3-äthoxycarbonyl-pyrrol* erhalten wird[7]. Unter den gleichen Bedingungen entsteht mit 2-

[1] A. Korczynski u. A. Nowakowsky, Roczniki Chem. **8**, 254 (1928); Bl. [4] **43**, 329 (1928).
[2] M. Yamashita, Bl. chem. Soc. Japan **3**, 180 (1928); C. **1928** II, 1561.
   M. Yamashita, Sci. Rep. Tôhoku Univ. [1] **18**, 129 (1929); C. **1929** II, 1158.
[3] N. A. Rybakova u. E. N. Zilberman, Ž. obšč. Chim. **33**, 466 (1963), engl.: 458.
[4] P. Karrer u. F. Widmer, Helv. **2**, 454 (1919).
[5] H. Yumoto, J. pharm. Soc. Japan. **48**, 49 (1928); C. **1928** II, 50.
[6] H. Atkinson u. I. M. Heilbron, Soc. **1926**, 2688.
[7] H. Fischer. K. Schneller u. W. Zerweck, B. **55**, 2390 (1922).

Methyl-indol *2-Methyl-3-benzoyl-indol*[1] und mit 2-Äthyl-indol *2-Äthyl-3-benzoyl-indol*[2]. Während 2-Methyl-indol mit 2-Methyl-benzonitril und 2-Isopropyl-oder 2-tert.-Butyl-indol mit 4-Methyl-benzonitril aus sterischen Gründen nicht reagieren, gelingen folgende Acylierungen[2]:

2-Methyl-indol   + 3-Methyl-benzonitril → *2-Methyl-3-(3-methyl-*   52% d.Th.; F: 187,5–188°
                                                                          benzoyl)-indol

                     + 4-Methyl-benzonitril → *2-Methyl-3-(4-methyl-*   44% d.Th.; F: 209–210°
                                                                          benzoyl)-indol

2-Äthyl-indol   + 4-Methyl-benzonitril → *2-Äthyl-3-(4-methyl-*   34% d.Th.; F: 196°
                                                                          benzoyl)-indol

2-Isopropyl-indol + 4-Methyl-benzonitril → *2-Isopropyl-3-(4-me-*   3% d.Th.; F: 191,5–192°
                                                                          thyl-benzoyl)-indol

6-Hydroxy-3-methyl-⟨benzo-[b]-furan⟩ ergibt mit Arylcarbonsäure-nitrilen 6-Hydroxy-3-methyl-2-aroyl-⟨benzo-[b]-furane⟩[3,4].

6-Hydroxy-3-methyl-2-(4-methoxy-benzoyl)-⟨benzo-[b]-furan⟩[4]: Eine Lösung von 1 g (0,0067 Mol) 6-Hydroxy-3-methyl-⟨benzo-[b]-furan⟩ und 1,2 g (0,009 Mol) 4-Methoxy-benzonitril in 150 *ml* Diäthyläther wird mit 2 g Zinkchlorid versetzt und bei Raumtemp. mit Chlorwasserstoff gesättigt. Am nächsten Tage leitet man erneut 2 Stdn. Chlorwasserstoff ein und versetzt die Reaktionsmischung 24 Stdn. später mit 150 *ml* Diäthyläther. Man dekantiert das Lösungsmittel und wäscht den grünen, halbfesten Rückstand mit frischem Diäthyläther, dann löst man den Rückstand in 150 *ml* Wasser. Diese saure Lösung wird mit Natriumhydrogencarbonat neutral gestellt und dann 30 Min. auf einem Dampfbad erhitzt; dabei scheidet sich 6-Hydroxy-3-methyl-2-(4-methoxy-benzoyl-⟨benzo-[b]-furan⟩ ab, das mit Hilfe von verd. Natronlauge von nicht phenolischem Material getrennt wird. Das Rohprodukt wird mit 30 *ml* Essigsäure-äthylester extrahiert, der Extrakt wird mit 20 *ml* Leichtbenzin (Kp: 80–100°) versetzt, mit A-Kohle gekocht, filtriert und eingeengt. Der Rückstand wird aus Essigsäure-äthylester umkristallisiert; Ausbeute: 0,25 g (13% d.Th.); F: 177° (schwach gelbe Nadeln).

Analog können auch *6-Hydroxy-3-methyl-2-benzoyl-*, *6-Hydroxy-3-methyl-2-(4-hydroxy-benzoyl)-* und *6-Hydroxy-3-methyl-2-(3,4-methylendioxy-benzoyl)-⟨benzo-[b]-furan⟩* hergestellt werden[3–5].

ε) Ketone aus Dicarbonsäure-dinitrilen und

ε₁) *substituierten carbocyclischen Aromaten*

Dicarbonsäure-dinitrile können unter den Bedingungen der Hoesch-Synthese mit Dihydroxy- oder Trihydroxy-benzolen einmal oder zweimal reagieren, als Reaktionsprodukte sind also Diketone, Oxo-carbonsäure-nitrile bzw. Oxo-carbonsäuren denkbar.

Zur Umsetzung von Dicyan mit 1,3-Dihydroxy-benzol in Diäthyläther genügt Chlorwasserstoff als Kondensationsmittel; nach der Verseifung des Keton-imins mit Wasser bei Raumtemperatur isoliert man *2,2′,4,4′-Tetrahydroxy-benzil* neben *(2,4-Dihydroxy-phenyl)-glyoxylsäure*[6]. 3,5-Dihydroxy-1-methyl-benzol reagiert mit Di-

[1] R. Seka, B. **56**, 2058 (1923).
[2] M. Kunori, Nippon Kagaku Zasshi **83**, 841 (1962); C. A. **69**, 1573 (1963).
[3] P. Karrer u. F. Widmer, Helv. **2**, 454 (1919).
[4] J. B. D. MacKenzie et al., Soc. **1949**, 2057.
[5] P. Karrer et al., Helv. **4**, 718 (1921).
[6] P. Karrer u. J. Ferla, Helv. **4**, 203 (1921).

cyan in Gegenwart von Zinkchlorid/Chlorwasserstoff nur einmal, nach Verseifung des Keton-imins durch siedendes Wasser erhält man *7-Hydroxy-2,3-dioxo-5-methyl-2,3-dihydro-⟨benzo-[b]-furan⟩*, das Lacton der (4,6-Dihydroxy-2-methyl-phenyl)-glyoxylsäure[1]:

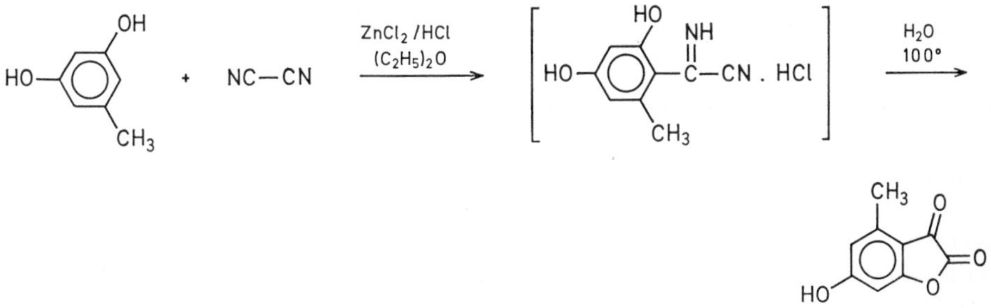

Malonsäure-dinitril ergibt mit 1,3-Dihydroxy-benzol unter den gleichen Bedingungen *3-Oxo-3-(2,4-dihydroxy-phenyl)-propansäure-nitril* und mit 1,3,5-Trihydroxy-benzol *3-Oxo-3-(2,4,6-trihydroxy-phenyl)-propansäure-nitril* neben *1,3-Dioxo-1,3-bis-[2,4,6-trihydroxy-phenyl]-propan*[2].

Eine Sonderstellung innerhalb der Hoesch'schen Keton-Synthese nimmt die cyclisierende Kondensation von Acenaphthen mit Malonsäure-dinitril ein, die unter extremen Bedingungen mit vorzüglichen Ausbeuten abläuft[3], z.B. mit Aluminiumchlorid in Chlorbenzol[4] zwischen 45–125° oder in wasserfreiem Fluorwasserstoff[5] bei 95°:

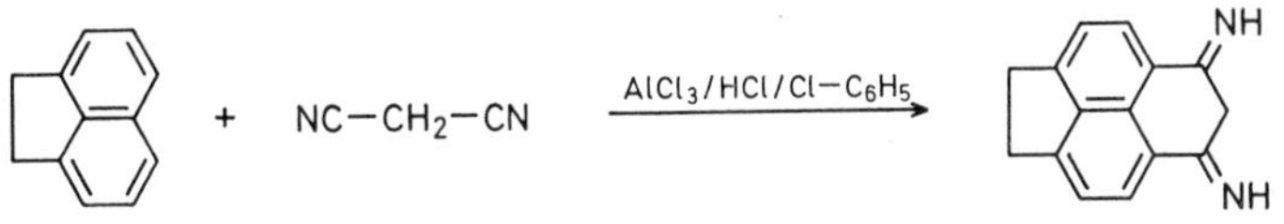

5,7-Bis-[imino]-2,5,6,7-tetrahydro-1H-⟨cyclopenta-[c,d]-phenalen⟩: In eine Suspension aus 600 g Chlorbenzol und 957 g gepulvertem Aluminiumchlorid werden unter kräftigem Rühren 20 *ml* Wasser eingetropft und gleichzeitig Chlorwasserstoff eingeleitet. Hierauf trägt man innerhalb von ~ 45 Min. in ~ äquimolekularen Portionen gleichzeitig 195 g Acenaphthen und 80 g Malonsäuredinitril ein, wobei die Temp. auf ~ 45° ansteigt. Hierauf wird noch ~ 2 Stdn. bei 70° nachgerührt und die Chlorwasserstoff-Einleitung unterbrochen. Bald darauf setzt eine starke Chlorwasserstoff-Entwicklung unter Temperaturerhöhung auf ~ 125° ein. Unter schwachem Vak. wird dann ein Teil des Chlorbenzols abdestilliert, anschließend 190 g Natriumchlorid eingerührt und das Lösungsmittel i. Vak. vollständig abdestilliert. Hierauf wird in ~ 12 *l* Eiswasser ausgetragen. Den Rückstand, der wahrscheinlich teilweise aus bereits hydrolisiertem Ketimid besteht, führt man anschließend durch Erhitzen mit Salzsäure auf 40° in das Diketon über. Die Ausbeute an 88%igem Rohprodukt beträgt 250 g (89% d. Th.).

[1] P. KARRER u. J. FERLA, Helv. **4**, 203 (1921).
[2] A. SONN, B. **50**, 1292 (1917).
[3] DRP. 557665 (1929), I. G. Farb., Erf.: H. GREUNE u. W. ECKERT; Frdl. **18**, 615.
[4] FIAT Final Report **1313** II, 165.
  Dieses Verfahren wurde früher techn. durchgeführt. Das Ketimin wurde mit Salzsäure hydrolysiert und direkt zur Naphthalin-1,4,5,8-tetracarbonsäure oxidiert.
[5] DRP. 753210 (1940), I. G. Farb., Erf.: H. GREUNE u. G. LANGBEIN; C. **1954**, 4948.

Bernsteinsäure-dinitril reagiert in Diäthyläther in Gegenwart von Zinkchlorid/Chlorwasserstoff mit 2-Hydroxy-1-methyl-benzol (o-Kresol), man erhält dabei *4-Oxo-4-(2-hydroxy-3-methyl-phenyl)-butansäure*, allerdings nur mit einer Ausbeute von 6% der Theorie[1]. Bei Umsetzungen mit Phenol, 3- (bzw. 4)-Hydroxy-1-methyl-benzol, 1,2- bzw. 1,4-Dihydroxy-benzol, 3,5-Dihydroxy-1-methyl-benzol und 1,2,3-Trihydroxy-benzol unter den üblichen Bedingungen der Hoesch-Synthese werden keine Ketone erhalten[2]. Dagegen entsteht mit 1,3-Dihydroxy-benzol unter diesen Bedingungen *4-Oxo-4-(2,4-dihydroxy-phenyl)-butansäure*[2,3]. Mit 3-Hydroxy-1-methoxy-benzol erhält man ausschließlich *4-Oxo-4-(2-hydroxy-4-methoxy-phenyl)-butansäure*[2].

Glutarsäure-dinitril reagiert mit 1,3-Dihydroxy-benzol in Diäthyläther mit Zinkchlorid/Chlorwasserstoff nur einseitig, man isoliert nach dem Verseifen des Keton-imins mit Wasser *5-Oxo-5-(2,4-dihydroxy-phenyl)-pentansäure*[4]. Mit 1,3,5-Trihydroxy-benzol entstehen *5-Oxo-5-(2,4,6-trihydroxy-phenyl)-pentansäure* und *1,5-Dioxo-1,5-bis-[2,4,6-trihydroxy-phenyl]-pentan* nebeneinander[4].

Hexandisäure-dinitril liefert unter den Bedingungen der Hoesch-Synthese mit 1,3-Dihydroxy-benzol *6-Oxo-6-(2,4-dihydroxy-phenyl)-hexansäure-nitril* und *1,6-Dioxo-1,6-bis-[2,4-dihydroxy-phenyl]-hexan*[4].

6-Oxo-6-(2,4-dihydroxy-phenyl)-hexansäure-nitril und 1,6-Dioxo-1,6-bis-[2,4-dihydroxy-phenyl]-hexan[5]: Eine Mischung aus 10,8 g Adipinsäure-dinitril, 8 g fein zerriebenem Zinkchlorid und 80 *ml* Diäthyläther wird unter Rühren bei 0° im Verlaufe von 3 Stdn. mit trockenem Chlorwasserstoff gesättigt. Am nächsten Tage versetzt man mit 33 g (0,3 Mol) 1,3-Dihydroxy-benzol und hält die Mischung dann noch 48 Stdn. bei 0–10°. Während dieser Zeit bilden sich 2 Schichten aus. Die obere Ätherschicht enthält geringe Mengen an Ausgangsmaterialien, die untere Schicht ist hellrot, viskos und klebrig. Die Schichten können leicht durch Dekantieren getrennt werden. Beim Hydrolysieren der unteren Schicht durch Kochen mit Wasser scheiden sich aus der Mutterlauge kleine, harte Kristalle ab. Durch Umlösen aus Methanol erhält man 16,3 g (40% d.Th.) *1,6-Dioxo-1,6-bis-[2,4-dihydroxy-phenyl]-hexan*; F: 285° (schwach gelbe Verbindung, die in den üblichen organischen Lösungsmitteln nicht leicht löslich ist). Die wäßrige Mutterlauge wird bis auf ihr halbes Vol. eingedampft und der nach dem Abkühlen abgeschiedene Niederschlag abgesaugt und aus verd. Methanol umkristallisiert; Ausbeute: 8 g (35% d.Th.) *6-Oxo-6-(2,4-dihydroxy-phenyl)-hexansäure-nitril*; F: 156° (hellgelbe Kristalle).

Unter analogen Bedingungen erhält man mit 1,3,5-Trihydroxy-benzol *1,6-Dioxo-1,6-bis-[2,4,6-trihydroxy-phenyl]-hexan* (45% d.Th.; F: 290°) und *6-Oxo-6-(2,4,6-trihydroxy-phenyl)-hexansäure-nitril* (32% d.Th.; F: 115°).

Heptandisäure-, Nonandisäure- und Decandisäure-dinitril ergeben mit 1,3-Dihydroxy-benzol unter den genannten Bedingungen mit Ausbeuten von 76–90% d.Th. *1,7-Dioxo-1,7-bis-[2,4-dihydroxy-phenyl]-heptan*, *1,9-Dioxo-1,9-bis-[2,4-dihydroxy-phenyl]-nonan* bzw. *1,10-Dioxo-1,10-bis-[2,4-dihydroxy-phenyl]-decan*[5]. Aus Decandisäure-dinitril und 1,3,5-Trihydroxy-benzol werden unter den gleichen Bedingungen *1,10-Dioxo-1,10-bis-[2,4,6-trihydroxy-phenyl]-decan* (58% d.Th.; F: 198°) und *10-Oxo-10-(2,4,6-trihydroxy-phenyl)-decansäure-nitril* (22% d.Th.; F: 111°) erhalten[6]. Auch aus 1,4-Bis-[cyanmethyl]-benzol und 1,3-

[1] J. STANĚK u. V. JAROLIM, Chem. Listy **46**, 496 (1952).
[2] G. A. DALAL u. K. S. NARGUND, J. Univ. Bomb. **7**, 189 (1938); C. A. **33**, 3778 (1939).
[3] J. MURAI, Bl. chem. Soc. Japan **1**, 129 (1926); C. A. **20**, 2995 (1926).
    J. MURAI, Sci. Rep. Tôhoku Univ. [1] **15**, 675 (1926); C. **1927** I, 1156.
[4] M. YAMASHITA, Sci. Rep. Tôhoku Univ. [1] **24**, 192 (1935); C. **1936** I, 337.
[5] N. A. RYBAKOVA u. E. N. ZILBERMAN, Ž. obšč. Chim. **31**, 1272 (1961); engl.: 1179.
[6] N. A. RYBAKOVA u. E. N. ZILBERMAN, Ž. obšč. Chim. **33**, 466 (1963), engl.: 458.

Dihydroxy-benzol (Resorcin) entstehen zwei Reaktionsprodukte, *1,4-Bis-[2-oxo-2-(2,4-dihydroxy-phenyl)-äthyl]-benzol* (52% d.Th.; F: 282°) und eine Verbindung, die für *4-Cyanmethyl-1-[2-oxo-2-(2,4-dihydroxy-phenyl)-äthyl]-benzol* gehalten wird[1].

Aus Isophthalsäure-dinitril und 1,3,5-Trihydroxy-benzol erhält man in Diäthyläther mit Zinkchlorid/Chlorwasserstoff *2',4',6'-Trihydroxy-3-carboxy-benzophenon*[2]. Terephthalsäure-dinitril ergibt bei der Umsetzung mit 1,3-Dihydroxy-benzol in einer Mischung aus Diäthyläther und Benzol mit Zinkchlorid/Chlorwasserstoff in der Wärme *2',4'-Dihydroxy-4-carboxy-benzophenon*, mit 1,3,5-Trihydroxy-benzol erhält man *2',4',6'-Trihydroxy-4-carboxy-benzophenon* als Hauptreaktionsprodukt neben *1,4-Bis-[2,4,6-trihydroxy-benzoyl]-benzol*[2].

ε₂) reaktionsfähigen Heterocyclen

Dicyan reagiert mit 2,4-Dimethyl-3-äthoxycarbonyl-pyrrol in Diäthyläther mit Chlorwasserstoff zu einem Keton-imin-hydrochlorid, aus dem bei der Verseifung mit Wasser bei Raumtemperatur *3,5-Dimethyl-4-äthoxycarbonyl-2-cyancarbonyl-pyrrol* erhalten wird[3]. Diese Umsetzung gelingt nicht mit 2,4-Dimethyl-3-acetyl-pyrrol, 2,5-Dimethyl-3-äthoxycarbonyl-pyrrol oder 2,4-Dimethyl-pyrrol. Malonsäure-dinitril reagiert unter den angewendeten milden Bedingungen nur einseitig mit 2,4-Dimethyl-3-äthoxycarbonyl-pyrrol, man erhält *2,4-Dimethyl-5-cyanacetyl-3-äthoxy-carbonyl-pyrrol* (70% d.Th.)[3].

4. Hinweise zur Synthese cyclischer Ketone mit Heteroatomen im Ketonring

bearbeitet von

Dr. Carl-Wolfgang Schellhammer

Farbenfabriken Bayer AG, Leverkusen

Ringschlüsse, die zu 5- oder 6-gliedrigen carbocyclischen Ketonen führen, lassen sich meist ohne Schwierigkeiten auf normale Weise durchführen, sie werden daher in den Abschnitten „Acylierungen" abgehandelt. Die Cyclisierungen zu höhergliedrigen Ketonen oder zu solchen, für die mehrere Alternativen möglich sind, werden weitgehend durch die Konfiguration des gebildeten Vorkomplexes bestimmt. Hier muß man die optimalen Versuchsbedingungen meist selbst ermitteln. Oft erzielt man mit milden Kondensationsmitteln, die bei intermolekularer Kondensation vielfach unwirksam sind, hohe Ausbeuten an cyclischen Ketonen z. B. mit Phosphoroxychlorid, Schwefelsäure, Chlorsulfonsäure, Fluorwasserstoff, Bortrifluorid u. a.[4].

Noch spezifischer verhalten sich Aryl-alkyl-carbonsäuren, die ein Heteroatom enthalten. Auch hier gelingen viele Ringschlüsse außerordentlich leicht; andere hingegen sind praktisch nicht zu erzwingen, da ein Ladungsausgleich zwischen dem Acyl-Kation und dem Heteroatom eine Kondensation außerordentlich erschwert.

Die intramolekulare Cyclisierung von Phenoxy-essigsäure ergibt *3-Oxo-2,3-dihydro-⟨benzo-[b]-furan⟩*. Man führt die Reaktion ausgehend von der Carbonsäure

---

[1] N. A. Rybakova u. E. N. Zilberman, Ž. obšč. Chim. **31**, 1272 (1961); engl.: 1179.

[2] M. Yamashita, Sci. Rep. Tôhoku Univ. [1] **22**, 167 (1933); C. **1933** II, 872.

[3] H. Fischer, K. Schneller u. W. Zerweck, B. **55**, 2390 (1922).

[4] Über die Cyclisierung von Aryl-alkyl-carbonsäuren s. S. 2. Sh. Sethna „Cycliacylation" in G. A. Olah „Friedel-Crafts and Related Reactions", Vol. III, S. 911, Interscience Publishers, New York 1964.
s. a. S. 226, 232, 243. 255, 282, 288, 298 u. 307.

in Gegenwart von Phosphor(V)-oxid in siedendem Benzol durch[1,2] oder ausgehend vom Carbonsäure-chlorid in Benzol oder Schwefelkohlenstoff mit Aluminiumchlorid[2,3]. Die Ausbeuten an 3-Oxo-2,3-dihydro-⟨benzo-[b]-furan⟩ sind durchweg gering.

Die Cyclisierung von Arylmercapto-essigsäuren zu 3-Oxo-2,3-dihydro-⟨benzo-[b]-thiophenen⟩ wird ausführlich in Bd. VII/4, S. 40ff., beschrieben. Diese Ringschlüsse werden entweder mit Chlorsulfonsäure bei 0° oder, falls leicht eine Sulfierung eintritt, über das Carbonsäure-chlorid mittels Aluminiumchlorid bei 50° durchgeführt.

Die Cyclisierung von N-Phenyl-glycin zu *3-Oxo-2,3-dihydro-indol* (*Indoxyl*) hingegen gelingt überraschenderweise nur in einer Ätzalkalischmelze[4,5] zw. 260–300° (Heumann'sche Indigo-Synthese) oder erheblich besser mit Natriumamid[6] bei ∼180°.

In diesem Zusammenhang sei auch auf die Isatin-Synthesen aus N,N'-Diaryl-cyanformamidinen bzw. von Cyan-formylaryliden (s. Bd. VII/4, S. 19) durch Ringschlüsse mittels Aluminiumchlorid hingewiesen (s. Bd. VII/4, S. 13).

Eine andere *Isatin*-Synthese (*2,3-Dioxo-2,3-dihydro-indol*) führt über das Oxalsäure-arylamid-chlorid, das mit Aluminiumchlorid intramolekular kondensiert wird. (s. Bd. VII/4, S. 18).

Nach dem Verfahren von R. Stolle (s. Bd. VII/4 S. 38) erhält man Thionaphthenchinone durch Kondensation von Arylmercaptanen mit überschüssigem Oxalsäure-dichlorid und anschließender Kondensation mittels Aluminiumchlorid in Schwefelkohlenstoff.

Chromanon-(*4*) kann durch Cyclisierung von 3-Phenoxy-propansäure-chlorid mit Aluminiumchlorid in Benzol[7] erhalten werden. Die Cyclisierung von 3-Phenoxy-propansäure kann mit konzentrierter Schwefelsäure[8], Phosphor(V)-oxid[8,9] und mit Polyphosphorsäure[10] durchgeführt werden.

Chromanon-(4)[11]: Eine Mischung aus 100 g 3-Phenoxy-propansäure und 350 g Polyphosphorsäure wird 75 Min. auf max. 75° erhitzt. Nach weiteren 4 Stdn. bei 20° wird das rote Reaktionsgemisch in 1 l Wasser ausgetragen. Nach dem Abkühlen wird das feste Material abgesaugt und in Äther gelöst. Das wäßrige, rote Filtrat wird 3mal mit jeweils 200 ml Äther ausgeschüttelt. Die vereinigten Äther-Fraktionen werden mit 200 ml Wasser, dann mit 200 ml 10%iger Natriumcarbonat-Lösung gewaschen und mit Natriumsulfat getrocknet. Der nach dem Abdestillieren des Äthers verbliebene rote Rückstand wird über eine Kolonne i. Vak. destilliert; Ausbeute: 77,6 g (89% d.Th.); $Kp_{0,3}$: 78–80°; F: 39° (farblose Kristalle).

Auch die Cyclisierung von 3-Phenoxy-propionitril zu *4-Imino-chroman* und anschließende Verseifung zu *Chromanon-*(*4*) ist möglich[12].

[1] R. Stoermer u. F. Bartsch, B. **33**, 3177 (1900).
[2] M. L. Kalinowski u. L. W. Kalinowski, Am. Soc. **70**, 1970 (1948).
[3] R. Stoermer u. P. Atenstädt, B. **35**, 3562 (1902).
   L. Higginbotham u. H. Stephen, Soc. **117**, 1535 (1920).
   s. Bd., S. 113.
[4] W. J. Houlihan, *Chemistry of Heterocyclic Compounds*, Vol 25, *Indoles*, Part 3, John Wiley & Sons Ltd., London 1972.
[5] K. Heumann, B. **23**, 3044 (1890).
[6] D.R.P. 137955 (1901), Degussa, Erf.: J. Pfleger; Frdl. **6**, 567.
[7] F. Arndt u. G. Källner, B. **57**, 204 (1924).
[8] F. Krollpfeiffer u. H. Schultze, B. **57**, 207 (1924).
[9] S. G. Powell, Am Soc. **45**, 2711 (1923).
   D. Chakravarti u. J. Dutta, J. indian chem. Soc. **16**, 639 (1939).
[10] J. D. Loudon u. R. V. Razdan, Soc. **1954**, 4299.
   J. Colonge u. A. Guyot, Bl. **1958**, 325.
[11] W. E. Parham u. L. D. Huestis, Am. Soc. **84**, 815 (1962).
[12] US. P. 2792407 (1957), Monsanto Chem. Co., Erf.: S. A. Heininger; C. A. **51**, 16562 (1957).

Die 3-Arylmercapto-propansäuren lassen sich bereits mit der 10-fachen Menge konz. Schwefelsäure durch mehrstündiges Stehen bei Raumtemperatur mit sehr guten Ausbeuten zu den Thiochromanonen-(4)[1] cyclisieren:

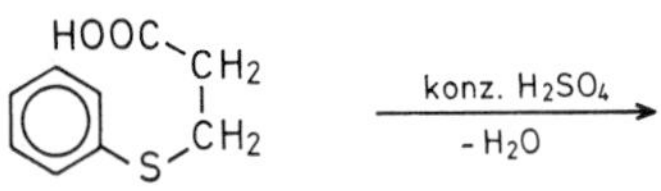

Auf gleiche Weise erhält man aus

3-(4-Chlor-phenoxy)-propansäure	→ *6-Chlor-chromanon-(4)*[2]	66% d.Th.
3-(4-Nitro-phenoxy)-propansäure	→ *6-Nitro-chromanon-(4)*[2]	50% d.Th.

Im letzten Fall liefert die Kondensation durch Erhitzen mit Polyphosphorsäure bessere Ausbeuten (73% d.Th.).

Die 3-Arylmercapto-3-phenyl-propansäuren werden durch kurzes Aufkochen mit Phosphoroxychlorid zu den 2-Phenyl-thiochromanonen-(4) (Thiofla-vanonen) kondensiert[2]:

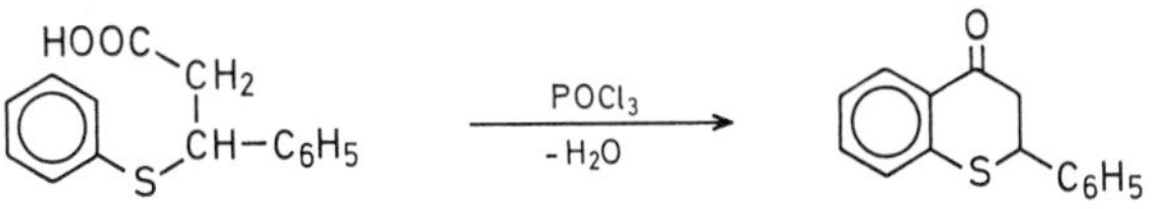

Die Cyclisierung von 3-Arylamino-propansäuren[3-6], deren N-Alkyl- bzw. -Aryl-Derivaten bzw. N-Tolylsulfonyl-Verbindungen zu Ketonen der Tetrahydrochinolin-Reihe vollzieht sich meist nur mit sehr schlechten Ausbeuten, z. B. mit Polyphosphor-säure. Die Ringschlüsse bei 3-(Alkoxy-anilino)-propansäure verlaufen ohne Schwie-rigkeiten[7].

Bessere Ergebnisse – allerdings unter energischeren Kondensationsbedingungen – erzielt man mit den entsprechenden Nitrilen (Addukte aus arom. Aminen und Acryl-nitril). So wird 3-(N-Methyl-anilino)-propionitril durch eine Aluminiumchlorid-, Natriumchlorid-, Kaliumchlorid-Schmelze zu *1-Methyl-4-oxo-1,2,3,4-tetrahydro-chino-lin* cyclisiert[8,9]:

[1] F. Krollpfeifer u. H. Schultze, B. 56, 1819 (1923).
F. Arndt, B. 56, 1269 (1923).
F. Arndt et al., B. 58, 1612 (1925).
W. E. Truce u. J. A. Simms, J. Org. Chem. 22, 617 (1957).
W. E. Truce u. R. F. Heine, Am. Soc. 79, 1770 (1957).
[2] C. D. Hurd u. Sh. Hayao, Am. Soc. 76, 5065 (1954).
[3] G. R. Clemo u. W. H. Perkin, Soc. 125, 1617 (1924).
[4] R. C. Cookson u. F. G. Mann, Soc. 1949, 67.
[5] R. C. Elderfield u. A. Maggiolo, Am Soc. 71, 1906 (1949).
W. Hueckel u. L. Hagedorn, B. 90, 752 (1957).
[6] R. F. Collins, Soc. 1960, 2053.
[7] J. Koo, J. Org. Chem. 26, 2440 (1961).
[8] W. S. Johnson u. W. Deacetis, Am. Soc. 75, 2766 (1953).
B. D. Astill u. V. Boekelheide, J. org. Chem. 23, 316 (1958).
[9] Fr. P. 806715 (1936), I. G. Farb.; C. A. 31, 4991 (1937).

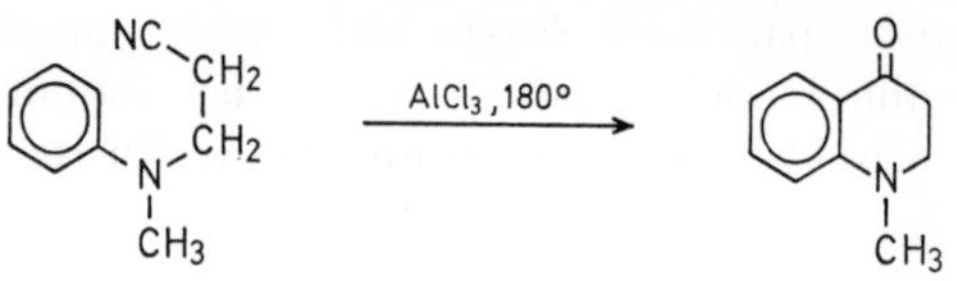

Auf gleiche Weise erhält man aus

3-Naphthyl-(1)-amino-propionitril   → *4-Oxo-1,2,3,4-tetrahydro-⟨benzo-[h]-chinolin⟩*

3-Carbazolino-propionitril   → *4-Oxo-5,6-dihydro-4H-⟨pyrido-[3,2,1-j,k]-carbazol⟩*

3-(1,2,3,4-Tetrahydro-chinolino)-propionitril   → *1-Oxo-2,3,6,7-tetrahydro-1H-⟨benzo-[i, j]-chinolizin⟩*

3-(2-Methyl-2,3-dihydro-indolino)-propionitril → *6-Oxo-1,2,4,5-tetrahydro-6H-⟨pyrrolo-[3,2,1-j,k]-chinolin⟩*

4-Oxo-5,6-dihydro-4H-⟨pyrido[3,2,1-j,k]-carbazol⟩[1]:

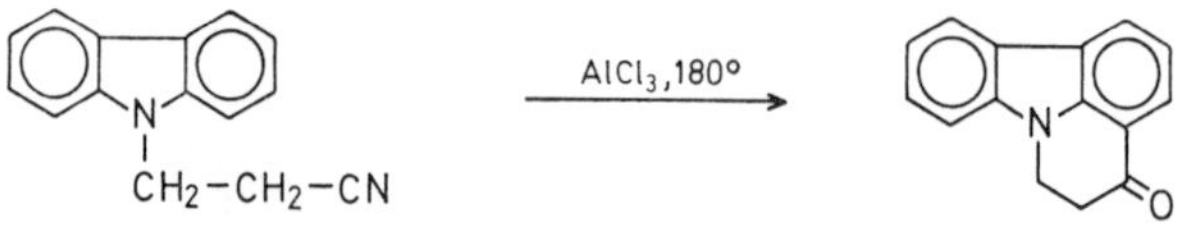

In eine Schmelze aus 1 kg Aluminiumchlorid, 120 g Natriumchlorid und 120 g Kaliumchlorid trägt man unter Rühren bei 180° 500 g (2,27 Mol) 3-Carbazolino-propionitril ein. Man hält die Temp. noch einige Zeit bei 180° und rührt dann die Reaktionsmischung in ein Eis/Salzsäure-Gemisch ein. Nach dem Absaugen und Waschen des Niederschlages kristallisiert man diesen aus Methanol um; Ausbeute: 452 g (90% d. Th.); F: 98–99°.

Während die Cyclisierung von Benzyloxy-essigsäure oder ihren Derivaten zu Isochromanon-(4) nicht bekannt ist, liegen über die intramolekulare Acylierung von Benzylmercapto-essigsäure zu *Isothiochromanon-(4)* eine Reihe von Angaben vor. So kann man z. B. ausgehend von Benzylmercapto-acetylchlorid mit Aluminium-chlorid in Nitrobenzol[2] oder in einer Mischung aus Schwefelkohlenstoff und Tri-chlormethan[3] mit mäßigen Ausbeuten *Isothiochromanon-(4)* erhalten. Die Cycli-sierung von Benzylmercapto-essigsäure kann mit Phosphor(V)-oxid oder mit konz. Schwefelsäure[4,5] durchgeführt werden.

Im Gegensatz zu Benzylmercapto-essigsäure lassen sich N-Benzyl-glycin oder N-Benzyl-N-p-tolylsulfonyl-glycin oder die Chloride dieser Carbonsäuren nicht ringschließen[6].

---

[1] Fr. P. 806715 (1936), I. G. Farb.; C. A. **31**, 4991(1937).

[2] R. LESSER u. A. MEHRLÄNDER, B. **56**, 1643 (1923).

[3] J. v. BRAUN u. K. WEISSBACH, B. **62**, 2419 (1929).

[4] A. K. ḥIANG u. F. G. MANN, Soc. **1951**, 1909.

[5] P. CAGNIANT u. D. CAGNIANT, Bl. **1959**, 1998.
    C. C. PRICE et al., Am. Soc. **85**, 2278 (1963).

[6] C. MANNICH u. R. KUPHAL, B. **45**, 314 (1912).
    G. R. CLEMO u. W. H. PERKIN, Soc. **1925**, 2297.
    I. G. HINTON u. F. G. MANN, Soc. **1959**, 599.

5-Oxo-3,4-dihydro-2H-⟨benzo-[b]-oxepin⟩ kann durch intramolekulare Acylierung von 4-Phenoxy-butansäure-chlorid in Gegenwart von Zinn(IV)-chlorid in Tetrachlormethan oder von 4-Phenoxy-butansäure mit Phosphorsäure in Xylol hergestellt werden[1].

5-Oxo-3,4-dihydro-2H-⟨benzo-[b]-oxepin⟩[2]: Zu einer Suspension von 125 g Phosphor(V)-oxid in 800 *ml* trockenem Xylol gibt man unter Rühren 80 *ml* 85%ige Orthophosphorsäure. Die Mischung wird 2 Stdn. bei 95–100° verrührt. Dann fügt man innerhalb 90 Min. bei 95–100° eine Lösung von 40 g (0,22 Mol) 4-Phenoxy-butansäure in 400 *ml* Xylol hinzu und rührt die Mischung noch 1 Stde. bei 95–100°. Man läßt die Reaktionsmischung unter Rühren erkalten, trägt auf 500 g Eis aus und trennt die Xylol-Schicht ab. Die wäßrige Schicht wird mit Äther ausgeschüttelt, die vereinigten organischen Phasen werden mit Natriumsulfat getrocknet. Nach dem Abdestillieren der Lösungsmittel wird der Rückstand i. Vak. destilliert; Ausbeute: 29 g (80% d. Th.); Kp$_2$: 106°.

In Fluorwasserstoff erleidet 4-Phenoxy-butansäure intermolekulare Polykondensation. Dagegen gelingt in Fluorwasserstoff oder in Polyphosphorsäure die Cyclisierung, wenn der Arylkern durch Methyl- oder Methoxy-Gruppen substituiert ist[3].

Die Kondensation von 4-Phenylmercapto-butansäure-chlorid zu *5-Oxo-3,4-dihydro-2H-⟨benzo-[b]-thiepin⟩* läßt sich mit Aluminiumchlorid in Schwefelkohlenstoff (76% d. Th.)[4] oder mit Polyphosphorsäure (86% d. Th.) bei 90°[5] durchführen.

Die intramolekulare Acylierung von ω-Aryl-thia-alkansäure-chloriden, die das Schwefelatom in der Alkankette enthalten, wird durchweg in Gegenwart von Aluminiumchlorid in Schwefelkohlenstoff erreicht. Auf diese Weise werden, meist mit geringen Ausbeuten, folgende sieben- bzw. achtgliedrigen Ketone erhalten[6]:

3-Benzylmercapto-propansäure-chlorid → *5-Oxo-1,3,4,5-tetrahydro-⟨benzo-[c]-thiepin⟩*
(2-Phenyl-äthylmercapto)-essigsäure-chlorid → *5-Oxo-1,2,4,5-tetrahydro-⟨benzo-[d]-thiepin⟩*
(3-Phenyl-propylmercapto)-propansäure-chlorid → *1-Oxo-1,2,4,5-tetrahydro-6H-⟨benzo-[d]-thiocin⟩*
3-(2-Phenyl-äthylmercapto)-propansäure- → *6-Oxo-1,2,4,5-tetrahydro-6H-⟨benzo-[d]-thiocin⟩*
chlorid

[2-Chlor-naphthyl-(1)-oxy]-essigsäure-chlorid wird durch Aluminiumchlorid in Benzol zu *9-Chlor-3-oxo-2,3-dihydro-⟨naphtho-[1,8-b,c]-pyran⟩* cyclisiert[7,8]:

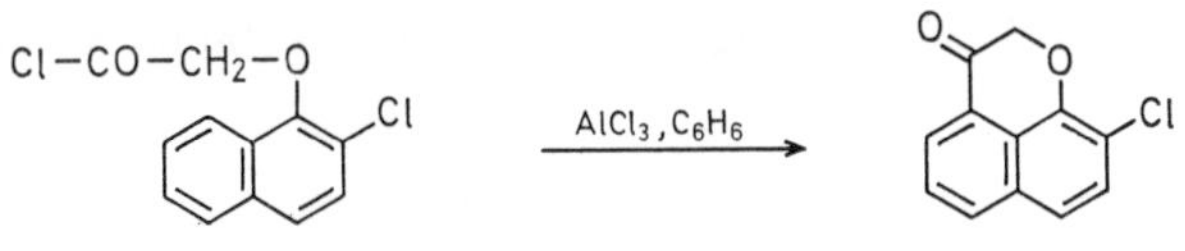

[1] G. FONTAINE u. P. MAITTE, C. r. **258**, 4583 (1964).
[2] G. FONTAINE, A. ch. [14] **3**, 179 (1968).
[3] O. DANN u. W.-D. ARNDT, A. **587**, 38 (1954).
[4] P. CAGNIANT u. A. DELUZARCHE, C. r. **223**, 677 (1946).
  W. E. TRUCE u. J. P. MILIONIS, Am. Soc. **74**, 974 (1952).
[5] V. J. TRAYNELIS u. R. F. LOVE, J. Org. Chem. **26**, 2728 (1961).
[6] J. v. BRAUN u. K. WEISSBACH, B. **62**, 2424 (1929).
  P. CAGNIANT u. D. CAGNIANT, Bl. **1959**, 1998.
[7] S. O'BRIEN u. D. C. C. SMITH, Soc. **1963**, 2907.
[8] C. C. COOK u. F. K. SUTCLIFFE, Chimia **1968**, Suppl. 135.

Bei der Behandlung von [Naphthyl-(1)-mercapto]-essigsäure-chlorid mit Aluminiumchlorid in Chlorbenzol während 5 Min. bei 125° erhält man eine Mischung aus *3-Oxo-2,3-dihydro-⟨naphtho-[1,2-b]-thiophen⟩* (1,3 Tle.) und *3-Oxo-2,3-dihydro-⟨naphtho-[1,8-b,c]-thiopyran⟩* (1 Tl.)[1]. [2-Methyl-naphthyl-(1)-mercapto]-essigsäure wird in Polyphosphorsäure bei 90° zu *9-Methyl-3-oxo-2,3-dihydro-⟨naphtho-[1,8-b,c]-thiopyran⟩* cyclisiert[2,3]. Unter ähnlichen Bedingungen ergibt 3-[2-Methyl-naphthyl-(1)-mercapto]-propionsäure   *10-Methyl-4-oxo-2,3-dihydro-4H-⟨naphtho-[1,8-b,c]-thiepin⟩*[3].

Besonders leicht lassen sich Carbonsäuren vom Typ

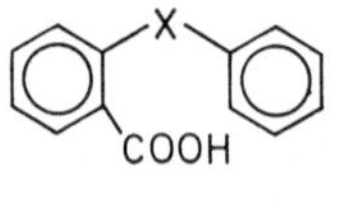

X = CH_2; CO; O; S; NH

ringschließen.

Hier genügt bereits gelindes Erwärmen in konz. Schwefelsäure, um z. B. zu *Xanthon*[4], *Thioxanton*[5], *Anthron, Anthrachinon* u. ä. zu gelangen. Aber auch Erhitzen mit Benzoylchlorid und Spuren Eisen(III)-chlorid, Phosphorsäure u. a. führen zum Ziel.

Bei Ringschlüssen von Diphenylamin-o-carbonsäuren zu A c r i d o n e n erzielt man die besten Ausbeuten mit Phosphoroxichlorid, wobei als Zwischenprodukte die 9-Chlor-acridine erhalten werden[6]. In praktisch quantitativer Ausbeute wird aus 2,5-Dianilino-terephthalsäure durch Erhitzen mit Polyphosphorsäure auf 130–150° *7,14-Dioxo-5,7,12,14-tetrahydro-⟨chinolino-[2,3-b]-acridin⟩*[7] (sog. Chinacridon) erhalten:

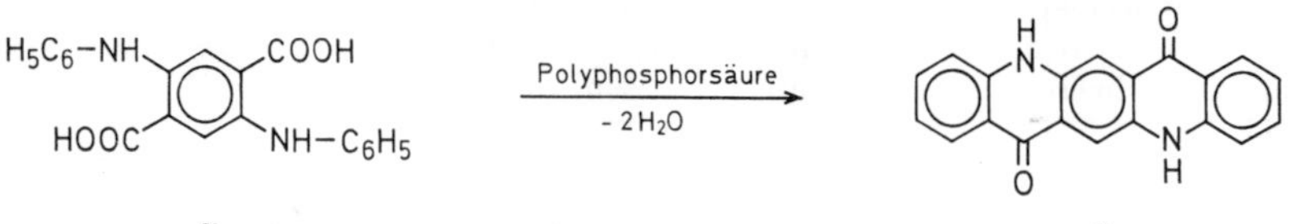

Diese verhältnismäßig hohe Kondensationstemperatur ist in diesem Falle ohne Beeinträchtigung der Ausbeute möglich, da es sich um stabile Ausgangs- und Endprodukte handelt.

---

[1] G. M. Oksengendler u. E. P. Gendrikov, Ukrain. chem. J. **25**, 2061 (1959); C. A. **53**, 21928 (1959).
[2] C. C. Cook u. F. K. Sutcliffe, Chimia **1968**, Suppl. 135.
[3] J. F. Muller, D. Cagniant u. P. Cagniant, Tetrahedron Letters **1972**, 81.
   s. a. ds. Handbuch, Bd. VII/4, Kap. Thionaphthenchinone-(2,3) und 3-Hydroxy-thionaphthene S. 42.
[4] C. Graebe, B. **21**, 503 (1888).
[5] J. H. Ziegler, B. **23**, 2471 (1890).
   C. Graebe u. O. Schultess, A. **263**, 8 (1891).
[6] A. Albert u. B. Ritchie, Org. Synth. Coll. Vol. III, 53 (1955).
[7] Von den zahlreichen Patenten sei zitiert:
   US. P. 3072660 (1963), Du Pont, Erf. C. C. Chen; C. A. **59**, 632 (1963).
   S. S. Labana u. L. L. Labana, „*Quinacridones*", Chem. Reviews **67**, 1 (1967).

b) Direkte Einführung von R—CO-Gruppen durch Umsetzung mit Olefinen (ausgenommen Enol-Derivate)

1. mit Carbonsäure-chloriden

bearbeitet von

Dr. C.-W. Schellhammer

Farbenfabriken Bayer AG., Leverkusen

Olefine oder Cycloolefine reagieren mit Carbonsäure-halogeniden in Gegenwart von Friedel-Crafts-Katalysatoren zu β-Halogen-ketonen oder zu ungesättigten Ketonen:

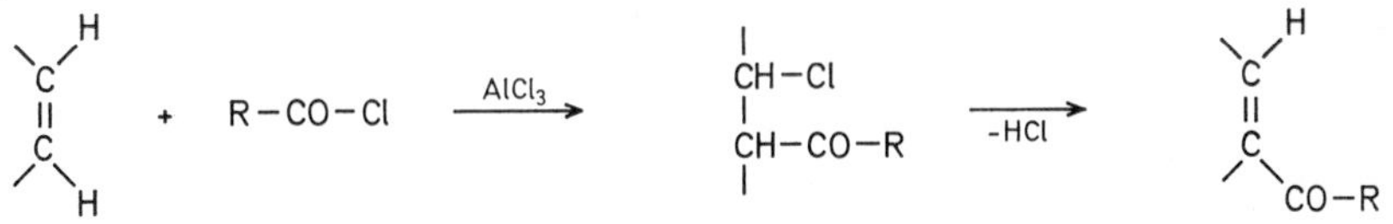

Aus Äthylen und Acetylchlorid entsteht das stabile *4-Chlor-2-oxo-butan*. In allen anderen Fällen, bei denen sich durch Addition des Acyl-Kations oder des Halogen-Anions ein tert. Kohlenstoffatom ausbildet, spaltet sich vielfach bereits unter dem Einfluß der Friedel-Crafts'schen Katalysatoren Chlorwasserstoff ab und man erhält so direkt die α,β-ungesättigten Ketone.

Oft fallen auch Gemische aus ungesättigten und chlorhaltigen Ketonen an, die man leicht durch Nachbehandeln mit einer tert. Base oder mit Natriumcarbonat dehydrohalogenieren kann.

Falls die Acylierungen bei sehr niederen Temperaturen durchgeführt werden können, gelingt es bei vorsichtiger Aufarbeitung, die Chlor-ketone zu isolieren.

Im Falle der Cyclisierung von 2-Chlor-1,2-diphenyl-1-(2-carboxy-phenyl)-äthylen erfolgt intramolekulare Acylierung zum *1,2-Dichlor-3-oxo-1,2-diphenyl-indan*[1]:

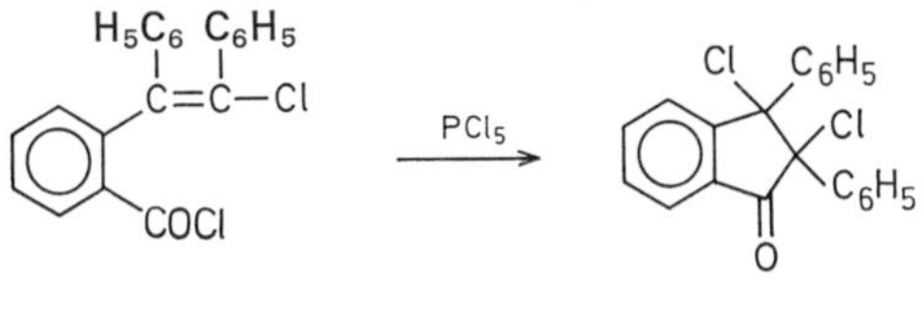

Als Katalysatoren für derartige Umsetzungen werden Aluminiumchlorid, Zinn(IV)-chlorid, Zinkchlorid, Titan(IV)-chlorid oder gelegentlich Eisen(III)-chlorid verwendet und als Lösungsmittel die üblichen oder ein Überschuß des zur Acylierung verwendeten Carbonsäure-chlorids benutzt. Häufig werden die Umsetzungen bei Temperaturen von 0° oder darunter durchgeführt. Olefine, die unter den Reaktionsbedingungen polymerisieren, wie z. B. Diene, sind für diese Acylierungen nicht geeignet.

Bei der Umsetzung von Acetylchlorid/Aluminiumchlorid mit Äthylen erhält man *4-Chlor-2-oxo-butan*.

---

[1] G. Berti u. P. Corti, G. **88**, 704 (1958).

4-Chlor-2-oxo-butan[1]: 510 g (6,5 Mol) Acetylchlorid werden in 20 Min. zu einer gerührten und mit Eis-Salzmischung gekühlten Suspension von 910 g (6,82 Mol) Aluminiumchlorid in 2 l Chloroform getropft. Gegen Ende des Acetylchlorid-Zusatzes ist die Temp. der Mischung auf 25° gestiegen, man kühlt weiter, bis sie wieder auf 0° gefallen ist. Dann leitet man Äthylen ein, so daß alles absorbiert und die Reaktionstemp. zwischen 5° und 10° gehalten wird. Nach ~ 2 Stdn. beginnt Gas zu entweichen, 30 Min. später wird die Reaktionsmischung auf eine Mischung von 1 l konz. Salzsäure und 5 kg Eis ausgetragen. Die organische Phase wird mit verd. Salzsäure, mit Natriumhydrogencarbonat-Lösung und schließlich mit Wasser gewaschen, dann trocknet man sie und fraktioniert; Ausbeute: 421 g (3,95 Mol; 61% d.Th.); Kp_{16}: 47° (leicht bewegliche Flüssigkeit).

4-Chlor-2-oxo-butan entsteht auch, wenn man Acetylchlorid/Aluminiumchlorid unter Kühlung ohne besonderes Lösungsmittel[2,3] oder in Dichlormethan oder 1,2-Dichlor-äthan[4] mit Äthylen umsetzt. Wenn man den aus Acetylchlorid und Aluminiumchlorid gebildeten Komplex in Schwefelkohlenstoff bei −14° mit Äthylen und nach Zugabe von weiterem Aluminiumchlorid mit Benzol umsetzt, erhält man *3-Oxo-1-phenyl-butan*[5].

Propen reagiert mit Acetylchlorid in Gegenwart von Zinkchlorid zu *4-Chlor-2-oxo-pentan*, das bei der Destillation unter Abspaltung von Salzsäure in *Penten-(2)-on-(4)* übergeht[6]. Analog verläuft die Umsetzung von Propen mit Acetylbromid/Aluminiumbromid in Schwefelkohlenstoff oder Hexan[7]. Das Hauptreaktionsprodukt der Umsetzung von Propen mit Acetylchlorid/Aluminiumchlorid in Dichlormethan bei 25 bis 30° − bei 0° tritt keine Reaktion ein − ist *4-Chlor-2-oxo-pentan*[8]. Propen kann durch Umsetzung mit zwei Mol Aluminiumchlorid in überschüssigem Acetylchlorid zunächst bei −5°, dann bei 50–55° diacyliert werden, man isoliert *2,6-Dimethyl-pyrylium-hexachloroantimonat*[9]:

---

[1] F. SONDHEIMER u. R. B. WOODWARD, Am. Soc. **75**, 5438 (1953).

[2] DRP 503203 (1926), Schering-Kahlbaum AG, Erf.: W. SCHOELLER u. C. ZÖLLNER; Frdl. **17**, 2596.

[3] J. R. CATCH et al., Soc. **1948**, 278.

[4] G. BADDELEY, H. T. TAYLOR u. W. PICKLES, Soc. **1953**, 124.

[5] C. D. NENITZESCU u. I. GAVĂT, A. **519**, 260 (1935).

[6] J. KONDAKOV, Ж. **26**, 5 (1893); C. **1894** I, 1017.
    Organic Synthesis **51**, 115 (1971).

[7] S. KRAPIVIN, Bull. Soc. Imp. Nat. Moscou **1908**, 1; C. **1910** I, 1336.

[8] N. JONES u. H. T. TAYLOR, Soc. **1961**, 1345.

[9] A. T. BALABAN, D. FARCASIU u. C. D. NENITZESCU, Tetrahedron **18**, 1075 (1962).

$$H_3C-CO-CH_2-CH=CH_2 \xrightarrow{+ CH_3-\overset{\oplus}{C}=O} H_3C-CO-CH_2-\overset{\oplus}{CH}-CH_2-CO-CH_3 \xrightarrow[-H_2O]{}$$

2-Methyl-propen reagiert mit Acetylchlorid/Zinkchlorid ohne besonderes Lösungsmittel zu *4-Oxo-2-methyl-penten-(2)* (*Mesityloxid*)[1]. Das gleiche Reaktionsprodukt erhält man mit einer Ausbeute von 30% d. Th., wenn man Aluminiumchlorid als Katalysator verwendet[2]. 2-Methyl-propen setzt sich mit je zwei Mol Acetylchlorid Aluminiumchlorid oder Zinn(IV)-chlorid ebenfalls zu einem *2,4,6-Trimethyl-pyryliumsalz* um[3-5].

Buten-(1) ergibt mit Acetylchlorid/Aluminiumchlorid in Schwefelkohlenstoff bei −14° nach direkter Umsetzung des primären Reaktionsproduktes mit Benzol *5-Oxo-2-phenyl-hexan*[6]. Bei der analog vorgenommenen Umsetzung von Buten-(2) mit Acetylchlorid/Aluminiumchlorid und dann mit Benzol entsteht *4-Oxo-3-methyl-2-phenyl-pentan*[6]:

$$H_3C-CH=CH-CH_3 \; + \; H_3C-COCl \xrightarrow{AlCl_3 \; ; \; CS_2} H_3C-\overset{CH_3}{\underset{}{CHCl-CH}}-CO-CH_3 \xrightarrow[AlCl_3]{C_6H_6}$$

$$H_3C-\overset{H_5C_6 \quad CH_3}{\underset{}{CH-CH}}-CO-CH_3$$

Cyclopenten reagiert mit Acetylchlorid/Zinn(IV)-chlorid in Dichlormethan zu *2-Chlor-1-acetyl-cyclopentan*, das jedoch nicht isoliert, sondern durch Chlorwasserstoffabspaltung in *1-Acetyl-cyclopenten-(1)* übergeführt wird[7-11].

1-Acetyl-cyclopenten-(1)[7]: In einen 1-*l*-Dreihalskolben mit Rührer, Tropftrichter und Thermometer bringt man 500 *ml* wasserfreies Dichlormethan, 262 g (1 Mol) Zinn(IV)-chlorid und 78,5 g (1 Mol) Acetylchlorid. Die Mischung wird auf −10° abgekühlt, dann tropft man unter Rühren im Verlaufe von 1¹/₂ Stdn. 85 g (1,25 Mol) wasserfreies Cyclopenten hinzu. Man rührt noch 2 Stdn. und gießt die Reaktionsmischung dann auf 1 kg zerstoßenes Eis. Nach Stehen über Nacht wird die organische Phase abgetrennt, die wäßrige Phase schüttelt man mit Dichlormethan aus. Man vereinigt die Dichlormethan-Phasen und neutralisiert sie mit Natriumhydrogencarbonat-Lösung. Die entstandene sehr stabile Emulsion wird nach Zufügen eines Filtrierhilfsmittels filtriert, man trennt dann die Dichlormethan-Phase ab, wäscht sie mit Wasser und trocknet sie über wasserfreiem Natriumsulfat. Nach dem Abdestillieren des Dichlormethans, zunächst bei Normaldruck,

[1] J. Kondakov, Bl. [3] **7**, 576 (1892).
[2] S. Krapivin, Bull. Soc. Imp. Nat. Moscou **1908**, 1; C. **1910** I, 1336.
[3] A. T. Balaban u. C. D. Nenitzescu, A. **625**, 74 (1959).
[4] A. T. Balaban u. C. D. Nenitzescu, Soc. **1961**, 3553.
[5] A. T. Balaban et al., Soc. **1962**, 3889.
[6] C. D. Nenitzescu u. I. Gavăt, A. **519**, 260 (1935).
[7] P.-F. Casals, Bl. **1963**, 253.
[8] N. Jones u. H. T. Taylor, Soc. **1959**, 4017.
[9] W. S. Rapson u. R. Robinson, Soc. **1935**, 1285.
[10] J. R. Hawthorne u. R. Robinson, Soc. **1936**, 763.
[11] J. English u. V. Lamberti, Am. Soc. **74**, 1909 (1952).

schließlich i. Vak., wird das zurückbleibende Chlor-keton mit 150 g (1 Mol) N,N-Diäthyl-anilin während 3 Stdn. rückfließend gekocht. Das 1-Acetyl-cyclopenten-(1) geht beim Kp_{18}: 65–68° über; Ausbeute: 86 g (78% d.Th.); nach nochmaliger Destillation: Kp_{18}: 65–66°; $n_D^{20} = 1,4810$; d_4^{20}: 0,958.

Durch Umsetzung von Cyclopenten mit Acetylchlorid/Aluminiumchlorid in Schwefelkohlenstoff und dann mit Benzol erhält man *2-Phenyl-1-acetyl-cyclopentan*[1]. Überraschenderweise entsteht *1-Acetyl-cyclopentan* als Reaktionsprodukt, wenn man die Umsetzung von Cyclopenten mit Acetylchlorid in Gegenwart eines großen Überschusses an Aluminiumchlorid in Cyclohexan vornimmt[2] (s. S. 17, 437).

2-Methyl-buten-(2) reagiert mit Acetylchlorid zu *4-Chlor-2-oxo-3,4-dimethylpentan*[3]. Man benutzt für diese Umsetzung Aluminiumchlorid[4], Zinn(IV)-chlorid[5] oder Zinkchlorid[6,7] als Katalysator und arbeitet in Schwefelkohlenstoff oder ohne Lösungsmittel. Aus dem primär erhaltenen Chlor-keton kann durch Erhitzen mit N,N-Dimethyl-anilin[5], Silberoxid[7], Kaliumcarbonat[7] oder Bariumhydroxid[7] Chlorwasserstoff abgespalten werden, man isoliert dann *4-Oxo-2,3-dimethyl-penten-(2)* (46,5% d.Th.)[8]. Aus 2-Methyl-buten-(2) und zwei Mol Acetylchlorid können in Gegenwart von Aluminiumchlorid, Antimon(V)-chlorid oder Berylliumchlorid Pyryliumsalze erhalten werden[9–11]. Penten-(1) ergibt bei der Umsetzung mit Acetylchlorid/Aluminiumchlorid in Dichlormethan bei 0° und nach Chlorwasserstoff-Abspaltung aus dem primären Reaktionsprodukt durch Destillation über wasserfreiem Natriumcarbonat *2-Oxo-hepten-(3)*[12]. Aus Penten-(2) und Acetylchlorid/Zinkchlorid erhält man nach Destillation des Reaktionsproduktes eine Mischung aus *4-Chlor-2-oxo-3-methyl-hexan* und *2-Oxo-3-methyl-hexen-(3)*[6]. 1-Methyl-cyclopenten-(1) führt zum *2-Methyl-1-acetyl-cyclopenten-(1)* (49% d.Th.)[11,13,14]. Auch die Herstellung von Pyryliumsalzen durch Diacetylierung von 1-Methyl-cyclopenten-(1) wird beschrieben[15].

Cyclohexen reagiert mit Acetylchlorid in Schwefelkohlenstoff in Gegenwart von Aluminiumchlorid, Titan(IV)-chlorid oder am vorteilhaftesten Zinn(IV)-chlorid zu *2-Chlor-1-acetyl-cyclohexan*[16]. Die Umsetzung wird auch durch Bortrichlorid, Eisen-(III)-chlorid oder Antimon(III)-chlorid katalysiert, Kupfer(II)-chlorid, Quecksilber-(II)-chlorid, Zinn(II)-chlorid oder Silicium(IV)-chlorid haben keine katalytische Wirkung[16]. Durch Abspaltung von Chlorwasserstoff aus dem 2-Chlor-1-acetyl-cyclohexan durch siedendes N,N-Diäthyl-anilin erhält man *1-Acetyl-cyclohexen-(1)* (50% d.Th.)[16]. Wenn man die Chlorwasserstoff-Abspaltung durch Destillation des primären Reak-

[1] C. D. NENITZESCU u. I. GAVAT, A. **519**, 260 (1935).

[2] C. D. NENITZESCU u. E. CIORĂNESCU, B. **69**, 1820 (1936).

[3] H. WIELAND u. L. BETTAG, B. **55**, 2246 (1922).

[4] S. KRAPIVIN, Bull. Soc. Imp. Nat. Moscou **1908**, 1; C. **1910** I, 1336.

[5] J. COLONGE u. K. MOSTAFAVI, Bl. [5] **6**, 335 (1939).

[6] J. KONDAKOV, Ж **26**, 5 (1893); C. **1894** I, 1017.

[7] J. KONDAKOV, Bl. [3] **7**, 576 (1892).

[8] H. FAVRE u. H. SCHINZ, Helv. **35**, 2388 (1952).

[9] A. T. BALABAN u. C. D. NENITZESCU, A. **625**, 74 (1959).

[10] A. T. BALABAN u. C. D. NENITZESCU, Soc. **1961**, 3553.

[11] A. T. BALABAN, E. BARABAS u. M. FARCAŞIU, Chem. & Ind., **1962**, 781.

[12] N. JONES u. H. T. TAYLOR, Soc. **1959**, 4017.

[13] C. D. NENITZESCU u. I. P. CANTUNIARI, B. **65**, 1449 (1932).

[14] N. D. ZELINSKY u. E. M. TARASSOWA, A. **508**, 115 (1934).

[15] A. T. BALABAN u. C. D. NENITZESCU, Soc. **1961**, 3561.

[16] G. DARZENS, C. r. **150**, 707 (1910).

tionsproduktes über Natriumcarbonat vornimmt, erhält man *1-Acetyl-cyclohexen-(1)* mit einer Ausbeute von 62% der Theorie[1]. Als Nebenprodukt der Reaktion werden wechselnde Mengen an Chlor-cyclohexan isoliert[2]. Neben Schwefelkohlenstoff werden auch Dichlormethan oder 1,2-Dichlor-äthan als Reaktionsmedien verwendet[3]. Nach Umsetzung von Cyclohexen mit Acetylchlorid/Aluminiumchlorid in Schwefelkohlenstoff und dann mit Benzol erhält man *2-* und *4-Phenyl-1-acetyl-cyclohexan*[4].

2,3-Dimethyl-buten-(2) ergibt mit Acetylchlorid/Zinn(IV)-chlorid *2-Chlor-4-oxo-2,3,3-trimethyl-pentan*, aus dem man durch Chlorwasserstoff-Abspaltung mit einer Gesamtausbeute von 30% d. Th. *4-Oxo-2,3,3-trimethyl-penten-(1)* erhält[5]:

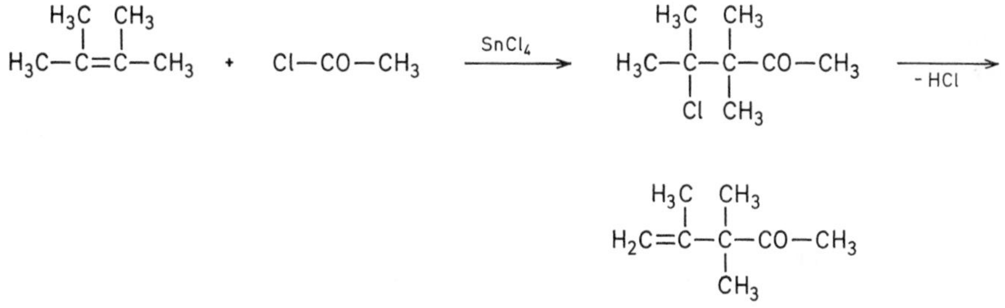

Auch die Diacetylierung des 2,3-Dimethyl-butens-(2) zu Pyryliumsalzen wird beschrieben[6].

Hexen-(1) kann mit Acetylchlorid/Aluminiumchlorid in Benzol in einer gekoppelten Dreikomponentenreaktion umgesetzt werden:

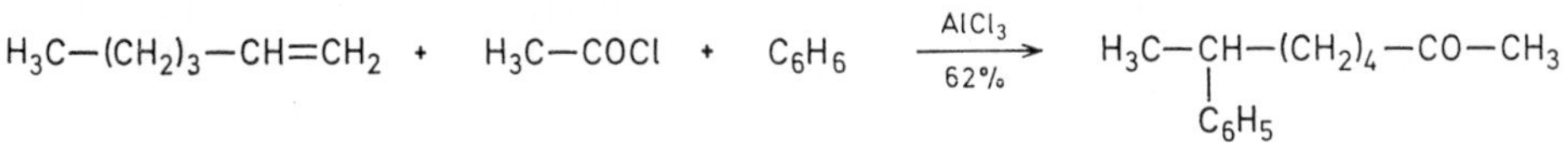

Dabei wird das intermediär gebildete *4-Chlor-2-oxo-octan* durch Aluminiumchlorid zu *7-Chlor-2-oxo-octan* isomerisiert, so daß im Endeffekt *2-Oxo-7-phenyl-octan* erhalten wird[7]. Bei der analog durchgeführten Umsetzung von 2-Methyl-buten-(2) mit Acetylchlorid und Benzol entsteht *4-Oxo-2,3-dimethyl-2-phenyl-pentan*[7].

Aus Hexen-(2) und Acetylchlorid/Aluminiumchlorid in Schwefelkohlenstoff erhält man nach Destillation des primären Reaktionsproduktes *2-Oxo-3-methyl-hepten-(3)*[5]. 1-Methyl-cyclohexen wird mit Acetylchlorid/Zinn(IV)-chlorid in Schwefelkohlenstoff bei −5° umgesetzt. Man erhält nach Destillation des primären Reaktionsproduktes über Natriumhydroxid[8] oder mit N,N-Diäthyl-anilin[9] *2-Methyl-1-acetyl-cyclohexen-(1)* und *2-Methyl-3-acetyl-cyclohexen-(1)* mit einer Gesamtausbeute von 40–48% der Theorie:

[1] R. E. CHRIST u. R. C. FUSON, Am. Soc. **59**, 893 (1937).
[2] E. E. ROYALS u. C. M. HENDRY, J. Org. Chem. **15**, 1147 (1950).
[3] G. BADDELEY, H. T. TAYLOR u. W. PICKLES, Soc. **1953**, 124.
[4] C. D. GUTSCHE u. W. S. JOHNSON, Am. Soc. **68**, 2239 (1946).
     W. S. JOHNSON u. R. D. OFFENHAUER, Am. Soc. **67**, 1045 (1945).
[5] J. COLONGE u. K. MOSTAFAVI, Bl. [5] **6**, 335 (1939).
[6] A. T. BALABAN u. C. D. NENITZESCU, A. **625**, 74 (1959).
[7] A. D. GREBENYUK u. N. T. ZAITSEVA, Ž. org. Chem. **4**, 302 (1968); engl.: 293.
[8] R. B. TURNER u. D. M. VOITLE, Am. Soc. **73**, 1408 (1951).
[9] E. A. BRAUDE et al., Soc. **1949**, 1890.

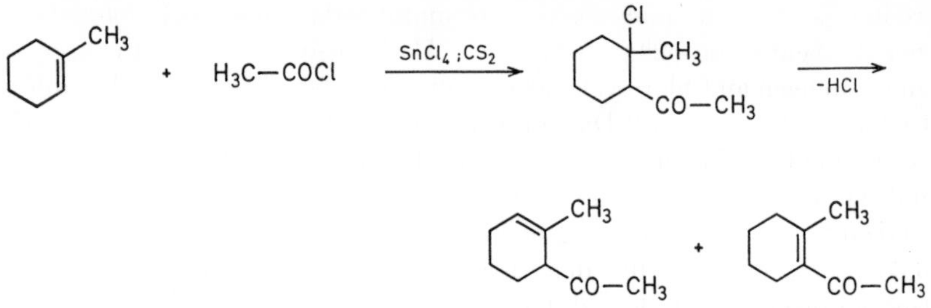

Cyclohepten ergibt durch Umsetzung mit Acetylchlorid/Aluminiumchlorid in Dichlormethan oder Schwefelkohlenstoff[1] bei –10° und Destillation des primären Reaktionsproduktes über Natriumcarbonat *1-Acetyl-cyclohepten-(1)*[2].

Auch Reaktionen von 2-[3] und 3-Methyl-hexen-(2)[4] mit Acetylchlorid/Zinn-(IV)-chlorid zu entsprechenden ungesättigten Ketonen werden beschrieben. Für die Umsetzung von Hepten-(3) mit Acetylchlorid benutzt man Aluminiumchlorid als Katalysator[5].

Cyclooctatetraen reagiert mit Acetylbromid/Aluminiumchlorid in Nitrobenzol bei 0–5° unter Umlagerung, man erhält *2-Methyl-zimtaldehyd*[6]:

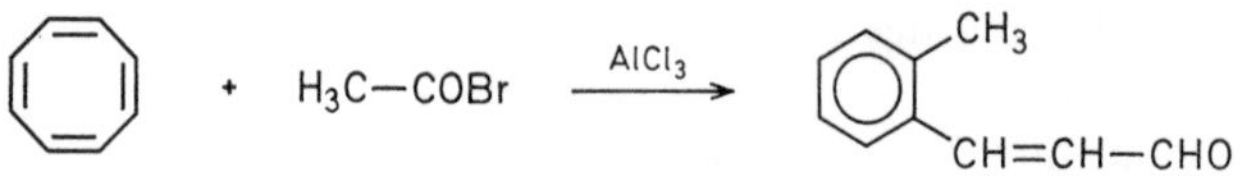

Aus Styrol und Acetylchlorid/Zinn(IV)-chlorid erhält man in Schwefelkohlenstoff nach Abspaltung von Chlorwasserstoff durch Erhitzen des primären Reaktionsproduktes mit N,N-Diäthyl-anilin *3-Oxo-1-phenyl-buten-(1)*[7]. Wenn man die Umsetzung in überschüssigem Benzol in Gegenwart von Aluminiumchlorid vornimmt, entsteht *4,4-Diphenyl-2-oxo-butan* (62% d. Th.):

$$H_5C_6-CH=CH_2 \quad + \quad H_3C-CO-Cl \quad + \quad C_6H_6 \xrightarrow[30-35°/4\ Tage]{AlCl_3} (C_6H_5)_2CH-CH_2-CO-CH_3$$

und daneben *Acetophenon* (10% d. Th.). Bei der Umsetzung von Styrol mit Benzoylchlorid/Aluminiumchlorid in Benzol bei 5–7° werden *Benzophenon* (40% d. Th.) und *1,3,3-Triphenyl-1-oxo-propan* (30% d. Th.)[8] erhalten. 2,3,3-Trimethyl-cyclopenten-(1) reagiert mit Acetylchlorid/Aluminiumchlorid in 1-Stellung zu *2,3,3-Trimethyl-1-acetyl-cyclopenten-(1)*[9]. 1,3-Dimethyl-cyclohexen liefert mit Acetylchlorid/Zinn(IV)-chlorid in Schwefelkohlenstoff *1,3-Dimethyl-2-acetyl-cyclohexen-(1)*.

---

1 W. Taub u. J. Smuszkowicz, Am. Soc. **74**, 2117 (1952).
2 J. K. Groves u. N. Jones, Soc. [C] **1969**, 1718, 2350.
3 J. Colonge u. K. Mostafavi, Bl. [5] **6**, 335 (1939).
4 R. Heilmann, G. de Gaudemaris u. K. Noack, Bl. **1954**, 992.
5 S. Krapivin, Bull. Soc. Imp. Nat. Moscou **1908**, 1; C. **1910** I, 1336.
6 A. C. Cope, T. A. Liss u. D. S. Smith, Am. Soc. **79**, 240 (1957).
7 G. Lauglois, C. r. **168**, 1052 (1919).
8 N. T. Zaitseva u. A. D. Grebenjuk, Ž. Org. Chim. **5**, 904 (1969); engl.: 891.
9 G. Blanc, Bl. [3] **19**, 699 (1898).

1,3-Dimethyl-2-acetyl-cyclohexen-(1)[1]: In einem 2-l-Dreihalskolben mit Rührwerk, Tropftrichter, Thermometer und Calciumchloridrohr werden 400 ml Schwefelkohlenstoff und 170,0 g (0,65 Mol) Zinn(IV)-chlorid auf −10° abgekühlt. Sodann läßt man unter Rühren eine ebenfalls vorgekühlte Mischung von 71,0 g (0,645 Mol) 1,3-Dimethyl-cyclohexen-(1) und 54 g (0,69 Mol) Acetylchlorid innerhalb 90 Min. zutropfen, wobei sorgfältig darauf geachtet wird, daß die Temp. des Reaktionsgemisches nicht über −5° steigt. Es wird noch 2 Stdn. gerührt. Am nächsten Tag wird auf 0° abgekühlt, durch Zugabe von etwa 400 g Eis in kleinen Stücken unter heftigem Umrühren zersetzt und so lange gerührt, bis sich 2 Phasen gebildet haben. Die untere wäßrige Schicht wird vom Schwefelkohlenstoff abgetrennt und 2 mal mit frischem Schwefelkohlenstoff gewaschen; die vereinten Schwefelkohlenstoff-Auszüge werden mit Wasser und dann mit Hydrogencarbonat-Lösung bis zur neutralen Reaktion gewaschen und 2 Stdn. mit Calciumchlorid getrocknet. Nun wird das Reaktionsprodukt in einen geräumigen Schliffkolben, in dem 70,0 g (0,48 Mol) N,N-Diäthylanilin vorgelegt sind, filtriert und der Schwefelkohlenstoff abdestilliert. Gegen Ende wird die Temp. langsam auf 150° gesteigert. Sobald kein Destillat mehr übergeht, wird ein genügend langes Steigrohr aufgesetzt und 3 Stdn. auf 180–190° erhitzt. Das wieder mit Eis gekühlte Produkt wird mit 200 ml Äther versetzt, durch Ausschütteln mit Salzsäure vom Anilin befreit, die Ätherphase abgetrennt, mit Natriumsulfat getrocknet, und nach dem Verdampfen des Lösungsmittels i. Vak. destilliert; Ausbeute: 42–47 g (43–48% d. Th.); Kp_{14}: 85–89° (farbloses, nach Pfefferminz riechendes Öl).

Die Art der Reaktionsprodukte, die bei der Umsetzung von *cis*-Cyclooocten mit Acetylchlorid erhalten werden, hängt vom verwendeten Katalysator ab. Mit frisch sublimiertem Aluminiumchlorid in Dichlormethan entsteht *1-Äthyl-4-acetyl-cyclohexen-(1)*, mit durch Luftfeuchtigkeit desaktiviertem Aluminiumchlorid bleibt der Achtring erhalten und man isoliert *4-Chlor-1-acetyl-cyclooctan*. Mit Zinn(IV)-chlorid in Schwefelkohlenstoff erhält man *4-Chlor-1-acetyl-cyclooctan* und *1-Acetyl-cyclooocten-(1)* nebeneinander[2].

Analog entstehen aus *cis*-Cyclooocten und Propionsäure-, Butansäure- oder Cyclohexyl-essigsäure-chlorid in Dichlormethan in Gegenwart von desaktiviertem Aluminiumchlorid *4-Chlor-1-propanoyl-* (50% d. Th.) bzw. *4-Chlor-1-butanoyl-* (49% d. Th.) bzw. *4-Chlor-1-cyclohexylacetyl-cyclooctan* (32% d. Th.). O c t e n - (1) reagiert mit Acetylchlorid/Aluminiumchlorid in 1-Stellung zu 2-Oxo-decen-(3)[3]. Für die Umsetzung von 1 , 5 , 5 - T r i m e t h y l - c y c l o h e x e n - (1) mit Acetylchlorid benutzt man Zinn(IV)-chlorid als Katalysator; nach Abspaltung von Chlorwasserstoff aus dem primären Reaktionsprodukt durch Erhitzen mit N,N-Dimethyl-anilin isoliert man

[1] K. W. Rosenmund u. H. Herzberg, B. **87**, 1575 (1954).
[2] J. K. Groves u. N. Jones, Soc. [C] **1969**, 1718, 2350.
[3] S. Krapivin, Bull. Soc. Imp. Nat. Moscou **1908**, 1; C. **1910** I, 1336.

2,4,4-Trimethyl-1-acetyl-cyclohexen-(1) (62% d. Th.)[1]. Auch für die Acetylierung von 1,2-Dihydro- und 1,4-Dihydro-naphthalin zu *3-Acetyl-1.2-dihydro-* bzw. *2-Acetyl-1,4-dihydro-naphthalin* verwendet man Zinn(IV)-chlorid als Katalysator[2]. Aus 1,3,5,5-Tetramethyl-cyclohexen-(1) und Acetylchlorid/Zinn(IV)-chlorid erhält man nach Abspaltung von Chlorwasserstoff *1,3,3,5-Tetramethyl-6-acetyl-cyclohexen-(1)* neben wenig *2,4,4,6-Tetramethyl-1-acetyl-cyclohexen-(1)*[3]. Analog wird die Acetylierung von 2,4,4,5-Tetramethyl-cyclohexen-(1)[4] zu *1,3,3,4-Tetramethyl-6-acetyl-* und *2,4,4,5-Tetramethyl-1-acetyl-cyclohexen-(1)* und von 1,3,3,5,5-Pentamethyl-cyclohexen-(1)[5] zu *1,3,3,5,5-Pentamethyl-2-* und *-6-acetyl-cyclohexen-(1)* durchgeführt. 1-Benzyl-cyclohexen-(1) reagiert mit Acetylchlorid/Zinn(IV)-chlorid im Cyclohexenring, durch Erhitzen des primären Reaktionsproduktes mit N,N-Dimethyl-anilin erhält man *2-Benzyl-1-acetyl-cyclohexen-(1)* (38% d. Th.)[6]. 4-Methyl-1-(4-methyl-benzyl)-cyclohexen-(1) gibt unter vergleichbaren Reaktionsbedingungen nur 6% *5-Methyl-2-(4-methyl-benzyl)-1-acetyl-cyclohexen-(1)* neben 2,7,9-Trimethyl-1,2,3,4-tetrahydro-anthracen[6]:

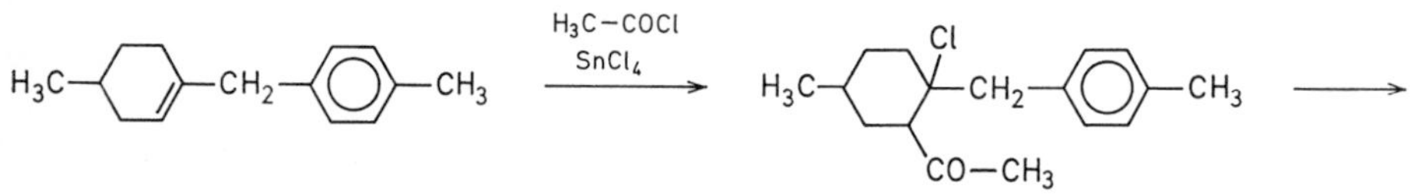

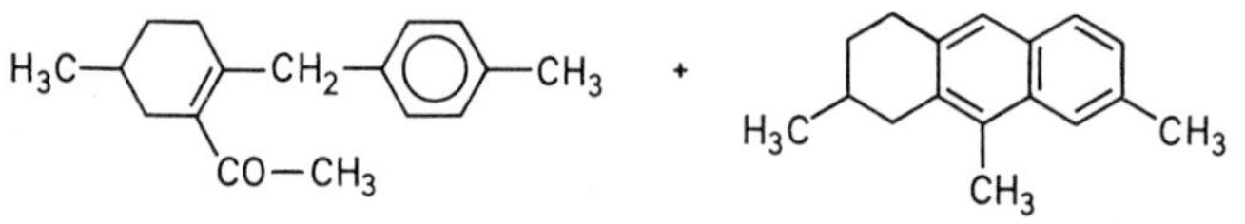

Die Umsetzung von Hexadecen-(1) mit Acetylchlorid/Aluminiumchlorid wird in Schwefelkohlenstoff vorgenommen. Nach Abspaltung von Chlorwasserstoff aus dem zunächst gebildeten *4-Chlor-2-oxo-octadecan* durch Erhitzen mit N,N-Diäthyl-anilin erhält man *2-Oxo-octadecen-(3)* (27% d. Th.)[7]. Als Lösungsmittel für die Acetylierung von 1,3-Diphenyl-inden – man verwendet Aluminiumchlorid als Katalysator – wird Benzol verwendet. Nach kurzem Erhitzen des Reaktionsgemisches auf 60° isoliert man *1,3-Diphenyl-2-acetyl-inden* (72% d. Th.)[8].

Ungewöhnlich verläuft auch die Acetylierung von 3-Methyl-buten-(2)-säure-äthylester, bei der man *5-Oxo-3-methyl-hexen-(2)-säure-äthylester* erhält[9]:

[1] A. BRENNER u. H. SCHINZ, Helv. **35**, 1615 (1952).
[2] M. MOUSSERON u. N. P. DU, C. r. **218**, 281 (1944).
[3] R. VONDERWAHL u. H. SCHINZ, Helv. **35**, 1997 (1952).
[4] R. VONDERWAHL u. H. SCHINZ, Helv. **35**, 2005 (1952).
[5] R. VONDERWAHL u. H. SCHINZ, Helv. **35**, 2368 (1952).
[6] J. COLONGE u. L. BONNARD, Bl. **1958**, 742.
[7] I. SALLAY, Acta chim. Acad. Sci. hung. **5**, 349 (1955); C. A. **50**, 4004 (1956).
[8] C. F. KOELSCH, J. Org. Chem. **26**, 4238 (1961).
[9] I. ALKONYI, B. **98**, 3099 (1965).

$$H_3C-COCl \ + \ \overset{\displaystyle H_3C}{\underset{\displaystyle H_3C}{>}}C=CH-COOC_2H_5 \xrightarrow[72\%]{AlCl_3/CS_2} H_3C-CO-CH_2-\underset{\displaystyle CH_3}{\overset{\displaystyle |}{C}}=CH-COOC_2H_5$$

5-Oxo-3-methyl-hexen-(2)-säure-äthylester: In einem Kolben mit Rückflußkühler, Tropf-trichter und mechanischem Rührer werden zur Suspension von 124,8 g (0,93) Mol wasserfreiem Aluminiumchlorid in 300 ml trockenem Schwefelkohlenstoff tropfenweise 60,0 g (0,47 Mol) 3-Methyl-buten-(2)-säure-äthylester und 36,7 g (0,47 Mol) Acetylchlorid in 80 ml Schwefelkohlen-stoff gegeben. Nach dem ersten Tropfen wird die Reaktion durch gelindes Erwärmen in Gang gesetzt und dann ohne weitere Wärmezufuhr die Lösung in dem Maße eingetragen, daß die Suspension in gelindem Sieden bleibt und die Entwicklung von Chlorwasserstoff nicht zu stür-misch wird. Nach Beendigung des Zutropfens wird 2 Stdn. unter Rühren gekocht, nach dem Abkühlen die Schwefelkohlenstoff-Schicht abgegossen und die untere vorsichtig in einen Kolben mit Eisstückchen und Ammoniumchlorid-haltigem Wasser gegossen. Nach Ausziehen mit Äther versetzt man die ätherische Lösung mit 50 g Chinolin und etwas wasserfreiem Natriumsulfat, läßt über Nacht stehen, erhitzt nach Verjagen des Äthers den Rückstand 8 Stdn. auf dem Dampf-bad, gießt dann auf 30 g konz. Schwefelsäure und Eisstückchen enthaltendes Wasser und zieht abermals mit Äther aus. Nach der üblichen Aufarbeitung wird 2 mal i. Vak. destilliert; Ausbeute: 50,7 g (72% d.Th.); Kp_2: 72°; $n_D^{21,8} = 1,4573$; $d_4^{21,8}$: 1,0105.

Für die Acetylierung von 3-(3-Cyan-propyl)-, 3-(2-Äthoxycarbonyl-äthyl)- und 3-(3-Äthoxycarbonyl-propyl)-inden benutzt man Nitrobenzol als Lösungsmittel und Aluminiumchlorid als Katalysator; der Acetyl-Rest tritt in 2-Stellung ein und man erhält *3-[3-Cyan-propyl- (bzw. 2-Äthoxycarbonyl-äthyl-; bzw. 3-Äthoxycarbonyl-propyl)]-2-acetyl-inden*[1].

Chlor-acetylchlorid reagiert mit Äthylen mit Aluminiumchlorid als Kata-lysator und Dichlormethan als Verdünnungsmittel bei −5° mit einer Ausbeute von 83% d.Th. zu *1,4-Dichlor-2-oxo-butan*[2]. Umsetzungen der gleichen Reaktionspartner ohne Verdünnungsmittel[3] oder in siedendem Petroläther[4] ergeben geringere Aus-beuten. Auch Umsetzungen von Brom-acetylchlorid, Chlor-acetylbromid oder Brom-acetylbromid mit Äthylen werden beschrieben[3], man erhält *4-Chlor-1-brom-2-oxo-, 1-Chlor-4-brom-2-oxo- bzw. 1,4-Dibrom-2-oxo-butan*. Aus Trichlor-acetylchlorid/ Aluminiumchlorid und Trichlor-äthylen entsteht mit geringer Ausbeute *Hepta-chlor-2-oxo-butan*[3].

Propansäure-chlorid ergibt mit Äthylen in Gegenwart von Aluminium-chlorid *1-Chlor-3-oxo-pentan* oder nach Destillation *3-Oxo-penten-(1)*. Die Umsetzung wird am vorteilhaftesten in Chloroform bei 0–5° vorgenommen[5–7]. Als Katalysator für die Umsetzung von Propansäure-chlorid mit 2-Methyl-propen wird Zinn(IV)-chlorid verwendet; nach dem Erhitzen des primären Reaktionsproduktes mit N,N-Dimethylanilin isoliert man *4-Oxo-2-methyl-hexen-(2)*[8]. Analog erhält man mit 2-Methyl-buten-(2) bzw. 2-Methyl-hexen-(2) *4-Oxo-2,3-dimethyl-hexen-(2)* bzw. *4-Oxo-2-methyl-3-propyl-hexen-(2)*[8]. Auch Umsetzungen von Propansäure-chlorid mit cyclischen Olefinen werden beschrieben z. B.:

[1] F. H. HOWELL u. D. A. H. TAYLOR, Soc. **1957**, 3011.

[2] G. BADDELEY, H. T. TAYLOR u. W. PICKLES, Soc. **1953**, 124.

[3] J. R. CATCH et al., Soc. **1948**, 278.

[4] R. H. CAROLL u. B. G. L. SMITH, Am. Soc. **55**, 370 (1933).

[5] DRP 503203 (1926), Schering-Kahlbaum AG, Erf.: W. SCHOELLER u. C. ZÖLLNER; Frdl. **17**, 2596.

[6] J. KENNER u. F. S. STATHAM, B. **69**, 16 (1936).

[7] E. M. McMAHON et al., Am. Soc. **70**, 2971 (1948).

[8] J. COLONGE u. K. MOSTAFAVI, Bl. [5] **6**, 335 (1939).

Cyclopenten	→	1-Propanoyl-cyclopenten-(1)[1]	50% d.Th.
Cyclohexen	→	1-Propanoyl-cyclohexen-(1)[2,3]	40% d.Th.
1-Methyl-cyclohexen-(1)	→	2-Methyl-1-propanoyl-cyclohexen-(1)[3] + 3-Methyl-2-propanoyl-cyclohexen-(1)	60% d.Th.
1-Benzyl-cyclohexen-(1)	→	2-Benzyl-1-propanoyl-cyclohexen-(1)[4,5]	43% d.Th.
4-Methyl-1-isopropyl-cyclohexen-(1)	→	4-Methyl-1-isopropyl-2-propanoyl-cyclohexen-(1)[3]	36% d.Th.
1-Methyl-4-isopropyl-cyclohexen-(1)	→	1-Methyl-4-isopropyl-1-propanoyl-cyclohexen-(1)[3]	40% d.Th.
Cyclohepten	→	1-Propanoyl-cyclohepten-(1)[6]	58%d.Th.

Cyclooctatetraen reagiert mit Propansäure-chlorid/Aluminiumchlorid in Nitrobenzol analog wie mit Acetylchlorid, man isoliert 2-Äthyl-zimtaldehyd als Reaktionsprodukt[7].

2-Chlor-propansäure-chlorid[8,9] oder -bromid[9] addieren Äthylen in Gegenwart von Aluminiumchlorid in Dichlormethan zu *1,4-Dichlor-3-oxo-* bzw. *4-Chlor-1-brom-3-oxo-pentan*. Unter ähnlichen Bedingungen erhält man aus 3-Chlorpropansäure-chlorid und Äthylen *1,5-Dichlor-3-oxo-pentan*[8–10].

1,5-Dichlor-3-oxo-pentan[11]: Zu einer mit Eiswasser gekühlten, gerührten Suspension von 735 g (5,51 Mol) gepulvertem, wasserfreiem Aluminiumchlorid in 550 *ml* Dichlormethan fügt man langsam 500 g (3,94 Mol) 3-Chlor-propansäure-chlorid. In die Reaktionsmischung wird trockenes Äthylen eingeleitet; dabei läßt man die Temp. der Reaktionsmischung bis auf 20° ansteigen. Nach 3 Stdn. zeigt die infrarotspektroskopische Analyse das Ende der Reaktion an. Man gibt die Reaktionsmischung derart zu einer mit Eis-Natriumchlorid gekühlten Mischung aus 500 *ml* Dichlormethan, Salzsäure und Eis (wäßrige Phase 2 *l*, ~ 1 n in Bezug auf Salzsäure), daß die Temp. nicht über 20° steigt. Die organische Phase wird abgetrennt, über Magnesiumsulfat getrocknet und das Lösungsmittel i. Vak. entfernt; Rohausbeute: 578 g (95% d.Th.) dunkelbraunes Öl.

Durch Destillation von 50 g Rohprodukt erhält man unter Chlorwasserstoff-Entwicklung eine hellgelbe Flüssigkeit, die aus 1,3-Dichlor-3-oxo-pentan besteht, das mit einer flüchtigeren Verbindung verunreinigt ist; Ausbeute: 37,5 g (75% d.Th.); $Kp_{0,2}$: 65–70,5° Redestillation ergibt anscheinend reines 1,5-Dichlor-3-oxo-pentan.

Das Rohprodukt kann durch Erhitzen mit Mononatriumphosphat in einem 1,4-Dioxan/Wasser-Gemisch mit 45%iger Ausbeute in *4-Oxo-tetrahydropyran* überführt werden[11].

Analog erhält man mit 3-Chlor-propansäure-chlorid/Aluminiumchlorid aus

Propen	→	1,5-Dichlor-3-oxo-2-methyl-pentan	→	3-Oxo-2-methyl-pentadien-(1,5)[12]
Cyclopenten	→	3-Chlor-1-oxo-1-(2-chlor-cyclopentyl)-propan	→	1-Acryloyl-cyclopenten-(1)[1]
Cyclohexen	→	3-Chlor-1-oxo-1-(2-chlor-cyclohexyl)-propan	→	1-Acryloyl-cyclohexen-(1)[9]
Cyclohepten	→	3-Chlor-1-oxo-1-(2-chlor-cycloheptyl)-propan	→	1-Acryloyl-cyclohepten-(1)[9]

[1] N. Jones u. H. T. Taylor, Soc. **1959**, 4017.
[2] D. Nightingale, E. C. Milberger u. A. Tomisek, J. Org. Chem. **13**, 357 (1948).
[3] J. Colonge u. E. Duroux, Bl. [5] **7**, 459 (1940).
[4] J. Cologne u. L. Bonnard, Bl. **1958**, 742.
[5] J. Colonge u. L. Bonnard, C. r. **240**, 2540 (1955).
[6] J. K. Groves u. N. Jones, Soc. [C] **1969**, 1718 (2350).
[7] A. C. Cope, T. A. Liss u. D. S. Smith, Am. Soc. **79**, 240 (1957).
[8] J. R. Catch et al., Soc. **1948**, 278.
[9] G. Baddeley, H. T. Taylor u. W. Pickles, Soc. **1953**, 124.
[10] K. Bowden u. N. P. Green, Soc. **1952**, 1164.
[11] G. R. Owen u. C. B. Reese, Soc. **1970**, 2401.
[12] N. Jones u. H. T. Taylor, Soc. **1961**, 1345.

3-Brom-propansäure-chlorid ergibt mit Buten-(1) in Gegenwart von Zinn(IV)-chlorid *5-Chlor-1-brom-3-oxo-heptan* und mit Cyclohexen *3-Brom-1-oxo-1-(2-chlor-cyclohexyl)-propan*[1].

Butansäure-chlorid reagiert mit Äthylen in Chloroform bei −10° in Gegenwart von Aluminiumchlorid zu *1-Chlor-3-oxo-hexan*[2]. Für die Umsetzung des gleichen Carbonsäure-chlorids mit 1-Methyl-cyclopenten-(1) benutzt man Zinn(IV)-chlorid als Katalysator und Schwefelkohlenstoff als Lösungsmittel.

2-Methyl-1-butanoyl-cyclopenten-(1)[3]: Zu einer Lösung von 80 g (0,308 Mol) Zinn(IV)-chlorid in 200 *ml* trockenem Schwefelkohlenstoff tropft man bei −10° bis −15° langsam unter starkem Rühren eine Mischung aus 25 g (0,305 Mol) 1-Methyl-cyclopenten-(1) und 28 g (0,263 Mol) Butansäure-chlorid. Nach beendeter Zugabe wird noch 3 Stdn. bei 0° weitergerührt. Nun gießt man den Kolbeninhalt, welcher sich in 2 Phasen getrennt hat, auf Eis. Unter dauerndem Rühren setzt man vorsichtig 200 *ml* 15%ige Salzsäure zu und trennt die schwarzrote Schwefelkohlenstoff-Schicht im Scheidetrichter ab. Die wäßrige Phase wird nochmals mit etwas Schwefelkohlenstoff durchgeschüttelt, dann folgt die übliche Aufarbeitung. Das resultierende Chlor-keton wird mit 60 g N,N-Dimethyl-anilin 3 Stdn. auf 180° erhitzt. Den erkalteten Kolbeninhalt versetzt man mit 300 *ml* Äther und gießt dieses Gemisch portionsweise in einen geräumigen Scheidetrichter, welcher 500 *ml* 10%ige Salzsäure enthält. Die Äther-Schicht wird nochmals mit 200 *ml* 10%iger Salzsäure und anschließend 2 mal mit wenig Wasser gewaschen. Zwischen 99° und 108° geht eine farblose Flüssigkeit über, die über eine Kolonne fraktioniert wird; Ausbeute: 21,8 g (54% d.Th.), färbt sich beim Stehen am Licht gelb.

Die Umsetzung von Butansäure-chlorid mit Cyclohexen zu *1-Butanoyl-cyclohexen-(1)* über *2-Chlor-1-butanoyl-cyclohexan* wird durch Zinn(IV)-chlorid[4-6] oder Aluminiumchlorid[7] katalysiert; analog erhält man mit

1-Methyl-cyclohexen-(1)	→	*2-Chlor-2-methyl-1-butanoyl-cyclohexan*[8]
1,3-Dimethyl-cyclohexen-(1)	→	*1-Chlor-1,3-dimethyl-2-butanoyl-cyclohexan*[8]
1-Benzyl-cyclohexen-(1)	→	*2-Chlor-2-benzyl-1-butanoyl-cyclohexan*[9]

3-Chlor-butansäure-chlorid ergibt bei der Umsetzung mit Buten-(1) und mit Zinn(IV)-chlorid als Katalysator *3,7-Dichlor-5-oxo-octan*[1].

Die Umsetzungen weiterer Carbonsäure-chloride einschließlich längerkettiger aliphatischer Carbonsäure-chloride sind in Tab. 77 (S. 438) zusammengestellt.

Einige Chloride cycloaliphatischer Carbonsäuren wie Cyclopentan-carbonsäure-chlorid oder Cyclohexan-carbonsäure-chlorid ergeben bei der Umsetzung mit Cyclopenten in Cyclohexan in Gegenwart von überschüssigem Aluminiumchlorid zunächst bei −15°, dann bei 70°, die gesättigten Ketone *Dicyclopentyl-keton* bzw. *Cyclopentyl-cyclohexyl-keton*[10]. Die aus Cyclohexyl-acetylchlorid oder 3-Cyclohexylpropansäure-chlorid und Aluminiumchlorid in Dichlormethan hergestellten Komplexe ergeben mit Cyclopenten, Cyclohexen oder Cylohepten bei + 10° die

---

[1] G. TRAVERSO, Ann. Chimica **45**, 657 (1955).

[2] US.P. 2763662 (1956), Sterling Drug Inc., Erf.: S. ARCHER; C. A. **51**, 4439 (1957).

[3] E. BUCHTA u. H. WEIDINGER, A. **597**, 127 (1955).

[4] D. NIGHTINGALE, E. C. MILBERGER u. A. TOMISEK, J. Org. Chem. **13**, 357 (1948).

[5] J. COLONGE u. E. DUROUX, Bl. [5] **7**, 459 (1940).

[6] G. DARZENS u. H. ROST, C. r. **151**, 758 (1910).

[7] J. GRUMMIT u. Z. MANDEL, Am. Soc. **78**, 1054 (1956).

[8] L. RUZICKA, D. R. KOOLHAAS u. A. H. WIND, Helv. **14**, 1151 (1931).

[9] J. COLONGE u. L. BONNARD, Bl. **1958**, 742.

[10] C. D. NENITZESCU u. E. CIORĂNESCU, B. **69**, 1820 (1936).

Tab. 77. Ketone aus Carbonsäure-chloriden und Olefinen

Carbonsäure-chlorid	Olefin	Reaktionsprodukt	Kp [°C]	[Torr]	Ausbeute [% d.Th.]	Literatur
2-Methyl-propansäure-chlorid	2-Methyl-buten-(2)	*4-Oxo-2,3,5-trimethyl-hexen-(2)*	167–174	755	40	1
	2,3-Dimethyl-buten-(2)	*4-Oxo-2,3,3,5-Tetra-methyl-hexen-(1)*	165–170		9,3	2
	Cyclohexen	*1-(2-Methyl-propanoyl)-cyclohexen-(1)*	96	9	30	3,4
	1-Benzyl-cyclo-hexen-(1)	*2-Benzyl-1-(2-methyl-propanoyl)-cyclohexen-(1)*	121	1	45	5,6
Pentansäure-chlorid	Äthylen	*3-Oxo-hepten-(1)*	38–43	9		7
	Cyclohexen	*1-Pentanoyl-cyclo-hexen-(1)*	133–137	27	59	3
3-Chlor-pentan-säure-chlorid	Buten-(1)	*3,7-Dichlor-5-oxo-nonan*	80–85	15		8
3-Methyl-butan-säure-chlorid	Acetoxy-äthylen	*4,6-Dioxo-2,8-dimethyl-nonan*	103–103,5	13	6	9
	Cyclohexen	*1-(3-Methyl-butanoyl)-cyclohexen-(1)*	128–130	7		10
2,2-Dimethyl-propansäure-chlorid	2-Methyl-propen-(1)	*4-Oxo-2,5,5-trimethyl-hexen-(2)*	58	15	20	11
	Cyclopenten	*1-(2,2-Dimethyl-pro-panoyl)-cyclopenten-(1)*	63–68	7	31	12
	1-Benzyl-cyclo-hexen-(1)	*2-Benzyl-1-(2,2-dime-thyl-propanoyl)-cyclohexen-(1)*	128	1	44	5,6
Hexansäure-chlorid	Äthylen	*3-Oxo-octen-(1)*	57–62	13	12	7
	2-Chlor-äthylen	*1-Chlor-3-oxo-octen-(1)*	76–77	7	59,9	13
	2-Methyl-propan-(1)	*4-Oxo-2-methyl-nonen-(2)*	205–207		62,6	14

1 J. COLONGE u. K. MOSTAFAVI, Bl. [5] 6, 335 (1939).
2 A.P. MESHCHERYAKOV, L.V. PETROVA u. A. D. PETROV, Izv. Akad. SSSR 1960, 98; engl.: 88.
3 D. NIGHTINGALE, E. C. MILBERGER u. A. TOMISEK, J. Org. Chem. 13, 357 (1948).
4 J. COLONGE u. E. DUROUX, Bl. [5] 7, 459 (1940).
5 J. COLONGE u. L. BONNARD, Bl. 1958, 742.
6 J. COLONGE u. L. BONNARD, C. r. 240, 2540 (1955).
7 US.P. 2763662 (1956), Sterling Drug Inc., Erf.: S. ARCHER; C. A. 51, 4439 (1957).
8 G. TRAVERSO, Ann. Chimica 45, 657 (1955).
9 A. SIEGLITZ u. O. HORN, B. 84, 607 (1951).
10 G. DARZENS u. H. ROST, C. r. 151, 758 (1910).
11 M. E. GRUNDY, W.-H. HSÜ u. E. ROTHSTEIN, Soc. 1952, 4136.
12 L. H. KLEMM u. T. LARGMANN, Am. Soc. 74, 4458 (1952).
13 US.P. 2690439 (1954), United States Rubber Co., Erf.: H. R. CHIPMAN u. T. H. EVANS; C. A. 49, 11726 (1955).
    V. T. KLIMKO, V. A. MIKHALEV u. A. P. SKOLDINOV, Ž. obšč. Chim. 27, 370 (1957); engl.: 415.
14 A.P. MESHCHERYAKOV, L. V. PETROVA u. Y. P. EGOROV, Ž. obšč. Chim. 28, 2588 (1958); engl.: 2621.

Tab. 77. (Fortsetzung)

Carbonsäure-chlorid	Olefin	Reaktionsprodukt	Kp [°C]	Kp [Torr]	Ausbeute [% d.Th.]	Literatur
Hexansäure-chlorid	Cyclohexen	*1-Hexanoyl-cyclo-hexen-(1)*	121–123	8	44	1
2-Äthyl-butan-säure-chlorid	2-Methyl-buten-(2)	*4-Oxo-2,3-dimethyl-5-äthyl-hepten-(2)*			52	2
Heptansäure-chlorid	Cyclohexen	*1-Heptanoyl-cyclo-hexen-(1)*	140–141	5		3
Octansäure-chlorid	2-Methyl-propen	*4-Oxo-2-methyl-unde-cen-(2)*	230–235		55	4
Nonansäure-chlorid	Äthylen	*3-Oxo-undecen-(1)*	75–80	0,5		5
Dodecansäure-chlorid	Äthylen	*3-Oxo-tetradecen-(1)*	92–94	0,5		5
	Cyclohexen	*1-Dodecanoyl-cyclo-hexen-(1)*	209–211	6		3
	Acetoxy-äthylen	*12,14-Dioxo-pentacosan*	(F: 50°)		20	6
Tetradecansäure-chlorid	Äthylen	*3-Oxo-hexadecen-(1)*	108–110 (F: 26°)	0,5		5
Octadecansäure-chlorid	Äthylen	*1-Chlor-3-oxo-eicosan*	(F: 52°)			5
Docosansäure-chlorid	Äthylen	*1-Chlor-3-oxo-tetra-cosan*	(F: 61°)			5

entsprechenden Chlorketone [*1-Oxo-1-(2-chlor-cyclopentyl)-2-cyclohexyl-äthan, 1-Oxo-2-cyclohexyl-1-(2-chlor-cyclohexyl)-äthan* bzw. *1-Oxo-2-cyclohexyl-1-(2-chlor-cycloheptyl)-äthan* sowie *1-Oxo-1-(2-chlor-cyclopentyl)-3-cyclohexyl-propan, 1-Oxo-3-cyclohexyl-1-(2-chlor-cyclohexyl)-propan* bzw. *1-Oxo-3-cyclohexyl-1-(2-chlor-cycloheptyl)-propan*] aus denen nach Destillation über Natriumcarbonat mit Ausbeuten zwischen 43% und 57% d.Th. die entsprechenden ungesättigten Ketone [*1-Oxo-1-cyclopentenyl-2-cyclohexyl-äthan*, 1-*Oxo-2-cyclohexyl-1-cyclohexenyl-* (bzw. *1-cycloheptenyl)-äthan* sowie *1-Oxo-1-cyclopentenyl-3-cyclohexyl-propan, 1-Oxo-3-cyclohexyl-1-cyclohexenyl-* (bzw. *1-cyclohep-tenyl)-propan*] erhalten werden[7]. Unter analogen Bedingungen erhält man aus 4-Cyclohexyl-butansäure-chlorid trotz Anwesenheit von Cyclopenten, Cyclohexen oder Cyclohepten mit Ausbeuten von 15% d. Th. *1-Oxo-dekalin*[7].

[1] D. NIGHTINGALE, E. C. MILBERGER u. A. TOMISEK, J. Org. Chem. **13**, 357 (1948).

[2] J. COLONGE u. K. MOSTAFAVI, Bl. [5] **6**, 335 (1939).

[3] G. DARZENS u. H. ROST, C. r. **151**, 758 (1910).

[4] A.P. MESHCHERYAKOV, L. V. PETROVA u. Y. P. EGOROV, Ž, obšč. Chim. **28**, 2588 (1958); engl.: 2621.

[5] H. P. KAUFMANN u. W. STAMM, B. **91**, 2121 (1958).

[6] A. SIEGLITZ u. O. HORN, B. **84**, 607 (1951).

[7] N. JONES, E. J. RUDD u. H. T. TAYLOR, Soc. **1963**, 2354.

Für die Reaktion von 3-Oxo-5-methyl-1-chlorcarbonyl-bicyclo[3.3.1]no-
nan mit 2-Methyl-propen-(1) – man arbeitet in Dichlormethan bei −10° – wird Zinn-
(IV)-chlorid als Katalysator verwendet:

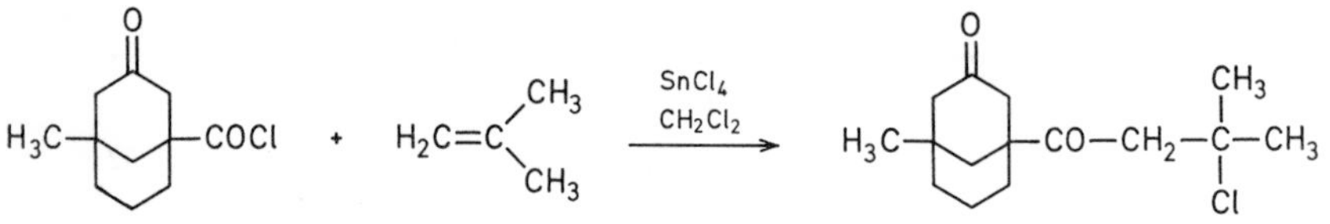

*3-Oxo-5-methyl-1-(3-chlor-3-methyl-
butanoyl)-bicyclo[3.3.1]nonan*

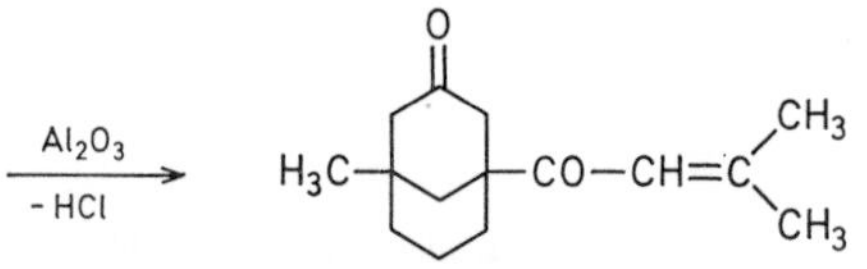

*3-Oxo-5-methyl-1-[3-methyl-buten-
(2)-oyl]-bicyclo[3.3.1]nonan*

Beim Filtrieren der Lösung des Chlorketons über Aluminiumoxid erfolgt Chlorwasserstoff-Abspaltung zum ungesättigten Keton[1].

Durch Umsetzung von olefinischen Carbonsäure-chloriden mit Olefinen und
Abspaltung von Chlorwasserstoff aus den primären Reaktionsprodukten gelingt die
Herstellung von Derivaten des Divinyl-ketons (Divinyl-keton selbst ist so nicht
herstellbar). Als Katalysatoren benutzt man Aluminiumchlorid oder Zinn(IV)-
chlorid und als Verdünnungsmittel Dichlormethan. Auf diese Weise erhält man aus
Buten-(2)-säure-chlorid, Aluminiumchlorid und Äthylen nach Destillation des
primären Reaktionsproduktes *3-Oxo-hexadien-(1,4)* (52% d.Th.) und aus Propen *4-
Oxo-heptadien-(2,5)*[2]. Für die Umsetzung des gleichen Carbonsäure-chlorids mit Bu-
ten-(1) zu *6-Chlor-4-oxo-octen-(2)* verwendet man Zinn(IV)-chlorid als Katalysator[3].
Das aus Cyclohexen und Buten-(2)-säure-chlorid/Aluminiumchlorid in Dichlormethan
bei −5° erhaltene Keton [*1-Oxo-1-cyclohexen-(1)-yl-buten-(2)*] kann mit Phosphor(V)-
oxid zu *9-Oxo-7-methyl-bicyclo[4.3.0]nonen-(1⁶)* cyclisiert werden[4]:

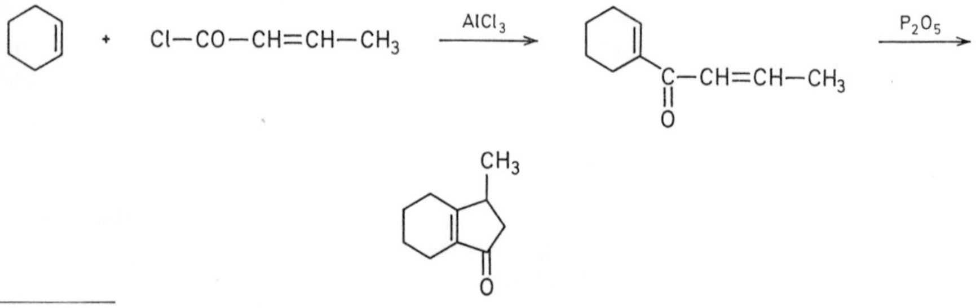

[1] D. H. MURRAY, W. Parker u. R. A. RAPHAEL, Tetrahedron **16**, 74 (1961).
[2] Brit.P. 459537 (1937), I. G. Farb.; C. A. **31**, 3940 (1937).
[3] G. TRAVERSO, Ann. Chimica **45**, 657 (1955).
[4] G. BADDELEY, H. T. TAYLOR u. W. PICKLES, Soc. **1953**, 124.

Aus Penten-(2)-säure-chlorid/Zinn(IV)-chlorid und Buten-(1) wird bei −20° *7-Chlor-5-oxo-nonen-(3)* erhalten[1]. Für die im folgenden aufgezählten Umsetzungen[2] genügt ein Unterschuß an Zinn(IV)-chlorid:

3-Methyl-buten-(2)-säure-chlorid	+ 2-Methyl-propen	→ *6-Chlor-4-oxo-2,6-dimethyl-hepten-(2)*
	+ 2-Methyl-buten-(2)	→ *6-Chlor-4-oxo-2,5,6-trimethyl-hepten-(2)*
	+ 2,3-Dimethyl-buten-(2)	→ *6-Chlor-4-oxo-2,5,5,6-tetramethyl-hepten-(2)*
2-Methyl-buten-(2)-säure-chlorid	+ 2-Methyl-buten-(2)	→ *6-Chlor-4-oxo-3,5,6-trimethyl-hepten-(2)*
2 3-Dimethyl-buten-(2)-säure-chlorid	+ 2-Methyl-propen	→ *6-Chlor-4-oxo-2,3,6-trimethyl-hepten-(2)*
	+ 2-Methyl-buten-(2)	→ *6-Chlor-4-oxo-2,3,5,6-tetramethyl-hepten-(2)*

Wie erwartet reagieren auch olefinische Carbonsäure-chloride, bei denen die C=C-Doppelbindung durch ein oder mehrere Kohlenstoffatome von dem Carbonsäure-chlorid-Rest getrennt ist, mit Olefinen. Als Katalysator für Umsetzungen von 2,2-Dimethyl-buten-(3)-säure-chlorid, 2,2,3-Trimethyl-buten-(3)-säure-chlorid oder von 2,2,3-Trimethyl-penten-(3)-säure-chlorid mit 2-Methyl-propen zu *6-Chlor-4-oxo-3,3,6-trimethyl-hepten-(1)*, *6-Chlor-4-oxo-2,3,3,6-tetramethyl-hepten-(1)* bzw. *7-Chlor-5-oxo-3,4,4,7-tetramethyl-octen-(2)* verwendet man ebenfalls nur katalytische Mengen Zinn-(IV)-chlorid[2], analog bringt man auch Penten-(4)-säure-chlorid oder Undecen-(10)-säure-chlorid mit 2-Methyl-buten-(2) zur Reaktion, man erhält *7-Chlor-5-oxo-6,7-dimethyl-octen-(1)* bzw. *13-Chlor-11-oxo-12,13-dimethyl-tetradecen-(1)*.

3-[2-Methyl-hexen-(1)-yl]-propansäure-chlorid wird durch überschüssiges Aluminiumchlorid bei −10° in Cyclohexan intramolekular cyclisiert, nach längerem Erhitzen der Reaktionsmischung auf 40° isoliert man *9-Oxo-1-methyl-bicyclo[4.3.0]nonan*[3].

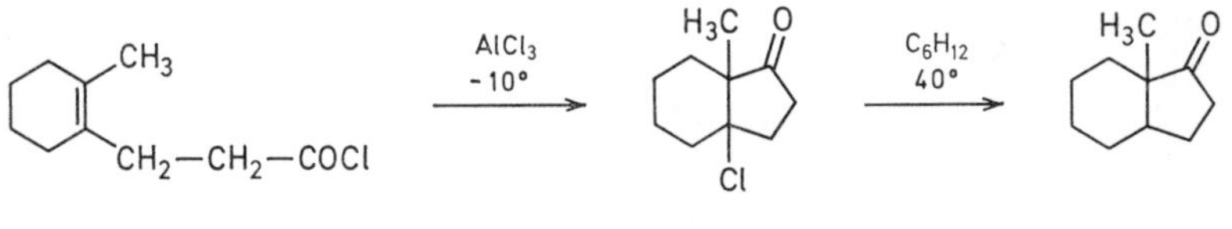

Aus dem aus Cyclohexen-(1)-1-carbonsäure-chlorid und Aluminiumchlorid in Dichlormethan gebildeten Komplex und Cyclohexen entsteht bei −10° ein Chlor-keton {(2-Chlor-cyclohexyl)-[cyclohexen-(1)-yl]-keton}, das durch Erhitzen mit Ameisensäure/Phosphorsäure auf 90° zu *9-Oxo-1,2,3,4,4a,5,6,7,8,8b-decahydro-fluoren {8-Oxo-tricyclo[7.4.0.0²,⁷]tridecen-(1⁹)}* cyclisiert werden kann[4]:

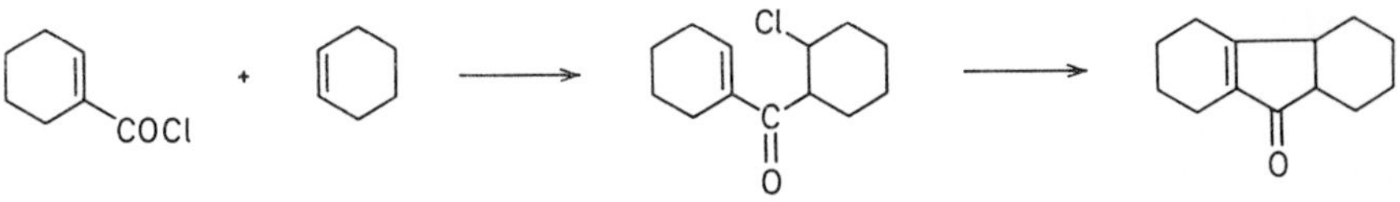

[1] G. Traverso, Ann. Chimica **45**, 657 (1955).
[2] J. Colonge u. P. Dumont, Bl. [5] **14**, 38 (1947).
[3] C. D. Nenitzescu u. V. Przemetzky, B. **74**, 676 (1941).
[4] G. Baddeley, H. T. Taylor u. W. Pickles, Soc. **1953**, 124.

Phenyl-acetylchlorid ergibt bei der Umsetzung mit Äthylen in Schwefel-kohlenstoff in Gegenwart von überschüssigem Aluminiumchlorid *2-Oxo-tetralin*, Acy-lierung und intramolekulare Alkylierung erfolgen also gleichzeitig:

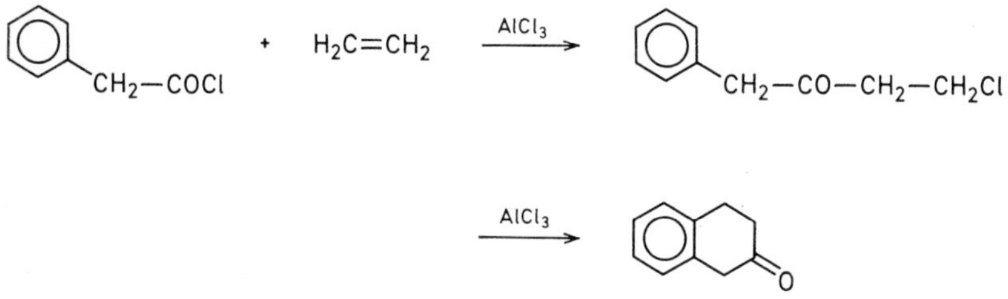

2-Oxo-tetralin[1]: Zu einer Lösung von 16 g (0,104 Mol) Phenyl-acetylchlorid in 300 *ml* Schwefel-kohlenstoff gibt man unter gutem Rühren und Kühlen mit einem Eisbad eine Suspension von 26,6 g (0,2 Mol) Aluminiumchlorid in 400 *ml* Schwefelkohlenstoff. Dann leitet man 4 Stdn. lang in die gerührte Lösung Äthylen ein. Gutes Rühren ist notwendig, jedoch manchmal recht schwierig. Die dunkelrote Mischung wird auf Eis und konz. Salzsäure ausgetragen. Organisches Material wird mit Äther extrahiert, der Extrakt mit verd. Natronlauge und mit Wasser gewaschen. Man destilliert das Lösungsmittel ab, der dunkle Rückstand wird destilliert; Ausbeute: 11,4 g (75% d.Th.); Kp_{19}: 140–143°.

Unter analogen Bedingungen erhält man aus 4-Methoxy-phenyl-acetyl-chlorid und Äthylen *6-Methoxy-2-oxo-tetralin* (56% d.Th.)[1,2].

In Gegenwart von katalytischen Mengen Zinn(IV)-chlorid reagiert Phenyl-acetyl-chlorid mit 2-Methyl-propen oder 2-Methyl-buten-(2) zu ungesättigten Ketonen [*4-Oxo-2-methyl-5-phenyl-penten-(2)* bzw. *4-Oxo-2,3-dimethyl-5-phenyl-pen-ten-(2)*][3]. Mit Cyclohexen erhält man entweder mit Aluminiumchlorid in Nitrobenzol[4] oder mit Zinn(IV)-chlorid in Schwefelkohlenstoff *2-Chlor-1-(phenyl-acetyl)-cyclo-hexan*, aus dem durch Chlorwasserstoff-Abspaltung durch Erhitzen mit N,N-Di-methyl-anilin[5] oder 2,4,6-Trimethyl-pyridin[6] *1-(Phenyl-acetyl)-cyclohexen-(1)* er-halten wird. Aluminiumchlorid in Nitrobenzol wird auch für die Herstellung von *2-Methyl-1-(phenyl-acetyl)-cyclohexen-(1)* aus 1-Methyl-cyclohexen-(1) und Phe-nyl-acetylchlorid oder von *2-Oxo-2-cyclohexen-(1)-yl-1-(4-methoxy-phenyl)-äthan* aus (4-Methoxy-phenyl)-acetylchlorid und Cyclohexen verwendet[4]. Um 3-Phenyl-pro-pansäure-chlorid mit 2-Methyl-propen oder 2-Methyl-buten-(2) zu *4-Oxo-2-methyl-6-phenyl-hexen-(2)* bzw. *4-Oxo-2,3-dimethyl-6-phenyl-hexen-(2)* umzusetzen, ge-nügen katalytische Mengen Zinn(IV)-chlorid[7]. Analog wird auch 3-(4-Methyl-phenyl)-butansäure-chlorid mit 2-Methyl-propen zur Reaktion gebracht, man erhält *4-Oxo-2-methyl-6-(4-methyl-phenyl)-hepten-(2)*[7]. Naphthyl-(1)-acetylchlorid ergibt mit 1-Me-thyl-cyclopenten-(1) in Gegenwart von Zinn(IV)-chlorid *2-Oxo-2-(2-chlor-cyclopentyl)-1-naphthyl-(1)-äthan*, aus dem durch Chlorwasserstoff-Abspaltung mit N,N-Dimethyl-anilin *2-Oxo-2-cyclopenten-(1)-yl-1-naphthyl-(1)äthan* erhalten wird[5].

---

[1] J. H. BURCKHALTER u. J. R. CAMPBELL, J. Org. Chem. **26**, 4234 (1961).

[2] Org. Synth. **51**, S. 109 (1971).

[3] J. COLONGE u. J. CHAMBION, Bl. [5] **14**, 1002 (1947).

[4] C. D. NENITZESCU, E. CIORĂNESCU u. M. MAICAN, B. **74**, 687 (1941).

[5] J. W. COOK u. C. L. HEWETT, Soc. **1933**, 1098.

[6] C. D. GUTSCHE u. W. S. JOHNSON, Am. Soc. **68**, 2239 (1946).

    W. S. JOHNSON u. R. D. OFFENHAUER, Am. Soc. **67**, 1045 (1945).

[7] J. COLONGE u. J. CHAMBION, Bl. [5] **14**, 1006 (1947).

Auch die Acylierung von Cyclohexen mit Zimtsäure-chlorid/Aluminiumchlorid verläuft wie erwartet. Nach Destillation des primären Reaktionsproduktes über Natriumcarbonat isoliert man *3-Oxo-3-cyclohexen-(1)-yl-1-phenyl-propen-(1)*[1].

Bei der Umsetzung des aus Benzoylchlorid und Aluminiumchlorid gebildeten Komplexes mit Äthylen entstehen je nach den angewendeten Reaktionsbedingungen unterschiedliche Reaktionsprodukte. So erhält man in Schwefelkohlenstoff mit etwa äquivalenten Mengen Äthylen nach Wasserdampfdestillation des Reaktionsproduktes *3-Oxo-3-phenyl-propen-(1)* (25% d. Th.)[2].

3-Oxo-3-phenyl-propen-(1) (Acryloyl-benzol)[3]: Eine Mischung aus 0,22 Mol Benzoylchlorid und 0,22 Mol Aluminiumchlorid wird gelinde erwärmt, um den Komplex herzustellen. Dieser wird in 1,1,2,2-Tetrachlor-äthan gelöst, dann leitet man bei 2–5° unter lebhaftem Rühren während 30 Stdn. Äthylen ein. Die erhaltene viskose rotbraune Lösung wird vorsichtig in eine Mischung von Eis und verd. Salzsäure gerührt. Die Mischung wird mit Äther extrahiert, der Extrakt wird i. Vak. eingeengt. Dann destilliert man den Rückstand i. Vak. und fängt eine Fraktion vom Kp$_{18}$: 115–117° auf. Das Destillat enthält kleine Mengen *3-Chlor-1-oxo-1-phenyl-propan* und unumgesetztes Benzoylchlorid. Um diese Verunreinigungen zu entfernen, wird das Destillat mit wäßriger Natronlauge gewaschen und redestilliert; Ausbeute: 70% d. Th.; Kp$_3$: 72–73°.

Wenn man für die gleiche Umsetzung Äthylbromid als Lösungsmittel verwendet und eine Destillation vermeidet, kann man 90% d. Th. *3-Chlor-1-oxo-1-phenyl-propan* isolieren[4]. Bei der Umsetzung von Benzoylchlorid mit 2-Methyl-propen in Gegenwart von katalytischen Mengen Zinn(IV)-chlorid unter Kühlung isoliert man nach Erhitzen des primär erhaltenen *3-Chlor-3-methyl-1-oxo-1-phenyl-butans* mit N,N-Dimethyl-anilin eine Mischung von *3-Oxo-1,1-dimethyl-indan* und *1-Oxo-3-methyl-1-phenyl-buten-(2)*[5]. Bei der analog durchgeführten Benzoylierung von 2-Methyl-buten-(2) entsteht dagegen kein Indanon, sondern mit einer Ausbeute bis zu 47% d. Th. *1-Oxo-2,3-dimethyl-1-phenyl-buten-(2)*[5,6].

Wie Acetylchlorid reagiert auch Benzoylchlorid in Gegenwart von Aluminiumchlorid mit Hexen-(1) in Benzol in einer Dreikomponenten-Reaktion; man erhält in diesem Falle *1-Oxo-1,6-diphenyl-heptan* (74% d. Th.)[7].

Als Verdünnungsmittel für die Benzoylierung von Cyclopenten benutzt man Schwefelkohlenstoff[8] oder Dichlormethan[9] und Aluminiumchlorid als Katalysator. Die Chlorwasserstoff-Abspaltung aus dem primär gebildeten *2-Chlor-1-benzoyl-cyclopentan* wird durch Erhitzen mit N,N-Diäthyl-anilin[8] oder durch Destillation über Natriumcarbonat[9] besorgt. Die Umsetzung von Benzoylchlorid/Aluminiumchlorid mit Cyclohexen wird in Schwefelkohlenstoff vorgenommen; man isoliert *2-Chlor-1-benzoyl-cyclohexan*[10], aus dem durch Chlorwasserstoff-Abspaltung durch Erhitzen mit äthanolischer Natronlauge *1-Benzoyl-cyclohexen-(1)* entsteht[1]. Neben dem ungesättigten Keton isoliert man geringe Mengen *4-Chlor-1-benzoyl-cyclohexan*, das bei einer durch Aluminiumchlorid katalysierten Umlagerung des

[1] R. E. Christ u. R. C. Fuson, Am. Soc. **59**, 893 (1937).
[2] J. F. Norris u. H. R. Couch, Am. Soc. **42**, 2329 (1920).
[3] T. Matsumoto u. K. Hata, Am. Soc. **79**, 5507 (1957).
[4] C. F. H. Allen, H. W. J. Cressman u. A. C. Bell, Canad. J. Res. **8**, 440 (1933).
[5] J. Colonge u. J. Chambion, Bl. [5] **14**, 999 (1947).
[6] J. Colonge u. K. Mostafavi, Bl. [5] **6**, 335 (1939).
[7] A. D. Grebenyuk u. N. T. Zaitseva, Ž. org. Chem. **4**, 302 (1968); engl.: 293
[8] R. C. Fuson, R. Johnson u. W. Cole, Am. Soc. **60**, 1594 (1938).
[9] N. Jones u. H. T. Taylor, Soc. **1959**, 4017.
[10] H. Wieland u. L. Bettag, B. **55**, 2246 (1922).

zuerst entstandenen 2-Chlor-1-benzoyl-cyclohexans erhalten wird[1]. Die Benzoylierung des Cyclohexens gelingt auch mit katalytischen Mengen Zinn(IV)-chlorid[2] unter Kühlung oder mit aus Benzoylchlorid und Silberperchlorat erhaltenem Benzoylperchlorat in Toluol[3]. 2,3-Dimethyl-benzoylchlorid ergibt mit Cyclohexen in Schwefelkohlenstoff mit Aluminiumchlorid als Katalysator nach Abspaltung von Chlorwasserstoff mit äthanolischer Kalilauge *1-(2,3-Dimethyl-benzoyl)-cyclohexen-(1)* (55% d. Th.)[4]. Zur Benzoylierung von 1-Benzyl-cyclohexen zu *2-Benzyl-1-benzoyl-cyclohexen-(1)* verwendet man katalytische Mengen Zinn(IV)-chlorid und N,N-Dimethyl-anilin zur Chlorwasserstoff-Abspaltung[5,6]. Auch die Benzoylierung von Cyclohepten[7,8] und Cycloocten[7] zu *1-Benzoyl-cyclohepten-(1)* bzw. *-cycloocten-(1)* werden beschrieben. Mit hohen Ausbeuten können 1,3-Diphenyl-inden oder 1-Methyl-1,3-diphenyl-inden in Benzol mit Benzoylchlorid/Aluminiumchlorid zu *1,3-Diphenyl-2-benzoyl-inden* bzw. *1-Methyl-1,3-diphenyl-2-benzoyl-inden* umgesetzt werden[9]. Analog verläuft auch die Acylierung von 1,3-Diphenyl-inden mit 2-Brom-benzoylchlorid[9] zu *1,3-Diphenyl-2-(2-brom-benzoyl)-inden*.

Auch Versuche zur Acylierung von Cyclopenten mit heterocyclischen Carbonsäure-chloriden, und zwar mit Furan-2-carbonsäure-chlorid/Zinn(IV)-chlorid oder Thiophen-2-carbonsäure-chlorid/Antimon(V)-chlorid, in Schwefelkohlenstoff zu *2-Chlor-1-[furyl-(2)-carbonyl]-cyclopentan* bzw. *2-Chlor-1-[thienyl-(2)-carbonyl]-cyclopentan* werden beschrieben[10].

Dicarbonsäure-chloride können einmal oder zweimal mit Olefinen reagieren. Dementsprechend erhält man Oxo-carbonsäuren oder Diketone oder beide gleichzeitig. Als Katalysator für diese Reaktionen wurde Zinkchlorid verwendet. So isoliert man nach der Umsetzung von Hexandisäure-dichlorid mit 2-Methyl propen bei 0° nach Destillation des primären Reaktionsproduktes und Verseifung der verbliebenen Carbonsäurechlorid-Gruppierung *6-Oxo-8-methyl-nonen-(7)-säure*[11]. Eine Mischung verschiedener isomerer Octene reagiert mit Hexandisäure-dichlorid zu einem Gemisch aus den zugehörigen Dichlor-diketonen und den entsprechenden Chlor-oxo-carbonsäuren[12]. Analog wird die Umsetzung von Decandisäure-dichlorid mit 3-Methyl-hepten-(2) durchgeführt; man erhält *5,18-Dichlor-7,16-dioxo-5,6,17,18-tetramethyl-docosan* neben *12-Chlor-10-oxo-11,12-dimethyl-hexadecansäure*[12].

Aus 2-Methyl-propen und Decandisäure-dichlorid erhält man nach Wasserdampfdestillation des Reaktionsproduktes *4,13-Dioxo-2,15-dimethyl-hexadecadien-(2,14)*[13].

Dicarbonsäure-ester-chloride reagieren mit Olefinen zu Chlor-oxo-carbonsäureestern, durch Chlorwasserstoff-Abspaltung erhält man aus diesen olefinische Oxo-carbonsäureester. Als Katalysator wird Aluminiumchlorid, Zinn(IV)-chlorid

[1] C. L. STEVENS u. F. FARKAS, Am. Soc. **75**, 3306 (1953).
[2] J. COLONGE u. J. CHAMBION, Bl. [5] **14**, 999 (1947).
[3] G. CAUQUIL, H. BARRERA u. R. BARRERA, Bl. [5] **20**, 1111 (1953).
[4] E. D. BERGMANN u. R. IKAN, Am. Soc. **80**, 5803 (1958).
[5] J. COLONGE u. L. BONNARD, Bl. **1958**, 742.
[6] J. COLONGE u. L. BONNARD, C. r. **240**, 2540 (1955).
[7] J. K. GROVES u. N. JONES, Soc. [C] **1969**, 1718, 2350.
[8] D. GINSBURG, Soc. **1954**, 2361.
[9] C. F. KOELSCH, J. Org. Chem. **26**, 4238 (1961).
[10] L. H. KLEMM u. T. LARGMANN, Am. Soc. **74**, 4458 (1952).
[11] A. P. MESHCHERYAKOV u. L. V. PETROVA, Izv. Akad. SSSR **1958**, 106; engl.: 101.
[12] A. P. MESHCHERYAKOV u. L. V. PETROVA, Doklady Akad. SSSR **103**, 253 (1955); C. A. **50**, 5528 (1956).
[13] A. T. BALABAN u. C. D. NENITZESCU, A. **625**, 74 (1959).

oder Zinkchlorid verwendet, man arbeitet meist in einem Verdünnungsmittel bei niedrigen Temperaturen.

Aus Äthylen und dem aus Bernsteinsäure-methylester-chlorid und Aluminiumchlorid in 1,2-Dichlor-äthan gebildeten Komplex erhält man ein Chlor-keton, das nach Destillation über Natriumcarbonat *4-Oxo-hexen-(5)-säure-methylester* (85% d. Th.) ergibt[1]:

$$H_3C-O-CO-CH_2-CH_2-COCl \;+\; H_2C=CH_2 \xrightarrow{AlCl_3}$$

$$H_3C-O-CO-CH_2-CH_2-CO-CH_2 \atop \qquad\qquad\qquad\qquad\qquad\quad CH_2Cl \xrightarrow{-HCl} H_3C-O-CO-CH_2-CH_2-CO-CH=CH_2$$

Die Umsetzung von Bernsteinsäure-methylester-chlorid/Aluminiumchlorid mit Propen bei + 5° in Dichlormethan liefert *4-Oxo-hepten-(5)-säure-methylester*[2]. Aus Hexen-(1) und dem gleichen Carbonsäure-chlorid erhält man mit Zinkchlorid als Katalysator nach Chlorwasserstoff-Abspaltung und Verseifung *4-Oxo-decen-(5)-säure* (45% d. Th.)[3]. Für die Acylierung von Cyclopenten mit Bernsteinsäure-methylester-chlorid in Schwefelkohlenstoff reichen katalytische Mengen an Zinn(IV)-chlorid als Katalysator aus, nach Abspaltung von Chlorwasserstoff aus dem zunächst erhaltenen Chlor-keton isoliert man *4-Oxo-4-cyclopenten-(1)-yl-butansäure-methylester* (29% d. Th.)[4]. Analog kann auch *4-Oxo-4-cyclohexen-(1)-yl-butansäure-methylester* aus Cyclohexen und dem gleichen Carbonsäure-chlorid erhalten werden[4]. Etwas höher liegen die Ausbeuten bei der Acylierung cyclischer Olefine wie Cyclopenten[5], Cyclohexen[6] oder Cyclohepten[6,7] mit dem in Dichlormethan aus Bernsteinsäure-methylester-chlorid und Aluminiumchlorid gebildeten Komplex bei −15°, nach Chlorwasserstoff-Abspaltung aus den zunächst gebildeten Chlor-oxo-carbonsäureestern durch Destillation über Natriumcarbonat werden die entsprechenden ungesättigten Carbonsäureester erhalten [*4-Oxo-4-cyclopenten-(1)-yl-*, *4-Oxo-4-cyclohexen-(1)-yl-* und *4-Oxo-4-cyclohepten-(1)-yl-butansäure-methylester*]. Für die Umsetzung von Cyclohexen[8] [*4-Oxo-4-cyclohexen-(1)-yl-butansäure-methylester*] oder 1-Methyl-cyclohexen-(1)[9] {*4-Oxo-4-[2-methyl-cyclohexen-(1)-yl]-butansäure-methylester*} mit Bernsteinsäure-methylester-chlorid/Aluminiumchlorid wird auch Nitrobenzol als Reaktionsmedium verwendet.

Der aus Glutarsäure-methylester-chlorid und zwei Mol Aluminiumchlorid in Chloroform hergestellte Komplex reagiert bei 40° mit Äthylen zu *7-Chlor-5-oxo-heptansäure-methylester*, aus dem man durch Chlorwasserstoff-Abspaltung mit Triäthylamin mit 75 bis 80% d. Th. *5-Oxo-hepten-(6)-säure-methylester* erhalten kann[1,10].

[1] H. T. Taylor, Soc. **1958**, 3922.
[2] N. Jones u. H. T. Taylor, Soc. **1961**, 1345.
[3] A. P. Meshcheryakov u. L. V. Petrova, Izv. Akad. SSSR **1958**, 106; engl.: 101.
[4] J. English u. J. E. Dayan, Am. Soc. **72**, 4187 (1950).
[5] N. Jones u. H. T. Taylor, Soc. **1959**, 4017.
[6] N. Jones, E. J. Rudd u. H. T. Taylor, Soc. **1963**, 2354.
[7] J. K. Groves u. N. Jones, Soc. [C] **1969**, 1718, 2350.
[8] C. D. Nenitzescu u. V. Przemetzky, B. **74**, 676 (1941).
[9] C. D. Nenitzescu, E. Ciorănescu u. V. Przemetzky, B. **73**, 313 (1940).
[10] L. B. Barkley et al., Am. Soc. **78**, 4111 (1956).

Cyclopenten und Cyclohexen können auch in Schwefelkohlenstoff mit dem gleichen Carbonsäure-chlorid in Gegenwart von katalytischen Mengen Zinn(IV)-chlorid zu *5-Oxo-5-cyclopenten-(1)-yl-* bzw. *5-Oxo-5-cyclohexen-(1)-yl-pentansäure-methylester* acyliert werden[1]. Höhere Ausbeuten werden mit Aluminiumchlorid in Dichlormethan und Destillation der Chlor-oxo-carbonsäureester über Natriumcarbonat[2] erhalten.

Für die Umsetzung von Hexandisäure-ester-chlorid mit Äthylen werden durchweg zwei Mol Aluminiumchlorid pro Mol des Säurechlorids und Nitrobenzol[3], 1,2-Dichlor-äthan, 1,1,2,2-Tetrachlor-äthan[1] oder Tetrachlormethan[4] als Lösungsmittel verwendet. Der zunächst erhaltene *8-Chlor-6-oxo-octansäureester* spaltet bei der Destillation Chlorwasserstoff ab, und führt zum *6-Oxo-octen-(7)-säureester* als Reaktionsprodukt.

6-Oxo-octen-(7)-säure-methylester[5]: In einen 2-*l*-Dreihalskolben mit wirksamem Rührer, Rückflußkühler, Thermometer und Tropftrichter gibt man 572 g (4,27 Mol) wasserfreies, gekörntes Aluminiumchlorid und 800 *ml* 1,2-Dichlor-äthan. Unter Eiskühlung tropft man 382 g (2,14 Mol) Hexandisäure-methylester-chlorid derart hinzu, daß die Temp. der Mischung zwischen 35° und 40° bleibt. Man ersetzt den Tropftrichter dann durch ein Gaseinleitungsrohr mit Glassinterfritte und leitet Äthylen in die rasch gerührte Mischung. Die Absorption des Olefins erfolgt rasch, dabei wird die Temp. durch Eiskühlung zwischen 40 und 45° gehalten. Nach 1 Stde. ist die Absorption des Äthylens beendet. Der Inhalt des Reaktionsgefäßes wird in eine Mischung aus 1 *l* Essigsäure-äthylester und Eis, der 0,5 g Hydrochinon als Stabilisator zugesetzt worden sind, eingerührt. Die organische Phase wird abgetrennt und 1 mal mit 1 *l* Wasser und 1 mal mit 2 *l* eiskalter n Natronlauge gewaschen. Die Lösung des *8-Chlor-6-oxo-octansäure-methylesters* wird über Magnesiumsulfat getrocknet und dann bei Rückflußtemp. 3 Stdn. mit 352 g (4,27 Mol) wasserfreiem Natriumacetat verrührt. Die Reaktionsmischung wird 2 mal mit je 2 *l* Eiswasser ausgeschüttelt und über Natriumsulfat getrocknet. Nach dem Abdestillieren des Lösungsmittels wird das Umsetzungsprodukt i. Vak. destilliert; Ausbeute: 255,5 g (1,5 Mol, 70% d.Th.); $Kp_{0,35}$: 97–99°; $n_D^{20} = 1{,}4519$; $d^{20} = 1{,}016$.

Die Umsetzung von Hexandisäure-äthylester-chlorid/Aluminiumchlorid mit Äthylen ohne Lösungsmittel oder in Nitrobenzol ergibt geringere Ausbeuten.

Hexandisäure-äthylester-chlorid reagiert mit Propen unter einem Druck von 7 atü in Gegenwart von Zinkchlorid bei 20 bis 25° zu *8-Chlor-6-oxo-nonansäure-äthylester*; bei der Destillation dieser Verbindung wird Chlorwasserstoff abgespalten und man erhält *6-Oxo-nonen-(7)-säure-äthylester*[6].

Analog erhält man mit [6,7]

Buten-(1)	→ *8-Chlor-6-oxo-decansäure-methyl-ester*	→ *6-Oxo-decen-(7)-säure-methyl-ester*
2,3-Dimethyl-buten-(2)	→ *8-Chlor-6-oxo-7,7,8-trimethyl-nonansäure-methylester*	→ *6-Oxo-7,7,8-trimethyl-nonen-(8)-säure-methylester*
Hexen-(1)	→ *8-Chlor-6-oxo-dodecansäure-methyl-ester*	→ *6-Oxo-dodecen-(7)-säure-methylester*
Hepten-(1)	→ *8-Chlor-6-oxo-tridecansäure-methyl-ester*	→ *6-Oxo-tridecen-(7)-säure-methylester*

Fumarsäure-methylester-chlorid/Aluminiumchlorid reagiert mit Äthylen bei 30° in 1,2-Dichlor-äthan nicht[8].

---

[1] J. ENGLISH u. J. E. DAYAN, Am. Soc. **72**, 4187 (1950).

[2] N. JONES, E. J. RUDD u. H. T. TAYLOR, Soc. **1963**, 2354.

[3] M. W. BULLOCK et al., Am. Soc. **76**, 1828 (1954).

[4] Q. F. SOPER et al., Am. Soc. **76**, 4110 (1954).

[5] US. P. 2894965 (1959), American Cyanamid Co., Erf.: M. W. BULLOCK; C. A. **53**, 19888 (1959).

[6] A.P. MESHCHERYAKOV, L. V. PETROVA u. A. D. PETROV, Izv. Akad. SSSR **1960**, 98; engl.: 88.

[7] A.P. MESHCHERYAKOV u. L. V. PETROVA, Izv. Akad. SSSR **1958**, 106; engl.: 101.

[8] H. T. TAYLOR, Soc. **1958**, 3922.

2. Direkte Einführung von R-CO-Gruppen durch Umsetzung von Olefinen mit Carbonsäuren bzw. Carbonsäure-anhydriden

bearbeitet von

Dr. Carl-Wolfgang SCHELLHAMMER

Farbenfabriken Bayer AG, Leverkusen

α) Ketone aus Carbonsäuren und Olefinen

$α_1$) Intermolekulare Kondensationen

Olefinische Ketone können auch aus Carbonsäuren und Olefinen hergestellt werden; s. allgemeine Hinweise S. 281. Als Kondensationsmittel für diese Umsetzungen eignen sich besonders Polyphosphorsäure mit 85% Phosphor(V)-oxid (s. S. 21) oder Trifluor-essigsäure-anhydrid. So erhält man aus Cyclopenten und Essigsäure bei 55–60° in Polyphosphorsäure *1-Acetyl-cyclopenten-(1)*, allerdings nur mit einer Ausbeute von 27% der Theorie[1]. Mit Ausbeuten von 50–60% erfolgt dagegen die analog durchgeführte Umsetzung von Cyclohexen mit Essigsäure zu *1-Acetyl-cyclohexen-(1)*[1,2]. Besonders schonend verläuft die Acetylierung von Cyclohexen mit Essigsäure in Trifluor-essigsäure-anhydrid. Bei dieser Umsetzung wird das aus der Carbonsäure und dem Trifluor-essigsäure-anhydrid gebildete gemischte Anhydrid an die Doppelbindung addiert, in alkalischem Milieu wird der Trifluor-acetoxy-Rest abgespalten, und es entsteht das olefinische Keton:

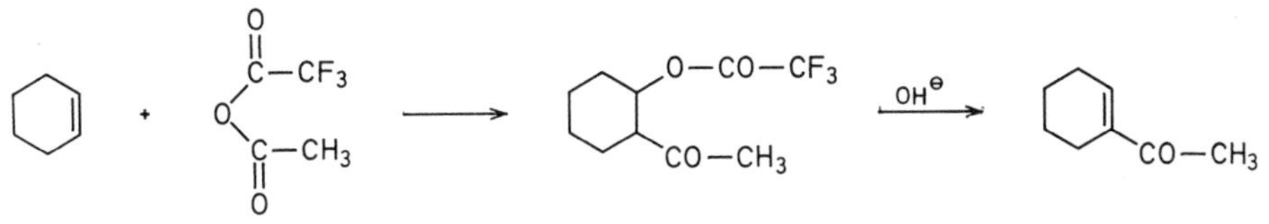

Die Acylierungen mittels Trifluoressigsäure-anhydrid werden meist bis 40° im Molverhältnis Olefin : Carbonsäure : Trifluoressigsäure-anhydrid = 1 : 1 : 2,2 durchgeführt.

Durch Acylierung von Cyclohexen mit Buttersäure in Trifluor-essigsäure-anhydrid bei 12° erhält man *1-Butanoyl-cyclohexen-(1)* (51% d. Th.)[2], und aus Hexen-(1) mit Essigsäure/Trifluor-essigsäure-anhydrid *2-Oxo-octen-(3)* (22% d. Th.)[2].

Die Acetylierung von Cyclopenten und Cyclohexen in Polyphosphorsäure zwischen 40° und 60° führt zu *1-Acetyl-cyclopenten-(1)* (Kp_{30}: 80–82°; 27% d. Th.) und zu *1-Acetyl-cyclohexen* (Kp_{30}: 101–103°; 55% d. Th.). Bereits bei 85° entsteht aus Cyclohexen eine hochsiedende Masse neben 38% Äthylbenzol[1].

Aus Cyclohepten und Essigsäure in Polyphosphorsäure erhält man bei 50° *2-Methyl-1-acetyl-cyclohexen-(1)* (I) neben *2-Methyl-3-acetyl-cyclohexen-(2)* (II), Acetoxy-cycloheptan und 1-Cycloheptyl-cyclohepten-(1)[3]:

[1] S. DEV, J. indian chem. Soc. **33**, 703 (1956).
[2] A. L. HENNE u. J. M. TEDDER, Soc. **1953**, 3628.
[3] L. RAND u. R. J. DOLINSKI, J. Org. Chem. **31**, 3063 (1966).

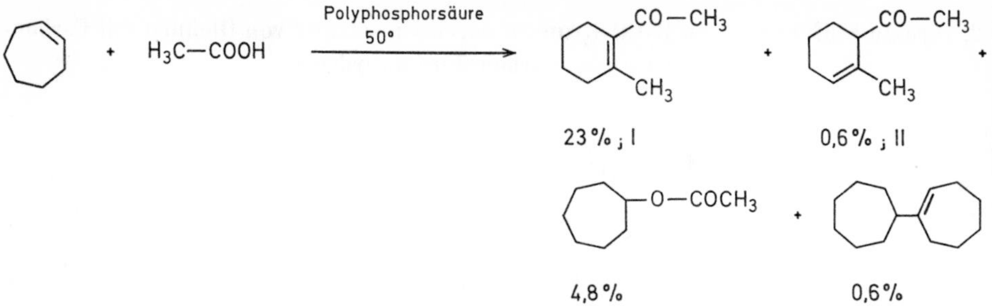

Durch ungesättigte Carbonsäuren werden Cycloolefine in Polyphosphorsäure acyliert und gleichzeitig alkyliert, es entstehen also Zweiringsysteme. So
erhält man aus Cyclopenten und Buten-(2)-säure bei 57° in Polyphosphorsäure *4-
Oxo-2-methyl-bicyclo[3.3.0]octen-(1⁵)*[1]:

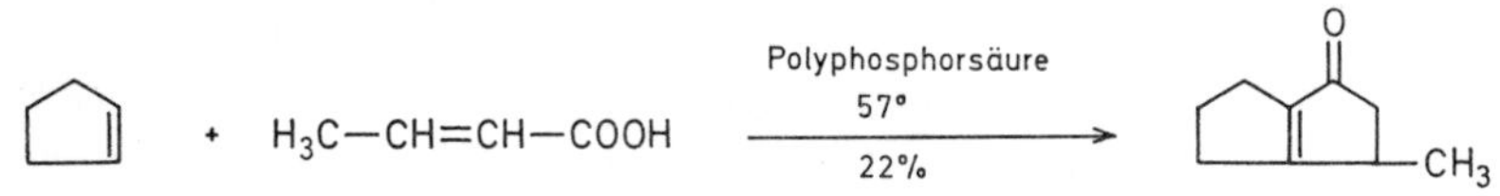

9-Oxo-bicyclo[4.3.0]nonene-(7) entstehen bei analog durchgeführten Umsetzungen von Cyclohexen mit Acrylsäure, Buten-(2)-säure oder Zimtsäure[1,2] *{9-Oxo-bicyclo[4.3.0]nonen-(7), 9-Oxo-7-methyl-* bzw. *9-Oxo-7-phenyl-bi-
cyclo[4.3.0]nonen-(7)}.* Cyclohepten ergibt mit Buten-(2)-säure *9-Oxo-6,7-dimethyl-
bicyclo[4.3.0]nonen-(7)* (I) als Hauptreaktionsprodukt neben *10-Oxo-8-methyl-bi-
cyclo[5.3.0]decen-(8)* (II) und anderen Verbindungen[3]:

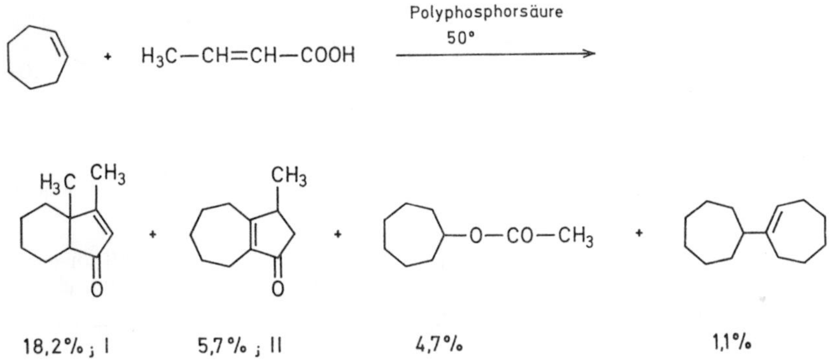

a_2) *Intramolekulare Kondensationen*

Olefinische Carbonsäuren, die Kohlenstoffketten mit fünf oder mehr Kohlenstoffatomen enthalten, können intramolekular acyliert werden. Dabei entstehen in
der Regel cyclische Ketone mit fünf oder sechs Ringgliedern. An Stelle der olefinischen
Carbonsäuren können häufig auch Vorläufer dieser Verbindungen, wie Hydroxy-
carbonsäuren oder Lactone, als Ausgangsmaterialien verwendet werden.

[1] S. Dev, J. indian chem. Soc. 34, 169 (1957).
[2] S. Dev, J. indian chem. Soc. 32, 255 (1955).
[3] L. Rand u. R. J. Dolinski, J. Org. Chem. 31, 3063 (1966).

Die intramolekulare Acylierung wird durch Schwefelsäure, Schwefelsäure-Essigsäure-anhydrid, Zinkchlorid/Essigsäure-anhydrid, Zinn(IV)-chlorid/Essigsäure-anhydrid, Trifluor-essigsäure-anhydrid, Phosphor(V)-oxid, Phosphor(V)-chlorid oder Polyphosphorsäure bewerkstelligt. Dabei haben sich Trifluor-essigsäure-anhydrid[1] oder Polyphosphorsäure in zahlreichen Fällen als besonders vorteilhaft erwiesen.

Penten-(4)-säure ergibt mit Trifluor-essigsäure-anhydrid nur Spuren von *3-Oxo-cyclopenten-(1)*[2]. Unter vergleichbaren Bedingungen entsteht aus Hexen-(5)-säure in Trifluor-essigsäure-anhydrid *3-Oxo-cyclohexen-(1)* (50% d.Th.)[3].

Beim Erhitzen von *cis* oder *trans* Hexen-(2; bzw. -3; bzw. -4)-säuren mit Polyphosphorsäure auf 100° während einer Stunde entstehen *3-Oxo-2-methyl-cyclopenten-(1)*, *3-Oxo-cyclohexen-(1)*, 4-Hydroxy-hexansäure-lacton und 5-Hydroxy-hexansäure-lacton; unter den Reaktionsprodukten überwiegen immer solche mit fünfgliedrigen Ringen:

In diesem Fall bleiben 30% des Ausgangsmaterials unverändert. Wenn man die Reaktionszeit auf 2 Stdn. verlängert, entstehen die beiden cyclischen Ketone mit einer Gesamtausbeute von 60% d.Th.[4]. Die Ausbeute an cyclischen Ketonen wird auch durch Steigerung der Reaktionstemp. auf 120–140° und Verkürzung der Reaktionsdauer auf 30 Min. vergrößert.

3-Oxo-cycloalkene-(1); allgemeine Herstellungsvorschrift[3]:

mit Trifluor-essigsäure-anhydrid: 0,04 Mol der olefinischen Carbonsäure werden in einer Portion zu 8,5 g (0,4 Mol) Trifluor-essigsäure-anhydrid gegeben, die Mischung wird in einem Eisbad gekühlt. Man überläßt sie dann für 2 Stdn. bei Raumtemp. sich selbst und erhitzt sie schließlich für 30 Min. auf 30–40°, dabei wird sie dunkelrot. Man gießt die Reaktionsmischung dann in 50 *ml* ges. Natriumhydrogencarbonat-Lösung und extrahiert die wäßrige Lösung 2 mal mit je 50 *ml* Äther. Die ätherische Lösung wird über Magnesiumsulfat getrocknet, dann destilliert man den Äther ab und fraktioniert den Rückstand im Vakuum.

mit Polyphosphorsäure[3]: In 100 g Polyphosphorsäure, die bei ~ max. 80° in einem Heizbade gerührt wird, trägt man 0,04 Mol der olefinischen Carbonsäure ein. Dann ersetzt man das Heizbad durch ein Eisbad und fügt nach dem Absinken der Temp. der Reaktionsmischung auf 30° 150 g zerstoßenes Eis hinzu. Man fügt dann 70 *ml* Äther zum Kolbeninhalt, trennt die ätherische Phase von der wäßrigen Schicht ab und schüttelt diese noch 2 mal mit je 50 *ml* Äther aus. Die vereinigten ätherischen Phasen werden mit ges. Natriumhydrogencarbonat-Lösung gewaschen und dann über Magnesiumsulfat getrocknet. Der nach dem Abdestillieren des Äthers verbleibende Rückstand wird i. Vak. fraktioniert destilliert.

[1] J. M. Tedder, Chem. Reviews **55**, 799 (1955).

[2] R. J. Ferrier u. J. M. Hedder, Soc. **1957**, 1435.

[3] M. F. Ansell, J. C. Emett u. R. V. Coombs, Soc. [C] **1968**, 217.

[4] O. Riobé, C. r. **247**, 1016 (1958).

Auch beim Erhitzen von 4- bzw. 5-Hydroxy-hexansäure-lacton mit Polyphosphor-säure auf 100° erhält man *3-Oxo-2-methyl-cyclopenten-(1)* bzw. *-cyclohexen-(1)*[1].

trans-Hepten-(5)-säure reagiert mit Trifluor-essigsäure-anhydrid zu *3-Oxo-2-methyl-cyclohexen-(1)* (I) und *2-Oxo-1-äthyliden-cyclopentan* (II)[1]:

39% ; I   28% ; II

Hepten-(6)-säure ergibt unter diesen Bedingungen *3-Oxo-cyclohepten-(1)* (10% d. Th.).

trans-Hepten-(2; bzw. -5; bzw. -6)-säuren reagieren in Polyphosphorsäure wie die Hexensäuren, es entstehen *3-Oxo-2-äthyl-cyclopenten-(1)*, *3-Oxo-2-methyl-cyclohexen-(1)*, *2-Oxo-1-äthyliden-cyclopentan*, 4- und 5-Hydroxy-heptansäure-lacton nebeneinander[1].

cis- und *trans*-Octen-(5)-säure ergibt in Trifluor-essigsäure-anhydrid *3-Oxo-2-äthyl-cyclohexen-(1)* und *2-Oxo-1-propyliden-cyclopentan*. Unter analogen Bedingungen entsteht aus *cis-* oder *trans*-Octen-(6)-säure nur *2-Oxo-1-äthyliden-cyclohexan*[1]. In Polyphosphorsäure ist die aus Octen-(2; bzw. -3; bzw. -4; bzw. -5; bzw. -6; bzw. -7)-säure bei 100° oder bei 75° entstehende Zahl von Reaktionsprodukten noch größer, man erhält *3-Oxo-2-propyl-cyclopenten-(1)*, *2-Oxo-1-propyliden-cyclo-pentan*, *3-Oxo-2-äthyl-cyclohexen-(1)*, *2-Oxo-1-äthyliden-cyclohexan*, 4- und 5-Hydroxy-octansäure-lacton nebeneinander[1].

Mit katalytischen Mengen an Zinn(IV)-chlorid in Essigsäure/Essigsäure-anhydrid werden aus Hexen-(2)-säure oder Hepten-(2)-säure, Penten-(4)-säure oder Hexen-(4)-säure sowie aus Hepten-(6)-säure keine cyclischen Ketone erhalten. Hexen-(5)-säure ergibt unter diesen Bedingungen *3-Oxo-cyclohexen-(1)* (40% d. Th.), aus *trans*-Hepten-(5)-säure erhält man *3-Oxo-2-methyl-cyclohexen-(1)* neben wenig *3-Oxo-2-äthyl-cyclopenten-(1)* und *2-Oxo-1-äthyliden-cyclopentan*[1].

Nonen-(2)-säure wird durch Erhitzen mit Polyphosphorsäure auf 50–60° zu *3-Oxo-2-butyl-cyclopenten-(1)* (63% d. Th.) cyclisiert[2,3].

Decen-(7)-säure ergibt beim Erhitzen mit Zinkchlorid *3-Oxo-2-pentyl-cyclo-penten-(1)*[4].

Eingehend wird die Cyclisierung von Undecen-(10)-säure zu *3-Oxo-2-hexyl-cyclopenten-(1)* (Butteraroma) beschrieben. Für diese Reaktion werden konzentrierte Schwefelsäure[5], Zinkchlorid, 98–100%ige Phosphorsäure[2,6] oder Polyphosphorsäure als Cyclisierungsagenzien verwendet, die besten Ausbeuten (60% d. Th.) werden mit Polyphosphorsäure erzielt. Das bei der Cyclisierung der Undecen-(10)-säure mit Schwefelsäure von 80° Bé bei 80° erhaltene Reaktionsprodukt enthält neben *3-Oxo-2-hexyl-cyclopenten-(1)* auch *4-Oxo-3-hexyl-cyclopenten-(1)*[4]. *3-Oxo-2-hexyl-cyclopen-*

[1] M. F. ANSELL, J. C. EMETT u. R. V. COOMBS, Soc. [C] **1968**, 217.
[2] S. ISIKAWA, T. SAKURAI u. R. SOMENO, Sci. Repts. Tokyo Bunrika Daigaku 3 A, Nr. 74, 293 (1940); C. A. **35**, 8206 (1941).
[3] J. A. DOMINGUEZ, G. L. DIAZ u. J. SLIM, Ciencia (Mexico) **16**, 151 (1956); C. A. **52**, 20904 (1958).
[4] P. A. PLATTNER u. A. S. PFAU, Helv. **20**, 1474 (1937).
[5] Fr. P. 765515 (1934), A. MASCHMEIJER, Chem. Fabriek; C. A. **28**, 6723 (1934).
[6] DRP 693863 (1940), Schimmel u. Co. AG; C. A. **35**, 4780 (1941).

ten-(1) ist auch durch Erhitzen von 4-Hydroxy-undecansäure-lacton mit Schwefel-säure[1] oder durch rasche Destillation dieses Lactons über Phosphor(V)-oxid[2] zu-gänglich.

Analog wie gradkettige können auch verzweigte olefinische Carbonsäuren in-tramolekular cyclisiert werden. So entsteht beim Erhitzen von 2,2-Diphenyl-penten-(4)-säure mit Phosphor(V)-chlorid auf dem Wasserbad *3-Oxo-4,4-diphenyl-cyclo-penten-(1)*[3]. Unter den gleichen Bedingungen erhält man aus 4-Methyl-2,2-diphenyl-penten-(4)-säure 3-Oxo-2-methyl-4,4-diphenyl-cyclopenten-(1), 5-Methyl-hexen-(4)-säure wird bei 110° in Polyphosphorsäure zu *3-Oxo-1-methyl-cyclohexen-(1)* cyclisiert[4]:

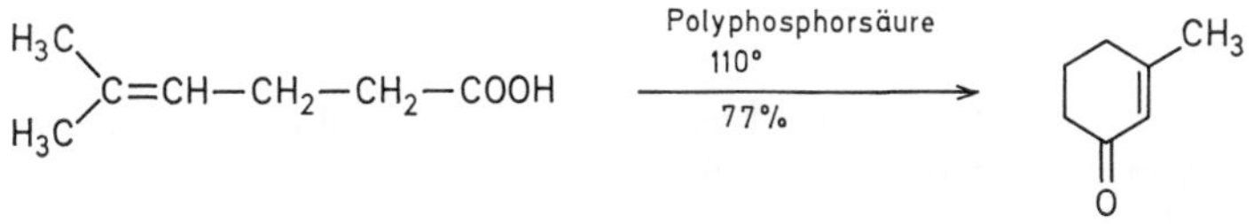

6-Methyl-hepten-(5)-säure liefert bei 100° in Polyphosphorsäure eine Mischung aus *3-Oxo-2-isopropyl-cyclopenten-(1)* und *2-Oxo-1-isopropyliden-cyclopentan*[4]; dabei liegt die Ausbeute an Isomerengemisch bei 38% der Theorie. 7-Methyl-octen-(6)-säure ergibt bei 85° in Polyphosphorsäure *3-Oxo-2-isopropyl-cyclohexen-(1)* und *2-Oxo-1-isopropyliden-cyclohexan* mit einer Gesamtausbeute von nur 9% der Theorie[4]. Die intramolekulare Cyclisierung von 3,7-Dimethyl-octen-(6)-säure zu *2-Oxo-4-methyl-1-isopropyliden-cyclohexan*, die C=C-Doppelbindung bleibt also ausschließlich außer-halb des Ringes, gelingt durch Erhitzen mit Essigsäure-anhydrid/Schwefelsäure[5].

Als Ausgangsmaterial für intramolekulare Cyclisierungen werden in vielen Fällen an Stelle von verzweigten olefinischen Carbonsäuren entsprechende Lactone ver-wendet. So entsteht beim Behandeln von 5-Hydroxy-4-methyl-hexansäure-lacton mit Polyphosphorsäure bei 97° *3-Oxo-1,2-dimethyl-cyclopenten-(1)* (80% d.Th.)[6]. 4-Hydroxy-4-methyl-hexansäure-lacton ergibt bei der raschen Destillation über Phos-phor(V)-oxid 3-Oxo-1,2-dimethyl-cyclopenten-(1)[2]. Analog verlaufen entsprechende Umsetzungen von 4-Hydroxy-4-methyl-octansäure-lacton, -nonansäure-lacton oder -decansäure-lacton zu *3-Oxo-1-methyl-2-propyl-cyclopenten-(1)*, *3-Oxo-1-methyl-2-butyl-cyclopenten-(1)* bzw. *3-Oxo-1-methyl-2-pentyl-cyclopenten-(1)*[2]. 4-Hydroxy-4,5-di-methyl-hexansäure-lacton ergibt bei der Cyclisierung mit Phosphor(V)-oxid *5-Oxo-3,4,4-trimethyl-cyclopenten-(1)* und *3-Oxo-1,6-dimethyl-cyclohexen-(1)*[2],

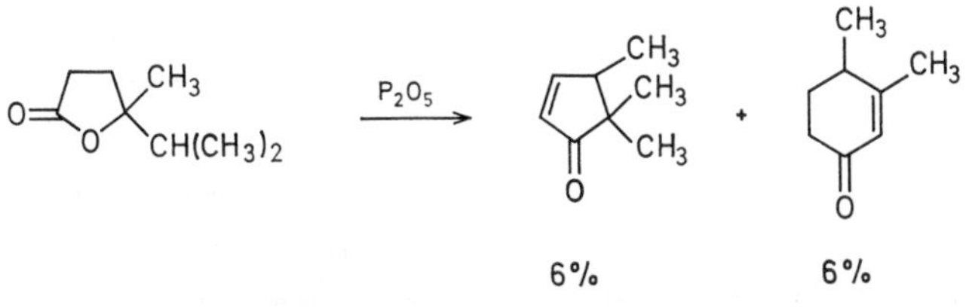

---

[1] Fr. P. 765515 (1934), A. MASCHMEIJER, Chem. Fabriek; C. A. **28**, 6723 (1934).
[2] R. L. FRANK et al., Am. Soc. **70**, 1379 (1948).
[3] P. N. CRAIG u. J. H. WITT, Am. Soc. **72**, 4925 (1950).
[4] M. F. ANSELL u. S. S. BROWN, Soc. **1958**, 2955.
[5] W. KUHN u. H. SCHINZ, Helv. **36**, 161 (1953).
[6] S. DEV u. C. RAI, J. indian chem. Soc. **34**, 266 (1957).

29*

während aus 4-Hydroxy-5,6-dimethyl-3-[6-methyl-heptyl-(2)]-heptandisäure-7-äthyl-ester-lacton nur ein Cyclopentenon erhalten wird[1].

5-Oxo-3,4-dimethyl-2-[6-methyl-heptyl-
(2)]-4-äthoxycarbonyl-cyclopenten-(1)

Als besonders vorteilhaft erweist sich Polyphosphorsäure zur intramolekularen Cyclisierung von 4-Hydroxy-4-methyl-alkansäure-lactonen, wie folgende Übersicht zeigt[2].

R = C_2H_5; *3-Oxo-1-methyl-2-äthyl-cyclopenten-(1)* 90–92% d. Th.
C_3H_7; *3-Oxo-1-methyl-2-propyl-cyclopenten-(1)* 92–97% d. Th.
C_4H_9: *3-Oxo-1-methyl-2-butyl-cyclopenten-(1)* 92–95% d. Th.
C_5H_{11}: *3-Oxo-1-methyl-2-pentyl-cyclopenten-(1)* 92–95% d. Th.
C_6H_{13}; *3-Oxo-1-methyl-2-hexyl-cyclopenten-(1)* 92–94% d. Th.

Beim Erhitzen von 3,7-Dimethyl-octadien-(2,6)-säure mit Essigsäure-anhydrid/ Natriumacetat entsteht *3-Oxo-1-methyl-4-isopropyliden-cyclohexen-(1)* (I) neben anderen Verbindungen[3]:

7-Oxo-2,6,6-trimethyl-bicyclo[3.2.0]hepten-(2)

An Stelle der 3,7-Dimethyl-octadien-(2,6)-säure kann man auch 3-Hydroxy-3,7-dimethyl-octen-(6)-säure als Ausgangsmaterial verwenden[4]. Decadien-(5,9)-säure

---

[1] R. Sen-Gupta u. P. C. Dutta, J. indian chem. Soc. **25**, 213 (1948); C. A. **43**, 7911 (1949).
[2] C. Rai u. S. Dev, Experientia **11**, 114 (1955).
[3] J. J. Beereboom, Am. Soc. **85**, 3525 (1963).
[4] C. Balant et al., Helv. **34**, 722 (1951).

geht bei 70° in Polyphosphorsäure in ein Lacton über, das nach Isolierung und Erhitzen mit Polyphosphorsäure auf 100° *2-Oxo-bicyclo[4.4.0]decen-(1⁶)* ergibt[1]:

Acylierung und Alkylierung erfolgen also nebeneinander.

Cycloolefinische Carbonsäuren, bei denen die Carboxy-Gruppe durch zwei oder drei Kohlenstoffatome vom Cyclus getrennt ist, ergeben bei der intramolekularen Kondensation bicyclische Verbindungen. An Stelle der cycloolefinischen Carbonsäuren kann man auch entsprechende bicyclische Lactone als Ausgangsmaterial verwenden. Auch bei diesen Cyclisierungen erweist sich Polyphosphorsäure als das Reagenz der Wahl, aber auch Zinkchlorid/Essigsäure-anhydrid, Phosphor(V)-oxid, Phosphor(V)-chlorid oder Fluorsulfonsäure werden als Cyclisierungsagenzien benutzt.

3-Oxo-2-oxa-bicyclo[4.3.0]nonan wird durch Polyphosphorsäure zu *2-Oxo-bicyclo [3.3.0]octen-(1⁵)* cyclisiert[2]:

Die Herstellung von *7-Oxo-bicyclo[4.3.0]nonen-(1⁶)* kann von sehr unterschiedlichen Verbindungen ausgehen:

---

[1] M. F. ANSELL u. J. W. DUCKER, Soc. **1960**, 5219.
[2] S. DEV u. C. RAI, J. indian chem. Soc. **34**, 266 (1957).
[3] D. W. MATHIESON, Soc. **1951**, 177.

Auch 2-[Cyclohexen-(2)-yl]-bernsteinsäure-monoester können mit Zinkchlorid/Essigsäure-anhydrid[1], Fluorsulfonsäure[2] oder Polyphosphorsäure[3] in *7-Oxo-bicyclo[4.3.0]nonen-(1⁶)* bzw. Derivate dieser Verbindungen übergeführt werden. 2-[4-Phenyl-cyclohexen-(1)-yl]-bernsteinsäure-monoäthylester wird durch Zinkchlorid in siedendem Essigsäure-anhydrid zu *7-Oxo-3-phenyl-bicyclo[4.3.0]nonen-(1⁶)* cyclisiert[4]. Aus 2-[2-Methyl-cyclohexen-(1)-yl]-bernsteinsäure-monoäthylester entsteht unter analogen Bedingungen *7-Oxo-6-methyl-bicyclo[4.3.0]nonen-(1⁹)*[5]. Bei der Cyclisierung von 3-Methyl-2-(3-carboxy-propyl)-3-äthoxycarbonyl-cyclohexen-(1) mit Zinkchlorid/Essigsäure-anhydrid bleibt die Ester-Gruppierung erhalten[6]:

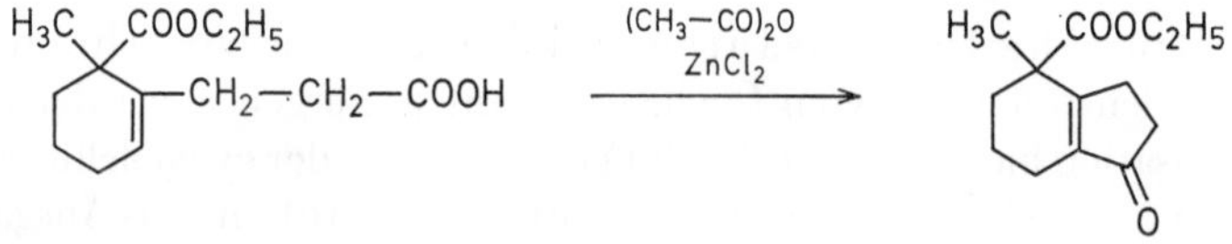

7-Oxo-2-methyl-2-äthoxycarbonyl-bicyclo[4.3.0]nonen-(1⁶)[6]: Zu einer Lösung von 4,3 g 3-Methyl-2-(2-carboxy-äthyl)-3-äthoxycarbonyl-cyclohexen-(1) in 17 *ml* Eisessig gibt man 70 *ml* frisch destilliertes Essigsäure-anhydrid und 17 *ml* Eisessig, die im *ml* 20 mg geschmolzenes Zinkchlorid enthalten. Die Mischung wird unter Stickstoff 5 Stdn. rückfließend gekocht, dabei wird sie allmählich dunkelbraun. Man zersetzt das überschüssige Essigsäure-anhydrid durch vorsichtiges Zugeben von Wasser und destilliert dann die Essigsäure i. Vak. ab. Der dunkelbraune Destillationsrückstand wird in Äther aufgenommen, der Ätherextrakt wird mit Wasser, mit 5%iger Natronlauge (zur Entfernung etwa gebildeten Lactons) und abschließend mit Wasser bis zur Entfernung des Alkalis gewaschen und über Natriumsulfat getrocknet. Dann destilliert man das Lösungsmittel ab und fraktioniert den Rückstand i. Vak.; Ausbeute: 2,4 g (60% d. Th.); Kp$_{2-3}$: 144—150°.

Bei der raschen Vakuumdestillation von 3-Oxo-2-oxa-bicyclo[4.4.0]decan (Octahydrocumarin) über Phosphor(V)-oxid entsteht *7-Oxo-bicyclo[4.3.0]nonen-(1⁶)* neben Indan[7]:

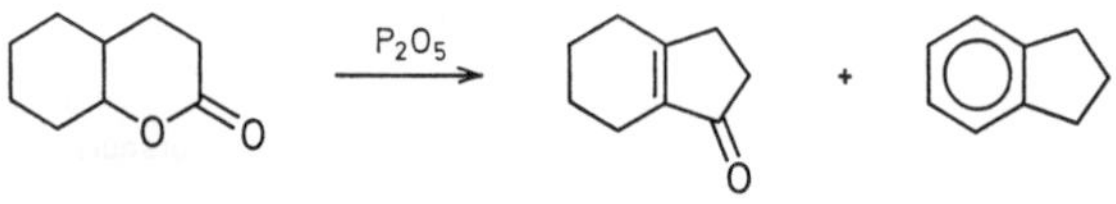

Analog erhält man aus 3-Oxo-8- (bzw. -10)-methyl-2-oxa-bicyclo[4.4.0]decan *9-Oxo-2- (bzw. -4)-methyl-bicyclo[4.3.0]nonen-(1⁶)*[7].

2-[Cyclohepten-(1)-yl]-bernsteinsäure-monoäthylester wird durch Zinkchlorid/Essigsäure-anhydrid cyclisiert. Man erhält nach Verseifung des primären Reaktionsproduktes *10-Oxo-8-carboxy-bicyclo[5.3.0]decen-(1⁷)* (40% d. Th.)[8,9]. Erfolgreicher verlaufen ähnliche Cyclisierungen mit Polyphosphorsäure[3]:

---

[1] W. S. Johnson et al., Am. Soc. **70**, 3021 (1948).
[2] D. W. Mathieson, Soc. **1953**, 3251.
[3] S. Dev, J. indian chem. Soc. **32**, 255 (1955).
[4] D. W. Mathieson, Soc. **1953**, 3248.
[5] J. W. Cook u. R. Philip, Soc. **1948**, 162.
[6] P. N. Rao u. P. Bagchi, J. Org. Chem. **23**, 169 (1958).
[7] R. L. Frank u. R. C. Pierle, Am. Soc. **73**, 724 (1951).
[8] P. A. Plattner u. G. Büchi, Helv. **29**, 1608 (1946).
[9] J. W. Cook, R. Philip u. A. R. Somerville, Soc. **1948**, 164.

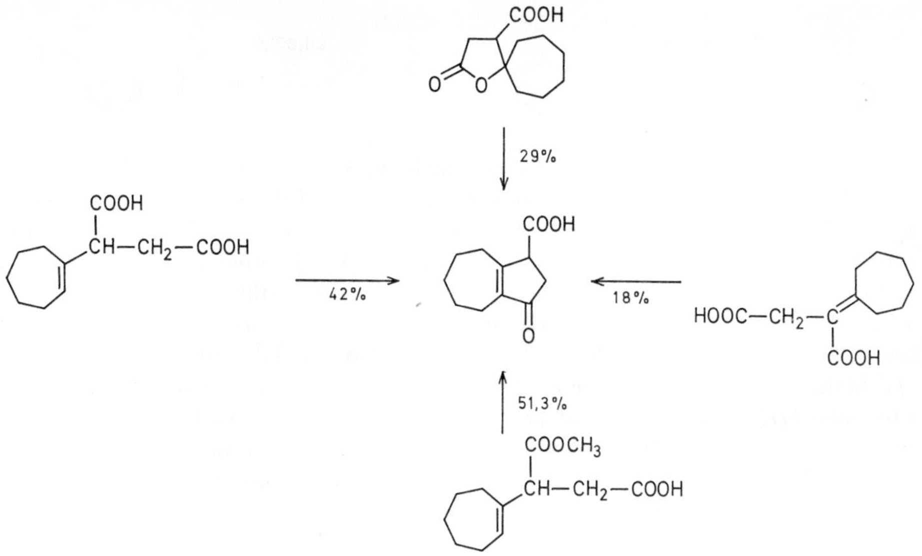

COOH

29%

COOH
CH—CH₂—COOH

42%

COOH

18%

HOOC—CH₂—C
COOH

51,3%

COOCH₃
CH—CH₂—COOH

Aus 9-Oxo-11-methyl-8-oxa-bicyclo[5.4.0]undecan erhält man bei der Behandlung mit Polyphosphorsäure bei 80° *10-Oxo-8-methyl-bicyclo[5.3.0]decen-(1⁷)*[1]. Analog entsteht aus 9-Oxo-4,11-dimethyl-2-isopropyl-8-oxa-bicyclo[5.4.0]undecan *10-Oxo-2,8-dimethyl-5-isopropyl-bicyclo[5.3.0]decen-(1⁷)*[1]. Auch die Annellierung an noch größeren Ringen gelingt in Polyphosphorsäure[2]:

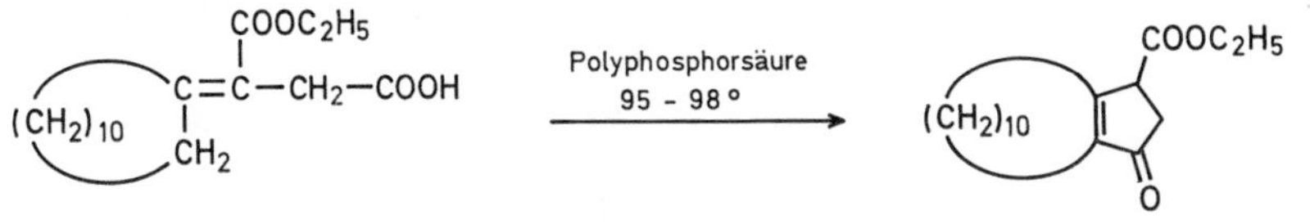

COOC₂H₅
(CH₂)₁₀ C=C—CH₂—COOH
CH₂

Polyphosphorsäure
95 – 98°

COOC₂H₅
(CH₂)₁₀

O

15-Oxo-13-äthoxycarbonyl-bicyclo[10.3.0]pentadecen-(1¹²)

1. Verseifung
2. Decarboxylierung

(CH₂)₁₀

O

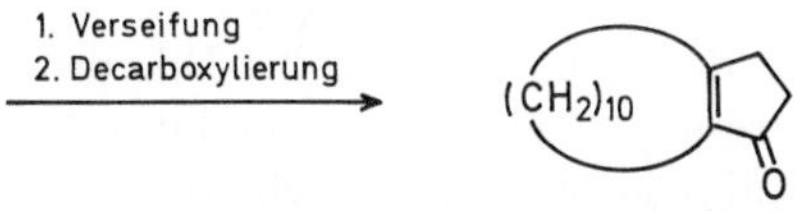

47%; *13-Oxo-bicyclo[10.3.0]pentadecen-(1¹²)*

3-[3,4-Dihydro-naphthyl-(1)]-propansäure wird durch Zinkchlorid/Essigsäureanhydrid zu *3-Oxo-2,3,4,5-tetrahydro-1H-⟨cyclopenta-[a]-naphthalin⟩* cyclisiert. Mit Fluorwasserstoff als Kondensationsmittel entsteht aus dem gleichen Ausgangsmaterial 1-Oxo-2,3,5,6-1H-tetrahydro-phenalen[3]:

[1] T. M. Jacob u. S. Dev, Chem. & Ind. **1956**, 576.
[2] K. Biemann, G. Büchi u. B. H. Walker, Am. Soc. **79**, 5558 (1957).
[3] W. S. Johnson, H. C. E. Johnson u. J. W. Petersen, Am. Soc. **67**, 1360 (1945).

O

CH₂—CH₂—COOH

HF ←   (CH₃CO)₂O ZnCl₂ →

Zinkchlorid/Essigsäure-anhydrid dient auch zur Cyclisierung von 3-[3,4-Dihydro-naphthyl-(1)]-bernsteinsäure-4-äthylester zu *3-Oxo-1-äthoxycarbonyl-2,3,4,5-tetra-hydro-1H-⟨cyclopenta-[a]-naphthalin⟩*[1]. Nach dem gleichen Cyclisierungsverfahren erhält man aus 3-[3-Methyl-3,4-dihydro-phenanthryl-(1)]-bernsteinsäure-4-äthylester nach Verseifung und Decarboxylierung des primären Reaktionsproduktes *17-Oxo-12-methyl-12,15,16,17-tetrahydro-11H-⟨cyclopenta-[a]-phenanthren⟩*. Analog erfolgen auch Cyclisierungen von 3-[3-Äthyl- oder 3-Isopropyl-3,4-dihydro-phenanthryl-(1)]-bernsteinsäure-4-äthylester zu *17-Oxo-12-äthyl-* (bzw. *-12-isopropyl)-12,15,16,17-tetrahydro-11H-⟨cyclopenta-[a]-phenanthren⟩*[2]. Uneinheitlich verläuft dagegen die Cyclisierung von 3-[2-Methyl-3,4-dihydro-phenanthryl-(1)]-propansäure, man isoliert *6-Oxo-3-methyl-2,4,5,6-tetrahydro-1H-⟨benzo-[d,e]-anthracen⟩* und *17-Oxo-13-methyl-12,13,16,17-tetrahydro-11H-⟨cyclopenta-[a]-phenanthren⟩*[3]:

CH₃

CH₂—CH₂—COOH   (CH₃—CO)₂O ZnCl₂ →

CH₃   H₃C   O

O   +

20%   20%

Auch bei der Cyclisierung von 3-[7-Methoxy-2-methyl-3,4-dihydro-phenanthryl-(1)]-propansäure erhält man zwei isomere Ketone, *3-Methoxy-17-oxo-13-methyl-12,13,16,17-* und *-12,13,14,17-tetrahydro-11H-⟨cyclopenta-[a]-phenanthren⟩*[4].

Die Annellierung eines Sechsringes an das 3,4-Dihydro-naphthalin-Gerüst gelingt, wenn man 2-[3,4-Dihydro-naphthyl-(1)]-2-cyan-glutarsäure-diäthylester mit Brom-wasserstoff/Essigsäure während 30 Stunden erhitzt, man isoliert *1-Oxo-1,2,3,4,9,10-hexahydro-phenanthren* (19% d.Th.). In der gleichen Größenordnung liegen die Aus-beuten an demselben Keton, wenn man 2-[3,4-Dihydro-naphthyl-(1)]-2-cyan-glutar-säure-1-äthylester mit Phosphor(V)-oxid in siedendem Benzol oder 2-(3,4-Dihydro-naphthyl-(1)]-2-cyan-glutarsäure mit Zinkchlorid/Essigsäure-anhydrid cyclisiert[5]. Die Herstellung von *7-Methoxy-1-oxo-1,2,3,4-tetrahydro-phenanthren* gelingt durch Cyclisierung von 4-[6-Methoxy-3,4-dihydro-naphthyl-(1)]-butansäure mit Zink-

[1] W. S. JOHNSON, H. C. E. JOHNSON u. J. W. PETERSEN, Am Soc. **67**, 1360 (1945).
[2] B. RIEGEL, S. SIEGEL u. D. KRITCHEVSKY, Am. Soc. **70**, 2950 (1948).
[3] W. S. JOHNSON u. J. W. PETERSEN, Am. Soc. **71**, 1384 (1949).
[4] W. S. JOHNSON u. V. L. STROMBERG, Am. Soc. **72**, 505 (1950).
[5] W. S. JOHNSON, H. C. E. JOHNSON u. B. PETERSEN, Am. Soc. **68**, 1926 (1946).

chlorid/Essigsäure-anhydrid[1] oder von 4-[6-Methoxy-1,2,3,4-tetrahydro-naphthyl-iden-(1)]-butansäure mit Zinkchlorid/Essigsäure-anhydrid[1,2] oder besser mit 100%-iger Phosphorsäure bei 125–135°[3].

β) Ketone aus Carbonsäure-anhydriden und Olefinen

Auch bei der Umsetzung von Olefinen mit Carbonsäure-anhydriden in Gegenwart von Friedel-Crafts-Katalysatoren entstehen olefinische Ketone. Dabei sind Carbon-säure-anhydride weniger reaktionsfähig als entsprechende Carbonsäure-chloride. Außerdem nimmt die Reaktionsfähigkeit der Alkansäure-anhydride bei der Ver-größerung des Alkyl-Restes ab.

Als Kondensationsmittel für die Acylierung von Olefinen mit Carbonsäure anhydriden werden Aluminiumchlorid, Zinkchlorid, Zinn(IV)-chlorid, Bortrifluorid, Schwefelsäure oder Perchlorsäure verwendet.

Äthylen ergibt mit dem aus Essigsäure-anhydrid und Aluminiumchlorid in 1,2-Dichlor-äthan hergestellten Komplex bei −5° 4-Chlor-2-oxo-butan (40% d. Th.)[4]. In Gegenwart von Zinkchlorid reagiert Äthylen nicht mit Essigsäure-anhydrid[5]. Dagegen erhält man aus 2-Methyl-propen und Essigsäure-anhydrid/Zinkchlorid – allerdings nur mit geringen Ausbeuten – 4-Oxo-2-methyl-penten-(2)[6]. Unter ähn-lichen Bedingungen werden auch aus längerkettigen Olefinen und Essigsäure-anhydrid /Zinkchlorid olefinische Ketone erhalten.

Tab. 78. Ketone durch Acylierung von Olefinen
mit Essigsäure-anhydrid/Zinkchlorid

Olefin	Keton	Ausbeute [%d.Th.]	Litera-tur
Buten-(2)	4-Oxo-3-methyl-penten-(2)	7	5
2-Methyl-buten-(2)	2-Oxo-3,4-dimethyl-penten-(3)	31	5
Hexen-(1)	2-Oxo-octen-(3)	2,3	5,7
2,3-Dimethyl-buten-(2)	4-Oxo-2,3,3-trimethyl-penten-(2)	69	7
2,4,4-Trimethyl-penten-(1)	2-Oxo-4,6,6-trimethyl-hepten-(3)	60	5–7
2,2,6,6-Tetramethyl-4-methylen-heptan	2-Oxo-6,6-dimethyl-4-(2,2-dimethyl-propyl)-hepten-(3)	30–36	5,8–11

[1] F. J. Villani, M. S. King u. D. Papa, J. Org. Chem. 18, 1578 (1953).
[2] G. Storck, Am. Soc. 69, 2936 (1947).
[3] C. Chang, Hua Hsüeh Pao 24, 69 (1958); C. A. 53, 3170 (1959).
[4] H. T. Taylor, Soc. 1958, 3922.
[5] A. P. Meshcheryakov, L. V. Petrova u. A. D. Petrov, Izv. Akad. SSSR 1960, 98, engl.: 88.
[6] O. C. Dermer u. D. Simpson, Proc. Oklahoma Acad. Sci. 34, 160 (1953); C. A. 49, 8098 (1955).
[7] A. P. Meshcheryakov u. L. V. Petrova, Izv. Akad. SSSR 1955, 1057; engl.: 969.
[8] V. N. Belov u. T. A. Rudolfi, Ž. obšč. Chim. Sbornik statei 1, 266 (1953); C. A. 49, 967 (1955).
[9] A. P. Meshcheryakov u. L. V. Petrova, Izv. Akad. SSSR 1951, 576; C. A. 46, 7043 (1952).
[10] A. D. Petrov u. E. P. Kaplan, Izv. Akad. SSSR 1947, 295; C. A. 43, 1718 (1949).
[11] US. P. 2315046 (1943); 2355703 (1944), Union Oil Co. of California, Erf.: A. C. Byrns; C. A. 37, 5416 (1943).
    A. C. Byrns u. T. F. Doumani, Ind. eng. Chem. 35, 349 (1943).

Verzweigte Olefine wie 2-Methyl-propen [*4-Oxo-2-methyl-penten-(2)*][1], 2-Methyl-buten-(2)[2] oder 2,4,4-Trimethyl-pentene [*4-Oxo-2-methyl-3-tert.-butyl-penten-(2)*; *2-Oxo-4,6,6-trimethyl-hepten-(3)*][1] können auch in Gegenwart von (Acetoxysulfon)-essigsäure mit Essigsäure-anhydrid kondensiert werden.

4-Oxo-2,3-dimethyl-penten-(2) und 4-Oxo-2,3-dimethyl-penten-(1)[2]:

Acetoxysulfon-essigsäure (Acetylsulfoessigsäure): wird erhalten, indem man 5 g konz. Schwefelsäure mit 10,2 g (0,1 Mol) Essigsäure-anhydrid (98%ig) mischt. Dabei tritt Erwärmung ein. Nach 150 Min. Erhitzen auf 80° destilliert man die gebildete Essigsäure ab. Das zurückbleibende rote, viskose Öl ist nicht durch Wasser hydrolysierbar und gibt die Reaktionen des Sulfations nicht.

4-Oxo-2,3-dimethyl-penten-(2) und -(1): Man löst das rote, viskose Öl in 102 g (1 Mol) Essigsäure-anhydrid und gießt diese Lösung zu 90 g (1,3 Mol) 2-Methyl-buten-(2). Nach 24 stdgm. Verrühren bei 20° zerstört man den Überschuß an Essigsäure-anhydrid durch Wasserzugabe und destilliert mit Wasserdampf. Die Keton-Phase wird mit Natriumcarbonat-Lösung und mit Wasser gewaschen. Bei der Destillation geht zwischen 130° und 160° eine Mischung der Ketone über (Ausbeute: 60% d. Th.).

Aus Penten-(1) ebenso aus Cyclopenten, und dem aus Essigsäure-anhydrid und zwei Mol Aluminiumchlorid in Dichlormethan gebildeten Komplex erhält man bei 0° *2-Oxo-hepten-(3)* (46% d. Th.)[3] bzw. *1-Acetyl-cyclopenten-(1)* (67% d. Th.)[3]. Für die Acetylierung von 2,4,4-Trimethyl-penten-(1) zu einer Mischung aus *2-Oxo-4,6,6-trimethyl-hepten-(3)* und *6-Oxo-2,2-dimethyl-4-methylen-heptan* können mit gutem Erfolg Bortrifluorid[4] oder Fluorwasserstoff[4] verwendet werden.

Bei der Acylierung von 1-Methyl-cyclopenten-(1) mit Essigsäure-anhydrid/Zinkchlorid treten Verschiebungen der C=C-Doppelbindung ein und es entstehen *2-Methyl-3-acetyl-cyclopenten-(1)* und *2-Methyl-1-acetyl-cyclopenten-(1)* im Verhältnis 3:2 nebeneinander[5,6]. 1-Alkyl-cyclopentene-(1) mit höheren Alkyl-Resten liefern 2-Alkyl-3-acetyl-cyclopentene-(1) und 2-Alkyliden-1-acetyl-cyclopentane im Verhältnis[6] von 3:1:

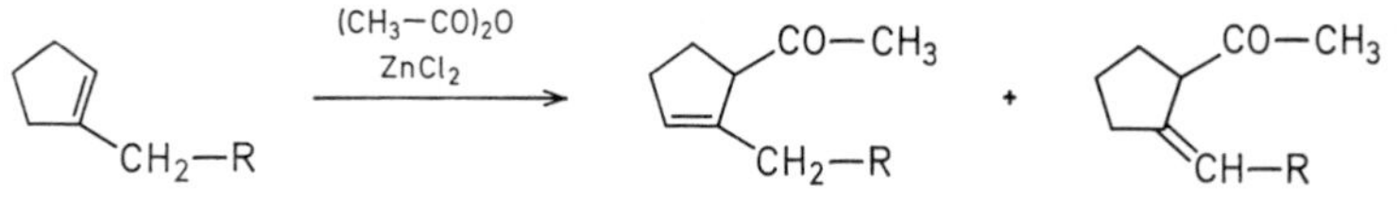

R = CH₃   2-Äthyl-3-acetyl-cyclopenten-(1) + 2-Äthyliden-1-acetyl-cyclopentan
R = C₂H₅   2-Propyl-3-acetyl-cyclopenten-(1) + 2-Propyliden-1-acetyl-cyclopentan
R = C₃H₇   2-Butyl-3-acetyl-cyclopenten-(1) + 2-Butyliden-1-acetyl-cyclopentan
R = C₄H₉   2-Pentyl-3-acetyl-cyclopenten-(1) + 2-Pentyliden-1-acetyl-cyclopentan

[1] US. P. 2411823 (1946), Union Oil Co. of California, Erf.: T. F. Doumani u. J. F. Cuneo; C. A. **41**, 1234 (1947).

[2] R. Heilmann, G. de Gaudemaris u. K. Noack, Bl. **1954**, 992.

[3] N. Jones u. H. T. Taylor, Soc. **1959**, 4017.

[4] US. P. 2463742 (1949), Union Oil Co. of California, Erf.: A. C. Byrns; C. A. **43**, 4685 (1949).

[5] K. Sen u. U. R. Ghatak, J. Org. Chem. **24**, 1866 (1959).

[6] J. K. Groves u. N. Jones, Soc. [C] **1969**, 608.

Zur Umsetzung von Cyclohexen mit Essigsäure-anhydrid werden Zinkchlorid[1–5], Aluminiumchlorid[5], Zinn(IV)-chlorid[5], Schwefelsäure[6], Bortrifluorid[7] oder Perchlorsäure[8] als Katalysatoren herangezogen. Man erhält dabei *1-Acetyl-cyclohexen-(1)* mit Ausbeuten von 11–54% der Theorie.

Bei der Acetylierung von 1-Methyl-cyclohexen-(1) mit Zinkchlorid in Essigsäure-anhydrid erhält man ausschließlich *2-Methyl-3-acetyl-cyclohexen-(1)*[9].

2-Methyl-3-acetyl-cyclohexen-(1)[9]: Zu einer Lösung von 20 g (0,21 Mol) 1-Methyl-cyclohexen-(1) in 60 g (0,59 Mol) Essigsäure-anhydrid gibt man 25 g (0,18 Mol) gepulvertes, wasserfreies Zinkchlorid. Die Zugabe des Feststoffes erfordert 20 Min. Beim Hinzufügen steigt die Temp. auf 43°. Nach 20 stdgm. Rühren wird die klare Lösung abgekühlt und das überschüssige Essigsäure-anhydrid durch Zugabe von Eis und Wasser zerstört. Man fügt 100 *ml* Äther hinzu, wäscht den Ätherextrakt 3 mal mit Wasser, 1 mal mit verd. Kalilauge und schließlich mit Wasser, bis dieses neutral bleibt. Die Äther-Lösung wird über Natriumsulfat getrocknet und destilliert; Ausbeute: 20 g (70% d.Th.); Kp_{12}: 77–80°; $n_D^{20} = 1,4740$.

Bei der Umsetzung von 1-Methyl-cyclohexen-(1) mit Essigsäure-anhydrid in Gegenwart von Zinn(IV)-chlorid/Schwefelkohlenstoff, Aluminiumchlorid/Dichlormethan oder Bortrifluorid/Äther erhält man *2-Methyl-3-acetyl-cyclohexen-(1)* mit Ausbeuten von 38–48% der Theorie[10]. Die Acetylierung von 1-Alkyl-cyclohexenen-(1) mit größeren Alkyl-Resten durch Essigsäure-anhydrid/Zinkchlorid ergibt Mischungen von zwei Ketonen, nämlich von 2-Alkyl-3-acetyl-cyclohexenen-(1) und 2-Alkyl-1-acetyl-cyclohexenen-(1) im Verhältnis[10,11] von 4:1:

R = C_2H_5	*2-Äthyl-3-acetyl-cyclohexen-(1)*	+ *2-Äthyl-1-acetyl-cyclohexen-(1)*
R = C_3H_7	*2-Propyl-3-acetyl-cyclohexen-(1)*	+ *2-Propyl-1-acetyl-cyclohexen-(1)*
R = C_4H_9	*2-Butyl-3-acetyl-cyclohexen-(1)*	+ *2-Butyl-1-acetyl-cyclohexen-(1)*
R = C_5H_{11}	*2-Pentyl-3-acetyl-cyclohexen-(1)*	+ *2-Pentyl-1-acetyl-cyclohexen-(1)*

Die Acetylierung von 1,3-Dimethyl-cyclohexen-(1) kann bei 30° mit Essigsäure-anhydrid/Zinn(IV)-chlorid durchgeführt werden, man erhält dabei *1,3-Dimethyl-2-acetyl-cyclohexen-(1)* (30% d.Th.)[12].

---

[1] O. C. DERMER u. D. SIMPSON, Proc. Oklahoma Acad. Sci. **34**, 160 (1953); C. A. **49**, 8098 (1955).

[2] V. N. BELOV u. T. A. RUDOLFI, Ž. obšč. Chim. Sbornik statei **1**, 266 (1953); C. A. **49**, 967 (1955).

[3] US. P. 2315046 (1943); 2355703 (1944), Union Oil Co. of California, Erf.: A. C. BYRNS; C. A. **37**, 5416 (1943).
A. C. BYRNS u. T. F. DOUMANI, Ind. eng. Chem. **35**, 349 (143).

[4] V. N. BELOV, T. A. RUDOLFI u. G. Z. SHEKHTMAN, Doklady Akad. **88**, 979 (1953); C. A. **48**, 9320 (1954).

[5] E. E. ROYALS u. C. M. HENDRY, J. Org. Chem. **15**, 1147 (1950).

[6] F. EBEL u. M. GOLDBERG, Helv. **10**, 677 (1927).

[7] H. MEERWEIN u. D. VOSSEN, J. pr. [2] **141**, 149 (1934).

[8] H. BURTON u. P. F. G. PRAILL, Chem. & Ind. **1954**, 75.

[9] N. C. DENO u. H. CHAFETZ, Am. Soc. **74**, 3940 (1952).

[10] J. K. GROVES u. N. JONES, Soc. [C] **1968**, 2898.

[11] J. K. GROVES u. N. JONES, Soc. [C] **1968**, 2215.

[12] K. W. ROSENMUND u. H. HERZBERG, B. **87**, 1575 (1954).

cis-Cycloocten reagiert mit Essigsäure-anhydrid/Bortrifluorid in Äther zu einer Mischung aus *4-Acetyl-cyclooocten-(1)* und Acetoxy-cyclooctan. Wenn man Zinkchlorid als Katalysator verwendet, entstehen neben den genannten Verbindungen geringe Mengen an *1-Acetyl-cyclooocten-(1)*[1]. Die Bildung des *4-Acetyl-cyclooctens-(1)* kann durch 1,3-Hydrid-Verschiebung beim intermediär gebildeten Cyclooctyl-carbonium-Ion erklärt werden[1]:

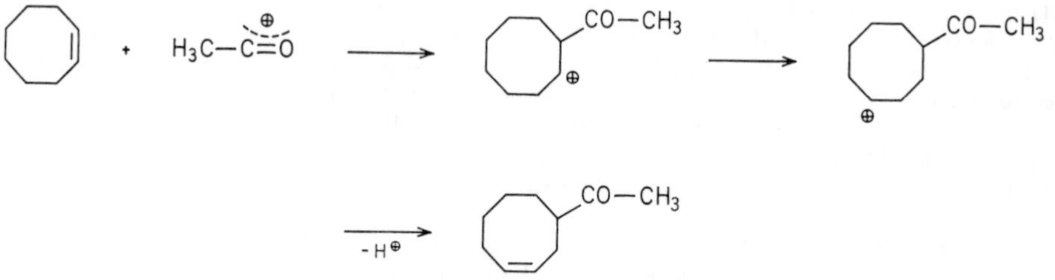

Styrol ergibt in Gegenwart von katalytischen Mengen Perchlorsäure mit Essigsäure-anhydrid *3-Oxo-1-phenyl-buten-(1)* (15% d. Th.)[2]. Inden und Acenaphthylen polymerisieren unter den angewendeten Reaktionsbedingungen.

2-Methyl-propen ergibt mit Propionsäure-anhydrid/Zinkchlorid bei Raumtemperatur *4-Oxo-2-methyl-hexen-(2)* (14% d. Th.)[3]. Cyclopenten wird mit dem in Dichlormethan aus Propionsäure-anhydrid und zwei Mol Aluminiumchlorid hergestellten Komplex bei 0° umgesetzt; man erhält dabei *1-Propanoyl-cyclopenten-(1)* (50% d. Th.)[4]. Bei der Umsetzung von 1-Methyl-cyclopenten-(1) mit Propionsäureanhydrid oder 2-Methyl-propansäure-anhydrid in Gegenwart von molaren Mengen Zinkchlorid bei −10° werden nach Behandlung des primären Reaktionsproduktes mit methanolischer Kalilauge *2-Methyl-1-propanoyl-* bzw. *2-Methyl-1-(2-methyl-propanoyl)-cyclopenten-(1)* erhalten[5]. Cyclohexen liefert mit Propionsäure-anhydrid/ Zinkchlorid *1-Propanoyl-cyclohexen-(1)*[3]. Für die Umsetzung von 1-Methyl-cyclohexen-(1) mit Propionsäure-anhydrid oder 2-Methyl-propansäure-anhydrid in Gegenwart von Zinkchlorid sind Reaktionszeiten von 20 bzw. 40 Stunden erforderlich; man kann dann *2-Methyl-3-propanoyl-* bzw. *2-Methyl-3-(2-methyl-propanoyl) cyclohexen-(1)* mit Ausbeuten von 53% bzw. 66% d. Th. isolieren[6]. Styrol ergibt mit Propionsäure-anhydrid mit 63%iger Perchlorsäure als Katalysator mit geringer Ausbeute *3-Oxo-1-phenyl-penten-(1)*[2].

Bei der Umsetzung von 2,3-Dimethyl-buten-(2) mit Butansäure-anhydrid/ Zinkchlorid erhält man *4-Oxo-2,3,3-trimethyl-hepten-(1)* (21% d. Th.)[7]. Auch wenn man unter analogen Bedingungen Essigsäure-butansäure-anhydrid als Acylierungsmittel verwendet, erhält man *4-Oxo-2,3,3-trimethyl-hepten-(1)* als Hauptreak-

[1] J. K. Groves u. N. Jones, Soc. [C] **1969**, 1718.
[2] B. A. Rozenberg et al., Ž. obšč. Chim. **32**, 3417 (1962); engl.: 3353.
[3] O. C. Dermer u. D. Simpson, Proc. Oklahoma Acad. Sci. **34**, 160 (1953); C. A. **49**, 8098 (1955).
[4] N. Jones u. H. T. Taylor, Soc. **1959**, 4017.
[5] J. K. Groves u. N. Jones, Soc. [C] **1969**, 608.
[6] J. K. Groves u. N. Jones, Soc. [C] **1968**, 2898.
[7] A. P. Meshcheryakov, L. V. Petrova u. A. D. Petrov, Izv. Akad. SSSR **1960**, 98; engl.: 88.

tionsprodukt[1]. 2-Methyl-propansäure-anhydrid/Zinkchlorid liefert mit 2,3-Dimethyl-buten-(2) *4-Oxo-2,3,3,5-tetramethyl-hexen-(1)* (6,3% d.Th.)[1]. 2,2-Dimethyl-propan-säure-anhydrid reagiert unter den gleichen Bedingungen nicht[1].

Während Benzoesäure-anhydrid in Gegenwart von Zinkchlorid mit Cyclo-hexen nicht reagiert[2], entsteht mit Polyphosphorsäure bei 57° *9-Oxo-1,2,3,4-tetra-hydro-fluoren*[3]:

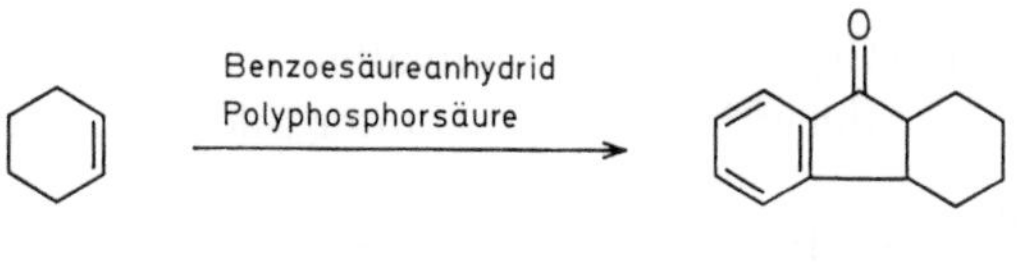

41,6%

Der aus Bernsteinsäure-anhydrid und zwei Mol Aluminiumchlorid in 1,2-Dichlor-äthan gebildete Komplex reagiert bei 25° mit Äthylen; nach Destillation des primären Reaktionsproduktes über Natriumcarbonat erhält man *4-Oxo-hexen-(5)-säure* (25% d.Th.)[4]. Unter vergleichbaren Bedingungen reagiert Äthylen mit Poly-hexandisäure-anhydrid nicht[4]. Mit dem aus Maleinsäure-anhydrid und zwei Mol Aluminiumchlorid in 1,2-Dichlor-äthan gebildeten Komplex und überschüssigem Äthylen entsteht *4-Oxo-6-methyl-heptadien-(2,5)-säure*, die nach Veresterung mit Diazomethan als Methylester isoliert wird[4]:

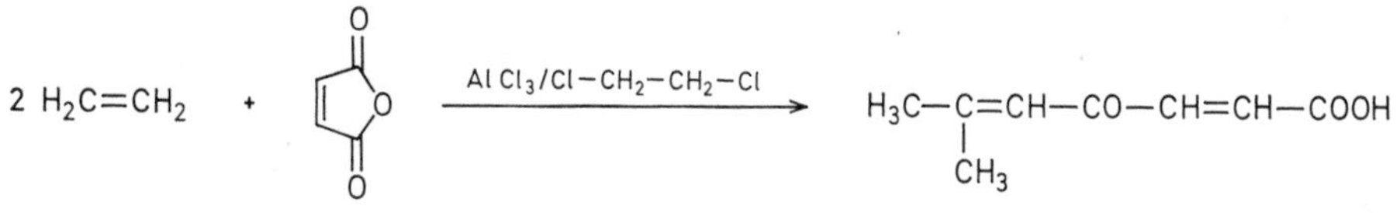

15%

1,3-Diphenyl-inden reagiert mit Phthalsäure-anhydrid/Aluminiumchlorid in Benzol in 2-Stellung, man erhält *1,3-Diphenyl-2-(2-carboxy-phenyl)-inden* (43% d.Th.)[5].

---

[1] A.P. Meshcheryakov, L. V. Petrova u. A. D. Petrov, Izv. Akad. SSSR **1960**, 98; engl.: 88.
[2] O. C. Dermer u. D. Simpson, Proc. Oklahoma Acad. Sci. **34**, 160 (1953); C. A. **49**, 8098 (1955).
[3] S. Dev, J. indian chem. Soc. **34**, 169 (1957).
[4] H. T. Taylor, Soc. **1958**, 3922.
[5] C. F. Koelsch, J. Org. Chem. **26**, 4238 (1961).

3. Direkte Einführung der R-CO-Gruppe durch Umsetzung von Olefinen (bzw. Acetylenen) mit Aldehyden

bearbeitet von

Dr. Hanna Söll

Farbenfabriken Bayer AG, Leverkusen

Aldehyde lassen sich in Gegenwart von Radikalbildnern[1] oder unter der Einwirkung von UV-Licht[2] oder γ-Strahlen[3,4] an Olefine unter Bildung von Ketonen addieren[5]:

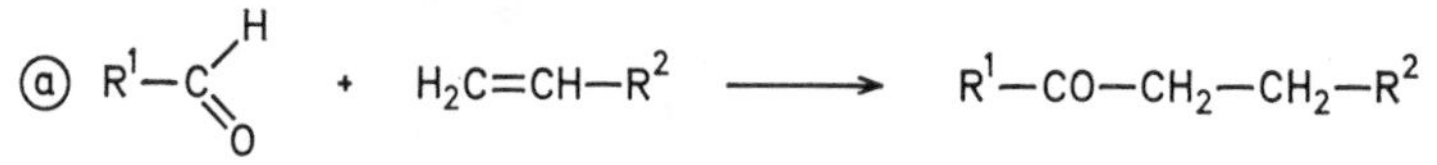

$$\text{(a)} \quad R^1-C\underset{O}{\overset{H}{\diagup}} \;+\; H_2C=CH-R^2 \;\longrightarrow\; R^1-CO-CH_2-CH_2-R^2$$

Die Reaktion verläuft in 3 Schritten:

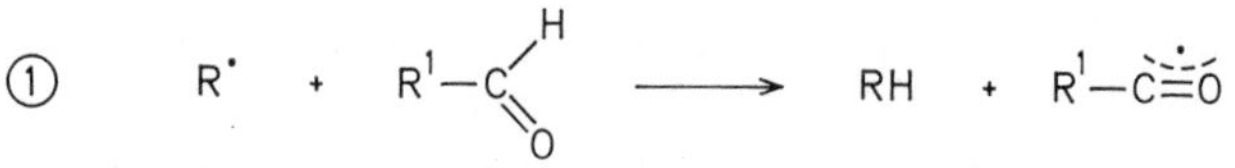

$$\text{①} \quad R^{\bullet} \;+\; R^1-C\underset{O}{\overset{H}{\diagup}} \;\longrightarrow\; RH \;+\; R^1-\dot{C}\!\equiv\!\ddot{O}$$

(aus Radikalbildnern)

$$R^1-C\underset{O}{\overset{H}{\diagup}} \;\xrightarrow{h\nu}\; R^1-\dot{C}\!\equiv\!\ddot{O} \;+\; H^{\bullet}$$

$$\text{②} \quad R^1-\dot{C}\!\equiv\!\ddot{O} \;+\; H_2C=CH-R^2 \;\longrightarrow\; \begin{cases} R^1-CO-CH_2-\dot{C}H-R^2 \quad \text{II} \\ R^1-CO-\underset{\overset{|}{\dot{C}H_2}}{CH}-R^2 \quad \text{III} \end{cases}$$

I

$$\text{③} \quad \underset{\text{II}}{R^1-CO-CH_2-\dot{C}H-R^2} \;+\; R^1-C\underset{O}{\overset{H}{\diagup}} \;\longrightarrow\; R^1-CO-CH_2-CH_2-R^2 \;+\; R^1-\dot{C}\!\equiv\!\ddot{O}$$

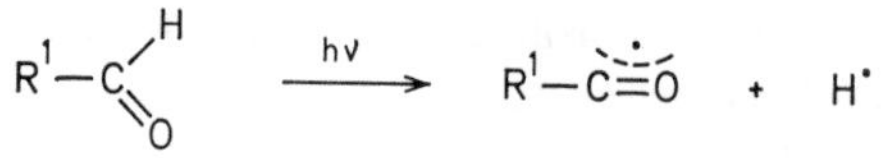

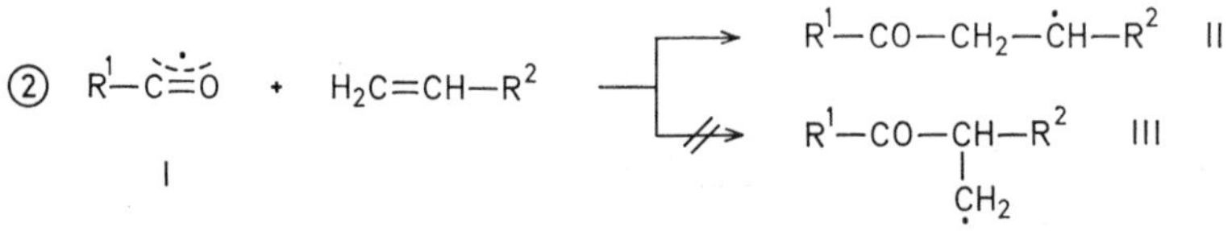

Diese radikalische Addition von Aldehyden an Olefine erfolgt mit α-Olefinen wesentlich glatter als mit β-Olefinen:

$$H_2C=CH-R^2 \;\gg\; H_3C-CH=CH-R^2$$

α-Olefin β-Olefin

Sie verläuft entgegen der Regel von Markownikoff, da sekundäre Alkyl-Radikale (II) stabiler sind als primäre (III). Die Tatsache, daß α-Olefine Aldehyde wesentlich leichter addieren als β-Olefine, läßt einen gewissen nucleophilen Charakter des Acyl-Radikals vermuten[6]:

$$R^1-\dot{C}=\ddot{O} \;\longleftrightarrow\; R^1-\overset{\ominus}{\ddot{C}}=\overset{\oplus}{\underline{O}}{}^{\bullet}$$

---

[1] US. P. 2533944 (1946), United States Rubber Co., Erf.: E. C. Ladd; C. A. **45**, 4741 (1951).

[2] M. S. Kharasch, W. H. Urry u. B. M. Kuderna, J. Org. Chem. **14**, 248 (1949).

[3] R. H. Wiley u. J. R. Harrell, J. Org. Chem. **25**, 903 (1960).

[4] C. E. Stoops u. C. L. Furrow, J. Org. Chem. **26**, 3264 (1961).

[5] M. Vilkas, G. Dupont u. R. Dulou, Bl. **1955**, 799.

[6] E. S. Gould, *Mechanismus und Struktur in der organischen Chemie*, 2. Aufl., S. 906ff., Verlag Chemie, Weinheim 1964.

Besonders glatt addieren α,β-ungesättigte Nitrile[1], Ketone[2] und Carbonsäure-ester[1,3,4] ein Acyl-Radikal, und zwar in β-Stellung, wobei ein mesomeriestabilisiertes Radikal entsteht, z.B.:

$$R^2-\overset{\overset{O}{\|}}{C}-\underset{\underset{\beta}{}}{\underset{\alpha}{C}}H=CH_2 \;+\; R^1-\dot{C}O \longrightarrow R^2-\overset{\overset{|\overline{O}|}{\|}}{C}-\dot{C}H-CH_2-CO-R^1$$

$$\big\updownarrow$$

$$R^2-\overset{\overset{|\overline{O}\cdot}{|}}{C}=CH-CH_2-CO-R^1$$

Lediglich wenn die β-Stellung sterisch stark gehindert ist, wird auch das α-Kohlenstoffatom angegriffen[1].

Als Nebenreaktionen können vor allem Telomerisationen (Gleichung ⓑ) oder Decarbonylierungen des aus dem Aldehyd gebildeten Acyl-Radikals (Gleichung ©) stattfinden. Im letzteren Fall entsteht die dem Kohlenmonoxid entsprechende Menge Kohlenwasserstoff:

$$ⓑ \quad R^1-\overset{\overset{H}{\diagdown}}{\underset{\diagdown O}{C}} \;+\; n\,H_2C=CH-R^2 \longrightarrow R^1-CO-(CH_2-\underset{\underset{R^2}{|}}{CH})_{n-1}-CH_2-CH_2-R^2$$

$$© \quad R^1-\overset{..}{C}\overline{\overline{=}}O \longrightarrow \dot{R}^1 + CO\,;\qquad \dot{R}^1 + R^1-\overset{\overset{H}{\diagdown}}{\underset{\diagdown O}{C}} \longrightarrow R^1H + R^1-\overset{..}{C}\overline{\overline{=}}O$$

Zur Zurückdrängung der Telomerisation (Gleichung ⓑ) setzt man im allgemeinen den Aldehyd in großem Überschuß ein (s. Tab. 78, S. 465 ff.). Trotzdem entstehen mit Äthylen und Propen[5-9] sowie mit Styrol[10] praktisch nur Telomerisate. Auch mit 3,4-Epoxy-buten-(1)[11] und ungesättigten Epoxy-äthern[12] erhält man bei einem 3-fachen Aldehyd-Überschuß noch größere Anteile an höhermolekularen Ketonen. In manchen Fällen kann die Telomerisat-Bildung durch Erhöhung der Reaktionstemperatur zurückgedrängt werden.

Die Decarbonylierungsreaktion (Gleichung ©) tritt besonders bei den α-verzweigten Aldehyden in den Vordergrund[3,13,14]. Beim 2,2-Dimethyl-propanal verläuft

---

[1] R. L. Huang, Soc. **1957**, 1342.

[2] T. M. Patrick, J. Org. Chem. **17**, 1269 (1952).

[3] T. M. Patrick, J. Org. Chem. **17**, 1009 (1952).

[4] R. L. Huang, Soc. **1956**, 1749.

[5] US. P. 2517732 (1947) = E. P. 640479 (1947), United States Rubber Co., Erf.: C. H. Stiteler u. J. R. Little; C. A. **44**, 10730 (1950).

[6] US. P. 2517684 (1947), United States Rubber Co., Erf.: E. C. Ladd; C. A. **44**, 10730 (1950).

[7] K. Ziegler, Brennstoff-Chemie **30**, 181 (1949).

[8] Österr. P. 215969 (1960), Degussa; C. **1964**, 39–2363.

[9] K. Hirota et al., Bl. chem. Soc. Japan **36**, 115 (1963).

[10] M. S. Kharasch, W. H. Urry u. B. M. Kuderna, J. Org. Chem. **14**, 248 (1949).

[11] US. P. 2720530 (1953), Monsanto Chemical Co., Erf.: T. M. Patrick; C. A. **50**, 9449 (1956).

[12] US. P. 2710873 (1950), Monsanto Chemical Co., Erf.: E. W. Gluesenkamp u. T. M. Patrick; C. A. **50**, 5758 (1956).

[13] H. Muramatsu u. K. Inukai, J. Org. Chem. **27**, 1572 (1962).

[14] C. E. Stoops u. C. L. Furrow, J. Org. Chem. **26**, 3264 (1961).

sie praktisch ausschließlich[1]. Aber auch bei anderen Aldehyden macht sie sich bei höheren Temperaturen bemerkbar.

Chloral ließ sich mit Maleinsäure-diester[2] und Äthylen[1] nicht umsetzen. An β-Pinen (6,6-Dimethyl-2-methylen-bicyclo[3.1.1]heptan) addiert es sich in analoger Weise wie Tetrachlormethan[3]. Trifluoracetaldehyd lagert sich in Gegenwart von UV-Strahlen an Polyfluor-olefine unter Bildung von Oxetanen[4] (I; s. unten) an. Aus Buten-(2)-al (Crotonaldehyd)[2,5] und Furfural[2] konnten keine definierten Produkte erhalten werden. Dagegen läßt sich Benzaldehyd zu 1:1-Addukten addieren; allerdings sind die Ausbeuten gering (s. Tab. 78, S. 465).

Auch an Acetylene sind Aldehyde radikalisch addiert worden[6,7]. Da sich 2 Moleküle Aldehyd symmetrisch addieren, entstehen 1,4-Diketone, z.B. aus Acetaldehyd und Acetylen *Hexandion-(2,5)*[6]:

$$2\ H_3C-\overset{\overset{\displaystyle H}{|}}{\underset{\underset{\displaystyle O}{\|}}{C}} + HC\equiv CH \longrightarrow H_3C-CO-CH_2-CH_2-CO-CH_3$$

Die Ausbeuten sind allerdings mäßig.

Die homolytische Addition wird im allgemeinen so durchgeführt, daß man ein Gemisch der beiden frisch destillierten, reinen Komponenten mit dem Radikalbildner erhitzt. Nur in Ausnahmefällen wird ein Lösungs- bzw. Verdünnungsmittel zugesetzt[8]. Als Radikalbildner werden meist Diacylperoxide benutzt, die bei 70–100° genügend freie Radikale liefern. Dialkylperoxide[9] sind weniger geeignet, da sie zum Zerfall in die Radikale höhere Reaktionstemperaturen erfordern, wodurch die Gefahr der Decarbonylierung (Gleichung ©) vergrößert wird. Azo-isobuttersäure-dinitril[10] wurde bislang nur wenig benutzt. Im Falle der Addition von Acetaldehyd an Norbornen (Bicyclo[2.2.1]hepten) zeigte es sich allerdings allen anderen Radikalbildnern überlegen[11]. In einigen Fällen wurde auch wäßriges Hydrogenperoxid mit gutem Erfolg verwendet[12,13]. Bei der photochemischen Addition entstehen vielfach neben oder anstelle der zu erwartenden Ketone Oxetane (I)[14],

$$R-\overset{\overset{\displaystyle O}{\|}}{\underset{\underset{\displaystyle H}{}}{C}} + \underset{}{\overset{}{>}}C=C\overset{}{\underset{}{<}} \longrightarrow R-\boxed{}O \atop \underset{\displaystyle I}{}$$

[1] C. E. Stoops u. C. L. Furrow, J. Org. Chem. **26**, 3264 (1961).

[2] T. M. Patrick, J. Org. Chem. **17**, 1009 (1952).

[3] M. Vilkas, G. Dupont u. R. Dulou, Bl. **1955**, 799.

[4] J. F. Harris u. D. D. Coffman, Am. Soc. **84**, 1553 (1962).

[5] M. S. Kharasch, W. H. Urry u. B. M. Kuderna, J. Org. Chem. **14**, 248 (1949).

[6] H. H. Schlubach, V. Franzen u. E. Dahl, A. **587**, 124 (1954).

[7] R. H. Wiley u. J. R. Harrell, J. Org. Chem. **25**, 903 (1960).

[8] US. P. 2957906 (1955), Monsanto Chemical Co., Erf.: F. B. Erickson u. E. J. Prill; C. A. **55**, 13339 (1961).

[9] T. J. Wallace u. R. J. Gritter, J. Org. Chem. **27**, 3067 (1962).

[10] K. Ziegler, Brennstoff-Chemie **30**, 181 (1949).

[11] H. Stockmann, J. Org. Chem. **29**, 245 (1964).

[12] Fr. P. 1308919 (1961), I. C. I., Erf.: T. Wilson u. B. Smith; C. **1966**, 12–2449.

[13] Österr. P. 215969 (1960), Degussa; C. **1964**, 39–2363.

[14] E. Paterno u. G. Chieffi; G. **39**, 341 (1909); C. **1909** II, 195.
Vgl. ds. Handb., Bd. IV/5, Photochemie.

Aldehyd	ungesättigte Verbindung	Zeit [Stdn.]	Temperatur [°C]	Molverhältnis Aldehyd: Olefin	Radikalbildner	Keton	Ausbeute [%d.Th.] (bez. auf eingesetztes Olefin)	Kp [°C]	Kp [Torr]	F [°C]	Literatur
Acetaldehyd	Propen	45	70	3 : 1	A	Pentanon-(2)	10	46	65		1
	Octen-(1)	48	70	4,1 : 1	A	Decanon-(2)	16	68–70	4		1
	Undecen-(10)-säure-methylester	24	120	5 : 1	B	12-Oxo-tridecansäure-methylester	35, 53[a]	—	—		2
		48	70	~12 : 1	A		30	122–133	0,1		3
	Norbornen (Bicyclo-[2.2.1]heptan)	40	80	6 : 1	C	exo-2-Acetyl-bicyclo-[2.2.1]heptan	~82	79–81	15		4
	Essigsäure-allylester	48	90	4 : 1	A	5-Acetoxy-2-oxo-pentan	63	66,5–67	3		5 s.a. 6
	Acrolein-diäthylacetal	40	80	5 : 1	C	4-Oxo-pentanal-di-äthylacetal	~50	85–88	11		7
	Maleinsäure-diäthyl-ester	~5	82–89	3 : 1	A	Acetyl-bernsteinsäure-diäthylester	68, 78[a]	110–111	3		8
	Benzyliden-malon-säure-diäthylester	50	80–85	8 : 1	A	(2-Oxo-1-phenyl-pro-pyl)-malonsäure-diäthylester	79	139–141	0,2–0,3		9
	Octafluor-buten-(1)	15	100	1,1 : 1	A	6,6,5,5,4,3,3-Octa-fluor-2-oxo-hexan	76	91–92	740		10 s.a. 11
	Diäthoxy-methyl-vinyl-silan	40	20	3 : 1	h · ν	4-(Diäthoxy-methyl-silyl)-2-oxo-butan	50	80	4		12

A = Dibenzoyl-peroxid
B = Hydrogenperoxid
C = Azo-isobuttersäure-dinitril

[a] bez. auf umgesetztes Olefin

[1] US. P. 2517684 (1947), United States Rubber Co., Erf.: E. C. LADD; C. A. 44, 10730 (1950).
[2] Fr. P. 1308919 (1961) I. C. I., Erf.: T. WILSON u. B. SMITH; C. 1966, 12-2449.
[3] US.P. 2577133 (1947) ≡ Brit. P. 636287 (1947), United States Rubber Co., Erf.: E. C. LADD; C. A. 46, 6147 (1952).
[4] H. STOCKMANN, J. Org. Chem. 29, 245 (1964).
[5] US.P. 2533944 (1946), United States Rubber Co., Erf.: E. C. LADD; C.A. 45, 4741 (1951).
[6] S. JULIA, M. JULIA u. L. BRASSEUR, Bl. 1962, 1634.
[7] A. MONDON, Ang. Ch. 64, 224 (1952).
[8] T. M. PATRICK, J. Org. Chem. 17, 1009 (1952).
[9] M. JULIA, S. JULIA u. C. JEANMART, Bl. 1961, 1857.
[10] J. D. LAZERTE u. R. J. KOSHAR, Am. Soc. 77, 910 (1955).
[11] E. R. BISSELL u. D. B. FIELDS, J. Org. Chem. 29, 249 (1964).
[12] M. F. SHOSTAKOVSKII et al., Ž. obšč. Chim. 38, 2309 (1968); engl.: 2234.

Tab. 79. (1. Fortsetzung)

Aldehyd	ungesättigte Verbindung	Zeit [Stdn.]	Temperatur [°C]	Molverhältnis Aldehyd : Olefin	Radikalbildner	Keton	Ausbeute [%d.Th.] (bez. auf eingesetztes Olefin)	Kp [°C]	Kp [Torr]	F [°C]	Literatur
Acetaldehyd	Acetylen-dicarbonsäure-dimethylester			4,2 : 1	h·v	2,3-Diacetyl-bernsteinsäure-dimethylester	31	120–135	1		1
Propanal	2,2-Difluor-1,1-dichloräthylen	20	105–110	1,29 : 0,7	A	2,2-Difluor-1,1-dichlor-3-oxo-pentan	42	101–101,5	200		2
Butanal	Hexen-(1)	27	Rückfluß	4 : 1	D	Decanon-(4)	41	206	750		3
		19	31		h·v		26	65	0,25		4
	Octen-(1)	7	Rückfluß	~5 : 1	D	Dodecanon-(4)	57	48–50	0,10		3
		6	145	5 : 1	E		48				5
	Essigsäure-allylester	48	80	10 : 1	A	7-Acetoxy-4-oxo-heptan	41	111–114	11		6
	Mesityloxid [4-Oxo-2-methyl-penten-(2)]	50	83–86	~3 : 1	A	2,5-Dioxo-4,4-dimethyl-octan + 2,4-Dioxo-3-isopropyl-heptan (10 : 1)	97[a]	112–112,5 / 104–106	20 / 20		7
	Penten-(3)-on-(2)	144	81–86	3 : 1	A	4,7-Dioxo-5-methyl-octan	53	107	20		7
							64[a]				
	Triäthyl-vinyl-silan	50	82–121	~4 : 1	A	6-Triäthylsilyl-4-oxo-hexan	43	103,5	3		8,9
		30–35	20	3 : 1	h·v		82	102–103	3		10

A = Dibenzoyl-peroxid
D = Diacetyl-peroxid
E = Di-tert.-butyl-peroxid

a bez. auf umgesetztes Olefin

1 R. H. WILEY u. J. R. HARRELL, J. Org. Chem. **25**, 903 (1960).
2 H. MURAMATSU u. K. INUKAI, J. Org. Chem. **27**, 1572 (1962).
3 M. S. KHARASCH, W. H. URRY u. B. M. KUDERNA, J. Org. Chem. **14**, 248 (1949).
4 G. RABILLOUD, C. r. **259**, 3009 (1964). Mit Hexen-(2) ließ sich die Reaktion nicht durchführen.
5 T. J. WALLACE u. R. J. GRITTER, J. Org. Chem. **27**, 3067 (1962).

7 T. M. PATRICK, J. Org. Chem. **17**, 1269 (1952).
8 Zur Addition von Butanal an Trimethyl-vinyl-silan s. L. H. SOMMER et al., Am. Soc. **76**, 1613 (1954).
9 A. D. PETROV, E. A. CHERNYSHEV u. M. BISKU, Izv. Akad. SSSR **1956**, 1445; engl.: 1485.
10 N. V. KOMAROV, V. K. ROMAN u. L. I. KOMAROVA, Izv. Akad. SSSR **1966**, 1464; engl.: 1405. –

Tab. 79. (2. Fortsetzung)

Aldehyd	ungesättigte Verbindung	Zeit [Stdn.]	Temperatur [°C]	Molverhältnis Aldehyd: Olefin	Radikalbildner	Keton	Ausbeute [% d. Th.] (bez. auf eingesetztes Olefin)	Kp [°C]	Kp [Torr]	F [°C]	Literatur
Butanal	Crotonsäure[Buten-(2)-säure]	9	80	~ 6 : 1	A	4-Oxo-3-methyl-heptan-säure	83	90–92	0,5		1
	4-Oxo-penten-(2)-säure-äthylester	12	70	6 : 1	A	2,5-Dioxo-4-äthoxy-carbonyl-octan	54	89–92	0,5		1
	3-Methyl-buten-(2)-säure-nitril[a]	26	75	6 : 1	A	4-Oxo-3,3-dimethyl-heptansäure-nitril	52	71–73	2		2
	Fumarsäure-diäthylester	32	75	10 : 1	A	Butanoyl-bernstein-säure-diäthylester	42	102–104	1		3 s. a. 4
	Maleinsäure-diäthylester			4 : 1	h · ν	Butanoyl-bernstein-säure-diäthylester	84	121	2		4
	Bicyclo[2.2.1]hepten-(2)-5,6-dicarbonsäureanhydrid	18	82–88	4 : 1	A	5-Butanoyl-bicyclo[2.2.1]heptan-2,3-dicarbonsäurean-hydrid	76[b]	95–108	0,5	65–75	5 s. a. 3
		~30	Rückfluß[c]	10 : 1	A		~75[b]				6

A = Dibenzoyl-peroxid

[a] mit der entsprechenden freien Säure oder dem Ester erhält man jeweils ein Gemisch von 2 isomeren Ketonen

[b] unreines Produkt

[c] bei dieser Addition wird ein Hexan-Benzol-Gemisch als Lösungsmittel zugegeben

[1] R. L. HUANG, Soc. 1956, 1749.
[2] R. L. HUANG, Soc. 1957, 1342.
[3] US. P. 2577133 (1947) ≡ Brit. P. 636287 (1947), United States Rubber Co., Erf.: E. C. LADD; C. A. 46, 6147 (1952).
[4] R. H. WILEY u. J. R. HARRELL, J. Org. Chem. 25, 903 (1960).
[5] T. M. PATRICK, J. Org. Chem. 17, 1009 (1952).
[6] US. P. 2957906 (1955), Monsanto Chemical Co., Erf.: F. B. ERICKSON u. E. J. PRILL; C. A. 55, 13339 (1961).

Tab. 79. (3. Fortsetzung)

Aldehyd	ungesättigte Verbindung	Zeit [Stdn.]	Temperatur [°C]	Molverhältnis Aldehyd:Olefin	Radikalbildner	Keton	Ausbeute [% d.Th.] (bez. auf eingesetztes Olefin)	Kp [°C]	Kp [Torr]	F [°C]	Literatur
3-Methyl-butanal	3-Acetoxy-2-methyl-propen	3	95	21:1	A	7-Acetoxy-4-oxo-2,6-dimethyl-heptan	73	125–128	20		1
Heptanal	Hexen-(1)	22	27		h · v	Tridecanon-(7)	47	139	12		2 s. a. 4
	Maleinsäure-diäthyl-ester	~20	85	2:1	A	Heptanoyl-bernstein-säure-diäthylester	75	119–122	0,7		3 s. a. 4
	Octen-(1)	~19	65	4:1	D	Pentadecanon-(7)	75	63–70	0,1		5
Benz-aldehyd	Triäthyl-vinyl-silan	50	156–177	4:1	A	3-Triäthylsilyl-1-oxo-1-phenyl-propan	23 / 35[a]	168–170	5		6
	Methyl-diäthyl-buten-(3)-yl-silan	50	170–180	5:1	A	5-(Methyl-diäthyl-silyl)-1-oxo-1-phenyl-pentan	18, 32[a]	163–164	3,5		7
	Maleinsäure-diäthyl-ester	23	81–83	4,6:1 / 4:1	h · v / A	Benzoyl-bernstein-säure-diäthylester	14 / 5, 15[a]	159 / 150–160	1 / 0,8		8 / 4

A = Dibenzoyl-peroxid
D = Diacetyl-peroxid

[a] bez. auf umgesetztes Olefin

[1] S. Julia, M. Julia u. L. Brasseur, Bl. 1962, 1634.
[2] G. Rabilloud, C. r. 259, 3009 (1964). Mit Hexen-(2) ließ sich die Reaktion nicht durchführen.
[3] T. M. Patrick u. R. D. Cramer, Org. Synth., Coll. Vol. IV, 430 (1963).
[4] T. M. Patrick, J. Org. Chem. 17, 1009 (1952).
[5] M. S. Kharasch, W. H. Urry u. B. M. Kuderna, J. Org. Chem. 14, 248 (1949).
[6] A. D. Petrov, E. A. Chernyshev u. M. Bisku, Izv. Akad. SSSR 1956, 1445; engl.: 1485.
[7] E. A. Chernyshev, Izv. Akad. SSSR 1960, 80; engl.: 71.
[8] R. H. Wiley u. J. R. Harrell, J. Org. Chem. 25, 903 (1960).

so z.B. bei der Umsetzung von Benzaldehyd mit 2-Methyl-buten-(2)[1,2] oder Decin-(5)[3], von Butanal mit 2-Methyl-buten-(2)[4], von Trifluoracetaldehyd mit Hexafluor-propen[5] oder von Acetaldehyd mit Tetrafluoräthylen[6] (näheres s. Umwandlung von Olefinen, Bd. V/1b, S. 1085ff.).

Pentadecanon-(7)[7]: Eine Lösung von 4,5 g Diacetylperoxid in 14,2 g über Drierite® getrocknetem und dann sorgfältig destilliertem Heptanal läßt man im Laufe von 9 Stdn. in eine 65° heiße Lösung von 31,4 g (0,28 Mol) destilliertem Octen-(1) in 114 g (1,0 Mol) Heptanal eintropfen. Anschließend erhitzt man noch 10 Stdn. auf 65°. Während der Umsetzung entwickelt sich ein Gasgemisch, das zu 13% aus Methan und zu 87% aus Kohlenmonoxid besteht.

Aus dem Reaktionsgemisch werden über eine 50-Böden-Podbielniak-Kolonne 23,9 g Hexan, 3,8 g Octen-(1) und 66 g Heptanal abdestilliert. Dann destilliert man den Rückstand bei vermindertem Druck über eine 25,4 cm-Vigreux-Kolonne; Ausbeute: 47,5 g (75% d.Th.); $Kp_{0,1}$: 63–70° (kristallisiert beim Stehen); F: 32° (2mal aus Methanol umkristallisiert).

Eine gute Vorschrift zur Herstellung von *Heptanoyl-bernsteinsäure-diäthylester [3-Oxo-2-(äthoxycarbonylmethyl)-nonansäure-äthylester]* aus Heptanal und Maleinsäurediäthylester in Gegenwart von Dibenzoylperoxid findet sich in Organic Synthesis Coll. Vol. IV, S. 430.

exo-2-Acetyl-bicyclo[2.2.1]heptan[8]: Man löst 47 g (0,5 Mol) frisch destilliertes Bicyclo[2.2.1] hepten (Norbornen) in 132 g frisch destilliertem Acetaldehyd, der 0,01 Mol Azo-isobuttersäuredinitril enthält, und erhitzt das Gemisch 40 Stdn. im Autoklaven auf 80°. Nach dem Abdestillieren des Acetaldehyds wird der Rückstand i. Vak. destilliert; Ausbeute: 56,7 g (82% d.Th.); Kp_{15}: 79–81°; n_D^{24}: 1,4709.

Kürzlich wurde gefunden, daß die Addition von – vor allem aromatischen – Aldehyden an α,β-ungesättigte Carbonylverbindungen und ihre Derivate besonders glatt verläuft, wenn die Reaktion nicht radikalisch, sondern in Gegenwart von Cyanid-Ionen durchgeführt wird[9]. Als Lösungsmittel sind Dimethylformamid und Dimethylsulfoxid geeignet; zum Mechanismus der Addition siehe Originalliteratur.

Allgemeine Vorschrift zur Addition von Aldehyden an aktivierte Doppelbindungen in Gegenwart von Cyanid-Ionen[9]: Zu einer Lösung von 0,5 Mol Aldehyd und 0,1–0,5 Mol Natriumcyanid in 150–250 cm³ Dimethylformamid tropft man unter Rühren bei ~ 35° eine Lösung von 0,5 Mol der ungesättigten Carbonylverbindung oder des entsprechenden Nitrils in 100 *ml* Dimethylformamid, wobei im Falle des Acrylnitrils ein Unterschuß von 0,35 Mol vorteilhaft ist. Man rührt noch bis zur Beendigung der Reaktion (1 – 4 Stdn.). Die Aufarbeitung kann durch Eingießen in Wasser und Extraktion mit Chloroform erfolgen.

Tab. 80. Ketone durch Addition von Aldehyden an Ketone in Gegenwart von Cyanid-Ionen[9]

R—CHO + R¹—CH=CH—R² → R—CO—CH(R¹)—CH₂—R²

R	R¹	R²	Ausbeute [% d. Th.]	R	R¹	R²	Ausbeute [% d. Th.]
C_6H_5	H	CN	80	p–Cl–C_6H_4	H	CN	70
C_6H_5	CH_3	$COOC_2H_5$	33	p–Cl–C_6H_4	CH_3	$COOC_2H_5$	56
C_6H_5	$COOC_2H_5$	$COOC_2H_5$	32	p–Cl–C_6H_4	$COOC_2H_5$	$COOC_2H_5$	35
C_6H_5	C_6H_5	$COCH_3$	67	p–Cl–C_6H_4	C_6H_5	$COCH_3$	90

[1] G. Büchi, C. G. Inman u. E. S. Lipinsky, Am. Soc. **76**, 4327 (1954).
   D. R. Arnold, R. L. Hinman u. A. H. Glick, Tetrahedron Letters **1964**, Nr. 22, 1425.
[2] N. C. Yang, Pure Appl. Chem. **9**, 591 (1964).
[3] G. Büchi et al., Am. Soc. **78**, 876 (1956).
[4] G. S. Hammond u. N. J. Turro, Sci. **142**, 1541 (1963).
[5] J. F. Harris u. P. D. Coffman, Am. Soc. **84**, 1553 (1962).
[6] E. R. Bissell u. D. B. Fields, J. Org. Chem. **29**, 249 (1964).
[7] M. S. Kharasch, W. H. Urry u. B. M. Kuderna, J. Org. Chem. **14**, 248 (1949).
[8] H. Stockmann, J. Org. Chem. **29**, 245 (1964).
[9] H. Stetter u. M. Schreckenberg, Ang. Ch. **85**, 89 (1973).

Auch in Gegenwart von Aluminiumchlorid werden nach einem ionischen Mechanismus Aldehyde an Olefine addiert. Aus Chloracetaldehyd und Cyclopenten bzw. Cyclohexen entstehen *Chloracetyl-cyclopentan*[1] bzw. *Chloracetyl-cyclohexan*[2] in Ausbeuten von ~ 30% der Theorie.

Erwähnt sei die Bildung von symmetrischen Ketonen als Nebenprodukte bei der Oxo-Synthese: der zunächst entstehende Aldehyd lagert sich an ein zweites Olefinmolekül unter Keton-Bildung an (vgl. ds. Handb., Bd. VII/1, S. 58). Lediglich in einzelnen Fällen entstehen die Ketone als Hauptprodukt; so erhält man z.B. *Pentanon-(3)* bei der Hydroformylierung von Äthylen mit wenig Wasserstoff bei 250° unter 700 atm Druck[3]. Setzt man Propen mit Kohlenoxid und 1,2,3,4-Tetrahydro-naphthalin (als Wasserstoffdonator) in Gegenwart von Kobaltoleat als Carbonylierungskatalysator bei 150° und 250 atm um, so erhält man bei einem 14%igen Umsatz neben 59% Butanal 34% *Heptanon-(4)*[4].

4. Direkte Einführung der R-CO-Gruppe durch Umsetzung von cyclischen Äthern mit Olefinen

bearbeitet von

Dr. HANNA SÖLL

Farbenfabriken Bayer AG, Leverkusen

Läßt man stark negativ substituierte Olefine in Gegenwart von Radikalbildnern auf offene oder cyclische Äther einwirken, so erhält man im allgemeinen die entsprechenden α-alkylierten Äther[5].

Erhitzt man jedoch Octen-(1) (I) in Gegenwart von Di-tert.-butyl-peroxid mit Oxetan, Tetrahydrofuran oder Tetrahydropyran (II) auf ~ 150°, so entstehen - z. T. neben den zu erwartenden α-alkylierten Äthern (IV) – die entsprechenden offenen Ketone (III)[6]:

$$H_{13}C_6-CH=CH_2 \ + \ (CH_2)_n\ O \ \longrightarrow \ H_{13}C_6-CH_2-CH_2-CO-(CH_2)_{n-2}-CH_3 \ +$$

I II III

n = 3,4,5

$$H_{13}C_6-CH_2-CH_2-CH \underset{O}{\overset{(CH_2)_{n-1}}{\big|}} \quad IV$$

Es ist möglich, daß diese Reaktion – ebenso wie die radikalische Addition von Aldehyden an Olefine (s. S. 462) – über ein Acyl-Radikal verläuft[6]. Hergestellt wurden: *Undecanon-(3)*, *Dodecanon-(4)* und *Tridecanon-(5)* in Ausbeuten von 65%, 79% bzw. 49% bezogen auf umgesetztes Octen-(1)[6].

[1] Y. I. SMUSHKEVICH et al., Ž. Org. Chim. **1**, 288 (1965); engl.: 278.

[2] Y. I. SMUSHKEVICH et al., Ž. obšč. Chim. **34**, 3815 (1964); engl.: 3866.

[3] US. P. 2473995 (1946), DuPont, Erf.: W. F. GRESHAM, R. E. BROOKS u. W. E. GRIGSBY; C.A. **44**, 1130ᵃ (1950).

[4] US. P. 2864864 (1954), Esso Research & Eng. Co., Erf.: J. H. STAIB, W. R. F. GUYER u. O. C. SLOTTERBECK; C. **1962**, 3981.

[5] s. ds. Handb. Bd. V/1b, Kap. Umwandlung von Olefinen, S. 1049 ff.

[6] T. J. WALLACE u. R. J. GRITTER, J. Org. Chem. **26**, 5256 (1961); **27**, 3067 (1962).

5. Ketone durch Acylierung von Enolestern bzw. -äthern

bearbeitet von

Prof. Dr. Hans Henecka

Farbenfabriken Bayer AG, Wuppertal-Elberfeld

Ketonenolester lassen sich mit Carbonsäure-chloriden bzw. -anhydriden unter dem Einfluß von Ansolvosäuren zu β-Diketonen acylieren:

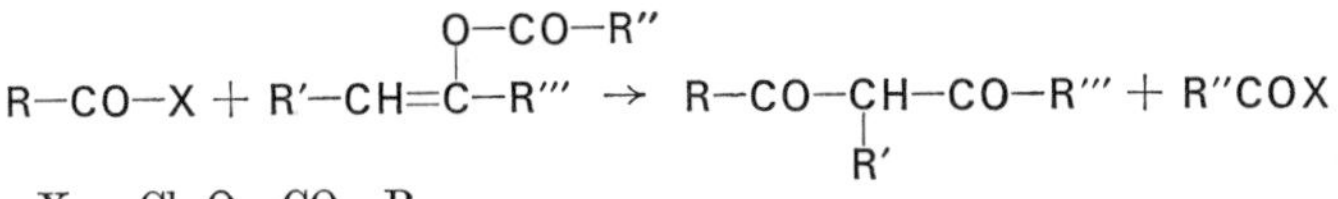

$$R-CO-X + R'-CH=\overset{\overset{\displaystyle O-CO-R''}{|}}{C}-R''' \rightarrow R-CO-\overset{\overset{\displaystyle }{|}}{\underset{\underset{\displaystyle R'}{|}}{C}H}-CO-R''' + R''COX$$

$$X = Cl, O-CO-R$$

Einen Sonderfall dieser allgemeinen Reaktion stellt die präparativ ergiebige Bortrifluorid-Kondensation von Ketonen bzw. Ketonenolestern mit Carbonsäure-anhydriden dar (vgl. ds. Bd., S. 533).

Eine besonders wertvolle Variante dieser Reaktion ist die Diacylierung von Keton- oder Aldehyd-enol-essigsäureestern mit Dicarbonsäure-anhydriden zu Derivaten des Cyclopentandions-(1,3). Während eine Diacylierung etwa von Acetophenonen mit einem cyclischen Dicarbonsäure-anhydrid wie Bernsteinsäure-anhydrid zu 1,3-Dioxo-2-benzoyl-cyclopentan (3-Benzoyl-cyclopentan-1,3-dion) mit Bortrifluorid nicht gelingt[1], läßt sich *1,3-Dioxo-2-acetyl-cyclopentan (2-Acetyl-cyclopentan-1,3-dion)* durch Kondensation von Bernsteinsäure-anhydrid mit Essigsäure-isopropenylester unter dem Einfluß von Aluminiumchlorid mit ~ 30% d. Th. gewinnen[2]:

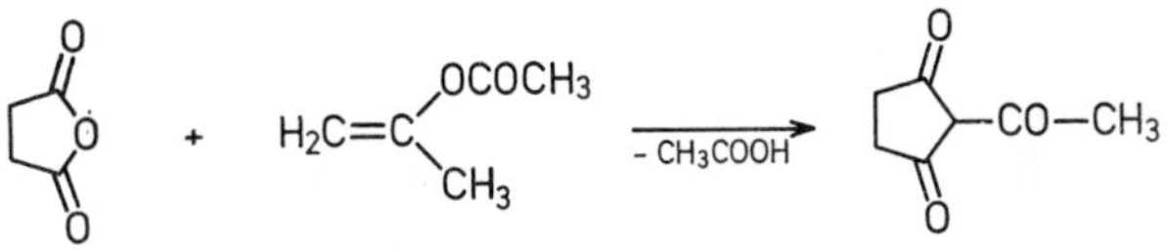

Da Cyclopentandione-(1,3) auf anderen Wegen nur schlecht[3] bzw. nur über eine mehrstufige Synthese[4] zugänglich sind, ist diese leicht durchführbare, praktisch einstufige Methode präparativ besonders wertvoll.

1,3-Dioxo-2-acetyl-cyclopentan (2-Acetyl-cyclopentan-1,3-dion)[2]: Zu einer Aufschlämmung von 10 g (0,1 Mol) Bernsteinsäureanhydrid und 26,7 g (0,2 Mol) Aluminiumchlorid in 100 *ml* 1,2-Dichlor-äthan tropft man 9 g (0,1 Mol) Essigsäure-isopropenylester unter Rühren, wobei die Temp. bis gegen 70° ansteigt. Man kocht noch weitere 15 Min., läßt erkalten und trägt dann die Reaktionsmischung ein in eine Mischung aus 250 *ml* 10%iger Salzsäure und 250 g zerstoßenem Eis. Die organische Phase wird abgetrennt, mit verd. Salzsäure gewaschen und die vereinigten wäßrigen Phasen über Nacht mit Chloroform kontinuierlich extrahiert. Die vereinigten 1,2-Dichlor-äthan-

[1] J. T. Adams u. C. R. Hauser, Am. Soc. **67**, 284 (1945).
[2] F. Merényi u. M. Nilsson, Acta chem. scand. **17**, 1801 (1963); **18**, 1368 (1964).
   s. a. Brit. P. 1 037 654 (1963), Erf.: J. M. Nilsson u. F. Merényi; C. A. **63**, 17931 (1965).
   Organic Synthesis **52**, 1 (1972).
[3] Vgl. z. B.: J. H. Boothe et al., Am. Soc. **75**, 1732 (1953).
[4] M. Vandevalle, Bull. Soc. chim. Belges **73**, 628 (1964).

Chloroform-Auszüge werden getrocknet (Natriumsulfat) und die Lösungsmittel verdampft, wobei ein fester Rückstand, bestehend aus 2-Acetyl-cyclopentan-1,3-dion, etwas Cyclopentandion-(1,3) und Bernsteinsäureanhydrid zurückbleibt. Hieraus gewinnt man das Triketon durch wiederholtes Auskochen mit Petroläther (Kp: 40–60°); Ausbeute: ~ 50% d.Th.; F: 73–74°.

Durch Keton-Spaltung (mit heißem Wasser bzw. verd. Säure) gewinnt man hieraus *Cyclopentandion-(1,3)*; F: 150–152°.

Analog gewinnt man *1,3-Dioxo-2-acetyl-cyclohexan (2-Acetyl-cyclohexan-1,3-dion)* (aus Glutarsäure-anhydrid; 40% d.Th.), *1,3-Dioxo-2-acetyl-cycloheptan (2-Acetyl-cycloheptan-1,3-dion)* (aus polymeren Adipinsäure-anhydrid; 12% d. Th.) und *1,3-Dioxo-2-acetyl-indan (2-Acetyl-indan-1,3-dion)* (aus Phthalsäure-anhydrid; 25% d. Th.). 2,2-Dimethyl-glutarsäure-anhydrid ist als Acylierungsmittel nicht brauchbar, da unter dem Einfluß von Aluminiumchlorid Kohlenoxid-Abspaltung eintritt.

Während mit Maleinsäure-anhydrid und seinen Methyl- bzw. Chlor-Derivaten bei der Acylierung von Essigsäure-isopropenylester nur mäßige Ausbeuten an *3,5-Dioxo-4-acetyl-cyclopenten-(1)* erzielbar sind[1], erhält man durch Kondensation von Bernsteinsäure-anhydrid mit Enolacetaten höherer Ketone oder Aldehyde R—CH$_2$—CO—R' (R = Alkyl, R' = Alkyl oder H) in 1,2-Dichlor-äthan oder in Nitromethan bzw. Nitrobenzol unter dem Einfluß von Aluminiumchlorid 1,3-Dioxo-2-alkyl-cyclopentane (2-Alkyl-cyclopentan-1,3-dione)[2]:

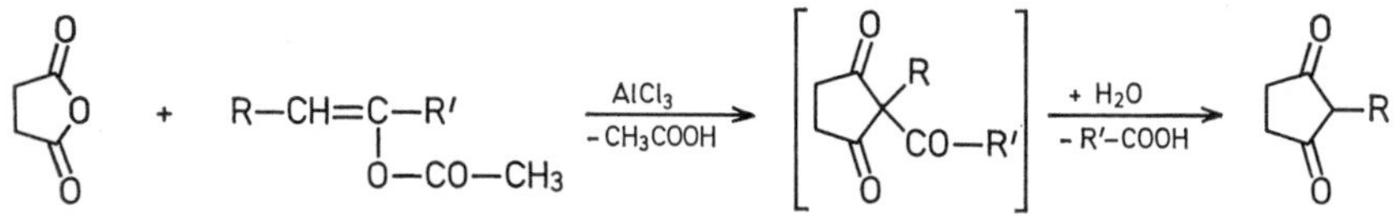

wobei die zunächst zu erwartenden 2-Alkyl-2-acyl-Derivate wohl bereits beim Aufarbeiten unter hydrolytischer Abspaltung des 2-Acyl-Restes in 1,3-Dioxo-2-alkyl-cyclopentan (2-Alkyl-cyclopentan-1,3-dion) übergehen.

Besonders glatt verläuft die Kondensation von Bernsteinsäure-anhydrid mit 2-Acetoxy-buten-(2) (R = R' = CH$_3$), dem Hauptprodukt der Acetylierung von Butanon, zu *1,3-Dioxo-2-methyl-cyclopentan (2-Methyl-cyclopentan-1,3-dion)* in Nitrobenzol mit 80–85% Ausbeute[3]:

1,3-Dioxo-2-methyl-cyclopentan (2-Methyl-cyclopentan-1,3-dion): Zu 1,0 l trockenem Nitrobenzol gibt man unter Rühren, Überleiten von Stickstoff und unter Kühlung zunächst 466 g (3,5 Mol) Aluminiumchlorid und danach 100 g (1,0 Mol) Bernsteinsäure-anhydrid, wobei die Temp. auf 45–80° ansteigt. Zur Bildung des Anhydrid-Aluminiumchlorid-Komplexes wird 20 Min. auf 110° erhitzt, danach abgekühlt und nunmehr innerhalb 15 Min. 171 g (1,5 Mol) 2-Acetoxy-buten-(2) zugetropft, wobei die Temp. durch Kühlung auf ~ 25° gehalten wird. Man verrührt

[1] M. NILSSON, Acta chem. scand. **18**, 441 (1964).
[2] H. SCHICK, G. LEHMANN u. G. HILGETAG, J. pr. [4] **35**, 28 (1967).
  F. MERÉNYI u. M. NILSSON, Acta chem. scand. **21**, 1755 (1967).
[3] V. J. GRENDA et al., J. Org. Chem. **32**, 1236 (1967).
  s.a. V. M. DZIOMKO u. O. V. IVANOV, Ž. Org. Chim. **3**, 712 (1967); C. **1967**, Nr. 58, 28: Kondensation von Bernsteinsäureanhydrid mit Carbonsäuren (R—CH$_2$—COOH) zu *1,3-Dioxo-2-alkyl-cyclopentanen*.
  Über die Cyclisierung von 2-Propanoyl-bernsteinsäure-diester zu *1,3-Dioxo-2-methyl-cyclopentan*:
    R. BUCOURT et al., Bl. **1965**, 645.
  Fr. P. 1367498, 1404429 (1963), ROUSSEL-UCLAF; Erf.: R. BUCOURT, A. PIERDET u. G. COSTEROUSSE; C. A. **61**, 15990 (1964); **63**, 17931 (1965).

30 Min. bei Zimmertemp. und erhitzt danach 2 Stdn. auf 110°. Danach kühlt man mit Eiswasser auf 5–10° und fügt bei dieser Temp. unter dauernder Kühlung innerhalb 1 Stde. 1 l Wasser tropfenweise hinzu. Aus dem heterogenen Gemisch scheidet sich das Rohprodukt kristallin ab. Nach 3 stdg. Auskühlen auf 5° saugt man ab und wäscht das braune Kristallisat 2 mal mit je 60 ml Nitrobenzol und danach mit Petroläther; Rohausbeute 126 g; Reinausbeute: 82% d.Th.; F: 212—214° (aus Wasser)[1].

Eine Diacylierung von Essigsäure-vinylester (Enolacetat des Acetalaldehyds) mit Carbonsäure-chloriden bei Gegenwart von Aluminiumchlorid wurde ebenfalls beschrieben[2]. Die hierbei zunächst entstehenden 2-Acetoxymethylen-1,3-diketone zerfallen unter dem Einfluß von Aluminiumchlorid und Salzsäure unter Abspaltung von Kohlenoxid und Acetylchlorid zu 1,3-Diketonen:

Die Ausbeuten dieses Verfahrens sind mäßig, maximal ~40% d.Th., zumeist jedoch niedriger.

Alicyclische Ketale bzw. Keton-enoläther aus der Reihe des 3-Oxo-cholestans bzw. des 7β-Hydroxy-3-oxo-androstans sind durch Acetanhydrid bei Gegenwart von Bortrifluoridätherat zu α-Acetyl-ketonen acylierbar[3].

Über die Anlagerung von O-Ester an substituierte Vinyläther mittels Bortrifluorid, die zu den Acetalen von β-Keto-aldehyden führen, s. ds. Handb., Bd. VI/3, S. 248, z.B.:

2,2-Diäthoxy-1-diäthoxymethyl-
cyclohexan

6. Ketone durch Enamin-Acylierung

bearbeitet von

Prof. Dr. Hans Henecka

Farbenfabriken Bayer AG., Wuppertal-Elberfeld

Aliphatische und alicyclische Carbonyl-Verbindungen sind über ihre durch Einwirkung sekundärer Amine entstehenden Enamine mit Carbonsäure-chloriden in α-Stellung zur Carbonyl-Gruppe zu β-Dicarbonyl-Verbindungen acylierbar[4]. So entsteht beispielsweise durch Acylierung des 1-Pyrrolidino-cyclohexen-(1) (I) (aus

---

[1] s. Fußnote 3 von S. 472.

[2] A. Sieglitz u. O. Horn, B. 84, 607 (1951).
Über die Selbstkondensation von Carbonsäure-chloriden (R—CH₂—CO—Cl) mit Aluminiumchlorid zu α-substituierten β-Diketonen [(R—CH₂—CO)₂CH—R] s. V. M. Dziomko u. O. V. Ivanov, Ž. Org. Chim. 3, 712 (1967); C. 1967, Nr. 58, 28.

[3] R. D. Youssefyeh, Am. Soc. 85, 3901 (1963).

[4] G. Stork et al., Am. Soc. 76, 2029 (1954); 78, 5128 (1956); 85, 207 (1963).
S. Hünig et al., B. 90, 2833 (1957); 91, 129 (1958); 92, 652 (1959); 93, 913 (1960); 95, 2493 (1962).
s.a. R. D. Campbell, W. L. Hamer, J. Org. Chem. 28, 379 (1963).

Cyclohexanon und Pyrrolidin)[1] mit Carbonsäure-chloriden ein Acylierungsprodukt II, das leicht zu 2-Oxo-1-acyl-cyclohexanen (2-Acyl-cyclohexanonen) (III) hydrolysierbar ist:

I   II   III

Als Chlorwasserstoff-Acceptor benutzt man entweder ein zweites Mol des Enamins oder aber ein Mol tertiäre Base wie Triäthylamin.

2-Oxo-1-propanoyl-cyclohexan (2-Propanoyl-cyclohexanon)[2]: 25 g (0,15 Mol) 1-Morpholino-cyclohexen-(1) und 18,1 g (0,18 Mol) Triäthylamin (über Natrium destilliert) löst man in 190 ml trockenem Chloroform und läßt innerhalb von 30 Min. unter Rühren bei 35° Badtemp. 15,3 g (0,165 Mol) Propionylchlorid in 75 ml trockenem Chloroform zutropfen. Dann wird noch 1 Stde. bei 35° und anschließend über Nacht bei Zimmertemp. aufbewahrt. Zu der meist roten bis rotbraunen Lösung gibt man 75 ml ~ 20%iger Salzsäure und kocht unter kräftigem Rühren 5 Stdn. unter Rückfluß. Nach dem Erkalten wird die Chloroform-Schicht zur Entfernung der gelösten Hydrochloride von Triäthylamin und Morpholin so oft mit Wasser gewaschen, bis dieses einen p_H-Wert von ~ 6 besitzt. Die wäßrige Phase wird zusammen mit dem Waschwasser mit Natronlauge auf p_H: 5–6 gebracht und anschließend etwa 5–6 mal mit Chloroform ausgeschüttelt. Aus den vereinigten Chloroform-Lösungen wird das Lösungsmittel abdestilliert und der verbleibende Rückstand i.Vak. destilliert; Ausbeute: 19–20 g (~ 85% d.Th.); Kp_{12}: 100–116° (farblos). Gibt in Methanol intensiv rotviolette Eisen(III)-chlorid-Reaktionen.

Bei Anwendung der doppelten Menge des Säurechlorids entsteht die O-Acyl-Verbindung des Enols[3], z.B.:

2-Oxo-1-(1-propanoyloxy-propyliden)-cyclohexan

Aus 2-Oxo-1-methyl-cyclohexan (2-Methyl-cyclohexanon) erhält man auf diesem Wege durch Acylierung des zugehörigen Enamins 2-Oxo-3-methyl-1-acyl-cyclohexan[4], während aus 3-Oxo-1-methyl-cyclohexan über die Enamin-acylie-

---

[1] Herstellung der Enamine:
    C. MANNICH, H. DAVIDSEN, B. **69**, 2106 (1936).
    M. E. HERR, F. W. HEYL, Am. Soc. **74**, 3627 (1952); **75**, 1918 (1953).
    G. STORK et al., Am. Soc. **85**, 216 (1963).
[2] S. HÜNIG et al., B. **90**, 2838 (1957).
[3] S. HÜNIG et al., B. **92**, 652 (1959); **93**, 909, 913 (1960).
    R. HELMERS, Acta chem. scand. **19**, 2139 (1965).
[4] H. J. SCHAEFFER u. V. K. JAIN, J. Org. Chem. **29**, 2595 (1964).
    s.a. F. JOHNSON u. A. WHITEHEAD, Tetrahedron Letters **1964**, 3825.
    W. D. GUROWITZ u. M. A. JOSEPH, Tetrahedron Letters **1965**, 4433.
    S. HÜNIG u. M. SALZWEDEL, B. **99**, 823 (1966).

rung 2-Oxo-4-methyl-1-acyl-cyclohexane neben den isomeren 2-Oxo-6-methyl-1-acyl-cyclohexanen entstehen[1]:

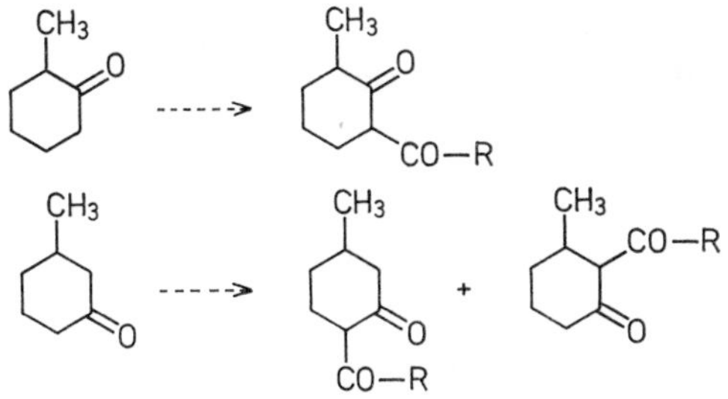

α,β-Ungesättigte Carbonsäure-chloride acylieren Enamine aus Cyclohexanonen zu 2,9-Dioxo-bicyclo[3.3.1]nonanen[2], z.B.:

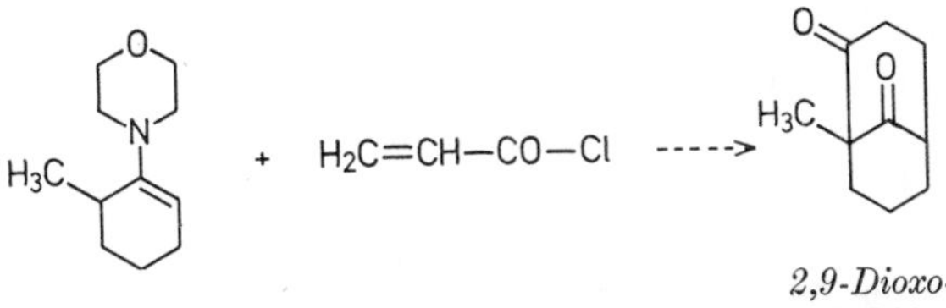

2,9-Dioxo-1-methyl-bicyclo [3.3.1]nonan

Benutzt man als Carbonsäure-chlorid Chlorameisensäureester, so gelangt man über die Ketonenamine auf diesem Wege zu β-Keto-carbonsäureestern:

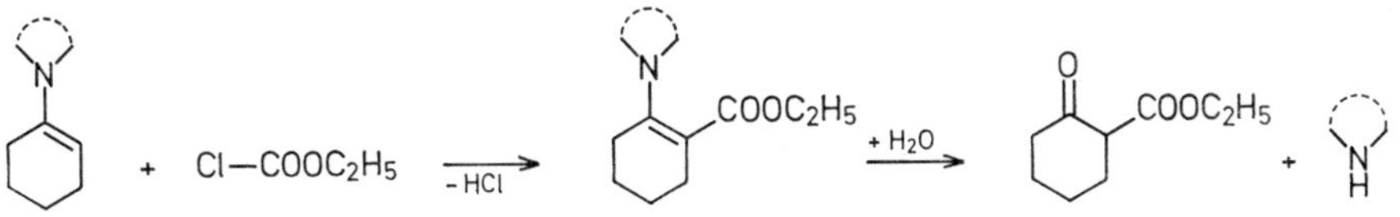

2-Oxo-cyclohexan-carbonsäure-äthylester

Hierbei hat sich Triäthylamin als Chlorwasserstoff-Acceptor nicht bewährt; man arbeitet vielmehr bei dieser Reaktion zweckmäßig mit einem Überschuß an Enamin oder mit N,N-Diäthyl-anilin als Acceptorbase[3].

2-Methyl-1,2-dihydro-isochinolin regiert mit Carbonsäure-chloriden bei Gegenwart von Triäthylamin seiner Enamin-Natur entsprechend zu den 4-Acyl-Derivaten, die leicht oxydabel sind und daher z.T. in die zugehörigen 2-Methyl-1-acyl-isochinolinium-Salze übergehen[4]:

---

[1] O. P. Vig et al., J. indian chem. Soc. **41**, 420 (1964).
  s.a. S. Hünig u. M. Salzwedel, B. **99**, 823 (1966).
[2] P. W. Hickmott u. J. R. Hargreaves, Tetrahedron **23**, 3151 (1967).
[3] G. Stork et al., Am. Soc. **85**, 221 (1963).
[4] M. Sainsbury, S. F. Dyke u. A. R. Marshall, Tetrahedron **22**, 2445 (1966).

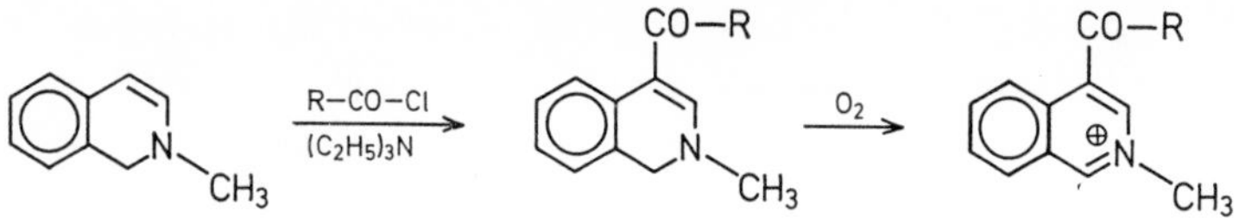

R = C$_6$H$_5$; *2-Methyl-4-benzoyl-isochinolinium-Salz*
R = H$_5$C$_6$—CH$_2$—; *2-Methyl-4-phenylacetyl-isochinolinium-Salz*

Auch die sog. α-Methylen-Basen, wie sie etwa aus quartären Chinaldinen mit Alkali entstehen, sind als Enamine acylierbar[1]:

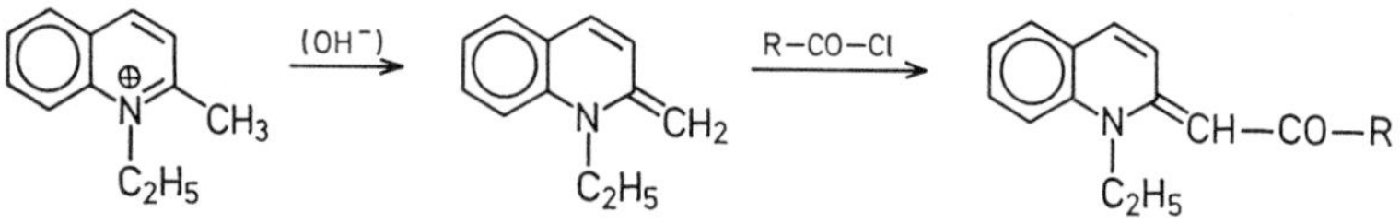

z.B. R = C$_6$H$_5$; *1-Äthyl-2-(2-oxo-2-phenyl-äthyliden)-1,2-dihydro-chinolin*

Analoge Enamin-Reaktionen gibt vor allem die sog. „Fischer-Base" (1,3,3-Tri-methyl-2-methylen-2,3-dihydro-indol)[2].

Benutzt man als Acylierungsmittel Ketene, bzw. Carbonsäure-chloride, die unter dem Einfluß von Triäthylamin „in situ" in Ketene übergehen können, so kann die Acylierung über eine intermediäre Cycloaddition zu einem Cyclobutanon-Derivat verlaufen, das unter basenkatalysierter Protomerie in zweierlei Weise aufspalten kann[3]:

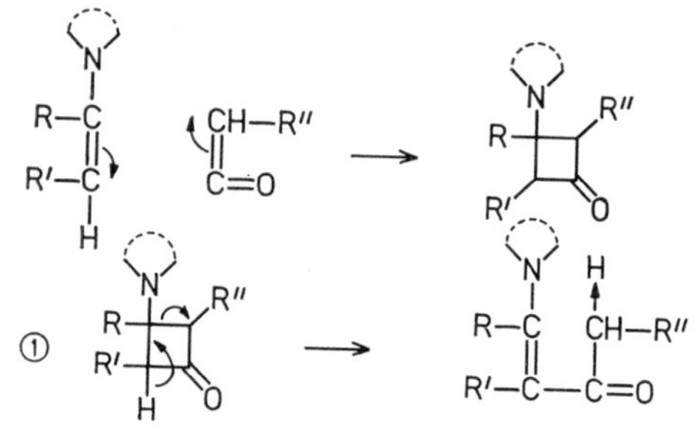

Aufspaltung nach ① ergibt die normalen Enamin-Acylierungs-Produkte, während Aufspaltung nach ② zu einem Isomeren führt:

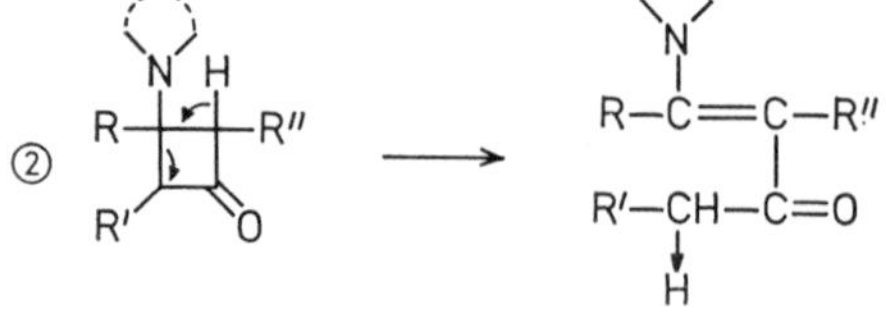

[1] E. Vongerichten u. W. Rotta, B. **44**, 1419 (1911).
   G. H. Alt, J. Org. Chem. **31**, 2384 (1966).
[2] M. Coenen, Ang. Ch. **61**, 11 (1949).
[3] G. Opitz et al., Ang. Ch. **73**, 654 (1961); **74**, 32 (1962); A. **662**, 178 (1963); **665**, 114 (1963).
   s.a. R. H. Hasek u. J. C. Martin, J. Org. Chem. **26**, 4775 (1961); **28**, 1468 (1963).
   G. A. Berchtold et al., J. Org. Chem. **26**, 4776 (1961); **30**, 2642 (1965).

Beim Enamin aus Cyclohexanon ($R + R' = -(CH_2)_4-$) entsteht mit Keten nach ① (s. S. 476) das normale Acylierungsprodukt 2-Oxo-1-acyl-cyclohexan (2-Acyl-cyclohexanon), während beim Cyclodecanon ($R + R' = -(CH_2)_{10}-$) unter Ringerweiterung nach ② *Cyclotetradecandion-(1,3)* erhalten wird[1] (s. a. ds. Handb., Bd. VII/4, S. 156).

Neben Carbonsäure-chloriden sind auch Carbonsäure-anhydride als Enamin-Acylierungsmittel verwendbar[2].

Bei der Acylierung der Keton-Enamine mit Isocyanaten bzw. Isothiocyanaten entstehen β-Keto-carbonsäure-, bzw. -thiocarbonsäure-amide[3], z.B.:

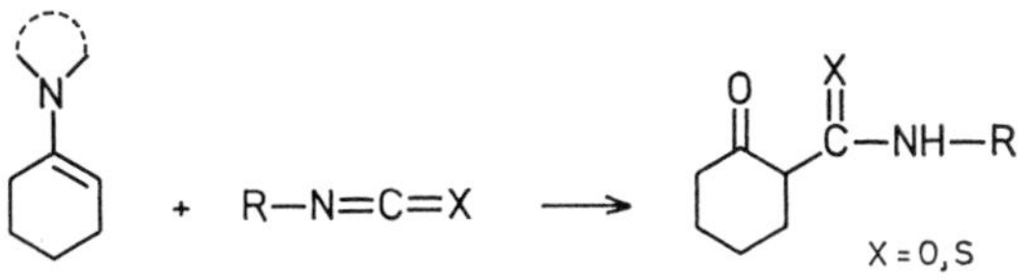

X = O, S

c) Ketone durch Acylierung von Phosphin-alkylenen

bearbeitet von

Prof. Dr. Hans Henecka

Farbenfabriken Bayer AG, Wuppertal-Elberfeld

Phosphin-alkylene II, die durch Einwirkung starker Basen auf Phosphoniumsalze I erhalten werden,

$$\underset{\text{I}}{\left[(C_6H_5)_3\overset{\oplus}{P}-CH_2-R\right]X^{\ominus}} \underset{+HX}{\overset{-HX}{\rightleftharpoons}} \underset{\text{II}}{(C_6H_5)_3P{=}CH-R}$$

lassen sich mit Carbonsäure-chloriden zu Phosphin-(α-acyl-alkylenen) III acylieren[4]:

$$\text{II} + R'-CO-Cl \longrightarrow \underset{\text{Ia}}{\left[(C_6H_5)_3\overset{\oplus}{P}-\overset{\overset{\displaystyle CO-R'}{|}}{C}H-R\right]Cl^{\ominus}} \xrightarrow{+\text{II}}$$

$$\underset{\text{III}}{(C_6H_5)_3P{=}\overset{\overset{\displaystyle CO-R'}{|}}{C}-R} + \underset{\text{I}}{\left[(C_6H_5)_3\overset{\oplus}{P}-CH_2-R\right]Cl^{\ominus}}$$

---

[1] A. Kirrmann u. C. Wakselman, C. r. **261**, 759 (1965); Bl. **1967**, 3766.
C. Wakselman, Bl. **1967**, 3763.
S. Hünig et al., B. **100**, 3996, 4017 (1967).

[2] G. Stork et al., Am. Soc. **85**, 216 (1963).

[3] S. Hünig et al., B. **95**, 926 (1962).

[4] H. J. Bestmann, Ang. Ch. **77**, 609, 651, 850 (1965).
H. J. Bestmann u. B. Arnason, B. **95**, 1513 (1962).

Hierbei werden pro Mol Carbonsäure-chlorid zwei Mol des Phosphor-alkylens II (S. 477) verbraucht, da das intermediär entstehende Phosphoniumsalz Ia unter „Um-ylidierung" mit dem stark basischen Ylid II ein Mol des Phosphoniumsalzes I zurückbildet. Wegen der Sauerstoffempfindlichkeit der Phosphin-alkylene II müssen die Umsetzungen unter Stickstoff oder Argon durchgeführt werden.

Die erwähnte Umylidierung unter Verbrauch eines zweiten Mols des Ausgangsylids tritt als Säure-Basen-Austausch-Reaktion i. allg. stets ein, da das Ausgangs-ylid gewöhnlich stärker basisch ist als das acylierte Ylid. Das zweite Mol des Ylids ist daher nur dann durch eine Base wie etwa Triäthylamin ersetzbar, wenn dieses stärker basisch ist als das Ausgangs-ylid. Dies trifft z.B. zu für die aus Triphenylphosphin-alkylenen II und Chorameisensäureestern herstellbaren Triphenylphosphin-alkoxycarbonyl-alkylenen IV[1], die auch aus den zugehörigen Phosphoniumsalzen durch starke Basen erhalten werden können:

$$2\,(C_6H_5)_3P{=}CH{-}R + Cl{-}COOCH_3 \;\rightarrow\; (C_6H_5)_3P{=}\overset{\displaystyle R}{\underset{\displaystyle |}{C}}{-}COOCH_3 + [(C_6H_5)_3\overset{\oplus}{P}{-}CH_2{-}R]Cl^{\ominus}$$
$$\quad\quad\; II \quad\quad\quad\quad\quad\quad\quad\quad\quad\quad IV \quad\quad\quad\quad\quad\quad\quad\quad I$$

Praktisch benützt man, wie die Beispiele zeigen, die aus Triphenylphosphin zugänglichen Phosphin-alkylene, die man aus den entsprechenden Phosphoniumsalzen in inerten Mitteln durch Einwirkung starker Basen vom Typ Butyl-lithium erhält. Besonders bewährt hat sich hierzu das aus Dimethylsulfoxid und Natriumhydrid erhältliche Natrium-dimethylsulfoxid[2].

Wenn auch die bei der Acylierung der Phosphin-alkylene II durch Um-ylidierung entstehenden Phosphoniumsalze I von Neuem zur Ylid-Herstellung verwertbar sind, läßt sich diese Um-ylidierung dadurch vermeiden, daß man zur Acylierung der Phosphin-alkylene anstelle der Carbonsäure-chloride „aktivierte" Carbonsäureester wie Phenyl- oder Thiophenylester[3], Acylimidazolide[4] oder Thiocarbonsäure-S-äthylester[3] verwendet. Besonders die letztgenannte Methode ist präparativ wertvoll, da das in erster Stufe aus dem Phosphin-alkylen II und dem Thiocarbonsäure-S-äthylester neben dem Phosphin-α-acyl-alkylen III entstehende Phosphonium-äthylthiolat V beim Erwärmen in einer Gleichgewichtsreaktion Äthylmercaptan abspaltet unter Regenerierung von II, das dann mit weiterem Thioester reagieren kann,

(a) $2\,(C_6H_5)_3P{=}CH{-}R + R'{-}CO{-}SC_2H_5 \;\rightarrow\; (C_6H_5)_3P{=}\overset{\displaystyle }{\underset{\displaystyle }{C}}{-}R + (C_6H_5)_3\overset{\oplus}{P}{-}CH_2{-}R]^{\ominus}SC_2H_5$
$$\quad\quad\quad\quad\quad\quad\quad\quad\quad\quad\quad\quad\quad\quad\quad\quad\quad\quad\quad CO{-}R'$$
$$\quad\quad\quad II \quad\quad\quad\quad\quad\quad\quad\quad\quad\quad\quad III \quad\quad\quad\quad\quad\quad V$$

(b) $$\quad\quad\quad\quad\quad\quad\quad\quad\quad\quad\quad V \;\rightleftharpoons\; H_5C_2{-}SH + II$$

---

[1] S. D. T. Gough u. S. Tripett, Soc. 1964, 543.

[2] R. Greenwald, M. Chaykovsky u. E. J. Corey, J. Org. Chem. 28, 1128 (1963).

[3] H. J. Bestmann, Tetrahedron Letters 1960, 7.
    H. J. Bestmann u. B. Arnason, Tetrahedron Letters 1961, 1513 (1962).

[4] H. J. Bestmann, N. Sommer u. H. A. Staab, Ang. Ch. 74, 294 (1962).

so daß insgesamt nach

$$\text{II} + \text{R}'\text{—CO—SC}_2\text{H}_5 \ \rightarrow \ \text{III} + \text{H}_5\text{C}_2\text{—SH}$$

pro Mol Acylierungsmittel nur ein Mol Phosphin-alkylen benötigt wird.

Aus den Phosphin-alkylenen III, die i. allg. in Ausbeuten von 60–80% d. Th. erhalten werden, lassen sich Ketone erhalten entweder durch Hydrolyse mit heißer wäßrig-methanolischer schwacher Alkalilauge[1] (Methode (A)):

$$(\text{C}_6\text{H}_5)_3\text{P}{=}\underset{\underset{\text{III}}{\overset{|}{\text{R}}}}{\text{C}}{-}\text{CO—R}' + \text{H}_2\text{O} \ \rightarrow \ \text{R—CH}_2\text{—CO—R}' + (\text{C}_6\text{H}_5)_3\text{P}{=}\text{O}$$

unter Abspaltung von Triphenylphosphinoxid oder durch Reduktion in Eisessig mit Zinkstaub[2] (Methode (B) bzw. durch elektrolytische Reduktion[3] (Methode (C)) unter Abspaltung von Triphenylphosphin:

$$(\text{C}_6\text{H}_5)_3\text{P}{=}\underset{\underset{\text{III}}{\overset{|}{\text{R}}}}{\text{C}}{-}\text{CO—R}' + \text{H}_2 \ \rightarrow \ \text{R—CH}_2\text{—CO—R}' + (\text{C}_6\text{H}_5)_3\text{P}$$

wobei man III in wäßriger Lösung bei Gegenwart von 1 Mol Salzsäure als Phosphoniumsalz einsetzt.

Ist R' rein aliphatisch, dann eignen sich i. allg. die Methoden (A) (80–95% d. Th.) und (C) (60–80% d. Th.) zur Spaltung, während Methode (B) besonders gute Ausbeuten (>90% d. Th.) bei aromatischen Resten R' gibt.

Eine interessante Variante der Acylierung von Phosphin-alkylenen ermöglicht die Herstellung α-substituierter β-Keto-carbonsäureester. Acyliert man Triphenylphosphin-äthoxycarbonylmethylen IV bei 0–20°, so erhält man ohne anschließende Um-ylidierung das Phosphoniumsalz VI, das bei der Elektrolyse (Methode (C)) in wäßriger Lösung unter Abspaltung von Triphenylphosphin einen α-substituierten β-Keto-carbonsäureester VII ergibt[4]:

$$\underset{\underset{\text{IV}}{\text{P(C}_6\text{H}_5)_3}}{\overset{\text{R—C—COOC}_2\text{H}_5}{\underset{\parallel}{}}} + \ \text{R}'\text{—CO—Cl} \ \xrightarrow{\ 0\text{-}20°\ } \ \left[\underset{\underset{\oplus \text{P(C}_6\text{H}_5)_3}{\text{VI}}}{\text{R}'\text{—CO—}\overset{\overset{\text{R}}{|}}{\underset{|}{\text{C}}}\text{—COOC}_2\text{H}_5}\right] \text{Cl}^{\ominus}$$

$$\longrightarrow \ \text{R}'\text{—CO—}\underset{\underset{\text{VII}}{\text{R}}}{\overset{|}{\text{CH}}}\text{—COOC}_2\text{H}_5 + (\text{C}_6\text{H}_5)_3\text{P}$$

Die erzielten Ausbeuten liegen im Durchschnitt bei 50–75% der Theorie.

Genaue Arbeitsvorschriften zur Herstellung von Ketonen über Triphenylphosphin-α-acyl-alkylene siehe Literatur[5].

---

[1] F. Ramirez u. S. Dershowitz, J. Org. Chem. **22**, 41 (1957).
  H. J. Bestmann, Tetrahedron Letters **1960**, 7; **1961**, 455; B. **95**, 1513 (1962).
[2] S. Tripett u. D. M. Walker, Soc. **1961**, 1266.
[3] L. Horner u. A. Mentrup, A. **646**, 65 (1961).
[4] H. J. Bestmann, Ang. Ch. **77**, 663 (1965).
[5] H. J. Bestmann, Ang. Ch. **77**, 653, 655, 663, (1965); dort Hinweise auf Originalliteratur.

d) Direkte Einführung von R—CO-Gruppen durch Acylierung von Alkinen[1] und Vinylhalogeniden

bearbeitet von

Dr. Roland Gipp

Farbenfabriken Bayer AG., Leverkusen

Carbonsäure-chloride I addieren sich in Gegenwart von Lewis-Säuren an Alkine II gemäß Gleichung ① unter Bildung von (β-Chlor-vinyl)-ketonen III[2],

$$
\underset{\text{I}}{R-\overset{\overset{\text{O}}{\|}}{C}-Cl} \quad + \quad \underset{\text{II}}{R^1-C\equiv C-R^2} \quad \xrightarrow{\text{Lewis-Säure}} \quad \underset{\text{III}}{R-\overset{\overset{\text{O}}{\|}}{C}-\overset{\overset{\text{R}^1}{|}}{C}=\overset{\overset{\text{R}^2}{|}}{C}-Cl} \qquad ①
$$

deren Ausbeuten vom Typ der Reaktionspartner, besonders aber von Reaktionsbedingungen (Katalysator, Lösungsmittel, Temperatur und Verfahrensvariante) sowie von der Stabilität der (β-Chlor-vinyl)-ketone abhängen.

Der Reaktionsmechanismus dürfte dem für Friedel-Crafts-Reaktionen üblichen entsprechen[vgl. 3]. Unter anderem deutet die Inkubationszeit für das Ingangkommen der Reaktion darauf hin, daß katalytische Mengen Chlorwasserstoff zugegen sein müssen. Auch Vier-Zentren-Reaktionen sind diskutiert worden[4]. Die Anlagerung von Acylchloriden an Alkine-(1) (Monoalkyl-acetylene) folgt der Markownikow-Regel[5].

Über die Abhängigkeit der Addition (Gleichung ①) von den Substituenten R, R[1] und R[2] der Reaktionskomponenten ist noch sehr wenig bekannt, da Kinetik und Mechanismus der Reaktion nicht ausreichend untersucht worden sind. Alkansäure-

---

[1] Zusammenfassende Arbeiten s.

    C. A. Thomas, *Anhydrous Aluminum Chloride in Organic Chemistry*, 2. Aufl., S. 760, Reinhold Publ. Corp., New York 1950.

    G. A. Olah, *Friedel-Crafts and Related Reactions*, Vol. III/2, S. 1081, Interscience Publ., London 1964.

    T. F. Rutledge, *Acetylenes and Allenes*, S. 168, Reinhold Book Corp., New York 1969.

    N. K. Kochetkov, Uspechi Chim. **34**, 32 (1955); Chem. Techn. **7**, 516 (1955); Prakt. Chemie [Wien] **12**, 336 (1961).

    N. Sugiyama u. G. Inoue, Yuki Gosei Kagaku Kyokai Shi **19**, 373 (1961); C. A. **55**, 17484ᵍ (1961).

    W. R. Benson u. A. E. Pohland, J. Org. Chem. **29**, 385 (1964).

    A. E. Pohland u. W. R. Benson, *β-Chloro-vinylketones*, Chem. Reviews **66**, 161 (1966).

[2] DRP. 642147 ≡ Brit. P. 461080 (1935), I. G. Farb., Erf.: J. Nelles u. O. Bayer; Frdl. **23**, 87; C. A. **31**, 3501⁹ (1937).

    A. Cornillot u. R. Alquier, C. r. **201**, 837 (1935).

    J. W. Kroeger, F. J. Sowa u. J. A. Nieuwland, J. Org. Chem. **1**, 163 (1936).

[3] Vgl. a. H. O. House, *Modern Synthetic Reactions*, S. 283, W. A. Benjamin, Inc., New York 1965.

    Vgl. J. Dabrowski u. M. Katcka, J. Mol. Struct. **7** (1/2), 179 (1971).

    I. Cooke, B. P. Susz u. C. Herschmann, Helv. **37**, 1280 (1954).

    B. P. Susz u. J. J. Wuhrmann, Helv. **40**, 971 (1957).

    D. Cook, Canad. J. Chem. **37**, 48 (1959).

    G. A. Olah et al., Am. Soc. **84**, 2733 (1962); **86**, 2189, 2203 (1964).

    D. E. Tomalia, J. Org. Chem. **34**, 2583 (1969).

[4] H. Martens u. G. Hoornaert, Tetrahedron Letters **1970**, 1821.

[5] M. Julia, A. ch. [12] **5**, 595 (1950).

chloride sind reaktiver als aromatische und heteroaromatische Carbonsäure-chloride. Durch Elektronendonatoren R^1 und R^2 wird die Umsetzung nach Gleichung ① erleichtert.

Die gemäß Gleichung ① (S. 480) erhaltenen (β-Chlor-vinyl)-ketone (III; $R^1=R^2=H$) bestehen zu mindestens 95% aus den jeweiligen *trans*-Isomeren[1]. Evtl. gebildete *cis*-Isomere können jedoch während der Umsetzung, Aufarbeitung und Reinigung entweder zerstört oder in die thermodynamisch stabileren[2-5] *trans*-Isomeren umgelagert worden sein. Die gemäß Gleichung ① nicht zugänglichen *cis*-Isomeren sind durch Addition der stöchiometrischen Menge Chlorwasserstoff an Äthinyl-ketone in wasserfreiem Chloroform bei $-40°$ in Gegenwart von Kupfer(I)-chlorid als Katalysator erhältlich[3]. In Anwesenheit geringer Mengen überschüssiger Säure oder bei höheren Temperaturen lagern sie sich in die *trans*-Isomeren um[3].

IIIa	IIIb	IIIc	IIId
trans-transoid	*trans-cisoid*	*cis-transoid*	*cis-cisoid*

Aus Monoalkyl- und Dialkyl-acetylenen hingegen resultieren Gemische der im Gleichgewicht vorliegenden und trennbaren *cis*- und *trans*-Isomeren[6-8].

1. Reaktionspartner

Zur Acylierung von Alkinen eignen sich gesättigte und olefinisch ungesättigte aliphatische, cycloaliphatische, aromatische und heteroaromatische Carbonsäurechloride I (S. 480), deren Reste R substituiert sein können. Als Alkine II sind außer Ace-

[1] M. Julia, C. r. **235**, 662 (1952).

E. Angeletti u. F. Montanari, Boll. sci. Fac. Chim. ind. Bologna **16**, 140 (1958); C. A. **53**, 13099[c] (1959).

N. K. Kochetkov et al., Khim. Nauka i Prom. **3**, 834 (1958); C. A. **53**, 10021[b] (1959).

N. K. Kochetkov, L. I. Kudryashov u. B. P. Gottikh, Tetrahedron **12**, 63 (1961).

W. R. Benson u. A. E. Pohland, J. Org. Chem. **29**, 385 (1964).

A. E. Pohland u. W. R. Benson, Chem. Reviews **66**, 164 (1966).

A. N. Nesmeyanov et al., Ž. obšč. Chim. **37**, 1587 (1967); engl.: 1505; C. A. **68**, 49713[c] (1968).

M. I. Rybinskaya, A. N. Nesmeyanov u. N. K. Kochetkov, Uspechi Chim. **38** (6), 961 (1969); Russ. Chem. Reviews **38** (6), 450 (1969).

[2] A. I. Ivanov et al., Ž. obšč. Chim. **34**, 354 (1964); engl.: 352; C. A. **60**, 10536[a] (1964).

[3] D. Landini u. F. Montanari, Chem. Commun. **1967** (4), 180; Ang. Ch. **79**, 909 (1967).

[4] A. N. Nesmeyanov, M. I. Rybinskaya u. T. G. Kelekhsaeva, Ž. Org. Chim. **4**, 921 (1968); engl.: 897; C. A. **69**, 43272[g] (1968).

[5] M. I. Rybinskaya, A. N. Nesmeyanov u. N. K. Kochetkov, Russ. Chem. Reviews **38** (6), 451 (1969).

[6] W. R. Benson u. A. E. Pohland, J. Org. Chem. **29**, 385 (1964).

A. E. Pohland u. W. R. Benson, Chem. Reviews **66**, 164 (1966).

Konformationsanalysen von (β-Chlor-vinyl)-ketonen sind bisher nur in wenigen Fällen durchgeführt worden. Ihre Ergebnisse sind von M. I. Rybinskaya, A. N. Nesmeyanov u. N. K. Kochetkov [Russ. Chem. Reviews **38** (6), 451 (1969)] zusammengefaßt und diskutiert worden.

[7] H. Martens u. G. Hoornaert, Tetrahedron Letters **1970**, 1821.

[8] J. W. Kroeger, F. J. Sowa u. J. A. Nieuwland, J. Org. Chem. **1**, 163 (1936).

US. P. 2194704 (1938), DuPont, Erf.: J. W. Kroeger; C. A. **34**, 5091[8] (1940).

tylen (II; $R^1 = R^2 = H$), Alkine-(1) (II; $R^1 = H$; $R^2 = $ Alkyl) sowie Dialkyl-ace-
tylene (II; $R^1 = R^2 = $ Alkyl) – meist in jeweils mindestens äquimolarer Menge – eingesetzt worden. Aliphatische Carbonsäure-chloride und Acetylen stellen die bisher
am häufigsten benutzten Reaktanten dar.

2. Katalysatoren

Die Addition (Gleichung ①, S. 480) wird durch Lewis-Säuren wie Zink-chlorid,
Zink-bromid, Zinn(II)-chlorid, Zinn(IV)-chlorid, Eisen(III)-chlorid, Aluminiumchlorid und Antimon(V)-chlorid katalysiert, wobei Aluminium-chlorid (1 Mol) der
am häufigsten angewandte und im allgemeinen beste Katalysator ist. Lediglich bei
der noch wenig untersuchten Umsetzung von Alkinen, die eine höhere Nucleophilie
als Acetylen besitzen, sind außer Aluminium-chlorid offenbar auch Lewis-Säuren
von geringerer Aktivität [z.B. das außerdem lösliche Zinn(IV)-chlorid] vorzuziehen
und im Unterschuß einzusetzen.

3. Lösungsmittel

Die Anlagerung aliphatischer Carbonsäure-chloride an Alkine kann ohne
Lösungsmittel vorgenommen werden, wenn bei Reaktionstemperatur flüssige Carbonsäure-chloride und während der gesamten Umsetzung aus überwiegend flüssiger
Phase bestehende Reaktionsgemische vorliegen. Bequemere Durchführung der Reaktion sowie höhere Ausbeuten an (β-Chlor-vinyl)-ketonen erzielt man generell jedoch in Gegenwart von inerten Lösungsmitteln. Während aliphatische Carbonsäure-
chloride bereits in wenig polaren Lösungsmitteln wie Petroläther, Schwefelkohlenstoff, Chloroform und vorwiegend Tetrachlormethan umgesetzt werden, erfordert
die Addition aromatischer und heterocyclischer Carbonsäure-chloride Solventien von etwas höherer Polarität (z.B. 1,2-Dichlor-äthan, 1,1,2,2-Tetrachlor-
äthan). Diese lösen die Friedel-Crafts-Katalysatoren zwar ebenfalls nicht, sind jedoch gute Lösungsmittel für Acylchlorid-Katalysator-Komplexe. In einigen Fällen
gelingt die Addition nur unter Verwendung einer Lösung von Aluminiumchlorid in
Nitromethan (s. S. 484).

4. Allgemeine Arbeitsvorschriften

Die Addition von Acylchloriden an Alkine ist bei unterschiedlichen Temperaturen
im Bereich von 0–50° sowie außerdem nach mehreren Verfahrensvarianten vollzogen
worden, da die Reaktionskomponenten Acylchlorid, Alkin und Katalysator sich in
verschiedener Reihenfolge vereinigen lassen. Allgemein beste Ergebnisse liefern folgende Arbeitsweisen.

(β-Chlor-vinyl)-ketone; allgemeines Herstellungsverfahren[1]: Man versetzt die Lösung des aliphatischen Carbonsäure-chlorids in trockenem Tetrachlormethan unter Eiskühlung und Feuchtigkeitsausschluß mit etwas mehr als der äquimolaren Menge wasserfreien Aluminiumchlorids und
dosiert das Alkin bei 0-10° innerhalb von mehreren Stunden kontinuierlich zu. Alternativ kann
man den Katalysator auch während der Zugabe des Alkins portionsweise zusetzen. Die Ausbeuten
an Alkyl-(β-chlor-vinyl)-ketonen betragen durchschnittlich 60–80% der Theorie.

Aus aromatischen bzw. heterocyclischen Carbonsäure-chloriden, die schärfere Reaktionsbedingungen benötigen, bereitet man in 1,2-Dichlor-äthan bei einer Temp. von $\sim 0°$ zuerst
mit Aluminium-chlorid den 1:1-Komplex und leitet dann innerhalb von 6–7 Stdn. Acetylen
zwischen 30–50° kontinuierlich ein. Man erzielt im allgemeinen Ausbeuten von 40–70% d.Th.;
jedoch erhält man so nur 30% d.Th. *1-Chlor-3-oxo-3-phenyl-propen*.

---

[1] In Anlehnung an A. E. POHLAND u. W. R. BENSON, Chem. Reviews **66**, 162 (1966).

Statt Acetylen können – manchmal sogar vorteilhaft – Vinylchlorid und auch dessen Homologe eingesetzt werden. Die so primär entstehenden Alkyl-(β,β-dichloräthyl)-ketone spalten bereits beim Destillieren Chlorwasserstoff ab und gehen dabei in die (β-Chlor-vinyl)-ketone über[1]. Die Dehydrohalogenierung kann auch durch mehrstündiges Kochen mit Wasser – evtl. unter Zusatz von Natriumhydrogencarbonat[2] – durchgeführt werden. Die (β,β-Dichlor-äthyl)-aryl-ketone sind stabiler. Hier empfiehlt es sich, mit der berechneten Menge Triäthylamin nachzubehandeln[2].

Aus 2-Chlor-propen und Acetylchlorid/Aluminiumchlorid erhält man in gleicher Weise das *2-Chlor-4-oxo-penten-(2)*[3].

Die aus Vinylchlorid hergestellten (β-Chlor-vinyl)-ketone sind Gemische aus den *cis*- vorwiegend *trans*-Isomeren[4], während die aus Acetylen direkt erhältlichen praktisch reine *trans*-Verbindungen sind.

Ähnlich wie Vinylchlorid reagiert das Chlor-cyclopropan[5]. Das ebenfalls mit Acetylchlorid unter Chlorwasserstoff-Abspaltung erhaltene Kondensationsprodukt besteht hauptsächlich aus *1-Chlor-3-oxo-2-methyl-buten*:

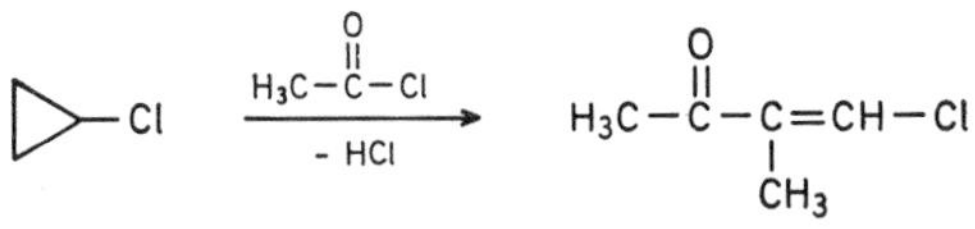

Allen[6] läßt sich mit Acetylchlorid in umgekehrter Richtung kondensieren [*2-Chlor-4-oxo-penten-(2)*]:

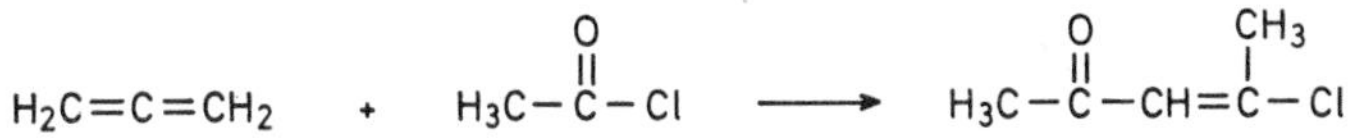

Die (β-Chlor-vinyl)-ketone sind hochreaktive Verbindungen, die außerordentlich stark hautreizend und tränenerregend wirken. Beim Arbeiten ist daher größte **Vorsicht** geboten. Bei Raumtemperatur zersetzen sich die (β-Chlor-vinyl)-ketone bereits nach wenigen Tagen merklich. Ihre Aufbewahrung erfolgt daher zweckmäßig unterhalb $-10°$ und unter Zusatz von Hydrochinon als Stabilisierungsmittel. Vor der Weiterverarbeitung müssen sie frisch destilliert werden.

Diese Stoffklasse bietet außerordentlich vielseitige Synthesemöglichkeiten, da das Halogenatom (als vinylhomologes Carbonsäure-chlorid) sehr reaktionsfähig, die Doppelbindung additionsfreudig ist und die Carbonyl-Gruppe normal reagiert. Außerdem kann das zur Addition an Acetylen verwendete Carbonsäure-chlorid noch weitere reaktive Gruppen enthalten.

Die Umwandlung der (β-Halogen-vinyl)-ketone ist im 2. Teil des Keton-Bandes tabellarisch dargestellt.

[1] DRP. 733694 ≡ Brit. P. 466891 (1935), I. G. Farb., Erf.: J. NELLES u. O. BAYER; C. **1938** I, 1875.

[2] V. T. KLIMKO et al., Ž. obšč. Chim. **27**, 370 (1957); engl.: 415; C. A. **51**, 15449^g (1957).

[3] M. JULIA, A. ch. [12] **5**, 595 (1950).

[4] W. R. BENSON u. A. E. POHLAND, J. Org. Chem. **29**, 385 (1964).

[5] H. HART u. G. LEVITT, J. Org. Chem. **24**, 1261 (1959).

[6] US. P. 2971983 (1958), Union Carbide Corp., Erf.: J. P. HENRY et al., C. A. **55**, 24567^g (1961).

Das *1-Chlor-3-oxo-buten-(1)* ist eine besonders reaktive Form des Acetessigaldehyds (3-Oxo-butanals), in dessen Dimethylacetal es sich leicht bei Raumtemperatur durch Umsatz mit Natriummethanolat in Methanol überführen läßt[1]:

$$\text{H}_3\text{C}-\overset{\overset{\text{O}}{\|}}{\text{C}}-\text{CH}=\text{CH}-\text{Cl} + \text{CH}_3\text{OH} + \text{CH}_3\text{ONa} \xrightarrow[-\text{NaCl}]{} \text{H}_3\text{C}-\overset{\overset{\text{O}}{\|}}{\text{C}}-\text{CH}_2-\text{CH}(\text{OCH}_3)_2$$

1-Chlor-3-oxo-buten-(1)[2,3]: In einem mit Gas-einleitungs- und -ableitungsrohr versehenen Kolben werden unter Feuchtigkeitsausschluß 145 g (1,1 Mol) feingepulvertes Aluminiumchlorid und 400 *ml* Tetrachlormethan vorgelegt und mit Eis gekühlt. Dann werden 78 g Acetylchlorid eingetragen und unter Rühren bei 0–5° Innentemp. Acetylen, das zuvor eine konz. Schwefelsäure enthaltende Waschflasche passiert hat, eingeleitet. Nach kurzer Zeit setzt die Absorption ein und ist nach ~ 90 Min. beendet. Hierauf wird die Masse in ein Gemisch aus Eis/Kochsalz-Lösung eingerührt, die Schichten getrennt und die wäßrige Phase nochmals mit ~ 100 *ml* Tetrachlormethan ausgeschüttelt und die vereinigten organischen Schichten mit Calciumchlorid gut getrocknet. Nach dem Abdestillieren des Extraktionsmittels bei schwachem Vakuum wird das Reaktionsprodukt 2mal i. Vak. fraktioniert und mit Hydrochinon stabilisiert; Ausbeute: 65–75% d.Th.; Kp$_{12}$: 35–38°; F: ~ 5°.

Das Keton ist eine äußerst aggressive und zersetzliche Substanz, die unterhalb — 10° aufbewahrt und mit Hydrochinon stabilisiert werden muß.

1-Chlor-3-oxo-penten-(1) (aus Vinylchlorid)[4,5]: Unter Feuchtigkeitsausschluß werden zu einer Suspension von 735 g (5,5 Mol) feingepulvertem Aluminiumchlorid in 1,5 *l* Tetrachlormethan 462,5 g (5 Mol) Propionylchlorid zugegeben und die Mischung unter gutem Rühren auf 0 bis 5° abgekühlt. Dann wird Vinylchlorid mit solcher Geschwindigkeit eingeleitet, daß weitgehend Absorption erfolgt. Nach 2–3 Stdn. ist diese beendet. Hierauf wird in ein Eis/Wasser-Gemisch eingerührt und die Schichten nach der Zersetzung des Aluminiumchlorid-Komplexes getrennt. Die Tetrachlormethan-Schicht wird mit Wasser ausgeschüttelt, getrocknet, das Lösungsmittel abdestilliert, der Rückstand mit Wasserdampf destilliert, das Destillat ausgeäthert und getrocknet.

Nach der Vakuumdestillation (Kp$_{15}$: 50–54°) erhält man 495,5 g (83,6% d.Th.) *1-Chlor-3-oxo-penten-(1)*, das nur noch geringe Mengen an Dichlor-keton enthält.

1-Chlor-3-oxo-3-(4-methoxy-phenyl)-propen[6] (aus Vinylchlorid):

3,3-Dichlor-1-oxo-1-(4-methoxy-phenyl)-propan: Die Addition von 4-Methoxy-benzoylchlorid an Vinylchlorid gelingt nur, wenn man den desaktivierenden Einfluß der Methoxy-Gruppe auf das Aluminiumchlorid durch einen Zusatz von Nitromethan zurückdrängt.

Eine Lösung von 8 g Aluminiumchlorid in 15 *ml* Nitromethan wird in ein Gemisch von 8,7 g 4-Methoxy-benzoylchlorid in 100 *ml* 1,2-Dichlor-äthan eingerührt, Vinylchlorid eingeleitet und die Temp. auf ~ 40° eingestellt.

Nach ~ 2 Stdn. wird in Eis ausgetragen und die organische Schicht zwecks Entfernung überschüssigen Säurechlorids ~ 30 Min. mit 200 *ml* einer 2,5%igen Natriumhydrogencarbonat-Lösung ausgekocht. Nach dem Trocknen und Abdestillieren der Verdünnungsmittel kristallisiert man den Rückstand aus Petroläther um und erhält 5,7 g (48,9% d.Th.) farbloser Prismen (F: 58°).

1-Chlor-3-oxo-3-(4-methoxy-phenyl)-propen: Die Chlorwasserstoff-Abspaltung erfolgt in absol. Äther mit der äquimolaren Menge Triäthylamin bei 10°. Nach 2 stdg. Stehen wird das Hydrochlorid abfiltriert, die Lösung eingedampft und der Rückstand aus Petroläther umkristallisiert; Ausbeute: 61,2% d.Th.; F: 50° (farblose Kristalle).

[1] DRP. 650359 (1935), I. G. Farb., Erf.: J. Nelles; Frdl. **24**, 72.

[2] DRP. 642147 (1935), I. G. Farb., Erf.: J. Nelles u. O. Bayer; C. A. **31**, 3501⁹ (1937).

[3] C. C. Price u. J. A. Pappalardo, Am. Soc. **72**, 2613 (1950).

[4] DRP. 733694 ≡ Brit. P. 466891 (1935), I. G. Farb., Erf.: J. Nelles u. O. Bayer; C. **1938** I, 1875.

[5] W. M. McLamore, S. Y. P'An u. A. Bavley, J. Org. Chem. **20**, 114 (1955).

[6] V. T. Klimko, V. A. Mikhalev u. A. P. Skoldinov, Ž. obšč. Chim. **27**, 374 (1957); engl.: 418; C. A. **51**, 15449ᵍ (1957).

Tab. 81. (β-Chlor-vinyl)-ketone durch Addition von aliphatischen und cycloaliphatischen Carbonsäure-chloriden an Acetylen

Ausgangsverbindung $R-\overset{O}{\underset{\|}{C}}-Cl$ R—	Keton $R-\overset{O}{\underset{\|}{C}}-CH=CH-Cl$	Ausbeute [% d.Th.]	Kp [°C]	[Torr]	F [°C]	Literatur
H₃C—	1-Chlor-3-oxo-buten-(I)	55–75	76	98	—	1–8
H₃C—CH₂—	1-Chlor-3-oxo-penten-(I)	47–69	56	22	—	4,7,8
H₃C—(CH₂)₂—	1-Chlor-3-oxo-hexen-(I)	75–83	56–57	12	—	4,8
H₃C—(CH₂)₅—	1-Chlor-3-oxo-nonen-(I)	75	86–87	5,5	—	6
H₃C—(CH₂)₆—	1-Chlor-3-oxo-decen-(I)	68–74	90–93	4,5	22–22,5	6,9
H₃C—(CH₂)₉—	1-Chlor-3-oxo-tridecen-(I)	54	131–134	4	32–32,5	6
H₃C—(CH₂)₁₁—	1-Chlor-3-oxo-pentadecen-(I)	68	—	—	41–42	6
H₃C—(CH₂)₁₄—	1-Chlor-3-oxo-octadecen-(I)	67	—	—	60,5–61	6,9
CH₃ | H₃C—CH—	1-Chlor-3-oxo-4-methyl-penten-(I)	57–68	50–51	12	—	8,10,11

[1] DRP. 642147 (1935) ≡ Brit. P. 461080 (1935), I. G. Farb., Erf.: J. NELLES u. O. BAYER; C. A. 31, 3501⁹ (1937).

[2] A. CORNILLOT u. R. ALQUIER, C. r. 201, 837 (1935).

[3] A. YA. YAKUBOVICH u. E. N. MERKULOVA, Ž. obšč. Chim. 16, 55 (1946); C. A. 41, 91ª (1947).

[4] A. N. NESMEYANOV, N. K. KOCHETKOV u. M. I. RYBINSKAYA, Izv. Akad. SSSR 1950, 350; C. A. 45, 1585ᵇ (1951).

[5] C. C. PRICE u. J. A. PAPPALARDO, Am. Soc. 72, 2613 (1950).

[6] S. WAKAYAMA, S. ITOH u. H. SUGINOME, J. chem. Soc. Japan, pure Chem. Sect. 76, 94 (1955); C. A. 51, 17727ᵉ (1957).

[7] É. É. NIFANT'EV et al., Ž. prikl. Chim. 36, 676 (1963); C. A. 59, 6244ᶜ (1963).

[8] W. R. BENSON u. A. E. POHLAND, J. Org. Chem. 29, 385 (1964).

[9] S. WAKAYAMA et al., J. chem. Soc. Japan, pure Chem. Sect. 78, 1525 (1957); C. A. 53, 21628ª (1959).

[10] N. K. KOCHETKOV, Doklady Akad. SSSR 84, 289 (1952); C. A. 47, 3309ª (1953).

[11] G. OPITZ u. M. KLEEMANN, A. 665, 114 (1963).

Tab. 81 (1. Fortsetzung)

Ausgangsverbindung $R-\overset{O}{\underset{\|}{C}}-Cl$ R—	Keton $R-\overset{O}{\underset{\|}{C}}-CH=CH-Cl$	Ausbeute [% d.Th.]	Kp [°C]	[Torr]	F [°C]	Literatur
CH_3 $H_3C-CH-CH_2-$	1-Chlor-3-oxo-5-methyl-hexen-(1)	66–85	64–65	12	–	1–5
CH_3 $H_3C-CH-(CH_2)_2-$	1-Chlor-3-oxo-6-methyl-hepten-(I)	54–76	96–98	20	–	4,6
H_3C-	3-Chlor-5-oxo-hexadien-(1,3) [aus Butenin (Vinyl-acetylen) bzw. 2-Chlor-butadien]	32 (bzw. 52)	65	5	–	7
$H_5C_6-CH_2-$	1-Chlor-3-oxo-4-phenyl-buten-(I)	–	–	–	–	5
$H_{11}C_6-$	1-Chlor-3-oxo-3-cyclohexyl-propen-(I)	88	–	–	–	8
$Cl-CH_2-$	1,4-Dichlor-3-oxo-buten-(I)	40–65	58–59	7	–	9–11
$Br-CH_2-$	1-Chlor-3-oxo-4-brom-buten-(I)	30	65–68	2	–	10
Cl H_3C-CH-	1,4-Dichlor-3-oxo-penten-(I)	55	69–70	11	–	12

[1] DRP. 642147 (1935), I. G. Farb., Erf.: J. NELLES u. O. BAYER; C. A. **31**, 3501[9] (1937).
[2] A. N. NESMEYANOV, N. K. KOCHETKOV u. M. I. RYBINSKAYA, Izv. Akad. SSSR. **1950**, 350; C. A. **45**, 1585[b] (1951).
[3] W. R. BENSON u. A. E. POHLAND, J. Org. Chem. **29**, 385 (1964).
[4] C. C. PRICE u. J. A. PAPPALARDO, Am. Soc. **72**, 2613 (1950).
[5] S. WAKAYAMA, S. ITOH u. H. SUGINOME, J. chem. Soc. Japan, pure Chem. Sect. **76**, 94 (1955); C. A. **51**, 17727[g] (1957).
[6] C. C. PRICE u. J. A. PAPPALARDO, Org. Synth. **32**, 27 (1952); Org. Synth., Coll. Vol. IV, 186 (1963).
[7] S. O. BADNYAN et al., Ž. Org. Chim. **7**, 622 (1971); engl. : 622
[8] USSR. P. 196778 (1966), Azerbaidzhan Petro-Chemical (M. AZIZBEKOVA) Inst.; Erf.: A. G. ISMAILOV et al., C. A. **68**, 21597[u] (1968).
[9] A. YA. YAKUBOVICH u. E. N. MERKULOVA, Ž. obšč. Chim. **16**, 55 (1946); C. A. **41**, 91[a] (1947).
[10] J. R. CATCH et al., Soc. **1943**, 278.
[11] N. K. KOCHETKOV, A. N. NESMEYANOV u. N. A. SEMENOV, Izv. Akad. SSSR. **1952**, 87; engl.: 97; C. A. **47**, 2167[h] (1953).
[12] N. K. KOCHETKOV u. A. I. KHORLIN, Ž. obšč. Chim. **28**, 1937 (1958); engl.: 1977; C. A. **53**, 1308[i] (1959).

Ausgangsverbindung $R—C(=O)—Cl$ R—	Keton $R—C(=O)—CH=CH—Cl$	Ausbeute [% d.Th.]	Kp [°C]	Kp [Torr]	F [°C]	Literatur
$Cl—CH_2—CH_2—$	1,5-Dichlor-3-oxo-penten-(1)	28–68	100–101	15–16	—	1–4
$Cl—CH_2—CH_2—$	R—; $H_2C=CH—$ 1-Chlor-3-oxo-pentadien-(1,4) + R—; $Cl—CH_2—CH_2—$ 1,5-Dichlor-3-oxo-penten-(1)*	18 + 39	48–49 / 100–102	15 / 15	— / —	5
$Cl—CH_2—CH_2—$	R—; $H_2C=CH—$ 1-Chlor-3-oxo-pentadien-(1,4)*	32	48–49,5	14	—	5
$Cl—CH(Cl)—CH—CH_2—$	R—; $H_3C—CH=CH—$ 1-Chlor-3-oxo-hexadien-(1,4)*	47	70–72	10	38–39	5
$H_3C—C(Cl)(CH_3)—CH_2—$	R—; $(CH_3)_2C=CH—$ 1-Chlor-3-oxo-5-methyl-hexadien-(1,4)*	33	76–79	11	—	5
$Cl—C(=O)—(CH_2)_n—$ n = 4 n = 8	R—; $Cl—CH=CH—C(=O)—(CH_2)_n—$ 1,10-Dichlor-3,8-dioxo-decadien-(1,9) 1,14-Dichlor-3,12-dioxo-tetradecadien-(1,13)	6–31	— —	— —	94 90	6
$H_3C—CH=CH—$	1-Chlor-3-oxo-hexadien-(1,4)	51	64–65	7	—	5
$(CH_3)_2C=CH—$	1-Chlor-3-oxo-5-methyl-hexadien-(1,4)	34	71–73	10	—	5

* Dehydrochlorierung des im Gemisch mit dem Endprodukt vorliegenden (β-Chlor-alkyl)-(β-chlor-vinyl)-ketons erfolgte mit N,N-Diäthyl-anilin.

[1] DRP. 642147 (1935) ≡ Brit. P. 461080 (1935), I.G.Farb., Erf.: J. Nelles u. O. Bayer; C. A. 31, 3501[9] (1937).
[2] A. Ya. Yakubovich u. E. N. Merkulova, Ž. obšč. Chim. 16, 55 (1946); C.A. 41, 91[a] (1947).
[3] L. H. Groves u. G. A. Swan, Soc. 1952, 650.
[4] W. M. McLamore, S. Y. P'an u. A. Bavley, J. Org. Chem. 20, 109 (1955).
[5] N. K. Kochetkov et al., Izv. Akad. SSSR. 1956, 1053; engl.: 1069; C. A. 51, 5065[i] (1957).
[6] F. A. Drahowzal u. K. H. Gump, Rev. chim., Acad. Rep. Pop. Roumaine 7 (2), 809 (1962); C. A. 61, 4203[d] (1964).

Tab. 81. (3. Fortsetzung)

Ausgangsverbindung $R-\overset{O}{\underset{\|}{C}}-Cl$			Keton $R-\overset{O}{\underset{\|}{C}}-CH=CH-Cl$	Ausbeute [% d.Th.]	Kp [°C]	Kp [Torr]	F [°C]	Literatur
$R^3-\underset{R^2}{\overset{}{C}}=C-\underset{R^1}{\overset{}{C}}$								
R^1	R^2	R^3						
			Gemisch von					
			a) [Struktur mit R^2, R^1, R^3, Cl, O] (Diastereoisomeren-Gemisch)					
			und					
			b) $R^3-C=C-\overset{O}{\underset{\|}{C}}-\underset{R^2\ R^1}{\overset{}{C}}-CH=CH-Cl$					
H	H	H	a) 94%* 4-Chlor-3-oxo-cyclopenten	40**	91	18		1
			+ b) 6%* 1-Chlor-3-oxo-pentadien-(1,4)	–	–	–		
CH₃	H	H	a) 98% 4-Chlor-3-oxo-4-methyl-cyclopenten	72	76	12		
			+ b) 2% 1-Chlor-3-oxo-4-methyl-pentadien-(1,4)	–	–	–		
H	CH₃	H	a) 89% 4-Chlor-3-oxo-5-methyl-cyclopenten	60	88	12	–	
			+ b) 11% 1-Chlor-3-oxo-hexadien-(1,4)	–	–	–	–	

* Die Prozentzahlen geben die Zusammensetzung des jeweiligen Gemisches an.
** Auf das eingesetzte Carbonsäure-chlorid bezogene Ausbeuten des 4-Chlor-4-R^1-3-R^2-3-R^3-5-oxo-cyclopentens-(3).

[1] G. J. MARTIN u. G. DAVIAUD, Bl. 1970, 3098.

Ausgangsverbindung $R-\overset{O}{C}-Cl$			Keton $R-\overset{O}{C}-CH=CH-Cl$	Ausbeute [% d.Th.]	Kp [°C]	Kp [Torr]	F [°C]	Literatur
$R^3-C{\equiv}C-$ $R^2\ R^1$ (Fortsetzung)								
R^1-	R^2-	R^3-						
CH_3-	CH_3-	$H-$	a) 100% 4-Chlor-3-oxo-4,5-dimethyl-cyclo-penten	70	97	25	—	
$H-$	CH_3-	CH_3-	a) 2% 4-Chlor-5-oxo-3-dimethyl-cyclo-penten	—	—	—	—	
			+ b) 98% 1-Chlor-3-oxo-5-methyl-hexadien-(1,4)	—	—	—	—	
$H-$	$H_3C-(CH_2)_3-$	$H-$	a) 97% 4-Chlor-3-oxo-5-butyl-cyclopenten	45	78	0,1	—	
			+ b) 3% 1-Chlor-3-oxo-nonadien-(1,4)	—	—	—	—	
H_3C-CH_2-	$H_3C-(CH_2)_2-$	$H-$	a) 100% 4-Chlor-3-oxo-4-äthyl-5-propyl-cyclopenten	65	82	0,2	—	
$H_5C_2-O-\overset{O}{C}-(CH_2)_4-$			8-Chlor-6-oxo-octen-(7)-säure-äthylester	—	—	—	—	[1]
$(CH_2)_6-COOCH_3$ (cyclopentanon)			3-Oxo-2-(6-methoxycarbonyl-hexyl)-1-[3-chlor-1-oxo-propen-(2)-yl]-cyclopentan	—	—	—	—	[2]
R^1- : $H-$; R^2- = CH_2 $B_{10}H_{10}$			1-Chlor-3-oxo-4-(o-carboranyl)-buten-(I)	55	—	—	49–50	[3]
R^1- : $H_2C{=}CH-$			1-Chlor-3-oxo-4-(2-vinyl-carboranyl)-buten-(I)	72	—	—	79–80	[3]

[1] U. SCHMIDT u. P. GRÄFEN, B. 92, 1177 (1959).
[2] J. F. BAGLI et al., Tetrahedron Letters 1966 (5), 465.
[3] L. I. ZAKHARKIN, A. V. GREBENNIKOV u. L. A. SAVINA, Izv. Akad. SSSR 1968 (5), 1130; engl.: 1076; C. A. 69, 77306m (1968). L. I. ZAKHARKIN u. A. V. GREBENNIKOV, Ž. obšč. Chim. 39, 575 (1969); engl.: 544; C. A. 71, 39048n (1969).

Tab. 82. (β-Chlor-vinyl)-ketone durch Addition aliphatischer Carbonsäure-chloride an Monoalkyl- und 1,2-Dialkyl-acetylene

Ausgangsverbindungen			Keton	Ausbeute [% d.Th.]	Kp		Literatur
$R—C(=O)—Cl$	$R'—C≡C—R^2$		$R—C(=O)—C(R')=C(R^2)—Cl$		[°C]	[Torr]	
R—	R'—	R²—					
CH₃—	H—	CH₃—	2-Chlor-4-oxo-penten-(2)	49	38–40	11	1
CH₃—	H—	H₃C—CH₂—	4-Chlor-2-oxo-hexen-(3)	~ 25–40*	46–53**	10	2
CH₃—	H—	H₃C—(CH₂)₃—	4-Chlor-2-oxo-octen-(3)		a) 69*** b) 80	10 10	2,3
CH₃—	H—	H₃C—(CH₂)₄—	4-Chlor-2-oxo-nonen-(3)		a) 89 b) 99	10 10	2
H₃C—CH₂—	H—	H₃C—(CH₂)₂—	5-Chlor-3-oxo-octen-(4)	56	39–41	0,03	4
(CH₂)₆—COOCH₃ (cyclopentanon)	H—	H₃C—CH₂—	1-Oxo-2-(6-methoxycarbonyl-hexyl)-3-[3-chlor-1-oxo-penten-(2)-yl]-cyclopentan	—	—	—	5
(CH₂)₆—COOCH₃ (cyclopentanon)	H—	H₃C—(CH₂)₆—	1-Oxo-2-(6-methoxycarbonyl-hexyl)-3-[3-chlor-1-oxo-decen-(2)-yl]-cyclopentan	—	—	—	5
CH₃—	H₃C—CH₂—	H₃C—CH₂—	4-Chlor-2-oxo-3-äthyl-hexen-(3)		a) 89–91 b) 97–99	30 30	2
CH₃—	H₃C—(CH₂)₄—	H₃C—(CH₂)₄—	4-Chlor-2-oxo-3-pentyl-nonen-(3)		115–121**	5	2

* Diese Ausbeuten beziehen sich jeweils auf das Gemisch von cis- und trans-Isomeren.
** Offenbar Siedeintervall des Gemisches der cis- und trans-Isomeren.
*** Der tiefere Siedepunkt wird jeweils dem trans-, der höhere dem cis-Isomeren zugeordnet.

1 M. Julia, A. ch. [12] 5, 595 (1950).
2 US.P. 2194704 (1938), DuPont; Erf.: J. W. Kroeger; C. A. 34, 5091 (1940).
4 W. M. McLamore, S. Y. P'an u. A. Bavley, J. Org. Chem. 20, 109 (1955).
5 US.P. 3455992 (1966), American Home Products Corp. = Fr. P. 1522690 (1967), Ayerst, McKenna & Harrison Ltd.; Erf.: J. F. Bagli u. T. Bogri;

Ausgangsverbindungen			Keton	Ausbeute [% d.Th.]	Kp [°C]	Kp [Torr]	F [°C]	Literatur
$R-\overset{O}{\underset{\|\|}{C}}-Cl$	$R'-C\equiv C-R^2$		$R-\overset{O}{\underset{\|\|}{C}}-C(R')=C(R^2)-Cl$					
R	R¹	R²						
C₆H₅	H	H	1-Chlor-3-oxo-3-phenyl-propen	~40	80–82	0,5		1–4
2-CH₃–C₆H₄	H	H	1-Chlor-3-oxo-3-(2-methyl-phenyl)-propen	66	105–107	4		5
4-CH₃–C₆H₄	H	H	1-Chlor-3-oxo-3-(4-methyl-phenyl)-propen	70	114–116	2		3
2-Cl–C₆H₄	H	H	1-Chlor-3-oxo-3-(2-chlor-phenyl)-propen	64	145–146	15	41–43	6
4-Br–C₆H₄	H	H	1-Chlor-3-oxo-3-(4-brom-phenyl)-propen	77	135–138	3	36–37	5
4-NO₂–C₆H₄	H	H	1-Chlor-3-oxo-3-(4-nitro-phenyl)-propen	50–51	188–191	12	89	3
Furyl-(2)	H	H	1-Chlor-3-oxo-3-furyl-(2)-propen	41	102–105	10	46–48	7
Thienyl-(2)	H	H	1-Chlor-3-oxo-3-thienyl-(2)-propen	65	154–156,5	23	25,5–27	7
Selenyl-(2)	H	H	1-Chlor-3-oxo-3-selenyl-(2)-propen	45	133–134	7	–	7
C₆H₅	H	H₃C-(CH₂)₄	3-Chlor-1-oxo-1-phenyl-octen-(2)	–	135–138	0,15	–	1
C₆H₅	C₂H₅	C₂H₅	3-Chlor-1-oxo-2-äthyl-1-phenyl-penten-(2)	*				8
4–CH₃–C₆H₄	C₂H₅	C₂H₅	3-Chlor-1-oxo-2-äthyl-1-(4-methyl-phenyl)-penten-(2)					8

* Quantitativer Umsatz zu einem Gemisch von *cis*- und *trans*-3-Chlor-1-oxo-2-äthyl-1-phenyl-penten-(2), das 1-Oxo-2,3-diäthyl-inden als Nebenprodukt enthält.

1 DRP. 642147 (1935), I. G. Farb., Erf.: J. NELLES u. O. BAYER; C. A. 31, 3501⁹ (1937); Frdl. 23, 87.
2 S. WAKAYAMA, S. ITOH u. H. SUGINOME, J. chem. Soc. Japan, pure Chem. Sect. 76, 94 (1955); C. A. 51, 17727ᵍ (1957).
3 N. K. KOCHETKOV, A. Y. KHORLIN u. M. Y. KARPEISKY, Ž. obšč. Chim. 26, 595 (1956); engl.: 643; C. A. 50, 13799ᵃ (1956).
4 W. R. BENSON u. A. F. POHLAND, J. Org. Chem. 29, 385 (1964).
5 N. K. KOCHETKOV, É. E. NIFANT'EV u. S. D. SOKOLOV, Ž. obšč. Chim. 29, 2570 (1959); engl.: 2533; C. A. 54, 10930ᶠ (1960).
6 N. K. KOCHETKOV et al., Izv. Akad. SSSR 1957, 1181; engl.: 1206; C. A. 52, 6324ᵉ (1958).
7 N. K. KOCHETKOV, É. E. NIFANT'EV u. L. V. NIFANT'EVA, Ž. obšč. Chim. 30, 241 (1960); engl.: 259; C. A. 54, 22606ʰ (1960).
8 H. MARTENS u. G. HOORNAERT, Tetrahedron Letters 1970, 1821.

In analoger Arbeitsweise kann man aus 4-Nitro-benzoylchlorid und Vinylchlorid bei 20–45° das *3,3-Dichlor-1-oxo-1-(4-nitro-phenyl)-propan* (F: 81°, hellgelbe Nadeln) mit einer Ausbeute von 65% d. Th. fassen[1].

An 1,1-Dichlor-äthylen läßt sich zwischen 0–20° ebenfalls Acetylchlorid addieren. Auch aus diesem Primärprodukt spaltet sich beim Behandeln mit Wasserdampf leicht Chlorwasserstoff ab[2-4].

Etwas schwieriger vollzieht sich die Anlagerung von Propansäure-chlorid an 1,2-Dichlor-äthylen (*cis/trans*-Gemisch). Man erhält das *1,1,2-Trichlor-3-oxo-pentan* ($Kp_{0,1}$: 47–49°; ~ 45% d. Th.)[5].

1,1-Dichlor-3-oxo-buten-(1)[2]: Unter Eis/Kochsalz-Kühlung werden in 50 g Acetylchlorid 50 g feingepulvertes Aluminiumchlorid eingerührt. Nach der Bildung des Komplexes tropft man bei 20° innerhalb 90 Min. 30 g 1,1-Dichlor-äthylen ein, wobei die Masse viskoser wird. Nach weiterem 30 min. Rühren gießt man auf 600 g Eis. Das Reaktionsprodukt scheidet sich teilweise kristallin ab. Nach mehrmaligem Extrahieren mit insgesamt 250 ml Tetrachlormethan wird die organische Phase mit Wasserdampf destilliert, um den restlichen Chlorwasserstoff abzuspalten. Der Destillationsrückstand wird erneut in Tetrachlormethan aufgenommen und dieser Auszug mit dem Destillat vereinigt. Nach dem Abdestillieren des Lösungsmittels gibt man geringe Mengen Chinolin und Magnesiumoxid hinzu und destilliert rasch i. Vak.; Ausbeute: bis 32,5 g (~ 80% d. Th.); Kp_{10}: 45° (andere Angabe: Kp_{14}: 55°).

Im Gegensatz zum 1-Chlor-3-oxo-buten-(1) ist das 1,1-Dichlor-3-oxo-buten-(1) eine recht stabile Verbindung.

e) durch Acylierung CH-acider Verbindungen

bearbeitet von Prof. Dr. Hans Henecka

Farbenfabriken Bayer AG, Wuppertal-Elberfeld

1. durch Ester-Kondensation und analoge Reaktionen

Die Methoden der Ester-Kondensation sind im Hinblick auf Bedeutung, Anwendungsbereich, Mechanismus und praktische Durchführung eingehend in ds. Handb., Bd. VIII, S. 560–590 behandelt. Im Folgenden sind daher die dort bereits behandelten Methoden nur kurz erwähnt und durch inzwischen bekannt gewordene neuere Methoden ergänzt.

Die eigentliche Ester-Kondensation ist eine methodisch sehr wichtige Ausführungsform der Keton-Herstellung durch Acylierung CH-acider Verbindungen[6] mit einem **Carbonsäureester** als **Acylierungsmittel**. Hiermit sind acylierbar:

(a) Fettsäureester vom Typ R—CH₂—COOR' (Claisen-Ester-Kondensation) zu β-Ketocarbonsäureestern

$$R''-CO-\underset{\underset{R}{|}}{C}H-COOR'$$

[1] V. T. KLIMKO, V. A. MIKHALEV u. A. P. SKOLDINOV, Ž. obšč. Chim. **27**, 374 (1957); engl.: 418; C. A. **51**, 15449^g (1957).

[2] I. HEILBRON, E. R. H. JONES u. M. JULIA, Soc. **1949**, 1434.

[3] O. WICHTERLE u. J. VOGEL, Collect. czech. chem. Commun. **19**, 1197 (1954).

[4] M. JULIA, A. ch. [12] **5**, 595 (1950).

[5] W. M. McLAMORE, S. Y. P'AN u. A. BAVLEY, J. Org. Chem. **20**, 116 (1955).

[6] s. ds. Handb., Bd. XIII/1, Kap. CH-Acidität, S. 32–85.

(b) Fettsäureester vom Typ $R_2CH-COOR'$ (allgemeine Ester-Kondensation) zu β-Keto-carbonsäureestern

$$R''-CO-\underset{\underset{R}{|}}{\overset{\overset{R}{|}}{C}}-COOR'$$

(c) Ketone vom Typ $R-CH_2-CO-R''$ bzw. $R_2CH-CO-R''$ zu β-Diketonen

$$R'-CO-\underset{\underset{}{}}{\overset{\overset{R}{|}}{C}}H-CO-R'' \quad \text{bzw.} \quad R'-CO-\underset{\underset{R}{|}}{\overset{\overset{R}{|}}{C}}-CO-R''$$

(d) Kohlenwasserstoffe vom Typ Cyclopentadien oder Fluoren zu Ketonen

(e) Alkyl-heterocyclen vom Typ 2-Methyl-pyridin zu Ketonen.

α) β-Keto-carbonsäure-ester und -amide

α_1) *durch Selbstkondensation von Carbonsäureestern*

$R-CH_2-COOR'$ (s.a.ds. Handb., Bd. VIII, 567ff.; Bd. XIII/1, S. 523–550)

Zur Selbstkondensation von Carbonsäureestern zu β-Keto-carbonsäureestern

$$2\,R-CH_2-COOR' \;\rightarrow\; R-CH_2-CO-\underset{\underset{}{}}{\overset{\overset{R}{|}}{C}}H-COOR + R'OH$$

benutzt man gewöhnlich das Natrium- oder Kalium-alkoholat des dem Carbon-säureester entsprechenden Alkohols. Die Selbstkondensation auch höherer Fett-säureester gelingt bei Anwendung von Natrium-alkoholat als Kondensationsmittel dann mit befriedigenden Ausbeuten, wenn man sich der von McElvain[1] beschrie-benen Versuchstechnik der Gleichgewichtsverschiebung durch destillative Entfer-nung des entstehenden Alkohols bedient. Benutzt man tert.-Butyl-lithium als basisches Kondensationsmittel, so gelingt die Selbstkondensation des Octansäure-äthylesters (Caprylsäure-äthylesters) bereits durch Erwärmen in Heptan auf 50–60°[2]. Dabei erhält man *3-Oxo-2-hexyl-decansäure-äthylester* (30% d.Th.; I):

$$\underset{\text{I}}{H_{15}C_7-CO-\underset{\underset{C_6H_{13}}{|}}{\overset{\overset{}{}}{C}}H-COOC_2H_5} \qquad\qquad \underset{\text{II}}{H_{15}C_7-CO-CH_2-C_6H_{13}}$$

neben etwa 10% *Pentadecanon-(8)* (II). Das Keton II soll aus Octansäure-äthyl-ester (Caprylsäure-äthylester) durch Kondensation mit tert.-Butyl-lithium in Tetra-hydrofuran bei 40–50° mit 70–80% d.Th. entstehen; es läßt sich aus I auch durch Hydrolyse mit 5%igem Lithium-hydroxid bei 5–10° erhalten.

---

[1] R. R. BRIESE u. S. M. McELVAIN, Am. Soc. **55**, 1697 (1933).
   s.a. S. M. McELVAIN, Am. Soc. **51**, 3126 (1929).
[2] A. D. PÉTROV u. E. P. KAPLAN, Bl. **1964**, 1133; Doklady Akad. SSSR **155**, 1352 (1964); C. A. **61**, 1750 (1964).

Solche Selbstkondensationen gelingen auch dann, wenn die Fettsäureester zusätzliche funktionelle Gruppen enthalten. So geht 4-Äthoxy-butansäure-äthylester[1] (III) nach der Arbeitsweise von McElvain (90°, 65–70 Torr, 6 Stdn. unter Durchleiten von Stickstoff) über in *6-Äthoxy-3-oxo-2-(2-äthoxy-äthyl)-hexansäure-äthylester* (IV):

$$2\ C_2H_5O-(CH_2)_3-COOC_2H_5 \xrightarrow[-\,C_2H_5OH]{} C_2H_5O-(CH_2)_3-CO-CH-COOC_2H_5$$

$$(CH_2)_2-OC_2H_5$$

$$\text{III} \qquad\qquad\qquad \text{IV}$$

4-Oxo-3-methyl-pentansäure-butylester (β-Methyl-lävulinsäure-butylester) (V) geht bei der Kondensation mit 0,5 g-Atom Natrium pro Mol Ester in Xylol über in *4,6,9-Trioxo-3,8-dimethyl-decansäure-butylester* (VI):

$$2\ H_3C-CO-CH-CH_2-COOC_4H_9 \rightarrow$$
$$CH_3$$
$$\text{V}$$

$$H_3C-CO-CH-CH_2-CO-CH_2-CO-CH-CH_2-COOC_4H_9$$
$$CH_3 \qquad\qquad\qquad\qquad CH_3$$
$$\text{VI}$$

Läßt man hingegen auf 1 Mol V in Xylol 5 g-Atom Natrium (6 Stdn. bei 80–90°) einwirken, so soll ein Gemisch von VII und VIII entstehen, das über Kupfer (II)-salze trennbar ist[2]:

$$H_3C-CO-\left(\underset{CH_3}{CH}-CH_2-CO-CH_2-CO\right)_3 \underset{CH_3}{CH}-CH_2-COOC_4H_9$$

4,6,9,11,14,16,19-Heptaoxo-3,8,13,18-tetramethyl-eicosansäure-butylester; VII

2,4,7,9,12,14,17,19-Octaoxo-1,6,11,16-tetramethyl-cycloeicosan, VIII

Während Acetessigsäure-äthylester selbst beim Erhitzen mit einer geringen Menge Natriumhydrogencarbonat in Dehydracetsäure (4-Hydroxy-6-methyl-3-acetyl-α-pyron); (IX) übergeht (s. ds. Handb., Bd. VIII, S. 628), entsteht beim Erhitzen mit Natrium-alkoholat *5-Hydroxy-4,7-dimethyl-3-acetyl-cumarin-6-carbonsäure-äthylester*:

IX   X

[1] A. M. Lichošerstov, L. M. Lichošerstov u. N. K. Kočetkov, Ž. obšč. Chim. **33**, 1801 (1963); C. A. **59**, 10143 (1963).

[2] R. P. Evstigneeva et al., Ž. obšč. Chim. **34**, 3308 (1964); engl.: 3348; Ž. Org. Chim. **1**, 1560 (1965); **3**, 1529 (1967).

S. D. Lvova et al., Ž. Org. Chim. **3**, 1573 (1967); engl.: 1529; **1**, 1560 (1965); engl.: 1582.

5-Hydroxy-4,7-dimethyl-3-acetyl-cumarin-6-carbonsäure-äthylester[1] (X): 4,6 g Natrium werden in 50 ml absol. Äthanol gelöst, diese Lösung mit 78 g Acetessigsäure-äthylester versetzt und unter Abdestillieren von Essigsäure-äthylester und Äthanol erhitzt, wodurch ein tieforangeroter hochviskoser Sirup entsteht. Kalt zerlegt mit verd. Salzsäure erhält man ein mit einem Öl durchtränktes Kristallisat, das nach Anreiben mit wenig Äthanol abgesaugt wird; Rohausbeute: 7–8 g (~ 10% d.Th.); F: 172–173° (aus Benzol-Petroläther).

Monokaliumsalze von α,ω-Dicarbonsäure-halbestern lassen sich nach Claisen mit Natrium-alkoholat in Xylol zu den Dikaliumsalzen langkettiger Keto-carbonsäureester kondensieren, wenn man den sich abspaltenden Alkohol mit Natriumhydrid in Alkoholat zurückverwandelt und außerdem durch Herstellung der Kaliumsalze der Halbester „in situ" für möglichst kolloide Verteilung dieser Salze im Xylol Sorge trägt. So erhält man aus dem Kaliumsalz des Hexandisäure-monoäthylesters (Adipinsäure-monoäthylester; XI; n = 4) *6-Oxo-5-äthoxycarbonyl-undecandisäure, Dikaliumsalz* (XII; n = 4)

$$2\ C_2H_5OOC-(CH_2)_n-COOK \xrightarrow[\text{(Na)}]{\text{(C}_2\text{H}_5\text{ONa)}} KOOC-(CH_2)_n-CO-\underset{\underset{\textstyle COOC_2H_5}{|}}{CH}-(CH_2)_{n-1}-COOK$$

XI   XII

und aus Decandisäure-monoäthylester (Sebacinsäure-monoäthylester; XI; n = 8) die 10-Oxo-9-äthoxycarbonyl-nonadecandisäure, Dikaliumsalz (XII; n = 8), die durch Verseifung und Decarboxylieren in *6-Oxo-undecandisäure* bzw. *10-Oxo-nonadecandisäure* übergehen[2].

Als Kondensationsmittel zur Selbstkondensation von Fettsäureestern scheint auch das **Naphthalin-magnesium** geeignet, das man durch Reaktion von Magnesium mit Naphthalin in flüssigem Ammoniak erhält[3]. Phenylessigsäure-äthylester geht mit diesem Kondensationsmittel in *α,γ-Diphenyl-acetessigsäure-äthylester (3-Oxo-2,4-diphenyl-butansäure-äthylester)* (61% d.Th.) über.

Über die Selbstkondensation von Lactonen s. ds. Band, S. 500.

a_2) *Kondensation von zwei verschiedenen Carbonsäureestern*
(s.ds. Handb., Bd. VIII, S. 570ff.; Bd. XIII/1, S. 523–550)

Eine Kondensation von zwei verschiedenen Carbonsäureestern gelingt dann gut, wenn der acylierende Ester (Ester-Komponente; vgl. ds. Handb., Bd. VIII, S. 562) selbst keine acylierbare CH_2- bzw. CH-Gruppe besitzt, wie z.B. Benzoesäureester, Nikotinsäureester oder Oxalsäure-diester. So ist auch Trifluoressigsäure-äthylester als Esterkomponente der Claisen-Kondensation anwendbar: durch Kondensation mit Essigsäure-äthylester in Gegenwart von metallischem Natrium entsteht γ,γ,γ-*Trifluor-acetessigsäure-äthylester (4,4,4-Trifluor-3-oxo-butansäure-äthylester)*.

γ,γ,γ-Trifluor-acetessigsäure-äthylester (4,4,4-Trifluor-3-oxo-butansäure-äthylester)[4]: In einem mit wirksamem Rückflußkühler versehenen Kolben werden 16,5 g (0,72 g Atom) Natriumdraht rasch mit einer Mischung von 101,5 g (1,0 Mol) Trifluoressigsäure-äthylester und 130 g (2,1 Mol) Essigsäure-äthylester versetzt, worauf alsbald eine sehr heftige exotherme Reaktion einsetzt, in deren Verlauf innerhalb von ~ 10 Min. alles Natrium sich löst. Wegen dieser unter starker Wärmetönung ablaufenden Reaktion wird vor einer Vergrößerung des Ansatzes über die

[1] J. N. COLLIE u. E. R. CHRYSTALL, Soc. **91**, 1802 (1907).
   K. ANDERTON u. R. W. RICKARDS, Soc. **1965**, 2543.
[2] R. CLÉMENT, Bl. **1963**, 150.
[3] C. IVANOFF u. P. MARKOV, Naturwiss. **50**, 688 (1963).
[4] J. BURDON u. C. V. R. McLOUGHLIN, Tetrahedron **20**, 2163 (1964).

genannten Gewichtsmengen hinaus gewarnt. Die dunkel gefärbte Reaktionsmischung wird nach dem Erkalten mit 500 *ml* trockenem Äther versetzt und 14 Stdn. zum Sieden erhitzt. Nach dem Verdampfen der Lösung i.Vak. erhält man das rohe Natriumsalz als dunkelbraunes Harz, das man in 400 *ml* Äther löst und diese Lösung alsdann mit 200 *ml* 15%iger Schwefelsäure wäscht. Man trennt ab, extrahiert die wäßrige Schicht mit Äther, trocknet die vereinigten Ätherextrakte über Magnesiumsulfat und destilliert; Ausbeute: 101 g (77% d. Th.; bez. auf eingesetztes Natrium) Kp: 128–132°; Cu-Salz F: 189° (aus Benzol).

Das Produkt ist trotz des angewandten Überschusses an Essigsäure-äthylester frei von Acetessigsäure-äthylester.

Analog erhält man aus Trifluoressigsäure-äthylester und

Propionsäure-äthylester	→	*5,5,5-Trifluor-4-oxo-pentansäure-äthylester*	34% d. Th.
Buttersäure-äthylester	→	*6,6,6-Trifluor-4-oxo-hexansäure-äthylester*	27% d. Th.
Bernsteinsäure-diäthylester	→	*2-Trifluoracetyl-bernsteinsäure-diäthylester*	72% d. Th.

Die Kondensation des Trifluoressigsäure-äthylesters mit Äthoxyessigsäure-äthylester gelingt sowohl mit Natrium als auch mit Natrium-äthanolat; man erhält *4,4,4-Trifluor-2-äthoxy-3-oxo-butansäure-äthylester* (42% d. Th.)[1].

Zur Kondensation zweier verschiedener Carbonsäureester hat sich im allgemeinen Natriumamid als Kondensationsmittel bewährt (vgl. ds. Handb., Bd. VIII, S. 571). Mit Natrium-methanolat als Kondensationsmittel gelingt die Acylierung des Essigsäure-äthylesters mit 4-Nitro-benzoesäure-methylester zu *3-Oxo-3-(4-nitrophenyl)-propansäure-äthylester* (61% d. Th.)[2]. Die Kondensation des Nikotinsäure-äthylesters mit Essigsäure-äthylester ergibt mit Natrium-äthylat *3-Oxo-3-pyridyl-(3)-propansäure-äthylester* (*Nicotinoyl-essigsäure-äthylester*; 84% d. Th.)[3]; der entsprechende *3-Oxo-3-pyridyl-(4)-propansäure-äthylester* (*Isonicotinoyl-essigsäure-äthylester*) wurde durch 10-stdg. Kochen der Komponenten in Benzol mit Natriumäthanolat als Kondensationsmittel erhalten[4]. *2-[Pyridyl-(4)-carbonyl]-glutarsäure-diäthylester* (*α-Nicotinoyl-glutarsäure-diäthylester*) entsteht durch Kondensation von Nikotinsäure-äthylester mit Glutarsäure-diäthylester in Gegenwart von Natriumamid[5]. Solche Kondensationen gelingen auch mit Carbonsäureestern, die säurelabile, jedoch alkalifeste Acetal-Gruppierungen enthalten, wie z.B. 2,5-Diäthoxy-2,5-dihydro-furan-2-carbonsäure-äthylester, der mit Essigsäure-äthylester unter dem Einfluß von Natrium den *3-Oxo-3-[2,5-diäthoxy-2,5-dihydro-furyl-(2)]-propansäure-äthylester*[6] ergibt.

Das klassische Verfahren zur Herstellung von Acyl-essigsäureestern besteht darin, daß man Acetessigsäureester mit einem Carbonsäure-chlorid zu einem Acetylacyl-essigsäureester kondensiert und aus diesen durch Behandeln mit Alkoholaten den Acetyl-Rest abspaltet. Auf diese Weise ist z.B. der 3-Oxo-eikosansäureester aus Stearinsäure-chlorid und Acetessigester leicht zugänglich (s. Bd. VIII, 610, 615).

Die Reformatski-Variante der Esterkondensation (vgl. ds. Handb., Bd. VIII, S. 572) gelingt mit 2-Brom-2-methyl-propansäure-äthylester (α-Brom-isobuttersäure-äthyl-

---

[1] J. BURDON, V. C. R. McLOUGHLIN u. J. C. TATLOW, Soc. **1960**, 4644.

[2] M. K. JAIN, Indian J. Chem. **1**, 274 (1963).

[3] N. S. VULFSON, V. E. KOLČIN u. L. K. ARTEMČIK, Ž. obšč. Chim. **32**, 3382 (1962); C. A. **59**, 1784 (1963).

A. P. TERENTEV et al., Ž. obšč. Chim. **33**, 4006 (1963); C. A. **60**, 9242 (1964).

[4] N. S. VULFSON u. V. E. KOLČIN, Ž. obšč. Chim. **34**, 2387 (1964); engl.: 2400; C. A. **61**, 14818 (1964).

[5] G. B. R. DE GRAAFF et al., R. **83**, 910 (1964).

[6] M. MURAKAMI u. JONG-CHEN CHEN, Bl. chem. Soc. Japan **36**, 263 (1963).

ester) mit 50–70% Ausbeute, z.B. bei der Einwirkung auf Benzoesäure-äthylester unter dem Einfluß von Zink, wobei *3-Oxo-2,2-dimethyl-3-phenyl-propansäure-äthylester* entsteht[1].

Ester-Kondensationen mit 2-Chlormagnesium-3,3-dimethyl-butansäureester gelingen mit Carbonsäureestern als Ester-Komponente mit 15–35% Ausbeute[2] (s.a.ds. Handb., Bd. VIII, S. 588).

a_3) *Acylierung von Carbonsäure-nitrilen mit Carbonsäureestern* (s.ds.Handb., Bd.VIII, S. 573ff.)

Wenn auch die Acylierung von Fettsäure-nitrilen mit aromatischen Carbonsäureestern zu α-Aroyl-carbonsäure-nitrilen mit Natriumalkoholat bei erhöhter Temperatur im allgemeinen zu guten Ausbeuten führt[3], empfiehlt es sich bei o-substituierten Benzoesäureestern, wie z.B. 2-Methoxy-benzoesäureester, diese Acylierungen mit **Natriumamid** in flüssigem Ammoniak durchzuführen[4], wodurch Ausbeuten von ~ 80% d.Th. erzielbar sind.

Während Aryl-acetonitrile als Natriumsalze normal mit Carbonsäureestern, wie etwa Piperidin-carbonsäureestern[5], acylierbar sind, liegen bei 1,2-Bis-[cyanmethyl]-benzolen, etwa bei 1,2-Bis-[cyanmethyl]-benzol (XIII) besondere Verhältnisse vor, da diese Verbindung bereits mit *katalytischen* Mengen Alkali in *2-Imino-1-cyan-indan* (XIV) übergeht[6]; beim Acylieren von XIII mit Essigsäure-äthylester in Butanol bei Gegenwart von Natrium-butylat entsteht daher *2-Imino-1,3-diacetyl-1-cyan-indan* (XV)[7]:

XIII   XIV   XV

a_4) *Acylierung von Carbonsäure-amiden mit Carbonsäureestern*

CH-acide Carbonsäure-amide lassen sich in flüssigem Ammoniak bei Gegenwart von 3 Mol **Kaliumamid** an der aciden CH$_2$-Gruppe mit Carbonsäureestern acylieren[8]. Durch Benzoylieren von Phenylacetamid erhält man *3-Oxo-2,3-diphenyl-propansäure-amid* (α-*Benzoyl-phenylacetamid*).

3-Oxo-2,3-diphenyl-propansäure-amid: Zu einer Suspension von 0,1 Mol Kaliumamid in 600 *ml* flüssigem Ammoniak gibt man allmählich unter Rühren 0,05 Mol Phenylacetamid. Nach 30 Min. Rühren erhält man eine hellgelbe Suspension des Di-Kaliumsalzes des Phenylacetamids. Man fügt danach noch 0,05 Mol Kaliumamid hinzu und danach 0,1 Mol (13,62 g) Benzoesäure-methyl-

[1] H. LAPIN u. A. HOREAU, G. **93**, 451 (1963).
[2] J. E. DUBOIS, F. HENNEQUIN u. M. DURAND, Bl. **1963**, 791.
[3] J. B. DORSCH u. S. M. McELVAIN, Am. Soc. **54**, 2960 (1932).
  s.a. ds. Handb., Bd. VIII, Kap. Herstellung von Carbonsäureestern, S. 573.
[4] Y. KAWASE u. K. SAKASHITA, Bl. chem. Soc. Japan **35**, 1869 (1962).
[5] M. PESSON u. M. ANTOINE, C. r. **255**, 956 (1962).
[6] J. F. THORPE, Soc. **93**, 165 (1908).
[7] B. BOBRANSKI u. M. KONIECZNY, Roczniki Chem. **36**, 639 (1962); C. A. **59**, 517 (1963).
[8] S. T. D. WORK, D. R. BRYANT u. C. R. HAUSER, J. Org. Chem. **29**, 722 (1964).

ester in 50 *ml* trockenem Äther. Nach 30 Min. Rühren vertreibt man aus der gelbgrünen Mischung das Ammoniak durch allmähliche Zugabe von Äther, säuert dann vorsichtig an mit 200 *ml* 5%iger Salzsäure und erhält so unmittelbar 5,2 g *3-Oxo-2,3-diphenyl-propansäure-amid*; F: 165–168°; F: 174–176° (nach zwei Kristallisationen aus 95%igem Äthanol).

Aus dem Äther lassen sich zusätzlich 0,7 g Reaktionsprodukt isolieren; Ausbeute: 50% der Theorie.

Analog erhält man aus Phenyl-acetanilid *3-Oxo-2,3-diphenyl-propansäure-anilid* (23% d. Th.; F: 168°).

In ähnlicher Weise erhält man über die in flüssigem Ammoniak bereiteten Dikalium-salze von Acetyl-benzoyl-amin (N-Acetyl-benzamid) und Diacetyl-amin bei der Ein-wirkung von Benzoesäure-methylester als Esterkomponente *3-Oxo-3-phenyl-propan-säure-benzoylamid* (28% d. Th.) bzw. *3-Oxo-3-phenyl-propansäure-acetamid* (13% d. Th.)[1].

a_5) *Acylierung von Carbonsäuren über die Di-Alkalimetallsalze*

In a-Stellung acylierbare Carbonsäuren lassen sich ebenfalls als Methylen-Kom-ponente einer Claisen-Kondensation in Gestalt ihrer Di-Alkalimetallsalze verwenden. So erhält man aus Phenylessigsäure mit **Kaliumamid** in flüssigem Ammoniak das Di-Kaliumsalz I, aus dem mit Benzoesäure-methylester

$$H_5C_6-CH(K)-COOK \rightarrow H_5C_6-CO-\underset{\underset{\text{COOK}}{|}}{CH}-C_6H_5 \xrightarrow{(H^\oplus)} H_5C_6-CO-CH_2-C_6H_5$$

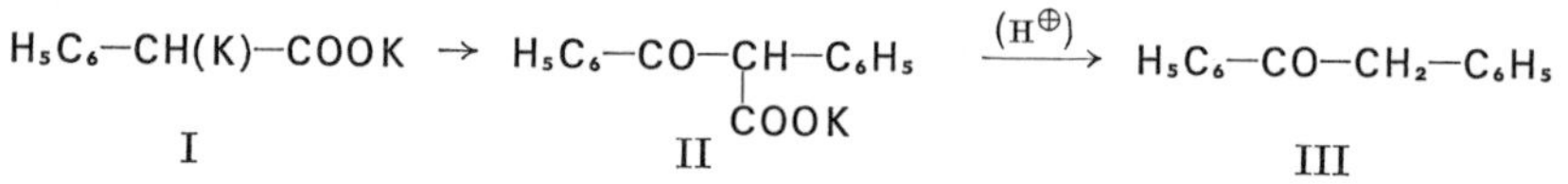

$$\text{I} \qquad\qquad \text{II} \qquad\qquad\qquad \text{III}$$

das Salz der *3-Oxo-2,3-diphenyl-propansäure* entsteht, die als freie Säure leicht zu Desoxybenzoin (*1-Oxo-1,2-diphenyl-äthan*; 22% d. Th.) decarboxylierbar ist[2]. Die gleiche Reaktion gelingt mit 75% Ausbeute durch Acylieren des aus phenylessig-saurem Natrium erhaltenen a-Chlormagnesium-Salzes mit Benzoylchlorid[3] (s. S. 497).

a_6) a-*Acylierung von Lactonen, Thiollactonen und Lactamen* (s. a. ds. Handb., Bd. VI/2, S. 746)

Lactone und **Thiollactone** sind als cyclische Carbonsäureester in a-Stellung zur Carbonyl-Gruppe nach den Methoden der Ester-Kondensation mit Carbonsäure-estern zu a-**Acyl-lactonen** bzw. a-**Acyl-thiollactonen** acylierbar:

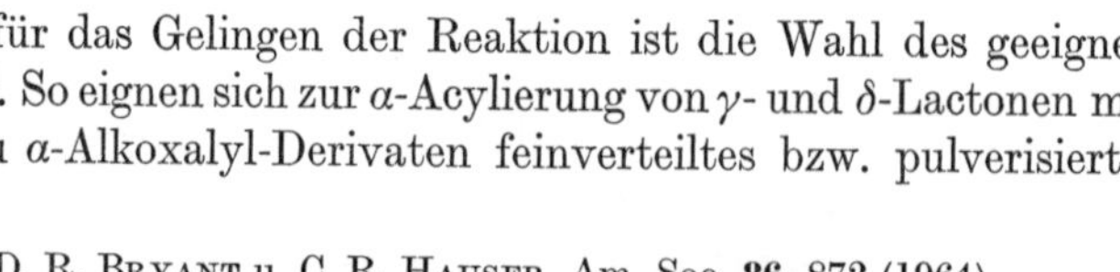

Wesentlich für das Gelingen der Reaktion ist die Wahl des geeigneten Konden-sationsmittels[4]. So eignen sich zur a-Acylierung von γ- und δ-Lactonen mit Oxalsäure-diäthylester zu a-Alkoxalyl-Derivaten feinverteiltes bzw. pulverisiertes **Natrium**

[1] ST. D. WORK, D. R. BRYANT u. C. R. HAUSER, Am. Soc. **86**, 872 (1964).
[2] St. D. WORK, D. R. BRYANT u. C. R. HAUSER, J. Org. Chem. **29**, 723 (1964).
[3] D. IVANOV u. N. J. NICOLOV, Bl. [4] **51**, 1331 (1932).
s. a. D. IVANOV et al., Revue de Chimie (Bucarest) **7**, 985 (1964); C. A. **61**, 4254 (1964).
[4] F. KORTE u. K. H. BÜCHEL, Ang. Ch. **71**, 709 (1959).

oder **Kalium** (vgl. ds. Handb., Bd. VIII, S. 564), z.B. zur Herstellung von *α-Äthoxalyl-γ-butyrolacton*.

α-Äthoxalyl-γ-butyrolacton [3-Oxo-2-(2-hydroxy-äthyl)-bernsteinsäure-4-äthylester-γ-lacton][1] (I): Zu einer Suspension von 35 g (1,5 g-Atom) gepulvertem Natrium in 800 *ml* absol. Äther werden 2 *ml* absol. Äthanol gegeben. Nach 2 stdg. Rühren läßt man langsam unter weiterem Rühren eine Lösung von 129 g (1,5 Mol) γ-Butyrolacton und 219 g (1,5 Mol) Oxalsäure-diäthylester in 500 *ml* absol. Äther zutropfen, saugt das entstandene gelbe Natriumsalz nach 12 Stdn. ab, wäscht mit etwas Äther und suspendiert in 500 *ml* Wasser. Nach Zusatz von etwas Eis wird mit verd. Schwefelsäure angesäuert und nach dem Sättigen der Lösung mit Ammoniumsulfat 4 mal mit je 250 *ml* Äther ausgeschüttelt. Die Extrakte werden mit etwas Wasser gewaschen, über Magnesiumsulfat getrocknet und das nach dem Abdampfen zurückbleibende Öl i.Vak. fraktioniert destilliert; Ausbeute: 171 g (61,5% d.Th.); $Kp_{0,05} = 107$–$108°$; F: 49–50° (aus Benzin, Kp: 90–100°); Enolreaktion mit wäßr. Eisen(III)-chlorid-Lösung violett.

Arbeitet man mit dem gleichen Kondensationsmittel in siedendem Benzol, so gelingt bei Anwendung entsprechender Mengenverhältnisse γ-Butyrolacton und Oxalsäure-diäthylester auch die Herstellung von *a,a'-Oxalyl-bis-[γ-butyrolacton] (3,4-Dioxo-2,5-bis-[2-hydroxy-äthyl]-hexandisäure-bis-lacton)*[2] (II):

I   II

Analog kann man verfahren bei der Acylierung von γ-Butyrolacton mit aromatischen Carbonsäureestern wie Benzoesäure-äthylester oder Thiophen-2-carbonsäure-äthylester[3]. Man erhält *α-Thienoyl-(2)-* bzw. *α-Benzoyl-γ-butyrolacton*.

Auf analoge Weise gelingt die Kondensation sowohl von γ,γ-Dimethyl-γ-butyrolacton[4] als auch von δ-Caprolacton (5-Hydroxy-hexansäure-lacton) oder β,δ-Dimethyl-caprolacton (5-Hydroxy-3,5-dimethyl-hexansäure-lacton)[1] mit Oxalsäure-diäthylester zu *γ,γ-Dimethyl-α-äthoxalyl-γ-butyrolacton [3-Oxo-2-(2-hydroxy-2-methyl-propyl)-bernsteinsäure-4-äthylester-γ-lacton]* bzw. zu *α-Äthoxalyl-δ-caprolacton [3-Oxo-2-(3-hydroxy-butyl)-bernsteinsäure-4-äthylester-lacton]* und zu *β,δ-Dimethyl-α-äthoxalyl-δ-caprolacton {3-Oxo-2-[4-hydroxy-4-methyl-pentyl-(2)]-bernsteinsäure-lacton}*. β-Methyl-δ-valerolacton (5-Hydroxy-3-methyl-hexansäure-lacton) wurde mit **Kaliumpulver** als Kondensationsmittel mit Oxalsäure-diäthylester zu *β-Methyl-α-äthoxalyl-δ-valerolacton {3-Oxo-2-[3-hydroxy-butyl-(2)]-bernsteinsäure-4-äthylester-lacton}* kondensiert[4].

Während *α-Acetyl-γ-butyrolacton* wohl am zweckmäßigsten aus Natrium-acetessigsäure-äthylester und Äthylenoxid hergestellt wird (vgl. ds. Handb., Bd. VIII, S. 606; aus γ-Butyrolacton und Essigsäure-äthylester: Bd. VI/2, S. 746), gelingt die α-Acetylierung sechsgliedriger Lactone mit **Natriumhydrid** als Kondensationsmittel[4,5] (vgl. ds. Handb., Bd. VI/2, S. 747).

---

[1] F. KORTE u. H. MACHLEIDT, B. **90**, 2150 (1957).

[2] F. KORTE, H. EFFEROTH u. F. WÜSTEN, B. **97**, 1981 (1964).

[3] F. KORTE u. F. WÜSTEN, Tetrahedron **19**, 1423 (1963).

[4] F. KORTE et al., **92**, 884 (1959).

[5] F. KORTE u. H. MACHLEIDT, B. **90**, 2137 (1957).

32*

γ- und δ-Lactone als innermolekulare Carbonsäureester gehen ebenfalls unter dem Einfluß von Alkalimetallalkoholaten Selbstkondensation ein. Im Falle des γ-Butyrolactons geht das hierbei zunächst entstehende α-*(4-Hydroxy-butanoyl)-γ-butyrolacton* beim Isolieren aus saurer Lösung in den zugehörigen Enoläther (α-[*Tetrahydro-furyliden-(2)]-γ-butyrolacton*[1] über:

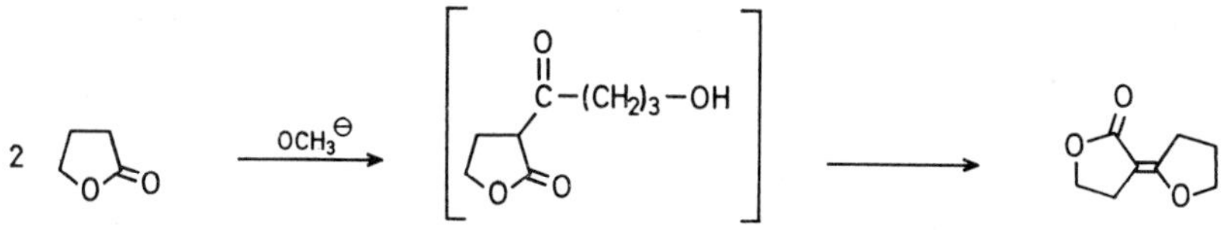

das sich mit konzentrierter Salzsäure leicht zum *1,7-Dichlor-4-oxo-heptan* aufspaltet.

α-[Tetrahydro-furyliden-(2)]-γ-butyrolacton (Dibutyrolacton)[1]: Eine Lösung von 24 g Natrium in 400 *ml* absol. Methanol wird portionsweise mit 172 g γ-Butyrolacton versetzt und $\sim$ 2 Stdn. zum Sieden erhitzt. Nach dem Abdampfen des Methanols verdünnt man den Rückstand mit wenig Wasser, stellt bei 0° mit 10%iger Salzsäure kongosauer und extrahiert erschöpfend mit Äther. Dieser Auszug wird anschließend mit 2%iger Natronlauge ausgeschüttelt, mit Magnesiumsulfat getrocknet und eingedampft. Aus dem Rohprodukt erhält man nach dem Umkristallisieren aus Äther das Dibutyrolacton (F: 86,5°); $\sim$ 45% d. Th.

δ-Caprolacton reagiert analog in Benzol mit trockenem Natriummethanolat.

α-[2-Methyl-2,3,5,6-tetrahydropyranyliden-(6)]-δ-caprolacton (Dicaprolacton)[2]: 40 g (0,35 Mol) δ-Caprolacton werden in 110 *ml* Benzol gelöst und 39 g (0,72 Mol) kristallisiertes Natriummethanolat zugegeben. Es tritt geringe Erwärmung ein und die Lösung färbt sich gelb. Dann wird 4 Stdn. unter Rühren in schwachem Sieden gehalten, wobei eine klare, hellbraune, etwas sirupöse Masse entsteht. Nach dem Abkühlen wird in der Kälte mit 12%iger Salzsäure angesäuert, die wäßrige Phase mit Kochsalz gesättigt, die Benzol-Schicht abgetrennt und die wäßrige Phase noch 2mal mit Benzol extrahiert. Bei der Destillation geht zunächst unverändertes δ-Caprolacton über, danach das Di-δ-caprolacton (Kp$_{0,1}$ = 101–103°; im Ölbad 165°); kristallisiert z.T. beim Stehen; Ausbeute 20 g (53% d.Th.).

Zur α-Acylierung der hydrolyseempfindlichen γ- und δ-Thiol-lactone benutzt man zweckmäßig Diisopropylamino-magnesiumbromid als Kondensationsmittel, wobei man zur Vermeidung von Nebenreaktionen des Kondensationsmittels mit dem acylierenden Carbonsäureester die Reaktion unter Kühlung durchführt[3]. So erhält man durch Acylierung von 5-Mercapto-pentansäure-lacton (δ-Thiol-valerolacton) mit Oxalsäure-diäthylester *3-Oxo-2-(3-mercapto-propyl)-bernsteinsäure-4-äthylester-lacton*.

3-Oxo-2-(3-mercapto-propyl)-bernsteinsäure-4-äthylester-lacton (III):

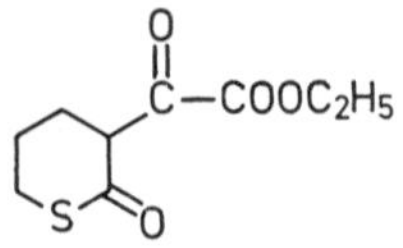

[1] F. Fittig, A. **256**, 50 (1889).
   F. Fittig u. K. T. Ström, A. **267**, 191 (1892).
   E. Y. Spencer u. G. F. Wright, Am. Soc. **63**, 1285 (1941).
   H. Hart u. O. E. Curtis, Am. Soc. **78**, 115 (1956).
   s. a. Org. Synth., Coll. Vol. IV, 278.
[2] F. Englaender, Dissertation, S. 46, Universität Bonn 1961.
[3] F. Korte u. K. H. Büchel, B. **93**, 1021 (1960).

Einer aus 10,1 g (0,415 g-Atom) Magnesium-Spänen und 46 g (0,42 Mol) Äthylbromid in 150 ml absol. Äther hergestellten Grignard-Lösung läßt man unter Rühren 42 g (0,415 Mol) Diisopropylamin in 100 ml absol. Äther rasch zutropfen derart, daß der Äther leicht siedet; hierbei fällt das Diisopropylamino-magnesiumbromid als grauweißer Niederschlag aus. Darauf kühlt man das Reaktionsgemisch mit einer Eis/Natriumchlorid-Mischung auf unter −10° und läßt nunmehr ein Gemisch von 34,8 g (0,27 Mol) 5-Mercapto-pentansäure-lacton und 40 g (0,27 Mol) Oxalsäure-diäthylester in 120 ml absol. Äther so langsam zutropfen, daß die Reaktionstemp. nicht über + 5° steigt. Es bildet sich ein gelbes Salz. Nach 12 stdg. Rühren bei Raumtemp. zersetzt man den Kolbeninhalt mit Eis/verd. Salzsäure unter Rühren, äthert mehrfach aus und trocknet die Auszüge über Natriumsulfat. Nach dem Abdestillieren des Äthers wird der Rückstand i. Vak. fraktioniert destilliert; Ausbeute: 47,9 g (95% d. Th.; gelbes Öl); F: 113–115° Eisen(III)-chlorid-Reaktion in Methanol/Wasser: weinrot.

Die gleiche Reaktion gelingt bei Verwendung von Natriumpulver als Kondensationsmittel mit nur schlechter Ausbeute (10% d. Th.)[1].

Auf analoge Weise entsteht durch Acylierung von 5-Mercapto-pentansäure-lacton mit Essigsäure-äthylester *5-Mercapto-2-acetyl-pentansäure-lacton* (IV); aus 4-Mercaptobutansäure-lacton erhält man, ebenfalls mit Diisopropylaminomagnesiumbromid mit Oxalsäure-diäthylester bzw. Essigsäure-äthylester unter Kühlung *4-Mercapto-2-acetyl-butansäure-lacton* bzw. *3-Oxo-2-(2-mercapto-äthyl)-bernsteinsäure-4-äthylester-lacton*. Auch methyl-substituierte Thiollactone lassen sich analog acylieren[2].

Da die Aktivierung der α-Stellung bei N-substituierten Lactamen geringer ist als bei Lactonen oder Thiol-lactonen, muß die auch hier mögliche α-Acylierung unter drastischeren Bedingungen durchgeführt werden: pulverisiertes Kalium liefert hier die besten Ausbeuten an α-Acylierungsprodukten[3]. Wie stark die Ausbeuten von der Wahl des Kondensationsmittels abhängen, zeigen die folgenden bei der Kondensation von N-Methyl-pyrrolidon mit Oxalsäure-diäthylester zu V unter Verwendung verschiedener basischer Kondensationsmittel bei sonst konstanten Bedingungen erzielten Ergebnisse:

N-Methyl-3-äthoxalyl-pyrrolidon [3-Oxo-2-(2-methylamino-äthyl)-bernsteinsäure-4-äthylester-lactam]

(iC₃H₇)₂N—MgBr	—	H₅C₆—N⟨CH₃/Na	21,1% d. Th.
NaOC₂H₅	5,7% d. Th.		
NaNH₂	6,1% d. Th.	K_pulver	62% d. Th.
Na_pulver	4,8% d. Th.	NaH	45–75% d. Th.
(C₆H₅)₃C—Na	11,1% d. Th.		

[1] F. KORTE u. K. H. LÖHMER, B. **91**, 1397 (1958).
[2] F. KORTE u. H. CHRISTOPH, B. **94**, 1966 (1961).
[3] F. KORTE et al., B. **95**, 2424 (1962).

Überraschend ist hierbei, daß die auch zur Durchführung allgemeiner Ester-Kondensationen geeigneten Diisopropylamino-magnesiumhalogenide (vgl. ds. Handb., Bd. VIII, S. 588) hier versagen, wahrscheinlich durch Reaktion mit der Lactam-Carbonyl-Gruppe.

Als Ausführungsbeispiel diene die α-Benzoylierung von N-Methyl-pyrrolidon.

N-Methyl-3-benzoyl-pyrrolidon[1]:

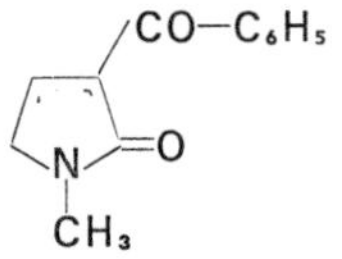

In einem mit Rührer, Rückflußkühler und Einleitungsrohr versehenen 1-*l*-Dreihalskolben pulverisiert man im Stickstoffstrom durch Erhitzen und Turbinieren 19,6 g (0,5 g-Atom) Kalium (F: 63,5°) unter 400 *ml* absol. Benzol und läßt zu dieser Suspension unter Rühren eine Mischung aus 49,6 g (0,5 Mol) N-Methyl-pyrrolidon und 112,6 g (0,75 Mol) Benzoesäure-äthylester im Laufe von 2 Stdn. tropfen derart, daß durch die eintretende exotherme Reaktion die Temp. der Suspension sich auf 60–80° einstellt. Nach 2 tägigem Rühren bei Zimmertemp. zersetzt man mit Eiswasser, trennt ab, säuert die wäßrige Phase mit verd. Salzsäure unter Kühlung an, extrahiert mehrfach mit Chloroform, trocknet über Magnesiumsulfat und fraktioniert den Abdampfrückstand; Ausbeute: 76 g (75% d.Th.); $Kp_{0,1} = 125°$ (farbloses Öl); Eisen(III)-chlorid-Reaktion (Methanol): blaugrün.

Über die analog zu gewinnenden 3-Aroyl-pyrrolidone bzw. -piperidone s. Tab. 84 (S. 503).

Auch N-Acyl-lactame lassen sich mit Kaliumpulver oder mit Natriumhydrid als Kondensationsmittel in α-Stellung acylieren. Ist der N-Acyl-Rest verschieden von dem acylierenden Carbonsäureester, dann treten jedoch durch den bei der Kondensation entstehenden Alkohol unter Umacylierung Nebenreaktionen ein, wie z.B.[1]:

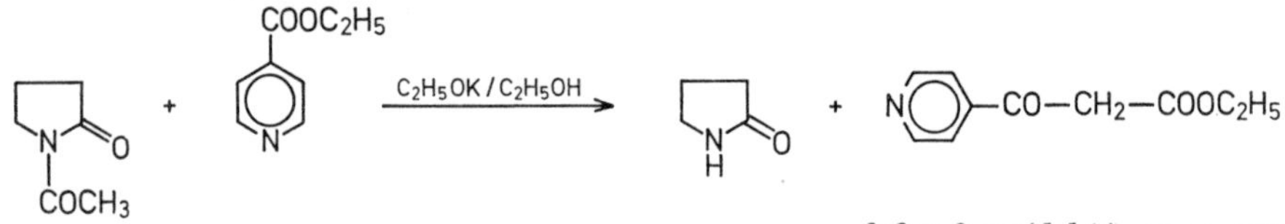

*3-Oxo-3-pyridyl-(4)-propansäure-
äthylester (Isonicotinoyl-essigsäure-äthylester)*

Es ist daher zweckmäßig, das dem acylierenden Ester zugehörige N-Acyl-lactam zu wählen[1]: so erhält man durch Kondensation von N-Pyridoyl-(3)-pyrrolidon-(2) mit Nicotinsäure-äthylester unter dem Einfluß von Natriumhydrid als Kondensationsmittel in Benzol bei 40–50° *N,3-Dipyridoyl-(3)-pyrrolidon-(2)*.

Auch Succinimid ist in α-Stellung mit Benzoesäureestern acylierbar, wenn man mit 2 Äquivalenten Kaliumamid in flüssigem Ammoniak arbeitet[2]; man erhält *Benzoyl-succinimid*.

Über die Selbstkondensation von zwei Molen ε-Caprolactam und die Herstellung des *1,13-Diamino-8-oxo-tridecan* s. Bd. VII/2 b.

---

[1] F. KORTE u. H. J. SCHULZE-STEINEN, B. **95**, 2444 (1962).
  s.a. K. H. BÜCHEL u. F. KORTE, B. **95**, 2453 (1962).
[2] D. R. BRYANT u. C. R. HAUSER, Am. Soc. **83**, 3468 (1961).

Tab. 84. Aroyl-pyrrolidone und -piperidone

Lactam	Carbonsäureester	Kondensa-tionsmittel		Ausbeute [% d.Th.]	Literatur
(N-Methyl-pyrrolidon)	(COOC₂H₅)₂	K-Pulver/ Äther	*N-Methyl-3-äthoxalyl-pyrrolidon-(2)*	60–65	[1]
	(Pyridin)-COOC₂H₅	K-Pulver-/ Benzol	*N-Methyl-3-pyridoyl-(2)-pyrrolidon-(2)*	41	[2]
	(Pyridin)-COOC₂H₅	K-Pulver/ Benzol	*N-Methyl-3-pyridoyl-(3)-pyrrolidon-(2)*	52	[2]
	(Pyridin)-COOC₂H₅	K-Pulver/ Benzol	*N-Methyl-3-pyridoyl-(4)-pyrrolidon-(2)*	42	[1,2]
(N-Phenyl-pyrrolidon)	(COOC₂H₅)₂	K (fein geschnitten) Äther	*N-Phenyl-3-äthoxalyl-pyrrolidon-(2)*	71	[3]
(N,5-Dimethyl-pyrrolidon)	(COOC₂H₅)₂	NaOC₂H₅	*N,5-Dimethyl-3-äthoxalyl-pyrrolidon-(2)*		[4]
(N-Methyl-piperidon)	(Pyridin)-COOC₂H₅	K-Pulver/ Äther	*1-Methyl-3-pyridoyl-(2)-piperidon-(2)*	20	[5]
	(Pyridin)-COOC₂H₅	K-Pulver/ Toluol	*1-Methyl-3-pyridoyl-(4)-piperidon-(2)*	37	[5]
	(Pyridin)-COOC₂H₅	K-Pulver/ Äther	*1-Methyl-3-pyridoyl-(3)-piperidon-(2)*	28	[5]
	H₅C₆—COOC₂H₅	K-Pulver/ Toluol	*1-Methyl-3-benzoyl-piperidon-(2)*	36	[5]
	H₃C—COOC₂H₅	K-Pulver/ Äther	*1-Methyl-3-acetyl-piperidon-(2)*	5	[3]

[1] K. H. Büchel u. F. Korte, B. 95, 2453 (1962).
[2] F. Korte u. H. J. Schulze-Steinen, B. 95, 2444 (1962).
[3] F. Korte et al., B. 95, 2424 (1962).
s.a. M. C. Seidel u. R. S. Cook, J. Heterocylic Chem. 3, 311 (1966).
[4] W. D. Celmer u. J. A. Solomons, J. Org. Chem. 28, 3221 (1963).
[5] K. H. Büchel u. F. Korte, B. 95, 2438 (1962).

Tab. 84. (Fortsetzung)

Lactam	Carbonsäureester	Kondensa-tionsmittel		Aus-beute [% d.Th.]	Litera-tur
	(COOC₂H₅)₂		*1-Oxo-2-äthoxalyl-octa-hydro-11-1H-chinolizin [3-Äthoxalyl-chinolizidon-(4)]*		1
	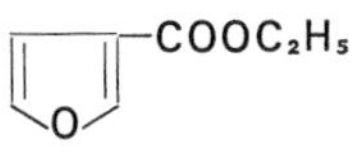 —COOC₂H₅	NaH	*1-Oxo-2-furanoyl-(3)-octa-hydro-1H-chinolizin [3-Furanoyl-chinolizidon-(4)]*		2
	HO-CH₂-COOC₂H₅		*2-Oxo-3-(hydroxy-acetyl)-2,3-dihydro-indol [3-Hydroxy-acetyl-oxindol]*		3

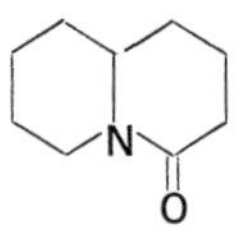

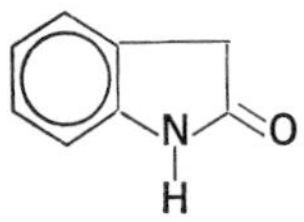

α₇) Dieckmann-Kondensation

(vgl. ds. Handb., Bd. VIII, S. 574 ff., Bd. IV/2, S. 729, 738)[4].

Von besonderem synthetischem Wert ist die als Dieckmann-Kondensation bekannte innermolekulare Ester-Kondensation von Dicarbonsäure-diestern zu cyclischen β-Keto-carbonsäureestern, eine Reaktion, die unter dem Einfluß der bei der Claisen-Kondensation üblichen alkalischen Kondensationsmittel, besonders bei der Cyclisierung zu 2-Oxo-cyclopentan- und 2-Oxo-cyclohexan-1-carbonsäure-estern, zumeist recht glatt verläuft.

Als besonders geeignetes Kondensationsmittel wird Natriumhydrid in inertem Lösungsmittel wie Äther, insbesondere Benzol oder Toluol und Arbeiten unter Stickstoff empfohlen. Da bei größeren Ansätzen auch das Arbeiten mit Natriumhydrid nicht ganz ungefährlich ist, verdient hervorgehoben zu werden, daß beispielsweise die Kondensation des Adipinsäure-diesters zu 2-Oxo-cyclopentan-1-carbonsäure-ester auch mit Natriumalkoholat gelingt[5].

2-Oxo-cyclopentan-1-carbonsäure-methylester: 230 g Natrium werden in absol. Methanol gelöst, das überschüssige Methanol i. Vak. abgezogen und zu dem Rückstand 1740 g (10 Mol) Adipinsäure-dimethylester in 2000 *ml* Toluol gegeben. Man erhitzt unter Rühren 8 Stdn. unter Rückfluß zum Sieden und arbeitet dann wie üblich auf; Ausbeute: 965–1050 g (68–74% d. Th.); Kp₂: 86–89°.

---

[1] Y. ARATA, Y. ASAOKA u. M. KASSAI, J. pharm. Soc. Japan **82**, 1523 (1962).

[2] Y. ARATA, T. NAKANISHI u. Y. ASAOKA, Chem. Pharm. Bull. (Japan) **10**, 675 (1962).

[3] E. WENKERT u. E. C. BLOSSEY, J. Org. Chem. **27**, 4656 (1962).

[4] s.a. J. P. SCHAEFER u. J. J. BLOOMFIELD, Org. Reactions **15**, 1 (1967).

[5] R. MAYER u. U. KUBASCH, J. pr. [4] **9**, 43 (1959).

Arbeitet man mit Äthanol und dem Adipinsäure-diäthylester, so erhält man bei analoger Arbeitsweise den *2-Oxo-cyclopentan-1-carbonsäure-äthylester* mit 70–78% Ausbeute.

In weitaus kürzerer Zeit läßt sich z. B. *2-Oxo-cyclopentan-1-carbonsäure-methylester* durch Kondensation des Adipinsäure-dimethylesters mit Natrium-methanolat mit praktisch gleicher Ausbeute folgendermaßen erhalten[1].

2-Oxo-cyclopentan-1-carbonsäure-methylester: Zu 174,2 g (1 Mol) Adipinsäure-dimethylester wird innerhalb ~ 1 Stde. eine Lösung von 23 g (1 g-Atom) Natrium in 350 *ml* Methanol getropft und aus der erhaltenen Lösung das Methanol i.Vak. bei 50° abgedampft. Man erhitzt den Rückstand 1 Stde. i.Vak. bei 60–70° Badtemp., trägt den erhaltenen festen Rückstand in ein Gemisch aus zerstoßenem Eis und 300 *ml* 20%iger Schwefelsäure ein, nimmt das sich abscheidende Öl mit Äther auf und isoliert wie üblich; Ausbeute: 97,3 g (68,5% d.Th.); Kp_{15}: 98–100°.

Die wesentlichen Prinzipien der Dieckmann-Kondensation sind bereits in ds. Handb., Bd. VIII, S. 574ff. dargestellt. Häufige synthetische Anwendung dieser Methode wie auch ihre systematische Durcharbeitung bestätigten und bekräftigten die bereits früher herausgestellten Prinzipien, die die Dieckmann-Kondensation als Ester-Kondensation beherrschen und die den Reaktionsablauf voraussagen lassen in den Fällen, in denen mehrere Möglichkeiten des Ringschlusses gegeben sind.

Dem Charakter der Ester-Kondensation als neutralisations-analoger Austauschreaktion entsprechend wird bei der Cyclisierung eines Dicarbonsäure-diesters stets „derjenige alicyclische β-Keto-carbonsäureester entstehen, dem die höchste im System mögliche Acidität zukommt". Das bedeutet, daß stets diejenige einer Alkoxycarbonyl-Gruppe benachbarte α-CH$_2$-Gruppe zur Methylen-Komponente der Ester-Kondensation wird, die die höchste CH-Acidität[2] besitzt. Es wird also bei der Einwirkung alkalischer Kondensationsmittel auf Polycarbonsäure-polyester, die formell in verschiedener Richtung cyclisieren können, die Bildung des fünfgliedrigen Ringes vor etwa dem sechsgliedrigen Ring bevorzugt sein, da 2-Oxo-cyclopentan-1-carbonsäureester acider sind als die homologen 2-Oxo-cyclo-hexan-1-carbonsäureester. So entsteht aus 3-Methyl-3-äthoxycarbonyl-heptandisäure-diäthylester (I; 3-Methyl-3-äthoxycarbonyl-pimelinsäure-diäthylester) ausschließlich durch Kondensation der 2-ständigen Äthoxycarbonyl-Gruppe mit der 5-ständigen Methylen-Gruppe *2-Oxo-1-methyl-3-äthoxycarbonyl-1-(äthoxycarbonylmethyl)-cyclopen-tan* (II)[3] und nicht die beiden noch möglichen Ester III und IV von denen IV wegen

---

[1] H. HENECKA, unveröffentl. Laborvorschrift.
[2] s. ds. Handb., Bd. XIII/1, Kap. CH-Acidität, S. 32ff.
[3] D. K. BANERJEE, J. indian chem. Soc. **17**, 453 (1940).
   M. W. GOLDBERG et al., Helv. **30**, 200 (1947).
   R. N. CHAKRAVATI u. D. K. BANERJEE, J. indian chem. Soc. **23**, 377 (1946).
   J. DUTTA u. R. N. BISWAS, J. indian chem. Soc. **38**, 355 (1961).

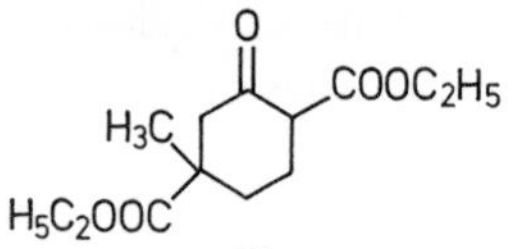

der α-Substitution des β-Dicarbonyl-Systems durch ein quartäres C-Atom äußerst unwahrscheinlich ist, da IV hierdurch weniger acid sein würde als III. Dies zeigt auch das Produkt der Cyclisierung von 3-Methyl-3-(äthoxycarbonyl-methyl)-heptan-disäure-diäthylester (V; 3-Methyl-3-äthoxycarbonyl-pimelinsäure-diäthylester)[1]; hierbei entsteht nur VI und nicht VII:

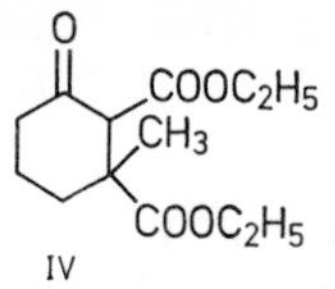

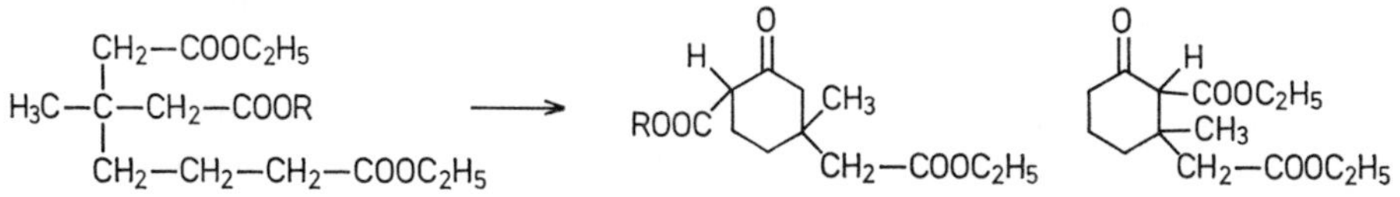

3-Oxo-1-methyl-4-äthoxycarbonyl-1-
(äthoxycarbonyl-methyl)-cyclohexan

Eine Verzweigung wird im Endprodukt daher immer möglichst weit von der α-CH-Gruppe der β-Keto-carbonsäureester-Konfiguration entfernt stehen. So entsteht aus 3-Methyl-adipinsäure-diester VIII nahezu ausschließlich 2-Oxo-4-methyl-cyclopentan-1-carbonsäureester IX, unabhängig vom Kondensationsmittel[2]:

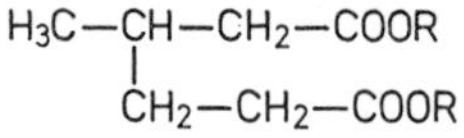

Eine Ausnahme bildet jedoch der 3-Alkoxycarbonyl-adipinsäure-diester X;

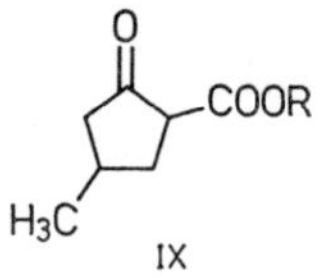

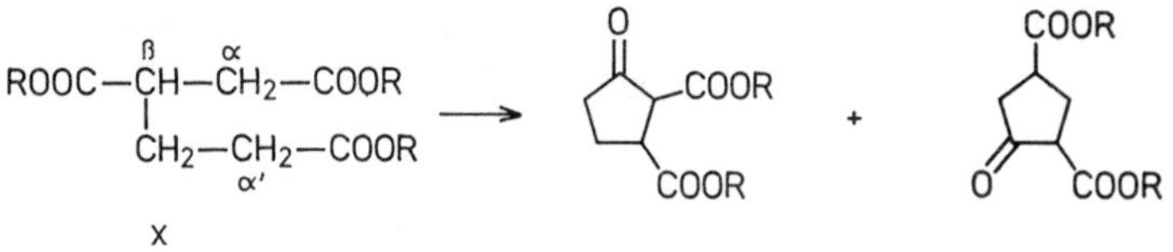

XI
3-Oxo-cyclopentan-
1,2-dicarbonsäure-
diäthylester

XII
4-Oxo-cyclopentan-1,3-
dicarbonsäure-
diäthylester

[1] E. H. FARMER u. J. ROSS, Soc. 127, 2358 (1925).
[2] W. DIECKMANN u. A. GROENEVELD, B. 33, 595 (1900).
  W. DIECKMANN, A. 317, 78 (1901).
  A. HALLER et al., C. r. 136, 1613 (1903); 140, 1205 (1905); 158, 1618 (1914).
  H. STAUDINGER u. L. RUZICKA, Helv. 7, 245 (1924).
  R. J. REED u. M. B. THORNLEY, Soc. 1954, 2148.
  H. L. LOCHTE u. A. G. PITTMAN, J. Org. Chem. 25, 1462 (1960).

durch die β-ständige Alkoxycarbonyl-Gruppe wird die CH-Acidität der α-CH$_2$-Gruppe soweit über diejenige der α'-CH$_2$-Gruppe erhöht, daß nunmehr als Reaktionshauptprodukt vorwiegend XI neben wenig XII entsteht[1]. Dies gilt auch für 3-Alkoxycarbonyl-heptandisäure-dialkylester (XIII; 3-Alkoxycarbonyl-pimelinsäure-dialkylester), der mit Natrium in Benzol zu 81%

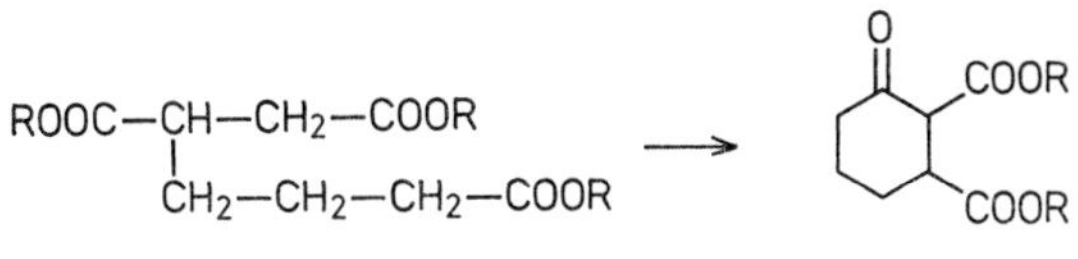

3-Oxo-cyclohexan-1,2-dicarbonsäure-dialkylester (XIV) bildet und nicht die isomere Verbindung XV; daneben entsteht zu 19% das noch mögliche 2-Oxo-3-alkoxy-carbonyl-1-(alkoxy-carbonyl-methyl)-cyclopentan (XVI)[2]:

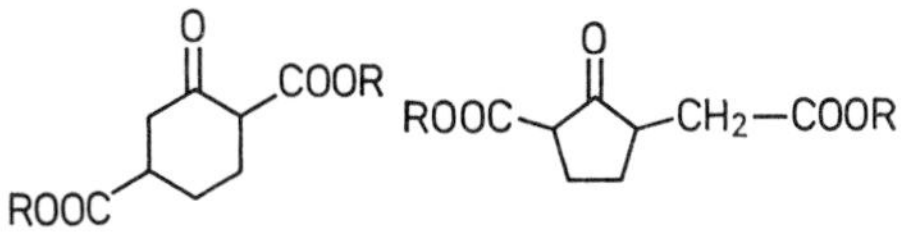

Es ist nun besonders bemerkenswert, daß es möglich ist, durch Wahl des Kondensationsmittels den Reaktionsablauf zu beeinflussen: führt man die gleiche Kondensation in Methanol mit Natriummethanolat durch, dann entsteht das Cyclopentanon-Derivat XVI mit 85% als Reaktionshauptprodukt neben 15% eines Gemisches von XIV und XV[3].

Ähnliche Beobachtungen über die intermediär eintretende analoge Kondensation wurden bei der unter Ringöffnung und anschließender Cyclisation verlaufenden Umlagerung cyclischer β-Keto-α-alkyl-carbonsäureester (vgl. ds. Handb., Bd. VIII, S. 576) gemacht. Da bei dieser Umlagerung aus XVII intermediär durch Ringöffnung XIII entsteht,

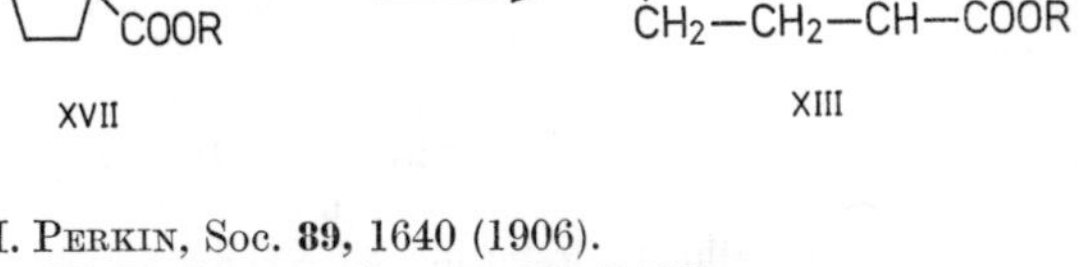

[1] F. W. Kay, W. H. Perkin, Soc. **89**, 1640 (1906).

W. N. Haworth u. W. H. Perkin, Soc. **93**, 580 (1908).

L. Ruzicka, A. Borges de Almeida u. A. Brack, Helv. **17**, 183 (1934).

s.a. K. Toki, Bl. chem. Soc. Japan **32**, 233 (1959); C. A. **54**, 4416[h] (1960).

N. S. Vulfson et al., Ž. obšč. Chim. **34**, 828 (1964); engl.: 823; C. A. **60**, 15 747[d] (1964).

[2] M. E. Dobson, J. Ferns u. W. H. Perkin, Soc. **95**, 2010 (1909).

R. N. Chakravarti, Soc. **1953**, 1315.

D. K. Banerjee, J. Dutta u. G. Bagavant, Pr. indian Acad. **46 A**, 80 (1957); C. A. **52**, 3701[b] (1958).

[3] M. J. D'Errico, Ph. D. Thesis, Columbia University USA, Dissertation Abstr. **21**, 52 (1960).

bildet sich bei der Umlagerung mit Natrium-alkoholat in Alkohol XVI (75%)[1], mit Alkoholat in Benzol mit 50% jedoch XIV[2] (s. S. 507).

Da die durch Umlagerung α-substituierter cyclischer β-Keto-carbonsäureester entstehenden α'-substituierten Isomeren nunmehr abermals in α-Stellung alkylierbar sind, besteht die Möglichkeit, auf diesem Wege, ausgehend etwa von Adipinsäure-dimethylester, zu 2-Oxo-1,3-dialkyl-cyclopentan-1-carbonsäure-methylester zu gelangen:

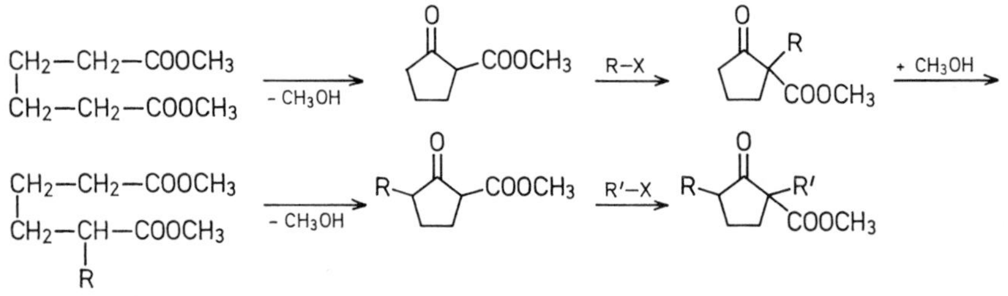

Arbeitet man mit Natriumhydrid in Xylol als Kondensationsmittel und sorgt man dafür, daß die unter Alkohol-Abspaltung verlaufenden Kondensationsstufen durch Abdestillieren des Alkohols möglichst vollständig ablaufen, dann gelingt es, auf diesem Wege ohne Isolierung der Zwischenstufen z.B. Adipinsäure-diester mit 80% Ausbeute in 2-Oxo-1,3-dimethyl-cyclopentan-1-carbonsäureester überzuführen[3].

Die Dieckmann-Kondensation gehorcht den bekannten Regeln der Ringbildungstendenz aus offenen Ketten mit zwei zur Ringknüpfung fähigen Substituenten[4]: leichte Bildung 5- und 6-gliedriger Ringe, zunehmend schlechter bei 7- und 8-Ringen, Ringbildungsminimum beim 9-12-gliedrigen Ring und Zunahme der Bildungstendenz etwa beim 14-20-gliedrigen Ring.

Octandisäure- und Nonandisäure-diester und Verbindungen analoger Kettenlänge, die zu 7- bzw. 8-gliedrigen β-Keto-carbonsäureestern führen, lassen sich mit brauchbaren Ausbeuten nur cyclisieren unter Beachtung des Ruggli-Ziegler-Verdünnungsprinzips[5].

Bei der Herstellung carbocyclischer Ringe hat sich Natriumhydrid in Xylol als Kondensationsmittel bewährt, so bei der Cyclisierung des Nonandisäure-dimethylesters.

2-Oxo-cyclooctan-1-carbonsäure-methylester[6]: In einen 5-l-Dreihalskolben, der mit Rührer, Kühler, Gaseinleitungsrohr und einer Vorrichtung zur gleichmäßigen Zufuhr ausgestattet ist[7], füllt man unter trockenem Stickstoff 60,0 g (2,5 Mol) Natriumhydrid, 60 g 5-mm-Glasperlen und 2,5 l Xylol. Unter schnellem Rühren und langsamem Durchleiten von Stickstoff, was während der ganzen Versuchsdauer aufrechterhalten wird, gibt man 2 ml absol. Methanol hinzu und erhitzt zum lebhaften Sieden. Nunmehr gibt man unter Regelung durch die Verdünnungsapparatur eine Lösung von 216 g (1 Mol) Nonandisäure-dimethylester in 1,8 l Xylol mit einer Geschwindigkeit, die

[1] N. N. Chatterjee, B. K. Das u. G. N. Barpujari, J. indian chem. Soc. **17**, 161 (1940).
[2] M. J. D. Errico, Ph. D. Thesis, Columbia University USA, Dissertation Abstr. **21**, 52 (1960).
[3] W. L. Meyer, A. L. Lobo u. E. T. Marquis, J. Org. Chem. **30**, 163 (1965).
[4] Vgl. ds. Handb., Bd. IV/2, Kap. Herstellung und Umwandlung großer Ringsysteme, S. 729.
[5] Vgl. ds. Handb., Bd. IV/2, Kap. Herstellung und Umwandlung großer Ringsysteme, S. 738.
[6] F. F. Blicke et al., Am. Soc. **75**, 5418 (1953).
[7] s. ds. Handb., Bd. IV/2, Kap. Herstellung und Umwandlung großer Ringsysteme, S. 762.

9 Tropfen/Min. entspricht, zur siedenden Lösung hinzu, wofür ungefähr 9 Tage erforderlich sind. Nach Beendigung der Zugabe kocht man noch 1 Stde. weiter, gibt zur abgekühlten Lösung langsam unter Vermeidung einer Erwärmung 150 g (2,5 Mol) Eisessig, rührt 1 Stde. und gibt dann langsam 142 *ml* Wasser hinzu. Durch Zugabe einiger Kristalle Natriumacetat bewirkt man die Abscheidung des gebildeten Salzes, saugt hiervon ab, wäscht die Xylol-Lösung mit Natrium-hydrogencarbonat-Lösung, trocknet über Magnesiumsulfat und destilliert; Ausbeute: 87,0 g (47,5% d.Th.); Kp_{17}: 129–135°; 90% des erhaltenen Produkts zeigte Kp_{17}: 130–133°.

Im Gebiet des Ringbildungsminimums tritt als Ausweichreaktion die Bildung hochgliedriger Diketone mit doppelter Ringgliederzahl in Erscheinung, eine Reaktion, die bereits von der Claisen-Kondensation des Bernsteinsäure-diesters her lange bekannt ist, bei der nicht 2-Oxo-cyclopropan-1-carbonsäureester entsteht, sondern durch Cyclisierung des zunächst durch zwischenmolekulare Kondensation gebildeten 4-Oxo-3-alkoxycarbonyl-heptandisäure-diesters 2,5-Dioxo-cyclohe-xan-1,4-dicarbonsäure-diester[1]:

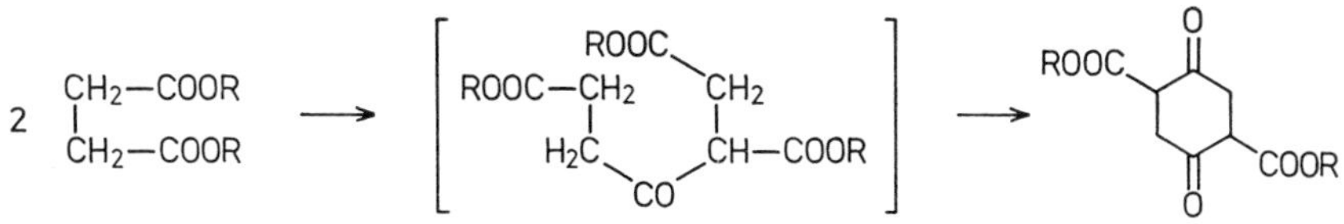

Unter vergleichender Durchführung der Dieckmann-Kondensation höhergliedriger α,ω-Dicarbonsäure-diester bei stets gleichen Reaktionsbedingungen (4,8 Mol Kalium-tert.-butanolat pro Mol Di-ester, Xylol, hohe Verdünnung) wurden nach saurer Verseifung und Decarboxylierung der zunächst entstandene β-Keto-carbonsäureester die in Tab. 85 aufgeführten Ketone und Diketone erhalten[2].

Tab. 85. Ketone bzw. Diketone durch Dieckmann-Kondensation von α,ω-Dicarbonsäuren-diester

Diester 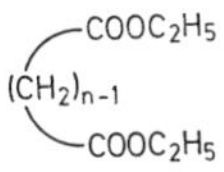	Keton 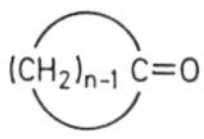	Ausbeute [%d.Th.]	Diketon 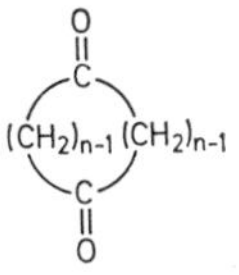	Ausbeute [%d.Th.]
7	Cycloheptanon	47	—	—
8	Cyclooctanon	15	Cyclohexadecandion-(1,9)	11
9	Cyclononanon	—	Cyclooctadecandion-(1,10)	28
10	Cyclodecanon	—	Cycloeicosandion-(1,11)	12
11	Cycloundecanon	0,53	Cyclodocosandion-(1,12)	23
12	Cyclododecanon	0,47	Cyclotetracosandion-(1,13)	16
13	Cyclotridecanon	24	Cyclohexacosandion-(1,14)	19
14	Cyclotetradecanon	32	Cyclooctacosandion-(1,16)	2,2
15	Cyclopentadecanon	48	Cyclotriakontandion-(1,18)	0,94

[1] Vgl. ds. Handb., Bd. VIII, Kap. Herstellung von Carbonsäureestern, S. 575.
[2] N. J. LEONARD u. C. W. SCHIMELPFENIG, J. Org. Chem. **23**, 1708 (1958).

Durch die nachfolgende graphische Darstellung dieser Ergebnisse kommt insbesondere das Ausweichen der Reaktion auf die dimeren Diketone im Bereich des Ringbildungsminimums klar zum Ausdruck; hierbei erscheint bemerkenswert, daß die den ungeradzahligen Monoketonen (n = 9, 11, 13) entsprechenden Diketone leichter entstehen als die den geradzahligen Monoketonen (n = 8, 10, 12) entsprechenden Dimeren[1].

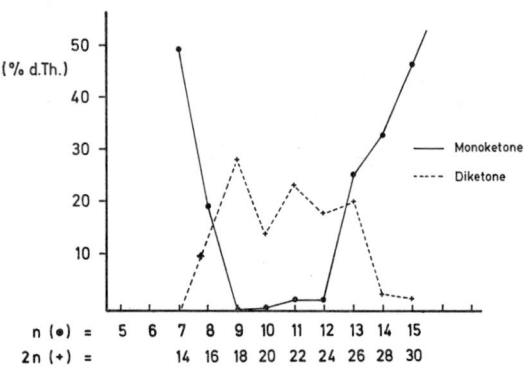

Abb. 1. Ketone und Diketone durch Dieckmann-Kondensation

Enthält ein langkettiger α,ω-Dicarbonsäure-diester in der Kette noch weitere Alkoxycarbonyl-Gruppen, so daß neben der Möglichkeit der Cyclisation zum hochgliedrigen β-Keto-carbonsäureester auch noch bicyclische Systeme mit je 5 oder 6 Ringgliedern entstehen können, dann bilden sich diese bicyclischen β-Keto-carbonsäureester ausschließlich. Aus 4,6-Diäthoxycarbonyl-nonandicarbonsäure-diäthylester erhält man mit Kalium-äthanolat in Äther mit 50% Ausbeute den *2,6-Dioxo-bicyclo [3.3.1]nonan-3,7-dicarbonsäure-diäthylester*[2]:

$$\text{COOC}_2\text{H}_5$$
$$|$$
$$\text{CH}-\text{CH}_2-\text{CH}_2-\text{COOC}_2\text{H}_5$$
$$|$$
$$\text{CH}_2 \qquad\qquad\longrightarrow\qquad \text{H}_5\text{C}_2\text{OOC}-\ \cdots\ -\text{COOC}_2\text{H}_5$$
$$|$$
$$\text{CH}-\text{CH}_2-\text{CH}_2-\text{COOC}_2\text{H}_5$$
$$|$$
$$\text{COOC}_2\text{H}_5$$

und aus 5-Methyl-4,5-diäthoxycarbonyl-nonandisäure-diäthylester durch Cyclisieren mit Natriumhydrid in Xylol und Keton-Spaltung des zunächst entstehenden Bis-β-keto-carbonsäureesters *5,9-Dioxo-1-methyl-bicyclo[4.3.0]nonan (1,4-Dioxo-8-methylhydrindan)* (43% d. Th.)[3]:

---

[1] s.a. ds. Handb., Bd. IV/2, Kap. Herstellung und Umwandlung großer Ringsysteme, S. 734.
[2] H. STETTER, O.-E. BÄNDER u. W. NEUMANN, B. **89**, 1922 (1956).
[3] D. K. BANERJEE u. P. R. SHAFER, Am. Soc. **72**, 1931 (1950).

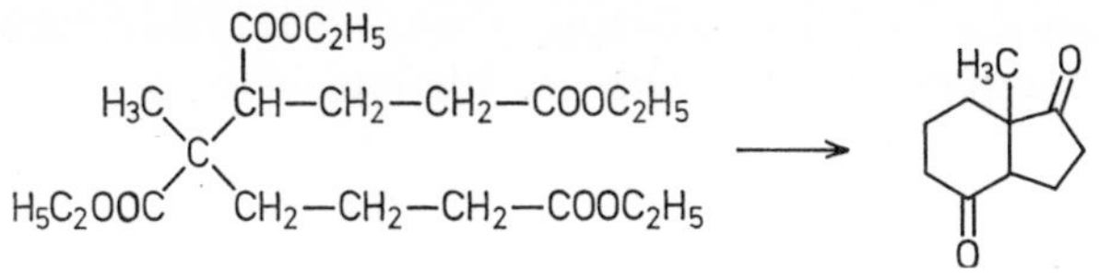

a,ω-Dicarbonsäure-diester, deren Kette in β- und β'-Stellung durch Schwefelatome unterbrochen sind, lassen sich unter Einhaltung des Verdünnungsprinzips (1,8 l Benzol, 0,15 Mol Kalium-tert.-butanolat, 0,075 Mol Diester in 500 ml Benzol; Zulaufzeit 45 Stdn.) mit ähnlichen Ausbeuten cyclisieren[1], obwohl man durch die Aciditätserhöhung der α-Methylen-Gruppe eine höhere Ausbeute hätte erwarten sollen:

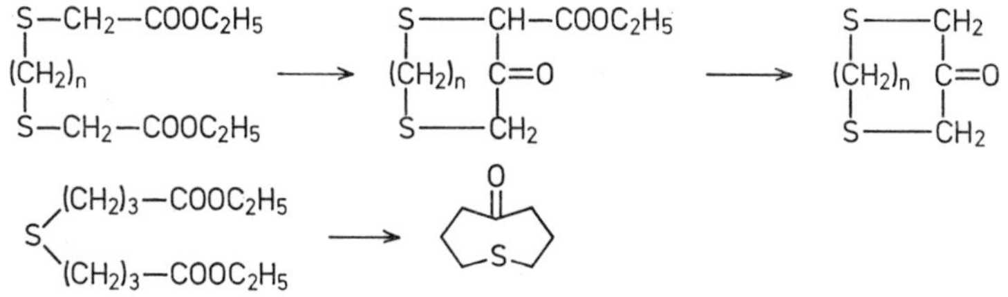

Mit n = 2 entsteht *6-Oxo-1,4-dithia-cycloheptan-5-carbonsäure-äthylester* (45% d. Th.); mit n = 3 (*3-Oxo-1,5-dithia-cyclooctan-2-carbonsäure-äthylester*) kommt man in dieser Reihe bereits beim 8-Ring in das Gebiet des Ringbildungsminimums, das hier beim 8-9-gliedrigen Ring liegt, so daß *3-Oxo-1,5-dithia-cyclodecan* (n = 5) im Gegensatz zur carbocyclischen Reihe mit 5–8% d. Th. als Semicarbazon nach saurer Keton-Spaltung des primär entstehenden *3-Oxo-1,5-dithia-cyclodecan-2-carbonsäure-äthylesters* isolierbar ist. Mit n = 10 entsteht *3-Oxo-1,5-dithia-pentadecan* mit 15–20% Ausbeute.

Aus 5-Thia-nonandisäure-diäthylester[2] erhält man bei der Dieckmann-Kondensation mit Kalium-tert.-butanolat unter Einhaltung des Verdünnungsprinzips *5-Oxo-1-thia-cyclooctan* mit 45% Ausbeute bei einer Zulaufzeit von 110 Stunden. Bei 55 Stdn. Zulaufzeit verringert sich die Ausbeute auf 23%[3] und bei 25 Stdn. auf 2,2%[2]; in letzterem Falle wurde zusätzlich eine geringe Menge des Dimeren, (*5,13-Dioxo-1,9-dithia-cyclohexadecan*), isoliert.

Die entsprechende Sauerstoff-Verbindung *5-Oxo-1-oxa-cyclooctan*[2] entsteht analog aus 5-Oxa-nonandisäure-dimethylester mit 19% Ausbeute bei 63 Stdn. Zulaufzeit, wobei die Umwandlung des intermediär entstehenden *5-Oxo-1-oxa-cyclooctan-4-carbonsäure-methylesters* in das Keton nur durch Hydrogenolyse des durch Umesterung bereiteten Benzylesters gelingt, da die direkte Verseifung und Decarboxylierung mit starker Salzsäure unter Ätherspaltung zu *1,7-Dichlor-4-oxo-heptan* führt.

Beim Versuch zur Synthese des *6-Oxo-1-thia-cyclodecans* durch Dieckmann-Cyclisierung des 6-Thia-undecandisäure-diäthylesters entsteht unter Einhaltung des Verdünnungsprinzips nur eine geringe Menge des dimeren *6,16-Dioxo-1,1-dithia-cyclo-eicosan*[3].

---

[1] A. Lüttringhaus u. H. Prinzbach, A. **624**, 79 (1959).
[2] N. J. Leonard, T. W. Milligan u. T. L. Brown, Am. Soc. **82**, 4075 (1960).
[3] C. G. Overberger et al., Am. Soc. **84**, 2814 (1962).

Aktiviert man die α-Methylen-Gruppe eines α,ω-Dicarbonsäure-diesters durch eine β-Carbonyl-Gruppe, wie im 3-Oxo-octandisäure-diäthylester,

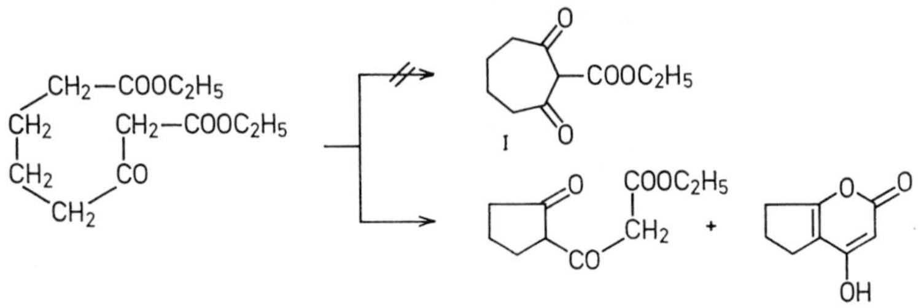

so könnte man bei der Kondensation nach dem Verdünnungsprinzip die Bildung von I erwarten. Statt dessen entsteht jedoch mit 70% Ausbeute *3-Oxo-3-(2-oxo-cyclopentyl)-propansäure-äthylester* neben einer geringen Menge des zugehörigen Enol-lactons (*4-Hydroxy-2-oxo-2,5,6,7-tetrahydro-2H-⟨cyclopent-[b]-pyran⟩*)[1].

Umfangreiche Untersuchungen liegen über Dieckmann-Cyclisierungen **stickstoffhaltiger** basischer α,ω-Dicarbonsäure-diester vor, deren Prototyp bereits 1924 mit der Kondensation von 4-Methyl-4-aza-heptandisäure-diäthylester (n = 2, R=CH$_3$, R′=C$_2$H$_5$) zu *4-Oxo-1-methyl-piperidin-3-carbonsäure-äthylester* beschrieben wurde[2].

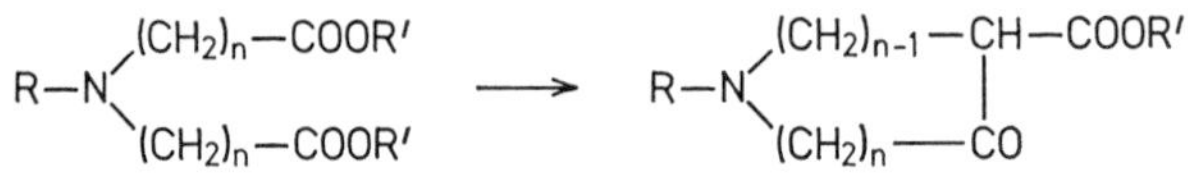

Da beim 5-Methyl-5-aza-nonansäure-diäthylester (n = 3, R = CH$_3$, R′ = C$_2$H$_5$) bei der Cyclisierung nach Keton-Spaltung des intermediär entstehenden *5-Oxo-1-methyl-1-aza-cyclooctan-4-carbonsäure-äthylesters* das *5-Oxo-1-methyl-1-aza-cyclooctan* (II) zu erwarten ist, gelingt diese Kondensation nur unter Wahrung des Ruggli-Ziegler-Verdünnungsprinzips. Führt man diese Kondensation mit 0,25 Mol Kalium-tert.-butanolat in 2 l Xylol und Zutropfen von 0,1 Mol des Esters in 300 ml Xylol innerhalb 30 Stdn. durch, dann erhält man neben 20% des *5-Oxo-1-methyl-1-aza-cyclooctans* (II) noch 29% *5,13-Dioxo-1,9-dimethyl-1,9-diaza-cyclohexadecan* (III):

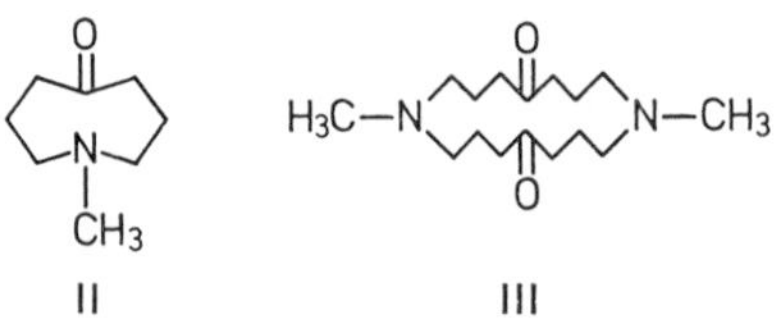

und bei n = 4 das in der carbocyclischen Reihe nicht entstehende 10-Ring-Derivat (*6-Oxo-1-methyl-1-aza-cyclodecan*; IV) mit 10% Ausbeute neben 30% d.Th. *6,16-Dioxo-1,11-dimethyl-1,11-diaza-cycloeicosan*[3] (V):

---

[1] A. W. ALLAN u. R. P. A. SNEEDEN, Tetrahedron **18**, 821 (1962).

[2] S. ds. Handb., Bd. VIII, Kap. Herstellung von Carbonsäureestern, S. 577.

[3] N. J. LEONARD et al., Am. Soc. **76**, 630 (1954); **77**, 6234 (1956).

IV   V

Kondensiert man den Diester mit R = 4-Methyl-phenyl (n = 3) analog, so erhält man das *5-Oxo-1-(4-methyl-phenyl)-1-aza-cyclooctan* überraschenderweise mit 64% Ausbeute[1], während bei R = Cyclopropyl (n = 3) und Natriumhydrid (0,25 Mol Natriumhydrid in 1,5 l Xylol; 0,1 Mol Diester in 250 ml Xylol, zugegeben in 24 Stdn.) 42% d. Th. *5-Oxo-1-cyclopropyl-1-aza-cyclooctan* entsteht[2]. R = Cyclohexyl (n = 3) gibt nach der bei R = CH_3 beschriebenen Arbeitsweise mit Kalium-tert.-butanolat 45% *5-Oxo-1-cyclohexyl-1-aza-cyclooctan*[2]. R = 1-Phenyl-propyl-(2) (n = 3) läßt sich mit Natriumhydrid (0,092 Mol Natriumhydrid in 1,5 l Xylol, Zugabe von 0,035 Mol Diester in 300 ml Xylol in 24 Stdn.) zu 55% in *5-Oxo-1-[1-phenyl-propyl-(2)]-1-aza-cyclooctan* umwandeln[3].

Die Bedeutung hoher Verdünnung zur Zurückdrängung unerwünschter zwischen-molekularer Kondensationen ergibt sich aus Beobachtungen bei der Cyclisierung von 2,3-Dimethyl-3-aza-nonandisäure-diäthylester (I)

I   II

zu *3-Oxo-1,2-dimethyl-1-aza-cyclooctan* (II), die mit 0,12 Mol Kalium-tert.-butanolat in 400 ml kochendem Toluol durch allmähliche Zugabe von 0,055 Mol I in 125 ml Toluol bewirkt wurde; verteilt man die Zugabe auf 24 Stdn., dann erhält man II mit 17% d. Th., bei 36 Stdn. mit 36% d. Th. und bei 48 Stdn. mit 55% d. Th.[4].

Ausgehend von geeignet substituierten Derivaten des Piperidins kann man zu **bicyclischen tertiären Aminen** gelangen, bei denen an den 6-Ring des Piperidins ein 7- bzw. 8-Ring ankondensiert ist. Auch hierbei erzielt man befriedigende Ausbeuten nur bei Reaktionsführung nach dem Verdünnungsprinzip. Aus 5-(2-Äthoxycarbonyl-piperidino)-pentansäure-äthylester (III) (n = 4) erhält man

III   IV

---

[1] N. J. LEONARD et al., Am. Soc. **77**, 6241 (1955).

[2] N. J. LEONARD et al., Am. Soc. **77**, 6245 (1955).

[3] N. J. LEONARD et al., Am. Soc. **80**, 4858 (1958).

[4] N. J. LEONARD u. R. C. SENTZ, Am. Soc. **74**, 1704 (1952).

bei der Kondensation mit Kalium-tert.-butanolat entsprechend der Synthese von II bei einer Zutropfzeit von 17 Stdn. nach Keton-Spaltung des zunächst entstehenden *6-Oxo-1-aza-bicyclo[5.4.0]undecan-7-carbonsäure-äthylesters* das *5-Oxo-1-aza-bicyclo [5.4.0]undecan* (IV; 79% d.Th.) und aus III (n = 5) bei 54 stdg. Zutropfzeit *7-Oxo-1-aza-bicyclo[6.4.0]dodecean* (V; 24% d.Th.)[1]:

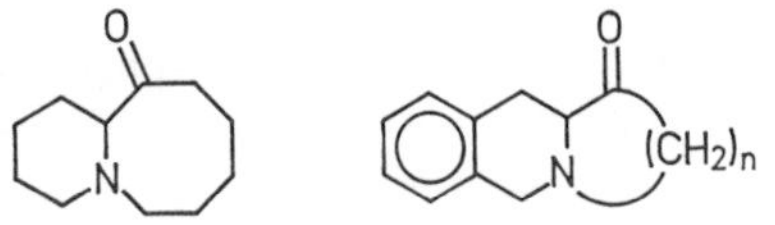

Ähnliche Ergebnisse erzielt man bei analogen Derivaten des Tetrahydro-iso-chinolin-3-carbonsäureesters[2]. Der III entsprechende Diester (n = 4) (0,072 Mol in 50 *ml* Xylol; 0,144 Mol Kalium-tert.-butanolat in 400 *ml* Xylol) ergibt bei einer Zuflußzeit von 17 Stdn. VI (n = 4; *11-Oxo-5,7,8,9,10,11,11a,12-octahydro-⟨azepino-[1,2-b]-isochinolin⟩*; 69% d.Th.) und bei n = 5 analog bei einer Zuflußzeit von 32 Stdn. VI (n = 5; *12-Oxo-5,8,9,10,11,12,12a,13-octahydro-⟨azocino-[1,2-b]-isochinolin⟩*; 42% d.Th.).

Auch verbrückte Systeme lassen sich durch Dieckmann-Cyclisierung bei hoher Verdünnung aus geeigneten Dicarbonsäure-diestern aufbauen: 1-Methyl-2,6-bis-[2-äthoxycarbonyl-äthyl]-piperidin (VII) läßt sich mit Kalium-tert.-butanolat in Xylol (0,35 Mol Kalium-tert.-butanolat, 1400 *ml* Xylol) bei einer Zulaufzeit des Esters (0,16 Mol in 800 *ml* Xylol) von 104 Stdn. in *4-Oxo-11-methyl-11-aza-bicyclo [5.3.1]undecan* VIII umwandeln[3]:

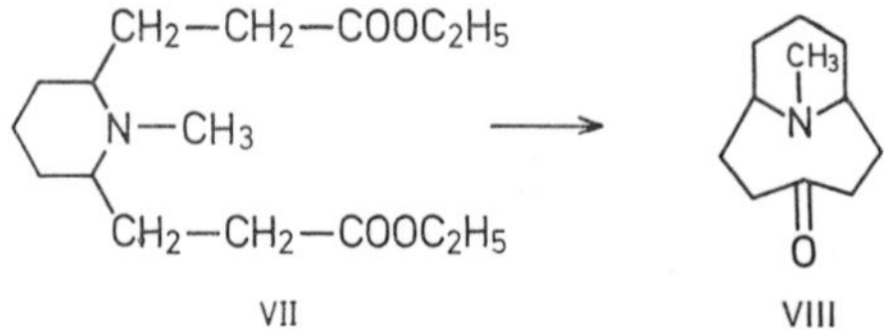

Bei der Dieckmann-Kondensation von 1-(ω-Alkoxycarbonyl-alkyl)-piperidin-3-carbonsäure-alkylester vom Typ IX ist die Wahl des geeigneten Kondensations-mittels ausschlaggebend für den glatten Verlauf der Cyclisierung:

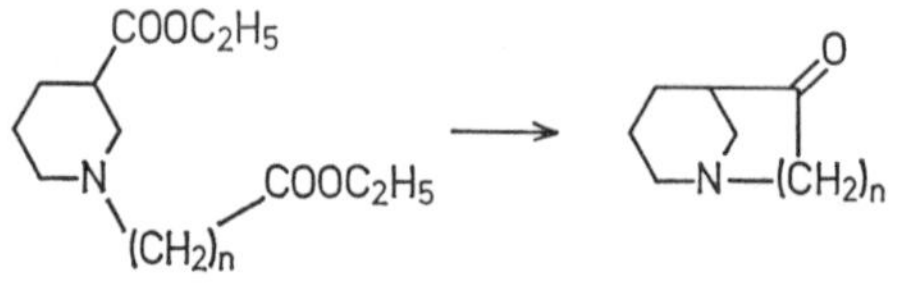

[1] N. J. Leonard et al., Am. Soc. **74**, 6251 (1952).
[2] N. J. Leonard et al., Am. Soc. **76**, 3193 (1954).
[3] N. J. Leonard et al., Am. Soc. **79**, 5476 (1957).

Bei IX, n = 1 oder n = 2 hat sich Kalium-äthanolat in Toluol bewährt; hiermit entsteht aus den entsprechenden Vorstufen IX *3-Oxo-1-aza-bicyclo[3.2.1]octan* (X, n = 1; 71% d.Th.)[1] bzw. *4-Oxo-1-aza-bicyclo[3.3.1]nonan* (X, n = 2; 48% d.Th.)[2].

α_8) *Selbstkondensation von Carbonsäure-nitrilen*

Die unter dem Einfluß alkalischer Kondensationsmittel nach einem der Ester-Kondensation analogen Mechanismus verlaufende Dimerisierung von Carbonsäure-nitrilen der allgemeinen Konstitution R—CH$_2$—CN führt zu Derivaten des β-Amino-crotonsäure-nitrils [3-Amino-buten-(2)-säure-nitrils], die zu β-Keto-carbon-säure-nitrilen hydrolysierbar sind[3]:

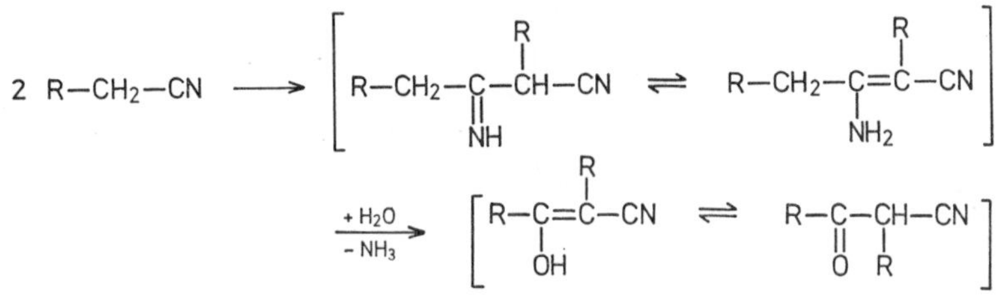

Verwendet man Natrium als Kondensationsmittel, wie dies E. v. Meyer[4], der Entdecker dieser Kondensation, zunächst tat, dann wird Wasserstoff als solcher nicht frei, sondern durch eine Nebenreaktion, Spaltung eines zusätzlichen Mols des Nitrils in Kohlenwasserstoff und Blausäure, verbraucht. In diesem Falle verläuft die Reaktion z. B. bei der Kondensation von Acetonitril, nach folgender Gleichung:

$$3\,H_3C—CN + 2\,Na \rightarrow H_3C—\underset{\overset{|}{\ominus NH\ \ldots\ Na^{\oplus}}}{C}=CH—CN + NaCN + CH_4$$

Benutzt man ein ätherlösliches, stark basisches Kondensationsmittel vom Typ Natrium-N-methyl-anilid oder -N-(3-methyl-butyl)-anilid, wie sie für die Dimerisierung von Alkylnitrilen[5] vorgeschlagen worden sind, dann gelingt mit diesen Mitteln etwa die Selbstkondensation von Butyro-nitril zum Natrium-Salz des 4-Amino-3-cyan-heptens-(3) recht glatt ohne die bei Anwendung von Natrium störende Neben-reaktion der Hydrogenolyse eines weiteren Mols des Nitrils.

Ausbeuten bis zu 80% d.Th. lassen sich bei der Nitril-Dimerisierung auch durch Anwendung von Natriumhydrid, Natriumamid oder Diisopropylamino-magnesium-bromid als Kondensationsmittel in siedendem Äther erzielen[6].

---

[1] A. D. YANINA u. M. V. RUBSOV, Ž. obšč. Chim. **29**, 485 (1959); C. A. **53**, 21 957ᵉ (1959).

[2] A. D. YANINA u. M. V. RUBTSOV, Ž. obšč. Chim. **30**, 526 (1959); C. A. **54**, 24 708ᵍ (1960).

[3] Vgl. H. HENECKA, *Chemie der β-Dicarbonyl-Verbindungen*, S. 194, Springer-Verlag, Berlin-Göttingen-Heidelberg 1950.

[4] E. v. MEYER, J. pr. [2] **38**, 339 (1888); **52**, 83 (1895); **78**, 498 (1908).
R. HOLZWART, J. pr. [2] **39**, 230 (1889).

[5] K. ZIEGLER et al., A. **511**, 69, 70 (1934).
s.a. ds. Handb., Bd. IV/2, Kap. Herstellung und Umwandlung großer Ringsysteme, S. 758.

[6] G. A. REYNOLDS, W. J. HUMPHLETT, F. W. SWAMER u. C. R. HAUSER, J. Org. Chem. **16**, 165 (1951).

33*

Eine einheitlich verlaufende Kondensation von zwei verschiedenen Nitrilen gelingt nur dann, wenn in einem die Nitril-Gruppe an einem tert.-C-Atom haftet, z. B.:

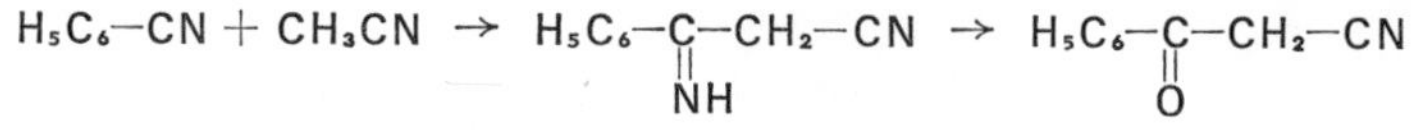

$$H_5C_6-CN + CH_3CN \rightarrow H_5C_6-\underset{\underset{NH}{\|}}{C}-CH_2-CN \rightarrow H_5C_6-\underset{\underset{O}{\|}}{C}-CH_2-CN$$

Die so primär entstehenden Keton-imine lassen sich durch Erhitzen in 70%igem Äthanol, dem etwas Salzsäure zugefügt ist, mit ~ 70%iger Ausbeute zu den β-Keto-carbonsäure-nitrilen (z. B. *3-Oxo-3-phenyl-propansäure-nitril*) hydrolysieren[1].

Das Hauptanwendungsgebiet dieser Reaktion stellt die Cyclisierung langkettiger α,ω-Dinitrile dar, die bereits in ds. Handb., Bd. IV/2, S. 758 ff. eingehend behandelt wurde.

Die zu fünf- bzw. sechsgliedrigen Ringen führende Cyclisierung von Adipinsäure-dinitril[2] zu *1-Imino-2-cyan-cyclopentan* (I) als auch die Cyclisierung von *Bis-[β-cyan-äthyl]-methylamin*[3] zu *4-Imino-1-methyl-3-cyan-piperidin* (II) lassen sich auch mit Natrium in inerten Mitteln durchführen:

Überraschenderweise gelingt sowohl die cyclisierende Dimerisierung von Adipin-säure-dinitril zu *1-Imino-2-cyan-cyclopentan* als auch die analoge Cyclisierung von 1,2-Bis-[cyanmethyl]-benzol zu *2-Imino-1-cyan-indan* bereits in alkoholischer Lösung bei Gegenwart einer katalytischen Menge Natriumalkoholat[4]:

1-Imino-2-cyan-cyclopentan: 5 g Adipinsäure-dinitril in 20 *ml* Äthanol werden mit einem korn-großen Stückchen metallischem Natrium versetzt und die Lösung 1 Stde. auf dem Wasserbad erhitzt. Beim Abkühlen scheidet sich das Imino-carbonsäure-nitril kristallin ab; Ausbeute 4,2 g (84% d. Th.); F: 147° (aus Nadeln).

Ob und wie weit diese präparativ besonders vorteilhafte Variante der Nitril-Dimerisierung verallgemeinerungsfähig ist, ist bisher nicht bekannt. Wahrscheinlich jedoch gelingt die cyclisierende Dimerisierung mit katalytischen Mengen Natrium-alkoholat in alkoholischer Lösung immer dann, wenn das entstehende o-Imino-carbonsäurenitril *schwächer sauer* ist als der verwendete Alkohol[5].

---

[1] A. DORNOW, I. KÜHLCKE u. F. BAXMANN, B. **82**, 254 (1949).
[2] H. E. SCHRÖDER u. G. W. RIGBY, Am. Soc. **71**, 2205 (1949).
[3] A. H. COOK u. K. J. REED, Soc. **1945**, 399.
[4] J. F. THORPE, Soc. **95**, 1903 (1909).
[5] s. a. H. HENECKA, *Chemie der β-Dicarbonyl-Verbindungen*, S. 196, Springer-Verlag Berlin–Göttingen–Heidelberg 1950.

Über die innermolekulare Cyclisierung von 1,2-Bis-[cyanmethyl]-benzol zu 2-Amino-1-cyan-inden s. S. 497.

α₉) *Selbstkondensation von Carbonsäure-chloriden über Diketene*

Fettsäure-chloride gehen bei der Einwirkung tertiärer Amine unter innermolekularer Chlorwasserstoff-Eliminierung in Alkyl-ketene über, die sich alsbald dimerisieren entweder zu β-Propiolactonen (I) oder zu Cyclobutandionen-(1,3) (II), die bei der Behandlung mit nucleophilen Agenzien ebenso wie Diketen selbst, z.B.:

+ (CH₃)₃C—OH ⟶ H₃C—CO—CH₂—COOC(CH₃)₃

Acetessigsäure-tert.-butylester

übergehen in Ketone bzw. Derivate von β-Keto-carbonsäuren, z.B.:

(a) Aldoketene:

2 H₃C—CH₂—CO—Cl $\xrightarrow{- HCl}$ 2 [H₃C—CH=C=O] ⟶

$$\text{I} + \text{H}_2\text{O} \longrightarrow \text{H}_5\text{C}_2-\text{CO}-\underset{\underset{CH_3}{|}}{CH}-\text{COOH} \xrightarrow{- CO_2} (\text{C}_2\text{H}_5)_2\text{CO} \quad Pentanon\text{-}(3)$$

$$\text{I} + \text{CH}_3\text{OH} \longrightarrow \text{H}_5\text{C}_2-\text{CO}-\underset{\underset{CH_3}{|}}{CH}-\text{COOCH}_3$$
3-Oxo-2-methyl-pentansäure-methylester

$$\text{I} + \text{HNR}_2 \longrightarrow \text{H}_5\text{C}_2-\text{CO}-\underset{\underset{CH_3}{|}}{CH}-\text{CO}-\text{NR}_2$$
3-Oxo-2-methyl-pentansäure-dialkylamid

(b) Ketoketene:

2 (CH₃)₂CH—CO—Cl $\xrightarrow{- HCl}$ 2 [(CH₃)₂C=C=O] ⟶

2,4-Dioxo-1,1,3,3-tetramethyl-cyclobutan

$$\text{II} + \text{H}_2\text{O} \longrightarrow \text{H}_3\text{C}-\underset{\underset{CH_3}{|}}{CH}-\text{CO}-\underset{\overset{CH_3}{|}}{\underset{\underset{CH_3}{|}}{C}}-\text{COOH} \xrightarrow{- CO_2} [(\text{CH}_3)_2\text{CH}]_2\text{CO}$$

3-Oxo-2,4-dimethyl-pentan [2,4-Dimethyl-pentanon-(3)]

$$\text{II} + \text{C}_2\text{H}_5\text{OH} \longrightarrow \text{H}_3\text{C}-\underset{\underset{CH_3}{|}}{CH}-\text{CO}-\underset{\overset{CH_3}{|}}{\underset{\underset{CH_3}{|}}{C}}-\text{COOC}_2\text{H}_5$$

3-Oxo-2,2,4-trimethyl-pentansäure-äthylester

$$\text{II} + \text{NH}_3 \longrightarrow \text{H}_3\text{C}-\underset{\underset{CH_3}{|}}{CH}-\text{CO}-\underset{\overset{CH_3}{|}}{\underset{\underset{CH_3}{|}}{C}}-\text{CO}-\text{NH}_2$$

3-Oxo-2,2,4-trimethyl-pentansäure-amid

Diese und analoge Reaktionen sind in Herstellung und Umwandlung eingehend behandelt in ds. Handb., Bd. VII/4, S. 228ff.

Aus höheren Fettsäure-chloriden (2 Mol) entstehen durch Einwirkung tert. Basen unter Kohlendioxid-Abspaltung leicht die sym. Ketone (s. S. 636).

a_{10}) *Acylierung von Carbonsäureestern mit Carbonsäure-nitrilen (Blaise-Reaktion)*

E. E. Blaise[1] hat bereits 1901 gezeigt, daß man durch eine Variante der Reformatski-Reaktion zu Keto-carbonsäureestern gelangen kann: α-Brom-fettsäureester addieren sich bei Gegenwart von Zink an Nitrile unter Bildung von Bromzinksalzen von β-Imino-carbonsäureestern, die durch Einwirkung von Mineralsäuren zu β-Keto-carbonsäureestern hydrolysierbar sind:

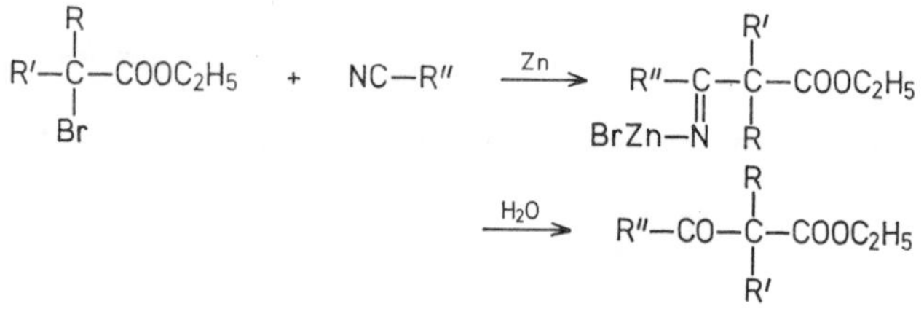

Da die Blaise-Reaktion auch mit α-brom-α,α-disubstituierten Essigestern vom Typ des α-Brom-isobuttersäureesters (2-Brom-2-methyl-propansäureester) unter Bildung nicht mehr enolisierbarer α,α-disubstituierter β-Keto-carbonsäureester gelingt, stellt die Blaise-Kondensation eine allgemeine Esterkondensation[2] dar, wobei das Nitril als Carbonyl-Komponente fungiert.

Die zunächst erzielten Ausbeuten dieser Kondensation lagen bei Anwendung von 2-Brom-propansäure-methylester (R=H, R'=CH₃) und α-Brom-isobuttersäure-methylester (2-Brom-2-methyl-propansäure-methylester; R=R'=CH₃) im allgemeinen zwischen 25–50% der Theorie. Als ausbeutemindernde Nebenreaktion tritt insbesondere die Selbstkondensation[3] des α-Brom-fettsäureesters in Erscheinung, merkbar beim 2-Brom-propansäureester und überwiegend beim Brom-essigsäureester (R=R'=H), sodaß nach der Blaise-Reaktion zunächst nur α-mono- und besonders α,α-disubstituierte β-Keto-carbonsäureester zugänglich waren. Verwendet man anstelle der Methylester oder Äthylester der α-Brom-fettsäuren die Ester sekundärer Alkohole, wie etwa die Butyl-(2)-ester oder Pentyl-(3)-ester, so erzielt man durch Zurückdrängung der Selbstkondensation eine leichte Ausbeutesteigerung[4]; ebenso günstig erwies sich Herabsetzung der Reaktionstemperatur durch Ersatz des bei Reformatski-Reaktionen zumeist als Lösungsmittel benutzten Benzols durch ein Benzol-Äther-Gemisch[5] 1:1.

Bei der üblichen Durchführung einer Blaise-Reformatski-Reaktion erzielt man gute Ausbeuten nur mit tertiären α-Brom-fettsäureestern beispielsweise bei der Kondensation von α-Brom-isobuttersäure-äthylester (2-Brom-2-methyl-propansäure-äthylester) mit Pentansäure-nitril (Valeronitril).

[1] E. E. Blaise, C. r. 132, 478 (1901).
[2] Vgl. ds. Handb., Bd. VIII, Kap. Herstellung von Carbonsäureestern, S. 588.
[3] A. S. Hussey u. M. S. Newman, Am. Soc. 70, 3024 (1948).
[4] J. Cason, K. L. Rinehart u. S. D. Thornton, J. Org. Chem. 18, 1594 (1953).
[5] J. Cason u. R. J. Fessenden, J. Org. Chem. 22, 1328 (1957).

3-Oxo-2,2-dimethyl-heptansäure-äthylester[1]: Eine Lösung von 85 ml Benzol, 19,5 ml (0,225 Mol) α-Brom-isobuttersäure-äthylester (2-Brom-2-methyl-propansäure-äthylester) und 7,8 ml (0,10 Mol) Pentansäure-nitril wird nach Zusatz von 14,6 g (0,225 g-Atom) Zinkspäne und einer Spur Queck-silber(II)-chlorid 4 Stdn. zum Sieden erhitzt. Nach dem Erkalten hydrolysiert man durch kräftiges Verrühren mit 150 ml 3n Schwefelsäure, nimmt mit Äther auf und isoliert das Reaktions-produkt wie üblich; Ausbeute: 10,74 g (72% d.Th.); Kp_{18}: 109—113°.

Während, wie das Beispiel zeigt, bei aliphatischen Nitrilen ein Überschuß an Reformatski-Reagens angezeigt ist, empfiehlt es sich, bei aromatischen Nitrilen etwa äquivalente Mengen an α-Brom-isobuttersäure-äthylester (2-Brom-2-methyl-propansäureester)/Zink zu verwenden und längere Reaktionszeiten zu vermeiden. *3-Oxo-2,2-dimethyl-3-phenyl-propansäure-äthylester* erhält man auf diese Weise mit 75% der Theorie[2].

Eine entscheidende Verbesserung erzielt man durch eine besondere Reaktions-führung der Blaise-Kondensation[1]: Zutropfen einer Benzol-Lösung des α-Brom-fett-säureesters zur kochenden Mischung des aktivierten Zink unter der Benzol-Lösung des Nitrils, eine Maßnahme, die nun auch die Herstellung α-unsubstituierter β-Keto-carbonsäureester nach Blaise durch Einwirkung von Brom-essigester auf Nitrile bei Gegenwart von Zink ermöglicht und die Blaise-Kondensation dadurch zu einer präparativ allgemein brauchbaren Methode macht.

3-Oxo-hexansäure-äthylester[1]: Eine Lösung von 13,5 ml (0,20 Mol) Brom-essigsäure-äthylester in 50 ml Benzol wird innerhalb von 1,5 Stdn. zugetropft zu einer unter Rückfluß siedenden Lösung von 8,8 ml (0,10 Mol) Butyronitril in 100 ml Benzol in Gegenwart von 9,75 g (0,15 g-Atom) Zink (Späne oder Pulver) und einer Spur Quecksilber(II)-chlorid. Nach Beendigung des Zutropfens kocht man noch 1 Stde., kühlt ab und hydrolysiert durch kräftiges 2 stdg. Verrühren mit 175 ml 10%iger Schwefelsäure, danach wird wie üblich aufgearbeitet; Ausbeute: 10,6 g (67% d.Th.); Kp_{20}: 102—103°.

Nach dieser Methode erhält man folgende α-unsubstituierte β-Keto-carbonsäure-ester:

Benzonitril	→ *3-Oxo-3-phenyl-propansäure-äthylester*	22% d.Th.	Kp_{20}: 158–163°
Propionitril	→ *3-Oxo-pentansäure-äthylester*	33% d.Th.	Kp_{18}: 88–92°
Pentansäure-nitril	→ *3-Oxo-heptansäure-äthylester*	40% d.Th.	Kp_{17}: 124–125°
3-Methyl-butansäure-nitril	→ *3-Oxo-5-methyl-hexansäure-äthylester*	42% d.Th.	Kp_{18}: 108–113°

Ausgezeichnete Ausbeuten ergibt diese Kagan-Suen-Variante der Blaise-Reaktion bei der Herstellung von β-Keto-α-methyl-carbonsäureestern mit Hilfe von 2-Brom-propansäure-äthylester.

3-Oxo-2,5-dimethyl-hexansäure-äthylester[1]: Eine Lösung von 20 ml (0,15 Mol) 2-Brom-propan-säure-äthylester in 50 ml Benzol wird innerhalb von 1,5 Stdn. zugetropft zu einer unter Rückfluß siedenden Lösung von 10,5 ml (0,10 Mol) 3-Methyl-butansäure-nitril in 100 ml Benzol bei Gegen-wart von 9,75 g (0,15 g-Atom) Zink und einer Spur Quecksilber(II)-chlorid. Man kocht 30 Min. nach und hydrolysiert mit 175 ml 10%iger Schwefelsäure; Ausbeute: 15,02 g (80% d.Th.); Kp_{20}: 107,5–110°.

Analog erhält man durch Kondensation von Carbonsäure-nitrilen mit 2-Brom-propansäure-äthylester folgende α-methylsubstituierte β-Keto-carbonsäure-äthyl-ester:

Benzonitril	→ *3-Oxo-2-methyl-3-phenyl-propansäure-äthylester*	83% d.Th.	Kp_{21}: 161–164°
Acetonitril	→ *3-Oxo-2-methyl-butansäure-äthylester*	70% d.Th.	Kp_{20}: 80–84°
Propionitril	→ *3-Oxo-2-methyl-pentansäure-äthylester*	83% d.Th.	Kp_{16}: 86–90°
Pentansäure-nitril	→ *3-Oxo-2-methyl-heptansäure-äthylester*	77% d.Th.	Kp_{18}: 112–114°
Hexansäure-nitril	→ *3-Oxo-2-methyl-octansäure-äthylester*	75% d.Th.	Kp_{19}: 127–130°

[1] H. B. KAGAN u. Y. HENG SUEN, Bl. **1966**, 1819.

[2] A. HOREAU u. J. JACQUES, Bl. **1947**, 58.

Bei aromatischen Nitrilen empfiehlt es sich, die hier langsamer verlaufende Hydrolyse des primär entstehenden Zinkkomplexes durch 12–15 stdg. Verrühren mit der 10%igen Schwefelsäure zu bewirken.

Neben der präparativ interessanten Möglichkeit der glatten Synthese α,α-dimethylierter β-Keto-carbonsäureester stellt die Blaise-Reaktion eine empfehlenswerte Methode zur Synthese α-monosubstituierter β-Keto-carbonsäureester dar.

a_{11}) *Ketone durch Acylierung von β-Dicarbonyl-Verbindungen mit Carbonsäure-chloriden oder -anhydriden*

(s. ds. Handb., Bd. VIII, S. 610ff., Bd. XIII/1, S. 535ff.)

i_1) Acylierung von Malonsäure-diestern

Die Acylierung von Malonsäure-diestern durch Einwirkung von Carbonsäure-chloriden auf das Äthoxymagnesiumsalz von Malonsäure-diestern hat sich als präparativ vorteilhafte Methode zur Herstellung von Acyl-malonsäure-diestern erwiesen[1,2] (vgl. ds. Handb., Bd. VIII, S. 611):

$$R-CO-Cl \;+\; C_2H_5O-Mg-\underset{\underset{COOR''}{|}}{CH}-COOR' \longrightarrow R-CO-\underset{\underset{COOR''}{|}}{CH}-COOR'$$
$$+\; C_2H_5OMgCl$$

Anstelle der Carbonsäure-chloride lassen sich auch Carbonsäure-anhydride als acylierende Agenzien benutzen, insbesondere die aus Carbonsäuren und Chlorameisensäureester bei Gegenwart von Triäthylamin entstehenden gemischten Carbonsäure-(kohlensäure-monoäthylester)-anhydride[2,3].

Mitunter ist es zweckmäßig, eine möglichst alkoholfreie Lösung des Äthoxymagnesium-malonsäure-diesters zur Verfügung zu haben, um die mögliche Nebenreaktion des Acylierungsmittels mit noch vorhandenem Alkohol auszuschalten.

Äthoxymagnesium-malonsäure-diäthylester, äthanol-frei[4]: 36 g (1,5 g Atom) Magnesiumspäne oder -pulver werden mit 110 *ml* trockenem Benzol und 10 *ml* absol. Äthanol übergossen und nach Zugabe eines Kristalls Jod und/oder 1 *ml* Tetrachlormethan mit einer kleinen Menge einer Lösung (A) aus 240 g (1,5 Mol) Malonsäure-diäthylester, absol. Äthanol (70 g; insgesamt 78 g =1,7 Mol) und 300 *ml* trockenem Benzol versetzt. Nachdem durch kurzes Erwärmen bzw. Aufkochen die Reaktion eingeleitet wurde, fügt man Lösung (A) innerhalb von 2–3 Stdn. allmählich zur siedenden Lösung und kocht danach weiter bis zur vollkommenen Auflösung des Magnesiums. Danach ersetzt man den Rückflußkühler durch eine 30 cm lange Fraktionierkolonne und destilliert das überschüssige Äthanol als Azeotrop mit Benzol (Kp: 68,4°) ab, bis die Destillationstemp. auf ungefähr 70° angestiegen ist. Auf diese Weise erhält man nahezu 700 *ml* einer äthanolfreien benzolischen Lösung von 1,5 Mol Äthoxymagnesium-malonsäure-diäthylester.

Beim Abdampfen des Benzols i. Vak. erhält man das Salz als Sirup, den man in Äther, Tetrahydrofuran, 1,4-Dioxan und dergleichen wieder lösen kann.

---

[1] H. LUND, B. **67**, 935 (1934).
  H. G. WALKER u. C. R. HAUSER, Am. Soc. **68**, 1386 (1946).
[2] D. S. TARBELL u. J. R. PRICE, J. Org. Chem. **21**, 144 (1956); **22**, 245 (1957).
[3] H. MUXFELDT, W. ROGALSKI u. G. KLAUENBERG, B. **98**, 3040 (1965).
[4] R. E. BOWMAN, Soc. **1950**, 324.
  s. a. J. A. PRICE u. D. S. TARBELL, Org. Synth. **37**, 20 (1957).

Auch monosubstituierte Malonsäure-diester sind der C-Acylierung über das Äthoxymagnesiumsalz zugänglich[1].

Mitunter beobachtet man auch bei Anwendung von praktisch alkoholfreiem Äthoxymagnesium-malonsäure-diester eine partielle Alkoholyse des zunächst entstehenden Acyl-malonsäure-diesters zu dem entsprechenden β-Keto-carbonsäure-ester: aus Adamantan-1-carbonsäure-chlorid und Äthoxymagnesium-malonsäure-diäthylester erhält man unmittelbar den *3-Oxo-3-adamantyl-(1)-propansäure-äthylester* [80–85% d.Th.; R = Adamantyl-(1)][2]:

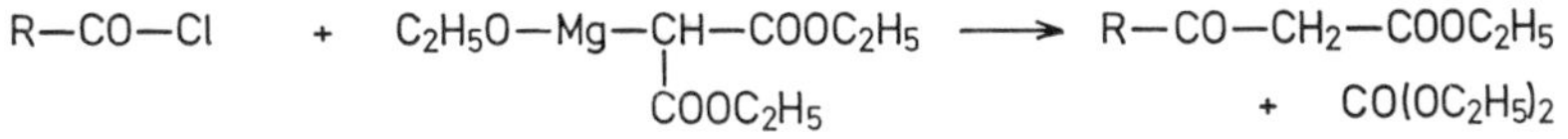

$$R—CO—Cl \quad + \quad C_2H_5O—Mg—\underset{\underset{COOC_2H_5}{|}}{CH}—COOC_2H_5 \quad \longrightarrow \quad R—CO—CH_2—COOC_2H_5$$
$$+ \quad CO(OC_2H_5)_2$$

Benutzt man die Magnesiumchelate von Alkyl-malonsäure-halbestern, so führt ihre Acylierung mit Carbonsäure-halogeniden unmittelbar unter Decarboxylierung bereits bei 0° zu *a*-Alkyl-*β*-keto-carbonsäureestern[3]:

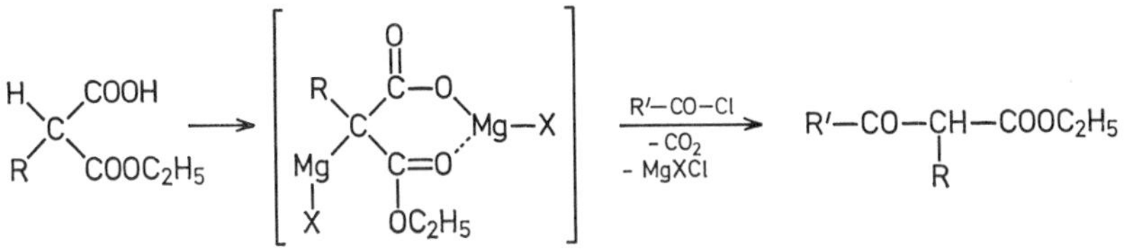

Als Lösungsmittel benutzt man zweckmäßig Tetrahydrofuran, wobei man die Überführung des Halbesters in das Magnesium-Chelat entweder mit 2 Mol Magnesiumäthanolat oder mit 2 Mol Isopropyl-magnesiumbromid bewirkt. Nach dieser Methode werden folgende *a*-substituierte *β*-Keto-carbonsäureester erhalten:

3-Oxo-2-methyl-butansäure-äthylester (*a-Methyl-acetessigsäure-äthylester*)	62% d.Th.
3-Oxo-2-methyl-hexansäure-äthylester	69% d.Th.
3-Oxo-2-methyl-3-phenyl-propansäure-äthylester	52% d.Th.
3-Oxo-2-methyl-adipinsäure-diäthylester . . .	71% d.Th.
3-Oxo-2-methyl-5-(2-methoxy-phenyl)-pentansäure-äthylester	63% d.Th.
3-Oxo-2-phenyl-butansäure-äthylester (*a-Phenyl-acetessigsäure-äthylester*)	60% d.Th.
3-Oxo-2-phenyl-adipinsäure-diäthylester . . .	41% d.Th.

Malonsäure-monoester selbst erleidet als Magnesium-Chelat bei der Acylierung mit Carbonsäure-chloriden Diacylierung. Mit Benzoylchlorid entsteht z.B. Dibenzoyl-essigsäureester (3-Oxo-3-phenyl-2-benzoyl-propansäure-ester). Benutzt man jedoch mildere Acylierungsmittel wie die gemischten Carbonsäure-(kohlensäure-monoäthylester)-anhydride [R—CO—O—COOC₂H₅, Methode (A)]

[1] Siehe z.B. S. N. Dixit, S. D. Verma u. J. K. Mehrotra, J. indian chem. Soc. **38**, 853 (1961).
   Über die Acylierung des *Methantricarbonsäure-triesters* s.:
   H. J. Backer u. J. Lolkema, R. **57**, 1234 (1938).
   H. Böhme u. L. Häfner, B. **99**, 879 (1966).
[2] H. Stetter u. E. Rauscher, B. **93**, 2054 (1960).
[3] R. E. Ireland u. J. A. Marshall, Am. Soc. **81**, 2907 (1959).

oder insbesondere Carbonsäure-imidazolide[1] [R—CO—N$\underset{\underline{}}{\overset{\diagup=N}{}}$, Methode (B)], so erhält man aus dem Magnesiumsalz der unsubstituierten Malonsäure-monoester durch Monoacylierung unter gleichzeitiger Decarboxylierung unmittelbar α-unsubstituierte β-Keto-carbonsäureester[2] in Tetrahydrofuran als Lösungsmittel:

	Ausbeute [% d.Th.] Methode (A)	(B)
3-Oxo-pentansäure-äthylester	57	68
3-Oxo-hexansäure-äthylester	57	74
3-Oxo-nonansäure-äthylester	62	74
3-Oxo-adipinsäure-diäthylester[3]	43	61
3-Oxo-3-phenyl-propansäure-äthylester . . .	35	65
3-Oxo-3-(4-nitro-phenyl)-propansäure-äthylester	60	77
3-Oxo-4-phenyl-butansäure-äthylester (γ-Phenyl-acetessigsäure-äthylester)	—	79

Die Benzoylierung des Malonsäure-diäthylesters mit Benzoylchlorid bei Gegenwart von Aluminiumchlorid führt zu Gemischen von Mono- und Dibenzoyl-malonsäure-diäthylestern, den entsprechenden Essigsäureestern und *1,3-Dioxo-1,3-diphenyl-propan (Dibenzoyl-methan)* und *1,3-Dioxo-1,3-diphenyl-2-benzoyl-propan (Tribenzoyl-methan)*[4].

i₂) Acylierung von β-Keto-carbonsäureestern
(Vgl. ds. Handb., Bd. VIII, S. 610)

Die beim Malonsäure-diester bewährte Methode der Acylierung über das Äthoxy-magnesiumsalz läßt sich auf die C-Acylierung von β-Keto-carbonsäureestern übertragen[5]. Die zur Synthese von β-Keto-carbonsäureestern benötigten 3-Oxo-2-acyl-butansäureester (α-Acyl-acetessigsäureester) lassen sich mit befriedigender Ausbeute nach folgender allgemeiner Methode herstellen:

$$R—CO—Cl + CH_3—CO—CH_2—COOR' \xrightarrow{Mg/C_2H_5OH} R—CO—\overset{\overset{\textstyle CO—CH_3}{|}}{CH}—COOR'$$

3-Oxo-2-acyl-butansäure-äthylester (α-Acyl-acetessigsäureester); allgemeine Arbeitsvorschrift[5]: 2,65 g (0,11 g Atom) Magnesiumspäne werden mit 15 *ml* absol. Äthanol übergossen und die Reaktion mit 0,5 *ml* Tetrachlormethan in Gang gebracht. Sobald die Reaktion abklingt, fügt man portionsweise 100 *ml* Äther hinzu, wobei die Umsetzung lebhaft weiter vor sich geht. Wenn nach 2–3 Stdn. unter ständigem Rühren keine Reaktion mehr sichtbar ist, fügt man unter Eiskühlung und gutem Rühren eine Lösung von 13 g (0,1 Mol) Acetessigsäure-äthylester in 20 *ml* trockenem Äther zu, wobei der zunächst entstandene Niederschlag sich z.T. auflöst unter Freilegung von Magnesium-Resten. Unter Kühlung mit Eis-Natriumchlorid und starkem Rühren tropft man nun 0,1 Mol Carbonsäure-chlorid, gelöst in etwa 20 *ml* Äther oder Tetrahydrofuran zu, wobei ein öliger oder kristalliner Niederschlag sich abscheidet. Man rührt 1 Stde. bei Zimmertemp. nach, läßt über Nacht stehen und zerlegt dann das Gemisch durch Zufügen von Eis und verd. Schwefelsäure bis zur sauren Reaktion der wäßrigen Schicht. Man trennt dann ab, wäscht die Äther-Schicht neutral und isoliert wie üblich durch Destillation.

[1] H. A. Staab u. K. Wendel, Ang. Chem. **73**, 26 (1961).

[2] G. Brahm u. M. Vilkas, Bl. **1964**, 945.

[3] Herstellung von 3-*Oxo-adipinsäure* durch Säurespaltung des 3-Oxo-2,5-diacetyl-adipinsäure-diesters s. M. Selim-Dagans, M. Selim u. H. Gault, C. r. **244**, 1047 (1957).

[4] H. Kaneyuki, Bl. chem. Soc. Japan **35**, 519, 523, 713 (1962).

[5] M. Viscontini et al., Helv. **35**, 1342, 2280 (1952).

Nach dieser Methode erhält man folgende *3-Oxo-2-acyl-butansäure-äthylester* (α-Acyl-acetessigsäure-äthylester)[1]:

3-Oxo-2-acetyl-butansäure-äthylester (α-Acetyl-
  acetessigsäure-äthylester) . . . .   43% d. Th.
3-Oxo-5-methyl-2-acetyl-hexansäure-äthylester . .   75% d. Th.
3-Oxo-2-acetyl-nonansäure-äthylester   . . . . .   84% d. Th.
3-Oxo-2-acetyl-octadecansäure-äthylester   . . . .   56% d. Th.
3-Oxo-2-benzoyl-butansäure-äthylester (α-Benzoyl-
  acetessigsäure-äthylester) . . . .   91% d. Th.
3-Oxo-4-phenyl-2-acetyl-butansäure-äthylester . .   85% d. Th.
3-Oxo-2-acetyl-adipinsäure-diäthylester . . . . .   87% d. Th.

Eine noch mögliche Bildung der isomeren 3-Acyloxy-buten-(2)-säure-äthylester tritt hierbei in geringerem Maße auf als bei der Acylierung des Natrium-acetessigsäure-äthylesters.

Diese Viscontini-Methode läßt sich auch auf die C-Acylierung des Acetessigsäuretert.-butylesters übertragen[2]. Ebenso lassen sich 3-Oxo-2-alkyl-butansäureester (α-Alkyl-acetessigsäureester) nach dieser Methode in die entsprechenden 3-Oxo-2-alkyl-2-acyl-butansäureester überführen[3]; die Methode versagt jedoch in ihrer Anwendung auf cyclische β-Keto-carbonsäureester insoweit, als unmittelbar die Produkte einer alkoholytischen Ringsprengung entstehen[3]. Aus dem Äthoxymagnesiumsalz z. B. des 2-Oxo-cyclopentan-1-carbonsäure-äthylesters wird unmittelbar ein 2-Acyl-adipinsäure-diäthylester erhalten:

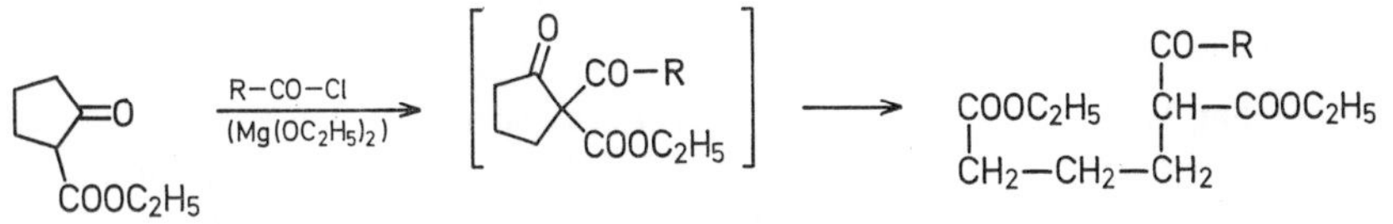

Aus 2-Oxo-cyclohexan-1-carbonsäure-äthylester entstehen analog 2-Acyl-heptandisäure-diäthylester. Diese Variante der Visconti-Methode stellt daher ein vorzügliches Verfahren zur Herstellung solcher α-Acyl-dicarbonsäure-diester dar.

Eine alkoholytische Ringsprengung tritt naturgemäß dann nicht mehr ein, wenn man das Brommagnesium-Chelat der cyclischen β-Keto-carbonsäureester durch Einwirkung von Äthyl-magnesiumbromid herstellt und die Reaktion in Tetrahydrofuran durchführt[4]. Bei diesen Acylierungen hat das verwendete Lösungsmittel entscheidenden Einfluß sowohl auf die Ausbeute an Acylierungsprodukt als auch

[1] s.a. H. Paul, J. pr. [4] **21**, 186 (1963).
[2] A. Treibs u. K. Hintermeier, B. **87**, 1163 (1954).
[3] H. Paul, J. pr. [4] **21**, 189 (1963).
   s.a. H. Stetter u. E. Rauscher, B. **93**, 2054 (1960).
   Acylierung von α-Acetyl-γ-butyrolacton: Y. Kuwayama, Chem. Pharm. Bull. (Tokyo) **9**, 715 (1961).
[4] J. P. Ferris, B. G. Wright u. C. C. Crawford, J. Org. Chem. **30**, 2367 (1965).
   s.a. J. Plešek, Collect. czech. chem. Commun. **21**, 1312 (1956); **22**, 49, 1661 (1957).

auf den Gehalt von C- und O-Acyl-Derivat, wie folgende bei der Acylierung von 2-Oxo-cyclohexan-1-carbonsäureester über das Brommagnesium-Chelat erhaltenen Ergebnisse zeigen[1].

Tab. 86. Lösungmittel-Abhängigkeit der Ausbeute und des O/C-Verhältnisses bei der Acetylierung des 2-Oxo-cyclohexan-1-carbonsäure-äthylester-Magnesium-chelats

Lösungsmittel	Löslichkeit des Chelats	Gesamt-Ausbeute [%d.Th.]	2-Acetoxy-cyclohexen-(1)-1-carbonsäure-äthylester %	2-Oxo-1-acetyl-cyclohexan-1-carbonsäure-äthylester %
Cyclohexan.	unlöslich	37	6	94
1,4-Dioxan	z. T. löslich	61	8	92
Äther	z. T. löslich	38	12	88
Tetrahydrofuran . .	löslich	68	13	87
Dimethylformamid .	unlöslich	36	29	71
Acetonitril	löslich	62	43	57

Die Magnesium-äthanolat-Methode läßt sich auch zur Acylierung von β-Diketonen zu Triacyl-methanen benutzen, wobei in der Regel Ausbeuten von 80–85% d. Th. erhalten werden[2].

In einfacher Weise lassen sich Di- und Triketone, ausgehend von Keten, herstellen. So entsteht durch Einleiten von 2 Mol Keten in Acetessigester bei 100° in Gegenwart von Natrium-chloracetat als Katalysator in ~ 90%iger Ausbeute der *Triacetyl-essigsäure-äthylester* (Kp$_{0,2}$: 50–52°) und in gleicher Weise aus Malonsäure-dimethylester der *Diacetyl-malonsäure-dimethylester*[3].

Aus Pentandion-(2,4) (Acetylaceton) wird *2,4-Dioxo-3-acetyl-pentan (Triacetyl-methan)* erhalten. Das Hauptreaktionsprodukt aus Cyanessigsäureester und Keten ist *3-Acetoxy-2-cyan-buten-(2)-säureester (cis-trans-Gemisch)*:

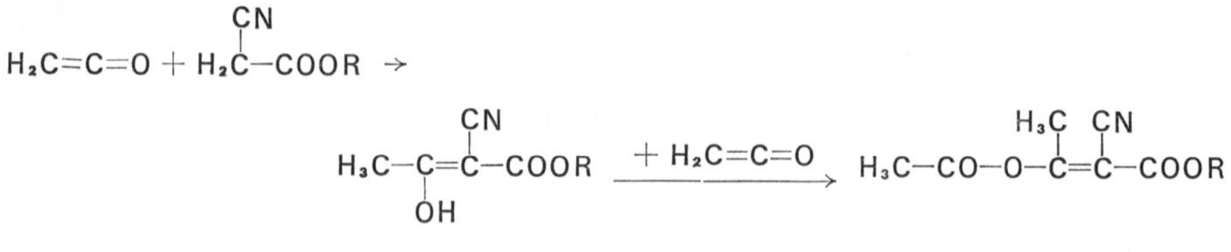

[1] Hier wurde 0,1 Mol des Brommagnesium-Chelats in 100 *ml* Tetrahydrofuran hergestellt und dann vor der Zugabe von 0,11 Mol Acetylchlorid 500 *ml* des erwähnten Lösungsmittels zugegeben.

[2] H. PAUL, J. pr. [4] **21**, 191 (1963).
s.a. D. C. NONHEBEL u. J. SMITH, Soc. [C] **1967**, 1919.

[3] H. ECK u. H. PRIGGE, A. **731**, 12 (1970).

β) β-Diketone

β₁) *Acylierung von Ketonen mit Carbonsäureestern*
(vgl. ds. Handb., Bd. VIII, S. 578 ff.; Bd. XIII/1, S. 536 ff.)

Zur Kondensation von Ketonen mit Carbonsäureestern zu β-Diketonen

$$R-CH_2-CO-R' + R''-COOR''' \rightarrow R'-CO-\overset{\displaystyle R}{\underset{|}{C}H}-CO-R'' + R'''OH$$

hat sich insbesondere Natriumamid bewährt im Mol-Verhältnis Keton : Ester : Natriumamid = 1 : 1 : 2. Ähnlich wie *2-Oxo-1-benzoyl-cyclohexan* (vgl. ds. Handb., Bd. VIII, S. 579) lassen sich auch *2-Oxo-1-benzoyl-cycloheptan* bzw. *-cyclooctan* aus Cycloheptanon bzw. Cyclooctanon mit Benzoesäure-methylester unter dem Einfluß von Natriumamid herstellen[1].

Anstelle von Natriumamid läßt sich mit gleich gutem Erfolg auch Natriumhydrid verwenden, wie etwa bei der Acylierung von 4-Brom-acetophenon mit 3-Brom-benzoesäureester zum *1,3-Dioxo-3-(3-brom-phenyl)-1-(4-brom-phenyl)-propan*[2]. Mit dem gleichen Kondensationsmittel gelingt auch die Kondensation von 3-Oxo-2,2-dimethyl-butan (Pinakolon) mit 2,2-Dimethyl-propansäure-methylester (Pivalinsäure-methylester) in 1,2-Dimethoxy-äthan zu *3,5-Dioxo-2,2,6,6-tetramethyl-heptan*[3] (60–70% d.Th.; Mol-Verhältnis Keton: Ester:Natriumhydrid = 1:1:2). Natriumhydrid-Kondensationen von Ketonen mit Carbonsäure-methylestern sind in Dimethylsulfoxid als Lösungsmittel besonders glatt mit Ausbeuten von 70–80% d.Th. bei einem Mol-Verhältnis Keton: Ester: Natriumhydrid = 1:2:2 durchführbar, so etwa die Acylierung von 4-Acetyl-cyclohexen mit Cyclohexen-(1)-4-carbonsäure-methylester zu I:

I

1,3-Dioxo-1,3-[dicyclohexen-(3)-yl]-propan[4]: Zu einer kräftig gerührten Mischung von 24 g (1 Mol) Natriumhydrid und 400 *ml* Dimethylsulfoxid gibt man rasch 140 g (1 Mol) Cyclohexen-4-carbonsäure-methylester und danach innerhalb von 40 Min. 62 g (0,5 Mol) 4-Acetyl-cyclohexen, wobei die Temp. auf 55° ansteigt. Man erhitzt dann 3,5 Stdn. auf 60°, rührt die abgekühlte Mischung in ein Gemisch von 1 *l* Eiswasser und 100 *ml* konz. Salzsäure, nimmt 2mal mit je 150 *ml* Äther auf, wäscht die ätherische Lösung 2mal mit je 150 *ml* ges. Natriumhydrogencarbonat-Lösung und rührt die so erhaltene Lösung ein in 1 *l* einer warmen 10%igen Lösung von Kupfer(II)-acetat. Man fügt 150 *ml* Methanol hinzu, rührt über Nacht, saugt dann das erhaltene blaue Kupferchelat ab und wäscht mit Wasser, Methanol, Äther und Petroläther; Rohausbeute: 109 g (83% d.Th.); F: 215°.

Man zerlegt durch Verrühren mit einer Mischung von 1 *l* 10%iger Schwefelsäure und 250 *ml* Petroläther (Kp: 60–80°), trennt ab, wäscht die obere Schicht mit Wasser und Natriumhydrogencarbonat-Lösung, trocknet über Magnesiumsulfat und destilliert; Ausbeute: 84,2 g (72,4% d.Th.); Kp$_{0,1}$ = 116–122°.

---

[1] B. Eistert, W. Reiss u. H. Wurzler, A. **650**, 133 (1961).
[2] S. A. Fuqua u. R. M. Silverstein, J. Org. Chem. **29**, 395 (1964).
　　Kondensationen mit p-Sulfo-benzoesäure-dimethylester: C. Tröltzsch, J. pr. [4] **22**, 192 (1963).
[3] K. R. Kopecky et al., J. Org. Chem. **27**, 1036 (1962).
[4] J. J. Bloomfield, J. Org. Chem. **27**, 2742 (1962).

Ähnlich wie Acylierungen von Carbonsäureestern mit Trifluoressigsäureester (vgl. S. 495) lassen sich auch Ketone mit Trihalogenessigsäureestern acylieren, so etwa Acetophenon mit Difluor-chlor-essigsäure-methylester in Gegenwart von Natrium-methanolat zu *4,4-Difluor-4-chlor-1,3-dioxo-1-phenyl-butan* (89% d. Th.)[1]. Bei einem Molverhältnis von Keton: Ester: Natrium-methanolat = 1:1:1 verfährt man dabei derart, daß man der Mischung von Difluor-chlor-essigsäure-methylester und Natrium-methanolat in Äther das zu acylierende Keton allmählich zugibt. Bei der Acylierung von Acetophenon mit Fluor-dichlor-essigsäureester empfiehlt es sich, den acylierenden Ester der Mischung von Keton und Natrium-methanolat zuzusetzen, wobei z. B. bis zu 54% d. Th. *4-Fluor-4,4-dichlor-1,3-dioxo-1-phenyl-butan* erhalten wird. Der umgekehrte Weg, Acylierung etwa von 1,1-Difluor-1-chlor-aceton mit Benzoesäure-methylester, ist nicht möglich, da das Keton unter dem Einfluß von Natrium-methanolat Selbstkondensation erleidet, bevor die Claisen Kondensation zum Zuge kommt. Mit Trifluoressigsäure-äthylester jedoch gelingt wegen der hohen elektrophilen Aktivierung der Carbonyl-Gruppe dieses Esters auch die Acylierung des 1,1,1-Trifluor-acetons zu *1,1,1,5,5,5-Hexafluor-2,4-dioxo-pentan* (*Hexafluor-acetylaceton*) mit Natrium-äthanolat[2] oder metallischem Natrium[3] als Kondensationsmittel.

Monohalogenierte Essigsäureester kondensieren mit Methylketonen unter dem Einfluß von Natrium-alkoholat normal nach Darzens unter Bildung von Glycidsäureestern (vgl. ds. Handb., Bd. VIII, S. 513). Eine bemerkenswerte Ausnahme macht jedoch das Indanon-(1). Bei der Einwirkung von Chloressigsäureäthylester in Gegenwart von trockenem Natrium-äthanolat oder von Natriumhydrid entsteht hier durch Ester-Kondensation *1-Oxo-2-chloracetyl-indan* (70% d. Th.)[4]:

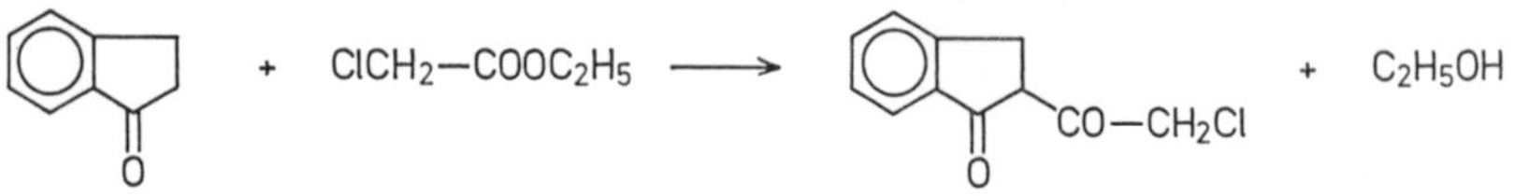

Auch heteroaromatische Alkylketone sind mit Carbonsäureestern normal zu β-Diketonen acylierbar, so etwa 2- oder 3-Acetyl-pyridin[5], 2,4-Dimethyl-5-acetylpyridon-(6)[6] oder 2-Acetyl-selenophen[7]. Das gleiche gilt für Acetyl-ferrocen[8] oder Acetophenon-chromtricarbonyl[9].

Eine interessante Variante der Esterkondensation besteht darin, daß man Thiocarbonsäuren mit α-Halogen-ketonen bzw. α-Halogen-carbonsäureestern konden-

[1] R. A. MOORE u. R. LEVINE, J. Org. Chem. **29**, 1439, 1883 (1964); dort weitere Lit.-Hinweise auf Synthesen perfluorierter β-Diketone.
[2] A. L. HENNE et al., Am. Soc. **69**, 1819 (1947).
[3] R. N. HASZELDINE et al., Soc. **1951**, 609.
[4] R. A. BARNES, M. A. MANGANELLI u. S. S. DAMLE, Chem. & Ind. **1962**, 511.
[5] J. JANĆULEV u. B. PODOLEŠOV, Glasnik chem. Društva Beograd **27**, 415 (1962); C. A. **61**, 638 (1964).
[6] C. BONSALL u. J. HILL, Soc. **1967**, 1836.
[7] YU. K. YUREV et al., Ž. obšč. Chim. **32**, 3249 (1962); C. A. **59**, 12500 (1963); Ž. obšč. Chim. **33**, 1156, 2578 (1963); C. A. **59**, 12744 (1963); **60**, 490 (1964).
[8] L. WOLF u. H. HENNIG, Z. **3**, 469 (1963).
K. SCHLÖGEL et al., M. **93**, 1309 (1962).
[9] F. CALDERAZZO et al., Chimica e Ind. **44**, 24 (1962).

siert und aus diesen Thiocarbonsäureestern den Schwefel durch Erhitzen mit Phosphinen, tert.-Alkoholaten und Lithiumbromid in Acetonitril eliminiert[1], z.B.:

$$H_3C-CH_2-CH_2-\overset{\overset{O}{\|}}{C}-SH + Br-CH_2-\overset{\overset{O}{\|}}{C}-CH_2-CH_3 \xrightarrow{N(C_2H_5)_3}$$

$$\begin{array}{c} H_3C-CH_2-CH_2-C=O \\ S \\ H_3C-CH_2-\overset{\overset{\|}{}}{\underset{\overset{\|}{O}}{C}}-CH_2 \end{array} \xrightarrow[-LiBr]{PR_3, ROLi} \begin{array}{c} H_3C-CH_2-CH_2-C=O \\ H_3C-CH_2-\underset{\overset{\|}{O}}{C}-CH_2 \end{array}$$

Octan-dion-(3,5)

Durch diese, wenn auch aufwendige Methode, ist es möglich, solche β-Diketone bzw. β-Keto-carbonsäureester gezielt herzustellen, die durch Esterkondensation nicht oder nur in Gemischen erhalten werden können.

Die Herstellung cyclischer β-Diketone ist beschrieben in ds. Handb., Band VIII, S. 597; s. a. ds. Band, S. 471.

β₂) β-Polyketone

Da Ketale auch gegen stark alkalische Kondensationsmittel beständig sind, läßt sich eine Ester-Kondensation von Acetylaceton [Pentandion-(2,4)] mit Acetessigsäure-äthylester zu *Nonantetraon-(2,4,6,8)* dadurch erzielen, daß man die jeweiligen Monoäthylenketale kondensiert[2]:

$$\underset{H_3C}{\overset{O\diagup O}{\diagdown}}CH_2-CO-CH_3 + \underset{H_3C}{\overset{O\diagup O}{\diagdown}}CH_2-COOCH_3 \xrightarrow[-CH_3OH]{(CH_3ONa)}$$

$$\underset{H_3C}{\overset{O\diagup O}{\diagdown}}CH_2-CO-CH_2-CO-CH_2\underset{CH_3}{\overset{O\diagdown\diagup O}{}} \xrightarrow{H^\oplus} H_3C-(CO-CH_2)_3-CO-CH_3$$

Auf diese Weise erhält man durch Kondensation des 4,4-Äthylendioxy-2-oxopentans mit 3,3-Äthylendioxy-butansäure-methylester unter dem Einfluß von trockenem Natrium-methanolat bei 80–85° unter Abdestillieren des sich abspaltenden Methanols 2,2;8,8-Bis-[äthylendioxy]-4,6-dioxo-nonan (36% d. Th.), das beim Behandeln mit kalter 50%iger Schwefelsäure nach Hydrolyse über das *Nonatetraon-(2,4,6,8)* zu *4,6-Dihydroxy-2-methyl-1-acetyl-benzol* cyclisiert:

[1] M. Roth, A. Eschenmoser et al., Helv. **54**, 710 (1971).
[2] H. Stetter u. S. Vestner, B. **97**, 169 (1964).

Die klassische Methode zur Herstellung von β-Triketonen besteht in der milden alkalischen Hydrolyse von 2,6-disubstituierten γ-Pyronen[1], die ihrerseits durch Acyllacton-Umlagerung aus Substanzen vom Typ der Dehydracetsäure (4-Hydroxy-6-methyl-3-acetyl-α-pyron) erhältlich sind[2], z.B.:

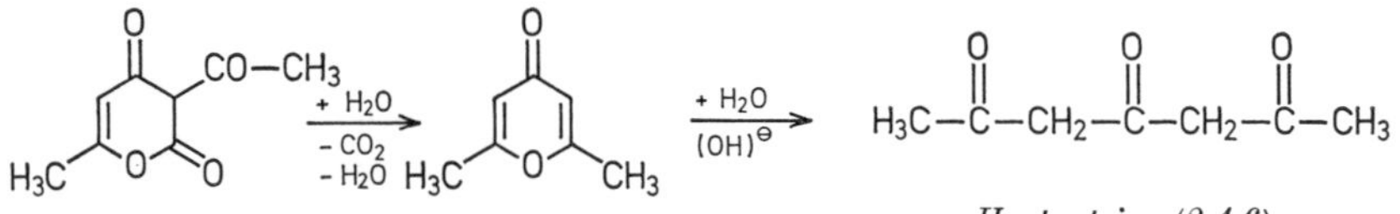

Heptantrion-(2,4,6)

Ausgehend von Dehydracetsäure (4-Hydroxy-6-methyl-3-acetyl-α-pyron) gelangt man durch partielle Hydrolyse mit 90%iger Schwefelsäure zu 4-Hydroxy-6-methyl-α-pyron (Triacetolacton; I)[3]:

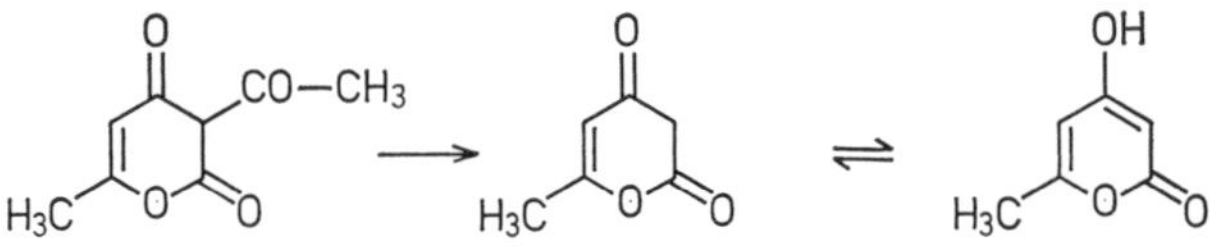

Kondensation von I mit Malonsäure-dichlorid ergibt II,

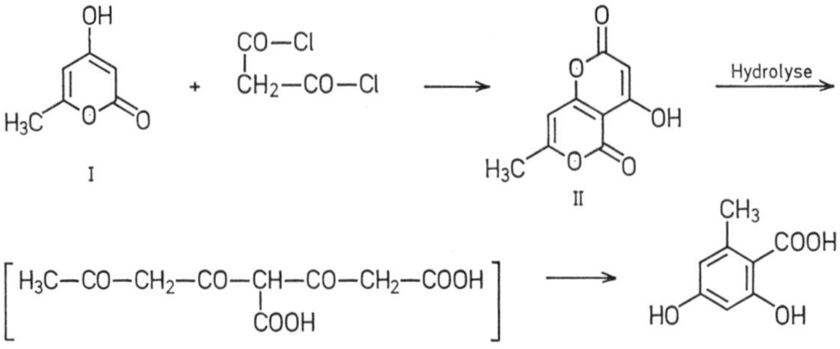

dessen Hydrolyse über die intermediäre Bildung von *3,5,7-Trioxo-4-carboxy-heptansäure* und partieller Decarboxylierung 4,6-Dihydroxy-2-methyl-benzoesäure (Orsellinsäure) ergibt[4].

---

[1] S. RUHEMANN, Soc. **93**, 1281 (1908).
   K. BALENOČIC u. R. MUNK, Ark. Kemi **18**, 41 (1946); C. A. **42**, 2926ᵃ (1948).
[2] F. FEIST, A. **257**, 266, 272 (1890); B. **23**, 3726 (1890); **28**, 1817 (1895).
   J. N. COLLIE, Soc. **59**, 619 (1893); **119**, 1550 (1921).
   R. WILLSTÄTTER u. R. PUMMERER, B. **38**, 1465 (1905).
   Über die Herstellung von *Heptantrion-(2,4,6)* und *2,6-Dimethyl-γ-pyron* aus Diketen und Wasser siehe: E. MARCUS, J. K. CHAN u. C. B. STROW, J. Org. Chem. **31**, 1369 (1966).
[3] J. N. COLLIE, Soc. **59**, 607 (1891); **91**, 787 (1907).
[4] T. MONEY et al., Am. Soc. **87**, 3004 (1965); Tetrahedron **23**, 3435 (1967).
   T. MONEY, J. L. DOUGLAS u. A. J. SCOTT, Am. Soc. **88**, 624 (1966).
   L. CROMBIE, D. E. GAMES u. M. H. KNIGHT, Tetrahedron Letters **1964**, 2313; Chem. Commun. **1966**, 355.

(Fortsetzung s. S. 529)

Durch weitere Kondensation von II mit Malonsäure-dichlorid besteht die Möglichkeit, durch Hydrolyse der so erhaltenen Poly-pyronone zu Poly-(β-keto-carbonsäuren) zu gelangen.

β-Diketone gehen beim Behandeln mit Kaliumamid in flüssigem Ammoniak in 1,3-Bis-carbeniate über, die mit Carbonsäureestern endständig zu 1,3,5-Triketonen acylierbar sind. So erhält man aus 1,3-Dioxo-1-phenyl-butan (Benzoyl-aceton) über das Di-Anion III mit Benzoesäure-methylester *1,3,5-Trioxo-1,5-diphenyl-pentan*:

$$H_5C_6-CO-CH_2-CO-CH_3 \quad \xrightarrow[\text{fl. NH}_3]{\text{KNH}_2} \quad \left[H_5C_6-CO-\overset{\ominus}{C}H-CO-\overset{\ominus}{C}H_2\right] K_2^{2\oplus} \qquad \textbf{III}$$

$$\xrightarrow{+\ H_5C_6-COOCH_3} \quad H_5C_6-CO-CH_2-CO-CH_2-CO-C_6H_5$$

1,3,5-Trioxo-1,5-diphenyl-pentan[1]: In einem mit Rührer versehenen Dreihalskolben gibt man zu 300 *ml* flüssigem Ammoniak zunächst eine nur geringe Menge metallisches Kalium und rührt, bis die Lösung bleibend blau geworden ist. Danach fügt man eine geringe Menge Eisen(III)-chlorid-hydrat als Katalysator hinzu und danach 7,8 g (0,2 g-Atom) Kalium allmählich in kleinen Anteilen. Die zunächst entstehende tiefblaue Lösung des Kaliums verwandelt sich innerhalb 10–30 Min. in eine farblose Lösung von Kaliumamid, die man alsdann allmählich mit 16,2 g (0,1 Mol) festem 1,3-Dioxo-1-phenyl-butan (Benzoyl-aceton) versetzt. Nach 30 Min. Rühren ist eine Lösung von Dikalium-1,3-dioxo-1-phenyl-butan (Dikalium-benzoyl-acetonat) entstanden, die nunmehr tropfenweise mit einer Lösung von 6,8 g (0,05 Mol) Benzoesäure-methylester im gleichen Vol. Äther versetzt wird, wobei sofort ein Niederschlag sich abscheidet. Nach 1-stdgm. Rühren fügt man 15 g Ammoniumchlorid hinzu und danach allmählich insgesamt 300 *ml* Äther in dem Maße, wie das Ammoniak verdampft. Man versetzt die erhaltene Aufschlämmung in Äther mit Wasser, trennt ab, trocknet und erhält beim Verdampfen des Äthers einen festen Rückstand, der 2 mal aus Äthanol umkristallisiert wird; Ausbeute: 7,6 g (58% d.Th.); F: 107–108° (goldgelbe Kristalle); mit alkoholischer Eisen(III)-chlorid-Lösung grün-brauner-Enoltest.

Bei der ω-Acylierung von Pentandion-(2,4) (Acetylaceton) mit Benzoesäure-methylester zu *1,3,5-Trioxo-1-phenyl-hexan* verfährt man im wesentlichen analog mit dem Unterschied, daß man das Acetylaceton als Ammoniumsalz einsetzt, das man erhält, wenn man eine Äther-Lösung des Diketons unter guter Kühlung tropfenweise mit einem Überschuß an flüssigem Ammoniak versetzt.

Mit dem gleichen Kondensationsmittel gelingt auch die ω-Acylierung von 1,3-Dioxo-1-phenyl-butan bzw. Pentandion-(2,4) (Benzoyl- bzw. Acetyl-aceton) mit Zimtsäure-phenylester[2] zu einem α,β-ungesättigten Triketon:

$$R-CO-CH_2-CO-CH_3 \rightarrow R-CO-CH_2-CO-CH_2-CO-CH=CH-C_6H_5$$

R = CH$_3$; *3,5,7-Trioxo-1-phenyl-octen-(1)*
R = C$_6$H$_5$; *3,5,7-Trioxo-1,7-diphenyl-hepten-(1)*

---

[1] CH. R. HAUSER u. TH. M. HARRIS, Am. Soc. **80**, 6360 (1958).
R. J. LIGHT u. CH. R. HAUSER, J. Org. Chem. **25**, 538 (1960).
[2] F. B. KIRBY, TH. M. HARRIS u. C. R. HAUSER, J. Org. Chem. **28**, 2266 (1963).

(Fortsetzung v. S. 528)

P. F. HEDGECOCK, P. F. G. PRAIL u. A. L. WHITEAR, Chem. & Ind. **1966**, 1268.
s.a. A. J. BIRCH u. F. W. DONOVAN, Austral. J. Chem. **6**, 360 (1953).
M. A. BUTT u. J. A. ELVIDGE, Soc. **1963**, 4483.
F. HRADETZKY u. E. ZIEGLER, M. **97**, 398 (1966).
E. ZIEGLER, F. HRADETZKY u. M. EDER, M. **97**, 1046 (1966).
A. J. BIRCH et al., Soc. **1963**, 2209.
U. SCHMIDT u. M. SCHWOCHAU, M. **98**, 1492 (1967).
T. M. HARRIS u. R. L. CARNEY, Am. Soc. **88**, 2053 (1966).

Die weitere Benzoylierung des 1,3,5-Dioxo-1-phenyl-hexans zu *1,3,5,7-Tetraoxo-1,7-diphenyl-heptan*

$$H_5C_6{-}CO{-}CH_2{-}CO{-}CH_2{-}CO{-}CH_3 \xrightarrow[-CH_3OH]{NaH} H_5C_6{-}CO{-}(CH_2{-}CO)_3{-}C_6H_5$$
$$+ H_5C_6{-}COOCH_3$$

gelingt mit Natriumhydrid in 1,2-Dimethoxy-äthan (Glykol-dimethyläther)[1], ein Kondensationsmittel, das auch anstelle von Kaliumamid in flüssigem Ammoniak zur Aroylierung von β-Diketonen mit Erfolg verwendet werden kann.

Auch beim Acetessigsäure-äthylester ist es möglich, eine Benzoylierung der Methyl-Gruppe über das mit Kaliumamid in flüssigem Ammoniak erhaltene Dianion zu *3,5-Dioxo-5-phenyl-pentansäure-äthylester* zu erzielen[2]. Arbeitet man hierbei mit Natriumhydrid in 1,2-Dimethoxy-äthan als Kondensationsmittel, so erhält man auf folgende Weise unmittelbar die freie *3,5-Dioxo-5-phenyl-pentansäure (γ-Benzoyl-acetessigsäure)*.

3,5-Dioxo-5-phenyl-pentansäure[2]: Zu einer unter Stickstoff siedenden Aufschlämmung von 10,6 g (0,44 Mol) feinverteiltem Natriumhydrid in 200 *ml* 1,2-Dimethoxy-äthan tropft man eine Lösung von 13,0 g (0,10 Mol) Acetessigsäure-äthylester und 24,0 g (0,16 Mol) Benzoesäure-äthylester in 100 *ml* 1,2-Dimethoxy-äthan und erhitzt dann 8 Stdn. unter Durchleiten von Stickstoff zum Sieden. Man verdampft danach das Lösungsmittel i. Vak., verteilt den Rückstand in 200 *ml* Äther, fügt tropfenweise 150 *ml* Eiswasser hinzu, trennt ab und säuert die wäßrige Schicht vorsichtig mit eiskalter 3n Salzsäure an. Das sich abscheidende rote Öl wird rasch mit Äther aufgenommen, die Äther-Lösung erschöpfend mit 5%iger Natriumhydrogencarbonat-Lösung ausgeschüttelt und dieser Extrakt unter Kühlung mit 3n Salzsäure angesäuert, wobei sich 10 g (48% d.Th.) rohes Keton abscheidet (F: 87–92°, Zers.), das aus Äther-Petroläther (30–60°) umkristallisiert wird; Reinausbeute: 8,1 g (39% d.Th.); F: 94–96° (Zers.).

Die gleiche Säure erhält man aus dem mit Kaliumamid in flüssigem Ammoniak bereiteten Di-Kaliumsalz des 1,3-Dioxo-1-phenyl-butans (Benzoyl-aceton) durch Einwirkung von Trockeneis[3]:

$$H_5C_6{-}CO{-}CH_2{-}CO{-}CH_3 + CO_2 \xrightarrow[fl.NH_3]{KNH_2} H_5C_6{-}CO{-}CH_2{-}CO{-}CH_2{-}COOH$$

Dehydracetsäure (4-Hydroxy-6-methyl-3-acetyl-α-pyron) läßt sich in flüssigem Ammoniak bei Gegenwart von drei Mol Natriumamid an der α-Methyl-Gruppe acylieren, z.B. mit Benzoesäure-methylester[4]:

4-Hydroxy-6-(2-oxo-2-phenyl-äthyl)-3-acetyl-α-pyron

[1] M. L. MILES, T. M. HARRIS u. C. R. HAUSER, Am. Soc. **85**, 3884 (1963); J. Org. Chem. **30**, 1007, 4063 (1965).
[2] J. F. WOLFE, T. M. HARRIS u. C. R. HAUSER, J. Org. Chem. **29**, 3249 (1964).
Über die Benzoylierung der Anilino-Derivate von 1,3-Diketonen: S. BOATMAN u. C. R. HAUSER, J. Org. Chem. **31**, 1785 (1966).
[3] C. R. HAUSER u. T. M. HARRIS, Am. Soc. **80**, 6360 (1958).
[4] T. M. HARRIS u. C. M. HARRIS, Chem. Commun. **1966**, 699.

Es ist bemerkenswert, daß auch beim Phenylsulfon-aceton mit Natrium-hydrid in 1,2-Dimethoxy-äthan durch Benzoesäureester eine Acylierung der end-ständigen Methyl-Gruppe zu *4-Phenylsulfon-1,3-dioxo-1-phenyl-butan* eintritt[1]:

$$H_5C_6-SO_2-CH_2-CO-CH_3 + H_5C_6-COOCH_3 \xrightarrow[-CH_3OH]{NaH}$$

$$H_5C_6-SO_2-CH_2-CO-CH_2-CO-C_6H_5$$

Mit dem gleichen Kondensationsmittel gelingt auch die ω-Benzoylierung von 2-Methylsulfon-1-oxo-1-phenyl-äthan zu *Bis-[2-oxo-2-phenyl-äthyl]-sulfon*:

$$\left. \begin{array}{l} H_5C_6-CO-CH_2-SO_2-CH_3 \quad + \quad H_5C_6-COOCH_3 \\ H_3C-SO_2-CH_3 \quad + \quad 2\ H_5C_6-COOCH_3 \end{array} \right] \longrightarrow (H_5C_6-CO-CH_2)_2SO_2$$

das auch unter den gleichen Bedingungen durch Bis-benzoylierung von Dimethyl-sulfon in hoher Ausbeute entsteht.

Über cyclische Polyketone, wie etwa 2,3,5-Trioxo-1-acyl-cyclopentane, s. Literatur[2].

β₃) β-Diketone durch intermolekulare Esterkondensation nach Baker-Venkataraman

Die Synthese aromatischer o-Hydroxy-β-diketone nach Baker-Venka-taraman (s.a. ds. Handb., Bd. VIII, S. 580; dort Lit. bis 1950) stellt eine nach dem Mechanismus der Ester-Kondensation verlaufende innermolekulare Umlagerung dar, so etwa der unter dem Einfluß alkalischer Mittel leicht eintretende Übergang von 2-Benzoyloxy-1-acetyl-benzol in *1,3-Dioxo-3-phenyl-1-(2-hydroxy-phenyl)-propan*:

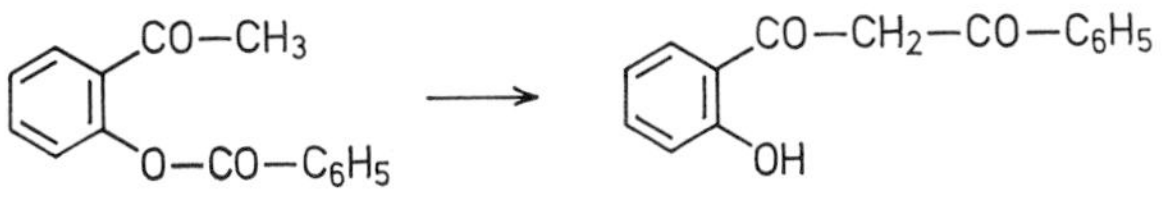

Diese 1,3-Dioxo-3-aryl-1-(2-hydroxy-phenyl)-propane sind wichtige Zwischen-produkte zur Synthese von Chromonen, in die sie bei der Einwirkung von Säuren übergehen, z.B.[3]:

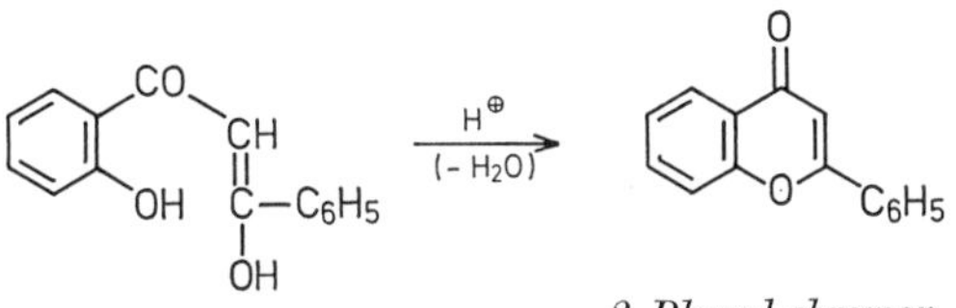

2-Phenyl-chromon

Als alkalische Kondensationsmittel für eine solche innermolekulare Ester-Kon-densation haben sich insbesondere feinpulverisiertes Natrium- oder Kalium-

---

[1] M. L. MILES u. C. R. HAUSER, J. Org. Chem. **29**, 2329 (1964).
[2] M. VANDERWALLE et al., Soc. **1964**, 367; **1965**, 2251; Bull. Soc. chim. belges **73**, 300 (1964).
[3] S. a. T. S. WHEELER, Org. Synth. **32**, 72 (1952); dort weitere Lit.-Hinweise.

hydroxid in Pyridin bewährt, mit deren Hilfe die Umlagerung sich innerhalb einiger Stunden bei Zimmertemperatur vollzieht[1].

2,6-Dibenzoyloxy-1-acetyl-benzole lagern beim Kochen in Dimethyl-pyridin (Lutidin) bei Gegenwart von Kaliumcarbonat in Gemische von Di- und Tribenzoyl-methanen um, die bei der sauren Cyclisierung hauptsächlich *3-Benzoyl-flavone* ergeben[2].

Die klassische Herstellung von Chromonen und Flavonen durch Kochen von 2-Hydroxy-1-acetyl-benzol mit Carbonsäure-anhydriden bei Gegenwart von Alkali-salzen von Carbonsäuren enthält als wesentlichen Reaktionsschritt eine Baker-Venkataraman-Umlagerung intermediär entstehender 2-Acyloxy-1-acetyl-benzole[3].

Solche innermolekularen Acylierungen nach Art einer Baker-Venkataraman-Umlagerung treten auch ein bei Estern von Hydroxy-oxo-cyclanen. So geht 4-Benzoyloxy-1-oxo-cyclohexan in einer bemerkenswerten Reaktion bei der Einwirkung von Kalium-tert.-butanolat in tert.-Butanol über in *3-(2-Benzoyl-cyclopropyl)-propansäure*[4]. Diese Umlagerung wird als 3-Stufenreaktion gedeutet: zunächst innermolekulare Acylierung zum β-Diketon (*5-Hydroxy-2-oxo-1-benzoyl-cyclohexan*),

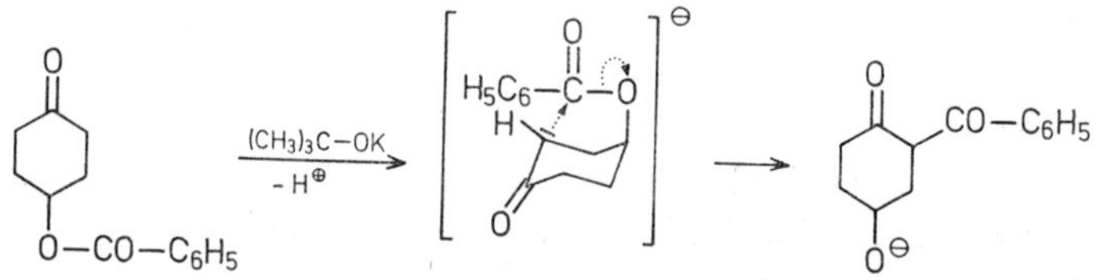

dann innermolekulare β-Diketon-Spaltung zu einem *γ-(3-Oxo-3-phenyl-propyl)-γ-butyrolacton*:

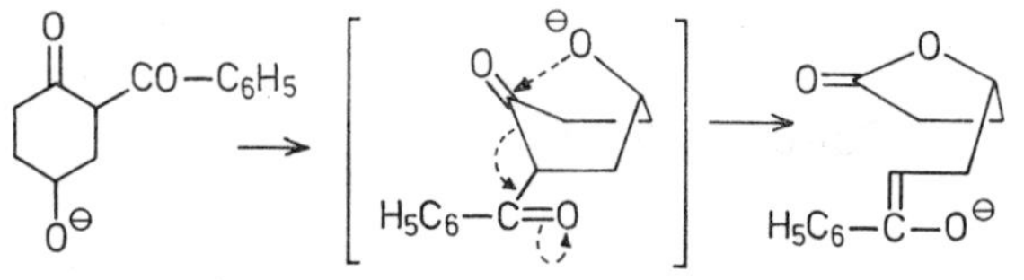

das sich unter dem Einfluß des tert.-Butanolats unter γ-Eliminierung der Carboxy-Gruppe zum Cyclopropan-Derivat stabilisiert:

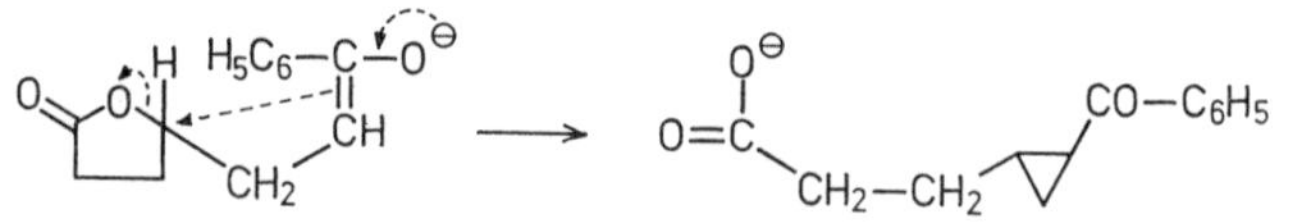

[1] P. F. Devitt, A. Timoney u. M. A. Vickars, J. Org. Chem. **26**, 4941 (1961).
L. R. Row et al., Indian J. Chem. **1**, 521 (1963).
T. S. Wheeler et al., Soc. **1963**, 2374.
J. H. Looker et al., J. Heterocyclic Chem. **1**, 141 (1964).
P. Da Re, E. Sianesi u. V. Mancini, B. **99**, 1962, (1966).
[2] J. H. Looker u. W. W. Hannemann, J. Org. Chem. **27**, 3261 (1962).
[3] Näheres siehe bei H. Henecka, *Chemie der β-Dicarbonyl-Verbindungen*, S. 394, Springer-Verlag, Berlin-Göttingen-Heidelberg **1950**.
[4] P. Yates u. C. D. Anderson, Am. Soc. **85**, 2937 (1963).

Aus 4-Benzoyloxy-1-oxo-cycloheptan erhält man analog *3-(2-Benzoyl-cyclopropyl)-butansäure.*

β_4) *Acylierung von Ketonen mit Carbonsäure-nitrilen*

Eine Acylierung von Ketonen mit Nitrilen, die nach folgender Gleichung zu Monoiminen von β-Diketonen führt, z.B.:

$$R{-}CN \ + \ H_3C{-}CO{-}CH_3 \ \longrightarrow \ \left[R{-}\overset{\underset{\|}{NH}}{C}{-}CH_2{-}CO{-}CH_3 \ \rightleftharpoons \ R{-}\overset{\underset{|}{NH_2}}{C}{=}CH{-}CO{-}CH_3 \right]$$

gelingt nur in Ausnahmefällen: so wird die lebhaft verlaufende Kondensation von Alkoxy-acetonitrilen[1] ($R{=}$Alkyl$-O-CH_2-$) mit Ketonen zu β-Imino-ketonen beschrieben, die beim Behandeln mit Säuren in β-Diketone übergehen.

Diese eindeutig verlaufende Kondensationsreaktion ist deswegen von einiger synthetischer Bedeutung, weil z.B. bei der Einwirkung von Ammoniak auf 1-Methoxy-2,4-dioxo-pentan ein Gemisch der beiden möglichen β-Imino-Derivate entstehen kann.

Wieweit eine Verallgemeinerung dieser Kondensation eines Nitrils als Carbonyl-Komponente mit einem Keton als Methylen-Komponente möglich ist, ist nicht bekannt.

β_5) *Ketone durch Bortrifluorid-Kondensation CH-acider Carbonyl-Verbindungen mit Carbonsäure-anhydriden (Meerwein-Kondensation)*

Aliphatische, alicyclische und Alkyl-aryl-ketone, die mindestens noch ein α-ständiges Wasserstoffatom besitzen, lassen sich mit Fettsäure-anhydriden bei Gegenwart von Bortrifluorid in α-Stellung zur Carbonyl-Gruppe zu β-Diketonen acylieren[2]. So entsteht bei der Sättigung eines Gemisches eines Ketons mit einem Fettsäure-anhydrid im Molverhältnis 1:2 mit Bortrifluorid ein β-Diketon nach der Behandlung des Reaktionsgemisches mit wäßriger Natriumacetat-Lösung. Dabei hat es sich als zweckmäßig erwiesen, zur Erzielung maximaler Ausbeute die Sättigung des Keton/Anhydrid-Gemisches mit Borfluorid möglichst rasch bei möglichst tiefer Temperatur vorzunehmen[3,4]. Die Acetylierung beispielsweise des Cyclohexanons mit Acetanhydrid/Bortrifluorid zu *2-Oxo-1-acetyl-cyclohexan*

[1] D. Gauthier, A. ch. [8] **16**, 332 (1909).
   C. Musante, G. **71**, 553 (1941).
[2] H. Meerwein et al., B. **66**, 411 (1933); J. pr. [2] **141**, 149 (1934).
   s.a. D. Kästner in *Neuere Methoden der präparativen organischen Chemie* I, S. 452ff., Verlag Chemie GmbH, Berlin 1943.
   C. R. Hauser, F. W. Swamer u. J. T. Adams, Org. Reactions **8**, 98 129 (1954).
   H. Henecka, *Chemie der β-Dicarbonyl-Verbindungen*, S. 95, Springer-Verlag, Berlin-Göttingen-Heidelberg 1950.
   H. Musso u. K. Figge, A. **668**, 1, 15 (1963).
   A. P. Skoldinov et al., Ž. obšč. Chim. **33**, 3110 (1963); C. A. **60**, 1755 (1964).
[3] R. M. Manyik et al., Am. Soc. **75**, 5030 (1953).
[4] Reaktionsmechanismus: J. A. Durden u. D. G. Crosby, J. Org. Chem. **30**, 1684 (1965).

verläuft mit nur 45% Ausbeute, wenn man in eine Mischung aus 0,6 Mol des Anhydrids und 0,3 Mol des Ketons unter Kühlung mit Eiswasser innerhalb 2–3 Stdn.
gasförmiges Bortrifluorid bis zur Sättigung einleitet. Führt man diese Sättigung jedoch
innerhalb von 20 Min. bei einer Reaktionstemperatur von 0–10° unter Kühlung mit
Aceton-Trockeneis durch, dann steigt die Ausbeute auf 73% d. Th. an. Eine Ausbeutesteigerung auf 86% d. Th. erzielt man bei dieser Kondensation schließlich dadurch, daß man dem zunächst durch Einleiten von Bortrifluorid in Eisessig bereiteten
Bortrifluorid-Essigsäure-Komplex[1] die Keton-Anhydrid-Mischung innerhalb von
5 Min. unter Kühlung mit Eiswasser zusetzt. Aus Acetophenon und Buttersäure[2] erhält man auf diese Weise *1,3-Dioxo-1-phenyl-hexan*.

1,3-Dioxo-1-phenyl-hexan:

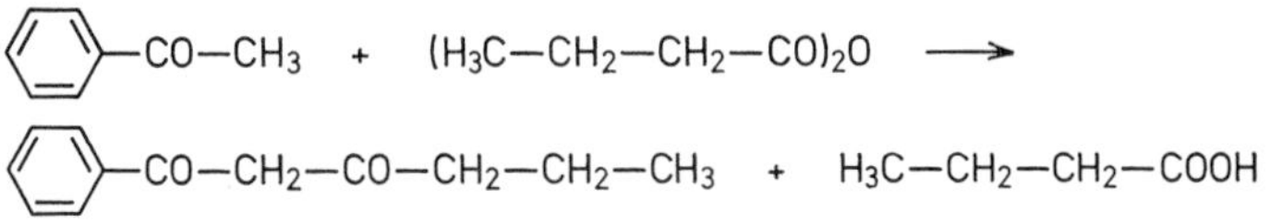

In 0,8 Mol Buttersäure wird unter Rühren und Kühlung mit Eiswasser gasförmiges Bortrifluorid eingeleitet, bis ~ 75–85 Mol.-% aufgenommen wurden, wobei man zweckmäßig 75–100 *ml*
1,2-Dichlor-äthan als Lösungsmittel zusetzen kann. Danach fügt man unter weiterem Rühren
und Kühlen mit Eiswasser innerhalb 2–4 Min. eine Mischung von 0,2 Mol Acetophenon
und 0,4 Mol Buttersäure-anhydrid zu, verrührt die Reaktionsmischung weitere 30 Min. und läßt
danach 4 Stdn. bei Zimmertemp. stehen. Man gießt alsdann ein in eine wäßrige Lösung von 0,8
Mol Natriumacetat, erhitzt unter Rühren 1 Stde. zum Sieden und nimmt nach dem Erkalten
mit Äther oder Petroläther (Kp: 30–60°) auf. Nach dem Entsäuern mit Natriumhydrogencarbonat wird wie üblich aufgearbeitet; Ausbeute: 81% d. Th.; Kp_{14}: 165–166°.

Diese Acylierung von Acetophenon mit Buttersäure-anhydrid unter Verwendung
des Bortrifluorid-Buttersäure-Komplexes gelingt auch dann, wenn man den
Bortrifluorid-Essigsäure- oder den Bortrifluorid-Essigsäureester-Komplex als Kondensationsmittel benutzt[3].

Die Herstellung von *Acetylaceton* [*Pentandion-(2,4)*] aus Essigsäureanhydrid/Ace-
ton/Bortrifluorid und die Abscheidung des 1,3-Diketons als Kupfersalz ist in Org.
Synth., Coll. Vol. III, S. 16 ausführlich beschrieben.

Keton-enolester, die wahrscheinlich z. T. Zwischenstufen dieser Keton-acy-
lierungen sind, gehen unter dem Einfluß von Bortrifluorid in β-Diketone über[4]. So
erhält man aus 1-Acetoxy-cyclohexen-(1) durch Einwirkung von Bortrifluorid
2-Oxo-1-acetyl-cyclohexan (55% d. Th.):

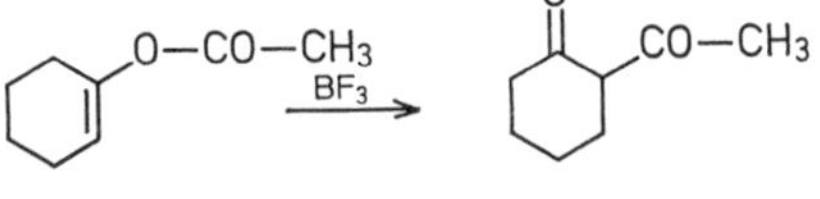

[1] s. a. H. MEERWEIN u. W. PANNWITZ, J. pr. [2] **141**, 145 (1934).
[2] Zur Kondensation Acetophenon/Acetanhydrid s. J. A. DURDEN u. D. G. CROSBY, J. Org.
    Chem. **30**, 1684 (1965).
[3] Über die Herstellung von *2,4-Dioxo-3-butyl-pentan* (~ 70% d. Th.) s. Org. Synth. **51**, 90 (1971);
    s. a. C. L. MAO et al., J. Org. Chem. **34**, 1425 (1969).
[4] D. KÄSTNER, in *Neuere Methoden der präparativen organischen Chemie* I, Verlag Chemie GmbH,
    Berlin 1943, S. 449.
    s. a. F. G. YOUNG et al., Am. Soc. **72**, 3635 (1950).
    C. R. HAUSER, F. C. FROSTICK u. E. H. MAN, Am. Soc. **74**, 3231 (1952).
    Die gleiche Umlagerung gelingt auch thermisch mit guter Ausbeute: F. C. YOUNG et al., Am.
    Soc. **72**, 3635 (1950).
    US. P. 2395800 (1946), Carbide and Carbon Chemicals Corp., Erf.: A. B. BOESE u. F. G. YOUNG;
    C. A. **40**, 3130 (1940).

3-Acetoxy-buten-(2)-säure-äthylester   (*β-Acetoxy-crotonsäure-äthylester*)   geht
bereits in der Kälte unter dem Einfluß von Bortrifluorid nahezu vollständig in *3-Oxo-2-acetyl-butansäure-äthylester* (*α-Acetyl-acetessigsäure-äthylester*) über:

$$H_3C-\underset{\underset{O-CO-CH_3}{|}}{C}=CH-COOC_2H_5 \quad \xrightarrow{BF_3} \quad H_3C-CO-\underset{\underset{CO-CH_3}{|}}{CH}-COOC_2H_5$$

und analog das 2-Acetoxy-propen in *Acetylaceton* [*Pentandion-(2,4)*].

Unsymmetrische Ketone können bei der Bortrifluorid-Acylierung zwei Isomere bilden je nachdem, welche der Keto-Gruppe benachbarte CH_2- bzw. CH-Gruppe acyliert wird, so etwa bei der Acetylierung von Methylketonen:

$$H_3C-CO-\underset{\underset{R'}{|}}{CH}-R \quad \overset{ⓐ}{\underset{ⓑ}{}} \quad \begin{array}{l} H_3C-CO-CH_2-CO-\underset{\underset{R'}{|}}{CH}-R \\[2em] H_3C-CO-\underset{\underset{R'}{|}}{\overset{\overset{R}{|}}{C}}-CO-CH_3 \end{array}$$

Hierbei wurden folgende Ergebnisse erzielt[1]:

Keton I	Reaktionsprodukt [% d.Th.] nach			
	a		b	
Butanon	—		*2,4-Dioxo-3-methyl-pentan*	100
Pentanon-(2)	*Heptandion-(2,4)*	10	*2,4-Dioxo-3-äthyl-pentan*	90
Heptanon-(2)	*Nonandion-(2,4)*	10	*2-Oxo-3-acetyl-nonan*	90
2-Methyl-pentanon-(4)	*2,4-Dioxo-6-methyl-heptan*	55	*2,4-Dioxo-3-isopropyl-pentan*	45
2-Methyl-butanon	*2,4-Dioxo-5-methyl-hexan*	32	*2,4-Dioxo-3,3-dimethyl-pentan*	68
2-Oxo-1-methyl-cyclohexan	*2-Oxo-3-methyl-1-acetyl-cyclo-hexan*	50	*2-Oxo-1-methyl-1-acetyl-cyclohexan*	50

Da bei der Claisen-Acylierung solcher Ketone überwiegend die geradkettigen *β*-Diketone nach Reaktionsschema (a) entstehen, stellt die Bortrifluorid-Acylierung eine wertvolle Methode zur Synthese α-substituierter *β*-Diketone nach Reaktionsschema (b) dar.

Fettsäure-anhydride können nun unter dem Einfluß von Bortrifluorid auch als Methylen-Komponente in Erscheinung treten. Beim Einleiten von Bortrifluorid in Essigsäure-anhydrid unter Kühlung tritt Selbstacylierung ein unter Bildung der Bortrifluorid-Verbindung des α-Acetyl-acetessigsäure-anhydrids (Diacetessigsäure-anhydrid),

$$5(H_3C-CO)_2O + 7\,BF_3 \rightarrow \{[(H_3C-CO)_2CH-CO-]_2O\}\,3\,BF_3 + 4\,[H_3C-COOH]BF_3$$

---

[1] C. R. Hauser et al., Am. Soc. **66**, 345 (1944); **67**, 284 (1945).

bei dessen Hydrolyse durch Erwärmen in wäßriger bzw. verdünnt-alkoholischer Lösung *Acetylaceton [Pentandion-(2,4)]* entsteht:

$$[(H_3C-CO)_2CH-CO]_2O + H_2O \rightarrow 2\,H_3C-CO-CH_2-CO-CH_3 + 2\,CO_2$$

Bei homologen Fettsäureanhydriden schreitet die Selbstacylierung unter dem Einfluß von Bortrifluorid nur z. T. bis zur Bildung des entsprechenden Diacylfettsäure-anhydrids fort; als Hauptprodukte entstehen hierbei, wie bereits beim Buttersäure-anhydrid, Monoacyl-fettsäure-anhydride, die bei der Hydrolyse in Monoketone übergehen:

$$(R-CH_2-CO)_2O \xrightarrow{BF_3} (R-CH_2-CO-\underset{R}{CH}-CO)_2O \xrightarrow[-CO_2]{+H_2O} R-CH_2-CO-CH_2-R$$

Es wurden bei homologen Fettsäure-anhydriden im Vergleich zu Essigsäure-anhydrid folgende Ausbeuten an Di- bzw. Monoketon erhalten:

Essigsäure-anhydrid	90,6% *Pentandion-(2,4)*	—
Propionsäure-anhydrid	11,2% *Heptandion-(3,5)*	24,4% *Pentanon-(3)*
Buttersäure-anhydrid	6,2% *Nonandion-(4,6)*	66 % *Heptanon-(4)*
2-Methyl-propansäure-anhydrid (Isobuttersäure-anhydrid)	—	81,5% *3-Oxo-2,4-dimethyl-pentan*

Wie die Aufstellung zeigt, stellt die Bortrifluorid-Kondensation des Acetanhydrids eine vorteilhafte Methode zur Herstellung von *Acetylaceton [Pentandion-(2,4)]* dar. Besonders bemerkenswert ist weiterhin, daß durch Bortrifluorid auch 2-Methyl-propansäure-anhydrid (Isobuttersäure-anhydrid) Selbstacylierung erleidet unter Bildung des *3-Oxo-2,2,4-trimethyl-pentansäure-anhydrids*, das bei der Hydrolyse in *3-Oxo-2,4-dimethyl-pentan* übergeht.

3-Oxo-2,4-dimethyl-pentan[1]: 118,6 g (0,75 Mol) 2-Methyl-propansäure-anhydrid (Isobuttersäure-anhydrid) werden bei 0° mit Bortrifluorid gesättigt, wobei 63 g (0,93 Mol) aufgenommen werden. Das dunkelbraune ölige Reaktionsprodukt wird mit einer Lösung von 136 g kristallisiertem Natriumacetat in 300 *ml* Wasser versetzt und mit Wasserdampf destilliert. Der mit Dampf flüchtige Anteil liefert bei der Fraktionierung 46,5 g (85% d. Th.); Kp: 123–124°; Semicarbazon; F: 153°.

Chloressigsäure- und Phenylessigsäure-anhydrid geben mit Bortrifluorid zwar Addukte, jedoch keine Selbstkondensation. Während es weiterhin nicht gelingt. Phenylessigsäure durch den Acetanhydrid-Bortrifluorid-Essigsäure-Komplex in α-Stellung zu acylieren, geht Phenylacetonitril unter diesen Bedingungen über in *3-Oxo-2-phenyl-butansäure-acetylamid (α-Phenyl-acetessigsäure-acetylamid)*.

3-Oxo-2-phenyl-butansäure-acetylamid (α-Phenyl-acetessigsäure-acetylamid)[2]:

$$H_5C_6-CH_2-CN + (H_3C-CO)_2O + BF_3[2\,CH_3COOH] \rightarrow H_5C_6-\overset{\overset{\displaystyle CO-CH_3}{|}}{CH}-CO-NH-CO-CH_3$$

[1] H. Meerwein u. D. Vossen, J. pr. [2] **141**, 166 (1934).
[2] J. F. Wolfe, C. J. Eby u. C. R. Hauser, J. Org. Chem. **30**, 55 (1965).

Zu 87,5 g (0,46 Mol) Bortrifluorid-Diessigsäure-Komplex[1] gibt man innerhalb von 15 Min. unter Rühren eine Lösung von 11,7 g (0,10 Mol) Phenylacetonitril in 40,8 g (0,46 Mol) Acetanhydrid, wobei die Temp. auf 60° ansteigt. Man rührt die erhaltene Lösung 4 Stdn. bei Zimmertemp. und hydrolysiert dann durch Zugabe einer Lösung von 80 g krist. Natriumacetat in 300 ml Wasser und 1 stdg. Erwärmen auf dem Wasserbad. Beim Abkühlen mit Eiswasser scheiden sich 18,5 g Rohprodukt (F: 107–116°) aus, das aus Benzol-Petroläther (Kp: 30–60°) umkristallisiert wird; Ausbeute: 12,4 g (56% d. Th.); F: 118–119°.

CH-Acide Methylsulfone werden durch Acetanhydrid/Bortrifluorid endständig acetyliert, wie etwa Phenylsulfon-aceton zu *1-Phenylsulfon-2,4-dioxopentan*[2]:

$$H_5C_6-SO_2-CH_2-CO-CH_3 \xrightarrow{(H_3C-CO)_2O/BF_3} H_5C_6-SO_2-CH_2-CO-CH_2-CO-CH_3$$

2. Ketone durch Acylierung CH-acider Kohlenwasserstoffe

Kohlenwasserstoffe mit hinreichend aciden CH-Gruppen wie Cyclopentadien, Indene, Fluorene, Acetylene, α- oder γ-Alkyl-N-heterocyclen, 2-Nitro-toluole, Pyrrole, oder Indole lassen sich entweder als solche, zumeist aber über Metallsalze oder metallorganische Derivate mit Carbonsäureestern, -chloriden oder -anhydriden zu Ketonen acylieren.

α) von Cyclopentadien und Inden

(Vgl. a. ds. Handb., Bd. VIII, S. 586; Bd. XIII/1, S. 527)

Während die Alkalimetall-Derivate des Cyclopentadiens[3], Indens und Fluorens[4] mit Oxalsäure-diester zu praktisch vollkommen enolisierten α-Keto-carbonsäureestern acylierbar sind, erhält man durch Benzoylierung von Cyclopentadienyllithium mit Benzoylchlorid in Äther ein zu 90% enolisiertes *1,2-Dibenzoyl-cyclopentadien*[5], das *6-Hydroxy-6-phenyl-1-benzoyl-fulven[1-(2-Hydroxy-benzyliden)-2-benzoyl-cyclopentadien]*:

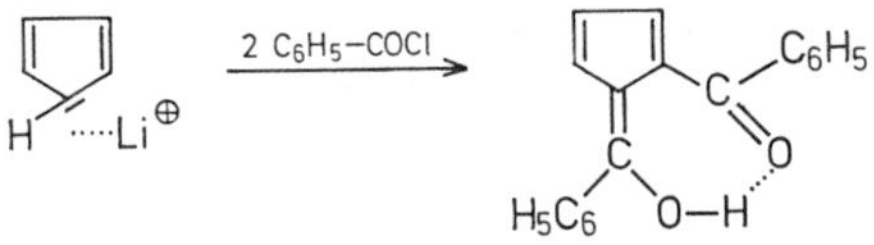

Bei der Acetylierung von Cyclopentadienyl-natrium in Tetrahydrofuran entsteht neben dem analogen *6-Hydroxy-6-methyl-1-acetyl-fulven* [*1-(1-Hydroxy-äthyliden)-2-acetyl-cyclopentadien*] die O-Acetyl-Verbindung des Enols des Acetyl-cyclopentadiens[6]:

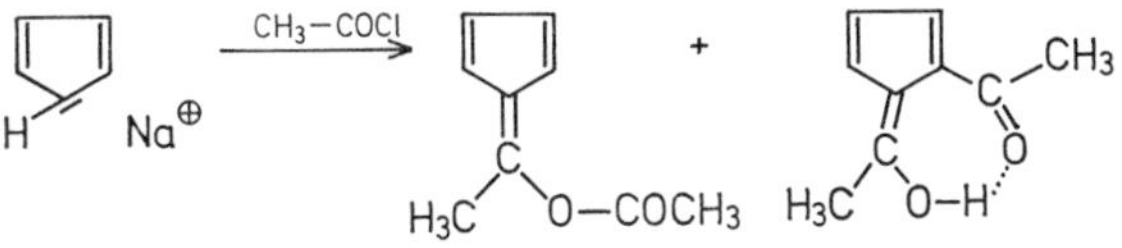

---

[1] H. Meerwein u. W. Pannwitz, J. pr. [2] **141**, 145 (1934).

[2] D. F. Tavares, W. J. O'Sullivan u. C. R. Hauser, J. Org. Chem. **27**, 1251 (1962).

[3] J. Thiele, B. **33**, 666 (1900).

[4] W. Wislicenus, B. **33**, 771 (1900).

[5] W. J. Linn u. W. H. Sharkey, Am. Soc. **79**, 4970 (1957).
s.a. R. Riemschneider u. W. Grunow, M. **92**, 1194 (1961).

[6] R. Riemschneider u. M. Krüger, M. **90**, 573 (1959).

Bei analogen Acylierungen des Indens tritt hingegen nur Monoacylierung zu Acyl-⟨benzofulvenen⟩ ein, die auch hier sofort zu Enolestern acyliert werden[1]:

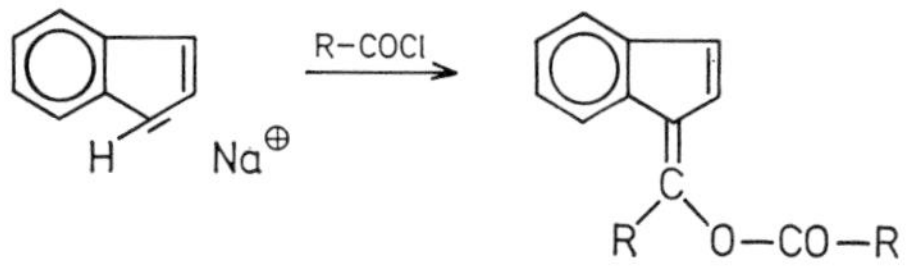

β) Äthinyl-ketone durch Acylierung von Acetylenen

(s. a. ds. Handb., Bd. XIII/1, S. 523 ff.)

Die bereits lange bekannte Umsetzung einer Suspension eines Alkalimetallacetylenids in einem inerten Mittel mit Carbonsäure-chloriden, -anhydriden[2] oder -estern[3] ergibt gewöhnlich nur schlechte Ausbeuten an zudem verunreinigten Acetylenketonen. Bei der Acylierung von Phenylacetylen erhält man jedoch dadurch bessere Ausbeuten[4], daß man eine ätherische Suspension von Phenyläthinyl-natrium[5] allmählich zu einer Lösung des Carbonsäure-anhydrids in Äther zugibt:

$$H_5C_6-C\equiv C-Na + (R-CO)_2O \rightarrow H_5C_6-C\equiv C-CO-R + R-COONa$$

R = CH$_3$;	3-Oxo-1-phenyl-butin-(1)	55% d. Th.
C$_6$H$_5$;	3-Oxo-1,3-diphenyl-propin	60% d. Th.
C$_5$H$_{11}$;	3-Oxo-1-phenyl-octin-(1)	24% d. Th.
—CH=CH—C$_6$H$_5$;	3-Oxo-1,5-diphenyl-penten-(4)-in-(1)	33,5% d. Th.
—CH=CH—CH$_3$;	3-Oxo-1-phenyl-hexen-(4)-in-(1)	49% d. Th.
—CH$_2$—CH$_2$—COOH;	4-Oxo-6-phenyl-hexin-(5)-säure	21% d. Th.

In 50–60%iger Ausbeute lassen sich Äthinylketone dadurch erhalten, daß man Lithiumsalze von Alkyl- oder Arylacetylenen bei tiefen Temperaturen mit den in der Peptid-Synthese bewährten gemischten Kohlensäure-carbonsäure-anhydriden zur Reaktion bringt[6]. Auf diese Weise erhält man aus Lithium-phenylacetylenid und dem gemischten Anhydrid aus Kohlensäurehalbester und Buttersäure *3-Oxo-1-phenyl-hexin-(1)* (57% d. Th.).

3-Oxo-1-phenyl-hexin-(1): Zu einer Lösung von 17,6 g (0,2 Mol) Buttersäure und 20,2 g (0,2 Mol) Triäthylamin in 1 l Petroläther (Kp: 90–100°) läßt man unter Rühren bei —20° 21,7 g (0,2 Mol) Chlorameisensäure-äthylester in 100 *ml* Petroläther zutropfen. Man rührt noch 1 Stde. und läßt dabei auf Raumtemp. kommen, schüttelt dann die Lösung mehrmals mit Eiswasser durch, trocknet mit Sikkon und läßt dann bei —50° langsam unter Rühren 0,2 Mol 1n Lithium-phenylacetylenid in Tetrahydrofuran/Äther 4 : 1 eintropfen. Man rührt noch 6 Stdn. bei Raumtemp., schüttelt mit verd. Schwefelsäure, Wasser, Natriumhydrogencarbonat-Lösung durch, trocknet und destilliert; Ausbeute: 29 g (57% d. Th.); Kp$_{20}$: 151°.

---

[1] R. RIEMSCHNEIDER u. W. GRUNOW, M. **92**, 1191 (1961).
[2] J. V. NEF, A. **308**, 275 (1903).
  C. MOUREU u. M. BRACHIN, Bl. **25**, 302 (1901); **31**, 343 (1904); **33**, 134 (1906); **35**, 1176 (1907); Ann. chim. et phys. **25**, 239 (1902).
[3] C. MOUREU u. R. DELANGE, Bl. **27**, 378 (1902).
[4] D. NIGHTINGALE u. F. WADSWORTH, Am. Soc. **67**, 416 (1945).
[5] s. a. H. G. GILMAN u. R. V. YOUNG, J. Org. Chem. **1**, 315 (1936).
[6] U. SCHMIDT u. M. SCHWOCHAU, B. **97**, 1649 (1964).

Auf analoge Weise erhält man aus Hexin-(1) *4-Oxo-decin-(5)* [Decin-(5)-on-(4); 54% d. Th.] und aus Heptin-(2)-säure über das gemischte Anhydrid und Hexin-(1)-yl-lithium *7-Oxo-tridecadiin-(5,8)* [Tridecadiin-(5,8)-on-(7); 80% d. Th.].

Während Phenyläthinyl-magnesiumchlorid mit wechselndem Erfolg der Acylierung unterworfen wurde[1], gelingt die Acylierung von 1-Äthinyl-cyclohepten-(1) [zum *3-Oxo-1-cyclohepten-(1)-yl-butin-(1)*] oder von 1-Äthinyl-cyclopenten-(1) mit Acetanhydrid bei −60° und inverser Reaktionsführung, d. h. unter Zugabe der Suspension der Grignard-Verbindung zum Acetanhydrid[2]:

$$(H_3C-CO)_2O \quad + \qquad \qquad \longrightarrow \qquad \qquad + \quad H_3C-CO-O-MgCl$$

Brauchbar zur Acylierung von Acetylenen scheinen auch ihre leicht herstellbaren Silbersalze zu sein, soweit diese in Benzol bzw. Tetrachlormethan löslich sind[3]. Dabei kann man entweder so verfahren, daß man die Tetrachlormethan-Lösung des Silber-acetylenids mit dem Carbonsäure-chlorid zum Sieden erhitzt oder daß man dem Komplex aus äquimolaren Mengen Carbonsäure-chlorid und Aluminiumchlorid in Tetrachlormethan die Lösung des Silber-acetylenids im gleichen Lösungsmittel bei Raumtemperatur zugibt (Ausbeuten: ∼ 30–70% d. Th.). Carbonsäure-anhydride sind zur Acylierung von Silber-acetyleniden nicht geeignet.

Kupfer-acetylenide sind mit Carbonsäure-chloriden in Gegenwart von Triäthylamin in 42–45%iger Ausbeute zu Äthinylketonen acylierbar[4].

Auch silylierte Acetylene sind durch Acylierung mit Carbonsäure-chloriden oder Anhydriden bei Gegenwart von Aluminiumchlorid in Äthinylketone überführbar[5]. Als Ausgangsmaterialien eignen sich besonders die Trimethylsilyl-Derivate der Acetylene, die man durch Einwirkung von Chlor-trimethyl-silan auf Äthinyl-magnesiumhalogenide bei Gegenwart von Kupfer(I)-chlorid erhält[6], z. B.:

$$H_5C_6-C{\equiv}C-Mg-Cl + (CH_3)_3Si-Cl \xrightarrow[-MgCl_2]{(Cu_2Cl_2)} H_5C_6-C{\equiv}C-Si(CH_3)_3$$

Diese trimethylsilylierten Acetylene, die gegen Wasser, verd. Säuren und verd. Alkalien beständig sind, reagieren mit Carbonsäure-chloriden oder -anhydriden erst nach Zugabe von Aluminiumchlorid, z. B.:

$$R-CO-Cl + AlCl_3 \rightarrow [R-CO]^{\oplus}AlCl_4^{\ominus}$$

$$H_5C_6-C{\equiv}C-Si(CH_3)_3 + [R-CO]^{\oplus}AlCl_4^{\ominus} \rightarrow C_6H_5-C{\equiv}C-CO-R + (CH_3)_3SiCl + AlCl_3$$

---

[1] J. W. KROEGER u. J. A. NIEUWLAND, Am. Soc. **58**, 1861 (1936).
   siehe dagegen: D. NIGHTINGALE u. F. WADSWORTH, Am. Soc. **67**, 416 (1945).

[2] J. HEILBRON et al., Soc. **1949**, 1827.

[3] R. B. DAVIS u. D. H. SCHEIBER. Am. Soc. **78**, 1675 (1956).

[4] A. M. SLADKOV u. J. R. GOLDRING, Ž. Org. Chim. **3**, 1338 (1967); C. **1967**, Nr. 61, 39.

[5] L. BIRKOFER, A. RITTER u. H. UHLENBRAUCK, B. **96**, 3280 (1963).

[6] K. C. FRISCH u. R. B. YOUNG, Am. Soc. **74**, 4853 (1952).

Alkin-(1)-yl-ketone; allgemeine Herstellungsvorschrift[1]: Einer auf 2–8° gekühlten Lösung von wasserfreiem Aluminiumchlorid in Schwefelkohlenstoff oder Nitrobenzol fügt man eine Mischung von äquimolaren Mengen des jeweiligen Silylacetylens und Carbonsäure-chlorids bzw. -anhydrids in gleichem Lösungsmittel tropfenweise zu. Nach 30 Min. Rühren wird in mit Eisstücken versetzte verd. Salzsäure gegossen, nach Zersetzung des Aluminiumchlorids die wäßrige Schicht mit dem Lösungsmittel extrahiert und die erhaltene Lösung wie üblich aufgearbeitet.

Nach dieser Methode erhält man aus

$$H_3C—COCl + H_9C_4—C{\equiv}C—Si(CH_3)_3 \;\rightarrow\; \textit{2-Oxo-octin-(3) [Octin-(3)-on-(2)]} \quad 75\% \text{ d.Th.}$$

$$+ H_5C_6—C{\equiv}C—Si(CH_3)_3 \;\rightarrow\; \textit{3-Oxo-1-phenyl-butin-(1)} \quad 50\% \text{ d.Th.}$$

$$(H_5C_2—CO)_2O + H_9C_4—C{\equiv}C—Si(CH_3)_3 \;\rightarrow\; \textit{3-Oxo-nonin-(4) [Nonin-(4)-on-(3)]} \; 57\% \text{ d.Th.}$$

$$Cl—CH_2—COCl + H_5C_6—C{\equiv}C—Si(CH_3)_3 \;\rightarrow\; \textit{4-Chlor-3-oxo-1-phenyl-butin-(1)} \quad 54\% \text{ d.Th.}$$

Bis-[trimethylsilyl]-acetylen reagiert unter diesen Bedingungen nur **einmal** mit Carbonsäure-chloriden zu (Trimethylsilyl-äthinyl)-ketonen

$$[(CH_3)_3Si—C{\equiv}C—CO—R]$$

γ) Ketone durch Acylierung von Heteroaromaten und Alkyl-heteroaromaten

(s. a. ds. Handb., Bd. XIII/1, S. 529)

Alkyl-substituierte Heteroaromaten vom Typ des α-Picolins sind an der Alkyl-Gruppe unter dem Einfluß stark basischer Kondensationsmittel durch Carbonsäure-ester zu Ketonen acylierbar. Als brauchbares Kondensationsmittel hat sich hier zunächst Alkalimetallamid in flüssigem Ammoniak erwiesen, mit dessen Hilfe es gelingt, α-Picolin mit Benzoesäureester in *2-Oxo-2-phenyl-1-pyridyl-(2)-äthan* (57% d.Th.) umzuwandeln[1]:

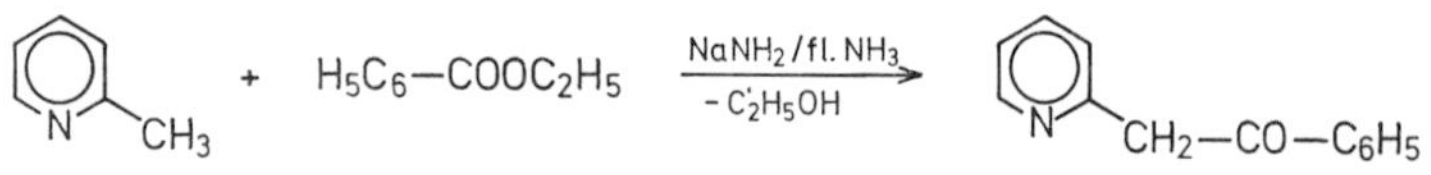

Zur Erzielung dieser Ausbeute ist es erforderlich, pro Mol α-Picolin und Benzoesäureester **zwei** Mol Natriumamid anzuwenden.

Mit dem gleichen Kondensationsmittel gelingt auch die Acylierung des γ-Picolins[2] sowohl mit aromatischen als auch mit aliphatischen Carbonsäureestern.

Zur Acylierung insbesondere α-alkylierter N-Heteroaromaten hat sich auch **Phenyl-lithium** als Kondensationsmittel bewährt[3].

Hierbei ist es notwendig, auf ein Mol Carbonsäureester je 2 Mol Phenyl-lithium und α-Alkyl-Derivat anzuwenden. Auf diese Weise entsteht aus α-Picolin mit Benzoesäure-methylester das *2-Oxo-2-phenyl-1-pyridyl-(2)-äthan* (80% d.Th.). Diese Methode

---

[1] L. Birkofer, A. Ritter u. H. Uhlenbrauck, B. **96**, 3280 (1963).

[2] M. J. Weiss u. C. R. Hauser, Am. Soc. **72**, 2023 (1949).

[3] C. Osuch u. R. Levine, J. Org. Chem. **22**, 939 (1957).

[4] N. N. Goldberg, L. B. Barkley u. R. Levine, Am. Soc. **73**, 4301 (1951).
N. N. Goldberg u. R. Levine, Am. Soc. **74**, 5217 (1952).
s. a. R. F. Shuman, H. V. Hansen u. E. D. Amstutz, J. Org. Chem. **27**, 1970 (1962).

ist weitgehend variierbar, sie versagt jedoch beim γ-Picolin, so daß auf diesem Wege beim 2,4-Dimethyl-pyridin (Lutidin) selektiv die Methyl-Gruppe in 2-Stellung acylierbar ist[1].

Zur C-Acylierung von 3-Methyl-pyridin (β-Picolin) hat sich neben Phenyl-natrium [z. B. mit Benzoylchlorid zu *2-Oxo-2-phenyl-1-pyridyl-(3)-äthan*, 45% d. Th.] insbesondere das aus Phenyl-natrium und Diisopropylamin entstehende Natrium-diisopropylamid bewährt[2],

$$H_5C_6\text{—Na} + HN[CH(CH_3)_2]_2 \rightarrow Na\text{—}N[CH(CH_3)_2]_2 + C_6H_6$$

mit dem die C-Benzoylierung des β-Picolins zu 78% d. Th. gelingt.

Zur C-Acylierung methyl-substituierter Pyrazine ist, ähnlich wie beim α-Picolin, Natriumamid in flüssigem Ammoniak das geeignete Kondensationsmittel. Hiermit gelingt beim 2,6-Dimethyl-pyrazin sowohl die Mono-[3], als auch die Diacylierung[4].

Beim 2,3,5,6-Tetramethyl-pyrazin gelingt die C-Acylierung sowohl mit Phenyl-lithium in Äther, als auch mit Natriumamid in flüssigem Ammoniak[5]. Mit dem erstgenannten Kondensationsmittel erhält man z. B. mit Benzoesäure-methylester das Monoacyl-Derivat [*3,5,6-Trimethyl-2-(2-oxo-2-phenyl-äthyl)-pyrazin*; 69% d. Th.] bei einem Molverhältnis von Base: Pyrazin: Carbonsäureester = 2:2:1, während Natriumamid z. T. Diacylierung zu *3,5-Dimethyl-2,6-bis-[2-oxo-2-phenyl-äthyl]-pyrazin* bewirkt, insbesondere beim Molverhältnis 6:1:1.

Die C-Monoacylierung von 2,4,6-Trimethyl-1,3,5-triazin gelingt mit guten Ausbeuten mit Kaliumamid in flüssigem Ammoniak[6]; die entstehenden Monoacyl-Derivate lassen sich leicht zu Acetylamino-pyrimidinen isomerisieren:

4,6-Dimethyl-2-(2-oxo-2-
phenyl-äthyl)-1,3,5-triazin

Auch Methyl-pyrimidine, die Methyl-Gruppen in α- bzw. γ-Stellung zu den Ringstickstoffatomen enthalten, sind der Claisen-Acylierung durch Carbonsäure-ester bei Gegenwart alkalischer Kondensationsmittel zugänglich. Mit Kalium-äthylat[7] in Äther lassen sich die genannten Methyl-pyrimidine[8] mit Oxalsäure-diester zu entsprechenden α-Keto-carbonsäureestern kondensieren. Besonders reaktionsfähig ist hierbei 4-Methyl-pyrimidin, das z. B. zu *2-Oxo-3-pyrimidyl-(4)-propan-säure-äthylester* [*Pyrimidyl-(4)-brenztraubensäure-methylester*] acyliert wird. 2,4,6-

[1] N. N. GOLDBERG u. R. LEVINE, Am. Soc. 77, 3647 (1955).
[2] S. RAYNOLDS u. R. LEVINE, Am. Soc. 82, 472 (1960).
[3] M. R. KAMAL u. R. LEVINE, J. Org. Chem. 27, 1355 (1962).
[4] M. R. KAMAL u. R. LEVINE, J. Org. Chem. 29, 191 (1964).
[5] S. K. CHAKRABARTTY u. R. LEVINE, J. Heterocyclic Chem. 1, 196 (1964).
[6] D. R. OSBORNE, W. T. WIEDER u. R. LEVINE, J. Heterocyclic Chem. 1, 145 (1964).
   s.a. D. R. OSBORNE u. R. LEVINE, J. Org. Chem. 28, 2933 (1963).
[7] W. WISLICENUS u. E. KLEISINGER, B. 42, 1140 (1909).
[8] W. PFLEIDERER u. H. MOSTHAF, B. 90, 728 (1957).

Trimethyl-pyrimidin läßt sich daher mit Natriumamid in kochendem Benzol durch Benzoesäure-äthylester zu *2,6-Dimethyl-4-(2-oxo-2-phenyl-äthyl)-pyrimidin* und durch Essigsäure-phenylester zu *2,6-Dimethyl-4-(2-oxo-propyl)-pyrimidin* selektiv acylieren[1].

1-Methyl-benzimidazol ist in 2-Stellung durch Einwirkung von Carbonsäureestern auf die mit Butyl-lithium in Äther bei —60° erhaltene 2-Lithium-Verbindung zu Ketonen acylierbar[2]:

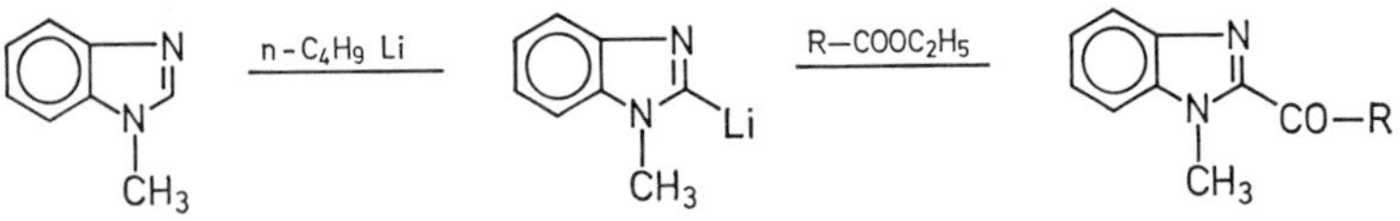

Besonders glatt lassen sich die N-Oxide von 2-Methyl- und 2,6-Dimethyl-pyridin (α-Picolin und Lutidin) mit Natriumamid in flüssigem Ammoniak als Kondensationsmittel durch aromatische und aliphatische Carbonsäureester in der α-Methyl-Gruppe acylieren[3]. Gute Ausbeuten erzielt man auch hier dann, wenn man auf 1 Mol Carbonsäureester je 2 Mol N-Oxid und Natriumamid anwendet. Aus 2,6-Dimethyl-pyridin-N-oxid (Lutidin-N-oxid) entsteht hierbei das monoacylierte Derivat.

Auch 2-Oxo-4-(bzw.-6)-methyl-3-cyan-1,2-dihydro-pyridin ist mit 2 Mol Kaliumamid in flüssigem Ammoniak durch Carbonsäureester in guten Ausbeuten zu entsprechenden Ketonen acylierbar[4]:

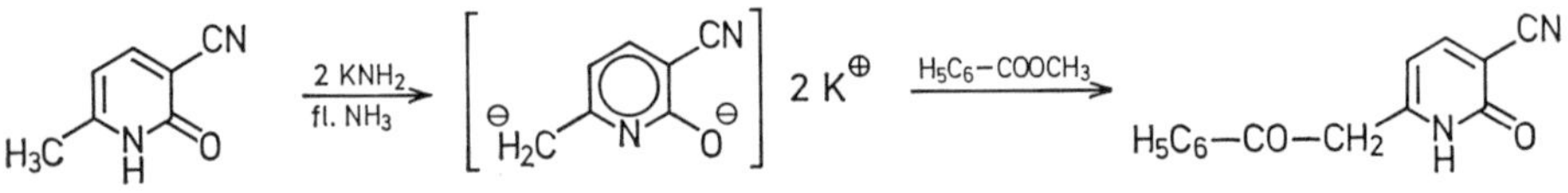

2-Oxo-6-(2-oxo-2-phenyl-äthyl)-3-cyan-1,2-dihydro-pyridin

Die Methyl-Gruppe in 9-Methyl-acridin ist bei Anwendung von Phenyllithium insbesondere mit aromatischen Carbonsäureestern acylierbar.

Ein allgemein anwendbares Verfahren zur Herstellung der α-Acridinyl-(9)-ketone besteht jedoch in der unter dem Einfluß von Natriumamid in flüssigem Ammoniak leicht eintretenden 9,10-Addition der Ketone zu [9,10-Dihydro-acridyl-(9)-methyl]-ketonen[5], die in einfacher Weise, z.B. mit Eisen(III)-chlorid in saurer Lösung, zu den entsprechenden Acridin-Derivaten dehydrierbar sind:

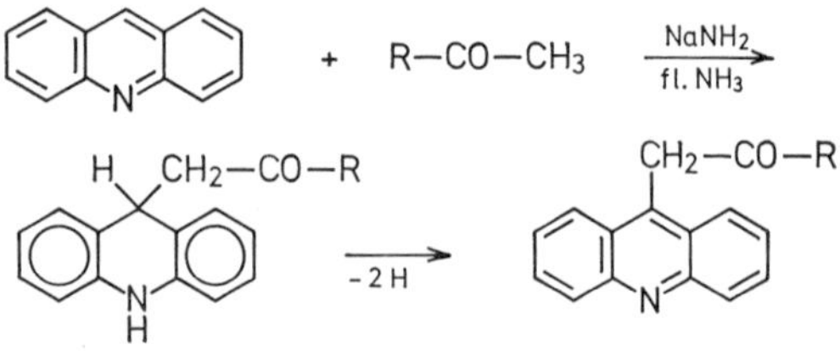

[1] H. R. Sullivan u. W. T. Caldwell, Am. Soc. 77, 1559 (1955).
s.a. T. D. Heyes u. J. C. Roberts, Soc. 1951, 328.
[2] V. M. Arjuzina u. M. N. Stukina, Chim. geterocikl. Soed. 1966, 605; engl.: Chem. Heterocycl. Compounds 2, 460 (1966).
[3] D. R. Osborne u. R. Levine, J. Heterocyclic Chem. 1, 138 (1964).
[4] S. Boatman, T. M. Harris u. C. R. Hauser, Am. Soc. 87, 5198 (1965).
[5] Ch. S. Sheppard u. R. Levine, J. Heterocyclic Chem. 1, 67 (1964).
s.a. F. Kröhnke u. H. L. Honig, A. 624, 97 (1959).

Pyridin selbst läßt sich durch Erhitzen mit Benzoesäureester bei Gegenwart von durch Quecksilber(II)-chlorid und Quecksilber aktiviertem Aluminium mit mäßiger Ausbeute in ein Gemisch von *2-* und *4-Benzoyl-pyridin* überführen, in dem das α-Derivat überwiegt[1].

Pyridin gibt mit Keten[2] oder Diketen in exothermer Reaktion ein Kondensations-produkt, das als ein *4,5-Dioxo-2-methyl-10a,11-dihydro-4H,5H-⟨pyrano-[2,3-b]-chino-lizin⟩* erkannt wurde[3]:

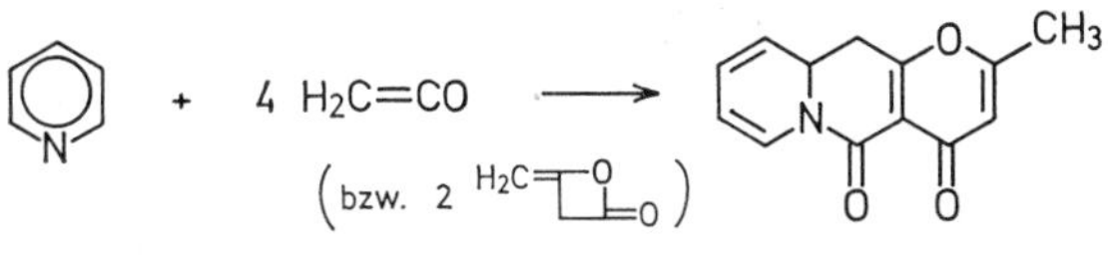

Analoge Kondensationsprodukte entstehen auch aus Chinolin, Isochinolin und Phenanthridin[4], wobei im letztgenannten Fall zunächst als Zwischenprodukt ein Tetraketon isoliert wurde, das erst durch nachträgliche Behandlung mit wenig konz. Schwefelsäure in alkoholischer Lösung in ein Pyrano-Derivat übergeht. Ein entsprechendes Zwischenprodukt war bereits früher bei der Reaktion des Pyridins mit Keten angenommen worden[3].

Pyrrole[5] und insbesondere Indole[6] lassen sich durch Behandeln mit Carbon-säure-chloriden oder -anhydriden vorzugsweise in 3-Stellung zu Ketonen acylieren. So erhält man beim Erhitzen von Indol mit Acetanhydrid auf 200° und darüber *1,3-Diacetyl-indol*, das durch Erwärmen mit Alkali in *3-Acetyl-indol* übergeht:

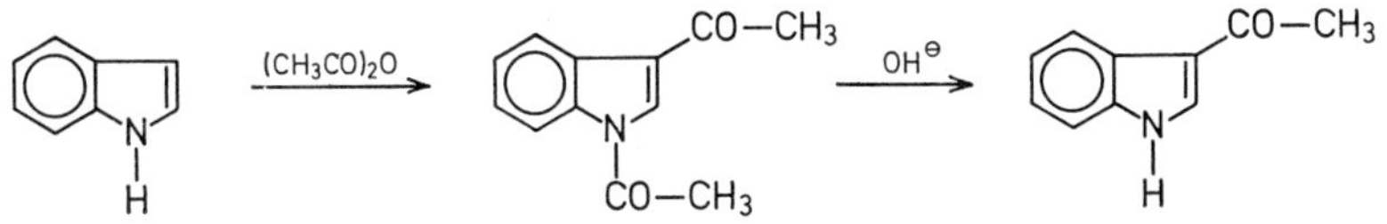

Diese Acyl-indole lassen sich unter milderen Bedingungen durch Einwirkung von Acylierungsmitteln auf Indolyl-magnesiumhalogenide erhalten[7]. So erhält man durch

---

[1] US. P. 3120527 (1958), Purdue Research Foundation, Erf.: G. B. Bachman u. R. M. Schisla; C. A. **60**, 9252 (1964).
  s.a. G. B. Bachman et al., J. Org. Chem. **22**, 858, 1302 (1957).
[2] O. Wollenberg, B. **67**, 1675 (1934).
[3] J. A. Berson u. W. M. Jones, Am. Soc. **78**, 1625 (1956).
  G. Taylor, Soc. **1965**, 3332.
[4] T. Kato u. Y. Yamamoto, Chem. pharm. Bl. (Japan) **14**, 752 (1966).
[5] G. L. Ciamician u. M. Dennstedt, G. **13**, 445 (1883).
[6] E. Fischer, A. **242**, 379 (1887).
  C. Zatti u. A. Ferratini, B. **23**, 1359 (1890);
  G. L. Ciamician u. C. Zatti, B. **22**, 1977 (1889);
  B. Oddo u. L. Sessa, G. **41** I, 237 (1911).
[7] B. Oddo u. L. Sessa, G. **41** I, 234 (1911).
  A. H. Salway, Soc. **103**, 353 (1913).
  B. Oddo, G. **43** II, 190, 362 (1913).
  Q. Mingoia, G. **59**, 105 (1929); **61**, 646 (1931).
  C. Toffoli, G. **65**, 487 (1935).

(Fortsetzung s. S. 544)

Einwirkung von Oxalsäure-ester-chlorid auf Indolyl-magnesiumjodid; z. B.: *Indolyl-(3)-glyoxylsäure-äthylester*[1].

Besonders glatt reagieren Indol und seine Substitutionsprodukte mit freier β-Stellung mit Oxalsäure-dichlorid zu *Indolyl-(3)-glyoxylsäure-chlorid*[2], das leicht weiter abgewandelt werden kann:

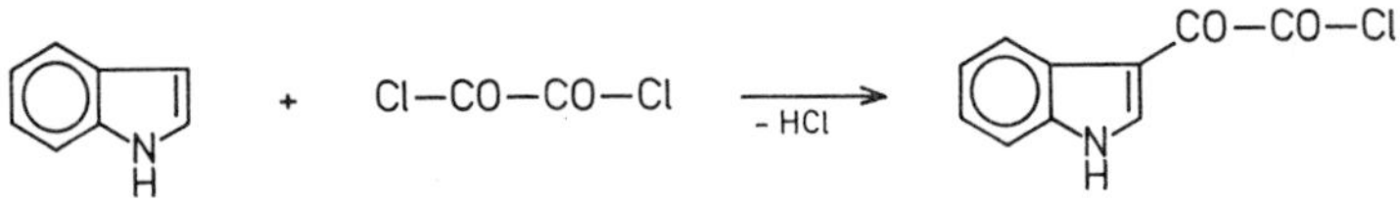

Aus 2-Methyl-indol lassen sich unter den Bedingungen der Hoesch-Keton-Synthese durch Einwirkung von Nitrilen in Äther-Lösung bei Gegenwart von Chlorwasserstoff über die intermediär gebildeten Imin-hydrochloride mit guten Ausbeuten 2-Methyl-3-acyl-indole erhalten[3]:

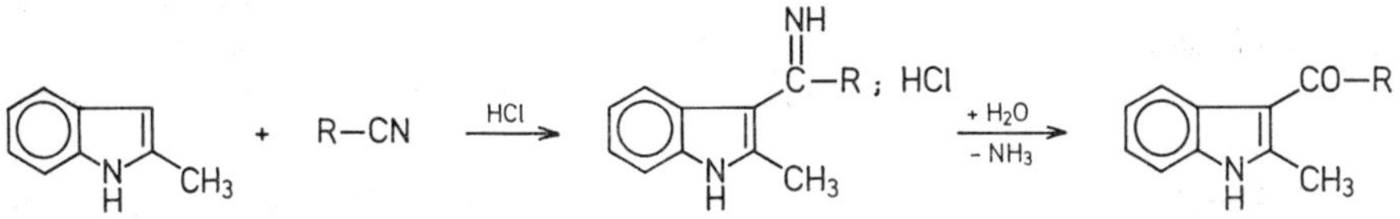

z. B. R = CH$_3$: *2-Methyl-3-acetyl-indol*
C$_6$H$_5$: *2-Methyl-3-benzoyl-indol*

3. Ketone durch Acylierung von Dimethylsulfoxid und Methylsulfonen

(s. ds. Handb., Bd. XIII/1, S. 535)

Die C-Acylierung von Dimethylsulfoxid mit Carbonsäureestern unter dem Einfluß alkalischer Kondensationsmittel und Hydrogenolyse der zunächst ent-

[1] B. Oddo u. A. Albanese, G. **57**, 827 (1927).
R. Majima, T. Shigematsu u. T. Rokkaku, B. **57**, 1453 (1924).
[2] M. S. Kharasch, S. S. Kane u. H. C. Brown, Am. Soc. **62**, 2242 (1940).
M. E. Speeter u. W. C. Anthony, Am. Soc. **76**, 6208 (1954).
P. F. Rossi u. G. Bevolatti, G. **93**, 265 (1963).
N. B. Chapman, K. Clarce u. H. Hughes, Soc. **1965**, 1424 .
K. Takatori u. Takashima, J. pharm. Soc. Japan **83**, 795 (1963).
R. W. Brimblecombe et al., Brit. J. Pharmacol. Chemotherapy **23**, 43 (1964).
Vgl. a. M. M. Guia, G. **54**, 595 (1924); C. **1925** I, 2309.
[3] R. Seka, B. **56**, 2058 (1923).
J. A. Ballantine et al., Soc. **1957**, 2227.
T. E. Young u. M. F. Mizianty, J. med. Chem. **9**, 635 (1966).

(Fortsetzung v. S. 543)

W. Borsche u. H. Groth, A. **549**, 238 (1941).
I. A. Ballantini et al., Soc. **1957**, 2227.
T. E. Young, J. Org. Chem. **27**, 507 (1962).
T. E. Young u. M. F. Mizianti, J. Org. Chem. **29**, 2030 (1964).
s. a. W. C. Sumpter u. F. M. Miller, *Heterocyclic Compounds with Indole and Carbazole Systems*, S. 45, 47. Interscience Publishers, John Wiley & Sons, New York 1954.

stehenden β-Keto-sulfoxide eröffnet eine variationsfähige Synthese von Ketonen[1]. Die Reaktion verläuft über das Methylsulfinmethyl-Anion nach folgendem Schema:

$$H_3C-SO-CH_3 + B^{\ominus} \rightleftharpoons H_3C-SO-\overset{\ominus}{C}H_2 + HB$$

$$R-COOR' + H_3C-SO-\overset{\ominus}{C}H_2 \rightarrow R-CO-CH_2-SO-CH_3 + {}^{\ominus}OR'$$

$$R-CO-CH_2-SO-CH_3 + 2\,H \rightarrow R-CO-CH_3 + H_3C-SOH$$

Die zunächst beschriebene Herstellung des Natrium-dimethylsulfoxids[1] durch Einwirkung von Natriumhydrid auf Dimethylsulfoxid unter Stickstoff bei 70–75° erscheint nicht ungefährlich, da bereits über 80° weitgehende Zersetzung eintritt, die zur **Explosion** führen kann[2]. Es ist daher zweckmäßiger, mit Kalium-tert.-butanolat als Kondensationsmittel zu arbeiten, wie etwa bei der Herstellung ω-*Methylsulfin-acetophenon*.

2-Methylsulfin-1-oxo-1-phenyl-äthan (**ω-Methylsulfin-acetophenon**)[3]: 2 g (51 mg-Atome) Kalium werden in 50 *ml* siedendem tert.-Butanol gelöst. Nach dem Abkühlen setzt man 50 *ml* Dimethylsulfoxid (trocken) zu und destilliert die erhaltene Lösung bei einem Druck von 2 Torr und einer Badtemp. von 65–70° an einer Vigreux-Kolonne solange, bis bei 43° reines Dimethylsulfoxid zu destillieren beginnt, was nach Auffangen von ~ 50 *ml* Destillat eintritt. Zu dem teilweise festen Rückstand gibt man nun tropfenweise unter Durchleiten von trocknem Stickstoff 7,5 g (50 mMol) Benzoesäure-äthylester. Nach 4 stdgm. Nachbehandeln wird das Lösungsmittel bei 1 Torr und 75° Badtemp. abdestilliert und der gelbe ölige Rückstand mit 100 *ml* Äther und 50 *ml* Wasser versetzt. Nach gutem Durchschütteln trennt man die wäßrige Schicht ab und neutralisiert vorsichtig mit verd. Salzsäure (5 *ml* konz. Salzsäure + 20 *ml* Wasser) bis p$_H$ 5–6.

Man schüttelt mit fünf 200-*ml*-Portionen Chloroform und erhält nach dem Verdampfen des Lösungsmittels bei 2 Torr einen festen Rückstand, der mit Äther gewaschen wird; Ausbeute: 6,5 g (72% d.Th.); F: 85° (farblose Kristalle).

Die Reduktion dieses β-Keto-sulfoxides wird mit Aluminium-Amalgam in einer Mischung aus 9 Teilen Tetrahydrofuran und einem Teil Wasser durchgeführt.

Ketone aus β-Keto-sulfoxiden durch Reduktion; allgemeine Arbeitsvorschrift[4]: 1 g β-Keto-sulfoxid wird in 60 *ml* wäßrigem Tetrahydrofuran (10%) gelöst und unter Rühren bei 0° mit 10 g-Atomen Aluminium-Amalgam/Mol Substanz behandelt. Dazu wird Aluminiumfolie in Streifen von ~ 10×1 cm geschnitten, mit 2%iger Quecksilber(II)-chlorid-Lösung 15 Sek. lang behandelt, dekantiert, mit Äthanol und Äther gewaschen und dann in 1 cm lange Stückchen direkt in das Reaktionsgefäß geschnitten. Nach Beendigung des Eintragens des Aluminium-Amalgams unterbricht man die Reaktion nach 10 Min. durch Abgießen bzw. Abfiltrieren. Man verdampft das Tetrahydrofuran, versetzt mit Äther, wäscht mit Wasser und erhält aus dem Äther das Keton in hoher Ausbeute und Reinheit.

Auf diese Weise wurden folgende β-Keto-sulfoxide und Ketone erhalten[5]:

$$R-COOC_2H_5 \rightarrow R-CO-CH_2-SO-CH_3 \rightarrow R-CO-CH_3$$

---

[1] E. J. Corey u. M. Chaykovsky, Am. Soc. **84**, 866 (1962); **86**, 1639 (1964); **87**, 1345 (1965).
   H.-D. Becker u. G. A. Russell, J. Org. Chem. **28**, 1896 (1963).
   H.-D. Becker, G. J. Mikol u. G. A. Russell, Am. Soc. **85**, 3410 (1963).

[2] Chem. Eng. News **44**, Nr. 15, 48 (1966).
   Vgl. ds. Handb., Bd. XIII/1, Kap. Natrium-, Kalium-, Rubidium-, Cäsium-organische Verbindungen, S. 304.

[3] H.-D. Becker, G. J. Mikol u. G. A. Russell, Am. Soc. **85**, 3410 (1963).

[4] E. J. Corey u. M. Chaikovsky, Am. Soc. **87**, 1351 (1965).

[5] E. J. Corey u. M. Chaikovsky, Am. Soc. **86**, 1640 (1964).

2-Methylsulfin-1-oxo-1-phenyl-äthan (ω-Methylsulfin-acetophenon)	79% d.Th.	*Acetophenon*	>98% d.Th.
4-Methoxy-1-(methylsulfin-acetyl)-benzol	>98% d.Th.	*4-Methoxy-acetophenon*	>98% d.Th.
1-(Methylsulfin-acetyl)-naphthalin	>98% d.Th.	*1-Acetyl-naphthalin*	89% d.Th.
2-(Methylsulfin-acetyl)-furan	71% d.Th.	*2-Acetyl-furan*	70% d.Th.
2-Methylsulfin-1-oxo-1-cyclohexyl-äthan	98% d.Th.	*Acetyl-cyclohexan*	98% d.Th.
1-Methylsulfin-2-oxo-hexan	70% d.Th.	*Hexanon-(2)*	>98% d.Th.
1-Methylsulfin-2-oxo-nonadecan	>98% d.Th.	*Nonadecanon-(2)*	>98% d.Th.

Anstelle der Carbonsäureester sind auch deren cyclische Analoge, die Lactone, der Reaktion zugänglich: aus γ-Butyrolacton erhält man auf diese Weise das *4-Oxopentanol [Pentanol-(5)-on-(2)]*[1]:

$$\text{(Lacton)} + H_3C-SO-CH_3 \longrightarrow HO-(CH_2)_3-CO-CH_2-SO-CH_3$$
$$\longrightarrow HO-(CH_2)_3-CO-CH_3$$

Bei der Herstellung der β-Keto-sulfoxide ist zu beachten, daß die Abscheidung aus dem Acylierungsgemisch exakt bei p_H: 5–6 vorgenommen wird. Säuert man stärker an auf p_H: 1–2, so tritt sehr leicht eine Umlagerung[2] ein, wobei Hemimerkaptale von α-Oxo-aldehyden entstehen, so z.B. aus ω-Methylsulfin-acetophenon das Hemimerkaptal des Phenylglyoxals[3]:

$$H_5C_6-CO-CH_2-SO-CH_3 \xrightarrow{p_H:\,1-2} H_5C_6-CO-\overset{\overset{\displaystyle OH}{|}}{C}H-SCH_3$$

2-Hydroxy-2-methylmercapto-
1-oxo-1-phenyl-äthan

Diese Umlagerung gelingt leicht in hoher Ausbeute.

Benutzt man Phthalsäure-diester als Acylierungsmittel für Dimethylsulfoxid, so erhält man ähnlich wie bei der Claisen-Kondensation von Phthalsäure-diester etwa mit Essigsäureester[4] ein Derivat des Indandions-(1,3), das durch Umlagerung über das 2-Chlor-2-mercapto-1,3-dioxo-indan in *Ninhydrin* überführbar ist[5]:

2-Methylsulfin-indandion

2-Chlor-2-methylmer=capto-indandion   *Ninhydrin-hydrat*

[1] J. B. Lee, Tetrahedron Letters **1966**, 5669.

[2] R. Pummerer, B. **42**, 2282 (1909); **43**, 1401 (1910).

[3] H. D. Becker, G. J. Mikol u. G. A. Russell, Am. Soc. **85**, 3410 (1963).
   s.a. ds. Handb. Bd. IX, Kap. Mercaptane, Thiophenole, S. 29; Kap. Sulfoxide, Sulfimine, S. 219.

[4] J. Wislicenus, A. **246**, 347 (1898).
   W. O. Teeters u. R. L. Shriner, Am. Soc. **55**, 3026 (1933).

[5] H. D. Becker u. G. A. Russell, J. Org. Chem. **28**, 1896 (1963).

Ninhydrin:

2-Chlor-2-methylmercapto-1,3-dioxo-indan: Zu einer durch Durchleiten trockenen Stickstoffes bewegten Suspension von 5,4 g (0,1 Mol) Natriummethanolat in 75 ml trocknem Dimethylsulfoxid tropft man langsam 5,5 g (0,025 Mol) Phthalsäure-diäthylester. Die Reaktionsmischung, die sich nach ~ 5 Min. gelb färbt, wird 4 Stdn. unter Stickstoff bei Raumtemp. behandelt, wonach unter Abdestillieren des Lösungsmittels bei 1 Torr/65–70° Badtemp. der erhaltene Rückstand 50 Min. auf 65–70° erwärmt wird.

Man versetzt alsdann mit 50 ml Eiswasser und 50 ml Äther, trennt die gelbe wäßrige Schicht ab und tropft diese Lösung in eine Mischung aus 60 ml Wasser und 40 ml konz. Salzsäure; es bildet sich rasch ein farbloser Niederschlag, der abgesaugt und getrocknet wird; Ausbeute: 4,55 g (80% d.Th.); F: 63°.

Ninhydrin: Je 1 g dieses Zwischenproduktes wird allmählich in 50 ml kochendes Wasser eingetragen und die hellgelbe Lösung in der Schale während 12 Stdn. auf dem Wasserbad verdampft. Der erhaltene kristalline Rückstand (0,775 g; 99% d.Th.) stellt praktisch reines Ninhydrin dar; F: 239–240°.

Die geschilderte Synthese von Methylketonen läßt sich dadurch zu einer Synthese homologer Ketone ausweiten, daß man die durch C-Acylierung von Dimethylsulfoxid zunächst erhaltenen β-Keto-sulfoxide an der α-CH_2-Gruppe mono- bzw. dialkyliert und diese C-Mono- bzw. Dialkyl-Derivate hydrogenolytisch spaltet[1], z.B.:

$$R-CO-CH_2-SO-CH_3 \xrightarrow{B^\ominus} R-CO-\overset{\ominus}{C}H-SO-CH_3 \xrightarrow[-X^\ominus]{R'X}$$

$$R-CO-\underset{R'}{\overset{|}{C}}H-SO-CH_3 \xrightarrow{H_2} R-CO-CH_2-R'$$

Die Alkylierung gelingt leicht in Dimethylformamid mit primären Alkylbromiden oder -jodiden unter Verwendung von Natriumhydrid zur Erzeugung des Carbeniats. Zweckmäßig führt man Alkylierung und hydrogenolytische Spaltung in einem Arbeitsgang durch, wobei Ausbeuten von 50–70% d.Th. (bez. auf das β-Keto-sulfoxid) erhalten werden.

Ähnlich wie Dimethylsulfoxid lassen sich auch analoge Sulfone unter den gleichen Bedingungen C-acylieren zu β-Keto-sulfonen[2,3], die ebenfalls mit Aluminium-Amalgam hydrogenolytisch zu Ketonen spaltbar sind[3]:

$$R-COOCH_3 + CH_3-SO_2-R' \rightarrow R-CO-CH_2-SO_2-R' \xrightarrow{AlHg} R-CO-CH_3 + R-SO_2H$$

Die Sulfonacylierung läßt sich auch innermolekular durchführen[2,4]. So entsteht aus 4-Methylsulfon-butansäure-äthylester beim Behandeln mit trockenem Natriumäthanolat in kochendem Toluol das *3-Oxo-tetrahydrothiapyran-1,1-dioxid*:

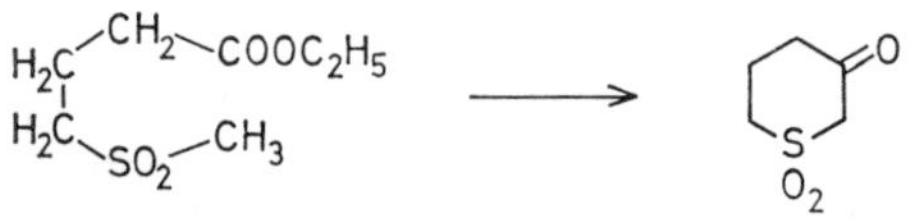

---

[1] P. G. Gassmann u. G. D. Richmond, J. Org. Chem. **31**, 2356 (1966).

[2] W. E. Truce u. R. H. Knospe, Am. Soc. **77**, 5063 (1955).
    H. D. Becker u. G. A. Russell, J. Org. Chem. **28**, 1896 (1963).

[3] E. J. Corey u. M. Chaikovsky, Am. Soc. **87**, 1351 (1965).

[4] W. E. Truce, W. W. Bannister u. R. H. Knospe, J. Org. Chem. **27**, 2821 (1962).

35*

f) Ketone durch Umsetzung von metall-organischen Verbindungen

bearbeitet von

Dr. Frank Wingler,

Farbenfabriken Bayer AG, Leverkusen

unter Verwendung des Erstmanuskriptes (1956)
von Prof. Dr. Arthur Lüttringhaus, Freiburg (Breisgau)

1. mit Kohlendioxid, Carbonaten, Kohlenmonoxid bzw. Metallcarbonylen

α) Ketone aus Kohlendioxid bzw. Carbonaten

Die Organometall-Verbindungen der Hauptgruppe I und II reagieren mit Kohlendioxid in erster Stufe zu Carbonsäuren-Salzen[1]. Erst in zweiter Stufe erfolgt die Umsetzung zu Ketonen:

$$RM \ + \ CO_2 \ \longrightarrow \ R-\overset{\overset{O}{\|}}{C}-OM \ \overset{RM}{\longrightarrow} \ R-\overset{\overset{OM}{|}}{\underset{R}{C}}-OM \ \overset{H_2O}{\longrightarrow} \ R-\overset{\overset{O}{\|}}{C}-R \ + \ 2\,MOH$$

Auf diesem Wege lassen sich also nur symmetrische Ketone herstellen[2].

Durch Wahl der Reaktionsbedingungen hat man es in der Hand, die Umsetzung entweder bis zum carbonsauren Salz oder bis zu dem Keton zu führen. Sorgt man dafür, daß immer ein Überschuß an Kohlendioxid im Reaktionsmedium vorhanden ist, so erhält man Carbonsäure-Salze. Am zweckmäßigsten gießt man hierzu die ätherische Lösung der metallorganischen Verbindung unter Stickstoff auf festes Kohlendioxid oder in eine auf ∼ −70° gekühlte Aether-Trockeneis Mischung. Es genügt oft auch, wenn man in die ätherische Lösung fein zerstoßenes Trockeneis gibt. Bei diesen tiefen Temperaturen fällt das carbonsaure Salz zumeist rasch aus und ist somit einer Weiterreaktion zum Keton entzogen. Ketone erhält man, wenn man gasförmiges Kohlendioxid langsam bei Raumtemperatur oder unter Rückflußkochen in die ätherische Lösung einleitet. Unter diesen Bedingungen reagiert die stets im Überschuß vorliegende metallorganische Verbindung mit dem primär entstehenden Carbonsäure-Salz zum Keton. Das Kohlendioxid muß hierbei sauerstoffrei und absolut trocken sein. Dies erreicht man am einfachsten, indem man Trockeneis in einer mit Stopfen und Ableitungsrohr versehenen Pulverflasche verdampfen läßt.

α₁) Mit magnesium-organischen Verbindungen

Zur Reaktion von magnesium-organischen Verbindungen mit Kohlendioxid sei auch auf dasselbe Handbuch verwiesen[2].

Der Einfluß der Reaktionstemperatur auf die Bildung von Carbonsäure-Salz und Keton aus Grignard-Verbindungen wurde untersucht[3]. 4-Chlor-phenyl-magnesiumbromid liefert mit Kohlendioxid in Aether bei 0° 60% d. Th. *4-Chlor-benzoesäure*

[1] J. Houben u. L. Kesselkaul, B. **35**, 2519 (1902).
   N. Zelinsky, B. **35**, 2692 (1902).
   G. Schroeter, B. **40**, 1584 (1907).
[2] s. ds. Handb., Bd. XIII/2, Kap. Umwandlung von magnesiumorganischen Verbindungen.
[3] M. F. Bodroux, C.r. **137**, 710 (1903); Bl. [3] **31**, 24 (1904).

und nur 18% d. Th. *4,4'-Dichlor-benzophenon*. Leitet man das Kohlendioxid in die siedende ätherische Lösung ein, so steigt die Ketonausbeute auf 50% der Theorie. Bei Verwendung von Grignard-Verbindungen läßt sich die Gefahr der Bildung von tert.-Carbinolen nie ganz verhindern, da das zweite Addukt leicht Magnesiumoxid verliert[1]:

$$2\ RMgX\ +\ CO_2\ \longrightarrow\ \underset{\underset{R}{|}}{\overset{\overset{OMgX}{|}}{R-C-OMgX}}\ \xrightarrow[-MgO,\,MgX_2]{}\ \overset{\overset{O}{\|}}{R-C-R}\ \xrightarrow{RMgX,\,H_2O}\ \underset{\underset{R}{|}}{\overset{\overset{OH}{|}}{R-C-R}}$$

Es ist daher meist **vorteilhafter**, die Reaktion nur bis zum Magnesium-Salz der entsprechenden Carbonsäure zu lenken und dieses dann anschließend zum Keton zu pyrolysieren. Auf diese Weise wurde *Decadeutero-pentanon-(3)* gewonnen[2]:

$$2\ C_2D_5MgBr\ \xrightarrow{2\ CO_2}\ 2\ C_2D_5COOMgBr\ \xrightarrow{\triangledown}\ D_5C_2-\overset{\overset{O}{\|}}{C}-C_2D_5$$

Decadeutero-pentanon-(3)[2]: 15 *ml* Perdeuteroäthylbromid in 25 *ml* absol. Äther werden wie üblich mit 5,0 g Magnesiumspänen in 50 *ml* absol. Äther zur Reaktion gebracht. Nach 45 Min. Rückflußkochen kühlt man auf −20°, gleichzeitig bläst man trockenes Argon durch die Apparatur. Innerhalb 1 Stde. gibt man zerstoßenes Trockeneis hinzu, erwärmt auf Raumtemp. und destilliert den Äther i. Vak. bis zu 200° Badtemp. ab. Der Rückstand wird durch langsames Erhitzen bis auf 350° im Wasserstrahlvak. zersetzt und das Keton in einer Kühlfalle (−78°) aufgefangen; Ausbeute: 6,9 g (74% d. Th.).

Cyclische Ketone können bei günstiger Konstellation aus Di-Grignard-Derivaten und Kohlendioxid erhalten werden. Der Ringschluß erfolgt durch eine intramolekulare Addition[3]:

a_2) *Mit lithium-organischen Verbindungen*[4]

Die lithium-organischen Verbindungen sind auf jeden Fall den magnesiumorganischen Derivaten vorzuziehen, da sie einmal wegen ihrer größeren Reaktivität schneller mit dem ersten Additionsprodukt, dem Carbonsäure-Salz, reagieren. Zum

[1] H. Gilman u. H. H. Parker, Am. Soc. **46**, 2816 (1924).
[2] L. C. Leitch u. A. T. Morse, Canad. J. Chem. **31**, 785 (1953).
[3] V. Grignard u. G. Vignon, C.r. **144**, 1358 (1907).
    J. v. Braun u. W. Sobecki, B. **44**, 1918 (1911).
[4] H. Gilman u. P. R. Van Ess, Am. Soc. **55**, 1258 (1933).
    Eine ausführliche Beschreibung der Umsetzung von Kohlendioxid mit Lithium-Derivaten findet man in M. J. Jorgenson, Org. Reactions **18**, 2–7 (1971).
    Die Herstellung lithium-organischer Verbindungen findet man in ds. Handb., Bd. XIII/1, S. 7–25, 97–170 beschrieben. Vgl. auch die Abhandlung S. 172, 173, 184 über die Addition lithiumorganischer Verbindungen an Kohlendioxid und Carbonsäuren.

anderen ist das zweite Additionsprodukt beständig und verliert nur selten Lithiumoxid. Das Keton wird erst nach Hydrolyse in Freiheit gesetzt und kann daher nicht schon vorher zum tert.-Carbinol weiterreagieren:

$$\text{R Li} + \text{CO}_2 \longrightarrow \underset{\underset{O}{\|}}{R-C-OLi} \xrightarrow{\text{RLi}} \underset{\underset{R}{|}}{\overset{\overset{OLi}{|}}{R-C-OLi}} \xrightarrow{H_2O} \underset{\underset{O}{\|}}{R-C-R} + 2\,\text{LiOH}$$

4,4′-Dimethyl-benzophenon[1]: Man leitet einen langsamen Strom von trockenem Kohlendioxid bei anfangs 0° in die ätherische Lösung von 4-Methyl-phenyl-lithium ein und läßt die Temp. nicht über 15° steigen. Nach Sättigung wäscht man mit Wasser und dampft die ätherische Schicht ein; Ausbeute: 77—81% d. Th.

Analog hierzu erhält man durch Carbonisieren einer ätherischen Butyl-lithium-Lösung bei Kühlen mit Eis-Kochsalz *Nonanon-(5)* (45–50% d.Th.).

Die Herstellung eines cyclischen Ketons mit Kohlensäure-dimethylester wurde beschrieben. Die Dilithium-Verbindung des Octafluor-biphenyls liefert *Octafluor-9-oxo-fluoren*[2]:

Perfluor-phenyl-lithium reagiert mit Kohlensäure-diäthylester bei –75° zu *Decafluor-benzophenon* (70% d. Th.).

Aus Äthyl-N,N′-dimethyl-carbamaten sind mit 2 Mol Lithium substituierten Heteroaromaten bei —70° bis —10° symmetrische Di-heteroaryl-ketone zugänglich[3]:

$$2\,R-Li \;+\; (CH_3)_2N-\underset{\underset{O}{\|}}{C}-OC_2H_5 \;\xrightarrow[53-92\%]{}\; R-\underset{\underset{O}{\|}}{C}-R$$

β) Ketone aus Kohlenmonoxid

β₁) mit magnesium-organischen Verbindungen

Die Umsetzung von Grignard-Verbindungen mit Kohlenmonoxid verläuft sehr komplex und ist für Keton-Synthesen weniger geeignet. Es wurden zwei Reaktionsarten beobachtet[4]:

---

[1] H. GILMAN u. P. R. VAN ESS, Am. Soc. **55**, 1258 (1933).
[2] R. D. CHAMBERS u. D. J. SPRING, Chem. Commun. **1968**, 713; Soc. **1969**, 361.
  vgl. a. J. E. DUBOIS et al., Bl. **1967**, 1150.
[3] U. MICHAEL u. A. B. HÖRNFELDT, Tetrahedron Letters **1970**, 5219.
[4] F. G. FISCHER u. O. STOFFERS, A. **500**, 253 (1933).

① Umsetzungen mit molaren Mengen Kohlenmonoxid zu Acyloinen:

$$
2\ RMgBr\ +\ 2\ CO \longrightarrow 2\ R\!-\!\overset{\overset{\textstyle O}{\|}}{C}\!-\!MgBr \longrightarrow R\!-\!\underset{\underset{\textstyle BrMgO}{|}}{C}\!=\!\underset{\underset{\textstyle OMgBr}{|}}{C}\!-\!R
$$

$$
\xrightarrow{\ H_2O\ } R\!-\!\underset{\underset{\textstyle OH}{|}}{CH}\!-\!\overset{\overset{\textstyle O}{\|}}{C}\!-\!R
$$

② Reaktionen mit der halben molaren Menge Kohlenmonoxid zu Olefinen:

$$
R\!-\!CH_2MgBr\ +\ CO \longrightarrow R\!-\!CH_2\!-\!\overset{\overset{\textstyle O}{\|}}{C}\!-\!MgBr \xrightarrow{\ RCH_2MgBr\ } R\!-\!CH_2\!-\!\underset{\underset{\textstyle CH_2R}{|}}{\overset{\overset{\textstyle OMgBr}{|}}{C}}\!-\!MgBr
$$

$$
\xrightarrow{\ H_2O\ } R\!-\!CH\!=\!CH\!-\!CH_2R\ +\ MgBr_2\ +\ Mg(OH)_2
$$

Die erste Reaktionsweise ist für Aryl- und tert.-Alkyl-magnesiumhalogenide charakteristisch. Aus Phenyl-magnesiumbromid erhält man mit Kohlenmonoxid im Stahlautoklaven bei 70–80° bis zu 90% d. Th. *Benzoin* neben geringen Mengen an *Benzil*. Die Umsetzung läßt sich durch Nickelcarbonyl oder durch wasserfreies Chrom(III)-chlorid katalysieren. Als Nebenprodukte entstehen jedoch noch 1,2-Dihydroxy-tetraphenyl-äthan, *Benzophenon*, Benzhydrol, Benzaldehyd und *1-Oxo-1,2,2-triphenyl-äthan*. Mit Cobalt(II)-chlorid-Katalyse beobachtet man schon bei –35° in Äther eine Umsetzung zu 35% d. Th. *Benzoin*[1]. Allerdings entstehen hierbei 30% d. Th. Biphenyl. Die aliphatischen Grignard-Verbindungen reagieren nach dem zweiten Reaktionsschema[2]. So liefert Butyl-magnesiumbromid mit Kohlenmonoxid 65% d. Th. Nonen.

β_2) mit alkalimetall-organischen Verbindungen[3]

Die Umsetzung von Äthyl-natrium mit Kohlenmonoxid ist am längsten bekannt und führt in allerdings schlechter Ausbeute zu *Pentanon-(3)*[4] neben 3-Äthyl-pentanol-(3).

Lithium-organische Verbindungen reagieren exotherm mit Kohlenmonoxid. Diese Beobachtung machte Wittig[5] schon 1940, als er aus dem Reaktionsprodukt der Umsetzung von Phenyl-lithium mit Kohlenmonoxid *2-Oxo-1,1,2-triphenyl-äthan* isolieren konnte. Über die Bildung von 55% d. Th. *Benzophenon* bei der Umsetzung von Phenyl-lithium mit Kohlenmonoxid bei − 70° wird berichtet[6].

Nach neueren Arbeiten lassen sich zwischen die Lithium-Kohlenstoff-Bindung der lithium-organischen Verbindungen bis zu molare Mengen an Kohlenmonoxid einschieben. Die Reaktionen von Phenyl-lithium und Butyl-lithium können zur Syn-

---

[1] M. RYANG u. S. TSUTSUMI, Bl. chem. Soc. Japan **34**, 1341 (1961).

[2] F. G. FISCHER u. O. STOFFERS, A. **500**, 253 (1933).

[3] S. auch ds. Handb., Bd. XIII/1, Kap. Umwandlung lithium-organischer Verbindungen, S. 172.

[4] H. H. SCHLUBACH, B. **52**, 1910 (1919).

[5] G. WITTIG, Ang. Ch. **53**, 241 (1940).

[6] M. RYANG u. S. TSUTSUMI, Bl. chem. Soc. Japan **35**, 1121 (1962).

these von neuen β-Oxo-silanen angewandt werden, während das durch Umsetzung von tert.-Butyl-lithium mit Kohlenmonoxid entstehende Produkt ein Agens zur direkten elektrophilen Acylierung darstellt[1].

Eine Phenyl-lithium/Hexan-Lösung absorbiert bei Raumtemperatur 50% der molaren Menge an Kohlenmonoxid. Während die Hydrolyse des Reaktionsproduktes in guter Ausbeute *2-Oxo-1,1,2-triphenyl-äthan* und Benzol liefert:

$$2\ H_5C_6{-}Li\ +\ 2\ CO\ \longrightarrow\ 2\ [H_5C_6{-}\overset{\displaystyle }{\underset{\displaystyle O}{C}}{-}Li]\ \longrightarrow\ \left[H_5C_6{-}\overset{OLi}{\underset{Li}{C}}{-}\overset{}{\underset{O}{C}}{-}C_6H_5 \right] \xrightarrow{+2\ H_5C_6{-}Li}$$

$$H_5C_6{-}\overset{\displaystyle C_6H_5}{\underset{\displaystyle Li}{C}}{-}\overset{\displaystyle }{\underset{\displaystyle O}{C}}{-}C_6H_5\ +\ H_5C_6{-}Li\ +\ Li_2O\ \xrightarrow{\text{Hydrolyse}}\ H_5C_6{-}\overset{\displaystyle C_6H_5}{\underset{\displaystyle H}{C}}{-}CO{-}C_6H_5\ +\ C_6H$$

entsteht bei Umsetzung mit Trimethylchlorsilan neben Hexamethyldisiloxan und Trimethylphenylsilan das *2-Oxo-1-trimethylsilyl-1,1,2-triphenyl-äthan*:

$$H_5C_6{-}\overset{\displaystyle H_5C_6}{\underset{\displaystyle Si(CH_3)_3}{C}}{-}\overset{\displaystyle O}{C}{-}C_6H_5$$

2-Oxo-1,1,2-triphenyl-äthan[1]: Kohlenmonoxid wird aus einem Gasometer mit $\sim 1\,m$ Wassersäulen-Überdruck entnommen, mit einer alkalischen Pyrogallol-Lösung von Sauerstoff und Kohlendioxid befreit und über Silikagel und Phosphor(V)-oxid getrocknet. 180 *ml* einer Phenyllithium-Lösung in Hexan (0,13 Mol), unter Argon eingefüllt, behandelt man in einer Schüttelente bei Raumtemp. mit dem gereinigten Kohlenmonoxid. Die Lösung erwärmt sich und nimmt schon nach geringer Kohlenmonoxid-Absorption eine rote Farbe an. Im weiteren Verlauf der Reaktion scheidet sich ein graubrauner Niederschlag ab. Nach 5 Stdn. sind $\sim 1450\,ml$ Kohlenmonoxid absorbiert. Man gießt die Suspension in einen Tropftrichter und gibt sie zu 100 *ml* Wasser unter Eiskühlung. Es scheiden sich 7,6 g (86% d.Th.) kristallines 2-Oxo-1,1,2-triphenyl-äthan (F: 136–138°) ab.

Hydrolyse der Reaktionsprodukte aus Butyl-lithium und Kohlenmonoxid führt zum *5-Oxo-6-butyl-decan*, während man nach Umsetzung mit Trimethylchlorsilan neben Hexamethyldisiloxan noch *5-Oxo-6-trimethylsilyl-6-butyl-decan* isoliert:

$$
\begin{array}{c}
H_9C_4{-}\overset{\displaystyle C_4H_9}{\underset{\displaystyle Li}{C}}{-}\overset{\displaystyle }{\underset{\displaystyle O}{C}}{-}C_4H_9
\end{array}
\quad
\begin{cases}
\xrightarrow{\text{Hydrolyse}} & H_9C_4{-}\overset{\displaystyle C_4H_9}{\underset{\displaystyle H}{C}}{-}\overset{\displaystyle }{\underset{\displaystyle O}{C}}{-}C_4H_9 \\[2em]
\xrightarrow{(CH_3)_3\,SiCl} & H_9C_4{-}\overset{\displaystyle H_9C_4}{\underset{\displaystyle Si(CH_3)_3}{C}}{-}\overset{\displaystyle O}{C}{-}C_4H_9
\end{cases}
$$

---

[1] P. Jutzi u. F. W. Schröder, J. Organometal. Chem. **24**, 1 (1970).

Tert.-Butyl-lithium in Hexan absorbiert bei Raumtemperatur unter heftiger Reaktion molare Kohlenmonoxid-Mengen[1]:

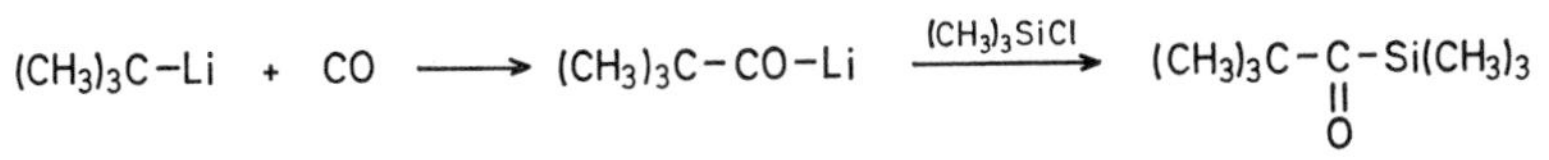

$$(CH_3)_3C-Li \;+\; CO \;\longrightarrow\; (CH_3)_3C-CO-Li \xrightarrow{(CH_3)_3SiCl} (CH_3)_3C-\overset{\overset{\displaystyle O}{\|}}{C}-Si(CH_3)_3$$

1-Oxo-1-trimethylsilyl-2,2-dimethyl-propan

Mit dem entstehenden 2,2-Dimethyl-propanoyl-lithium können nucleophile Acylierungen durchgeführt werden[2].

β₃) *mit Alkyl-bor-Verbindungen*

Eine elegante Methode, wie man aus Olefinen über die entsprechenden Alkyl-bor-Verbindungen mit Kohlenmonoxid aliphatische bzw. cycloaliphatische Ketone herstellen kann, wurde beschrieben[3]. Symmetrische Ketone erhält man, indem man Borhydrid an Olefine anlagert, in Gegenwart von Wasser mit Kohlenmonoxid umsetzt und anschließend mit alkalischer Wasserstoffperoxid-Lösung oxidiert. Die Umsetzung verläuft über die in der Klammer abgebildete Zwischenstufe:

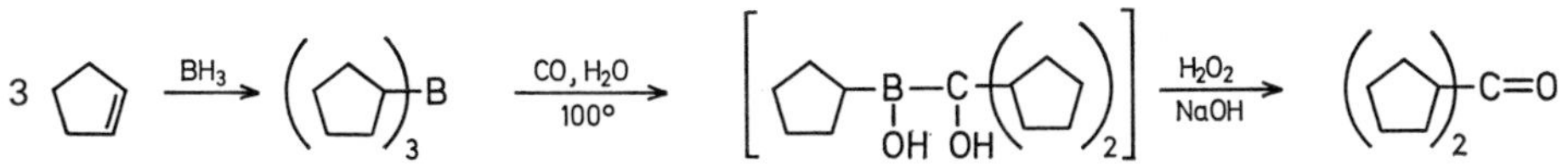

Dicyclopentyl-keton[3]: Eine Lösung von 20,4 g (300 mMol) Cyclopenten in 150 *ml* Bis-[2-methoxy-äthyl]-äther (Diglym) wird mit Eiswasser gekühlt und hierzu 50 *ml* einer 2,0 m Borhydrid-Lösung in Tetrahydrofuran getropft. Man rührt noch 1 Stde. bei Raumtemperatur. Das Tetrahydrofuran wird i. Vak. entfernt und 2,7 *ml* Wasser zugefügt. Man leitet nun unter magnetischem Rühren Kohlenmonoxid durch die Lösung bei 100°. Die Aufnahme läßt nach 2,5 Stdn. nach. Man kühlt den Kolben mit Eiswasser und oxidiert bei Temp. unter 35°, indem man zuerst mit 3 n Natriumhydroxid-Lösung alkalisch stellt und anschließend 23 *ml* 30%ige Wasserstoffperoxid-Lösung tropfenweise zufügt. Man rührt nochmals 1 Stde. bei Raumtemp. und gießt den Kolbeninhalt auf 300 *ml* Wasser. Das Keton wird mit Pentan extrahiert. Die Pentanfraktion wird mit Wasser gewaschen, getrocknet und fraktioniert; Ausbeute: 15 g (90% d. Th.); Kp_5: 86°.

Unsymmetrische Ketone erhält man durch Carbonylierung gemischter Borane (R_2BR'):

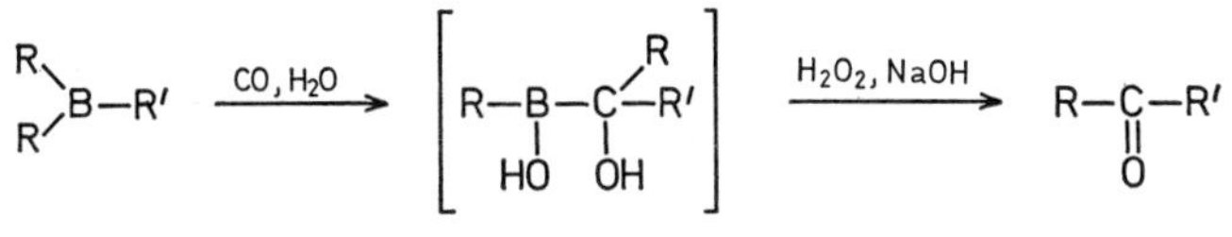

Die Kohlenmonoxid-Einschiebung kann auch zwischen Bor und den beiden gleichartigen Substituenten erfolgen. Man muß daher auch mit der Bildung von symmetrischem Keton rechnen:

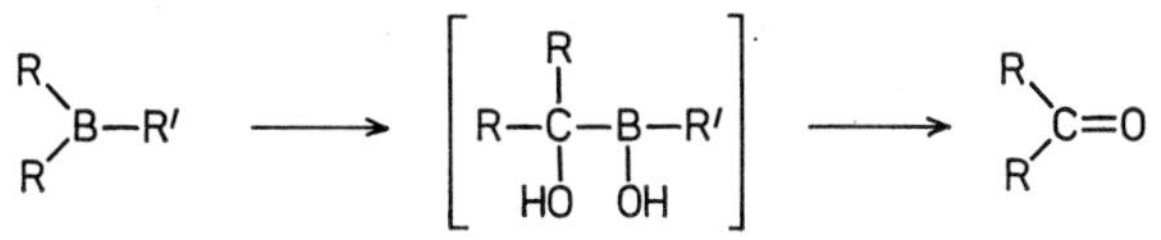

[1] P. JUTZI u. F. W. SCHRÖDER, J. Organometal. Chem. **24**, 1 (1970).
[2] D. SEEBACH, Ang. Ch. **81**, 690 (1969).
[3] H. C. BROWN u. M. W. RATHKE, Am. Soc. **89**, 2738, 4528, 4530 (1967).

Verläuft die Reaktion rein statistisch, so erhält man unsymmetrisches und symmetrisches Keton im Verhältnis 2 : 1. Substituenten-Einflüsse können das Verhältnis jedoch verschieben.

Mit Dicyclohexyl-boran, Olefinen und Kohlenmonoxid erhält man vorwiegend gemischte Ketone. Die Leistungsfähigkeit dieser Methode wurde an mehreren Beispielen demonstriert; z.B.:

$$(H_{11}C_6)_2BH + H_2C=CH-C_2H_5 \longrightarrow (H_{11}C_6)_2B-CH_2-CH_2-C_2H_5$$

$$\xrightarrow{CO/H_2O_2} H_{11}C_6-\overset{\overset{O}{\|}}{C}-CH_2-CH_2-C_2H_5$$

Die Methode gestattet es auch, Ketone mit Ester- und Cyanid-Gruppen herzustellen:

$$(H_{11}C_6)_2B-CH_2-CH_2-(CH_2)_8-COOCH_3 \xrightarrow{CO/H_2O_2} H_{11}C_6-\overset{\overset{O}{\|}}{C}-(CH_2)_{10}-COOCH_3$$

12-Oxo-12-cyclohexyl-dodecansäure
methylester

Benzoesäure-allylester ergibt so *Benzoesäure-4-oxo-4-cyclohexyl-butylester* (43% d. Th.) und Buten-(3)-säure-nitril *5-Oxo-5-cyclohexyl-pentansäure-nitril* (45% d. Th.).

γ) Ketone aus Metallcarbonylen[1]

γ₁) *mit Halogen-Verbindungen*

Die Reaktion von α-Brom-ketonen mit Nickelcarbonyl in Dimethylformamid stellt eine bequeme Methode zur Herstellung von β,γ-Epoxy-ketonen dar[2]:

$$2\ R^1-\overset{\overset{O}{\|}}{\underset{\underset{R^2}{|}}{C}}-CH-Br \xrightarrow{Ni(CO)_4} R^1-\overset{\overset{O}{\|}}{C}-\overset{\overset{R^2}{|}}{CH}-\overset{\overset{R^1}{|}}{\underset{\underset{O}{\diagdown\diagup}}{C}}-CH-R^2$$

R¹	R²		Ausbeute [% d.Th.]
C_2H_5	H	*1-Äthyl-1-(2-oxo-butyl)-oxiran*	52
t.-C_4H_9	H	*1-tert.-Butyl-1-(2-oxo-3,3-dimethyl-butyl)-oxiran*	61
C_2H_5	CH_3	*2-Methyl-1-äthyl-1-[3-oxo-pentyl-(2)]-oxiran*	84

β,γ-Epoxy-ketone; allgemeine Herstellungsvorschrift[2]: 0,1 Mol α-Brom-keton werden in 30 *ml* Dimethylformamid mit 0,06 Mol Nickeltetracarbonyl bei 30° 5 Stdn. behandelt. Man gießt den Ansatz anschließend auf verd. Salzsäure und extrahiert mit Äther. Der Extrakt wird mit Wasser, verd. Natriumhydrogencarbonat-Lösung gewaschen und über Natriumsulfat getrocknet. Man zieht den Äther ab und destilliert den Rückstand.

---

[1] s. hierzu M. RYANG u. S. TSUTSUMI, Synthesis **1971**, 55.
[2] E. YOSHISATO u. S. TSUTSUMI, Am. Soc. **90**, 4488 (1968).

Aryljodide werden von Nickelcarbonyl in Benzol oder Tetrahydrofuran zu α-Diketonen carbonyliert[1]; z. B.:

$$H_5C_6-J \xrightarrow[\text{THF; } 60°]{\text{Ni(CO)}_4} H_5C_6-\overset{O}{\underset{\|}{C}}-\overset{O}{\underset{\|}{C}}-C_6H_5$$

Benzil

Mit Trieisen-dodecacarbonyl in Toluol erhält man in 53% d.Th. Ausbeute *Benzophenon*.

Die Carbonylierung von Benzylhalogeniden gelingt nur in polaren Solventien wie Dimethylformamid oder Tetrahydrofuran[2] (95% d.Th. *1,3-Diphenyl-aceton* aus Benzyljodid).

Entsprechend reagieren auch Nickelcyanocarbonylate; z. B.[3]:

$$[Ni_2(CO)_2(CN)_6]K + H_5C_6-CH_2-Br \longrightarrow H_5C_6-CH_2-\overset{O}{\underset{\|}{C}}-CH_2-C_6H_5$$

Diese Umsetzungen verlaufen über Aroylmetallcarbonyl-Zwischenstufen. Man kann sie in unpolaren Solventien mit aktivierten Olefinen wie Styrol, Acrylnitril und Acrylsäureester zu Ketonen bzw. Lactonen abfangen[4]; z. B.:

$$H_5C_6-J + Ni(CO)_4 \longrightarrow \left[H_5C_6-\overset{O}{\underset{\|}{C}}-Ni(CO)_3\right]J \xrightarrow{H_5C_6-CH=CH_2}$$

$$H_5C_6-\overset{O}{\underset{\|}{C}}-CH_2-CH_2-C_6H_5 +$$

1-Oxo-1,3-diphenyl-propan;   25% d. Th.
43% d. Th.

γ_2) mit Acetylenen

Acetylene können mit Carbonylen des Eisens[5], Nickels[6] und Cobalts[7] zu Cyclopentadienon-metallcarbonyl-Komplexen reagieren, aus denen nach Zersetzung die Cyclopentadienon-Derivate isoliert werden können, so z. B.[5]:

$$2 H_5C_6-C\equiv C-C_6H_5 + Fe(CO)_4 \longrightarrow$$

[1] N. L. Bould, Tetrahedron Letters **1963**, 1841.
[2] E. Yoshisato u. S. Tsutsumi, J. Org. Chem. **33**, 869 (1968).
   Vgl. auch J. Rhee, M. Ryang u. S. Tsutsumi, J. Organometal. Chem. **9**, 361 (1967).
[3] I. Hoshimoto, M. Ryang u. S. Tsutsumi, Tetrahedron Letters **1969**, 3291.
[4] E. Yoshisato, M. Ryang u. S. Tsutsumi, J. Org. Chem. **34**, 1500 (1969).
[5] G. N. Schrauzer, Chem. & Ind. **1958**, 1403.
[6] E. R. Jones, P. C. Wailes u. M. C. Whithing, Soc. **1955**, 4021.
[7] R. Markby, H. W. Sternberg u. J. Wender, Chem. & Ind. **1959**, 1381.

Nach Einwirkung von Luft konnte 12% d.Th. *5-Oxo-tetraphenyl-cyclopentadien* (*Tetracyclon*) isoliert werden[1].

Bei der Synthese von Acrylsäureester aus Acetylen und wäßrigem Alkohol in Gegenwart von Eisenpentacarbonyl[2] entsteht eine gelbe Komplexverbindung, die sich nach späteren Untersuchungen als ein Hydrochinon-Addukt aus Cyclopentadienon-eisentricarbonyl erwies[3].

γ_3) mit lithium-organischen Verbindungen

Lithium-organische Verbindungen addieren sich an Metallcarbonyle zu Metallcarbonylaten; z. B.[4]:

$$\text{Ar-Li} \ + \ \text{Ni(CO)}_4 \longrightarrow \left[\text{Ar}-\overset{\overset{\displaystyle O}{\|}}{C}-\text{Ni(CO)}_3\right]\text{Li}$$

Entsprechende Nickelcarbonylate ergeben sogar schon bei $-70°$ mit Acetylenen 1,4-Diketone[5]:

$$2\left[\text{Ar}-\overset{\overset{\displaystyle O}{\|}}{C}-\text{Ni(C\"O)}_3\right]\text{Li} \ + \ \text{R-C}\equiv\text{CH} \longrightarrow \text{Ar}-\overset{\overset{\displaystyle O}{\|}}{C}-\overset{\overset{\displaystyle R}{\,|\,}}{C}\text{H}-\text{CH}_2-\overset{\overset{\displaystyle O}{\|}}{C}-\text{Ar}$$

Ar = C$_6$H$_5$;	R = C$_6$H$_5$;	*1,4-Dioxo-1,2,4-triphenyl-butan,*	74% d.Th.;	F: 127°
	R = CH$_3$	*1,4-Dioxo-2-methyl-1,4-diphenyl-butan,*	44% d.Th.;	F: 105°
	R = H;	*1,4-Dioxo-1,4-diphenyl-butan,*	50% d.Th.;	F: 146°
Ar = 4-CH$_3$-C$_6$H$_4$;	R = CH$_3$	*1,4-Dioxo-2-methyl-1,4-bis-[4-methyl-phenyl]-butan,*	64% d.Th.;	F: 118–119°
Ar = 4-CH$_3$O-C$_6$H$_4$;	R = H;	*1,4-Dioxo-1,4-bis-[4-methoxy-phenyl]-butan,*	31% d.Th.;	F: 154°

Bei Temperaturen über $-30°$ entstehen als Nebenprodukte Lactone.

1,4-Dioxo-2-methyl-1,4-bis-[4-methyl-phenyl]-butan[5]: 2,0 g Propin werden zu der ätherischen Lösung von 0,05 Mol 4-Methyl-benzoylnickeltricarbonylat, hergestellt durch Zusammenfügen von äquimolaren Mengen Nickeltetracarbonyl und 4-Methyl-phenyl-lithium, bei $-70°$ zugegeben. Die Mischung wird 5 Stdn. bei $-70°$ gerührt, mit 4 n Salzsäure hydrolysiert und auf Raumtemp. gebracht. Die organische Phase wird 3 mal mit je 30 *ml* 50%iger Natronlauge extrahiert, neutral gewaschen und über Magnesiumsulfat getrocknet. Nach Entfernen des Äthers destilliert bei 130–195°/1 Torr 5,3 g Öl, das langsam kristallisiert (F: 118–119°, aus Äthanol).

Das aus Butyl-lithium und Nickeltetracarbonyl gebildete Carbonylat addiert bei $-50°$ an α,β-ungesättigte Carbonylverbindungen, z.B. an Mesityloxid zu 89% *2,5-Dioxo-4,4-dimethyl-nonan*[6]:

$$\left[\text{R}^1-\overset{\overset{\displaystyle O}{\|}}{C}-\text{Ni(CO)}_3\right]\text{Li} \ + \ \underset{\text{R}^3}{\overset{\text{R}^2}{>}}\text{C}=\overset{\overset{\displaystyle }{\underset{\underset{\displaystyle \text{R}^4}{|}}{C}}}{}-\overset{\overset{\displaystyle O}{\|}}{C}-\text{R}^5 \longrightarrow \text{R}^1-\overset{\overset{\displaystyle O}{\|}}{C}-\overset{\overset{\displaystyle R^2}{|}}{C}-\text{CH}-\overset{\overset{\displaystyle O}{\|}}{C}-\text{R}^5$$

[1] U. Krüerke u. W. Hübel, B. **94**, 2829 (1961).
[2] W. Reppe u. H. Vetter, A. **582**, 133 (1953).
[3] E. Weiss, R. Merényi u. W. Hübel, B. **95**, 1155, 1170 (1962).
[4] M. Ryang. Organometal. Chem. Rev. [A] **5**, 67 (1970).
    Vgl. auch M. Ryang et al., Bl. chem. Soc. Japan **38**, 330 (1965); **37**, 341 (1964); J. Organometal. Chem. **5**, 305 (1966).
[5] Y. Sawa et al., J. Org. Chem. **33**, 2159 (1968).
[6] E. J. Corey u. L. S. Hegedus, Am. Soc. **91**, 4926 (1969).

2,5-Dioxo-4,4-dimethyl-nonan: Zu der Lösung des Komplexes, hergestellt aus 5,0 mMol Nikkeltetracarbonyl in 10 *ml* trockenem Äther und 5,0 *ml* Butyl-lithium in Pentan (1,3 m Lösung) werden bei −50° langsam unter Rühren 0,294 g (3,0 mMol) 4-Oxo-2-methyl-penten-(2) (Mesityloxid) zugetropft und bei −50° 16 Stdn. gerührt. Die Umsetzung wird durch Zugabe von 10 *ml* ges. wäßriger Ammoniumchlorid-Lösung abgebrochen und langsam auf Raumtemp. erwärmt. Überschüssige Nickelverbindungen werden durch vorsichtiges Zufügen von ätherischer Jod-Lösung zerstört, bis die braune Farbe erhalten bleibt. Man extrahiert mit Äther und wäscht die Äther-Phase mit ges. Natriumchlorid-Lösung, die Natriumsulfat enthält. Man trocknet über Magnesiumsulfat und dampft ein. Das Produkt wird durch präparative Dünnschichtchromatographie gereinigt; Ausbeute: 0,49 g (89% d.Th.).

Lithiuma-cyleisencarbonylate eignen sich auch zur nucleophilen Acylierung wie z.B.[1]:

$$\left[H_5C_6-\overset{O}{\overset{\|}{C}}-Fe(CO)_4 \right] Li \;+\; H_5C_6-CH_2-Cl \;\longrightarrow\; H_5C_6-\overset{O}{\overset{\|}{C}}-CH_2-C_6H_5$$

73% d.Th.
1-Oxo-1,2-diphenyl-äthan (Desoxybenzoin)

$$\left[H_5C_6-\overset{O}{\overset{\|}{C}}-Fe(CO)_4 \right] Li \;+\; H_5C_6-\overset{O}{\overset{\|}{C}}-Cl \;\longrightarrow\; H_5C_6-\overset{O}{\overset{\|}{C}}-C_6H_5$$

Benzophenon; 36% d.Th.

γ_4) mit quecksilber-organischen Verbindungen

Die Synthese symmetrischer Ketone gelingt bei der Umsetzung von Organoquecksilberhalogeniden mit Dicobalt-octacarbonyl[2]. Zum Beispiel entsteht aus (4-Fluor-phenyl)-quecksilberbromid *4,4′-Difluor-benzophenon* (93% d.Th.). Die Reaktionen laufen im allgemeinen rasch bei Raumtemperatur unter Normaldruck in Tetrahydrofuran ab. Sie sind geeignet zur Herstellung von Diaryl- und Dialkyl-ketonen. Zu dem Mechanismus sei auf die Literatur hingewiesen[2].

$$2 \; F-\!\!\left\langle\bigcirc\right\rangle\!\!-HgBr \;\xrightarrow{Co_2(CO)_8}\; F-\!\!\left\langle\bigcirc\right\rangle\!\!-\overset{O}{\overset{\|}{C}}-\!\!\left\langle\bigcirc\right\rangle\!\!-F \;+\; HgCo(CO)_4$$

4,4′-Difluor-benzophenon: Eine Mischung von je 5,4 mMol 4-Fluor-phenyl-quecksilberbromid und 5,4 mMol käuflichem Dicobalt-octacarbonyl in 40 *ml* absol. Tetrahydrofuran läßt man bei Raumtemp. 1 Stde. reagieren. Das Tetrahydrofuran wird i.Vak. abgezogen und der Rückstand mit heißem Benzol extrahiert. Zu der rot-orangen Benzol-Fraktion gibt man 5 g (19 mMol) Triphenyl-phosphin. Hierbei entsteht ein Gas und Hg[Co(CO)₃P(C₆H₅)₃]₂ (F: 205–210°; Zers.) fällt aus. Überschüssiges Triphenylphosphin wird mit 5 *ml* Methyljodid als Phosphoniumsalz in der Wärme gefällt. Die Benzol-Phase wird filtriert, i.Vak. vom Solvens befreit und der Rückstand sublimiert; Ausbeute: 0,501 g (93% d.Th.); F: 103–105°.

Benzophenon wurde so mit 80%, *4,4′-Dimethyl-benzophenon* mit 86% und *4,4′-Dimethoxy-benzophenon* mit 84% d.Th. erhalten.

Die Umsetzung von **Aryl-quecksilberchloriden** mit **Kohlenmonoxid** in Gegenwart von Lithium-trichloro-palladium(II), Dilithium-tetrachloro-palladium(II)-

[1] Y. SAWA, M. RYANG u. S. TSUTSUMI, Tetrahedron Letters **1969**, 5189.
[2] D. SEYFERTH u. R. J. SPOHN, Am. Soc. **90**, 540 (1968); **91**, 3037, 6192 (1969).

kupfer(II)-chlorid-Komplex und von Rhodium(III)-chloriden zu Ketonen verlaufen wahrscheinlich ebenfalls über Metallcarbonyle[1].

2. aus Carbonsäure-chloriden[2]

Die Herstellung der Ketone aus Organometall-Verbindungen und Carbonsäurehalogeniden wird durch die folgende Gleichung wiedergegeben:

$$\underset{\text{O}}{R-\overset{\displaystyle\|}{C}-Hal} \; + \; R'Me \; \longrightarrow \; R-\overset{\displaystyle\|}{\underset{\text{O}}{C}}-R' \; + \; MeHal$$

Die Keton-Synthese mit metallorganischen Verbindungen haben den Vorteil, daß sie eindeutig verlaufen. Der Ort der Substitution ist zumeist genau vorausbestimmbar. Dies hat sich als besonders vorteilhaft bei der Herstellung zahlreicher aromatischer Ketone erwiesen. So konnte beispielsweise das folgende Keton nur nach der metallorganischen Arbeitsweise, nicht jedoch mit Hilfe einer Friedel-Crafts-Acylierung hergestellt werden[3]:

3,4,5-Trimethoxy-1-propanoyl-benzol

Auch bei zahlreichen Naturstoff-Synthesen, besonders in der Carotinoid- und Steroid-Reihe[4] hat sich die metallorganische Arbeitsweise bestens bewährt.

Ketone aus metallorganischen Verbindungen wurden 1861 erstmals von Freund[5] aus Dialkyl-zink und Carbonsäure-chloriden erhalten[6]:

$$2 \; H_3C-COCl \; + \; (CH_3)_2Zn \; \longrightarrow \; 2 \; H_3C-\overset{\displaystyle\|}{\underset{\text{O}}{C}}-CH_3 \; + \; ZnCl_2$$

Angeregt durch die Untersuchungen von Blaise[7] wurden die Organo-zink-Verbindungen in der Folgezeit für die Keton-Synthesen bevorzugt eingesetzt. Später wurden die Vorzüge der Organo-cadmium-Verbindungen entdeckt[8]. Sammelreferate, die nahezu lückenlos bis 1954 alle Keton-Synthesen aus metallorganischen Verbin-

---

[1] R. F. Heck, Am. Soc. **90**, 5546 (1968).

[2] Die Synthesen der Vinyl- und Aethinyl-ketone werden in diesem Kapitel nicht behandelt. Zu ihrer Synthese s. ds. Handb., Bd. V/2, Kap. Acetylene.

[3] C. D. Gutsche u. F. A. Hoyer, Am. Soc. **72**, 4285 (1950).

[4] P. Karrer, E. Jucker u. E. Schick, Helv. **29**, 704 (1946).
W. M. Hoehn u. R. B. Moffett, Am. Soc. **67**, 740 (1945).
E. Dane u. O. Höss, A. **552**, 113 (1942).

[5] A. Freund, A. **118**, 1 (1861).

[6] Vgl. auch das Sammelreferat D. A. Shirley, Org. Reactions **8**, 28 (1954).

[7] M. E. Blaise, Bl. [4] **9**, I (1911).

[8] H. Gilman u. J. F. Nelson, R. **55**, 518 (1936).

dungen und Carbonsäure-chloriden enthalten, findet man in der Literatur[1]. Neben den Alkyl-cadmium-Verbindungen wurden Organo-metall-Verbindungen des Natriums[2], des Magnesiums[3], Zinns[3], Bleis[3], Kupfers[4], Quecksilbers[5] und des Aluminiums[6] eingesetzt.

Über den genauen Mechanismus der Reaktion von Organo-metall-Verbindungen mit Carbonsäure-chloriden ist wenig bekannt. Bei den Grignard-Reagentien nimmt man an, daß sie sich zunächst an die Carbonyl-Doppelbindung addieren. Diese Addition wird durch Komplexbildung mit einem zweiten Molekül der Grignard-Verbindung oder durch das stets anwesende Magnesiumhalogenid erleichtert. Hierfür spricht, daß man die Reaktion durch einen Zusatz von Metallhalogenid noch zusätzlich aktivieren kann[7]:

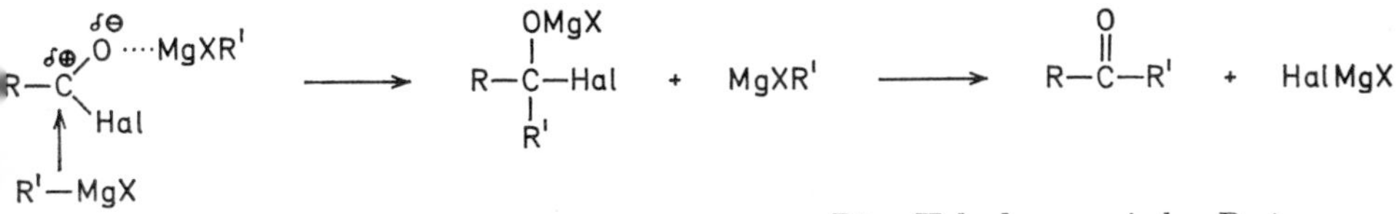

$$
\begin{array}{ccccc}
R-\overset{\overset{\delta\oplus}{\underset{\underset{R'-MgX}{\uparrow}}{\underset{Hal}{|}}}{C}}{\underset{}{}}\!\!\overset{\delta\ominus}{\underset{}{O}}\cdots MgXR' & \longrightarrow & R-\overset{OMgX}{\underset{\underset{R'}{|}}{\underset{|}{C}}}-Hal \;+\; MgXR' & \longrightarrow & R-\overset{O}{\overset{\|}{C}}-R' \;+\; HalMgX
\end{array}
$$

R′ = Hal oder organischer Rest

Es entsteht somit ein Komplex aus Carbonsäure-chlorid und Grignardreagenz, aus dem Magnesiumhalogenid eliminiert wird, gleichzeitig wird das Keton gebildet.

Dieser Mechanismus wird durch folgende Beobachtung unterstützt. Die Carbonsäure-fluoride sind gegenüber Grignard-Reagentien reaktiver als die Carbonsäure-bromide oder -jodide. Im Falle einer nucleophilen Substitution des Halogens durch den anionischen Rest würde man eine umgekehrte Reaktivität erwarten[8]. Auch bei den Cadmium-alkylen spielen Lewissäuren als Komplexbildner eine entscheidende Rolle. Salzfreie Alkyl-cadmium-Verbindungen verhalten sich ganz anders als in Gegenwart von Metallsalzen. Sie verdanken ihre Reaktivität gegenüber Carbonsäure-chloriden den von der Herstellung her stets anwesenden Metallhalogeniden. Destilliertes Dimethyl-cadmium reagiert mit Benzoylchlorid in Diäthyläther erst nach Zugabe einer Lewissäure, wie Magnesium-, Aluminium-chlorid, Magnesium-, Zinkbromid, Magnesium- oder Lithium-jodid zu *Acetophenon*[9]. Mit Benzaldehyd verläuft die Umsetzung der salzhaltigen Cadmium-Verbindungen nur sehr träge. Destilliertes Diäthyl-cadmium reagiert dagegen mit Benzaldehyd zu 1-Phenyl-propanol (86% d.Th.)[10]. Durch den Zusatz von Metallsalzen läßt sich die Reaktivität der Alkyl-cadmium-Verbindungen somit selektiv beeinflussen. Magnesiumjodid ist der wirkungsvollste Katalysator für Keton-Synthesen[10]. Lithiumbromid z.B. aktiviert selektiv die Umsetzung von Dicarbonsäure-ester-chloriden zu Oxo-carbonsäure-ester[11]:

[1] J. Cason, Chem. Reviews 40, 15 (1947).
   D. A. Shirley, Org. Reactions 8, 28 (1954).
[2] M. E. André, C. r. 151, 75 (1910).
   G. v. Bechi, B. 12, 463 (1879).
[3] H. Gilman, *Organic Chemistry*, Vol. I, S. 489–580, John Wiley & Sons, New York 1943.
[4] H. Gilman u. J. M. Straley, R. 55, 821 (1936).
[5] R. Otto, B. 3, 197 (1870).
   I. Kuwajima, K. Narasaka u. T. Mukaiyama, THL 1967, 4281.
[6] H. Adkins u. C. Scanley, Am. Soc. 73, 2854 (1951).
   W. Dahlig, S. Pasynkiewicz u. T. Wojnarowski, Roczniki Chem. 34, 401 (1960); 37, 31 (1963); 38, 67 (1964).
   H. Bertsch u. H. Reinheckel, Fette, Seifen einschl. Anstrichmittel 64, 881 (1962).
[7] R. T. Morrison u. M. Wishman, Am. Soc. 76, 1059 (1954).
[8] C. E. Entemann u. J. R. Johnson, Am. Soc. 55, 2900 (1933).
[9] F. Huet et al., C. r. [C] 262, 1328 (1966).
[10] J. Kollonitsch, Soc. [A] 1966, 453.
   Vgl. a. H. Gilman u. J. F. Nelson, R. 55, 518 (1936).
[11] J. Kollonitsch, Soc. [A] 1966, 456.

$$R_2Cd \;+\; 2\;Cl-\overset{\overset{O}{\|}}{C}-COOR' \;\xrightarrow{\;LiBr\;}\; 2\;R-\overset{\overset{O}{\|}}{C}-COOR' \;+\; CdCl_2$$

Der Mechanismus dieser Metallhalogenid-Katalyse ist noch nicht vollständig geklärt. Es ist möglich, daß die Lewissäuren das Halogen nach:

$$H_3C-\overset{\overset{O}{\|}}{C}-Cl \;+\; AlCl_3 \;\longrightarrow\; \left[H_3C-\overset{..}{C}{\equiv}\overset{..}{O}\right]^{\oplus}\left[AlCl_4\right]^{\ominus}$$

ablösen. Auch ist eine Aktivierung der C=O-Gruppe durch Komplexbildung nicht ausgeschlossen[1]:

$$H_3C-\overset{\overset{O}{\|}}{C}-Cl \;+\; AlCl_3 \;\longrightarrow\; H_3C-\underset{\underset{Cl}{\diagdown}}{\overset{\diagup O^{\delta\oplus}\cdots AlCl_3}{C}}{}^{\delta\ominus}$$

Der Einfluß der Metallsalze wurde erst relativ spät entdeckt, da man bislang nur die aus Magnesium- oder Lithium-Verbindungen und Cadmiumchlorid in Äther hergestellten Lösungen verwendete, die stets Magnesiumhalogenid enthielten:

$$2\;RMgX \;+\; CdCl_2 \;\rightarrow\; R_2Cd \;+\; 2\,MgXCl$$

Im Unterschied zu den Alkyl-magnesium- und -cadmium-Verbindungen setzen sich die Organo-zink- und Organo-quecksilber-Verbindungen mit Carbonsäure-jodiden schneller um als mit den Chloriden. Die Carbonsäure-fluoride sind hierbei am unreaktivsten. Diese Beobachtung geht mit der Reaktivität der C-Hal-Bindung bei Substitutionsreaktion Hand in Hand und weist auf einen direkten Austausch des Halogens durch den anionischen Rest hin. Zur Herstellung der für die Keton-Synthesen benötigten Carbonsäure-chloride sei auf ds. Handbd., Bd. VIII, S. 464 verwiesen. Eine milde Methode zur Herstellung von Carbonsäure-chloriden wurde erst 1966 aufgefunden. Man läßt Carbonsäuren in Gegenwart von Triphenylphosphin mit Tetrachlormethan reagieren[2]:

$$RCOOH \;+\; CCl_4 \;+\; (C_6H_5)_3P \;\rightarrow\; RCOCl \;+\; CHCl_3 \;+\; (C_6H_5)_3PO$$

a) Ketone aus Carbonsäure-chloriden und Organo-cadmium-Verbindungen (Cason-Methode)

Allgemeine Hinweise

Die Herstellung von Ketonen aus Carbonsäure-chloriden und Organo-cadmium-Verbindungen wurde erstmals 1936 von Gilman und Nelson[3] empfohlen. Dieses

---

[1] J. MICHEL u. E. HENRY-BASCH, C. r. (C) **262**, 1387 (1966).
[2] J. B. LEE, Am. Soc. **88**, 3440 (1966).
[3] H. GILMAN u. J. F. NELSON, R. **55**, 518 (1936).
   s. auch ds. Handb., Bd. XIII/2, Kap. Umwandlung von Cadmium-organischen Verbindungen.

Verfahren wurde in der Folgezeit von Cason[1] zu einer präparativen Methode ausgearbeitet:

$$2\ RX\ +\ 2\ Mg\ \longrightarrow\ 2\ RMgX\ \xrightarrow{+CdCl_2}\ R_2Cd\ +\ 2\ MgXCl\ \xrightarrow{2\ R'-\overset{\overset{O}{\|}}{C}-Cl}\ 2\ R'-\overset{\overset{O}{\|}}{C}-R$$

Die Cadmium-Verbindungen[2] haben gegenüber den Magnesium- bzw. den Lithium-Derivaten den Vorteil, daß sie nur in den seltensten Fällen mit den einmal gebildeten Ketonen zu tert. Carbinolen weiterreagieren. Die Umsetzung mit den Carbonsäure-chloriden verläuft **wesentlich rascher** als die mit den Ketonen[3]. Dieser Sachverhalt wird durch das folgende Experiment illustriert: Grignard- und Lithium-Verbindungen geben mit *4,4'-Bis-[dimethylamino]-benzophenon* (*Michlers-Keton*) augenblicklich einen positiven Gilman-Test[4] (Nachweismethode für Grignard- und Lithium-Verbindungen):

Diese Nachweismethode beruht auf der Additionsbereitschaft der Grignard- und Lithium-Derivate an die Oxo-Gruppe des Michlers-Keton. Das Diäthyl-zink gibt unter sonst gleichen Bedingungen erst nach 27,5 stdg. Einwirkung denselben Farbtest, während mit Alkyl-cadmium-Verbindungen erst nach 100 Stdn. eine positive Reaktion beobachtet wird[3].

Ein weiterer Vorteil der Cadmium-Methode ist, daß bei der Umsetzung mit Carbonsäure-chloriden in Diäthyläther eine **Äther-Spaltung** nur in **geringem Maße** stattfindet. Bei der Keton-Synthese mit Grignard- oder Zink-Verbindungen beobachtet man dagegen öfters, daß der Äther unter dem katalytischen Einfluß der bei der Reaktion entstehenden Magnesium- oder Zinkhalogenide mit dem Carbonsäurechlorid zu dem entsprechenden Äthylester gespalten wird[5]:

$$R-COCl + H_5C_2-O-C_2H_5 \xrightarrow{MeX_2} R-\overset{\overset{O}{\|}}{C}-OC_2H_5 + C_2H_5Cl$$

---

[1] J. Cason, Chem. Reviews **40**, 15 (1947).
[2] Die Organo-cadmium-Verbindungen können in Phosphorsäure-tris-[dimethylamid] direkt aus Cadmium und Alkyljodiden hergestellt werden: J. Chenault u. F. Tatibouet, C. r. [C] **264**, 213 (1967), aber am zweckmäßigsten bereitet man sie aus Organo-Magnesium- oder Lithium-Derivaten und wasserfreiem Cadmiumchlorid direkt in dem Reaktionsgefäß, in dem auch die nachfolgende Umsetzung mit dem Carbonsäure-chlorid erfolgen soll.
[3] H. Gilman u. J. F. Nelson, R. **55**, 518 (1936).
   S. a. ds. Handb., Bd. XIII/2, Kap. Umwandlung von Cadmium-organischen Verbindungen.
[4] Vgl. ds. Handb., Bd. XIII/1, Kap. Analytik und Eigenschaften alkalimetall-organischer Verbindungen, S. 22.
[5] F. C. Whitmore u. W. R. Wheeler, Am. Soc. **60**, 2899 (1938).
   H. Meerwein u. H. Maier-Hüser, J. pr. [2] **134**, 51 (1932);
   S. a. ds. Handb., Bd. XIII/2, Kap. Umwandlung von Zink-organischen Verbindungen.

Bei den Cadmium-Verbindungen läßt sich diese Nebenreaktion fast vollständig ausschalten, wenn man den Äther bis auf einen kleinen Rest, der sich nicht mehr entfernen läßt, abdestilliert und durch Benzol ersetzt. Auf diese Weise entstehen maximal nur 0,5–2,5% Ester[1]. Stören diese geringen Verunreinigungen und lassen sie sich durch Destillation nicht abtrennen, so behandelt man das ganze Gemisch mit alkoholischer Kalilauge und extrahiert anschließend die Neutralanteile (vgl. auch das Beispiel auf S. 565). Auch ist die geringe Reduktionswirkung der Alkyl-cadmium-Verbindungen oft von großem Vorteil. Bei der Keton-Synthese mit Alkyl-magnesium-Verbindungen beobachtet man des öfteren, namentlich bei der Synthese sterisch gehinderter Ketone, eine nachträgliche Reduktion des entstandenen Ketons zum sek. Carbinol. Beispielsweise isoliert man nach Umsetzung von Triphenylacetylchlorid mit Äthyl-magnesiumbromid ausschließlich 1,1,1-Triphenyl-butanol-(2):

$$(C_6H_5)_3C-COCl \quad + \quad C_2H_5MgBr \quad \longrightarrow \quad \left[(C_6H_5)_3C-\overset{\overset{\displaystyle O}{\|}}{C}-C_2H_5 \right] \xrightarrow[\text{H}_2\text{O}]{\text{C}_2\text{H}_5\text{MgBr}}$$

$$(C_6H_5)_3C-\overset{\overset{\displaystyle OH}{|}}{\underset{\underset{\displaystyle H}{|}}{C}}-C_2H_5 \quad + \quad H_2C=CH_2$$

Mit den entsprechenden Alkyl-cadmium-Verbindungen lassen sich dagegen Triphenylmethylketone in 40–73%iger Ausbeute herstellen[2]; z. B.:

$$2\,(C_6H_5)_3C-COCl \quad + \quad (C_2H_5)_2Cd \quad \longrightarrow \quad 2\,(C_6H_5)_3C-\overset{\overset{\displaystyle O}{\|}}{C}-C_2H_5$$

2-Oxo-1,1,1-triphenyl-butan; 73% d. Th.

Zur Umsetzung der Carbonsäure-chloride mit Cadmium-alkylen hält man sich an die von J. Cason angegebene Standardvorschrift[3].

Um nach der Cason-Methode bestmögliche Ausbeuten zu erhalten, sind einige Besonderheiten zu beachten. Die Cadmium-Verbindungen sollen aus den entsprechenden Organo-magnesiumbromiden hergestellt werden. Die Organo-magnesiumjodide geben nach der Umsetzung mit Cadmiumchlorid schlechtere Keton-Ausbeuten[4]. Für die meisten Zwecke genügt es, 1 Mol Alkyl- oder Aryl-bromid auf 0,8 Mol Carbonsäure-chlorid einzusetzen[5]. Bei der zweistufigen Umsetzung rechnet man mit einem Verlust von ~ 20%. Bei reaktionsträgen oder schwer zugänglichen Carbonsäure-chloriden wird man zur Ausbeuteverbesserung einen größeren Überschuß an Bromid einsetzen. Ein Überschuß an Cadmium-Derivat muß aber immer dann vermieden werden, wenn die gewünschten Ketone gegenüber Cadmium-Verbindungen besonders reaktionsfähig sind. Oft genügt es, bei tieferer Temperatur zu arbeiten. So erhält man aus Cyclobutan-carbonsäure-chlorid mit einem

[1] F. C. Whitmore u. W. R. Wheeler, Am. Soc. 60, 2899 (1938).

[2] J. Cason u. F. J. Schmitz, J. Org. Chem. 25, 1293 (1960).

[3] J. Cason u. F. S. Prout, Org. Synth. 28, 75 (1948).

[4] J. Cason, Chem. Reviews 40, 15 (1947).
      P. L. De Bennville, J. Org. Chem. 6, 462 (1941).

[5] J. Cason, Am. Soc. 68, 2078 (1946).

Überschuß an Dimethyl-cadmium bei 34° ausschließlich 2-Cyclobutyl-propanol-(2). Wird das Carbonsäure-chlorid bei −70° zu der 0,7 äquivalenten Menge Dimethyl-cadmium getropft, so isoliert man anschließend *Acetyl-cyclobutan* (66% d.Th.)[1]:

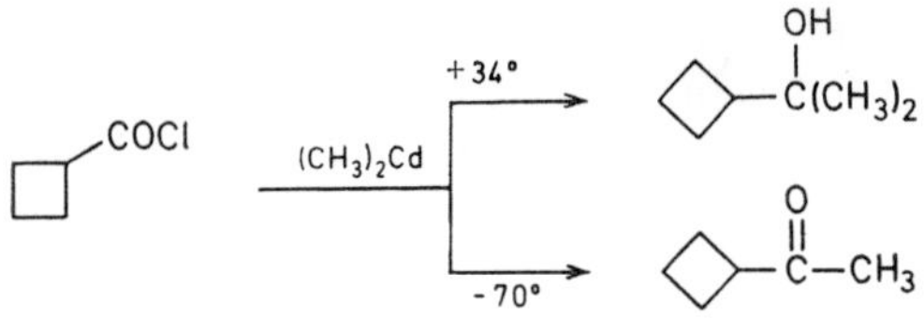

Cadmiumchlorid und Cadmiumbromid haben sich gleich gut bewährt. Man verwendet jedoch Cadmiumchlorid, da es im Unterschied zum Cadmiumbromid an der Luft keine Feuchtigkeit anzieht und im Trockenschrank bei 130° bequem getrocknet werden kann. Die vollständige Umsetzung von Grignard-Reagenz mit Cadmiumchlorid prüft man anhand des Gilman-Testes[2]. Nach Zugabe eines höher siedenden Lösungsmittels, meist Benzol, destilliert man den Äther ab. Das hat den Vorteil, daß, wie wir gesehen haben, die Ester-Bildung unterdrückt und daß die nachfolgende Umsetzung mit dem Carbonsäure-chlorid bei der höheren Rückflußtemperatur beschleunigt wird. Darüber hinaus besteht in Benzol geringere Gefahr, daß das Cadmium-Reagenz das bereits gebildete Keton in das Enolat überführt[3]:

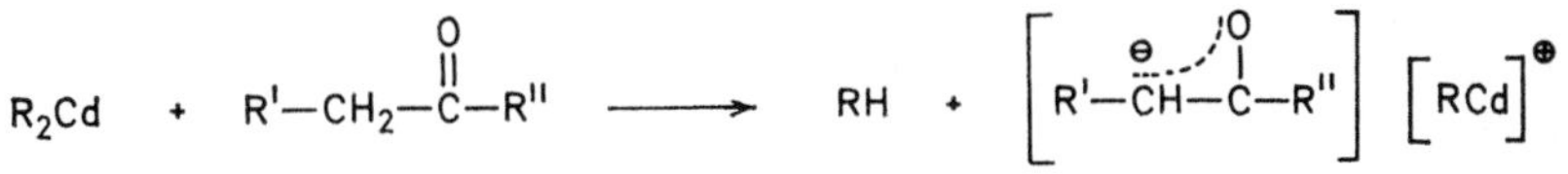

Da hierbei ein Teil der Cadmium-Derivate verbraucht wird, sinken die Keton-Ausbeuten.

Ein gutes Durchmischen ist sehr wichtig, damit das entstehende Cadmiumchlorid feinteilig ausfällt und den Rührer nicht blockiert. Besonders bewährt hat sich hier ein Hershberg-Rührer[4]. Die Dialkyl- bzw. Diaryl-cadmium-Verbindungen unterscheiden sich hinsichtlich ihrer Reaktivität kaum von den Monoalkyl- bzw. Monoaryl-cadmiumchloriden. Zur besseren Ausnutzung des Cadmiumchlorids verwendet man jedoch die ersten. Es lassen sich jeweils beide organischen Reste zur Keton-Synthese heranziehen.

Gegenüber den Zink-Verbindungen, die den Cadmium-Verbindungen sehr ähneln, haben die Cadmium-Derivate den Vorteil, daß sie sich an der Luft nicht entzünden. Um maximale Ausbeuten zu erhalten, sei jedoch das Arbeiten unter Stickstoff empfohlen. Anstelle der Grignard-Verbindungen können auch Lithium-Derivate eingesetzt werden. Da eine Vielzahl von Lithium-Verbindungen bequem über den Metall-Halogen-Austausch aus entsprechenden Bromiden oder durch direkte Metal-

---

[1] R. Pinson u. S. L. Friess, Am. Soc. **72**, 5333 (1950).

[2] H. Gilman u. J. F. Nelson, R. **55**, 518 (1936).
   s. a. S. 561.

[3] J. Cason, Am. Soc. **68**, 2078 (1946).
   J. F. Bunnett u. D. S. Tarbell, Am. Soc. **67**, 1944 (1945).

[4] A. H. Blatt, Org. Synth., Coll. Vol. **2**, 117 (1943).

lierung[1] mit käuflichem Butyl-lithium zugänglich geworden sind (s. ds. Handb., Bd. XIII/1, S. 97–170), wird dieser Weg in Zukunft bestimmt ein größeres Interesse gewinnen.

Bei der Synthese von gemischt aliphatisch-aromatischen Ketonen findet man im allgemeinen keinen Unterschied, ob man ein aliphatisches Carbonsäure-chlorid mit einer aromatischen Cadmium-Verbindung oder umgekehrt zur Reaktion bringt. Diäthyl-cadmium und Benzoylchlorid liefern in gleich guter Ausbeute *Propiophenon* wie Diphenyl-cadmium und Acetylchlorid[2]:

$$(C_2H_5)_2Cd + 2\ C_6H_5COCl \rightarrow 2\ H_5C_6-\overset{\overset{\displaystyle O}{\|}}{C}-C_2H_5$$

$$(C_6H_5)_2Cd + 2\ C_2H_5COCl \rightarrow 2\ H_5C_6-\overset{\overset{\displaystyle O}{\|}}{C}-C_2H_5$$

Die Cadmium-Methode wird oft dadurch eingeschränkt, daß die sek.- und tert.-Alkyl-cadmium-Derivate in schlechteren Ausbeuten zugänglich sind und schon unterhalb 0° besonders bei Lichteinwirkung zerfallen[3,4]. Umsetzungen mit sek.- oder tert.- und auch mit cycloaliphatischen[4] Alkyl-cadmium-Derivaten müssen daher bei −10° durchgeführt werden[5]. Diisopropyl-cadmium scheint noch die stabilste sek.-Alkyl-cadmium-Verbindung zu sein. Hiermit konnte bei 0° *3-Oxo-2-methylhexan* (60% d. Th.) synthetisiert werden[3]:

$$\left[H_3C-\overset{\overset{\displaystyle CH_3}{|}}{CH}-\right]_2 Cd\ +\ 2\ H_3C-(CH_2)_2-COCl \longrightarrow 2\ H_3C-\overset{\overset{\displaystyle CH_3}{|}}{CH}-\overset{\overset{\displaystyle O}{\|}}{C}-(CH_2)_2-CH_3$$

Einseitig verzweigte Ketone stellt man daher am besten aus verzweigten Carbonsäure-chloriden und geradkettigen Cadmium-Derivaten her. Will man jedoch einen verzweigten Alkyl-Rest über die Organo-metall-Verbindung einführen, so verwendet man besser die Zink-[6] oder Magnesium-Derivate und zwar die letzten in Verbindung mit Übergangsmetallhalogeniden (s. S. 578).

α_1) *Herstellung langkettiger Ketone*

Die Cason-Methode hat sich besonders zur Herstellung langkettiger Ketone bewährt. Die Ausbeuten sind oft besser als bei der Umsetzung der entsprechenden Grignard-Reagentien mit Nitrilen[7]. Durch Reduktion der Ketone nach Huang

[1] Vgl. a. H. GILMAN, Org. Reactions **VIII**, 258 (1954).
  G. WITTIG, *Neuere Methoden der präparativen organischen Chemie*, Bd. I, S. 469, Verlag Chemie, Weinheim/Bergstraße 1943.
[2] J. CASON, Am. Soc. **68**, 2078 (1946).
[3] H. GILMAN u. J. F. NELSON, R. **55**, 518 (1936).
[4] G. A. RAZUVAEV, V. N. PANKRATOVA u. A. M. BOBROVA, Ž. obšč. Chim. **38**, 1723 (1968).
[5] J. CASON, Am. Soc. **68**, 2078 (1946).
  J. CASON u. F. S. PROUT, Am. Soc. **66**, 46 (1944).
  J. CASON et al., Am. Soc. **66**, 1764 (1944).
[6] E. E. BLAISE u. I. HERMAN, Ann. chim. et phys. [8] **17**, 371 (1909).
[7] K. W. SHERK, M. V. AUGUR u. M. D. SOFFER, Am. Soc. **67**, 2239 (1945).

Milong lassen sich leicht Kohlenwasserstoffe definierter Kettenlänge herstellen[1]. Langkettige Carbonsäureester erhält man durch Reduktion der aus Dicarbonsäure-ester-chloriden erhältlichen Oxo-carbonsäureester[2]:

$$R_2Cd \; + \; 2 \; Cl-\overset{\overset{O}{\|}}{C}-(CH_2)_x-COOR' \; \longrightarrow \; 2 \; R-\overset{\overset{O}{\|}}{C}-(CH_2)_x-COOR'$$

$$\xrightarrow[NaOH]{H_2N-NH_2} \; 2 \; R-CH_2-(CH_2)_x-COOR'$$

3-Oxo-1-phenyl-eicosan[3]: Man bereitet, wie in der Standardvorschrift[4] beschrieben, eine Bis-[2-phenyl-äthyl]-cadmium-Äther-Lösung aus 42,7 g (1,78 g Atom) Magnesium, 325 g (1,755 Mol) 2-Phenyl-äthylbromid und 171 g (0,936 Mol) Cadmiumchlorid. Der Äther wird wie beschrieben 2 mal durch 1,5 l absol. thiophenfreies Benzol ersetzt. Man fügt unter kräftigem Rühren zu dem dispergierten Niederschlag 400 g (1,405 Mol) Stearinsäure-chlorid, gelöst in 1 l Benzol, innerhalb 2 Stdn. zu. Nach 5 stdg. Rückflußkochen arbeitet man nach der Standardvorschrift[4] auf und behandelt den Rückstand der Benzol-Phase auf dem Wasserbad mit 10%igem Kaliumhydroxid in Äthanol/Wasser 9:1. Die unverseiften Anteile werden nach Zufügen von Wasser mit Benzol extrahiert, neutral gewaschen, über Magnesiumcarbonat getrocknet und destilliert; Ausbeute: 342 g (65,5% d. Th.); Kp$_1$: 219°; F: 56° (aus Äthanol oder Petroläther).

Auch in der Polyen-Reihe konnte die Cason-Methode mit Erfolg angewandt werden.

3-Oxo-7,11-dimethyl-dodecadien-(6,10)[5]:

5,9-Dimethyl-decadien-(4,8)-säure-chlorid: Man behandelt eine Lösung von 19,63 g (0,1 Mol) Geranylessigsäure [5,9-Dimethyl-decadien-(4,8)-säure] in 200 ml absol. Äther in Gegenwart von 1 Tropfen Pyridin mit 16 g (10 ml) frisch destilliertem Thionylchlorid bei Raumtemp. innerhalb 3 Stdn. Man destilliert das Solvens i. Vak. ab, nimmt in 100 ml Benzol auf und destilliert das Solvens erneut i. Vak. ab. Dieser Vorgang wird noch einmal wiederholt und das gelbe Carbonsäure-chlorid in 100 ml absol. Benzol gelöst.

3-Oxo-7,11-dimethyl-dodecadien-(6,10): Nach der Standardvorschrift bereitet man aus 12,16 g Magnesium, 60 g Äthylbromid und 46 g Cadmiumchlorid in 500 ml Diäthyläther eine Diäthyl-cadmium-Lösung. Der Äther wird, wie beschrieben, durch 250 ml Benzol ersetzt. Hierzu tropft man bei Raumtemp. unter Rühren die Carbonsäure-chlorid-Lösung innerhalb 1 Stde. Danach kocht man 1 Stde. am Rückfluß. Die kalte Mischung wird wie in der Standardvorschrift mit Eiswasser und 2%iger Salzsäure aufgearbeitet. Die Destillation des Rückstandes der gewaschenen und getrockneten Benzol-Phase liefert 16,8 g (81% d. Th.) Keton; Kp$_{2,5}$: 152–158°.

α_2) *Oxo-carbonsäure-ester, Diketone, Oxo-äther, Halogen-ketone*
und optisch aktive Ketone

Besonders wertvolle Dienste hat die Cadmiumchlorid-Methode bei der Herstellung von **Oxo-carbonsäureester** aus Dicarbonsäure-ester-chloriden geleistet. Der Erfolg gründet sich auf der Reaktionsträgheit der Cadmium-Verbindungen gegenüber Ester-Gruppen. Die Methode wird bei unsymmetrischen Dicarbonsäure-ester-chloriden dadurch **eingeschränkt**, daß sich die funktionellen Gruppen sowohl

[1] A. KIRRMANN u. C. WAKSELMAN, C. r. [C] **262**, 1325 (1966).
[2] J. CASON u. F. S. PROUT, Am. Soc. **66**, 46 (1944).
[3] K. W. SHERK, M. V. AUGUR u. M. D. SOFFER, Am. Soc. **67**, 2239 (1945).
[4] J. CASON u. F. S. PROUT, Org. Synth. **28**, 75 (1948); vgl. S. 562.
[5] J. W. RALLS u. B. RIEGEL, Am. Soc. **77**, 6073 (1955).

während der Präparierung der Ausgangsmaterialien als auch während der Umsetzung austauschen können[1]:

$$
\begin{array}{ccccc}
\text{COOR} & & \text{COCl} & & \text{COOR} & & \overset{\displaystyle O}{\overset{\|}{C}}\!-\!R^l \\
| & & | & & | & & | \\
(CH_2)_m & & (CH_2)_m & & (CH_2)_m & & (CH_2)_m \\
| & \rightleftharpoons & | & \xrightarrow{R_2^l Cd} & | & + & | \\
\text{CHR} & & \text{CHR} & & \text{CHR} & & \text{CHR} \\
| & & | & & | & & | \\
(CH_2)_n & & (CH_2)_n & & (CH_2)_n & & (CH_2)_n \\
| & & | & & | & & | \\
\text{COCl} & & \text{COOR} & & \underset{\displaystyle O}{\overset{\|}{C}R^l} & & \text{COOR}
\end{array}
$$

Man isoliert dann das Gemisch der isomeren Oxo-carbonsäureester.

Bei der Herstellung von 2-Oxo-alkansäureester aus Oxalsäure-ester-chlorid müssen einige Besonderheiten beachtet werden. Geradkettige Alkyl-cadmium-Verbindungen, die „in situ" aus den Grignard Verbindungen bereitet wurden und daher noch Magnesiumchlorid bzw. -bromid enthalten, reagieren mit den gebildeten Ketonen zu tert. Carbinolen bzw. zu Acylierungsprodukten[2]:

$$
R_2Cd \;+\; Cl-\overset{O}{\overset{\|}{C}}-COOC_2H_5 \longrightarrow \left[R-\overset{O}{\overset{\|}{C}}-COOC_2H_5 \right] \longrightarrow R_2\overset{\displaystyle OCdCl}{\underset{\displaystyle}{C}}-COOC_2H_5
$$

$$
\xrightarrow{+Cl-\overset{O}{\overset{\|}{C}}-COOC_2H_5} \quad \underset{R_2C-COOC_2H_5}{O=\overset{O}{\overset{\|}{C}}-COOC_2H_5} \;+\; CdCl_2
$$

Auch wenn man unter Bedingungen arbeitet, die sonst eine Carbonyl-Addition verhindern, wie Arbeiten bei −30 bis −40°, schnelles Rühren und Zutropfen der metallorganischen Lösung zum Carbonsäure-chlorid („Umgekehrte Grignardierung"), kann man mit höchstens 2% 2-Oxo-alkansäure-ester rechnen. Diese Nebenreaktion läßt sich vermeiden, wenn man das Oxalsäure-ester-chlorid mit destillierten Dialkyl-cadmium-Derivaten in Tetrahydrofuran bei −65° in Gegenwart von Lithiumbromid umsetzt[3]:

$$
R_2Cd + 2\,Cl-\overset{O}{\overset{\|}{C}}-COOR' \xrightarrow{LiBr} 2\,R-\overset{O}{\overset{\|}{C}}-COOR' + CdCl_2
$$

Während Magnesiumhalogenide die Umsetzung von Alkyl-cadmium-Verbindungen sowohl mit Carbonsäure-chloriden als auch mit Ketonen aktivieren, katalysiert Lithiumbromid selektiv die Umsetzung mit Carbonsäure-chloriden. Auch lassen sich

---

[1] J. Cason, J. Org. Chem. **13**, 227 (1948).

[2] G. W. Stacy u. R. M. McCurdy, Am. Soc. **76**, 1914 (1954).

[3] J. Kollonitsch, Soc. [A] **1966**, 456.

durch Lithiumbromid Katalyse aus Oxalsäure-dichlorid α-Diketone herstellen, was bislang unmöglich war[1,2]:

$$(C_4H_9)_2Cd + Cl-\overset{O}{\overset{\|}{C}}-\overset{O}{\overset{\|}{C}}-Cl \xrightarrow{\text{LiBr}} H_9C_4-\overset{O}{\overset{\|}{C}}-\overset{O}{\overset{\|}{C}}-C_4H_9 + CdCl_2$$

Decandion-(5,6)[1]: Man löst 6,4 g (0,05 Mol) frisch destilliertes Oxalsäure-dichlorid in 15 *ml* trockenem Tetrahydrofuran bei —10° und gibt bei —20° eine Lösung von 8,7 g (0,1 Mol) Lithiumbromid in 45 *ml* Tetrahydrofuran zu. Anschließend wird auf —50° gekühlt, und man tropft unter kräftigem Rühren innerhalb 60 Min. eine Lösung von 13,35 g (0,05 Mol) destilliertes Dibutyl-cadmium in Tetrahydrofuran ein. Die Mischung wird hierbei auf —50° gehalten. Nach weiteren 15 Min. verwahrt man über Nacht bei —20° und zieht anschließend das Solvens auf dem Wasserbad (35°) i.Vak. ab. Nach Zugabe von 50 *ml* Wasser scheidet sich ein gelbes Öl ab, das mit Äther extrahiert, gewaschen und über Magnesiumsulfat getrocknet wird. Der Rückstand der Ätherextrakte destilliert an einer Vigreuxkolonne; Ausbeute: 3,15 g (37% d.Th.); Kp_2: 59–61°.

Bei genügend sterischer Hinderung der Cadmium-Verbindung bleibt die Umsetzung mit Oxalsäure-ester-chlorid auch ohne spezielle Lithiumbromid-Katalyse auf der Stufe des 2-Oxo-alkansäure-esters stehen. Z.B. liefert Bis-[2-methyl-phenyl]-cadmium, aus dem entsprechenden Grignard-Reagenz bereitet, 50% d.Th. (*2-Methyl-phenyl)-glyoxylsäureester*. Sitzt die Methyl-Gruppe in p-Stellung, so fällt die Ausbeute wegen der geringeren sterischen Hinderung auf 26% der Theorie[3]. Je weiter die Oxo-Gruppe von der Ester-Gruppe entfernt ist, um so besser sind die Ausbeuten an Oxo-alkansäure-ester. 4-Oxo-alkansäure-ester lassen sich nach der Standardvorschrift in guten Ausbeuten frei von Nebenprodukten herstellen[4]. Auch die aromatischen 4-Oxo-carbonsäureester sind in 40–60%iger Ausbeute zugänglich. In der Tab. 87 sind 4-Oxo-4-aryl-butansäure-methylester zusammengestellt[4].

Tab. 87. 4-Oxo-4-aryl-butansäure-methylester[4]

$\overset{O}{\overset{\|}{R-C}}-CH_2-CH_2-COOCH_3$	Ausbeute [% d.Th.]	Kp	
		[°C]	[Torr]
4-Oxo-4-phenyl-butansäure-methylester	51	119–120	0,4
4-Oxo-4-(2-methyl-phenyl)-butansäure-methylester	58	110–111	0,3
4-Oxo-4-(3-methyl-phenyl)-butansäure-methylester	62	118–119	0,5
4-Oxo-4-(4-methyl-phenyl)-butansäure-methylester	56	119–120	0,5
4-Oxo-4-(2-methoxy-phenyl)-butansäure-methylester	50	135–136	0,6
4-Oxo-4-(4-chlor-phenyl)-butansäure-methylester	40	134–135	0,8
4-Oxo-4-naphthyl-(1)-butansäure-methylester	64	173–174	0,8

[1] J. KOLLONITSCH, Soc. [A] **1966**, 456.
[2] Vgl. a. J. GILMAN u. J. F. NELSON, R. **55**, 518 (1936).
[3] G. W. STACY u. R. M. McCURDY, Am. Soc. **76**, 1914 (1954).
[4] W. G. DAUBEN u. H. TILLES, J. Org. Chem. **15**, 785 (1950).

Decandisäure-äthylester-chlorid, bei dem die beiden funktionellen Gruppen über 8 Kohlenstoffatome entfernt sind, liefert mit Bis-[3-methyl-butyl]-cadmium-chlorid *10-Oxo-13-methyl-tetradecansäure-äthylester*[1]:

$$(H_3C-\overset{\overset{CH_3}{|}}{CH}-CH_2-CH_2-)_2 \; Cd \; + \; 2 \; Cl-\overset{\overset{O}{\|}}{C}-(CH_2)_8-COOC_2H_5$$

$$\longrightarrow \; 2 \; H_3C-\overset{\overset{CH_3}{|}}{CH}-CH_2-CH_2-\overset{\overset{O}{\|}}{C}-(CH_2)_8-COOC_2H_5$$

10-Oxo-13-methyl-tetradecansäure-äthylester[1]: Nach der Standardvorschrift werden 0,3 Mol 3-Methyl-butylbromid und 0,25 Mol Decandisäure-äthylester-chlorid miteinander umgesetzt; Ausbeute: 85% d.Th.; Kp$_3$: 180–182°.

Nach derselben Arbeitsweise können synthetisiert werden[1]:

10-Oxo-16-methyl-octansäure-äthylester	76,5% d.Th.	Kp$_2$: 192–195°
10-Oxo-heneicosansäure-äthylester	83 % d.Th.	Kp$_2$: 137–138°
10-Oxo-14-methyl-tetracosansäure-äthylester	77 % d.Th.	Kp$_1$: 242–245°

Diketone können nach der Cason-Methode ohne spezielle Lithiumbromid-Katalyse nur aus Glutarsäure-dichlorid und den folgenden Homologen hergestellt werden. Die Ausbeuten sind nicht sehr hoch (6–18% d.Th.), außerdem entstehen beträchtliche Mengen an Nebenprodukten, z.B. Lactone[2]:

$$(CH_2)_n \begin{array}{c} -COCl \\ \\ -COCl \end{array} \; + \; (C_2H_5)_2Cd \; \longrightarrow \; (CH_2)_n \begin{array}{c} \overset{H_5C_2 \quad C_2H_5}{\diagdown C \diagup} \\ \quad\quad O \\ \overset{\|}{C} \\ O \end{array} \; + \; CdCl_2$$

$$n \geqq 3$$

Die gegenüber Grignard-Reagenzien verminderte Reaktionsträgheit der Alkylcadmium-Verbindungen gestattet auch die Synthese einiger interessanter Halogenketone aus Halogen-carbonsäure-chloriden. So ist *1-Chlor-2-oxo-hexan* in 51%iger Ausbeute aus Chloressigsäure-chlorid und Dibutyl-cadmium zugänglich[3]:

$$(C_4H_9)_2Cd + 2 \; Cl-\overset{\overset{O}{\|}}{C}-CH_2-Cl \; \rightarrow \; 2 \; H_9C_4-\overset{\overset{O}{\|}}{C}-CH_2-Cl + CdCl_2$$

Dieser Weg zu den Chlormethyl-ketonen ist weit bequemer und ungefährlicher als über die Diazoketone, und soll an Hand folgender Vorschrift demonstriert werden.

1-Chlor-2-oxo-hexan[3]: Zu der Lösung von Dibutyl-cadmium in 175 *ml* absol. Benzol, die aus 0,35 Mol Butylbromid, 0,35 Mol Magnesium und 0,18 Mol Cadmiumchlorid bereitet wird, werden 70 *ml* einer benzolischen Lösung von 0,35 Mol Chloracetylchlorid bei 5° innerhalb von 40 Sek. getropft. Nach Abklingen der Reaktion rührt man 3 Stdn. bei 15–20° und hiernach noch 1,5 Stdn. bei 20–25°, danach wird wie üblich aufgearbeitet; Ausbeute: 23,9 g (50,8% d.Th.); Kp$_{15}$: 71–72°.

---

[1] J. CASON u. F. S. PROUT, Am. Soc. **66**, 46 (1944); Org. Synth. **28**, 75 (1948).
[2] J. CASON u. E. J. REIST, J. Org. Chem. **23**, 1675, 1668 (1958).
[3] J. CASON, Soc. **68**, 2078 (1946).

Auch die β-Halogen-carbonsäure-chloride sind der Keton-Synthese zugänglich[1].

Genauso können Alkyloxy- bzw. Aryloxy-ketone hergestellt werden. 3-Alkyloxy-propansäure-chloride geben mit Diphenyl-cadmium Ketone in 90–91%iger Ausbeute[2]:

$$R-O-CH_2-CH_2-\overset{O}{\overset{\|}{C}}-Cl + {}^1\!/_2\,(C_6H_5)_2Cd \;\rightarrow\; R-O-CH_2-CH_2-\overset{O}{\overset{\|}{C}}-C_6H_5$$

Der Vorteil der metallorganischen Arbeitsweise zeigt sich besonders deutlich bei der Synthese optisch aktiver Ketone. So bleibt zum Beispiel das Chiralitätszentrum bei der Umsetzung des (−) (R)-3-Cyclohexyl-pentansäure-chlorids zum optisch aktiven *2-Oxo-4-cyclohexyl-hexan* erhalten[3]:

$$H_{11}C_6-\underset{H}{\overset{C_2H_5}{\underset{|}{\overset{|}{C}}}}-CH_2-COCl \;+\; {}^1\!/_2\,(CH_3)_2Cd \;\longrightarrow\; H_{11}C_6-\underset{H}{\overset{C_2H_5}{\underset{|}{\overset{|}{C}}}}-CH_2-\overset{O}{\overset{\|}{C}}-CH_3$$

β) Ketone aus Carbonsäure-chloriden und Organo-zink-Verbindungen

Organo-zink-Verbindungen addieren 3,5 mal schneller an Keton-Gruppen als entsprechende Cadmium-Derivate[4], doch verläuft diese Reaktion immer noch genügend langsam, so daß ihre Umsetzung mit Carbonsäure-chloriden auf der Keto-Stufe stehenbleibt. Nach Angaben verschiedener Autoren, die bestimmte Ketone mit beiden Reagenzien hergestellt haben, liefern die Zink-Verbindungen etwa gleiche Ausbeuten wie die Cadmium-Derivate[5]. Ein Teil der Carbonsäure-chloride kann mit dem Diäthyläther unter dem Einfluß von Zinkchlorid zu den entsprechenden Äthylestern weiter reagieren. Auf diese Gefahr wurde schon auf S. 561 hingewiesen. Ein weiterer Nachteil der Zink-Verbindung ist ihre **Selbstentzündung** an der Luft.

Organo-zink-Verbindungen wurden vorwiegend zur Synthese langkettiger Ketone, Diketone und Oxo-carbonsäureester eingesetzt. Die Synthese symmetrischer Ketone über Alkyl-zink-Verbindungen ist wesentlich ergiebiger als die Destillation entsprechender Fettsäuren über Thoriumoxidasbest[6].

Alkyl-zink-Verbindungen können analog zu den Cadmium-Derivaten „in situ" aus Grignard- oder Lithium-Reagenzien und Zinkchlorid bereitet werden:

$$2\,R-MgX + ZnCl_2 \;\rightarrow\; R_2Zn + 2\,MgXCl$$

[1] G. Darzens, C. r. **229**, 60 (1949).
[2] R. E. Leslie u. H. R. Henze, Am. Soc. **71**, 3480 (1949).
  Vgl. a. G. B. Brown u. C. W. Pastridge, Am. Soc. **67**, 1423 (1945).
  A. Kirrmann u. C. Wakselman, C. r. [C] **262**, 1325 (1966).
[3] M. J. Brienne, C. Ouannes u. J. Jacque, Bl. **1967**, 613.
[4] H. Gilman u. J. F. Nelson, R. **55**, 518 (1936).
[5] W. Cole u. P. L. Julian, Am. Soc. **67**, 1369 (1945).
  C. M. Suter u. A. W. Weston, Am. Soc. **61**, 234 (1939).
  Eine kritische Betrachtung hierzu findet sich in ds. Handb., Bd. XIII/2, Kap. Umwandlung Zink-organischer Verbindungen.
  H. A. Schuette, A. O. Maylott u. D. A. Roth, J. Am. Oil Chemist's Soc. **25**, 65 (1948).
[6] F. L. Breusch u. F. Baykut, B. **86**, 684 (1953).

Einige Bemerkungen zur Herstellung langkettiger Dialkyl-zink-Verbindungen finden sich in der Literatur[1].

Zinkchlorid wird durch Aufschmelzen in einer Porzellanschale von Feuchtigkeit befreit und noch heiß in eine Reibschale gegossen. Nach dem Erstarren pulverisiert man den noch warmen Schmelzkuchen und füllt sofort in eine gut verschließbare Flasche ab. Zinkchlorid ist sehr hygroskopisch, kann aber, fein gepulvert, in der Trockenpistole bei 120° über Phosphor(V)-oxid bei 2 Torr nachgetrocknet werden[2].

Organo-zink-Verbindungen geben keinen Gilman-Test. Die vollständige Umsetzung mit dem Grignard-Reagens läßt sich somit durch Ausbleiben einer positiven Reaktion kontrollieren[3].

12-Oxo-triacontansäure[4]: Eine Lösung von 110 g (0,33 Mol) Octadecylbromid in 400 ml absol. Äther wird wie üblich mit 15 g Magnesiumspänen in 100 ml Äther umgesetzt. Die Gehaltsbestimmung erfolgt durch Titration nach Hydrolyse mit n Salzsäure gegen Methylorange.

In einem 1-l-Dreihalskolben mit Rührer, Rückflußkühler und Tropftrichter mit Druckausgleich legt man 38 g (0,27 Mol) frisch geschmolzenes und gepulvertes Zinkchlorid in 100 ml absol. Äther vor. Man überführt die Grignard-Lösung mit einer 100 ml Pipette in Portionen in den Kolben und kocht noch anschließend 2 Stdn. am Rückfluß. Anschließend wird das Solvens bis auf 300 ml Rückstand abdestilliert und man tropft eine Lösung von 54 g (0,20 Mol) Dodecandisäureäthylester-chlorid in 100 ml trockenem Benzol innerhalb von 15 Min. zu. Die viskose Lösung wird unter Rühren noch 3 Stdn. am Rückfluß gekocht und dann mit 500 ml Salzsäure zersetzt. Man fügt 1 l heißes Benzol zu und trennt die Phasen. Die Benzol-Schicht wird mit 400 ml heißer, verd. Salzsäure extrahiert und mit 2mal 400 ml heißem Wasser neutral gewaschen. Nach Einengen auf 100 ml behandelt man die Lösung mit 30 ml 12n Natronlauge und 50 ml Äthanol auf dem Wasserbad 2 Stdn., das Solvens läßt man hierbei abdampfen. Der Rückstand wird mit 500 ml Benzol 2mal heiß nachgewaschen und die Säure anschließend mit 2n Salzsäure in Freiheit gesetzt; Ausbeute: 83% d. Th.; F: 105–105,5° (aus Benzol).

Auch wurden des öfteren die Alkyl-zink-halogenide bzw. die Dialkyl-zink-Verbindungen direkt aus Alkylhalogeniden und Zink-Kupfer-Paar in Toluol/Essigsäureäthylester hergestellt[5-7]:

$$R-J \xrightarrow{\text{Zn}-\text{Cu}} RZnJ \xrightarrow{\triangledown} {}^1/_2\, R_2Zn + {}^1/_2\, ZnJ_2$$

Zur Herstellung von Zink-Kupfer-Paar sei die Methode von Le Goff[8] empfohlen. Wichtig ist, daß alle Reagenzien peinlichst gereinigt und frei von Hydroxy-Gruppen tragenden Verbindungen sind. Man arbeitet unter trockenem Kohlendioxid oder besser unter Stickstoffatmosphäre. Die Rohketone können durch anschließende Filtration der Toluol-Lösung über Aluminiumoxid (nach Brockmann, Aktivitäts-Stufe II) in einer Chromatographiesäule gereinigt werden. Auf diese Weise wurden eine Vielzahl langkettiger Ketone, Diketone und Oxo-carbonsäureester in vorzüglichen Ausbeuten nach folgender Vorschrift hergestellt:

---

[1] K. H. Thiele u. J. Müller, J. pr. [4] **305**, 229 (1966).

[2] Versuche des Autors.

[3] Vgl. ds. Handb., Bd. XIII/1, Kap. Analytik von Lithium-organischen Verbindungen, S. 22.

[4] R. G. Jones, Am. Soc. **69**, 2350 (1947).

Vgl. a. A. K. Schneider u. M. A. Spielman, J. Biol. Chem. **142**, 345 (1942).

G. A. Schmidt u. D. A. Shirley, Am. Soc. **71**, 3804 (1949).

[5] F. L. Breusch u. F. Baykut, B. **86**, 684 (1953).

[6] H. Klein u. H. Neff, Ang. Ch. **68**, 681 (1956).

[7] N. Polgar u. R. Robinson, Soc. **1945**, 389.

[8] E. Le Goff, J. Org. Chem. **29**, 2049 (1964).

Vgl. a. A. Job u. R. Reich, Bl. [4] **33**, 1414 (1923).

Dodecanon-(6)[1]:

Als Apparatur dienen zwei Vierhalsschliffkolben von 1 und 2 l Vol. mit KPG-Rührer, Gaseinleitungsrohr, Rückflußkühler mit Trockenrohr, Tropftrichter und Thermometer. Die beiden Kolben sind über einen Seitenstutzen mit einer Schliffverbindung mit Schlauch verbunden. Durch die gesamte Apparatur wird Stickstoff geblasen.

148 g (0,75 Mol) Pentyljodid, 22 g absol. Essigsäure-äthylester, 44 g absol. Toluol und 98 g Zink-Kupfer-Paar[2] (0,4 g Atom Zink) werden zusammen mit einem Körnchen Jod in den 1 l-Kolben gegeben. Unter Rühren wird die Reaktion mit einer Infrarot Heizung in Gang gebracht und nach Abklingen der Umsetzung noch 1 Stde. nachgeheizt.

Man stellt den Rührer ab und kühlt mit Kältesole. Gleichzeitig fügt man noch 44 g Toluol hinzu. Man läßt absitzen und dekantiert die überstehende klare Lösung in den zweiten Kolben, in dem sich 44 g absol. Toluol befinden. Hierzu läßt man 74,2 g (0,5 Mol) Heptansäure-chlorid, in 74,2 g Toluol gelöst, zutropfen. Die Temp. soll hierbei nicht über +8° steigen. Nach 1 Stde. zersetzt man mit Eiswasser und danach mit 75 g 20%iger Schwefelsäure, nimmt das Keton in 1000 g Toluol auf, filtriert die gewaschene und getrocknete Toluol Lösung über Aluminiumoxid (nach Brockmann, Aktivitäts Stufe II) und dampft das Solvens ab; Ausbeute: 90 g (98% d.Th.).

Analog erhält man[1]

Octanon-(4)	72,5% d.Th.
Nonanon-(3)	90 % d.Th.
Tridecanon-(7)	99 % d.Th.
10-Oxo-dodecansäure-2-methyl-propylester	98,5% d.Th.
9-Oxo-dodecansäure-isododecylester	80,5% d.Th.
9-Oxo-dodecansäure-isodecylester	96 % d.Th.
10-Oxo-hexadecansäure-isododecylester	83 % d.Th.

Wie das folgende Beispiel zeigt, lassen sich die Methyl-ketone leicht mit destilliertem Dimethyl-zink in Toluol bereiten:

7-Methoxy-2-acetyl-9,10-dihydro-phenanthren[3]:

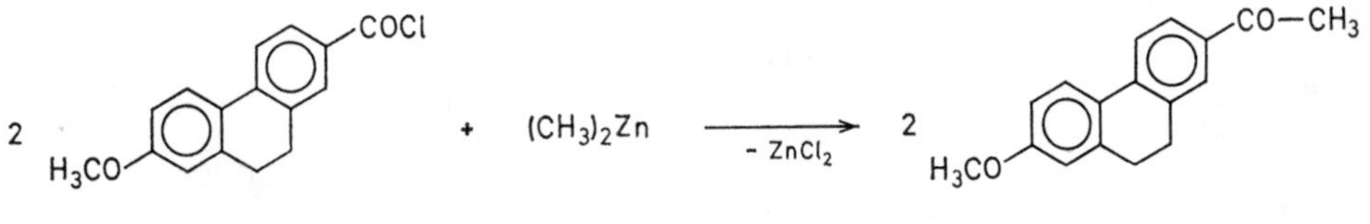

Das aus 6 g 7-Methoxy-9,10-dihydro-phenanthren-2-carbonsäure und 7,5 g Phosphor(V)-chlorid durch 2 stdg. Erwärmen auf dem Wasserbad bereitete Carbonsäure-chlorid (Kp$_{0,25}$: 210°) wird in 150 ml absol. Toluol gelöst und unter Stickstoff oder Kohlendioxid mit einer Lösung von 5 g Dimethyl-zink in 40 ml absol. Toluol bei Raumtemp. tropfenweise versetzt. Die Mischung bleibt über Nacht stehen. Man zersetzt mit Äthanol, verd. Schwefelsäure, extrahiert anschließend die sauren Anteile mit verd. Kalilauge und engt die gewaschene und getrocknete Toluol-Lösung i.Vak. ein; Ausbeute: 4,5 g; F: 132–134°.

Wie aus den Beispielen auf S. 570 hervorgeht, gestattet die Reaktionsträgheit der Organo-zink-Verbindungen die Synthese von Oxo-carbonsäureester oder Diketonen aus Dicarbonsäure-ester-halogeniden bzw. -dichloriden. Allerdings muß der

---

[1] H. KLEIN u. H. NEFF, Ang. Ch. **68**, 681 (1956).
[2] E. LE GOFF, J. Org. Chem. **29**, 2049 (1964).
  Vgl. a. A. JOB u. R. REICH, Bl. [4] **33**, 1414 (1923).
[3] E. DANE u. O. HÖSS, A. **552**, 113 (1942).

Abstand zwischen den beiden funktionellen Gruppen mindestens 4 Kohlenstoff-atome betragen:

$$2\ R{-}ZnX\ +\ Cl{-}\overset{O}{\overset{\|}{C}}{-}(CH_2)_x{-}\overset{O}{\overset{\|}{C}}{-}Cl\ \longrightarrow\ R{-}\overset{O}{\overset{\|}{C}}{-}(CH_2)_x{-}\overset{O}{\overset{\|}{C}}{-}R$$

$$R = CH_3;\ x = 4;\ \textit{Octandion-(2,7)}[1]$$
$$x = 5;\ \textit{Nonandion-(2,8)}[1]$$
$$x = 6;\ \textit{Decandion-(2,9)}[1]$$
$$x = 7;\ \textit{Undecandion-(2,10)}[1]$$

Ferner erhält man *10-Oxo-undecansäure-methylester* (93% d.Th.)[2] und *9-Oxo-10-methyl-octadecansäure-äthylester* (55% d.Th.)[3]; auch *11-Oxo-dodecen-(1)* läßt sich aus Methyl-zinkhalogenid und Undecen-(10)-säure-chlorid herstellen[2].

In α-Stellung disubstituierte 2-Oxo-carbonsäureester lassen sich nach Art einer Reformatsky-Reaktion wie folgt herstellen:

$$R{-}COCl\ +\ Zn\ +\ \underset{\underset{CH_3}{|}}{\overset{\overset{CH_3}{|}}{Br{-}C{-}COOC_2H_5}}\ \longrightarrow\ R{-}CO{-}\underset{\underset{CH_3}{|}}{\overset{\overset{CH_3}{|}}{C}}{-}COOC_2H_5\ +\ ZnBr_2$$

Aus Benzoylchlorid, Zink und 2-Brom-2-methyl-propansäure-äthylester erhält man *3-Oxo-2,2-dimethyl-3-phenyl-propansäure-äthylester*[4].

3-Oxo-2,2-dimethyl-3-phenyl-propansäure-äthylester: In einem 500-*ml*-Kolben werden 13,1 g (0,1 g Atom) zerschnittene und mit Sandpapier aufgerauhte Zinkfolie vorgelegt und hierzu 50 *ml* einer Lösung von 0,1 Mol Benzoylchlorid und 0,1 Mol 2-Brom-2-methyl-propansäure-äthylester in 200 *ml* absol. Äther unter Rühren getropft. Man erwärmt, bis die Reaktion anspringt. Den Rest der Lösung gibt man so zu, daß die Lösung leicht am Rückfluß kocht. Nach 3 Stdn. hat sich das Zink gewöhnlich vollständig umgesetzt. Man zersetzt mit Eiswasser und anschließend mit 20%iger Schwefelsäure, arbeitet die organische Phase wie üblich auf und reinigt durch Vaku-umdestillation; Ausbeute: 57% d.Th.; Kp$_{13}$: 151–152; F: 15°.

Entsprechend erhält man

3-Oxo-2,2-dimethyl-3-(4-methoxy-phenyl)-propansäure-äthylester	65% d.Th.	Kp: 182–183°
3-Oxo-2,2-dimethyl-3-(4-chlor-phenyl)-propansäure-äthylester	71% d.Th.	Kp: 161–163°
3-Oxo-2,2-dimethyl-3-(2,4,6-trimethyl-phenyl)-propansäure-äthylester	68% d.Th.	Kp: 180–182° F: 42,5°

Die Reaktionsträgheit der Organo-zink-Verbindungen erlaubt ebenfalls die Syn-these chlorierter Ketone aus Chlor-carbonsäure-chloriden[5]:

$$\underset{\underset{CH_3}{|}}{H_3C{-}CH{-}CH_2{-}MgBr}\ \xrightarrow{ZnCl_2}\ [\underset{\underset{CH_3}{|}}{H_3C{-}CH{-}CH_2{-}ZnX}]$$

$$\xrightarrow{\overset{O}{\overset{\|}{Cl{-}C}}{-}CH_2{-}CH_2Cl}\ \underset{\underset{CH_3}{|}}{H_3C{-}CH{-}CH_2{-}}\overset{O}{\overset{\|}{C}}{-}CH_2{-}CH_2Cl$$

6-Chlor-4-oxo-2-methyl-hexan; 65–70% d.Th.

[1] E. E. BLAISE u. A. KOEHLER, Bl. [4] **5**, 685 (1909).
[2] N. POLGAR u. R. ROBINSON, Soc. **1945**, 389.
[3] G. A. SCHMIDT u. D. A. SHIRLEY, Am. Soc. **71**, 3805 (1949).
[4] P. L. BAYLESS u. C. R. HAUSER, Am. Soc. **76**, 2306 (1954).
[5] G. DARZENS, C. r. **229**, 60 (1949).

Auch ungesättigte Carbonsäure-chloride lassen sich mit Alkyl-zink-Verbindungen in die entsprechenden Ketone überführen. Von dieser Möglichkeit wurde in der Carotinoid-Chemie Gebrauch gemacht[1]:

7-Oxo-3-methyl-1-[2,6,6-trimethyl-cyclohexen-(2)-yl]-octatrien-(1,3,5)

γ) Ketone aus Carbonsäure-chloriden und Organo-aluminium-Verbindungen

Seit 1951 hat die Synthese aliphatischer Ketone mit Hilfe von Alkyl-aluminium-Verbindungen größeres Interesse gefunden, da eine Vielzahl aliphatischer Aluminium-Verbindungen im Handel erhältlich ist. Am vorteilhaftesten verwendet man die Alkyl-aluminiumdichloride[2] oder -sesquichloride[3]. Letzte bestehen aus einem 1:1 Gemisch von Dialkyl-aluminium-chlorid und Alkyl-aluminium-dichlorid. Es können alle im Sesquichlorid enthaltenen Alkyl-Gruppen nach der Gleichung

$$1,5\ R\!-\!COCl + (C_2H_5)_{1,5}AlCl_{1,5} \;\rightarrow\; 1,5\ R\!-\!\overset{O}{\overset{\|}{C}}\!-\!C_2H_5 + AlCl_3$$

ausgenutzt werden. Das käufliche Äthyl-aluminium-sesquichlorid[4] enthält etwas mehr Dichlorid als Monochlorid und damit zu wenig Äthyl-Gruppen. Man setzt daher immer einen ~20%igen Überschuß Sesquichlorid ein. Das während der Reaktion entstehende Aluminiumtrichlorid fällt zusammen mit dem Keton komplex aus. Das Keton wird hierdurch dem Reaktionsmedium entzogen und kann somit nicht mehr zum Carbinol weiterreagieren. Nach Hydrolyse erhält man das reine Keton. Im Unterschied zu den Sesquichloriden können die Trialkyl-aluminium-Derivate nicht verwendet werden. Sie reagieren über die Keton-Stufe hinaus zu tert. Carbinolen.

Als Solvens werden Benzol[2,5], Dichlormethan[6], sowie aliphatische Kohlenwasserstoffe[3] empfohlen. In Benzol arbeitet man bei Raumtemperatur oder geringfügig darunter. Die aromatischen sowie die aliphatischen Carbonsäure-chloride geben Ketone in 70–90%iger Ausbeute.

---

[1] P. KARRER, E. JUCKER u. E. SCHICK, Helv. **29**, 704 (1946).
[2] H. ADKINS u. C. SCANLEY, Am. Soc. **73**, 2854 (1951).
[3] H. BERTSCH u. H. REINHECKEL, Fette, Seifen, Anstrichmittel **64**, 881 (1962).
[4] Herstellung der Sesquichloride, s. ds. Handb., Bd. XIII/4, Kap. Herstellung aluminiumorganischer Verbindungen, S. 23–75.
[5] W. DAHLIG, S. PASYNKIEWICZ u. T. WOJNAROWSKI, Roczniki Chem. **34**, 401 (1960); **37**, 31 (1963); **38**, 67 (1964).
Vgl. a. S. PASYNKIEWICZ et al., J. Organometal. Chem. **8**, 233 (1967).
[6] H. REINHECKEL u. R. GENSIKE, J. pr. [4] **37**, 214 (1968).

Ketone; allgemeine Arbeitsvorschrift in Benzol[1]: Zu der Mischung von 0,5 Mol Carbonsäure-chlorid und dem 1–4 fachen Vol. absol. Benzol fügt man unter Stickstoff langsam 1,1 Mol Methyl-aluminium-dichlorid als 35%ige Lösung in Benzol bei 10–15° unter Rühren und Kühlen. Hiernach läßt man 2 Stdn. bei Raumtemp. stehen und gießt anschließend auf 500 g Eis unter Rühren und Stickstoff. Man klärt mit 25%iger Schwefelsäure und trennt die Benzolschicht ab. Die übliche Aufarbeitung erfolgt nach Waschen und Trocknen durch Destillation, Kristallisation oder Säulenchromatographie.

Nach dieser allgemeinen Vorschrift erhält man

Acetophenon	81% d.Th.	Kp: 88–90°
Propiophenon	89% d.Th.	Kp: 139–142°
Pentanon-(2)	70% d.Th.	Kp: 99–101°
Hexadecanon-(2)	78% d.Th.	Kp: 187°
Heptadecanon-(3)	86% d.Th.	Kp: 185°

Aromatische Carbonsäure-chloride mit elektronenziehenden Gruppen sind weniger geeignet, da sie in Konkurrenz das Solvens unter dem Einfluß des gebildeten Friedel-Crafts-Katalysators, Aluminiumchlorid, acylieren[2], wie z.B.:

4-Cyan-benzophenon

Um diese Acetylierung zu vermeiden, führt man die Umsetzung besser in aliphatischen Kohlenwasserstoffen oder Dichlormethan bei 0° durch und arbeitet anschließend sofort auf, um die unter dem Einfluß von Aluminiumchlorid stattfindenden Folgereaktionen zu verhindern[3].

Ketone; allgemeine Arbeitsvorschrift in Pentan[3]: 0,5 Mol Alkyl-aluminium-sesquichlorid, gelöst in 100 *ml* über Natrium destilliertem Pentan, werden unter Eiskühlung und Rühren tropfenweise mit 0,6 Mol Carbonsäure-chlorid in 100 *ml* absol. Pentan versetzt. Die Reaktion setzt sofort ein. Unter Gelbfärbung scheidet sich bei den niederen Carbonsäure-chloriden eine gelbe Phase ab, bei den langkettigen Carbonsäure-chloriden bleibt die Lösung homogen. Man läßt noch 30 Min. rühren und erwärmt auf Raumtemperatur. Man zersetzt durch Aufgießen auf Eis-Schwefelsäure und extrahiert das Keton mit Äther. Man wäscht neutral, trocknet und fraktioniert den Ansatz. Die Ketone gehen sofort bei konstantem Siedepunkt über.

Nach dieser allgemeinen Vorschrift erhält man

Hexanon-(3)	81% d.Th.	*Hexadecanon-(3)*	83% d.Th.
Octanon-(3)	87% d.Th.	*Eicosanon-(3)*	82% d.Th.
Decanon-(3)	80% d.Th.	*2-Oxo-1-phenyl-butan*	82% d.Th.
Dodecanon-(3)	74% d.Th.	*Propiophenon*	80% d.Th.
Tetradecanon-(3)	84% d.Th.		

Dichlormethan[4] erweist sich ebenfalls als ein ausgezeichnetes Lösungsmittel, da es sich besonders gut zum Lösen der bei den Umsetzungen auftretenden Donator-Addukte eignet. Mit Alkyl-aluminium-sesquichlorid – Triäthylaluminium ist nicht ge-

[1] H. ADKINS u. C. SCANLEY, Am. Soc. **73**, 2854 (1951).
[2] W. DAHLIG, S. PASYNKIEWICZ u. T. WOJNAROWSKI, Roczniki Chem. **34**, 401 (1960); **37**, 31 (1963); **38**, 67 (1964).
[3] H. BERTSCH u. H. REINHECKEL, Fette, Seifen, Anstrichmittel **64**, 881 (1962).
[4] H. REINHECKEL u. R. GENSIKE, J. pr. [4] **37**, 214 (1968).

eignet, da es Dichlormethan enthalogeniert – erhält man in Dichlormethan aus Alkandisäure-dichloriden (C_5–C_{12}) in 70–90%iger Ausbeute die entsprechenden Diketone. In Pentan sind die Diketone nur in 40%iger Ausbeute herstellbar.

Undecandion-(3,9): In einem 250-*ml*-Dreihalskolben mit Rührer, Rückflußkühler und Tropf-trichter werden unter Rühren und Stickstoff bei 0° 24,3 g Heptandisäure-dichlorid in 50 *ml* Di-chlormethan gelöst, innerhalb von 3 Stdn. zu 38 g Äthyl-aluminium-sesquichlorid und 100 *ml* Dichlormethan getropft. Danach wird mit Wasser zersetzt und wie üblich aufgearbeitet; Aus-beute: 21,6 g (95% d.Th.); $Kp_{0,5}$: 95–97°.

Bei der Umsetzung von ω-Phenyl-alkansäure-chloriden ist zu beachten, daß intramolekulare Friedel-Crafts-Acylierungen auftreten können[1]:

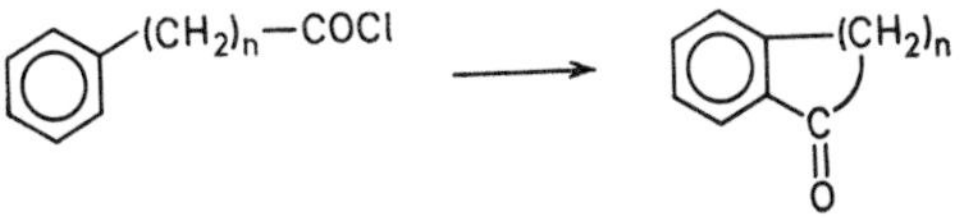

Acetyl- und Propanoyl-alkansäureester können in ausgezeichneten Aus-beuten aus Dicarbonsäure-ester-chloriden, die 5 oder mehr Kohlenstoffatome be-sitzen, hergestellt werden. Die Ausbeuten liegen höher als bei Verwendung von cadmium-, zink- oder magnesium-organischen Verbindungen[2]:

$$R-AlCl_2 \; + \; Cl-\overset{\overset{\displaystyle O}{\|}}{C}-(CH_2)_x-COOR' \longrightarrow R-\overset{\overset{\displaystyle O}{\|}}{C}-(CH_2)_x-COOR'$$

$$x \geqq 3$$

Geht man von Alkyl-aluminium-sesquichloriden aus, so muß man die doppelte Menge Alkyl-aluminium einsetzen, da die Alkyl-aluminium-sesquichloride mit Di-carbonsäure-ester-chlorid einen 1:1 Komplex geben und somit 1 Mol Alkyl-alumi-nium-sesquichlorid dem Reaktionsgemisch entzogen ist.

Oxo-undecansäure-methylester[3]: 70 g Äthyl-aluminium-sesquichlorid in 100 *ml* Pentan werden, wie oben beschrieben, mit 70,2 g (0,3 Mol) Decandisäure-methylester-chlorid in ebenfalls 100 *ml* Pentan umgesetzt und wie üblich aufgearbeitet; Ausbeute: 92% d.Th.; Kp_1: 175°; F: 23,5° (aus Pentan bei –10° umkristallisiert).

Analog erhält man *Hexanal-säure-methylester*; 69% d.Th.; Kp_{11}: 123°.

δ) Ketone aus Carbonsäure-chloriden und Organo-magnesium-Ver-bindungen

Die Grignard-Verbindungen können für die Keton-Herstellung aus Carbonsäure-chloriden nur beschränkt eingesetzt werden, da sie mit Ketonen leicht zu tert.-Carbinolen weiterreagieren[4]:

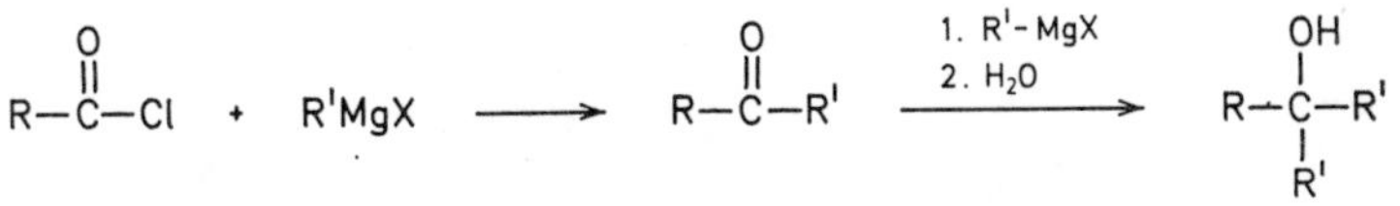

---

[1] H. REINHECKEL u. R. GENSIKE, J. Organometal. Chem. **13**, 45 (1968).

[2] H. ADKINS u. C. SCANLEY, Am. Soc. **73**, 2854 (1951).

[3] H. BERTSCH u. H. REINHECKEL, Fette, Seifen, Anstrichmittel **64**, 881 (1962).

[4] H. GILMAN, R. E. FOTHERGILL u. H. H. PARKER, R. **48**, 748 (1929).

Vgl. a. ds. Handb., Bd. XIII/2, Umwandlung von magnesium-organischen Verbindungen.

In einigen Fällen läßt sich die Umsetzung auf der Keton-Stufe aufhalten, indem man das Grignard-Reagenz bei −10 bis −15° zum Carbonsäure-chlorid unter kräftigem Rühren zutropft („Umgekehrte Grignardierung"). Man erreicht hierdurch, daß immer ein Überschuß an Carbonsäure-chlorid vorliegt. Diese Arbeitstechnik wurde an zahlreichen Beispielen[1,2] durchgeführt und soll hier anhand der Herstellung von *1-Methyl-1-acetyl-cyclopentan* erläutert werden.

1-Methyl-1-acetyl-cyclopentan[3]: Zu einer auf −15° abgekühlten Lösung von 29,2 g 1-Methyl-cyclopentan-1-carbonsäure-chlorid in 50 *ml* Äther läßt man unter kräftigem Rühren langsam eine aus 34,1 g Methyljodid und 5,7 g Magnesium in 100 *ml* Diäthyläther bereitete Methylmagnesiumjodid-Lösung tropfen. Man zersetzt mit Eiswasser, schüttelt das unumgesetzte Carbonsäure-chlorid mit Natriumcarbonat-Lösung aus und vertreibt den Äther nach dem Trocknen; Ausbeute: 15 g; Kp_{12}: 52–53°.

Sofern einer der beiden Reaktanten keine **sterisch** aufwendigen Reste trägt, sind die Keton-Ausbeuten nicht besonders hoch. Sie liegen zwischen 30 und 60% der Theorie. Etwas bessere Ausbeuten erhält man, wenn die Bildung des tert.-Carbinols aus sterischen Gründen nicht möglich ist[4].

So konnte beispielsweise *2,4,6-Trimethyl-1-acetyl-benzol[5]* in 88%iger Ausbeute synthetisiert werden. Die Methyl-Gruppen verhindern hier die weitere Addition der Grignard-Verbindung zum tert.-Carbinol:

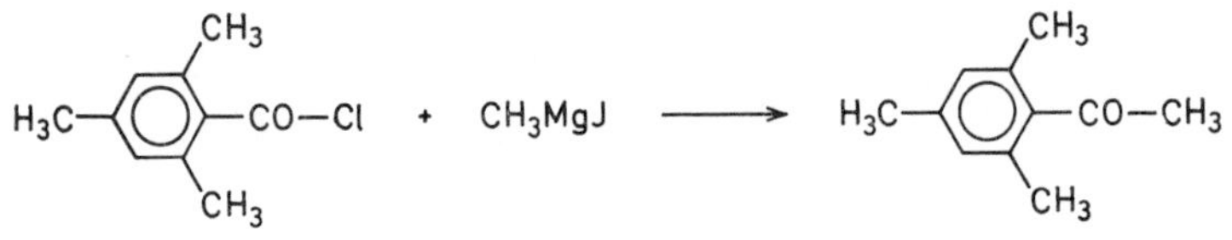

$$H_3C-\underset{CH_3}{\overset{CH_3}{\bigcirc}}-CO-Cl \quad + \quad CH_3MgJ \quad \longrightarrow \quad H_3C-\underset{CH_3}{\overset{CH_3}{\bigcirc}}-CO-CH_3$$

In analoger Reaktion liefert das 2,4,6-Tribrom-benzoylchlorid *2,4,6-Tribrom-1-acetyl-benzol[6]* (46% d. Th.):

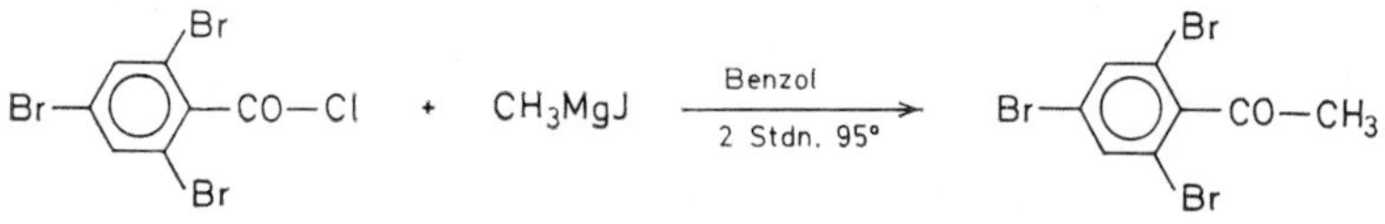

$$Br-\underset{Br}{\overset{Br}{\bigcirc}}-CO-Cl \quad + \quad CH_3MgJ \quad \xrightarrow[\text{2 Stdn. 95°}]{\text{Benzol}} \quad Br-\underset{Br}{\overset{Br}{\bigcirc}}-CO-CH_3$$

Auch bleiben in vielen Fällen, wie das folgende Beispiel zeigt, die Umsetzungen der Grignard-Derivate von Heterocyclen auf der Keto-Stufe stehen[7]; z.B.:

[1] H. GILMAN, R. E. FOTHERGILL u. H. H. PARKER, R. **48**, 748 (1929).
　　Vgl. a. ds. Handb., Bd. XIII/2 Umwandlung von magnesium-organischen Verbindungen.
[2] B. HELFERICH u. T. MALKOMES, B. **55**, 702 (1922).
　　P. KARRER, B. **50**, 1499 (1917).
　　F. C. WHITMORE u. D. E. BADERTSCHER, Am. Soc. **55**, 1559 (1933).
　　E. CLAR, F. JOHN u. B. HAWRAN, B. **62**, 940 (1929).
　　H. GILMAN u. M. L. MAYHUE, R. **51**, 47 (1932).
[3] H. MEERWEIN, A. **417**, 255 (1918).
[4] E. P. KOHLER u. H. A. POTTER, Am. Soc. **58**, 2166 (1936).
　　F. C. WHITMORE et al., R. **57**, 562 (1938); Am. Soc. **60**, 2028, 2458 (1938); **63**, 643 (1941).
[5] R. C. FUSON u. J. CORSE, Am. Soc. **60**, 2063 (1938).
[6] R. C. FUSON, J. H. van CAMPEN u. D. E. WOLF, Am. Soc. **60**, 2269 (1938).
[7] F. MILLICH u. E. I. BECKER, J. Org. Chem. **23**, 1096 (1958).
　　Vgl. a. E. JONES u. I. M. MOODIE, Soc. [C] **1968**, 1195.

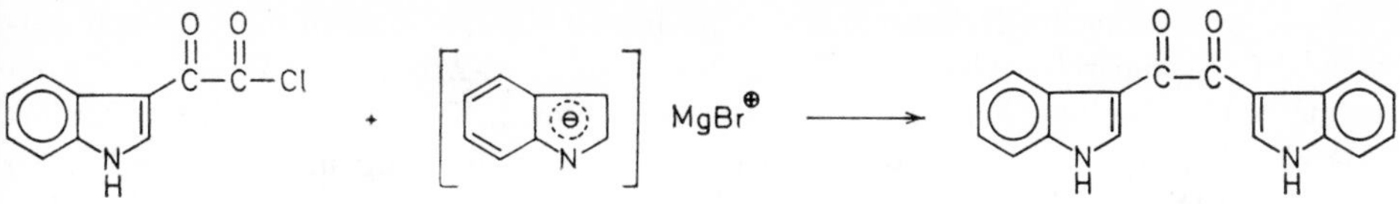

1,2-Dioxo-1,2-diindolyl-(3)-äthan
(3,3'-Indil); 93% d. Th.

Ebenso konnten *5-Oxo-2,2,4-trimethyl-4-tert.-butyl-hexan* (91% d.Th.; I)[1] und *3-Oxo-2,2-dimethyl-butan* (54% d.Th.; II)[2] aufgrund der sterischen Hinderung frei von Carbinolen synthetisiert werden:

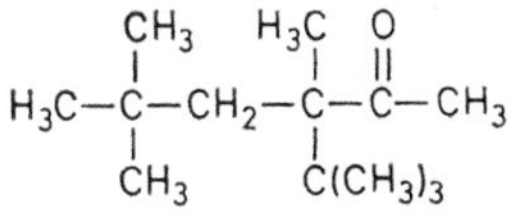

I 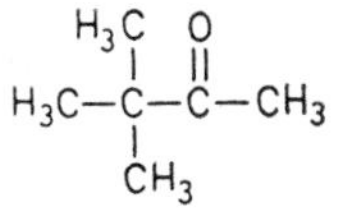   II

5-Oxo-2,2,4-trimethyl-4-tert.-butyl-hexan[1]: Zu 4 Mol einer 3,3 m Methyl-magnesiumbromid-Lösung in Äther gibt man 271 g (1,24 Mol) aus der entsprechenden Säure mit Thionylchlorid bereitetes 2,4,4-Trimethyl-2-tert.-butyl-pentansäure-chlorid unter Rühren bei Raumtemp. innerhalb von 5 Stdn. Man rührt noch 12 Stdn. nach, gießt auf Eis und neutralisiert mit Salzsäure. Das Reaktionsprodukt wird mit Äther extrahiert und getrocknet. Die Destillation bei 3 Torr gibt 223,5 g (91% d.Th.) 5-Oxo-2,2,4-trimethyl-4-tert.-butyl-hexan (Kp$_3$: 55°).

Bei der Umsetzung von sterisch gehinderten Carbonsäure-chloriden mit sterisch gehinderten Grignard-Verbindungen treten häufig **Reduktionsprodukte** auf. 2,2-Dimethyl-propansäure-chlorid wird durch tert.-Butyl-magnesiumchlorid fast quantitativ reduziert[3]:

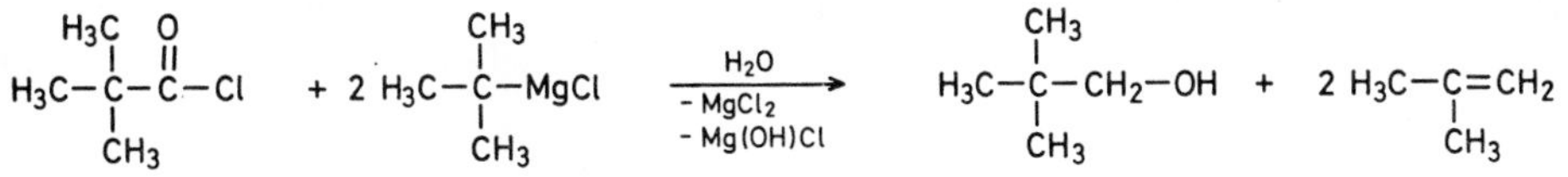

Man findet auch häufig, daß zwar die Ketone gebildet werden, aber sofort von der Grignard-Verbindung weiter zum sek.-Carbinol reduziert werden:

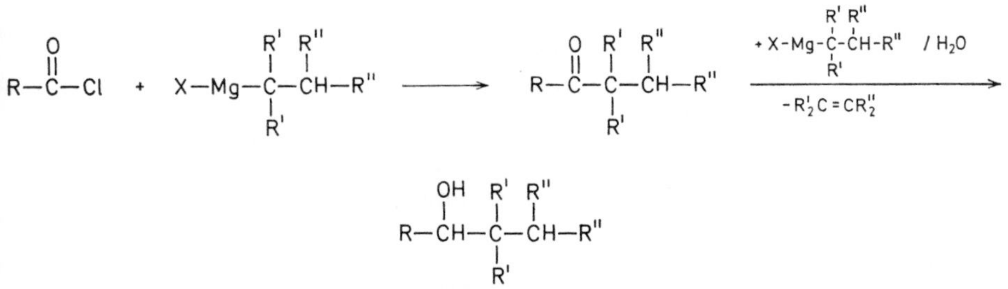

---

[1] F. C. WHITMORE u. D. I. RANDALL, Am. Soc. **64**, 1242 (1942).
[2] F. C. WHITMORE u. D. F. BADERTSCHER, Am. Soc. **55**, 1559 (1933).
[3] F. C. WHITMORE et al., Am. Soc. **60**, 2028, 2030, 2462 (1938).

Diese unerwünschte Nebenreaktion tritt immer dann ein, wenn eine sterisch aufwendige aliphatische Grignard-Verbindung am β-C-Atom ein Wasserstoffatom trägt[1-3]. Durch einen Zusatz von Eisen(III)-chlorid, Kupfer oder Kupfer/Kupfer-(I)-chlorid läßt sich die Reduktionswirkung fast vollständig unterdrücken[4-6]. So liefert 2,2-Dimethyl-propansäure-chlorid mit tert.-Butyl-magnesiumchlorid in Anwesenheit von Eisen(III)-chlorid *3-Oxo-2,2,4,4-tetramethyl-pentan* (84% d.Th.)[4]:

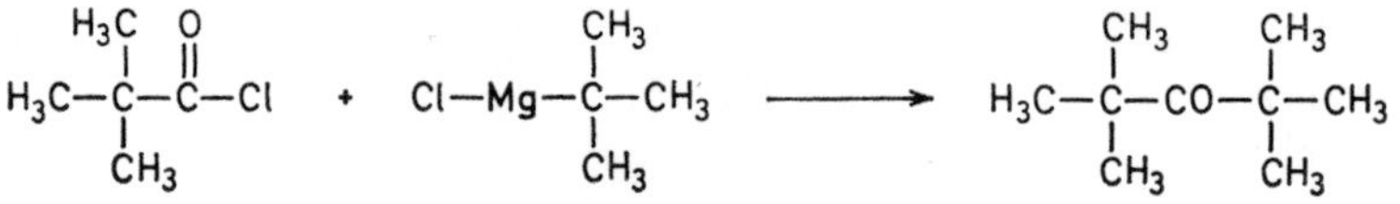

3-Oxo-2,2,4,4-tetramethyl-pentan[4]: Zu einer Lösung von 241 g (2 Mol) 2,2-Dimethyl-propansäure-chlorid in 2 l Äther fügt man 2 g Eisen(III)-chlorid und erhitzt die Mischung zum Rückflußkochen. Innerhalb von 2 Stdn. fügt man 2 Mol tert.-Butyl-magnesiumchlorid als ~ 3 m ätherische Lösung hinzu. Man kocht unter Rückfluß noch eine weitere Stde., zersetzt anschließend mit Eiswasser und arbeitet wie üblich auf; Ausbeute: 477 g (84% d.Th.); Kp: 152°.

Nach anderen Untersuchungen wird die Herstellung mit Kupfer oder Gemischen aus Kupfer mit Kupfer(I)-chlorid[7] am meisten begünstigt.

Die Synthesen der geradkettigen Ketone aus Grignard-Verbindungen und Carbonsäure-chloriden konnten durch Eisen(III)- oder Kupfer(I)-chlorid-Zusatz ebenfalls wesentlich ergiebiger gestaltet werden[4,8]. *Hexanon-(2)* entsteht aus Acetylchlorid und Butyl-magnesiumchlorid bei −65° und umgekehrter Grignardierung in Gegenwart von Eisen(III)-chlorid in 70–75%iger Ausbeute. Ohne Eisen(III)-chlorid-Zusatz lassen sich nur 25–31% d.Th. gewinnen. Neben Eisen(III)-halogeniden, Kupferpulver und Kupfer(I)-halogeniden[9] wurde auch Mangan(II)-chlorid[10] vorgeschlagen. Die Umsetzungen verlaufen wahrscheinlich radikalisch[7,10]. Auch läßt sich in manchen Fällen die Reduktion durch einen Zusatz von Magnesiumbromid zurückdrängen[11]. Methyl-magnesium-Verbindungen können nicht reduzierend wirken, es erübrigt sich bei ihnen ein Zusatz eines Übergangsmetall-halogenids. Doch kann

[1] F. C. WHITMORE et al., Am. Soc. **60**, 2028, 2030, 2462 (1938).
[2] F. C. WHITMORE et al., Am. Soc. **63**, 643 (1941); R. **57**, 562 (1938).
    H. GILMAN, R. E. FOTHERGILL u. H. H. PARKER, R. **48**, 748 (1929).
    M. S. KHARASCH u. S. WEINHOUSE, J. Org. Chem. **1**, 209 (1937).
    Vgl. a. S. V. VITT u. N. S. MARTINKOVA, Izv. Akad. SSSR **1966**, 1185.
[3] F. C. WHITMORE u. D. I. RANDALL, Am. Soc. **64**, 1242 (1942).
[4] W. C. PERCIVAL, R. B. WAGNER u. N. C. COOK, Am. Soc. **75**, 3731 (1953).
[5] J. E. DUBOIS, M. CHASTRETTE u. E. SCHUNK, Bl. **1967**, 2011.
[6] Vgl. auch J. E. DUBOIS, M. BOUSSU u. C. LION, Tetrahedron Letters **1971**, 829.
[7] J. E. DUBOIS et al., Bl. **1967**, 1150.
    J. E. DUBOIS, M. CHASTRETTE u. C. LETOQUART, C. r. [C] **264**, 1124 (1967).
    J. E. DUBOIS, M. CHASTRETTE u. E. SCHUNK, Bl. **1967**, 2011.
[8] Vgl. a. G. QUESNEL u. F. TATIBOUET, Bl. [5] **14**, 1079 (1947).
[9] M. F. ANSELL et al., Soc. **1955**, 2705.
    N. C. COOK u. W. C. PERCIVAL, Am. Soc. **71**, 4141 (1949).
    C. J. STEHMAN, N. C. COOK u. F. C. WHITMORE, Am. Soc. **71**, 1509 (1949).
    M. S. KHARASCH, W. NUDENBERG u. S. ARCHER, Am. Soc. **65**, 495 (1943).
[10] M. S. KHARASCH, R. MORRISON u. W. H. URRY, Am. Soc. **66**, 368 (1944).
[11] Vgl. C. G. SWAIN u. H. B. BOYLES, Am. Soc. **73**, 870 (1951).
    H. S. MOSHER u. E. LA. COMBE, Am. Soc. **72**, 3994 (1950).

hier eine andere störende Nebenreaktion auftreten, die Enolisierung des bereits gebildeten Ketons. Das Carbonsäure-chlorid liefert dann zusammen mit dem Enolat ein Diketon[1]:

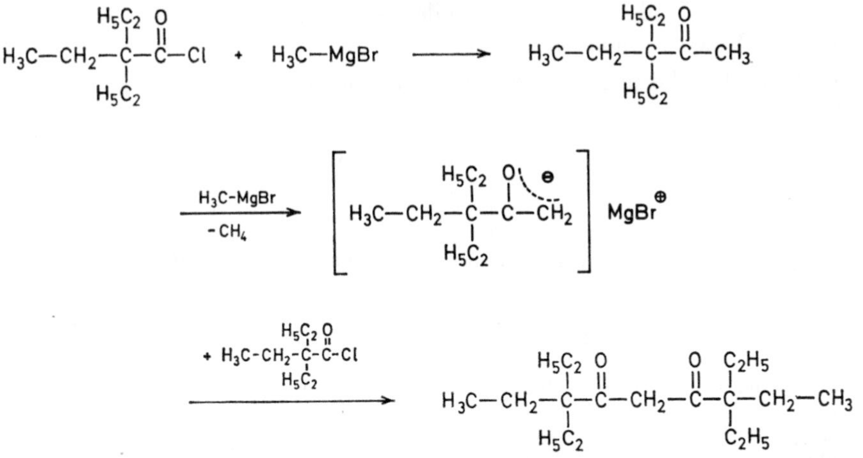

Auf die Ester-Bildung beim Arbeiten in Diäthyläther wurde schon auf S. 56? ?ingewiesen. Die Ausbeuten an Ketonen können durch diese Nebenreaktioner ?t beträchtlich herabgesetzt werden.

Diketone können aus Grignard-Reagenzien und Dicarbonsäure-? ?hloriden erhalten werden, jedoch liegen die Ausbeuten selbst bei Verwendu? sterisch gehinderter Grignard-Reagenzien weit unter den Ausbeuten, die man r? den Cadmiumbzw. Zink- oder Aluminium-alkylen erreichen kann. Tert.-butyl ?agnesiumchlorid setzt sich mit Hexandisäure-dichlorid zu *3,8-Dioxo-2,2,9,9-tetramethyl-decan* (25% d.Th.) um[2]:

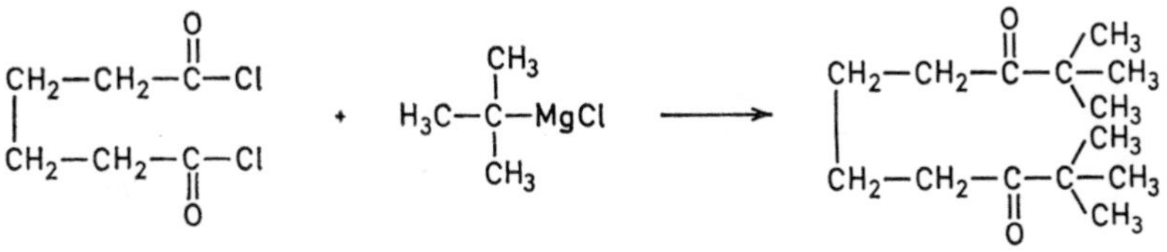

1,3-Diketone wurden aus Acetessigsäure-chlorid synthetisiert[3]. Bessere Ergebnisse liefern auch hier wieder die Grignard-Derivate einiger Heterocyclen. Phosgen liefert mit Indolyl-magnesiumbromid *Diindolyl-(3)-keton*. Analog reagiert 2-Methylindolyl-magnesiumbromid mit Phosgen zu *Bis-[2-methyl-indolyl-(3)]-keton* bzw. mit Oxalsäure zu *1,2-Dioxo-1,2-bis-[2-methyl-indolyl-(3)]-äthan*[4].

[1] F. C. WHITMORE u. C. E. LEWIS, Am. Soc. **64**, 1618 (1942).
  Vgl. a. R. C. FUSON, J. H. VAN CAMPEN u. D. E. WOLF, Am. Soc. **60**, 2269 (1938).
[2] R. C. FUSON u. J. W. ROBINSON, Am. Soc. **62**, 358 (1940).
[3] C. D. HURD u. C. D. KELSO, Am. Soc. **62**, 1548 (1940).
[4] B. ODDO, G. SANNA u. Q. MINGOIA, G. **51** II, 337 (1921); **52** II, 170 (1922); **57**, 473 (1927).

ε) Ketone aus Carbonsäure-chloriden und Organo-kupfer-Verbindungen

Die Lithium-diorgano-kupfer(I)-Verbindungen[1] sind für die Keton-Synthese aus Carbonsäure-chloriden besser geeignet als die Aryl- oder Alkyl-kupfer(I)-Verbindungen[2]. Sie haben besonderes Interesse bei dem **selektiven** Austausch von organisch gebundenem Halogen gefunden.

Die ätherischen Lösungen reagieren unter milden Bedingungen mit einer Reihe von Carbonsäure-chloriden[3]:

$$R^1\text{—CO—Cl} + [R_2Cu]Li \rightarrow R^1\text{—CO—R} + LiCl + RCu$$

$R^1=C_5H_{11}$:	$R=CH_3$;	*2-Oxo-heptan*	81% d.Th.
	$R=C_4H_9$;	*5-Oxo-decan*	79% d.Th.
$R^1=(CH_3)_3C$:	$R=CH_3$;	*3-Oxo-2,2-dimethyl-butan*	84% d.Th.
	$R=C_4H_9$;	*3-Oxo-2,2-dimethyl-heptan*	90% d.Th.
$R^1=C_6H_{11}$:	$R=CH_3$;	*1-Oxo-1-cyclohexyl-äthan*	86% d.Th.
	$R=C_4H_9$;	*1-Oxo-1-cyclohexyl-pentan*	80% d.Th.

Alkyl-ketone; allgemeine Herstellungsvorschrift[3]: Die ätherische Lösung des Kupfer-Reagens stellt man aus 2 Mol Methyl- oder Butyl-lithium unter Stickstoff bei 0° mit einem Mol Kupfer(I)-jodid her. Man kühlt nach 5-10 Min. auf −78° und alkyliert bei dieser Temp. mit $^1/_3$ Mol Carbonsäure-chlorid. Nach 15 Min. wird mit Methanol zersetzt und destillativ oder gaschromatographisch aufgearbeitet.

ζ) Ketone aus Carbonsäure-chloriden und Alkyl-bor-Verbindungen

Alkandisäure-dichloride werden mit Diazomethan in die Bis-diazoketone überführt. Mit Trialkyl-boranen erhält man daraus unter Stickstoff-Abspaltung **symmetrische Diketone** in Ausbeuten von ~ 50–90% der Theorie. Da 1,4- und 1,5-Diketone durch basenkatalysierte intramolekulare Cyclisierung in Cyclopentanone bzw. Cyclohexanone übergehen, gelingt es auch durch Zusatz von Alkalihydroxiden zu den rohen Reaktionsmischungen, in hohen Ausbeuten direkt zu **cyclischen Ketonen** zu gelangen[4]:

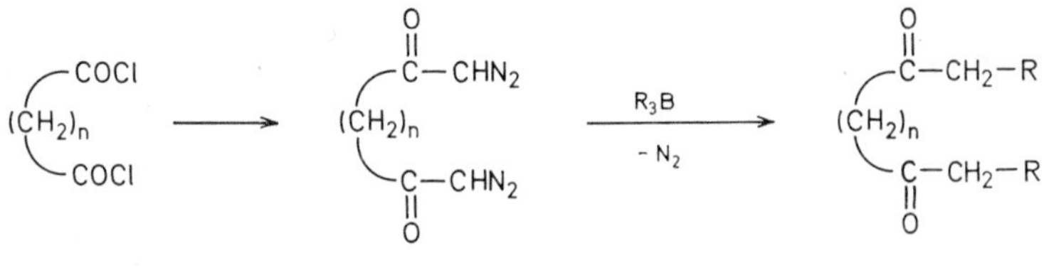

Diketone; allgemeine Herstellungsvorschrift:
Bis-[diazo-ketone][5]: 0,1 Mol reines Dicarbonsäure-dichlorid in absol. Äther gibt man langsam unter kräftigem Rühren zu einer eisgekühlten Lösung von 0,42 Mol Diazomethan in ~ 500–700 *ml* Äther. Nach Beendigung der Reaktion saugt man schnell ab. Die so erhaltenen Produkte sind bereits rein, sie lassen sich aus Benzol oder Tetrachlormethan gut umkristallisieren und

[1] E. J. COREY u. G. H. POSNER, Am. Soc. **89**, 3911 (1967); **90**, 5615 (1968).
[2] H. GILMAN u. J. M. STRALEY, R. **55**, 821 (1936).
[3] G. H. POSNER u. C. E. WHITTEN, Tetrahedron Letters **1970**, 4647; vgl. auch die dort aufgeführte Literatur.
[4] L. J. HOOZ u. D. M. GUNN, Chem. Commun. **1969**, 139.
[5] E. FAHR, A. **638**, 1 (1960).

zersetzen sich, im Eisschrank unter Lichtausschluß gelagert, kaum; Ausbeute 80–90% d. Th.:

n = 2; *1,6-Bis-[diazo]-2,5-dioxo-hexan*   F: 62–63°
n = 3; *1,7-Bis-[diazo]-2,6-dioxo-heptan*   F: 62,5–63,5°
n = 4; *1,8-Bis-[diazo]-2,7-dioxo-octan*   F: 70,5–71°
n = 5; *1,9-Bis-[diazo]-2,8-dioxo-nonan*   F: 74–74,5°

Diketone: Trialkyl-boran, hergestellt durch Hydroborierung der entsprechenden Olefine[1], und Bis-[diazo-keton] läßt man bei 25° in Tetrahydrofuran reagieren. Nach beendeter Stickstoff-Entwicklung wird hydrolysiert und nach Extraktion mit Äther destilliert; z. B.:

Trialkyl-boran		Bis-[diazo-keton]		Di-keton	Ausbeute [% d.Th.]
R	Mol	n	Mol		
C_2H_5	20	2	9,8	*Decan-dion-(4,7)*	92
C_4H_9	20	2	9,7	*Tetradecan-dion-(6,9)*	84
C_2H_5	22	3	10,5	*Undecan-dion-(4,8)*	87
C_4H_9	20	3	9,5	*Pentadecan-dion-(6,10)*	52

3. Ketone aus Carbonsäure-amiden, -imidchloriden, -aziden und metallorganischen Verbindungen

α) aus N,N-disubstituierten Carbonsäure-amiden

Bei der Umsetzung von Carbonsäure-amiden mit Organo-metall-Verbindungen verhält sich die Amid-Gruppe formal wie das Halogen eines Carbonsäure-chlorids. Sie wird gegen den anionischen Rest der metallorganischen Verbindung ausgetauscht:

$$R-\overset{O}{\overset{\|}{C}}-NR'_2 + R''Me \;\rightarrow\; R-\overset{O}{\overset{\|}{C}}-R'' + MeNR'_2$$

R′ = H oder Alkyl

Im Unterschied zu den Umsetzungsprodukten mit Carbonsäure-chloriden ist hier das Grignard-Additionsprodukt stabil und liefert erst nach Hydrolyse das Keton:

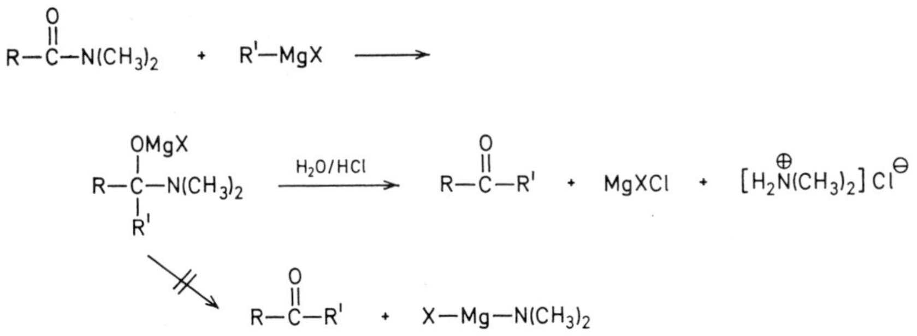

$$R-\overset{O}{\overset{\|}{C}}-N(CH_3)_2 \;+\; R'-MgX \longrightarrow$$

$$R-\overset{OMgX}{\underset{R'}{\overset{|}{C}}}-N(CH_3)_2 \xrightarrow{H_2O/HCl} R-\overset{O}{\overset{\|}{C}}-R' \;+\; MgXCl \;+\; [H_2N(CH_3)_2]\,Cl^{\ominus}$$

$$\xcancel{\quad} \; R-\overset{O}{\overset{\|}{C}}-R' \;+\; X-Mg-N(CH_3)_2$$

Dieser Unterschied in der Stabilität der Addukte beruht auf der unterschiedlichen Basenstärke der an der Reaktion beteiligten Gruppen. Der Zerfall der Additions-

---

[1] H. C. BROWN, *Hydroboration*, W. A. Benjamin, New York 1962.

Verbindung eines Carbonsäure-chlorids führt zu Magnesiumhalogeniden und dem Keton. Beim analogen Zerfall des Amid-Komplexes würde neben dem Keton ein Metallamid entstehen, was jedoch wesentlich ungünstiger ist. Der Erfolg der Keton-Synthese über Carbonsäure-amide beruht letztlich auf der Stabilität der Additions-Verbindung. Eine tert.-Carbinol-Bildung ist hier so gut wie ausgeschlossen. Man verwendet gewöhnlich die N,N-disubstituierten Carbonsäure-amide in Form der Piperidide, die leicht aus Carbonsäure-Derivaten und Piperidin erhältlich sind[1]. Die Dialkylamide sind ebenfalls geeignet[2]. Als metall-organische Verbindung setzt man meist die Grignard- oder noch besser lithium-organischen Verbindungen ein.

Als ein Beispiel für die Verwendung der Magnesium-Verbindungen sei die Herstellung des *2-Oxo-propanal-diäthylacetals*[3] und für die der lithium-organischen Verbindungen die Synthese des *Hexanons-(2)*[4] beschrieben:

2-Oxo-propanal-diäthylacetal[3]:

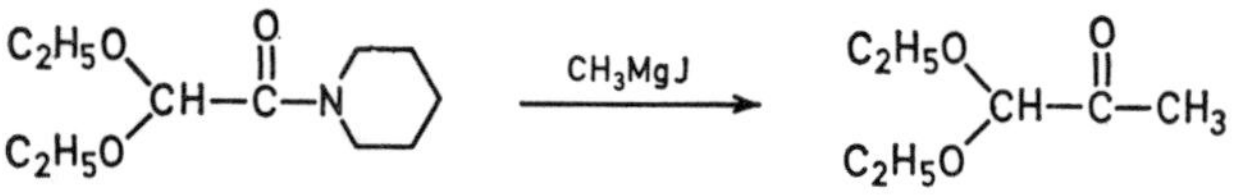

15 g Magnesiumspäne werden in 200 *ml* Diäthyläther mit 55 *ml* Methyljodid zur Reaktion gebracht und unter Stickstoff über Glaswatte in einen 1-*l*-Kolben filtriert. Zu der mit Eis gekühlten Grignard-Lösung tropft man unter Rühren 54 g Diäthoxy-essigsäure-piperidid[3]. Hiernach erwärmt man 3 Stdn. auf 50°, kühlt ab und zersetzt vorsichtig mit Eis. Die ausgefallenen Magnesiumsalze werden mit konz. Ammoniumchlorid in Lösung gebracht. Man trennt die Phasen und schüttelt die wäßrige Schicht mit Äther aus. Die vereinigten Äther-Phasen werden gewaschen, die Wasser-Phasen erneut ausgeäthert. Nach dem Trocknen und Verjagen des Solvens wird fraktioniert; Ausbeute: 80,7% d.Th.; Kp$_{13-15}$: 54—55°.

Hexanon-(2)[4]:

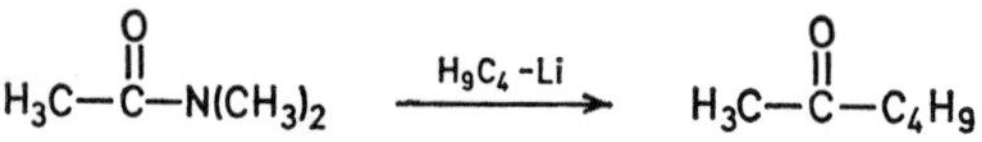

2,34 g Essigsäure-dimethylamid werden zu einer —20° kalten Butyl-lithium-Lösung unter Rühren gegeben, die aus 0,6 g Lithium und 6 g Butylbromid in 50 *ml* absol. Äther bereitet wurde. Man läßt innerhalb 3 Stdn. auf Raumtemp. erwärmen, kühlt erneut auf —10° und zersetzt mit wäßriger Ammoniumchlorid-Lösung. Nach 30 Min. Rühren trennt man die Äther-Phase ab, wäscht, trocknet über Natriumsulfat und destilliert; Ausbeute: 78% d.Th.; Kp$_{200}$: 68—70°.

Aus 2-, 3- oder 4-Hydroxy-benzoesäure-diäthylamid und Äthyl-magnesiumbromid in Benzol erhält man die folgenden Hydroxy-propanoyl-benzole[2]:

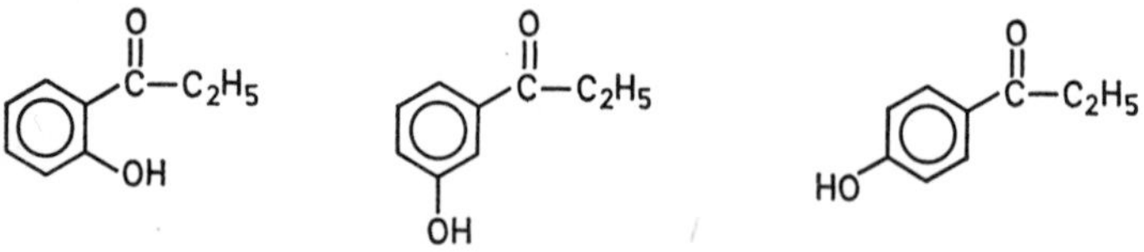

2-*Hydroxy-1-propanoyl-*   3-*Hydroxy-1-propanoyl-*   4-*Hydroxy-1-propanoyl-*
benzol; 82% d.Th.   *benzol*; 75% d.Th.   *benzol*; 65% d.Th.

[1] J. B. WRIGHT, Am. Soc. **77**, 4883 (1955).
    E. G. PODREBARAC et al., J. Med. Chem. **6**, 283 (1963).
[2] P. L. COUTURIER, A. ch. [II] **10**, 579 (1938); C. r. **202**, 1994 (1936); **205**, 800 (1937).
[3] A. WOHL u. M. LANGE, B. **41**, 3612 (1909).
[4] E. A. EVANS, Soc. **1956**, 4691.

Bemerkenswert ist hier, daß die Reaktion durch die Phenol-Gruppe nicht gestört wird.

Die Alkyl-lithium-Verbindungen haben gegenüber den Alkyl-magnesium-Verbindungen den Vorteil, daß die Umsetzung mit den ohnehin reaktionsträgen Carbonsäure-amiden rascher erfolgt. Das Carbonsäure-amid muß am Stickstoff substituiert sein und darf keinen aciden Wasserstoff am α-Kohlenstoffatom besitzen, da sonst Metallierungen eintreten. Z.B. reagiert Phenyl-essigsäure-amid mit Butyllithium wie folgt zu Phenyl-acetonitril[1]:

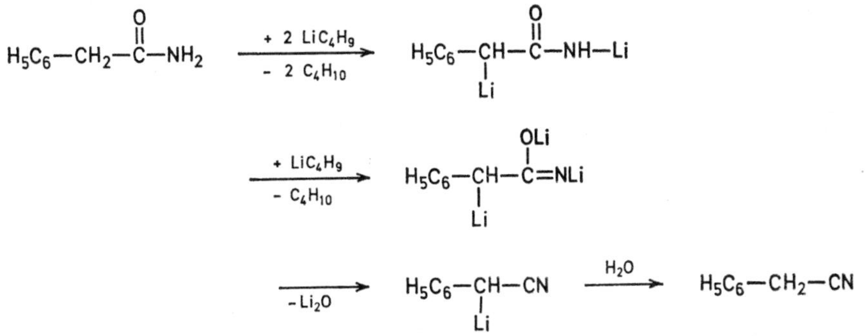

Auch heterocyclische Lithium-Derivate können mit Carbonsäure-amiden zur Reaktion gebracht werden. Die Lithium-Verbindungen erhält man oft leicht durch Metallierung acider Positionen mit Butyl-lithium, wie das folgende Beispiel zeigt.

5-(2-Oxo-2-phenyl-äthyl)-2-phenyl-indolizin[2]:

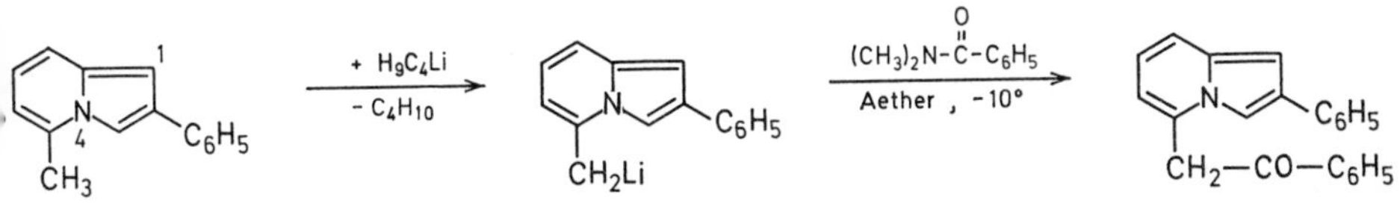

Man bringt unter Stickstoff 1,26 g 5-Methyl-2-phenyl-indolizin mit 20 ml einer äquimolaren Menge enthaltenen äther. Butyl-lithium-Lösung bei −15° zur Reaktion und läßt zur Vervollständigung der Metallierung noch 18 Stdn. bei Raumtemp. stehen. Zu der roten Lösung tropft man bei −15° unter Rühren 1,46 g Benzoesäure-dimethylamid in 15 ml Äther. Man läßt auf Raumtemp. erwärmen, rührt 1 Stde. und säuert mit 1,1 g Essigsäure an. Die Äther-Phase wird gewaschen, getrocknet und eingedampft, der Rückstand wird aus Diisopropyläther umkristallisiert; Ausbeute: 0,6 g (36% d.Th.); F: 109–110°.

Anstatt der Piperidide können auch Imidazolide[3] eingesetzt werden. Die Keton-Bildung erfolgt hier besonders leicht, da die nucleophilen Austauschreaktionen an N-Acyl-imidazolen äußerst rasch verlaufen[4]:

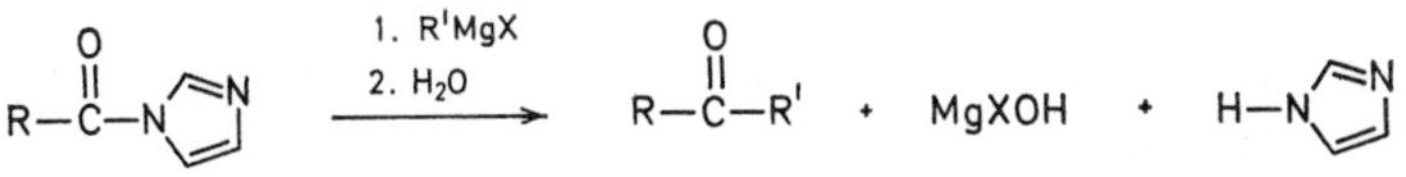

[1] C. R. Hauser, E. M. Kaiser u. R. L. Vaulx, Tetrahedron Letters 1966, 4833.
   Vgl. a. ds. Handb., Bd. XIII/1, Kap. Umwandlung lithium-organischer Verbindungen, S. 187.
[2] V. Boekelheide et al., Am. Soc. 81, 1459 (1959).
[3] H. A. Staab u. E. Jost, A. 655, 90 (1962).
[4] H. A. Staab, Ang. Ch. 74, 407 (1962).

Die Imidazolide sind in guten Ausbeuten aus Carbonsäure-chloriden oder noch besser aus den Carbonsäuren selbst und Kohlensäure-diimidazolid zugänglich[1]. Man arbeitet in Tetrahydrofuran, denn Äther ist wegen der Schwerlöslichkeit der Carbonsäure-imidazolide weniger gut geeignet. Das Grignard-Reagenz wird in ~10%igem Überschuß zu der Carbonsäure-imidazolid-Lösung eingetropft. Die optimalen Reaktionstemperaturen liegen zwischen $-50°$ und $+20°$.

Octanon-(3)[2]: Zu 18,6 g (112 mMol) Hexansäure-imidazolid[3] in 600 ml Tetrahydrofuran werden bei Raumtemp. innerhalb von 3 Stdn. eine aus 3 g Magnesium und 13,4 g Äthylbromid bereitete Äthyl-magnesiumbromid-Lösung in Tetrahydrofuran getropft. Es wird anschließend 5 Stdn bei Raumtemp. gerührt und dann mit 200 ml 2n Salzsäure aufgearbeitet. Man destilliert die Hauptmenge an Tetrahydrofuran ab, schüttelt mehrmals mit 300 ml Äther aus und fraktioniert die neutral gewaschene und getrocknete Äther-Phase; Ausbeute: 64% d. Th.; F: 65—67° (Methanol).

Rein aromatische Ketone lassen sich in besonders guten Ausbeuten herstellen, besonders wenn der aromatische Rest des Carbonsäure-imidazolids in m- oder p-Stellung ein Halogen trägt. In der folgenden Tab. 88 sind die Ketone anhand systematischer Untersuchungen zusammengestellt.

Tab. 88. Ketone aus Phenyl-magnesiumbromid und Carbonsäure-imidazoliden

Carbonsäure-imidazolid	Keton	Ausbeute [% d. Th.]
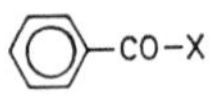 ⬡—CO—X	*Benzophenon*	72
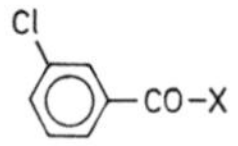 (Cl)⬡—CO—X	*3-Chlor-benzophenon*	94
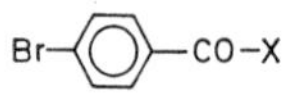 Br—⬡—CO—X	*4-Brom-benzophenon*	88
H_3C—CH=CH—CH=CH—CO—X	*1-Oxo-1-phenyl-hexadien-(2,4)*	69
H_3C—$(CH_2)_4$—CO—X	*1-Oxo-1-phenyl-hexan (Hexanoyl-benzol)*	73

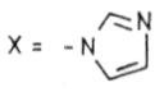

X = -N⌐N

Auch vinyloge Carbonsäure-amide können mit Grignard-Reagenzien zu ungesättigten Ketonen umgesetzt werden[4] (s. ds. Handb., Bd. VII/2b, Kap. Vinylketone).

Phthalsäure-mono-diäthylamid liefert mit Grignard-Verbindungen keine Ketone sondern Phthalide[5]:

[1] H. A. Staab, Ang. Ch. **74**, 407 (1962).
[2] H. A. Staab u. E. Jost, A. **655**, 90 (1962).
[3] H. A. Staab, B. **89**, 1927 (1956).
[4] C. Jutz, B. **91**, 1867 (1958).
[5] M. N. Maxim u. A. Andreescu, Bl. [5] **5**, 54 (1938).

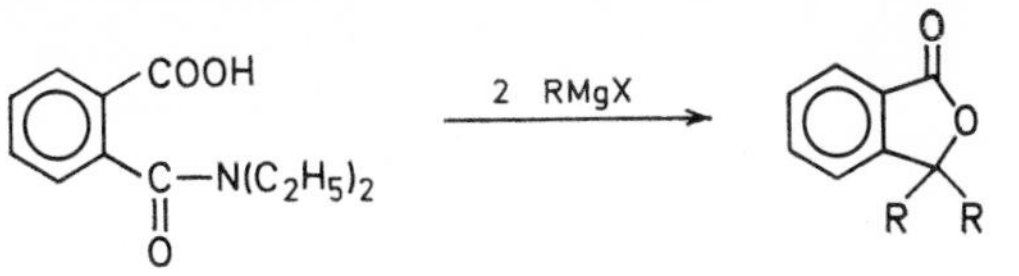

Bei der Reaktion von Phenyl-magnesiumbromid mit Succinimiden entstehen 4-Oxo-4-phenyl-butansäure-anilide[1]:

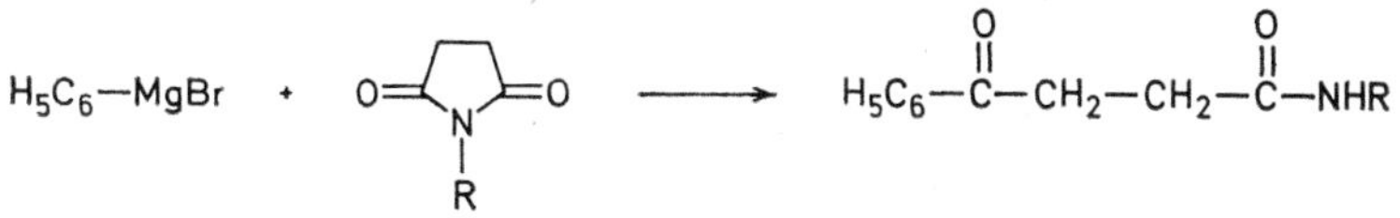

β) aus unsubstituierten Carbonsäure-amiden

Anstelle der N,N-disubstituierten Carbonsäure-amide wurden häufig die unsubstituierten Derivate eingesetzt[2]. Man benötigt dann aber mindestens zwei Äquivalente der metallorganischen Verbindung, da das erste Äquivalent mit dem sauren Amid-Proton reagiert:

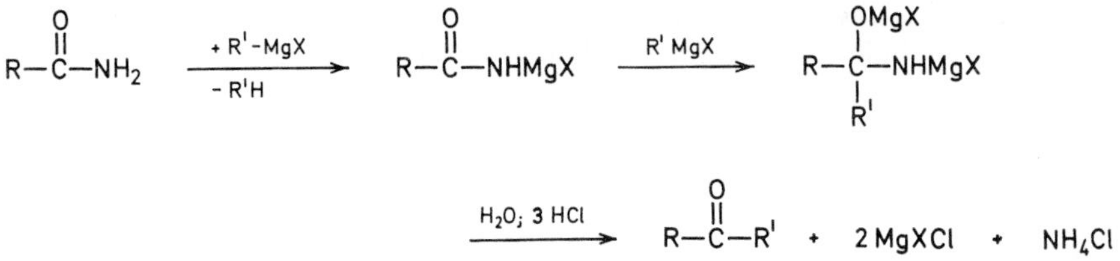

Die Ausbeuten sind hierbei schlechter und liegen bei den aliphatischen Ketonen bei 20–50% d. Th.[2]. Es ist daher oft zweckmäßiger, das unsubstituierte Carbonsäure-amid zunächst zum Nitril zu dehydratisieren und dann mit der Grignard-Verbindung zum Keton umzusetzen[3].

Aromatische Ketone sind nach dieser Methode in etwas besseren Ausbeuten zugänglich. Man sollte hierbei 3–4 Mol Grignard-Reagens auf 1 Mol Carbonsäure-amid einsetzen[4]. Eine Reihe von Desoxybenzoinen konnte so hergestellt werden[5]; z.B. aus:

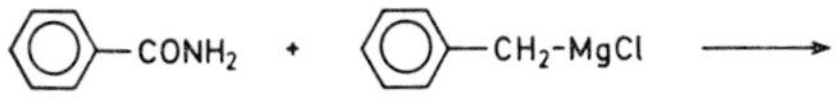 *1-Oxo-1,2-diphenyl-äthan* 77% d. Th.

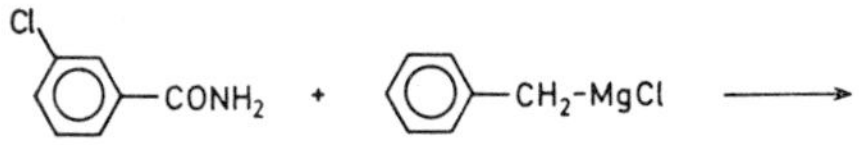 *1-Oxo-2-phenyl-1-(3-chlor-phenyl)-äthan* 72% d. Th.

---

[1] R. Chiron u. Y. Graff, Bl. **1967**, 3715.

[2] C. Béis, C. r. **137**, 575 (1903).

[3] F. C. Whitmore, C. I. Noll u. V. C. Meunier, Am. Soc. **61**, 683 (1939).

[4] M. O. Farooq, W. Rahman u. M. Ilyas, B. **92**, 2555 (1959).

[5] S. S. Jenkins, Am. Soc. **55**, 703 (1933); **56**, 682 (1934).

$H_3CO-\langle O \rangle-CONH_2$ + $\langle O \rangle-CH_2-MgCl$ ⟶ *1-Oxo-2-phenyl-1-(3-methoxy-* 74% d.Th.
phenyl)-äthan

+ $Cl-\langle O \rangle-CH_2-MgBr$ ⟶ *1-Oxo-2-(4-chlor-phenyl)-1-* 66% d.Th.
(4-methoxy-phenyl)-äthan

Sterisch gehinderte, unsubstituierte Carbonsäure-amide werden leicht durch Grignard-Reagenzien zu Nitrilen dehydratisiert[1]:

$$R-\overset{O}{\underset{}{\overset{\|}{C}}}-NH_2 \rightleftharpoons R-\overset{OH}{\underset{}{\overset{|}{C}}}=NH \xrightarrow[-2\,R'H]{+2\,R'-MgX} R-\overset{OMgX}{\underset{}{\overset{|}{C}}}=N-MgX$$

$$\longrightarrow R-CN \;+\; MgO \;+\; MgX_2$$

Da die Nitrile ebenfalls mit Grignard-Verbindungen zu Ketonen reagieren, ist es durchaus möglich, daß einige in der Literatur beschriebene Keton-Synthesen, namentlich mit sterisch gehinderten Carbonsäure-amiden[2], über Nitrile verlaufen.

γ) aus Carbonsäureimid-chloriden

Imid-chloride liefern mit Grignard-Verbindungen ebenfalls Ketone. Da aber die Carbonsäure-imid-chloride aus Carbonsäure-amiden hergestellt werden, bringt dieser Weg keinen echten Vorteil[3]:

$$H_5C_6-N{=}CR\;Cl \;+\; R'-MgX \xrightarrow[-MgClX]{} H_5C_6-N{=}C\overset{R}{\underset{R'}{\big\langle}}$$

$$\xrightarrow{H_2O} C_6H_5NH_2 \;+\; O{=}C\overset{R}{\underset{R'}{\big\langle}}$$

δ) aus Carbonsäure-aziden

In wenigen Fällen wurde der Austausch einer Azid-Gruppe in Carbonsäure-aziden durch Grignard-Verbindungen beobachtet, jedoch kommt dieser Reaktion keine praktische Bedeutung zur Herstellung von Ketonen zu[4].

4. Ketone aus metallorganischen Verbindungen und Carbonsäuren und ihren Salzen, Carbonsäure-anhydriden, -estern, Lactonen und Ketenen

α) aus Carbonsäuren und ihren Salzen

$α_1$) *Aliphatische, olefinische, cycloaliphatische und aromatische Ketone*

Zur Herstellung von Ketonen aus Carbonsäuren benötigt man zwei Äquivalente der metallorganischen Verbindung. Das erste Äquivalent dient zur Neutrali-

[1] M. Ramart, M. Laclôtre u. M. Anagnostopoulos, C. r. **185**, 282 (1927).
[2] F. C. Whitmore, C. I. Noll u. V. C. Meunier, Am. Soc. **61**, 683 (1939).
[3] H. Normant u. G. Martin, Bl. **1957**, 429.
[4] A. Bertho, J. pr. [2] **116**, 101 (1927).

sation der Säure, das zweite liefert mit dem Salz ein Additionsprodukt, welches zum Keton hydrolisiert wird:

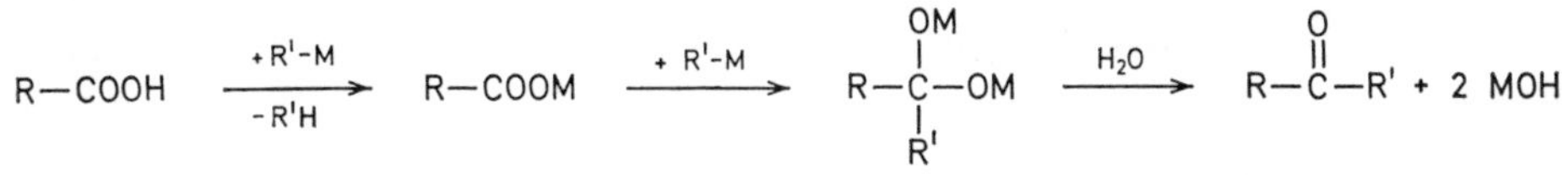

$$R-COOH \xrightarrow[-R'H]{+R'-M} R-COOM \xrightarrow{+R'-M} R-\underset{\underset{R'}{|}}{\overset{\overset{OM}{|}}{C}}-OM \xrightarrow{H_2O} R-\overset{\overset{O}{||}}{C}-R' + 2\ MOH$$

Um ein Äquivalent der Organometall-Verbindung einzusparen, kann man daher auch direkt die Salze einsetzen, die allerdings gut gepulvert sein müssen[1]. Als metallorganische Verbindungen können sowohl die Magnesium- als auch die Lithium-Reagenzien verwendet werden. Cadmium- und Zink-Derivate sind wegen ihrer geringeren Reaktivität nicht geeignet. Am vorteilhaftesten sind die Lithium-Verbindungen, da die Tendenz zur Lithiumoxid-Eliminierung aus dem Additionsprodukt viel geringer ist als die Abspaltung von Magnesiumoxid.

Es besteht somit geringere Gefahr, daß noch vor der Hydrolyse freies Keton gebildet wird, das mit der metallorganischen Verbindung zu tert.-Carbinolen weiterreagieren könnte. Geeignete Solventien sind Äther oder Tetrahydrofuran. Über die Bedeutung und auch die Grenzen der Möglichkeiten einer Keton-Synthese aus Carbonsäuren und lithium-organischen Verbindungen wurde zusammenfassend in Organic Reactions[2] berichtet. Man findet dort eine Vielzahl präparativer Hinweise, so daß hier nur die wichtigsten Umsetzungen beschrieben werden. Methyl-lithium liefert sowohl mit aromatischen[3] als auch mit aliphatischen[4] Carbonsäuren die entsprechenden Methyl-ketone in ausgezeichneten Ausbeuten (70–90% d.Th.). Man macht hiervon bei Carotinoid-Synthesen Gebrauch. Die üblicherweise nach der Reformatzky-Reaktion hergestellten α,β-ungesättigten Carbonsäureester werden verseift und anschließend direkt zum Keton weiterverarbeitet. Man erspart sich somit in vielen Fällen die Überführung in die Carbonsäure-chloride oder -nitrile. Als Beispiel sei die Synthese des folgenden C_{18} Ketons gewählt[5]:

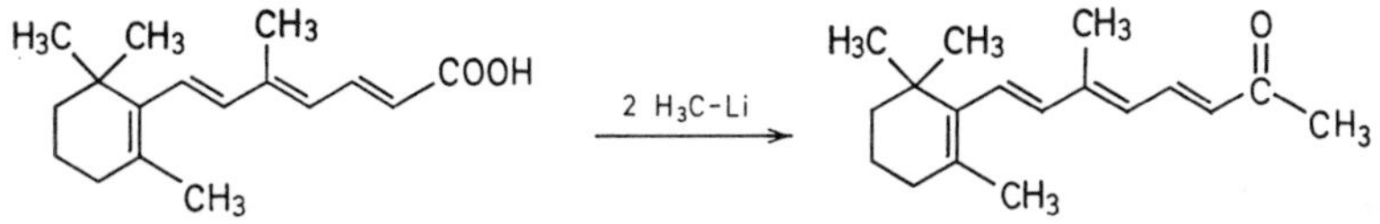

β-C_{18}-Keton   {**7-Oxo-3-methyl-1-[2,6,6-trimethyl-cyclohexen-(1)-yl]-octatrien-(1,3,5)**}[5]:   Zu 100 *ml* einer aus 4,6 g Lithium und 55 g Methyljodid bereiteten äther. Methyl-lithium-Lösung werden 23,0 g β-Jonyliden-crotonsäure {5-Methyl-7-[1,3,3-trimethyl-cyclohexen-(1)-yl-(2)]-heptatrien-(2,4,6)-säure} in 900 *ml* absol. Äther getropft. Man arbeitet unter Stickstoff und rührt unter Feuchtigkeitsausschluß. Hierbei entsteht Methan. Der Gilman-Test[6] soll nach

[1] N. M. GRAD u. A. D. VOLKOV, Ž. obšč. Chim. **25**, 1695 (1955); engl.: 1671.
   E. A. BRAUDE u. J. A. COLES, Soc. **1950**, 2012.
[2] M. J. JORGENSON, Org. Reactions, **18** 2—96 (1971).
   Vgl. a. ds. Handb., Bd. XIII/1, Kap. Umwandlung lithium-organischer Verbindungen, S. 184.
[3] J. M. BRUCE, Soc. **1960**, 360.
[4] H. KAPPELER, D. STAUFFACHER, A. ESCHENMOSER u. H. SCHINZ, Helv. **37**, 957 (1954).
[5] D. A. VAN DORP u. J. F. ARENS, R. **65**, 338 (1946).
   Vgl. a. S. 573.
[6] H. GILMAN u. R. M. PICKENS, Am. Soc. **47**, 2406 (1925).

Abklingen der Reaktion noch positiv sein. Die Mischung wird auf Eis gegossen und die Äther-Phase neutral gewaschen. Nach Verjagen des getrockneten Solvens wird destilliert; Ausbeute: 90% d.Th.; Kp_{10-2}: 138–140°.

5-Methyl-hexen-(5)-säure konnte analog in *6-Oxo-2-methyl-hepten-(1)* (76% d.Th.) überführt werden[1]:

$$H_2C=\overset{\overset{\displaystyle CH_3}{|}}{C}-(CH_2)_3-COOH \quad \xrightarrow{2\ H_3C-Li} \quad H_2C=\overset{\overset{\displaystyle CH_3}{|}}{C}-(CH_2)_3-\overset{\overset{\displaystyle O}{||}}{C}-CH_3$$

Cycloocten-1-carbonsäure liefert mit Methyl-lithium *1-Acetyl-cyclooocten* (70% d. Th.)[2].

Cyclopropyl-ketone können aus Cyclopropan-carbonsäure und Alkyl-lithium-Verbindungen bereitet werden[3]. Analog erhält man aus Cyclopropen-carbonsäure-Derivaten 50–70% d.Th. der entsprechenden **Acetyl-cyclopropene**; dabei wird die Doppelbindung nicht angegriffen[4]. Aus Adamantan-1-carbonsäure sind mit Alkyllithium **Alkanoyl-adamantane** zugänglich[5].

α_2) *Amino- und Halogen-ketone*

Trägt die Carbonsäure noch funktionelle Gruppen mit acidem Wasserstoff, so muß man dementsprechend mehr Lithium-Derivat einsetzen. Zur Synthese des auf anderem Wege nur schlecht zugänglichen *2-Anilino-benzophenons* aus 2-Anilino-benzoesäure benötigt man 3 Äquivalente Phenyl-lithium[6]:

Analog erhält man aus 2-Äthylamino-benzoesäure *2-Äthylamino-benzophenon*[6].

2-Äthylamino-benzophenon[6]: In einem 1-*l*-Dreihalskolben mit Rückflußkühler und Tropftrichter mit Druckausgleich tropft man unter magnetischem Rühren und unter Stickstoff zu 300 mMol Phenyl-lithium in 375 *ml* absol. Äther 100 mMol 2-Äthylamino-benzoesäure, in 200 *ml* absol. Äther/Tetrahydrofuran (1:1) gelöst. Die erst gelbe und zuletzt tiefrote Lösung erwärmt sich dabei. Man hält 22 Stdn. eine Badtemp. von 65°, hydrolisiert unter Stickstoff, fügt Natriumchlorid dazu, extrahiert mit Äther, wäscht, trocknet die organische Phase und verjagt das Solvens. An 1000 g Aluminiumoxid nach Brockmann wird mit Petroläther (Kp: 30–50°)/5% Benzol 1,0 g Biphenyl aus Phenyl-lithium abgetrennt. Mit Petroläther/Benzol (1:1) erhält man 15,75 g (95 mMol; 95% d.Th.) *2-Äthylamino-benzophenon*; über 2-(Äthyl-benzoyl-amino)-benzophenon (F: 119–120°) sowie IR und NMR Spektren identifiziert.

[1] H. Kappeler, D. Stauffacher, A. Eschenmoser u. H. Schinz, Helv. **37**, 957 (1954).
[2] R. Braidy, C. r. [C] **263**, 810 (1966).
[3] R. J. Levina et al., Ž. obšč. Chim. **2**, 1897 (1966).
[4] M. Vidal, E. Chollet u. P. Arnaud, Tetrahedron Letters **1967**, 1073.
[5] S. Landa, J. Burkchard u. J. Vais, Neftechimija **8**, 323 (1968); C. A. **70**, 3343 (1969).
[6] H. Reiff, Univ. Heidelberg, Privatmitteilung.

Fluorierte Ketone lassen sich besonders gut aus fluorierten Carbonsäuren herstellen. Phenyl-lithium liefert mit Trifluoressigsäure ω,ω,ω-*Trifluor-acetophenon* (73% d. Th.)[1]; 1-Lithium-2,4-difluor-benzol bildet mit Difluoressigsäure *2,4-Difluor-1-difluoracetyl-benzol* (48% d. Th.)[2]:

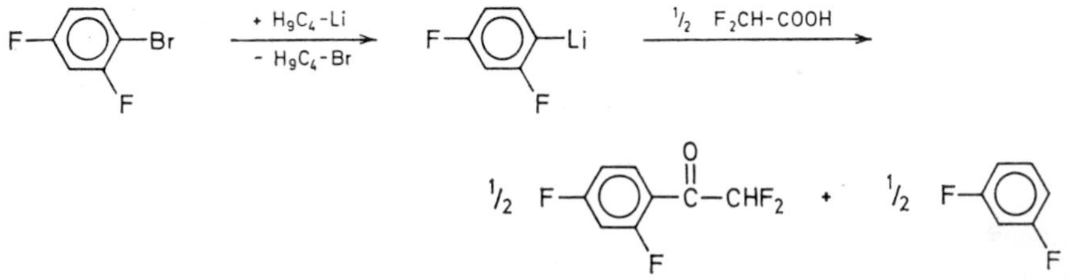

Fluorierte Ketone können auch mit Hilfe von Grignard-Verbindungen hergestellt werden. Nur besteht hier größere Gefahr, daß Magnesiumoxid bzw. -halogenid eliminiert wird und die Fluorketone, die gute Hydridacceptoren darstellen[3], durch die Grignard-Reagenzien zu sek. Carbinolen reduziert werden[4]. Man muß dann diese Carbinole anschließend zu den erwünschten Ketonen nach üblichen Verfahren zurückoxidieren:

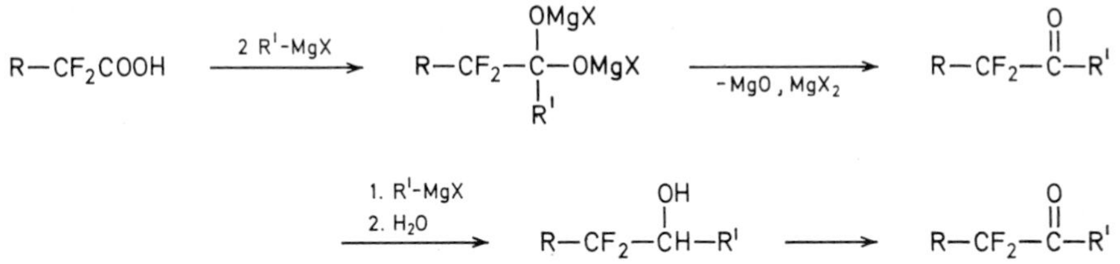

(Über die Reduktionswirkung von Grignard-Derivaten s. S. 561).

4-Dimethylamino-1-trifluoracetyl-benzol[5]: Da 4-Brom-1-dimethylamino-benzol nur schwer mit Magnesiumspänen reagiert, müssen diese vor der Grignardierung besonders aktiviert werden. Hierzu rührt man die Magnesiumspäne in einem Kolben mit einen Teflonrührer 12 Stdn. unter Durchleiten von nachgereinigtem Stickstoff. Die Späne (1,82 g) werden anschließend zerkleinert und wie üblich durch Auftropfen von 15 g (75 mMol) 4-Brom-1-dimethylamino-benzol in 65 *ml* absol. Tetrahydrofuran zur Reaktion gebracht. Man kocht anschließend noch 1 Stde. Zu der schwarzen Lösung gibt man unter Rühren bei Raumtemp. innerhalb von 30 Min. 1,75 *ml* (25 mMol) Trifluoressigsäure in 25 *ml* absol. Äther. Nach 1 stdg. Rühren gießt man auf Eis und arbeitet wie üblich destillativ auf; Ausbeute: 3,68 g (52% d. Th.); Kp$_{1,25}$: 121–124°; F: 74–75° (aus Hexan).

Nach Chromatographie des Destillationsrückstandes an Aluminiumoxid mit Benzol-Äther-Gemischen isoliert man als Nebenprodukt 650 mg *2,2,2-Trifluor-1-(4-dimethylamino-phenyl)-äthanol.*

Ähnlich gute Ergebnisse wurden mit Dibutyläther als Lösungsmittel erhalten[6]. Man setzt die 2,5 molare Menge an Grignard-Reagens ein; dabei spielt es keine Rolle,

[1] T. F. McGrath u. R. Levine, Am. Soc. **77**, 3656 (1955).
[2] M. M. Nad et al., Izv. Akad. SSSR **71**, 63, 272 (1959); C. A. **53**, 14977[b], 17933[g] (1959).
[3] N. P. Gambaryah, Ang. Ch. **78**, 1008 (1966).
[4] A. Sykes, J. C. Tatlow u. C. R. Thomas, Soc. **1956**, 835.
Vgl. a. O. R. Pierce, J. C. Siegle u. E. T. McBee, Am. Soc. **75**, 6324 (1953).
[5] A. Mendel, J. Organometal. Chem. **6**, 97 (1966).
[6] A. Sykes et al., Soc. **1956**, 835.

ob man die Carbonsäure zur Grignard-Verbindung tropft oder umgekehrt. Aus Trifluoressigsäure wurden mit entsprechenden Grignard-Derivaten die folgenden Tri-
fluormethylketone synthetisiert:

1,1,1-Trifluor-aceton	56% d. Th.
1,1,1-Trifluor-2-oxo-butan	52% d. Th.
1,1,1-Trifluor-2-oxo-3-methyl-butan	51% d. Th.
1,1,1-Trifluor-2-oxo-hexan	63% d. Th.
1,1,1-Trifluor-2-oxo-3,3-dimethyl-butan	65% d. Th.
ω,ω,ω-Trifluor-acetophenon	62% d. Th.

Analog wurde aus Heptafluor-butansäure mit Methyl-magnesiumjodid *1,1,1,2,2,3,3-*
Heptafluor-4-oxo-butan (41% d. Th.) erhalten.

Ebenso können Perfluor-glutarsäure oder Perfluor-hexandisäure mit 4-Brom-
phenyl-magnesiumbromid zu Diketonen umgesetzt werden[1]:

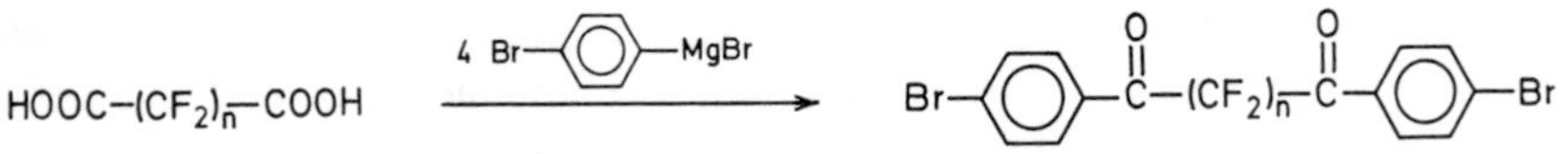

$$n = 3 \quad Hexafluor\text{-}1,5\text{-}dioxo\text{-}1,5\text{-}bis\text{-}[4\text{-}brom\text{-}phenyl]\text{-}pentan$$
$$n = 4 \quad Octafluor\text{-}1,6\text{-}dioxo\text{-}1,6\text{-}bis\text{-}[4\text{-}brom\text{-}phenyl]\text{-}hexan$$

$α_3$) *Nebenreaktionen der Umsetzung von Carbonsäuren mit metallorganischen Verbin-*
dungen

Besitzt die Carbonsäure am $α$-Kohlenstoffatom noch einen aciden Wasserstoff,
wie z. B. in der Phenylessigsäure, so können unerwünschte Nebenreaktionen auftreten. Äthyl-magnesiumbromid entfernt nicht nur das Säureproton sondern auch
den aciden $α$-Wasserstoff:

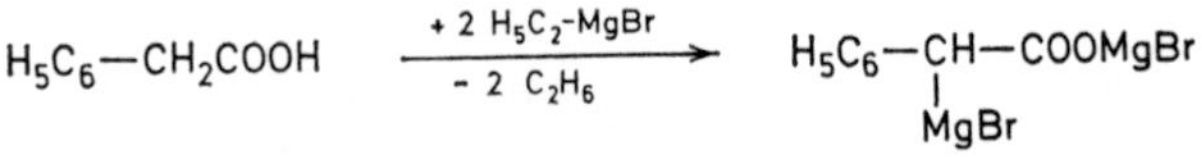

Die $α$-metallierte Verbindung führt im weiteren Verlauf der Reaktion zu unerwünschten Nebenprodukten. Mit Phenyl-magnesiumbromid erhält man zwar neben
der $α$-metallierten Verbindung intermediär das gesuchte Keton, doch reagieren beide
Derivate untereinander wie folgt[2]:

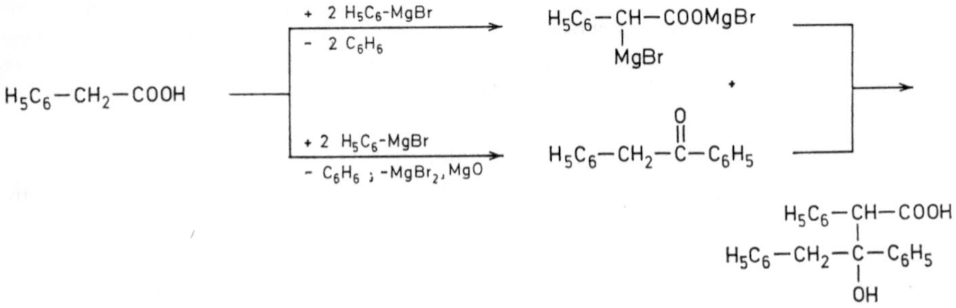

---

[1] E. L. Zaiteva u. A. J. Jakubovich, Ž. obšč. Chim. **36**, 1864 (1966); engl.: 1859.
[2] M. V. Grignard, Bl. [3] **31**, 751 (1904).
    M. D. Ivanoff u. A. Spassoff, Bl. [4] **49**, 371 (1931).

β) Ketone aus Carbonsäure-anhydriden und Organo-metall-Verbindungen

Diese Methode wurde 1904 erstmals mit Grignard-Verbindungen untersucht[1]. Sie dient hauptsächlich zur Herstellung von Oxo-carbonsäuren aus cyclischen Anhydriden:

$$M = Mg^2, Zn^3, Cd^4, Al^5$$

β₁) und Grignard-Verbindungen[6]

Der Erfolg dieser Methode beruht auf der Beständigkeit des Additionsproduktes aus Grignard-Verbindung und Anhydrid bei tieferen Temperaturen. Da vor der Hydrolyse noch kein Keton vorliegt, ist somit eine Weiterreaktion zum tert. Carbinol nicht möglich. Für bestmögliche Ausbeuten sind die folgenden Vorsichtsmaßnahmen zu beachten[2,6]: Die Grignard-Verbindung wird bei −40° bis −70° zu der gut gerührten ätherischen Lösung des Anhydrids getropft („Umgekehrte Grignardierung"). Man führt die Umsetzung unter gereinigtem Stickstoff durch. In Gegenwart von Luft sinken die Ausbeuten.

Ketone; allgemeine Arbeitsvorschrift[7,8]: 0,2 Mol Grignard-Reagens (Chlorid oder Bromid) in äther. Lösung werden innerhalb 1 Stde. zu der gerührten Lösung von beispielsweise 40 g Acetanhydrid in 100 *ml* absol. Äther unter Aceton-Trockeneis-Kühlung getropft. Nach 2–3 stdg. Rühren entfernt man das Kältebad und erwärmt auf Raumtemperatur. Man zersetzt mit konz. Ammoniumchlorid-Lösung und wäscht hiernach mit verd. Natriumhydroxid-Lösung. Nach Neutralwaschen und Trocknen wird die organische Phase fraktioniert.

Nach dieser Vorschrift[7] wurden z. B. hergestellt:

aus Acetanhydrid	*Hexanon-(2)*	79% d. Th.
	2-Oxo-3-methyl-pentan	70% d. Th.
	3-Oxo-2,2-dimethyl-butan	77% d. Th.
	Acetophenon	70% d. Th.
aus Propionsäure-anhydrid	*Propiophenon*	50% d. Th.

[1] S. S. PICKLES u. U. C. WEIZMANN, Pr. chem. Soc. **20**, 201 (1904).

[2] M. S. NEWMAN u. A. S. SMITH, J. Org. Chem. **13**, 592 (1948).
E. CAMPAIGNE u. W. B. REID, Am. Soc. **68**, 1663 (1946).
H. FOURNIER, Bl. [4] **7**, 836 (1910).

[3] L. E. FIESER u. F. C. NOVELLO, Am. Soc. **64**, 802 (1942).

[4] P. L. DE BENNEVILLE, J. Org. Chem. **6**, 462 (1941).

[5] H. REINHECKEL u. K. HAAGE, Ang. Ch. **78**, 491 (1966).

[6] Vgl. hierzu ds. Handb., Bd. XIII/2, Kap. Umwandlung von magnesium-organischen Verbindungen.

[7] M. S. NEWMAN u. W. T. BOOTH, Am. Soc. **67**, 154 (1945).
Vgl. a. M. S. NEWMAN u. A. S. SMITH, J. Org. Chem. **13**, 592 (1948).

[8] Vgl. a. I. PARTCHAMAZAD et al., C. r. [C] **266**, 717 (1968).

Neben den offenkettigen Anhydriden werden, wie eingangs erwähnt, hauptsächlich cyclische Anhydride zu Ketonen umgesetzt[1]. Außer den primären, sekundären und tertiären aliphatischen Grignard-Verbindungen[2] kommen sowohl aromatische[3] als auch heterocyclische[4] in Frage. Genau wie bei der Umsetzung mit Carbonsäurechloriden gilt auch hier wieder, daß sterisch gehinderte Anhydride bzw. Grignard-Reagenzien die besseren Keton-Ausbeuten liefern. Als Nebenprodukte der Umsetzung mit cyclischen Anhydriden, namentlich mit aliphatischen, können Hydroxycarbonsäuren und auch Lactone entstehen[5]:

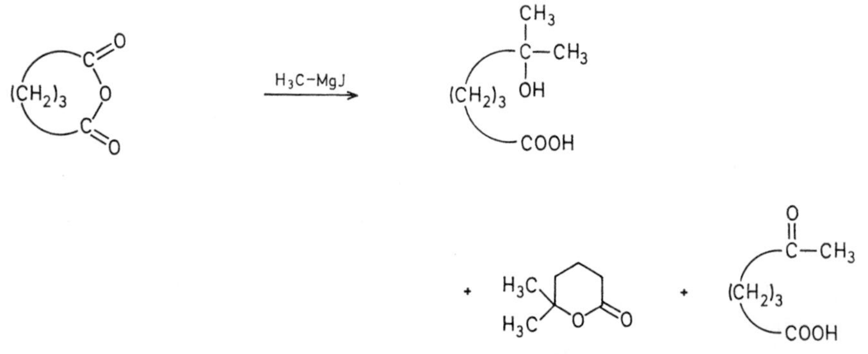

5-Oxo-hexansäure

Die interessantesten Beispiele für Keton-Synthesen aus cyclischen Anhydriden sind in Tab. 89 (s. S. 593) zusammengestellt.

β_2) und Organo-cadmium- und Organo-zink-Verbindungen

Zur Herstellung von Ketonen mit funktionellen Gruppen, die mit Grignard-Verbindungen leicht zu unerwünschten Folgeprodukten reagieren, bedient man sich besser der reaktionsträgeren Organo-cadmium-Verbindungen. So wurde beispielsweise die *3-Nitro-2-acetyl-benzoesäure* wie folgt hergestellt[6]:

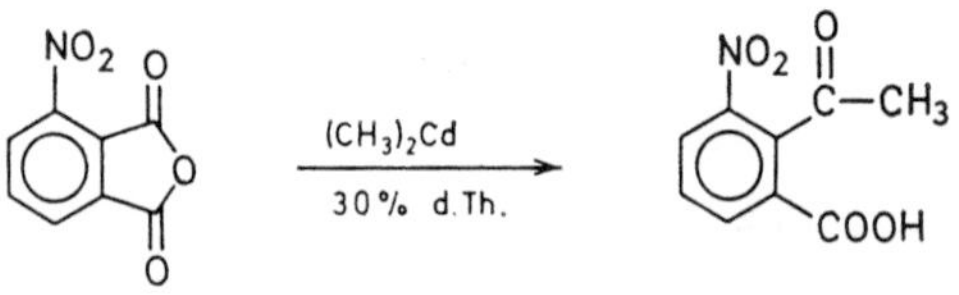

[1] C. Weizman, E. Bergman u. F. Bergman, Soc. **1935**, 1367.
   C. Weizman, O. Blum, E. Bergman u. F. Bergman, Soc. **1935**, 1370.
[2] M. S. Newman u. W. T. Booth, Am. Soc. **67**, 154 (1945).
   Vgl. a. M. S. Newman u. A. S. Smith, J. Org. Chem. **13**, 592 (1948).
[3] L. F. Fieser u. W. H. Daudt, Am. Soc. **63**, 782 (1941).
[4] A. Étienne, Bl. [5] **14**, 634 (1947).
[5] G. Komppa u. W. Rohrmann, A. **509**, 259 (1934).
[6] C. H. Wang et al., Am. Soc. **69**, 1909 (1947).

Tab. 89. Ketone aus cyclischen Dicarbonsäure-anhydriden und Grignard-
Verbindungen

Anhydrid	Grignard-Verbindung	Keton	Ausbeute [% d.Th.]	Literatur
Phthalsäure-anhydrid	Naphthyl-(1)-magnesiumbromid	1-(2-Carboxy-benzoyl)-naphthalin [2-Naphthoyl-(1)-benzoesäure]	70–80	1
	Thienyl-(2)-magnesiumjodid	2-(2-Carboxy-benzoyl)-thiophen [2-Thienoyl-(1)-benzoesäure]	80	2
Tetrachlor-phthalsäure-anhydrid	Phenyl-magnesium-bromid	3,4,5,6-Tetrachlor-2-carboxy-benzophenon	70–80	1
Bernsteinsäure-anhydrid	Phenyl-magnesiumbromid	4-Oxo-4-phenyl-butansäure	50–70	3
2,3-Dimethyl-bernsteinsäure-anhydrid	Naphthyl-(1)-magnesiumbromid	4-Oxo-2,3-dimethyl-4-naphthyl-(1)-butansäure	66,5	4
Cyclopropan-1,2-dicarbonsäure-anhydrid	Phenyl-magnesiumbromid	2-Benzoyl-cyclopropan-1-carbonsäure	53	5
Bicyclo[2.2.1]heptan-2,3-dicarbonsäure-anhydrid	Methyl-magnesiumjodid	3-Acetyl-2-carboxy-bicyclo[2.2.1]heptan	50	6

Allgemein erhält man aber hier mit den Organo-cadmium-Verbindungen schlechtere
Ausbeuten als mit den entsprechenden Grignard-Derivaten. Man vergleiche hierzu
die Tab. 89.

Oxo-carbonsäuren; allgemeine Arbeitsvorschrift[7]: Aus 0,3 g Atom Magnesium und ~ 0,4 Mol
Alkylbromid wird in absol. Äther eine Grignard-Lösung bereitet. Anschließend fügt man 31,2 g
wasserfreies Cadmiumchlorid (s. ds. Handb., Bd. XIII/2) zu. Sobald die Mischung einen
negativen Gilman-Test[8] zeigt, kühlt man mit einem Eisbad und fügt das Anhydrid langsam unter
kräftigem Rühren entweder als Flüssigkeit oder in ätherischer Lösung zu. Die Zugabe erfolgt
innerhalb 40–50 Min. Anschließend wird 60–90 Min. am Rückfluß gekocht. Es fällt ein dicker
Niederschlag aus, der das Rühren erschwert. Anschließend zersetzt man mit 10%iger Schwefelsäure unter Eiskühlung, trennt die Phasen und arbeitet wie üblich destillativ auf.

---

[1] C. Weizman et al., Soc. **1935**, 1367, 1370.

[2] A. Étienne, Bl. [5] **14**, 634 (1947).

[3] M. S. Newman u. A. S. Smith, J. Org. Chem. **13**, 592 (1948).

[4] L. F. Fieser u. W. H. Daudt, Am. Soc. **63**, 785 (1941).

[5] R. L. Augustino u. F. G. Pinto, J. Org. Chem. **33**, 1877 (1968).

[6] G. Komppa u. W. Rohrmann, A. **509**, 259 (1934).

[7] P. L. De Benneville, J. Org. Chem. **6**, 462 (1941).

[8] H. Gilman, *Organic Chemistry*, Vol. I, S. 413, John Wiley and Sons, New York 1938.

Nach dieser Vorschrift erhält man aus

Phthalsäure-anhydrid	+ Dimethyl-cadmium	→ *2-Acetyl-benzoesäure*	62% d.Th.
	+ Dinaphthyl-(1)-cadmium	→ *1-(2-Carboxy-benzoyl)-naphthalin, [2-Naph-thoyl-(1)-benzoesäure]*	57% d.Th.
Bernsteinsäure-anhydrid	+ Diphenyl-cadmium	→ *4-Oxo-4-phenyl-butan-säure*	30% d.Th.
Acetanhydrid	+ Dibutyl-cadmium	→ *Hexanon-(2)*	56% d.Th.

Hier gilt ebenfalls die Regel, daß die aus den Alkylbromiden bereiteten Alkyl-cadmium-Verbindungen bessere Keton-Ausbeuten ergeben als bei Verwendung von Jodiden[1]. Auch erreicht man günstigere Ausbeuten, wenn man ein aliphatisches An-hydrid mit einer aromatischen Cadmium-Verbindung umsetzt, als umgekehrt. An-stelle der Alkyl-cadmium-Verbindungen wurden auch die aus Grignard-Verbindungen hergestellten Zink-Derivate benutzt[2]. Dieser Umweg bringt aber keinen echten Vor-teil.

β_3) und Alkyl-aluminium-Verbindungen

Von präparativem Interesse ist die Möglichkeit, Ketone aus heutzutage im Handel erhältlichen Alkyl-aluminium-halogeniden herzustellen[3]. Methoden zur Herstellung aluminium-organischer Verbindungen findet man in ds. Handb., Bd. XIII/4, S. 23–75. Die Ausbeuten liegen bei 47–95% d.Th.

4-Oxo-hexansäure[3]: Zu einer Lösung von 35,6 g (0,36 Mol) Bernsteinsäure-anhydrid in 250 *ml* absol. Dichlormethan werden bei 20° unter Rühren 89 g Äthyl-aluminium-sesquichlorid getropft. Das Gemisch wird nach 2 stdg. Sieden mit eisgekühlter 15%iger Schwefelsäure zersetzt. Die gewaschene und getrocknete organische Phase wird fraktioniert; Ausbeute: 28 g (60% d.Th.); $Kp_{0,1}$: 98–100°; F: 34–36°.

Analog erhält man aus Äthyl-aluminium-sesquichlorid und

Maleinsäure-anhydrid	→ *4-Oxo-hexen-(2)-säure*	47% d.Th.	F: 110°
Phthalsäure-anhydrid	→ *2-Propanoyl-benzoesäure*	95% d.Th.	

Bei Verwendung von Trialkyl-aluminium-Verbindungen muß man zusätzlich zur Komplexbildung Aluminiumchlorid beifügen, da sonst die Anhydride mit den bei der Reaktion entstehenden Dialkyl-aluminium-chloriden einen schwer löslichen Komplex liefern und somit ein Teil der Alkyl-aluminium-Verbindung der Reaktion entzogen wird.

γ) Ketone aus Carbonsäureestern, Lactonen und Organo-metall-Verbindungen

Zur Herstellung von Ketonen aus Carbonsäureestern oder Lactonen kommen die alkalimetall-, magnesium-[4], zink- oder aluminium- organischen Verbindungen in Frage. Die Organo-cadmium-Verbindungen sind zu reaktionsträge[5].

---

[1] Vgl. ds. Handb., Bd. XIII/2, Kap. Cadmium-organische Verbindungen.

[2] L. F. FIESER u. F. G. NOVELLO, Am. Soc. **64**, 802 (1941).

[3] H. REINHECKEL u. K. HAAGE, Ang. Ch. **78**, 491 (1966).
    Vgl. auch ds. Handb., Bd. XIII/4, Kap. Aluminium-organische Verbindungen, S. 233.

[4] Vgl. hierzu ds. Handb., Bd. XIII/2, Kap. Umwandlung von magnesium-organischen Verbindun-gen und Bd. XIII/1, Kap. Umwandlung von lithium-organischen Verbindungen, S. 185.

[5] W. M. HOEHN u. R. B. MOFFETT, Am. Soc. **67**, 740 (1945).

γ_1) aus Carbonsäureestern

Nach systematischen Untersuchungen reagiert eine Keto-Gruppe mit Grignard-Verbindungen rascher als eine vergleichsweise Carbonsäureester-Gruppe[1]. Nach Umsetzung von einem Mol Carbonsäureester mit einem Mol Grignard-Verbindung ist es daher viel wahrscheinlicher, anstelle des Ketons, $\frac{1}{2}$ Mol tert. Carbinol neben $\frac{1}{2}$ Mol nicht umgesetzten Carbonsäureester zu isolieren:

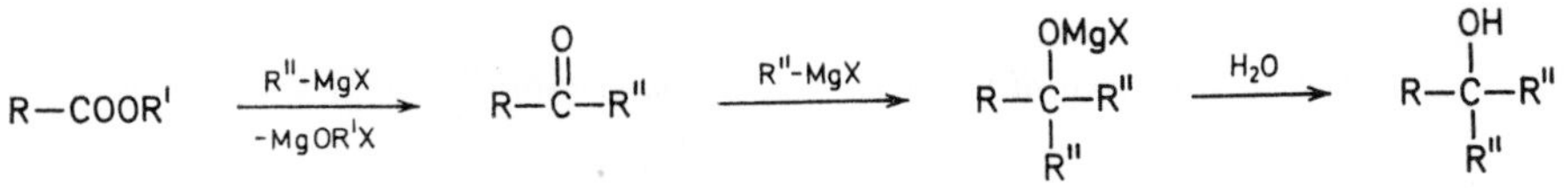

Die Bildung der tert. Carbinole läßt sich durch „Umgekehrte Grignardierung" und Temperatur-Erniedrigung nur schwer aufhalten. Ausnahmen geben Fälle, bei denen die Entstehung eines tert. Carbinols aus sterischen Gründen nicht möglich ist[2] oder wenn die negative Ladung der metallorganischen Komponente mesomerie-stabilisiert ist. Wie durch sterische Hinderung im Carbonsäureester-Teil die tert. Carbinol-Bildung unterdrückt wird, zeigt das in 70%iger Ausbeute erhältliche *3β-Hydroxy-21-oxo-17-methyl-pregnen-(5)* (70% d. Th.)[3]:

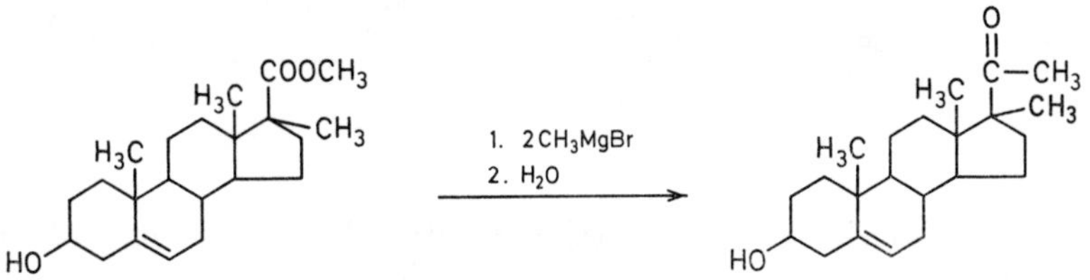

Die Umsetzungen sterisch gehinderter Carbonsäureester verlaufen jedoch nicht immer so eindeutig. So liefern 2,4,6-Trimethyl-benzoesäureester mit Alkyl-Grignard-Verbindungen nur dann Ketone, wenn der veresterte Alkohol aromatisch ist. Bei aliphatischem Rest wird der Ester durch die Magnesium-Verbindung lediglich zur Säure gespalten[4]:

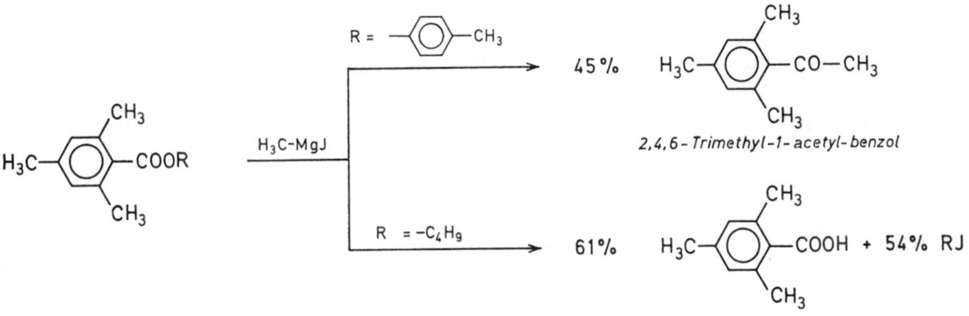

---

[1] C. Entemann u. J. R. Johnson, Am. Soc. **55**, 2900 (1933).
   Vgl. a. W. Treibs, A. **556**, 10 (1944).
   T. Holm u. I. Blankholm, Acta. chem. scand. **22**, 708 (1968).
[2] Vgl. a. A. D. Petrov, Izv. Akad. SSSR **1938**, 347; C. A. **33**, 3333[8] (1939).
[3] R. Deghenghi u. R. Gaudry, Am. Soc. **83**, 4668 (1961).
[4] R. C. Fuson, E. M. Bottorff u. S. B. Speck, Am. Soc. **64**, 1450 (1942).
   Vgl. a. Y. Baba, Bl. chem. Soc. Japan **41**, 1022 (1968).

Die Umsetzung der sterisch gehinderten Carbonsäureester bzw. Grignard-Verbindungen sind häufig von Reduktionen und Enolat-Bildungen begleitet[1]. Sterisch aufwendige Ketone stellt man daher besser über die Carbonsäure-chloride dar (vgl. S. 576–579). Nach neuesten Untersuchungen eignen sich auch Aluminium-alkyle zur Keton-Herstellung aus Carbonsäureestern. Triäthyl-aluminium konnte mit p-substituierten Benzoesäure-äthylestern bei 150° zu entsprechenden Propiophenonen abgewandelt werden[2].

γ₂) *Ketone aus Carbonsäureestern mit mesomeriestabilisierten Carbanionen*
(vgl. a. S. 543)

Wie schon erwähnt, bleibt die Umsetzung mesomeriestabilisierter Carbanionen zumeist auf der Keto-Stufe stehen. Eine Reihe CH-acider Verbindungen, die sich durch Alkalimetall-hydride, -alkyle, -amide oder durch Grignard-Verbindungen metallieren lassen, können mit Carbonsäureestern zu Ketonen umgesetzt werden. So liefert Pyrrol nach Metallierung mit Äthyl-magnesiumbromid mit Propionsäure-äthylester 2-*Propanoyl-pyrrol* (50–60% d. Th.)[3]:

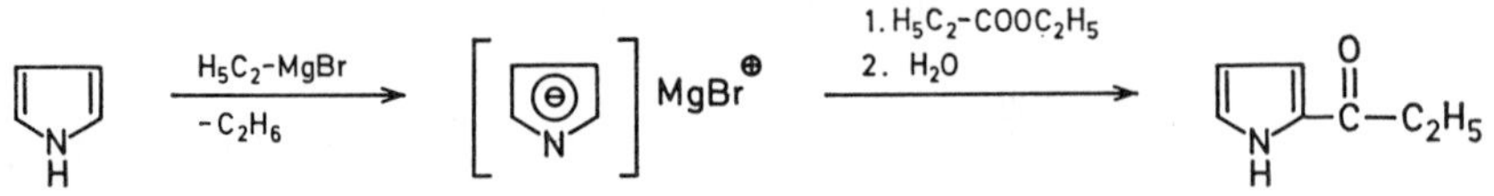

Analog verhält sich Indoyl-(2)-magnesium-jodid[4]. α-Picolin wird von Kaliumamid in flüssigem Ammoniak metalliert und läßt sich anschließend mit Benzoesäure-äthylester zu 2-*Oxo-2-phenyl-1-pyridyl-(2)-äthan* (2-*Phenacyl-pyridin*; 44% d. Th.) umsetzen[5]:

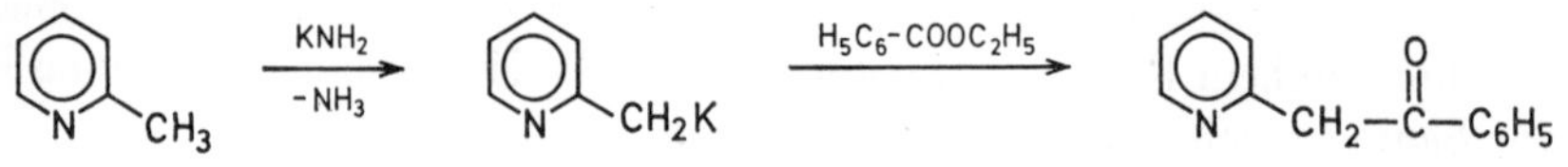

Die Umsetzung kann auch in zwei getrennten Schritten erfolgen. Man metalliert zuerst in flüss. Ammoniak und setzt die Metall-Verbindung nach Isolierung in Äther mit dem Carbonsäureester um[6]. Bequemer ist die Metallierung mit Organo-lithium-Verbindungen in Äther[7], wie das folgende Beispiel zeigt[8]:

[1] H. MEERWEIN, A. **396**, 200 (1913).
    M. J. LEROIDE, A. ch. [9] **16**, 354 (1921).
    J. STAS, Bl. Soc. chim. Belg. **34**, 188 (1925).
    H. D. ZOOK, W. J. MCALEER u. L. HORWIN, Am. Soc. **68**, 2404 (1046).
[2] S. PASYNKIEWICZ, L. KOZERSKI u. B. GRABOWSKI, J. Organometal. Chem. **8**, 233 (1967).
[3] W. TSCHELINZEFF u. A. TERENTJIFF, B. **47**, 2647 (1914).
[4] J. W. BACKER, Soc. **1940**, 458.
[5] D. R. HOWTON u. D. R. V. GOLDING, J. Org. Chem. **15**, 1 (1950).
[6] M. J. WEISS u. C. R. HAUSER, Am. Soc. **71**, 2023 (1949).
[7] R. P. ZELINSKI u. M. B. BENILDA, Am. Soc. **73**, 696 (1951).
[8] C. S. SHEPPARD u. R. LEVINE, J. Heterocyclic Chem. **1**, 68 (1964).
    vgl. auch hierzu M. J. JORGENSON, Org. Reactions **18**, 39 (1971).

2-Oxo-2-phenyl-1-acridyl-(9)-äthan(9-Phenacyl-acridin)[1]:

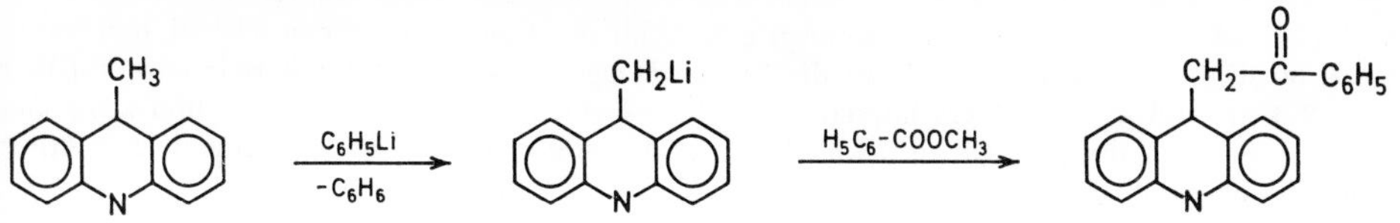

Phenyl-lithium wird aus 23,6 g (0,15 Mol) Brombenzol und 2,1 g (0,3 g-Atom) Lithiumband in 170 ml absol. Äther in einem 500-ml-Dreihalskolben analog einer Grignard-Lösung bereitet. Hierzu fügt man 28,95 g (0,15 Mol) fein gepulvertes 9-Methyl-acridin innerhalb von 10 Min. unter Rühren. Man gibt nochmals 75 ml absol. Äther hinzu und kocht 30 Min. am Rückfluß. Zu der kräftig gerührten Lösung werden innerhalb 20 Min. 20,4 g (0,15 Mol) Benzoesäure-methyl-ester im gleichen Vol. absol. Äther getropft. Die Mischung gerät ins Sieden. Man kocht noch 30 Min. und zersetzt vorsichtig mit 30 ml Wasser. Die Mischung wird auf 37,5 ml 6n Salzsäure und 188 g zerstoßenes Eis gegossen. Das Hydrochlorid des Ketons fällt hierbei aus und wird abgesaugt. Man wäscht mit warmer verd. Salzsäure und setzt die Base mit wäßriger Kalilauge in Freiheit. Nach Filtration, Waschen und Trocknen erhält man 82,7% d.Th.; F: 240–242°.

Methyl-ketone lassen sich aus Carbonsäureestern nach einer eleganten Methode[2] in ausgezeichneten Ausbeuten herstellen, vgl. a. S. 544 (Methode nach Corey). Die Carbonsäureester werden in Dimethylsulfoxid mit 2 Mol Methylsulfinmethyl-Anion[3,4] zu den entsprechenden Methylsulfin-Ketonen umgesetzt. Die Ausbeuten liegen bei 95–100% der Theorie. Nach Reduktion mit amalgamiertem Aluminium in wäßrigem Tetrahydrofuran erhält man fast quantitativ die Methyl-ketone:

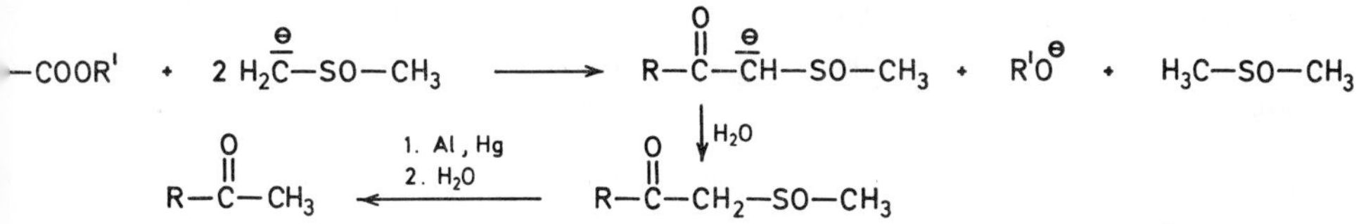

Die Methode besitzt viele Variationsmöglichkeiten und dürfte zur schonenden Herstellung von Methyl-ketonen von Bedeutung sein.

Methyl-ketone, allgemeine Arbeitsvorschrift[4]:

Methylsulfinmethyl-Anion: Eine gewogene Menge an Natriumhydrid in 50%iger öliger Dispersion wird 3mal mit Petroläther gewaschen. Man läßt jedesmal absitzen und dekantiert anschließend. Die Apparatur wird evakuiert, bis die letzten Spuren Petroläther verdampft sind. Anschließend füllt man mit trockenem Stickstoff[5]. Über eine Serumkappe mit Hilfe einer Spritze oder über einen Tropftrichter mit Druckausgleich gibt man dem Reaktionskolben über Calciumhydrid absolutiertes Dimethylsulfoxid (Kp$_4$: 64°) zu und erhitzt unter Rühren auf 70 bis 75°, bis die Wasserstoff-Entwicklung aufhört. Die Lösung kann durch Titration mit Form-anilid und Triphenylmethan als Indikator titriert werden[6].

---

[1] C. S. Sheppard u. R. Levine, J. Heterocyclic Chem. **1**, 68 (1964).
[2] E. J. Corey u. M. Chaykowsky, Am. Soc. **86**, 1639 (1964).
[3] E. J. Corey u. M. Chaykowsky, Am. Soc. **84**, 866 (1962).
[4] E. J. Corey u. M. Chaykowsky, Am. Soc. **87**, 1345 (1965).
[5] Es muß unbedingt unter Stickstoff gearbeitet werden, da es infolge der Wasserstoff-Entwicklung bisweilen zu **Explosionen** kommen kann (Anm. des Autors).
[6] Vgl. hierzu G. G. Price u. M. C. Whiling, Chem. & Ind. **1963**, 775.

β-Oxo-sulfoxid: Zu der 1,5–2 m Lösung des Methylsulfinmethyl-Anions gibt man das gleiche Vol. absol. Tetrahydrofuran hinzu und tropft langsam unter Rühren und Eiskühlung den Carbonsäureester, in Tetrahydrofuran gelöst, hinzu. Man entfernt das Eisbad und rührt noch 30 Min., gießt anschließend auf die 3 fache Menge Wasser, säuert mit Salzsäure auf den p_H: 3–4 an und extrahiert erschöpfend mit Chloroform. Man wäscht, trocknet und zieht das Solvens, evtl. i. Vak., ab. Das zurückbleibende β-Oxo-sulfoxid wird durch Behandeln mit Äther von Verunreinigungen befreit.

Methyl-keton: Das β-Oxo-sulfoxid wird in wäßrigem Tetrahydrofuran (10% Wasser) gelöst (60 ml/g β-Oxo-sulfoxid). Zu einem Mol β-Oxo-sulfoxid gibt man 10 g Atom/g β-Oxo-sulfoxid Streifen (10 × 1 cm) aus amalgamierten Aluminium, die man sich aus Aluminiumfolie herstellt, indem man sie 15 Sek. in eine 2%ige Quecksilber(II)-chlorid-Lösung taucht und anschließend mit absol. Äthanol und Äther wäscht. Die Reduktion konjugierter aromatischer β-Oxo-sulfoxide soll bei 0° innerhalb von 10 Min., die der nicht konjugierten Verbindung bei 60–65° innerhalb 60–90 Min. erfolgen. Die Reduktions-Lösung wird anschließend filtriert und das Filter mit Tetrahydrofuran nachgewaschen. Das Filtrat wird konzentriert und nach Zufügen von Äther die wäßrige Phase entfernt. Nach Waschen, Trocknen und Verjagen des Solvens bleibt das Keton in hoher Reinheit zurück.

Wie der Tab. 90 zu entnehmen ist, ist die Corey Methode bestens zur Herstellung von aliphatischen, aromatischen sowie heterocyclischen Methyl-ketonen geeignet. Dicarbonsäure-diester geben in gleich guten Ausbeuten Diketone.

Tab. 90. Ketone nach der Methode von Corey

Carbonsäureester	β-Oxo-sulfoxid [% d.Th.]	Keton				Literatur
		Name	Ausbeute [% d.Th.]	Kp [°C]	[Torr]	
Benzoesäure-äthylester	79	*Acetophenon*	100			1
4-Methoxy-benzoe-säure-äthylester	100	*4-Methoxy-1-acetyl-benzol*	100	(F: 37,5– 38,5°)		1
Naphthalin-1-carbon-säure-äthylester	100	*1-Acetyl-naph-thalin*	89			1
Tetrahydrofuran-2-carbonsäure-methyl-ester	71,3	*2-Acetyl-tetra-hydro-furan*	70,5	100	30	1
4,4-Äthylendioxy-decansäure-äthylester		*5,5-Äthylendioxy-2-oxo-undecan*				2
Nonandisäure-dime-thylester	81,6	*2,10-Dioxo-undecan*	100			1

* bez. auf β-Oxo-sulfoxid

Aromatische β-Oxo-sulfoxide können auch mit Hilfe einer Dimethylsulfoxid-Kalium-tert.-butanolat-Mischung hergestellt werden. Das im Gleichgewicht befindliche Methylsulfinmethyl-Anion reagiert dann mit dem Carbonsäureester[3]:

[1] E. J. Corey u. M. Chaykowsky, Am. Soc. 87, 1345 (1965).
  vgl. A. Cope, U. Axen u. E. P. Burrows, Am. Soc. 88, 4221 (1966).
[2] A. Takeda, H. Hosisima u. S. Torii, Bl. chem. Soc. Japan 39, 1354 (1966).
[3] H. D. Becker u. G. A. Russell, J. Org. Chem. 28, 1896 (1963).
  Vgl. auch G. A. Russell u. G. J. Mikol, Am. Soc. 88, 5498 (1966).
  H. B. Becker, G. J. Mikol u. G. A. Russell, Am. Soc. 85, 3410 (1963).
  Vgl. a. S. 545.

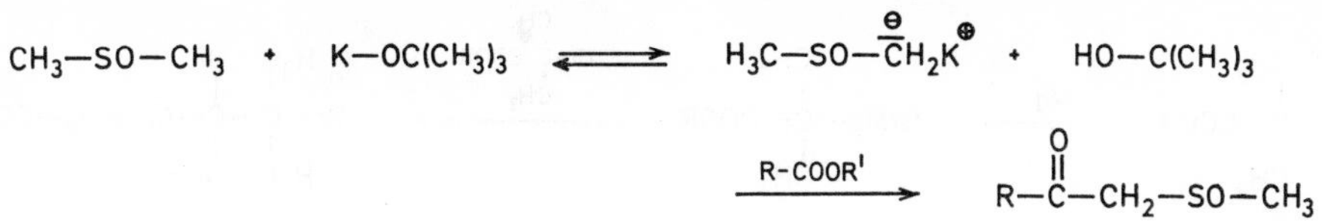

$$CH_3-SO-CH_3 \; + \; K-OC(CH_3)_3 \rightleftharpoons H_3C-SO-\overset{\ominus}{C}H_2K^{\oplus} \; + \; HO-C(CH_3)_3$$

$$\xrightarrow{R\text{-}COOR'} \quad R-\overset{\overset{O}{\|}}{C}-CH_2-SO-CH_3$$

Nach der Corey-Methode können auch längerkettige Ketone hergestellt werden, indem man das β-Oxo-sulfoxid mit Natriumhydrid in Dimethylformamid erneut metalliert, anschließend mit einem Alkylhalogenid umsetzt und reduktiv zum Keton spaltet[1], z. B.:

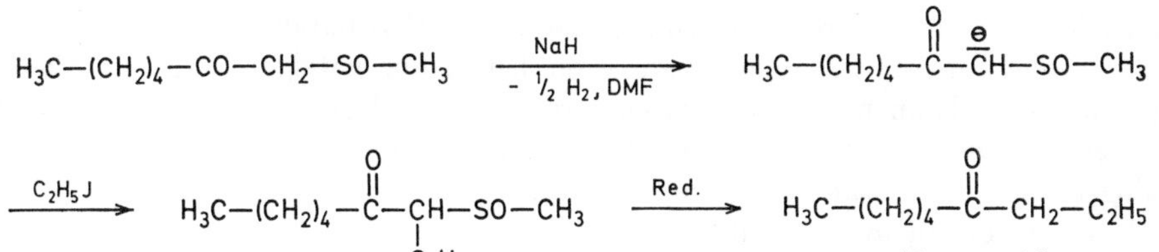

$$H_3C-(CH_2)_4-CO-CH_2-SO-CH_3 \xrightarrow[-\,^1\!/_2\,H_2,\,DMF]{NaH} H_3C-(CH_2)_4-\overset{\overset{O}{\|}}{C}-\overset{\ominus}{C}H-SO-CH_3$$

$$\xrightarrow{C_2H_5J} H_3C-(CH_2)_4-\overset{\overset{O}{\|}}{C}-\underset{\underset{C_2H_5}{|}}{C}H-SO-CH_3 \xrightarrow{Red.} H_3C-(CH_2)_4-\overset{\overset{O}{\|}}{C}-CH_2-C_2H_5$$

$$Nonanon\text{-}(4)$$

Eine Variante zur Corey Methode ist die Umsetzung von dimetalliertem Methan-sulfinsäure-4-methyl-anilid mit Carbonsäureestern zu Methyl-ketonen[2]:

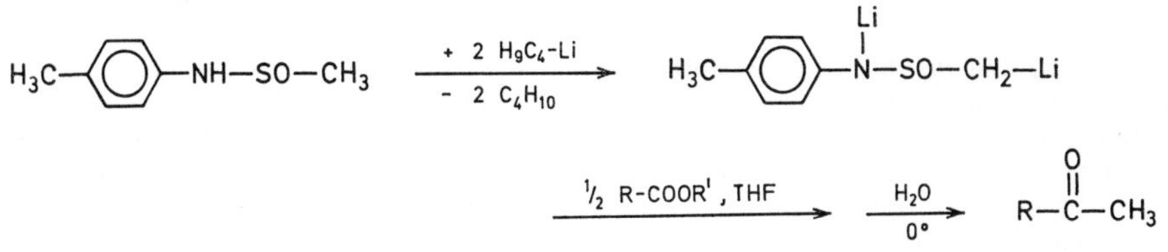

$$H_3C-\langle\bigcirc\rangle-NH-SO-CH_3 \xrightarrow[-\,2\,C_4H_{10}]{+\,2\,H_9C_4\text{-}Li} H_3C-\langle\bigcirc\rangle-\underset{\underset{Li}{|}}{N}-SO-CH_2-Li$$

$$\xrightarrow{^1\!/_2\,R\text{-}COOR',\,THF} \xrightarrow[0°]{H_2O} R-\overset{\overset{O}{\|}}{C}-CH_3$$

Die Reaktion verläuft vermutlich über ein Additionsprodukt, das zu den entsprechenden Methyl-ketonen hydrolysiert. Nach dieser Methode konnten *Aceto-phenon* (89% d. Th.), *Acetyl-cyclohexan* (84% d. Th.) und *3-Oxo-2,2-dimethyl-butan* (93% d. Th.) synthetisiert werden.

γ_3) *β-Oxo-carbonsäureester mit Hilfe der Reformatzky-Reaktion aus substituierten α-Brom-carbonsäureestern*[3]

α-Substituierte aliphatische β-Oxo-carbonsäureester können nach einer Variante der Reformatzky-Reaktion hergestellt werden, indem man auf α-substituierte 2-Brom-carbonsäureester Magnesium in Äther einwirken läßt. Hierbei entsteht die entsprechende Magnesium-Verbindung, die ein zweites Molekül Carbonsäureester addiert. Überschüssiges Magnesium enthalogeniert zur 3-Oxo-carbonsäure[4, vgl. a. 5]:

[1] P. G. GASSMAN u. G. D. RICHMOND, J. Org. Chem. **31**, 2355 (1966).
[2] E. J. COREY u. T. DURST, Am. Soc. **88**, 5656 (1966); **90**, 5548 (1968).
[3] s. a. ds. Bd., S. 617.
  s. a. ds. Handb., Bd. VIII, Carbonsäureester, S. 572.
[4] J. ZELTNER, B. **41**, 589 (1908).
[5] M. MONTAGNE u. M. ROCH, Bl. [5] **10**, 193 (1943).

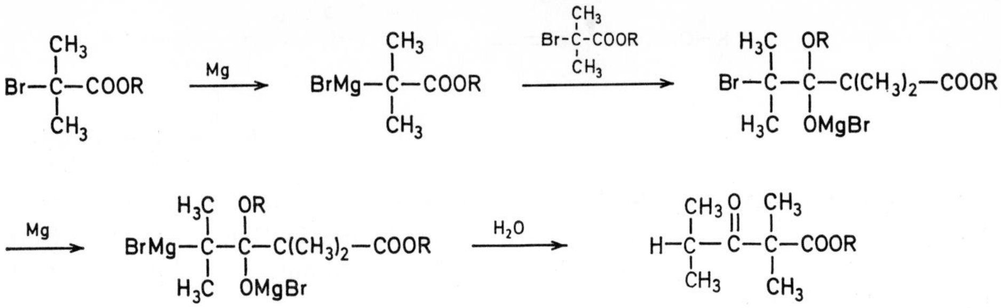

$$Br-\underset{\underset{CH_3}{|}}{\overset{\overset{CH_3}{|}}{C}}-COOR \quad \xrightarrow{Mg} \quad BrMg-\underset{\underset{CH_3}{|}}{\overset{\overset{CH_3}{|}}{C}}-COOR \quad \xrightarrow{\overset{\overset{CH_3}{Br-\underset{\underset{CH_3}{|}}{\overset{|}{C}}-COOR}}{}} \quad Br-\underset{\underset{H_3C}{|}}{\overset{\overset{H_3C}{|}}{C}}-\underset{\underset{OMgBr}{|}}{\overset{\overset{OR}{|}}{C}}-C(CH_3)_2-COOR$$

$$\xrightarrow{Mg} \quad BrMg-\underset{\underset{H_3C}{|}}{\overset{\overset{H_3C}{|}}{C}}-\underset{\underset{OMgBr}{|}}{\overset{\overset{OR}{|}}{C}}-C(CH_3)_2-COOR \quad \xrightarrow{H_2O} \quad H-\underset{\underset{CH_3}{|}}{\overset{\overset{CH_3}{|}}{C}}-\overset{\overset{O}{\|}}{C}-\underset{\underset{CH_3}{|}}{\overset{\overset{CH_3}{|}}{C}}-COOR$$

3-Oxo-2,2,4-trimethyl-pentansäure-ester

Analog reagieren 2-Brom-propan-, -butan-, -3-methyl-butansäure- und α-Brom-α-phenyl-essigsäureester. Bromessigsäureester liefert nur harzige Produkte. Als Lösungsmittel kann man auch den entsprechenden halogenfreien Carbonsäureester verwenden. Die primär entstehende Magnesium-Verbindung reagiert dann mit dem halogenfreien Carbonsäureester zum Keton[1].

Anstelle von Magnesium läßt sich wie bei der üblichen Reformatzky-Reaktion auch Zink verwenden; so erhält man aus Benzoesäure-phenylester und 2-Brom-2-methyl-propansäure-äthylester *3-Oxo-2,2-dimethyl-3-phenyl-propansäure-äthylester*[2]:

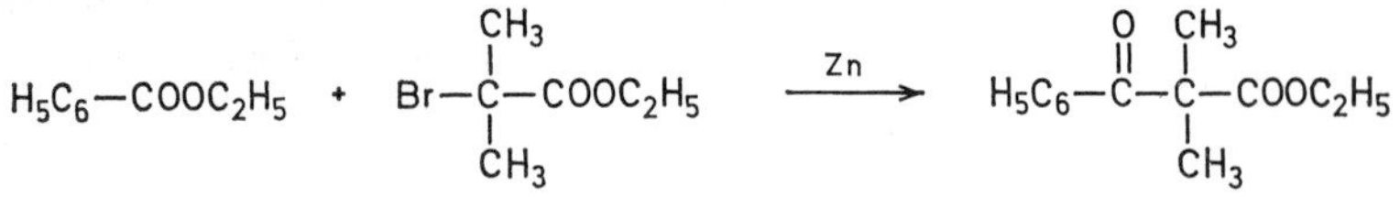

$$H_5C_6-COOC_2H_5 \quad + \quad Br-\underset{\underset{CH_3}{|}}{\overset{\overset{CH_3}{|}}{C}}-COOC_2H_5 \quad \xrightarrow{Zn} \quad H_5C_6-\overset{\overset{O}{\|}}{C}-\underset{\underset{CH_3}{|}}{\overset{\overset{CH_3}{|}}{C}}-COOC_2H_5$$

3-Oxo-2,2-dimethyl-3-phenyl-propansäure-äthylester[2]: 16,4 g (0,25 gAtom) mit Sandpapier aufgerauhte Zinkfolie wird in einem Kolben vorgelegt und hierzu unter Rühren 48,8 g (0,25 Mol) 2-Brom-2-methyl-propansäure-äthylester und 49,6 g Benzoesäure-phenylester, in einer Mischung von 100 ml Benzol und 150 ml Toluol gelöst, hinzugetropft. Dabei wird die Umsetzung durch Erwärmen in einem 150° heißem Ölbad in Gang gebracht und der Rest der Mischung so zugetropft, daß die Lösung immer leicht am Rückfluß kocht. Anschließend wird noch unter Rühren 3 Stdn. am Rückfluß gekocht. Nach Abkühlen gießt man unter Rühren auf eiskalte 10%ige Schwefelsäure. Die organische Phase wird gewaschen und die wäßrige Phase mit Äther extrahiert. Die vereinigten, getrockneten Äther- und Benzol-Phasen werden fraktioniert; Ausbeute: 28,5 g (52% d.Th.); Kp_9: 132–135°.

γ_4) aus Lactonen und 1,3-Oxazinen

Bisweilen können auch Lactone zu Keton-Synthesen herangezogen werden. Das geht immer dann, wenn das Lacton größere Substituenten trägt, wodurch eine tert.-Carbinol-Bildung erschwert wird. So liefert Cumarin mit Benzyl-magnesiumbromid fast quantitativ *3-Oxo-4-phenyl-1-(2-hydroxy-phenyl)-buten-(1)*[3]:

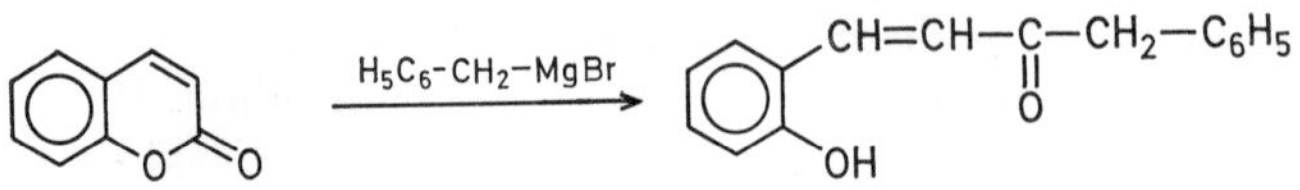

$$\text{(Cumarin)} \quad \xrightarrow{H_5C_6-CH_2-MgBr} \quad \text{(Produkt: } CH=CH-\overset{\overset{O}{\|}}{C}-CH_2-C_6H_5, \; OH\text{)}$$

6-Oxo-2-phenyl-5,6-dihydro-4H-pyran reagiert mit Grignard-Reagenzien bei −20° in 30–40%iger Ausbeute zu 1,5-Diketonen[4]:

[1] M. MONTAGNE u. M. ROCH, Bl. [5] **10**, 193 (1943).
[2] M. S. BLOOM u. C. R. HAUSER, Am. Soc. **66**, 152 (1944).
[3] J. HOUBEN, B. **37**, 488 (1904).
 Vgl. a. J. P. MONTILLIER u. J. DREUX, C. r. [C] **264**, 891 (1967).
[4] N. P. SHUSHERINA, V. M. KARZHAVINA u. R. Y. LEVINA, Ž. Org. chim. **5**, 83 (1969); engl.: 80.

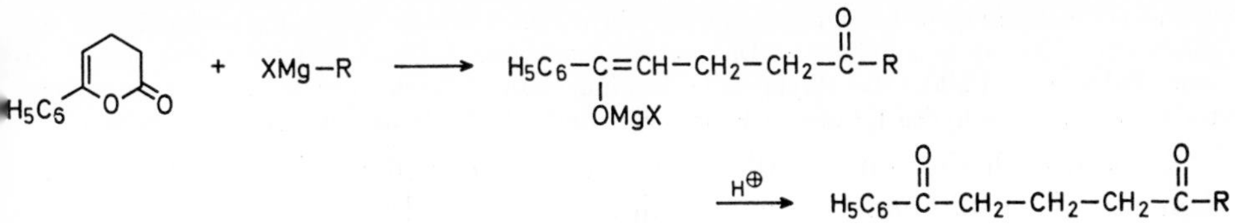

R = CH$_3$; *1,5-Dioxo-1-phenyl-hexan*; 36% d.Th.
R = C$_6$H$_5$; *1,5-Dioxo-1,5-diphenyl-pentan*; 30% d.Th.

4-Acetylamino-3-benzoyl-pyridin, ein Zwischenprodukt bei der Synthese von Psychopharmaca, konnte aus 4-Oxo-2-methyl-4H-⟨pyrido-[4,3-d]-1,3-oxazin⟩ synthetisiert werden[1]:

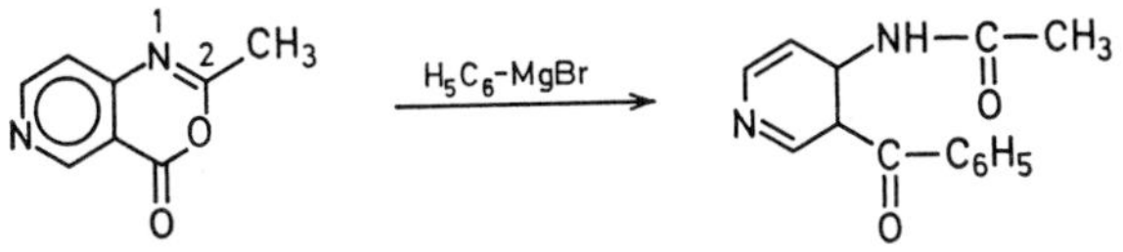

4-Acetylamino-3-benzoyl-pyridin: Zu der Suspension von 2,2 g (13,6 mMol) 4-Oxo-2-methyl-4H-⟨pyrido-[4,3-d]-1,3-oxazin⟩ in 30 *ml* absol. Benzol und 15 *ml* absol. Äther werden bei 0° 5,0 *ml* (15 mMol) Phenyl-magnesiumbromid als 3m Lösung in Äther innerhalb 1,5 Stdn. tropfenweise zugegeben. Man läßt die Mischung über Nacht unter Rühren auf Raumtemp. erwärmen. Nach erneutem Abkühlen auf 0° werden 15 *ml* 2n Salzsäure unter Rühren zugegeben. Man verdünnt mit Essigsäure-äthylester und neutralisiert mit ges. Natriumhydrogencarbonat-Lösung. Hiernach wird die organische Phase mit 2n Natronlauge und anschließend mit ges. Natriumchlorid-Lösung gewaschen. Nach dem Abdampfen erhält man 2,2 g eines gelben Öls, das an 250 g Aluminiumoxid mit Diäthyläther-Dichlormethan (2:3) chromatographiert wird. Anschließend wird aus Diäthyläther-Hexan umkristallisiert; Ausbeute: 1,02 g; F: 82–83°.

Eine Methode, unsymmetrische Ketone herzustellen, beruht auf der Umsetzung von 4,4-disubstituierten 5,6-Dihydro-4H-1,3-oxazinen mit 2 Mol Organolithium-Verbindung in Tetrahydrofuran[2] bei −78°:

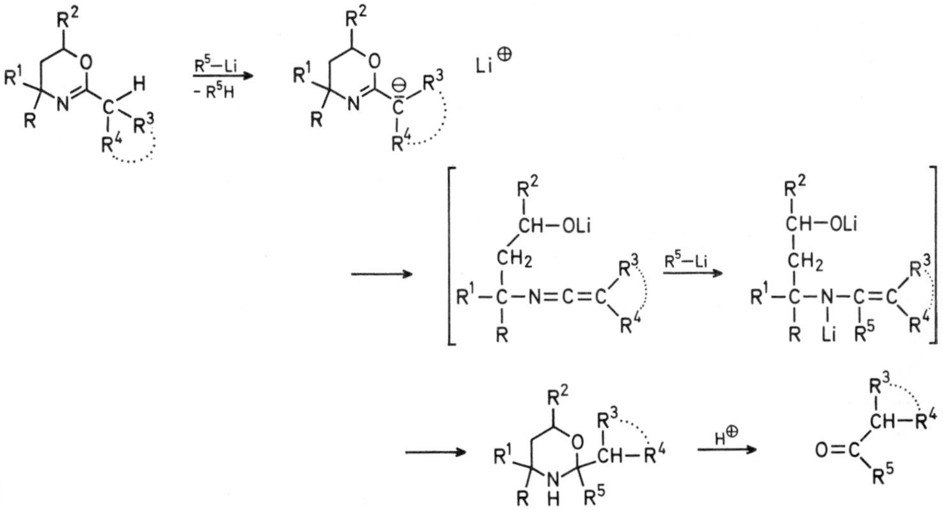

---

[1] R. Littell u. D. S. Allen, J. Med. Chem. **8**, 722 (1965).
[2] A. I. Meyers, E. M. Smith u. A. F. Juvejevich, Am. Soc. **93**, 2314 (1971).
  Vgl. auch A. I. Meyers u. E. M. Smith, Am. Soc. **92**, 1084 (1970).
  A. I. Meyers u. A. C. Kovelesky, Tetrahedron Letters **1969**, 4809; Am. Soc. **91**, 5887 (1969).

Das erste Äquivalent Lithium-Reagenz entfernt das α-Proton. Das α-Carbanion lagert sich sofort zum Lithium-ketenimin um. Das zweite Äquivalent Lithium-Reagenz lagert sich in rascher Folge an und bildet das alkylierte Di-Lithium-enamin. Nach Erreichen der Raumtemperatur wird zum Tetrahydro-1,3-oxazin hydrolisiert und mit Oxalsäure zum Keton gespalten.

Es kann noch ein weiterer Alkyl-Substituent in α-Stellung eingefügt werden, indem man die Di-Lithium-Verbindung mit Alkylhalogeniden in einer milden, exothermen Reaktion alkyliert:

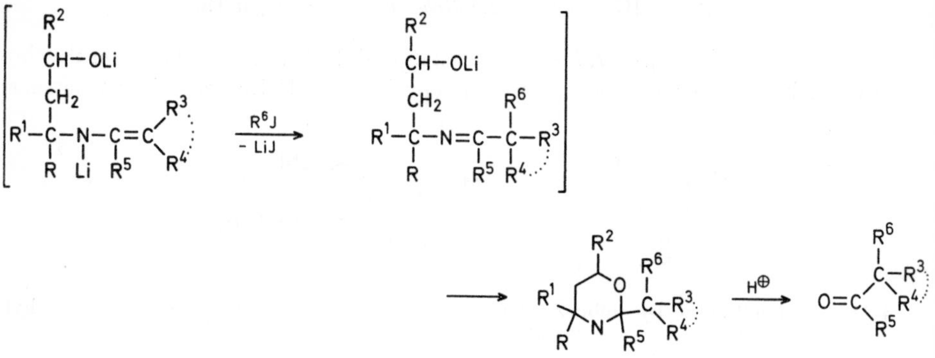

Der Vorteil dieser Methode liegt nicht nur darin, daß eine Reihe unsymmetrischer Ketone auf diesem Wege zugänglich ist, sondern auch darin, daß eine quartäre Struktur stufenweise aufgebaut werden kann.

Tab. 91. Unsymmetrische Ketone aus 5,6-Dihydro-4H-1,3-oxazinen und Alkyl-Lithium-Verbindungen

5,6-Dihydro-4H-1,3-oxazin		R^5-Li	R^6-J	Keton	Ausbeute [%d.Th.]
R^3	R^4				
CH_3	CH_3	C_6H_5	C_2H_5	*1-Oxo-2,2-dimethyl-1-phenyl-butan*	56
		C_4H_9	CH_3	*3-Oxo-2,2-dimethyl-heptan*	60
			—	*3-Oxo-2-methyl-heptan*	73
	$(CH_3)_3C$ $|$ CH_2-	C_2H_5	CH_3	*5-Oxo-2,2,4,4-tetramethyl-heptan*	65
		$H_5C_2-CH-CH_3$ $|$	—	*5-Oxo-2,2,4,4,6-pentamethyl-octan*	63
	C_5H_{11}	$(CH_3)_3C-$	—	*3-Oxo-2,2,4-trimethyl-nonan*	53
		$H_2C=CH-$	—	*3-Oxo-4-methyl-nonen-(1)*	45
C_6H_5	C_4H_9	C_4H_9	CH_3	*6-Oxo-5-methyl-5-phenyl-decan*	63
			—	*6-Oxo-5-phenyl-decan*	77
	$-(CH_2)_4-$	C_4H_9	CH_3	*1-Oxo-1-(1-methyl-cyclo-pentyl)-pentan*	63
			—	*1-Oxo-1-cyclopentyl-pentan*	58

Phthalide geben mit Grignard-Verbindungen Carbinol-Ketone, die in Halb-acetal-Ringform vorliegen[1].

δ) Ketone aus Ketenen und metallorganischen Verbindungen

Für die Herstellung von Ketonen aus Ketenen sind nur wenige Beispiele in der Literatur beschrieben[2-5]. Die Methode kommt wegen der Kostspieligkeit der Keten-homologen und des nicht immer einheitlichen Reaktionsverlaufes[6] zur Herstellung von Ketonen kaum in Frage.

Grignard-Derivate addieren sich an Ketene wie folgt zu einem mesomerie-stabilsierten Anion[5]:

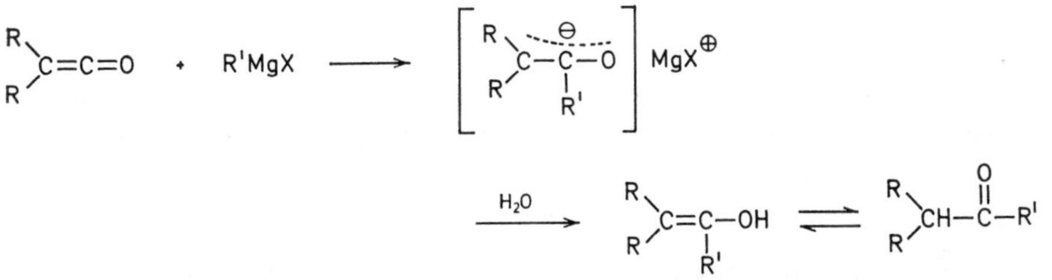

Nach der Hydrolyse entsteht ein Keton bzw. ein Enol, wenn die Doppelbindung mit weiteren π-Elektronen in Wechselwirkung treten kann. Theroretisch bemerkens-wert ist, daß Ketene auch mit Organo-quecksilber-Verbindungen reagieren[7]. Auf diese Weise konnten einige Furyl-(2)-ketone in 20–50%iger Ausbeute her-gestellt werden.

5. Ketone aus metallorganischen Verbindungen mit Carbonsäure-nitrilen

α) aus Grignard-Verbindungen (Blaise Methode)

E. E. Blaise[8] hat als erster die Umsetzung von Nitrilen mit Organo-magnesium-Verbindungen näher untersucht und nachgewiesen, daß als Zwischenverbindung ein Keton-imin auftritt. In Diäthyläther entsteht zunächst ein Komplex aus Nitril

[1] L. B. HOWELL, Am. Soc. **42**, 2333 (1920).
　G. WITTIG, M. LEO u. W. WIEMER, B. **64**, 2395 (1931).
　T. A. GEISSMANN u. L. MORRIS, Am. Soc. **63**, 1111 (1941).
[2] H. STAUDINGER, A. **356**, 122 (1907).
[3] Vgl. a. H. GILMAN u. L. G. HECKERT, Am. Soc. **42**, 1010 (1920).
[4] M. WILSMORE u. S. DEAKIN, Soc. **97**, 1968 (1910).
　C. D. HURD, R. N. JONES u. F. H. BLUNK, Am. Soc. **57**, 2033 (1935).
　A. McKENZIE u. J. Sc. W. BOYLE, Soc. **119**, 1131 (1921).
[5] J. C. COMBRET, C. r. **259**, 1416 (1964).
[6] C. D. HURD, A. D. SWEET u. C. L. THOMAS, Am. Soc. **55**, 335 (1933).
　Vgl. a. K. YOSHIDA u. Y. YAMASHITA, Makromol. Ch. **100**, 175 (1967).
[7] H. GILMAN, B. L. WOOLLEY u. G. F. WRIGHT, Am. Soc. **55**, 2609 (1933).
[8] E. E. BLAISE, C. r. **132**, 38 (1901); **133**, 1217 (1901).
　Vgl. hierzu ds. Handb., Bd. XIII/2, Kap. Umwandlung von magnesium-organischen Verbin-dungen.

und Grignard-Reagenz[1]. Die C—N-Bindung wird hierdurch aktiviert, gleichzeitig wandert in dem At-Komplex[2] der anionisch gelockerte Rest R vom Magnesium zum positivierten Kohlenstoffatom. Nach Zersetzung mit Wasser oder Säure erhält man das Keton-imin, das je nach sterischer Abschirmung schneller oder langsamer zum Keton hydrolysiert:

$$R—MgX \;+\; N\equiv C—R' \;\xrightarrow{(C_2H_5)_2O}\; (C_2H_5)_2O \underset{Mg}{\overset{\ominus}{\diagdown}} \overset{\oplus}{N}{=}\overset{}{C}—R'$$

At-Komplex

$$XMg—N{=}\underset{R}{C}—R' \;\xrightarrow{H_2O}\; HN{=}C\diagup[R']\diagdown[R] \;\xrightarrow{H_2O}\; O{=}C\diagup[R']\diagdown[R]$$

Die Nitrile reagieren langsamer als die entsprechende Carbonyl-Verbindungen und nehmen in der Reihe der abfallenden Reaktivitäten gegenüber Phenyl-magnesium-bromid die letzte Position ein[3]:

$$H_3C\overset{O}{\overset{\|}{-}C-}CH_3 > H_3C—CHO > H_5C_6—CHO > H_5C_6—COOH > H_5C_6—NCO > H_5C_6—COF$$

$$H_5C_6\overset{O}{\overset{\|}{-}C-}C_6H_5 > H_5C_6—COCl > H_5C_6—COBr > H_5C_6—COOC_2H_5 > H_5C_6—CN$$

Man benötigt daher längere Reaktionszeiten und auch höhere Temperaturen. Trotzdem besitzt die Blaise-Methode heute noch dieselbe Bedeutung wie die Cason-Methode (s. S. 560). Der Erfolg der Methode beruht letztlich darauf, daß das Magnesium-keton-imin stabil ist und nur in wenigen Ausnahmefällen mit überschüssigen Grignard-Reagenzien zu tert. Aminen weiterreagiert, so z.B. wenn die Nitril-Gruppe durch eine Methoxy-Gruppe aktiviert ist. Methoxyacetonitril gibt mit überschüssigem Allyl-magnesiumbromid über die Keton-imin-Stufe hinaus das entsprechende tert. Amid[4]:

$$H_3C—O—CH_2—CN \;+\; 2\;BrMg—CH_2—CH{=}CH_2 \;\xrightarrow{H_2O}\; H_3C—O—CH_2-\underset{CH_2—CH=CH_2}{\overset{NH_2}{\underset{|}{\overset{|}{C}}}}-CH_2—CH{=}CH_2$$

65% d. Th.

α₁) Aromatische und aliphatische Ketone ohne weitere funktionelle Gruppen

Aromatische Magnesium-Verbindungen liefern im allgemeinen mit Nitrilen höhere Ausbeuten an Ketonen als aliphatische[5]. Bei den aliphatischen Nitrilen steigt die Ausbeute mit der Anzahl der C-Atome.

[1] C. C. Swain, Am. Soc. 69, 2306 (1947).
[2] Vgl. W. Tochtermann, Ang. Ch. 78, 355 (1966).
[3] C. E. Entemann u. J. R. Johnson, Am. Soc. 55, 2900 (1933).
[4] B. B. Allen u. H. R. Henze, Am. Soc. 61, 1790 (1939).
[5] R. L. Shriner u. T. A. Turner, Am. Soc. 52, 1267 (1930).

Alkanoyl-benzole (1-Oxo-1-phenyl-alkane)[1]: Als Reaktionsgefäß dient ein 1-l-Kolben mit Rührer, Rückflußkühler und Tropftrichter. Man legt 300 ml einer ätherischen Lösung vor, die 0,275 Mol Phenyl-magnesiumbromid enthält. Unter Rühren und Rückflußkochen tropft man 0,25 Mol aliphatisches Nitril in 125 ml Äther zu. Die Zugabe dauert 15–25 Min. Hiernach kocht man noch 1–6 Stdn. Anschließend wird abgekühlt und vorsichtig mit Eis und danach mit verd. Schwefelsäure zersetzt. Der Äther wird aus der Mischung abgedampft und das Keton-imin durch 1 stdg. Erwärmen auf dem Dampfbad zersetzt. Die Lösung muß stark sauer reagieren. Das Keton wird mit 4 mal 125 ml Äther ausgezogen und nach Verjagen des Äthers über eine Vigreuxkolonne fraktioniert.

Nach dieser Vorschrift werden die folgenden Keton-Ausbeuten erzielt:

Acetophenon	33% d. Th.
Propiophenon	83% d. Th.
Pentanoyl-benzol (1-Oxo-1-phenyl-pentan)	82% d. Th.
Heptanoyl-benzol (1-Oxo-1-phenyl-heptan)	89% d. Th.

In einigen Fällen kann die Umsetzung auch durch einen Zusatz an Kupfer(I)-salzen beschleunigt werden[2]. Die Umsetzung läßt sich auch beschleunigen, indem man in einem höher siedenden Äther, z.B. Dibutyläther, arbeitet[3].

Eicosandion-(3,18):

$$NC-(CH_2)_{14}-CN + 2\ H_5C_2-MgBr \rightarrow H_5C_2-\overset{O}{\overset{\|}{C}}-(CH_2)_{14}-\overset{O}{\overset{\|}{C}}-C_2H_5$$

Zur Lösung von Hexadecandisäure-dinitril in Dibutyläther tropft man unter Rühren und Rückflußkochen einen ~ 10%igen Überschuß an Äthyl-magnesiumbromid-Lösung in einem Diäthyläther/Dibutyläther-Gemisch (Kp: 60°). Man erhält eine viskose Masse, die man nach dem Erkalten vom überstehenden Solvens trennt. Sie wird mit Äthanol und anschließend mit Salzsäure zersetzt und in Äther aufgenommen. Nach Abdampfen des Äthers kristallisiert man aus Methanol um; Ausbeute: 85% d. Th.; F: 93°.

Einige Diketone der folgenden Struktur wurden auf demselben Weg in siedendem Dibutyl- oder Bis-[3-methyl-butyl]-äther in 80–90%iger Ausbeute hergestellt[4]:

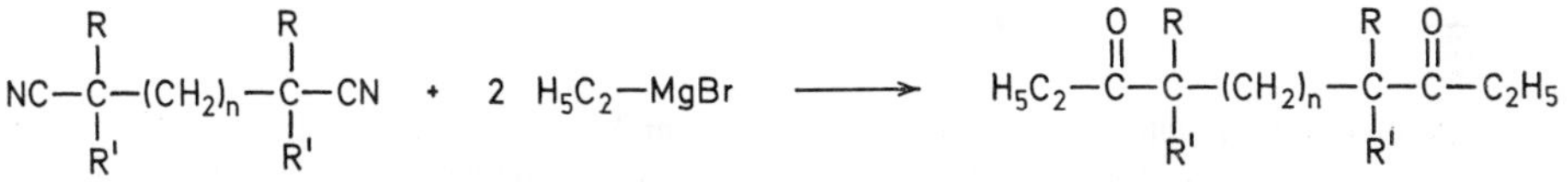

$$NC-\overset{R}{\underset{R'}{C}}-(CH_2)_n-\overset{R}{\underset{R'}{C}}-CN + 2\ H_5C_2-MgBr \longrightarrow H_5C_2-\overset{O}{\overset{\|}{C}}-\overset{R}{\underset{R'}{C}}-(CH_2)_n-\overset{R}{\underset{R'}{C}}-\overset{O}{\overset{\|}{C}}-C_2H_5$$

R = C₆H₅; R' = CH₃;	n = 3	*3,9-Dioxo-4,8-dimethyl-4,8-diphenyl-undecan*
	n = 4	*3,10-Dioxo-4,9-dimethyl-4,9-diphenyl-dodecan*
	n = 5	*3,11-Dioxo-4,10-dimethyl-4,10-diphenyl-tridecan*
R = R' = CH₃	n = 3	*3,9-Dioxo-4,4,8,8-tetramethyl-undecan*
	n = 4	*3,10-Dioxo-4,4,9,9-tetramethyl-dodecan*
	n = 5	*3,11-Dioxo-4,4,10,10-tetramethyl-tridecan*

Weiter können Diketone aus β- und γ-Keto-nitrilen synthetisiert werden. Allerdings muß die Keto-Gruppe durch Umsetzung mit Glykol zum Ketal geschützt werden[5]:

[1] C. R. Hauser, W. J. Humphlett u. M. J. Weiss, Am. Soc. **70**, 426 (1948).
[2] M. Lichtenwalter, J. C. Bailie u. A. J. Carter, Pr. Jowa Acad. **43**, 205 (1936); C. A. **32**, 4150⁵ (1938).
[3] K. H. Meyer u. P. Streuli, Helv. **20**, 1179 (1937).
[4] J. Decombe u. A. Striffling, C. r. [C] **263**, 1315 (1966).
[5] M. Bogavac, H. Lapin, V. Arsenijevic u. A. Horeau, Bl. **1969**, 4437.

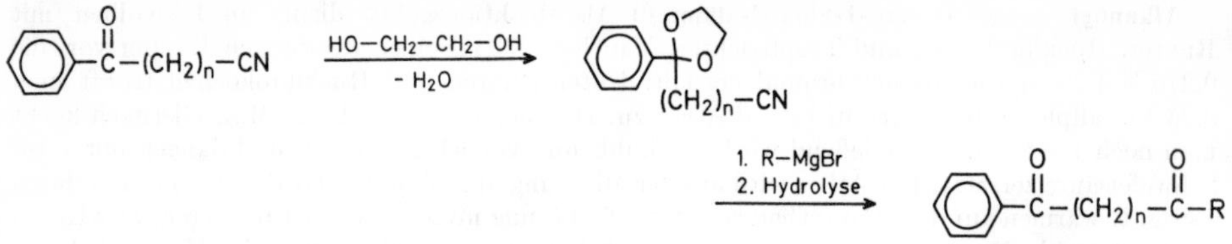

$$n = 1; \quad R = C_2H_5; \qquad \textit{1,3-Dioxo-1-phenyl-pentan} \qquad 57\% \text{ d. Th.}[1]$$
$$ R = (CH_3)_2CH; \quad \textit{1,3-Dioxo-4-methyl-1-phenyl-pentan} \quad 53\% \text{ d. Th.}[1]$$
$$n = 2; \quad R = (CH_3)_2CH; \quad \textit{1,4-Dioxo-5-methyl-1-phenyl-hexan} \quad 50\% \text{ d. Th.}[1]$$

Nicht immer hydrolysieren die Keton-imine so leicht. Besonders bei sterischer Abschirmung muß man unter verschärften Bedingungen hydrolysieren[2–4].

Das kann aber auch von Vorteil sein, da sich die Keton-imine meist leicht in Form ihrer Hydrochloride oder Sulfate aus dem Reaktionsgemisch abtrennen und reinigen lassen[5].

Man hydrolysiert entweder mit Salzsäure im Einschlußrohr[4] oder, wie das folgende Beispiel zeigt[6], durch Kochen mit 25–40%iger Schwefelsäure:

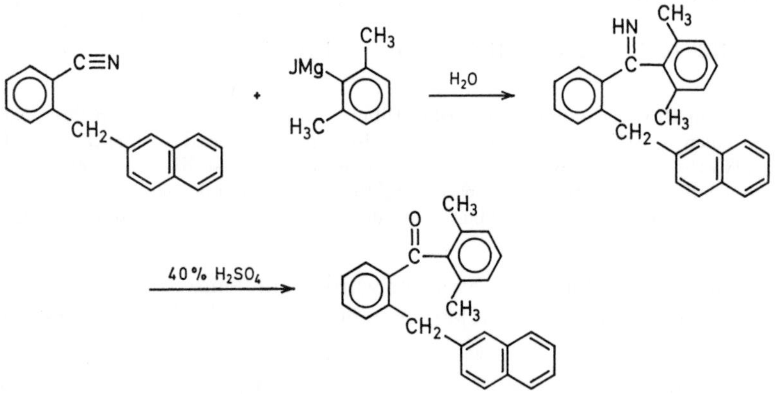

2′,5′-Dimethyl-2-[naphthyl-(2)-methyl]-benzophenon: Aus 63 g (0,27 Mol) 2-Jod-1,3-dimethyl-benzol wird in 300 ml absol. Äther mit 6,6 g (0,27 g-Atom) Magnesium eine Grignard-Lösung bereitet. Hierzu tropft man eine Lösung von 36,5 g (0,15 Mol) 2-[Naphthyl-(2)-methyl]-benzo-nitril in 300 ml absol. Toluol, destilliert den Äther ab und kocht über Nacht am Rückfluß. Die Mischung wird dann mit 30 ml 20%iger Ammoniumchlorid-Lösung zersetzt. Das gelbe Präcipitat wird isoliert und 2 Stdn. mit 20%iger Salzsäure gekocht. Das unlösliche Keton-imin-hydro-chlorid wird abgetrennt und aus einem 1,4-Dioxan-Petroläther Gemisch umkristallisiert. Die gleiche Menge an Keton-imin-hydrochlorid kann noch aus der Toluol-Phase durch Fällen mit konz. Salzsäure isoliert werden. Das Keton-imin kann aus dem Hydrochlorid durch Behan-deln mit konz. Natronlauge in Freiheit gesetzt werden. Zur Hydrolyse werden 10 g Keton-imin-hydrochlorid zusammen mit 50 ml 40%ige Schwefelsäure in einem Bombenrohr eingeschmolzen und 8 Stdn. auf 180° erwärmt. Man öffnet nach dem Erkalten und kristallisiert den braunen Rückstand nach Waschen mit Wasser aus Eisessig um; Ausbeute: 6,6 g (73% d. Th.); F: 86,5–87°.

---

[1] Bez. auf Ketal.
[2] F. A. VINGIELLO u. A. BŏRKOVEC, Am. Soc. **77**, 4823 (1955); **78**, 1240 (1956).
[3] P. L. PICKARD u. D. J. VAUGHAN, Am. Soc. **72**, 876 (1950).
[4] M. BOCKMÜHL u. G. ERHART, A. **561**, 52 (1949).
[5] C. J. THOMAN u. I. M. HUNSBERGER, J. Org. Chem. **33**, 2852 (1968).
[6] F. A. VINGIELLO u. A. BŏRKOVEC, Am. Soc. **78**, 1240 (1956).

Auch in den Fällen, bei denen das Keton-imin leichter hydrolysiert, ist es oft vorteilhafter, das Hydrochlorid zu isolieren und vor der Zersetzung zum Keton zu reinigen. Man arbeitet den Ansatz entweder mit flüssigem Ammoniak[1], wäßriger Ammoniumchlorid-Lösung[2] bei −15° oder am bequemsten mit wasserfreiem Methanol[3] auf.

3-Imino-pentan[3]: 16 g (0,285 Mol) Propansäure-nitril werden zusammen mit 0,5 Mol ätherischer Äthyl-magnesiumbromid-Lösung 4 Stdn. am Rückfluß gekocht. Der Additionskomplex wird mit 2 Mol absol. Methanol zersetzt und filtriert. Das Filtrat wird mit gasförmiger Salzsäure behandelt und das ausgefallene Hydrochlorid isoliert. Mit Ammoniak läßt sich hieraus das Keton-imin herstellen; Ausbeute: 50% d.Th.; Kp_{730}: 86,5°; n_D^{20}: 1,4266.

Bei Verwendung von überschüssigem Grignard-Reagenz kann bei vorhandenem α-Wasserstoff die Keton-imin-Zwischenstufe in einem Tetrahydrofuran-Phosphorsäure-tris-[dimethylamid] (Hexametapol)-Gemisch α-metalliert und mit Alkylhalogeniden alkyliert werden. Nach saurer Hydrolyse erhält man in 30–80%iger Ausbeute entsprechende alkylierte Ketone; z.B.[4]:

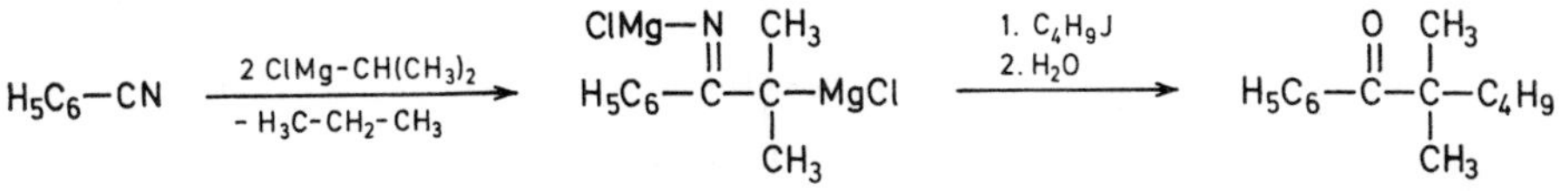

1-Oxo-2,2-dimethyl-1-phenyl-hexan

Bei der Herstellung rein aromatischer Ketone findet man gegenüber Phenylmagnesiumbromid eine abnehmende Reaktivität der Nitrile in folgender Reihe[5]:

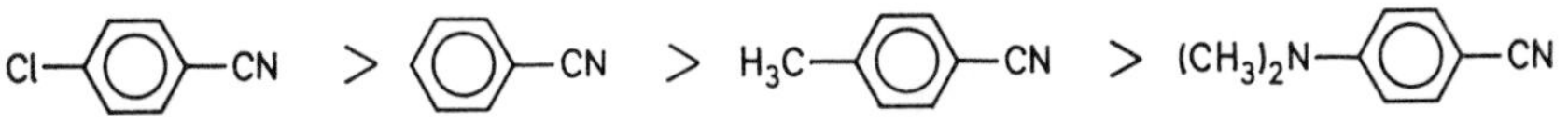

Die Reaktivitäten der aromatischen und aliphatischen Grignard-Derivate nehmen wie folgt ab[5]:

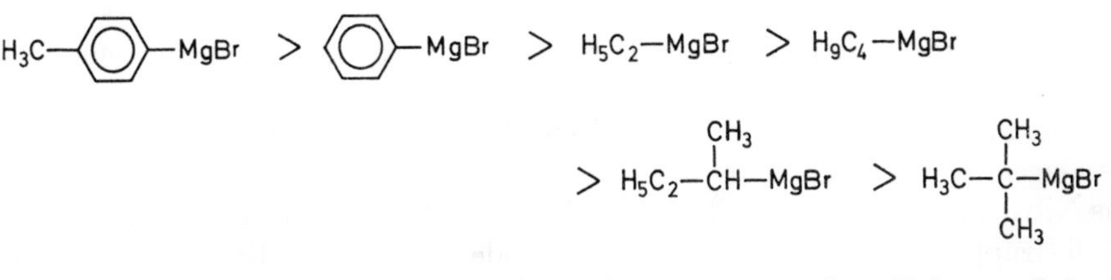

Nitrile mit beweglichem α-Wasserstoff geben unerwünschte Nebenprodukte[6,7]. Phenylacetonitril z.B. verhält sich wie eine Pseudosäure und wird durch Grignard-Verbindungen rasch metalliert. Nach Hydrolyse isoliert man das Phenylacetamid:

[1] E. F. CORNELL, Am. Soc. **50**, 3311 (1928).
[2] C. MOUREU u. G. MIGNONAC, C. r. **156**, 1801 (1913).
    J. B. CLOKE, Am. Soc. **62**, 117 (1940).
[3] P. L. PICKARD u. T. L. TOLBERT, J. Org. Chem. **26**, 4886 (1961).
[4] T. CUVIGNY u. H. NORMANT, C. r. [C] **265**, 245 (1967).
[5] H. GILMAN u. M. LICHTENWALTER, R. **55**, 588 (1936).
    H. GILMAN, E. L. ST. JOHN u. N. B. ST. JOHN, R. **55**, 577 (1936).
[6] P. BRUYLANTS, Bl. Acad. Belgique [5] **8**, 7 (1922).
    F. F. BLICKE u. E. P. TSAO, Am. Soc. **75**, 5587 (1953).
[7] C. R. HAUSER u. W. J. HUMPHLETT, J. Org. Chem. **15**, 359 (1950).

$$H_5C_6-CH_2-CN \xrightarrow[-RH]{+R-MgX} [H_5C_6-\overset{\ominus}{\overline{CH-CN}}]\,MgX^{\oplus} \xrightarrow[-MgXOH]{H_2O}$$

$$H_5C_6-CH=C=NH \xrightarrow{H_2O} H_5C_6-CH_2-CONH_2$$

Auch kann das Magnesiumhalogenid-Salz des Nitrils mit einem weiteren Nitril zu einem Keton-imin reagieren, das anschließend zu einem unerwünschten Keton hydrolysiert:

$$[\,H_5C_6-\overset{\ominus}{\overline{CH-C=N}}\,]\,MgX^{\oplus} \;+\; H_5C_6-CH_2-CN$$

$$\downarrow$$

$$\begin{array}{l} H_5C_6-CH-CN \\ \;\;\;\;\;\;\;\;\;\;\;\;| \\ H_5C_6-CH_2-C=N-MgX \end{array} \xrightarrow{H_2O} \begin{array}{l} H_5C_6-CH-CN \\ \;\;\;\;\;\;\;\;\;\;\;\;| \\ H_5C_6-CH_2-C=O \end{array}$$

3-Oxo-2,4-diphenyl-
butansäure-nitril

$$\left. \downarrow \right\uparrow {\scriptstyle R-MgX} \atop {\scriptstyle -RH}$$

$$\left[\begin{array}{l} H_5C_6-\overset{\ominus}{C-\overline{\overline{C=N}}} \\ \;\;\;\;\;\;\;| \\ H_5C_6-CH_2-C=N-MgX \end{array}\right]\,MgX^{\oplus}$$

Da das Keton-imid noch aciden Wasserstoff besitzt, findet daneben eine erneute Metallierung statt. Durch Nitril-Addition entstehen hieraus t r i m e r e Produkte, teilweise mit Ringstruktur[1]. Um diese Nebenreaktion zu unterdrücken, hat man vorgeschlagen, einen mindest dreifachen Überschuß an Grignard-Reagenz vorzulegen. Das Nitril wird zwar in α-Stellung metalliert, setzt sich aber ebenso rasch an seiner Nitril-Gruppe mit dem im Überschuß vorhandenen Grignard-Reagenz zur folgenden dimetallierten Zwischen-Verbindung um, die bei der Aufarbeitung das gewünschte Keton liefert:

$$[H_5C_6-\overset{\ominus}{\overline{CH-C=N}}\,]\,MgX^{\oplus} \xrightarrow{RMgX} \begin{array}{c} \overset{N-MgX}{\underset{|}{\overset{\|}{H_5C_6-CH-C-R}}} \\ MgX \end{array} \xrightarrow{H_2O} H_5C_6-CH_2-\overset{O}{\overset{\|}{C}}-R$$

Immerhin konnten die Autoren auf diese Weise aus Phenylacetonitril *1-Oxo-1,2-diphenyl-äthan* (*Desoxybenzoin*) synthetisieren.

---

[1] C. R. HAUSER u. W. J. HUMPHLETT, J. Org. Chem. **15**, 359 (1950).

Durch o-Substitution des aromatischen Nitrils werden diese Nebenreaktionen teilweise unterdrückt. Dagegen begünstigt eine sterische Hinderung im Grignard-Teil die α-Metallierung und damit die Bildung der dimeren und trimeren Folge-produkte. Um diesen Schwierigkeiten aus dem Weg zu gehen, sollte man, wenn möglich, auf jeden Fall bei der Herstellung von Benzyl-ketonen als Grignard-Komponente die Benzyl-Verbindung wählen.

Die Blaise-Nitril-Methode hat sich besonders bei der Herstellung polycyclischer aromatischer Ketone bewährt, da die Friedel-Crafts-Alkylierung hier nicht immer die gewünschte Orientierung liefert[1].

1-Alkanoyl-naphthaline; allgemeine Arbeitsvorschrift[2]: Die Grignard-Verbindung wird aus 0,22 g-Atom Magnesium und 0,22 Mol Alkylbromid in 250 ml absol. Äther bereitet. Danach tropft man 0,20 Mol Naphthalin-1-carbonsäure-nitril in 300 ml absol. Toluol unter Rühren hinzu. Man destilliert den Äther ab und kocht die Toluol-Lösung 5 Stdn. am Rückfluß. Anschließend wird mit einer ges. Ammoniumchlorid-Lösung und Eisstücken hydrolysiert, die wäßrige Phase abgetrennt und das Keton-imin hieraus mit Äther extrahiert. Man vereinigt Toluol- und Äther-Phase und extrahiert mit verd. Schwefelsäure das Keton-imin. Die sauren Extrakte werden mit Äther gewaschen und anschließend 2 Stdn. am Rückfluß gekocht. Das Keton wird mit einem Äther-Benzol Gemisch ausgezogen, mit Natriumhydrogencarbonat und anschließend mit Natriumchlorid-Lösung neutral gewaschen. Nach Entfernen des getrockneten Solvens destilliert man im Vakuum.

Nach dieser Vorschrift lassen sich die folgenden Ketone herstellen[2]:

1-Acetyl-naphthalin	52% d.Th.	Kp_8 : 148–150°
1-Propanoyl-naphthalin	37% d.Th.	Kp_{11}: 169–170°
1-Butanoyl-naphthalin	63% d.Th.	Kp_{12}: 178–179°
1-Pentanoyl-naphthalin	46% d.Th.	Kp_{10}: 184–186°
1-Heptanoyl-naphthalin	35% d.Th.	Kp_7 : 196–198°
1-Cyclohexylcarbonyl-naphthalin	37% d.Th.	Kp_8 : 206–208°
1-Benzoyl-naphthalin	55% d.Th.	F : 74,5–75,5°

9-Cyan-phenanthren gibt mit Methyl-magnesiumchlorid 61–65% d. Th. *9-Acetyl-phenanthren*[3]. Aus Phenanthryl-(9)-magnesiumbromid konnte *9-Benzoyl-phenanthren* (65% d.Th.) bzw. *9-(4-Methoxy-benzoyl)-phenanthren* (70% d.Th.) hergestellt werden[4].

Ungesättigte Ketone lassen sich mit Buten-(2)-yl-magnesiumbromid herstellen. Es ist darauf zu achten, daß die Buten-(2)-yl-Verbindung als ambidentes Anion reagieren kann. Man erhält jeweils zwei isomere Keton-imine. Bei der Hydrolyse können Doppelbindungs-Verschiebungen auftreten[5]:

$$H_3C-CH=CH-CH_2-MgBr \rightleftharpoons H_3C-CH-CH=CH_2 \xrightarrow{CH_3CN}$$
$$\underset{MgBr}{|}$$

$$\underset{1}{H_3C-CH=CH-CH_2-\overset{\overset{N-MgBr}{\|}}{C}-CH_3} + \underset{1,8}{H_2C=CH-\overset{\overset{H_3C}{|}}{CH}-\overset{\overset{N-MgBr}{\|}}{C}-CH_3}$$

zu

[1] F. A. VINGIELLO u. I. LEWIS, J. Chem. Eng. Data **13**, 439 (1968).
[2] L. G. NUNN u. H. R. HENZE, J. Org. Chem. **12**, 540 (1947).
[3] J. E. CALLEN, C. A. DORNFELD u. G. H. COLEMAN, Org. Synth. **28**, 6 (1948).
[4] W. BACHMANN, Am. Soc. **56**, 1363 (1934).
[5] H. FELKIN u. G. ROUSSI, C. r. [C] **266**, 1552 (1968).

α₂) Ketone mit funktionellen Gruppen

aa₁) Halogen-ketone

Nach der Nitril-Methode lassen sich auch Halogen-ketone herstellen. Aus 2-Brom-benzonitril entsteht mit Methyl-magnesiumbromid *2-Brom-acetophenon* (80% d. Th.)[1] und aus 4-Chlor-butansäure-nitril kann bei −15° mit Phenyl-magnesiumbromid *4-Chlor-1-oxo-1-phenyl-butan* (54% d. Th.) gewonnen werden[2]:

$$Cl{-}CH_2{-}CH_2{-}CH_2{-}CN + H_5C_6{-}MgBr \rightarrow Cl{-}CH_2{-}CH_2{-}CH_2{-}\overset{\overset{\textstyle O}{\|}}{C}{-}C_6H_5$$

Dagegen liefert α-Chlor-acetonitril mit aliphatischen Grignard-Verbindungen neben Alkanen nur Polymere und Harze[3].

Grignard-Verbindungen reagieren im allgemeinen mit **fluorierten** aliphatischen Nitrilen normal zu **Fluor-ketonen**[4] bis auf das Methyl-magnesiumjodid. So erhält man beispielsweise bei der Umsetzung von Heptafluor-butansäure-nitril mit Methyl-magnesiumjodid anstatt des gesuchten Ketons ein Aldolkondensationsprodukt:

$$F_7C_3{-}CN \xrightarrow{\ H_3C-MgJ\ } H_3C{-}\underset{\underset{\textstyle C_3F_7}{|}}{C}{=}CH{-}\overset{\overset{\textstyle O}{\|}}{C}{-}C_3F_7$$

1,1,1,2,2,3,3,7,7,8,8,9,9,9-Tetradecafluor-6-oxo-4-methyl-nonen-(4); 46% d. Th.

Dagegen ergibt Trifluormethyl-magnesiumbromid, mit Trifluor-acetonitril umgesetzt, *Hexafluor-aceton*[5].

Hexafluor-aceton[5]: Eine Lösung von 9,7 g Trifluormethyl-magnesiumjodid in 100 *ml* Dibutyläther wird zu 4,3 g Trifluor-acetonitril auf 3 Bombenrohre verteilt. Die Zugabe erfolgt bei tiefer Temp., bei der die Mischung einfriert. Nach Abschmelzen verwahrt man 3 Tage bei −20° unter öfterem Umschütteln auf. Innerhalb von 2 weiteren Tagen erwärmt man auf 30°, zersetzt vorsichtig mit 10n Schwefelsäure und trennt die Äther-Schicht ab. Die wäßrige Phase wird mit Äther extrahiert und aus den organischen Phasen das Keton über wenig Phosphor(V)-oxid destilliert. Man erhält das Hydrat (Kp₃₅: 50—60°), aus dem durch 3stdg. Erhitzen mit Phosphor-(V)-oxid im Bombenrohr auf 80° das reine Keton isoliert werden kann; Ausbeute: 33 % der Theorie.

Die **aromatischen** Grignard-Verbindungen ergeben die besten Ausbeuten an Fluor-ketonen (89—92% d. Th.)[4]. Mit **verzweigten** Grignard-Derivaten treten leicht **Nebenreaktionen** auf. Isopropyl-magnesiumbromid reduziert fluorierte Nitrile zu Aldehyden, dagegen tauscht tert.-Butyl-magnesiumchlorid eine Nitril-Gruppe gegen Magnesiumchlorid aus:

$$F_7C_3{-}CN + (CH_3)_3C{-}MgCl \rightarrow (CH_3)_3C{-}CN + F_7C_3MgCl$$

---

[1] W. Borsche u. A. Herbert, A. **546**, 293 (1941).
[2] J. B. Cloke, Am. Soc. **51**, 1174 (1929).
[3] L. Mathus, Bl. Soc. chim. Belg. **34**, 285 (1925).
    Vgl. a. J. Tröger u. O. Beck, J. pr. [2] **87**, 289 (1913).
[4] E. T. McBee, O. R. Pierce u. D. D. Meyer, Am. Soc. **77**, 917 (1955).
[5] R. N. Haszeldine, Soc. **1954**, 1273.

αa_2) Amino-ketone

Grignard-Derivate reagieren nicht in allen Fällen mit Amino-carbonsäure-nitrilen normal. α-Amino- und α-Dialkylamino-carbonsäure-nitrile können in einigen Fällen ihre Nitril-Gruppe gegen den organischen Rest der Grignard-Verbindung austauschen[1]:

$$R-\underset{\underset{NR'_2}{|}}{CH}-CN \;+\; R''-MgX \;\longrightarrow\; R-\underset{\underset{NR'_2}{|}}{CH}-R'' \;+\; MgXCN$$

Ist R ein Wasserstoff oder ein kurzkettiges Alkyl, so dominiert der Austausch. Auch vinyloge Amino-nitrile können ihre Nitril-Gruppe austauschen, wie z.B. das 9,10-Dimethyl-10-cyan-9,10-dihydro-acridin[2]:

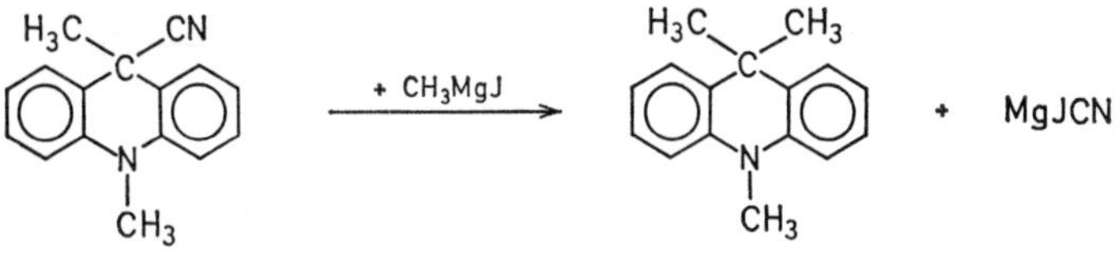

Bei der Herstellung von *2-Diäthylamino-1-oxo-1-phenyl-äthan* aus α-Diäthylamino-acetonitril kann der Austausch unterbunden werden, indem man statt Phenyl-magnesiumbromid Diphenyl-magnesium[3] einsetzt:

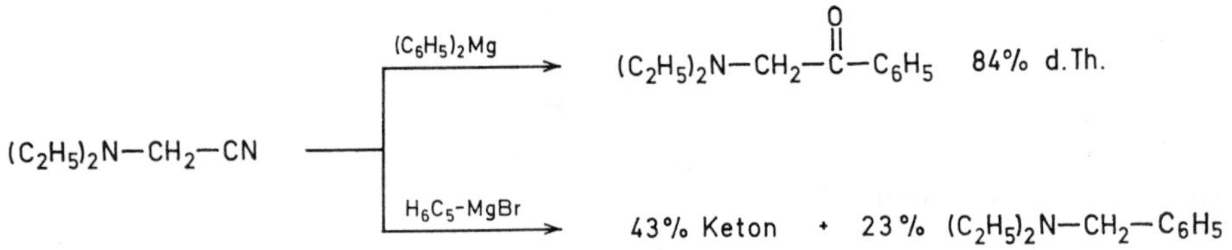

α-Dialkylamino-ketone lassen sich besser mit Hilfe der reaktiveren Lithium-Verbindungen[4] herstellen. Sie addieren schneller, als daß sie die Nitril-Gruppe verdrängen (vgl. ds. Bd., S. 618).

1-Morpholino-1-cyan-cyclohexan gibt mit Diphenyl-magnesium 63% Austausch-produkt, dagegen mit Phenyl-lithium 85% Keton-imin[5]:

---

[1] T. Thomson u. T. S. Stevens, Soc. **1932**, 2607.
Vgl. a. J. Geurden, Bl. Acad. Belgique [5] **11**, 701 (1925).
H. M. Taylor u. C. R. Hauser, Am. Soc. **82**, 1960 (1960).
[2] T. S. Stevens et al., Soc. **1931**, 2568.
[3] Z. Welvart, C. r. **250**, 1870 (1960).
[4] N. H. Cromwell u. P. H. Hess, Am. Soc. **83**, 1237 (1961).
[5] G. Chauvière, B. Tchoubar u. Z. Welvart, Bl. **1963**, 1428.

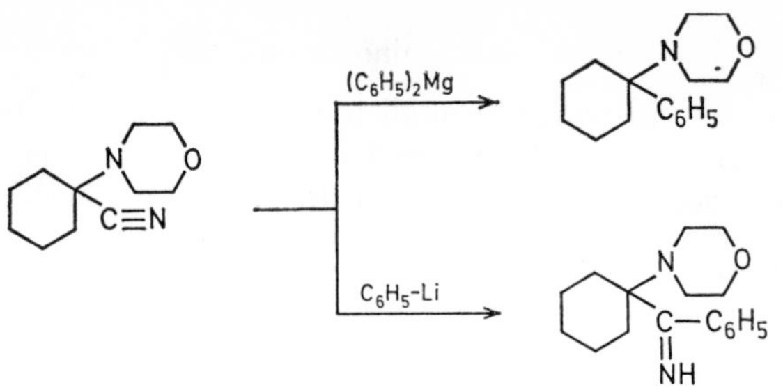

1-Morpholino-1-(α-imino-benzyl)-cyclohexan

Ebenfalls über die Lithium-alkyle können die folgenden α-Piperidino-ketone hergestellt werden[1]:

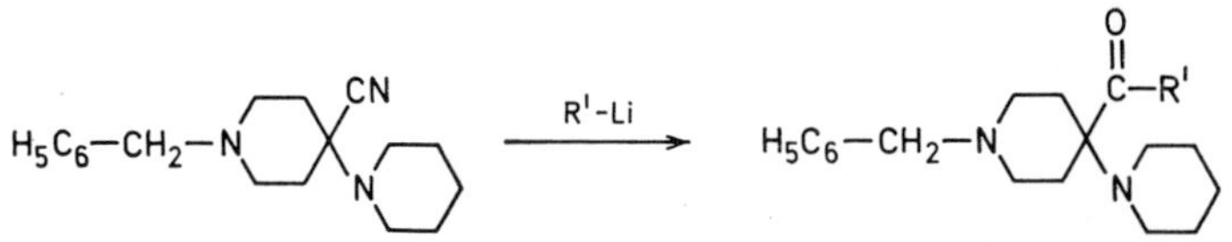

I R' = C_2H_5; 4-Piperidino-1-benzyl-4-propanoyl-piperidin   62% d.Th.
R' = C_3H_7; 4-Piperidino-1-benzyl-4-butanoyl-piperidin   57% d.Th.
R' = C_6H_5; 4-Piperidino-1-benzyl-4-benzoyl-piperidin   70% d.Th.

β- und γ-Dialkylamino-ketone können aus den entsprechenden Nitrilen mit Grignard-Verbindungen synthetisiert werden, ohne daß ein Austausch zu befürchten ist. Unsubstituierte β-Amino-carbonsäure-nitrile eliminieren dagegen leicht zu α,β-ungesättigten Nitrilen[2]. In der Tab. 92 (S. 613) sind einige über Nitrile hergestellte Amino-ketone aufgeführt.

$\alpha\alpha_3$) α-Hydroxy-ketone

Aldehyd-cyanhydrine reagieren mit Grignard-Verbindungen meist in guten Ausbeuten zu Acyloinen[3]:

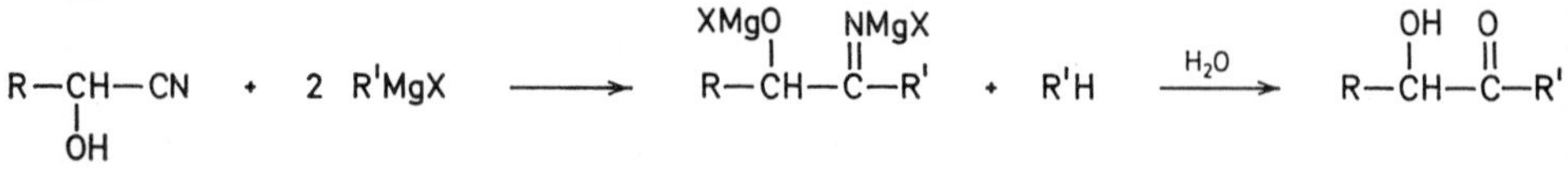

Die Umsetzung zwischen Alkyl-magnesiumhalogeniden und α-Hydroxy-acetonitril liefert eine Vielzahl an α-Keto-alkoholen wie[4]:

2-Oxo-butanol	50% d.Th.	1-Hydroxy-2-oxo-5-methyl-hexan	50% d.Th.
2-Oxo-pentanol	46% d.Th.	2-Oxo-dodecanol	85% d.Th.
1-Hydroxy-2-oxo-3-methyl-butan	45% d.Th.	2-Oxo-octanol	50% d.Th.
2-Oxo-hexanol	55% d.Th.		

[1] B. HERMANS et al., J. Med. Chem. 8, 851 (1965).
[2] P. BRYLANTS et al., Bl. Soc. chim. Belg. 32, 256 (1923); 33, 467, 473 (1924); Bl. Acad. Belgique [5] 10, 126 (1924); 11, 261, 636 (1925).
[3] D. GAUTHIER, C. r. 152, 1100, 1259 (1911).
[4] E. PFEIL u. H. BARTH, A. 593, 84 (1955).

Tab. 92. N,N-substituierte Amino-ketone aus den entsprechenden Nitrilen und einer Grignard-Verbindung

Amino-carbonsäure-nitril	Grignard-Verbindung	Amino-keton	Ausbeute [% d.Th.]	Kp [°C]	Kp [Torr]	Literatur
$\underset{\text{CH}_3}{\text{N–CH}_2\text{–CH–CN}}$ (Piperidin)	$C_6H_5CH_2\text{—MgBr}$	4-Piperidino-2-oxo-3-methyl-1-phenyl-butan	45	(F: 162–163°)		[1]
	$H_5C_6\text{—MgBr}$	3-Piperidino-1-oxo-2-methyl-1-phenyl-propan	32	(F: 176°)		[1]
$\text{N–(CH}_2)_3\text{–CN}$ (Piperidin)	$H_5C_6\text{—MgBr}$	4-Piperidino-1-oxo-1-phenyl-butan	64	144–146	3	[2]
$\text{O}\diagup\text{N–(CH}_2)_2\text{–CN}$ (Morpholin)	$H_5C_6\text{—MgBr}$	3-Morpholino-1-oxo-1-phenyl-propan	49	(F: 178–179°)		[1]
$(H_5C_2)_2N\text{—(CH}_2)_3\text{—CN}$	Naphthyl-(1)-MgBr	4-Diäthylamino-1-oxo-1-naphthyl-(1)-butan [1-(4-Diäthylamino-butanoyl)-naphthalin]	62	168–170	1	[3]
$(H_5C_2)_2N\text{—(CH}_2)_3\text{—CN}$	$F\text{—}\bigcirc\text{—MgBr}$	4-Diäthylamino-1-oxo-1-(4-fluor-phenyl)-butan [4-Fluor-1-(4-diäthylamino-butanoyl)-benzol]	75	114–116	2	[3]
$(H_3C)_2N\text{—CH}_2\text{—CH}_2\text{—}\underset{C_6H_5}{\overset{C_6H_5}{C}}\text{—CN}$	$H_5C_2\text{—MgBr}$	6-Dimethylamino-3-oxo-4,4-diphenyl-hexan	92,7	153–157	1	[4]
$(H_3C)_2N\text{—}\underset{CH_3}{CH}\text{—CH}_2\text{—}\underset{C_6H_5}{\overset{C_6H_5}{C}}\text{—CN}$	$H_5C_2\text{—MgBr}$	6-Dimethylamino-3-oxo-4,4-diphenyl-heptan	83	154–160	1	[5]

[1] A. POHLAND u. H. R. SULLIVAN, Am. Soc. **77**, 2817 (1955).
[2] D. E. CLARK u. H. S. MOSHER, Am. Soc. **72**, 1026 (1950).
[3] W. J. HUMPHLETT, M. J. WEISS u. C. R. HAUSER, Am. Soc. **70**, 4020 (1948).
[4] F. F. BLICKE u. EU-PHANG TSAO, Am. Soc. **75**, 5587 (1953).
[5] J. ATTENBURROW et al., Soc. **1949**, 510.

2-Oxo-butanol[1]: Aus 48,6 g Magnesium und 218 g Äthylbromid bereitet man in Äther ein Grignard-Lösung. Man kühlt mit fließendem Wasser und fügt unter starkem Rühren eine Lösung von 42,75 g Hydroxy-acetonitril in 50 *ml* absol. Äther in rascher Tropfenfolge hinzu. Es bildet sich ein grauer Niederschlag, gleichzeitig erwärmt sich die Mischung und gerät ins Sieden. Man rührt unter Rückflußkochen noch 3 Tage auf dem Dampfbad. Die Mischung wird hiernach vorsichtig mit 300–350 g zerstoßenem Eis und mit einer kalten Mischung von 75 *ml* konz. Schwefelsäure in 225 *ml* Wasser zersetzt. Die Lösung soll stark sauer reagieren. Die abgetrennte Äther-Phase wird mit wäßriger Natriumcarbonat-Lösung und dann mit Wasser gewaschen. Die Waschlösungen werden mit der vorher abgetrennten wäßrigen Phase vereint und auf p_H: 6 neutralisiert. Das Salz wird abgesaugt und die Mutterlauge erschöpfend mit der vorher abgetrennten Äther-Phase extrahiert, bis Fehlingsche Lösung bei Raumtemp. nicht mehr reduziert wird. Nach Trocknen der Äther-Phase über geglühtem Natriumsulfat wird das Solvens verjagt und das Keton i. Vak. destilliert (Kp: 45–70°) und danach über eine Kolonne redestilliert; Ausbeute: 32,9 g (50% d. Th.); Kp_{15}: 47–49°.

Aus Acetaldehyd-cyanhydrin und Äthyl-magnesiumbromid kann man *2-Hydroxy-3-oxo-pentan* (60% d. Th.) und aus 2-Hydroxy-3-methyl-butansäure-nitril analog *3-Hydroxy-4-oxo-2-methyl-hexan* (70% d. Th.) herstellen[2]. Buten-(2)-al-cyanhydrin reagiert mit Äthyl-magnesiumbromid zu *4-Hydroxy-5-oxo-hepten-(2)* (70% d. Th.)[3]

$$H_3C-CH=CH-\underset{\underset{\displaystyle OH}{|}}{CH}-CN \quad \xrightarrow{\substack{1.\ C_2H_5MgBr \\ 2.\ H_2O}} \quad H_3C-CH=CH-\underset{\underset{\displaystyle OH}{|}}{CH}-\underset{\overset{\displaystyle O}{||}}{C}-C_2H_5$$

Mit Äthyl-magnesiumchlorid oder -jodid beobachtet man dagegen hauptsächlich eine Substitution der Cyan-Gruppe durch den Äthyl-Rest. Es entsteht dann Hexen-(2)-ol-(4) (25–28% d. Th.). Die Keton-Ausbeute sinkt auf 3–8%.

Aus Cyanhydrinen aromatischer Aldehyde, z.B. Benzaldehyd-cyanhydrin (Mandelsäure-nitril) können mit entsprechenden Grignard-Verbindungen Benzoine erhalten werden[4]. Bei vorsichtiger Arbeitsweise läßt sich aus *d*-Mandelsäure-nitril und Phenyl-magnesiumbromid fast ohne Racemisierung *l-Benzoin* herstellen.

Zur Keton-Synthese aus Cyanhydrinen benötigt man in allen Fällen zwei Äquivalente Grignard-Reagenz. Das erste Äquivalent wird zur Metallierung der Hydroxy-Gruppe verbraucht. Es wurde daher empfohlen, bei Reaktionen mit kostbaren Grignard-Verbindungen das Cyanhydrin zunächst mit einem Äquivalent eines billigeren Grignard-Derivates in das Salz zu überführen und anschließend zum gewünschten Keton-imin umzusetzen[5], wie z.B.:

$$HOCH_2-CN \ + \ H_3C-MgJ \ \xrightarrow[-CH_4]{} \ JMgO-CH_2CN \ \xrightarrow{\substack{1.\ \text{(Cyclopentyl)}-CH_3 \\ MgCl \\ 2.\ H_2O}} \ \text{(Produkt)}$$

2-Methyl-1-
(hydroxy-acetyl)-
cyclopentan

[1] E. Pfeil u. H. Barth, A. **593**, 84 (1955).
[2] D. Gauthier, C. r. **152**, 1100, 1259 (1910).
[3] E. A. Braude u. C. J. Timmons, Soc. **1953**, 3144.
[4] A. McKenzie u. A. L. Kelman, Soc. **1934**, 412.
    I. A. Smith, B. **64**, 427 (1931).
[5] N. A. Yarnall u. F. S. Wallis, J. Org. Chem. **4**, 284 (1939).

Keton-cyanhydrine können nicht zu Acyloinen umgewandelt werden; sie reagieren mit den Grignard-Verbindungen unter Ersatz der Nitril-Gruppe durch den Alkyl- oder Aryl-Rest zu tert. Carbinolen[1]:

$$
\begin{array}{c}
\text{OH} \\
| \\
\text{R—C—R'} \\
| \\
\text{CN}
\end{array}
\;+\; \text{R''—MgX} \xrightarrow{\text{H}_2\text{O}}
\begin{array}{c}
\text{OH} \\
| \\
\text{R—C—R'} \\
| \\
\text{R''}
\end{array}
\;+\; \text{MgXCN}
$$

aa_4) Oxo-äther

Oxo-äther können ebenfalls aus Alkyloxy- bzw. Aryloxy-carbonsäure-nitrilen bereitet werden. Einige Literatur-Beispiele sind in Tab. 93 zusammengestellt.

Tab. 93. Oxo-äther aus Alkyloxy- bzw. Aryloxy-carbonsäure-nitrilen und einer Grignard-Verbindung

Nitril	Grignard-Verbindung	Keton	Ausbeute [%d.Th.]	Kp [°C]	Kp [Torr]	Literatur
—O—CH$_2$CN	H$_5$C$_2$—MgBr	1-Methoxy-2-oxo-butan	80	133–136	760	**2**
	H$_3$CO-(CH$_2$)$_3$—MgJ	1,5-Dimethoxy-2-oxo-pentan		95–100	23	**3**
	MgBr (Naphthalin)	1-(Methoxyacetyl) naphthalin [2-Methoxy-1-oxo-1-naphthyl-(1)-äthan]	83	172	4	**4**
	H$_5$C$_6$—MgBr	2-Methoxy-1-oxo-1-phenyl-äthan	71–78	228–230	15	**5**
C$_3$O—CH$_2$—CN	R—MgBr	H$_7$C$_3$O—CH$_2$—C(=O)—R	25–52			**6**
C$_6$—O—CH$_2$—CN	R—MgBr	H$_5$C$_6$O—CH$_2$—C(=O)—R	16–22			**6**
CH$_2$—CH$_2$—CH—CN, OC$_2$H$_5$	R—MgBr	Cl—CH$_2$—CH$_2$—CH—C(=O)—R, OC$_2$H$_5$	40–75			**6**

R = aliphatisch, cycloaliphatisch, aromatisch

[1] J. Geurden, Bl. Acad. Belgique [5] **11**, 701 (1925).
[2] G. Bernard u. J. Colonge, Bl. [5] **12**, 356 (1945).
[3] R. Paul, Bl. [4] **45**, 152 (1929).
[4] L. F. Fieser, L. M. Joshel u. A. M. Seligman, Am. Soc. **61**, 2134 (1939).
[5] R. B. Moffett u. R. L. Shriner, Org. Synth. Coll. Vol. III, S. 562 (1955).
[6] H. R. Henze et al., Am. Soc. **64**, 1222 (1942); **60**, 1148 (1938); **63**, 2112 (1941).

Bei aromatischen Alkoxy-carbonsäure-nitrilen ist zu beachten, daß wie in dem folgenden Beispiel Alkoxy-Gruppen ausgetauscht werden können[1]:

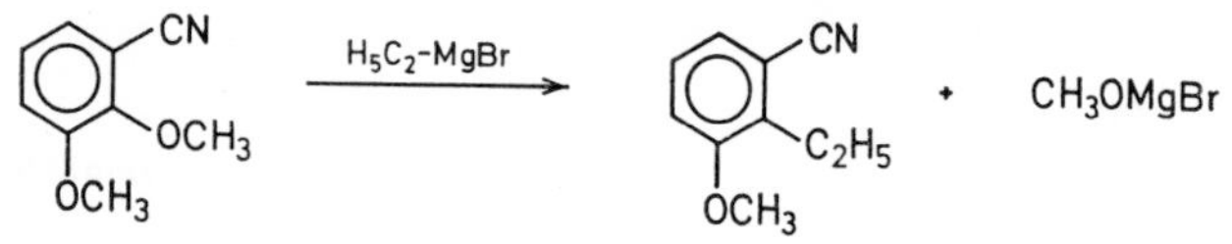

Substituierte Epoxy-ketone können aus entsprechenden Epoxymagnesium-nitrilen sowohl mit symmetrischen Diorgano–magnesium-Verbindungen als auch mit Organo-magnesium-halogeniden in 60–80%iger Ausbeute hergestellt werden[2]:

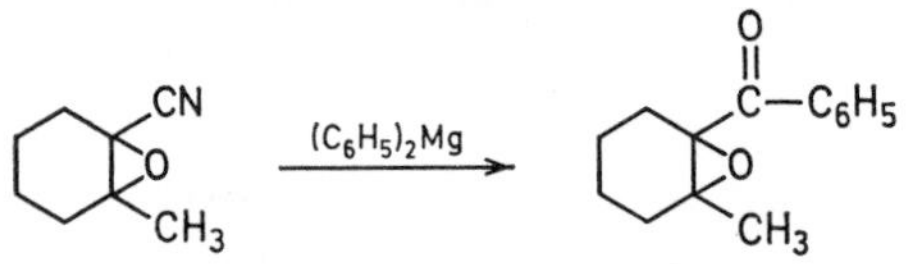

1,2-Epoxy-2-methyl-1-benzoyl-cyclohexan

$\alpha\alpha_5$) β-Diketone und β-Oxo-carbonsäureester

Verschiedentlich werden auch β-Diketone aus Oxo-carbonsäure-nitrilen, wie z.B. *2-Oxo-1-propanoyl-cyclopentan* (85% d.Th.)[3] hergestellt:

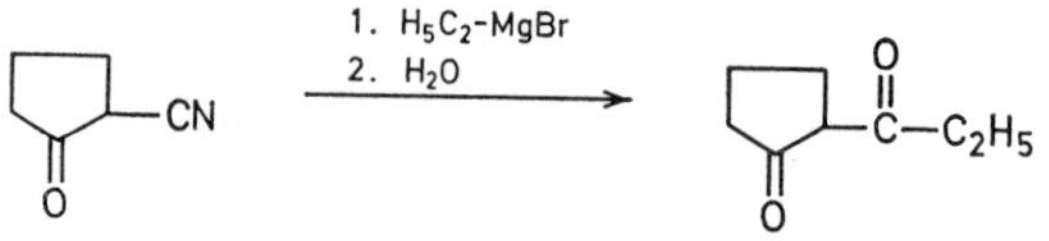

4-Oxo-4-phenyl-butansäure-nitril wird von überschüssigem Äthyl- oder Phenyl-magnesiumbromid ebenfalls nur an der Nitril-Gruppe angegriffen und liefert nach Hydrolyse *1,4-Dioxo-1-phenyl-hexan* bzw. *1,4-Dioxo-1,4-diphenyl-butan*[4].

Da die Ester-Gruppe des Cyanessigesters mit Alkyl-Grignard-Derivaten langsamer als die Nitril-Gruppe reagiert, sind hieraus auch einige β-Oxo-carbonsäure-ester zugänglich[5]:

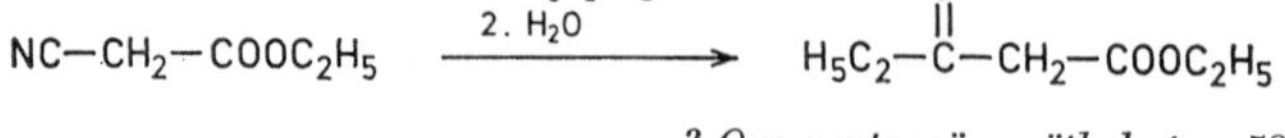

3-Oxo-pentansäure-äthylester; 58% d.Th.

[1] H. Richtzenhain u. P. Nippus, B. **77**, 566 (1944).
[2] J. Cantacuzene u. A. Keramat, C. r. [C] **264**, 618 (1967); Bl. **1968**, 4540.
   Vgl. hierzu auch die Synthese von α-Chlor-epoxi-ketonen aus epoxidierten α-Chlor-carbonsäure-ester mit Alkyl-magnesium-Verbindungen. P. Coutrot, J. C. Combret u. J. Villiéras, Tetrahedron Letters **1971**, 1553.
[3] M. Riobé, M. Lamant u. F. Bussière, Bl. **1963**, 2892.
[4] A. Mavrodin, Bull. Soc. Roman. **15**, 49 (1933); C. A. **28**, 3396² (1934).
[5] G. W. Anderson et al., Am. Soc. **67**, 2197 (1945).

β) aus zink-organischen Verbindungen (Reformatzky-Synthese)

Eine interessante Variante zur Reformatzky-Synthese fand 1901 E. E. Blaise[1] bei der Umsetzung von α-Brom-α-alkylsubstituierten-essigsäureestern mit Nitrilen in Gegenwart von Zinkstaub:

$$Br-\underset{\underset{R''}{|}}{\overset{\overset{R'}{|}}{C}}-COOC_2H_5 \ + \ Zn \ \longrightarrow \ BrZn-\underset{\underset{R''}{|}}{\overset{\overset{R'}{|}}{C}}-COOC_2H_5 \ \xrightarrow{+ \ RCN/H_2O} \ R-\overset{\overset{O}{||}}{C}-\underset{\underset{R''}{|}}{\overset{\overset{R'}{|}}{C}}-COOC_2H_5$$

Die Umsetzung verläuft wahrscheinlich über eine intermediäre zink-organische Verbindung.

Die Methode läßt sich sowohl mit aliphatischen[2,3] als auch mit aromatischen Nitrilen[1] durchführen. Eine o-Substitution im Aromaten stört die Reaktion, eine p-Substitution dagegen nicht. Monosubstituierter Bromessigsäureester liefert etwas schlechtere Ausbeuten und beim unsubstituierten Bromessigsäureester versagt die Methode vollständig. Ein Überschuß an Halogen-Derivat soll vermieden werden. Die Arbeitsvorschriften wurden nochmals überarbeitet[2-4]. Die Herstellung von *3-Oxo-2-methyl-octansäure-butyl-(2)-ester* (50–58% d.Th.) aus Hexansäure-nitril und 2-Brom-propansäure-butyl-(2)-ester ist in Org. Synth. eingehend beschrieben[2]:

$$H_3C-(CH_2)_4-CN \ + \ Br-\underset{\underset{CH_3}{|}}{CH}-COO-\underset{\underset{CH_3}{|}}{\overset{\overset{C_2H_5}{|}}{CH}} \ \xrightarrow{Zn} \ H_3C-(CH_2)_4-\overset{\overset{O}{||}}{C}-\underset{\underset{CH_3}{|}}{CH}-COO-\underset{\underset{CH_3}{|}}{\overset{\overset{C_2H_5}{|}}{CH}}$$

Dioxo-carbonsäureester erhält man aus Oxo-nitrilen oder Oxo-carbonsäureestern, deren Oxo-Gruppen durch Ketal-Bildung mit Glykol geschützt sind. Die Ketale werden mit 2-Brom-2-methyl-propansäure-äthylester und Zink in Äther oder Tetrahydrofuran umgesetzt und anschließend sauer zum Dioxo-carbonsäureester hydrolysiert[4]:

$$\underset{\overset{O}{\diagdown}\ \diagup O}{R^1}(CH_2)_n-R^2 \ \xrightarrow[\text{2. Hydrolyse}]{1. \ Br-\underset{\underset{CH_3}{|}}{\overset{\overset{CH_3}{|}}{C}}-COOC_2H_5/Zn} \ R^1-\overset{\overset{O}{||}}{C}-(CH_2)_n-\overset{\overset{O}{||}}{C}-\underset{\underset{CH_3}{|}}{\overset{\overset{CH_3}{|}}{C}}-COOC_2H_5$$

R¹ = C₆H₅; R² = CN, n = 1; *3,5-Dioxo-2,2-dimethyl-5-phenyl-pentansäure-äthylester* — 80% d.Th.

R¹ = C₆H₅; R² = CN, n = 2; *3,6-Dioxo-2,2-dimethyl-6-phenyl-hexansäure-äthylester* — 82% d.Th.

R¹ = 4-CH₃O-C₆H₄; R² = COOC₂H₅; n = 3; *3,7-Dioxo-2,2-dimethyl-7-(4-methoxy-phenyl)-heptansäure-äthylester* — 83% d.Th.

---

[1] C. r. **132**, 478 (1901).
   Vgl. auch ds. Handb., Bd. XIII/2, Kap. Umwandlungen von zink-organischen Verbindungen.
[2] K. L. Rinehart, Org. Synth. **35**, 15 (1955).
[4] H. B. Kogan u. Y. H. Suen, Bl. **1966**, 1819.
[3] M. Bogavac, H. Lapin, V. Arsenijevic u. A. Horeau, Bl. **1969**, 4437.

Zink-organische Verbindungen ohne aktivierende Gruppe sind zu reaktionsträge, um mit Nitrilen zu reagieren.

γ) aus alkalimetall-organischen Verbindungen

Zur Synthese von Ketonen aus Nitrilen können auch Organo-lithium-Derivate verwendet werden. Man macht hiervon bei der Herstellung langkettiger Ketone Gebrauch[1].

Die Organo-lithium-Derivate haben den Vorteil, daß sie wesentlich rascher als die Grignard-Verbindungen mit der Nitril-Gruppe reagieren, so z.B. Phenyl-lithium etwa 100mal schneller als Phenyl-magnesiumbromid[2]. Dieser Vorteil wurde, wie bereits S. 611 beschrieben, zur Herstellung von Amino-ketonen ausgenutzt. α-Picolin läßt sich mit Phenyl-lithium leicht in die Lithium-Verbindung überführen, die sich mit Alkansäure-nitrilen glatt zu [Pyridyl-(2)-methyl]-alkyl-ketonen umsetzt[3]:

	2-Oxo-1-pyridyl-(2)-	
R = CH$_3$;	-propan	57% d.Th.
R = C$_2$H$_5$;	-butan	80% d.Th.
R = C$_3$H$_7$;	-pentan	84% d.Th.
R = C$_4$H$_9$;	-hexan	71% d.Th.
R = C$_5$H$_{11}$;	-heptan	77% d.Th.

[Pyridyl-(2)-methyl]-alkyl-ketone: Unter Stickstoff tropft man 1 Mol 2-Methyl-pyridin bei 0–5° zu 1 l einer ätherischen Phenyl-lithium-Lösung, die aus 2 Mol Brombenzol und 3,5 g-Atom Lithium bei 12–15° zuvor bereitet war. Die Lösung färbt sich tiefrot und wird bei 0–5° mit 1 Mol Nitril umgesetzt. Man läßt 3 Stdn. bei 20° ausreagieren. Das Keton-imid wird mit 1 l 2 n Schwefelsäure bei 10–15° zersetzt, die Äther-Phase abgetrennt und die wäßrige Phase mit Äther extrahiert. Die wäßrige Phase wird mit Natriumhydroxid stark alkalisch gemacht und mit Chloroform erschöpfend extrahiert. Nach Verdampfen des Chloroforms bleibt ein dunkelbrauner Sirup zurück, der unter Stickstoff über eine Vigreuxkolonne bei 11 Torr fraktioniert wird.

Aromatisch-aliphatische Ketone mit Acetylen-Funktion wurden mit Phenyllithium bereitet[4]:

n = 3	6-Oxo-6-phenyl-hexin-(1)
n = 4	7-Oxo-7-phenyl-heptin-(1)
n = 9	12-Oxo-12-phenyl-dodecin-(1)

Es sei bemerkt, daß hier Phenyl-magnesiumbromid etwas bessere Ausbeuten liefert.

---

[1] G. Sumrell, J. Org. Chem. **19**, 817 (1954).
   Vgl. auch ds. Handb., Bd. XIII/1, Kap. Umwandlung von lithium-organischen Verbindungen, S. 188.
[2] C. G. Swain, Am. Soc. **69**, 2306 (1947).
[3] J. Büchi, F. Kracher u. G. Schmidt, Helv. **45**, 729 (1962).
[4] J. A. Gautier, M. Miocque u. L. Mascrier-Demagny, Bl. **1967**, 1551.

Interessant ist auch die Umsetzung von 1-Lithium-1-nitro-äthan mit Phenylglyoxylsäure-nitril (Oxo-phenyl-acetonitril) zu dem entsprechenden α-Nitro-keton. Hier wird die Nitril-Gruppe durch die Lithium-Verbindung verdrängt[1]:

$$H_5C_6-\overset{\overset{O}{\|}}{C}-CN \quad + \quad H_3C-\underset{\underset{Li}{|}}{CH}-NO_2 \quad \longrightarrow \quad H_5C_6-\overset{\overset{O}{\|}}{C}-\underset{\underset{CH_3}{|}}{CH}-NO_2 \quad + \quad LiCN$$

2-Nitro-1-oxo-1-phenyl-propan; 50% d.Th.

Die saure Methyl-Gruppe des folgenden Sulfons läßt sich mit Natrium-äthanolat metallieren. Es erfolgt sofort intramolekulare Addition an die Nitril-Gruppe[2]:

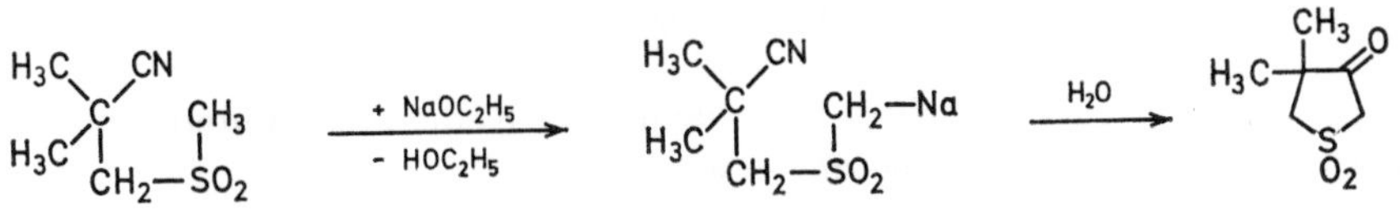

4-Oxo-3,3-dimethyl-
tetrahydro-thiophen-
1,1-dioxid; 91% d.Th.

δ) aus Alkyl-aluminium-Verbindungen

Alkyl-aluminium-Verbindungen wurden bereits 1936 mit Nitrilen zu Ketonen umgesetzt[3], aber erst in neuerer Zeit für Keton-Synthesen herangezogen. Triäthyl-aluminium setzt sich im Molverhältnis 2:1 mit Benzonitril zu *Propiophenon* (77% d.Th.) um. Die Reaktion erfolgt über einen cyclischen Übergangszustand, an dem zwei Moleküle Triäthyl-aluminium beteiligt sind[4]:

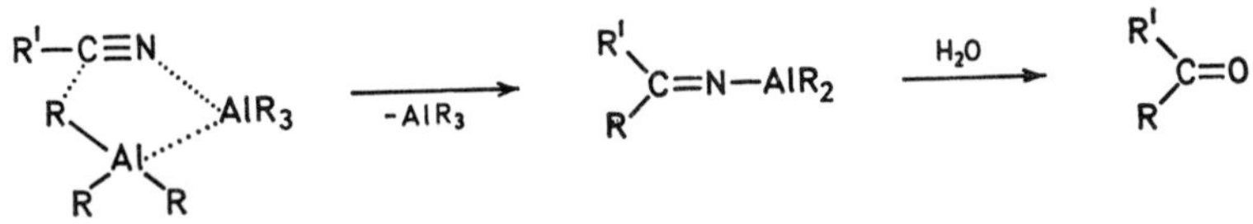

Ketone; allgemeine Arbeitsvorschrift: In einem 250-*ml*-Dreihalskolben mit Rückflußkühler, KPG-Rührer und Tropftrichter wird unter Rühren und Reinstickstoff Triäthyl-aluminium[5] in 10 *ml* absol. Benzol auf 80° erhitzt und hierzu im Verlauf von 30 Min. das Nitril ebenfalls in 10 *ml* absol. Benzol zugetropft. Die blaßgelb gefärbte Reaktionsmischung wird nach weiterem

[1] G. B. BACHMAN u. I. HOKAMA, Am. Soc. **81**, 4882 (1959).
[2] W. E. TRUCE, W. W. BANNISTER u. R. H. KNOSPE, J. Org. Chem. **27**, 2821 (1962).
[3] H. GILMAN u. K. E. MARPLE, R. **55**, 133 (1936).
    Vgl. a. G. WITTIG u. O. BUB, A. **566**, 113 (1950).
[4] H. REINHECKEL u. D. JAHNKE, B. **97**, 2661 (1964).
    S. PASYNKIEWICZ, K. STAROWIEYSKI u. Z. RZEPKOWSKA, J. Organometal. Chem. **10**, 527 (1967).
    S. PASYNKIEWICZ u. S. MACIASZEK, J. Organometal. Chem. **15**, 301 (1968).
[5] Methoden zur Herstellung von aluminium-organischen Verbindungen findet man in ds. Handb., Bd. XIII/4, S. 23–75.

2stdg. Rühren und Erwärmen auf 80° auf Raumtemp. gekühlt und nach Zufügen von 50 ml Äther wird nacheinander mit Äther/Methanol und dann mit Methanol allein zersetzt. Nach Hydrolyse mit verd. Schwefelsäure wird die wäßrige Phase 3mal mit Äther extrahiert. Die vereinigten Äther-Lösungen werden mit wenig Wasser gewaschen und über Natriumsulfat getrocknet. Nach Verdampfen des Äthers unter Normaldruck wird die gelbe Lösung fraktioniert.

So erhält man aus

100 m Mol Benzonitril + 25 g Triäthyl-aluminium   →   *Propiophenon*   77% d. Th.
20 g Dodecansäure-nitril + 27 g Triäthyl-aluminium →   *Tetradecanon-(3)*   89% d. Th.

ε) aus Halogencyan und Grignard-Verbindungen

Die Umsetzung von Chlorcyan mit Grignard-Verbindungen kann zur Keton-Herstellung herangezogen werden[1]:

Es entsteht zunächst ein Nitril, das dann zum Keton-imin weiterreagiert. Die Methode hat jedoch keine Bedeutung erlangt.

6. Ketone aus metallorganischen Verbindungen und Aldehyden

Aromatische Aldehyde lassen sich unter Erhalt der C=O-Gruppe in Desoxy-benzoine (1-Oxo-1,2-diphenyl-äthane) überführen[2]. Aus dem Aldehyd stellt man zunächst nach bekannten Methoden[3] das α-Dimethylamino-carbonsäurenitril her. Das mit Kaliumamid in flüssigem Ammoniak erzeugte Kalium-Derivat wird mit Abkömmlingen des Benzylbromids alkyliert und anschließend mit Salzsäure zum Desoxybenzoin zersetzt:

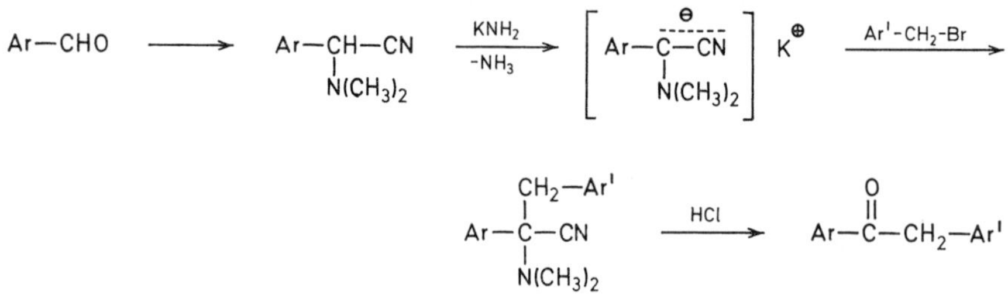

| Ar = Ar' = C₆H₅ | *Desoxybenzoin (1-Oxo-1,2-diphenyl-äthan)* | 90% d. Th. |

Ar = Ar' = C₆H₅   *Desoxybenzoin (1-Oxo-1,2-diphenyl-äthan)*   90% d. Th.

Ar' = C₆H₅ ; Ar = Cl—⟨◯⟩—   *1-Oxo-2-phenyl-1-(4-chlor-phenyl)-äthan*   92% d. Th.

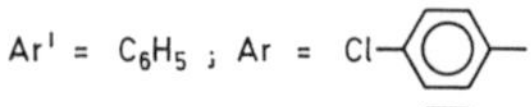

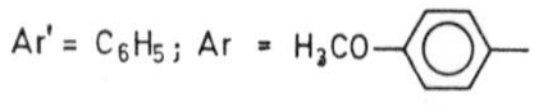

Ar' = C₆H₅; Ar = H₂CO—⟨◯⟩—   *1-Oxo-2-phenyl-1-(4-methoxy-phenyl)-äthan*   90% d. Th.

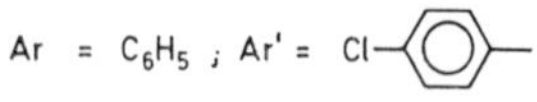

Ar = C₆H₅ ; Ar' = Cl—⟨◯⟩—   *2-Oxo-2-phenyl-1-(4-chlor-phenyl)-äthan*   90% d. Th.

[1] V. GRIGNARD, E. BELLET u. C. COURTOT, A. ch. [9] 4, 28 (1915).
   V. GRIGNARD, C. r. 152, 388 (1911).
   V. GRIGNARD u. C. COURTOT, C. r. 154, 361 (1912); 158, 1763 (1914); Bl. [4] 17, 228 (1915).
   V. THOMAS u. V. COUDERC, Bl. [4] 23, 288 (1918).
[2] C. R. HAUSER u. G. F. MORRIS, J. Org. Chem. 26, 4740 (1961).
[3] D. B. LUTEN, J. Org. Chem. 3, 588 (1939).

Die aus den aromatischen Aldehyden und Glykol erhältlichen 1,3-Dioxolane geben mit Alkyl-lithium-Verbindungen Alkyl-aryl-ketone[1]. Der Mechanismus ist nicht genau erklärt. Formal wird hierbei der Aldehyd-Wasserstoff durch einen Alkyl-Rest ersetzt:

$$H_5C_6-CHO \longrightarrow H_5C_6 \langle dioxolan \rangle \xrightarrow[\text{Aether}]{H_9C_4-Li} H_5C_6-\overset{O}{\underset{\|}{C}}-C_4H_9$$

Pentanoyl-benzol(1-Oxo-1-phenyl-pentan)

Die Ausbeuten liegen zwischen 66–87% der Theorie.

7. Ketone aus metallorganischen Verbindungen und Pyryllium-Salzen

Pyryllium-Salze lassen sich in Äther bei −30° durch Aryl-lithium oder-magnesium-Verbindungen zu ungesättigten Ketonen spalten[2]:

6-Oxo-4-methyl-2-phenyl-heptadien-(2,4)

Die Methode bietet vielseitige Variationsmöglichkeiten bei der Wahl des Pyryllium-Salzes und der metallorganischen Verbindung.

Ungesättigte Ketone; allgemeine Arbeitsvorschrift: Zu 45 mMol der metallorganischen Verbindung in 50 *ml* absol. Äther werden bei −30° und unter Stickstoff 10 g (45 mMol) 2,4,6-Trimethyl-pyryllium-perchlorat in kleinen Anteilen eingetragen, so daß die Temp. nicht über −25° steigt. Hiernach wird solange gerührt (∼ 10 Min.), bis der Gilman-Test negativ ist. Man zersetzt anschließend mit 45 *ml* ges. Ammoniumchlorid-Lösung, trennt die Äther-Phase ab und schüttelt die wäßrige Phase 3mal mit je 30 *ml* Äther aus. Die vereinigten Ätherauszüge werden mit Ammoniumchlorid haltigem Wasser gewaschen. Nach dem Trocknen über Calciumchlorid verjagt man den Äther und destilliert im Vakuum.

Die Ausbeuten mit Phenyl-magnesiumbromid oder Phenyl-lithium liegen bei 56 bzw. 74% d. Th. an *6-Oxo-4-methyl-2-phenyl-heptadien-(2,4)*.

---

[1] K. D. BERLIN, B. S. RATHORE u. M. PETERSON, J. Org. Chem. **30**, 226 (1965).
    T. L. V. ULBRICHT, Soc. **1965**, 6649.
[2] G. KÖBRICH u. D. WUNDER, A. **654**, 131 (1962).
    s. a. J. ROYER u. J. DREUX, Tetrahedron Letters **1968**, 5589.

g) Ketone aus Carbonsäuren unter Kohlendioxid-Abspaltung

Bearbeitet von

Dr. K.-D. Bode und Dr. Hugo Wilms

Farbenfabriken Bayer AG, Leverkusen

1. Pyrolyse von Metallsalzen

Aceton läßt sich in guten Ausbeuten durch thermische Zersetzung von Calcium- oder Bariumacetat herstellen. Die guten Ergebnisse dieser früher auch zur technischen Herstellung von Aceton verwendeten Synthese haben zu der Ansicht geführt, daß symmetrische Ketone ganz allgemein durch Pyrolyse der Kalksalze organischer Säuren zugänglich seien[1]. Dies trifft besonders für die Herstellung von Ketonen aus höheren Fettsäuren zu, jedoch nicht für solche, die in α-Stellung alkyliert sind. Im übrigen dürften die thermischen Salzzersetzungen, mit Ausnahme der Herstellung höherer Ringketone, durch die katalytischen Verfahren (s. S. 627) überholt sein. Auch sollte man von Fall zu Fall prüfen, ob nicht die Esterkondensationen nach Claisen mit besseren Ausbeuten zum Ziele führen.

So erhält man bei der trockenen Destillation von Calcium-2-methyl-propionat ein Gemisch von *Pentanon-(3)*, *3-Oxo-2-methyl-butan*, *3-Oxo-2-methyl-pentan*, *3-Oxo-2,4-dimethyl-pentan*, *2-Methyl-propanol* und *3-Oxo-2,2-dimethyl-butan* (*Pinakolon*), so daß dieses Verfahren für präparative Zwecke ungeeignet ist[3].

Gemische von Salzen verschiedener Carbonsäuren liefern neben den beiden symmetrischen auch gemischte Ketone[2]. Ein gemischtes Keton wie *3-Methyl-1-acetyl-benzol* wird aus Barium-3-methyl-benzoat und Bariumacetat in nur 25%iger Ausbeute erhalten[4].

Der Reaktionsmechanismus der Decarboxylierung von Carbonsäuren zu Ketonen ist noch nicht einwandfrei geklärt. Es ist wahrscheinlich, daß bei der Erdalkalimetallsalz-Thermolyse primär eine Claisen-Kondensation unter Abspaltung von Kohlensäure erfolgt:

$$\underset{}{R{-}CH_2{-}COOCH_3} + \underset{}{H_2\overset{\displaystyle COOCa/_2}{\underset{|}{C}}{-}R} \rightarrow R{-}CH_2{-}CO{-}\overset{\displaystyle COOCa/_2}{\underset{|}{CH}}{-}R \xrightarrow[-CO_2]{} R{-}CH_2{-}CO{-}CH_2{-}R$$

Bei der katalytischen Decarboxylierung vor allem in der Gasphase dürften Ketene als primäre Zwischenstufen auftreten, die über die Diketostufe unter Kohlendioxid-Abspaltung ebenfalls zu den Ketonen führen. Für die Keton-Herstellung aus zwei Mol Carbonsäure-chloriden und Triäthylamin ist dieser Mechanismus bewiesen[6].

Optimale Ausbeuten lassen sich bei gemischten Ketonen erreichen, wenn man neben einer wertvollen aromatisch substituierten Carbonsäure einen 3–4-fachen Überschuß an Calciumacetat oder an Kalksalz einer niederen Fettsäure verwendet.

2-Oxo-1-phenyl-pentan[5]: 250 g Calcium-phenylacetat und 500 g Calciumbutyrat werden fein gepulvert, innig gemischt und im Rohr auf schwache Rotglut erhitzt. Rohausbeute: 265 g; Reinausbeute: 70% d.Th. (nach fraktionierter Destillation); Kp_{12}: 114–118°.

[1] H. P. Schultz u. J. P. Sichels, J. Chem. Educ. **38**, 300 (1961).
[2] G. Barbaglia u. P. Gucci, B. **13**, 1572 (1880).
[3] A. Williamson, A. **81**, 86 (1852).
  C. Friedel, A. **108**, 122 (1858).
[4] DRP.-Anm. T 50337 (1938), Temmler-Werke, Erf.: E. Keil u. W. Dobke.
[5] J. C. Sauer, Am. Soc. **69**, 2444 (1967).
[6] C. Weygand u. F. Schächer, B. **68**, 227 (1935).

Oft genügt bereits ein inniges Vermischen der betreffenden Säure mit Calciumhydroxid oder Bariumhydroxid und nachfolgende Trockendestillation. In vielen Fällen ist es nicht notwendig, die Erdalkalimetallsalze zu isolieren. Vielfach reicht ein katalytischer Zusatz von ∼ 15 Gew.% Bariumhydroxid oder -carbonat (s. u.) aus.

Carbonsaure Bariumsalze; allgemeine Arbeitsvorschrift[1]: Niedere Fettsäuren mit bis zu acht (Kohlenstoff-Atomen werden in verd. Äthanol gelöst und mit der entsprechenden Menge Bariumhydroxid versetzt. Der Niederschlag wird abgesaugt und mit wenig kaltem Wasser und Äthanol gewaschen, aus der Mutterlauge wird weiteres Bariumsalz gewonnen. Man trocknet bei 80°.

Von höheren Fettsäuren (C_9–C_{18}) löst man 50 g in 200 g Äthanol unter Erwärmen und versetzt vorsichtig mit $^1/_2$ Mol wäßriger konz. Natriumcarbonat-Lösung. Man erhitzt zum Sieden, gibt noch 200 ml heißes Wasser hinzu und versetzt die klare Lösung unter Rühren mit $^1/_2$ Mol wäßriger Bariumacetat-Lösung. Nach weiteren 10 Min. läßt man erkalten und saugt den Niederschlag ab, der mit heißem Wasser und Äthanol gewaschen und bei 80° getrocknet wird. Die Ausbeuten sind praktisch quantitativ.

Bei der trockenen Destillation von Erdalkalimetallsalzen höherer Fettsäuren verhindert man ein Zusammenschmelzen der Salze durch Zugabe von Calciumcarbonat oder anderen indifferenten Substanzen und erhitzt kleine Mengen im Vakuum[2]. Bei größeren Mengen bereitet die Durchführung der Kalksalz-Destillation Schwierigkeiten, weil wegen der schlechten Wärmeübertragung der Salze die nötige Reaktionstemperatur nicht gleichmäßig erreicht wird. Die Ausbeuten sind daher gerade bei großen Ansätzen mäßig. Deshalb ist versucht worden, diesen Schwierigkeiten auf verschiedenen Wegen zu begegnen:

Mechanische Umwälzung des Calciniergutes[3]

Erhitzen als Suspension in hochsiedenden Flüssigkeiten[4]

Gleichmäßige Erwärmung mit Induktionsheizung[5].

Bessere Ergebnisse erzielt man bei der Synthese von aliphatischen Methyl-ketonen (C_3–C_{19}) aus Bariumacetat und Bariumsalzen der betreffenden Fettsäuren durch Pyrolyse in Eisengefäßen unter Vakuum[1]. Die Ausbeuten betragen um 60% der Theorie. Als Beispiel eines heterocyclischen Ketons, das nach dieser Methode erhalten wurde, sei *3-Acetyl-pyridin*[6] erwähnt.

Ausbeuten bis zu 96% d. Th. erhält man bei der Ketonisierung von Eisen-(II)-Salzen aliphatischer und araliphatischer Carbonsäuren[7] (vgl. Tab. 94, S. 625).

Wahrscheinlich ebenfalls über Eisen(II)-salze verläuft die Pyrolyse von Alkalimetall- und Erdalkalimetallsalzen der Stearinsäure und Dodecansäure mit Salzen der Hexandisäure und Decandisäure in Gegenwart von Eisenpulver[8]. Die Ketone werden von den eisenhaltigen Verunreinigungen befreit, wenn man nach Zusatz von Oxalsäure

[1] G. T. Morgan u F. Holmes, J. Soc. chem. Ind. **44**, 180 T (1925).

[2] F. Krafft, B. **12**, 1666 (1879).

[3] Fr. P. 983907 (1943), G. F. Meunier u. P. Naldi; C. A. **50**, 5727 (1956).

[4] Fr. P. 977809 (1942), H. J. Hoffmann u. P. M. Appell; C. A. **48**, 1423 (1954).

[5] Fr. P. 854000 (1938), P. Naldi; C. **1940** II, 3703; C. A. **40**, 524 (1946).

[6] C. Engler u. W. Kiby, B. **22**, 597 (1889).

[7] R. Davis u. H. P. Schultz, J. Org. Chem. **27**, 854 (1962).

[8] US. P. 2686204 (1949), Standard Oil, Erf.: R. W. Watson u. L. W. Mixon; C. A. **48**, 14259 (1954).

das rohe Reaktionsgemisch noch einmal auf 170° erhitzt[1]. Über die ausgezeichnete katalytische Wirkung von Eisen-Pulver s. S. 633.

Neben Erdalkalimetall- und Eisen-Salzen haben auch andere Metallsalze Verwendung gefunden. So wurden aliphatische Polyoxo-dicarbonsäuren aus den Cadmiumsalzen aliphatischer Dicarbonsäuren hergestellt[2]. Die Thermolyse von Zinkacetat[3] oder Thoriumacetat[4] liefert *Aceton* mit mäßigen Ausbeuten. Niedrigere Zersetzungstemperaturen werden bei der Pyrolyse von Blei(II)-salzen erreicht, außerdem werden Enthalogenierungen, wie sie z. B. bei der Ketonisierung von Calciumsalzen der Chlorphenylessigsäure beobachtet wurden, vermieden[5].

Eine interessante Variante stellt die Synthese von ω,ω'-Diamino-ketonen aus Lactamen dar. Erhitzt man Lactame in Gegenwart von Erdalkalimetalloxiden auf über 300°, so erhält man cyclische Schiffsche Basen von sonst nur schwer zugänglichen ω,ω'-Diamino-ketonen, die mit wäßrigen Säuren zu den Diaminoketonen hydrolysieren. Diese Reaktion verläuft besonders glatt beim ε-Caprolactam, das über die Schiffsche Base *1,11-Diamino-6-oxo-undecan* (55% d. Th.) bildet[6]:

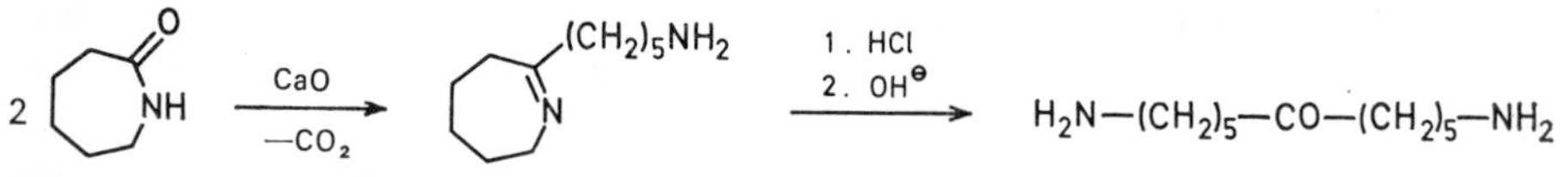

Es sei dahingestellt, ob der Weg über eine Calciumsalz-Destillation von zwei Mol 6-Amino-hexansäure führt oder ob zwei Mol Caprolactam nach Art einer Claisen-Kondensation miteinander reagieren. Da N-Alkyl-lactame[7] sich nicht umsetzen lassen, ist anzunehmen, daß O-Methyl-caprolactim die reaktive Primärstufe ist. Das Verfahren wird ausführlich in ds. Handb., Bd. VII/2b beschrieben. Pyrrolidon-(2) liefert geringere Ausbeuten an *1,7-Diamino-4-oxo-heptan*. Piperidon-(2) ließ sich nicht kondensieren.

Decafluor-benzophenon ist mit 80%iger Ausbeute durch Thermolyse von Siliciumtetrakis-[pentafluorbenzoat] bei 290° hergestellt worden[8].

Die Ausbeuten an Ketonen hängen jedoch nicht nur von der Art des verwendeten Metalles ab, sondern auch von der Reaktionstemperatur. Eine sehr sorgfältige Studie der Pyrolyse von Calciumacetat bei Temperaturen zwischen 180 und 450° zeigt ein Ansteigen der Ausbeute an *Aceton* von 0,39—99%[9]. Bei unverzweigten

[1] US. P. 2813125 (1956), Armour Co., Erf.: C. W. Christensen, E. S. Hammerberg u. R. Chesrown; C. A. **52**, 6394 (1958).

[2] DAS. 1115730 (1958) = Fr. P. 1179283 (1957) = Brit. P. 859740, Centre National de la Recherche Scientifique, Erf.: C. Paquot u. R. Perron; C. A. **55**, 24570 (1961).

[3] G. Djega-Mariadassou, E. Kerboub u. G. Pannetier, Bl. **1970**, 1353.

[4] R. C. Paul, M. S. Saran u. M. S. Bains, Indian J. Chem. **7**, 384 (1969).

[5] J. Kenner u. F. Morton, B. **72**, 452 (1939).

[6] G. Nawrath, Ang. Ch. **72**, 1002 (1960).
 Brit. P. 595627 (1960), Farbf. Bayer, Erf.: G. Nawrath.
 DBP. 1131697 (1960), Phrix-Werke, Erf.: D. Mastaglio; C. A. **57**, 13612 (1962).

[7] G. Nawrath, Dormagen, Privat-Mitteilung.

[8] DAS. 1242208 (1965), Kali-Chemie, Erf.: M. Schmeisser, P. Sartori u. M. Weidenbruch.

[9] E. G. R. Ardah et al., Ind. eng. Chem. **16**, 1133 (1924).

Tab. 94. Ketone durch trockene Destillation carbonsaurer Salze

Carbonsäure	Metall	Keton	Ausbeute [% d.Th.]	F [°C]	Kp [°C]	Kp [Torr]	Literatur
H₃C—COOH	Ca	Aceton	99		56,1		1
H₅C₆—CH₂—COOH	Ca	2-Oxo-1,3-diphenyl-propan	83	35,3	331		2
H₅C₆—CH₂—COOH		2-Oxo-1,3-diphenyl-propan	50	35,3	331		3
4—(CH₃)₂N—C₆H₄—CH₂—COOH	Ca	1,3-Bis-[4-dimethylamino-phenyl]-aceton	54	107			4
2—CH₃—C₆H₄—COOH + CH₃COOH	Ba	2-Methyl-1-acetyl-benzol	25		99	15	5
H₃C—(CH₂)₇—CH=CH—(CH₂)₇—COOH		Pentatriacontadien-(9,26)-on-(18)	2	59,5			6
H₃C—COOH	Pb	Aceton	78,5		56,1		7
H₃C—CH₂—COOH		Pentanon-(3)	73,8		101,7		7
H₃C—(CH₂)₂—COOH		Heptanon-(4)	65,7		144,2		7
H₃C—(CH₂)₄—COOH	Pb	Undecanon-(6)	54,1		228		7
H₅C₆—CH₂—COOH		2-Oxo-1,3-diphenyl-propan	81,7	35,2	331		7
H₅C₆—CH₂—CH₂—COOH		3-Oxo-1,5-diphenyl-pentan	73,1				7
H₅C₆—(CH₂)₃—COOH		4-Oxo-1,7-diphenyl-heptan	43,4		186–187	0,8	7

1 E. G. R. ARDAH et al., Ind. eng. Chem. 16, 1133 (1924).
2 H. APITZSCH, B. 37, 1428 (1904).
3 H. STOBBE, K. RUSSWURM u. J. SCHULZ, A. 308, 175 (1899).
4 W. BROSER, H. KURRECK u. P. SIEGLE, B. 99, 2246 (1966).
5 C. WEYGAND u. F. SCHÄCHER, B. 68, 227 (1935).
6 T. EASTERFIELD u. C. TAYLOR, Soc. 99, 2298 (1911).
7 J. KENNER u. F. MORTON, B. 72, 452 (1939).

Tab. 94. (Fortsetzung)

Carbonsäure	Metall	Keton	Ausbeute [% d.Th.]	F [°C]	Kp [°C]	Kp [Torr]	Literatur
H_5C_6—$(CH_2)_4$—COOH	Pb	5-Oxo-1,9-diphenyl-nonan	70,5		205—207	0,8	1
H_2C=CH—$(CH_2)_{28}$—COOH		Heptapentacontadien-(1,56)-on-(27)	41	52			1
[cyclopentenyl]—$(CH_2)_{12}$—COOH		13-Oxo-1,25-dicyclopentadienyl-(1)-pentacosan	15	59,5			1
H_3C—COOH	Fe	Aceton	25		56,1		2
H_5C_6—CH_2—COOH		2-Oxo-1,3-diphenyl-propan	71	35,3	331		2
H_3C—CH_2—COOH		Pentanon-(3)	48		101,7		2
H_3C—$(CH_2)_2$—COOH		Heptanon-(4)	70		144,2		2
H_3C—CH(CH_3)—CH_2—COOH		4-Oxo-2,6-dimethyl-heptan	35		166		2
H_3C—$(CH_2)_6$—COOH		Pentadecanon-(8)	80	40	178		2
H_3C—$(CH_2)_8$—COOH		Nonadecanon-(10)	96	50,5			2
H_3C—$(CH_2)_{16}$—COOH		Pentatriacontanon-(18)	80	88	345	12	3
H_3C—$(CH_2)_{24}$—COOH		Hepentacontanon-(26)	70	93			3
H_3C—$(CH_2)_{26}$—COOH		Pentapentacontanon-(28)	50	97			3
H_3C—$(CH_2)_7$—CH=CH—$(CH_2)_{11}$—COOH		Tritetracontadien-(9,34)-on-(22)	50	80			3
$H_{11}C_6$—COOH		Dicyclohexyl-keton	50	40	140—141	12	4

1 J. Kenner u. F. Morton, B. 72, 452 (1939).
2 R. Davis u. H. P. Schultz, J. Org. Chem. 27, 854 (1962).
3 T. Easterfield u. C. Taylor, Soc. 99, 2298 (1911).
4 Jap. Pat. 6338/65 (1962), Teijin Co.

Fettsäuren von C_5 bis C_8 werden bei mit der Kettenlänge steigenden Zersetzungs-temperaturen von 300–600° Ketongemische in einer Gesamtausbeute über 90% der Theorie erhalten[1].

Die Metallsalz-Destillation von Carbonsäuren dürfte durch die katalytischen Verfahren vor allem in der Gasphase überholt sein.

2. Katalytische Ketonisierung in der Gasphase

Die Methode der trockenen Destillation von Salzen organischer Säuren ist von Squibb[2] in ein katalytisches Verfahren mit den Vorteilen einer kontinuierlichen Arbeitsweise mit großen Durchsätzen und höheren Ausbeuten umgewandelt worden. Die durch die einfache Bruttogleichung

$$2\,R{-}COOH \;\rightarrow\; R{-}CO{-}R + CO_2 + H_2O$$

wiedergegebene Keton-Bildung aus Monocarbonsäuren erfolgt in der Gasphase bei Temperaturen über 350° an einer großen Anzahl von metallischen und oxidischen Katalysatoren[3]. In einfachen Fällen, wie bei der Essigsäure, sind Oxide bzw. Carbonate der Erdalkalimetalle gut geeignet[2]. Für präparative Zwecke häufig ausreichende Wirkung besitzen auch Eisen(III)- und Mangan(IV)-oxid[4]. Die beste Wirkung zeigen aber die schwer reduzierbaren Oxide der vierten Nebengruppe des periodischen Systems: Titan(IV)-, Zirkon(IV)-, Cer(IV)- und Thorium(IV)-oxid, von denen besonders das letztgenannte hervorragende katalytische Eigenschaften für die Ketonisierung besitzt[5]. Aus Essigsäure und C_8- bis C_{22}-Fettsäuren erhält man gemischte Ketone[6].

Thorium(IV)-oxid ist in seiner Aktivität ziemlich unabhängig von der Herstellung, es ist unempfindlich gegen Übertemperatur und damit gut regenerierbar. Zweckmäßig wird es als einfach herzustellender Trägerkontakt auf Bimsstein verwendet[7] (s. S. 629).

Für die Herstellung spezieller Ketone haben sich spezifische Katalysator-Systeme als besonders geeignet erwiesen. So läßt sich *Pentanon-(3)* praktisch quantitativ aus Propionsäure in Gegenwart eines Katalysators herstellen, der aus Vanadium(V)-oxid und Eisen(III)-oxid im Verhältnis 1:2,3 besteht[8]. Andere symmetrische aliphatische Ketone sind mit Mangan(IV)-oxid/Titan(IV)-oxid-Mischkatalysatoren

[1] W. Ohme, Oel Kohle **40**, 87 (1944).

[2] E. R. Squibb, Am. Soc. **17**, 187 (1895).

[3] P. Sabatier, *Die Katalyse in der organischen Chemie*, Seite 214, Akad. Verlagsges. Leipzig 1914.
   P. Sabatier u. A. Mailhe, C. r. **154**, 561 (1912).

[4] G. Chavanne u. L. J. Simon, C. r. **168**, 1326 (1929).
   I. G. Lalomkin, Ž. prikl. Chim. **3**, 555 (1930); C. **1930** II, 3398.
   Fr. P. 698230 (1930), Schering-Kahlbaum AG; C. **1931** I, 3060.

[5] J. B. Senderens, C. r. **148**, 929 (1909).
   R. H. Pickard u. J. Kenyon, Soc. **99**, 57 (1911).

[6] Brit. P. 836205 (1956), Armour and Co., Erf.: C. W. Christensen et al.; C. A. **54**, 24402 (1960).

[7] S. Swann, E. G. Appel u. S. E. Kistler, Ind. eng. Chem. **26**, 388 (1934).

[8] DAS. 1154451 (1963), BASF, Erf.: F. Reicheneder, H. Grassner u. F. Stolp; C. A. **60**, 1598 (1964).

erhalten worden[1]. Wird die Ketonisierung in Gegenwart von Borsäure vorgenommen, so ist eine Kondensation der entstehenden Ketone mit noch vorhandener Carbonsäure unter Bildung von Oxo-carbonsäuren[2] zu beobachten.

Pentadecanon-(8)[3]: Ein sehr wirkungsvoller Ketonisierungskatalysator dürfte Mangan-chromit sein, den man durch Fällen von Ammoniumchromat mit Mangan(II)-nitrat in Gegenwart von Ammoniak, Trocknen bei 110° und Zersetzen durch Erhitzen auf 400° erhält. Das pulvrige Material wird zweckmäßig mit 2% Graphit vermischt und feucht zu einem körnigen Katalysator verpreßt. Davon werden 145 *ml*, gemischt mit 250 *ml* Quarzteilchen, in ein Glasrohr von ~ 3,7 cm Dmr. eingefüllt, das elektrisch auf eine Innentemp. von 400–415° aufgeheizt wird. Durchgesetzt werden pro Stde. 60 g vorerhitzte Octansäure. Das feste Reaktionsprodukt wird mit wäßriger Natriumcarbonat-Lösung behandelt und aus 80%igem Äthanol umkristallisiert, F: 41°. Die Ausbeute ist praktisch quantitativ.

In gleicher Weise wurde aus 1 Mol Dodecansäure und 2 Mol Butansäure ein Gemisch, bestehend aus 53,7% *Pentadecanon-(4)* und 40,5% *Tricosanon-(12)* neben *Heptanon-(4)* erhalten.

Es soll sich bei der Gasphasen-Ketonisierung nicht um eine Oberflächenkatalyse, sondern um eine in der Tiefe des Katalysators unter intermediärer Salzbildung ablaufende Reaktion handeln[4].

Eine kinetische Studie der katalytischen Ketonisierung von Essigsäure über Zirkon(IV)-oxid/Aluminiumoxid zeigte, daß das Aluminiumoxid lediglich als Träger fungiert und die Reaktion nicht über Acetanhydrid verlaufen soll[5].

Die Ausbeuten an Ketonen sind nach diesem Verfahren bei einfachen α-unverzweigten aliphatischen Carbonsäuren nahezu quantitativ; thermisch weniger stabile, zur Decarboxylierung neigende Carbonsäuren geben schlechtere Ausbeuten. Carbonsäuren ohne α-Wasserstoff-Atom können nicht ketonisiert werden (*Benzophenon* läßt sich allerdings aus dem Calciumsalz der Benzoesäure herstellen). Im Falle der 2,2-Dimethyl-propansäure erhält man neben anderen Umlagerungsprodukten *3-Oxo-2,2,5-trimethyl-hexan* in geringer Ausbeute[6]:

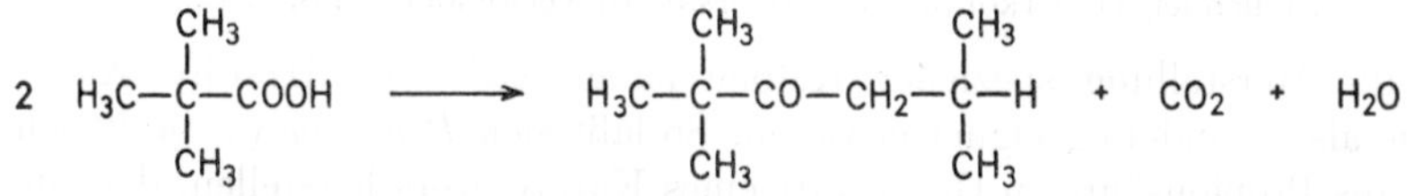

$$2 \; H_3C-\overset{\overset{\displaystyle CH_3}{|}}{\underset{\underset{\displaystyle CH_3}{|}}{C}}-COOH \longrightarrow H_3C-\overset{\overset{\displaystyle CH_3}{|}}{\underset{\underset{\displaystyle CH_3}{|}}{C}}-CO-CH_2-\overset{\overset{\displaystyle CH_3}{|}}{\underset{\underset{\displaystyle CH_3}{|}}{C}}-H \; + \; CO_2 \; + \; H_2O$$

Gemischte Ketone lassen sich nach diesem Verfahren auch aus Carbonsäuren ohne α-Wasserstoff-Atom herstellen, wenn die zweite Säure-Komponente in α-Stellung mindestens ein Wasserstoff-Atom besitzt. Je verschiedener die Molekulargewichte der beiden Ausgangssäuren sind, desto leichter gelingt die Isolierung des gewünschten gemischten Ketons. Das Mengenverhältnis, in dem die drei Ketone – bei etwa gleicher Bildungsgeschwindigkeit – anfallen, wird durch eine einfache Verteilungsregel wiedergegeben:

[1] DAS. 1201323 (1965), BASF, Erf.: E. HAHL; C. A. **63**, 17905 (1965).
[2] DAS. 1110642 (1959) ≡ Brit. P. 593124 (1958) ≡ Fr. P. 1235598 (1959), Unilever N. V., Erf.: M. R. MILLS; C. A. **56**, 3581 (1962).
[3] US. P. 2108156 (1937), DuPONT, Erf.: C. G. WORTZ.
[4] A. M. RUBINSTEIN u. N. A. PRIBYTOWA, Doklady Akad. SSSR **78**, 917 (1951); C. A. **46**, 33 (1952).
[5] V. I. YAKERSON et al., Izv. Akad. SSSR **1966**, 83; C. A. **64**, 17382 (1966).
[6] A. L. MILLER, N. C. COOK u. C. WHITMORE, Am. Soc. **72**, 2732 (1950).

Es bilden sich aus

$$a \text{ Mol } R{-}COOH \quad \text{und} \quad b \text{ Mol } R'{-}COOH$$

$$\frac{a^2}{2(a+b)} \text{ Mol } R{-}CO{-}R$$

$$\frac{ab}{a+b} \text{ Mol } R{-}CO{-}R'$$

$$\frac{b^2}{2(a+b)} \text{ Mol } R'{-}CO{-}R'$$

d.h. bei einem molaren Umsatz 1:1 ist die Verteilung der Ketone

$^1/_4$ Mol, $^1/_2$ Mol, $^1/_4$ Mol
bei 3:1 ist sie $^9/_8$ Mol, $^6/_8$ Mol und $^1/_8$ Mol.

Man kann also auch bei Anwendung eines großen Überschusses der billigeren Carbonsäure – etwa der Essigsäure bei Methyl-ketonen – die Bildung des unerwünschten Ketons nicht völlig unterdrücken.

Eine für diese Arbeitsweise geeignete Versuchsanordnung findet sich in Org. Synth. II, S. 389.

Die Mischketonisierung mit Ameisensäure liefert wie die Trockendestillation von Calciumsalzen im Gemisch mit Calciumformiat aus Carbonsäure Aldehyde gleicher C-Zahl und ist im Kapitel Aldehyde, ds. Handb., Bd. VIII, S. 277 beschrieben.

Bei allen Katalysatoren läßt die Aktivität nach längerer Versuchsdauer stark nach, was auf Kohle-Abscheidung zurückzuführen ist. Durch Ausbrennen mit Luft bei 550–600° wird der Kontakt regeneriert. Eine lange Lebensdauer besitzt ein Aluminiumoxid-Thorium(IV)-oxid-Gemisch im Wirbelbett[1].

Die Herstellung unsymmetrischer Ketone aus gemischten Salzen ist häufig beschrieben, z.B. wird aus Phenylessigsäure und Palmitinsäure über Thorium(IV)-oxid *2-Oxo-1-phenyl-heptadecan* erhalten[2]. Araliphatische Ketone wurden in Ausbeuten zwischen 29 und 82% d,Th. über Neodym(III)-oxid auf Asbest bei 450° hergestellt[3].

Octanon-(3)[4] wird aus einem Gemisch von Propionsäure (2 Mol) und Hexansäure (1 Mol) hergestellt.

Als Kontakt[5] dient Thorium(IV)-oxid, das aus 100 g Thorium(IV)-nitrat hergestellt und auf 500 *ml* Bimsstein von Erbsengröße verteilt wird. Der Träger wird im feuchten Brei des Thorium(IV)-oxalates gewälzt, auf dem Wasserbad getrocknet und schließlich im Kontaktrohr bis auf 400° erhitzt. Bei einer Durchsatzgeschwindigkeit von 1,6 Mol Carbonsäure pro Stde. bei 400° verläuft die Ketonisierung nahezu quantitativ. Es werden 1017 g Keton-Gemisch erhalten, das mit Natronlauge entsäuert, getrocknet und fraktioniert wird; Ausbeute: 282 g *Pentanon-(3)* (Kp: 102°), 547 g *Octanon-(3)* (Kp: 166–167°) und 188 g *Undecanon-(6)* (Kp$_{10}$: 104°). Berücksichtigt man noch die Verluste durch die Flüchtigkeit des *Pentanon-(3)* im abziehenden Kohlendioxid, so ist die Übereinstimmung mit den nach obiger Verteilungsregel ber. Werten – 334 g *Pentanon-(3)*, 512 g *Octanon-(3)* und 170 g *Undecanon-(6)* – recht gut.

In gleicher Weise erhält man mittels Thorium(IV)-oxid aus einem Gemisch von 1 Mol (131 g) Phenylessigsäure und 2 Mol Essigsäure unter Durchleiten von Kohlendioxid 80 g *1-Phenyl-aceton* (~ 60% d.Th.; Kp$_{21}$: 110–115°) neben 19 g unreinem *1,3-Diphenyl-aceton* (Kp$_{20}$: 190–210°)[6].

[1] V. Martetto u. S. Ceccotti, Chimica e Ind. **38**, 289 (1956).
[2] US. P. 1 989 325 (1935), I. G. Farb., Erf.: W. Lommel u. R. Schröter; C. A. **29**, 1832 (1935).
[3] M. B. Turova-Poljak, Choant Cong Lém u. I. E. Sosnina, Neftechimiya **4**, 603 (1964).
[4] K. Ziegler, H. Grimm u. R. Willer, A. **542**, 113 (1939).
[5] W. Winkler, B. **81**, 258 (1948).
[6] R. M. Herbst u. R. H. Manske, Org. Synth., Coll. Vol. **II**, 389 (1955).

Tab. 95. Symmetrische Ketone durch katalytische Ketonisierung in der Gasphase

Carbonsäure	Katalysator	Keton	Ausbeute [%d.Th.]	Kp [°C]	Literatur
H₃C—COOH	MnO_2/TiO_2	*Aceton*	93,5	56,1	1
H₃C—CH₂—COOH	MnO_2/TiO_2	*Pentanon-(3)*	95,5	101,7	1
	V_2O_5/Fe_2O_3		98,7	101,7	2
H₃C—(CH₂)₂—COOH	AlO(OH)MnO	*Heptanon-(4)*	98	144,2	3
	Er_2O_3/Quarz		90	144,2	4
	Nd_2O_3/Quarz		86	144,2	4
	MnO		80	144,2	5
H₃C—(CH₂)₃—COOH	Nd_2O_3/Quarz	*Nonanon-(5)*	80	187,6	4
(CH₃)₂CH—CH₂—COOH	MnO_2/TiO_2	*4-Oxo-2,6-dimethyl-heptan*	97	165–166	1
	Er_2O_3/Quarz		46	165–166	4
H₃C—(CH₂)₄—COOH	MnO	*Undecanon-(6)*	75	228	5
	MnO_2/TiO_2		95,5	228	1
H₃C—(CH₂)₇—COOH	MnO	*Heptadecanon-(9)*	65	—	5

Über Thorium(IV)-oxid wurden bei 400° aus 1 Gew.-Tl. höherer Carbonsäure, gelöst in 4 Gew.-Tl. Essigsäure, in 70–90%iger Ausbeute an höheren symmetrischen Ketonen[6] und 10–30% d. Th. an gemischten Ketonen (bezogen auf die höheren Fettsäuren) erhalten:

Heptanon-(2)[7]	Kp : 150°
Decanon-(2)[7]	Kp : 210°
Tridecanon-(2)[7]	Kp₁₆ : 160°
	F: 29°
Heptadecanon-(2)[8]	Kp₁₁₀: 266°
	F: 55°
Undecanon-(6)[7]	Kp : 223°
Heptadecanon-(9)[7]	F: 53°
Triacontanon-(12)[7]	F: 71°
Acetyl-naphthaline[8]	Kp₁₂ : 75–103°
Phenyl-aceton[8]	
2-Oxo-1-phenyl-heptadecan[8]	

[1] DAS. 1201323 (1965), BASF, Erf.: E. HAHL; C. A. **63**, 17905 (1965).
[2] DAS. 1154451 (1963), BASF, Erf.: F. REICHENEDER, H. GRASSNER u. F. STOLP; C. A. **60**, 1598 (1964).
[3] Fr. P. 1270909 (1960), Bergwerksverband GmbH.
[4] M. B. TUROVA-POLYAK, CHOANT CONG LÉM u. I. E. SOSNINA, Neftechimiya **4**, 603 (1964).
[5] P. SABATIER u. A. MAILHE, C. r. **158**, 830 (1914).
[6] Eine tabellarische Zusammenstellung sym. Ketone findet sich in Rodd's *Chemistry of Carbon Compounds* I/C, S. 67 und unsym. Ketone auf S. 69, 2. Aufl., Elsevier Publishing Co., Amsterdam 1965.
[7] R. H. PICKARD u. J. KENYON, Soc. **1911**, 57.
[8] US. P. 1989325 (1931/32) ≡ Brit. P. 384314 (1931), I. G. Farb., Erf.: W. LOMMEL u. R. SCHRÖTER; C. **1933** I, 1539.

Ähnliche Ausbeuten werden auch bei der Umsetzung von 3-Phenyl-propansäure zum entsprechenden *3-Oxo-1-phenyl-butan* bzw. *-pentan* erzielt. Das auf anderem Wege nur schwer zugängliche *2-Äthyl-1-acetyl-benzol* gewinnt man aus 2-Äthyl-benzoesäure und Eisessig[1]:

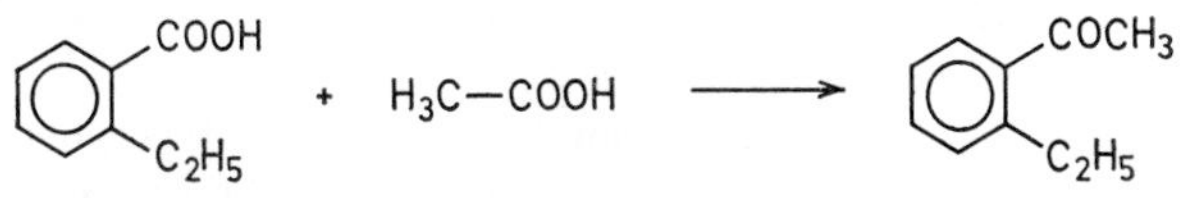

Ebenso glatt entsteht *2-Acetyl-thiophen* aus Thiophen-2-carbonsäure und Eisessig am Thorium(IV)-oxid-Bimsstein-Kontakt[2]:

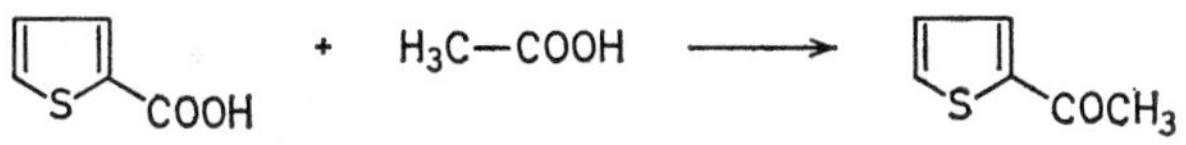

α-Diarylierte Fettsäuren, wie beispielsweise Diphenyl-essigsäure, 2,2-Di-phenyl-propansäure usw., decarboxylieren leicht und geben daher schlechte Ausbeuten an Ketonen. Katalytisch lassen sie sich jedoch sehr gut mit niederen aliphatischen Carbonsäuren zu entsprechenden Ketonen kondensieren. Dabei wird zur Verhinderung des Auskristallisierens dem Säuregemisch Aceton zugesetzt, worauf es sich ohne Schwierigkeiten in den Kontaktofen eintropfen läßt. Als Beispiel sei die Herstellung des *2-Oxo-1,1-diphenyl-propans* angeführt:

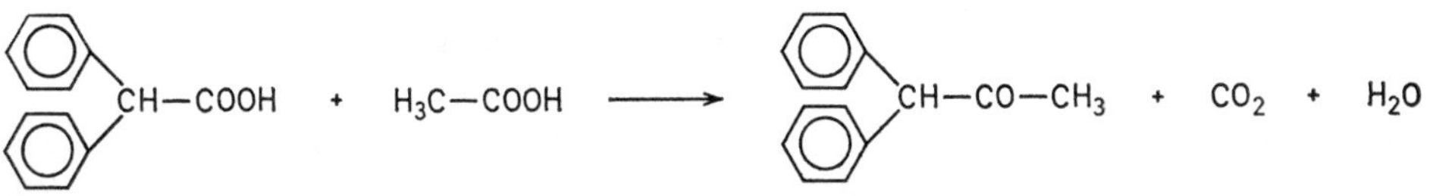

2-Oxo-1,1-diphenyl-propan(VI)[3]: 1 Mol Diphenylessigsäure wird in 2 Mol heißer Essigsäure gelöst und mit 150 *ml* Aceton versetzt. Die Lösung wird im Verlauf mehrerer Stdn. bei 450° über einen Thorium(IV)-oxid-Bimsstein-Kontakt geleitet und mit 20 *ml* Eisessig nachgespült. Das Kondensat wird mit festem Natriumhydrogencarbonat entsäuert und ausgeäthert, die ätherische Lösung nach dem Trocknen destilliert; Ausbeute: 140 g (67% d. Th.); Kp_2: 101–104°; F: 61°.

2-Oxo-1,1-diphenyl-butan	Kp_6: 118–119°
2-Oxo-1,1-diphenyl-pentan	Kp_5: 121–123°

Höhermolekulare Carbonsäuren sind wegen ihrer geringen Flüchtigkeit und zu hohen Schmelzpunkte zur katalytischen Ketonisierung in der Gasphase weniger geeignet. Hier empfiehlt sich die Verwendung der Ester, die in vielen Fällen ebenfalls in guten Ausbeuten in die entsprechenden Ketone übergeführt werden können.

---

[1] W. WINKLER, B. **81**, 258 (1948).
[2] P. CAGNIANT, Bl. [5] **16**, 849 (1949).
[3] DBP. 825085 (1949), Haarmann u. Reimer GmbH, Erf.: W. SCHULER u. S. LANGE; C. A. **49**, 11713 (1955).

Tricosanon-(12)[1] wird aus Dodecansäure-äthylester an einem Thorium-Aerogel-Kontakt bei 360° in 92,5%iger Ausbeute, *Heneicosadienon-(12)* aus Undecensäure-äthylester in 86%iger Ausbeute erhalten. Die Ester aromatischer und hetero-cyclischer Carbonsäuren lassen sich mit einfachen Fettsäuren in die gemischten Ketone umwandeln[2]. Die Ketonisierung von Nicotinsäure-äthylester und Essigsäure bzw. Buttersäure führt z.B. bei Temperaturen oberhalb 520° in einer Ausbeute von 37% d.Th. zum *3-Acetyl-* bzw. *3-Butanoyl-pyridin*, die sich durch Friedel-Crafts-Acylierung nicht herstellen lassen. Dagegen konnten die entsprechenden α- und γ-Acyl-pyridine aus den Estern nicht erhalten werden, da Pyridin-2- und 4-carbonsäure (nach vorhergegangener Umesterung mit dem Eisessig) am Kontakt zu leicht de-carboxylieren. Furan-2-carbonsäure-äthylester ergibt bei Kontakttemperaturen zwischen 460 und 473° 2-Acyl-furane (12–37% d.Th.):

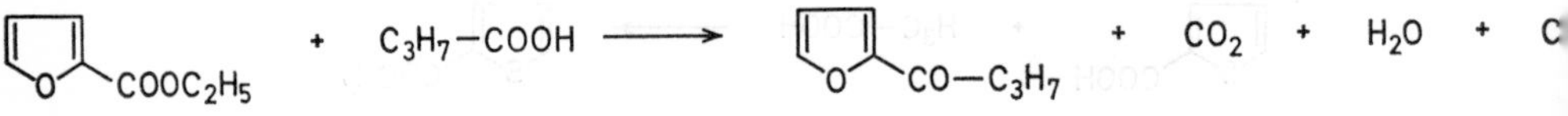

Ebenso erhält man aus Cyclobutan-carbonsäureester und Essigsäure-äthylester am Mangan-Chrom-Kontakt bei 440° *Acetyl-cyclobutan* (63% d.Th.)[2]. Das Verhalten von Estern der Benzoesäure an Chrom-Katalysatoren haben russische Autoren untersucht[3]. Die optimale Temperatur für die Keton-Bildung liegt bei 400–420°, jedoch sind die Ausbeuten, besonders bei aromatischen Estern, sehr mäßig.

Bemerkenswert ist die Herstellung von *Aceton* aus Essigsäure-vinylester bei 650° unter vermindertem Druck[4]:

$$H_3C\!-\!COOCH\!=\!CH_2 \rightarrow H_3C\!-\!CO\!-\!CH_3 + CO$$

Dagegen liefert die katalytische Umwandlung von Essigsäure-äthylester unter Druck am Kupfer-Katalysator ein Gemisch aus verschiedenen Kohlenwasserstoffen, *Aceton*, Kohlendioxid und Wasser, dabei verringert sich die Ausbeute an Keton bei stei-gendem Druck[5].

Als Carbonsäure-Komponenten können bei der katalytischen Ketonisierung auch Carbonsäureanhydride verwendet werden[6]:

$$R\!-\!CO\!-\!O\!-\!CO\!-\!R' \rightarrow R\!-\!CO\!-\!R' + CO_2$$

Fettsäureanhydride unverzweigter Carbonsäuren liefern Ketone in hohen Ausbeuten, dagegen gelingt es nicht, α-verzweigte Carbonsäureanhydride in Ketone zu über-

[1] S. Swann, E. G. Appel u. S. S. Kistler, Ind. eng. Chem. **26**, 1014 (1934).
[2] A. N. Nesmejanoff, *Synthesen der organischen Chemie* II, Seite 112, VEB Verlag Technik, Berlin 1956.
[3] B. N. Dolgov, G. V. Golodnikov u. L. U. Cheparukhina, Ž. obšč. Chim. **25**, 1555 (1955); C. A. **50**, 4832 (1956).
[4] Schweiz P. 220747 (1941), Lonza Elektrizitätswerke u. Chem. Fabriken AG; C. A. **1943** I, 1326; C. A. **42**, 6842 (1948).
[5] B. A. Bolotov u. S. N. Norisov, Ž. obšč. Chim. **27**, 1237 (1957); C. A. **52**, 3676 (1958).
[6] P. Sabatier u. A. Mailhe, C. r. **156**, 1733 (1913).

führen. Die Reaktionstemperaturen liegen bei der Ketonisierung der Carbonsäure-anhydride oberhalb 210°. Häufig beobachtet man jedoch bei der Herstellung von Ketonen aus den Carbonsäureanhydriden die Bildung von Nebenprodukten. Diese Erscheinung überwiegt bei gemischten Carbonsäure-Essigsäure-Anhydriden, da die entstehenden Ketone wegen ihrer aktiven Methyl-Gruppe sehr leicht Kondensationsreaktionen eingehen.

Schließlich ist in diesem Zusammenhang auch die Synthese von 2-, 3- und 4-Acetyl-pyridinen, sowie 3-Butanoyl- und 3-Octadecanoyl-pyridinen aus entsprechenden Cyan-pyridinen und Carbonsäuren in der Dampfphase über Katalysatoren wie Thorium(IV)-, Mangan(IV)-oxid oder Blei(II)-salzen auf Tonerde zu erwähnen[1].

3. Katalytische Ketonisierung in flüssiger Phase

Während sich bei der katalytischen Ketonisierung von Carbonsäuren in der Gasphase Oxide des Thoriums und Titans als besonders wirksam erwiesen haben, sind diese für die Ketonisierung schwerflüchtiger, höherer Carbonsäuren in der Schmelze – also in flüssiger Phase – wenig geeignet. Hier liefert die Methode des Erhitzens mit feinverteiltem Eisen auf etwa 300° zufriedenstellende Ergebnisse[1]. Verzweigte Säuren ergeben auch in diesem Falle geringe Keton-Ausbeuten[2] (s. S. 622).

Es wird berichtet[3], daß man auch ohne Katalysator allein schon beim Arbeiten in eisernen Gefäßen (Rührkesseln) in 3–4 Stdn. quantitative Ketonausbeuten erhält. Die Reaktionstemperaturen steigen mit wachsender Kettenlänge: Dodecansäure 270° [zu *Tricosanon-(12)*], Tetradecansäure (285°) [zu *Heptacosanon-(14)*], Palmitinsäure 295° [zu *Hentriacontanon-(16)*] und Stearinsäure 300° [zu *Pentatriacontanon-(18)*]. Als Nebenprodukte treten in geringer Menge Kohlenwasserstoff-Gemische auf. Als besonders wirksam hat sich aus Eisencarbonyl hergestelltes Eisenpulver (sog. Carbonyleisen) erwiesen. Wegen des starken Schäumens der Carbonsäure-Schmelze während der Kohlendioxid- und Wasser-Abspaltung wird in der Technik oft in geschlossenen Apparaturen unter Druck gearbeitet.

Tricosanon-(12)[4]: 1 kg Laurinsäure und 100 g Eisenpulver werden 5 Stdn. in einem 2-*l*-Autoklaven auf 320–325° erhitzt, wobei von Zeit zu Zeit der Druck durch Entspannen des entstandenen Kohlendioxids und Wassers von 15 atü auf 10 atü herabgesetzt wird. Das Reaktionsprodukt wird heiß filtriert und der eisenhaltige Rückstand mit heißem Toluol extrahiert. Die Toluol-Lösung wird mit methanolischer Natronlauge gewaschen, mit Aktivkohle entfärbt, getrocknet und verdampft; Ausbeute: 618 g (77% d.Th.); F: 66°.

Analog erhält man

Pentatriacontadien-(9,25)-on-(18)	(6 Stdn. 310–320°)	83% d.Th. F: 58–60°
Pentatriacontanon-(18)	(3 Stdn. 320°)	90% d.Th. F: 88–89°

Über die katalytische Wirkung von Bariumcarbonat, Magnesiumoxid und Mangan(II)-oxid s. S. 623.

---

[1] DAS. 1225182 (1966) ≡ Brit. P. 920303 (1963), Reilly Tar Chem. Co., Erf.: R. H. FELDHAKE; C. A. **59**, 11447 (1965).

[2] H. EASTERFIELD u. C. M. TAYLOR, Soc. **99**, 2298 (1911).
R. DAVIS u. H. P. SCHULTZ, J. Org. Chem. **72**, 854 (1962).

[3] A. GRÜN, E. ULBRICH u. F. KRCZIL, Ang. Ch. **39**, 422 (1926).
DRP. 295657 (1914) u. DRP. 296677 (1915), G. Schicht AG, Erf.: A. GRÜN, Frdl. **13**, 116 u. Frdl. **13**, 117; C. **1917** I, 293, 611.

[4] R. SCHRÖTER, Leverkusen, unveröffentlicht.

Niedere Fettsäuren und deren Methyl- und Äthylester werden bei 330–360° und einem Druck, bei dem die Carbonsäuren flüssig bleiben, über aktivem Aluminiumoxid ketonisiert[1].

Für das Laboratorium empfiehlt sich wegen des starken Schäumens der Carbonsäureschmelze während der Kohlendioxid- und Wasser-Abspaltung die portionsweise Zugabe der Carbonsäure, außerdem wird Magnesiumoxid als Katalysator verwendet.

Pentatriacontanon-(18)[2]:

$$2\ C_{17}H_{35}COOH \xrightarrow[340°]{MgO} H_{35}C_{17}-CO-C_{17}H_{35} + CO_2 + H_2O$$

44 g Stearinsäure werden in einem 1-l-Rundkolben mit 10 g Magnesiumoxid unter Rühren auf 340° erhitzt. In Abständen von 15 Min. werden je 10 g geschmolzene Stearinsäure (F: 69–70°) zugefügt bis insgesamt 240 g der Fettsäure verbraucht sind. Dann wird weitere 4 Stdn. erhitzt, und die Magnesiumsalze werden in 4 n Schwefelsäure gelöst und abfiltriert. Das Filtergut wird zur Beseitigung nichtumgesetzter Fettsäure mit 200 ml 5%iger Natronlauge ausgekocht, filtriert und mit Wasser gewaschen; Ausbeute: 230–240 g (91–95% d.Th.); F: 87–89°. Nach 2maligem Umkristallisieren aus Benzol: Äthanol (2 : 1) erhält man 210–220 g farblose Blättchen; F: 88–89,5°.

Mit gutem Erfolg kann auch Cadmiumoxid eingesetzt werden[3]. Neben freien Carbonsäuren lassen sich auch Fettsäureester wie Glyceride beim Erhitzen mit Eisenpulver auf 300–340° in Ketone umwandeln[4].

Aus Dicarbonsäure-halbestern bzw. -diestern lassen sich beim Erhitzen Oxo-dicarbonsäure-diester herstellen. *9-Oxo-heptadecandisäure-diäthylester* erhält man z.B. in 52%iger Ausbeute aus Nonandisäure-diäthylester bei 300° in Gegenwart des Aluminiumsalzes des Halbesters als Katalysator, wobei der Umsatz jedoch 30% nicht überschreitet[5].

Die modifizierte Blanc-Methode (s. S. 640), durch Erhitzen von Dicarbonsäuren mit Essigsäure-anhydrid cyclische Ketone herzustellen, kann zur Synthese offenkettiger Ketone auf einige Monocarbonsäuren bestimmter Konstitution übertragen werden.

Nur Phenylessigsäuren[6] oder ähnliche durch heterocyclische Ringe aromatischen Charakters monosubstituierte Essigsäuren liefern beim Erhitzen mit Essigsäure-anhydrid (bzw. Propionsäure-anhydrid) unter Zusatz von Pyridin oder Alkalimetall-acetat Methyl-ketone (bzw. Äthyl-ketone)[7] und symmetrische Ketone. Dieser Umsetzung sind auch kernsubstituierte Phenylessigsäuren zugänglich[8]. Als Zwischenprodukte der Reaktion sind Carbonsäure-anhydride anzunehmen, deren

[1] US. P. 2697729 (1952), Swift u. Co., Erf.: J. L. OHLSON u. C. W. HOERR; C. A. **50**, 1893 (1956).

[2] R. G. CURTIS, A. G. DOBSON u. H. H. HATT, J. Soc. chem. Ind. **66**, 402 (1947).

[3] Fr. P. 1212932 (1958), Centre National de la Recherche Sci., Erf.: C. PAQUOT u. R. PERRON; C. A. **55**, 16425 (1961).

[4] L. W. J. HOLLEMANN u. D. R. KOHLHAAS, R. **58**, 666 (1939).

[5] M. STOLL, Helv. **31**, 143 (1948).
   M. STOLL, J. HULSTKAMP u. A. ROUVÉ, Helv. **31**, 543 (1948).

[6] H. D. DAKIN u. R. WEST, J. Biol. Chem. **78**, 91 (1928).
   R. STOERMER u. H. STROH, B. **68**, 2112 (1935).

[7] J. A. KING u. F. H. McMILLAN, Am. Soc. **73**, 4911 (1951).

[8] G. G. SMITH, Am. Soc. **75**, 1134 (1953).
   O. Y. MAGIDSON u. G. A. GARKUSHA, Ž. obšč. Chim. **11**, 339 (1941); C. A. **35**, 5868 (1941)

Zerfall in Ketone und Kohlendioxid durch die zugesetzten Basen katalysiert wird. Unter gleichen Bedingungen erhält man aus 2- oder 3-Phenyl-propansäure oder Diphenylessigsäure nur die stabilen Carbonsäure-anhydride[1]:

2-Oxo-1-phenyl-propan

2-Oxo-1,3-diphenyl-propan

Als Nebenprodukte entstehen bei dieser Reaktion durch weitere Umsetzung der gebildeten Ketone in wechselndem Ausmaß deren Enolester, die unter alkalischen Bedingungen leicht hydrolysieren. Daher kann man durch entsprechende Behandlung des Rohproduktes die Ausbeute an reinem Keton erhöhen[2].

2-Oxo-1-phenyl-butan[3]: Ein Gemisch aus 40,9 g (0,3 Mol) Phenylessigsäure, 120 g (1,5 Mol) Pyridin und 371 g (2,85 Mol) Propionsäure-anhydrid werden unter Feuchtigkeitsausschluß 42 Stdn. bei 120° gerührt.

Es entweichen dabei ~ 75% d. theor. Menge an Kohlendioxid. Anschließend wird durch Vakuumdestillation aufgearbeitet. Nach einem beträchtlichen Vorlauf, bestehend aus den Ausgangsmaterialien, gehen bei Kp_1: 66–69° 50% d. Th. *2-Oxo-1-phenyl-butan* und bei Kp_1: 82–84° 16% d. Th. *2-Propanoyloxy-1-phenyl-buten-(2)* über.

In gleicher Weise entsteht aus 4-Nitro-phenylessigsäure und Essigsäureanhydrid ausschließlich *2-Acetoxy-1-(4-nitro-phenyl)-propen* (48% d.Th.; Kp_1: 145–150°).

2-Oxo-1-pyridyl-(3)-[4] und *-pyridyl-(4)-propan*[5] konnten auf diese Weise aus den entsprechenden Pyridylessigsäuren in 40 bzw. 50% Ausbeute hergestellt werden.

2-Oxo-1-pyridyl-(4)-propan[5]: Eine Mischung aus 40 g (0,23 Mol) Pyridyl-(4)-essigsäure-hydrochlorid, 31,4 g (0,38 Mol) wasserfreiem Natriumacetat und 56,4 g (0,52 Mol) Essigsäure-anhydrid wird 18 Stdn. unter Rückfluß gekocht. Das dunkle Reaktionsprodukt wird mit 100 *ml* Wasser zersetzt, mit Tierkohle aufgehellt und i.Vak. konzentriert. Nachdem der Rückstand mit Natriumcarbonat alkalisch gemacht worden ist, extrahiert man mit Äther und arbeitet wie üblich weiter; Ausbeute: 15,6 g (60% d.Th.); $Kp_{0,5}$: 76,5–78° (schwach gelbes Öl).

[1] J. A. KING u. F. H. McMILLAN, Am. Soc. **73**, 4911 (1951).
[2] G. G. SMITH, Am. Soc. **75**, 1134 (1953).
   O. Y. MAGIDSON u. G. A. GARKUSHA, Ž. obšč. Chim. **11**, 339 (1941); C. A. **35**, 5868 (1941).
[3] G. G. SMITH, Am. Soc. **75**, 1136 (1953).
[4] A. BURGER u. C. R. WALTER, Am Soc. **72**, 1988 (1950).
[5] A. BURGER, I. R. RECTOR u. A. C. SCHMALZ, Am. Soc. **74**, 3175 (1952).

Verwendet man einen geringeren Überschuß an Essigsäure-anhydrid, so läßt sich z.B. aus Phenylessigsäure auch 2-Oxo-1,3-diphenyl-propan (50% d.Th.) neben 20% *2-Oxo-1-phenyl-propan* gewinnen[1].

Fettsäure-anhydride lassen sich ebenfalls in Ketone überführen, wenn man sie bei 0° mit Bortrifluorid sättigt, dabei bilden sich zunächst Kondensationsprodukte, die dann decarboxylieren[2] (vgl. a. S. 585):

$$
\begin{array}{ccc}
\underset{\substack{\displaystyle R-CH-CO \\ | \\ R'}}{\overset{\substack{R' \\ | \\ R-CH-CO \\ \diagdown O}}{}} & \xrightarrow{BF_3} & (R-CH-CO-\underset{R'}{\overset{R'}{C}}-CO)_2O \cdot 3\,BF_3 & \xrightarrow[-CO_2]{} & R-\underset{}{\overset{R'}{CH}}-CO-\underset{}{\overset{R'}{CH}}-R
\end{array}
$$

R $= C_2H_5$, R' $= H$	*Heptanon-(4)*	60% d.Th.	Kp: 144–145°
R $= C_4H_9$, R' $= H$	*Undecanon-(6)*	64% d.Th.	Kp: 124–125°
R $= R' = C_2H_5$	*4-Oxo-3,5-diäthyl-heptan*	57% d.Th.	Kp: 103–104°
R' $= C_4H_9$, R' $= C_2H_5$	*6-Oxo-5,7-diäthyl-undecan*	32% d.Th.	Kp: 157–157,5°

Diese Methode ist zur Herstellung gemischter Ketone nicht geeignet.

Carbonsäure-chloride der Formel $R-CH_2-COCl$ bilden in der Kälte mit überschüssigem Eisen(III)-chlorid unter Chlorwasserstoff-Entwicklung Komplex-Verbindungen von β-Oxo-carbonsäure-chloriden, die beim Zersetzen mit Wasser Ketone liefern[3]. Auf diese Weise wurden z.B. *Pentanon-(3)* und *Heptanon-(4)* in 35% Ausbeute aus Propionylchlorid bzw. Butansäure-chlorid erhalten:

$$
2\ R-CH_2-COCl \xrightarrow{FeCl_3} R-CH_2-CO-\underset{R}{\overset{}{CH}}-COCl \longrightarrow R-CH_2-CO-CH_2-R
$$

Höhere Fettsäure-chloride spalten in Gegenwart von tert.-Basen in Äther bereits bei 20° Chlorwasserstoff ab und werden dadurch mit vorzüglichen Ausbeuten in Ketene umgewandelt, die sofort zu Diketenen dimerisieren[4].

Diese lassen sich sauer oder alkalisch unter Kohlendioxid-Abspaltung hydrolysieren und gehen dabei in sym. Ketone über[4,5]:

$$
2\ R-CH_2-CO-Cl \xrightarrow[-2\,HCl]{} 2\ R-CH=C=O \longrightarrow \underset{R-CH}{\overset{O}{\diagup}}\!\!\begin{array}{c}O\\||\\C\\R\end{array} \xrightarrow[-CO_2]{H_2O}
$$

$$
R-CH_2-\overset{O}{\overset{||}{C}}-CH_2-R
$$

---

[1] J. A. King u. F. H. McMillan, Am. Soc. **73**, 4911 (1951).
   C. D. Hurd u. C. L. Thomas, Am. Soc. **58**, 1240 (1936).
[2] E. H. Man u. C. R. Hauser, Am. Soc. **72**, 3294 (1950).
[3] J. Hamonet, Bl. [2] **50**, 355 (1888), [3] **2**, 344 (1889).
[4] J. C. Sauer, Am. Soc. **69**, 2444 (1947).
   US. P. 2238826 (1938), DuPont, Erf.: J. C. Sauer; C. **1942** II, 1403; C. A. **35**, 4970 (1941).
   Über die Herstellung von dimeren Ketonen s. a. T. Bacchetti u. L. Capria, G. **83**, 832 (1953).
   S. Piekarski, C. r. **238**, 1241 (1954).
[5] A. T. Blomquist et al., Am. Soc. **74**, 4203 (1952).

So entsteht aus 1 Mol Stearinsäure-chlorid und 1 Mol Triäthylamin in trockenem Äther nach 16 stdg. Stehen bei 20° das Hexadecyl-keten-Dimere (F: 63°; 90% d. Th.)[1].

Auch Gemische verschiedener Carbonsäure-chloride lassen sich in gleicher Weise in die gemischten dimeren Diketene (2 Isomere) überführen[1].

1 Mol Hexansäure-chlorid und 1 Mol Propansäure-chlorid ergeben:

> 36% d. Th. Dimeres Methyl-keten
> 23% d. Th. Dimerengemisch aus Butylketen + Methylketen
> 27% d. Th. Dimeres Butyl-keten

Pentadecanon-(8)[1]: 15,1 g (0,093 Mol) Octansäure-chlorid in 100 ml trockenem Äther werden unter Eiskühlung mit 1 g (0,1 Mol) Triäthylamin versetzt. Nach ~ 15 stdg. Stehen bei 20° wird mit 2 n Schwefelsäure ausgeschüttelt, um die basischen Anteile zu entfernen und ohne zu trocknen der Äther abdestilliert.

Der Rückstand wird entweder durch 1 stdg. Verrühren mit 2% Kalilauge (evtl. unter Zusatz von 1,4-Dioxan) auf dem Wasserbad oder mit 2%iger Schwefelsäure (oder einem Schwefelsäure-Essigsäure-Wassergemisch) hydrolysiert, zurück bleiben 10 g des rohen Pentadecanon-(8) das aus Äthanol umkristallisiert wird (F: 41°) (Reinausbeute ~ 60–70% d. Th.).

In gleicher Weise erhält man aus Hexansäure-chlorid *Undecanon-(6)* (Kp_{15}: 98–102°) und aus Dodecansäure-chlorid *Tricosanon-(12)*[2].

Auch aus den Ester-chloriden langkettiger Dicarbonsäuren können so die entsprechenden sym. Oxodisäuren hergestellt werden, z. B.:

> *7-Oxo-tridecandisäure*[3]   67%
> *10-Oxo-nonadecandisäure*[3]   ~ 85%
> *11-Oxo-heneicosandisäure*[3] ~ 85%

4. Cyclische Ketone aus Dicarbonsäuren

Die trockene Destillation der Kalksalze von Dicarbonsäuren liefert Ringketone. Wegen der Ringspannung der kleineren Ringe gelingt dieses Verfahren jedoch erst vom Fünfring an aufwärts. So erhält man aus Erdalkalimetallsalzen der Hexandisäure *Cyclopentanon*[4] und aus der Heptandisäure *Cyclohexanon*[5], während bei der Verwendung von Glutarsäure das erwartete Cyclobutanon nicht hergestellt werden konnte[6], sondern *Aceton*, *4-Oxo-2-methyl-penten-(2)* und *3-Oxo-1,5,5-trimethyl-cyclo-hexen-(1)* gebildet wurden.

Die Mangan(II)-salze der Hexan-, Heptan- sowie der Octandisäure sind durch Erhitzen auf 280–310° in *Cyclopentanon* (54%), *Cycloheptanon* (30%) bzw. *Cyclononanon* (Spuren) übergeführt worden[7]; und das Bariumsalz der 3-Thia-hexandisäure ergibt bei der Pyrolyse 44% d. Th. *3-Oxo-tetrahydro-thiophen*[8].

---

[1] J. C. SAUER, Am. Soc. **69**, 2444 (1947).
   US. P. 2238826 (1938), DuPont, Erf.: J. C. SAUER, C. **1942** II, 1403; C. A. **35**, 4970 (1941).
   Über die Herstellung von dimeren Ketonen s. a. T. BACCHETTI u. L. CAPRIA, G. **83**, 832 (1953).
   S. PIEKARSKI, C. r. **238**, 1241 (1954).
[2] J. C. SAUER, Org. Synth. **IV**, 560 (1963).
[3] A. T. BLOMQUIST et al., Am. Soc. **74**, 4203 (1952).
[4] J. F. THORPE u. G. A. R. KON, Org. Synth. **5**, 37 (1925).
[5] L. RUZICKA et al., Helv. **9**, 499 (1926).
[6] G. A. R. KON, Soc. **119**, 810 (1921).
[7] A. L. LIBERMAN, T. V. VASINA u. Z. Z. NOVIKOVA, Izv. Akad. SSSR **1971**, 1527; engl.: 1423.
[8] F. A. BUITER, J. H. S. WEILAND u. H. WYNBERG, R. **83**, 1160 (1964).

6-Oxo-bicyclo[3.2.0]heptan ist durch Thermolyse des Blei(II)-salzes des *trans*-1,2-Bis-[carboxymethyl]-cyclobutans erhalten worden[1].

Erdalkalimetallsalze der Acrylsäure und ihrer Derivate liefern cyclische Ketone, die durch Weiterreaktion der primär gebildeten ungesättigten Ketone entstehen:

$$H_2C=CH-COO^{\ominus} \quad Ca^{2\oplus} \cdot \longrightarrow H_2C=CH-CO-CH=CH_2 \longrightarrow \text{[Struktur]} =O$$
$$H_2C=CH-COO^{\ominus}$$

Cyclopenten-(1)-on-(4) (27% d.Th.)[2]

Die Ketonisierung einer Dicarbonsäure in der Gasphase ist zwar für Hexandisäure und 3-Methyl-hexandisäure an Mangan(II)-oxid- und Thorium(IV)-oxid-Kontakten beschrieben worden[3], jedoch erhält man die Ringketone einfacher durch Erhitzen der betreffenden Dicarbonsäure in Gegenwart von Katalysatoren wie z. B. Bariumcarbonat, Mangan(II)-oxid, Cadmiumoxid, Eisen-Pulver u. a.[4].

Cyclopentanon[4,5]: In einem mit Rührer versehenen Destillationskolben werden Adipinsäure (Hexandisäure) mit ∼ 10 Gew.-% Bariumcarbonat bzw. Mangan(II)-oxid oder sog. Carbonyleisen durch ein Metallbad (Temp. ∼ 300°) erhitzt. Dabei destilliert das Cyclopentanon über, bis nur ein geringer Rückstand verbleibt. Das Destillat wird mit Kaliumcarbonat versetzt, von der Salzschicht abgetrennt, mit Calciumchlorid getrocknet und fraktioniert; Ausbeute: ∼ 85% d. Th.; Kp: 129–131°.

Durch Decarboxylierung von Hexandisäure in Gegenwart von Neodymoxid auf einem Asbestträger bei 350° und einer bestimmten Strömungsgeschwindigkeit läßt sich *Cyclopentanon* in 68%iger Ausbeute herstellen[6]. Die Synthese von *3-Oxo-1-methyl-cyclopentan* aus 3-Methyl-hexandisäure liefert etwas niedrigere Ausbeuten[7].

Dagegen erhöhen geminale Methyl-Gruppen die Ringbildungstendenz erheblich. Beim Erhitzen von 3,3,4-Trimethyl-hexandisäure mit Mangan(II)-carbonat ist *4-Oxo-1,1,2-trimethyl-cyclopentan* in praktisch quantitativer Ausbeute erhalten worden[8]:

$$\begin{array}{c}CH_3\\ |\\ H_3C-C-CH_2-COOH\\ |\\ H_3C-CH-CH_2-COOH\end{array} \xrightarrow{MnCO_3} \text{[Struktur]}$$

Ebenso gute Ergebnisse wurden bei der Herstellung von *1-Oxo-2,2-dimethyl-cyclopentan* aus 2,2-Dimethyl-hexandisäure erzielt[9], und ihre Ester liefern bei 400–475° in Gegenwart von Metalloxiden *2-Oxo-1,3-dimethyl-cyclopentan* in guter Ausbeute[10].

[1] G. MANN, Z. Ch. **6**, 106 (1966).
[2] B. N. DASHKEVIČ, Doklady Akad. SSSR **107**, 700 (1956); C. A. **50**, 14569 (1956).
[3] P. SABATIER u. A. MAILHE, C. r. **158**, 987 (1914).
[4] DRP. 256622 (1911), Farbf. Bayer; Frdl. **11**, 48; C. **1913** I, 865.
    C. HARRIES u. H. WAGNER, A. **410**, 36 (1915).
[5] J. F. THORPE u. G. A. R. KON, Org. Synth., Coll. Vol. I, 192 (1948).
[6] M. B. TUROVA-POLJAK, CHOANT CONG LEM u. I. E. SOSNINA, Neftechimiya **4**, 603 (1964).
[7] C. S. MARVEL u. L. A. BROOKS, Am. Soc. **63**, 2630 (1941).
[8] H. F. BAUMGARTEN u. D. C. GLEASON, J. Org. Chem. **16**, 1658 (1951).
[9] S. PATAI, *The Chemistry of the Carbonyl Group*, Interscience Publishers, London 1966.
[10] US. P. 2863923 (1955), Röhm u. Haas Co., Erf.: N. M. BORTNICK; C. A. **53**, 9100 (1959).

Schließlich ist auch eine starke Abhängigkeit der Keton-Ausbeuten vom verwendeten Metall-Salz zu beobachten. Die Herstellung der Fünf- bis Achtringe aus den entsprechenden Dicarbonsäuren gelingt am besten aus den Calcium- und Thorium(IV)-Salzen, im Falle der Octandisäure zu *Cycloheptanon* auch aus ihren Cer(III)-Salzen (vgl. ds. Handb., Bd. IV, S. 755). Interessant ist die Beobachtung, daß katalytische Mengen Thorium(IV)-oxid, das mit Alkalimetallhydroxiden behandelt worden ist, die beste Ausbeute an *Cycloheptanon* aus Octandisäure ergeben[1].

Cycloheptanon[1]: Optimale Ausbeuten an Cycloheptanon erhält man unter Anwendung eines alkalisierten Thorium(IV)-oxids, das durch Fällen von Thorium(IV)-nitrat mit Ammoniak, Auswaschen des Niederschlages, Trocknen, mehrstdg. Erhitzen auf 400° und einer anschließenden mehrstdg. Einwirkung von verd. Kalilauge, erneutes Auswaschen und Trocknen bei 90° i. Vak., hergestellt wird. Ohne diese alkalische Nachbehandlung werden nur minimale Ausbeuten an dem cyclischen Keton erhalten.

100 g Octandisäure werden mit 3 g des Katalysators in einem Destillationskolben unter Rühren im Metallbad erhitzt. Bei ~ 280° setzt die Kohlendioxid-Abspaltung ein. Die Reaktion wird durch langsame Temperatursteigerung auf ~ 340° zu Ende geführt, das Destillat mit verd. Natronlauge ausgeschüttelt, die org. Phase abgetrennt und i. Vak. destilliert; Ausbeute: 43,7 g (68% d.Th.); Kp_{20}: 73–78°. Aus der alkalischen Lösung können ~ 5 g Ausgangsmaterial zurückgewonnen werden.

Bei der Pyrolyse von Cyclohexan-1,4-dicarbonsäure, Bariumsalz wird ein bicyclisches Keton der Art nicht erhalten, sondern, neben anderen Produkten, Benzaldehyd und 2-Methyl-benzaldehyd[2]:

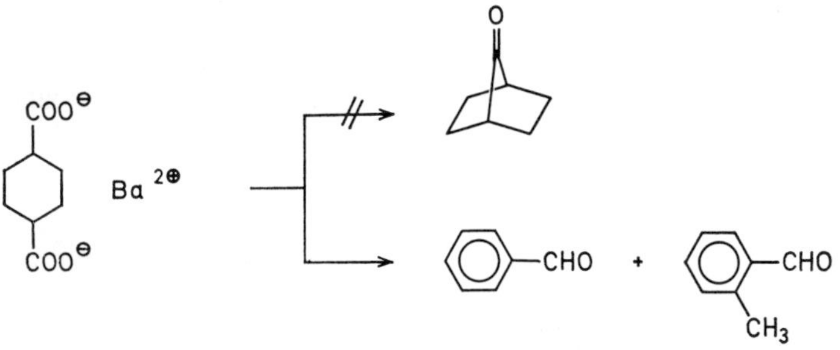

Ungesättigte Fünf- und Sechsringketone bilden sich schwerer als die analogen gesättigten Ringketone. Das gilt sowohl für die Kalksalzdestillation, die im folgenden erwähnte Blanc-Methode als auch für die Kondensation der Dicarbonsäure-diester nach Dieckmann[3] (s. S. 504). Als Nebenreaktionen lassen sich Wanderung der Doppelbindung, Decarboxylierung zu α,β-ungesättigten Monocarbonsäuren sowie Lactonbindung nicht vermeiden. So gibt das Calciumsalz der Hexen-(2)-disäure nur schlechte Ausbeute an *Cyclopenten-(1)-on-(3)* und als weitere Spaltprodukte auch Butadien und Kohlenoxid[4]:

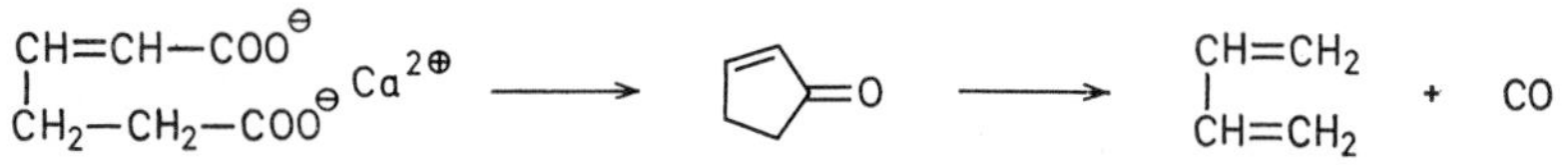

[1] DBP. 1025872 (1957), BASF, Erf.: O. SCHLICHTING, H. DÖRRIES u. R. GEHM; C. A. **54**, 9799 (1960).
[2] C. F. H. ALLEN et al., J. Org. Chem. **27**, 1447 (1962).
[3] L. RUZICKA, Helv. **2**, 144 (1919).
[4] B. K. MEREJKOWSKY, Bl. [4] **37**, 1186 (1925).

Durch mehrere Methyl-Gruppen substituierte ungesättigte Dicarbonsäuren lassen sich – mit besseren Ausbeuten – cyclisieren. Bei der Trockendestillation entsprechender Bariumsalze erhält man *3-Oxo-1-methyl-cyclopenten-(1)* nur in 22%, dagegen *5-Oxo-2,3,3-trimethyl-cyclopenten-(1)* in 63%iger Ausbeute[1].

Von allen Verfahren, die zur Cyclisierung von 1,2-Bis-[carboxymethyl]-cycloheptan[2] zum *9-Oxo-bicyclo[5.3.0]decan*[2] in Frage kommen, lieferte die Destillation mit ~ $^1/_{10}$ Gew. Tln. Bariumhydroxid ($\cdot$ 8 H_2O) zwischen 280–350° (zum Schluß i. Vak.) die besten Ausbeuten (~ 50% d. Th.):

Mit zunehmender Ringgröße fallen die Ausbeuten an Ringketonen aus Dicarbonsäuren durch Trockendestillation von Salzen ab. Sechs-Ring 80%, Sieben-Ring 50%, Acht-Ring 20%. Die höheren Ringketone sind oft wichtige Zwischenprodukte bei der Synthese vielgliedriger Ringe und werden in ds. Handb., im Kapitel „Herstellung von cyclischen Verbindungen mit großer Ringgliederzahl", Bd. IV/2 eingehender behandelt. Über die Cyclisierung verschiedener Salze homologer Dicarbonsäuren s. Bd. IV/2, S. 754.

Nach H. G. Blanc[3] werden Ringketone erhalten, wenn man aliphatische 1,4- und 1,5-Dicarbonsäuren durch Kochen mit Essigsäureanhydrid zunächst in ihre – meist polymeren[4] – Anhydride verwandelt; diese zerfallen beim Destillieren in entsprechende Cyclopentanone und -hexanone unter Kohlendioxid-Abspaltung. Ein geringer Zusatz von Kaliumcyanid soll den Verlauf der Reaktion günstig beeinflussen[5].

2-Oxo-1-[naphthyl-(1)-methyl]-cyclopentan[6]: 0,5 g 2-[Naphthyl-(1)-methyl]-hexandisäure werden in 1,5 *ml* Essigsäure-anhydrid gelöst und langsam im Stickstoffstrom destilliert. Sobald die Temp. auf 300° gestiegen ist, wird innerhalb von 5 Min. überdestilliert. zuletzt bei 30 Torr; Ausbeute: 71% d.Th.; 2,4-Dinitro-phenylhydrazon; F: 232–233°.
Die Kalksalzdestillation gab in diesem Fall die gleiche Ausbeute.

Auch die 2,2-Diphenyl-hexandisäure ließ sich nach dieser Methode in guter Ausbeute in *2-Oxo-1,1-diphenyl-cyclopentan*[7] umwandeln; wesentlich schlechter sind, wie schon erwähnt, die Ergebnisse bei der Cyclisierung von ungesättigten Dicarbonsäuren, z.B. bei der Herstellung von Oxo-trimethyl- und Oxo-tetramethyl-cyclohexenen (30–40%)[8].

Die Blanc-Methode ist auch für den Ringschluß zu einem heterocyclischen Keton mit Erfolg angewandt worden, wo sonstige Verfahren wie Dieckmann-Esterkondensation und Kalksalzdestillation versagten.

---

[1] H. F. BAUMGARTEN, Am. Soc. **75**, 979 (1953).
[2] P. A. PLATTNER, A. FÜRST u. K. JIRASEK, Helv. **29**, 730 (1946).
[3] H. G. BLANC, C. r. **144**, 1356 (1907); Bl. [4] **3**, 778 (1908).
[4] J. W. HILL u. W. H. CAROTHERS, Am. Soc. **55**, 5023 (1933).
[5] F. C. UHLE, Am. Soc. **71**, 762 (1949).
[6] W. E. BACHMANN u. N. C. DENO, Am. Soc. **71**, 3541 (1949).
[7] F. SALMON-LEGAGEUR u. C. NEVE, C. r. **237**, 64 (1953).
[8] L. RUZICKA, Helv. **2**, 144 (1919).

3-Oxo-chroman[1]:

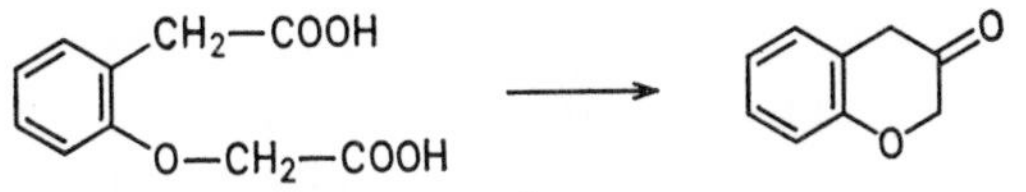

6,4 g (2-Carboxymethoxy-phenyl)-essigsäure werden mit 50 *ml* Essigsäure-anhydrid 2 Stdn. auf 110–115° erhitzt, anschließend wird Essigsäure-anhydrid i. Vak. abdestilliert. Aus dem Rückstand läßt sich bei 0,1–0,25 Torr und 195–205° Badtemp. 1 g (22 %d.Th.) eines gelben Öls herausdestillieren, das nochmals destilliert wird; Ausbeute: 9% d.Th.; Kp$_4$: 104–108°; 2,4-Dinitro-phenylhydrazon; F: 165-166° (Zers.; gelborange Nadeln).

Bernstein- und Glutarsäuren liefern bei gleicher Behandlung nur stabile cyclische Anhydride; ebenso die höheren Dicarbonsäuren, bei denen alle α-ständigen Wasserstoffatome substituiert sind. So bildet sich aus 2,2,5,5-Tetramethyl-hexandisäure nur ihr Anhydrid[2]. Auch in der Sterin-Reihe ist ein Fall bekannt[3], wo ein 1,4-Dicarbonsäure-anhydrid kein Fünfring-Keton liefert.

Schon beim Erhitzen von 2-Carboxy- oder 2-Cyan-hexandisäuren mit wäßrigen Mineralsäuren, besonders mit Bromwasserstoff, kann Ringschluß zu Cyclopentanon erfolgen[4]:

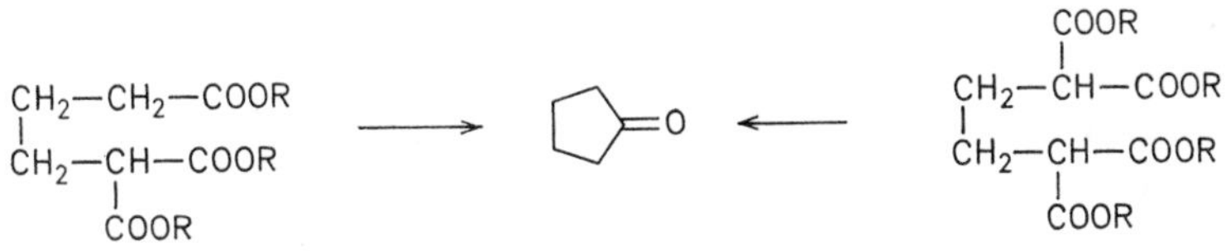

Hierdurch werden gelegentliche Ausbeuteverminderungen an Hexandisäuren beim sauren Verseifen entsprechender Ester mit Malonsäure-Konfiguration erklärt. Diese Nebenreaktion unterbleibt, wenn die α-Kohlenstoffatome alkyliert sind; sie erfolgt besonders leicht bei Tetracarbonsäure-tetraestern (70% d.Th.).

Schließlich wird aus Bernsteinsäure-anhydrid bei längerem Erhitzen durch intermolekulare Ketonisierung unter Kohlendioxid-Abspaltung das Dilacton der *4-Oxoheptandisäure*[5] gebildet:

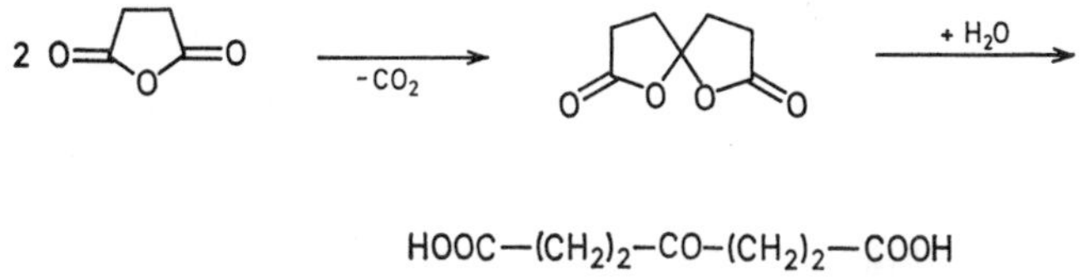

$$HOOC-(CH_2)_2-CO-(CH_2)_2-COOH$$

[1] P. Pfeiffer u. E. Enders, B. **84**, 247 (1951).
[2] E. H. Farmer u. J. C. Kracovski, Soc. **1927**, 680.
   F. Vocke, A. **508**, 1 (1934).
   R. Adams u. J. L. Anderson, Am. Soc. **73**, 136 (1951).
[3] A. Windaus, A. Rosenbach u. T. Riemann, H. **130**, 114 (1923).
[4] L. Crombie, J. E. H. Hancock u. R. P. Linstead, Soc. **1953**, 3496.
[5] DRP. 753472 (1941), I.G. Farb., Erf.: F. Ebel, F. Pyzik u. G. Pöhler.
   DRP. Anm. J. 77742 (1944), I.G. Farb., Erf.: H. Bretschneider.
   S. a. W. Reppe, *Neue Entwicklungen auf dem Gebiete der Chemie des Acetylens und Kohlenoxids*, S. 45, Springer-Verlag, Berlin 1949.

h) Die direkte Einführung von R—CO-Gruppen durch Acyloin-Kondensation

bearbeitet von

Prof. Dr. HEINZ HERLINGER

Institut für Chemiefasern an der Universität Stuttgart

1. von Carbonsäure-chloriden

Die reduktive Dimerisierung von Carbonsäure-Derivaten verläuft unter Ausbildung einer neuen C—C-Bindung zu α-Hydroxy-ketonen. Bei der Einwirkung von Natrium auf eine Lösung von Pentansäure-chlorid in Äther erhält man *6-Hydroxy-5-oxo-decan*[1] und aus Butansäure-chlorid *5-Hydroxy-4-oxo-octan* (II)[2], das als Monoxim charakterisiert wurde. Das erste faßbare Reaktionsprodukt[3] der Umsetzung mit Butansäure-chlorid ist 4,5-Dibutanoyloxy-octen-(4) (I), das durch Verseifung mit alkoholischer Kalilauge in 5-Hydroxy-4-oxo-octan übergeht:

$$H_7C_3-CO-Cl \xrightarrow{Na} \underset{\underset{O-CO-C_3H_7}{|}}{\overset{\overset{O-CO-C_3H_7}{|}}{H_7C_3-C=C-C_3H_7}} \xrightarrow{H_2O} H_7C_3-CO-CHOH-C_3H_7$$

I   II

Im ersten Schritt der Reaktion wird ein Natriumatom an der Carbonyl-Gruppe unter Ausbildung des Radikalanions III addiert:

$$2\ R-CO-Cl \xrightarrow{+\ 2\ Na} 2\ \underset{\underset{Cl}{|}}{\overset{\overset{O-Na}{|}}{R-C\cdot}} \xrightarrow{Weg\ \textcircled{A}} \underset{\underset{Cl\ \ Cl}{|\ \ |}}{\overset{\overset{NaO\ \ ONa}{|\ \ \ \ |}}{R-C-C-R}} \xrightarrow[-\ 2\ NaCl]{+\ 2\ Na} \underset{}{\overset{\overset{NaO\ \ ONa}{|\ \ \ \ |}}{R-C=C-R}}$$

III   IV   V

$$Weg\ \textcircled{B}\ \Big\downarrow\ \begin{matrix}+\ 2\ R-COCl\\ -\ 2\ NaCl\end{matrix} \qquad\qquad\qquad\qquad \Big\downarrow\ \begin{matrix}+\ 2\ R\\ -\ 2\ Na\end{matrix}$$

$$2\ \underset{\underset{Cl}{|}}{\overset{\overset{O-CO-R}{|}}{R-C\cdot}} \longrightarrow \underset{\underset{Cl\ \ O-CO-R}{|\ \ \ \ \ \ |}}{\overset{\overset{R-CO-O\ \ Cl}{|\ \ \ \ \ \ |}}{R-C-C-R}} \xrightarrow[-\ 2\ NaCl]{+\ 2\ Na} \underset{\underset{O-C}{|}}{\overset{\overset{O-CO-}{|}}{R-C=C-R}}$$

VI   VII   VIII

Die heterogene Reaktion läuft an der Oberfläche des Natriums ab, d.h. das Radikalanion III wird an der Oberfläche des Natriums den Natriumatomen des Metalls gegenüberstehen. Im zweiten Reaktionsschritt erfolgt entweder eine Radikaldimerisierung (Weg (A)) über IV und eine reduktive Halogen-Abspaltung zu V mit darauffolgender Acylierung des Natriumendiolats V zu VIII oder eine Acylierung des Radikalanions (Weg (B)) und Folgereaktionen über VII zu VIII.

Die Acyloin-Kondensation mit Carbonsäure-chloriden hat den Nachteil, daß die Hälfte des eingesetzten Carbonsäure-chlorids zur Acylierung des Natrium-alken-

---

[1] J. W. BRÜHL, B. **12**, 315 (1879).

[2] F. MÜNCHMEYER, B. **18**, 1845 (1886).

[3] H. KLINGER u. L. SCHMITZ, B. **24**, 1271 (1891).

diolats verbraucht wird. Trotzdem sei ein Beispiel dieser Ausführungsform anhand der Herstellung des 12,13-Didodecanoyloxy-tetracosen-(12) beschrieben. Hierbei wird das Carbonsäure-chlorid mit Natriumdraht in Äther zur Reaktion gebracht.

13-Hydroxy-12-oxo-tetracosan[1]:

12,13-Didodecanoyloxy-tetracosen-(12): 27,5 g Natriumdraht (1,2 Mol) werden in 1 l trockenen Äther gepreßt. Man versieht mit Rückflußkühler, Rührer, Thermometer und Tropftrichter und gibt im Laufe von 4 Stdn. 218 g (1,0 Mol) Dodecansäure-chlorid, gelöst in 200 ml trockenem Äther, zu. Erst nach vollständiger Zugabe des Carbonsäure-chlorids wird mit dem Rühren begonnen. Nun wird unter Rühren 10 Stdn. am Rückfluß gekocht. Das Natriumchlorid und nicht in Reaktion getretenes Natrium wird abfiltriert, mit Äther gewaschen und der Äther durch Destillation entfernt. Danach wird 4mal aus einer 3:1-Aceton-Benzol-Mischung umkristallisiert; Ausbeute: 100 g (60% d.Th.); F: 39–41°.

13-Hydroxy-12-oxo-tetracosan: Die Verseifung des Diesters wird durch 1stdg. Rückflußkochen mit 0,5n äthanolischem Kaliumhydroxid vorgenommen. Das Reaktionsgemisch trennt sich in einen alkalilöslichen und einen alkaliunlöslichen Anteil. Das alkaliunlösliche Produkt wird 6mal aus Äthanol umkristallisiert bis zu einem konstanten Schmelzpunkt (62–63,5°). Der alkalilösliche Anteil erweist sich als Laurinsäure.

Weitere α-Hydroxy-ketone, die durch Einwirkung von Natrium auf Carbonsäurechloride über die Diacylate der Endiole erhalten wurden, sind in der Tab. 96 zusammengestellt.

Tab. 96. Aliphatische α-Hydroxy-ketone durch Acyloin-Kondensation von Carbonsäure-chloriden

R—CO—Cl R =	$R-C=C-R$ O—COR / O—COR		$R-\overset{O}{\overset{\|}{C}}-\overset{OH}{\overset{\|}{C}}H-R$	F [°C]	Literatur
	[% d.Th.]	F [°C]	Name		
C$_3$H$_7$		(Kp$_{13}$: 119–130°)	5-Hydroxy-4-oxo-octan	(Kp$_{13}$: 80–110°)	2,3
i—C$_3$H$_7$			4-Hydroxy-3-oxo-2,5-dimethyl-hexan	(Kp$_{14}$: 75–77°)	3
H$_3$C—$\overset{CH_3}{\overset{\|}{C}}$H—CH$_2$—		(Kp$_{12}$: 145–175°)	5-Hydroxy-4-oxo-2,7-dimethyl-octan	(Kp$_{12}$: 85–95°)	2
C$_{11}$H$_{23}$	60	39–41	13-Hydroxy-12-oxo-tetracosan	62–63,5	1
C$_{13}$H$_{27}$	64	54,5–55	15-Hydroxy-14-oxo-octacosan	71–72	1
C$_{15}$H$_{31}$	70	61–62	17-Hydroxy-16-oxo-dotriacontan	74–75	1
C$_{17}$H$_{35}$	67	67–68	19-Hydroxy-18-oxo-hexatriacontan	83–84	1

[1] A. W. RALSTON u. W. M. SELBY, Am. Soc. 61, 1019 (1939).
[2] H. KLINGER u. L. SCHMITZ, B. 24, 1271 (1891).
[3] A. BASSE u. H. KLINGER, B. 31, 1218 (1898).

41*

Eine besondere Ausführungsform der Acyloin-Kondensation mit Carbonsäure-chloriden wurde bei Versuchen zur Synthese von α-Silyl-ketonen gefunden. Bei der gemeinsamen Einwirkung von Natrium und Chlor-, Brom-trimethyl-silan oder Chlor-triphenyl-silan auf Carbonsäure-chloride in Xylol oder Äther entstehen die *cis*- und *trans*-Bis-[siloxy]-alkene (Ia u. Ib), die bei der sauren Hydrolyse die entsprechenden Acyloine liefern[1]. Die Acylierung der intermediär entstehenden Radikalanionen erfolgt hier durch das Trimethylchlorsilan:

$$2 \ R{-}CO{-}Cl \ + \ 4 \ Na \ + \ 2 \ Cl{-}Si(CH_3)_3$$

Anstelle der Carbonsäure-chloride werden mit besserem Erfolg wie bei der normalen Acyloin-Kondensation die Carbonsäure-ester eingesetzt (vgl. S. 648).

2. von Carbonsäureestern

Die Entdeckung der Acyloin-Kondensation in der heute am häufigsten praktizierten Form erfolgte anläßlich der Untersuchungen zur Reduktion von Estern einbasiger Carbonsäuren zu primären Alkoholen mit Hilfe von Natrium. Bei der Reduktion von Octansäure-äthylester wurde 8,9-Dihydroxy-hexadecan (5% d. Th.) isoliert, das in einer Nebenreaktion über das entsprechende Acyloin entstanden war[2]. In Benzol oder Äther führte die Reduktion der Carbonsäureester mit Natrium über die Endiolate I in hohen Ausbeuten zu den α-Hydroxy-ketonen II[3]:

Über die Struktur der Endiolate I wurde verschiedentlich berichtet[4,5].

Allgemeine experimentelle Hinweise zur Ausführung der Acyloin-Kondensation mit Carbonsäureestern: Auf die Beteiligung radikalartiger Zwischenstufen bei der Acyloin-Kondensation wurde mehrfach hingewiesen[6,7]. Der Einfluß von Luftsauerstoff auf den Verlauf der Acyloin-Kondensation wurde deshalb ausführlich untersucht[8-12]. Es erweist sich als zweckmäßig, sämtliche

[1] H. Rühlmann u. S. Poredda, J. pr. [4] **12**, 18 (1960).
[2] L. Bouveault u. G. Blanc, Bl. [3] **31**, 666 (1904).
[3] L. Bouveault u. R. Locquin, Bl. [3] **35**, 629 (1906); C. r. **140**, 1593 (1903).
[4] R. B. Woodward u. E. R. Blout, Am. Soc. **65**, 562 (1943).
[5] I. C. Speck u. R. W. Bost, J. Org. Chem. **11**, 788 (1946).
[6] s. ds. Handb., Bd. VIII, Kap. Carbonsäureester, S. 641.
[7] E. van Heymingen, Am. Soc. **77**, 4016 (1955).
[8] s. ds. Handb., Bd. VIII, Kap. Carbonsäureester, S. 642.
[9] M. Stoll u. J. Hulstkamp, Helv. **30**, 1815 (1947).
[10] M. Stoll u. A. Rouvé, Helv. **30**, 1822 (1947).
[11] V. Prelog et al., Helv. **30**, 1741 (1947).
[12] DBP. 841913 (1948), Firmenich & Cie., Erf.: M. Stoll; C. **1953**, 142.

Operationen einschließlich der Hydrolyse[1] der Dinatrium-endiolate unter einer Schutzgas-atmosphäre, vorzugsweise reinstem Stickstoff, durchzuführen. Hierdurch wird die Bildung von α-Diketonen weitgehend vermieden. Die angewandten Lösungsmittel, wie z.B. Äther, Toluol, Xylol, sollten frisch über Natrium destilliert sein. Die eingesetzten Carbonsäureester müssen frei von Carbonsäuren und Alkoholen sein, denn hierdurch erfolgt häufig ein Gelieren des Reaktionsgemisches und eine Belegung der Natriumoberfläche, worauf die Reaktion abbricht. Gegebenenfalls werden die Carbonsäureester über Phosphor(V)-oxid i.Vak. destilliert.

Bei der Herstellung von Natriumpulver unter Xylol[2] und bei der Acyloin-Kondensation selbst sind für den Fall des Bruches der Apparatur Sicherheitsvorkehrungen zu treffen, wie z.B. absolut trockener Arbeitsplatz, Unterstellen einer flachen, mit trockenem Sand gefüllten Wanne[3]. Zum Löschen empfiehlt es sich, zuerst mit Natriumcarbonat abzudecken (Löschpulver), dann organische Anteile mit Kohlendioxid zu löschen. Die experimentelle Arbeitsweise der Acyloin-Kondensation wurde in mehreren Stufen verbessert. Bei den ersten Versuchen wurde Natrium-draht[4] in Äther mit Carbonsäureestern umgesetzt, später Natriumschnitzel[5] in Äther, Natriumpulver[6] in Äther oder Benzol, geschmolzenes Natrium[7] unter Xylol bei 105–110°, Natrium in flüssigem Ammoniak/Äther[8] und schließlich Natrium-Kalium-Legierung in Benzol[9].

Die am häufigsten praktizierte Form der Acyloin-Kondensation von Carbonsäure-estern mit Natriumpulver in Äther[10] sei am Beispiel des Butansäure-äthylesters erläutert.

5-Hydroxy-4-oxo-octan[10]: 2 g-Atom (46 g) oxidfrei geschnittenes Natrium werden unter ~ 1 l trockenem Xylol in einem 2-l-Dreihalskolben geschmolzen (Xyltemp. ~ 120–130°) und unter lebhaftem Rühren zerstäubt (zu diesem Zweck eignen sich besonders Vibromischer). Unter Rühren wird abgekühlt und das Xylol vom Natrium abdekantiert. Das Natriumpulver wird nun mehrmals mit trockenem Äther gewaschen und dann mit 600–800 ml trockenem Äther über-schichtet. Man setzt einen Tropftrichter und einen Rückflußkühler mit einem Paraffin-gefüllten Blasenzähler auf und spült die Apparatur über ein oberhalb der Reaktionsmischung endendes Einleitungsrohr mit Reinstickstoff. Während der Reaktion wird ein schwacher Stickstoffstrom durch die Apparatur geleitet (10–20 Blasen/Min. am Blasenzähler). Zu dieser Natriumsuspension tropft man in dem Maße 1 Mol (116 g) reinen Butansäure-äthylester (i.Vak. destilliert über Phosphor(V)-oxid, 99,5%ig bestimmt durch Gaschromatographie), verdünnt mit 200 ml trok-kenem Äther, so zu, daß der Äther am Rückfluß kocht. Vor Zugabe der gesamten Estermenge ist unbedingt das Anspringen der Reaktion, erkenntlich am Temperaturanstieg, abzuwarten. Nach Abklingen der Reaktion erhitzt man noch 1–2 Stdn. im Ölbad oder mit einer elektrischen Heizhaube am Rückfluß und kühlt dann im Eisbad ab. Unter heftigem Rühren tropft man in 5–10 Min. die ber. Menge (2 Mol) 35%ige Schwefelsäure zu. Hierbei kristallisiert das durch die Neutralisation der Natriumsalze gebildete $Na_2SO_4 \cdot 10 H_2O$ aus und sammelt sich am Boden. Die überstehende Äther-Lösung wird abdekantiert und der Rückstand mit 200 ml Äther ausge-zogen. Man entfernt saure Anteile durch Waschen der vereinigten Ätherauszüge mit 20%iger Natriumcarbonat-Lösung, trocknet die Äther-Lösung über Natriumsulfat und destilliert sorg-fältig. Rohausbeute: 70% d.Th.; Kp_{13}: 80–87°; durch 2malige Destillation an einer kurzen Vigreux-Kolonne (Kp_{13}: 84–85°; n_D^{20}: 1,4322) verringert sich die Ausbeute auf (63 g) 45% d.Th. (farblos).

[1] A. T. Blomquist, R. E. Burge u. A. C. Sucsy, Am. Soc. **74**, 3636 (1952).
[2] s. ds. Handb., Bd. VIII, Kap. Carbonsäureester, S. 564.
[3] I. Fatt u. M. Tashima, *Alkali Metal Dispersions*, S. 92, D. Van Nostrand Co., Princeton 1961.
[4] L. Bouveault u. R. Locquin, Bl. [3] **35**, 629 (1906).
[5] B. B. Corson, W. L. Benson u. T. T. Goodwin, Am. Soc. **52**, 3988 (1930).
[6] J. M. Snell u. S. M. McElvain, Am. Soc. **53**, 750 (1931).
[7] V. L. Hansley, Am. Soc. **57**, 2303 (1935).
[8] J. C. Sheehan, R. A. Coderre u. P. A. Cruickshank, Am. Soc. **75**, 6231 (1953).
[9] Ergänzt nach Versuchen von P. Günther, Farbf. Bayer, Leverkusen 1966.
   J. J. Bloomfield u. J. R. S. Irelan, J. Org. Chem. **31**, 2017 (1966).
[10] J. M. Snell u. S. M. McElvain, Am. Soc. **53**, 750 (1931).
   Nähere Angaben s. a. J. M. Snell u. S. M. McElvain, Org. Synth., Coll. Vol. **2**, 114 (1943).
   s. ds. Handb., Bd. XIII/1, Kap. alkalimetall-organische Verbindungen, S. 263 ff.

Die gaschromatographische Analyse einer mit Natriumcarbonat-Lösung gewaschenen, aufkonzentrierten Reaktionslösung zeigt folgende Zusammensetzung in Mol%: 12,2% Äther, 1,1% Butanal und Äthanol, 0,1% Butansäure-äthylester, 0,2% Butanol, 3,9% Xylole, insgesamt 2,4% 4 verschiedene nicht bestimmte Substanzen, 0,2% Buttersäure, 77,2% 5-Hydroxy-4-oxo-octan und 2,6% höhersiedende Unbekannte; Octadion-(4,5) ist nicht enthalten.

Die Herstellung von Acyloinen aus Carbonsäure-methylestern mit 8–18 C-Atomen wird zweckmäßig in Natrium/Xylol bei 105–110° durchgeführt[1].

19-Hydroxy-18-oxo-hexatriacontan[1]: In einem 5-l-Dreihalskolben werden 115 g (5 g-Atom) Natrium in 3 l trockenem Xylol im Ölbad auf 105° erhitzt und das geschmolzene Natrium mit einem hochtourigen Rührer (2000–2500 Umdrehungen/Min.) zerstäubt. Die Luft über dem Xylol wird durch Reinstickstoff oder eine andere Inertgasatmosphäre ersetzt. Man tropft 746,3 g (2,5 Mol; Kp: 212,3°) Stearinsäure-methylester im Verlaufe 1 Stde. in dem Maße zu, daß die Temp. 110° nicht überschreitet; dann wird noch 30 Min. weitergerührt. Kleine Natriumstückchen werden mit einem Überschuß von Methanol (1–2 Mol) zersetzt. Nach Kühlung auf 80° werden 0,5–1 l Wasser vorsichtig zugegeben, bis das Alkali in die wäßr. Phase geht, das dann durch Dekantieren abgegossen wird. Nach 1 oder 2maligem Waschen mit Wasser wird das verbleibende Alkali mit einem geringen Überschuß an Mineralsäure neutralisiert und ein eventueller Überschuß der Mineralsäure mit Natriumhydrogencarbonat neutralisiert. Das Xylol wird durch Wasserdampfdestillation entfernt und der ölige Rückstand zur Kristallisation gebracht; Rohausbeute: 80–95% d.Th. Das Rohacyloin (80–90%ig) wird aus Trichloräthylen oder Aceton umkristallisiert; F: 82–83°.

Zahlreiche α-Hydroxy-ketone wurden auf diese Weise aus Carbonsäureestern hergestellt. Eine Auswahl unter Angabe der verschiedenen Arbeitsweisen ist in den Tab. 97, 98 (S. 647), 100 (S. 650), 101 (S. 651) zusammengestellt.

Tab. 97. Arylaliphatische α-Hydroxy-ketone durch Acyloin-Kondensation von Carbonsäureestern

R—CO—CH—R \ OH	Methode*	Ausbeute [% d.Th.]	Kp [°C]	Kp [Torr]	Literatur
3-Hydroxy-2-oxo-1,4-diphenyl-butan	Na/Ae		(F: 51°)		2
4-Hydroxy-3-oxo-1,6-diphenyl-hexan	Na/Ae		240–265	38	3
4-Hydroxy-3-oxo-2,5-dimethyl-1,6-diphenyl-hexan	Na/Ae		225–235	25	3
4-Hydroxy-3-oxo-2,5-dibenzyl-1,6-diphenyl-hexan	Na/Ae		(F: 148–149°)		3
4-Hydroxy-3-oxo-1,6-dithienyl-(2)-hexan	Na/Xy	38	177–181	760	4

* Na/Ae = Natriumpulver in Äther, vgl. 5-Hydroxy-4-oxo-octan, S. 645
Na/Xy = Natrium geschmolzen in Xylol bei 110°

[1] V. L. HANSLEY, Am. Soc. **57**, 2303 (1935).
[2] R. RUGGLI u. B. HEGEDÜS, Helv. **25**, 1285 (1942).
[3] H. SCHEIBLER u. F. EMDEN, A. **434**, 265 (1923).
[4] R. D. SCHUETZ u. R. A. BALDWIN, J. Org. Chem. **27**, 2844 (1962).

Tab. 98. Offenkettige, symmetrische α-Hydroxy-ketone durch Acyloin-Kondensation von Carbonsäureestern

R—CO—CH—R OH	Methode*	Ausbeute [%d.Th.]	Kp [°C]	Kp [Torr]	Literatur
3-Hydroxy-2-oxo-butan	Na/Ae	23	140–150		1
4-Hydroxy-3-oxo-hexan	Na/Ae	52	160–170	3	1
5-Hydroxy-4-oxo-octan	Na/Ae	72	85–95	12	1
4-Hydroxy-3-oxo-2,5-dimethyl-hexan	Na/Ae	75	55–57	3	1
6-Hydroxy-5-oxo-decan	Na/Ae		90–92	3	2
5-Hydroxy-4-oxo-2,7-dimethyl-octan	Na/Ae		94–97	12	2
4-Hydroxy-3-oxo-2,2,5,5-tetramethyl-hexan	Na/Ae	62	80–90 (F: 80–81°)	15	1
7-Hydroxy-6-oxo-dodecan	Na/Ae		105–107	3	2
6-Hydroxy-5-oxo-2,9-dimethyl-decan	Na/Ae		101–103	3	2
9-Hydroxy-8-oxo-hexadecan	Na/Xy	80–95	(F: 39°)		3
10-Hydroxy-9-oxo-octadecan	Na/Xy	80–95	(F: 45°)		3,4
11-Hydroxy-10-oxo-eicosan	Na/Xy	80–95	(F: 51–52°)		3,5
13-Hydroxy-12-oxo-tetracosan	Na/Xy	80–95	(F: 61–62°)		3
15-Hydroxy-14-oxo-octacosan	Na/Xy	80–95	(F: 71–72°)		3
17-Hydroxy-16-oxo-dotriacontan	Na/Xy	80–95	(F: 77–78°)		3
19-Hydroxy-18-oxo-hexatriacontan	Na/Xy	80–95	(F: 82–83°)		3

* Na/Ae = Natriumpulver in Äther, vgl. 5-Hydroxy-4-oxo-octan, S. 645
Na/Xy = Natrium geschmolzen in Xylol bei 110°

Ein wesentlicher Fortschritt bei der Entwicklung von Methoden zur Herstellung von Acyloinen wurde durch die gleichzeitige Einwirkung von Natrium- und Halogen-trialkyl-silanen, insbesondere Trimethylchlorsilan, auf die Carbonsäureester erzielt[6–8]. Bei dieser Arbeitsweise fallen in der Acyloin-Kondensation keine Alkalimetallalkanolate aus. Durch das Trimethylchlorsilan werden Alkanolate sofort silyliert, wodurch über die gesamte Reaktion das Reaktionsmedium neutral bleibt. Trimethylchlorsilan reagiert mit elementarem Natrium nicht, doch empfiehlt es sich nach eigenen Erfahrungen des Autors, Reaktionsgemische von Natrium und Trimethylchlorsilan sofort zu verarbeiten, da sonst anfänglichReaktionsverzögerung und anschließend plötzliches, stark exothermes Einsetzen der Acyloin-Kondensation erfolgen kann.

---

[1] J. M. SNELL u. S. M. McELVAIN, Am. Soc. 53, 752 (1931).
[2] B. B. CORSON, W. L. BENSON u. T. T. GOODWIN, Am. Soc. 52, 3991 (1930).
[3] V. L. HANSLEY, Am. Soc. 57, 2303 (1935).
US. P. 1996471 (1933); 2228268 (1938), DuPont, Erf.: V. L. HANSLEY; C. 1935 II, 2282; 1941 II, 1449.
[4] F. E. DETHERAGE u. H. S. OLSCOTT, Am. Soc. 61, 631 (1939).
[5] H. BLOCH et al., Helv. 28, 1410 (1945).
[6] K. RÜHLMANN u. S. POREDDA, J. pr. [4] 12, 18 (1960).
[7] U. SCHRÄPLER u. K. RÜHLMANN, B. 96, 2780 (1963).
[8] DDRP. 32030 (1963), K. RÜHLMANN, S. POREDDA u. U. SCHRÄPLER; C. 1966, 13–2402.

Tab. 99. Cycloaliphatisch substituierte α-Hydroxy-ketone durch Acyloin-
Kondensation von Carbonsäureestern

R—CO—CH—R OH	Methode*	Ausbeute [%d.Th.]	Kp		Litera- tur
			[°C]	[Torr]	
2-Hydroxy-1-oxo-1,2-dicyclohexyl-äthan	Na/Ae		115–118	0,18	1
	Na/Ae	63	141	3	2
2-Hydroxy-1-oxo-1,2-dicycloheptyl-äthan	Na/Ae	65	140–158	2	3
2-Hydroxy-1-oxo-1,2-dicyclooctyl-äthan	Na/Ae		160–164	0,1	4
2-Hydroxy-1-oxo-1,2-dicyclononyl-äthan	Na/Ae		190–195	2	4
2-Hydroxy-1-oxo-1,2-bis-[4,4-äthylen-dioxy-cyclohexyl]-äthan 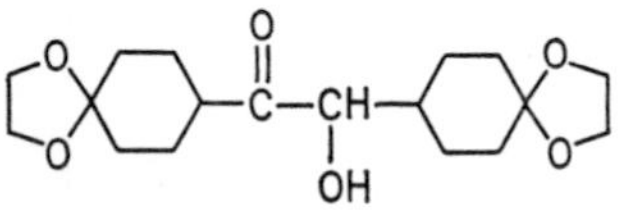	Na/Ae	70	(F: 134°)		5
2-Hydroxy-1-oxo-1,2-bis-{tricyclo-[3.3.1.1³,⁷]-decyl-(1)}-äthan 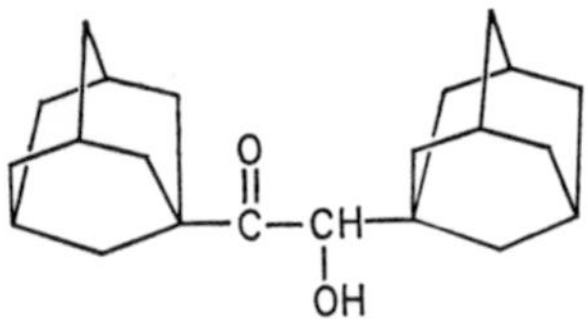	Na/Ae	82	(F: 223–224°)		6

* Na/Ae = Natriumpulver in Äther, vgl. *5-Hydroxy-4-oxo-octan*, S. 645

Ein weiterer Vorteil dieser Variante der Acyloin-Kondensation besteht darin, daß in verhältnismäßig konzentrierten Lösungen ohne Inertgasatmosphäre gearbeitet werden kann und auch die niederen Acyloine, wie z.B. *3-Hydroxy-2-oxo-butan* oder *4-Hydroxy-3-oxo-hexan*, sowie kleine Ringe, wie *2-Hydroxy-1-oxo-cyclopentan* (vgl. S. 650), erhalten werden können.

4-Hydroxy-3-oxo-hexan[7,8]:

3,4-Bis-[trimethylsiloxy]-hexen-(3): 9,2 g (0,4 g-Atom) Natrium werden unter 250 ml trockenem Xylol geschmolzen und durch kräftiges Rühren zerstäubt. Nach dem Abkühlen unter Rühren wird das Xylol abgegossen und der feine Natriumsand 2mal mit trockenem Äther gewaschen und anschließend mit 300 ml Äther in das Reaktionsgefäß übergeführt. Durch einen Tropftrichter wird der Natriumsuspension eine Lösung von 43,5 g (0,4 Mol) Trimethylchlorsilan und 20,4 g (0,2 Mol) Propansäure-äthylester in 150 ml Äther unter Rühren so zugetropft, daß der Äther am Sieden bleibt. Nach etwa 1 Stde. wird das Reaktionsgemisch filtriert,

1 J. H. Stocker, J. Org. Chem. **29**, 3593 (1964).
2 S. Danilow u. E. Venus-Danilowa, B. **62**, 2653 (1929).
3 H. Schubert u. H. Ladisch, J. pr. [4] **18**, 203 (1962).
4 A. O. Hellwig u. H. Schubert, Z. **4**, 227 (1964).
5 H. H. Inhoffen et al., A. **684**, 24 (1965).
6 H. Stetter u. E. Rauscher, B. **93**, 1161 (1960).
7 K. Rühlmann u. S. Poredda, J. pr. [4] **12**, 18 (1960).
8 U. Schräpler u. K. Rühlmann, B. **96**, 2780 (1963).

der feste Rückstand 2 mal mit trockenem Äther gewaschen und das Lösungsmittel und Äthoxy-trimethyl-silan bei Normaldruck abdestilliert und der Rückstand über eine 15 cm Vigreux-Kolonne fraktioniert; Ausbeute: 16,3 g (63% d.Th.); Kp_{12-13}: 85–87°; n_D^{20}: 1,4278–1,4282 (die Brechungsindices der Bis-[trimethylsiloxy]-alkene sind vom *cis-trans*-Verhältnis abhängig).

4-Hydroxy-3-oxo-hexan: In einen 500-*ml*-Zweihalskolben mit Rührer, Rückflußkühler, Stickstoffeinleitungsrohr und Thermometer werden 0,5 Mol Bis-[trimethylsiloxy]-alken gegeben und 9,3 g 1 n Salzsäure in 300 *ml* Äther zugegeben. Das Gemisch wird 1–2,5 Stdn. unter Rühren auf dem Wasserbad zum kräftigen Sieden erhitzt, die wäßrige Schicht abgetrennt, die ätherische Schicht zur Neutralisation mit 6 g gefälltem Calciumcarbonat versetzt, 3 Stdn. gerührt, filtriert und das Filtrat destilliert; Ausbeute: 89,5% d.Th.; Kp_{12-13}: 60–61°; n_D^{20}: 1,4272.

Die nach diesem Verfahren hergestellten Acyloine sind besonders rein. Durch Hydrolyse der Bis-[trimethylsiloxy]-alkene wurden ferner hergestellt:

3-Hydroxy-2-oxo-butan	73,3% d.Th.	Kp_{12-13}: 37– 38°	n_D^{20}: 1,4201
5-Hydroxy-4-oxo-octan	96,2% d.Th.	Kp_{12-13}: 85– 87°	n_D^{20}: 1,4325
4-Hydroxy-3-oxo-2,5-dimethyl-hexan	98,3% d.Th.	Kp_{12-13}: 66– 70°	n_D^{20}: 1,4270
6-Hydroxy-5-oxo-decan	99,7% d.Th.	Kp_{12-13}: 112–114°	n_D^{20}: 1,4383
5-Hydroxy-4-oxo-2,7-dimethyl-octan	98 % d.Th.	Kp_{12-13}: 94– 97°	n_D^{20}: 1,4348
6-Hydroxy-5-oxo-1,9-dimethyl-decan	99,4% d.Th.	Kp_{13-14}: 128–132°	n_D^{20}: 1,4404

Eine wesentliche Bedeutung der Acyloin-Kondensation beruht wohl in ihrer vorzüglichen Eignung zum Aufbau von Ringsystemen der verschiedensten Ringgrößen[1-3]. Besonders im Bereich der C_8—C_{11}-Ringe ist die cyclisierende Acyloin-Kondensation die am häufigsten allgemein anwendbare Ringschlußmethode. Ein Teil der Methylen-Gruppen der als Ausgangsprodukte verwendeten Dicarbonsäure-diester kann durch Sauerstoffatome oder Alkylamino-Gruppen, Äthylen- oder Acetylen-Gruppen ersetzt sein. Vielfach kann eine Annellierung von cyclischen α-Hydroxy-ketonen an Cycloaliphaten oder Steroid-Systeme durchgeführt werden. Zur Synthese von Cyclophanen der aromatischen und heterocyclischen Reihe wird die cyclisierende Acyloin-Kondensation häufig angewandt. Über derartige Synthesen gibt die Veröffentlichung von K. Th. Finley[1] ausführliche Auskunft. Die Anwendungsbreite der Acyloin-Ringschlußreaktion ist in den Tab. 100 (S. 650), 101 (S. 651) erläutert.

Zur praktischen Ausführung von Cyclisierungen nach der Acyloin-Ringschlußmethode sei insbesondere auf die allgemeinen Ausführungen in ds. Handb., Bd. IV/2, S. 756 und S. 762 sowie auf die Angaben von K. Ziegler et al.[4] hingewiesen. Um eine lineare Polykondensation oder eine dimerisierende Cyclisierung zu vermeiden[5], ist es zweckmäßig, in hoher Verdünnung zu arbeiten, den zur Cyclisierung eingesetzten Dicarbonsäure-diester sehr langsam zuzutropfen und die Eintropfstelle an der Apparatur so zu wählen, daß das aus dem Rückflußkühler zurückfließende Lösungsmittel den Dicarbonsäure-diester weiter verdünnt[6].

Die bei C_8—C_{21}-Ringen angewandte Acyloin-Ringschlußreaktion ist bereits am Beispiel des *2-Hydroxy-1-oxo-cyclodecans* in ds. Handb., Bd. IV/2, S. 756 beschrieben. Die Hydrolyse der Natrium-cycloendiolate wird zweckmäßigerweise ebenfalls unter Stickstoff und bei einer Temperatur von −15 bis +5° vorgenommen[7].

---

[1] K. T. Finley, Chem. Reviews 64, 573 (1964).

[2] V. Prelog, Soc. 1949, 420.

[3] s. ds. Handb., Bd. IV/2, Kap. Große Ringsysteme, S. 739.

[4] K. Ziegler, H. Eberle u. H. Ohlinger, A. 504, 123 (1933).

[5] D. Machtinger, Bl. [5] 1961, 1341.

[6] A. C. Cope u. E. C. Herrick, Am. Soc. 72, 983 (1950).

[7] J. Coops et al., R. 1960, 1226.

Tab. 100. Gesättigte cycloaliphatische α-Hydroxy-ketone durch Acyloin-Kondensation von Dicarbonsäure-diestern

(CH₂)ₙ⟨CO / CHOH	Methode*	Ausbeute [%d.Th.]	Kp [°C]	Kp [Torr]	Literatur
n = 3; 2-Hydroxy-1-oxo-cyclopentan	Na/T	52	73,5–74,5	10	1,2
	Si-H	78	78–80	10–12	3
n = 4; 2-Hydroxy-1-oxo-cyclohexan	Na/T	55	71	7	2
	Si-H	72	76–83	10–12	3
n = 5; 2-Hydroxy-1-oxo-cycloheptan	Na/T		97–99	16	1
n = 7; 2-Hydroxy-1-oxo-cyclononan	Na/Xy	29,5	110–124 (F: 43°)	12	4
n = 8; 2-Hydroxy-1-oxo-cyclodecan	Na/Xy	52	124–127 (F: 38–39°)	10	5,6
	Si-H	95	83–85	0,04–0,1	3
	Na/Xy	63	(F: 42°)		7,8
n = 11 2-Hydroxy-1-oxo-cyclotridecan	Na/Xy	68,7	120–126 (F: 45–46°)	0,2–0,3	5
n = 13; 2-Hydroxy-1-oxo-cyclopentadecan	Na/Xy	79	120–139 (F: 57–58°)	0,02	5
n = 14; 2-Hydroxy-1-oxo-cyclohexadecan	Na/Xy	84	143–146 (F: 56–58°)	0,1	6,9,10
n = 15; 2-Hydroxy-1-oxo-cycloheptadecan	Na/Xy	85	168–170 (F: 53–54°)	0,1	6
n = 16; 2-Hydroxy-1-oxo-cyclooctadecan	Na/Xy		155–160 (F: 59–60°)	0,15	6
n = 19; 2-Hydroxy-1-oxo-cycloeicosan	Na/Xy	96	210–225	0,3	4

* Na/T   = Natrium geschmolzen unter Toluol
  Na/Xy = Natrium geschmolzen unter Xylol
  Si-H   = Hydrolyse der Bis-[trimethylsiloxy]-alkene

In Spezialfällen und bei besonders wertvollen Ausgangsmaterialien ist die Gegenwart von Chlor-trimethyl-silan/Natrium und Hydrolyse der hierbei resultierenden Bis-[trimethylsiloxy]-alkene zu empfehlen[3]. Bei dieser Arbeitsweise werden relativ geringe Lösungsmittelmengen eingesetzt. Am Beispiel der Synthese des *2-Hydroxy-1-oxo-cyclopentan* sei die Leistungsfähigkeit der Ringschlußmethode von Dicarbon-

[1] J. D. KNIGHT u. D. J. CRAM, Am. Soc. **73**, 4136 (1951).
[2] J. C. SEEHAN, R. C. O'NEILL u. M. A. WHITE, Am. Soc. **72**, 3376 (1950).
[3] U. SCHRÄPLER u. K. RÜHLMANN, B. **97**, 1383 (1964).
[4] V. PRELOG et al., Helv. **30**, 1741 (1947).
[5] DBP. 841913 (1948), Firmenich & Co., Erf.: M. STOLL; C. **1953**, 142.
[6] M. STOLL u. J. HULSTKAMP, Helv. **30**, 1815 (1947).
[7] s. ds. Handb., Bd. IV/2, Kap. Große Ringsysteme, S. 756.
[8] N. L. ALLINGER, Org. Synth., Coll. Vol. IV, 840 (1963).
[9] H. H. MATHUR u. S. C. BHATTACHARYYA, Tetrahedron **21**, 1537 (1965).
[10] M. STOLL u. A. ROUVÉ, Helv. **31**, 1822 (1942).

Tab. 101. Cyclische α-Hydroxy-ketone mit Heteroatomen, Olefin-, Acetylen-, Phenylen- und Heterocyclen-Gruppen als Ringglieder

Acyloin	Methode*	Ausbeute [%d.Th.]	Kp		Literatur
			[°C]	[Torr]	
7-Hydroxy-6-oxo-1-oxa-cycloundecan	Na/Xy	63,5	76–78	0,07	1
12-Hydroxy-9-oxo-1-oxa-cyclotricosan	Na/Xy	56	200–220	0,3	1
7-Hydroxy-6-oxo-1-äthyl-1-aza-cycloundecan	Na/Xy	73	(F: 64–65°)		2
1,1-[6-Hydroxy-5-oxo-decandiyl-(1,10)]-ferrocen	Na/Xy	75	(F: 55–63°)		3
4,4'-[6-Hydroxy-5-oxo-decandiyl-(1,10)]-diphenylmethan	Na/Xy	70	(F: 93–97°)		4
7-Hydroxy-6-oxo-trans-cyclodecen-(1)	Na/Xy	51	109–115	5	5
1,4-[6-Hydroxy-5-oxo-decandiyl-(1,10)]-benzol	Na/Xy	70	158–161	0,4	6
9-Hydroxy-8-oxo-cyclooctadecin-(1)	Na/Xy		(F: 50°)		7
9-Hydroxy-8-oxo-cycloheptadecen-(1)	Na/Xy	72	137–480	0,015	8

* Na/Xy = Natrium geschmolzen in Xylol bei 110°

1 V. PRELOG, M. F. EL-NEWEIHY u. O. HÄFLIGER, Helv. 33, 1937 (1950).
2 N. J. LEONARD, R. C. FOX u. M. OKI, Am. Soc. 76, 5708 (1954).
3 K. SCHLÖGL u. H. SEILER, M. 91, 79 (1960).
4 D. J. CRAM u. M. F. ANTAR, Am. Soc. 80, 3107 (1958).
5 D. J. CRAM u. L. K. GASTON, Am. Soc. 82, 6386 (1960).
6 D. J. CRAM u. M. GOLDSTEIN, Am. Soc. 85, 1063 (1963).
7 I. MARSZAK, J. P. GUERMONT u. R. EPSZTEIN, Bl. 1960, 1807.
8 H. H. MATHUR u. S. C. BHATTACHARYYA, Soc. 1963, 114.

säure-diestern zu 1,2-Bis-[trimethylsiloxy]-cycloalkenen und deren Hydrolyse zum Acyloin erläutert.

2-Hydroxy-1-oxo-cyclopentan[1]

1,2-Bis-[trimethylsiloxy]-cyclopenten: In einem 1,5-l-Sulfierkolben mit Rührer, Rückflußkühler und Stickstoffeinleitungsrohr werden 2 g-Atom Natrium unter 600 ml Toluol oder Xylol geschmolzen und durch kräftiges Rühren bei maximal 4000 Umdrehungen/Min. zerkleinert. Nach dem Abkühlen auf 20–30° läßt man unter Rühren zunächst 2 Mol Chlor-trimethylsilan, dann 0,5 Mol Glutarsäure-diäthylester in die Suspension einlaufen; anschließend wird mit einem Paraffinbad 14 Stdn. zum Rückfluß erhitzt. Nach vollständiger Umsetzung des Natriums wird vom ausgeschiedenen Natriumchlorid abfiltriert, mit 300 ml Lösungsmittel in mehreren Anteilen nachgewaschen und das Filtrat fraktioniert; Ausbeute: 92% d.Th.; Kp_{10-12}: 93–94°; n_D^{20}: 1,4426; D_4^{20}: 0,9084.

2-Hydroxy-1-oxo-cyclopentan: In einem 250-ml-Zweihalskolben mit Anschütz-Aufsatz, Rührer, Rückflußkühler, Stickstoffeinleitungsrohr und Thermometer werden 0,33 Mol Bis-[trimethylsiloxy]-cyclopenten mit 18,6 g 1 n Salzsäure in 100 ml Tetrahydrofuran versetzt. Das Gemisch wird 15 Min. unter Rühren auf dem Wasserbad zum Sieden erhitzt und anschließend abgekühlt. Zur Neutralisation der Salzsäure wird mit 12 g gefälltem Calciumcarbonat versetzt, gerührt, filtriert und das Filtrat destilliert; Ausbeute: 78% d.Th.; Kp_{10-12}: 78–80°; n_D^{20}: 1,4868; D_4^{20}: 1,1801.

Eine weitere Variante der cyclisierenden Acyloin-Kondensation besteht in der Anwendung von Natrium in flüssigem Ammoniak in Gegenwart von Äther; eine Methode, die zur Cyclisierung in der Steroid-Reihe eingeführt wurde[2]. Ähnliche Reaktionsbedingungen wurden zum Studium des Reaktionsverlaufes der Acyloin-Kondensation herangezogen, ohne daß hieraus eine praktische Arbeitsmethode resultierte[3].

17β-Hydroxy-3-methoxy-16-oxo-östrantrien-(1,3,5[10])[2]:

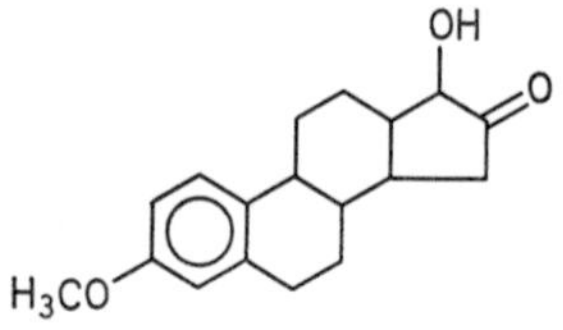

In einen 1-l-Dreihalskolben mit Trockeneis-Rückflußkühler, Rührer, Tropftrichter, Stickstoffeinleitungsrohr gibt man 200 ml Äther und 300 ml flüssiges Ammoniak. In dieser Mischung werden 0,8 g (0,0348 g-Atom) frisch geschnittenes Natrium gelöst. Das System wird nun mit Stickstoff gespült und sämtliche weiteren Operationen unter Stickstoff ausgeführt. Eine Lösung von 1,82 g (0,005 Mol) 7-Methoxy-2-methyl-1-(methoxycarbonyl-methyl)-2-methoxycarbonyl-1,2,3,4,4a,9, 10,10a-octahydro-phenanthren (O-Methyl-marrianolsäure-dimethylester) in 180 ml Äther werden in 1,5 Stdn. zugegeben. Man läßt langsam auf Raumtemp. erwärmen und das Ammoniakgas abdampfen. Nun gibt man eine Mischung von 2 ml Methanol in 100 ml Äther zu und säuert mit 50 ml 5%iger Salzsäure an. Nach Trennung der Schichten wird die wäßrige Phase mit einer Äther-Dichlormethan-Mischung extrahiert und die organische Phase mit Natriumhydrogencarbonat-Lösung gewaschen, getrocknet und das Lösungsmittel abdestilliert; Ausbeute: 96% d.Th.; F: 163–166°.

In der Steroid-Reihe wird diese Arbeitsmethode verschiedentlich angewandt[4-6]. Die normale Acyloin-Kondensation in siedendem Xylol führt hier nicht zum Erfolg[4].

[1] U. Schräpler u. K. Rühlmann, B. **97**, 1383 (1964).
[2] J. C. Sheehan, R. A. Coderre u. P. A. Cruickshank, Am. Soc. **75**, 6231 (1953).
[3] M. S. Kharasch, E. Sternfeld u. F. R. Mayo, J. Org. Chem. **5**, 362 (1940).
[4] J. C. Sheehan et al., Am. Soc. **74**, 6155 (1952).
[5] J. C. Sheehan, W. F. Erman u. P. A. Cruickshank, Am. Soc. **79**, 147 (1957).
[6] J. C. Sheehan u. W. F. Erman, Am. Soc. **79**, 6050 (1957).

Die Synthese eines annellierten Vierringacyloins, des *8-Hydroxy-7-oxo-bicyclo [4.2.0]octans*, gelang zwar mit Hilfe der Verdünnungstechnik[1], doch stellt die Verwendung von Kalium-Natrium-Legierung in Benzol eine wesentliche Bereicherung der Acyloin-Ringschlußmethoden dar[2-4].

12-Hydroxy-11-oxo-tricyclo[4.4.2.0^{1,6}]dodecadien-(3,8)[4]:

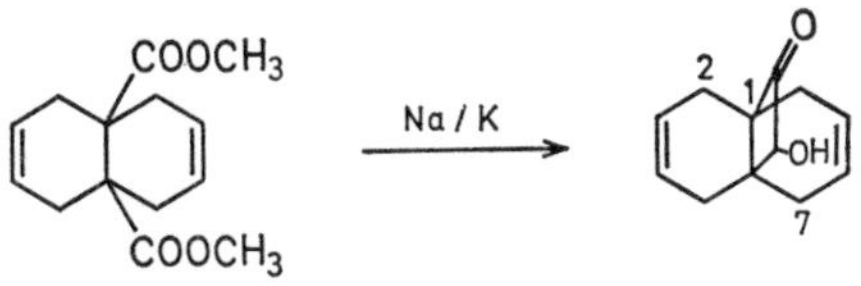

600 *ml* Benzol werden nach Trocknung durch Rückflußkochen über Calciumhydrid in einen 1-*l*-Dreihalskolben destilliert, der mit Rückflußkühler, Tropftrichter und einem hochtourigen Rührer versehen ist. Das Benzol wird zum Sieden erhitzt, dann gibt man 11,6 g (0,297 g-Atom) Kalium und 11,6 g (0,504 g-Atom) Natrium frisch geschnitten und unter Benzol abgewogen in kleinen Stücken zu. Die Metalle werden 5 Min. lang bei hoher Tourenzahl des Rührers dispergiert, dann gibt man bei verminderter Rührgeschwindigkeit 25 g (0,1 Mol) 1,4,4a,5,8,8a-Hexahydronaphthalin-4a,8a-dicarbonsäure-dimethylester in 160 *ml* Benzol im Verlauf von 100 Min. zu. Man erhitzt 60 Min. unter Rühren und Rückflußkochen und kühlt dann in einem Wasserbad (Vorsicht!) ab. Nun werden 18,4 g (0,40 Mol) Äthanol, dann 50 g Essigsäure tropfenweise zugegeben, dann wird der dicke Brei mit 200 *ml* Wasser versetzt. Nach Auswaschen der Benzol-Lösung mit ges. Natriumchlorid-Lösung wird die wäßrige Phase nochmals mit Benzol ausgeschüttelt, die vereinigten organischen Lösungen mit Magnesiumsulfat getrocknet und das Benzol i. Vak. entfernt; Ausbeute: 17,8 g (93,7% d. Th.); F: 77,6–80,4°; Das Rohprodukt wird aus Cyclohexan umkristallisiert; Ausbeute: 13,3 g (70,0% d. Th.); F: 79,6-80,3° (weiße Nadeln).

i) Ketone durch Benzoin-Kondensation

bearbeitet von

Prof. Dr. Heinz Herlinger

Institut für Chemiefasern an der Universität Stuttgart

Die Synthese von **aromatisch substituierten α-Hydroxy-ketonen** aus aromatischen Aldehyden kann mit Hilfe der **Benzoin-Kondensation** durchgeführt werden. Hierbei wird in einer **cyanid-katalysierten** Reaktion eine neue C—C-Bindung geknüpft. Der Grundstoff dieser Reihe ist das *Benzoin*[5,6]. Bei der ursprünglichen heute noch üblichen Herstellungsvorschrift werden aromatische Aldehyde in wäßrig-alkoholischer Lösung mit Alkalimetallcyaniden erwärmt[6,7].

Aus der chemischen Kinetik der *Benzoin*-Synthese[8] geht hervor, daß die Reaktion durch die Reaktionsgeschwindigkeitsgleichung

$$RG = k \cdot [Ar{-}CHO]^2 [CN^\ominus]$$

beschrieben wird; d.h. der aktivierte Komplex des geschwindigkeitsbestimmenden Schrittes besteht aus zwei Molekülen Benzaldehyd und einem Cyanid-Ion. Der Reak-

[1] A. C. Cope u. E. C. Herrick, Am. Soc. **72**, 983 (1950).
[2] S. Z. Taits u. Ya. L. Goldfarb, Izv. Akad. SSSR **1963**, 1289; C. **1965**, 10-0971.
[3] Ya. L. Goldfarb, S. Z. Taits u. L. I. Belenkii, Tetrahedron **19**, 1851 (1963).
[4] J. J. Bloomfield u. J. R. S. Irelan, J. Org. Chem. **31**, 2017 (1960).
[5] F. Wöhler u. J. Liebig, A. **3**, 276 (1832).
[6] N. Zinin, A. **31**, 329 (1839); **34**, 186 (1840).
[7] A. Breuer u. T. Zincke, A. **198**, 151 (1879).
[8] E. Stern, Z. physik. Chem. **50**, 513 (1905).

tionsverlauf kann nach heutigen Vorstellungen durch die Reaktionsgleichungen ①–③ beschrieben werden[1].

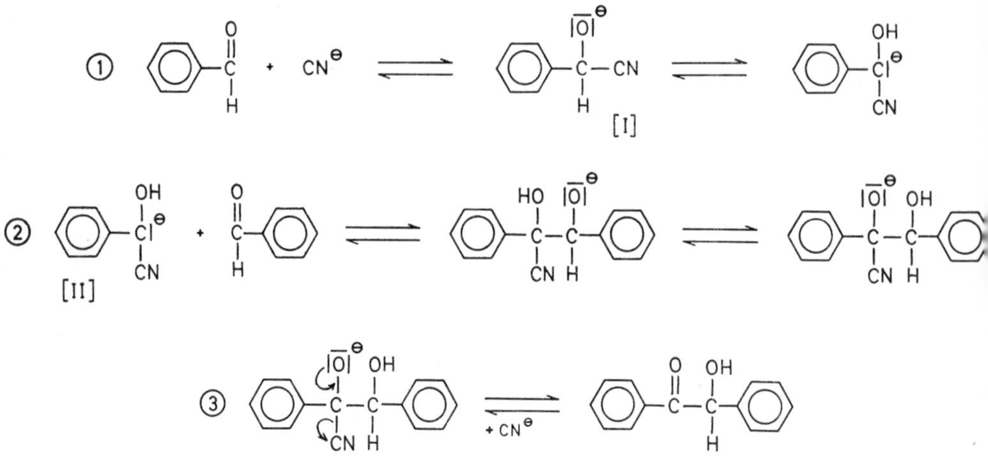

Die für das Gelingen der cyanid-katalysierten Benzoin-Kondensation maßgebenden Reaktionsschritte, Ausbildung und Reaktion des Anions II, werden durch Substituenten im aromatischen Rest stark beeinflußt. Dabei beeinflußt die Mesomerie der Substituenten des aromatischen Restes mit der Aldehyd-Cyanid-Addukt-Gruppe I die Reaktivität des Anions II so weit, daß in verschiedenen Fällen nur die unsymmetrische Kondensation zweier verschiedener Aldehyde möglich ist. Die Benzoin-Kondensation ist eine reversible Gleichgewichtsreaktion, die es gestattet, aus einem Benzoin A und einem Aldehyd B gemischte Benzoine, die den Aldehyd A und B enthalten, herzustellen.

Folgende allgemeine Bedingungen sind für die cyanid-katalysierte Benzoin-Kondensation gültig:

① Die zur Benzoin-Kondensation eingesetzten Aldehyde sollen frei sein von diesen üblicherweise zugesetzten Oxidationsinhibitoren wie Hydrochinon, Benzochinon, Schwefel, Metallhalogeniden u. ä. Da außerdem freie Säuren, so auch die den Aldehyden entsprechenden aromatischen Carbonsäuren die Reaktion u. a. durch Bildung freier Blausäure aus den Cyaniden beeinflussen, ist es zweckmäßig, die Aldehyde unmittelbar vor der Reaktion durch Destillation, gegebenenfalls auch durch Waschen mit Natriumbicarbonat-Lösung, zu reinigen.

② Die üblicherweise verwendeten Alkalimetallcyanide sollten weitgehend frei von Alkalimetallcarbonaten sein.

③ Die Benzoin-Kondensation wird zweckmäßigerweise in homogener Phase durchgeführt. Hierzu werden die Aldehyde in organischen Lösungsmitteln, meist Alkohol, in Sonderfällen jedoch auch Dimethylformamid[2] gelöst und mit wäßriger Alkalimetallcyanid-Lösung versetzt. Da die Reaktionsgeschwindigkeit der Benzoin-Kondensation mit steigendem Wassergehalt des Reaktionsgemisches ansteigt, ist es zweckmäßig, in Vorversuchen die optimale Wassermenge zu ermitteln; die Reaktion soll jedoch stets in homogener Phase durchgeführt werden. Beispielsweise verläuft die Benzoin-Kondensation mit Benzaldehyd in 66%igem Äthanol in homogener Phase.

---

[1] Vgl. hierzu L. P. Hammett, Physical Organic Chemistry, S. 348 ff. Mc. Graw-Hill, New York 1940.
    E. S. Gould, Mechanismus und Struktur in der organischen Chemie, S. 466 ff., Verlag Chemie GmbH, Weinheim/Bergstr. 1964.
[2] DBP. 947 610 (1955), BASF, Erf.: H. Spänig u. H. R. Hensel; C. 1957, 2333.

Benzoin[1,2]: 10 g Benzaldehyd (frei von Benzoesäure und Oxidationsinhibitoren) werden in 25–40 *ml* Äthanol gelöst und mit 2 g Kaliumcyanid, gelöst in 5 *ml* Wasser, versetzt. Man kocht 5 Min. am Rückfluß, läßt erkalten, saugt ab und wäscht mit wenig Äthanol, dann mit Wasser nach; Rohausbeute: ~ 90% d. Th.; F: 134° (aus Äthanol).

Heterocyclische benzoide Aldehyde führen in der Benzoin-Kondensation zu den symmetrisch substituierten α-Hydroxy-ketonen. Besteht bei derartigen α-Hydroxy-ketonen über deren Diolform die Möglichkeit zur Ausbildung von Wasserstoffbrücken, so liegen diese Verbindungen im festen Zustand als ‚Wasserstoffbrücken'-stabilisierte Endiole vor, z. B. *2-Pyridoin*:

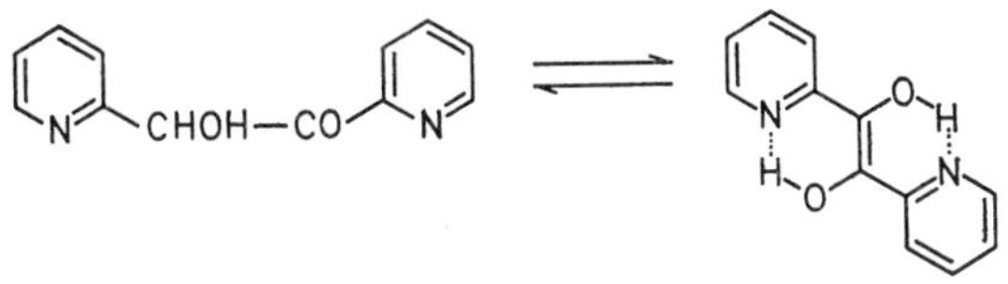

Gelegentlich wurde deshalb vorgeschlagen, die Benzoin-Kondensationsprodukte der o-Formyl-heterocyclen nicht als 2-Hydroxy-ketone zu bezeichnen[3]. Da in diesen Fällen aber stets eine Untersuchung der Struktur im festen Zustand erforderlich ist, andererseits jedoch durchaus auch Reaktionen von α-Hydroxy-ketonen bei derartigen Verbindungen zu finden sind, ist es zweckmäßig, formal diese Verbindungen in die Reihe der α-Hydroxy-ketone einzuordnen. Selbstverständlich treten in einigen Fällen spezielle Reaktivitäten auf, die auf die Stabilität der Endiol-Form zurückzuführen sind. Eine ausführliche Diskussion über α-Hydroxy-ketone und deren Endiole s. Literatur[3,4].

Aus der großen Zahl der möglichen benzoiden o-Formyl-heterocyclen, die zur cyanid-katalysierten Benzoin-Kondensation geeignet sind, seien die in Tab. 102 u. 103 (S. 663–666) angeführten Beispiele herausgegriffen.

Die Ausführung der Benzoin-Kondensation erfolgt bei heterocyclischen Aldehyden analog der aromatischer Aldehyde. Anstelle von wäßrigem Alkohol werden jedoch auch andere mit Wasser mischbare Lösungsmittel angewandt.

2-Pyridoin[5]: Zu 30 g frisch destilliertem Pyridin-2-aldehyd in 50 *ml* Pyridin und 200 *ml* Wasser werden auf dem Dampfbad 2 g Kaliumcyanid in 10 *ml* Wasser zugetropft. Die Reaktionsmischung wird dunkel, und es bildet sich ein Niederschlag. Man erhitzt 30 Min. weiter, kühlt im Eisbad ab, saugt ab, dann wird mit 15 *ml* Äthanol nachgewaschen; Ausbeute: 28,5 g (95% d. Th.); F: 156° (orange-gelbe Nadeln).

Verschiedene heterocyclische Aldehyde sind jedoch in wäßrigem Alkohol, wäßrigem Pyridin u. ä. schwer löslich. In diesen Fällen empfiehlt es sich, die Benzoin-Kondensation in Dimethylformamid durchzuführen.

---

[1] L. Gattermann u. T. Wieland, Die Praxis des organischen Chemikers, 38. Auflage, S. 164, Berlin 1958.

[2] Eine ausführliche Vorschrift, die bei Herstellung einer größeren Menge *Benzoin* zu beachten ist, wird von R. Adams u. C. S. Marvel in Org. Synth., Coll. Vol. I, 94 (1941) angegeben.

[3] C. A. Buehler, Chem. Reviews **64**, 7–18 (1964).

[4] H. v. Euler u. B. Eistert, Chemie und Biochemie der Reduktone und Reduktonate, F. Enke-Verlag, Stuttgart 1957.

[5] C. A. Buehler, J. W. Addleburg u. D. M. Glenn, J. Org. Chem. **20**, 1350 (1955).

2-Benzimidazoin[1]: 50 Teile Benzimidazol-2-aldehyd werden in 500 Teilen Dimethylformamid heiß gelöst und mit einer wäßrigen Lösung von 3 Teilen Kaliumcyanid versetzt. 2-Benzimidazoin fällt sofort in Form von gelben, kristallinen Blättchen aus, die abgesaugt werden (F: 240°, Zers.). Aus der Mutterlauge werden nach dem Abkühlen durch Zugabe von Methanol weitere Anteile erhalten.

Die Verbindung liegt im festen Zustand als chelatisiertes Endiol vor (vgl. 2-Pyridoin S. 655).

Die spezielle chemische Konstitution der o-Formyl-heterocyclen gestattet in einigen Fällen eine Kondensation zu α-Hydroxy-ketonen bzw. der entsprechenden Endiole, die nach einem von der Benzoin-Kondensation völlig verschiedenen Reaktionsmechanismus abläuft.

2-Pyridoin[2]:

mit Essigsäure: Versetzt man Pyridin-2-aldehyd mit derselben Menge Eisessig, so ist nach anfänglicher Erwärmung eine allmähliche Vertiefung der Farbe von hellgelb nach orange zu beobachten. Gleichzeitig wird die Lösung zähflüssig. Nach 8–10 Stdn. erstarrt das Gemisch beim Anreiben mit einem Glasstab zu einem dicken Kristallbrei, der abgesaugt wird. Ausbeute: ~ 100% d. Th.; F: 156°.

mit Bortrifluorid[3]: In einen 500-ml-Dreihalskolben werden 44 g (0,4 Mol) frisch destillierter Pyridin-2-aldehyd gegeben. Der Aldehyd wird gekühlt und mit Bortrifluorid gesättigt[3]. Die rote Farbe schlägt rasch nach dunkelrot um, und die Reaktionsmischung nimmt eine sirupartige Konsistenz an. Die Sättigung erfolgt in ~ 2 Stdn.; nach dieser Zeit läßt man auf Raumtemp. kommen und setzt 46,4 g Aceton zu. Die Reaktionsmischung bleibt tiefrot, bei Zusatz von wäßriger Natriumacetat-Lösung fällt ein orangefarbener Niederschlag aus; Ausbeute: 14,6 g (34,1% d.Th.); F: 153° (aus Wasser/Äthanol).

Die Benzoin-Kondensation von zwei verschiedenen Aldehyden führt zu unsymmetrischen Benzoinen, z.B.:

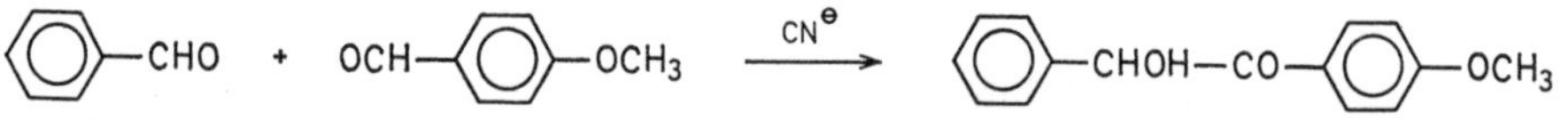

2-Hydroxy-1-oxo-2-phenyl-1-(4-methoxy-phenyl)-äthan-(4-Methoxy-benzoin)

Die cyanid-katalysierte Benzoin-Kondensation gelingt nur mit Aldehyden, deren Formyl-Funktion eine gewisse Elektrophilie aufweist und deren Aryl-Substituenten die Reaktivität des Aldehyd-Cyanid-Addukts nicht durch starke [+] oder [−] mesomere Effekte beeinflussen. So gelingt die Kondensation noch beim 4-Methyl- oder 4-Methoxy-benzaldehyd; beim 4-Dimethylamino- oder 4-Nitro-benzaldehyd versagt jedoch die Benzoin-Kondensation. Die gemeinsame Benzoin-Kondensation[4] von zwei verschiedenen Aldehyden A und B kann prinzipiell zu zwei verschiedenen symmetrischen α-Hydroxy-ketonen AA und BB sowie zu zwei unsymmetrischen α-Hydroxy-ketonen AB und BA führen.

Bei Aldehyden mit sehr ähnlicher Polarisierbarkeit der Carbonyl-Gruppe werden mehr oder weniger sämtliche vier Verbindungen gebildet, von denen jedoch meist eine Verbindung überwiegt. Die Isolierbarkeit eines der unsymmetrischen Isomeren ist nicht zuletzt eine Frage der Löslichkeit im angewandten Reaktionsmedium. Nach

---

[1] DBP. 947610 (1955), BASF, Erf.: H. Spänig u. H. R. Hensel; C. **1957**, 2333.

[2] H. R. Hensel, Ang. Ch. **65**, 491 (1953).

[3] C. S. Marvel u. J. K. Stille, J. Org. Chem. **21**, 1313 (1956).

[4] H. Staudinger, B. **46**, 3530, 3535 (1913).

dem vorliegenden Tatsachenmaterial ist diejenige Form des unsymmetrischen Benzoins die thermodynamisch stabilere, deren Carbonyl-Gruppe in Nachbarschaft zu demjenigen Substituenten steht, der die am stärksten elektronenabgebenden Substituenten trägt. Die thermodynamisch instabilere Form des α-Hydroxy-ketons, meist auf Umwegen synthetisierbar, kann mit Hilfe von Alkali, gelegentlich durch einfaches Erwärmen[1], in die thermodynamisch stabilere Form übergeführt werden:

,instabil'
1-Hydroxy-2-oxo-2-phenyl-1-(4-methoxy-phenyl)-äthan (4'-Methoxy-benzoin)

,stabil'
2-Hydroxy-1-oxo-2-phenyl-1-(4-methoxy-phenyl)-äthan (4-Methoxy-benzoin)

2-Hydroxy-1-oxo-2-phenyl-1-(4-dimethylamino-phenyl)-äthan (4-Dimethylamino-benzoin)[2]:
10,6 g (0,1 Mol) Benzaldehyd und 14,9 g (0,1 Mol) 4-Dimethylamino-benzaldehyd werden in 40 *ml* Äthanol gelöst und nach Zusatz einer Lösung von 2 g Kaliumcyanid in 20 *ml* Wasser 1 Stde. am Rückfluß gekocht. Nach dem Erkalten wird das reichlich ausgeschiedene 4-Dimethylamino-benzoin abfiltriert und das Filtrat nach Zugabe von 2 g Kaliumcyanid in 20 *ml* Wasser noch 1 mal gekocht. Das dabei erhaltene Produkt ist wie das zuerst gewonnene recht rein; Ausbeute: 21,8 g (86% d. Th.); F: 163–164° (aus Methanol).

Die Benzoin-Kondensation ist in sämtlichen Reaktionsschritten eine Gleichgewichtsreaktion[3]. Dementsprechend sind Benzoine mit Cyanidionen in ihre Aldehyde bzw. Aldehyd-Cyanid-Addukte rückspaltbar. Werden durch die Gegenwart eines Aldehyds B oder eines Benzoins B Nebenreaktionen der Spaltprodukte des Benzoins A verhindert, so erfolgt völlige Isomerisierung des Benzoins A zum thermodynamischen stabilsten Gleichgewichtsgemisch bzw. Benzoin AB, beispielsweise[4,5]:

2-Hydroxy-1-oxo-2-phenyl-1-furyl-(2)-äthan

Ausführliche Arbeiten, die sich mit der gemischten Benzoin-Kondensation befassen, s. Literatur [4-6].

---

[1] P. L. JULIAN u. W. PASSLER, Am. Soc. **54**, 4756 (1932).
[2] H. STAUDINGER, B. **46**, 3535 (1913).
[3] E. ANDERSON u. R. A. JACOBSON, Am. Soc. **45**, 836 (1923).
[4] J. S. BUCK u. W. S. IDE, Am. Soc. **52**, 220 (1930).
[5] J. S. BUCK u. W. S. IDE, Am. Soc. **53**, 2784 (1931).
[6] J. S. BUCK u. W. S. IDE, Am. Soc. **52**, 220, 4107 (1930); **53**, 1912, 2350, 2784 (1931); **54**, 3302 (1932).

Die unsymmetrische Benzoin-Kondensation bietet ebenfalls einige **Besonder-heiten**, die im wesentlichen auf die abgestufte Reaktivität des ersten und zweiten Reaktionsschrittes der Benzoin-Kondensation bei den eingesetzten Aldehyden zurückzuführen sind.

Während mit Pyridin-2-aldehyd keine gemischte Benzoin-Kondensation mit normalen aromatischen Aldehyden möglich ist[1], erfolgt eine cyanid-katalysierte Kondensation mit Phenylglyoxal zum α-Hydroxy-keton[2] bzw. dessen Endiol:

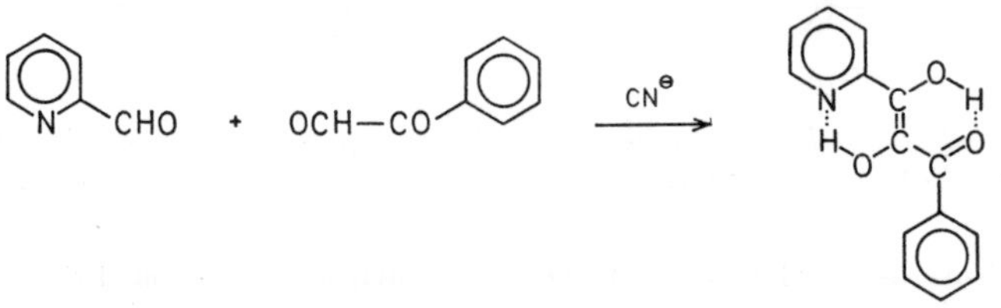

2-Hydroxy-1,3-dioxo-3-phenyl-1-pyridyl-(2)-propan[2]: Zu der auf −10° abgekühlten Lösung von reinem Phenylglyoxal-hydrat in der 50fachen Menge 50% Methanol gibt man eine ges. wäßrige Lösung von 10 Gew.-% Kaliumcyanid (ber. auf Phenylglyoxal-hydrat). Sobald sich (nach 30–150 Sek.) ein gelber Niederschlag zu bilden beginnt (keinesfalls früher), läßt man unter Rühren eine Lösung von 0,5 Mol Pyridin-2-aldehyd in der ausreichenden Menge 50%igen Methanols in dem Maße zutropfen, daß der gelbe Niederschlag jeweils eben verschwindet. Nach einiger Zeit scheidet sich aus der dunkelrot werdenden Lösung ein orangeroter Niederschlag aus. In diesem Augenblick gibt man noch den Rest der Aldehyd-Lösung in einem Zuge hinzu, rührt 10 Min. weiter und saugt dann ab; Rohausbeute: beträgt bei einiger Übung 35–45% d.Th. (bez. auf Pyridin-2-aldehyd). Man kristallisiert aus 60–70%igem Methanol um; F: 93° (flache orange- bis rotbraune Kriställchen).

Spezielle Fälle der **Endiol-Stabilisierung** bei α-Hydroxy-ketonen treten häufig dann auf, wenn die Endiolform unter **Ringbildung** stabilisiert werden kann. Neben der bereits beschriebenen Ausbildung von Chelaten und Lactonen besteht die Möglichkeit der Bildung von speziellen **cyclischen Halbacetalen**[3]:

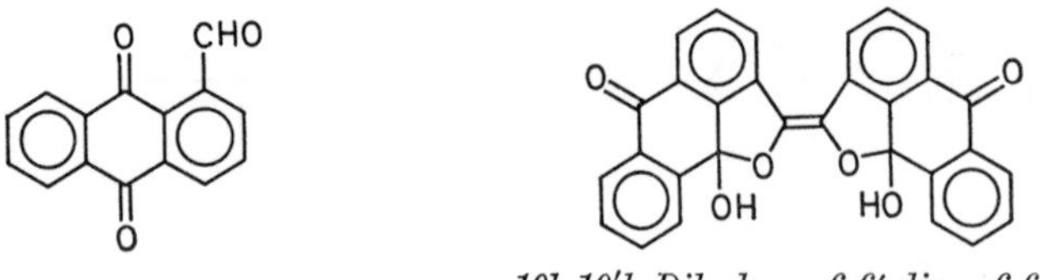

10b,10′b-Dihydroxy-6,6′-dioxo-6,6′,10b,
10′b-tetrahydro-2H,2′H-bi-{⟨anthraceno-[9,1-
b,c]-furan⟩-yliden-(2)}

Die Kondensation des Anthrachinon-1-aldehyds erfolgt nicht unter den Bedingungen der Benzoin-Kondensation, sondern durch Behandlung mit Schwefelsäure.

Beim Behandeln von Anthrachinon-α-aldehyd mit einer wäßrigen Kaliumcyanid-Lösung hingegen tritt eine intramolekulare Redoxreaktion zur 9,10-Dihydroxy-anthracen-2-carbonsäure ein (analog der Umwandlung von Glyoxal zu Glykolsäure)[4].

---

[1] P. BERGMANN u. H. PAUL, Z. **6**, 339 (1966).
[2] B. EISTERT u. H. MUNDER, B. **91**, 1415 (1958).
[3] R. SCHOLL u. H. D. WALLENSTEIN, B. **69**, 503 (1936).
[4] O. BAYER, Leverkusen, Privatmitteilung.

Verschiedene Einflüsse auf die Benzoin-Kondensation sind noch ungeklärt. So stören offensichtlich aromatische Aldehyde, die phenolische Gruppen tragen, z. B. beim Vanillin, die Benzoin-Kondensation; bei einer gemischten Benzoin-Kondensation gelingt jedoch die Kondensation des 3-Hydroxy-benzaldehyds[1].

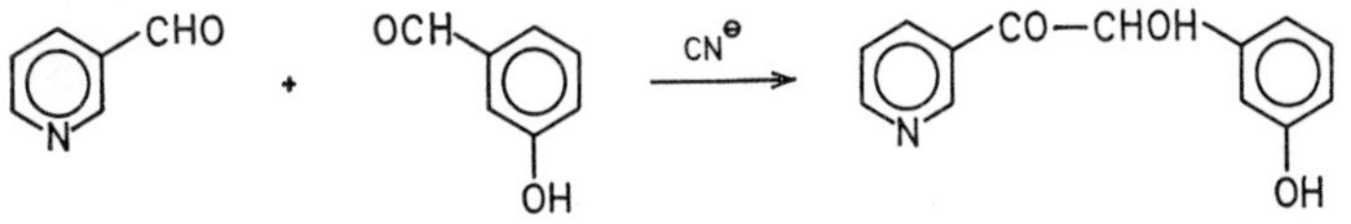

2-Hydroxy-1-oxo-2-(4-hydroxy-phenyl)-1-pyridyl-(3)-äthan

Der Pyridin-4-aldehyd führt in der Benzoin-Kondensation intermediär zu einem α-Hydroxy-keton, das jedoch unter den angewandten Reaktionsbedingungen disproportioniert:

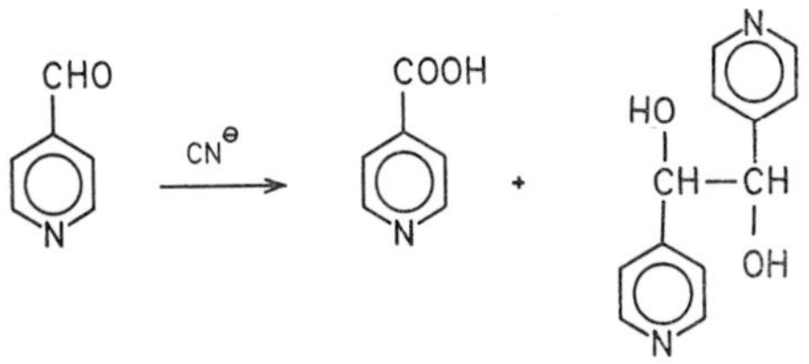

1-Formyl-⟨benzo-[f]-chinolin⟩ (s. Tab. 103, S. 666), ein anellierter Pyridin-4-aldehyd, liefert jedoch in 82%iger Ausbeute das entsprechende α-Hydroxy-keton[2]:

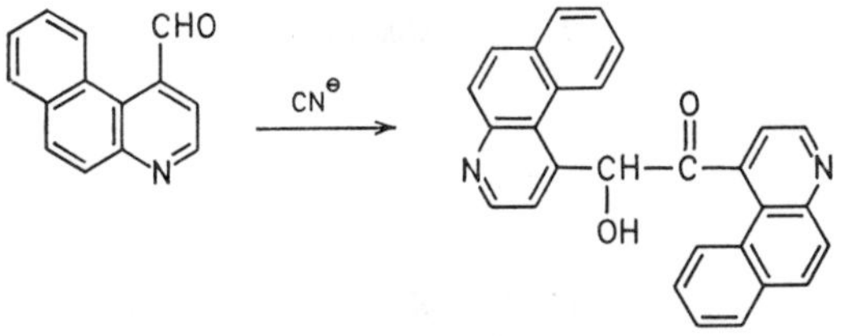

4-Benzo-[f]-chinolinoin

Die Benzoin-Kondensation ist nur mit benzoiden Aldehyden, meist jedoch nicht bei aliphatischen Aldehyden, möglich. Ausnahmen bilden jedoch Aldehyde, die durch eine α-Carbonyl-Funktion aktiviert sind. Bereits 1894 konnte P. W. Abenius[3] Phenylglyoxal mit Hilfe von Cyanid-Katalysatoren zum α-Hydroxy-keton kondensieren. Derartige Verbindungen liegen in festem Zustand in Form von Endiolen vor[4-6] (Fortsetzung S. 671):

---

[1] P. Bergmann u. H. Paul, Z. **6**, 339 (1966).
[2] R. E. Benson u. C. S. Hamilton, Am. Soc. **68**, 2644 (1946).
[3] P. W. Abenius u. H. G. Söderbaum, B. **24**, 3033 (1891).
[4] R. Goto, Y. Miyagi u. H. Inokawa, Bl. chem. Soc. Japan **36**, 147 (1963).
[5] Y. Miyagi u. Goto, Bl. chem. Soc. Japan **36**, 650 (1963).
[6] Y. Miyagi u. R. Goto, Bl. chem. Soc. Japan **36**, 961 (1963).

Tab. 102. Symmetrische Benzoine durch Kondensation der entsprechenden Aldehyde

R—CHOH—CO—R R =		Ausbeute [%d.Th.]	F [°C]	Literatur
	Benzoin	90	130–124	1–4
	1-Naphthoin	12	138–139	5
	9-Phenanthroin	93	192–194	6–8
	4-Biphenyloin	90	161–162	9–11
	4,4'-Diphenyl-4-biphenyloin	55	306–308	12
	2,2'-Dimethyl-benzoin		79	13
	4,4'-Dimethyl-benzoin		88–89	13

1 F. Wöhler u. J. Liebig, A. 3, 276 (1832).
2 N. Zinin, A. 31, 329 (1839); A. 34, 186 (1840).
3 A. Breuer u. T. Zincke, A. 198, 151 (1879).
4 J. S. Buck u. W. S. Ide, Am. Soc. 52, 4107 (1930).
  Vgl. auch L. Gattermann u. T. Wieland, Die Praxis des organischen Chemikers, 38. Auflage,
    S. 194, Walter de Gruyter u. Co., Berlin 1958.
  R. Adams u. C. S. Marvel, Org. Synth., Coll. Vol. I, 94 (1941).
5 M. Gomberg u. F. J. van Natta, Am. Soc. 51, 2238 (1929).
6 B. Eistert, H. Schneider u. R. Wollheim, B. 92, 2061 (1959).
7 F. Bergmann u. S. Israelashwili, Am. Soc. 67, 1951 (1945).
8 N. Jones, Am. Soc. 67, 1956 (1945).
9 E. E. Baroni u. G. Bushbek, Ž. obšč. Chim. 29, 4055 (1959); engl.: 4014.
10 E. E. Baroni, K. A. Kovyrzina u. T. A. Tsvetkova, Ž. org. Chim. 1, 513 (1965); engl.: 506.
11 E. E. Baroni u. K. A. Kovyrzina, Ž. obšč. Chim. 30, 1670 (1960); engl.: 1664.
12 G. Drefahl u. K. Thalmann, J. pr. 20, 56 (1963).
13 T. Ekecrantz u. A. Ahlqvist, Ark. Kemi 3, 1 (1908); C. 1908 II, 1688.

Tab. 102. (1. Fortsetzung)

R—CHOH—CO—R R =		Ausbeute [% d.Th.]	F [°C]	Litera- tur
	3,3',5,5'-Tetramethyl-benzoin	80	93–94	[1]
(CH₃)₂CH—⬡—	*4,4'-Diisopropyl-benzoin*	40–45	98 (101)	[2,3]
	2,2'-Dichlor-benzoin	21 40	62–63 56–57	[4] [5,6]
	3,3'-Dichlor-benzoin		152–153	[7]
Cl—⬡—	*4,4'-Dichlor-benzoin*		88	[8]
	3,3'-Dibrom-benzoin		123–124	[7]
J—⬡—	*4,4'-Dijod-benzoin*	40–50	122	[9]
	2,2'-Dimethoxy-benzoin	55	101,5	[10]

[1] M. Weiler, B. **33**, 335 (1900).
[2] M. Bösler, B. **14**, 324 (1881).
[3] H. Biltz u. C. Stellbaum, A. **339**, 294 (1905).
[4] A. Weissberger et al., A. **478**, 112 (1930).
[5] H. H. Hodgson u. W. Rosenberg, Soc. **1930**, 14.
[6] H. Moureu, P. Chovin u. R. Sabourin, Bl. **1964**, 1090.
[7] T. Ekecrantz u. A. Ahlqvist, Ark. Kemi **3**, 1 (1908); C. **1908** II, 1688.
[8] A. Hantzsch u. W. H. Glower, B. **40**, 1519 (1907).
[9] C. Willgerodt u. A. Ucke, J. pr. [2] **86**, 276 (1912).
[10] J. C. Irvine, Soc. **79**, 668 (1901).

Tab. 102. (2. Fortsetzung)

R—CHOH—CO—R R =		Ausbeute [%d.Th.]	F [°C]	Litera- tur
	3,3'-Dimethoxy-benzoin	20 60	41–42 55	1 2
	4,4'-Dimethoxy-benzoin	— 60	109—110 113	3 4
	2,2'-Diäthoxy-benzoin	5	68,5–69	5,6
	4,4'-Diäthoxy-benzoin	8	86–87	5
	2,2',3,3'-Tetramethoxy-benzoin	44	86–87	7
	2,2'-Dichlor-3,3'-dimethoxy-benzoin		133–134	1
	2,2',5,5'-Tetramethoxy-benzoin	100		7
	3,4;3',4'-Bis-[methylendioxy]-benzoin	—	120	8

1 H. H. HODGSON u. W. ROSENBERG, Soc. **1930**, 14.
2 A. SCHÖNBERG u. W. MALCHOW, B. **55**, 3746 (1922).
3 A. ROSSEL, A. **151**, 25 (1869).
4 M. BÖSLER, B. **14**, 324 (1881).
  G. SUMRELL et al., J. Org. Chem. **22**, 39 (1957).
5 A. WEISSBERGER at al., A. **478**, 112 (1930).
6 A. WEISSBERGER u. E. DYM, A. **502**, 74 (1933).
7 J. L. HARTWELL u. S. R. L. KORNBERG, Am. Soc. **67**, 1606 (1945).
8 F. M. PERKIN, Soc. **59**, 164 (1891).

Tab. 102. (3. Fortsetzung)

R—CHOH—CO—R R =		Ausbeute [%d.Th.]	F [°C]	Litera- tur
CH₃O, CH₃O—⟨⟩—, CH₃O	3,3',4,4',5,5'-Hexamethoxy-benzoin	16	147,5–148	[1,2]
⟨⟩— NO₂	2,2'-Dinitro-benzoin	8	168–169	[3,4,5]
CH₃CONH—⟨⟩—	4,4'-Bis-[acetylamino]-benzoin	28	244–246	[6]
—CHOH—⟨⟩—CHOH —CO—⟨⟩—CO n polymer		—	170–200	[7,8]
⟨⟩— COOH	2,2'-Dicarboxy-benzoin	—	112	[9]
⟨O⟩—	2-Furoin	25	135	[10–12]
⟨S⟩—	2-Thiophenoin	30	107–108	[13]

[1] J. L. HARTWELL u. S. R. L. KORNBERG, Am. Soc. **67**, 1606 (1945).
[2] H. RICHTZENHAIN, B. **77**, 409 (1944).
[3] T. EKECRANTZ u. A. AHLQVIST, B. **43**, 2606 (1910).
[4] J. POPOVICI, B. **40**, 2562 (1907).
[5] J. POPOVICI, B. **41**, 1851 (1908).
[6] H. L. GEE u. J. HARLEY-MASON, Soc. **1947**, 251.
[7] J. T. JONES u. P. B. TINKER, Soc. **1955**, 1286.
[8] H. OPPENHEIMER, B. **19**, 1815 (1886).
D. MACHTINGER, C. r. **254**, 3865 (1962).
[9] C. GRAEBE u. A. LANDRISET, B. **24**, 2296 (1891).
[10] E. FISCHER, A. **211**, 214 (1882).
[11] E. FISCHER, B. **13**, 1334 (1880).
[12] W. W. HARTMAN u. J. B. DICKEY, Am. Soc. **55**, 1228 (1933).
[13] I. DESCHAMPS, W. KING u. F. F. NORD, J. Org. Chem. **14**, 184 (1949).

Tab. 103. Heterocyclische, symmetrische Benzoine

R—CHOH—CO—R R=		Ausbeute [%d.Th.]	F [°C]	Litera- tur
	3-Thiophenoin	33	116–117	1
	2-Benzimidazoin	84	240	2
	2,2'-Diphenyl-1,2,3-triazoloin- (4)	60	160–162	3
	1,3-Thiazoloin-(2)	53	159	4
	5,5'-Dimethyl-1,3-thia- zolain-(2)	63	194	4
	4,4',5,5'-Tetramethyl-1,3- thiazoloin-(2)	64	211	4
	Benzo-1,3-thiazoloin-(2)	90	280–282	5
	Benzo-1,2-selenazoloin-(2)	90	274–275	5
	2-Pyridoin	34	156	6–9

[1] E. CAMPAIGNE u. W. M. LeSUER, Am. Soc. **70**, 1555 (1948).
[2] DBP. 947610 (1955), BASF, Erf.: H. SPÄNIG u. H. R. HENSEL; C. A. **53**, 3245^b (1959).
[3] H.-J. BINTE u. G. HENSEKE, Z. **5**, 268 (1965).
[4] H. BEYER u. U. HESS, B. **90**, 2435 (1957).
[5] T. UKAI u. S. KANAHARA, J. pharm. Soc. Japan **74**, 45 (1954); C. A. **49**, 1723^c (1955).
[6] C. HARRIES u. G. H. LÉNART, A. **410**, 95 (1915).
[7] W. MATHES, W. SAUERMILCH u. T. KLEIN, B. **84**, 452 (1951).
[8] H. R. HENSEL, Ang. Ch. **65**, 491 (1953).
[9] C. S. MARVEL u. J. K. STILLE, J. Org. Chem. **21**, 1313 (1956).

Tab. 103. (1. Fortsetzung)

R—CHOH—CO—R R=		Ausbeute [% d.Th.]	F [°C]	Literatur
	3-Pyridoin			1
	4,4′,6,6′-Tetramethyl-2-pyridoin	—	221–222	2
	5,5′-Diäthyl-2-pyridoin	—	140	2
	6,6′-Bis-[hydroxymethyl]-2-pyridoin	—	187	3
	6,6′-Dicarboxy-pyridoin	—	250	2
	2-Pyridoin-1,1′-bis-[oxid]	—	167	4
	6,6′-Dimethyl-2-pyridoin-1,1′-bis-[oxid]	—	191	4
	2-Chinolinoin	90	232–233	5–8

1 P. BERGMANN u. H. PAUL, Z. 6, 339 (1966).

2 W. MATHES, W. SAUERMILCH u. T. KLEIN, B. 87, 1870 (1954).

3 W. MATHES u. W. SAUERMILCH, B. 84, 1519 (1956); Ch. Z. 80, 475 (1956).

4 W. MATHES u. W. SAUERMILCH, A. 618, 152 (1958).

5 C. A. BUEHLER u. J. O. HARRIS, Am. Soc. 72, 5015 (1950).

6 T. UKAI u. S. KANAHARA, J. pharm. Soc. Japan 74, 45 (1954); C. A. 49, 1723ᶜ (1953).

7 H. KAPLAN, Am. Soc. 63, 2654 (1941).

8 M. HENZE, B. 67, 750 (1934).

Tab. 103. (2. Fortsetzung)

R—CHOH—CO—R R=		Ausbeute [% d.Th.]	F [°C]	Litera- tur
	6,6'-Dimethyl-2-chinolinoin	60	258	[1]
	1-Benzo-[f]-chinolinoin	82	272–273	[2]
	2-Chinolinoin-1,1'-bis-[oxid]	—	193–194	[3]
	2-Pyrazinoin	85	218–219	[4]
	2-Pyrimidoin	66	239	[5]
	2,2',6,6'-Tetraoxo-1,1',3,3', 7,7'-hexamethyl-7H- purinoin-(8) [*1,1',3,3',7,7'-Hexamethyl-8- xanthinoin; Coffeinoin-(8)*]	71	Zers.	[6]
	2,2'-Dioxo-1,1',3,3'-tetra- methyl-2,2',3,3'-tetrahydro- ⟨benzoimidazol⟩-5-oin			[7]

[1] C. A. BUEHLER u. S. P. EDWARDS, Am. Soc. **74**, 977 (1952).
[2] R. E. BENSON u. C. S. HAMILTON, Am. Soc. **68**, 2644 (1946).
[3] C. A. BUEHLER, L. A. WALKER u. P. GARCIA, J. Org. Chem. **26**, 1410 (1961).
[4] H. RUTNER u. P. E. SPOERRI, J. org. Chem. **28**, 1898 (1963).
[5] H. BREDERECK, R. SELL u. F. EFFENBERGER, B. **97**, 3407 (1964).
[6] H. BREDERECK u. B. FÖHLISCH, B. **95**, 414 (1962).
[7] A. V. EL'TSOV, Ž. obšč. Chim. **33**, 1327 (1963); engl.: 1297.

Tab. 104. Unsymmetrische Benzoine durch Benzoin-Kondensation aromatischer und heterocyclischer Aldehyde

R—CHOH—CO—R'			Ausbeute [%d.Th.]	F [°C]	Literatur
R	R'				
(Phenyl)	—N(CH₃)₂ (4)	2-Hydroxy-1-oxo-2-phenyl-1-(4-dimethylamino-phenyl)-äthan (4-Dimethylamino-benzoin)	86	163—164	[1–4]
	—OCH₃ (4)	2-Hydroxy-1-oxo-2-phenyl-1-(4-methoxy-phenyl)-äthan (4-Methoxy-benzoin)	45	105—106	[5–7]
	—OCH₃ (3)	2-Hydroxy-1-oxo-2-phenyl-1-(3-methoxy-phenyl)-äthan (3-Methoxy-benzoin)	70	56—57	[8]
	(methylendioxy-phenyl)	2-Hydroxy-1-oxo-2-phenyl-1-(3-methylendioxy-phenyl)-äthan (3,4-Methylendioxy-benzoin)	32	120	[3,5,6,9]
(Phenyl)	(benzimidazol)	2-Oxo-1,3-dimethyl-5-(2-hydroxy-2-phenyl-acetyl)-2,3-dihydro-⟨benzimidazol⟩	—	165	[10]

[1] H. Staudinger, B. 46, 3530 (1913).
[2] H. Staudinger, B. 46, 3535 (1913).
[3] J. S. Buck u. W. S. Ide, Am. Soc. 53, 2350 (1931).
[4] J. S. Buck u. W. S. Ide, Am. Soc. 53, 2784 (1931).
[5] M. Tiffeneau u. J. Lévy, Bl. [4] 49, 725 (1931); C. A. 25, 4875 (1931); C. r. 192, 287 (1931); C. A. 25, 3329 (1931).
[6] E. Anderson u. R. A. Jacobson, Am. Soc. 45, 836 (1923).
[7] C. R. Kinney, Am. Soc. 51, 1592 (1929).
[8] K. Brass, E. Willig u. R. Haussen, B. 63, 2613 (1930).
[9] J. S. Buck u. W. S. Ide, Am. Soc. 52, 220 (1930).
[10] A. V. El'tsov, Ž. obšč. Chim. 33, 1327 (1963); engl.: 1297.

Tab. 104. (1. Fortsetzung)

R—CHOH—CO—R'		Ausbeute [%d.Th.]	F [°C]	Literatur
R	R'			
(phenyl)	2-Hydroxy-1-oxo-2-phenyl-1-furyl-(2)-äthan		139	1-5
(2-chlorphenyl, Cl)	2-Hydroxy-1-oxo-2-(2-chlor-phenyl)-1-(4-dimethylamino-phenyl)-äthan (2'-Chlor-4-dimethylamino-benzoin)	36	173	2,3,6,7
	2-Hydroxy-1-oxo-2-(2-chlor-phenyl)-1-(3,4-dimethoxy-phenyl)-äthan (2'-Chlor-3,4-dimethoxy-benzoin)	70	142	6,7
	2-Hydroxy-1-oxo-2-(2-chlor-phenyl)-1-(3,4-methylendioxy-phenyl)-äthan (2'-Chlor-3,4-methylendioxy-benzoin)	50	116	8,2,3,6,7
	2-Hydroxy-1-oxo-2-(2-chlor-phenyl)-1-(4-methoxy-phenyl)-äthan (2'-Chlor-4-methoxy-benzoin)	60	84	6

[1] M. TIFFENEAU u. J. LÉVY, Bl. [4] 49, 725 (1931); C. A. 25, 4875 (1931);
C. r. 192, 287 (1931); C. A. 25, 3329 (1931).
[2] J. S. BUCK u. W. S. IDE, Am. Soc. 53, 2784 (1931).
[3] J. S. BUCK u. W. S. IDE, Am. Soc. 52, 220 (1930).
[4] E. FISCHER, B. 13, 1334 (1880).
[5] W. W. HARTMAN u. J. B. DICKEY, Am. Soc. 55, 1228 (1933).
[6] J. S. BUCK u. W. S. IDE, Am. Soc. 52, 4107 (1930).
[7] J. S. BUCK u. W. S. IDE, Am. Soc. 53, 1912 (1931).
[8] J. S. BUCK u. W. S. IDE, Am. Soc. 53, 2350 (1931).

Tab. 104. (2. Fortsetzung)

R	R'		Ausbeute [%d.Th.]	F [C°]	Literatur
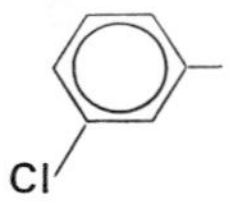 (3-Chlor-phenyl)	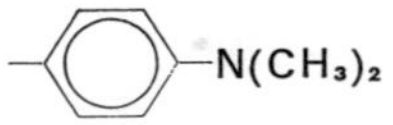 $-N(CH_3)_2$	2-Hydroxy-1-oxo-2-(3-chlor-phenyl)-1-(4-dimethylamino-phenyl)-äthan (3'-Chlor-4-dimethylamino-benzoin)	45	105	[1,2]
(3-Chlor-phenyl)	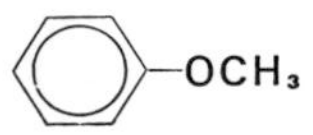 $-OCH_3$	2-Hydroxy-1-oxo-2-(3-chlor-phenyl)-1-(4-methoxy-phenyl)-äthan (3'-Chlor-4-methoxy-benzoin)	30	85	[3]
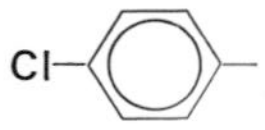 (4-Chlor-phenyl)	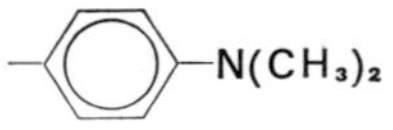 $-N(CH_3)_2$	2-Hydroxy-1-oxo-2-(4-chlor-phenyl)-1-(4-dimethylamino-phenyl)-äthan (4'-Chlor-4-dimethylamino-benzoin)	46	128	[4,5,6]
(4-Chlor-phenyl)	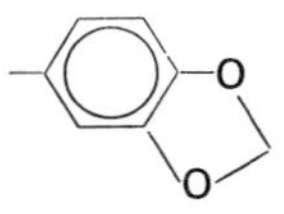 (3,4-Methylendioxy-phenyl)	2-Hydroxy-1-oxo-2-(4-chlor-phenyl)-1-(3,4-methylendioxy-phenyl)-äthan (4'-Chlor-3,4-methylendioxy-benzoin)	40	110	[1,2]
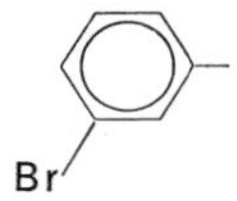 (3-Brom-phenyl)	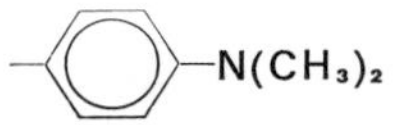 $-N(CH_3)_2$	2-Hydroxy-1-oxo-2-(3-brom-phenyl)-1-(4-dimethylamino-phenyl)-äthan (3'-Brom-4-dimethylamino-benzoin)	50	145	[7]
(3-Brom-phenyl)	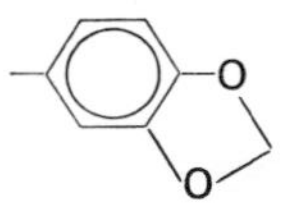 (3,4-Methylendioxy-phenyl)	2-Hydroxy-1-oxo-2-(3-brom-phenyl)-1-(3,4-methylendioxy-phenyl)-äthan (3'-Brom-3,4-methylendioxy-benzoin)	33	106	[7]

R–CHOH–CO–R'

[1] J. S. Buck u. W. S. Ide, Am. Soc. 52, 4107 (1930).
[2] J. S. Buck u. W. S. Ide, Am. Soc. 54, 3302 (1932).
[3] S. S. Jenkins u. E. M. Richardson, Am. Soc. 55, 3874 (1933).
[4] H. Staudinger, B. 46, 3530 (1913).
[5] H. Staudinger, B. 46, 3535 (1913).
[6] S. S. Jenkins, Am. Soc. 53, 3115 (1931).
[7] J. S. Buck u. W. S. Ide, Am. Soc. 52, 220 (1930).

Tab. 104. (3. Fortsetzung)

R–CHOH–CO–R'		Ausbeute [% d.Th.]	F [°C]	Literatur
R	R'			
2-methoxy-phenyl (OCH_3)	4-methoxy-phenyl (OCH_3) 2-Hydroxy-1-oxo-2-(2-methoxy-phenyl)-1-(4-methoxy-phenyl)-äthan (2,4-Dimethoxy-benzoin)	77	102	[1]
CH_3O-phenyl	3,4-methylendioxy-phenyl (O–CH₂–O) 2-Hydroxy-1-oxo-2-(4-methoxy-phenyl)-1-(3,4-methylendioxy-phenyl)-äthan (4'-Methoxy-3,4-methylendioxy-benzoin)	—	79	[1]
3,4-methylendioxy-phenyl	$N(CH_3)_2$-phenyl 1-Hydroxy-2-oxo-2-(4-dimethylamino-phenyl)-1-(3,4-methylendioxy-phenyl)-äthan (4-Dimethylamino-3',4'-methylendioxy-benzoin)	40	136	[2,3]
pyridyl-(3)	$N(CH_3)_2$-phenyl 1-Hydroxy-2-oxo-2-(4-dimethylamino-phenyl)-1-pyridyl-(3)-äthan	92	—	[4]
pyridyl-(3)	OH-phenyl 1-Hydroxy-2-oxo-2-(4-hydroxy-phenyl)-1-pyridyl-(3)-äthan	42	—	[4]
furyl-(2)	$N(CH_3)_2$-phenyl 1-Hydroxy-2-oxo-2-(4-dimethylamino-phenyl)-1-furyl-(2)-äthan	30	168	[2,5]

[1] M. Tiffeneau u. J. Lévy, Bl. [4] 49, 725 (1931); C. A. 25, 4875 (1931); C. r. 192, 287 (1931); C. A. 25, 3329 (1931).
[2] J. S. Buck u. W. S. Ide, Am. Soc. 53, 2350 (1931).
[3] J. S. Buck u. W. S. Ide, Am. Soc. 54, 3302 (1932).
[4] P. Bergmann u. H. Paul, Z. 6, 339 (1966).
[5] J. S. Buck u. W. S. Ide, Am. Soc. 52, 220 (1930).

$$2 \ R{-}CO{-}CHO \xrightarrow{CN^{\ominus}} [R{-}CO{-}CHOH{-}CO{-}CO{-}R] \longrightarrow$$

R = CH₃;   *4-Hydroxy-2,3,5-trioxo-hexan*
R = − C(CH₃)₃;   *5-Hydroxy-3,4,6-trioxo-2,2,7,7-tetramethyl-octan*
R = −C₆H₅;   *3-Hydroxy-1,2,4-trioxo-1,4-diphenyl-butan*
R = − CH(CH₃)₂;   *5-Hydroxy-3,4,6-trioxo-2,7-dimethyl-octan*

Auch das Anfangsglied der α-Oxo-aldehyde, das Glyoxal, geht zusammen mit aromatischen Aldehyden eine cyanid-katalysierte Kondensation ein. Hierbei addiert jedoch die freie Aldehydfunktion sofort Blausäure und es erfolgt eine Cyclisierung des Primärkondensationsproduktes zu II. Bei dieser Reaktion werden jedoch molare Mengen Cyanid eingesetzt.

II

Tab. 105. 4-Substituierte Tetronimide, hergestellt unter den Bedingungen der gemischten Benzoin-Kondensation[1-3]

Ar =		Ausbeute [% d.Th.]	F [°C]
	3-Hydroxy-5-phenyl-tetronsäure-2-imid	93	173–174
	3-Hydroxy-5-(4-nitro-phenyl)-tetronsäure-2-imid	88	181–184
	3-Hydroxy-5-furyl-(2)-tetronsäure-2-imid	89	148–153
	3-Hydroxy-5-pyridyl-(2)-tetronsäure-2-imid	69	190–193
	3-Hydroxy-5-pyridyl-(4)-tetronsäure-2-imid	97	Zers. 200

[1] H. DAHN et al., Helv. **37**, 1309 (1954).
[2] H. DAHN u. J. S. LAWENDEL, Helv. **37**, 1318 (1954).
[3] H. DAHN u. E. F. HOEGGER, Helv. **37**, 1612 (1954).

l) Ketone aus Aldehyden und Diazolalkanen

bearbeitet von Prof. Dr. BERND EISTERT u. Prof. Dr. M. REGITZ[1],
Institut für organische Chemie der Universität Saarbrücken

1. mit Monodiazo-alkanen

Ketone lassen sich in manchen Fällen aus Aldehyden durch Umsetzen mit primären aliphatischen Diazokohlenwasserstoffen herstellen:

$$R-CH=O + R'-CHN_2 \rightarrow R-CO-CH_2R' + N_2$$

Das Keton entsteht dabei allerdings vermutlich nicht durch simple Einschiebung („insertion") von R'CH zwischen Aldehyd-H-Atom und Carbonyl-C-Atom, sondern über ein stickstoff-haltiges Additionsprodukt der Diazo-Verbindung an die CO-Gruppe, das sich dann in mannigfacher Weise umwandeln kann. Besonders bei Verwendung von Diazomethan (R'=H) erhält man, je nach den Reaktionsbedingungen und der Art und Stellung von Substituenten in der Aldehyd-Molekel, neben dem Methylketon $R-CO-CH_3$ homologe Aldehyde $R-CH_2-CHO$ und daraus homologe Ketone $R-CH_2-CO-CH_3$, ferner β-Ketole $R-CH(OH)-CH_2-CO-R$, Epoxide u.a. (s. ds. Handb., Bd. X/2, S. 714 ff.).

Octanon-(2)[2]: Zur Lösung von 3,0 g frisch destilliertem Heptanal in absol. Äther gibt man die aus 13 *ml* N-Nitroso-N-methyl-urethan nach der Standard-Vorschrift[3] hergestellte ätherische Diazomethan-Lösung, ohne sie von Spuren Wasser oder Methanol zu befreien. Man läßt 6 Tage im Dunkeln stehen, wobei sich allmählich Stickstoff entwickelt, und fraktioniert; Ausbeute: 2,4 g (73% d.Th.); Kp_4: 78–80°.

Aus 2-Methyl-propanal erhält man unter den gleichen Bedingungen nur 33% d.Th. *3-Oxo-2-methyl-butan*[2].

Halogenhaltige aliphatische Aldehyde, wie Chloral, geben je nach den Reaktionsbedingungen als Hauptprodukte Oxirane oder β-Ketole und Hydroxyglycide (Näheres s. ds. Handb., Bd. X/2, S. 721).

Benzaldehyd sowie Methyl- und Chlor-benzaldehyde lassen sich mit ätherischer Diazomethan-Lösung in befriedigenden Ausbeuten in *Acetophenon, Methyl-acetyl-benzol* bzw. *Chlor-acetophenon* umwandeln. Die meisten anderen Substituenten bewirken jedoch, je nach ihrer Stellung zur Aldehyd-Gruppe, andere Reaktionsabläufe, wobei sich außerdem Einflüsse des Reaktionsmediums geltend machen.

So bewirken o-ständige „negativierende" Gruppen, wie die Nitro-[4], die Methylsulfin- und die Methylsulfon-Gruppe[5] sowie die Cyan-[6] oder Trifluormethyl-Gruppe[6], daß bei der Umsetzung mit Diazomethan bevorzugt Oxirane (Styroloxide) entstehen. In der p-Stellung ist dieser Substituenten-Einfluß geringer, so daß man auch Methylketon (neben Epoxid) erhält; in m-Stellung sind sie ohne wesentlichen Einfluß, so daß dort praktisch nur Methylketon gebildet wird.

Andererseits bewirken „positivierende" Substituenten, wie die Dimethylamino- oder die Methoxy-Gruppe in p-Stellung zur Aldehyd-Gruppe eine Verlangsamung der Umsetzung mit ätherischer Diazomethan-Lösung; beschleunigt man sie durch Zusatz von Methanol, so erhält

[1] Nunmehr Fachbereich Chemie der Universität Trier-Kaiserslautern.
[2] F. SCHLOTTERBECK, B. **40**, 479 (1907).
[3] s. ds. Handb., Bd. X/2, Kap. IIIa, S. 533.
[4] F. ARNDT, B. EISTERT u. W. PARTALE, B. **61**, 1107 (1928).
[5] B. EISTERT u. H. SELZER, B. **97**, 1470 (1964).
[6] B. EISTERT et al., Saarbrücken, unveröffentlicht.

man neben dem entsprechenden Acetophenon mehr oder weniger große Mengen Arylacetaldehyd, dessen Epoxid und Arylaceton[1].

Näheres über diese Umsetzungen findet man im Band X/2 dieses Handbuchs, S. 714 ff.

Die Umsetzung der Aldehyde mit Diazomethan hat also keine allgemeine präparative Bedeutung für die Herstellung von Ketonen.

Tab. 106 bringt jedoch eine Reihe von Beispielen, in denen man aus Aldehyden und Diazomethan in guten Ausbeuten die entsprechenden Methylketone erhält, besonders wenn man den Aldehyd in die Diazomethan-Lösung einträgt.

Tab. 106. Methylketone aus Aldehyden und ätherischer Diazomethan-Lösung

Aldehyd	Methylketon	Ausbeute [%d.Th.]	Kp [°C]	[Torr]	Literatur
Aldehydo-D-arabinose-tetraacetat	*1-Desoxy-keto-D-fruktose-tetraacetat*	62	(F: 75–77°)		2
Benzaldehyd	*Acetophenon*	∼ 80	202	750	3
2-Chlor-benzaldehyd	*2-Chlor-acetophenon*	∼ 60	228	738	4
4-Chlor-benzaldehyd	*4-Chlor-acetophenon*	∼ 70	232	740	4
3-Nitro-benzaldehyd	*3-Nitro-acetophenon*	∼ 60	(F: 81°)		5
2-Methylmercapto-benz-aldehyd	*2-Methylmercapto-acetophenon*	∼ 90	155	19	6
3-Methylsulfonyl-benzaldehyd	*3-Methylsulfonyl-acetophenon*	∼ 95	(F: 112–114°)		6
Furan-2-aldehyd	*2-Acetyl-furan*	73	170	760	7–9
Furan-3-aldehyd	*3-Acetyl-furan*	20	216	760	9
Thiophen-2-aldehyd	*2-Acetyl-thiophen*	65	113–116	40	10
Thiophen-3-aldehyd	*3-Acetyl-thiophen*	95	137	27	10

Verwendet man statt Diazomethan höhere Diazoalkane (R'—CHN_2), so tritt die Tendenz zur Epoxid- und β-Ketol-Bildung zurück, so daß man nicht nur aus geradkettigen aliphatischen Aldehyden, sondern auch aus verzweigten und aus Benzaldehyden mit „negativierenden" Substituenten befriedigende Ausbeuten an den entsprechenden Alkylketonen erhält, wenn man auch hier den Aldehyd in die

[1] B. Eistert et al., Saarbrücken, unveröffentlicht.
[2] M. L. Wolfrom et al., Am. Soc. **63**, 201 (1941).
[3] F. Schlotterbeck, B. **40**, 479 (1907).
[4] B. Eistert u. W. Schade, s. Dissertation W. Schade, Universität Darmstadt 1958.
[5] F. Arndt, J. Amende u. W. Ender, M. **59**, 204 (1932).
[6] B. Eistert, W. Schade u. H. Selzer, B. **97**, 1479/80 (1964).
[7] T. Yabuta u. T. Tamura, J. agr. chem. Soc. Japan **19**, 546 (1943); C. A. **46**, 965 (1952).
[8] J. Ramonczay u. L. Vargha, Am. Soc. **72**, 2737 (1940).
[9] L. Capuano u. U. Hahn-Riehn, B. **94**, 302 (1961).
[10] L. Capuano, B. **98**, 3192 (1965).

Tab. 107. Alkylketone aus Aldehyden und höheren Diazoalkanen

Diazoalkan	Aldehyd	entstandenes Keton	Ausbeute [%d.Th.]	Literatur
Diazoäthan	Propanal	*Pentanon-(3)*	62	1
	Butanal	*Hexanon-(3)*	56	1
	2-Methyl-propanal	*3-Oxo-2-methyl-pentan*	58	1
	Heptanal	*Heptanon-(3)*	72	1
	Heptanal	*Nonanon-(3)*	71	1
	Benzaldehyd	*Propiophenon*	94	1
	3-Nitro-benzaldehyd	*3-Nitro-1-propanoyl-benzol*	81	2
	2-Nitro-benzaldehyd	*2-Nitro-1-propanoyl-benzol*	61	2
	2-Chlor-benzaldehyd	*2-Chlor-1-propanoyl-benzol*	90	2
	3-Chlor-benzaldehyd	*3-Chlor-1-propanoyl-benzol*	67	2
	4-Methyl-benzaldehyd	*4-Methyl-1-propanoyl-benzol*	71	2
	4-Dimethylamino-benzaldehyd	*4-Dimethylamino-1-propanoyl-benzol*	51	2
	o-Phthalaldehyd	*1,2-Dipropanoyl-benzol*	89	2
	2-Nitro-4,5-methylen-dioxy-benzaldehyd	*2-Nitro-4,5-methylen-dioxy-1-propanoyl-benzol*	74	3
	2-Methylsulfon-benz-aldehyd	*2-Methylsulfon-1-propanoyl-benzol*	95	4
	4-Methylsulfon-benz-aldehyd	*4-Methylsulfon-1-propanoyl-benzol*	95	4
	Furan-2-aldehyd	*2-Propanoyl-furan*	70	5
	Pyridin-2-aldehyd	*2-Propanoyl-pyridin*	89	2
	Pyridin-3-aldehyd	*3-Propanoyl-pyridin*	75	2
	Pyridin-4-aldehyd	*4-Propanoyl-pyridin*	79	2
1-Diazo-propan	Propanal	*Hexanon-(3)*	51	1
	Butanal	*Heptanon-(4)*	74	1
	2-Methyl-propanal	*3-Oxo-2-methyl-hexan*	64	1
	Pentanal	*Octanon-(4)*	74	1
	Heptanal	*Decanon-(4)*	78	1
	Benzaldehyd	*4-Oxo-4-phenyl-butan (Butanoyl-benzol)*	78	6
	4-Methoxy-benzaldehyd	*4-Methoxy-1-butanoyl-benzol*	60	2
	3-Nitro-benzaldehyd	*3-Nitro-1-butanoyl-benzol*	95	6
	Pyridin-3-aldehyd	*3-Butanoyl-pyridin*	81	2
1-Diazo-butan	Benzaldehyd	*5-Oxo-5-phenyl-pentan (Pentanoyl-benzol)*	95	6

1 R. F. SMITH, J. Org. Chem. **25**, 453 (1960).
2 D. W. ADAMSON u. J. KENNER, Soc. **1939**, 181.
3 CH. R. WARNER, E. J. WALSK u. R. F. SMITH, Soc. **1962**, 1233.
4 E. MOSETTIG u. K. CZADEK, M. **57**, 291 (1931).
5 B. EISTERT u. H. SELZER, B. **97**, 1481 (1964).
6 J. RAMONCZAY u. L. VARGHA, Am. Soc. **72**, 2737 (1950).

Diazoalkan-Lösung einträgt und kein Methanol zusetzt. Zusatz von Methanol fördert, wie bereits erwähnt, die Bildung von homologen Aldehyden und deren Umsetzung zu höheren Ketonen.

4-Nitro-1-propanoyl-benzol[1]: Man trägt unter Rühren bei $\sim 15°$ in 350 *ml* ätherische Diazoäthan-Lösung, die 6–7 g Diazoäthan enthält, 10 g 4-Nitro-benzaldehyd ein. Sobald die lebhafte Stickstoff-Entwicklung beendet ist (nach $\sim$ 30 Min.), destilliert man den Äther ab, zuletzt i.Vak.; der Rückstand (10,9 g) erstarrt beim Abkühlen und Anreiben und liefert durch Umkristallisieren aus Äthanol Kristalle; Ausbeute: 78% d.Th.; F: 90–91°.

Tab. 107 (s. S. 674) bringt weitere Beispiele.

Die Herstellung von Ketonen durch Umsetzen von Aldehyden mit aliphatischen Diazo-Verbindungen läßt sich in manchen Fällen durch Zusatz von Lewis-Säuren, wie Bortrifluorid oder Aluminiumchlorid begünstigen[2,3]. Dabei wird vor allem die Bildung von Epoxiden unterdrückt. Tab. 108 erläutert diese Arbeitsweise an einigen Beispielen.

Tab. 108. Ketone durch Umsetzen von Aldehyden mit aliphatischen Diazo-Verbindungen unter Zusatz von Aluminiumchlorid

Molverhältnis Aldehyd : Diazoverbindung = 5 : 6 (in Äther/Petroläther)

$$R-CH=O + R'-CHN_2 \rightarrow R-CO-CH_2R'$$

Diazoalkan	Aldehyd	Keton	Ausbeute [% d.Th.]
Diazomethan	Benzaldehyd	*Acetophenon* und	45
		2-Oxo-1-phenyl-propan	15
Diazoäthan	Phenyl-acetaldehyd	*2-Oxo-1-phenyl-butan*	68
Phenyldiazomethan	Acetaldehyd	*2-Oxo-1-phenyl-propan*	60
	Phenyl-acetaldehyd	*3-Oxo-1,3-diphenyl-propan*	40
	4-Methoxy-benz-aldehyd	*1-Oxo-2-phenyl-1-(4-methoxy-phenyl)-äthan*	40
	Benzaldehyd	*Desoxybenzoin(1-Oxo-1,2-diphenyl-äthan)*	51
	Pyridin-4-aldehyd	*1-Oxo-2-phenyl-1-pyridyl-(4)-äthan*	50

2. höhere Diketone durch Umsetzen von 2 Mol Aldehyd mit Bis-[diazo]-alkanen

Die auf S. 672 beschriebene Umsetzung von Aldehyden mit Diazoalkanen läßt sich auch zur Herstellung von höheren Diketonen verwenden, wobei man auf die

---

[1] B. EISTERT et al., Saarbrücken, unveröffentlicht.
[2] EU. MÜLLER u. R. HEISCHKEIL, Tetrahedron Letters **1964**, 2802.
[3] G. BIGLINO u. G. M. NANO, Am. Chimica **57**, 1533 (1967).

43*

Aldehyde Bis-[diazo]-alkane einwirken läßt[1], die man zweckmäßig „in situ" aus N,N′-Dinitroso-N,N′-diäthoxycarbonyl-diaminen erzeugt (s. ds. Handb., Bd. X/2, S. 536):

① $ON-N-(CH_2)_6-N-NO$ $\xrightarrow[\text{NaOH}]{+C_2H_5OH}$ $N_2CH-(CH_2)_4-CHN_2$ + $2\ O=C<^{OC_2H_5}_{OC_2H_5}$

with $COOC_2H_5$ $COOC_2H_5$ below the N groups

② $R-CH=O$ + $N_2CH-(CH_2)_4-CHN_2$ $\longrightarrow$ $R-\underset{O}{\overset{\|}{C}}-(CH_2)_6-\underset{O}{\overset{\|}{C}}-R$

Eicosandion-(7,14)[1]: Man gibt in einen 250 ml-Rührkolben, der mit Thermometer und Calciumchlorid-Verschluß versehen ist, die Lösung von 2,0 g (0,0125 Mol) 1,6-Bis-[Nitroso-äthoxycarbonyl-amino]-hexan und 2,9 g (0,025 Mol) frisch destilliertem Heptanal in 40 ml absol. Äthanol (getrocknet über Calciumhydrid und davon abdestilliert). Dazu gibt man unter Rühren und Kühlen mit Eiswasser ein kleines Natriumhydroxid-Plättchen. Nach einigen Min. steigt die Temp. allmählich auf ~ 40° und fällt dann wieder. Man entfernt das Natriumhydroxid-Plättchen, engt die Lösung ein und kühlt sie mit Eis/Natriumchlorid. Die ausfallenden Kristalle werden abgesaugt, mit Petroläther und dann mit Wasser gewaschen und getrocknet; Ausbeute: 2,8 g (72% d.Th.); F: 83–84° (farblose Plättchen).

Tab. 109 bringt weitere Beispiele.

Tab. 109. Höhere Diketone durch „in situ"-Umsetzung von Aldehyden mit Bis-[diazo]-alkanen[2, vgl. 3,4]

Bis-[diazo]-alkan	Aldehyd	Diketon	F [°C]	Ausbeute [% d.Th.]
$N_2CH-CHN_2$	Benzaldehyd	*1,4-Dioxo-1,4-diphenyl-butan*		28
$N_2CH(CH_2)_2CHN_2$	Benzaldehyd	*1,6-Dioxo-1,6-diphenyl-hexan*		85
$N_2CH(CH_2)_2CHN_2$	3,4-Methylendi-oxy-benzaldehyd	*1,6-Dioxo-1,6-bis-[3,4-me-thylendioxy-phenyl]-hexan*		38
$N_2CH(CH_2)_4CHN_2$	Benzaldehyd	*1,8-Dioxo-1,6-diphenyl-octan*		90
	3,4-Methylendi-oxy-benzaldehyd	*1,8-Dioxo-1,8-bis-[3,4-me-thylendioxy-phenyl]-octan*		36
	4-Methoxy-benz-aldehyd	*1,8-Dioxo-1,8-bis-[4-methoxy-phenyl]-octan*		70
	3-Nitro-benz-aldehyd	*1,8-Dioxo-1,8-bis-[3-nitro-phenyl]-octan*		90
	4-Nitro-benz-aldehyd	*1,8-Dioxo-1,8-bis-[4-nitro-phenyl]-octan*		92*
	4-Dimethyl-amino-benzaldehyd	*1,8-Dioxo-1,8-bis-[4-dime-thylamino-phenyl]-octan*		90
				77*

* Die mit * markierten Umsetzungen wurden mit 4-Oxo-2-methyl-penten, alle anderen mit Urethanen als Diazo-alkan-Quellen durchgeführt (s. ds. Handb., Bd. X/2, S. 536 bzw. 554).

[1] F. Schlotterbeck, B. **40**, 479 (1907).
[2] C. M. Samour u. J. P. Mason, Am. Soc. **76**, 441 (1954).
[3] Mit Ketenen s. ds. Handb., Bd. VII/4, S. 165, 246.
[4] Glycidester-Synthese s. ds. Handb., Bd. VIII, S. 513 ff., Bd. X/3, S. 406 ff.

III. Ketone durch Oxidation unter Erhalt des Kohlenstoffgerüsts

Kohlenstoffverbindungen können durch Oxidation unter Erhalt des Kohlenstoffgerüstes in Ketone überführt werden. Hierfür kommen prinzipiell 2 Wege in Betracht

① Die direkte Oxidation einer —CH₂-Gruppe

② Die CH₂-Gruppe enthält bereits einen Substituenten (vornehmlich eine Hydroxy-Gruppe), der sich leicht und bevorzugt vor den übrigen Substituenten in der Molekel zu einer Keto-Gruppe dehydrieren läßt.

Um im Fall ① gute Ausbeuten zu erzielen, muß die CH₂-Gruppe durch mindestens eine benachbarte elektronenanziehende Gruppe aktiviert sein. Wesentlich günstiger liegen die Verhältnisse, wenn diese durch 2 aktivierende Gruppen flankiert ist.

Die Oxidation von aliphatischen Kohlenwasserstoffen führt zu einem statistisch verteilten Angriff des Oxidationsmittels und zu einer sofortigen Weiteroxidation der prim. entstandenen Ketone und zu Molekülspaltungen. Nur aus alicyclischen Kohlenwasserstoffen wie Cyclohexan, bei denen alle CH₂-Gruppen gleichwertig sind, gelingt es, bei geringem Umsatz Gemische aus den entsprechenden sekundären Alkoholen und Ketonen in guten Ausbeuten herzustellen.

a) Oxidation von Methylen-Gruppen

Bearbeitet von Dr. Hans-Joachim Kabbe

Farbenfabriken Bayer AG., Leverkusen

Stark aktivierend auf eine CH₂-Gruppe wirkt eine benachbarte —CO-Gruppe, da sich zu dieser stets ein Enol-Keton-Gleichgewicht einstellt. Dann nehmen die Aktivierungen ab, etwa in folgender Reihenfolge:

Ist die CH₂-Gruppe beidseitig aktiviert, dann liegen besondere Verhältnisse vor, da sowohl die 1,3-Dicarbonyl-Verbindungen als auch die daraus durch Oxidation entstehenden 1,2,3-Tricarbonyl-Verbindungen sehr reaktionsfähige Stoffe sind.

Zur Oxidation von Diarylmethanen zu den stabilen Diarylketonen können robuste Methoden angewandt werden.

1. Oxidation von Methylen-Gruppen mit zwei benachbarten aktivierenden Gruppen

α) Tricarbonyl-Verbindungen

Wegen der hohen Empfindlichkeit der 1,3-Di- und der 1,2,3-Tricarbonyl-Verbindungen kommen zur Oxidation von 1,3-Diketonen und β-Keto-carbonsäuren direkt wirkende Oxidationsmittel nur in Ausnahmefällen in Frage. Man ist daher weitgehend auf gezielte indirekte Methoden angewiesen, wie sie auch zur Herstellung von 1,2-Diketonen Anwendung finden, s. S. 685.

Etwas günstiger liegen die Verhältnisse bei den Malonsäure-Derivaten, da hier mit einer Reihe der gebräuchlichen Oxidantien die Überführung in Keto-dicarbonsäure-Derivate möglich ist.

An einigen Beispielen sei die Herstellung von Tricarbonyl-Verbindungen erläutert.

Pentantrion-(2,3,4)[1]: Zu einer siedenden Lösung von 24 g Pentandion-(2,4) (Acetylaceton) und 36 g 4-Nitroso-N,N-dimethyl-anilin in 120 ml Äthanol werden auf einmal 4,4 ml Natronlauge (D: 1,36) zugegeben. Nach ~ 1 Min. tritt Farbenumschlag ein; die Flüssigkeit bleibt auch nach der Entfernung vom Wasserbade im Sieden, das man durch zeitweiliges Abkühlen mäßigt, ohne es jedoch ganz zu unterdrücken. Ist die Reaktion beendet, was man an der rein roten Farbe der Lösung erkennt, kühlt man stark ab und vermischt mit ~ 400 ml Äther; Natriumacetat fällt aus. Die filtrierte Lösung wird im Scheidetrichter mit einem Gemisch von 150 ml verd. Schwefelsäure (D: 1,16) und 50 ml Wasser zerlegt und die schwefelsaure Lösung 6mal mit je 300–500 ml Äther ausgeschüttelt. Die vereinigten ätherischen Auszüge werden eingeengt, das Äthanol i.Vak. abdestilliert und der Rückstand i.Vak. fraktioniert. Ausbeute: 15 g (~ 50 d.Th.), Kp_{12}: 54–55°.

2,3-Dioxo-butansäure-äthylester[2]: 140 g (1,07 Mol) Acetessigsäure-äthylester und 120 g (1 Mol) Selendioxid werden mit 400 g Xylol 15 Stdn. unter Rückfluß erhitzt. Dabei scheiden sich nur 35 g (41% d.Th.) Selen ab, die abfiltriert werden (der Rest ist eine relativ stabile Verbindung mit den Komponenten eingegangen). Das Filtrat wird i.Vak. destilliert; Ausbeute: 53 g (35%d.Th.), Kp_9: 67,5–68° (goldgelbes Öl). Mit Wasser bildet es ein farbloses (Hemi-) Hydrat; F: 148°.

1,2,3-Trioxo-indan (Ninhydrin)[3,4]: Zu einer Lösung von 55 g sublimiertem Selendioxid in 1200 ml 1,4-Dioxan und 25 ml Wasser werden zwischen 60/70° 73 g 1,3-Dioxo-indan eingerührt und anschließend 6 Stdn. unter Rückfluß erhitzt. Die heiße Lösung wird filtriert, ~ $3/4$ der 1,4-Dioxan-Menge abdestilliert, 400–500 ml Wasser zugefügt und zum Sieden erhitzt. Dabei scheidet sich eine teerige Masse ab, die abgetrennt wird. Nach dem Einengen des Filtrates auf ~ 250 ml wird mit Absorptionskohle unter Aufkochen nachbehandelt, filtriert und schließlich auf ~ 125 ml eingedampft. Nach dem Abkühlen scheiden sich 36–38 g Rohprodukt ab, die durch Umkristallisieren aus heißem Wasser gereinigt werden; Reinausbeute: 28–31 g (31–35% d.Th.; als Hydrat). Als Nebenprodukte entstehen u. a. bimolekulare Verbindungen.

Bemerkenswert ist, daß 2-Oxo-bernsteinsäure als Natriumsalz im schwach alkalischen wäßrigen Milieu durch Brom zur *Dihydroxy-fumarsäure* oxidiert wird, die sich leicht als Bariumsalz abscheiden läßt[5].

Als Beispiel für die Herstellung des – allerdings stabilsten – 1,2,3-Triketons sei auf den Weg über die Dibromierung des 1,3-Dioxo-1,3-diphenyl-propan (Dibenzoylmethan) und anschließende Verseifung durch 2stdgs. Erhitzen mit Natriumacetat in Eisessig zum *Trioxo-1,3-diphenyl-propan* hingewiesen[6].

Die Oxidation von Methylen-Gruppen in Verbindungen vom Typ Ar–CO–CH₂–Ar läßt sich in der Regel ohne Schwierigkeiten durchführen.

Malonsäure-Derivate, deren Carboxyl-Gruppen geschützt sind, lassen sich oft mit guten Ausbeuten zu *Mesoxalsäure*-Derivaten oxidieren. So z. B. erhält man aus

[1] F. Sachs u. A. Böhmer, B. **35**, 3307 (1902).
[2] R. Müller, B. **66**, 1668 (1933).
[3] W. O. Teeters u. R. L. Shriner, Am. Soc. **55**, 3026 (1933).
[4] Monographie über Ninhydrin s. D. J. McCaldin, Chem. Reviews **60**, 39–52 (1960).
[5] H. J. H. Fenton u. W. A. R. Wilks, Soc. **101**, 1570 (1912).
[6] L. A. Bigelow u. R. S. Hanslick, Org. Synth. Vol. **II**, 244 (1943).

Malonsäure-diäthylester mit Stickstoff(III)-oxid *Mesoxalsäure-diäthylester* (75%
d. Th.)[1]. Mit Selendioxid[2] wurden nur ~ 25% d. Th. erhalten.

Barbitursäure wird mit Chromsäure in Eisessig zwischen 15–50° in 75%iger Ausbeute zum *Alloxan-monohydrat* (*5,5-Dihydroxy-2,4,6-trioxo-hexahydropyrimidin*)
oxidiert[3]:

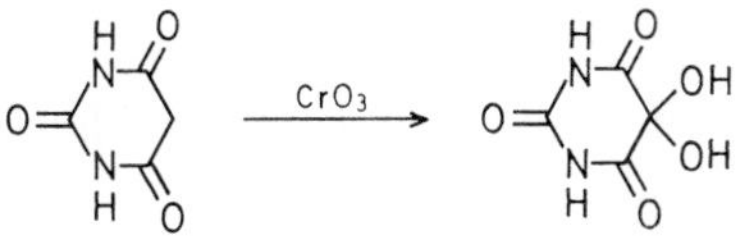

Die *Alloxan*-Herstellung läßt sich auch nach einem indirektem Verfahren durchführen.
Die leicht herstellbare Benzyliden-barbitursäure wird mit Chromsäure in ~ 90%iger Essigsäure
bei 50–60° in ~ 80%iger Ausbeute in Alloxan-monohydrat und Benzoesäure oxidativ gespalten[4].

Methylen-Gruppen, die durch zwei Carbonyl-Gruppen flankiert sind, lassen sich
oft sehr glatt auf folgendem Wege in Ketone überführen:

Die mittels Salpetersäure-äthylester(Äthylnitrat)/Kaliumalkoholat leicht herstellbaren Isonitro-Kalium-Verbindungen nehmen leicht Halogen auf, und die so entstandenen gem. Halogen-Nitro-Verbindungen zerfallen beim Erhitzen in Keton,
Halogen und Stickoxid. Über alle Stufen hinweg wird aus Phenyl-acetonitril[5] in
85%iger Ausbeute *Phenyl-glyoxylsäure-nitril* erhalten, und selbst das 1,3-Dioxo-indan
kann mit ~ 40%iger Ausbeute in *Ninhydrin(1,2,3-Trioxo-indan)*[6] überführt werden
(Höchstausbeute, die ein bekannt gewordenes Verfahren liefert)[7]. Hier wurde folgender Reaktionsverlauf beobachtet:

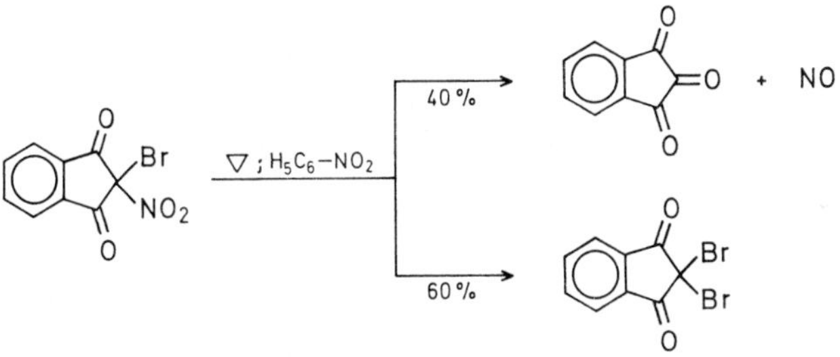

β) Diaryl-ketone

Verbindungen vom Typ des Diphenylmethans lassen sich selbst mit den sehr
energischen Oxidationsmitteln wie Kaliumpermanganat und Chromsäure meist mit
vorzüglichen Ausbeuten zu den Diarylketonen oxidieren.

Auch mit einer 10–25%igen Salpetersäure unter Druck bei 120–180° erzielt man
sehr gute Ausbeuten. Konz. Salpetersäure ist in dieser Reihe weniger geeignet,
da durch sie sehr leicht Kernnitrierung erfolgt. So erhält man aus Bis-[4-methyl-

---

[1] Org. Synth. I, 266 (1941).
[2] R. Müller, B. **66**, 1668 (1933).
[3] A. V. Holmgren u. W. Wenner, Org. Synth. IV, 23 (1963).
[4] E. Biilmann u. N. Berg, B. **63**, 2201 (1930); Org. Synth. III, 39 (1955).
[5] W. Wislicenus u. R. Schäfer, B. **41**, 4169 (1908); desgl. in der Pyrazolon-Reihe.
   W. Wislicenus u. H. Göz, B. **44**, 3491 (1911).
[6] G. Wanag u. A. Lode, B. **71**, 1267 (1938).
[7] W. Gustowsky, Przem. chem. **30**, 694 (1951).

phenyl]-methan mit konz. Salpetersäure Bis-[3-nitro-4-methyl-phenyl]-methan und *3,3'-Dinitro-4,4'-dimethyl-benzophenon* nebeneinander, mit Chrom(VI)-oxid in Eisessig in der Kälte *4,4'-Dimethyl-benzophenon* und mit Kaliumpermanganat *4,4'-Dicarboxy-benzophenon*[1]. Fluoren wird durch ein Salpetersäure-Schwefelsäure-Gemisch zu 2-Nitro-fluoren nitriert[2], während es mit 10%iger wäßriger Salpetersäure in Nitrobenzol bei 200° in hoher Ausbeute *Fluorenon* liefert[3].

Tab. 111 (S. 682) gibt eine Übersicht über einige Oxidationen in der Fluoren-Reihe. Es ist übrigens interessant, daß aus 2-Acetyl-fluoren mit Selendioxid *Fluorenyl-(2)-glyoxal*, mit Natriumdichromat dagegen *9-Oxo-2-acetyl-fluoren* entsteht[4]. Die folgende Vorschrift zur Herstellung von *Fluorenon* gibt ein einfaches Beispiel solcher Umsetzungen.

Fluorenon[5]: 100 g Fluoren, 300 g Natriumdichromat und 375 *ml* Eisessig werden 2½–3 Stdn. unter Rückfluß (großvol. Kühler) zum Sieden erhitzt; es ist wichtig, daß man anfangs vorsichtig erwärmt. Man gießt auf kaltes Wasser, wobei sich das Fluorenon abscheidet; Ausbeute: 90 g (83% d. Th.); F: 83–84°.

Beim Versuch, Tetrabenzyl-phthalocyanin aus 4-Benzyl-1,2-dicyan-benzol herzustellen, wurde wegen der besonders starken Aktivierung durch den Kupfer-Komplex stets *2,9,16,23-Tetrabenzoyl-phthalocyanin* erhalten[6].

Befinden sich weitere oxidable Gruppen an den aromatischen Ringen, so kann man die Reaktion häufig so lenken, daß entweder nur die Methylen-Gruppe oder unter schärferen Bedingungen zusätzlich andere Gruppen angegriffen werden, wie die beiden folgenden Beispiele zeigen[7]:

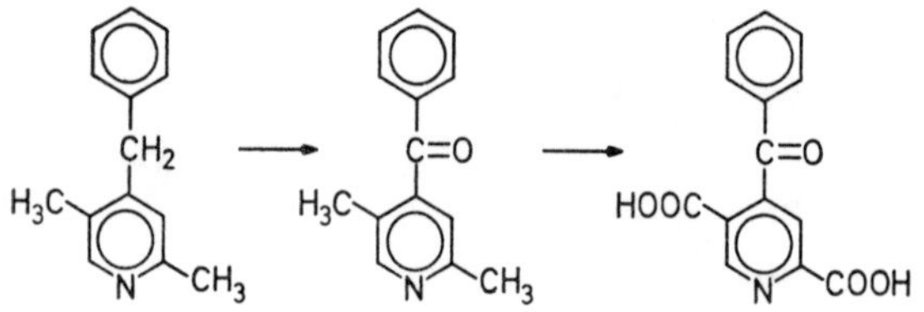

2,5-Dimethyl-4-benzoyl-pyridin[7]: 25,7 g fein gepulvertes Kaliumpermanganat werden in kleinen Portionen (Vorsicht) bei 60° in ein gut verrührtes Gemisch von 50,5 g Mg (NO$_3$)$_2$ · 6 H$_2$O, 200 *ml* Wasser und 20 g 2,5-Dimethyl-4-benzyl-pyridin eingetragen. Anschließend wird 2 Stdn. bei 60° nachgerührt, dann schnell auf 90° aufgeheizt und rasch abfiltriert. Das Mangan(IV)-oxid wäscht man mit Äther nach. Die Ätherextrakte liefern 17 g Keton; F: 47° (aus Benzin).

4-Benzoyl-2,5-dicarboxy-pyridin[7]: 30 g 2,5-Dimethyl-4-benzyl-pyridin werden zu einer siedenden Lösung von 161 g Kaliumpermanganat in 4 *l* Wasser gegeben. Nach 6 stdgm. Verrühren bei Rückflußtemp. wird vom Mangan(IV)-oxid mit viel heißem Wasser abfiltriert. Anschließend engt man das Filtrat auf 500 *ml* ein und säuert mit 40 *ml* 50%iger Schwefelsäure an, wobei 38,5 g (98,5% d.Th.) ausfallen; F: 218–221° (aus Äthanol/Wasser).

[1] H. STEPHEN, W. F. SHORT u. G. GLADDING, Soc. **117**, 510 (1920).

[2] O. DIELS, B. **34**, 1758 (1901).

[3] DAS 1201339 (1961), Rütgerswerke und Teerverwertung A.G., Erf.: O. KOCH u. H. BINDER; C. A. **63**, 16277 (1965).

[4] M. Y. URECKAJA u. M. Y. KRAFT, Ž. obšč. Chim. **33**, 3053 (1963); engl.: 2978.

[5] C. GRAEBE u. A. SC. RATEANU, A. **279**, 257 (1894).

[6] Privatmitteilung O. Bayer, Leverkusen.

[7] N. S. PROSTAKOV, L. A. SHAKHPARONOVA u. L. M. KIRILLOVA, Ž. obšč. Chim. **34**, 3231 (1964); engl.: 3274.

R–CH₂–R¹ → R–CO–R¹ → $R-CH_2-R^1 \rightarrow R-CO-R^1$

R	R¹	Oxidations-mittel	Lösungs-mittel	Reaktions-bedingungen	Keton	Ausbeute [% d.Th.]	F [°C]	Literatur
Phenyl-	Pyridyl-(4)-	SeO₂	Eisessig	30 Min. Rückfluß	4-Benzoyl-pyridin	81	69–75	[1]
	Pyridyl-(2)-	KMnO₄	Wasser	70–100°	2-Benzoyl-pyridin	86	(Kp₁: 135°)	[2,3]
	5-Methyl-1,3-thiazolyl-(2)	SeO₂	1,4-Dioxan	24 Stdn. Rückfluß	5-Methyl-2-benzoyl-1,3-thiazol	75	45	[4]
	4-Nitro-phenyl-	CrO₃	Eisessig/Wasser	2 Stdn. Rückfluß	4-Nitro-benzophenon			[5]
4-Acetylamino-phenyl	4-Acetylamino-phenyl-	CrO₃	Eisessig/Wasser	bis 90°	4,4'-Bis-[acetylamino]-benzophenon	70	235	[6]
3-Carboxy-phenyl	3-Carboxy-phenyl	KMnO₄	Wasser	einige Stdn. 95°	3,3'-Dicarboxy-benzophenon	100	356	[7]
Phenyl-	Phenyl-	CrO₂Cl₂	CS₂	30 Min. Raumtemperatur	Benzophenon	90		[8]
		Sauerstoff	K–OC(CH₃)₃ H₅C₆–SO–C₆H₅	20 Stdn. 100°	Benzophenon	68	48	[9]
		Sauerstoff/Salpetersäure-ester als Katalysator		15 Stdn. 130–135°	Benzophenon	20		[10]
2-Nitro-benzoyl	Pyridyl-(4)-	KMnO₄		30 Min. 25°	4-(2-Nitro-benzoyl)-pyridin	71	115–117	[11]
5-Acetyl-thienyl-(2)-	5-Acetyl-thienyl-(2)-	Sauerstoff	KOH/Athanol	30 Min. 25°	Bis-[5-acetyl-thienyl-(2)]-keton	88	262–263	[12]
4-Hydroxy-phenyl	Phenyl	5,6-Dichlor-2,3-dicyan-p-benzochinon			4-Hydroxy-benzophenon	91	133–134	[13]
Ferrocenyl-	Ferrocenyl-	Mangan(IV)-oxid	Chloroform	4–6 Stdn. 25°	Diferrocenyl-keton	72	210–211	[14]

[1] R. E. Lyle et al., J. Org. Chem. 24, 330 (1959).
[2] E. H. Huntress u. H. C. Walter, Am. Soc. 70, 3702 (1948).
[3] K. E. Crook u. S. M. McElvain, Am. Soc. 52, 4006 (1930).
[4] M. Erne, Helv. 32, 2205 (1949).
[5] A. Bayer u. V. Villinger, B. 37, 605 (1904).
[6] H. Rivier u. A. Farine, Helv. 12, 865 (1929).
[7] R. W. Beattie u. R. H. F. Manske, Canad. J. Chem. 42, 223 (1964).
[8] M. Weiler, B. 32, 1050 (1899).

[9] T. J. Wallace, A. Schriesheim u. N. Jacobson, J. Org. Chem. 29, 2907 (1964).
[10] DRP. 539476 (1929), IG Farb., Erf.: I. Binapfl; C. A. 26, 1614 (1932).
[11] K. Schofield, Soc. 1949, 2408.
[12] T. L. Cairns, B. C. McKusick u. V. Weinmayr, Am. Soc. 73, 1270 (1951).
[13] H. D. Becker, J. Org. Chem. 30, 982, 989 (1965).
[14] K. L. Rinehart et al., Am. Soc. 82, 4112 (1960).

Tab. III. Fluorenone aus Fluorenen durch Oxidation

Fluoren	Oxidationsmittel	Lösungsmittel	Reaktions-bedingungen	Fluorenon	Ausbeute [% d.Th.]	F [°C]	Literatur
Fluoren	SeO_2	Wasser	4 Stdn. 230–240°	*Fluorenon*	73		1
	CrO_2Cl_2				35		2
	O_2/Triton B	Pyridin	40 Min. 25°		90		3
	10%ige HNO_3	Nitrobenzol	2 Stdn. 200°		78	82–84	4
	$Na_2Cr_2O_7$	Wasser	18 Stdn. 250°		99		5
	Ozon	Dichlormethan/ Methanol	–30°		23		6
	Luft/V_2O_5	—	400°				7
2,7-Dichlor-3-jod-	$Na_2Cr_2O_7$	Eisessig	2 Stdn. 100°	*2,7-Dichlor-3-jod-9-oxo-fluoren*	87	277–279	8
2-Nitro-	$Na_2Cr_2O_7$	Eisessig	1 Stde. Rückfluß	*2-Nitro-9-oxo-fluoren*	100	222–223	9
2-Chlor-7-acetyl-	$Na_2Cr_2O_7$	Eisessig	5 Stdn. 75°	*7-Chlor-9-oxo-2-acetyl-fluoren*	92	187–188	10
2-Acetyl-	$Na_2Cr_2O_7$	Eisessig	10 Stdn. 90–120°	*9-Oxo-2-carboxy-fluoren*	~70	339–341	11
	KOCl	Wasser	1 Stde. 25°		60	333–335	12
zahlreiche Substituenten	Sauerstoff/Trime-methyl-benzyl-ammonium-hydroxid (Triton B)	Pyridin	40 Min. 25°		60–90	—	3

[1] G. M. F. Adger, Soc. **1941**, 535.
[2] O. H. Wheeler, Canad. J. Chem. **36**, 949 (1958).
[3] Y. Sprinzak, Am. Soc. **80**, 5449 (1958).
[4] DAS 1201 339 (1961) Rütgerswerke und Teerverwertung A.G.; Erf.: O. Koch u. H. Binder; C. A. **63**, 16277 (1965).
[5] L. Friedman, D. L. Fishel u. H. Shechter, J. Org. Chem. **30**, 1453 (1965).
[6] J. F. Battersbee u. P. S. Bailey, J. Org. Chem. **32**, 3899 (1967).
[7] US. P. 1 892 768 (1928), Selden Comp. Erf.: A. O. Jaeger; C. **1933** I, 3788.
[8] A. E. Kretov u. V. V. Litvinov, Ž. obšč. Chim. **32**, 3799 (1962); engl.: 3726.
[9] O. Diels, B. **34**, 1758 (1901).
[10] G. Y. Ureckaya, A. A. Druzhinina u. M. Y. Kraft, Ž. org. Chim. **2**, 295 (1966); engl.: 286.
[11] G. Rieveschl u. F. E. Ray, Org. Synth. Coll. Vol. III 420 (1955).
[12] R. W. Schiessler u. N. R. Eldred, Am. Soc. **70**, 3958 (1948).

Unter den verschiedenen Möglichkeiten, Benzophenone herzustellen (s. Tab. 110, S. 681), fällt die Oxidation mit Natriumpolysulfid auf, bei der sogar freie Amino-Gruppen unangetastet bleiben[1]:

4,4′-Diamino-benzophenon[1]: 198 g Bis-[4-amino-phenyl]-methan werden in ein auf Rückflußtemp. (125°) erhitztes Gemisch von 480 g Natriumsulfid-Hydrat und 320 g Schwefel eingetragen. Anschließend rührt man noch 50 Stdn. unter Rückfluß. Nach dem Erkalten wird mit Wasser verdünnt, die Polysulfid-Lösung abdekantiert. Überschüssiger Schwefel wird mit verd. Natriumsulfid-Lösung extrahiert, dann der Rückstand mit einer kalten Lösung von 2 l Wasser und 330 ml 2n Salzsäure ausgeschüttelt. Dieser saure, wäßrige Extrakt wird mit Lauge basisch gestellt, wobei man bei vorsichtiger Zugabe zuerst dunkel gefärbte Nebenprodukte abtrennen kann; die anschließend in vorzüglicher Ausbeute ausfallenden hellen Kristalle werden durch Lösen in Salzsäure und Fällen mit Lauge gereinigt; F: 241°.

In manchen Fällen ist es vorteilhaft, eine stark aktivierte CH_2-Gruppe unter milden Bedingungen zu dihalogenieren und die gem.-Dihalogenverbindungen zu den Ketonen zu verseifen (s. S. 809).

Diphenylmethan-Verbindungen, die in o,o′-Stellung durch eine Gruppe X zum Ring geschlossen sind, lassen sich besonders glatt zu den entsprechenden Ketonen oxidieren:

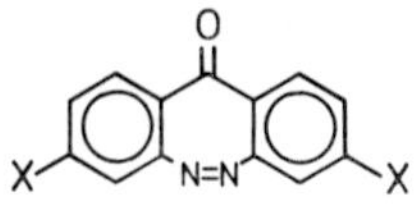

I (X = F, Cl, Br, J) 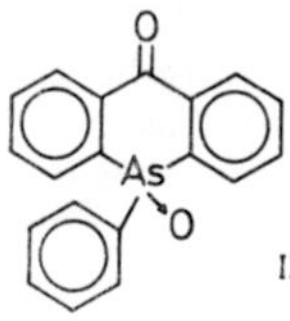   II

Erwähnt seien hier die Herstellung von *3,8-Difluor-(Dibrom-, Dichlor-* bzw. *Dijod-) 11-oxo-11-H-⟨dibenzo[c; f]diazepin⟩* (I)[2], *Xanthon*[3], *Anthrachinon* aus Anthron[3,4] und *10-Oxo-9-phenyl-9,10-dihydro-9-arsa-acridin-9-oxid* (II)[5].

γ) cyclische Polyenketone

Infolge einer erhöhten Protonenbeweglichkeit („Acidität") der Methylen-Gruppe sind unter dem Einfluß von Basen auch Kondensationen möglich, die bei geeigneter Wahl des Reaktionspartners, z. B. 4-Nitroso-1-dimethylamino-benzol[6], zu

[1] DRP. 289108 (1913), BASF; Frdl. **12**, 207.
   s. a. BIOS Final Rep. 1482, S. 29 (1948).
[2] A. Catala u. F. D. Popp, J. Heterocyclic Chem. **1**, 178 (1964).
[3] W. K. Cavill, A. Robertson u. W. B. Whalley, Soc. **1949**, 1567.
[4] J. E. Batterbee u. P. S. Bailey, J. Org. Chem. **32**, 3899 (1967).
[5] E. R. H. Jones u. F. G. Mann, Soc. **1958**, 294.
[6] K. Ziegler u. B. Schnell, A. **445**, 266 (1925).

Keton-Derivaten führen. Hierbei ist zu beachten, daß Anile und Nitrone gleichzeitig nebeneinander entstehen können[1].

Als Beispiel einer beidseitig aktivierten Methylen-Gruppe sei hier das 1,2,3,4-Tetraphenyl-cyclopentadien angeführt[2]:

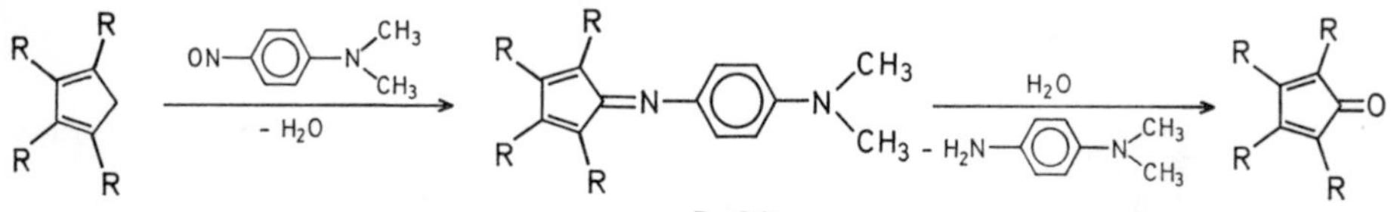

R = C$_6$H$_5$

5-Oxo-1,2,3,4-tetraphenyl-cyclopentadien[2]:

5-(4-Dimethylamino-phenylimino)-1,2,3,4-tetraphenyl-cyclopentadien: Man löst 20 g 1,2,3,4-Tetraphenyl-cyclopentadien und 12 g 4-Nitroso-1-dimethylamino-benzol in 250 ml siedendem Benzol, versetzt langsam mit einer Lösung von 0,5 g Natrium in 10 ml Äthanol und erhitzt 10 Min. lang auf Rückflußtemp., läßt abkühlen, versetzt mit dem gleichen Vol. Petroläther (Kp: 40°) und läßt über Nacht stehen. Der Niederschlag wird erst mit 5%iger Salzsäure abgesaugt, bis das Filtrat farblos abläuft, dann mit Wasser gewaschen; Ausbeute: 20 g (80% d. Th.); F: 224–226° (aus Benzol).

5-Oxo-1,2,3,4-tetraphenyl-cyclopentadien: Das schwarze Anil wird in die 10fache Menge konz. Salzsäure langsam eingetragen und 30 Min. gekocht. Dabei geht der Niederschlag in eine rote Suspension über, die mit heißem Wasser verdünnt und abgesaugt wird, bis das Filtrat säurefrei abläuft. Dann werden die violetten Kristalle mit Aceton gewaschen, an der Luft bei 100° getrocknet und aus Xylol umkristallisiert; Ausbeute: 48% d.Th.; F: 217–218°.

Auch im Cycloheptatrien liegt eine zweifach aktivierte Methylen-Gruppe vor, die sich mit Selendioxid zum *Tropon* oxidieren läßt[3].

Tropon[3]: Eine Lösung von 13,5 g (0,1 M) Kaliumdihydrogenphosphat in 33 ml Wasser wird mit 330 ml 1,4-Dioxan, 43 g (0,46 M) Cycloheptatrien und 53 g (0,48 M) Selendioxid versetzt und das Gemisch anschließend 15 Stdn. auf 90° erwärmt (Dampfbad). Die abgekühlte Suspension wird filtriert und auf 750 ml Wasser gegossen. Man extrahiert 3mal mit 250 ml Dichlormethan, wäscht mit Natriumhydrogencarbonat-Lösung, trocknet über Magnesiumsulfat, engt die Lösung ein und destilliert; Ausbeute: 12,8 g (25% der Th.); Kp$_4$: 91–92°.

2. Oxidation von Methylen-Gruppen mit einer benachbarten aktivierenden Gruppe

Die geringere Aktivierung (s. S. 677) der hier zu behandelnden Methylen-Gruppen erfordert normalerweise etwas schärfere Oxidationsbedingungen, d. h. der Spielraum zwischen Keton-Herstellung und Überoxidation wird geringer.

a) 1,2-Diketone bzw. 1,2-Dicarbonyl-Verbindungen

Die Direktoxidation von Ketonen zu Diketonen verläuft meist unbefriedigend, da aus unsymmetrischen Ketonen 2 isomere Diketone und durch die hinzugetretene Carbonyl-Gruppe neue oxidationsanfällige Zentren entstehen können. Außerdem sind Diketone sehr empfindliche Verbindungen, die leicht oxidativ zu Dicarbonsäuren aufgespalten werden [z. B. Cyclohexanon → Cyclohexandion-(1,2) → Adipinsäure].

---

[1] s. ds. Handb., Bd. X/4, S. 370; Bd. VII/4, S. 39.

[2] K. Ziegler u. B. Schnell, A. **445**, 266 (1925).

[3] P. Radlick, J. Org. Chem. **29**, 960 (1964).

Zur Überführung von Ketonen in Diketone gibt es jedoch eine Reihe von indirekten Verfahren, die mit guten Ausbeuten zum Ziele führen und den direkten meist vorzuziehen sind. Die Herstellung dieser Ketonvorstufen ist bereits in anderen Bänden dieses Handbuches beschrieben:

ⓐ durch Nitrosierung, s. Bd. X/4, Kap. Spaltung von Oximen, S. 269 ff.

ⓑ durch Kondensation mit 4-Nitroso-N,N-dimethyl-anilin (Sachs'sches Verfahren)
   s. Bd. X/4, S. 370, Bd. X/1, S. 1079, Bd. VII/4, S. 39

ⓒ durch Kuppeln mit aromatischen Diazoniumsalzen, s. Bd. X/3, S. 490.

ⓓ durch Dihalogenierung, s. Bd. V/3, S. 615; V/4, S. 171; Hydrolyse s. S. 809.

Die Oxidation von $R—CH_2—C\overset{O}{\underset{H}{\diagdown}}$ zu α-Keto-aldehyden ist in Bd. VII/1, S. 396 abgehandelt.

Es sind jedoch einige spezielle Verfahren ausgearbeitet worden, um einzelne Diketone durch Direktoxidation mit guten Ausbeuten herstellen zu können. So läßt sich Cyclohexanon in *Cyclohexandion-(1,2)*[1] überführen, wenn man mit der Reaktionstemperatur unterhalb 15° bleibt und die in der Arbeitsvorschrift angegebenen Bedingungen einhält:

Cyclohexandion-(1,2):

Cyclohexandion-(1,2)-hemihydrat[1]: In einem Rührgefäß, versehen mit 2 Tropftrichtern, Rührer, Innenthermometer, Gasableitungsrohr und Gasuhr werden 290 g 50%iger Schwefelsäure vorgelegt, auf + 5 bis 10° abgekühlt und mit einer konz. wäßr. Lösung von 0,5 g Natriumnitrit versetzt. Unter Außenkühlung läßt man bei 7–10° 129 g 98 Gew.%ige Salpetersäure-Lösung und 140,4 *ml* 90 Gew.%iges Cyclohexanol (Rest Wasser) getrennt unter der Oberfläche eintropfen. Während der Reaktion soll stets ein geringer Überschuß an Salpetersäure vorhanden sein. Die Reaktionsdauer beträgt ~ 3–4 Stdn. Die Menge des sich entwickelnden Gases soll in den ersten 15 Min ~ 0,5 *l* betragen, von da ab ~ 1 *l* in 10–15 Min. Wenn der Zulauf beendet ist, wird 30 Min. weitergerührt, und man läßt die Temp. auf 15° ansteigen. Sobald die Gasentwicklung stark nachgelassen hat, wird der Kristallbrei abgesaugt und mit Wasser säurefrei gewaschen. Eine Trocknung ist für die Überführung in das Cyclohexandion-(1,2) nicht nötig.

Die Gehaltsbestimmung erfolgt durch Titration mit n Natriumhydroxid-Lösung in Gegenwart von überschüssiger n Hydroxylammoniumchlorid-Lösung bei 80° bei konstantem pH, gemessen mit einer Einstabglaselektrode.

Feuchtgewicht des Filterkuchens:	129,2 g
Gehalt an Hemihydrat:	69,3 %
Ausbeute:	61,6 %

---

[1] DBP. 1908676, 1908679 (1968), Farbf. Bayer, Erf.: W. SUTTER u. K. F. WEDEMEYER; C. A. **73**, 98480, 98484 (1970).

s. a. H. C. GODT u. J. F. QUINN, Am. Soc. **78**, 1461 (1956).

A. MONDON, H. U. MENZ u. J. ZANDER, B. **96**, 826 (1963).

L. DE BORGER et al., Bl. Soc. chim. Belg. **73**, 73 (1964).

Cyclohexandion-(1,2)[1]: 400 g des erhaltenen 69,3%igen Hemihydrates werden mit 860 ml Wasser in einem Rührkolben, der mit Rückflußkühler und Thermometer versehen ist, unter Rühren 3 Stdn. zum Sieden erhitzt. Dabei tritt Lösung ein. Man sättigt mit Kochsalz und extrahiert die entstehende zweiphasige Flüssigkeit über Nacht im Extraktor mit Benzol. Der Benzolextrakt wird zuerst bei Normaldruck destilliert, wobei noch gelöstes Wasser azeotrop entfernt wird, und fraktioniert; Ausbeute: 232 g (90,7% d.Th.); Kp_{10}: 70–71°.

Leitet man Butanon zusammen mit Wasserdampf (22 Tle.) und Sauerstoff (1 Tl.) bei 300° über einen Kupfer(II)-oxid-Siliciumcarbid-Katalysator mit einem Umsatz von nur 15%, so werden $\sim$ 60% d.Th. an empfindlichem *Butandion* erhalten[2].

Zur Herstellung von Diketonen und Triketonen ist in zahlreichen Fällen Selendioxid als Oxidationsmittel verwendet worden. Selendioxid wirkt ebenfalls nicht spezifisch, da es bereits schwach aktivierte CH_2-Gruppen angreift. Daher entstehen meist mehrere primäre und sekundäre Oxidationsprodukte nebeneinander. Außerdem reagiert Selendioxid teilweise mit den Reaktionspartnern zu stabilen selenorganischen Verbindungen[3,4] (s. a. S. 678). Auch sind Dehydrierungen zu Aromaten beobachtet worden (s. S. 696). Infolgedessen werden im allgemeinen nur unbefriedigende Ausbeuten erzielt, es sei denn, daß nur ein stabiles Endprodukt entstehen kann, z.B.: *Campferchinon* (*2,3-Dioxo-1,7,7-trimethyl-bicyclo[2.2.1]heptan*). Der Wert des Selendioxid-Verfahrens wird vielfach überschätzt.

Zur Erzielung optimaler Ausbeuten mögen folgende Hinweise dienen:

① Reaktionsverlauf und Ausbeuten hängen von der Beschaffenheit bzw. Aktivität des Selendioxids ab (s. Bd. VII/1, S. 150; Org. Reactions V, S. 344).

② Die Oxidationen können in Wasser – sofern das Ausgangsmaterial darin löslich ist –, in wasserhaltigen Lösungsmitteln, wie Alkohol, 1,4-Dioxan, Essigsäure oder wasserfrei in Essigsäure-äthylester oder Xylol durchgeführt werden[5].

③ Absol. Alkohol und Eisessig sollte man vermeiden, da diese außerordentlich leicht mit den primär entstehenden α-Hydroxy-ketonen veräthern bzw. verestern und so einen Teil des Ketons der Weiteroxidation entziehen bzw. die Trennung erschweren[6]. Über die Oxidation in Essigsäure- und Essigsäureanhydrid-Gemischen s. S. 695.

④ Die Oxidationen verlaufen exotherm, so daß oft eine anfängliche Kühlung erforderlich ist; bei Siedetemp. wird die Oxidation zu Ende geführt. Die Reaktionszeiten variieren stark.

⑤ Bei oxidationsanfälligen Diketonen wird Selendioxid meist im Unterschuß eingesetzt.

⑥ Schwierigkeiten bereitet manchmal die Entfernung des kolloidalen Selens aus der Reaktionsmasse. Falls die Dicarbonylverbindung nicht destillativ oder durch Wasserdampfdestillation abzutrennen ist, empfiehlt es sich, das Selen in einer 5%igen wäßrigen Kaliumcyanid-Lösung zu lösen.

---

[1] DOS. 2011651 (1970), Farbf. Bayer, Erf.: W. Sutter u. K. F. Wedemeyer, C.A. **76**, 3463 (1972).

[2] Brit. P. 586754 (1942/1944), Shell Development Co., Erf.: W. Hearne et al.; C.A. **40**, 2465 (1946).

[3] R. Müller, B. **66**, 1668 (1933).

[4] W. Borsche u. H. Hartmann, B. **73**, 840 (1940).
   R. C. Fuson et al., Am. Soc. **57**, 1803 (1935).

[5] Das Arbeiten mit Selendioxid ist eingehend beschrieben in:
   N. Rabjohn *Selendioxid Oxydation*, Org. Reactions V, S. 331–412 (1949).
   E. N. Trachtenberg *Selendioxid oxydations* in R. L. Augustine, *Oxidation*, S. 119–187, M. Dekker Inc., New York 1969.
   A. Guillemonat, A. ch. **11**, 143 (1939).
   Über den Reaktionsmechanismus der Selendioxid-Oxydation s.:
   A. Guillemonat, A. ch. **11**, 197 (1939).
   vgl. auch J. P. Schaefer, Am. Soc. **84**, 713, 717 (1962).

[6] Unter den Oxidationsprodukten von Pulegon (2-Oxo-4-methyl-1-isopropyliden-cyclohexan) in absol. Äthanol bei 80° wurden 5 Verbindungen nachgewiesen, G. Cauquil, C. r. **208**, 1156 (1939).

Cyclische Ketone werden mit Selendioxid mit 0–30% d. Th. zu den entsprechenden cyclischen Diketonen oxidiert; z.B.:

Cyclopentanon	→	*Cyclopentandion-(1,2)*[1]	7% d.Th.
Cyclohexanon	→	*Cyclohexandion-(1,2)*[2]	30% d.Th.
4-Oxo-1-methyl-cyclohexan	→	*3,4-Dioxo-1-methyl-cyclohexan*[1,3]	
		+ *1-Äthoxy-6-oxo-3-methyl-cyclohexen*[1,3]	
Cycloheptanon	→	*Cycloheptandion-(1,2)*[3]	
Cyclooctanon	→	—[3]	
3-Oxo-2-methyl-cyclopenten	→	*4,5-Dioxo-1-methyl-cyclopenten*[4]	30% d.Th.
2-Oxo-*trans*-dekalin	→	*2,3-Dioxo-trans-dekalin*[5]	50% d.Th.

Am Beispiel des Camphers wurde der Einfluß des Lösungsmittels auf die Selendioxid-Oxidation untersucht.

Beim Erhitzen von Campher in Essigsäureanhydrid mit überschüssigem Selendioxid erhält man das sog. *Campher-chinon (2,3-Dioxo-1,7,7-trimethyl-bicyclo[2.2.1]heptan)*:

mit einer Rohausbeute von 95% d. Th.[6].

In Toluol oder Xylol sinkt die Ausbeute auf ~ 88% d. Th. ab und in Äthanol bleiben ~ $^3/_4$ des Ausgangsmaterials unangegriffen (zu niedere Reaktionstemp.?). Ohne Lösungsmittel entsteht ein unreines Diketon in mäßiger Ausbeute.

Überraschenderweise erhält man mit einem großen Überschuß an Selendioxid in wasserhaltigem Alkohol aus 3-Oxo-cholestan das *2,3-Dioxo-cholestan*[7] in ~ 50%iger Ausbeute:

bzw. aus 3-Oxo-1,5-dimethyl-cyclohexen mit guten Ausbeuten das *3-Hydroxy-2,6-dimethyl-benzochinon-(1,4)*[8]:

[1] H. L. RILEY, J. F. MORLEY u. N. A. C. FRIEND, Soc. **1932**, 1875.

[2] Org. Synth. IV, 229 (1963); 18 Mol Cyclohexanon werden unter Kühlen mit 3 Mol Selenigsäure, gelöst in 1,4-Dioxan/Wasser (80 : 20), versetzt und mehrere Stdn. auf dem Wasserbad erhitzt. Man destilliert und fraktioniert i.Vak.

[3] M. GODCHOT u. G. CAUQUIL, C. r. **202**, 326 (1936).

[4] E. DANE, J. SCHMITT u. C. RAUTENSTRAUCH, A. **532**, 37 (1937).

[5] K. GANAPATI, J. indian Chem. Soc. **15**, 407 (1938).
  J. H. BOYER u. U. TOGGWEILER, Am. Soc. **79**, 896 (1957).

[6] J. VÈNE, C. r. **216**, 772 (1943); s.a. C. A. **41**, 739 (1947).

[7] E. T. STILLER u. O. ROSENHEIM, Soc. **1938**, 353.

[8] E. DANE u. J. SCHMITT, A. **536**, 196 (1938).

Recht mäßige Ausbeuten an Diketonen werden mit Selendioxid in der offenkettigen Reihe erzielt; z.B.:

Butanon → *2-Oxo-butanal*[1]
+ *Butandion*[1]
Propiophenon → *1,2-Dioxo-1-phenyl-propan*[1]

Cyclische Ketone kann man in die entsprechenden 1-Chlor-cycloalkene überführen, aus denen in drei Stufen ebenfalls ein Diketon entsteht, jetzt aber in 1,3-Stellung[2]:

$$(CH_2)_n\,C(=O)\,CH_2\,CH_2 \xrightarrow{PCl_5} (CH_2)_n\,C(Cl)=C\text{–}H\,CH_2 \xrightarrow{NBS} (CH_2)_n\,C(Cl)=C\text{–}H\,CH\text{–}Br \xrightarrow{Oxidation} (CH_2)_n\,C(Cl)=C\text{–}H\,C(=O)$$

$$\xrightarrow{H_2O} (CH_2)_n\,C(=O)\,CH_2\,C(=O)$$

β) Aryl- und Vinyl-ketone

Die Oxidation einer Benzyl- zu einer Benzoyl-Gruppe gelingt mit einer Reihe der gebräuchlichen Oxidationsmittel, wie z. B. Chromsäure, Persäuren, Salpetersäure und Sauerstoff. Die Oxidation einer CH_2-Gruppe, benachbart zu einer Doppelbindung, verläuft eigentlich nur bei den Cycloalkenen mit noch erträglichen Ausbeuten und die einer —CH_2—COOR-Gruppe sehr mäßig. Im letzteren Falle schlägt man besser den Weg über die α-Dihalogenierung (s. Bd. V/3, S. 615 u. V/4, S. 171) und die anschließende Hydrolyse mit Natriumbenzoat ein (s. S. 809).

Die Oxidationen von Alkyl-aromaten mit Luftsauerstoff verlaufen über Peroxide, die meistens nicht isoliert werden, sondern unter den Reaktionsbedingungen gleich in Ketone und Carbinole übergehen. Derartige Prozesse sind insbesondere für Tetralin und Äthyl-benzol ausgearbeitet worden. Dabei wurde gefunden, daß man in Gegenwart eines aus Cobalt(II)-acetat und -bromid bestehenden Katalysators *Tetralon*-(1) schon bei 40° erhält[3], wobei Ausbeute und Umsatz höher liegen als im katalysatorfreien System, das Temperaturen von über 70° erfordert[4]. Für Tetralin wurde auch der Reaktionsmechanismus eingehend studiert[5].

[1] H. L. RILEY, J. F. MORLEY u. N. A. C. FRIEND, Soc. **1932**, 1875.

[2] B. EISTERT u. K. SCHANK, Tetrahedron Letters **1964**, 429.

[3] A. S. HAY u. H. S. BLANCHARD, Canad. J. Chem. **43**, 1306 (1965).

[4] R. B. THOMPSON, Org. Synth. **20**, 94 (1940).

[5] M. MARTAN, J. MANASSEN u. D. VOFSI, Tetrahedron **26**, 3815 (1970).
N. M. EMANUEL, E. T. DENISOV u. Z. K. MAIZUS, *Liquid-Phase Oxydation of Hydrocarbons*, S. 145–154 (Acad. of Science of the U.S.S.R. Moskau), Engl. Übersetzung: Plenum Press, New York 1967. Ausgezeichnete Monographie über Kinetik und Mechanismen auch der sauerstoffhaltigen Verbindungen.
Über die Oxidation von Kohlenwasserstoffen mit Chrom(VI)-Verbindungen s. K. B. WIBERG, *Oxidation in Org. Chem.*, Vol. V, Teil A, S. 82–142, Academic Press., New York 1965.

Tetralon-(1)[1]: In einem 2-l-Rundkolben mit Rührer, Thermometer und Kühler werden 750 ml Eisessig, 25 g (0,1 Mol) Kobalt(II)-acetat-tetrahydrat und 30 g (0,092 M) Kobalt(II)-bromid-hexahydrat bei 40° heftig verrührt. In die Lösung läßt man schnell Sauerstoff eingasen, und innerhalb von 30 Min. eine Lösung von 330 g (2,5 Mol) Tetralin in 255 g Essigsäure-anhydrid eintropfen. Durch gute Kühlung muß man die Innentemp. bei 40° halten. Die Sauerstoff-Aufnahme beträgt bis zu 1200 ml/Min. Die Reaktion wird 30 Min. fortgesetzt, dann die Lösung mit Eis-wasser versetzt. Dann extrahiert man das Reaktionsprodukt mit Äther. Nach dem Waschen mit kalter Natriumcarbonat-Lösung wird über Magnesiumsulfat getrocknet und destilliert; dem Tetralinvorlauf (86 g; $Kp_{0,5}$: 40–50°) folgen 168 g (62% d.Th.) *Tetralon-(1)*; $Kp_{0,5}$: 90–95°.

Gelegentlich hat man auch die intermediär entstehenden Peroxide isoliert[2] und dann in Substanz zu den Ketonen umgesetzt[2]. Das kann durch Erwärmen mit Na-tronlauge[3], Reduktion mit Eisen(II)-sulfat[4] und Oxidation mit Blei(IV)-acetat[4,5] (unter Freiwerden von Sauerstoff) erfolgen; dagegen wird in Gegenwart von Protonen die Kette aufgespalten, analog der Cumolperoxid-Spaltung[6]:

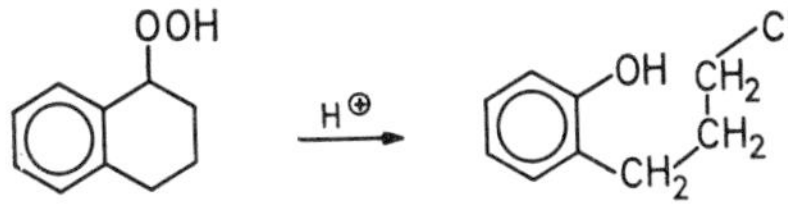

Solche Peroxid-Zersetzungen liefern die Ketone zumeist mit guten Ausbeuten und besitzen daher auch praktisches Interesse, wenn die Ausgangsperoxide gut zu-gänglich sind[7].

Technisch wird *Acetophenon* durch Luftoxidation von Äthylbenzol mittels eines löslichen Pb-Mn-Zn-naphthenat-Katalysators hergestellt[8]. Aber auch Cr_2O_3, beson-ders Cr_2O_3—$CaCO_3$, CuO u. a. Oxide der Eisengruppe leisten gute Dienste.

Acetophenon[9]: In einem Autoklaven wird bei 120° und einem Überdruck von 5 Atü Luft in feiner Verteilung in Äthylbenzol, das mit einem Katalysator aus einem löslichen Pb-Mn-Zn-naphthenat versetzt ist, eingepreßt. Durch ein Überdruckventil destilliert das Reaktionswasser mit geringen Mengen Äthylbenzol ab. Man arbeitet das Reaktionsgemisch auf, wenn ~ 30% Acetophenon neben 1-Phenyl-äthanol entstanden sind, was einer Ausbeute von 70–80% d.Th. entspricht. Außerdem fallen noch wenige Prozente an Benzoesäure an.

4-Acetyl-benzoesäure-methylester[10]:

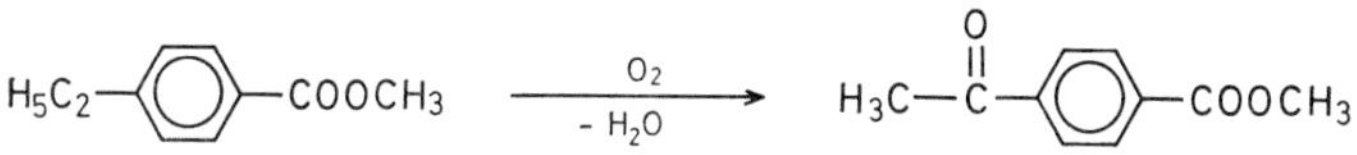

98 g 4-Äthyl-benzoesäure-methylester werden mit Luft unter Verwendung eines Intensiv-rührers und einem Cr_2O_3/$CaCO_3$-Katalysator während 24 Stdn. bei 140–150° oxidiert (man erhält 30 g unverändert zurück). Ausbeute: 43–45 g (60% d.Th.); Kp_7: 150°; F: 95,3°.

---

[1] A. S. Hay u. H. S. Blanchard, Canad. J. Chem. **43**, 1306 (1965).

[2] s. ds. Handb., Bd. 8, Kap.: Herstellung von Peroxiden, S. 9.

[3] H. Hock u. S. Susemihl, B. **66**, 61 (1933).

[4] H. Hock u. S. Lang, B. **75**, 1051 (1942).

[5] R. Criegee, H. Pilz u. H. Flygare, B. **72**, 1799 (1939).

[6] M. S. Kharash u. J. G. Burt, J. Org. Chem. **16**, 150 (1951).

[7] G. O. Schenk, O. A. Neumüller u. W. Eisfeld, A. **618**, 194, 202 (1958).

[8] DRP 522255 (1926) ≡ US. P. 1813606; I. G. Farb., Erf.: J. Binapfl u. W. Krey, C. A. **25**, 3016 (1931).

[9] Techn. Vorschrift s. Ullmann, *Encyclopädie der technischen Chemie*, Bd. 9, 560 (1957), BIOS Rep. **112**, S. 23.

[10] W. S. Emerson et al., Am. Soc. **68**, 674 (1946); Org. Synth. IV, 581.

Sehr bemerkenswert ist das Verhalten von 4-Äthoxymethyl-1-äthyl-benzol (I) und 4-Acetoxymethyl-1-äthyl-benzol (II) bei der Luftoxidation[1] bei 140°. Während I mit einem Cr_2O_3-Katalysator innerhalb von 6 Stdn. ein Gemisch von *4-Äthyl-benzoesäure* (III) und deren *Äthylester* (IV) liefert, wird II mit einem Cr_2O_3—$CaCO_3$-Katalysator bei 28stdg. Reaktionsdauer zu *4-Acetoxymethyl-acetophenon* (V) oxidiert[1]:

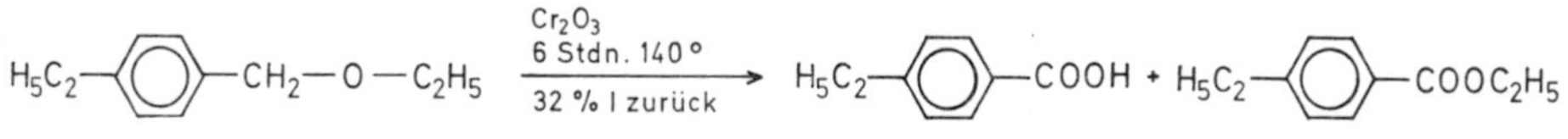

Außer Sauerstoff (Luft) steht für die Keton-Herstellung aus Alkyl-benzolen bzw. Tetralinen noch eine ganze Reihe von Oxidantien zur Auswahl. Bei geeigneter Wahl der Reaktionsbedingungen erhält man die Ketone in hoher Ausbeute, wie das folgende Beispiel zeigt[2]:

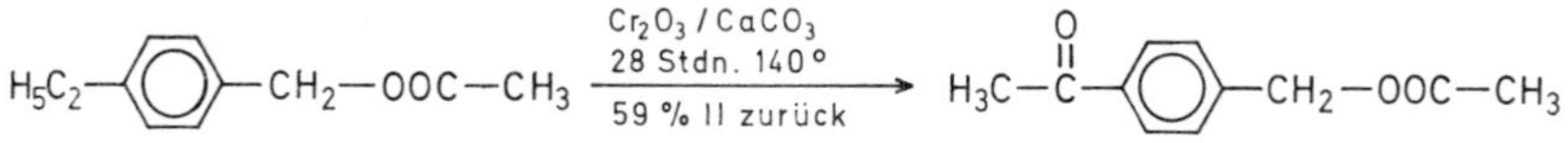

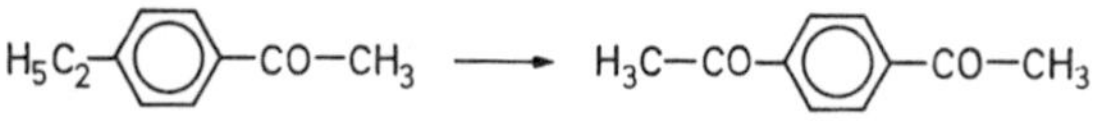

1,4-Diacetyl-benzol[2]: Eine Oxidations-Lösung aus 40 g (1 Mol) Magnesiumoxid, 1034 *ml* Wasser, 135 *ml* konz. Salpetersäure (d = 1,4; 2,1 Mol) und 158 g (1 Mol) Kaliumpermanganat wird in einem 2-*l*-Kolben bei 60° verrührt und innerhalb von 30 Min. mit 59,3 g (0,4 Mol) 4-Äthyl-1-acetyl-benzol tropfenweise versetzt. Man hält den Ansatz, eventuell durch Kühlen, bei 60 ± 2° und rührt noch 4½ Stdn. bei dieser Temp. nach. Nach dem Abkühlen saugt man ab und kocht den Niederschlag mehrmals gut mit Benzol aus. Die Gemische werden heiß abgesaugt (mit beheiztem Trichter), dann die Filtrate i.Vak. eingeengt; Ausbeute: 52,2 g (82% d.Th.); F: 112–113° (aus Äther).

Alkyl-benzole werden jedoch von einer wäßrigen Natriumdichromat-Lösung bei 200–275° zu aromatischen Carbonsäuren abgebaut. Schließlich sei noch auf die Oxidation mit Chromylchlorid verwiesen, deren ,,Anomalien" durch die Untersuchung des Reaktionsmechanismus aufgeklärt wurden[3-5].

Verbindungen mit einer Allyl-Gruppierung lassen sich mit einer Reihe von Oxidationsmitteln, wie Selendioxid, Chrom(VI)-oxid, Peroxiden oder durch Autoxidation in α,β-ungesättigte Ketone überführen:

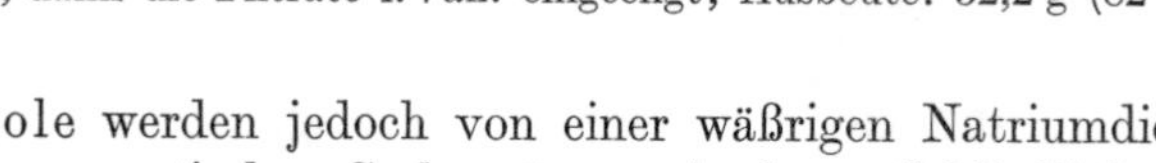

[1] W. S. EMERSON et al., Am. Soc. **69**, 1905 (1947).

[2] J. R. HOLSTEN u. E. H. PITTS, J. Org. Chem. **26**, 4151 (1961).

[3] K. B. WIBERG, B. MARSHALL u. G. FOSTER, Tetrahedron Letters **1962**, 345.

[4] C. N. RENTEA et al., Tetrahedron **22**, 3501 (1966).

[5] F. FREEMAN, R. H. DUBOIS u. N. J. YAMACHIKA, Tetrahedron **25**, 3441 (1969).

Tab. 112. Ketone durch Oxidation von Alkyl-aromaten

Ausgangs-verbindung	Oxidationsmittel/ Lösungsmittel	Keton	Ausbeute [% d.Th.]	F [°C]	Litera-tur
Äthyl-benzol	Silber(II)-oxid in Phosphorsäure oder Eisessig	*Acetophenon*	65		1
2-Methoxy-5-äthyl-1-tert.butyl-benzol	MnO₂	*4-Methoxy-3-tert.-butyl-1-acetyl-ben-zol*	fast quan-titativ bei 33% Umsatz	70	2
2-Chlor-4-nitro-1-äthyl-benzol	Äthylnitrit/NaOH (Äthanol), über Oxim	*2-Chlor-4-nitro-1-acetyl-benzol*	71	47–48	3
4-(2,2-Dimethyl-pro-pyl)-phthalsäure	KMnO₄/NaOH Wasser	*4-(2,2-Dimethyl-propanoyl)-phthal-säure*	86	113–115	4
2-Äthyl-anthrachi-chinon	CrO₃/Eisessig	*2-Acetyl-anthra-chinon*	64	144	5
2,3-Diäthyl-indol	Luftsauerstoff	*3-Äthyl-2-acetyl-indol*	10–30		6
6-Methoxy-tetralin	Luft/Tris-[triphenyl-phosphin]-rhodium-chlorid (als Kataly-sator)	*6-Methoxy-1-oxo-tetralin*	40% (Rest wird wiederge-wonnen)		7
2-Äthyl-tetralin	CrO₃	*1-Oxo-2-äthyl-tetralin*			8
1-Brom-benzo-cyclobuten	CrO₃/Eisessig	*2-Brom-1-oxo-benzocyclobuten*	21	88–90	9
1,2,3,4-Tetrahydro-carbazol	Perjodsäure/Metha-nol/Wasser	*1-Oxo-1,2,3,4-tetra-hydro-carbazol*	62		10

Die Ausbeuten sind im allgemeinen recht mäßig, denn die aktivierende Doppel-bindung selbst ist außerordentlich oxidationsempfindlich. Da eine Reihe von Oxi-dantien bevorzugt an der Doppelbindung angreift (Kaliumpermanganat, Ozon), ist die Auswahl für diesen Reaktionstyp erheblich eingeschränkt und von Fall zu Fall verschieden. Da der Reaktionsverlauf zweifellos ein radikalischer ist, werden auch die zahlreichen Nebenreaktionen verständlich. Es sei darauf hingewiesen, daß gelegent-

[1] L. SYPER, Tetrahedron Letters 1967, 4193.
[2] M. S. CARPENTER, W. M. EASTER u. T. F. WOOD, J. Org. Chem. 16, 586 (1951).
[3] A. KÖVENDI u. M. KIRCZ, B. 97, 1902 (1964).
[4] A. T. BLOMQUIST u. J. C. WESTFAHL, Am. Soc. 74, 4073 (1952).
[5] Fr.P. 1336713 (1962), L'Air Liquide SA, Erf.: A. ETIENNE, G. ARDITTI u. A. CHMELEVSKY; C. A. 60, 2874 (1964).
[6] E. LEETE, Am. Soc. 83, 3645 (1961).
[7] A. J. BIRCH u. G. S. R. SUBBA RAO, Tetrahedron Letters 1968, 2917.
[8] Z. HOORI et al., Chem. Pharm. Bull. (Tokyo) 16, 2456 (1968).
[9] L. HORNER u. P. V. SUBRAMANIAM, Tetrahedron Letters 1965, 101.
[10] L. J. DOLBY u. D. L. BOOTH, Am. Soc. 88, 1049 (1966).

lich solche Allyl-Oxidationen in Wirklichkeit an der Doppelbindung einsetzen[1]; die im Endprodukt vorhandene Olefin-Gruppe ist dann gegenüber der ursprünglichen um ein Kohlenstoffatom verschoben.

Die Oxidation zu Ketonen nicht in Allyl-Stellung, sondern gezielt an der Doppelbindung wird auf S. 781 beschrieben.

Die Herstellung von α,β-ungesättigten Ketonen aus Olefinen unter Verschiebung der C=C-Doppelbindung ist in Bd. X/1, S. 926ff., beschrieben (s. a. S. 789). Im einfachsten Fall erhält man aus 1-Methyl-cyclopenten-(1) *3-Oxo-2-methyl-cyclopenten-(1)*[2]:

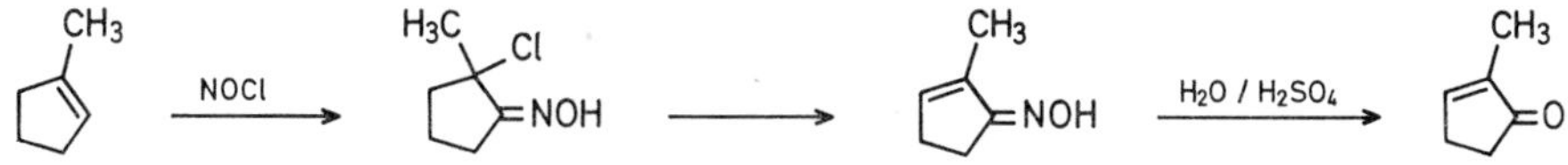

Cyclohexen läßt sich mit Chromsäure mit 37% Ausbeute zu *Cyclohexen-(1)-on-(3)*[3] oxidieren. Aus 1-Methyl-cyclohexen-(1) wird analog ein Gemisch von *3-Oxo-2-methyl-cyclohexen-(1)* und *3-Oxo-1-methyl-cyclohexen-(1)* erhalten:

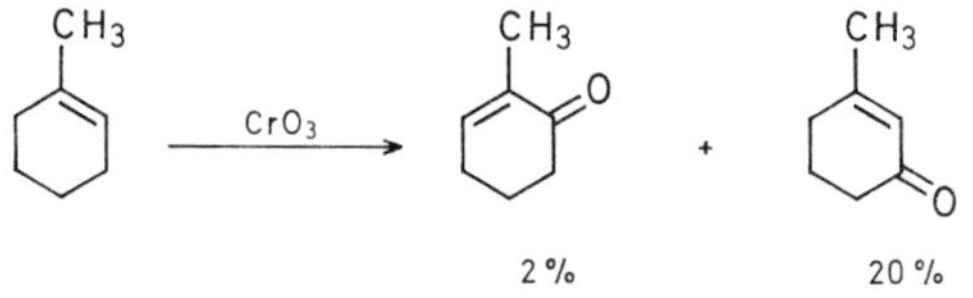

Cyclohexen-(1)-on-(3)[3]: 1 Mol (82 g) Cyclohexen wird mit 1,5 Mol Chromsäure bei 25–35° innerhalb 14 Stdn. in 85%iger Essigsäure (ohne Schwefelsäure-Zusatz) oxidiert. Beim Aufarbeiten erhält man

36 g unverändertes Ausgangsmaterial
20 g *Cyclohexen-(1)-on-(3)* = 37% d.Th.
und 8,4 g *Adipinsäure* = 25% d.Th.

Eingehend untersucht wurde die Oxidation zahlreicher Cyclohexen-Derivate mit dem CrO_3-Pyridin-Komplex (im Vergleich mit anderen Oxidantien)[4].

Auch die Oxidationen mit Luft/Ozon-Gemisch[5] und SeO_2[6] sind beschrieben.

Günstige Ergebnisse erzielt man in einigen Fällen auch mit Chromsäure-di-tert.-butylester (Herstellung s. S. 738). So entstehen aus Limonen (1-Methyl-4-isopropenyl-cyclohexen; I)[7] *6-Oxo-1-methyl-4-isopropenyl-cyclohexen* (*Limonenketon*; II) und *3-Oxo-1-methyl-4-isopropenyl-cyclohexen* (*Isopiperitenon*; III):

[1] K. B. WIBERG u. S. D. NIELSEN, J. Org. Chem. **29**, 3353 (1964).
[2] A. M. GADDIS u. L. W. BUTZ, Am. Soc. **69**, 1203 (1947).
[3] F. C. WHITMORE u. G. W. PEDLOW, Am. Soc. **63**, 758 (1941).
[4] W. G. DAUBEN, M. LORBER u. D. S. FULLERTON, J. Org. Chem. **34**, 3587 (1969).
[5] Brit. P. 1214493 (1967), ICI, Erf.: R. L. HEATH; C. A. **74**, 99514 (1971).
[6] P. RADLICK, J. Org. Chem. **29**, 960 (1964).
[7] K. FUJITA, Nippon Kagaku Zasshi **81**, 676 (1960), C. A. **55**, 6516 (1961).

I II; 21 % III; 13 %

IV V

Aus **IV** erhält man das *9-Acetoxy-3-oxo-6,10,10-trimethyl-bicyclo[4.4.0]decen-(1)* (V), das jedoch noch einfacher und besser durch direkte Chromsäure-Oxidation in Eisessig entsteht[1].

In der Reihe der ungesättigten Steroide mit Allyl-Gruppierung gibt es eine Reihe von Beispielen, bei denen man bei 30–40° die —CH₂-Gruppe zur —CO-Gruppe oxidieren kann[2]; auch hier sind die Chromsäure und ihr tert.-Butylester ver-gleichend gegenübergestellt. So wird 3β-Acetoxy-cholesten-(5) mit Chromsäure-di-tert.-butylester und Essigsäureanhydrid/Eisessig in Benzin zu 3β-Acetoxy-7-oxo-cholesten-(5) (90% d.Th.) oxidiert[3]. In ähnlicher Weise erhält man aus 3β,17β-Diacetoxy-androsten-(5) (VI) ebenfalls ein 7-Keton (VII)[4]:

VI VII

3β,17β-Diacetoxy-7-oxo-androsten-(5) (VII)[4]: 89,0 g 3β,17β-Diacetoxy-androsten-(5) (VI) wer-den in 500 *ml* trockenem Tetrachlormethan suspendiert und auf 80° erwärmt. Dann wird unter kräftigem Rühren eine Mischung von 720 *ml* Chromsäure-di-tert.-butylester-Lösung (s. S. 738), 225 *ml* Eisessig und 90 *ml* Essigsäure-anhydrid im Verlauf von 30 Min. zugetropft, anschließend 10 Stdn. bei 80° weiter gerührt und schließlich auf Zimmertemp. abgekühlt. Unter Eiskühlung läßt man nun 150 g Oxalsäure (gelöst in 1,5 *l* Wasser) innerhalb von 45 Min. zutropfen, gibt nach weiteren 15 Min. 105 g feste Oxalsäure zu und rührt noch 2 Stdn. kräftig, wobei sich die Mischung langsam auf Zimmertemp. erwärmt. Die hellgelbe Tetrachlormethan-Schicht wird abgetrennt, die wäßrige Schicht mit Tetrachlormethan nachextrahiert und die vereinigten organischen Lösungen mit Wasser, Natrium-hydrogencarbonat-Lösung und Wasser gewaschen, getrocknet und eingedampft. Man erhält 89 g eines farblosen, pulvrigen Rückstandes, der in 9 *l* Äther durch Kochen am Rückfluß gelöst wird. Die klare Lösung wird auf ~ 4 *l* eingeengt und gekühlt. Darauf fällt eine erste Fraktion von 42,9 g an. Durch weiteres Einengen der Mutterlauge lassen sich noch zwei weitere Fraktionen von zusammen 12,9 g gewinnen; Ausbeute: 55,8 g (60,4% d.Th.); F: 216–219°.

---

[1] S. L. MUKHERJEE u. P. C. DUTTA, Soc. **1960**, 67.

[2] z.B. C. W. MARSHALL et al., Am. Soc. **79**, 6308 (1957).

[3] R. W. OPPENAUER u. H. OBERRAUCH, Anales asoc. quim. argentina **37**, 246 (1949); C. A. **44**, 3871 (1950).

[4] K. HEUSLER u. A. WETTSTEIN, Helv. **35**, 284 (1952).

Bemerkenswert ist die Tatsache, daß die Aktivierung der Δ^8-Doppelbindung in Steroiden gleich für zwei neu einzuführende benachbarte Carbonyl-Gruppen (an C-7 und C-11) ausreicht[1] [mit Chrom(VI)-oxid in Eisessig bei 78°]; z. B.

$3\beta,21$-Diacetoxy-7,11,20-trioxo-4,4-
dimethyl-pregnen-(8)

Cycloolefine und Hydroaromaten lassen sich auch mit Wasserstoffperoxid, das durch Vanadinsäure katalysiert ist, in acetonischer Verdünnung bei 30° zu α,β-ungesättigten Ketonen oxidieren[2].

So erhält man z. B. ausgehend von 500 g Cyclohexen[3] (Zurückgewonnen: 120 g)

120 g *Cyclohexen-(1)-on-(3)*
32 g *trans*-Cyclohexandiol-(1,2)
41 g Adipinsäure

Ferner erhält man aus

1-Methyl-cyclohexen	→	*3-Oxo-2-methyl-cyclohexen*	~ 35% d.Th.
1-Methyl-cyclopenten	→	*3-Oxo-2-methyl-cyclopenten*	25% d.Th.
Tetralin	→	*Tetralon-(1)*	65% d.Th.
1-Phenyl-tetralin	→	*4-Oxo-1-phenyl-tetralin*	40% d.Th,
Indan	→	*1-Oxo-indan*	65% d.Th.

Tab. 113. Ketone durch Oxidation von offenkettigen und cyclischen Olefinen

Ausgangs-verbindung	Oxidationsmittel/Lösungsmittel	Keton	Ausbeute [% d.Th.]	F [°C]	Litera-tur
1-Phenyl-cyclohexen	$O_2Cr[O—C(CH_3)_3]_2$	*3-Oxo-1-phenyl-cyclo-hexen-(1)*	25	64	4
3-Äthyl-penten-(2)-$PdCl_2$-Komplex	$Na_2Cr_2O_7$/Schwefel-säure/verd. Essig-säure	*4-Oxo-3-äthyl-penten-(2)*	74	—	5
2,6,6-Trimethyl-bi-cyclo[3.1.1]hepten-(2) (α-Pinen)	$O_2Cr[O—C(CH_3)_3]_2$	*4-Oxo-2,6,6-trime-thyl-bicyclo[3.1.1]hepten-(2) (Ver-benon)*	38		6
Cholesterin	2 Stufen über Hydro-peroxid	*3β-Hydroxy-7-oxo-cholesten-(5)*	63	173	7

[1] D. ROSENTHAL et al., Am. Soc. **85**, 3971 (1963).
[2] W. TREIBS et al., B. **86**, 616 (1953).
[3] Die in der Orig. Lit. angegebenen Mengen Wasserstoffperoxid können nicht stimmen.
[4] D. GINSBURG u. R. PAPPO, Soc. **1951**, 516.
[5] R. HÜTTEL u. R. CHRIST, B. **97**, 1439 (1964).
[6] G. DuPont, R. DULOU u. O. MONDOU, Bl. **20**, 60 (1953),
[7] G.O. SCHENK, O.A. NEUMÜLLER u. W. EISFELD, A. **618**, 194, 202 (1958).

Seit langem ist bekannt, daß man 1-Alkene mit Quecksilber(II)-salzen in 1-Alken-one-(3) überführen kann. Als Zwischenstufe lassen sich die entsprechenden ungesättigten Alkohole isolieren[1]; daneben können u. a. gesättigte Carbonyl-Verbindungen, Glykole und Umlagerungsprodukte entstehen. Erst in neuerer Zeit wurden für die α,β-ungesättigten Ketone präparativ befriedigende Vorschriften ausgearbeitet[1]. Eine Übersicht[2] erleichtert den Zugang zu diesen Oxidationen, deren Gelingen wesentlich von den Reaktionsbedingungen (Lösungsmittel, Temperatur, p_H-Wert, Anion, Molverhältnisse) abhängt.

Bei der direkten Allyl-oxidation entstehen vielfach schlecht abtrennbare Nebenprodukte (Epoxide, Allylalkohole, Dehydrierungsprodukte), so daß die Ausbeuten zu wünschen übrig lassen. Deshalb ist es oft zweckmäßig, erst den entsprechenden Allylalkohol herzustellen und diesen getrennt zum Keton weiter zu oxidieren. Für die Herstellung der Allylalkohole seien drei Verfahren genannt:

① Oxidation mit Perbenzoesäure-tert.-butylester in Gegenwart von Kupfer(I)-bromid[3] zu den Estern ungesättigter Alkohole und nachfolgende Verseifung. So erhält man aus Cyclohexen bei 80° Benzoesäure-cyclohexen-(2)-yl-ester (70% d.Th.)[4].

② Allylbromierung mit N-Brom-succinimid (s. das. Handb., Bd. V/4, S. 221 ff.) und nachfolgender Austausch gegen die Hydroxy-Gruppe entweder durch direkte Verseifung oder durch Umsetzung mit Kaliumacetat über den Essigsäure-allylester; Allylumlagerung möglich!

③ Oxidation mit Selendioxid in Gegenwart von Essigsäure/Essigsäureanhydrid.

Die Oxidation von Cycloalkenen mit Selendioxid zu α,β-ungesättigten Ketonen – vornehmlich der Terpenreihe – wurde zuerst in Patenten beschrieben[5] und ist von A. Guillemonat eingehend untersucht worden. Die Ausbeuten sind auch hier wegen der gleichzeitig entstehenden Folgeoxidations- und sonstiger Nebenprodukte wenig befriedigend.

Bessere Ausbeuten werden erzielt, wenn man in einem Gemisch aus Essigsäure/Essigsäureanhydrid arbeitet. Dadurch wird der primär entstehende Alkohol durch Veresterung abgefangen und so vor einer weiteren Oxidation geschützt.

Diese Ester können nach der Hydrolyse durch Nachoxidation z. B. mit Chromsäure in die α,β-ungesättigten Ketone überführt werden. Verwendet man absol. Äthanol als Reaktionsmedium, so bilden sich β,γ-ungesättigte Äther, die jedoch für Keton-Synthesen ohne Bedeutung sind.

Aus Cyclohexen erhält man unter Rückgewinnung von $\sim {}^1/_3$ Cyclohexen in Essigsäure/Essigsäureanhydrid $\sim 60\%$ d.Th. *3-Acetoxy-cyclohexen* (Kp$_{15}$: 68–70°)[6]. Substituierte Cycloalkene[7] führen zu mehreren Oxidationsprodukten mit einem von Fall zu Fall unterschiedlichen Reaktionsverlauf, so daß sie keine brauchbaren Ausgangsmaterialien sind; z.B. erhält man aus 1-Äthyl-cyclohexen[8] (I) ein Gemisch aus *3-Oxo-2-äthyl*-(II), *3-Oxo-1-äthyl-cyclohexen* (III) sowie *1-Acetyl-cyclohexen* (IV):

[1] H. B. Tinker, J. Organometallic Chem. **32**, C 25 (1971).
[2] H. Arzoumanian u. J. Metzger, Synthesis **1971**, 527.
[3] M. S. Karasch u. G. Sosnovsky, Am. Soc. **80**, 756 (1958).
  M. S. Karasch, G. Sosnovsky u. N. C. Yang, Am. Soc. **81**, 5819 (1959).
  Übersichtsreferat: D. J. Rawlinson u. G. Sosnovsky, Synthesis **1972**, 1.
[4] K. Pedersen, P. Jacobsen u. S. Lawesson, Organic Synthesis **48**, 18 (1968).
[5] DRP. 582545 (1932), 584373 (1932), Schering-Kahlbaum AG, Erf.: E. Schwenk u. E. Borgwardt; Frdl. **20**, 540, 556.
[6] A. Guillemonat, A. ch. **11**, 189 (1939).
[7] A. Guillemonat, A. ch. **11**, 165 (1939).
[8] A. Guillemonat, A. ch. **11**, 171 (1939).

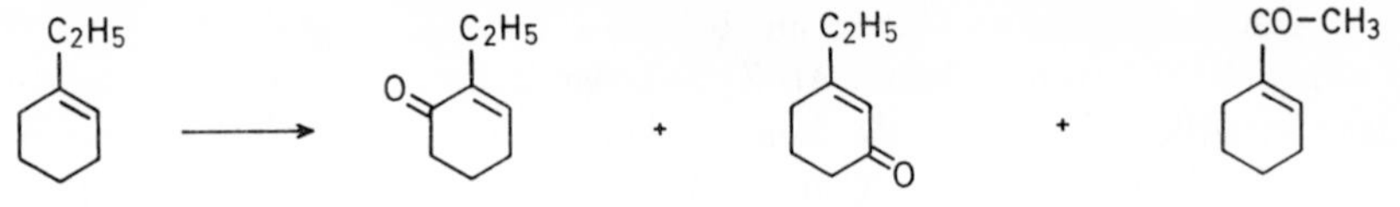

I II III IV

Bei der Oxidation von optisch aktiven Cycloalkenen, z. B. von D-Carvomenthen[1]

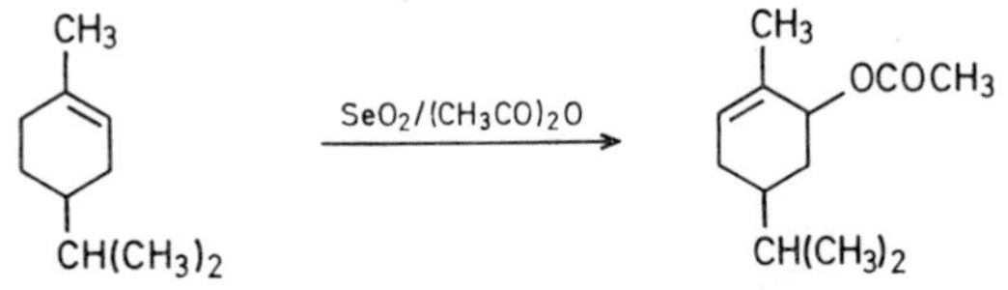

D D, L

zu *Carvomenthol-acetat* (*6-Acetoxy-1-methyl-4-isopropyl-cyclohexen*), tritt Racemisierung ein, während in anderen Fällen die Aktivierung weitgehend erhalten bleiben soll.

1,2-Dimethyl-cyclohexen wird weitgehend dehydriert[2]:

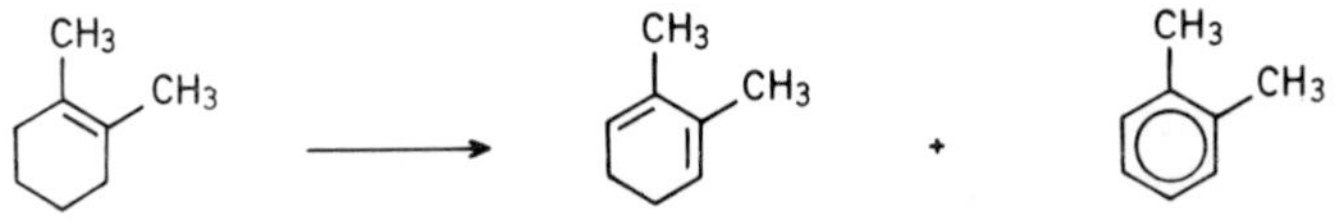

Die Oxidation von Bicyclo[4.4.0]decen-(1^6) (I) in Eisessig/Essigsäureanhydrid kann man so lenken (0–5°), daß 65% d. Th. *2-Acetoxy-bicyclo[4.4.0]-decen-(1^6)* (II)[3] entstehen. Bei 70° hingegen tritt eine Weiteroxidation zu 2,7-Diacetoxy-bicyclo[4.4.0]decen-(1^6) (III) und 5,10-Diacetoxy-bicyclo[4.4.0]decadien-(1,6) (IV) unter starkem Abbau ein[4]:

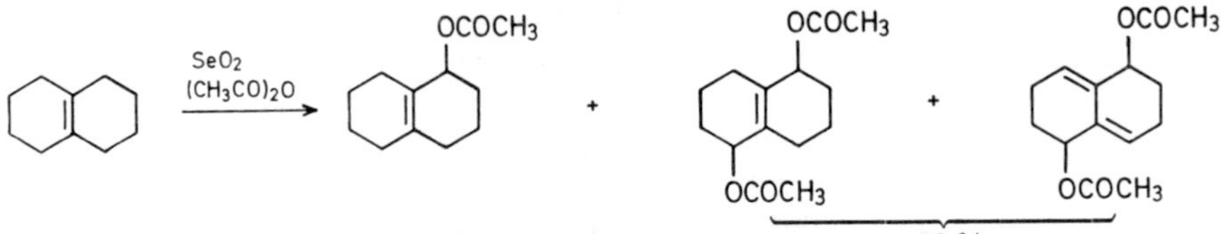

17 % 13 %

II III IV

Schlechte Ausbeuten an Acetoxy-Verbindungen werden in der Regel bei der Oxidation offenkettiger Alkene[5] erzielt; z. B.:

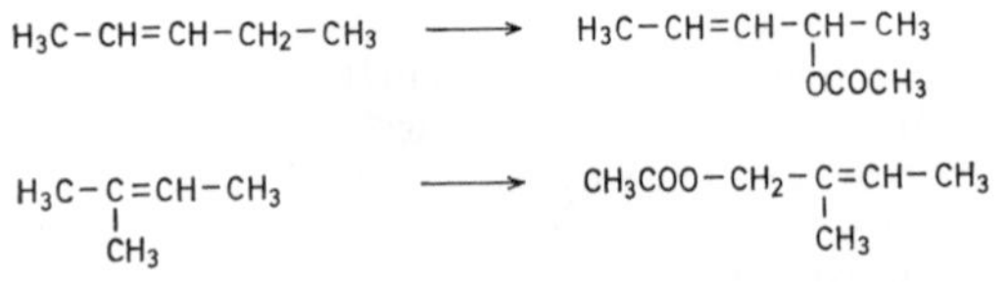

[1] C. H. Nelson u. E. N. Trachtenberg, Abstr. 142. Meeting Am. Chem. Soc. 1962, S. 148.
[2] A. Guillemonat, A. ch. **11**, 166 (1939).
[3] W. P. Campbell u. G. C. Harris, Am. Soc. **63**, 2721 (1941).
[4] N. N. Melnikov u. M. S. Rokitskaya, Ž. obšč. Chim. **7**, 1532 (1937); C. A. **31**, 8502 (1937).
[5] A. Guillemonat, A. ch. **11**, 150, 181 (1939).

$$H_3C-C=CH-CH_3 \longrightarrow H_3C-C=CH-CH_3$$
$$\underset{CH_2-CH_3}{|} \qquad \underset{CH_3COO-CH-CH_3}{|}$$

$$\underset{H_3C-C-C=CH-CH_3}{\overset{CH_3}{|}} \longrightarrow \underset{H_3C-C-C=CH-CH_3}{\overset{CH_3}{|}}$$
$$\underset{H_3C \ \ CH_3}{|} \qquad \qquad \underset{H_3C \ \ CH_2-OCOCH_3}{|}$$

Wahrscheinlich sind die Ausbeuten durch Arbeiten unter Druck und höhere Reaktionstemperaturen noch zu steigern.

Die Oxidation von Alkansäuren und deren Derivaten zu α-Keto-carbonsäuren gelingt praktisch nicht. Hierfür bietet sich nur der Weg über die α,α-Dihalogen-Verbindungen und deren Hydrolyse an (s. S. 809).

3. Oxidation von nichtaktivierten Kohlenwasserstoffen[1]

Mangels einer aktivierenden Gruppe weist die Oxidation von aliphatischen Kohlenwasserstoffen zwei Nachteile auf:

① Sie erfordert schärfere Bedingungen (Gefahr der Überoxidation zu Säuren!).

② sie erfolgt nicht mehr an einer genau fixierten Stelle.

So werden längerkettige Aliphaten gleichzeitig an allen Kohlenstoffatomen oxidiert, d.h. es entstehen nicht trennbare Gemische (selbst aus Butan mit seinen zwei äquivalenten Methylen-Gruppen erhält man nur wenig *Butanon-(2)* neben viel Essigsäure).

Der zweite Nachteil entfällt bei alicyclischen Kohlenwasserstoffen, in denen alle Methylen-Gruppen gleichwertig sind. So sind gerade für das wichtige *Cyclohexanon* (Ausgangsmaterial für Caprolactam!) interessante technische Prozesse ausgearbeitet worden. Mit Cobaltnaphthenat als Katalysator entsteht aus Cyclohexan und Luft unter Druck ein Gemisch aus etwa gleichen Anteilen Cyclohexanon und Cyclohexanol, das durch nachfolgende Dehydrierung ins Keton übergeführt wird (um **Explosionen** und Überoxidationen, z.B. zu Hexandisäure, zu vermeiden, setzt man nur ∼5% Kohlenwasserstoff um und führt den Überschuß im Kreislauf). Höhere Ausbeuten und weniger Nebenprodukte erhält man in Gegenwart von stöchiometrischen Mengen Borsäure nach einem an sich schon lange bekannten Verfahren[2]. Es entstehen Borsäure-triester des Cyclohexanols, die vor weiterer Oxidation geschützt sind und anschließend verseift werden müssen. Der Keton-Anteil sinkt auf 3–10%, was wegen

---

[1] F. BROICH, *Oxidationsreaktionen in der Petrochemie*, Chem. Ing. Techn. **34**, 45–61 (1962); gute, detaillierte Übersicht.
   Hydrocarbon Oxidation in „Kirk-Othmer", Encycl. of Chem. Techn. Vol. 11, S. 224, 2. Aufl. Interscience Publ., New York 1966.
   Über die Oxidation von Kohlenwasserstoffen mit Chrom(VI)-Verbindungen s. K. B. WIBERG, *Oxidation in Org. Chem.*, Vol. V, Teil A, S. 82–142, Academic Press., New York 1965.
   N. M. EMANUEL, E. T. DENISOV u. Z. K. MAIZUS, „*Liquid-Phase Oxydation of Hydrocarbons*", (Acad. of Science of the U.S.S.R. Moskau), engl. Übersetzung: Plenum Press, New York 1967. Ausgezeichnete Monographie auch über Kinetik und Mechanismen.

[2] DRP. 552886 (1928), Riebeck'sche Montanwerke AG, Halle, Erf.: T. HELLTHALER u. E. PETER; C. 1934 II, 1021.

der sowieso notwendigen anschließenden Dehydrierung kein Nachteil ist[1,2]. In gleicher Weise lassen sich auch Cyclooctan und Cyclododecan zu *Cyclooctanon* bzw. *Cyclododecanon* oxidieren (s. S. 705). Der Zugang in dieses Gebiet wird durch einige zusammenfassende Übersichten erleichtert[3-5].

Obwohl diese Methode für Laborversuche weniger in Frage kommt, sind doch einige Vorschriften zur direkten Kohlenwasserstoff-Oxidation mit Luftsauerstoff im präparativen Maßstab ausgearbeitet worden (*2-Oxo-adamantan*[6], *Cyclododecanon*[7]).

Entschieden leichter ist *2-Oxo-adamantan* (III) durch Oxidation mit Schwefelsäure zugänglich. Hierbei entsteht zunächst 1-Hydroxy-adamantan (II), das in Adamantan (I) und *2-Oxo-adamantan* (III) disproportioniert[8]:

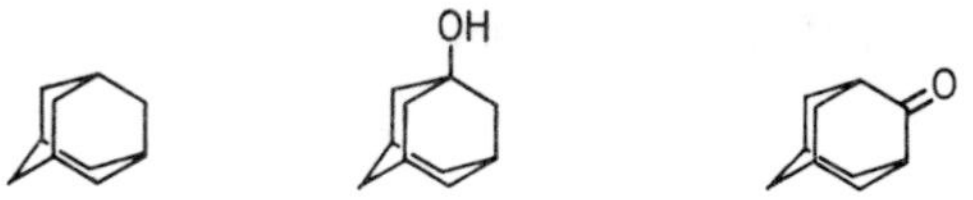

I   II   III

2-Oxo-adamantan[8]: 8,2 g fein verteiltes Adamantan werden bei 77° mit 150 *ml* 96%iger Schwefelsäure verrührt. Sobald alles gelöst ist (4–5 Stdn.), rührt man noch 1 Stde. nach. Der Ansatz wird auf Eis gegossen, mit Äther extrahiert und die organische Phase mit Natriumchlorid-Lösung gewaschen, dann getrocknet. Nach dem Einengen verbleiben 6 g Rohprodukt, aus dem man 4,8 g (53% d.Th.) Adamantanon (F: 278–282°) durch Wasserdampfdestillation isoliert.

Ein Verfahren, das in guten Ausbeuten zu den Oximen von Ketonen führt, ist die photochemische Umsetzung von Nitrosylchlorid mit Methylen-Gruppen[9]; diese Reaktion wird an anderer Stelle in ds. Handb. ausführlich beschrieben[10]:

Die Einwirkung von Chromylchlorid auf gesättigte, verzweigte und alicyclische Kohlenwasserstoffe (Etard-sche Reaktion)[11] ist mehrfach untersucht worden. Man erhält dabei u. a. stets Gemische verschiedener Ketone bzw. chlorhaltiger Ketone, so daß dieses Verfahren für präparative Zwecke nicht brauchbar ist.

Da im 1,2-Dioctyl-cyclopropan (I) die beiden ringbenachbarten Methylen-Gruppen etwas aktiviert sind, erhält man mit Chrom(VI)-oxid in Eisessig das Keton II (50% d.Th.)[12]:

I   II; *2-Octyl-1-octanoyl-cyclopropan*

[1] DAS 1158963 (1962), Halcon International Inc., Erf.: C. N. WINNICK; C. A. **60**, 10567 (1964).
[2] DAS 1287072 (1963), Halcon International Inc., Erf.: C. N. WINNICK.
[3] N. M. EMANUEL, E. F. DENISOV u. Z. K. MAIZUS, Liquid Phase Oxidation of Hydrocarbons, Plenum Press, New York 1967.
[4] I. V. BEREZIN, E. T. DENISOV u. N. M. EMANUEL, *The Oxidation of Cyclohexane*, Pergamon Press, Oxford 1966.
[5] A. PONGRATZ in G. M. SCHWAB, *Handbuch der Katalyse*, Band VII/1, S. 562, Springer Verlag, Wien 1943,.
[6] S. LANDA, J. VAIS u. J. BURKHARD, Collect. czech. chem. Commun. **32**, 570 (1967).
[7] E. P. ZINKEVIC et. al., Ž. org. Chim. **1**, 1587 (1965); engl.: 1608.
[8] H. W. GELUK u. I. L. M. R. SCHLATMANN, Tetrahedron **24**, 5361, 5369 (1968).
[9] EU. MÜLLER et al., B. **98**, 1893 (1965).
[10] Bd. X/4, Kap.: Herstellung von Oximen, S. 11.
[11] Literaturzusammenstellung s. W. H. HARTFORT u. M. DARRIN, Chem. Reviews **58**, 44 (1958).
[12] J. C. PROMÉ u. C. ASSELINEAU, Bl. **1966**, 2114; **1969**, 1911.

Abschließend sei darauf verwiesen, daß mittels mikrobiologischer Verfahren nichtaktivierte CH_2-Gruppen zu Ketonen oxidiert werden können[1,2]; als Beispiel sei die Oxidation von 5-Acetyl-5a,6,7,8,9,10,11,11a-octahydro-5H-⟨cycloocta-[b]-indol⟩ zu *8-Oxo*-(V) und *9-Oxo-5-acetyl-5a,6,7,8,9,10,11,11a-octahydro-5H-⟨cycloocta-[b]-indol⟩* (IV) genannt[1]:

III   IV (38%)   V (7%)

b) Ketone durch Oxidation von funktionellen Gruppen

Durch die Einführung einer geeigneten funktionellen Gruppe in einen Kohlenwasserstoff ist oft nicht nur deren Oxidation erleichtert, sondern es ist auch die Lage der Oxo-Gruppe fixiert. Unter diesen Reaktionen besitzt die Oxidation von sekundären Alkoholen die größte Bedeutung.

1. Ketone durch Oxidation sekundärer Alkohole

Bearbeitet von Dr. DIETER KRAMER, Farbenfabriken Bayer AG, Leverkusen

Die Dehydrierung sekundärer Alkohole ist eine der wichtigsten Methoden zur Herstellung von Ketonen[3]. Sie kann sowohl katalytisch, durch Redox-Verfahren als auch durch chemische Oxidationsmittel erfolgen. Im letzteren Fall sind Chrom(VI)-Verbindungen meist die Mittel der Wahl.

α) Katalytische Dehydrierung

Die katalytische Dehydrierung sekundärer Alkohole[3] ist ein präparativ und technisch wichtiges Verfahren zur Herstellung von Ketonen. Im allgemeinen werden weniger Nebenprodukte und daher höhere Ausbeuten erhalten als bei der Dehydrierung primärer Alkohole zu Aldehyden. Sekundäre Alkohole sind reaktiver als primäre;

---

[1] T. L. LEMKE et al., J. Org. Chem. **36**, 2823 (1971).

[2] G. S. FONKEN et al., J. Org. Chem. **33**, 3182 (1968).

[3] *Ullmanns Encyklopädie der technischen Chemie*, 3. Aufl.
  Bd. 9, *Katalyse und Katalysatoren*, S. 254–293 (1957);
  Bd. 9, *Dehydrierungskatalysatoren*, S. 548 (1957);
  Bd. 13, *Oxidation und Dehydrierung*, S. 95–109 (1962);
  Verlag Urban und Schwarzenberg, München–Berlin.
  s. ds. Handb., Bd. VII/1, Kap. Dehydrierung primärer Alkohole, S. 160–171; Bd. IV/2, Kap. Dehydrierung von Alkoholen, S. 339–344.
  KIRK-OTHMER, *Encyclopedia of Chemical Technology*, 2.Aufl., Bd. 4, S. 534–586, Interscience Publ., New York–London–Sydney 1964; hier vor allem Sammelliteratur.

die Aktivierungsenergie einer sekundären alkoholischen Hydroxy-Gruppe liegt um 5 kcal/Mol unter der einer primären Hydroxy-Gruppe.

Die Dehydrierung ist ein endothermer Prozeß. Bei hohen Temperaturen liegt das Gleichgewicht ganz auf der Seite der Dehydrierungsprodukte:

$$\begin{array}{c} R \\ R^1 \end{array}\!\!\!>\!\!CHOH \quad \rightleftharpoons \quad \begin{array}{c} R \\ R^1 \end{array}\!\!\!>\!\!C{=}O \; + \; H_2$$

Führt man die Dehydrierung in Gegenwart von Luft aus, so verläuft sie exotherm. Der Prozeß kann durch gezielte Luftzufuhr so geführt werden, daß die Energiebilanz ausgeglichen ist und die Reaktion ohne äußere Wärmezufuhr abläuft.

$$\begin{array}{c} R \\ R^1 \end{array}\!\!\!>\!\!CHOH \quad \overset{1/2\,O_2}{\rightleftharpoons} \quad \begin{array}{c} R \\ R^1 \end{array}\!\!\!>\!\!C{=}O \; + \; H_2O$$

In der Literatur sind sehr viele Dehydrierungsvorschriften angegeben, bei denen die Ketonausbeuten erstaunlich niedrig sind. Hier wurde zweifellos nicht unter optimalen Bedingungen gearbeitet.

Solche ergeben sich aus der Berücksichtigung folgender allgemeiner Regeln:

① Der Katalysator bzw. dessen Trägermaterial sollte neutral bis schwach alkalisch reagieren.

Ist der Katalysator zu alkalisch, dann können Nebenreaktionen auftreten, z.B. eine Aldolkondensation der bereits gebildeten Ketone.

Besitzt das Katalysatorsystem sauren Charakter, dann tritt die Wasser-Abspaltung zu Olefinen in den Vordergrund; s. S. 708.

Als geeignete Dehydrierungs-Katalysatoren werden in der Literatur viele hunderte vorgeschlagen. Ganz allgemein kann man sagen, daß ein guter Hydrierungskatalysator auch gut dehydrierend wirkt. Die bereits in Bd. VII/1, S. 160–170 aufgeführten Katalysatoren zur Dehydrierung primärer Alkohole zu Aldehyden ergeben bei sekundären Carbinolen meist noch bessere Ausbeuten und sind daher zur Keton-Herstellung hervorragend geeignet.

② Weit weniger Einfluß auf die Keton-Ausbeute hat die Temperatur. Man wird die Dehydrierung selbstverständlich bei der niedrigsten Temperatur, bei der sie mit guter Geschwindigkeit verläuft, durchführen. Im allgemeinen arbeitet man zwischen 180–400°, vorwiegend zwischen 200 und 250°. Es empfiehlt sich, die geeignetste Dehydrierungstemperatur selbst zu ermitteln.

③ Nach Möglichkeit ist die Gasphasen-Dehydrierung vorzuziehen und eine kurze Verweilzeit zu wählen, selbst wenn dadurch ein Teil des Ausgangsmaterials (bis zu ~ 40%) unverändert bleibt. Auch Trägergase wie Stickstoff oder Wasserdampf, bei 350° sogar Wasserstoff, können mitverwendet werden. Besonders bei hochsiedenden Alkoholen kann die Dehydrierung im Vakuum durchgeführt werden.

④ Bei besonders leicht dehydrierbaren sekundären Alkoholen, wie z.B. beim Isoborneol, kann es von Vorteil sein, in flüssiger Phase – evtl. unter Druck – zu dehydrieren.

Die Dehydrierung in der Flüssig-Phase ermöglicht es in vielen Fällen, das entstandene Keton, das ja niedriger als der entsprechende Alkohol siedet, kontinuierlich abzudestillieren.

Die im Bd. VII/1, S. 160–170 angegebene ausführliche Literatur zur Dehydrierung primärer Alkohole betrifft z. T. auch die Dehydrierung sekundärer Alkohole. Auch die Verfahrensbeschreibungen sowie die angegebenen Apparaturen können praktisch alle auf die Herstellung von Ketonen übertragen werden. Eine nochmalige Beschreibung erübrigt sich daher, zumal seit 1952 keine wesentlichen Fortschritte mehr erzielt wurden.

Besonders die Metalle Silber, Kupfer, Zink, Chrom, Nickel, Kobalt, Platin, Palladium als solche oder in Verbindungen bzw. Legierungen (Raney-Kobalt, Raney-Nickel, Messingspäne) kommen in erster Linie als geeignete Katalysatoren in Frage.

Sehr bewährt haben sich auch die sogenannten Kupferchromit-Katalysatoren.

Die Herstellung zahlreicher Kupfer(-misch)-Katalysatoren ist in diesem Handb. Bd. IV/2, S. 180–183, die anderer Metalle S. 163–192 ausführlich beschrieben. Über

Dehydrierungskatalysatoren im speziellen siehe ebenfalls Bd. IV/2, S. 192–197 (z.B. Kupferchromit S. 197). Mischkatalysatoren für technische Dehydrierprozesse siehe Bd. IV/2, S. 196–205.

Eine detaillierte Herstellungsvorschrift für einen Kupfer-Bariumchromit Katalysator findet sich in Org. Synth. Vol. II, S. 142 und für einen Barium-Zink-Nickel-Kupferchromit Katalysator in Bd. VII/1, S. 163.

Über die Herstellung des normalen Adkins-Kontaktes s. Lit.[1]. Neuerdings wird ein Calcium-Nickel-phosphat-Kontakt empfohlen[2]; auch Rhenium-Katalysatoren scheinen interessant zu sein[3].

Gut wirksame Katalysatoren werden auf einfachste Weise erhalten, indem man Bimsstein- oder Tonscherben mit Kupfernitrat oder Silbernitrat oder Zinkacetat imprägniert.

α_1) Katalytische Dehydrierung von Monoalkoholen in der Gasphase

Sekundäre Alkohole ohne weitere funktionelle Gruppen lassen sich im allgemeinen mit vorzüglichen Ausbeuten zu den entsprechenden Ketonen dehydrieren. Dieser Prozeß ist insbesondere an der technisch wichtigen Umwandlung von Isopropanol zu Aceton[4,5] und in der cycloaliphatischen Reihe am Beispiel der Dehydrierung von Cyclohexanol zu Cyclohexanon untersucht worden:

$$\begin{array}{c} H_3C \\ {\diagdown} \\ H_3C \phantom{{\diagup}} \end{array}CHOH \; + \; 15,9\,kcal \; \longrightarrow \; \begin{array}{c} H_3C \\ {\diagdown} \\ H_3C \phantom{{\diagup}} \end{array}C{=}O \; + \; H_2$$

Bei 325° verläuft der endotherme Prozeß mit 97%iger Ausbeute. Eine weitere Erhöhung der Temperatur steigert zwar die Ausbeute, verkürzt aber die Lebensdauer des Katalysators. Entsprechend der technischen Bedeutung des Prozesses sind zahlreiche Katalysatoren vorgeschlagen worden. Kupfer, Kupfer-Zink-Legierungen, Silber, Metalloxide, vor allem Zinkoxid, werden bevorzugt, aber auch viele andere Metalle und Metall-Kombinationen mit speziellen Zusätzen (Promotoren) auf geeigneten Trägern finden Verwendung.

Aceton[5]: Der in Wärmeaustauschern vorerhitzte Isopropanol-Dampf wird über den Katalysator geleitet und bei Temp. zwischen 200–320° dehydriert. Die den Reaktor verlassenden Gase bestehen aus Aceton, nicht umgesetztem Isopropanol, Wasserstoff und kleinen Mengen an Neben-

---

[1] G. Calingaert u. G. Edgar, Ind. eng. Chem. **26**, 878 (1934).

[2] US.P. 3420887 (1964), Dow Chemical Corp., Erf.: C. R. Noddings u. A. J. Dietzler; C.A. **70**, 67592[h] (1969).

[3] M. S. Platonow, S. B. Anissimow u. W. M. Krascheninnikowa, B. **69**, 1050 (1936).
  A. A. Balandin, E. I. Karpejskaia u. A. A. Tolstopiatova, Doklady Akad. SSSR **122**, 227 (1958); engl.: 661.

[4] Zur katal. Dehydrierung von Isopropanol:
  G. S. Parks u. K. K. Kelley, J. phys. Chem. **32**, 734 (1928).
  W. A. Lott u. W. G. Christiansen, J. Am. Pharm. Assoc. **19**, 570 (1930).
  W. G. Palmer, Pr. roy. Soc. **99** [A], 412 (1921).
  E. K. Rideal, Pr. roy. Soc. **99** [A], 153 (1921).
  P. W. Sherwood, Petr. Refiner **33**, Nr. 12, 144 (1954).
  W. M. Crooks, Brit. Chem. Eng. **11**, 496 (1966).
  V. I. Komarewsky, C. H. Riesz u. F. L. Morritz in A. Weissberger, *Technique of Organic Chemistry*, Vol. II, S. 164, Interscience Publ., New York 1956.
  K. Kawamoto, Bl. chem. Soc. Japan **34**, 795 (1961).

[5] s. z. B. P. W. Sherwood, Ind. Chemist **36**, 497 (1960).
  BIOS Final Report Nr. 131.

produkten wie Propen und Diisopropyläther. Die Mischung wird abgekühlt und die restlichen
Gase werden mit Wasser ausgewaschen. Die flüssigen Anteile werden fraktioniert; Aceton wird
über die Kolonne abgezogen, während Isopropanol nach nochmaliger Destillation als 91%iges
Azeotrop in den Kreislauf zurückgeht.

Der Katalysator besitzt eine durchschnittliche Lebensdauer von 6 Monaten und wird anschließend mit einem Gemisch aus höchstens 2% Sauerstoff und 98% Stickstoff bei 500° regeneriert.

Butanon[1]: Butanol-(2) wird verdampft und im Wärmeaustauscher auf 200° vorerhitzt. Die
Dehydrierung erfolgt bei 280° vorwiegend an Zinkoxid auf Bimsstein. Das Keton-Alkohol-
Gemisch wird durch fraktionierte Destillation getrennt; Ausbeute: 88% d.Th. [bez. auf ver-
brauchtes Butanol-(2)].

Ein anderes Verfahren wird bei 350° im Wasserstoffstrom am gleichen Kontakt durchgeführt[2].

Außer Zinkoxid ist eine Reihe anderer Metalloxid-Katalysatoren für die Dehydrierung von Butanol-(2) zu Butanon-(2) empfohlen worden[3]. Über die Abhängigkeit
der Wirksamkeit eines aus Kupfer(II)-nitrat und Natriumcarbonat hergestellten
Kupferoxid-Katalysators vom Alkaligehalt s. Lit.[4]

Tab. 114. Ketone durch Dehydrierung sekundärer Alkohole am Kupferchromit-
Katalysator[5]

Alkohol	optimale Temperatur [°C]	Reaktionszeit [Stdn.]	Reaktionsprodukt Keton	Ausbeute [% d.Th.]	Kp [°C]
Isopropanol	310–325	1,7	*Aceton*	71	56
Butanol-(2)	300–325	2,9	*Butanon-(2)*	68	80
Pentanol-(2)	300–310	2,0	*Pentanon-(2)*	53	102
Hexanol-(2)	300–325	3,5	*Hexanon-(2)*	20	129
Heptanol-(2)	300–325	4,0	*Heptanon-(2)*	30 [a]	151,2
Octanol-(2)	300–325	3,8	*Octanon-(2)*	37	173
4-Methyl-penta-nol-(2)	300–310	2,6	*4-Oxo-2-methyl-pentan*	80	116,9

[a] mit Äthylen als Wasserstoffacceptor in Flüssigphase an einem Kupfer-Barium-chromit-Kata-
lysator beträgt die Ausbeute 77% d. Th. (s. S. 710).

---

[1] Nähere Angaben s. *Ullmanns Encyklopädie der technischen Chemie*, 3. Aufl., Bd. **9**, S. 547f.,
   Urban und Schwarzenberg, München–Berlin 1957.
   s. a. W. L. Faith, D. B. Keyes u. R. L. Clark, *Industrial Chemicals*, 2. Aufl., S. 517, John
   Wiley and Sons, Inc., New York 1957.
[2] BIOS-Final-Report, Nr. 131 (Verfahren der Chem. Werke Rheinpreussen).
[3] Brit.P. 600677 (1945), Standard Oil Development Co., Erf.: J. C. Arnold; C.A. **42**, 6502[b]
   (1948); Zinkoxid mit Zusätzen.
   US.P. 2028267 (1933), Standard Alcohol Co., Erf.: F. M. Archibald u. C.M. Beamer; C. A.
   30, 18059 (1936); Kupferoxid oder metallisches Kupfer.
   US.P. 2436733 (1944), Standard Oil Development Co., Erf.: H. G. Schneider u. V. F.
   Mistretta; C.A. **42**, 3542[f] (1948).
   US.P. 2436970 (1944), Standard Oil Development Co., Erf.: V. F. Mistretta; C.A. **42**,
   3542[i] (1948); Zink-, Cer-, Magnesiumoxid mit 1–6% Wismutoxid.
[4] Brit. P. 636743 (1947), ICI, Erf.: D. McNeil u. F. R. Charlton; C.A. **44**, 7867[c] (1950).
[5] R. E. Dunbar u. M. R. Arnold, J. Org. Chem. **10**, 501 (1945).

Ketone durch katalytische Dehydrierung sekundärer Alkohole in der Gasphase; allgemeine Herstellungsvorschrift[1]:

Kupfer-Silber-Kontakt[2]: 50 g Bimsstein werden 15 Min. in konz. Salpetersäure (D = 1,42) ausgekocht, 2–3mal mit siedendem Wasser ausgewaschen und mit 10%iger Kupfer(II)-nitrat-Lösung imprägniert (30 Min.). Dann gibt man 2n Natronlauge bis zu einem p_H-Wert von 11–12 hinzu, wäscht das niedergeschlagene Kupfer(II)-hydroxid mit Wasser alkalifrei und trocknet die Masse bei 100°. Die Reduktion des Kontakts folgt bei 300–360° im Kontaktrohr der Dehydrier-Apparatur mit Wasserstoff.

Das Silber trägt man durch Eintauchen des so erhaltenen Kontakts in 10%ige ammoniakalische Silbernitrat-Lösung auf.

Schließlich wird der Rohkontakt mit Wasser ammoniakfrei gewaschen und bei 300° im Wasserstoffstrom reduziert.

Dehydrierung: Ein für die Aufnahme des Kontaktes bestimmtes Glasrohr aus schwerschmelzbarem Glas von etwa 100 cm Länge und 15–20 mm ⌀ wird außen mit einer Heizwicklung versehen und auf einen 250-ml-Dreihalskolben gesetzt. Der Kolben befindet sich in einem Metallbad mit Kontaktthermometer. Mittels auf den Kolben gesetzter Bürette kann der Zulauf des zu dehydrierenden Alkohols während der Reaktion reguliert werden. Die benötigte Luft wird über eine Pumpe und einen geeichten Strömungsmesser in das System gedrückt. Das Kontaktrohr ist über eine kurze Brücke mit einem absteigenden Kühler und darunter angeordneten Tiefkühlfallen mit Ableitung verbunden. Das Kontaktrohr enthält den dicht gepackten Kupfer-Silber-Katalysator auf Bimsstein.

Man regelt die Heizbadtemp. so, daß sie um 50° über dem Siedepunkt des zu dehydrierenden Alkohols liegt und heizt das Kontaktrohr auf 330–350° auf. Diese Temp. soll auch während der folgenden Umsetzung gehalten werden. Die Luftzufuhr wird auf ∼ 50 l/Stde. eingestellt. Durch die Bürette tropft man innnerhalb von etwa 70 Min. ein Mol des Alkohols.

Die entstehenden Reaktionsprodukte werden im Kühler kondensiert und in den Tiefkühlfallen aufgefangen. Trennt sich das Kondensat in 2 Schichten, so wird die organische Phase über eine 50-cm-Vigreux-Kolonne destilliert. Bei ausbleibender Schichtentrennung muß das gesamte Rohprodukt durch Destillation aufgearbeitet werden. Eine weitere Reinigung der erhaltenen Fraktionen kann sich anschließen.

Nach ∼ 10 Durchsätzen muß der Katalysator erneuert werden. Der nach dieser Anordnung erhaltene Reinheitsgrad der Ketone liegt bei 90 Vol.%. Zu seiner angenäherten Bestimmung kann auch die Messung des Brechungsindex herangezogen werden.

Die technisch sehr wichtige Herstellung von *Cyclohexanon*[3] kann durch Dehydrierung von Cyclohexanol in der Gasphase bei 250° oder in flüssiger Phase bei 200°, bei deutlich geringerer Reaktionsgeschwindigkeit, erfolgen.

Die benötigte Dehydrierwärme von 15,42 kcal/Mol wird durch Vorerhitzen des Cyclohexanol-Dampfes und Erhitzen des Reaktors aufgebracht. Unter den zahlreichen vorgeschlagenen Katalysatoren zählen vor allem solche aus Kupfer, Kupfer(II)-Verbindungen, durch aktivierende Zusätze modifizierte Kupferkontakte[4], Zinkoxid und Kupferchromit[5]. Die angegebenen Reaktionstemp. liegen zwischen 250 und 425° in der Gasphase.

---

[1] Nach *Organikum*, Organisch-chemisches Grundpraktikum, 10. Aufl., S. 391, VEB Deutscher Verlag der Wissenschaften, Berlin 1971.

[2] R. R. Davies u. H. H. Hodgson, Soc. **1943**, 281.

[3] *Ullmanns Encyklopädie der technischen Chemie*, 3. Aufl., Bd. 5, S. 691, Verlag Urban und Schwarzenberg, München–Berlin 1954.
J. W. Bruce, Ind. Chemist **39**, 121 (1963).

[4] DAS 1204668 (1961), BASF, Erf.: G. Pöhler, H. Sperber, H. Suter u. M. Schütze; C. A. **64**, 3379ª (1966).
Brit. P. 914425 (1963; Dtsch. Prior. 1959), BASF, Erf.: G. Pöhler, A. Wegerich, H. Giehne u. O. Goehre; C. A. **58**, 10103ᵈ (1963).

[5] US. P. 2218457 (1937), Wingfoot Corp., Erf.: C. F. Winans; C. A. **35**, 1064⁷ (1941).
Fr. P. 1352116 (1962; US. Prior. 1961), Scientific Design Co. Inc., Erf.: C. N. Winnick; C. A. **61**, 1775ᵈ (1964).
US. P. 2163284 (1937), DuPont, Erf.: W. A. Lazier; C. A. **33**, 7818¹ (1939) (auch für Alkylcyclohexanone geeignet).

Am Adkins-Kontakt (Kupferchromit)[1] beträgt die Ausbeute an *Cyclohexanon* 60% d. Th. Eine 90%ige Ausbeute soll nach russischen Angaben an einem Silber-Berylliumoxid-Aluminiumoxid-Kontakt erhalten werden[2]. Weitere spezielle Dehydrierungskatalysatoren für Cyclohexanol sind Zink-Eisen- bzw. Zink-Kupfer-Legierungen[3], kaliumhaltige Eisen- und Kupferphosphate[4], mit Eisen oder Kobalt aktivierte Kombinationen aus Kupfer-, Zink- und Chromoxid[5] sowie geeignet aktiviertes Zinkoxid[6].

Für die Dehydrierung von Cyclododecanol in der Gasphase bei Temperaturen von 300–500° sind Mischkatalysatoren aus überwiegend Zinkoxid mit geringeren Mengen Calcium-, Aluminium- und Chrom(III)-oxid gebräuchlich[7]:

$$(CH_2)_{11}\ CHOH \xrightarrow{-H_2} (CH_2)_{11}\ C=O$$

Die angeführten Katalysatoren eignen sich auch für die katalytische Dehydrierung anderer Cycloalkanole.

Sekundäre Terpenalkohole können an Kupfer- und Nickel-Katalysatoren bei Temperaturen um 300° zu den Ketonen dehydriert werden. Früher wurde Isoborneol technisch ausschließlich mit chemischen Oxidationsmitteln (hauptsächlich Chromsäure) zu *Campher (2-Oxo-1,7,7-trimethyl-bicyclo[2.2.1]heptan)* oxidiert. Heute kommt nur noch die katalytische Dehydrierung zur Anwendung. Auch *Menthon (2-Oxo-4-methyl-1-isopropyl-cyclohexan)* und *Fenchon (2-Oxo-1,3,3-trimethyl-bicyclo[2.2.1] heptan)* sind danach in hoher Ausbeute zugänglich[8].

Auch ungesättigte Alkohole sind katalytisch zu den entsprechenden Ketonen dehydriert worden. So kann Butenon durch katalytische Dehydrierung von Buten-(1)-ol-(3) an Zinkoxid-Kupfer(I bzw. II)-oxid-Katalysatoren in 63%iger Ausbeute erhalten werden[9].

---

[1] C. D. Hurd, H. Greengard u. A. S. Roe, Am. Soc. **61**, 3359 (1939).

[2] R. M. Flid u. A. E. Krasotkin, Kinetika i Kataliz **3**, 282 (1962); engl.: 243.

[3] US. P. 2338445 (1940), IG Farb., Erf.: F. Laucht; C. A. **38**, 3664[8] (1944).
DRP. 743004 (1940), IG Farb., Erf.: F. Laucht u. O. Klopfer; C.A. **40**, 899[5] (1946).
Jap.P. 3971 (1957), Kanto Electro-Chemical Industries Co., Erf.: M. Furukawa; C.A. **52**, 5459[f] (1958).
B. Kanatsuka u. Y. Urata, Kogyo Kagaku Zasshi **65**, 1534 (1962); C. A. **58**, 11230[c] (1963).

[4] Brit. P. 1279578 (1961), Baugh and Sons Co., Erf.: R. S. Bowman u. L. J. Piasecky.

[5] DAS 1095275 (1960), H. J. Zimmer Verfahrenstechnik, Erf.: F. Bende u. N. Luft; C. A. **56**, 3373[g] (1962).

[6] DAS 1211629 (1962), BASF, Erf.: H. Sperber, G. Pöhler, F. L. Ebenhöch u. L. Hupfer; C. A. **64**, 19446[e] (1966).

[7] Fr. P. 1380733 (1963; Dtsch. Priorität 1962), Chem. Werke Hüls; C.A. **62**, 9034[g] (1965).

[8] G. B. Neave, Soc. **101**, 513 (1912).
Kontinuierliche Gasphasendehydrierung von Isoborneol zu *Campher*:
USSR. P. 117582 (1959), Erf.: B. G. Nakrokhin, G. I. Ginevich, E. I. Belosludtseva, Z. G. Shusterman, I. P. Nekhaev u. B. V. Sokolov; C.A. **53**, 18565[a] (1959).
M. A. Grekhnev, Ž. prikl. Chim. **26**, 231 (1953); engl. 203.
Weitere Möglichkeiten speziell zur Herstellung von *Campher*: *Ullmanns Encyklopädie der technischen Chemie*, 3. Aufl., Bd. 17, S. 50, Urban und Schwarzenberg, München–Berlin 1966.

[9] J. J. Kolfenbach et al., Ind. eng. Chem. **37**, 1178 (1945).
US. P. 2011317 (1933), Shell Development Co., Erf.: H. P. A. Groll; C. **1936** I, 4074.

Cyclohexen-(1)-on-(3) entsteht in 50%iger Ausbeute durch Dehydrierung von Cyclohexen-(1)-ol-(3) an einem Kupfer-Kontakt bei 320–340°[1]:

a_2) *Katalytische Dehydrierung von Monoalkoholen in der Flüssigphase*

Die katalytische Dehydrierung von sek. Alkoholen in der Flüssigphase ist von verschiedenen Autoren[2-4] untersucht worden. Als Katalysatoren sind z. B. Kupferpulver, Kupferchromit[5] und Raney-Nickel[4] geeignet.

In der gebräuchlichsten Ausführung wird der Alkohol mit dem Katalysator zusammen erhitzt. Als Lösungsmittel können Xylol und Paraffinöl verwendet werden.

1,3-Diäthoxy-aceton[6]: 187 g 2-Hydroxy-1,3-diäthoxy-propan werden zusammen mit 20 g eines Nickel-Kieselgur-Katalysators im Autoklaven auf $\sim 250°$ unter Rühren erhitzt. Dabei stellt sich ein Druck von ~ 10 atm ein. Der abgespaltene Wasserstoff wird von Zeit zu Zeit abgelassen. Nach $\sim 6,5$ Stdn. ist die Dehydrierung beendet. Anschließend wird mit Äther verdünnt, vom Katalysator abfiltriert, eingedampft, der ölige Rückstand 3 Stdn. mit ~ 150 g Phthalsäureanhydrid auf 130–140° erhitzt (um unverändertes Ausgangsmaterial zu verestern) und i.Vak. fraktioniert; Ausbeute: 50% d.Th.; Kp_8: 66°.

In ähnlicher Weise, jedoch drucklos, kann man *1,3-Diacetoxy-aceton* (bei 190°)[6], *1-Palmityloxy-aceton* (bei 185–250°)[6] und *2-Acetoxy-1-oxo-1-phenyl-äthan*[6] herstellen.

Octanon-(3)[7]: 438 g (3,37 Mol) Rohoctanol-(3) (aus der Umsetzung von Hexanal mit Äthylmagnesiumbromid) werden mit 10 g Raney-Nickel ~ 15 Stdn. unter Rückfluß erhitzt, wobei eine beträchtliche Wasserstoff-Entwicklung stattfindet. Anschließend fraktioniert man über eine Füllkörperkolonne im Vakuum. Nach einem Vorlauf von 20 g gehen bei Kp_5: 44° 398 g *Octanon-(3)* über, das noch $\sim 10\%$ Octanol-(3) enthält. Bei einem Umsatz von 90% beträgt die Ausbeute 92% d.Th. [bez. auf Octanol-(3)].

Cyclododecanol (in 82%iger Ausbeute aus Cyclododecan bei 150–160° unter Zusatz von 6% Borsäure durch Luftoxidation erhältlich)[8] wird vorwiegend in flüssiger Phase katalytisch zu *Cyclododecanon* dehydriert. Die Reaktionstemperaturen betragen 160–230°, als Katalysator eignen sich aktiviertes Aluminiumoxid, das 5–15% Kupfer enthält[9] oder Kupfer/Chrom- und Nickel/Chrom-Katalysatoren[10].

Für die Dehydrierung von 4,4′-Dihydroxy-bi-cyclohexyl zum 4,4′-Dioxo-bi-cyclohexyl wird als Katalysator Kupferchromit und als Lösungsmittel Diphenyläther empfohlen[11].

[1] N. P. Emel'yanov et al., Doklady Akad. Nauk Beloruss. SSR. **1969**, 424; C.A. **71**, 60365ʸ (1969).
USSR.P. 170049 (1964), B. V. Erofeev, R. I. Bel'skaya u. N. P. Emel'yanov; C.A. **63**, 8228ᵃ (1965).

[2] A. Halasz, J. Chem. Educ. **33**, 624 (1956).

[3] A. Halasz, A. ch. [11] **14**, 318 (1940).

[4] C. Djerassi, M. Gorman u. J. A. Henry, Am. Soc. **77**, 4647 (1955).

[5] W. R. Nes, J. Org. Chem. **23**, 899 (1958).
Zur Herstellung des Katalysators s. W. A. Lazier u. H. R. Arnold, Org. Synth., Coll. Vol. **2**, 142 (1943).

[6] US.P. 2173114 (1935), DuPont, Erf.: B. W. Howk u. W. A. Lazier; C.A. **34**, 1033⁵ (1940).

[7] F. Asinger, G. Geiseler u. P. Laue, B. **90**, 485 (1957).

[8] H. Kropf, Chemie-Ing.-Techn. **38**, 837 (1966).
F. Broich u. H. Grasemann, Erdöl Kohle **18**, 360 (1965).

[9] Fr. P. 1434078 (1965, Dtsch. Prior. 1964), Chem. Werke Hüls, Erf.: M. zur Hausen u. W. Knepper; C. A. **65**, 2033ʰ (1966).

[10] Kupfer/Chrom- und Nickel/Chrom-Katalysatoren verwenden:
A. N. Bashkirov, V. V. Kamzolkin u. M. M. Potarin, Neftechimiya **4**, 298 (1964); engl. 73.

[11] US.P. 2496960 (1946), Wingfoot Corp., Erf.: J. R. Schaefgen; C.A. **44**, 4927ᵇ (1950).

Bessere Ausbeuten als bei der herkömmlichen Methode der Oxidation von Acenaphthenol zu Acenaphthenon mit Chromsäure in Eisessig sollen bei der katalytischen Dehydrierung in einem hochsiedenden Lösungsmittel erhalten werden[1]:

2-Hydroxy-bicyclo[2.2.1]heptan wird an Raney-Nickel in vorzüglichen Ausbeuten zum *2-Oxo-bicyclo[2.2.1]heptan*[2] dehydriert:

2-Oxo-bicylo[2.2.1]heptan[2]: 55 g *endo*-2-Hydroxy-bicyclo[2.2.1]heptan werden in einem 500-*ml*-Zweihalskolben mit 30 *ml* Paraffinöl, einer katalytischen Menge Kaliumhydroxid und 5 g Raney-Nickel versetzt und unter Rühren allmählich erhitzt. Bei 150–160° beginnt die Wasserstoff-Abspaltung und ist bei 180° ganz gleichmäßig. Höhere Temp. beschleunigen die Reaktion nicht. Nach 6 Stdn. ist die Dehydrierung beendet. Man destilliert i. Vak. ab; Ausbeute 52 g (95% d. Th.); Kp_{12}: 68–72°; F: 90–92°.

Durch Dehydrierung von Isoborneol läßt sich *Campher* (*2-Oxo-1,7,7-trimethyl-bicyclo[2.2.1]heptan*) in sehr guter Ausbeute erhalten[3].

Campher (2-Oxo-1,7,7-trimethyl-bicyclo[2.2.1]heptan)[3]: In einem mit Rührwerk und Thermometer versehenen Autoklaven werden 550 g (3,6 Mol) Isoborneol mit 5 g eines Katalysator-Gemisches [bereitet aus gleichen Teilen von basischem Kupfercarbonat, Kupfer(II)-oxid und Calciumhydroxid] erhitzt. Bei 180° beginnt die Dehydrierungsreaktion. Nach Beendigung der Reaktion (∼ 4 Stdn.) wird mit Benzol verdünnt, filtriert und der Rückstand bei 20 Torr destilliert; das Produkt wird in einer Sublimier-Apparatur aufgefangen. Der erhaltene Campher kann durch Lösen in 70%iger Schwefelsäure und Ausfällen mit Wasser gereinigt werden; Ausb.: 450 g (83% d. Th.); F: 165–167°.

α₃) Katalytische Dehydrierung von Glykolen und Hydroxy-carbonsäuren in Gas- oder Flüssigphase

Di-sekundäre aliphatische Glykole lassen sich an geeigneten Katalysatoren zu Hydroxy-ketonen bzw. Diketonen dehydrieren. Allerdings sind die Ausbeuten nicht immer befriedigend: stehen die beiden Hydroxy-Gruppen an benachbarten C-Atomen, so können Umlagerungsreaktionen eintreten; sind sie durch vier oder mehr C-Atome voneinander getrennt, so sind Ringschlußreaktionen möglich (s. S. 707). Um die genannten Reaktionen hintenan zu halten, ist es wichtig, daß als Dehydrierungskatalysatoren keine sauer reagierenden Kontakte verwendet werden.

Für die Überführung von Butandiol-(2,3) in *Butandion* (*Diacetyl*) wird in einer Patentschrift empfohlen, das Diol unter starkem Rühren bei 270–290° in eine Suspension eines Kupferchromit-Kontaktes in Mineralöl eintropfen zu lassen[4]. Die Ausbeute soll ausgezeichnet sein. Wird die Dehydrierung dagegen in der Gasphase an einem durch Reduktion von Kupferoxid erhaltenen aktiven Kupfer-Katalysator

[1] USSR. P. 205019 (1965) ≡ Poln. P. 52088 (1964), Erf.: E. J. TRESZCZANOWICZ u. W. W. ORMANIEC; C. A. **68**, 104838ᶻ (1968).
[2] K. ALDER, H. WIRTZ u. H. KOPPELBERG, A. **601**, 138 (1956).
[3] BIOS Report Nr. **1240**, 24 (1945); für Laborzwecke abgeändert.
[4] US.P. 2455631 (1945), Monsanto Chemical Co., Erf.: O. J. WEINKAUFF; C. A. **43**, 1797ᶜ (1949).

bei ähnlicher Temperatur durchgeführt, so erhält man bei geringem Durchsatz ein Gemisch aus 45% *Butandion* (I) und 38% *3-Hydroxy-2-oxo-butan* (II)[1]:

$$H_3C-\underset{OH}{\underset{|}{CH}}-\underset{OH}{\underset{|}{CH}}-CH_3 \xrightarrow[270-275°]{Cu, Luft} H_3C-CO-CO-CH_3 \;+\; H_3C-CO-\underset{OH}{\underset{|}{CH}}-CH_3$$

$$II$$

3,4-Dihydroxy-4-phenyl-buten-(1) liefert bei 200° an Palladiumasbest ein Gemisch verschiedenster Verbindungen, so daß die Ausbeute an *1,2-Dioxo-1-phenyl-butan* gering ist[2]:

$$\langle\bigcirc\rangle-\underset{OH}{\underset{|}{CH}}-\underset{OH}{\underset{|}{CH}}-CH=CH_2 \xrightarrow{Pd/200°} \langle\bigcirc\rangle-CO-CO-CH_2-CH_3$$

Hexandiol-(2,5) geht bei der Dehydrierung in Abhängigkeit von der Reaktions-temperatur in *5-Hydroxy-2-oxo-hexan* oder *Hexandion-(2,5)* über[3]:

$$H_3C-\underset{OH}{\underset{|}{CH}}-(CH_2)_2-\underset{OH}{\underset{|}{CH}}-CH_3 \overset{\overset{70\%}{T_1}}{\underset{\underset{80\%}{T_2}}{\rightarrow}} \begin{array}{l} H_3C-\underset{OH}{\underset{|}{CH}}-(CH_2)_2-CO-CH_3 \\[2mm] H_3C-CO-(CH_2)_2-CO-CH_3 \end{array}$$

Bei Verwendung von Katalysatoren mit dehydrierenden und dehydratisierenden Eigenschaften findet neben der Dehydrierung auch eine C y c l i s i e r u n g der γ-Oxo-alkohole und γ-Diketone zu C y c l o p e n t a n o n e n bzw. C y c l o p e n t e n - (1) - o n e n - (3) statt[4]:

$$H_3C-\underset{OH}{\underset{|}{CH}}-(CH_2)_2-\underset{OH}{\underset{|}{CH}}-CH_3 \xrightarrow{-H_2} H_3C-\underset{OH}{\underset{|}{CH}}-(CH_2)_2-CO-CH_3 \xrightarrow{-H_2} H_3C-CO-(CH_2)_2-CO-CH_3$$

$$\downarrow -H_2O \qquad\qquad\qquad \downarrow -H_2O$$

3-Oxo-1-methyl-
cyclopentan

3-Oxo-1-methyl-
cyclopenten-(1)

Octandiol-(3,6)[5] und Undecandiol-(2,5)[5] werden auch in Abwesenheit dehydrati-sierend wirkender Katalysatoren zu cyclischen Ketonen dehydriert, z. B. Octandiol-(3,6) zu *3-Oxo-2-methyl-1-äthyl-cyclopentan* (I) und *3-Oxo-2-methyl-1-äthyl-cyclo-penten-(1)* (II):

$$H_3C-CH_2-\underset{OH}{\underset{|}{CH}}-(CH_2)_2-\underset{OH}{\underset{|}{CH}}-CH_2-CH_3 \longrightarrow$$

$$II$$

[1] US.P. 2051266 (1935), Shell Development Co., Erf.: S. H. McAllister u. M. de Simo; C.A. **30**, 6759[2] (1936).
  s. jedoch US.P. 2462107 (1943), Ninol Development Co., Erf.: T. Kritchevsky; C.A. **43**, 3841[h] (1949).
[2] Y. L. Pascal, A. ch. [14] **3**, 277 (1968).
[3] W. Reppe et al., A. **596**, 158 (1955).
[4] DBP. 859466 (1942), BASF, Erf.: H. Kröper; C.A. **47**, 11238[e] (1953); als dehydratisierende Zusätze eignen sich vor allem Alkalimetallhydroxide und -carbonate.
[5] DBP. 859613 (1942), BASF, Erf.: H. Kröper; C.A. **47**, 11240[c] (1953).

45*

Disekundäre Diole, deren Hydroxy-Gruppen durch mehr als vier C-Atome voneinander getrennt sind, werden zu alicyclischen Ketonen mit seitenständiger Carbonyl-Gruppe dehydriert[1]. So läßt sich Octandiol-(2,7) bei 200° an mit Chrom(VI)-oxid aktiviertem Kupfer zu *1-Methyl-2-acetyl-cyclopentan* dehydrieren. Bei höherer Temperatur entsteht auch *1-Methyl-2-acetyl-cyclopenten-(1)*.

Prim.-sek.-1,2-Diole lassen sich katalytisch im allgemeinen nur in mäßigen Ausbeuten zu Keto-carbinolen bzw. Keto-aldehyden dehydrieren, da leicht eine unter Wasser-Abspaltung verlaufende Umlagerung zu den entsprechenden Aldehyden eintritt (1,2-Dihydroxy-propan → Propionaldehyd, Glycerin → Acrolein[2]). Immerhin soll an einem Kupferchromit-Katalysator aus 1,2-Dihydroxy-propan bei 230–250° das *1-Hydroxy-2-oxo-propan* in 46%iger Ausbeute entstehen[3]:

$$HO{-}CH_2{-}\underset{\underset{\displaystyle OH}{|}}{CH}{-}CH_3 \xrightarrow{230\text{-}250°} HO{-}CH_2{-}CO{-}CH_3$$

Ein weiteres Beispiel ist die Dehydrierung von 1,2-Dihydroxy-butan an einem Kupferoxid-Katalysator, bei der *2-Oxo-butanal* in 45%iger Ausbeute erhalten wird[4]:

$$H_3C{-}CH_2{-}\underset{\underset{\displaystyle OH}{|}}{CH}{-}\underset{\underset{\displaystyle OH}{|}}{CH_2} \xrightarrow[\text{Katalysator}]{200°} H_3C{-}CH_2{-}CO{-}CHO$$

1-Phenyl-glykol bildet unter Umlagerung *Acetophenon*[5]:

Aus 1,3-Dihydroxy-butan, einem prim.-sek.-1,3-Diol, läßt sich dagegen in guter Ausbeute das entsprechende Keto-carbinol (*1-Hydroxy-3-oxo-butan*) herstellen[6], ohne daß die primäre Hydroxy-Gruppe angegriffen wird:

$$HO{-}CH_2{-}CH_2{-}\underset{\underset{\displaystyle OH}{|}}{CH}{-}CH_3 \xrightarrow{200\text{-}220°} HO{-}CH_2{-}CH_2{-}CO{-}CH_3$$

1-Hydroxy-3-oxo-butan[6]: Über einen Katalysator, der durch Auftragen von gefälltem basischem Kupfer(II)-carbonat mit Wasserglas auf einen Träger und darauffolgende Trocknung und Reduktion im Wasserstoffstrom bei ~ 180° erhalten wurde, leitet man einen Strom von 1,3-Dihydroxy-butan-Dampf (250 g pro Stde. und Liter Katalysator-Raum). Die Reaktionstemp. beträgt 200–220° und der Druck 25 Torr. Die den Kontaktraum verlassenden Gase werden kondensiert und enthalten neben geringen Anteilen von Ausgangsmaterial und Nebenprodukten in ~ 80%iger Ausbeute 1-Hydroxy-3-oxo-butan.

Prim.-sek.-Diole, in denen die Hydroxy-Gruppen durch mehr als drei C-Atome getrennt sind, liefern bei der Dehydrierung bevorzugt Lactone bzw. deren Polymere[7,8]. So entsteht aus 1,4-Dihydroxy-pentan an Kupferchromit als Katalysator *5-Methyl-butyrolacton*. Säuert man das Reaktionsgemisch jedoch vor der Umsetzung

---

[1] DBP. 859890 (1942), BASF, Erf.: H. Kröper u. F. Kohler; C. A. **47**, 11238[h] (1953).

[2] s. ds. Handb., Bd. VII/1, S. 235ff.

[3] US.P. 2143383 (1936), Carbide & Carbon Chemicals Corp., Erf.: R. W. McNamee u. C. M. Blair; C. **1939** I, 4842.

[4] DBP. 850608 (1944), BASF, Erf.: H. Kröper; C. A. **52**, 11906[i] (1958).

[5] A. Halasz, J. Chem. Educ. **33**, 624 (1956).

[6] DRP. 568546 (1931), IG-Farb., Erf.: J. Hilger; Frdl. **19**, 158 (1932); C. **1933** I, 2172.

[7] W. Reppe et al., A. **596**, 158 (1955).

[8] DRP. 734568 (1940), IG-Farb., Erf.: W. Reppe, H. Kröper u. E. Joost; C.A. **1943** II, 569.

an, so bildet sich neben geringen Anteilen 5-Methyl-butyrolacton in fast 30%iger Ausbeute *1-Hydroxy-4-oxo-pentan*[1]:

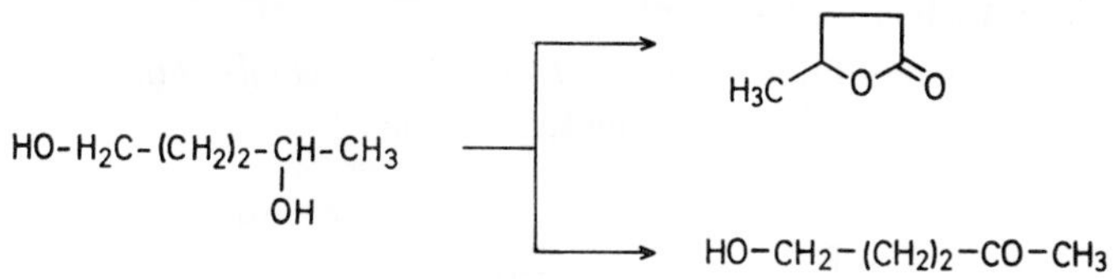

Wenn jedoch wie beim 1,12-Dihydroxy-octadecan keine Ringschlußmöglichkeit mehr besteht, dann erhält man das Hydroxy-keton *1-Hydroxy-12-oxo-octadecan* (in flüssiger Phase mit Nickel-Kieselgur bis ~ 240°; F: 72°)[2]. Aus 12-Hydroxy-1-acetoxy-octadecan kann in analoger Weise das *1-Acetoxy-12-oxo-octadecan* (F: 38–41°) erhalten werden[2].

Die Dehydrierung von offenkettigen Glykolen mit ihren Besonderheiten ist ausführlich von W. Reppe et al. beschrieben[3]. – Zur katalytischen Oxidation von Zuckern und Zuckeralkoholen mit Sauerstoff an Platin-Kontakten s. S. 711.

Cyclische Diole reagieren nicht einheitlich: Unter ähnlichen Bedingungen entsteht aus Cyclohexandiol-(1,2) das *2-Hydroxy-1-oxo-cyclohexan*[4], aus Cyclohexandiol-(1,3) *Cyclohexanon* (25% d.Th.)[4,5] und aus Cyclohexandiol-(1,4) *1,4-Dioxocyclohexan*[4].

Hydroxy-carbonsäuren und ihre Ester lassen sich in hohen Ausbeuten zu den Oxocarbonsäuren bzw. ihren Estern dehydrieren[6].

So erhält man z.B.[7] mit Nickel auf Kieselgur als Katalysator aus:

12-Hydroxy-stearinsäure $\xrightarrow{184-273°/6 \text{ Stdn.}}$ *12-Oxo-stearinsäure*   79% d.Th.   F: 80–82°

12-Hydroxy-stearinsäure-butylester $\xrightarrow{211-304°/8 \text{ Stdn.}}$ *12-Oxo-stearinsäure-butylester*   90% d.Th. Kp_2: 187–190°

12-Hydroxy-stearinsäure-äthylester $\xrightarrow{195-312°/8 \text{ Stdn.}}$ *12-Oxo-stearinsäure-äthylester*   60% d.Th. Kp_1: 180–184°

β) Katalytische Dehydrierung mit Wasserstoffacceptoren

Nitrobenzol wurde als Acceptor bei der Dehydrierung von Isopropanol zu *Aceton* eingesetzt[8]. Bei 220–350° an Aluminiumoxid-Kupfer-Katalysatoren werden Anilin (99% d.Th.) und *Aceton* (51% d.Th.) erhalten[9]:

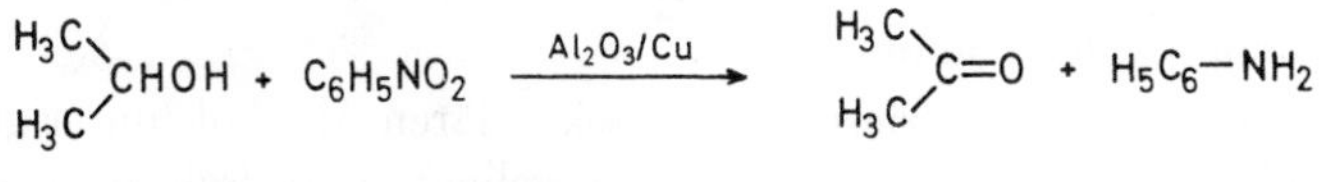

[1] US.P. 2382071 (1944), Monsanto Chemical Co., Erf.: L. P. Kyrides, W. Groves u. F. B. Zienty; C.A. **40**, 904 (1946).

[2] US.P. 2173114 (1935), DuPont, Erf.: B. W. Howk u. W. A. Lazier; C.A. **34**, 10335 (1940).

[3] W. Reppe et al., A. **596**, 158 (1955).

[4] A. Halasz, J. Chem. Educ. **33**, 624 (1956).

[5] A. Halasz, A. ch. [11] **14**, 318 (1940).

[6] B. Freedman, R. G. Binder u. T. H. Applewhite, J. Am. Oil Chemists Soc. **43**, 458 (1966).

[7] US. P. 2178760 (1939), DuPont, Erf.: W. A. Lazier; C. A. **34**, 13357 (1940).

[8] R. E. Lyons u. M. E. Pleasant, B. **62**, 1723 (1929).

[9] N. S. Kozlov u. M. N. Tovshtein, Ž. Org. Chim. **3**, 138 (1967); engl: 132.

Durch katalytische Dehydrierung von Heptanol-(2) und Heptanol-(4) in Flüssigphase mit Äthylen als Wasserstoffacceptor lassen sich *2-Oxo-* und *4-Oxo-heptan* in
77 bzw. 60%iger Ausbeute herstellen[1].

In nur geringer Menge bildet sich *4,5-Dioxo-2,7-dimethyl-octan* (27% d.Th.; Kp:
146–148°) aus 5-Hydroxy-4-oxo-2,7-dimethyl-octan[2]:

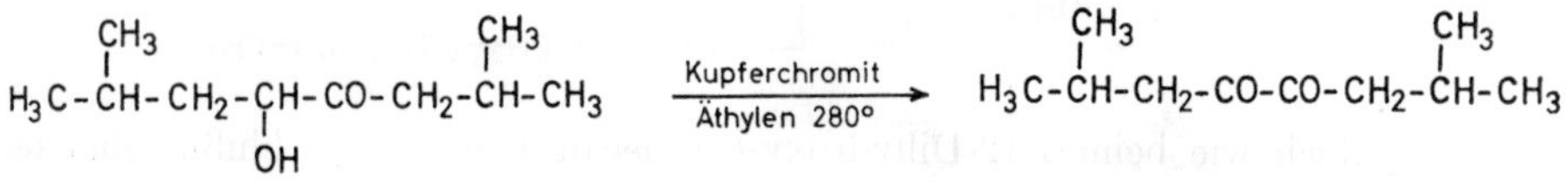

2-Hydroxy-tetralin wird in Gegenwart von Äthylen als Wasserstoffacceptor zu
β-Tetralon[3] dehydriert:

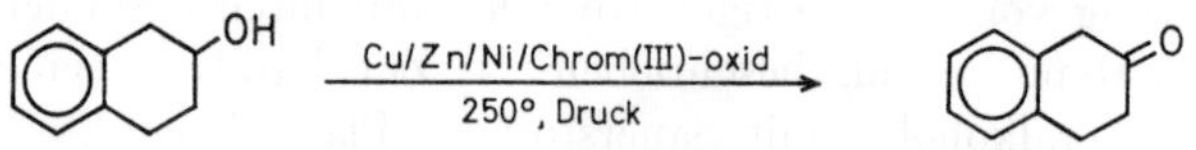

Wird als Wasserstoffacceptor Phenol verwendet, so läßt sich Cyclohexanol bei
170° in flüssiger Phase in hoher Ausbeute zu *Cyclohexanon* dehydrieren[4]:

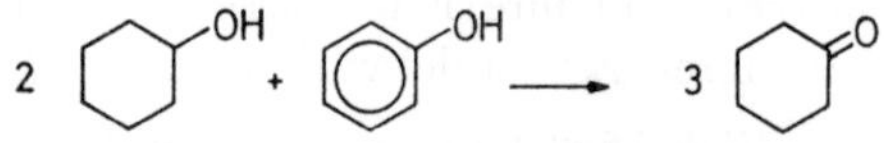

Bei der katalytischen Dehydrierung sekundärer Alkohole mit Raney-Nickel
wird als Wasserstoffacceptor Cyclohexanon empfohlen[5]. Die Methode ist einfach:
Der zu dehydrierende Alkohol und Cyclohexanon werden in Toluol mit Raney-
Nickel unter Rühren 24 Stdn. unter Rückfluß zum Sieden erhitzt.

Nachstehende Aufstellung zeigt die Möglichkeiten der Reaktion auf[5]; so erhält
man aus

Benzoin	→	*Benzil*	35% d.Th.	F: 95°
Benzhydrol	→	*Benzophenon*	30% d.Th.	F: 49°
Fluorenol-(9)	→	*Fluorenon*	76% d.Th.	F: 83°
3β-Hydroxy-cholestan	→	*3-Oxo-cholestan*	80% d.Th.	F: 127–129°
Cholesterin	→	*3-Oxo-cholesten-(5)*	80% d.Th.	F: 80°

Zur Dehydrierung anderer sekundärer Alkohole der Steroidreihe an Raney-Nickel
in Gegenwart von Cyclohexanon s. Lit.[6].

Eine intramolekulare Dehydrierung eines sekundären Alkohols unter gleichzeitiger
Hydrierung einer isolierten Doppelbindung gelingt praktisch nicht. So konnte
der Rizinolsäureester

---

[1] W. Reeve u. H. Adkins, Am. Soc. **62**, 2874 (1940).

[2] J. C. Speck u. R. W. Bost, J. Org. Chem. **11**, 788 (1946).

[3] H. Adkins, A. G. Rossow u. J. E. Carnahan, Am. Soc. **70**, 4247 (1948).

[4] DAS. 1202783 (1961; Poln. Prior. 1960) ≡ Brit. P. 998824 (1965), Instytut Chemii Ogolnej,
    Erf.: S. Ciborowski; C. A. **63**, 13106[d] (1965).

[5] E. C. Kleiderer u. E. C. Kornfeld, J. Org. Chem. **13**, 455 (1948).

[6] M. Ehrenstein et al., J. Org. Chem. **15**, 264 (1950).

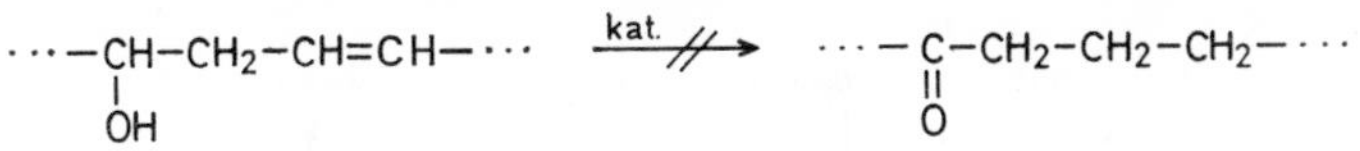

$$\cdots-\underset{\underset{OH}{|}}{CH}-CH_2-CH=CH-\cdots \quad \xrightarrow{\text{kat.}} \quad \cdots-\underset{\underset{O}{\|}}{C}-CH_2-CH_2-CH_2-\cdots$$

katalytisch im Eintopfverfahren nicht in den 11-Oxo-stearinsäureester umgelagert werden[1].

γ) Oxidation mit Sauerstoff

γ_1) *Katalytische Oxidation an Platin-Kontakten*

Sekundäre Alkohole werden durch Sauerstoff an Platin-Kontakten (reines Pt aus PtO_2 gewonnen oder 10% Pt auf Kohle niedergeschlagen[2]) bei Raumtemperatur meist mit vorzüglichen Ausbeuten zu den Carbonyl-Verbindungen oxidiert[2-4]. Nachteilig sind vor allem die großen Katalysatormengen, die langen Reaktionszeiten und daß nur verhältnismäßig kleine Mengen umgesetzt werden können. Dieses Verfahren kommt daher praktisch nur für die Oxidation von wertvollen Ausgangsmaterialien — Steroiden[3,4], Zuckern[3,5,6] u.s.w. — in Frage. Das Arbeiten unter Druck scheint noch nicht versucht worden zu sein.

Als Lösungsmittel sind außer Wasser (evtl. schwach sauer) noch Essigsäureester und Aceton geeignet.

Bemerkenswert ist die Selektivität der Reaktion. Polyhydroxy-Verbindungen der Cyclohexan-Reihe, z.B. die Inosite, werden nur an der axialen Hydroxy-Gruppe angegriffen. So wird myo-Inosit leicht zur *myo-Inosose* oxidiert:

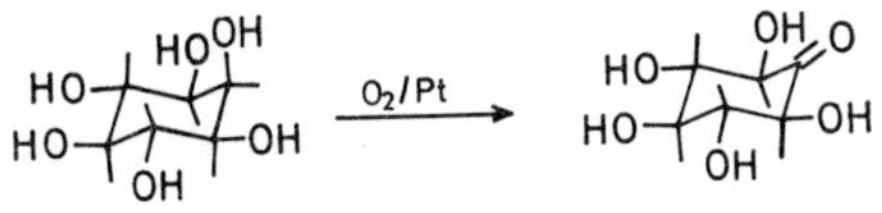

myo-Inosit   *myo-Inosose*

Scillit mit sechs äquatorialen Hydroxy-Gruppen wird auf diese Weise nicht oxidiert. Bei Vorhandensein mehrerer axialer Hydroxy-Gruppen wird nur eine zur Keto-Funktion oxidiert.

myo-Inosose[3,7]:

Platin-Katalysator nach Adams: 0,5 g Platin(IV)-oxid nach Adams werden in dem Lösungsmittel, das später auch bei der Oxidation verwendet wird (Wasser, Essigsäuremethylester, Benzin), vorhydriert. Nach Beendigung der Hydrierung wird das Gefäß mehrfach unter Nachfüllen mit Luft sorgfältig evakuiert, um den Wasserstoff möglichst weitgehend zu entfernen. Der Katalysator wird feucht verwendet und aufbewahrt.

---

[1] Private Mitteilung O. Bayer, Leverkusen.

[2] K. Heyns u. L. Blazejewicz, Tetrahedron **9**, 67 (1960).

[3] K. Heyns u. H. Paulsen, Selektive katalytische Oxidationen mit Edelmetall-Katalysatoren, Ang. Ch. **69**, 600–608 (1957).

[4] R. P. A. Sneeden u. R. B. Turner, Am. Soc. **77**, 190 (1955); hier befindet sich eine vollständige Zusammenstellung der älteren Literatur.

[5] K. Heyns u. H. Paulsen, Adv. Carbohydrate Chem. **17**, 169 (1962).

[6] K. Heyns, H. Gottschalck u. H. Paulsen, B. **95**, 2660 (1962).
K. Heyns u. H. Gottschalck, B. **99**, 3718 (1966).
K. Heyns, J. Weyer u. H. Paulsen, B. **98**, 327 (1965).
K. Heyns, E. Alpers u. J. Weyer, B. **101**, 4199, 4209 (1968).

[7] K. Heyns u. H. Paulsen, B. **86**, 833 (1953).

myo-Inosose:

myo-Inosose-phenylhydrazon: 7,5 g *myo*-Inosit in 500 *ml* Wasser werden mit 4 g Adams-Katalysator im Dreihalskolben unter kräftigem Rühren und Einleiten von Sauerstoff bei 45° oxidiert. Die Reaktion läßt sich durch Bestimmung des Reduktionswertes mittels Fehling-Titration verfolgen. Nach 3,5 Stdn. ist der maximale Reduktionswert (Umsatz ~ 75–80%) erreicht. Nach Abtrennen des Katalysators wird die Lösung i. Vak. auf ein Vol. von 20 *ml* eingeengt, unter Kühlung mit einer Lösung von 8 g Phenylhydrazin und 1 g Natriumacetat in 15 *ml* 50%iger Essigsäure versetzt und 40 Min. kräftig gerührt. Das rote Produkt wird zur Entfernung der farbigen Verunreinigung in Äthanol suspendiert und mit Äthanol nachgewaschen.

myo-Inosose: Das verbleibende rohe Phenylhydrazon (5 g) wird mit 50 *ml* Äthanol, 5 *ml* frisch destilliertem Benzaldehyd und 2 *ml* Eisessig 5 Min. gerührt bis sich fast alles gelöst hat. Nach Zugabe von 250 *ml* siedendem Wasser wird nochmals 3–5 Min. gekocht. Die gut ausgeätherte Lösung wird mit Tierkohle entfärbt und i. Vak. auf ~ 5 *ml* eingeengt. Dann fügt man heißes Methanol − ~ 25 g − bis zur beginnenden Trübung zu. Die beim Erkalten abgeschiedenen Kristalle werden abgesaugt; Ausbeute 2 g (26 % d. Th.); F: 198° (Zers.).

Die Oxidation von L-Sorbose zu *2-Oxo-L-gulonsäure* (~ 50% d. Th.) in schwach hydrogencarbonathaltiger, wäßriger Lösung an einem Platin/Kohle-Katalysator ist ebenfalls ausführlich beschrieben[1].

Eingehend wurde die Oxidation von Steroidalkoholen am Platin-Kontakt untersucht[2]. Essigsäure-äthylester erwies sich als geeignetes Lösungsmittel. 3α- und 3β-Hydroxy-cholestan lassen sich zu *3-Oxo-cholestan* oxidieren. Cholesterin widersteht dieser Oxidation. Die 3-Hydroxy-Gruppe wird gegenüber anderen Hydroxy-Gruppen bevorzugt oxidiert.

7 α, 12 α-Dihydroxy-3-oxo-cholansäure-methylester[2]: 200 mg Katalysator werden nach Adams in Essigsäure-äthylester vorhydriert und in einer Lösung von 410 mg 3α,7α,12α-Trihydroxy-cholansäure-methylester in 25 *ml* Essigsäure-äthylester suspendiert. Die Mischung wird in einer Sauerstoff-Atmosphäre in einer geschlossenen Hydrierapparatur gut gerührt. Nach 16 Stdn. ist die Sauerstoff-Aufnahme beendet. Der Katalysator wird entfernt und die Lösung eingeengt. Der Rückstand wird aus verd. Äthanol umkristallisiert; Ausbeute: 290 mg (70% d. Th.); F: 173–175°.

Die Oxidation von 4-Trimethylammoniono-2-(1-hydroxy-äthyl)-tetrahydrofuran-chlorid (Muscarinchlorid; I) zum *4-Trimethylammoniono-2-acetyl-tetrahydrofuran-chlorid*(II)

gelingt in 0,1 n Essigsäure an einem Palladium-Kontakt durch 14 stdg. Einleiten von Sauerstoff bei Raumtemperatur[3] (Versuch wurde nur mit Mikromengen durchgeführt).

γ₂) *Oxidation mit Sauerstoff über Peroxide*

Sekundäre Alkohole sind im allgemeinen bis ~ 80° gegen Sauerstoff beständig. Bei ~ 120° beginnt jedoch eine merkliche Sauerstoffaufnahme, besonders dann, wenn als

[1] K. Heyns u. H. Paulsen, Selektive katalytische Oxidationen mit Edelmetall-Katalysatoren, Ang. Ch. **69**, 600 (1957).
[2] R. P. A. Sneeden u. R. B. Turner, Am. Soc. **77**, 190 (1955).
[3] C. H. Eugster u. P. G. Waser, Helv. **40**, 888 (1957).

Starter ein Hydroperoxid zugefügt wird. Bei niedrig siedenden Alkoholen arbeitet man vorteilhaft unter Druck, wobei infolge einer Autokatalyse Ketone und Hydrogenperoxid in vorzüglichen Ausbeuten erhalten werden. Die Reaktion verläuft über die Hydroperoxid-Stufe; z. B.:

$$
\begin{array}{ccccccc}
& \text{H} & & & \text{OOH} & & & \text{C}_2\text{H}_5 \\
& | & & & | & & & | \\
\text{H}_5\text{C}_2-\text{C}-\text{OH} & & \xrightarrow{+O_2} & \text{H}_5\text{C}_2-\text{C}-\text{OH} & & \xrightarrow{\text{H}^{\oplus}} & \text{C}=\text{O} & + & \text{H}_2\text{O}_2 \\
& | & & & | & & & | \\
& \text{CH}_3 & & & \text{CH}_3 & & & \text{CH}_3
\end{array}
$$

Nach diesem Verfahren wird technisch Hydrogenperoxid hergestellt (Shell-Verfahren[1,2]). Danach wird Isopropanol bzw. Butanol-(2) mit einem Luft-Sauerstoff-Gemisch unter Druck bei $\sim 120°$ und kurzen Verweilzeiten bei einem $\sim 15\%$igen Umsatz umgesetzt. Es sollen so $\sim 90\%$ d. Th. an Hydrogenperoxid erhalten werden.

4-Oxo-2-methyl-pentan[3]: 3,5 Mol 4-Hydroxy-2-methyl-pentan, mit Phosphorsäure sauer gestellt, werden 23 Stdn. mit Sauerstoff unter Druck auf 117,5° erhitzt. Es werden 0,457 Mol Sauerstoff verbraucht = 96% d. Th. Hydrogenperoxid.

In der Gasphase ist der Prozeß in neuerer Zeit vor allem an Isopropanol und Butanol-(2) eingehend studiert worden[4]. Angewandt werden Temperaturen im Bereich von 200–300° und darüber[5]. Unterhalb 200° findet ohne Anwendung von Druck keine wesentliche Umsetzung statt.

Es sei hier eingeschaltet, daß auch die wichtigsten anderen Hydroperoxid-Typen ((a) und (b)), die durch Luftoxidation aus den Kohlenwasserstoffen entstehen und die in Ketone zerlegt werden können, keine präparative Bedeutung für die Herstellung von Ketonen im Labormaßstab haben,

$$
\begin{array}{ccccc}
\diagdown \quad \text{H} & & & & \\
\diagdown\text{C} & \longrightarrow & \diagdown\text{C}=\text{O} & + & \text{H}_2\text{O} \qquad \text{(a)} \\
\diagup \diagdown\text{OOH} & & \diagup & &
\end{array}
$$

$$
\begin{array}{ccccc}
\text{R} & & & & \text{R} \\
| & & & & | \\
\bigcirc\text{C}-\text{OOH} & \xrightarrow{\text{H}^{\oplus}/\text{Umlagerung}} & \bigcirc\text{OH} & + & \text{C}=\text{O} \qquad \text{(b)} \\
| & & & & | \\
\text{R}^1 & & & & \text{R}^1
\end{array}
$$

obwohl nach Gleichung (b) der größte Teil des heute technisch hergestellten *Acetons* entsteht („Nebenprodukt" bei der Hock'schen Phenol-Synthese)[6].

---

[1] Kirk-Othmer, *Encyclopedia of Chemical Technology*, 2. Aufl., Bd. 11, S. 401, Interscience Publ., New York 1966.

[2] Winnacker-Küchler, *Chemische Technologie*, 3. Aufl., Bd. I, S. 555, C. Hauser-Verlag, München 1970.

[3] F. F. Rust u. E. A. Youngman, J. Org. Chem. **27**, 3778 (1962).

[4] C. F. Cullis u. E. J. Newitt, Pr. roy. Soc. [A] **257**, 402 (1960).
A. R. Burgess, C. F. Cullis u. E. J. Newitt, Soc. **1961**, 1884.
M. Baccaredda u. C. Pedrazzini, Riv. combustibili **8**, 417 (1954); C. A. **49**, 2037^e (1955).
S. Tsutsumi u. N. Sonoda, Nenryo Kyokaishi **36**, 841 (1957); C. A. **52**, 3199^h (1958).
C. F. Cullis u. E. A. Warwicker, Pr. roy. Soc. [A] **264**, 392 (1961).

[5] US. P. 2479111 (1949), DuPont, Erf.: C. R. Harris; C. A. **44**, 1127^i (1950); 400° ohne Katalysator.

[6] H. Hock u. S. Lang, B. **77**, 257 (1944).
Ullmanns Encyklopädie der technischen Chemie, 3. Aufl., Bd. **13**, S. 434, Urban und Schwarzenberg, München–Berlin 1962.

Die bei der Luftoxidation von Isopropanol[1], Cyclopentanol[2] und Cyclohexanol[1] zu *Aceton, Cyclopentanon* bzw. *Cyclohexanon* auftretenden peroxidischen Zwischenprodukte wurden genauestens untersucht.

Höhere sekundäre aliphatische Alkohole (C_{16}–C_{19}) werden bei 165° zu Ketonen oxidiert (60% d. Th.)[3].

Pentandiol-(2,4) wird mit molekularem Sauerstoff nur in *4-Hydroxy-2-oxo-pentan* überführt[4]:

$$H_3C-\underset{\underset{OH}{|}}{CH}-CH_2-\underset{\underset{OH}{|}}{CH}-CH_3 \xrightarrow{O_2} H_3C-\underset{\underset{OH}{|}}{CH}-CH_2-\overset{\overset{O}{\|}}{C}-CH_3$$

δ) Ketone durch Oxido-Reduktion sekundärer Alkohole (Oppenauer Oxidation)

Die Meerwein-Ponndorf-Verley-Oxido-Reduktion wurde von Oppenauer dahingehend variiert[5,6], daß sekundäre Alkohole in Gegenwart von Aluminium-trialkanolaten und einem überschüssigen Keton als Wasserstoffacceptor zu Ketonen dehydriert werden.

Die milden Reaktionsbedingungen gestatten auch die Oxidation empfindlicher Verbindungen. Alkohole mit ungesättigten Substituenten wie der Allyl-, Vinyl- oder Äthinyl-Gruppe lassen sich sehr gut zu den Carbonyl-Verbindungen oxidieren (sie reagieren auch schneller als die entsprechenden gesättigten Carbinole). Dagegen entstehen aus 3,4-ungesättigten Alkoholen α,β-ungesättigte Ketone (s. S. 717f.; s. dagegen Jones-Oxidation S. 731). Nitro-Gruppen und Halogen werden nicht angegriffen.

Soweit es möglich ist, wird man jedoch zur Oxidation empfindlicher sekundärer Alkohole die präparativ einfachere Mangan(IV)-oxid-Methode vorziehen; s. S. 739. Eine breite Anwendung hat die Oppenauer-Oxidation aber in der Steroid-Reihe[5,6] gefunden, wobei auch deren Selektivität vorteilhaft genutzt wurde. Da es sich hier um ein Spezialgebiet handelt und die Versuche meist nur mit kleinen Mengen durchgeführt werden, sei auf die Sammelliteratur[6,7] verwiesen.

---

[1] N. M. EMANUEL, E. T. DENISOV u. Z. K. MAIZUS, *Liquid-Phase Oxidation of Hydrocarbons*, S. 145–154 (Acad. of Science of the USSR Moskau); engl. Übersetzung: Plenum Press, New York 1967. Ausgezeichnete Monographie über Kinetik und Mechanismen der Oxidation sauerstoffhaltiger Verbindungen.

[2] N. BROWN, A. W. ANDERSON u. C. E. SCHWEITZER, Am. Soc. **77**, 1760 (1955).

[3] A. N. BASHKIROV, M. M. POTARIN u. V. V. KAMZOLKIN, Doklady Akad. SSSR **127**, 93 (1959); engl.: 489.

[4] F. F. RUST u. E. A. YOUNGMAN, J. Org. Chem. **27**, 3778 (1962).

[5] R. V. OPPENAUER, R. **56**, 137 (1937).

[6] Übersichtsartikel:
T. BERSIN, Ang. Ch. **53**, 266 (1940).
C. DJERASSI, Org. Reactions **6**, 207–272 (1951).
s. ds. Handb., Bd. VII/1, S. 186.
Anwendungen in der Steroid-Reihe s. P. J. NEUSTAEDTER in C. DJERASSI, *Steroid Reactions*, S. 92–112, Holden Day Inc., San Francisco 1963.

[7] *Rodd's Chemistry of Carbon Compounds*, 2. Auflage, Bd. II D, Elsevier Publ. Co., Amsterdam–London–New York 1970.

Für die **Oppenauer-Oxidation** formuliert man folgenden, allgemein anerkannten **Mechanismus**[1]:

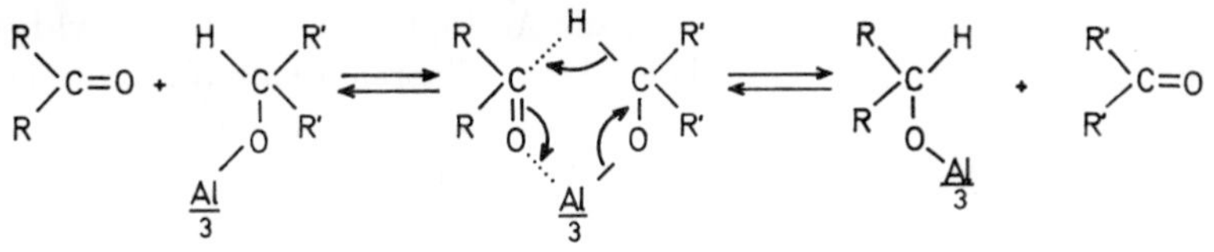

Das Stoffpaar Keton/sekundärer Alkohol stellt ein Redox-System dar. Während der synchron verlaufenden Elektronen-Verschiebungen wird das Hydrid-Ion des Alkanolats auf das C-Atom der Carbonyl-Gruppe übertragen.

Die Einstellung des Carbonyl-Carbinol-Gleichgewichts wird bevorzugt an **Aluminium-trialkanolaten** vorgenommen, da diese im Gegensatz zu Natriumalkoholaten unzersetzt destillierbar, in organischen Lösungsmitteln löslich sind und ihre geringe Basizität Kondensationsreaktionen ausschließt.

Die gebräuchlichsten Alkanolate sind Aluminium-triisopropanolat, -tri-tert.-butanolat[2] und eventuell auch -triphenolat. Da der zu dehydrierende Alkohol und das Alkoholat im Gleichgewicht stehen, genügt meist eine **kleine** Menge des Metallalkoholats für die Reaktion:

Durch Verwendung eines großen **Überschusses** an Keton als Wasserstoffacceptor verschiebt man das Gleichgewicht zugunsten des gewünschten Produkts. Eine gewisse Schwierigkeit der Oppenauer-Oxidation besteht darin, daß das Redox-Gleichgewicht für jeden sekundären Alkohol unterschiedlich liegt. Daher müssen die optimalen Reaktionsbedingungen von Fall zu Fall ermittelt werden.

---

[1] B. J. Yager u. C. K. Hancock, J. Org. Chem. 30, 1174 (1965).
R. B. Woodward, N. L. Wendler u. F. J. Brutschy, Am. Soc. 67, 1425 (1945).
R. E. Lutz u. J. S. Gillespie, Am. Soc. 72, 344 (1950).
L. M. Jackman u. A. K. Macbeth, Soc. 1952, 3252.
W. v. E. Doering u. T. C. Aschner, Am. Soc. 75, 393 (1953).
E. S. Gould, *Mechanism and Structure in Organic Chemistry*, S. 545, Henry Holt and Co., New York 1959; engl. Übersetzung, 2. Aufl., S. 654, Verlag Chemie, Weinheim/Bergstr. 1964.
D. C. Bradley, Adv. Ser. 23, 10 (1959).
M. S. Bains u. D. C. Bradley, Chem. and Ind. 1961, 1032.
E. D. Williams, K. A. Krieger u. A. R. Day, Am. Soc. 75, 2404 (1953).
V. J. Shiner u. D. Whittaker, Am. Soc. 85, 2337 (1963).
W. N. Moulton, R. E. van Atta u. R. R. Ruch, J. Org. Chem. 26, 290 (1961).
L. Ötvös, L. Gruber u. J. Meisel-Ágoston, Acta chim. Acad. Sci. hung. 43, 149 (1965).
[2] L. F. Fieser u. M. Fieser, *Reagents for Organic Synthesis*, S. 23, John Wiley and Sons, Inc., New York–London–Sydney 1967.
W. Wayne u. H. Adkins, Org. Synth., Coll. Vol. 3, 48 (1955).

Der ideale Wasserstoffacceptor wäre ein Keton mit hohem Oxidationspotential, das schnell bei niederer Temperatur reagiert und keine Kondensationsreaktionen eingeht. Praktisch bewährt haben sich folgende Ketone:

Aceton, Butanon[1], Cyclohexanon, Benzil, Acetophenon, 2,3-Dimethyl-benzochinon. Unter Verwendung von Benzophenon[2] oder Fluorenon[3] als Wasserstoffacceptor gelingt auch die Oxidation des Chinins zum *Chininon*, die unter den üblichen Bedingungen der Oppenauer Reaktion nicht durchführbar ist.

Chininon[3]:

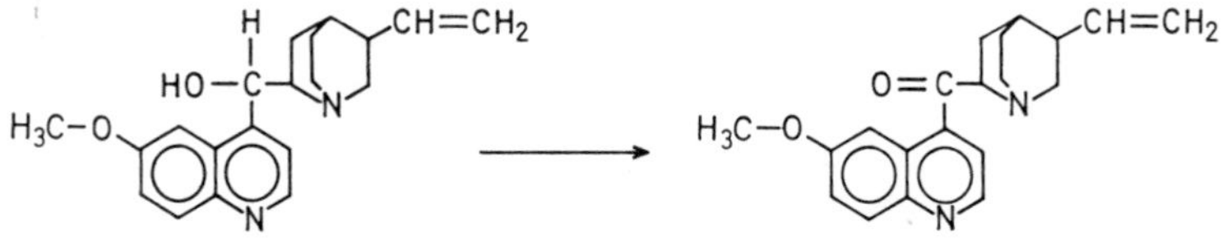

0,5 g (0,012 g-Atom) Kalium werden in 30 *ml* trockenem, über Natrium destilliertem tert.-Butanol gelöst. Der überschüssige Alkohol wird durch Destillation bei 760 Torr abgezogen und das feste Kalium-tert.-butanolat bei 120–130° i. Vak. 15–30 Min. getrocknet.

Das getrocknete Kalium-tert.-butanolat wird unter Rühren mit 1,62 g (0,005 Mol) Chinin, 40 *ml* absol. Benzol (Tetrahydrofuran und Dimethylsulfoxid sind ebenfalls geeignet) und 4,50 g (0,025 Mol) trockenem Fluorenon versetzt und 10 Min. unter Rückfluß erhitzt; Ausbeute: 1,58 g (97% d. Th.); F: 99–104° (aus Cyclohexan).

Der Chininon-Anteil läßt sich quantitativ durch die UV-Absorption bei 360 nm in absol. Äthanol während der Reaktion erfassen.

Zur Herstellung von Ketonen, deren Siedepunkte unter 100° liegen, hat sich Benzil bewährt. Die Verwendung von p-Benzochinon als Wasserstoffacceptor führt neben der Oxidation der Hydroxy-Gruppe leicht zu weiteren Dehydrierungen: 3β-Hydroxy-Δ^5-steroide werden in 3-Oxo-$\Delta^{4,6}$-steroide überführt[4]. So erhält man aus 3β-Hydroxy-20-oxo-pregnen-(5) *3,20-Dioxo-pregnadien-(4,6)* (F: 148°)[5]:

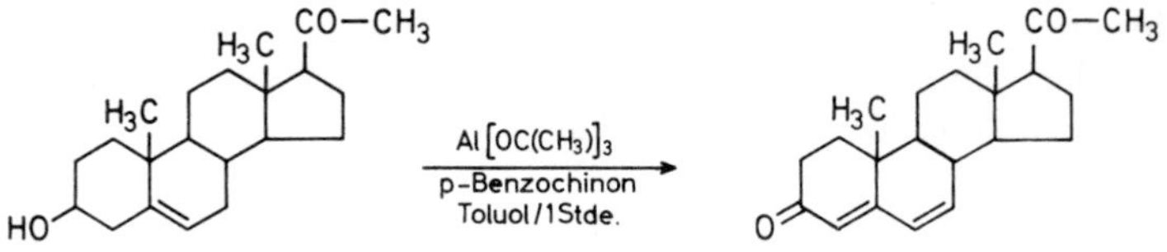

Die Reaktionszeiten schwanken sehr stark. Normalerweise erhitzt man 4–20 Stdn. unter Rückfluß in Aceton allein oder im Gemisch mit Benzol. In dem höher siedenden Cyclohexanon-Toluol-Gemisch ist die Reaktion oft schon nach 30 Min. beendet. Für das Gelingen der Reaktion ist völliger Wasserausschluß erforderlich.

---

[1] Z. B. mit Aluminium-triisopropanolat bei der Oxidation von Steroidalkoholen: DAS. 1 195 310 (1962) ≡ Belg. P. 619028 (1962; Franz. Prior. 1961), Roussel-Uclaf, Erf.: G. MULLER u. A. POITTEVIN; C.A. **59**, 8837ᶜ (1963).
[2] R. B. WOODWARD, N. L. WENDLER u. F. V. BRUTSCHY, Am. Soc. **67**, 1425 (1945).
[3] E. W. WARNHOFF u. P. REYNOLDS-WARNHOFF, J. Org. Chem. **28**, 1431 (1963).
[4] L. MANDELL, Am. Soc. **78**, 3199 (1956).
[5] A. WETTSTEIN, Helv. **23**, 388 (1940).

Die Bildung von Kondensationsprodukten wird durch Ausführung der Reaktion in einem inerten Lösungsmittel wie Benzol, Toluol und 1,4-Dioxan unterdrückt.

Bei der allgemeinsten Ausführung mit Aceton als Wasserstoffacceptor und Aluminium-tri-tert.-butanolat als Katalysator legt man 10 Tle. Alkohol mit 100–200 Tln. Aceton und 5–30 Tln. des Katalysators in 500 Tle. Benzol vor und erhitzt 9 Stdn. unter Rückfluß und Stickstoffatmosphäre. Bei der Aufarbeitung wird mit verd. Schwefelsäure zersetzt und das Reaktionsprodukt aus der abgetrennten benzolischen Lösung isoliert!

Je Mol eines sekundären Alkohols sind von anderen Wasserstoffacceptoren folgende Mengen ausreichend:

> 20 Mol Butanon
> oder 3–10 Mol Cyclohexanon
> oder 1–3 Mol Benzil

Soweit es sich um wertvolle Steroidalkohole handelt, wird der Wasserstoffacceptor in der 40–80 fachen molaren Menge eingesetzt.

Die Oxidations-Geschwindigkeit hängt von der sterischen Beeinflussung der Hydroxy-Gruppe ab. Äquatoriale Hydroxy-Gruppen werden schneller oxidiert als axialständige (Gegensatz zu den Verhältnissen bei der Chromsäure-Oxidation). So bleibt bei der Oppenauer-Oxidation des $11\beta,20$-Dihydroxy-3β-acetoxy-pregnans zum *11β-Hydroxy-3β-acetoxy-20-oxo-pregnan* die stark behinderte 11β-Hydroxy-Gruppe unversehrt[1]:

Bei Allylalkoholen sind sterische Faktoren nur von geringem Einfluß.

Oxo-steroide nach OPPENAUER; allgemeine Arbeitsvorschrift[2]: Aus einer Lösung von 0,1 Mol eines Hydroxy-steroids und 315 *ml* Cyclohexanon in 1500 *ml* absol. Toluol werden zur Sicherheit evt. vorhandene Spuren von Wasser durch azeotrope Destillation entfernt. Dann gibt man innerhalb von 15 Min. 16,5 g Aluminium-triisopropanolat in 165 *ml* absol. Toluol hinzu und läßt 1 Stde. abdestillieren. Die nach dem Erkalten mit Benzol verd. Reaktions-Lösung wird nacheinander mit verd. Schwefelsäure, wäßriger Natriumhydrogencarbonat-Lösung und Wasser gewaschen und anschließend mit Wasserdampf destilliert. Das in der wäßrigen Phase ausgefallene Produkt wird mit Äther extrahiert. Nach Waschen und Trocknen engt man die Lösung ein und isoliert als Rückstand das erwartete Keton.

Eine detaillierte Herstellungsvorschrift für *3-Oxo-cholesten-(4)* findet sich in Org. Synth., Coll. Vol. IV, S. 192. Danach werden 1 Mol Cholesterin mit etwa der 20fachen Menge Cyclohexanon in Toluol erhitzt und ~ 0,6 Mol Aluminium-triisopropanolat in Toluol-Lösung innerhalb 30 Min. zugetropft (Reinausbeute: 70–80% d. Th.).

---

[1] J. v. Euw, A. Lardon u. T. Reichstein, Helv. **27**, 821 (1944).
[2] R. Wiechert et al., B. **99**, 1118 (1966).

21-Chlor-3,20-dioxo-pregnen-(4) (21-Chlor-progesteron)[1]: 200 mg 21-Chlor-3β-hydroxy-20-oxo-pregnen-(5) werden mit 500 mg frisch i. Hochvak. sublimiertem Aluminium-tri-tert.-buta-nolat, 12 *ml* absol. Benzol und 6 *ml* Aceton in eine Ampulle eingeschmolzen und 20 Tage bei Raumtemp. stehen gelassen. Dann wird das Reaktionsgemisch in Äther aufgenommen, mehrmals mit verd. Salzsäure, Natriumcarbonat-Lösung und Wasser gewaschen und dann über Natrium-sulfat getrocknet. Die Lösung wird zuerst auf dem Wasserbad, dann i. Vak. eingedampft. Der verbleibende Rückstand kristallisiert sofort nach Zusatz von wenig Äther; Ausbeute: 145 mg (71% d.Th.); F: 202–204°.

17-Äthinyl-testosteron [17β-Hydroxy-3-oxo-pregnen-(4)-in-(20)][2]: 50 g 3β,17β-Dihydroxy-17α-äthinyl-androsten-(5)[3β,17β-Dihydroxy-pregnen-(5)-in-(20)] und 40 g Aluminium-triisopropano-lat werden mit einem Gemisch aus 2 *l* Benzol und 1 *l* trockenem Aceton 15 Stdn. bei einer Bad-temp. von 110° unter Rückfluß gekocht. Nach dem Erkalten wird die Lösung in überschüssige verd. Schwefelsäure gegossen und nach Zugabe von reichlich Äther gut durchgeschüttelt. Das schwer-lösliche Oxidationsprodukt scheidet sich jetzt bereits zum großen Teil ab und sammelt sich in der Trennschicht an. Die ätherische Lösung wird ohne Rücksicht auf das auskristallisierte Material mehrfach mit Wasser gewaschen; anschließend dampft man Lösung samt Kristallisat zur Trocke-ne – zuletzt im Vakuum. Der verbleibende Rückstand wird durch 3maliges Umkristallisieren aus Chloroform/Äthanol gereinigt; Ausbeute: 30 g (60% d.Th.); F: 264–266°; [α]$_D$: + 21,5° (1,4-Dioxan).

17-Allyl-testosteron [17β-Hydroxy-3-oxo-17α-allyl-androsten-(4)][3]: 1,4 g 3β,17β-Dihydroxy-17α-allyl-pregnen-(4), 1,4 g Aluminium-triisopropanolat und 11,2 *ml* Cyclohexanon werden in 70 *ml* absol. Toluol 40 Min. am Sieden gehalten. Die erhaltene Reaktions-Lösung wird anschließend mit Wasserdampf destilliert und der nicht flüchtige Anteil mit Äther ausgeschüttelt. Die äthe-rische Lösung wird nacheinander mit verd. Schwefelsäure, Natriumcarbonat-Lösung und Wasser gewaschen und schließlich über Natriumsulfat getrocknet. Der Abdampfrückstand wird aus verd. Äthanol umkristallisiert; Ausbeute: 1,1 g (80% d.Th.); F: 105–107,5°.

Ebenso wie freie Hydroxy-Gruppen lassen sich auch Formiate zu den Ketonen oxidieren[4]:

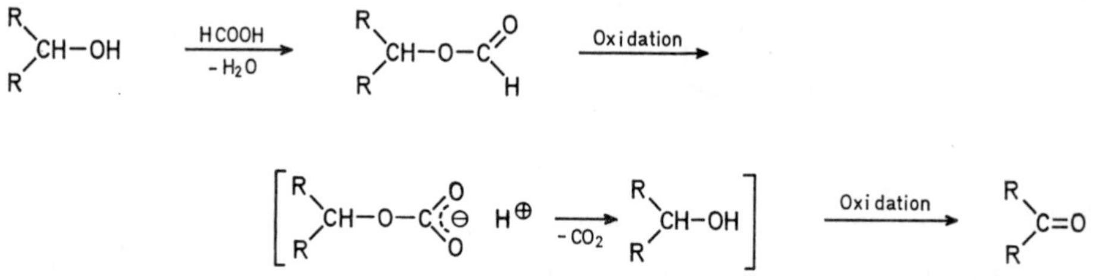

Die Carboxyl-Gruppe der intermediär entstandenen Säure ist an Sauerstoff ge-bunden und zerfällt sofort unter Abgabe von Kohlendioxid (s. S. 776).

ε) Oxidation mit Chrom(VI)-Verbindungen

Die Oxidation sekundärer Alkohole zu Ketonen durch Chromsäure gehört zu den klassischen Methoden der organischen Chemie und stellt auch heute noch trotz zahl-reicher neuerer Verfahren eine der bestgeeignetsten und praktisch bei allen

[1] T. Reichstein u. J. v. Euw, Helv. **23**, 136 (1940).
[2] H. H. Inhoffen et al., B. **71**, 1024 (1938).
[3] A. Butenandt u. D. Peters, B. **71**, 2688 (1938).
[4] H. J. Ringold et al., Am. Soc. **78**, 816 (1956).

Stoffklassen anwendbare Methode dar. Dabei wird das sechswertige Chrom über intermediär auftretende hochreaktive Wertigkeitsstufen hinweg zum dreiwertigen Chrom reduziert, d. h. 3 Mol sekundärer Alkohol benötigen theoretisch 2 Mol Chromsäure zur Überführung in das Keton:

$$R_2CHOH \quad + \quad Cr^{VI} \quad \longrightarrow \quad R_2CO \quad + \quad Cr^{IV}$$

$$Cr^{IV} \quad + \quad Cr^{VI} \quad \longrightarrow \quad 2\,Cr^{V}$$

$$2\,Cr^{V} \quad + \quad 2\,R_2CHOH \quad \longrightarrow \quad 2\,R_2CO \quad + \quad Cr^{III}$$

Reaktionsmechanismus und Kinetik der Einwirkung von Chromsäure auf sekundäre Alkohole wurden vielfach eingehend untersucht[1]. Zunächst bilden sich Chromsäureester. Es wird vermutet, daß die Chrom(VI)- zunächst zu Chrom(IV)-Verbindungen reduziert werden, die besonders aktiv sein sollen. Ist die Ester-Bildung aus sterischen Gründen erschwert, dann sinken auch die Keton-Ausbeuten ab und Molekülspaltungen treten in den Vordergrund.

Kinetische Messungen der Chromsäure-Oxidation haben ergeben, daß die Oxidations-Geschwindigkeit durch die Wasserstoff-Eliminierung am hydroxylierten Kohlenstoffatom bestimmt wird. Dies erklärt auch, daß axiale Hydroxy-Gruppen in gesättigten Steroiden schneller oxidiert werden als die entsprechenden äquatorialen Isomeren[2] (s. dagegen die Oppenauer-Oxidation S. 717). Der bei axialer Hydroxy-Gruppe am gleichen Kohlenstoff stehende Wasserstoff ist wegen seiner äquatorialen Orientierung einem Angriff leichter zugänglich und wird im geschwin-

[1] K. B. WIBERG, *Oxidation in Organic Chemistry*, Organic Chemistry, Vol. 5, Part A, S. 69–82, 142, Academic Press, New York-London 1965.

F. H. WESTHEIMER, Chem. Reviews **45**, 419 (1949).

D. G. LEE u. R. STEWART, Am. Soc. **86**, 3051 (1964).

F. H. WESTHEIMER u. A. NOVICK, J. Chem. Physics **11**, 506 (1943).

M. COHEN u. F. H. WESTHEIMER, Am. Soc. **74**, 4387 (1952).

H. G. KUIVILA u. W. J. BECKER, Am. Soc. **74**, 5329 (1952).

V. ANTONY u. A. C. CHATTERJI, Z. anorg. Ch. **280**, 110 (1955).

J. ROČEK u. J. KRUPIČKA, Collect. czech. chem. Commun. **23**, 2068 (1958).

S. V. ANANTAKRISHNAN u. N. VENKATASUBRAMANIAN, Pr. indian Acad. [A] **51**, 310 (1960); C. A. **55**, 2249^c (1961).

N. VENKATASUBRAMANIAN, J. sci. Ind. Research (India) **20** [B], 385 (1961); Pr. indian Acad. [A] **50**, 156 (1959); [A] **53**, 80 (1961); C. A. **54**, 5224^c (1960); **55**, 17573^f (1961); Indian J. Chem. **1**, 48 (1963).

W. A. WATERS, Quart. Rev. **12**, 277 (1958).

J. ROČEK et al., Helv. **45**, 2554 (1962).

Zur Oxidation in der Reihe der Kohlenhydrate mit Chrom(VI)-Verbindungen s. a. R. F. BUTTERWORTH u. S. HANESSIAN, *Selected Methods of Oxidation in Carbohydrate Chemistry*, Synthesis **1971**, 70.

K. B. WIBERG u. H. SCHÄFER, Am. Soc. **91**, 927 (1969).

R. M. LANES u. D. G. LEE, J. Chem. Educ. **45**, 269 (1968).

G. SRINIVASAN u. N. VENKATASUBRAMANIAN, Pr. indian Acad. **65**, 30 (1967); C. A. **67**, 53320^u (1967).

[2] D. H. R. BARTON, Experientia **6**, 316 (1950); Soc. **1953**, 1027.

J. SCHREIBER u. A. ESCHENMOSER, Helv. **38**, 1529 (1955).

digkeitsbestimmenden Reaktionsschritt abgespalten. Die Tatsache hat besonders in der Steroid-Reihe präparative Konsequenzen, da sie die selektive Oxidation von bestimmten sekundären Hydroxy-Gruppen ermöglicht:

$$H_3C \quad \xrightarrow[65\%]{Cr^{VI}} \quad H_3C$$

HO—⟨ ⟩—OH   HO—⟨ ⟩
H HO H   H HO O

3β,5α,6β-Trihydroxy-cholestan   *3β,5α-Dihydroxy-6-oxo-cholestan*

Dieses Verhalten ermöglichte es sogar, die Konfiguration von Steroiden aufgrund der verschiedenen Oxidations-Geschwindigkeiten zu bestimmen[1].

Die Oxidationsgeschwindigkeit kann spektrophotometrisch[2] verfolgt werden. Im Äquivalenzpunkt schlägt die gelblich-orange gefärbte Chrom(VI)-Lösung um in die grüne Färbung der hydratisierten Chrom(III)-Ionen.

Sekundäre Alkohole mit speziellen Strukturmerkmalen können bei der Chromsäure-Oxidation auch unerwünschte Nebenreaktionen eingehen. Außerdem kann nach erfolgter Keton-Bildung eine Weiteroxidation benachbarter Methylen-Gruppen unter Molekülspaltung erfolgen; z. B. Oxidation von Cyclohexanol zu Adipinsäure. Bereits bei der Oxidation verzweigter aliphatischer und cycloaliphatischer Alkohole (z. B. 4-Methyl-hexanol-(3)[3], 2,2-Dimethyl-hexanol-(3)[3] und Cyclobutanol[4]) treten Spaltprodukte auf; in noch weit höherem Maße bei den Alkyl-phenyl-carbinolen[5,6]. So wird z. B. 1-Hydroxy-2,2-dimethyl-1-phenyl-propan (I) zu 60% abgebaut[5,6]:

$$\begin{array}{c} OH \\ | \\ H_5C_6-C-C(CH_3)_3 \\ | \\ H \end{array} \quad \xrightarrow{\text{Chromsäure-Oxidation}} \quad H_5C_6-CO-C(CH_3)_3 \ + $$

$$H_5C_6-CHO \ + \ (CH_3)_3C-OH$$

I

Spaltungsreaktionen während der Chromsäure-Oxidation treten bei solchen Alkoholen ein, die zur Bildung stabiler Carboniumionen neigen. Es gilt als bewiesen, daß die während der Oxidation auftretenden Zwischenwertigkeitsstufen des Chroms die Spaltung begünstigen[5]. Durch Zusatz katalytischer Mengen an Mangan(II)- oder Cer(III)-Salzen kann die Entstehung von Spaltprodukten herabgesetzt oder

[1] G. Grimmer, A. **636**, 42 (1960).

[2] F. H. Westheimer u. N. Nicolaides, Am. Soc. **71**, 25 (1949).

[3] W. A. Mosher u. E. O. Langerak, Am. Soc. **71**, 286 (1949).

[4] K. B. Wiberg, *Oxidation in Organic Chemistry*, Organic Chemistry, Vol. 5, Part A, Academic Press, New York–London 1965.

[5] J. Hampton, A. Leo u. F. H. Westheimer, Am. Soc. **78**, 306 (1956).

[6] H. A. Neidig et al., Am. Soc. **72**, 4617 (1950).

  J. J. Cawley u. F. H. Westheimer, Am. Soc. **85**, 1771 (1963).

  Mit Chromylchlorid (CrO$_2$Cl$_2$) verläuft dagegen die Oxidation des 1-Hydroxy-2,2-dimethyl-1-phenyl-propan in einer Mischung aus 80% Eisessig und 20% Acetanhydrid bei 15° in 62%-iger Ausbeute zum *1-Oxo-2,2-dimethyl-1-phenyl-propan*: W. A. Mosher u. J. R. Celeste, Rev. chim. (Bucharest) **7**, 1085 (1962).

ausgeschlossen werden[1]. Über die Wertigkeitsänderungen von Chrom(VI)-Verbindungen beim Oxidationsprozeß und den Einfluß von Mangan(II)-salzen siehe Lit.[2].

Ebenfalls weniger befriedigend verläuft die Chromsäure-Oxidation bei Alkoholen, die noch andere oxidierbare Gruppen enthalten. So werden von Chromsäure in mineralsaurer, wäßriger Lösung Amino-Funktionen, Sulfid-Bindungen und C=C-Doppelbindungen neben allylischen und benzylischen C—H-Bindungen angegriffen; säureempfindliche Gruppen, wie Ketale, werden ebenfalls gespalten.

Hydroxy-Gruppen können gegen den unerwünschten Angriff durch Acetylierung, primäre und sekundäre Amine durch Acylierung oder Salz-Bildung geschützt werden[3].

Gegenüber der Oxidation primärer Alkohole gelingt die der sekundären Alkohole infolge der größeren Reaktivität leichter und führt zu höheren Ausbeuten, zumal die entstehenden Ketone einer weiteren Oxidation gegenüber unempfindlicher sind als die Aldehyde.

Geeignete Chrom(VI)-Derivate, die außer Chromsäure hauptsächlich zur Anwendung kommen, sind: $Na_2Cr_2O_7 \cdot 2 H_2O$ + Schwefelsäure bzw. Essigsäure, der Chromsäure-Pyridin-Komplex und Chromsäure-di-tert.-butylester. Diese Mittel ermöglichen es, den Reaktionsablauf zu variieren[4].

Bei wasserunlöslichen Alkoholen empfiehlt es sich, in einem wasserlöslichen Lösungsmittel zu arbeiten. Jedoch sollten stets Wasser und Schwefelsäure zugegeben sein, da diese die Oxidation günstig beeinflussen. Besonders bewährt hat sich 80–90%ige Essigsäure, die den Reaktionsablauf stark beschleunigt[5]. Als chromsäurebeständige, mit Wasser mischbare Lösungsmittel bzw. Lösungsvermittler sind außerdem geeignet: Aceton (bis zum Siedepunkt), tert.-Butanol, Reinstpyridin, Acetonitril und Dimethylformamid.

Über das Arbeiten in zwei Phasen s.S. 732ff.

Die Oxidationen werden in der Regel zwischen 20–50°, in einigen Fällen sogar zwischen 0–5° durchgeführt. Bei stabilen Ketonen kann die Reaktion jedoch durch Nacherhitzen auf dem Wasserbad zu Ende geführt werden. Die Ausbeuten schwanken zwischen 60–90% d. Th.

Die zur Anwendung kommenden Mengen an Chrom(VI)-Verbindungen betragen normalerweise 100–120% d. Th. (1 Mol sek. Alkohol benötigt theor. 66,7 g

---

[1] J. Hampton, A. Leo u. F. H. Westheimer, Am. Soc. **78**, 306 (1956).

[2] S. Patai, *The Chemistry of the Carbonyl Group*, Bd. 1, S. 143 u. 470, Interscience Publ., London – New York – Sydney 1966.

[3] Über Schutzgruppen bei der Oxidation mit Chromsäure:
J. F. W. McOmie, Adv. Org. Chem. **3**, 191–294 (1963).
C. Djerassi, *Steroid Reactions*, Holden Day Inc., San Franzisco 1963.
I. Tanasescu, F. Hodosan u. I. Jude, B. **91**, 799 (1958).

[4] Die Oxidation sekundärer Alkohole mit Chromylchlorid (CrO_2Cl_2) ist untersucht worden, stellt aber kein übliches Verfahren dar:
W. A. Mosher, J. R. Celeste u. F. H. McGranaghan, *The Oxidation of Some Alcohols with Chromylchloride and Chromic Anhydride*, Ninth Delaware Chemical Symposium, University of Delaware, 1957.
W. A. Mosher u. J. R. Celeste, Rev. chim. (Bucharest) **7**, 1085 (1962).
W. H. Hartford u. M. Darrin, Chem. Reviews **58**, 1–61 (1958).

[5] M. Cohen u. F. H. Westheimer, Am. Soc. **74**, 4387 (1952).

CrO_3 oder 99,3 g $Na_2Cr_2O_7 + 2\,H_2O$). Vor der Aufarbeitung empfiehlt es sich, überschüssige Chromsäure durch Zugabe von Isopropanol, Oxalsäure oder Natriumhydrogensulfit zu zerstören.

Bei empfindlichen sekundären Alkoholen bzw. Ketonen ist es bisweilen von Vorteil, einen Unterschuß an Chrom(VI)-Verbindungen anzuwenden. Der unverändert gebliebene Alkohol kann dann entweder destillativ oder durch Verestern mit Phthalsäureanhydrid bzw. Boroxid (B_2O_3) abgetrennt und zurückgewonnen werden. Handelt es sich um kleine Mengen eines wertvollen Ketons, so ist es zweckmäßig, das Keton durch Bildung eines leicht rückspaltbaren Derivates abzufangen.

ε_1) Oxidation mit Chromsäure-Schwefelsäure-Wasser-Gemischen

Die einfachste Ausführungsform ist die Oxidation mittels Natriumdichromat in verdünnter Schwefelsäure. Insgesamt haben sich 3 Mischungen in die Laboratoriumspraxis eingeführt.

Beckmann-Reagens: 60 g Kaliumdichromat werden allmählich in eine gekühlte Lösung von 50 g konz. Schwefelsäure und 300 *ml* Wasser eingetragen[1].

Kiliani-Reagens: 60 g Natriumdichromat-Dihydrat werden langsam in eine gekühlte Lösung von 80 g konz. Schwefelsäure in 270 *ml* Wasser eingetragen[2].

Pelletier-Reagens: 53 g Chrom(VI)-oxid werden mit 80 g konz. Schwefelsäure in 400 *ml* Wasser gemischt (gute Kühlung)[3].

Unter den tausenden von in der Literatur zitierten Herstellungsvorschriften finden sich viele, die nicht unter optimalen Bedingungen durchgeführt worden sind. Bei größeren Ansätzen und empfindlicherem Material ist es sicherlich ratsam, das Oxidationsgemisch langsam in den sekundären Alkohol einzurühren. Möglicherweise ist es in manchen Fällen jedoch zweckmäßig, nach Beckmann den Alkohol zur vorgelegten Chromsäure-Schwefelsäure-Mischung zu geben[4], so daß stets ein Chromsäure-Überschuß vorhanden ist. Dadurch können die Ausbeuten sowohl nach der negativen als auch nach der positiven Seite beeinflußt werden. Es ist nicht ausgeschlossen, daß durch diese Variante die Konzentration der hochreaktiven Chromverbindungen mittlerer Wertigkeitsstufen erhöht wird.

Bei der Herstellung folgender Cyclohexanon-Derivate wurde das Chrom-Schwefelsäure-Wasser-Gemisch bei 60° in den Alkohol eingerührt. Beim Arbeiten in umgekehrter Richtung sinken die Ausbeuten z. T. bis zu 15% ab[5]:

3-Oxo-1-methyl-cyclohexan	88% d.Th.	Kp_{20}: 64	$n_D^{20} = 1{,}4460$
2-Oxo-1,3-dimethyl-cyclohexan	93% d.Th.	Kp_{20}: 69	$n_D^{20} = 1{,}4470$
4-Oxo-1,2-dimethyl-cyclohexan	93% d.Th.	Kp_{20}: 81	$n_D^{20} = 1{,}4520$
5-Oxo-1,3-dimethyl-cyclohexan	92% d.Th.	Kp_{20}: 75	$n_D^{20} = 1{,}4434$
2-Oxo-1-äthyl-cyclohexan	86% d.Th.	Kp_{20}: 76	$n_D^{20} = 1{,}4522$
4-Oxo-1,3-diäthyl-cyclohexan	90% d.Th.	Kp_{20}: 104	$n_D^{20} = 1{,}4541$

[1] E. Beckmann, A. **250**, 325 (1889).
[2] H. Kiliani u. B. Merk, B. **34**, 3562 (1901).
[3] S. W. Pelletier u. D. M. Locke, Am. Soc. **87**, 763, Fußnote 31 (1965).
[4] F. G. Mann u. J. W. G. Porter, Soc. **1944**, 456.
[5] J. E. Nickels u. W. Heintzelman, J. Org. Chem. **15**, 1142 (1950).

Tab. 115. Oxidation sekundärer Alkohole mit Chromsäure in wäßriger Schwefel-säure

Keton	Ausbeute [%d.Th.]	Kp		Litera-tur
		[°C]	[Torr]	
1,3-Dimethoxy-2-oxo-propan	45	78	18	1
Pentanon-(2)	74	102,4	760	2
Pentanon-(3)	57	102	760	2
Hexanon-(2)	80	127,2	760	3
Hexanon-(3)	85	121–123,5	760	4
Heptanon-(2)	70	151,2	763	5
Heptanon-(3)	70	147,5	743	5
Heptanon-(4)	70	143,5	760	5
3-Oxo-2,4-dimethyl-pentan	74	120–125	742	6
Octanon-(2)	96	172,9	700	7
Octanon-(3)	~90	76–77	30	8
Acetyl-cyclohexan	85	67	12	9
Tetrahydrojonon	88	128	14	10
Cyclohexanon	85	155	760	11
2-Oxo-1-methyl-cyclohexan	85	165,1	760	12
3-Oxo-1-methyl-cyclohexan	90	64–65	30	13
4-Oxo-1-methyl-cyclohexan	71	171,2	760	14
2-Oxo-1-äthyl-cyclohexan	86	76	20	15
4-Oxo-1-isopropyl-cyclohexan	82	90,5	13	16
2-Methoxy-1-oxo-cyclohexan	46	58–59	8	17
4-Methoxy-1-oxo-cyclohexan	55	72	9	18

1 H. R. HENZE u. B. G. ROGERS, Am Soc. **61**, 433 (1939).
2 G. R. YOHE, H. U. LOUDER u. G. A. SMITH, J. Chem. Educ. **10**, 374 (1933).
3 V. GRIGNARD u. M. FLUCHAIRE, A. ch. [10] **9**, 5 (1928).
  G. W. BENNETT u. F. ELDER, J. Chem. Educ. **13**, 273 (1936).
4 L. I. SMITH et al., Am. Soc. **61**, 3079 (1939).
5 M. L. SHERRILL, Am. Soc. **52**, 1982 (1930).
6 F. C. WHITMORE u. E. E. STAHLY, Am. Soc. **55**, 4153 (1933).
7 F. G. MANN u. J. W. G. PORTER, Soc. **1944**, 456.
8 Y. R. NAVES, Helv. **26**, 1034 (1943).
9 R. B. WAGNER u. J. A. MOORE, Am. Soc. **72**, 974 (1950).
10 J. KANDEL, A. ch. [11] **11**, 104 (1939).
11 A. E. OSTERBERG u. E. C. KENDALL, Am. Soc. **42**, 2616 (1920).
12 F. K. SIGNAIGO u. P. L. CRAMER, Am. Soc. **55**, 3326 (1933).
  E. W. WARNHOFF, D. G. MARTIN u. W. S. JOHNSON, Org. Synth. **37**, 8 (1957).
13 A. K. MACBETH u. J. A. MILLS, Soc. **1945**, 709.
14 H. E. UNGNADE u. A. D. McLAREN, J. Org. Chem. **10**, 29 (1945).
  M. PEZOLD u. R. L. SHRINER, Am. Soc. **54**, 4709 (1932).
15 J. E. NICKELS u. W. HEINTZELMAN, J. Org. Chem. **15**, 1142 (1950).
16 R. L. FRANK, R. E. BERRY u. O. L. SHOTWELL, Am. Soc. **71**, 3889 (1949).
17 H. ADKINS, Am. Soc. **71**, 3622 (1949).
18 L. HELFER, Helv. **7**, 950 (1924).

Tab. 115. (Fortsetzung)

Keton	Ausbeute [% d.Th.]	Kp [°C]	Kp [Torr]	Literatur
2-Oxo-1-methyl-dekalin	80	105–107	7	1
4-Oxo-1-phenyl-cyclohexan	60	(F: 77–78°)		2
3-Acetyl-biphenyl	81	137–138	1	3
3-Methoxy-benzophenon	25	(F: 38°)		4
α-Nitro-acetophenon	80	(F: 105°)		5
1,3-Dichlor-2-oxo-propan	75	172,5	760	6
1-Chlor-2-oxo-pentan	83	64–66	26	7
1-Methoxy-2-oxo-propan	29	115	756	8
2-Oxo-3-methyl-pentan	81	116,5	734	9
4-Chlor-1-phenyl-3-oxo-butan	82	(F: 40–41°)		10
Hexandion-(2,5)	61	186–192	760	11
Cyclododecen-(1)-on-(3)	85	95–105	3	12
1-Chlor-3-oxo-buten-(1)	50	75,5–78,5	100	13
Butin-(1)-on-(3)	40	84,5–86		14

4-Oxo-1-äthyl-cyclohexan[15]: In einem mit Rührer, Rückflußkühler und Tropftrichter versehenen 2-l-Dreihalskolben legt man 128,0 g (1,0 Mol) 4-Äthyl-cyclohexanol in 200 ml Wasser vor. Unter gutem Rühren wird dann innerhalb von 40 Min. eine Lösung von 120 g (0,4 Mol) Natriumdichromat-Dihydrat und 135 g (1,33 Mol) 96%iger Schwefelsäure in 500 ml Wasser zugetropft. Die Reaktionstemp. steigt dabei von 30 auf 68°. Man rührt 25 Min. nach, läßt dann abkühlen und extrahiert die Lösung 2 mal mit 400 ml Äther/Pentan (3:1). Die vereinigten organischen Phasen werden mehrmals mit Wasser gewaschen. Nach dem Trocknen wird das Lösungsmittel abgezogen und das verbleibende Produkt fraktioniert; Ausbeute: 114 g (90% d.Th.); Kp_{50}: 109—112°; $n_D^{25} = 1,4533$.

l-Menthon (2-Oxo-4-methyl-1-isopropyl-cyclohexan)[16]: In eine 30° warme Lösung von 60 g kristallinem Natriumdichromat (0,2 Mol) in 100 g (0,5 Mol) konz. Schwefelsäure und 300 ml

[1] H. Adkins u. G. F. Hager, Am. Soc. **71**, 2965 (1949).
[2] H. E. Ungnade, J. Org. Chem. **13**, 361 (1948).
[3] W. F. Huber et al., Am. Soc. **68**, 1109 (1946).
[4] T. R. Lea u. R. Robinson, Soc. **1926**, 2351.
[5] L. M. Long u. H. D. Troutman, Am. Soc. **71**, 2469 (1949).
[6] J. B. Conant u. O. R. Quayle, Org. Synth., Coll. Vol. I, 211 (1941).
[7] R. C. Elderfield u. C. Ressler, Am. Soc. **72**, 4059 (1950).
[8] R. P. Mariella u. J. L. Leech, Am. Soc. **71**, 3558 (1949).
[9] R. B. Wagner u. J. A. Moore, Am. Soc. **72**, 974 (1950).
[10] H. R. Henze u. C. B. Holder, Am. Soc. **63**, 1943 (1941).
[11] R. M. Adams u. C. A. Vander Werf, Am Soc. **72**, 4368 (1950).
[12] H. Nozaki, T. Mori u. R. Noyori, Tetrahedron **22**, 1207 (1966).
[13] A. I. Ivanov et al., Ž. Org. Chim. **1**, 1748 (1965); engl.: 1780.
[14] K. Bowden et al., Soc. **1946**, 39.
[15] A. S. Hussey u. R. H. Baker, J. Org. Chem. **25**, 1434 (1960).
[16] E. Beckmann, A. **250**, 322 (1888).
Eine ähnliche Vorschrift findet sich in Org. Synth., Coll. Vol. I, 340 (1941).

Wasser, die sich in einem $\sim {}^3/_4$-l-Rührkolben befindet, werden portionsweise 45 g (0,29 Mol) Menthol (F: 42°) eingerührt, wobei die Temp. innerhalb 30 Min. bis auf $\sim 55°$ ansteigt.

Es entsteht eine kristalline schwarze Chromverbindung, die bald unter Abscheidung von Menthon zerfällt. Nach dem Abkühlen wird die ölige Schicht in Äther aufgenommen und der Extrakt mehrmals mit verd. Natronlauge ausgeschüttelt, bis die braune Farbe weitgehend verschwunden ist. Nach dem Trocknen über Natriumsulfat wird destillativ aufgearbeitet; Ausbeute: ~ 37 g (83% d.Th.); Kp_{13}: 98–100°.

Dieses Menthon ist anscheinend gegen Überoxidation verhältnismäßig unempfindlich.

In analoger Weise entsteht aus 2-Hydroxy-1-tert.-butyl-cyclohexan zu 91% d.Th. *2-Oxo-1-tert.-butyl-cyclohexan*[1] (Kp_4: 62,5°).

Bei der Herstellung von Octanon-(2) wird mit gutem Erfolg die umgekehrte Arbeitsweise angewandt (Eintropfen des Alkohols in die Oxidations-Lösung)[2]:

Octanon-(2)[2]: 120 g (0,92 Mol) Octanol-(2) tropft man während 90 Min. zu einer stark gerührten Lösung von 90 g Natriumdichromat-Dihydrat und 120 g konz. Schwefelsäure in 600 ml Wasser. Man läßt 2 Stdn. auf dem Wasserbad unter Rückfluß sieden und isoliert dann das Keton durch Wasserdampfdestillation; Ausbeute: 110–115 g (92–96% d.Th.); Kp: 172–173°.

ε_2) *Oxidation mit Chromsäure-Essigsäure-Gemischen*

Ein Essigsäure-Zusatz zum Chromsäure-Schwefelsäure-Gemisch, sei es als Lösungsvermittler oder als Lösungsmittel, wirkt sich meist günstig aus. Eine scharfe Trennung der Verfahren mit oder ohne Essigsäure-Zusatz läßt sich hier nicht durchführen, da in vielen Herstellungsvorschriften diese Varianten oft wahlweise angewandt werden, ohne daß ein Vorteil vorhanden oder erkennbar ist.

Arbeitet man in einer hochprozentigen Essigsäure, dann ist zu beachten, daß Chromsäure in Eisessig nicht löslich ist, sondern nur in Konzentrationen bis zu maximal $\sim 90\%$ Essigsäure.

Natriumdichromat-Dihydrat hingegen ist ohne Zusatz von Wasser in Eisessig löslich, z. B. kann eine 25%ige Lösung in heißer Essigsäure ohne Kristallabscheidung bis auf 10° abgekühlt werden[3].

Diese Oxidations-Lösung wurde zur Oxidation von Cholesterin benutzt[3].

Bei Temperaturen unterhalb 40° gelingt es, 1-Hydroxy-1-cyclopentyl-äthan mit Chrom(VI)-oxid in Eisessig zum *Acetyl-cyclopentan* (54% d.Th.) zu oxidieren[4]:

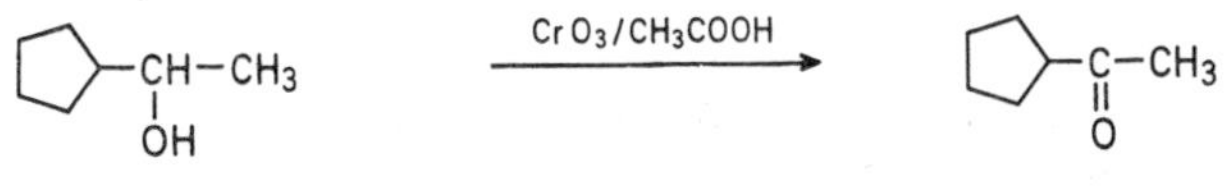

4,5-Dimethyl-2-benzoyl-1,3-thiazol[5]: 1 g 4,5-Dimethyl-2-(α-hydroxy-benzyl)-1,3-thiazol werden in 10 ml Eisessig gelöst und nach Zugabe von 0,8 g Natriumdichromat-Dihydrat in 1 ml Wasser 1 Stde. unter Rückfluß gekocht. Danach wird auf Eis gegossen und das nach einiger Zeit auskristallisierte Oxidationsprodukt aus Äthanol umkristallisiert; Ausbeute: 0,8 g (80% d.Th.); F: 88–89° (schwachgelbe Blättchen).

In ähnlicher Weise erhält man in 95%iger Ausbeute *2-Benzoyl-* (F: 44–44,5°) und *5-Methyl-2-benzoyl-1,3-thiazol* (F: 43–43,5°)[6].

---

[1] H. L. Goering, R. L. Reeves u. H. H. Espy, Am. Soc. **78**, 4926 (1956).

[2] F. G. Mann u. J. W. G. Porter, Soc. **1944**, 456.

[3] L. F. Fieser, Am. Soc. **75**, 4377 (1953).

[4] B. Gredy, A. ch. [11] **4**, 22 (1935).

[5] M. Erne u. H. Erlenmeyer, Helv. **31**, 652 (1948).

[6] R. P. Kurkjy u. E. V. Brown, Am. Soc. **74**, 6260 (1952).

Acenaphthenon[1]: Zu einer Suspension von 100 g (0,59 Mol) Acenaphthenol in 300 *ml* Eisessig gibt man unter gutem Rühren während der Dauer von 50 Min. eine Lösung von 43 g (0,43 Mol) Chrom(VI)-oxid in 50 *ml* Wasser und 240 *ml* Essigsäure. Unter Kühlung wird die Temp. auf 28–32° gehalten. Man rührt 1 Stde. nach, gießt dann in 6 *l* Eiswasser und filtriert das abgeschiedene Keton ab. Durch anschließende Wasserdampfdestillation wird es gereinigt; Ausbeute: 64,5 g (65% d. Th.); F: 121–121,5° (aus Benzol/Hexan 1 : 4).

Auch Carbinole mit einer Doppelbindung im Molekül können zu den entsprechenden Ketonen oxidiert werden[2] (Ausbeute: ~60% d. Th.); z. B.:

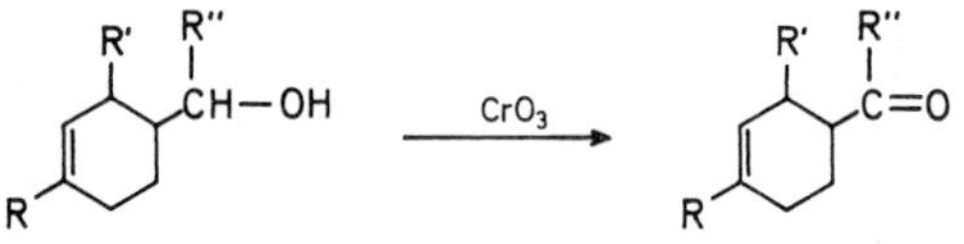

$$R = H; \; R' = H; \; R'' = CH_3; \quad \text{4-Acetyl-cyclohexen}$$
$$R'' = C_2H_5; \quad \text{4-Propanoyl-cyclohexen}$$
$$R'' = \text{i-}C_3H_7; \quad \text{4-(2-Methyl-propanoyl)-cyclohexen}$$
$$R'' = C_6H_5; \quad \text{4-Benzoyl-cyclohexen}$$

Zur Herstellung von Cyclohexenonen s. Lit.[3].

5,6-Dibrom-3-oxo-cholestan[4]: 180 g feuchtes 5,6-Dibrom-3β-hydroxy-cholestan (durch Bromierung von Cholesterin erhalten) werden in 2 *l* Eisessig suspendiert. Unter Eiskühlung läßt man eine auf 90° vorerwärmte Lösung von 80 g Natriumdichromat-Dihydrat in 2 *l* Eisessig so zulaufen, daß die Reaktionstemp. 55–60° beträgt. Nach Zugabe von 400 *ml* Wasser kühlt man die Suspension auf 15° und filtriert die ausgeschiedenen Kristalle ab. Diese werden mit wenig Methanol (kalt) gewaschen, bis das ablaufende Filtrat völlig farblos ist. Die Kristalle werden im Dunkeln vorsichtig getrocknet; Ausbeute: 171 g (96% d. Th.); F: 73–74°; $[\alpha]_D^{25}$: −47° (Chloroform).

Tropin (3-Hydroxy-8-methyl-8-aza-bicyclo[3.2.1]octan) läßt sich mit hoher Ausbeute zu *Tropinon* oxidieren.

Tropinon (3-Oxo-8-methyl-8-aza-bicyclo[3.2.1]octan)[5]: Zu einer Lösung von 25 g Tropin in 500 *ml* Eisessig wird bei Raumtemp. unter Rühren innerhalb von 4 Stdn. eine Lösung von 12 g Chrom(VI)-oxid in 12 *ml* Wasser und 60 *ml* Eisessig zugetropft. Danach wird die Flüssigkeit noch kurze Zeit auf dem Wasserbad erwärmt, durch Zusatz von Natronlauge nach dem Erkalten alkalisch gemacht und mehrmals mit Äther ausgeschüttelt. Die ätherische Phase wird gewaschen, getrocknet und vom Lösungsmittel befreit. Der Rückstand wird destilliert; Ausbeute: 19,8 g (80% d. Th.); Kp: 224–225° (ohne Zers.!); F: 41–42°.

1,1,1,5,5,5-Hexachlor-2-hydroxy-3,4-epoxi-pentan wird unter Erhalt der Epoxi-Gruppe zum *Hexachlor-3,4-epoxi-2-oxo-pentan* oxidiert[6]:

[1] L. F. Fieser u. J. Cason, Am. Soc. **62**, 432 (1940).
[2] D. A. Kazlauskas u. G. P. Kugatova-Shemyakina, Izv. Akad. SSSR **1965**, 95; engl.: 82.
[3] A. Uzarewicz, Roczniki Chem. **38**, 599 (1964); C. **1967**, 24-1045.
[4] L. F. Fieser, Org. Synth., Coll. Vol. **4**, 195 (1963).
[5] R. Willstätter, B. **29**, 393 (1896).
[6] R. E. Bowman, A. Campbell u. W. R. N. Williamson, Soc. **1964**, 3846.

$$\underset{\underset{OH}{|}}{Cl_3C-CH-\overset{\overset{O}{\diagup\!\diagdown}}{CH-CH}-CCl_3} \longrightarrow \underset{\underset{O}{\|}}{Cl_3C-C-\overset{\overset{O}{\diagup\!\diagdown}}{CH-CH}-CCl_3}$$

Hierbei wird folgende Variante angewandt: Das Carbinol wird in einem Gemisch aus Eisessig/
konz. Schwefelsäure gelöst und bei 36–40° feingepulverte Chromsäure langsam eingerührt
(Ausbeute: 75% d. Th.).

Aus kernsubstituierten Äthyl-phenyl-carbinolen können in befriedigenden Ausbeuten mit Chromsäure in Wasser/Essigsäure folgende Acetophenone erhalten
werden[1]:

3,4,5-Tribrom-acetophenon	66% d. Th.	F: 135°
2,4,6-Tribrom-acetophenon	72,5% d. Th.	F: 91,5°
2,3,4,5-Tetrabrom-acetophenon	70% d. Th.	F: 120°
2-Methyl-acetophenon	60% d. Th.	Kp_{20}: 105°
3-Methyl-acetophenon	50% d. Th.	Kp_{12}: 109°

Zur Herstellung anderer Alkyl-phenyl-ketone aus den entsprechenden Carbinolen
durch Oxidation mittels Chromsäure in Essigsäure s. Lit. [2].

Benzoine lassen sich in Essigsäure glatt zu den Benzilen oxidieren.

Ebenso ist eine Anzahl cycloaliphatischer 1,2-Diketone durch Oxidation der
entsprechenden Acyloine mit Chrom(VI)-oxid/Eisessig (25°, 5–16 Stdn.; ~ 60%
d. Th.) hergestellt worden: *Cyclononandion-(1,2)*, *Cyclodecandion-(1,2)* und *Cyclo-
dodecandion-(1,2)*[3].

2,3-Dioxo-1,1,4,4-tetramethyl-cyclohexan[4]: 20 g (0,12 Mol) 3-Hydroxy-2-oxo-1,1,4,4-tetrame-
thyl-cyclohexan werden in 53 *ml* Eisessig gelöst und unter Rühren im Eisbad auf ~ 14° abgekühlt. Dann läßt man während 1 Stde. eine Lösung von 9,5 g (0,095 Mol) Chrom(VI)-oxid in
53 *ml* Eisessig und 6,5 *ml* Wasser zulaufen. Nach 1 stdgm. Nachrühren wird das Reaktionsgemisch
mit 650 *ml* Wasser verdünnt. Die abgeschiedenen Kristalle werden abfiltriert und durch Umkristallisieren aus hochsiedendem Petroläther gereinigt; Ausbeute: 12,7 g (64% d. Th.); F:
114,2–114,8°.

Cyanhydrine der aromatischen Reihe werden ohne Verseifung der Nitril-
Gruppe mit Chromsäure in essigsaurer Lösung zu α-Oxo-nitrilen oxidiert. Auf diese
Weise wurde das *Phenyl-glyoxylsäure-nitril* erhalten[5].

Besonders die α-Hydroxy-carbonsäure-tert.-butylamide werden durch Chrom-
säure-Eisessig bei Wasserbadtemperatur meist in sehr guten Ausbeuten zu den
α-Oxo-carbonsäure-tert.-butylamiden oxidiert[6]:

$$\underset{\underset{OH}{|}}{R-CH-CO-NH-C(CH_3)_3} \rightarrow \underset{\underset{O}{\|}}{R-C-CO-NH-C(CH_3)_3}$$

[1] G. Lock u. R. Schreckeneder, B. **72**, 511 (1939).
[2] H. A. Neidig et al., Am. Soc. **72**, 4617 (1950).
[3] V. Prelog et al., Helv. **30**, 1741 (1947).
[4] N. J. Leonard u. P. M. Mader, Am. Soc. **72**, 5390 (1950).
[5] K. Kindler u. W. Peschke, Ar. **269**, 581(1931).
[6] J. Anatol u. A. Medète, Synthesis **1971**, 538.

Tab. 116. Ketone durch Oxidation sekundärer Alkohole mit Chrom(VI)-oxid in Essigsäure bzw. Essigsäure-Wasser

Alkohol	Keton	Ausbeute [%d.Th.]	Kp [°C]	Kp [Torr]	Literatur
2-Hydroxy-3,3-dimethyl-pentan	*2-Oxo-3,3-dimethyl-pentan*	36	130	733	1
3-Hydroxy-4-methyl-hexan	*3-Oxo-4-methyl-hexan*	63	130	733	2
3-Hydroxy-2,2-dimethyl-hexan	*3-Oxo-2,2-dimethyl-hexan*	41			2
Heptanol-(2)	*Heptanon-(2)*	83	151	760	2
4-Hydroxy-3-oxo-2,2,5,5-tetramethyl-hexan	*3,4-Dioxo-2,2,5,5-tetramethyl-hexan*	50	59–62	14	3
1-Hydroxy-1-phenyl-pentan	*1-Oxo-1-phenyl-pentan*	93	242	760	4
1-Hydroxy-2-methyl-1-phenyl-propan	*1-Oxo-2-methyl-1-phenyl-propan*	75	217–222	760	4
1-Hydroxy-2,2-dimethyl-1-phenyl-propan	*1-Oxo-2,2-dimethyl-1-phenyl-propan*	77	224	750	4
2-Hydroxy-1-phenyl-cyclohexan	*2-Oxo-1-phenyl-cyclohexan*	80	155–160	16	5
4-Hydroxy-bi-cyclohexyl	*4-Oxo-bi-cyclohexyl*	87	98–100	0,1	6
Cycloocten-(1)-ol-(3)	*Cycloocten-(1)-on-(3)*		94–97	15	7
3-Hydroxy-2-methyl-cyclopenten-(1)	*3-Oxo-2-methyl-cyclopenten-(1)*	67	51–55	12	8
2-Hydroxy-1-oxo-cyclodecan	*Cyclodecandion-(1,2)*	73	104–105	10	9
1-Nitro-2-hydroxy-propan	*1-Nitro-2-oxo-propan*	83	152	717	10
1-Nitro-4-phthalimino-2-hydroxy-butan	*1-Nitro-4-phthalimino-2-oxo-butan*	67	(F: 159)		11
Heptadiin-(2,5)-ol-(4)	*Heptadiin-(2,5)-on-(4)*	~ 100	90 (F: 81°)	12	12
3-Hydroxy-1,5-diphenyl-pentadiin-(1,4)	*3-Oxo-1,5-diphenyl-pentadiin-(1,4)*	30	(F: 63°)		12

[1] F. C. WHITMORE u. C. E. LEWIS, Am. Soc. **64**, 2964 (1942).
[2] W. A. MOSHER u. E. O. LANGERAK, Am. Soc. **71**, 286 (1949).
[3] N. J. LEONARD u. P. M. MADER, Am. Soc. **72**, 5388 (1950).
[4] H. A. NEIDIG et. al., Am. Soc. **72**, 4617 (1950).
[5] C. C. PRICE u. J. V. KARABINOS, Am. Soc. **62**, 1159 (1940).
[6] C. H. SHUNK u. A. L. WILDS. Am. Soc. **71**, 3946 (1949).
[7] A. C. COPE, M. R. KINTER u. R. T. KELLER, Am. Soc. **76**, 2757 (1954).
[8] E. DANE, J. SCHMITT u. C. RAUTENSTRAUCH, A. **532**, 29 (1937).
[9] A. T. BLOMQUIST, R. E. BURGE u. A. C. SUCSY, Am. Soc. **74**, 3636 (1952).
[10] N. LEVY u. C. W. SCAIFE, Soc. **1946**, 1100.
[11] V. B. PISKOV, Ž. obšč. Chim. **34**, 3438 (1964); engl.: 3481.
[12] J. CHAUVELIER, A. ch. [12] **3**, 393 (1948).

U. a. wurden erhalten:

2-Oxo-3-methyl-butansäure-tert.-butylamid	Kp$_{10}$: 81°	73%
2-Oxo-undecansäure-tert.-butylamid	Kp$_{0,5}$: 96°	81%
Phenyl-glyoxylsäure-tert.-butylamid	F: 77°	82%
2-Oxo-4-phenyl-3-benzyl-butansäure-tert.-butylamid	F: 65°	90%

Die Herstellung cycloaliphatischer Oxo-lactone durch Oxidation der Hydroxy-lactone wurde ebenfalls beschrieben[1]: mit Chrom(VI)-oxid in 80%iger Essigsäure erhält man *2-Hydroxy-3-oxo-cyclohexyl-essigsäure-lacton* (70% d.Th.; F: 50°):

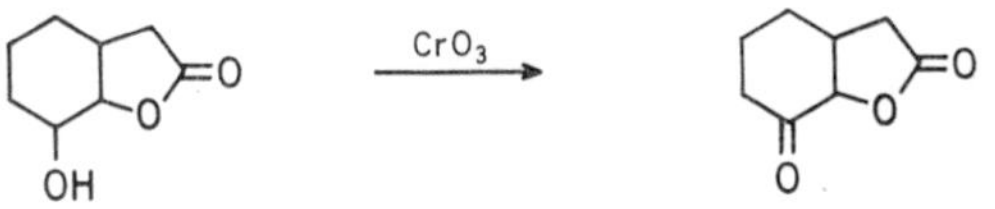

3-Benzoyloxy-1-oxo-cyclohexan[2]: Man löst 20 g 3-Hydroxy-1-benzoyloxy-cyclohexan in 180 *ml* Eisessig und versetzt unter Kühlung mit einer Suspension von 6,8 g Chrom(VI)-oxid in 100 *ml* Eisessig. Man läßt das Gemisch 36 Stdn. im Kühlschrank stehen, verdünnt dann mit 1500 *ml* Wasser und extrahiert mehrmals mit Äther. Nach dem Waschen mit Hydrogencarbonat-Lösung und Wasser dampft man den Äther vorsichtig i. Vak. ab. Der Rückstand wird aus Benzol/Petroläther (Kp: 70–80°) umkristallisiert; Rohausbeute: 18,2 g (92% d.Th.); F: 61–62°.

Über die Oxidation von Terpenalkoholen zu den entsprechenden Ketonen, vorwiegend mit Chromsäure/Eisessig oder Acetanhydrid, finden sich zahlreiche Beispiele in der Sammelliteratur[3]; desgl. in der Steroidreihe[4]. In der Steroidreihe sind auch selektive Oxidationen[5] durchgeführt worden, bei denen mit durch Natriumacetat abgepuffertem Natriumdichromat in Eisessig vorzügliche Ausbeuten erhalten wurden.

Das Chinit-Isomerengemisch wurde bei 15° in Essigsäureanhydrid mit überschüssigem Chrom(VI)-oxid in 56%iger Ausbeute zum *Cyclohexandion-(1,4)* (F: 79°) oxidiert[6].

ε_3) Oxidation mit Chromsäure-Schwefelsäure-Aceton (Jones-Oxidation)

Von Jones[7] wurde vorgeschlagen, die Oxidation sekundärer Alkohole mit einem Chromsäure-Schwefelsäure-Gemisch in wasserhaltigem Aceton durchzuführen: man läßt eine Chromsäure-Lösung in verdünnter Schwefelsäure zur Lösung eines Alkohols in Aceton bei 0–20° zufließen. Infolge der großen Verdünnung sind die entstandenen Ketone weitgehend vor einer Überoxidation geschützt, was die Anwendung eines großen Überschusses an Chromsäure ermöglicht. Eine Einschränkung erfährt die Methode durch das begrenzte Lösevermögen des wasserhaltigen Acetons.

Durch dieses Verfahren konnten erstmalig mit guten Ausbeuten sekundäre Alkohole, die C≡C-Dreifachbindungen enthalten, in die entsprechenden Acetylen-ketone

[1] K. W. ROSENMUND u. G. KOSITZKE, B. **92**, 486 (1959).

[2] K. DIMROTH u. K. RESIN, B. **75**, 322 (1942).

[3] *Rodd's Chemistry of Carbon Compounds*, 2. Aufl., Teil II C, Elsevier Publ. Co., Amsterdam 1969.

[4] *Rodd's Chemistry of Carbon Compounds*, 2. Aufl., Teil II D, Elsevier Publ. Co., Amsterdam 1970.

[5] L. F. FIESER u. S. RAJAGOPALAN, Am. Soc. **72**, 5530 (1950).

[6] S. SABETAY u. J. BLEGER, C. r. **191**, 102 (1930).

[7] K. BOWDEN, F. M. HEILBRON, E. R. H. JONES u. B. C. L. WEEDON, Soc. **1946**, 39.

übergeführt werden[1,2]. Untersucht wurde auch der Einfluß der Substituenten an der C≡C-Dreifachbindung auf die Oxidation[1]. *5-Oxo-2-methyl-octin-(3)* (60% d.Th.), *5-Oxo-2,6-dimethyl-heptin-(3)* (71% d. Th.) und *1-Oxo-4-methyl-1-phenyl-pentin-(2)* (69% d.Th.) werden in befriedigenden Ausbeuten erhalten:

$$H_3C-(CH_2)_2-\underset{\underset{OH}{|}}{CH}-C\equiv C-\underset{\underset{CH_3}{|}}{CH}-CH_3 \xrightarrow{CrO_3/H_2SO_4/Aceton} H_3C-(CH_2)_2-CO-C\equiv C-\underset{\underset{CH_3}{|}}{CH}-CH_3$$

$$H_3C-\underset{\underset{CH_3}{|}}{CH}-\underset{\underset{OH}{|}}{CH}-C\equiv C-\underset{\underset{CH_3}{|}}{CH}-CH_3 \xrightarrow{CrO_3/H_2SO_4/Aceton} H_3C-\underset{\underset{CH_3}{|}}{CH}-CO-C\equiv C-\underset{\underset{CH_3}{|}}{CH}-CH_3$$

$$H_5C_6-\underset{\underset{OH}{|}}{CH}-C\equiv C-\underset{\underset{CH_3}{|}}{CH}-CH_3 \xrightarrow{CrO_3/H_2SO_4/Aceton} H_5C_6-CO-C\equiv C-\underset{\underset{CH_3}{|}}{CH}-CH_3$$

Dagegen sinken die Ausbeuten erheblich bei der Oxidation des folgenden Alkohols:

$$H_3C-\underset{\underset{OH}{|}}{\overset{\overset{CH_3}{|}}{C}H}-CH-C\equiv C-C_6H_5 \xrightarrow[40\%]{CrO_3/H_2SO_4/Aceton} H_3C-\overset{\overset{CH_3}{|}}{C}H-CO-C\equiv C-C_6H_5$$

3-Oxo-4-methyl-1-phenyl-pentin-(1)

Bei Alkoholen mit Elektronenacceptor-Gruppen am Reaktionszentrum, z. B. dem 1,1,1-Trichlor-2-hydroxy-5-methyl-hexin-(3) (I), erfolgt im wesentlichen Spaltung an der C≡C-Dreifachbindung, so daß bei der Oxidation nach Jones, aber auch mit Chrom(VI)-oxid/Pyridin, nur Spuren des Ketons – hier II – neben einem Gemisch von Spaltprodukten erhalten werden:

$$Cl_3C-\underset{\underset{OH}{|}}{CH}-C\equiv C-\underset{\underset{CH_3}{|}}{CH}-CH_3 \xrightarrow{CrO_3/H_2SO_4/Aceton} Cl_3C-CO-C\equiv C-\underset{\underset{CH_3}{|}}{CH}-CH_3$$

I   II

1,1,1-Trichlor-2-oxo-5-methyl-hexin-(3)

Als typisch für die Herstellung von Acetylen-ketonen durch Oxidation der entsprechenden Carbinole seien nachfolgende Beispiele angeführt.

3-Oxo-3-phenyl-propin-(1)[3]: Eine Lösung von 175 g Chrom(VI)-oxid in 500 ml Wasser und 148 ml konz. Schwefelsäure wird bei einer Temp. von 5° innerhalb von 3–4 Stdn. zu einer unter Stickstoff gerührten Lösung von 342 g 3-Hydroxy-3-phenyl-propin-(1) in 500 ml Aceton gegeben.

[1] I. A. FAVORSKAYA u. A. A. NIKITINA, Ž. Org. Chim. 1, 2094 (1965); engl.: 2137.
[2] F. BOHLMANN et al., B. 97, 801 (1964).
    B. P. GUSEV u. V. F. KUCHEROV, Izv. Akad. SSSR 1963, 517; engl.: 463.
    Sammelliteratur: R. A. RAPHAEL, *Acetylenic Compounds in Organic Synthesis*, S. 75, Butterworths Scientific Publications, London 1955.
[3] K. BOWDEN, I. M. HEILBRON, E. R. H. JONES u. B. C. L. WEEDON, Soc. 1946, 39.

Man rührt 1 Stde. nach, verdünnt mit Wasser und extrahiert mit Äther. Nach Abzug des Lösungsmittels erhält man 258 g (77% d.Th.); F: 50–51°.

Octin-(3)-on-(2)[1]: Eine Lösung, bestehend aus 10,3 g Chromsäure, 30 ml Wasser und 8,7 ml konz. Schwefelsäure, wird innerhalb 2 Stdn. in eine Lösung von 15 g Octin-(3)-ol-(2) in 30 ml Aceton unter Kühlen bei 5–10° eingerührt. Nach dem Verdünnen mit Wasser und Extrahieren mit Äther werden nach dem Fraktionieren 11,5 g (80 % d.Th.) Keton (Kp$_{11}$: 70,5–71,5°) erhalten.

Ebenso können sekundäre Alkohole mit C=C-Doppelbindungen ohne Angriff auf das ungesättigte Zentrum oxidiert werden[2]. Der Alkohol I wird mit dem Jones-Reagens glatt in das Keton II übergeführt[3]:

I

II; *1-Methyl-3-isopropenyl-2-(3-oxo-butyl)-cyclopenten-(1)*

Alkohole vom Allyl-Typ gehen in α,β-ungesättigte Ketone über, doch wird man dafür im allgemeinen die Oxidation mit Mangan(IV)-oxid vorziehen.

3,4-Ungesättigte Alkohole werden zu den 3,4-ungesättigten Ketonen oxidiert. Eine Isomerisierung zu den stabileren α,β-ungesättigten Ketonen erfolgt nicht[4] (s. dagegen die Oppenauer-Oxidation S. 714). Diese Tatsache ist vor allem in der Steroid- und Terpen-Reihe von Bedeutung[5], z. B.:

3,20-Dioxo-pregnen-(5)

---

[1] K. Bowden, I. M. Heilbron, E. R. H. Jones u. B. C. L. Weedon, Soc. **1946**, 39.
[2] G. P. Kugatova-Shemyakina u. V. V. Lutsenko, Izv. Akad. SSSR **1964**, 1429; engl.: 1339.
Einschränkung: I. A. Favorskaya u. A. A. Nikitina, Ž. Org. Chim. **1**, 2094 (1965); engl.: 2137.
[3] J. Wolinsky, M. R. Slabaugh u. T. Gibson, J. Org. Chem. **29**, 3740 (1964).
[4] C. Djerassi, R. R. Engle u. A. Bowers, J. Org. Chem. **21**, 1547 (1956).
C. Djerassi, P. A. Hart u. E. J. Warawa, Am. Soc. **86**, 78 (1964).
[5] P. Bladon et al., Soc. **1951**, 2402.
A. Bowers, T. G. Halsall, E. R. H. Jones u. A. J. Lemin, Soc. **1953**, 2555.
W. S. Johnson, W. A. Vredenburgh u. J. E. Pike, Am. Soc. **82**, 3409 (1960).
J. Iriarte, J. N. Shoolery u. C. Djerassi, J. Org. Chem. **27**, 1139 (1962).
P. A. Mayor u. G. D. Meakins, Soc. **1960**, 2792.
M. B. Rubin u. E. C. Blossey, J. Org. Chem. **29**, 1932 (1964).
R. F. Church, R. E. Ireland u. D. R. Shridhar, J. Org. Chem. **27**, 707 (1962).
DAS. 1214678 (1961) ≡ Belg. P. 622460 (1963), E. Merck AG, Erf.: K. Brückner, F. v. Werder, K.-H. Bork u. H. Metz; C. A. **59**, 12134^b (1963).

Tab. 117. Ketone durch Oxidation sekundärer Alkohole nach JONES (mit Chromsäure/Schwefelsäure/Aceton)

Alkohol	Keton	Ausbeute [%d.Th.]	Kp [°C]	Kp [Torr]	Literatur
Pentin-(2)-ol-(4)	*Pentin-(2)-on-(4)*	70	73,5–74,5	95	1
Hexin-(1)-ol-(3)	*Hexin-(1)-on-(3)*	72	65–66	100	2
2,5-Dihydroxy-2-methyl-octen-(6-)in-(3)	*2-Hydroxy-5-oxo-2-methyl-octen-(6)-in-(3)*	63	96–99	0,03	2
5-Hydroxy-2-methyl-hexen-(1)-in-(3)	*5-Oxo-2-methyl-hexen-(1)-in-(3)*		74	40	2
1-Chlor-3-hydroxy-pentin-(1)	*1-Chlor-3-oxo-pentin-(1)*	83	70–78	94	3
Dodecadien-(2,8)-in-(5)-diol-(4,7)	*Dodecadien-(2,8)-in-(5)-dion-(4,7)*	41	80–81	0,005	2
Hexen-(3)-in-(1)-ol-(5)	*Hexen-(3)-in-(1)-on-(5)*	48	60–63	20	2
Cyclooctanol	*Cyclooctanon*	92–96	76–77 (F:40-42°)	10	4

Oxo-steroide durch Oxidation von Hydroxy-steroiden nach Jones[5]: 0,1 Mol eines Hydroxy- oder 0,05 Mol eines Dihydroxy-steroids werden in 1200 *ml* Aceton unter Rühren bei 10° mit 0,075 Mol Chrom(VI)-oxid in 28 *ml* 8n Schwefelsäure versetzt. Man rührt 5 Min. nach, zerstört das überschüssige Oxidationsmittel mit etwas Methanol und gießt das Reaktionsgemisch in eisgekühlte Natriumchlorid-Lösung. Der dabei auftretende Niederschlag wird abfiltriert, mit Wasser neutral gewaschen, getrocknet und umkristallisiert.

Ein Beispiel für die Herstellung eines polycyclischen Ketons ist die des *3-Oxo-tricyclo[2.2.1.0¹,²]heptans*[6]:

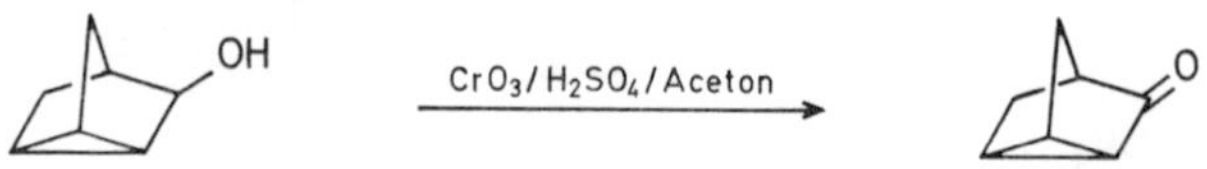

3-Oxo-tricyclo[2.2.1.0¹,²]heptan[6]: Eine Lösung aus 70 g (0,7 Mol) Chromsäure, 300 *ml* Wasser und 112 g (1,1 Mol) konz. Schwefelsäure wird innerhalb 3 Stdn. zwischen 0–5° in eine Lösung von 110 g (1 Mol) 3-Hydroxy-tricyclo[2.2.1.0¹,²]heptan in 600 *ml* Aceton eingerührt; Ausbeute: 88% d.Th.; Kp_{77}: 103–105.

ε_4) Oxidation mit Chromsäure in zwei Phasen

Eine sehr milde Art der Chromsäure-Einwirkung auf sekundäre Alkohole ist zweifellos das Arbeiten in zwei nicht mischbaren Phasen. Dadurch können weitere Angriffe

[1] E. A. BRAUDE et al., Soc. **1949**, 607.
[2] K. BOWDEN, I. M. HEILBRON, E. R. H. JONES u. B. C. L. WEEDON, Soc. **1946**, 39.
[3] H. G. VIEHE, B. **92**, 1950 (1959).
[4] E. J. EISENBRAUN, Org. Synth. **45**, 28 (1965).
[5] R. WIECHERT et al., B. **99**, 1124 (1966).
[6] J. MEINWALD, J. CRANDALL u. W. E. HYMANS, Org. Synth. **45**, 77 (1965).

auf andere reaktionsfähige Gruppen wie aktive Methylen-Gruppen, Doppelbindungen oder die Verseifung evtl. vorhandener Ester-Gruppen stark herabgedrückt und Veresterungen, wie diese gelegentlich beim Arbeiten in konz. Essigsäure auftreten, vermieden werden. Als geeignete mit Wasser nicht mischbare Lösungsmittel kommen vor allem Benzol, Chlorbenzol, Dichlormethan und Tetrachlormethan in Betracht. Auch Äther ist mehrfach verwendet worden. (*Vorsicht!* Bei größeren Ansätzen nicht zu empfehlen). Bei einer Reihe von Alkoholen verläuft die Oxidation im Zweiphasensystem Wasser/Äther schnell und mit hohen Ausbeuten, z. B. wurden so hergestellt: *4-Oxo-2-methyl-5-isopropyl-1-bicyclo[2.2.1]heptyl-(2)-cyclohexan*[1], *2-Oxo-1-bicyclo[2.2.1] heptyl-(2)-cyclohexan*[2] und *2-Oxo-4-methyl-1-isopropyl-cyclohexan*[3] (*l-Menthon*). Folgende Vinyl-Ketone werden nach der gleichen Methode in 50–65%iger Ausbeute aus den entsprechenden Allylalkoholen erhalten[4]:

Penten-(1)-on-(3)   *3-Oxo-3-phenyl-propen-(1)*
3-Oxo-4-methyl-penten-(1)   *3-Oxo-6-(3-methoxy-phenyl)-hexen-(1)*
3-Oxo-4,4-dimethyl-penten-(1)

3-Oxo-6-(3-methoxy-phenyl)-hexen-(1)[4]: 3 g 3-Hydroxy-6-(3-methoxy-phenyl)-hexen-(1) werden in 60 *ml* Äther gelöst. Nach Zugabe von 20 *ml* Wasser werden unter Stickstoffspülung und gutem Rühren 5,25 *ml* einer 8 n wäßrigen Chromsäure-Lösung innerhalb von 30 Min. zugegeben und das Reaktionsgemisch wird 8 Stdn. bei Raumtemp. gerührt. Man extrahiert mit Äther, wäscht die organische Phase mit Wasser und trocknet über Magnesiumsulfat. Der nach dem Abzug des Lösungsmittels erhaltene Rückstand wird destilliert; Ausbeute: 1,9 g (65% d.Th.); Kp$_{0,06}$: 96–97°.

In der Steroid-Reihe läßt sich die selektive Oxidation von 16β, 20α-Diolen zu den 20α-Hydroxy-16-oxo-steroiden nach diesem Verfahren durchführen[5].

Ketone durch Oxidation im Zweiphasensystem nach BROWN und GARG; allgemeine Arbeitsvorschrift[3]: Zu einer Lösung von 0,2 Mol Alkohol in 100 *ml* Äther wird bei einer Temp. von 25° unter Rühren innerhalb von 15 Min. eine Lösung von 0,067 Mol Natriumdichromat und 15 *ml* konz. Schwefelsäure in 100 *ml* Wasser getropft. Man rührt 2 Stdn. nach, trennt die Ätherschicht ab und extrahiert die wäßrige Phase 2 mal mit je 50 *ml* Äther. Die vereinigten Ätherextrakte werden mit Hydrogencarbonat-Lösung und Wasser gewaschen und über Magnesiumsulfat getrocknet. Der nach dem Abziehen des Lösungsmittels erhaltene Rückstand wird fraktioniert.

Nach dieser Methode wird u. a. auch *2-Oxo-7,7-dimethyl-bicyclo[2.2.1]heptan*[6] erhalten:

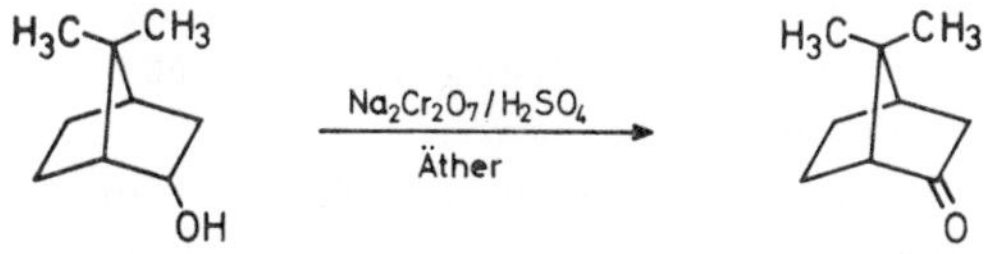

Durch Chromsäure-Oxidation mit Benzol als organische Phase wurden u. a. hergestellt: *3,6-Dioxo-cholesten-(4)*[7], *Cholestanon*[8] in 83%iger, *2-Oxo-1-methyl-cyclohexan*[9] in 88%iger und *Decalindion-(1,5)*[10] in 76%iger Ausbeute:

[1] Y. GURA u. L. A. KHEIFITS, Ž obšč. Chim **34**, 1655; engl. 1666.
[2] L. A. KHEIFITS u. A. E. GOL'DOVSKII, Ž. obšč. Chim. **33**, 3399; engl. 3327.
[3] H. C. BROWN u. C. P. GARG, Am. Soc. **83**, 2952 (1961).
[4] A. E. VANSTONE u. J. S. WHITEHURST, Soc. [C] **1966**, 1972.
[5] S. NOGUCHI, M. IMANISHI u. K. MORITA, Chem. Pharm. Bull. (Tokyo) **12**, 1184 (1964).
[6] Y. CHRÉTIEN-BESSIÈRE u. J. P. MONTHEARD, C. r. **258**, 937 (1964).
[7] V. A. PETROW, O. ROSENHEIM u. W. W. STARLING, Soc. **1938**, 677.
[8] W. F. BRUCE, Org. Synth., Coll. Vol. **2**, 139 (1943).
[9] E. W. WARNHOFF, D. G. MARTIN u. W. S. JOHNSON, Org. Synth., Coll. Vol. **4**, 164 (1963).
[10] W. S. JOHNSON, C. D. GUTSCHE u. D. K. BANERJEE, Am. Soc. **73**, 5464 (1951).

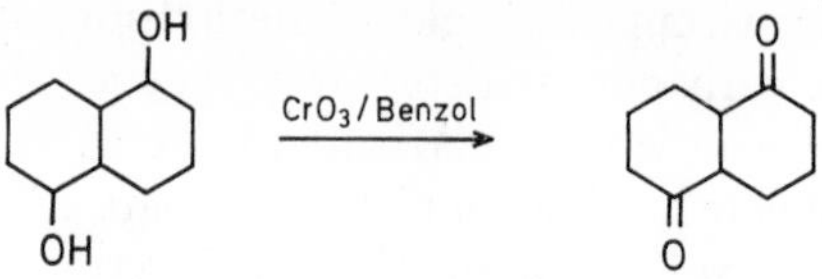

Dekalindion-(1,5) (leicht trennbares *cis-trans*-Gemisch)[1]: In eine dauernd auf 6° abgekühlte Suspension von 50 g Dekalindiol-(1,5) in 700 *ml* Benzol wird eine kalte Lösung von 70 g $Na_2Cr_2O_7 \cdot 2 H_2O$, 52,5 *ml* Eisessig und 95 *ml* konz. Schwefelsäure in 310 *ml* Wasser innerhalb von 4 Stdn. eingerührt. Nach weiterem 2,5 stdgm. Rühren läßt man über Nacht bei Raumtemp. stehen und trennt dann die Schichten. Die wäßrige Phase wird 2 mal mit Benzol ausgeschüttelt und die vereinigten Benzolauszüge nacheinander mit Wasser, Natrium-hydrogencarbonat-Lösung und Wasser ausgeschüttelt. Nach dem Trocknen über Natriumsulfat wird das Filtrat auf ~ 100 *ml* eingedampft. In der Kälte kristallisieren 17,3 g (76% d. Th.) *trans*-Dekalindion-(1,5) aus; F: 166°.

Nach weiterem Einengen und unter Zugabe von Petroläther (Kp: 60–68°) scheiden sich nochmals 2,9 g ab.

Der Rückstand enthält 14,8 g *cis*-Dekalindion-(1,5); F: 72–76°; (nach Umkristallisieren aus Petroläther F: 79–80°).

Nach einem älteren technischen Verfahren wurde Isoborneol in Benzol-Lösung mit einer wäßrigen Chromsäure-Schwefelsäure-Lösung bei ~ 60° zu *Campher* oxidiert[2] und das Chrom(III)-Salz elektrolytisch im Kreislauf wieder zur Chrom(VI)-Stufe aufoxidiert.

In Org. Synth. **42**, 36 (1962) ist ein Verfahren beschrieben, wonach man 3,5-Dihydroxy-cyclopenten-(1) in Dichlormethan bei —5 bis 0° mit einem Chromsäure-Schwefelsäure-Wasser-Gemisch zum *3,5-Dioxo-cyclopenten-(1)* oxidiert:

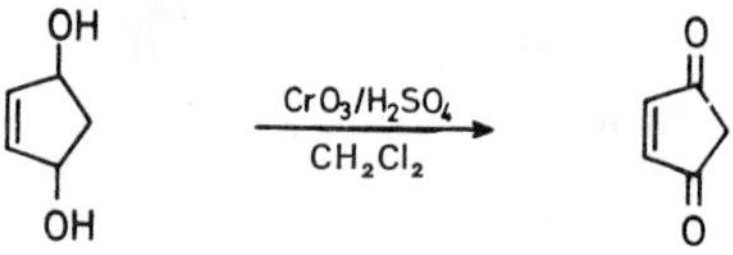

ε_5) *Oxidation mit Chrom(VI)-oxid in Pyridin*

Der Chrom(VI)-oxid/Pyridin-1:2-Komplex[3] ist ein mildes und besonders für Hydroxy-steroide geeignetes Oxidationsmittel[4,5]. Sekundäre alkoholische Hydroxy-Gruppen können unter Schonung olefinischer Bindungen, von Thioäther-Funktionen und säureempfindlichen Gruppen in die entsprechenden Keto-Verbindungen überführt werden. Dieses sog. Sarett-Reagens gestattet eine Oxidation unter neutralen oder alkalischen Bedingungen.

Einfachere sekundäre Alkohole werden jedoch mit Chrom(VI)-oxid/Pyridin in schlechteren Ausbeuten zu den Ketonen oxidiert als mit Chromsäure/Schwefelsäure[6]. Zweifellos sind auch die Reaktionsmechanismen verschieden.

Der Chrom(VI)-oxid/Pyridin-Komplex wird durch vorsichtige Zugabe von einem Teil Chrom(VI)-oxid zu 10 Tln. permanganat-beständigem Pyridin hergestellt[7] (man

[1] W. S. Johnson, C. D. Gutsche u. D. K. Banerjee, Am. Soc. **73**, 5464 (1951).
[2] DRP. 250743 (1911), Dr. C. Ruder & Co.; Frdl. **11**, 780 (1912–1914).
[3] H. H. Sisler, J. D. Bush u. O. E. Accountius, Am. Soc. **70**, 3827 (1948).
[4] G. I. Poos, G. E. Arth, R. E. Beyler u. L. H. Sarett, Am. Soc. **75**, 422 (1953).
[5] P. J. Neustaedter in C. Djerassi, *Steroid Reactions*, S. 119–122, Holden Day Inc., San Franzisco 1963.
  K. B. Wiberg, *Oxidation in Organic Chemistry*, Organic Chemistry, Bd. V, Teil A, S. 155–158, Academic Press, New York-London 1965.
[6] J. R. Holum, J. Org. Chem. **26**, 4814 (1961).
[7] Über eine **Explosion** von festem Pyridinperchromat berichten: D. M. Adams u. J. B. Raynor, J. Chem. Educ. **43**, 94 (1966).

achte darauf, die Reagenzien niemals in umgekehrter Folge zusammenzugeben, da sofortiges *Entzünden* erfolgt[1,2]). Nachstehend sei eine allgemein anwendbare Methode zur Oxidation mit dem Sarett-Reagens wiedergegeben[2].

Ketone durch Oxidation sekundärer Alkohole mit Chrom(VI)-oxid/Pyridin[2]:

Chromsäure-Pyridin-Komplex: 6,2 g (0,062 Mol) Chrom(VI)-oxid werden innerhalb 10–15 Min. in 70 *ml* kaltes Pyridin eingerührt[3].

Keton: 0,02 Mol des zu oxidierenden Alkohols, gelöst in 5–10 *ml* Pyridin, werden auf einmal zur obigen Oxidations-Lösung gegeben. Man rührt 30 Min. nach und läßt dann 15–22 Stdn. bei Raumtemp. stehen. Das Reaktionsgemisch wird in 300 *ml* Wasser gegossen und mit insgesamt 250 *ml* Äther 3 mal extrahiert. Die vereinigten Äther-Auszüge werden mit 150 *ml* 10%iger Salzsäure, 25 *ml* 10%iger Natriumcarbonat-Lösung und 25 *ml* Wasser gewaschen und anschließend getrocknet. Der nach dem Abziehen des Lösungsmittels erhaltene Rückstand kann durch Destillation oder Umkristallisieren gereinigt werden.

Die Aufarbeitung des Reaktionsgemischs wird durch Emulsions-Bildung oft unangenehm erschwert. Um diese zu vermeiden, wird empfohlen, mit Äther zu verdünnen und den unlöslichen Chrom(VI)-oxid/Pyridin-Komplex vor der Wasserzugabe abzufiltrieren. Statt des Äthers kann man auch Essigsäure-äthylester verwenden. Das Unlösliche wird durch eine Säulenfiltration entfernt[4].

Von Vorteil soll es sein, den Komplex aus 2 Mol Pyridin + 1 Mol Chromsäure gesondert herzustellen, ihn in Dichlormethan[5]- oder Eisessig-Lösung[6] im Überschuß kurze Zeit bei Raumtemperatur zur Einwirkung zu bringen und die restliche Chromsäure mit Schwefeldioxid zu zerstören.

Mit dem Sarett-Reagens wurde z. B. 3-Hydroxy-bicyclo[3.1.0]hexan (I) zu *3-Oxo-bicyclo[3.1.0]hexan*[7] (II), 3-Pyrrolidino-1-hydroxy-1,2-diphenyl-propan zu *3-Pyrrolidino-1-oxo-1,2-diphenyl-propan*[8] und 5-Hydroxy-heptin-(6)-säure-äthylester zu *5-Oxo-heptin-(6)-säure-äthylester*[9] oxidiert:

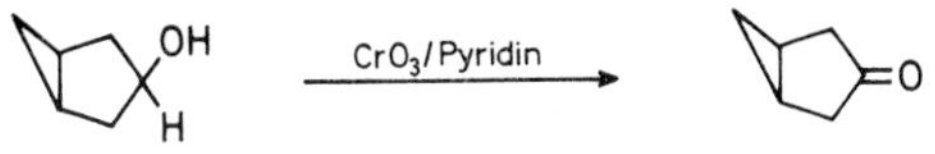

Das Diol III läßt sich selektiv zu *8-Hydroxy-13,13-äthylendioxy-5-oxo-10-methyl-tricyclo[8.4.0.0⁴,⁹]tetradecen-(1)* (IV) oxidieren. Auch die Weiteroxidation kann mit Chromsäure/Pyridin vorgenommen werden[1]:

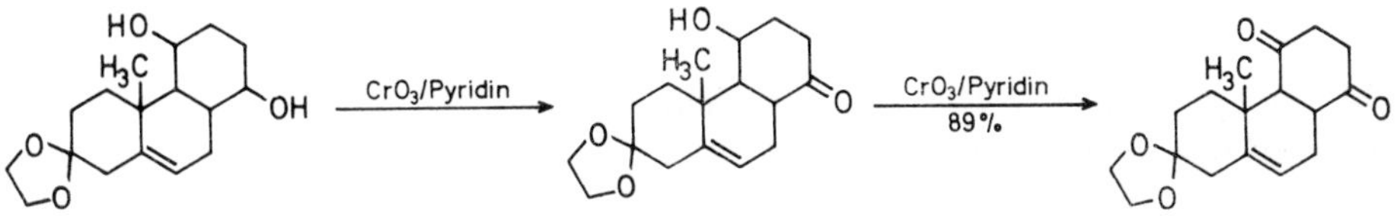

III   IV   *13,13-Äthylendioxy-5,8-dioxo-10-methyl-tricyclo[8.4.0.0⁴,⁹]tetradecen-(1)*

[1] G. I. POOS, G. E. ARTH, R. E. BEYLER u. L. H. SARETT, Am. Soc. **75**, 422 (1953).

[2] J. R. HOLUM, J. Org. Chem. **26**, 4814 (1961).

[3] Über eine **Explosion** von festem Pyridinperchromat berichten: D. M. ADAMS u. J. B. RAYNOR, J. Chem. Educ. **43**, 94 (1966).

[4] R. K. HILL, J. A. JOULE u. L. J. LOEFFLER, Am. Soc. **84**, 4951 (1962).

[5] J. C. COLLINS, W. W. HESS u. F. J. FRANK, Tetrahedron Letters **1968**, Nr. 30, 3363.

[6] K. E. STENSIÖ, Acta chem. scand. **25**, 1125 (1971).

[7] P. G. GASSMAN u. F. V. ZALAR, Tetrahedron Letters **1964**, Nr. 44, 3251.

[8] US.P. 3203962 (1962), CIBA, Erf.: C. F. HÜBNER; C. A. **64**, 704ᵇ (1966).

[9] L. D. BERGELSON u. A. N. GRIGORYAN, Izv. Akad. SSSR **1966**, 286; engl.: 256.

Der Chrom(VI)-oxid/Pyridin-Komplex ist durch Zugabe von etwas Wasser[1] variiert worden und dadurch weniger gefährlich.

Von den zahlreichen Beispielen zur Oxidation sekundärer Alkohole in der Steroidreihe[2] sei folgendes angeführt:

5α,6α-Epoxi-3,20-dioxo-allo-pregnan[3]:

Chrom(VI)-oxid/Pyridin-Komplex[1]: Unter Eiskühlung und kräftigem Rühren fügt man zu 500 ml Pyridin allmählich eine Lösung von 50 g Chrom(VI)-oxid in 30 ml Wasser.

5α,6α-Epoxi-3,20-dioxo-allo-pregnan[3]: 2 g 3β-Hydroxy-5α-6α-epoxi-20-oxo-allo-pregnan werden in 20 ml Pyridin gelöst, mit einer Lösung von 2 g Chrom(VI)-oxid in 20 ml Pyridin vereinigt und 18 Stdn. bei Raumtemp. stehen gelassen. Man gießt dann in 200 ml Äther, trennt die ätherische Phase ab und wäscht nacheinander mit verd. Essigsäure, wäßriger Natriumcarbonat-Lösung und Wasser. Nach dem Trocknen wird das Lösungsmittel abgezogen und der Rückstand aus Dichlormethan/Methanol umkristallisiert; Ausbeute: 1,3 g (60% d. Th.); F: 194°; (a)$_D^{21}$ = +25.

Folgende α,β-Epoxi-Verbindungen mit sekundärer Hydroxy-Funktion sind in recht guten Ausbeuten zu den entsprechenden Ketonen oxidiert worden[4,5]:

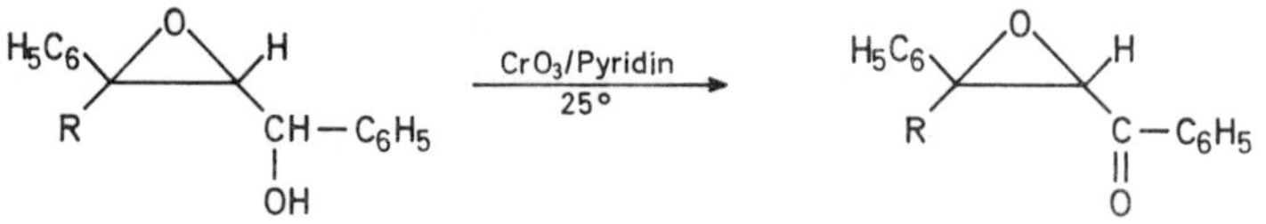

R = H; trans-3-Phenyl-2-benzoyl-oxiran   61% d. Th.   F: 89–90°
       cis-3-Phenyl-2-benzoyl-oxiran   65% d. Th.   F: 92–96°
R = CH₃; 3-Methyl-trans-3-phenyl-2-benzoyl-oxiran   60% d. Th.   F: 90–93°

Ohne Angriff der Epoxi-Gruppe läßt sich auch 3β-Hydroxy-5α,6α-epoxi-cholestan zu 5α,6α-Epoxi-3-oxo-cholestan (60% d. Th.) oxidieren[3]:

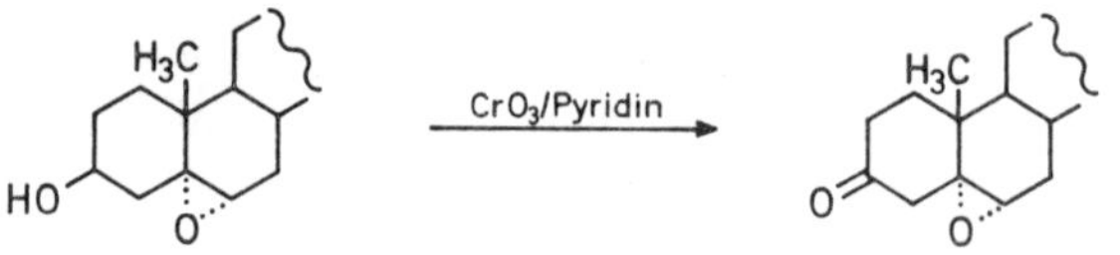

3β-Hydroxy-5β,6β-epoxi-cholestan ist nicht in gleicher Weise beständig; es wird zum 6β-Hydroxy-3-oxo-cholesten-(4) oxidiert[3]:

[1] R. H. CORNFORTH, J. W. CORNFORTH u. G. POPJÁK, Tetrahedron 18, 1351 (1962).
[2] J. A. ZDERIC et al., Am. Soc. 82, 3404 (1960).
W. S. JOHNSON, W. A. VREDENBURGH u. J. E. PIKE, Am. Soc. 82, 3409 (1960).
W. S. ALLEN, S. BERNSTEIN u. R. LITTELL, Am. Soc. 76, 6116 (1954).
J. SCHMIDLIN u. A. WETTSTEIN, Helv. 43, 973 (1960).
K. HEUSLER et al., Helv. 44, 511 (1961).
L. LÁBLER u. F. ŠORM, Collect. czech. chem. Commun. 25, 2855 (1960).
J. URECH, E. VISCHER u. A. WETTSTEIN, Helv. 43, 1077 (1960).
J. IRIARTE, H. J. RINGOLD u. C. DJERASSI, Am. Soc. 80, 6105 (1958).
W. Z. CHOW, D. C. HUANG u. HUANG-MINLON, Tetrahedron 22, 1053 (1966).
S. BERSTEIN u. R. H. LENHARD, Am. Soc. 77, 2331 (1955).
[3] B. ELLIS u. V. PETROW, Soc. 1956, 4417.
[4] H. E. ZIMMERMAN, L. SINGER u. B. S. THYAGARAJAN, Am. Soc. 81, 108 (1959).
[5] H. H. WASSERMAN u. N. E. AUBREY, Am. Soc. 77, 590 (1955).

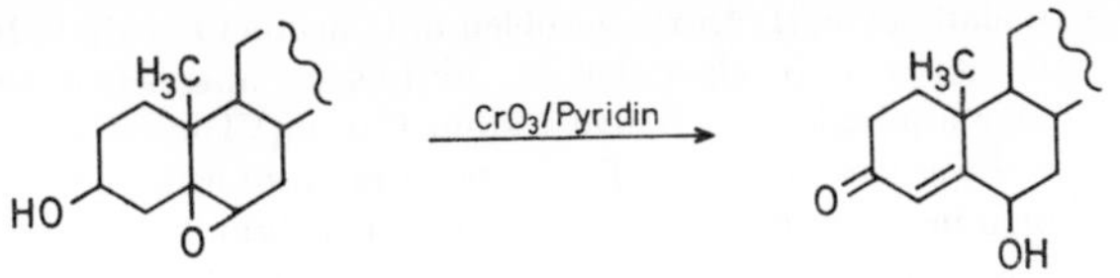

Einige weitere Beispiele seien in ihren Ergebnissen angeführt:

7-Oxo-bicyclo[4.4.0]decen-(3)[1]	89% d.Th.	Kp$_{14}$: 111–112°
2,6-[1-Oxo-decandiyl-(1,10)]-pyridin[2]	93% d.Th.	F: 47–48°

Über die Oxidation von sekundären Alkoholen mit dem Chrom(VI)-oxid/Pyridin-Komplex in Dichlormethan als Lösungsmittel, die z. T. in vorzüglichen Ausbeuten die entsprechenden Ketone liefert, s. Lit.[3].

ε_6) *Oxidation mit Chrom(VI)-oxid in Dimethylformamid bzw. Phosphorigsäure-tris-[dimethylamid]*

Chrom(VI)-oxid in Dimethylformamid[4] eignet sich ebenfalls zur Oxidation sekundärer Alkohole der Steroid-Reihe. Unter sehr schonenden Bedingungen erfolgt Oxidation zu den entsprechenden Ketonen. Die Ausbeuten betragen 80–100%. Ketal-Gruppen werden nicht gespalten, die säurelabile 7-Methylen-Gruppierung in Δ^5-Steroiden wird nicht angegriffen. Chrom(VI)-oxid allein in Dimethylformamid gelöst bewirkt keine Oxidation. Auch hier ist ein Zusatz von wenig Schwefelsäure erforderlich. Vorteilhaft für die Aufarbeitung ist die fehlende Emulsionsbildung.

3β-Hydroxy-cholestan wird in guter Ausbeute zu *3-Oxo-cholestan* (I) und *3β,5,6β-Trihydroxy-cholestan* zu *5-Hydroxy-3,6-dioxo-cholestan* (II) oxidiert:

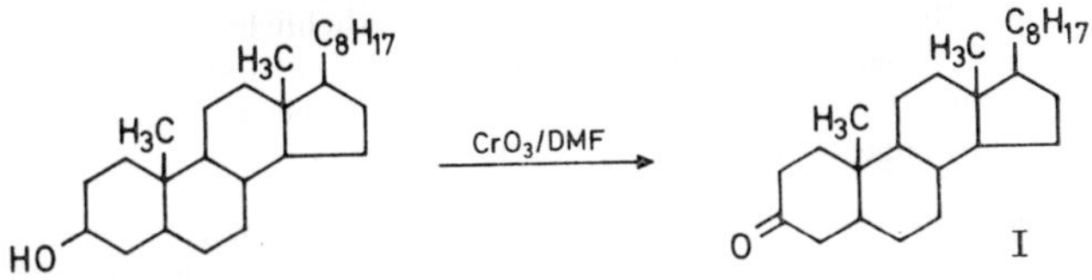

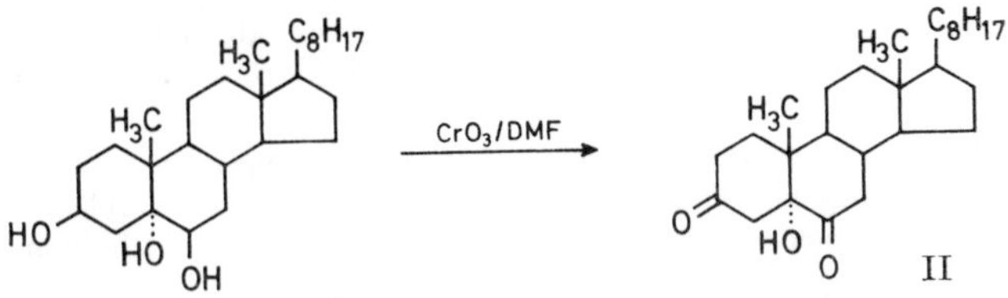

[1] R. E. Ireland u. J. A. Marshall, J. Org. Chem. **27**, 1620 (1962).
[2] K. Biemann, G. Büchi u. B. H. Walker, Am. Soc. **79**, 5558 (1957).
   Weitere Beispiele:
   J. R. Holum, D. Jorenby u. P. Mattison, J. Org. Chem. **29**, 769 (1964).
   P. G. Gassman u. F. V. Zalar, Tetrahedron Letters **1964**, Nr. 44, 3251.
   S. Hanessian u. T. H. Haskell, J. Heterocyclic Chem. **1**, 55 (1964).
   E. A. Braude, M. U. S. Sultanbawa u. A. A. Webb, Soc. **1958**, 3336.
   K. Shibata u. H. Mori, Chem. Pharm. Bl. (Japan) **16**, 1404 (1968).
[3] J. C. Collins, W. W. Hess u. F. J. Frank, Tetrahedron Letters **1968**, Nr. 30, 3363.
[4] G. Snatzke, B. **94**, 729 (1961).

Oxo-steroide durch Oxidation von Hydroxy-steroiden mit Chrom(VI)-oxid in Dimethylformamid[1]: Der zu oxidierende Alkohol wird in einer gerade zur Lösung ausreichenden Menge Dimethylformamid gelöst, mit der äquivalenten Menge festem Chrom(VI)-oxid versetzt und dieses bei Raumtemp. unter Umschwenken gelöst. Auf je 10 *ml* Dimethylformamid fügt man 1–3 Tropfen konz. Schwefelsäure hinzu und läßt das Gemisch 15 Stdn. bei Raumtemp. stehen.

Dann wird die Lösung mit Chloroform (Essigsäureester oder Äther sind ebenfalls geeignet) versetzt und mit einer wäßrigen Natrium-hydrogensulfit-Lösung unter Kühlung geschüttelt. Man extrahiert die wäßrige Phase mehrmals mit dem gleichen Lösungsmittel und wäscht die vereinigten organischen Auszüge nacheinander mit angesäuerter Natrium-hydrogensulfit-Lösung, mit Hydrogencarbonat-Lösung und Wasser. Nach dem Trocknen über Natriumsulfat engt man bei 80° i. Vak. ein und reinigt den erhaltenen Rückstand durch Destillation oder Umkristallisieren.

In Phosphorigsäure-tris-[dimethylamid] soll Chrom(VI)-oxid bevorzugt die Hydroxy-Gruppen in Allyl-Stellung angreifen[2].

ε_7) *Oxidation mit Chromsäure-di-tert.-butylester*

Chromsäure-di-tert.-butylester[3] ist ein mildes Oxidationsmittel. Nach erfolglosen Versuchen mit anderen Oxidationsmitteln gelang es, mit Chromsäure-di-tert.-butylester Octadien-(3,5)-diol-(2,7) zum *Octadien-(3,5)-dion-(2,7)* zu oxidieren – allerdings auch nur in schlechten Ausbeuten[4]:

Eine allgemein gültige Arbeitsvorschrift für die Oxidation mit Chromsäure-di-tert.-butylester läßt sich nicht geben. Meistens wird der Ester in einem erheblichen Überschuß eingesetzt und viele Stdn. zwischen 0–20° zur Einwirkung gebracht. Als Lösungsmittel wurden angewandt: tert. Butanol, Benzol und Tetrachlormethan. Bisweilen wird aber auch ein Gemisch aus Eisessig und Essigsäureanhydrid zugegeben.

Chromsäure-di-tert.-butylester[5]: In 468 *ml* reines tert.-Butanol werden unter Eiskühlung und Rühren 185 g Chrom(VI)-oxid in kleinen Mengen eingetragen. Die Temp. der Lösung wird während dieser Zeit auf 25–30° gehalten. Man verdünnt anschließend in einem Scheidetrichter mit 1,3 *l* Tetrachlormethan, trennt die alkalisch-wäßrige Schicht ab und trocknet die organische Lösung mit Natriumsulfat. Nach der Filtration wird der Filterrückstand mit 800 *ml* Tetrachlormethan nachgewaschen.

Das Filtrat wird i.Vak. bei 40–45° Badtemp. auf 1000 *ml* eingeengt, wobei das überschüssige tert.-Butanol als Azeotrop mit Tetrachlormethan abdestilliert. Der verbleibende Chromsäuredi-tert.-butylester ist bei niederen Temp. mehrere Wochen unverändert haltbar.

Für die Oxidation sekundärer Hydroxy-Steroide ist das Reagens in bestimmten Fällen von Interesse. Einige Beispiele sind in der nachstehenden Tabelle aufgeführt.

---

[1] G. Snatzke, B. **94**, 729 (1961).
[2] R. Beugelmans u. M.-T. Le Goff, Bl. **1969**, 335.
[3] s. ds. Handb., Bd. VII/1, Kap. Aldehyde, S. 174.
  R. V. Oppenauer u. H. Oberrauch, An. Asoc. quim arg. **37**, 246 (1949); C. A. 44, 3871ᶜ (1950).
[4] H. H. Inhoffen et al., B. **84**, 87 (1951).
[5] K. Heusler u. A. Wettstein, Helv. **35**, 289 (1952).

Tab. 118. Oxo-steroide durch Oxidation von Hydroxy-steroiden mit Chromsäure-di-tert.-butylester[1]

Alkohol	Keton
3α,20α-Dihydroxy-5β-pregnan	*3,20-Dioxo-5β-pregnan*
3α-Hydroxy-17-oxo-5α-androstan	*3,17-Dioxo-5α-androstan*
Cholesterin	*3,6-Dioxo-cholesten-(4)*
3α,17α-Dihydroxy-11,20-dioxo-5β-pregnan	*17α-Hydroxy-3,11,20-trioxo-5β-pregnan*
Testosteron	*3,17-Dioxo-androsten-(4)*

Im allgemeinen bringt die Verwendung von Chromsäure-di-tert.-butylester in Pyridin keine Verbesserung gegenüber Chromsäure/Pyridin.

ζ) Oxidation mit Mangan-Verbindungen

ζ₁) mit Mangan(IV)-oxid

Die Oxidation reaktiver sekundärer Hydroxy-Gruppen mit aktivem Mangan(IV)-oxid[2] ist eine unter milden Bedingungen selektiv verlaufende Reaktion. Zu ihren weiteren Vorzügen zählen: die einfache experimentelle Ausführung, die leichte Produktisolierung sowie die hohen Ausbeuten an Carbonyl-Verbindungen.

Bevorzugt werden solche sek. Alkohole zu Ketonen oxidiert, die benachbart zur Hydroxy-Gruppe einen aromatischen Substituenten, eine Doppel- oder Dreifachbindung enthalten (Oxidation in Allylstellung).

Die Methode hat sich seit ihrer Einführung in zahlreichen Beispielen bei Polyenen[3,4], Acetylen-Verbindungen[4], in der Zuckerchemie[5] und vor allem bei Steroiden[6] bewährt; sie findet steigende Anwendung.

---

[1] E. MENINI u. J. K. NORYMBERSKI, Biochem. J. **84**, 195 (1962).

[2] Eingehende Verfahrensbeschreibung: O. SAIKO, *Kontakte*, Nr. 2, S. 9, Firmenschrift E. Merck, Darmstadt 1971.
R. M. EVANS, Quart. Rev. **13**, 61 (1959).
L. F. FIESER u. M. FIESER, *Reagents for Organic Synthesis*, S. 637, John Wiley and Sons, Inc., New York–London–Sydney 1967.

[3] E. A. BRAUDE u. W. F. FORBES, Soc. **1951**, 1755.
B. C. L. WEEDON u. R. J. WOODS, Soc. **1951**, 2687.
E. A. BRAUDE u. J. A. COLES, Soc. **1952**, 1430.

[4] J. ATTENBURROW et al., Soc. **1952**, 1094.
K. R. BHARUCHA, Soc. **1956**, 2446.

[5] Übersichtsartikel mit zahlreichen Literaturangaben: R. F. BUTTERWORTH u. S. HANESSIAN, *Selected Methods of Oxidation in Carbohydrate Chemistry*, Synthesis **1971**, 70.

[6] F. SONDHEIMER u. G. ROSENKRANZ, Experientia **9**, 62 (1953).

47*

(Fortsetzung s. S. 740)

Zur Oxidation schüttelt man den in einem neutralen, inerten organischen Medium gelösten Alkohol mit einem großen Überschuß (10–30fach) des feinverteilten, aktiven Mangan(IV)-oxids. Als Lösungsmittel werden Benzol, Äther, Petroläther, Aceton, Tetrachlormethan, Chloroform oder Dichlormethan verwendet. Zu beachten ist, daß stark polare Lösungsmittel vom Mangan(IV)-oxid absorbiert werden und dieses desaktivieren können.

Das Fortschreiten der Oxidation kann man papierchromatographisch verfolgen, indem man Proben mit 2,4-Dinitro-phenylhydrazin besprüht und die Reaktion unterbricht, sobald die Farbintensität (des gelben Hydrazons) nicht mehr zunimmt[1].

Die Herstellung des aktiven Mangan(IV)-oxids kann auf verschiedene, in der Literatur jeweils ausführlich beschriebene Weise, vorgenommen werden[2–4].

Aktives Mangan(IV)-oxid[4]: Eine konz. wäßrige Lösung von Kaliumpermanganat wird bei 90° unter Rühren zu einer Lösung von Mangan(II)-sulfat gegeben bis eine rötliche Farbe einen leichten Überschuß an Permanganat erkennen läßt. Man rührt noch 15 Min. bei 90° nach, filtriert und wäscht mit heißem Wasser nach. Dann kann man entweder mit tert. Butanol und Äther nachwaschen oder das Wasser azeotrop mit Benzol entfernen und das Mangan(IV)-oxid jeweils vor Gebrauch durch Trocknen zwischen 120–130° „aktivieren". Für das Gelingen der Oxidation ist auch eine kleine Korngröße wichtig.

Für die Aktivitäts-Bestimmung von Mangan(IV)-oxid wurde ein analytisches Verfahren ausgearbeitet, das Zimtalkohol als Testsubstanz benutzt[2].

Die Oxidationen, die wahrscheinlich nach einem radikalischen Mechanismus verlaufen, erfolgen in der Regel bei Raumtemperatur zwischen 1 Stde. und mehreren Tagen. Bei Temperaturen oberhalb 40° können bereits Nebenreaktionen eintreten. Mit steigender Temperatur geht vor allem die Selektivität des aktiven Mangan(IV)-oxids verloren, so daß auch nicht aktivierte Hydroxy-Gruppen angegriffen werden[5].

---

[1] B. C. L. WEEDON u. R. J. WOODS, Soc. **1951**, 2687.
[2] Eingehende Verfahrensbeschreibung: O. SAIKO, *Kontakte*, Nr. 2, S. 9, Firmenschrift E. Merck, Darmstadt 1971.
[3] R. M. EVANS, Quart. Rev. **13**, 61 (1959).
   L. F. FIESER u. M. FIESER, *Reagents for Organic Synthesis*, S. 637, John Wiley and Sons, Inc., New York–London–Sydney 1967.
   Vgl. ds. Handb., Bd. VII/1, Kap. Herstellung von Aldehyden, S. 178.
   J. ATTENBURROW et al., Soc. **1952**, 1094.
   M. HARFENIST, A. BAVLEY u. W. A. LAZIER, J. Org. Chem. **19**, 1608 (1954).
   R. J. GRITTER u. T. J. WALLACE, J. Org. Chem. **24**, 1051 (1959).
   J. C. BLOCH, J. BOISSIER u. G. OURISSON, Bl. **1961**, 540.
   I. M. GOLDMAN, J. Org. Chem. **34**, 1979 (1969).
[4] O. MANCERA, G. ROSENKRANZ u. F. SONDHEIMER, Soc. **1953**, 2189.
[5] F. SONDHEIMER, C. AMENDOLLA u. G. ROSENKRANZ, Am. Soc. **75**, 5932 (1953).

(Fortsetzung v. S. 739)

J. ROMO, G. ROSENKRANZ, C. DJERASSI u. F. SONDHEIMER, J. Org. Chem. **19**, 1509 (1954).
O. MANCERA, G. ROSENKRANZ u. F. SONDHEIMER, Soc. **1953**, 2189.
F. SONDHEIMER, C. AMENDOLLA u. G. ROSENKRANZ, Am. Soc. **75**, 5930, 5932 (1953).
D. TAUB et al., Am. Soc. **82**, 4012 (1960).
R. E. BEYLER, A. E. OBERSTER, F. HOFFMAN u. L. H. SARETT, Am. Soc. **82**, 170 (1960).
R. E. COUNSELL, P. D. KLIMSTRA u. F. B. COLTON, J. Org. Chem. **27**, 248 (1962).

Durch Oxidation bei Raumtemperatur erhält man u. a. die folgenden Ketone[1,2]:

1-Oxo-1,3-diphenyl-propan; 50% d.Th.

1-Acetyl-naphthalin; 45% d.Th.

1-Oxo-1,2,3,4-tetrahydro-phenanthren;
50% d.Th.

3,4-Dimethoxy-1-propanoyl-benzol[3]: Eine Lösung von 300 mg 3,4-Dimethoxy-1-(1-hydroxy-propyl)-benzol in 12 *ml* Aceton wird mit 3 g aktivem Mangan(IV)-oxid 15 Stdn. bei Raumtemp. unter Stickstoff geschüttelt. Das Mangan(IV)-oxid wird anschließend abgesaugt und 3 mal mit je 20 *ml* Aceton gewaschen. Die vereinigten Aceton-Lösungen hinterlassen nach dem Einengen 270 mg Keton (90% d.Th.); F: 60°.

Folgende Ketone werden in siedender benzolischer Lösung mit aktivem Mangan-(IV)-oxid in ausgezeichneten Ausbeuten aus den entsprechenden Alkoholen erhalten[4]:

1-Oxo-2-methyl-1-phenyl-propan	77% d.Th.	*3-Oxo-1,3-diphenyl-propen(Chalkon)*	90% d.Th.
1-Oxo-1,2-diphenyl-äthan (Des-oxy-benzoin)	83% d.Th.	*1-Oxo-acenaphthen*	71% d.Th.
Acetophenon	72% d.Th	*Xanthon*	90% d.Th.
Benzil	84% d.Th.	*Fluorenon*	84% d.Th.

Über weitere Oxidationen mit Mangan(IV)-oxid in siedenden Lösungsmitteln und in Wasser s. Originalliteratur[5].

β-Hydroxy-sulfide, -sulfone sowie -sulfoxide mit benzylischer Hydroxy-Gruppe werden in hohen Ausbeuten zu β-Oxo-sulfiden, -sulfonen und -sulfoxiden oxidiert[6], z.B.:

2-Methylmercapto-1-oxo-1-phenyl-äthan

[1] D. L. TURNER, Am. Soc. **76**, 5175 (1954).
[2] s. a. R. J. HIGHET u. W. C. WILDMAN, Am Soc. **77**, 4399 (1955).
   H. RAPOPORT u. S. MASAMUNE, Am. Soc. **77**, 4330 (1955).
[3] E. ADLER u. H.-D. BECKER, Acta chem. scand. **15**, 849 (1961).
[4] E. F. PRATT u. J. F. VAN DE CASTLE, J. Org. Chem. **26**, 2973 (1961).
[5] M. Z. BARAKAT, M. F. ABDEL-WAHAB u. M. M. EL-SADR, Soc. **1956**, 4685.
[6] G. A. RUSSELL, E. SABOURIN u. G. J. MIKOL, J. Org. Chem. **31**, 2854 (1966).

Sek. Benzylalkohole, die eine zusätzliche prim. Hydroxy-Gruppe enthalten, werden selektiv oxidiert. So erhält man aus I *3-Hydroxy-1-oxo-1-(3,4-dimethoxy-phenyl)-propan* (94% d.Th.)[1]:

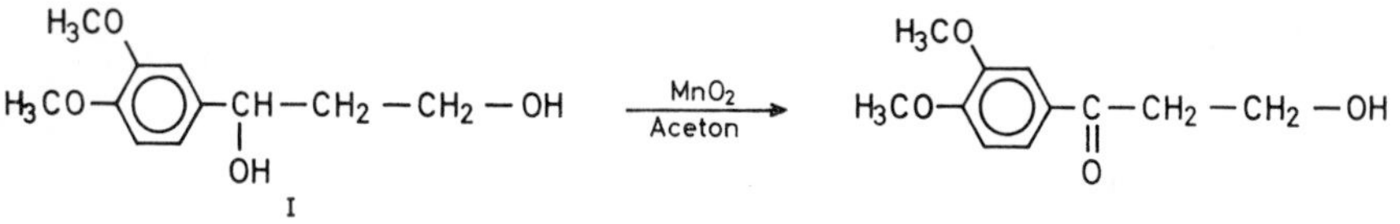

II und III dagegen unterliegen bereits bei Raumtemperatur der Glykol-Spaltung unter Bildung des 3,4-Dimethoxy-benzaldehyds:

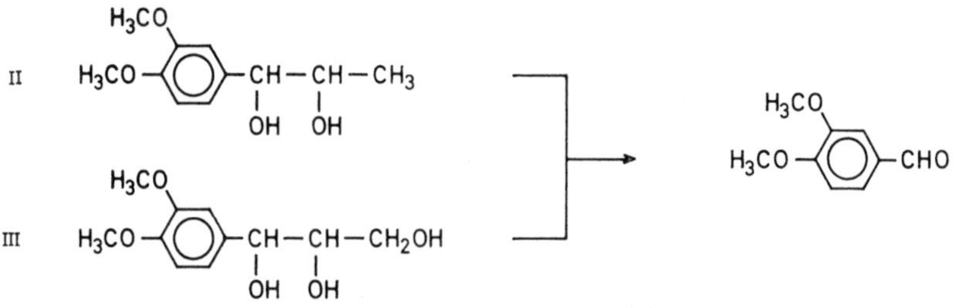

Die Reaktivität von Alkoholen mit allyl-ständiger Hydroxy-Gruppe ist auch gegenüber gesättigten sekundären Alkoholen soviel größer, daß eine selektive Oxidation polyfunktioneller Verbindungen möglich ist. Die Methode ist deshalb besonders in der Steroid-Reihe von Interesse. Ausgehend vom $3\alpha(\beta),17\beta$-Diol IV wird mit Mangan(IV)-oxid bei Raumtemperatur das *Testosteron* [*17β-Hydroxy-3-oxo-androsten-(4)*] erhalten[2]:

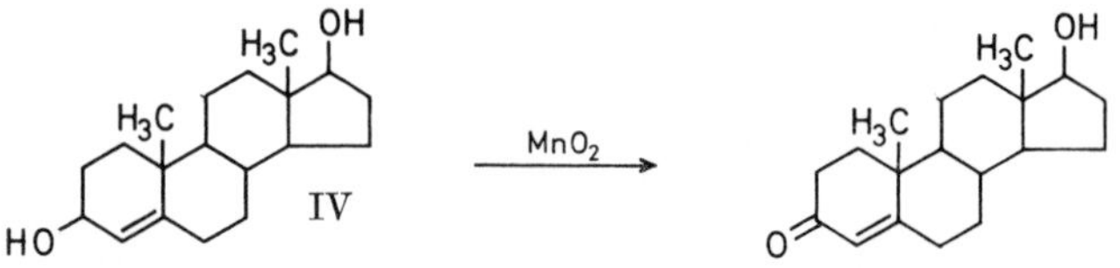

3β-Hydroxy-cholesten-(4) ergibt nach 3 stdgm. Schütteln mit der 10fachen Menge Mangan(IV)-oxid in Chloroform bei Raumtemperatur *3-Oxo-cholesten-(4)* (93% d.Th.)[2]. Der Fortgang der Oxidation kann UV-spektroskopisch verfolgt werden.

$3\beta,6\beta$-Dihydroxy-Δ^4-steroide werden bei Raumtemperatur partiell zu den 6β-Hydroxy-3-oxo-Δ^4-steroiden oxidiert, während bei höherer Temperatur die Selektivität verloren geht. In siedendem Chloroform entsteht das 3,6-Dioxo-Δ^4-steroid[3]:

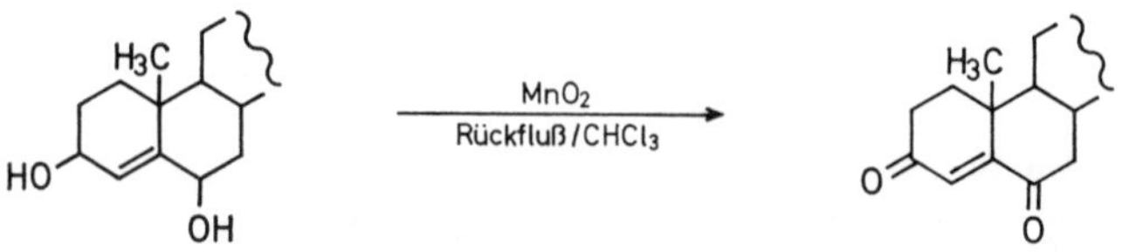

[1] E. ADLER u. H.-D. BECKER, Acta. chem. scand. **15**, 849 (1961).
[2] F. SONDHEIMER, C. AMENDOLLA u. G. ROSENKRANZ, Am. Soc. **75**, 5930 (1953).
[3] C. AMENDOLLA, G. ROSENKRANZ u. F. SONDHEIMER, Soc. **1954**, 1226.

6β-Hydroxy-3-oxo-cholesten-(4)[1]: Eine Suspension von 10 g 3β,6β-Dihydroxy-cholesten-(4) in 1000 ml Chloroform wird mit 100 g aktiviertem Mangan(IV)-oxid bei Raumtemp. 24 Stdn. geschüttelt. Nach dem Abfiltrieren des Mangan(IV)-oxids wird der Niederschlag gut mit heißem Chloroform gewaschen und das Filtrat eingeengt. Der Rückstand wird aus Chloroform/Aceton umkristallisiert; Ausbeute: 6,9 g (68% d. Th.); F: 188–192°.

Auch das gesättigte 17β-Hydroxy-5α-androstan[2] läßt sich mit Mangan(IV)-oxid (20fache Menge) in 20 Stdn. mit sehr guter Ausbeute zu *17-Oxo-5α-androstan* umsetzen:

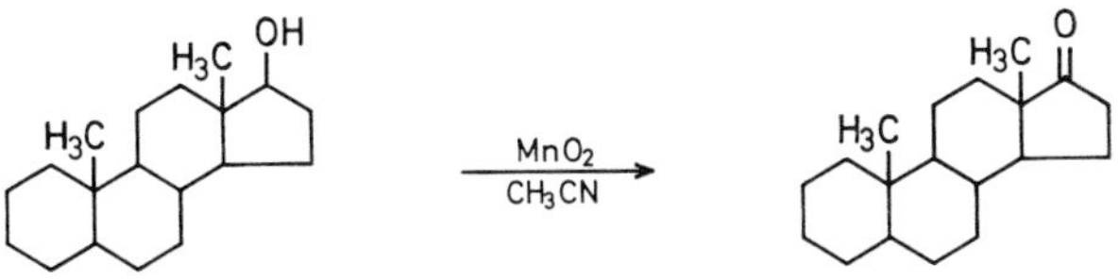

Cholesterin wird unter diesen Bedingungen nicht oxidiert[2], wohl aber in siedendem Benzol[3]. Die dabei erhaltenen Ausbeuten sind wie bei anderen homoallylischen 3-Hydroxy-Δ[5]-steroiden sehr gering.

Durch Oxidation mit Mangan(IV)-oxid wurden u. a. die folgenden α,β-ungesättigten Ketone hergestellt:

4-Oxo-4-cyclopenten-(1)-yl-buten-(2)	60% d. Th.[4]
3-Oxo-3-cyclohepten-(1)-yl-propen-(1)	70% d. Th.[4,5]
6-Oxo-6-cyclohepten-(1)-yl-hexadien-(2,4)	75% d. Th.[4]
1-Benzoyl-cyclohexen-(1)	75% d. Th.[4].

Pentadien-(1,4)-on-(3)[6]: 10 g (0,12 Mol) Pentadien-(1,4)-ol-(3) werden in 150 ml trockenem Chloroform gelöst und innerhalb von 15 Min. unter Rühren mit 100 g Mangan(IV)-oxid versetzt. Man rührt 24 Stdn. nach und filtriert dann das Mangan(IV-)oxid ab. Das Filtrat wird bis auf ein Vol. von 25–30 ml eingeengt und nach Zusatz von 0,25 g Hydrochinon fraktioniert destilliert; Ausbeute: 4,97 g (50% d. Th.); Kp_{50}: 37–38°; $n_D^{20} = 1,4497$.

4-Oxo-3-methyl-trans-penten-(2)[7]: Eine Lösung von 15 g (0,15 Mol) 4-Hydroxy-3-methyl-*trans*-penten-(2) in 50 ml Pentan wird mit 30 g aktivem Mangan(IV)-oxid 12 Stdn. bei Raumtemp. gerührt. Man filtriert das Mangan(IV)-oxid ab und engt das Filtrat vorsichtig ein. Das Rohketon enthält 6% *cis*-Isomeres. Durch Destillation erhält man das *trans*-Keton in über 99%iger Reinheit; Ausbeute: 10,5 g (71,5% d. Th.); Kp: 138°; $n_D^{28,4} = 1,4451$.

Analog wird *4-Oxo-3-methyl-cis-penten-(2)* in 74%iger Ausbeute erhalten; $Kp_{140-143}$; 78,5–80°; $n_D^{28,4} = 1,4345$.

7-Oxo-3-methyl-1-phenyl-octatrien-(1,3,5)[8]: 10 g 7-Hydroxy-3-methyl-1-phenyl-octatrien-(1, 3,5) werden in 900 ml leichtsiedendem Petroläther gelöst und mit 90 g Mangan(IV)-oxid bei 20° 5 Stdn. gerührt und wie üblich aufgearbeitet; Ausbeute: 7,7 g (77% d. Th.); F: 102°.

Von Bedeutung ist, daß sich auch Acetylencarbinole mit Mangan(IV)-oxid zu den entsprechenden Ketonen oxidieren lassen[9], z. B.:

---

[1] C. Amendolla, G. Rosenkranz u. F. Sondheimer, Soc. **1954**, 1226.

[2] I. T. Harrison, Pr. chem. Soc. **1964**, 110.

[3] F. Sondheimer, C. Amendolla u. G. Rosenkranz, Am. Soc. **75**, 5932 (1953).

[4] E. A. Braude u. W. F. Forbes, Soc. **1953**, 2208.

[5] E. A. Braude u. W. F. Forbes, Nature **168**, 874 (1951).

[6] S. F. Reed, J. Org. Chem. **27**, 4116 (1962).

[7] H. O. House u. R. S. Ro, Am. Soc. **80**, 2428 (1958).

[8] B. C. L. Weedon u. R. J. Woods, Soc. **1951**, 2687.

[9] I. Iwai, Y. Okajima u. T. Konotsune, J. pharm. Soc. Japan **78**, 505 (1958).

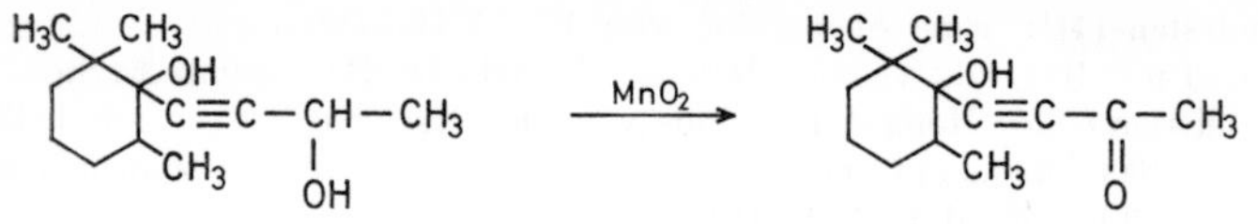

2-Hydroxy-1,1,3-trimethyl-
2-(3-oxo-butinyl)-cyclohexan

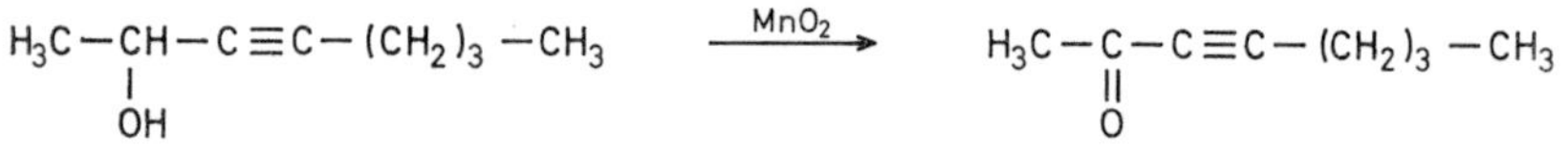

Octin-(3)-on-(2)

Tab. 119. α-Oxo-alkine durch Oxidation von α-Hydroxy-alkinen
mit Mangan(IV)-oxid

| Keton | Ausbeute [% d. Th.] | Kp | | Literatur |
		[°C]	[Torr]	
3-Oxo-3-phenyl-propin	68 [a]	(F: 51°)		1
Hexin-(1)-on-(3)	63 [b]	56–59	80	1
1-Oxo-1-naphthyl-(1)-hexadien-(2,4)	84	(F: 95°)		1
3-Oxo-1,4-diphenyl-butin-(1)	57 [c]	129–133	0,02	1
1-Methoxy-3-oxo-hexen-(4)-in-(1)	30	75–80	0,001	2
1-Äthoxy-3-oxo-hexen-(4)-in-(1)	40	53–54	0,001	2

a = 90 Min./25°/CHCl₃
b = 2 Stdn./Eiskühlung/Petroläther (Kp: 30–60°)
c = 5 Stdn./20°/CHCl₃

Unter milden Bedingungen bei Raumtemperatur lassen sich Alkindiole vom Typ
I mit aktivem Mangan(IV)-oxid zu Alkinol-onen vom Typ II oxidieren[3]:

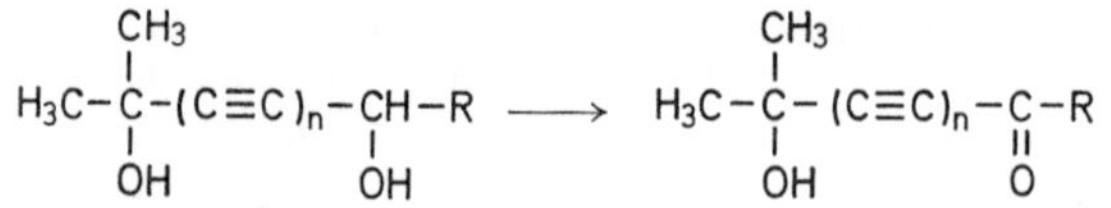

Alkinolone II; allgemeines Herstellungsverfahren[3]: 0,03 Mol des Alkohols I werden in 100 ml
Diäthyläther mit 36 g Mangan(IV)-oxid 3 Stdn. bei Raumtemp. gerührt. Nach Filtration und
Abzug des Lösungsmittels wird das Reaktionsprodukt destilliert bzw. umkristallisiert.

1 I. IWAI, Y. OKAJIMA u. T. KONOTSUNE, J. pharm. Soc. Japan 78, 505 (1958).
2 G. STORK u. M. TOMASZ, Am. Soc. 86, 471 (1964).
3 L. I. VERESCHCHAGIN, S. R. GAINULINA u. L. P. KIRILLOVA, Biol. Aktiv. Soedin. 1968, 154;
C. A. 71, 123446y (1969).

Tab. 120. Ketone durch Oxidation von substituierten Alkindiolen mit Mangan(IV)-oxid[1]

$H_3C-\underset{\underset{OH}{|}}{\overset{\overset{CH_3}{|}}{C}}-(C\equiv C)_n-\underset{\underset{OH}{|}}{C}H-R$		$H_3C-\underset{\underset{OH}{|}}{\overset{\overset{CH_3}{|}}{C}}-(C\equiv C)_n-\underset{\overset{||}{O}}{C}-R$	Ausbeute [% d.Th.]	Kp	
n	R			[°C]	[Torr]
1	CH₃	2-Hydroxy-5-oxo-2-methyl-hexin-(3)	33	74–80	2
	C₃H₇	2-Hydroxy-5-oxo-2-methyl-octin-(3)	80	96–100	2
	CCl₃	6,6,6-Trichlor-2-hydroxy-5-oxo-2-methyl-hexin-(3)	54	(F: 23–24°)	
	C₆H₅	4-Hydroxy-1-oxo-4-methyl-1-phenyl-pentin-(2)	75	138	1
	Thienyl-(2)	4-Hydroxy-1-oxo-4-methyl-1-thienyl-(2)-pentin-(2)	35	140	2
	—CH=CH—CH₃	2-Hydroxy-5-oxo-2-methyl-octen-(6)-in-(3)	30	95	2
2	C₂H₅	2-Hydroxy-7-oxo-2-methyl-nonadiin-(3,5)	30	96–99	0,5

Die Oxidation mit Nickelperoxid, Chromsäure/Pyridin und Chromsäure ist in allen aufgeführten Beispielen der mit Mangan(IV)-oxid unterlegen.

1,2-Bis-[1-hydroxy-alkin-(2)-yl]-benzole vom Typ III werden zu den 1,2-Bis-[1-oxo-alkin-(2)-yl]-benzolen IV oxidiert; z.B. [2]:

III

IV; *1,2-Bis-[1-oxo-3-phenyl-propinyl]-benzol*; 50% d.Th.

Der folgende hochungesättigte sekundäre Alkohol läßt sich ebenfalls mit Mangan-(IV)-oxid zum Keton oxidieren[3]:

10,10-Dichlor-6-oxo-decadien-(7,9)-diin-(2,4)

[1] L. I. Vereschchagin, S. R. Gainulina u. L. P. Kirillova, Biol. Aktiv. Soedin. **1968**, 154; C. A. **71**, 123446ʸ (1969).

[2] Eu. Müller et al., A. **754**, 64 (1971).

[3] F. Bohlmann, H. C. Hummel u. J. Laser, B. **101**, 3562 (1968).

Ebenso werden *3-Oxo-1,3-diferrocenyl-propin* und *3-Oxo-1,5-diferrocenyl-penten-(4)-in-(1)* aus den sehr empfindlichen Alkoholen erhalten[1].

Gesättigte aliphatische α-Hydroxy-ketone[2] konnten mit Mangan(IV)-oxid in siedendem Lösungsmittel zu den 1,2-Diketonen oxidiert werden. Die hierbei erzielten Ausbeuten sind durchaus jenen anderer Methoden zur Herstellung von Diketonen vergleichbar; z.B:

Octandion-(4,5)	58% d.Th.	Kp_{12}: 56–58°
Hexandion-(3,4)	52% d.Th.	Kp_{12}: 34–36°

Mehrbasische Hydroxy-carbonsäuren, z.B. Weinsäure, zerfallen bereits in eiskalter, schneller in heißer wäßriger Lösung unter Abspaltung von Kohlendioxid[3].

Aus Dicyclopropylcarbinol wird in 20 Stdn. bei 20° in 56%iger Ausbeute das *Dicyclopropyl-keton* als 2,4-Dinitro-phenylhydrazon erhalten[4]:

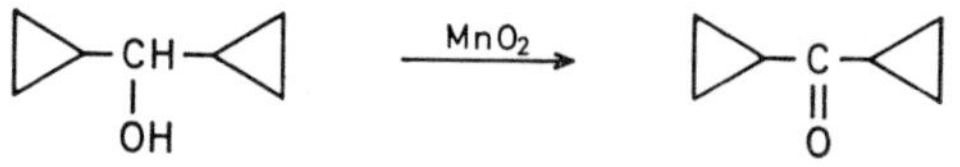

ζ₂) *Oxidation sekundärer Alkohole mit Kaliumpermanganat*[5]

Kaliumpermanganat ist in saurer Lösung als Oxidationsmittel ($Mn_2O_7 \rightarrow 2\ MnO$) zur Herstellung von Ketonen aus sek. Carbinolen nicht geeignet, da es außerordentlich aggressiv wirkt und bei der Ketonstufe nicht Halt macht bzw. an zahlreichen anderen Stellen in der Molekel angreift.

In neutralem bis alkalischem Medium hingegen ist Kaliumpermanganat zur Keton-Herstellung bedingt brauchbar, wobei es nur bis zum Mangan(IV)-oxid reduziert wird. Die Oxidation wird in wäßriger Lösung vorgenommen. In Wasser nicht lösliche Alkohole lassen sich auch in Suspension mit wäßriger Permanganat-Lösung oxidieren. Als Lösungsvermittler sind tert.-Butanol oder Essigsäure üblich. Lösungen des Kaliumpermanganats in trockenem Aceton oder Pyridin sind einigermaßen beständig, aber wegen der **Explosions**gefahr nicht zu empfehlen.

Will man die Oxidation in neutralem Medium ausführen, so werden der wäßrigen Lösung Puffersubstanzen zugefügt; z.B.: Magnesiumsulfat.

[1] H. EGGER u. K. SCHLÖGL, M. **95**, 1750 (1964).
   s. a. K. SCHLÖGL u. A. MOHAR, M. **93**, 861 (1962).
[2] E. P. PAPADOPOULOS, A. JARRAR u. C. H. ISSIDORIDES, J. Org. Chem. **31**, 615 (1966).
[3] M. Z. BARAKAT, M. F. ABDEL-WAHAB u. M. M. EL-SADR, Soc. **1956**, 4685.
[4] L. CROMBIE u. J. CROSSLEY, Soc. **1963**, 4983.
[5] R. STEWART, *Oxidation Mechanisms*, W. A. Benjamin Inc., New York-Amsterdam 1964.
   T. A. TURNEY, *Oxidation Mechanisms*, Butterworths, London 1965.
   J. W. LADBURY u. C. F. CULLIS, *Kinetics and Mechanism of Oxidation by Permanganate*, Chem. Reviews **58**, 403 (1958).
   R. STEWART in K. B. WIBERG, *Oxidation in Organic Chemistry*, Organic Chemistry, Vol. V, Teil A, S. 47–52, Academic Press, New York–London 1965.

Die Aufarbeitung der neutralen und alkalischen Oxidations-Lösungen kann vielfach erleichtert werden, in dem man das ausgeschiedene Mangan(IV)-oxid nicht abfiltriert, sondern durch Zugabe einer Natriumhydrogensulfit-Lösung zu löslichen Mangan(II)-salzen reduziert. Man kann auch Schwefeldioxid bis zur Entfärbung der Suspension einleiten.

Sehr gute Ausbeuten werden mit Kaliumpermanganat erhalten, wenn beide mit der Carbinol-Gruppe verknüpften C-Atome keine aliphatisch gebundenen Wasserstoffatome mehr tragen; z.B. Di-tert.-alkyl-carbinole, Aryl-trifluormethyl-carbinole[1], Diaryl-carbinole[2], Benzoine, bedingt auch Cyanhydrine aromatischer Aldehyde etc.

Die Keton-Ausbeuten sinken bereits ab, wenn nur noch ein C-Atom dieser Voraussetzung entspricht.

Einige Alkyl-aryl-carbinole[3] sollen sich jedoch mit Kaliumpermanganat in 80%-iger Essigsäure bei ~ 25° mit guten Ausbeuten zu den Ketonen oxidieren lassen. Rein aliphatische sek. Alkohole ergeben nur noch in speziellen Fällen mittlere Ausbeuten, da leicht enolisierbare Ketone durch Permanganat gespalten werden. Die Verhältnisse liegen hier ähnlich wie bei der Salpetersäure als Oxidationsmittel.

In den meisten Fällen dürften mit Chrom(VI)-oxid bessere Keton-Ausbeuten zu erzielen sein als mit Kaliumpermanganat. Dieses bietet anscheinend nur den Vorteil, im praktisch neutralen Bereich in großen Verdünnungen oxidieren zu können.

Mit dem aus Kaliumpermanganat und Methyl-triphenyl-arsonium-chlorid (I) erhältlichen Methyl-triphenyl-arsoniumpermanganat (II) lassen sich Permanganat-Oxidationen auch in organischen Lösungsmitteln, z.B. in Chloroform und Nitrobenzol, durchführen[4]. Isopropanol und Heptanol-(4) werden mit sehr guten Ausbeuten zu *Aceton* bzw. *Heptanon-(4)* oxidiert:

$$KMnO_4 \;+\; (C_6H_5)_3 \overset{\oplus}{As}-CH_3\, Cl^{\ominus} \xrightarrow[-KCl]{} (C_6H_5)_3 \overset{\oplus}{As}-CH_3\, MnO_4^{\ominus}$$

I   II

Die Oxidation der α-Hydroxy-carbonsäuren mit kalter alkalischer Permanganat-Lösung führt zu α-Oxo-carbonsäuren und ist für zahlreiche Beispiele in der Literatur beschrieben[5]. Mandelsäure ergibt *Phenyl-glyoxylsäure*[6]:

C₆H₅CH(OH)-COOH $\xrightarrow[OH^{\ominus}]{MnO_4^{\ominus}}$ C₆H₅CO-COOH

Nach einer detaillierten Vorschrift zur Überführung von Mandelsäure in *Phenyl-glyoxylsäure*[6] trägt man in eine alkalisch gestellte wäßrige Lösung des Natriumsalzes unter Kühlung bei —4 bis —2° das Kaliumpermanganat (105% d.Th.) ein. Das vom Mangan(IV)-oxid befreite Filtrat

---

[1] R. Stewart u. R. van der Linden, Tetrahedron Letters 1960, Nr. 2, 28.

[2] R. Stewart, Am Soc. 79, 3057 (1957).

[3] H. A. Neidig et al., Am Soc. 72, 4617 (1950).

[4] N. A. Gibson u. J. W. Hosking, Austral. J. Chem. 18, 123 (1965).

[5] USSR.P. 176 288 (1964), M. M. Zobacheva, V. V. Perekalin, A. K. Petryaeva u. E. L. Metelkina; C. A. 64, 11 089[b] (1966).

[6] B. B. Corson et al., Org. Synth., Coll. Vol. I, 241 (1941).

wird eingedampft, mit Äther ausgeschüttelt und der ölige Rückstand mit Äthanol und Schwefelsäure verestert. Man erhält schließlich *Phenyl-glyoxylsäure-äthylester* (35–40% d. Th.; Kp_{10}: 130°).

Auch o-Nitro-mandelsäure wird zu *(2-Nitro-phenyl)-glyoxylsäure* oxidiert[1], nicht jedoch p-Nitro-mandelsäure, deren Oxidation unter den gleichen Bedingungen zur 4-Nitro-benzoesäure führt[2]:

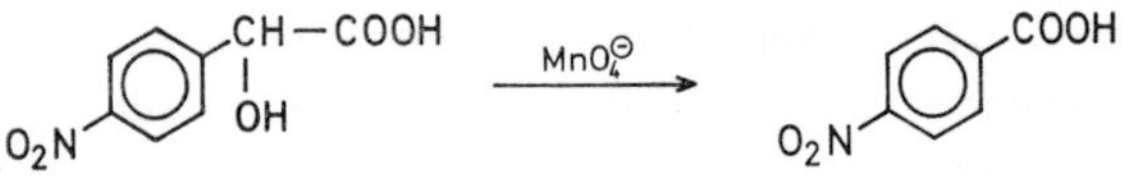

(2-Nitro-phenyl)-glyoxylsäure[1]: 50 g o-Nitro-mandelsäure werden in 1000 *ml* Wasser gelöst und die Lösung alkalisch gestellt. Zu der gekühlten Flüssigkeit läßt man innerhalb von 30 Min. eine Lösung von 27 g Kaliumpermanganat in 540 *ml* Wasser zufließen und rührt 12 Stdn. bei Raumtemperatur. Anschließend filtriert man, wäscht den Filterrückstand mit heißem Wasser, engt dann auf ein Vol. von 400 *ml* ein und säuert stark an. Die aus der erkalteten Lösung abgeschiedenen Kristalle werden abfiltriert; Ausbeute: 27 g (55% d.Th.); F: 156–157°.

In **saurer** Lösung erhält man aus Mandelsäure unter oxidativer Decarboxylierung Benzaldehyd[3]:

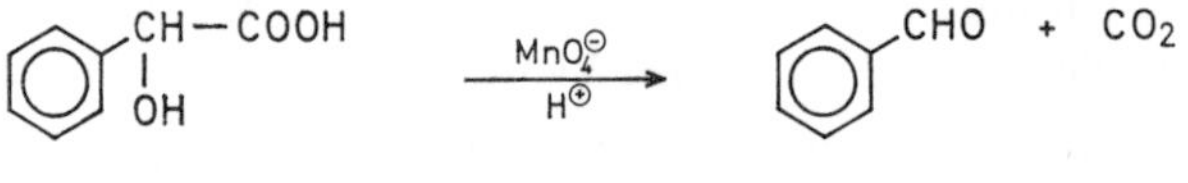

Zur Oxidation von 2-Hydroxy-propansäure-äthylester zum *2-Oxo-propansäure-äthylester* s. Lit. [4].

Einige araliphatische Ketone sind durch Permanganat-Oxidation in Essigsäure bei 25–30° in mäßiger bis sehr guter Ausbeute hergestellt worden[5], z. B.:

1-Oxo-1-phenyl-pentan	96% d.Th.	Kp: 242°
1-Oxo-2-methyl-1-phenyl-propan	71% d.Th.	Kp: 236°
1-Oxo-2,2-dimethyl-1-phenyl-propan	34% d.Th.	Kp: 224°

Bei der Oxidation des 1-Hydroxy-2,2-dimethyl-1-phenyl-propans überwiegen bereits Spaltreaktionen unter Bildung beträchtlicher Mengen Benzaldehyd bzw. Benzoesäure.

1-Oxo-2-methyl-1-phenyl-propan[5]: Eine Lösung von 14,2 g (0,09 Mol) Kaliumpermanganat in 400 *ml* Eisessig und 125 *ml* Wasser wird tropfenweise innerhalb von 3 Stdn. bei einer Temp. von 25–30° zu einer stark gerührten Lösung von 21,4 g (0,14 Mol) 1-Hydroxy-2-methyl-1-phenyl-propan gegeben. Durch Wasserdampfdestillation wird das Keton erhalten; Ausbeute: 14,6 g (71% d.Th.); Kp: 217–222°; $n_D^{20} = 1,5190$.

1,2-Diacetyl-benzol[6]: In eine Lösung von 9,8 g (0,059 Mol) 1,2-Bis-[1-hydroxy-äthyl]-benzol in 250 *ml* Wasser, das 30,7 g (0,12 Mol) Magnesiumnitrat-hexahydrat enthält, werden bei 68–75° innerhalb von 3 Stdn. unter kräftigem Rühren 14,2 g (0,09 Mol) feinst gepulvertes Kaliumpermanganat eingetragen. Man läßt 1 Stde. nachrühren und filtriert Mangan(IV)-oxid ab. Der Filterrückstand wird mit Äther gewaschen. Das wäßrige Filtrat wird im Perforator 12 Stdn. mit Äther,

---

[1] G. Heller, B. **44**, 2419 (1911).
[2] G. Heller, B. **46**, 280 (1913).
[3] G. V. Bakore, R. Shanker u. U. Goyal, Indian J. Chem., **1**, 331 (1963); C. A. **63**, 11327 (1965).
[4] J. W. Cornforth, Org. Synth., Coll. Vol. IV, 467 (1963).
[5] H. A. Neidig et al., Am Soc. **72**, 4617 (1950).
[6] S. Goldschmidt u. A. Zoebelein, B. **94**, 169 (1961).

das Mangan(IV)-oxid im Soxhlet mit dem gleichen Lösungsmittel extrahiert. Die vereinigten Ätherextrakte werden über Calciumchlorid getrocknet. Nach dem Abzug des Lösungsmittels erhält man ein blaßgelbes Öl, das durch Destillation gereinigt wird; Ausbeute: 6,3 g (66% d. Th.); $Kp_{0,1}$: 110–116°; F: 39–40° (Äther/Petroläther; Kp: 50–70°).

Analog erhält man aus 2,3-Bis-[1-hydroxy-äthyl]-naphthalin *2,3-Diacetyl-naphthalin* (54% d. Th.)[1].

Als Beispiel für die Herstellung einer δ-Keto-carbonsäure durch gemeinsame Oxidation einer sekundären Hydroxy- und einer Aldehyd-Gruppe sei *5-Oxo-5-phenyl-pentansäure* erwähnt, die in 90%iger Ausbeute aus 5-Hydroxy-5-phenyl-pentanal erhalten wird[2]:

$$\text{C}_6\text{H}_5-\underset{\underset{\text{OH}}{|}}{\text{CH}}-(\text{CH}_2)_3-\text{CHO} \quad \xrightarrow{\text{KMnO}_4} \quad \text{C}_6\text{H}_5-\text{CO}-(\text{CH}_2)_3-\text{COOH}$$

Als weiteres Beispiel für die Oxidation einer sekundären benzylischen Hydroxy-Gruppe sei die Herstellung von *1,4-Dioxo-1-phenyl-pentan* erwähnt:

$$\text{C}_6\text{H}_5-\underset{\underset{\text{OH}}{|}}{\text{CH}}-(\text{CH}_2)_2-\overset{\text{O}}{\overset{||}{\text{C}}}-\text{CH}_3 \quad \longrightarrow \quad \text{C}_6\text{H}_5-\overset{\text{O}}{\overset{||}{\text{C}}}-(\text{CH}_2)_2-\overset{\text{O}}{\overset{||}{\text{C}}}-\text{CH}_3$$

1,4-Dioxo-1-phenyl-pentan[3]: 19,7 g (0,11 Mol) 1-Hydroxy-4-oxo-1-phenyl-pentan in 100 *ml* Aceton werden allmählich unter Rühren zu einer eiskalten Lösung von 20 g (0,13 Mol) Kaliumpermanganat und 0,5 g Natriumhydroxid in 100 *ml* Aceton und 200 *ml* Wasser gegeben. Bei Raumtemp. läßt man die Lösung über Nacht stehen, säuert mit 12 n Schwefelsäure an und leitet bis zur Entfärbung Schwefeldioxid ein. Anschließend wird das Aceton abdestilliert und der Rückstand mehrmals mit Benzol extrahiert. Es wird mit Natriumsulfat getrocknet, das Lösungsmittel abgezogen und der verbleibende Rückstand destilliert; Ausbeute: 8,1 g (42% d. Th.); $Kp_{0,35}$: 109–112°; $n_D^{30} = 1,5250$.

Analog erhält man *1-Oxo-1-phenyl-pentan*; 65% d. Th.; Kp_{25}: 136–141°; $n_D^{25} = 1,5080$.

Die Permanganat-Oxidation der Ricinolsäure [12-Hydroxy-cis-octadecen-(9)-säure] führt unter Spaltung der C=C-Doppelbindung zur Nonandisäure[4]:

$$\text{H}_3\text{C}-(\text{CH}_2)_5-\underset{\underset{\text{OH}}{|}}{\text{CH}}-\text{CH}_2-\text{CH}=\text{CH}-(\text{CH}_2)_7-\text{COOH} \quad \xrightarrow{\text{alkal.MnO}_4^{\ominus}}$$

$$\text{HOOC}-(\text{CH}_2)_7-\text{COOH}$$

η) Oxidation mit Eisen(III)-Salzen

Zur Oxidation aliphatischer α-Hydroxy-ketone zu den 1,2-Diketonen wurde auch Eisen(III)-chlorid in einem siedenden Äther-Wasser-Gemisch angewandt[5].

[1] W. Ried u. M. Schön, B. **96**, 3312 (1963).
[2] C. W. Smith, D. G. Norton u. S. A. Ballard, Am. Soc. **73**, 5273 (1951).
[3] R. M. Adams u. C. A. van der Werf, Am. Soc. **72**, 4368 (1950).
[4] J. W. Hill u. W. L. McEwen, Org. Synth., Coll. Vol. **II**, 53 (1943).
[5] J. Wegmann u. H. Dahn, Helv. **29**, 101 (1946).
  H. van Risseghem, Bull. Soc. chim. belges **47**, 194 (1938).

Hexandion-(3,4)[1]: 30 g (0,26 Mol) 4-Hydroxy-3-oxo-hexan werden in einem Gemisch von 100 *ml* Wasser und 50 *ml* Äther auf dem Wasserbad zum Sieden erhitzt. Innerhalb von 2 Stdn. gibt man unter starkem Rühren eine Lösung von 100 g (2,25 Mol) Eisen(III)-chlorid in 150 *ml* Wasser hinzu und erhitzt noch 2 Stdn. unter Rückfluß. Nach dem Erkalten trennt man die organische Phase ab, äthert die wäßrige Phase aus und vereinigt beide Äther-Phasen. Über Natriumsulfat wird getrocknet und anschließend der Äther abgezogen. Der Rückstand wird fraktioniert destilliert; Ausbeute: 18,6 g (62% d. Th.); Kp_{10}: 32–35°.

2-Hydroxy-1-oxo-cyclohexan wird in saurer Lösung von Eisen(III)-chlorid zum *Cyclohexandion-(1,2)* oxidiert[2]:

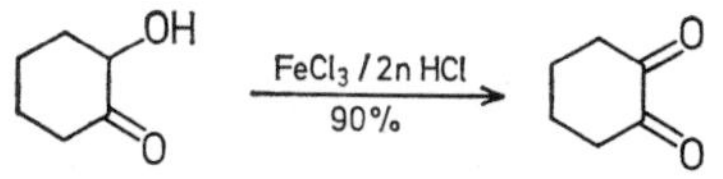

Analog wird *Cyclopentandion-(1,2)* erhalten[3]:

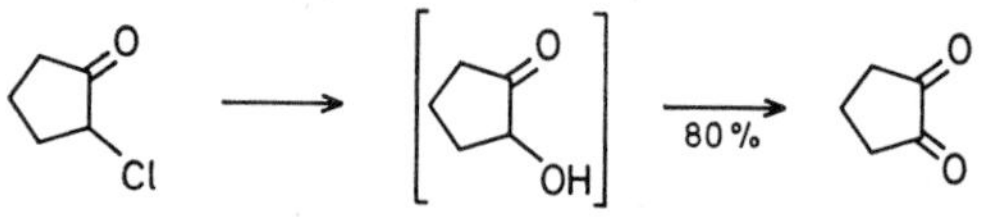

Wird Butin-(1)-ol-(3) hydratisiert und im gleichen Reaktionsschritt mit Eisen(III)-sulfat oxidiert, so erhält man *Butandion-(2,3)*[4]:

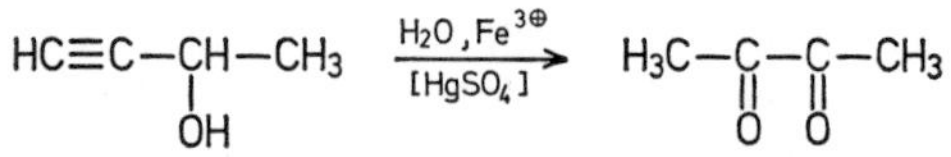

Über die Oxidation von Polyhydroxy-Verbindungen mit Hydrogenperoxid in Gegenwart katalytischer Mengen Eisen(II)-salze (Fentons-Reagens) s. S. 770.

ϑ) Oxidation mit Nickelperoxid

Nickelperoxid [aus Nickel(II)-sulfat und Natriumhypochlorit hergestellt] wurde zur **selektiven Oxidation allyl-ständiger Hydroxy-Gruppen** erprobt[5-7], z.B. zur Oxidation von Lutein zu *3-Hydroxy-3'-oxo-α-carotin*.

3-Hydroxy-3'-oxo-α-carotin[7]: 60 mg Lutein (3,3'-Dihydroxy-α-carotin) werden in einem Gemisch aus 30 *ml* absol. Äther und 30 *ml* absol. Benzol gelöst und 550 mg Nickelperoxid (30facher molarer Überschuß) zugegeben. Die Suspension wird 30 Min. bei Raumtemp. gerührt und anschließend durch Filtration vom Niederschlag befreit. Das Filtrat wird chromatographiert; Ausbeute: 12 mg; F: 168–170° (rote Nadeln aus Petroläther).

[1] J. WEGMANN u. H. DAHN, Helv. **29**, 101 (1946).
    H. VAN RISSEGHEM, Bull. Soc. chim. belges **47**, 194 (1938).
[2] L. DE BORGER et al., Bull. Soc. chim. belges **73**, 73 (1964).
[3] H. H. INHOFFEN u. H. KRÄMER, B. **87**, 488 (1954).
[4] DBP. 812424 (1948), BASF, Erf.: H. J. PISTOR u. A. STEINHOFER; C. **1952**, 599.
[5] K. NAKAGAWA, R. KONAKA u. T. NAKATA, J. Org. Chem. **27**, 1597 (1962).
[6] R. KONAKA, S. TERABE u. K. KURUMA, J. Org. Chem. **34**, 1334 (1969).
[7] S. L. JENSEN u. S. HERTZBERG, Acta chem. scand. **20**, 1703 (1966).

Benzil, Benzophenon, Acetophenon werden bei 50° innerhalb von 3–6 Stdn. in benzolischer Lösung aus den entsprechenden Alkoholen erhalten[1,2]. Dialkylcarbinole dagegen sind nur in schlechten Ausbeuten oxidierbar[1].

ι) Oxidation mit Kupfer(II)-salzen

Kupfer(II)-salze sind ausgezeichnete Oxidationsmittel, um α-Keto-carbinole in α,β-Diketone überzuführen. Gelegentlich wird Fehlingsche Lösung, häufiger jedoch Kupfer(II)-acetat oder -nitrat in Eisessig oder essigsaurer Lösung sowie Kupfer(II)-sulfat in wäßrigem Pyridin, eingesetzt.

Durch mehrstündiges Rückflußsieden des Reaktionsgemisches erzielt man in vielen Fällen ausgezeichnete Ausbeuten an 1,2-Diketon. Die Regenerierung der verbrauchten Oxidations-Lösung erfolgt mit Luftsauerstoff.

Benzoin wird von Fehlingscher Lösung in hoher Ausbeute zum *Benzil* oxidiert. Gleich gut verläuft die Gewinnung von *4-Dimethylamino-benzil*[3], *4,4'-Dimethoxy-benzil*[4] und *5,5'-Dibrom-2,2'-dimethoxy-benzil*[5]:

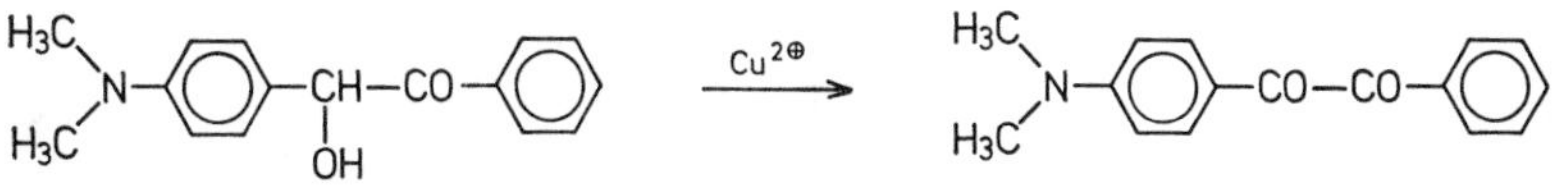

1-Hydroxy-2-oxo-2-phenyl-1-(4-methoxy-phenyl)-äthan wird von Kupfer(II)-sulfat/Pyridin in 85–90%iger Ausbeute zu *4-Methoxy-benzil* oxidiert[6] (die Salpetersäure-Oxidation versagt in diesem Falle):

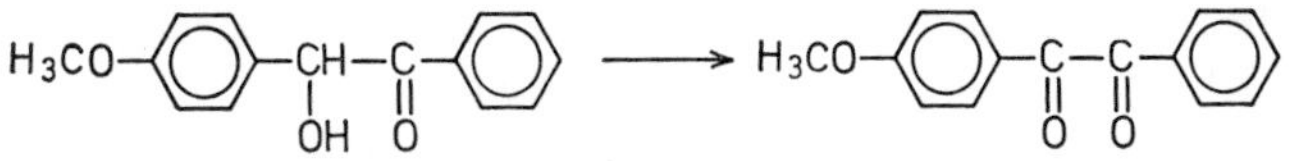

1,2-Dioxo-1,2-difuryl-(2)-äthan wird in 63%iger, *1,2-Dioxo-2-phenyl-1-pyrryl-(2)-äthan* in 93%iger Ausbeute nach dieser Methode erhalten[7]:

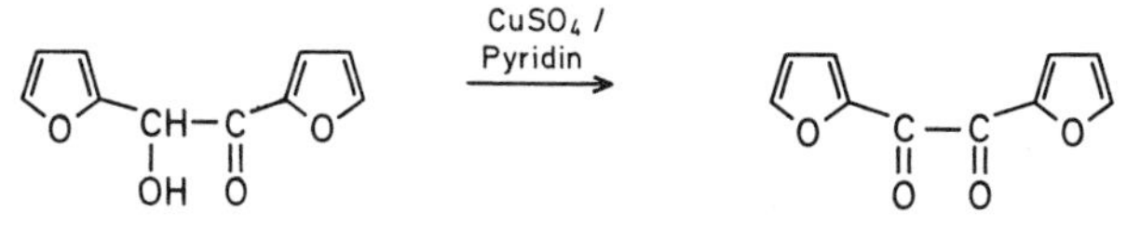

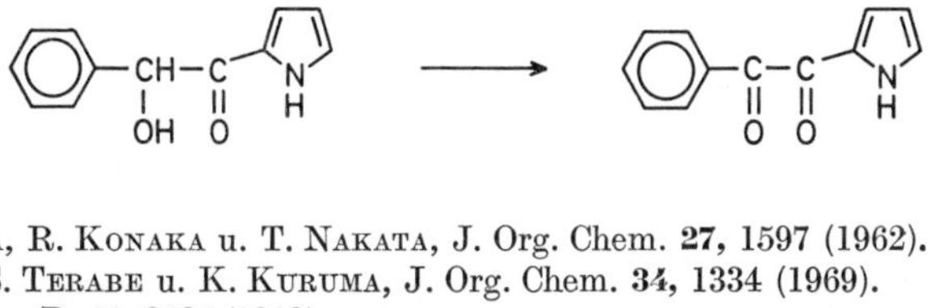

[1] K. NAKAGAWA, R. KONAKA u. T. NAKATA, J. Org. Chem. **27**, 1597 (1962).
[2] R. KONAKA, S. TERABE u. K. KURUMA, J. Org. Chem. **34**, 1334 (1969).
[3] H. STAUDINGER, B. **46**, 3535 (1913).
   S. S. JENKINS, J. S. BUCK u. L. A. BIGELOW, Am. Soc. **52**, 4495 (1930).
[4] M. BÖSLER, B. **14**, 323 (1881).
[5] R. KUHN, L. BIRKOFER u. E. F. MÖLLER, B. **76**, 900 (1943).
[6] C. R. KINNEY, Am. Soc. **51**, 1592 (1929).
   Zur Oxidation von Benzoin zu *Benzil* nach dieser Methode s. H. T. CLARKE u. E. E. DREGER, Org. Synth. **6**, 6 (1926).
[7] W. W. HARTMAN u. J. B. DICKEY, Am. Soc. **55**, 1228 (1933).

1,2-Dioxo-1,2-difuryl-(2)-äthan[1]: 158 g (0,63 Mol) gepulvertes Kupfer(II)-sulfat (CuSO$_4$ · 5 H$_2$O) werden in 210 g Pyridin und 90 *ml* Wasser unter gelindem Erwärmen gelöst. Der warmen Lösung werden 57,6 g (0,3 Mol) 1-Hydroxy-2-oxo-1,2-difuryl-(2)-äthan zugefügt. Die anfänglich tiefblaue Farbe der Lösung schlägt nach kurzer Zeit in ein tiefes Grün um. Man erhitzt noch 2 Stdn. auf dem Wasserbad und gießt den Kolbeninhalt dann in 1000 *ml* kaltes Wasser. Der Niederschlag wird abfiltriert und mit Wasser gewaschen bis das Filtrat farblos abläuft. Anschließend wird der Rückstand noch mit 500 *ml* kaltem Methanol gewaschen und dann getrocknet; Ausbeute: 35 g (63% d. Th.); F: 165–166°.

1,2-Dioxo-2-phenyl-1-pyrryl-(2)-äthan[2]: 82 g (0,33 Mol) gepulvertes Kupfer(II)-sulfat (CuSO$_4$ · 5H$_2$O) werden in 80 *ml* Pyridin und 32 *ml* Wasser bis zur vollständigen Lösung erwärmt. Dann fügt man 34 g (0,17 Mol) 2-Hydroxy-1-oxo-2-phenyl-1-pyrryl-(2)-äthan hinzu und erhitzt das Gemisch 3½ Stdn. auf 80°. Die noch heiße Lösung wird in 500 *ml* kaltes Wasser gegossen und 12 Stdn. bei 4° belassen. Anschließend fügt man 10%ige Salzsäure hinzu, rührt 30 Min. und filtriert; Ausbeute: 32 g (93% d. Th.); F: 101–102°.

Die aus Pyridin-3-aldehyd mit 4-Hydroxy-benzaldehyd oder 4-Dimethylamino-benzaldehyd in Gegenwart von Cyanid-Ionen erhältlichen gemischten α-Hydroxy-ketone werden von Kupfer(II)-acetat zu den gemischten 1,2-Diketonen oxidiert[3]:

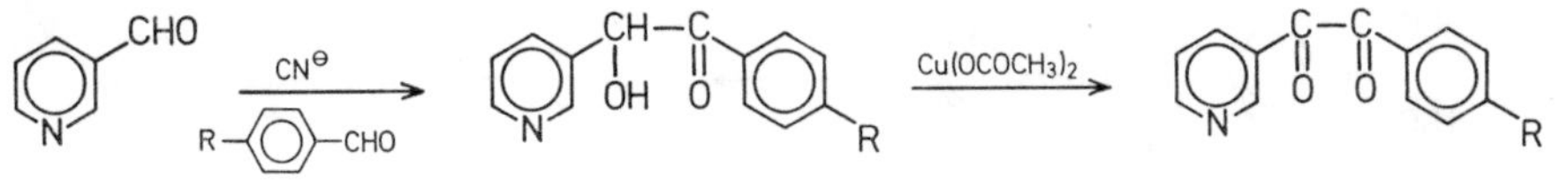

R = OH; *1,2-Dioxo-2-(4-hydroxy-phenyl)-1-pyridyl-(3)-äthan*; 66% d. Th.
R = N(CH$_3$)$_2$; *1,2-Dioxo-2-(4-dimethylamino-phenyl)-1-pyridyl-(3)-äthan*; 40% d. Th.

Aliphatische Acyloine lassen sich mit Kupfer(II)-acetat in verdünnter Essigsäure in besseren Ausbeuten als mit Chrom(VI)-oxid zu 1,2-Diketonen oxidieren. Besonders zur Oxidation empfindlicher Acyloine ist die Methode vorzuziehen[4].

3-Hydroxy-2-oxo-1,4-diphenyl-butan[5] wird mit Kupfer(II)-acetat quantitativ zum *2,3-Dioxo-1,4-diphenyl-butan* oxidiert, während andere Reagenzien wie Kupfer-(II)-sulfat/Pyridin, Chrom(VI)-oxid, Selendioxid, Salpetersäure und Ammonium-nitrat in siedendem Eisessig versagten oder nur zu geringen Ausbeuten an 1,2-Di-keton führten:

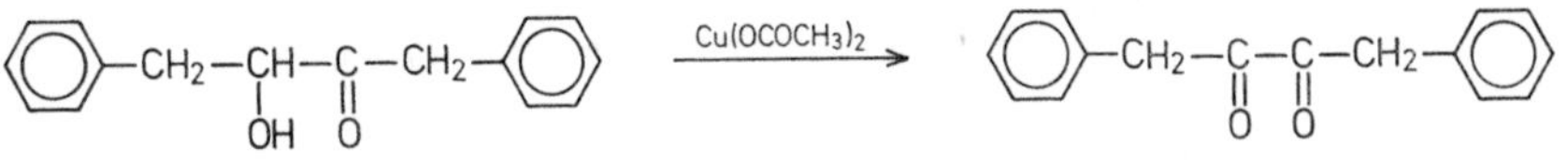

2,3-Dioxo-1,4-diphenyl-butan[5]: 10 g rohes 3-Hydroxy-2-oxo-1,4-diphenyl-butan werden in einem 500-*ml*-Kolben mit 5 *ml* Methanol angefeuchtet und dann mit 15 g feingepulvertem Kupfer-(II)-acetat und 250 *ml* 70%iger Essigsäure versetzt. Der Kolben wird mit einem Steigrohr versehen und im Babotrichter erhitzt. Bereits nach kurzem Erwärmen hat sich das Reaktionsgemisch gelöst. Nach ~ 5 Min. beginnt die Ausscheidung von rotem Kupfer(I)-oxid, die blaue Farbe

[1] W. W. HARTMAN u. J. B. DICKEY, Am. Soc. **55**, 1228 (1933).
[2] T. S. GARDNER, E. WENIS u. J. LEE, J. Org. Chem. **23**, 823 (1958).
[3] P. BERGMANN u. H. PAUL, Z. **6**, 339 (1966).
[4] J. WEGMANN u. H. DAHN, Helv. **29**, 101 (1946).
    P. KARRER u. A. v. SEGESSER, Helv. **18**, 273 (1935).
    R. WEIDENHAGEN, R. HERRMANN u. H. WEGNER, B. **70**, 570 (1937).
    P. KARRER et al., Helv. **16**, 181 (1933).
[5] P. RUGGLI u. P. ZELLER, Helv. **28**, 741 (1945).

der Lösung schlägt um nach Grün. Das Sieden wird für weitere 2 Min. fortgesetzt. Beim Erkalten kristallisiert das Diketon aus. Man verdünnt mit Wasser und schüttelt mehrfach mit Äther aus. Die ätherische Lösung wird mit Natriumhydrogencarbonat-Lösung gewaschen, anschließend über Natriumsulfat getrocknet und der Äther abdestilliert; F: 91 ° (aus Benzol); Ausbeute: quantitativ.

Decandion-(5,6)[1]:

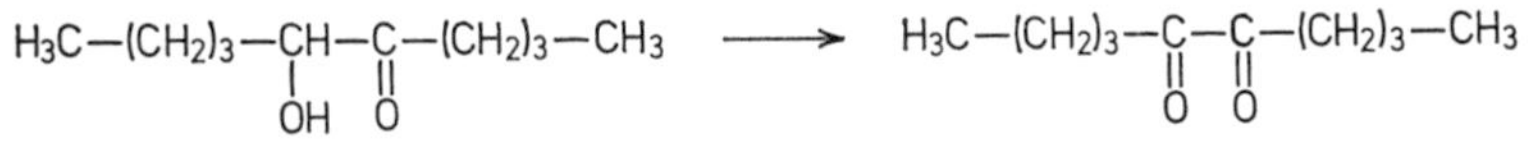

H₃C—(CH₂)₃—CH—C—(CH₂)₃—CH₃ ⟶ H₃C—(CH₂)₃—C—C—(CH₂)₃—CH₃
       | || || ||
       OH   O   O   O

20 g 5-Hydroxy-6-oxo-decan werden in einem Gemisch aus 100 g Eisessig und 80 ml Wasser mit der ber. Menge gepulvertem Kupfer(II)-acetat versetzt und 40 Min. unter starkem Rühren zum Sieden erhitzt. Nach dem Erkalten neutralisiert man mit Natriumcarbonat-Lösung und extrahiert das Diketon mit Äther. Die Äther-Phase wird über Natriumsulfat getrocknet und nach dem Abzug des Lösungsmittels der Rückstand fraktioniert destilliert; Kp_{18}: 93–95°.

Cyclononandion-(1,2) läßt sich vorteilhaft in 70%iger Ausbeute mit Kupfer(II)-acetat aus 2-Hydroxy-1-oxo-cyclononan herstellen [mit Kupfer(II)-sulfat/Pyridin 55% d.Th.; mit Chrom(IV)-oxid/Eisessig 33% d.Th.][2].

Anstelle von Kupfer(II)-acetat kann auch Kupfer(II)-hydroxid in essigsaurer Lösung eingesetzt werden. 1,2-Dihydroxy-1,2-bis-[4-hydroxy-3-methoxy-phenyl]-äthan als disekundäres Glykol wird glatt zum *1,2-Dioxo-1,2-bis-[4-hydroxy-3-methoxy-phenyl]-äthan* oxidiert[3]:

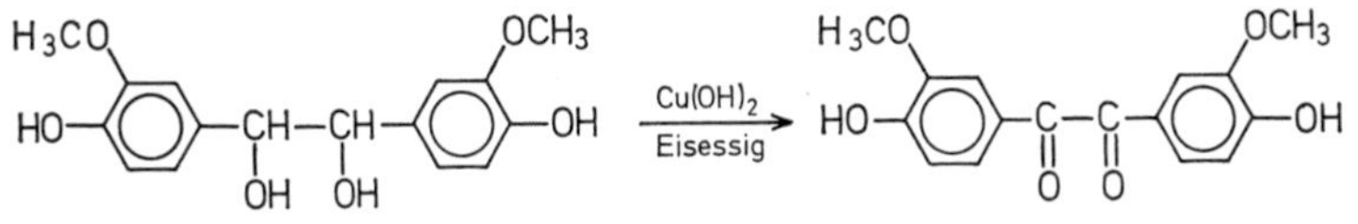

1,2-Dioxo-1,2-bis-[4-hydroxy-3-methoxy-phenyl]-äthan[3]: 30,6 g (0,1 Mol) 1,2-Dihydroxy-1,2-bis-[4-hydroxy-3-methoxy-phenyl]-äthan werden mit 39,0 g (0,2 Mol) Kupfer(II)-hydroxid und 600 ml Eisessig zum Sieden erhitzt. Nach wenigen Min. schlägt die blaue Färbung in Grün um und man kann die Lösung abkühlen lassen. Der Niederschlag wird abfiltriert und mit kaltem Wasser gewaschen; Ausbeute: 18,7 g (68% d.Th.); F: 233–234°.

Für die Oxidation der α-Hydroxy-ketone zu α-Diketonen in Gegenwart von Ammoniumnitrat genügen bereits katalytische Mengen Kupfer(II)-salz. Das entstehende Kupfer(I)-salz wird in Gegenwart von viel Ammoniumnitrat laufend zum Kupfer(II)-salz regeneriert[4]:

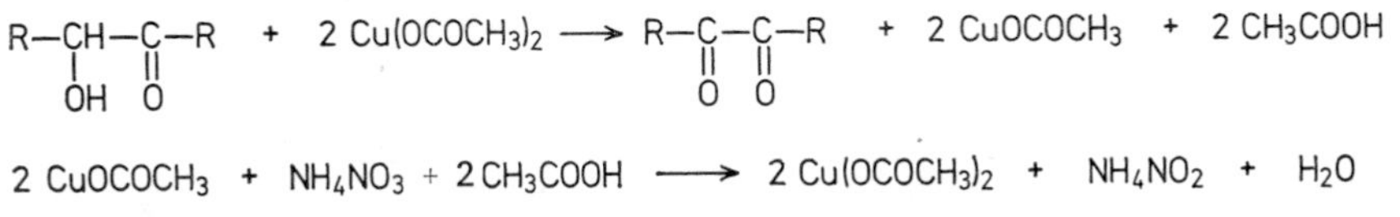

R—CH—C—R + 2 Cu(OCOCH₃)₂ ⟶ R—C—C—R + 2 CuOCOCH₃ + 2 CH₃COOH
   | || || ||
   OH O   O   O

2 CuOCOCH₃ + NH₄NO₃ + 2 CH₃COOH ⟶ 2 Cu(OCOCH₃)₂ + NH₄NO₂ + H₂O

Das intermediär entstandene Ammoniumnitrit zerfällt in der sauren Lösung in Stickstoff und Wasser. Nach dieser Methode werden u.a. *Benzil, 4,4'-Dimethoxy-benzil* und *2,3,2',3'-Tetramethoxy-benzil* in fast quantitativen Ausbeuten erhalten.

---

[1] H. BLOCH et al., Helv. **28**, 1410 (1945).
[2] A. T. BLOMQUIST, L. H. LIU u. J. C. BOHRER, Am. Soc. **74**, 3643 (1952).
[3] I. A. PEARL, Am. Soc. **74**, 4260 (1952).
[4] M. WEISS u. M. APPEL, Am. Soc. **70**, 3666 (1948).

Tab. 121. 1,2-Diketone aus α-Hydroxy-ketonen durch Oxidation mit Kupfer(II)-salzen

Reaktionsbedingungen	1,2-Diketon	Ausbeute [% d.Th.]	F [°C]	Literatur
a) mit Kupfer(II)-sulfat/Pyridin				
2 Stdn./96°	*Benzil*	97 bzw. 86	94,5	1,2
2 Stdn./Rückfluß	*2-Methoxy-benzil*	60	71–72	3
2 Stdn./Rückfluß	*4-Methoxy-benzil*	68	64–65	3
2 Stdn./Rückfluß	*2-Äthoxy-benzil*	60	101–102	3
2 Stdn./Rückfluß	*2,2'-Diäthoxy-benzil*	50	157–158	3
4 Stdn./100°	*4,4'-Diphenyl-benzil*	95	141–142	4
3 Tage/100°	*1-Oxo-2,2-dimethyl-1-(2,4,6-tri-methyl-phenyl)-butan*	83	(Kp$_2$: 115–118°)	5
b) mit Kupfer(II)-acetat				
70%ige Essigsäure	*Hexandion-(3,4)*	70	(Kp$_{10}$:32–35°)	6
60%ige Essigsäure	*4,5-Dioxo-2,7-dimethyl-octan*	70	(Kp$_{12}$:67–70°)	7
1 Min./Rückfluß	*Cyclodecandion-(1,2)*	89	(Kp$_{10}$: 104–106°)	8
	Cyclononandion-(1,2)	67–72	(Kp$_3$:80–82°)	9
c) mit Ammoniumnitrat/Kupfer(II)-salz				
90 Min./Rückfluß	*Benzil*	100	95	10
90 Min./Rückfluß	*4,4'-Dimethoxy-benzil*	97	132	10
90 Min./Rückfluß	*2,3,2',3'-Tetramethoxy-benzil*	98	146	10
90 Min./Rückfluß	*1,2-Dioxo-1,2-difuryl-(2)-äthan*	91	165	10
1 Stde./Rückfluß	*2,2'-Dichlor-benzil*	55	132	11

[1] US. P. 2377749 (1943), DuPont, Erf.: C. A. BORDNER; C. A. **39**, 4096[9] (1945).
[2] H. T. CLARKE u. E. E. DREGER, Org. Synth., Coll. Vol. **I**, 87 (1941).
[3] N. J. LEONARD et al., Am. Soc. **71**, 2997 (1949).
[4] M. GOMBERG u. F. J. VAN NATTA, Am. Soc. **51**, 2238 (1929).
[5] R. C. FUSON u. J. A. ROBERTSON, J. Org. Chem. **7**, 466 (1942).
[6] J. WEGMANN u. H. DAHN, Helv. **29**, 101 (1946).
[7] H. BLOCH et al., Helv. **28**, 1410 (1945).
[8] A. T. BLOMQUIST u. A. GOLDSTEIN, Org. Synth., Coll. Vol. **IV**, 838 (1963).
[9] A. T. BLOMQUIST, L. H. LIU u. J. C. BOHRER, Am. Soc. **74**, 3643 (1952).
[10] M. WEISS u. M. APPEL, Am. Soc. **70**, 3666 (1948).
[11] H. MOUREU, P. CHOVIN u. R. SABOURIN, Bl. **5**, 1090 (1964).

Tab. 121. (Fortsetzung)

Reaktionsbedingungen	1,2-Diketon	Ausbeute [% d.Th.]	F [°C]	Literatur
3 Stdn./Rückfluß	*1,2-Dioxo-1,2-diphenanthryl-(9)-äthan*	90	283	1
90 Min./Rückfluß	*1,2-Dioxo-2-phenyl-1-thienyl-(2)-äthan*	93	59–60	2
	1,2-Dioxo-2-(4-dimethylamino-phenyl)-1-pyridyl-(3)-äthan	40	132–133	3
	1,2-Dioxo-2-(4-hydroxy-phenyl)-1-pyridyl-(3)-äthan	66	178	3

1,2-Diketone aus α-Hydroxy-ketonen; allgemeine Herstellungsvorschrift: Man gibt zu 1 Tl. α-Hydroxy-keton in der 3–10fachen Menge 80%iger Essigsäure 0,5 Tle. Ammoniumnitrat und ~ 0,01–0,1 Tle. Kupfer(II)-acetat und erhitzt einige Zeit (wenige Min. bis mehrere Stdn.) zum Sieden. Nach dem Erkalten der Lösung kristallisiert das Diketon aus.

1,2-Dioxo-1,2-diphenanthryl-(9)-äthan[1]: 2 g 1-Hydroxy-2-oxo-1,2-diphenanthryl-(9)-äthan, 0,55 g Ammoniumnitrat und 5 mg Kupfer(II)-acetat werden mit 50 *ml* 80%iger Essigsäure zum Sieden erhitzt. Unter stürmischer Stickstoff-Entwicklung geht das Hydroxy-keton in Lösung während sich das Diketon bald darauf ausscheidet; man erhitzt 3 Stdn. zum Sieden, läßt erkalten und saugt ab; Ausbeute: 1,8 g (90% d.Th.); F: 283°.

ϰ) Oxidation mit Blei(IV)-acetat[4]

Blei(IV)-acetat mit seinen spezifischen Eigenschaften der Fragmentierungen, Hydroxylierungen und zahlreichen unerwarteten Reaktionen ist im allgemeinen zur Dehydrierung sek. Alkohole wenig geeignet. So führt z.B. die Einwirkung von Blei-(IV)-acetat in siedendem Benzol auf Steroidalkohole mit dem Strukturelement I zu Fünfringäthern II und in ähnlichen Fällen zu Sechsringäthern[4,5].

Oxidiert man α-Keto-carbinole[6] bei ~ 50° mit Blei(IV)-acetat während mehrerer Stunden in absolutem Benzol bzw. absoluter Essigsäure, so erhält man α,β-Diketone,

---

[1] B. Eistert, H. Schneider u. R. Wollheim, B. **92**, 2061 (1959).

[2] J. H. Biel et al., Am. Soc. **77**, 2250 (1955).

[3] P. Bergmann u. H. Paul, Z. **6**, 339 (1966).

[4] R. Criegee in K. B. Wiberg, *Oxidation in Organic Chemistry*, Organic Chemistry, Bd. 5, Teil A, S. 284, 321, Academic Press, New York–London 1965.
C. Djerassi, *Steroid Reactions*, S. 327, Holden-Day Inc., San Francisco 1963.
R. E. Partch, Tetrahedron Letters, **1964**, Nr. 41, 3071.
V. M. Mićović et al., Tetrahedron Letters **1963**, Nr. 29, 2091.
R. M. Moriarty u. K. Kapadia, Tetrahedron Letters **1964**, Nr. 19, 1165.
H. Immer et al., Helv. **45**, 753 (1962).
G. Cainelli et al., Helv. **44**, 518 (1961); hier auch umfangreiche Literaturangaben.
J. F. Bagli, P. F. Morand u. R. Gaudry, J. Org. Chem. **28**, 1207 (1963).

[5] K. Heusler u. J. Kalvoda, Ang. Ch. **76**, 518 (1964).

[6] E. Baer, Am. Soc. **62**, 1597 (1940).
E. Baer u. M. Kates, Am. Soc. **67**, 1482 (1945).

z.B. *Butandion-(2,3)* in 41%iger und *Benzil* in 83%iger Ausbeute. In Anwesenheit von hydroxygruppen-haltigen Verbindungen wie Wasser oder Alkohol tritt sofort Spaltung in Aldehyd und Carbonsäure ein.

Wird die Oxidation sek. Alkohole in Pyridin[1] vorgenommen, so lassen sich bei Raumtemperatur in einigen Fällen gute Keton-Ausbeuten erzielen. Die Reaktionszeit beträgt je nach Alkohol 10–20 Stunden. Folgende allgemeine Vorschrift eignet sich zur Oxidation primärer und sekundärer Alkohole sowie solcher mit allylständiger Hydroxy-Gruppe.

Ketone durch Dehydrierung von Alkoholen mit Blei(IV)-acetat/Pyridin; allgemeine Arbeitsvorschrift[1]: Man löst 0,02 Mol Alkohol in 100 *ml* Pyridin und versetzt bei Raumtemp. unter Rühren mit der stöchiometrischen Menge an gepulvertem Blei(IV)-acetat. Innerhalb von 30 Min. ist die tiefrote Lösung völlig homogen. Nach mehrstdgm. Rühren (10–20 Stdn.) schlägt die Farbe ins Hellgelbe um. Zu diesem Zeitpunkt ist das gesamte Blei(IV)-acetat zum Blei(II)-acetat reduziert, das allmählich auskristallisiert. Ist das Reaktionsprodukt flüssig, so wird die Lösung vorsichtig destilliert, andernfalls wird nach der Filtration das Pyridin i.Vak. entfernt. Man nimmt den Rückstand in Äther auf, wäscht mit Wasser, trocknet die Lösung und destilliert den Äther ab. Das Produkt kann durch Umkristallisation gereinigt werden.

Auf diese Weise werden folgende Ketone erhalten:

Benzil[1]	90% d. Th.
Benzophenon[1]	80% d. Th.
Hexandion-(2,5)[1]	89% d. Th.

Aus der Steroid-Reihe ist folgendes interessante Beispiel bekannt geworden:

6,20-Dioxo-3,5-cyclo-pregnan[2]: Eine Lösung von 8,34 g 6β-Hydroxy-20-oxo-3,5-cyclo-pregnan in 66 *ml* Dimethylsulfoxid wird unter Feuchtigkeitsausschluß, Rühren und unter Stickstoff mit 15,9 g Blei(IV)-acetat versetzt. Die Temp. wird durch Kühlung bei 30–35° gehalten. Nach Abklingen der Reaktionswärme kühlt man auf Raumtemp. ab. Unter mäßiger Kühlung werden nacheinander 6 *ml* Glykol und 150 *ml* Wasser eingerührt. Das Diketon kristallisiert dabei aus, wird nach der Filtration mit Wasser gewaschen und i.Vak. bei 50° getrocknet; Ausbeute: 8,2 g (98,8% d.Th.!); F: 164°.

λ) Oxidation mit Wismut(III)-oxid

In einigen Fällen ist Wismut(III)-oxid[3] gelöst in Essigsäure zur Keton-Herstellung herangezogen worden; z.B. in der Steroid[4]- und in der Alkaloid-Reihe[5].

Das Oxidationsmittel wirkt sehr langsam ein, so daß oft tagelanges Kochen erforderlich ist.

μ) Oxidation mit Silbersalzen

Als völlig neutrales Oxidationsmittel wird Silbercarbonat[6,7], auf Kieselgur niedergeschlagen, empfohlen, ebenso das Silbersalz der Pyridin-2-carbonsäure[8]. Nach diesem Verfahren sollen Hydroxy-Gruppen bevorzugt in Allyl-Stellung

[1] R. E. Partch, Tetrahedron Letters, **1964**, Nr. 41, 3071.

[2] DAS. 1 214 222 (1963) ≡ Belg. P. 650 898 (1965), Farbw. Hoechst, Erf.: W. Fritsch, W. Haede u. U. Stache; C. A. **64**, 8269ᵃ (1966).

[3] W. Rigby, Soc. **1951**, 793.

[4] C. Djerassi, H. J. Ringold u. G. Rosenkranz, Am. Soc. **76**, 5533 (1954).

[5] S. M. Kupchan u. D. Lavie, Am. Soc. **77**, 683 (1955).

[6] H. Rapoport u. H. N. Reist, Am. Soc. **77**, 490 (1955).
M. Fétizon, M. Golfier u. J. M. Louis, Chem. Commun. **1969**, 1102.
M. Fétizon u. M. Golfier, C. r. [C] **267**, 900 (1968).
Weitere Literatur s. L. J. Chinn, *Selection of Oxidants in Synthesis*, S. 53, M. Dekker Inc., New York 1971.

[7] W. King, W. G. Penprase u. M. C. Kloetzel, J. Org. Chem. **26**, 3558 (1961).

[8] J. B. Lee u. T. G. Clarke, Tetrahedron Letters **1967**, Nr. 5, 415.

angegriffen und in hohen Ausbeuten oxidiert werden; Ester- und Ketal-Gruppen bleiben intakt. Silber-trifluoracetat[1] dürfte diese Vorzüge nicht mehr besitzen. Die Wirkungsbreite von Silberoxid-Derivaten geht anscheinend nicht über die von aktivem Mangan(IV)-oxid hinaus.

Codeinon[2]: Eine Lösung von 10 g (0,033 Mol) Codein in 150 *ml* Toluol wird in einem 500-*ml*-Dreihalskolben mit 25 g (0,091 Mol) Silber(I)-carbonat 10–15 Min. unter einem mäßigen Stickstoffstrom erhitzt. Man filtriert noch heiß, wäscht mit heißem Benzol und isoliert aus dem Filtrat 8,2 g Codeinon (82% d.Th.); F: 178–180°.

v) Oxidation mit Ruthenium(VIII)- und Osmium(VIII)-oxid

Ruthenium(VIII)[3-8]- und Osmium(VIII)-oxid[9] sind gelegentlich zur Oxidation von sek. Alkoholen herangezogen worden.

Normalerweise sind diese Oxidationsmittel hierfür wenig geeignet, da sie zu energisch wirken und zahlreiche Nebenreaktionen auslösen. So werden C=C-Doppelbindungen gespalten und auch prim. Alkohole zu Aldehyd-Gruppen oxidiert.

Die Oxidationen werden in Tetrachlormethan bei 0° durchgeführt. Bemerkenswert ist die Löslichkeit von Ruthenium(VIII)-oxid in Tetrachlormethan. Ruthenium-(VIII)-oxid kann auch im status nascendi aus Ruthenium(IV)-oxid und Natriumperjodat in Gegenwart von Tetrachlormethan angewandt werden[3]. Diese Methode hat den Vorteil, daß nur geringe Mengen Rutheniumoxid erforderlich sind, da verbrauchtes Ruthenium(VIII)-oxid ständig aus Ruthenium(IV)-oxid regeneriert wird.

ξ) Oxidation mit Selendioxid[10]

Selendioxid ist in einigen Fällen auch zur Dehydrierung sekundärer Hydroxy-Gruppen zu Ketonen verwendet worden. Der acide 2-Hydroxy-3-oxo-butansäure-äthylester wird bereits bei Raumtemperatur mit einer Suspension von Selendioxid in Äthanol zu *2,3-Dioxo-butansäure-äthylester* dehydriert[11].

---

[1] E. D. BERGMANN u. I. SHAHAK, Soc. **1959**, 1418.

[2] W. KING, W. G. PENPRASE u. M. C. KLOETZEL, J. Org. Chem. **26**, 3558 (1961).

[3] V. M. PARIKH u. J. K. N. JONES, Canad. J. Chem. **43**, 3452 (1965).

[4] J. A. CAPUTO u. R. FUCHS, Tetrahedron Letters **1967**, Nr. 47, 4729.

[5] L. M. BERKOWITZ u. P. N. RYLANDER, Am. Soc. **80**, 6682 (1958); dort findet sich auch eine ausführliche Herstellungsvorschrift für die Ruthenium(VIII)-oxid-Oxidationslösung.

[6] P. J. BEYNON et al., Carbohydrate Res. **6**, 431 (1968).

[7] H. NAKATA, Tetrahedron **19**, 1959 (1963).

[8] R. F. BUTTERWORTH u. S. HANESSIAN, *Selected Methods of Oxidation in Carbohydrate Chemistry*, Synthesis **1971**, 70.

[9] B. E. CROSS, Soc. [C] **1966**, 501; s. Fußnote auf S. 502 dieser Arbeit.

[10] N. RABJOHN, Org. Reactions **5**, 331 (1949).
E. N. TRACHTENBERG in R. L. AUGUSTINE, *Oxidation*, Bd. 1, S. 119–187, M. Dekker, Inc., New York 1969.
vgl. a. ds. Handb., Bd. VII/1, Kap. Aldehyde, S. 150

[11] H. BÖHME u. H. SCHNEIDER, B. **91**, 988 (1958).

2,3-Dioxo-butansäure-äthylester[1]: Eine Lösung von 3,5 g 2-Hydroxy-3-oxo-butansäure-äthylester in 50 ml Äthanol wird mehrere Stdn. mit 1,9 g fein gepulvertem Selendioxid bei Raumtemp. geschüttelt und nach dem Absetzen des Niederschlags filtriert. Anschließend erhitzt man noch einige Stdn. unter Rückfluß, filtriert nochmals, engt das Filtrat ein und fraktioniert den Rückstand; Ausbeute: 2,8 g (81% d.Th.); Kp_{11}: 66°.

Mit Salpetersäure, Chromsäure sowie Mangan(IV)-oxid gelingt es nicht, 1,2-Dihydroxy-1,1,2-triphenyl-äthan zum *1-Hydroxy-2-oxo-1,1,2-triphenyl-äthan* zu oxidieren. Mit Selendioxid jedoch lassen sich unter drastischen Bedingungen befriedigende Ausbeuten erzielen[2]:

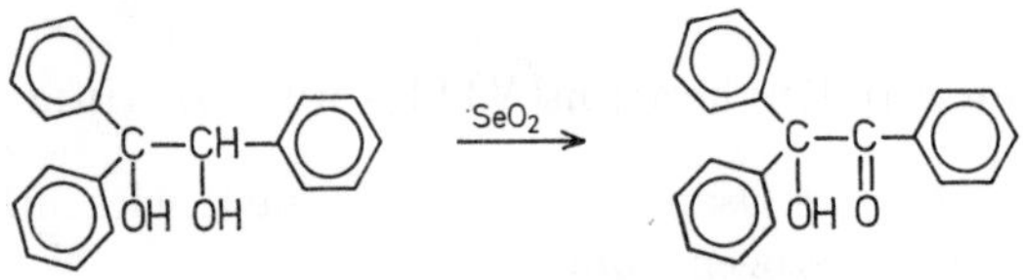

2-Hydroxy-1-oxo-2,2-diphenyl-1-(2-methyl-phenyl)-äthan[2]: Eine geschmolzene Mischung aus 5 g 1,2-Dihydroxy-1 2-diphenyl-1-(2-methyl-phenyl)-äthan und 1,5 g Selendioxid wird 5 Min. bei 200° gerührt. Nach dem Abkühlen verreibt man das Gemisch mit Äther und isoliert die organische Phase. Man wäscht mit Natriumhydrogencarbonat-Lösung und trocknet über Natriumsulfat. Der nach der Ätherdestillation verbleibende Rückstand wird aus Hexan/Benzol (1:1) umkristallisiert; Ausbeute: 3,2 g (65% d.Th.); F: 116–117°.

Nachteilig für Selendioxid ist: Die Aktivitäten der unterschiedlich hergestellten Präparate schwanken (z.T. durch längeres Lagern bedingt), bei höheren Temperaturen treten leicht Dehydrierungen (Aromatisierungen) (verursacht durch das entstandene Selen) ein und in geringem Umfang kann auch Selen in die Molekel eintreten.

o) mit Halogenen und Verbindungen mit positiv induziertem Halogen

o_1) *Oxidation mit Halogenen und Hypohalogeniten*

Freie Halogene sind in der Regel für die Oxidation sek. Carbinole nicht geeignet, da sehr leicht Halogen in das entstandene Keton eintritt.

Dort, wo scheinbar direkt mit Halogen oxidiert wird, geschieht dies im alkalischen Bereich, so daß Hypohalogenite die eigentlich oxidierenden Agentien sind.

Mit Brom in Gegenwart von Magnesiumhydroxid wird aus 4-Hydroxy-4-phenyl-butansäure in 83%iger Ausbeute die *4-Oxo-4-phenyl-butansäure*[3] erhalten; aus Lactonen entstehen Ketocarbonsäuren[4].

Ein Sonderfall stellt lediglich die Oxidation von Weinsäure zu *Tetrahydroxy-bern-steinsäure (Dihydroxy-weinsäure)* mittels Brom in Essigsäure dar[5]:

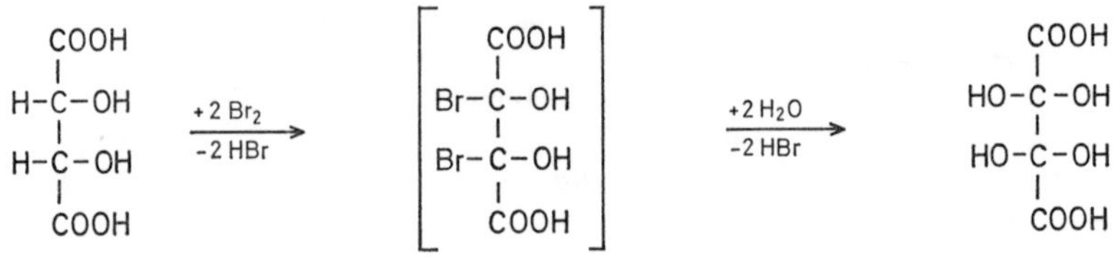

[1] H. Böhme u. H. Schneider, B. **91**, 988 (1958).
[2] J. F. Eastham u. D.J. Feeney, J. Org. Chem. **23**, 1826 (1958).
[3] R. R. Russell u. C. A. VanderWerf, Am. Soc. **69**, 11 (1947).
[4] J. A. McRae, E. H. Charlesworth u. D. S. Alexander, Canad. J. Res. **21**, Sect. B, 1 (1943).
[5] H. J. H. Fenton, Soc. **67**, 48 (1895).

Dihydroxy-weinsäure (Tetrahydroxy-bernsteinsäure)[1]; Dinatriumsalz: Man überschichtet Weinsäure mit Eisessig und läßt die berechnete Menge Brom unter Rühren zutropfen, wobei Bromwasserstoff entweicht. Zum Schluß gibt man etwas Wasser zu. Man verdünnt mit Wasser, sobald das Brom verbraucht ist und neutralisiert mit Natriumcarbonat; dabei scheidet sich das Natriumsalz aus, das abgesaugt und mit kaltem Wasser ausgewaschen wird; Ausbeute: quantitativ.

Die freie Dihydroxy-weinsäure zerfällt beim Kochen mit Wasser leicht in Hydroxy-malonsäure (Tartronsäure) und Kohlendioxid[2].

In ähnlicher Weise erhält man die Dihydroxy-weinsäure aus Dihydroxy-maleinsäure durch Addition von Brom in Gegenwart von Wasser (70% d.Th.)[2,3].

Zur Dehydrierung sekundärer Alkohole kann auch gelegentlich tert.-Butylhypochlorit verwendet werden. Das Reagens wird durch Chlorierung einer alkalischen Lösung von tert.-Butanol erhalten[4]. Vorsicht; es können *Explosionen* bei der Herstellung auftreten[5].

In wasserfreien Lösungsmitteln verläuft die Reaktion mit sekundären Alkoholen meist mit guten Ausbeuten. Durch Zusatz molarer Mengen Pyridin wird der Halogenwasserstoff gebunden.

Cyclohexanol wird in Tetrachlormethan zu *Cyclohexanon* (90% d.Th.) oxidiert[6] (in Äther als Lösungsmittel beträgt die Ausbeute 84% d.Th.).

Auch 3-Hydroxy-steroide lassen sich bei Raumtemperatur in hohen Ausbeuten zu den 3-Oxo-steroiden oxidieren. Als Lösungsmittel werden Tetrachlormethan[7] oder tert.-Butanol[8] eingesetzt.

cis- und *trans*-1-Hydroxy-2-phenyl-cyclohexan werden in sehr guter Ausbeute in *2-Oxo-1-phenyl-cyclohexan* überführt[9]:

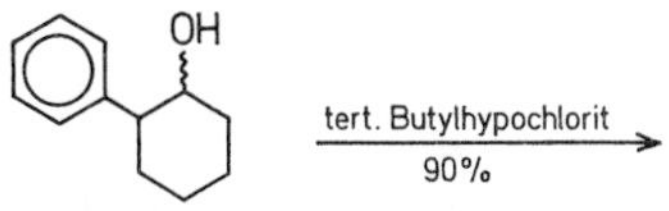

Als Nebenreaktion bei der Oxidation von Cholesterin beobachtet man eine Chlorierung zum *6β-Chlor-3-oxo-cholesten-(4)*[10]:

---

[1] H.J.H. Fenton, Soc. **67**, 48 (1895).

[2] H.J.H. Fenton, Soc. **73**, 71 (1898).

[3] s.a. A.P. Okatov, J. Soc. phys. Chem. russ. **60**, 661 (1928); C.A. **23**, 2424 (1929).

[4] H.M. Teeter u. E.W. Bell, Org. Synth., Coll. Vol. **IV**, 125 (1963).
  s.a. ds. Handb., Bd. V/3, Kap. Herstellung von Chlor-Verbindungen, S. 765.

[5] C.P.C. Bradshaw u. H. Nechvatal, Pr. Chem. Soc. **1963**, 213.

[6] C.A. Grob u. H.U. Schmid, Helv. **36**, 1763 (1953).

[7] J.J. Beereboom et al., Am. Soc. **75**, 3500 (1953).

[8] G.S. Fonken, J.L. Thompson u. R.H. Levin, Am. Soc. **77**, 172 (1955).

[9] L.F. Fieser u. M. Fieser, *Reagents for Organic Synthesis*, S. 91, John Wiley and Sons, Inc., New York · London · Sydney 1967.

[10] D. Ginsburg, Am. Soc. **75**, 5489 (1953).
  s.a. A.R. Hanze et al., Am. Soc. **76**, 3179 (1954).

o_2) *Oxidation mit N-Halogen-Verbindungen*

N-Halogen-Verbindungen, besonders solche vom Carbonsäure-amid-Typ[1], haben auch zur Oxidation sek. Alkohole Bedeutung erlangt; z.B.: N-Brom-acetamid[2], -succinimid, -phthalimid, N-Brom-caprolactam und Isocyanursäure-bromid (1,3,5-Tribrom-2,4,6-trioxo-hexahydro-1,3,5-triazin). Mit Ausnahme von 1-Chlor-benztriazol sind die entsprechenden N-Chlor-Verbindungen weniger geeignet, da sie leicht zu Nebenreaktionen führen.

N-Halogen-Verbindungen oxidieren im allgemeinen sekundäre Alkohole schneller als primäre. Das Gelingen der Oxidation hängt von der Struktur des jeweiligen Alkohols, dem Oxidationsreagens und den Reaktionsbedingungen ab.

Das jeweilige Lösungsmittel ist von großem Einfluß auf den Reaktionsverlauf. Häufig verwendet werden wäßriges Aceton, 1,4-Dioxan, tert.-Butanol oder Pyridin.

Spezielle Anwendung finden die N-Halogen-Verbindungen zur Oxidation von Hydroxy-Gruppen in der Steroidchemie. Maßgebend hierfür sind die milden Reaktionsbedingungen und der durch die Wahl eines geeigneten Lösungsmittels mögliche stereoselektive Verlauf der Oxidation.

Steroide mit axialen Hydroxy-Gruppen werden sehr viel leichter oxidiert als solche mit äquatorialen.

Es sind zahlreiche systematische Untersuchungen zur Klärung der Besonderheiten bei der Oxidation von Hydroxy-steroiden mit N-Halogen-Verbindungen durchgeführt worden[3].

oo_1) Oxidation mit N-Brom-acetamid

N-Brom-acetamid[4] oxidiert z.B. 4-Phenyl-butanol-(2) unter Lichtausschluß bei 25° zu *3-Oxo-1-phenyl-butan* (72% d. Th)[5]:

---

[1] R. FILLER, Chem. Reviews **63**, 21 (1963).

[2] H. REICH u. T. REICHSTEIN, Helv. **26**, 562 (1943).

[3] L. F. FIESER, H. HEYMANN u. S. RAJAGOPALAN, Am. Soc. **72**, 2306 (1950).
L. F. FIESER u. S. RAJAGOPALAN, Am. Soc. **71**, 3935, 3938 (1949); **72**, 5530 (1950).
US.P. 2569300 (1949), Research Corp., Erf.: L. F. FIESER u. S. RAJAGOPALAN; C. A. **46**, 1598e (1952).

[4] E. P. OLIVETO u. C. GEROLD, Org. Synth., Coll. Vol **4**, 104 (1963).
L. F. FIESER u. M. FIESER, *Reagents for Organic Synthesis*, S. 74, John Wiley and Sons, Inc., New York 1967.
vgl. ds. Handb., Bd. V/4, Kap. Bromierungsmittel, S. 33.

[5] R. A. CORRALL u. O. O. ORAZI, Chem. Commun. **1965**, 5.
Zur Oxidation von Cycloalkylalkoholen s. J. LECOMTE u. H. GAULT, C. r. **238**, 2538 (1954).

Wegen der milden Reaktionsbedingungen und der Möglichkeit zur selektiven Oxidation findet das Reagens besonders in der Steroidchemie Verwendung[1]. Die Ausbeuten sind in einigen Fällen höher als bei der Chromsäure-Oxidation[2]. 3α,11α-Di-hydroxy-20-oxo-pregnan wird selektiv zu *11α-Hydroxy-3,20-dioxo-pregnan* (80% d. Th.) oxidiert[3]. Auch 3α,21-Dihydroxy-steroide werden selektiv in 3-Stellung oxidiert[4]. Als Beispiel sei die Herstellung des *21-Hydroxy-3,11-dioxo-20-cyan-pregnen-(17²⁰)* angeführt.

21-Hydroxy-3,11-dioxo-20-cyan-pregnen-(17²⁰)[4]: Zu einer Lösung von 13,05 g N-Brom-acetamid in 233 *ml* Methanol, 3,6 *ml* Pyridin und 12,7 *ml* Wasser werden 15 g (0,023 Mol) reines 3α,21-Dihy-droxy-11-oxo-20-cyan-pregnen-(17²⁰) gegeben. Man rührt die Mischung über Nacht im Dunkeln und versetzt nacheinander mit 4,2 *ml* Allylalkohol und 4,4 *ml* 6n Salzsäure. Zur vollständigen Ausfällung des Dions fügt man langsam (in 20 Min.) 900 *ml* Wasser zu, kühlt 30 Min. in einem Eisbad, saugt das kristalline Produkt ab, wäscht mit Wasser und trocknet; Ausbeute: 14,3 g (96,5% d. Th.); Kp: 254–255°.

oo₂) Oxidation mit N-Brom-succinimid

Auch N-Brom-succinimid (NBS) ist als Oxidationsmittel für sekundäre Alkohole von präparativem Wert[5]. Die Bromierung der entstehenden Carbonyl-Verbindung kann durch Zusatz von Calciumcarbonat oder Pyridin stark zurückgedrängt oder ganz unterdrückt werden[6].

Bei substituierten Benzylalkoholen gelingt die Oxidation der dem Kern benach-barten Hydroxy-Gruppe glatt, während weiter entfernt stehende Hydroxy-Gruppen nur geringe Ausbeuten an Carbonyl-Verbindungen ergeben.

Cyclische sekundäre Alkohole werden in guten Ausbeuten zu Ketonen oxidiert (N-Brom-acetamid wird hier mit gleichem Erfolg verwendet)[7].

[1] L. F. FIESER u. S. RAJAGOPALAN, Am. Soc. **71**, 3935 (1949).

  K. MORITA, Bl. chem. Soc. Japan, **32**, 227 (1959); **31**, 450 (1958).

  US. P. 2838498 (1957), Upjohn Co., Erf.: B. J. MAGERLEIN, G. B. SPERO, W. P. SCHNEIDER u. J. A. HOGG; C. A. **53**, 4362ᶜ (1959).

  DBP. 927030 (1955), Syntex SA, Erf.: G. ROSENKRANZ, J. PATAKI u. C. DJERASSI; C. A. **52**, 2107ᵇ (1958).

  US. P. 2852538 (1955), Upjohn Co., Erf.: M. A. SCHERI, G. S. FONKEN u. J. A. HOGG; C. A. **53**, 4364ᶜ (1959).

  H. L. HERZOG et al., J. Org. Chem. **22**, 1413 (1957).

  R. M. EVANS et al., Soc. **1958**, 1529.

  R. O. CLINTON et al., Am. Soc. **80**, 3395 (1958).

  V. N. GUPTA u. M. EHRENSTEIN, Canad. J. Chem. **46**, 2601 (1968).

[2] B. A. KOECHLIN, T. H. KRITCHEVSKY u. T. F. GALLAGHER, J. Biol. Chem. **184**, 393 (1950).

[3] E. P. OLIVETO, H. L. HERZOG u. E. B. HERSHBERG, Am. Soc. **75**, 1505 (1953).

[4] R. E. JONES u. F. W. KOCHER, Am. Soc. **76**, 3682 (1954).

[5] L. HORNER u. E. H. WINKELMANN, Ang. Ch. **71**, 354 (1959).

  M. Z. BARAKAT u. G. M. MOUSA, J. Pharm. Pharmacol. **4**, 115, (1952).

  M. Z. BARAKAT u. M. F. A. EL-WAHAB, Am. Soc. **75**, 5731 (1953).

  P. F. KRUSE, K. L. GRIST u. T. A. McCOY, Anal. Chem. **26**, 1319 (1954).

  M. Z. BARAKAT, M. F. A. EL-WAHAB u. M. M. EL-SADR, Am. Soc. **77**, 1670 (1955).

  K. HEYNS u. K. STANGE, Z. Naturforsch. **10** [b], 129 (1955).

  N. VENKATASUBRAMANIAN u. V. THIAGARAJAN, Canad. J. Chem. **47**, 694 (1969).

[6] C. G. STUCKWISCH, G. G. HAMMER u. N. F. BLAU, J. Org. Chem. **22**, 1678 (1957).

  R. A. CORRALL u. O. O. ORAZI, An. Asoc. quim. arg. **1967**, 55; C. A. **69**, 105572ʳ (1968); hier ist als Oxidationsmittel auch 1,3-Dibrom-5,5-dimethyl-hydantoin (1,3-Dibrom-2,4-dioxo-5,5-dimethyl-tetrahydroimidazol) erwähnt.

[7] L. F. FIESER u. S. RAJAGOPALAN, Am. Soc. **71**, 3938 (1949).

$3\beta,5\alpha,6\beta$-Trihydroxy-cholestan wird in wäßrigem 1,4-Dioxan zu *$3\beta,5\alpha$-Dihydroxy-6-oxo-cholestan* oxidiert[1]. Der selektive Angriff auf eine der drei sekundären Hydroxy-Gruppen der Cholsäure ($3\alpha,7\alpha,12\alpha$-Trihydroxy-5β-cholansäure) führt mit überschüssigem N-Brom-succinimid in wäßriger Hydrogencarbonat-Lösung zu *$3\alpha,12\alpha$-Dihydroxy-6-oxo-5β-cholansäure (6-Desoxy-cholsäure)*[2]:

Cholsäure   *Desoxycholsäure*

α-Hydroxy-carbonsäureester werden zu α-Oxo-carbonsäureestern oxidiert, z.B. 3-Chlor-2-hydroxy-propansäure-äthylester zu *3-Chlor-2-oxo-propansäure-äthylester*[3]:

3-Chlor-2-oxo-propansäure-äthylester[3]: Eine Mischung von 7,67 g (0,05 Mol) 3-Chlor-2-hydroxy-propansäure-äthylester, 8,9 g (0,05 Mol) N-Brom-succinimid und 75 *ml* Tetrachlormethan läßt man 3 Stdn. unter Rückfluß sieden. Nach dem Erkalten filtriert man die Mischung und trocknet das Filtrat über Natriumsulfat. Der nach Abzug des Lösungsmittels erhaltene Rückstand wird destilliert; Ausbeute: 5,5 g (72% d.Th.); Kp_8: 74–75°.

oo_3) Oxidation mit N-Chlor-succinimid[4]

N-Chlor-succinimid tritt in seiner Bedeutung als Oxidationsmittel hinter N-Brom-succinimid und N-Brom-acetamid zurück.

Aliphatische sekundäre Alkohole lassen sich im Benzol/Pyridin-Gemisch bei 90–95° innerhalb von 2 Stunden in mäßigen Ausbeuten zu Ketonen oxidieren[5]. Beispiele für die Oxidation von Terpenalkoholen[6], cycloaliphatischen sekundären

[1] L. F. FIESER u. S. RAJAGOPALAN, Am. Soc. **71**, 3938 (1949).

[2] L. F. FIESER u. S. RAJAGOPALAN, Am. Soc. **71**, 3935 (1949).
Weitere Beispiele für Oxidationen von Steroidalkoholen:
   Brit.P. 787455 (1957); 810009 (1959), Les Laboratoires Français de Chimiothérapie; C.A.
      52, 10228^d (1958); **53**, 16211e (1959).
   H. B. HENBEST u. R. A. WILSON, Soc. **1959**, 4136.
   Jap.P. 5372 (1956), Shionogi Drug Manufg. Co., Erf.: J. KAWANAMI; C. A. **52**, 11978^i (1958).
   O. K. NIKIFOROVA u. N. N. SUVOROV, Ž. obšč. Chim. **28**, 1984 (1958); engl. 2025.
   USSR.P. 106380 (1958), N. N. SUVOROV, Z. D. OVCHINNIKOVA, V. S. MURASHEVA, L. V. SO-
      KOLOVA u. F. Y. LEIBEL'MAN; C. A. **53**, 2294^a (1959).
   D. TAUB et al., Am. Soc. **80**, 4435 (1958).

[3] C. G. STUCKWISCH, G. G. HAMMER u. N. F. BLAU, J. Org. Chem. **22**, 1678 (1957).

[4] C. A. GROB u. H. U. SCHMID, Experientia **5**, 199 (1949).
Herstellung von N-Chlor-succinimid beschrieben in:
   C. A. GROB u. H. U. SCHMID, Helv. **36**, 1763 (1953).
   s. ds. Handb., Bd. V/3, Kap. Herstellung von Chlor-Verbindungen, S. 800.

[5] T. SAIGUSA, H. MORIGA u. R. ODA, Bull. Inst. Chem. Research. Kyoto Univ. **33**, 49 (1955);
C. A. **50**, 14620^g (1956).

[6] F. MUKAWA, J. Chem. Soc. Japan, pure Chem. Sect. **78**, 450 (1957); C. A. **53**, 5338^a (1959).

Alkoholen[1], aromatischen sekundären Alkoholen[2] sowie von Cholesterin zum *3-Oxo-cholesten-(5)*[3] sind in der Literatur angegeben.

oo_4) Oxidation mit 1-Chlor-benztriazol

In neuerer Zeit wurde das 1-Chlor-benztriazol als Dehydrierungsmittel vorge-schlagen[4].

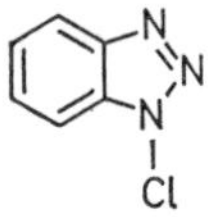

Es ist verhältnismäßig stabil und hydrolysebeständig.

Ketone; allgemeine Arbeitsvorschrift[4]: Eine $\sim 5\%$ige Lösung des 1-Chlor-benztriazols ($\sim 1,1$ Mol) in Benzol oder Tetrachlormethan wird mit ~ 1 Mol des sek. Alkohols unter Rückfluß mehrere Stdn. erhitzt.

Aus Cyclohexanol wurden so $\sim 60\%$ d.Th. *Cyclohexanon* erhalten unter Rückgewinnung von 15% des Ausgangsmaterials.

Das 1-Chlor-benztriazol wird durch Einrühren einer Natriumhypochlorit-Lösung in die Lösung des Benztriazols in 50%iger Essigsäure bei $20°$ erhalten.

π) Oxidation mit Stickstoff-Sauerstoff-Verbindungen

π_1) *mit Salpetersäure*

Salpetersäure ist vielfach für die Oxidation sek. Alkohole zu Ketonen herangezogen worden; doch ist diese im allgemeinen hierzu weniger geeignet als z.B. Chromsäure, da Salpetersäure und besonders die daraus entstehenden Stickoxide leicht mit den benachbarten CH- bzw. CH_2-Gruppen weiterreagieren können. So entsteht aus Cyclohexanon (oder -ol) durch Einwirkung von Salpetersäure unterhalb $+15°$ *Cyclo-hexandion-(1,2)* (s. S. 685) und bei höheren Temperaturen Adipinsäure, beide in sehr guten Ausbeuten.

Tragen jedoch die der sek. Hydroxy-Gruppe benachbarten Kohlenstoffatome keine Wasserstoffatome, dann verläuft die Oxidation meist sehr glatt. Die Verhält-nisse liegen hier ganz ähnlich wie bei der Permanganat-Oxidation (s. S. 746).

Zur Oxidation wird in der Regel konz. Salpetersäure (d = 1,41) eingesetzt. Bei Verwendung von 99%iger Salpetersäure ist besondere Vorsicht geboten, da diese *explosions*artig reagieren kann, sobald sich Stickstoffdioxid und Wasser gebildet haben.

So läßt sich z.B. Benzoin glatt zu *Benzil*[5] oxidieren und 1-Hydroxy-2-oxo-3,3-dimethyl-1-phenyl-butan zu *1,2-Dioxo-3,3-dimethyl-1-phenyl-butan*[6]:

[1] C. A. Grob u. H. U. Schmid, Helv. **36**, 1763 (1953).
[2] M. F. Hebbelynck, Ind. chim. belge **16**, 483 (1953).
    M. F. Hebbelynck u. R. H. Martin, Bull. Soc. chim. belges **60**, 54 (1951).
[3] C. A. Grob u. H. U. Schmid, Experientia **5**, 199 (1949).
    Herstellung von N-Chlor-succinimid beschrieben in:
        C. A. Grob u. H. U. Schmid, Helv. **36**, 1763 (1953).
    s. ds. Handb., Bd. V/3, Kap. Herstellung von Chlor-Verbindungen, S. 800.
[4] C. W. Rees u. R. C. Storr, Soc. [C] **1969**, 1474.
[5] N. Zinin, A. **34**, 186 (1840).
[6] R. C. Fuson, H. Gray u. J. J. Gouza, Am. Soc. **61**, 1937 (1939).

$$H_3C-\underset{\underset{CH_3}{|}}{\overset{\overset{CH_3}{|}}{C}}-CO-\underset{\underset{OH}{|}}{CH}-\langle\bigcirc\rangle \longrightarrow H_3C-\underset{\underset{CH_3}{|}}{\overset{\overset{CH_3}{|}}{C}}-CO-CO-\langle\bigcirc\rangle$$

Ebenso werden in guten Ausbeuten *1,2-Dioxo-3,3-dimethyl-1-(3,5-dimethyl-phenyl)-butan, -1-(4-methyl-phenyl)-butan* und *-1-(2,4,6-trimethyl-phenyl)-butan* erhalten.

Durch kurzes Aufkochen von 3-Hydroxy-2,2,4,4-tetramethyl-pentan mit konz. Salpetersäure erhält man in sehr guter Ausbeute *3-Oxo-2,2,4,4-tetramethyl-pentan*:

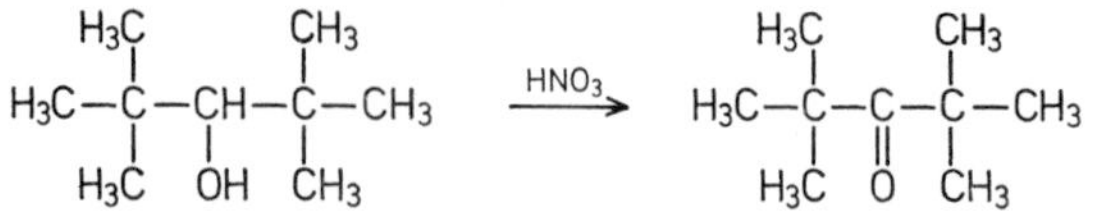

$$H_3C-\underset{\underset{H_3C}{|}}{\overset{\overset{H_3C}{|}}{C}}-\underset{\underset{OH}{|}}{CH}-\underset{\underset{CH_3}{|}}{\overset{\overset{CH_3}{|}}{C}}-CH_3 \xrightarrow{HNO_3} H_3C-\underset{\underset{H_3C}{|}}{\overset{\overset{H_3C}{|}}{C}}-\underset{\underset{O}{\|}}{C}-\underset{\underset{CH_3}{|}}{\overset{\overset{CH_3}{|}}{C}}-CH_3$$

3-Oxo-2,2,4,4-tetramethyl-pentan[1]: 64,7 g 3-Hydroxy-2,2,4,4-tetramethyl-pentan werden mit 180 *ml* konz. Salpetersäure vorsichtig gemischt. Nach dem Abklingen der stürmischen Reaktion wird noch 20 Min. unter Rückfluß erhitzt. Nach dem Erkalten wird mit Wasser verdünnt und in Äther aufgenommen. Die ätherische Lösung wird zunächst mit Wasser und danach mit starker wäßriger Natronlauge ausgeschüttelt. Nach dem Trocknen wird destilliert; Ausbeute: 81% d.Th.; Kp: 153–153,6°.

In gleicher Weise läßt sich auch *Hexafluor-aceton* herstellen.

Näher wurde die Einwirkung konzentrierter Salpetersäure auf sekundäre Alkohole der Bicyclo[2.2.1]heptan-Reihe[2] untersucht. Bei 20° werden die *endo*-Isomeren rasch zu den entsprechenden Ketonen oxidiert, die *exo*-Isomeren dagegen in die Salpetersäureester überführt.Die Oxidation von Isoborneol (*exo*-2-Hydroxy-1,7,7-trimethyl-bicyclo[2.2.1]heptan) zu *Campher* (*2-Oxo-1,7,7-trimethyl-bicyclo[2.2.1] heptan*) gelingt mit besserer Ausbeute, wenn der konz. Salpetersäure kleine Anteile konz. Schwefelsäure beigefügt sind[3]. Die Stabilität von Ketonen, die an den benachbarten C-Atomen keine Wasserstoffatome tragen, ermöglicht es, die im *2-Oxo-1,3,3-trimethyl-bicyclo[2.2.1]heptan* (*Fenchon*) enthaltenen Verunreinigungen durch Erhitzen mit Salpetersäure oxidativ abzubauen[4].

Aber auch *3,4-Dioxo-1,6-diphenyl-2,5-dibenzyl-hexan* (Wasserstoffatom am benachbarten C-Atom!) konnte in 90%iger Ausbeute durch Oxidation des entsprechenden Acyloins mit Salpetersäure erhalten werden[5]:

$$(H_5C_6-CH_2)_2CH-\underset{\underset{OH}{|}}{CH}-CO-CH(CH_2-C_6H_5)_2 \longrightarrow (H_5C_6-CH_2)_2CH-\underset{\underset{O}{\|}}{C}-\underset{\underset{O}{\|}}{C}-CH(CH_2-C_6H_5)_2$$

Die Oxidation von 1,2-Dihydroxy-1-phenyl-propan mit Salpetersäure führt je nach der Dauer der Einwirkung zu *2-Hydroxy-1-oxo-1-phenyl-propan* oder *1,2-Dioxo-1-phenyl-propan*[6]:

[1] P. D. BARTLETT u. A. SCHNEIDER, Am. Soc. **67**, 141 (1945).
[2] H. TOIVONEN, Suomen Kem. **30** [A], 130 (1957); **25** [B], 69 (1952); C. A. **51**, 17832[f] (1957); **48**, 2009[b] (1954).
[3] M. L. BERI u. J. L. SARIN, Chem. & Ind. **14**, 605 (1936).
[4] *Rodd's Chemistry of Carbon Compounds*, 2. Aufl.. Bd. II/c, S. 234, Elsevier Publ. Co., Amsterdam–London–New York 1969.
[5] H. SCHEIBLER u. F. EMDEN, A. **434**, 265 (1923).
[6] T. ZINCKE u. K. ZAHN, B. **43**, 849 (1910).

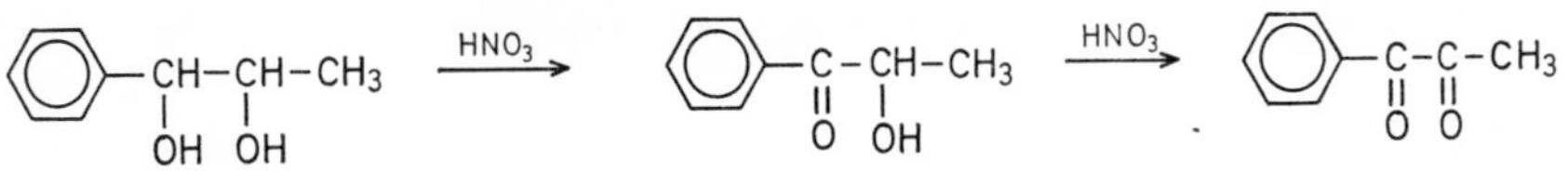

Mit Chrom(VI)-oxid oder Kaliumpermanganat werden nur Spaltprodukte erhalten[1].

Die Oxidation von Chinasäure (*cis,cis,trans,cis*-1,3,4,5-Tetrahydroxy-cyclohexan-1-carbonsäure) führt mit konz. Salpetersäure bei 0° zur *5-Dehydro-chinasäure* (*cis,trans,cis-1,4,5-Trihydroxy-3-oxo-cyclohexan-1-carbonsäure*), die damit erstmals präparativ zugänglich wurde[2]:

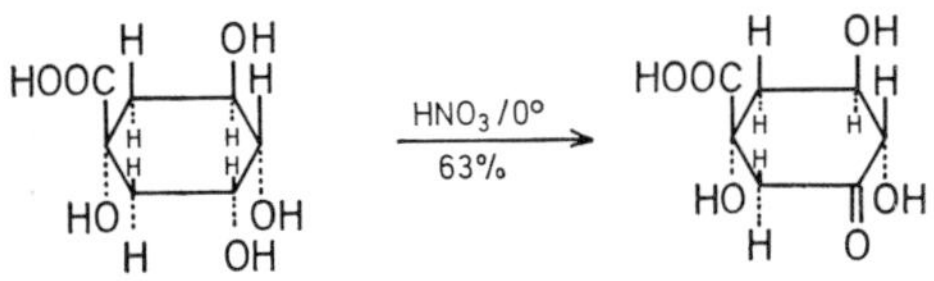

Bei der Oxidation von sek. Carbinolen, die aromatische Reste enthalten, ist zu beachten, daß auch Kern-Nitrierungen eintreten können. So wird bei der Behandlung von 1-Hydroxy-1-phenyl-propan mit 98%iger Salpetersäure in Gegenwart von Harnstoff bei niederen Temperaturen das Nitrat-Gemisch I erhalten. Das abgetrennte p-Isomere läßt sich mit Natriumäthanolat zu *4-Nitro-1-propanoyl-benzol* spalten[3]:

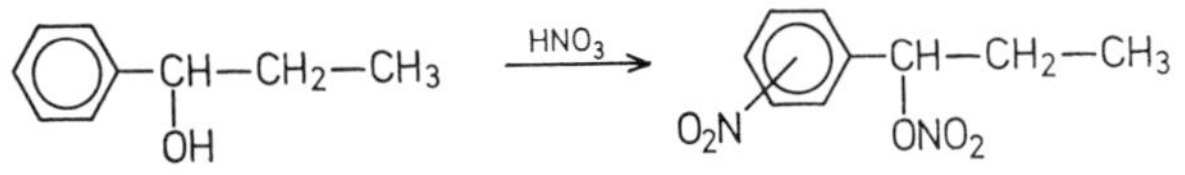

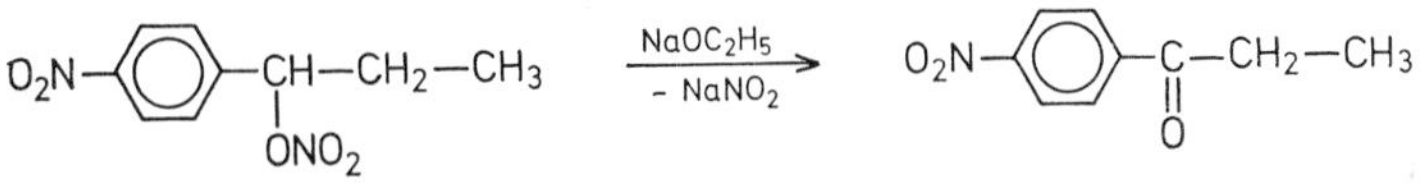

α-Hydroxy-ketone werden durch überschüssiges Ammoniumnitrat in siedendem Eisessig zu 1,2-Diketonen oxidiert. *Benzil* und substituierte Benzile sowie *Isatin* wurden auf diese Weise erhalten[4].

1,2-Diketone durch Oxidation von α-Hydroxy-ketonen mit Ammoniumnitrat[4]: 0,01 Mol eines α-Hydroxy-ketons werden zu 15 *ml* Essigsäure gegeben und zum Sieden erhitzt. Dann werden in einer Portion 0,04 Mol Ammoniumnitrat zu der Lösung gefügt. Sobald die heftige Stickstoff-Entwicklung nachgelassen hat, erhitzt man noch 90 Min. bis 2 Stdn. zum Rückflußsieden. Die Lösung wird anschließend noch heiß in 50 *ml* kaltes Wasser gegossen und 12 Stdn. im Kühlschrank belassen. Der anschließend filtrierte Rückstand wird gut mit kaltem Wasser gewaschen und getrocknet.

Zur Oxidation von α-Hydroxy-ketonen mit katalytischen Mengen Kupfer(II)-salzen in Gegenwart von Ammoniumnitrat s. S. 753.

Über Cer(IV)-ammoniumnitrat als Oxidationsmittel für Alkyl- bzw. Benzyl-alkohole s. Lit. [5].

---

[1] T. ZINCKE u. K. ZAHN, B. **43**, 849 (1910).
[2] R. GREWE u. J. P. JESCHKE, B. **89**, 2080 (1956).
[3] P. M. KOCHERGIN u. L. S. Blinova, Ž. prikl. Chim. **41**, 447 (1968); engl.: 430.
[4] B. KLEIN, Am. Soc. **63**, 1474 (1941).
[5] W. S. TRAHANOVSKY, L. Brewster YOUNG u. G. L. BROWN, J. Org. Chem. **32**, 3865 (1967).

π_2) mit Distickstofftetroxid[1]

Ein für die Herstellung von Alkyl-aryl-ketonen brauchbares Verfahren stellt die Oxidation der entsprechenden sekundären Alkyl-aryl-carbinole mit Distickstofftetroxid dar.

Ketone durch Oxidation von Alkoholen mit Distickstofftetroxid; allgemeine Arbeitsvorschrift[2]: Eine eisgekühlte Lösung des zu oxidierenden Alkohols (0,05–0,1 Mol) in 3 Tln. trockenem Chloroform wird unter Rühren mit einem leichten Überschuß einer Distickstofftetroxid-Lösung versetzt. Man läßt das Reaktionsgemisch 1 Stde. im Eisbad, dann weitere 6–12 Stdn. bei Raumtemp. stehen. Dann wird mit der ber. Menge einer 10%igen Natriumcarbonat-Lösung und anschließend mit Wasser gewaschen. Unter gelindem Erwärmen destilliert man das Lösungsmittel ab. Das Erwärmen wird fortgesetzt bis zur Beendigung der Stickoxid-Entwicklung. Das Keton wird durch Wasserdampfdestillation oder Destillation i.Vak. isoliert.

U. a. wurden so folgende Ketone erhalten:

Acetophenon	98% d.Th.	*2-Chlor-acetophenon*	95% d.Th.
Propiophenon	98% d.Th.	*3-Chlor-acetophenon*	90% d.Th.
Butanoyl-benzol	98% d.Th.	*4-Chlor-acetophenon*	92% d.Th.
Pentanoyl-benzol	96% d.Th.	*2-Brom-acetophenon*	93% d.Th.
Octanoyl-benzol	92% d.Th.	*3-Brom-acetophenon*	91% d.Th.
Benzophenon	89% d.Th.	*4-Brom-acetophenon*	92% d.Th.
4-Nitro-acetophenon	88% d.Th.	*3-Methoxy-acetophenon*	84% d.Th.

π_3) mit anderen Stickstoff-Sauerstoff-Verbindungen

4,4'-Dimethoxy-benzil und *1,2-Dioxo-1,2-difuryl-(2)-äthan* werden durch Oxidation der entsprechenden Hydroxy-ketone mit Nitrobenzol in Gegenwart von Alkalien erhalten.

4,4'-Dimethoxy-benzil[3]: Die Lösung von 5 g 2-Hydroxy-1-oxo-1,2-bis-[4-methoxy-phenyl]-äthan und 4 g Nitrobenzol in 50 *ml* Äthanol wird mit 2 *ml* einer 6%igen äthanolischen Lösung von Natriumäthanolat versetzt, 2–3 Min. unter Rückfluß erhitzt und dann abgekühlt. Das Diketon kristallisiert sofort aus und wird abgesaugt; Ausbeute: 4 g (80% d.Th.); F: 133°.

Analog erhält man *1,2-Dioxo-1,2-difuryl-(2)-äthan*; 90% d.Th.; F: 165–166°.

Für die Herstellung von *Benzil* ist die Methode wegen ihrer geringen Ausbeute ungeeignet (30–40% d.Th.).

ϱ) Oxidation mit Dimethylsulfoxid

Primäre und sekundäre Alkohole werden mit Dimethylsulfoxid in Gegenwart von Orthophosphorsäure und Dicyclohexylcarbodiimid schnell und in hohen Ausbeuten

---

[1] Herstellung s. B. O. FIELD u. J. GRUNDY, Soc. **1955**, 1110.
   Mechanismus: H. SHECHTER, J. J. GARDIKES u. A. H. PAGANO, Am. Soc. **81**, 5420 (1959).
   J. C. D. BRAND u. I. D. R. STEVENS, Chem. & Ind. **1956**, 469.
[2] J. GRUNDY, Soc. **1957**, 5087.
[3] H. B. NISBET, Soc. **1928**, 3121.

in die entsprechenden Carbonyl-Verbindungen überführt[1-3]. Die Oxidation verläuft bei Raumtemperatur und ermöglicht auch die Oxidation von sterisch gehinderten Hydroxy-Gruppen. Der Reaktionsmechanismus[4] konnte mit O-markierten Verbindungen aufgeklärt werden.

Über das Zwischenprodukt I aus der Umsetzung des Dimethylsulfoxids mit Dicyclohexylcarbodiimid entstehen als Endprodukte der Reaktion die Carbonyl-Verbindung, N,N'-Dicyclohexyl-harnstoff und Dimethylsulfid[4]:

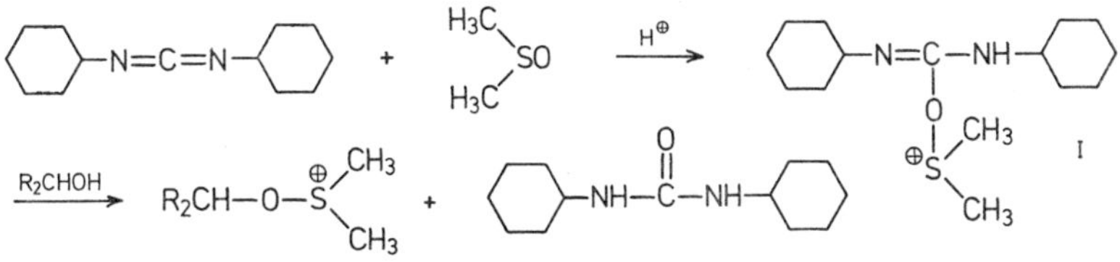

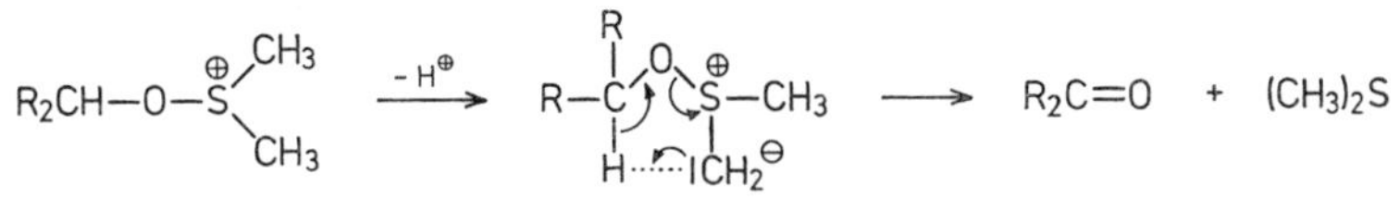

Die Methode ist sehr aufwendig und führt auch zu Geruchsbelästigungen. Wichtig ist vor allem der absolute Ausschluß von Wasser. Ob die Methode in speziellen Fällen echte Vorteile bietet, sei dahingestellt.

Nach der allgemeinen Ausführung verfährt man so, daß man eine Lösung aus 1 mMol des zu oxidierenden Alkohols, 0,5 mMol Orthophosphorsäure und 3 mMol Dicyclohexylcarbodiimid in absol. Dimethylsulfoxid 12 Stdn. bei Raumtemp. stehen läßt. Dimethylsulfoxid kann auch bis zu 90% durch ein inertes Lösungsmittel ersetzt werden[1].

Anstelle von Phosphorsäure als Protonendonator können starke Mineralsäuren nicht verwendet werden, wohl aber ihre Pyridiniumsalze, besonders Pyridinium-trifluoracetat[3,5].

Dimethylsulfoxid ohne Säurezusatz und ohne wasserbindende Agentien ist für die Keton-Gewinnung aus sekundären Alkoholen ungeeignet[6].

---

[1] K. E. PFITZNER u. J. G. MOFFATT, Am. Soc. **85**, 3027 (1963).
[2] Holl.P. 6411664 (1964), Syntex Corp.; C. A. **65**, 20187ᶜ (1966).
[3] W. W. EPSTEIN u. F. W. SWEAT, Chem. Reviews **67**, 247 (1967).
  N. KHARASCH u. B. S. THYAGARAJAN, Quarterly Reports on Sulfur Chemistry **1**, 1 (1966).
  H. UDA, Yuki Gosei Kagaku Kyokai Shi **27**, 909 (1969); mit 284 Literaturstellen.
  R. F. BUTTERWORTH u. S. HANESSIAN, Synthesis **1971**, 70; Übersichtsartikel.
  L. J. CHINN, *Selection of Oxidants in Synthesis*, S. 48–52, M. DEKKER, Inc., New York 1971.
[4] A. H. FENSELAU u. J. G. MOFFATT, Am. Soc. **88**, 1762 (1966).
  K. E. PFITZNER u. J. G. MOFFATT, Am. Soc. **87**, 5661 (1965).
  K. TORSSELL, Tetrahedron Letters **1966**, Nr. 37, 4445.
  R. E. HARMON, C. V. ZENAROSA u. S. K. GUPTA, Tetrahedron Letters **1969**, Nr. 43, 3781.
  B. CAPON, M. J. PERKINS u. C. W. REES, *Organic Reaction Mechanisms 1966*, S. 406, Interscience Publishers, London · New York · Sydney 1967.
[5] K. E. PFITZNER u. J. G. MOFFATT, Am. Soc. **87**, 5670 (1965).
[6] V. J. TRAYNELIS u. W. L. HERGENROTHER, Am. Soc. **86**, 298 (1964).
  Auch: N. KHARASCH u. B. S. THYAGARAJAN, Quarterly Reports on Sulfur Chemistry **1**, 1 (1966).
  C. AGAMI, Bl. **1965**, 1021.
  K. ONODERA, S. HIRANO u. N. KASHIMURA, Am. Soc. **87**, 4651 (1965).

In der Zuckerchemie wurde die Kombination Dimethylsulfoxid, Dicyclohexyl-carbodiimid und Säure (Pfitzner-Moffatt-Reagens) öfters angewandt[1].

Auch Dimethylsulfoxid in Acetanhydrid besitzt als Oxidationsmittel für sekundäre Zuckeralkohole Interesse[2]. Yohimbin wird mit 80%iger Ausbeute zum *Yohimbinon*, Ajmalin zum *Ajmalidin* oxidiert[3].

α-Sila-cyclohexanone werden ebenfalls durch milde Oxidation der entsprechenden Sila-cyclohexanole erhalten. Bei der Oxidation mit Chrom(VI)-oxid werden nur Spaltprodukte gebildet.

2-Oxo-1,1-diphenyl-1-sila-cyclohexan[4]:

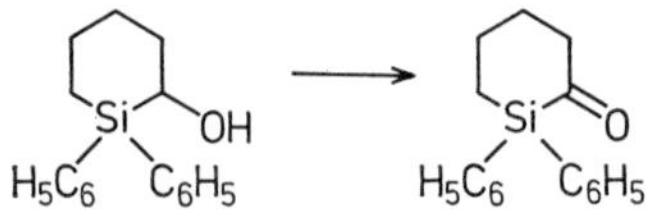

Zu einer Lösung aus 0,79 g (0,00295 Mol) 2-Hydroxy-1,1-diphenyl-1-sila-cyclohexan in 5 *ml* absol. Dimethylsulfoxid werden 0,57 g (0,00295 Mol) Pyridinium-trifluoracetat gegeben. Unter Rühren werden dem Reaktionsgemisch jetzt 0,91 g (0,0044 Mol) Dicyclohexylcarbodiimid zugesetzt, das sich sofort löst.

Die Lösung trübt sich nach wenigen Sek. unter geringem Temperaturanstieg. Ein weißer Niederschlag (N,N′-Dicyclohexyl-harnstoff) scheidet sich ab, die Lösung wird gelb.

Man rührt weitere 16 Stdn. unter Stickstoffatmosphäre, fügt dann 10 *ml* Wasser und 15 *ml* Hexan zu, schüttelt kräftig durch und isoliert dann die Hexan-Schicht. Nach dem Waschen mit Wasser und Trocknen der organischen Phase hinterbleiben nach deren Abzug gelbe Kristalle; Ausbeute: 400 mg (51% d. Th.); F: 62–65°.

Testosteron [17β-Hydroxy-3-oxo-androsten-(4)] gibt mit dem Pfitzner-Moffatt-Reagens in 92%iger Ausbeute *3,17-Dioxo-androsten-(4)*[5]:

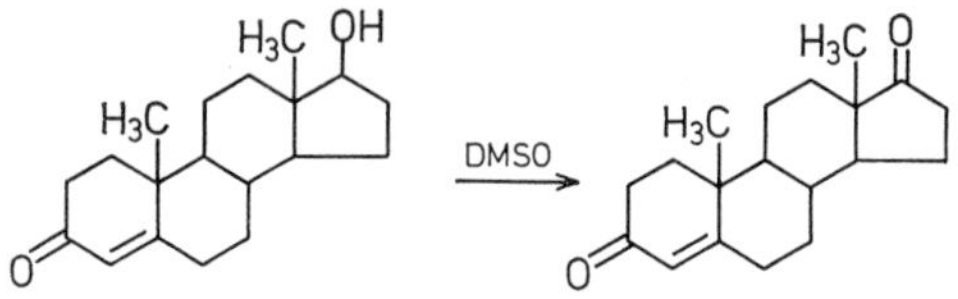

Oxidation des 11α-Hydroxy-3,20-dioxo-pregnen-(4) führt in fast quantitativer Ausbeute zu *3,11,20-Trioxo-pregnen-(4)*[5], das 11β-Isomere reagiert nicht:

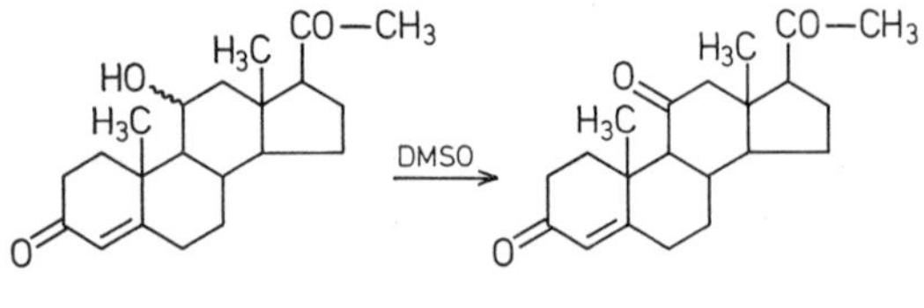

[1] B. R. BAKER u. D. H. BUSS, J. Org. Chem. **30**, 2304 (1965).
   R. F. BUTTERWORTH u. S. HANESSIAN, *Selected Methods of Oxidation in Carbohydrate Chemistry*, Synthesis **1971**, 70.
   W. ZÜRCHER, E. WEISS-BERG u. C. TAMM, Helv. **52**, 2449 (1969).
[2] W. SOWA u. G. H. S. THOMAS, Canad. J. Chem. **44**, 836 (1966).
   W. SOWA, Canad. J. Chem. **46**, 1586 (1968).
   A. ROSENTHAL u. P. CATSOULACOS, Canad. J. Chem. **47**, 2747 (1969).
[3] J. D. ALBRIGHT u. L. GOLDMAN, Am. Soc. **87**, 4214 (1965).
[4] A. G. BROOK u. J. B. PIERCE, J. Org. Chem. **30**, 2566 (1965).
[5] K. E. PFITZNER u. J. G. MOFFATT, Am. Soc. **87**, 5661, 5670 (1965).

3β-Hydroxy-Steroide werden unter milden, neutralen Bedingungen zu den Ketonen oxidiert. Cholesterin ergibt in 60%iger Ausbeute ohne Isomerisierung der Doppelbindung *3-Oxo-cholesten-(5)*[1]:

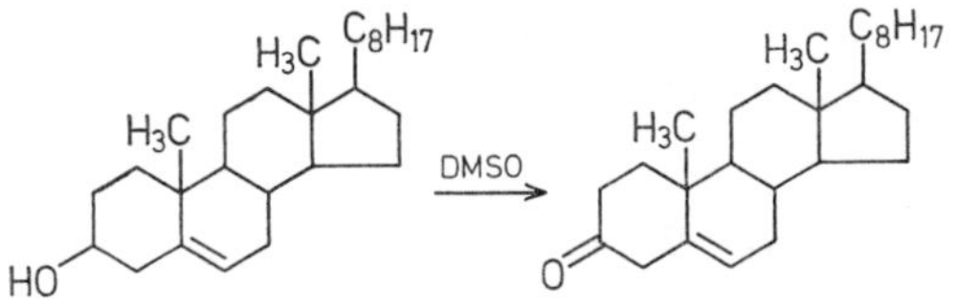

3β-Hydroxy-17-oxo-androsten-(5) wird zu *3,17-Dioxo-androsten-(5)* oxidiert[2]. Pyridiniumphosphat kann als Protonendonator im Pfitzner-Moffat-Reagens zur Herstellung von Streptose[3] verwendet werden.

Zur Oxidation sekundärer Alkohole mit Dimethylsulfoxid in Gegenwart von Salzen zweiwertiger Metalle, wie z. B. Quecksilberacetat, s. Lit. [4].

Läßt man auf die Chlorameisensäureester sek. Alkohole (I) Dimethylsulfoxid einwirken, dann entsteht über II unter spontaner Kohlendioxid-Entwicklung das quaternäre Salz III, das nach Zugabe von überschüssigem Triäthylamin in das Keton IV und Dimethylsulfid zerfällt[5]:

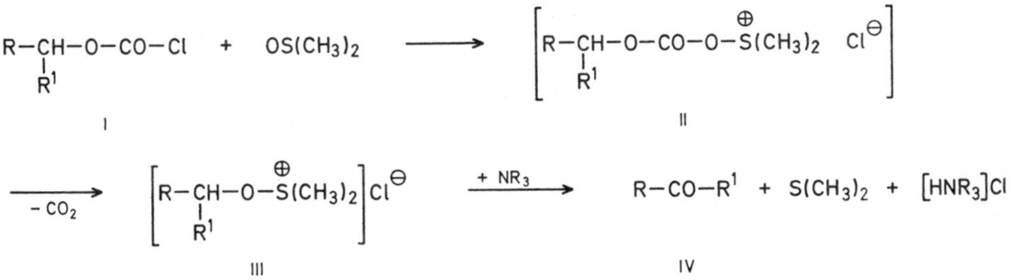

Diese Umsetzungen spielen sich alle bei Raumtemperatur ab; während die analogen Aldehyd-Ausbeuten aus prim. Alkoholen zwischen 60 und 80% liegen, sind die Keton-Ausbeuten meist nur mäßig.

σ) Oxidation mit tetrasubstituierten Benzochinonen

Als Chinon mit einem hohen Reduktionspotential wurde auch 5,6-Dichlor-2,3-dicyan-benzochinon zur Dehydrierung von sek. Alkoholen herangezogen[6]. Seine Wirkungsweise entspricht etwa der von aktivem Mangan(IV)-oxid. Auch hier werden bevorzugt allylständige Hydroxy-Gruppen angegriffen[6]. Infolgedessen wurde das

---

[1] J. B. JONES u. D. C. WIGFIELD, Canad. J. Chem. **44**, 2517 (1966).

[2] J. B. JONES u. D. C. WIGFIELD, Tetrahedron Letters **1965**, Nr. 46, 4103.
   Zur Oxidation in der Steroidreihe mit Dimethylsulfoxid und Schwefeltrioxid in Gegenwart tertiärer Amine: US.P. 3444216 (1966), Upjohn Co., Erf.: J. R. PARIKH u. W. V. E. DOEHRING; C.A. **71**, 50375ⁿ (1969).

[3] J. R. DYER, W. E. McGONIGAL u. K. C. RICE, Am. Soc. **87**, 654 (1965).

[4] J. M. TIEN, H. J. TIEN u. J. S. TING, Tetrahedron Letters **1969**, Nr. 19, 1483.

[5] D. H. R. BARTON, B. J. GARNER u. R. H. WIGHTMAN, Soc. **1964**, 1855.

[6] D. WALKER u. J. D. HIEBERT, Chem. Reviews **67**, 153–195 (1967).

5,6-Dichlor-2,3-dicyan-benzochinon vielfach in der Steroid-Reihe eingesetzt. Die Oxidation wird mit einem Überschuß an Oxidationsmittel bei Raumtemperatur in schwach saurer Benzol- oder 1,3-Dioxan-Lösung vorgenommen (mehrere Stdn.).

o-Chloranil dehydriert in alkoholischer Lösung bei 20° 3-Hydroxy-1,5-diphenyl-penten-(4)-in-(1) zum *3-Oxo-1,5-diphenyl-penten-(4)-in-(1)* (91% d.Th.)[1]. Typisch für diese Oxidationsmittel ist ihre Tendenz zur Aromatisierung.

v) Oxidation mit Wasserstoffperoxid/Eisen(II)-Salz (Fentons Reagens)

Wasserstoffperoxid und katalytische Mengen Eisen(II)-salze (sog. Fentons-Reagens)[2,3] haben u.a. in der Zucker-Reihe z.B. zum Abbau von Aldosen eine gewisse Bedeutung erlangt. Aus Weinsäure ist so die Dihydroxy-fumarsäure präparativ herstellbar[2,4]:

$$\begin{array}{ccc} COOH & & COOH \\ | & & | \\ CHOH & \xrightarrow{Fe^{++}} & COH \\ | & H_2O_2 & \| \\ CHOH & & COH \\ | & & | \\ COOH & & COOH \end{array}$$

Dihydroxy-fumarsäure[4,5]: 200 g Weinsäure werden in 140 *ml* Wasser unter Erhitzen gelöst. Nach dem Abkühlen gibt man 5 g Kaliumnatrium-tartrat in 40 *ml* Wasser hinzu, kühlt auf −10° ab und fügt 4 g Eisen(II)-sulfat in 40 *ml* Wasser hinzu.

Dann läßt man innerhalb von 5–6 Stdn. 145 *ml* 30%iges Wasserstoffperoxid unter Rühren unterhalb −5° eintropfen. Man rührt weitere 3 Stdn. bei dieser Temp. und läßt dann das Reaktionsgemisch 1 Woche im Eisschrank stehen, wobei die Dihydroxy-fumarsäure auskristallisiert.

Nach dem scharfen Absaugen wird im Exsiccator getrocknet; Rohausbeute (durch etwas Eisensalz verunreinigt): 48 g (24% d.Th.).

φ) Elektrochemische Oxidation

Trotz zahlreicher Beispiele in Veröffentlichungen und der Patentliteratur ist die anodische Oxidation sekundärer Alkohole in präparativer und technischer Hinsicht ohne Bedeutung[6]. Gegenüber den billigen katalytischen Prozessen besteht kein Vorteil.

[1] E. A. BRAUDE, R. P. LINSTEAD u. K. R. WOOLDRIDGE, Soc. **1956**, 3070.

[2] H. J. H. FENTON, Soc. **65**, 899 (1894).

[3] G. J. MOODY, Adv. Carbohydrate Chem. **19**, 156 (1964).
   A. T. KÜCHLIN, R. **51**, 887 (1932).

[4] H. O. L. FISCHER u. L. FELDMANN, B. **62**, 865 (1929).
   Zur Aufklärung der Konstitution s. S. GOODWIN u. B. WITKOP, Am. Soc. **76**, 5599 (1954).
   Über die Herstellung von Dihydroxy-weinsäure aus Weinsäure und Brom s. S. 758.

[5] Ein ähnliches Verfahren ist beschrieben in: Biochem. Prepar. **3**, 56 (1953).

[6] H. HÖLEMANN, Chemie-Ing. Techn. **35**, 340 (1963).
   M. J. ALLEN, *Organic Electrode Processes*, Chapman and Hall Ltd., London 1958.
   F. FICHTER, *Organische Elektrochemie*, Steinkopff Verlag, Dresden–Leipzig 1942.
   C. L. MANTELL, *Industrial Electrochemistry*, McGraw-Hill Book Company, Inc., New York–Toronto–London 1950.
   S. GLASSTONE u. A. HICKLING, *Electrolytic Oxidation and Reduction*, S. 312, Chapman and Hall, London 1935.
   N. L. WEINBERG u. H. R. WEINBERG, Chem. Reviews **68**, 507 (1968).

Tab. 122. Ketone durch anodische Oxidationen sekundärer Alkohole

Alkohol	Anoden-material	Keton	Ausbeute [%d.Th.]	Nebenpro-dukte	Litera-tur
Isopropanol	Platin	*Aceton*	70	Essigsäure, Ameisensäre	1–4 4
Butanol-(2)		*Butanon*			4
Pentanol-(2)		*Pentanon-(2)*			4
Cyclohexanol	Platin, PbO$_2$	*Cyclohexanon*		Malein-säure u. Butter-säure	5,6
2-Hydroxy-1,7,7-trime-thyl-bicyclo[2.2.1]hep-tan (Borneol, Iso-borneol)	V$_2$O$_5$ bzw. Pb	*2-Oxo-1,7,7-trimethyl-bi-cyclo[2.2.1]heptan (Cam-pher)*			7,8
Hydroxy-4-methyl-1-isopropyl-cyclohexan (Menthol)		*2-Oxo-4-methyl-1-isopro-pyl-cyclohexan (Menthon)*			9
3-Hydroxy-8-methyl-8-aza-bicyclo[3.2.1]oc-tan (Tropin)	PbO$_2$	*3-Oxo-8-methyl-8-aza-bi-cyclo[3.2.1]octan (Tro-pinon)*			10,11
Milchsäure		*Brenztraubensäure*			12

χ) Biochemische Oxidation

Methoden der enzymatischen Dehydrierung sekundärer Alkohole sind seit langem bekannt und besitzen vor allem auf dem Gebiet der Kohlenhydrate und Steroide präparatives Interesse[13]. Ihre Bedeutung verdankt die Methode ihrer hohen Spezifität und den häufig sehr guten Ausbeuten[14].

---

[1] K. ELBS u. O. BRUNNER, Z. El. Ch. **6**, 604 (1900).

[2] T. KURENNIEMI u. E. TOMMILA, Suomen Kem. **9** [B], 25 (1936); C. A. **31**, 1299[8] (1937).

[3] Fr. P. 1331332 (1961), Institut Francais du Petrole, des Carburants et Lubrifiants, Erf.: M. PRIGENT, O. BLOCH u. J. C. BALACEANU; C. A. **59**, 9602[b] (1963).

[4] Brit. P. 935236 (1962), Esso Research and Engineering Co., Erf.: C. H. WORSHAM; C. A. **59**, 13604[g] (1963).

[5] F. FICHTER u. R. STOCKER, B. **47**, 2003 (1914).

[6] M. YOKOYAMA, Bl. chem. Soc. Japan **8**, 71 (1933).

[7] DRP. 217555 (1908), G. AUSTERWEIL; C. A. **4**, 1651 (1910).

[8] DRP. 297019 (1915), CIBA; C. **1917** I, 716.

[9] DRP. 166357 (1902), W. LANG; C. **1906** I, 1065.

[10] DRP. 118607 (1900), E. MERCK; C. **1901** I, 712.

[11] DRP. 128855 (1901), E. MERCK; C. **1902** I, 609.

[12] J. G. SMULL u. P. SUBKOW, Chem. met. Eng. **28**, 357 (1923).
G. CARPENISEANU, C. r. **198**, 460 (1934).

[13] Zusammenfassungen über mikrobiologische Oxidationen:
S. H. EPPSTEIN, P. D. MEISTER, H. C. MURRAY u. D. H. PETERSON, Vitamins and Hormones **14**, 359 (1956).

49*

(Fortsetzung s. S. 772)

Als Dehydrierungsmittel fungiert ein Pyridinnucleotid (Nicotinsäure-amid-adenindinucleotid = NAD), das zur Aufnahme und Übertragung von zwei Wasserstoffatomen befähigt ist. Zahlreiche Dehydrogenasen für die Dehydrierung sekundärer Alkohole enthalten als Coenzym NAD.

Bestimmte Mikroorganismen wie Bakterien und niedere Pilze sind zur Bildung von Dehydrogenasen besonders befähigt. Eingehend untersucht wurde vor allem die Spezies Acetobacter. Biochemische Dehydrierung von Glycerin führt zu *1,3-Dihydroxy-aceton*[1,2], von Isopropanol zu *Aceton*[3].

1,3-Dihydroxy-aceton[2]: Eine sterilisierte 6%ige Glycerin-Lösung und 0,5% Difco-Hefeextrakt werden in ein weites Rohr, in das unten eine Glasfilterplatte eingeschmolzen ist, eingefüllt und mit einer frischen Kultur von Acetobacter suboxydans geimpft. Dann wird etwa 2–3 Tage lang bei 28–30° Luft durchgeleitet, bis das Maximum des Reduktionsvermögens erreicht ist. Hierauf wird die Lösung mit Calciumcarbonat, Kieselgur und Aktivkohle behandelt (je 10 g/l), filtriert und i. Vak. eingedampft.

Der dicke Sirup wird zum Kristallisieren gebracht, mit kaltem Aceton verrieben, abgesaugt und mit kaltem Methanol nachgewaschen. Bei entsprechender Aufarbeitung der Mutterlauge beträgt die Gesamtausbeute: 80% d. Th.; F: ~ 70° und ~ 79° (anscheinend 2 Formen).

Milchsäure wird von Acetobacter xylinum zu *Brenztraubensäure* oxidiert[4]; eine Herstellungsart von *3-Hydroxy-2-oxo-butan* beruht auf der bakteriellen Oxidation

[1] C. NEUBERG u. E. HOFMANN, Bio. Z. **279**, 318 (1935).
[2] L. A. UNDERKOFLER u. E. I. FULMER, Am. Soc. **59**, 301 (1937).
  s. a. F. G. FISCHER, Ang. Ch. **53**, 463 (1940).
[3] J. C. VITUCCI, E. S. PALLARES u. F. F. NORD, Arch. Biochem. **9**, 439 (1946).
  G. J. GOEPFER u. F. F. NORD, Arch. Biochem. **1**, 289 (1942).
  S. YAMAGATA u. M. NAGAHISA, Acta phytoch. **9**, 115 (1937).
  P. VALDIGUIÉ u. P. BOUYSSOU, Bl. Soc. Chim. biol. **28**, 545 (1946).
  R. WURMSER u. S. FILITTI-WURMSER, C. r. **202**, 1848 (1936); J. Chim. Phys. **33**, 577 (1936).
[4] M. COZIC, C. r. Soc. Biol. **117**, 371 (1934).

(Fortsetzung v. S. 771)

A. WETTSTEIN, Experientia **11**, 465 (1955).
E. VISCHER u. A. WETTSTEIN, Ang. Ch. **69**, 456 (1957); Adv. Enzymol. **20**, 237 (1958).
S. G. WALEY, *Mechanisms of Organic and Enzymic Reactions*, Clarendon Press, Oxford 1962.
V. N. SHAPOSHNIKOV, Izv. Akad. Nauk, SSR. Biol., **28**, 348 (1963); C. A. **59**, 5513ᶜ (1963).
R. J. MATELES et al., *Biotechnology and Bioengineering* **7**, 1–90 (1965).
P. D. BOYER, H. LARDY u. K. MYRBÄCK, *The Enzymes*, Academic Press, New York · London 1963.
L. L. WALLEN u. F. H. STODOLA, *Type Reactions in Fermentation Chemistry*, Agricultural Research Service, Northern Utilization Research and Development Division, Illinois, USA, 1959.
J. KIRSCHBAUM, J. Chem. Educ. **45**, 28 (1968).
T. P. SINGER, *Biological Oxidations*, Wiley Interscience, New York 1968.
F. EISENBERG, *Biological Formation and Reactions of Carbonyl-groups*, in S. PATAI, *The Chemistry of the Carbonylgroup*, S. 333–373, Intersience Publ., New York 1966.
ds. Kapitel ist z. Tl. in ds. Handb., Bd. IV/2, S. 823ff. behandelt.
[14] R. MÜLLER u. K. KIESLICH, Chemie-Ing.-Techn. **38**, 813 (1966).
Allgemeine Arbeitsbedingungen bei präparativ anwendbaren mikrobiol. Oxidationsreaktionen, K. KIESLICH, Synthesis **1969**, 120–134.

der Glucose[1]. Beim myo-Inosit wird die einzige axiale Hydroxy-Gruppe am C-Atom 2 selektiv mit Acetobacter suboxydans oxidiert und man erhält *Inosose-(2)*[2]:

myo-Inosit   *Inosose-(2)*

Hier sei auf die mit gleicher Selektivität verlaufende katalytische Oxidation mit Sauerstoff am Platin-Kontakt verwiesen.

Inosite mit zwei axialen Hydroxy-Gruppen werden bei der bakteriellen Oxidation in das Diketon überführt[3].

Zur selektiven Oxidation bestimmter sekundärer Hydroxy-Gruppen in Polyolen s. Lit.[4].

Bakterielle Oxidationen unsubstituierter Zuckeralkohole[5] sind ebenso wie die von terminal substituierten Zuckeralkoholen[6] sowie anderer Zucker-Derivate[7] intensiv bearbeitet worden.

Die aus Pflanzenmaterial isolierte L-*Sorbose* ist aus der bakteriellen Oxidation von Sorbit hervorgegangen[8,9]. Diese Entdeckung gab den Anstoß zur intensiven Erforschung der Reaktion im Bereich der Kohlenhydrate[4,10]. Die biochemische Oxidation des Sorbits zur *Sorbose* als wichtige Zwischenstufe der Ascorbinsäure-Synthese wird in technischem Maßstab ausgeführt[11]:

[1] US. P. 1899094 (1933) ≡ Fr. P. 676876 (1929; Holl. Prior. 1928), T. H. Verhave, Erf.: A. J. Kluyver u. M. A. Scheffer; C. **1930** I, 3367.

[2] A. J. Kluyver u. A. G. J. Boezaardt, R. **58**, 956 (1939).

[3] B. Magasanik u. E. Chargaff, J. Biol. Chem. **174**, 173 (1948).

[4] G. Bertrand, A. ch. [8] **3**, 181 (1904).

[5] R. L. Whistler u. L. A. Underkofler, Am. Soc. **60**, 2507 (1938).
   L. C. Stewart, N. K. Richtmyer u. C. S. Hudson, Am. Soc. **71**, 3532 (1949).
   J. W. Pratt, N. K. Richtmyer u. C. S. Hudson, Am. Soc. **74**, 2210 (1952).
   J. W. Pratt u. N. K. Richtmyer, Am. Soc. **77**, 6326 (1955).

[6] G. N. Bollenback u. L. A. Underkofler, Am. Soc. **72**, 741 (1950).
   N. K. Richtmyer, L. C. Stewart u. C. S. Hudson, Am. Soc. **72**, 4934 (1950).
   L. Hough, J. K. N. Jones u. D. L. Mitchell, Canad. J. Chem. **37**, 725 (1959).
   J. K. N. Jones u. D. L. Mitchell, Canad. J. Chem. **37**, 1561 (1959).

[7] E. Grebner, D. Feingold u. R. Durbin, Chem. eng. News, **39**, Nr. 38, 56 (1961).
   M. J. Bernaerts u. J. de Ley, J. Gen. Microbiol. **22**, 129, 137 (1960).
   K. Kondo, M. Ameyama u. T. Yamaguchi, J. agric. chem. Soc. Japan, **30**, 419 (1956).
   M. Ishidate, Z. Tamura u. T. Kinoshita, Chem. Pharm. Bull. (Tokyo) **13**, 99 (1965).
   W. Bosshard u. T. Reichstein, Helv. **18**, 959 (1935).

[8] J. Pelouze, Ann. chim. et phys. [3] **35**, 222 (1852).

[9] J. Boussingault, C. r. **74**, 939 (1872).

[10] Allgemein: bakterielle Oxidation von Kohlenhydraten: *Rodd's Chemistry of Carbon Compounds*, 2. Aufl., Vol. 1/F, S. 26 u. 298, Elsevier Publishing Co., Amsterdam–London–New York 1967.

[11] T. Reichstein u. A. Grüssner, Helv. **17**, 311 (1934).

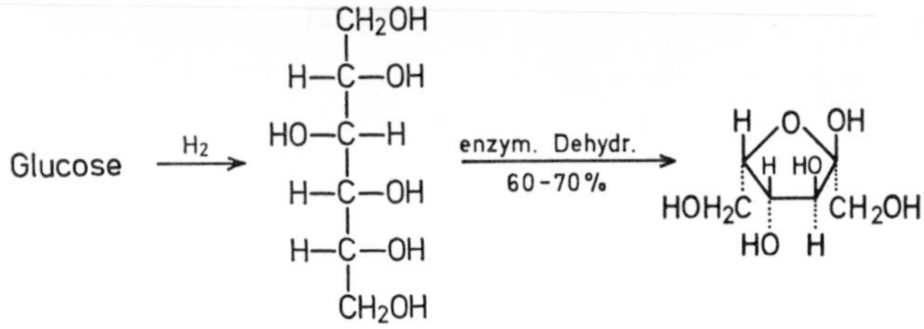

D-Sorbit   L(−)-*Sorbose*

Die Oxidation kann mit Acetobacter xylinum[1,2], Bacterium gluconicum[2] und Acetobacter suboxydans[3] unter Belüftung in guten Ausbeuten vorgenommen werden[4].

Der Weg zur Ascorbinsäure führt über die Bis-[isopropyliden]-sorbose, die oxidativ zur *Bis-[isopropyliden]-2-oxo-L-gulonsäure* (I) abgebaut wird. Die nachfolgende Hydrolyse führt zur freien *2-Oxo-L-gulonsäure*. Über eine Enolisierung und Lactonring-Bildung wird dann die L-Ascorbinsäure erhalten[5]:

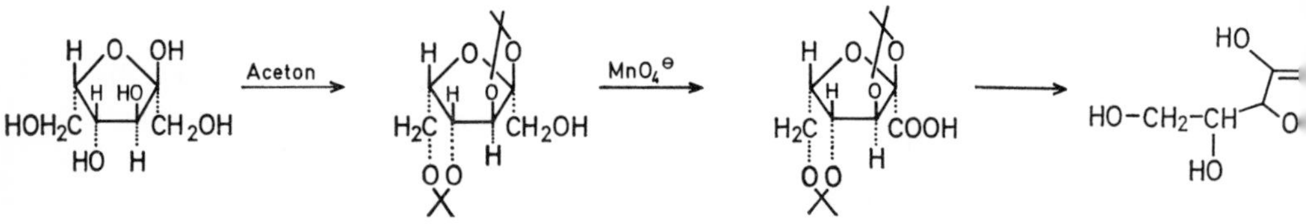

I   *Ascorbinsäure*

Auch die Dehydrierung sekundärer Hydroxy-Gruppen am Steroid-Gerüst[6] kann gezielt auf enzymatischem Wege vorgenommen werden.

Im Zusammenspiel zweier Enzyme, der Dehydrogenase und einer Isomerase, werden 3β-Hydroxy-Δ^5-steroide zu 3-Oxo-Δ^4-steroide dehydriert[7]:

[1] H. H. Schlubach u. J. Vorwerk, B. **66**, 1251 (1933).
K. Maurer u. B. Schiedt, Bio. Z. **271**, 61 (1934).
J. Boeseken u. J. L. Leefers, R. **54**, 861 (1935).
[2] K. Bernhauer u. B. Görlich, Bio. Z. **280**, 375 (1935).
[3] E. I. Fulmer, J. W. Dunning, J. F. Guymon n. L. A. Underkofler, Am. Soc. **58**, 1012 (1936).
P. A. Wells et al., Ind. eng. Chem. **31**, 1518 (1939).
US.P. 2121533 (1937), Secretary of Agriculture of the USA, Erf.: P. A. Wells, L. B. Lockwood u. J. J. Stubbs; C.A. **32**, 6261[5] (1938).
[4] F. G. Fischer, Ang. Ch. **53**, 463 (1940).
[5] Sammelliteratur über Vitamin C:
Kirk-Othmer, *Encyclopedia of Chemical Technology*, 2. Aufl., Vol. 2, S. 761, John Wiley and Sons, Inc., New York 1963.
Ullmanns Encyklopädie der technischen Chemie, 3. Aufl., Bd. 18, S. 220f., Urban und Schwarzenberg, München–Berlin–Wien 1967.
W. H. Sebrell u. R. S. Harris, *The Vitamins*, Vol. I, S. 177–209, Academik Press, Inc., New York 1954.
[6] Übersichtsartikel: A. Wettstein, Experientia **11**, 465 (1955).
[7] A. Krámli u. J. Harváth, Nature **162**, 619 (1948); **163**, 219 (1949).
T. C. Stadtman, A. Cherkes u. C. B. Anfinsen, J. Biol. Chem. **206**, 511 (1954).
G. E. Turfitt, Biochem. J. **40**, 79 (1946).
P. Talalay, M. M. Dobson u. D. F. Tapley, Nature **170**, 620 (1952).
P. Talalay u. P. I. Marcus, Nature **173**, 1189 (1954).
P. Talalay u. M. M. Dobson. J. Biol. Chem. **205**, 823 (1953).
P. Talalay, F. A. Loewus u. B. Vennesland, J. Biol. Chem. **212**, 801 (1955).

(Fortsetzung s. S. 775)

17β-Hydroxy-3-oxo-androsten-(4) (*Testosteron*; III) ist von Mamoli auf mikro-
biologischem Wege aus 3β-Hydroxy-17-oxo-androsten-(5) (I) gewonnen worden
(Ausbeute: 81% d. Th.)[1].

Das als Zwischenprodukt entstehende *3,17-Dioxo-androsten-(4)* (II) kann auch
aus 3,17β-Dihydroxy-androsten-(1) durch biochemische Dehydrierung gewonnen
werden[2]:

| I | *3,17-Dioxo-androsten-(4)*; 87%; II | III |

Zur Dehydrierung ähnlicher Systeme s. Lit. [3,4].

ψ) Photochemische Oxidation[5]

Die photochemische Oxidation sek. Alkohole zu Ketonen hat präparativ keine
Bedeutung (s. ds. Handb., Bd. IV/5, Kap. Photochemie). In Gegenwart eines Sensibilisators, z.B. Benzophenon, wird beim Belichten bei Raumtemperatur Sauerstoff
aufgenommen und es entstehen etwa die gleichen Produkte wie bei der Sauerstoff-
einwirkung bei ~ 130° (s. S. 712).

[1] L. Mamoli, B. **71**, 2278 (1938).
   s. a. L. Mamoli u. A. Vercellone, B. **71**, 154, 1686 (1938).
[2] A. Vercellone u. L. Mamoli, B. **71**, 152 (1938).
[3] W. M. Hoehn, L. H. Schmidt u. H. B. Hughes, J. Biol. Chem. **152**, 59 (1944).
[4] C. Arnaudi, Boll. Ist. Sieroterap. Milanese **21**, 1 (1942).
[5] Allgemein: R. O. Kan, *Organic Photochemistry*, S. 211, McGraw-Hill Book Co., New York 1966.
   G. O. Schenck et al., B. **96**, 509 (1963).
   K. Gollnick u. G. O. Schenck, Pure Appl. Chem. **9**, 507 (1964).

(Fortsetzung v. S. 774)

   A. Ercoli, Z. physiol. Chem. **270**, 266 (1941); Biochim. Terap. sper. **28**, 125 (1941).
   L. Mamoli, G. **69**, 237 (1939).
   D. Perlman, Sci. **115**, 529 (1952).
   P. Talalay u. V. S. Wang, Biochem. biophys. Acta, **18**, 300 (1955); Record of Chemical
      Progress **18**, 31 (1957); C. A. **51**, 12163[g] (1957).
   G. E. Turfitt, Biochem. J. **38**, 492 (1944); **40**, 79 (1946); **42**, 376 (1948).

ω) zu α,β-Dicarbonyl-Verbindungen über Osazone[1]

E. Fischer[2] hat in der Zuckerchemie die wichtige Beobachtung gemacht, daß Aldosen bzw. Ketosen zwar mit einem Mol Phenylhydrazin die normalen Phenylhydrazone ergeben, eine benachbarte sek. Hydroxy-Gruppe jedoch mit weiteren 2 Molen Phenylhydrazin in ein Phenylhydrazon übergeführt wird, wobei ein Mol Phenylhydrazin als Wasserstoffacceptor wirkt und in Anilin und Ammoniak zerfällt. Diese sog. Osazon-Bildung vollzieht sich bei $\sim 50°$ in essigsaurer Lösung. Sie ist weitgehend auf alle sek. Hydroxy-Gruppen übertragbar, die neben einer Carbonyl-Gruppe stehen; z. B.

Dieses Verfahren ist ausführlich in ds. Handb., Bd. X/2, S.434–450 beschrieben worden. Vergleiche ferner die Spaltung der Osazone in Dicarbonyl-Verbindungen S. 804.

2. Oxidation von veresterten und verätherten Alkoholen

bearbeitet von

Dr. Hans-Joachim Kabbe,

Farbenfabriken Bayer AG., Leverkusen

Ester von sekundären Alkoholen sind verschiedentlich mit guter Ausbeute in die Ketone übergeführt worden. Oxidation mit Chromsäure[3] (2-Formyloxy- zum 2-Oxo-bicyclo[2.2.1]heptan), mit Cyclohexanon/Aluminium-tri-isopropanolat[4] (I → II) und thermisch über modifizierten Zinkoxid-Katalysatoren[5] seien genannt. Die Oxidation geht wahrscheinlich über die Stufe des Alkohols (s. S. 718). Eine intramolekulare Oxidation vollzieht sich beim Übergang von Tosyloxy-phenyl-(2-nitro-phenyl)-methan zum 2-Nitroso-benzophenon[6].

[1] G. Henseke u. H. J. Binte, Chimia 12, 103 (1958).
  S. Bayne u. J. A. Fewster, Adv. Carbohydrate Chem. 11, 43 (1956).
  H. El Khadem, Adv. Carbohydrate Chem. 20, 173 (1965).
  J. Buckingham, Quart. Rev. 23, 37–56 (1969).
[2] E. Fischer, B. 21, 2631 (1888).
[3] D. C. Kleinfelter u. P. v. R. Schleyer, Org. Synth. 42, 79 (1962).
[4] H. J. Ringold et al., Am. Soc. 78, 820 (1956).
[5] H. Hoffmann, Ang. Ch. 77, 346 (1965).
[6] W. B. Dickinson, Am. Soc. 86, 3580 (1964).

17α,21-Diacetoxy-3,20-dioxo-pregnen-(4)[1]: Aus einer Lösung von 200 g 3β-Formyloxy-17α,21-diacetoxy-20-oxo-pregnen-(5) in 6 l Xylol und 2 l Cyclohexanon werden 500 ml abdestilliert. um Wasser zu entfernen. Innerhalb von 5 Min. gibt man in die heiße Lösung portionsweise 210 g Aluminium-triisopropanolat hinzu und verrührt noch weitere 45 Min. bei Siedetemperatur. Man kühlt schnell, versetzt mit Eis und Wasser und entfernt die Lösungsmittel durch Wasserdampf-destillation. Der feste Rückstand wird abgesaugt und getrocknet. Durch Auskochen mit Chloroform erhält man 141 g (75% d.Th.; aus Chloroform/Methanol); F: 215–219°.

Äther lassen sich viel schwieriger oxidieren; so geht Diisopropyläther um den Faktor 10^3 langsamer als Isopropanol in *Aceton* über[2]. Bis-[diphenylmethyl]-äther wurde allerdings in guter Ausbeute mit Chromylchlorid/Tetrachlormethan zu *Benzophenon* oxidiert[3].

Es dürfte sich empfehlen, Ester bzw. Äther vor der Oxidation zu spalten.

3. Oxidation von Halogen-Verbindungen

bearbeitet von

Dr. Hans-Joachim Kabbe,

Farbenfabriken Bayer AG., Leverkusen

Die Oxidation von Halogenverbindungen zu Ketonen gelingt nur dann befriedigend, wenn das Halogenatom genügend reaktionsfähig ist. Dann ist es aber meistens leicht möglich, ein weiteres Halogenatom einzuführen und die entstandene gem. Dihalogenverbindung zu hydrolisieren (s. S. 809) – wie z. B. beim Diphenyl-chlormethan, 2-Brom-1,3-dioxo-1,3-diphenyl-propan und 9-Brom-fluoren – oder die Halogen-Gruppe zunächst zur sek. Hydroxy-Gruppe zu verseifen. Die direkte Oxidation einer [—CHX]-Gruppe zur Keto-Gruppe mit den gebräuchlichen Oxidationsmitteln wie z. B. Chromsäure kann zu einem Halogeneintritt in das entstandene Keton führen.

Aus 1-Chlor-indan erhält man durch Oxidation mit Chromsäure in 50%iger Essigsäure bei 30–40° das *Indanon-(1)* (∼60% d. Th.)[4].

3-Chlor-cyclopenten reagiert mit einer konz. Natriumbichromat-Lösung bereits bei 0° zu einem Komplex, der beim Zusatz von Schwefelsäure *Cyclopenten-(1)-on-(3)* liefert[5]. Wahrscheinlich ist das sehr leicht hydrolysierbare Chloratom primär von der Chromat-Lösung zum Carbinol verseift worden.

Cyclopenten-(1)-on-(3)[5]: 510 g (5 Mol) 3-Chlor-cyclopenten läßt man langsam zu einer Lösung von 600 g $Na_2Cr_2O_7 \cdot 2 H_2O$ in 2 l Wasser laufen, wobei man die Temp. unter 0° hält (Eis/Natriumchlorid-Bad). Dabei muß gut gerührt werden, um die Bildung von Dicyclopenten-(2)-yläther zu unterdrücken! Anschließend verrührt man den Ansatz vorsichtig in der Kälte mit 1 l 50%iger Schwefelsäure. Man sättigt mit Natriumchlorid, extrahiert 3mal mit je 500 ml Äther und dann kontinuierlich weitere 5–8 Stdn. (der Äther-Destillationskolben wird mit etwas Natriumhydrogencarbonat versetzt). Die Ätherextrakte werden neutralisiert, über Calciumchlorid getrocknet und über eine Kolonne fraktioniert; Ausbeute: 250–280 g (60–68% d.Th.); Kp_{11}: 42°.

[1] H. J. Ringold, G. Rosenkranz u. F. Sondheimer, Am. Soc. **78**, 820 (1956).

[2] R. Brownell et al., Am. Soc. **82**, 406 (1960).

[3] A. Ghenciulescu et al., Rev. Roum. Chim. **14**, 1553 (1969); C. A. **73**, 3291 (1970).

[4] R. A. Pacaud u. C. F. A. Allen, Org. Synth., Coll. Vol. II, 336 (1943).

[5] K. Alder u. F. H. Flock, B. **89**, 1732 (1956).

Gelegentlich wurden für die Oxidation von -CHCl(Br)-Gruppen N-Oxid- und S-Oxid-Verbindungen empfohlen. Trimethylaminoxid[1] und Dimethylsulfoxid[2] sind zwar vor allem für die Herstellung von Aldehyden aus primären Halogeniden wichtig, doch wurden auch *Cyclopentanon*[1] und *Octanon-(2)*[2] auf diese Weise erhalten. Die gleiche Einschränkung gilt für die Herstellung von Carbonyl-Verbindungen nach Kröhnke[3]; auch diese Methode wurde fast nur für Aldehyde eingesetzt. Mit 2-Nitropropan in alkalischer Lösung lassen sich auch mehrfach ungesättigte Bromide wie 2,9-Dibrom-3,8-dimethyl-decadien-(3,7)-in-(5) aus der Carotin-Reihe sehr schonend in Ketone überführen[4] [zum *2,9-Dioxo-3,8-dimethyl-decadien-(3,7)-in-(5)*]. 2-(1-Bromäthyl)-pyrazine (I) (durch N-Brom-succinimid-Bromierung der Alkyl-Gruppe) geben mit 2-Nitro-propan *3-Methyl-2-acetyl-* (66% d. Th.) bzw. *3-Äthyl-2-acetyl-pyrazin* (54% d. Th.) (II)[5]; Pyridin-N-oxid als Oxidationsmittel liefert schlechtere Ausbeuten[5]:

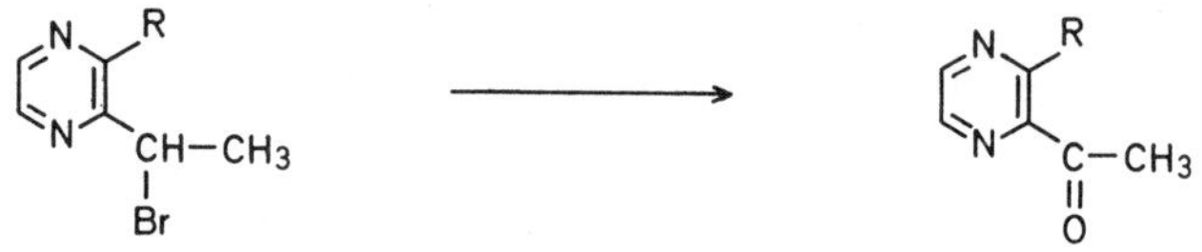

R = CH₃ ; C₂H₅

4. Oxidation von Aminen zu Ketonen

bearbeitet von

Dr. Hans-Joachim Kabbe,

Farbenfabriken Bayer AG., Leverkusen

Die Oxidation eines Amins zum Keton gelingt mit den gebräuchlichen Oxidationsmitteln praktisch nur mit völlig unbefriedigenden Ausbeuten[6]. Jedoch gibt es einige spezielle Verfahren, die zum Ziele führen. Diese sind aber meist ziemlich aufwendig, so daß man sich derer nur dann bedient, wenn keine einfacheren Möglichkeiten bestehen. Gegebenenfalls ist zu erwägen, ob es nicht vorteilhafter ist, zunächst die Amine in die sek. Alkohole überzuführen (s. ds. Handb., Bd. VI/1a) und diese anschließend zu den Ketonen zu oxidieren.

Die Dehydrierung vollzieht sich nach dem Schema:

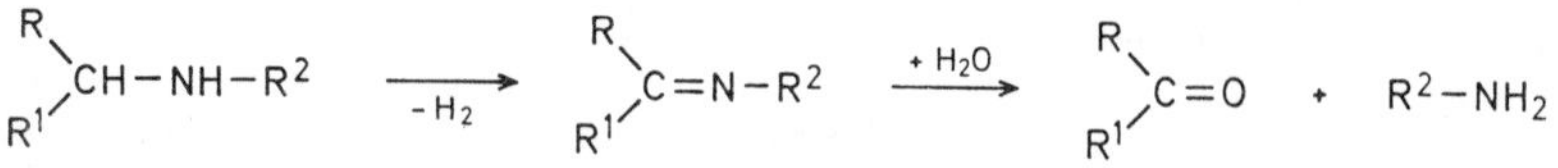

Die intermediär gebildete Keton-imin-Stufe wird nicht isoliert, sondern gleich weiter mit Säuren zum Keton hydrolysiert. Es sei darauf hingewiesen, daß der gegen-

[1] V. Franzen u. S. Otto, B. **94**, 1360 (1961).
[2] A. P. Johnson u. A. Pelter, Soc. **1964**, 520.
[3] F. Kröhnke, B. **71**, 2583 (1938).
[4] M. Montavon et al., Helv. **40**, 1250 (1957).
[5] B. D. Mookherjee u. E. M. Klaiber, J. Org. Chem. **37**, 511 (1972).
[6] P. A. S. Smith, *Open Chain Nitrogen Compounds*, Vol. 1, S. 47–51, W. A. Benjamin, Inc., New York 1965.

seitige Übergang von 1-Amino-carbonsäuren und α-Oxo-carbonsäuren (Transaminierung) eine der Grundreaktionen in der Biochemie darstellt[1]: eine präparative „invitro"-Übertragung (*2-Oxo-4-methyl-pentansäure* aus Leucin) wurde beschrieben[2].

Ein Verfahren, das ebenfalls auf einer Transaminierung beruht und hohe Ausbeuten an Ketonen liefert. bedient sich des 3,5-Di-tert.-butyl-1,2-benzochinons oder des 2,4,6-Trimethyl-phenylglyoxals als Ammoniak- und Wasserstoffacceptoren[3]:

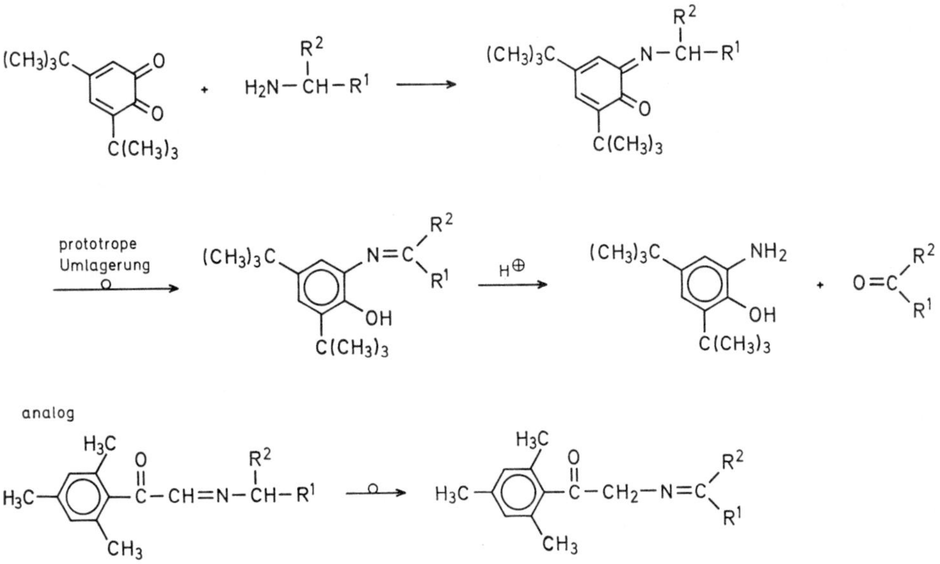

Die Ausführung ist einfach. Die Schiff'schen Basen bilden sich in Methanol bei Raumtemp. (unter Stickstoffatm.) innerhalb weniger Minuten. Das Ende der Reaktion ist am Farbumschlag zu den tiefer gefärbten umgelagerten Schiff'schen Basen erkennbar. Diese werden durch Zugabe von Oxalsäure und Wasser nach mehrstündigem Stehen bei Raumtemp. hydrolytisch gespalten.

So wurden aus den entsprechenden Aminen mit Ausbeuten von ~ 90% d.Th. erhalten: *Cyclopentanon, Cyclohexanon, Cyclododecanon* und *Acetophenon*.

Von der Wiedergabe eines Ausführungsbeispieles wird abgesehen, da die Originalversuche im mg-Maßstab durchgeführt und die Ausbeuten meist gaschromatografisch bestimmt worden sind.

Eine originelles Verfahren zur Überführung von α-Amino- in α-Keto-carbonsäuren[4] besteht darin, daß man die aus α-Amino-carbonsäuren leicht herstellbaren 5-Oxo-2-trifluormethyl-4,5-dihydro-1,3-oxazole (I) hydrolytisch spaltet, wobei eine intramolekulare Disproportionierung (Trifluoressigsäure → Trifluoracetaldehyd) eintritt:

[1] F. EISENBERG, *The Chemistry of the Carbonylgroup*, S. 331 ff., Interscience Publ., London 1966.
[2] A. MEISTER, Biochem. Prepar. **3**, 66 (1953).
[3] E. J. COREY u. K. ACHIWA, Am. Soc. **91**, 1429 (1969).
[4] F. WEYGANG, W. STEGLICH u. H. TANNER, A. **658**, 128 (1962); dort findet sich auch eine umfassende Literaturzusammenstellung über die chemische und biologische Überführung von α-Amino- in α-Keto-carbonsäuren.

$$R-\underset{\underset{NH-CO-CF_3}{|}}{\overset{\overset{H}{|}}{C}}-COOH \quad \xrightarrow{-H_2O} \quad \underset{I}{\underset{R}{\bigvee}}\overset{O}{\underset{N}{\bigvee}}\overset{O}{\underset{}{}}CF_3 \quad \longrightarrow \quad R-\overset{\overset{O}{\|}}{C}-COOH \;+\; NH_3 \;+\; F_3C-CHO$$

Die Oxazolone I können aus den Aminosäuren durch Erhitzen mit Trifluoressigsäureanhydrid auf 120° direkt erhalten werden. Dabei tritt bei optisch aktivem Material eine völlige Racemisierung ein.

Behandelt man jedoch optisch aktive α-Trifluoracetylamino-carbonsäuren mit Phosphoroxychlorid und Pyridin in Dichlormethan bei $-20°$, so erhält man Oxazolone, deren optische Aktivität voll erhalten geblieben ist.

Die Ringspaltung erfolgt bei Raumtemperatur mit 1 n Natronlauge oder mit Säuren. Über die Aufarbeitung z. T. empfindlicher α-Keto-carbonsäuren s. Originalliteratur.

Falls robustere Bedingungen angewandt werden können, läßt sich die Spaltung auch mit starken Säuren durchführen.

2-Oxo-3-(4-chlor-phenyl)-propansäure [γ-(4-Chlor-phenyl)-brenztraubensäure][1]: 1 g des 5-Oxo-2-trifluormethyl-4-(4-chlor-benzyl)-4,5-dihydro-1,3-oxazol werden bei Raumtemp. mit so viel 70%iger Trifluoressigsäure versetzt, daß gerade Lösung eintritt. Nach einigen Stdn. beginnt die Keto-carbonsäure auszukristallisieren. Am nächsten Tag wird die Fällung durch geringe Wasserzugabe vervollständigt und nach dem Abkühlen auf 0° abgesaugt; Ausbeute: 0,65 g (91% d.Th.); F: 191°.

Von den zahlreichen so hergestellten α-Oxo-carbonsäuren seien erwähnt:

2-Oxo-4-methyl-pentansäure	83% d.Th.
(+)-2-Oxo-3-methyl-pentansäure	73% d.Th.
Phenyl-glyoxylsäure	69% d.Th.

In der Steroid-Reihe bedient man sich gelegentlich Verbindungen mit „positivem" Chlor, das sehr spezifisch am Stickstoff angreift; nach Abspaltung von Chlorwasserstoff erhält man das Keton-imin und daraus das Keton. Statt der früher verwendeten unterchlorigen Säure[2] verwendet man zweckmäßig N-Chlor-succinimid[3,4] und tert. Butylhypochlorit[5].

3β-Hydroxy-20-oxopregnen-(5)[5]: Eine Suspension von 621 mg 20-Amino-3β-acetoxy-pregnen-(5), 120 mg Natriumhydrogencarbonat und 10 *ml* Äther wird mit einer Lösung von 165 mg tert. Butylhypochlorit[6] in 10 *ml* Äther versetzt. Nach 20 Min versetzt man mit 5 *ml* Äthanol und dann mit einer kalten Lösung von 350 mg Natrium in 15 *ml* Äthanol. Dieses Gemisch wird so lange auf dem Wasserbad erwärmt, bis ein Kaliumjodid-Stärke-Test negativ ausfällt. Mit wenig Wasser bringt man das gebildete Natriumchlorid in Lösung, säuert stark an (10%ige Schwefelsäure), kocht 30 Min. auf, verdünnt mit Wasser und extrahiert das Keton mit Äther. Nach dem Trocknen und Einengen erhält man 340 mg (71% d.Th.); F: 181–185°.

---

[1] F. Weygang, W. Steglich u. H. Tanner, A. **658**, 128 (1962).

[2] H. Ruschig, Med. und Chem. **4**, 327 (1942).

[3] R. Beugelmans, C. Kan u. J. LeMen, Bl. **1963**, 1306.

[4] H. Ruschig et al., B. **88**, 883 (1955).

[5] W. E. Bachmann, M. P. Cava u. A. S. Dreiding, Am. Soc. **76**, 5554 (1954).

[6] H. M. Teeter et al., Ind. eng. Chem. **41**, 849 (1949).

Mit Kaliumpermanganat kann man Amine wie Cyclohexylamin in tert. Butanol-Wasser-Gemischen bei 55–75° in Ketone überführen[1]. *Tropon* erhält man aus 7-Amino-tropenen durch Oxidation mit Tropenylium-tetrafluoroborat zum Immoniumsalz und nachfolgende basische Hydrolyse[2,3]. In Gegenwart katalytischer Mengen Silbernitrat gehen verschiedene Amine mit Natrium-persulfat in wäßriger Lösung bei 0–20° in Ausbeuten von 50–86% in Ketone über[4]. Die Oxidation zu Ketonoximen wird ebenfalls beschrieben, z.B. von Cyclododecylamin mit Wasserstoffperoxid in Gegenwart von Katalysatoren zu *Cyclododecanon-oxim*[5] und von Diphenylmethyl-hydroxylamin mit Sauerstoff zu *Benzophenon-oxim* (s. ds. Handb., Bd. X/4, S. 128)[6]. Die für Aldehyde so wichtige Sommelet-Reaktion[7] läßt sich praktisch nicht auf Ketone übertragen; allerdings erhält man *Acetophenon* (30% d. Th.) aus 1-Amino-1-phenyl-äthan und Hexamethylentetramin[8].

Schließlich sei noch auf die Dehydrierung von Aminen zu Iminen mit Schwefel bei über 200° hingewiesen[9].

c) Ketone aus Olefinen

bearbeitet von

Dr. HANS-JOACHIM KABBE,

Farbenfabriken Bayer AG., Leverkusen

und

Dr. REINHARD JIRA[10],

Wacker Chemie GmbH, München

Die Überführung einer C=C-Doppelbindung in eine Keton-Gruppierung[11]

$$R-CH=CH-R^1 \xrightarrow{+O} R-CH_2-\underset{\underset{O}{\|}}{C}-R^1 \quad \text{bzw.} \quad R-\underset{\underset{O}{\|}}{C}-CH_2-R^1$$

kann bei unsym. Ausgangsstoffen zu einem Keton-Gemisch führen. Doch lassen sich unter Einhaltung spezieller Versuchsbedingungen vielfach einheitliche Ketone erhalten.

Als einziger direkter Weg kommt praktisch nur das „Wacker-Verfahren" (s. u.) in Betracht. Jedoch gibt es zahlreiche Verfahren, um ein Olefin in 2 oder 3 Stufen in ein Keton (oxidativ) überzuführen.

[1] S. S. RAWALAY u. H. SHECHTER, J. Org. Chem. **32**, 3129 (1967).
[2] N. L. BAULD u. Y. S. RIM, Am. Soc. **89**, 6763 (1967).
[3] H. J. DAUBEN u. D. F. RHOADES, Am. Soc. **89**, 6764 (1967).
[4] R. G. R. BACON et al., Soc. **1965**, 4962; **1966**, 1384.
[5] DAS. 1195744 (1963), Chem. Werke Hüls, Erf.: W. FRANKE u. H. MEISTER; C. A. **63**, 9837 (1965).
[6] A. C. COPE u. A. C. HAVEN, Am. Soc. **72**, 4896 (1950).
[7] Vgl. Bd. VII/1, S. 194 ff.
[8] J. GRAYMORE u. D. R. DAVIES, Soc. **1945**, 293.
[9] C. M. ROSSER u. J. J. RITTER, Am. Soc. **59**, 2179 (1937).
[10] Autor des Abschnittes „Wacker-Verfahren", S. 782–785.
[11] s. a. L. J. CHINN, *Selection of Oxidants in Synthesis*, S. 101, M. DEKKER, Inc., New York 1971.

1. Direktoxidation von Olefinen zu Ketonen und Aldehyden

Olefine werden durch eine wäßrige Palladium(II)-Salzlösung zu Aldehyden bzw. Ketonen gleicher Kohlenstoffzahl oxidiert[1-3]. Dieses Verfahren hat großtechnische Bedeutung zur Herstellung von *Acetaldehyd* aus Äthylen erlangt[4] (Wackerverfahren). Aus den α-Olefinen entstehen im allgemeinen Methylketone, während die entsprechenden Aldehyde nur in der Größenordnung von 1–3% gebildet werden. Besondere Bedingungen (s. S. 783–785) erlauben eine höhere Aldehyd-Ausbeute:

$$R—CH=CH_2 + PdCl_2 + H_2O \rightarrow R—CO—CH_3 + Pd + 2HCl$$

$$R = H, \text{ Alkyl, Aryl}$$

Beidseitig substituierte Olefine reagieren analog. Allerdings nimmt die Reaktionsgeschwindigkeit mit dem Volumen der Substituenten ab. Mit Stilben wurde keine Reaktion mehr beobachtet. An einem Kohlenstoffatom disubstituierte Olefine reagieren sehr langsam und bilden den entsprechenden Aldehyd nur in untergeordnetem Maß. Häufig entstehen Produkte nach anderen Reaktionsmechanismen[5], z. B. α-Methyl-acrolein aus Isobuten. Höhere Olefine bilden meist Keton-Gemische nicht nur, weil bei internen Olefinen die Bildung der Carbonyl-Gruppe an den beiden Kohlenstoffatomen der Carbonylverbindung energetisch zu wenig verschieden ist, sondern auch infolge einer ebenfalls durch Palladium(II)-Salze katalysierten Verschiebung der Doppelbindung. Eine solche wird bei höheren α-Olefinen in Gegenwart von Dimethylformamid weitgehend vermieden und so die Bildung von Methylketonen favorisiert[6].

Die Geschwindigkeit der Umsetzung wird durch Säuren und Halogenidionen stark herabgesetzt[7,8].

Acetaldehyd: Eine wäßrige Palladium(II)-chlorid-Lösung wird durch Erwärmen der Suspension unter Zusatz von möglichst wenig Salzsäure hergestellt. In einer Schüttelente erfolgt die Umsetzung mit Äthylen. Bei Atmosphärendruck ist die Reaktionsgeschwindigkeit bei ~ 70° am höchsten. Palladiummetall fällt als schwarzer Niederschlag aus. Acetaldehyd kann durch Destillation gewonnen werden; Ausbeute: ~ quantitativ.

Höhere Carbonyl-Verbindungen, allgemeine Herstellungsvorschrift: Mit gasförmigen Olefinen erfolgt die Umsetzung wie bei Acetaldehyd beschrieben. Flüssige Olefine werden entweder eben-

[1] J. Smidt, W. Hafner, R. Jira, J. Sedlmeier, R. Sieber, R. Rüttinger u. H. Kojer, Ang. Ch. **71**, 176 (1959).
[2] J. Smidt u. R. Sieber, Ang. Ch. **71**, 626 (1959).
[3] DBP 1049845; US. P. 3131223 (1957), Consort. f. elektrochem. Ind. GmbH, Erf.: J. Smidt, W. Hafner, J. Sedlmeier, R. Jira u. R. Rüttinger; C. A. **55**, 3436 (1961).
[4] Da dieses beim Erscheinen des Aldehydbandes (VII/2) noch nicht bekannt war, die Versuchsbedingungen zur Herstellung von Aldehyden und Ketonen praktisch die gleichen sind und vielfach Aldehyde und Ketone nebeneinander entstehen, wird auch hier die *Acetaldehyd*-Herstellung beschrieben.
[5] Zusammenfassende Artikel über Reaktionen mit Palladiumverbindungen:
R. Hüttel, *Palladiumsalze und Palladium-Komplexe in der präparativen organischen Chemie*, Synthesis **1970**, 225–255.
R. Jira u. W. Freiesleben, *Olefin Oxidation and Related Reactions with Group VIII Noble Metal Compounds* in E. I. Becker u. M. Tsutsui, *Organometallic Reactions*, J. Wiley, Interscience Publishers, New York (im Druck).
[6] W. H. Clement u. C. M. Selwitz, J. Org. Chem. **29**, 241 (1964).
[7] J. Smidt, W. Hafner, R. Jira, J. Sedlmeier, R. Sieber u. A. Sabel, Ang. Ch. **74**, 93 (1962).
[8] R. Jira, J. Sedlmeier u. J. Smidt, A. **693**, 99 (1966).

falls unter Schütteln oder besser unter Rühren und Kochen am Rückfluß umgesetzt. Die Carbonylverbindungen können durch Destillation oder durch Extraktion z.B. mit Äther gewonnen werden. Die Ausbeuten liegen im allgemeinen über 90% der Theorie.

Zur Verminderung der stöchiometrisch verbrauchten Menge Palladium(II)-chlorid kann dieses zum größten Teil durch Kupfer(II)-chlorid ersetzt werden[1]; denn letzteres ist in der Lage, Palladiummetall wieder zur aktiven Stufe zu oxidieren:

$$Pd + 2\,CuCl_2 \longrightarrow PdCl_2 + Cu_2Cl_2$$

$$R-CH=CH_2 + 2\,CuCl_2 + H_2O \xrightarrow{PdCl_2} R-CO-CH_3 + Cu_2Cl_2 + 2\,HCl$$

Wegen des störenden Einflusses der hohen Konzentration an vorliegenden Chlorid-Ionen und entstehender Säure wird zur Pufferung ein Teil des Kupfer(II)-chlorids durch Kupfer(II)-acetat oder Kupferoxidchlorid ersetzt[2]. Das entstehende Kupfer(I)-chlorid kann durch Luft oder Sauerstoff wieder reoxidiert werden[3]. Leitet man während der Umsetzung zusätzlich Sauerstoff ein, so verläuft die Reaktion katalytisch[4]:

$$R-CH=CH_2 + {}^1/_2\,O_2 \xrightarrow{PdCl_2,\ CuCl_2,\ H_2O} R-CO-CH_3$$

Acetaldehyd; kontinuierliche Herstellung: Eine wäßrige Lösung, die im Liter 1,78 g Palladium(II)-chlorid, 150 g $CuCl_2 \cdot 2\,H_2O$ und 24 g $Cu(OOCCH_3)_2 \cdot H_2O$ enthält, wird in ein mit Raschigringen gefülltes und heizbares senkrecht stehendes Rohr gefüllt und bei 90–95° Äthylen bzw. ein Äthylen-Sauerstoffgemisch durchgeleitet. Dabei muß auf die *Explosions*grenze geachtet werden. Im vorliegenden Fall ist die Verwendung eines Gemischs aus 84 Tln. Äthylen und 16 Tln. Sauerstoff zweckmäßig. Acetaldehyd wird zusammen mit Wasserdampf mit dem Restgasstrom ausgetrieben und aus diesem auskondensiert. Als Nebenprodukt erhält man wenig Chlor-acetaldehyd.

Andere gasförmige Olefine können auf ähnliche Weise umgesetzt werden.

Die gleiche hier beschriebene Lösung von Palladium(II)-chlorid und Kupfer(II)-salzen läßt sich auch in Abwesenheit von Sauerstoff zur diskontinuierlichen Oxidation von Olefinen einsetzen. Flüssige Olefine setzt man zweckmäßigerweise wiederum in Rührkolben unter Rückfluß um.

Bei der Reaktion höherer Olefine in Gegenwart von Kupfer(II)-chlorid entstehen neben isomeren auch chlorierte Carbonyl-Verbindungen durch sekundäre Oxychlorierung mit Kupfer(II)-chlorid, z. B. aus Buten-(1) und -(2) *3-Chlor-2-oxo-butan*.

Aldehyde werden aus α-Olefinen in zunehmendem Maß mit steigender Säure- und Chlorid-Ionenkonzentration gebildet[5]. Im allgemeinen kann der Aldehyd-Anteil nicht über 25% hinaus gesteigert werden. Außerdem behindern die gleichen Maßnahmen die Reaktionsgeschwindigkeit, so daß diese Methode Aldehyde herzustellen präparativ wenig interessant ist. Eine Ausnahme ist die Bildung von *Phenylacetaldehyd* neben *Acetophenon* aus Styrol.

[1] DBP. 1080994 (1957), Consort. f. elektrochem. Ind. GmbH, Erf.: J. Smidt, W. Hafner u. R. Jira; C. A. **55**, 18596 (1961).
[2] DBP 1135440 (1957), Brit. P. 878777, Consort. f. elektrochem. Ind. GmbH, Erf.: J. Smidt, R. Jira, W. Hafner u. J. Sedlmeier; C. A. **59**, 6258 (1963).
  DBP 1118183 (1957), Consort. f. elektrochem. Ind. GmbH, Erf.: O. E. Bänder, W. Berndt, L. Hörnig, W. Riemenschneider, W. Schmidt u. U. Schwenk; C. A. **57**, 667 (1962).
[3] DBP 1137426 (1957), Consort. f. elektrochem. Industrie, GmbH, Erf.: W. Hafner, R. Jira, J. Sedlmeier u. J. Smidt; C. A. **60**, 2775 (1964).
[4] DBP 1142593 (1957), Consort. f. elektrochem. Industrie, GmbH, Erf.: J. Smidt, W. Hafner R. Jira u. J. Sedlmeier; C. A. **59**, 5025 (1963).
[5] W. Hafner, R. Jira, J. Sedlmeier u. J. Smidt, B. **95**, 1575 (1962).

Tab. 123. Aldehyde und Ketone durch Oxidation von Olefinen mit Palladium(II)-
chlorid[1]

Olefin	Reaktions-Temperatur [°C]	Reaktions-Zeit [Min.]	Carbonyl-Verbindung	Umsatz [%d.Th.]
Aliphatische Monoene				
Äthylen	20	5	*Acetaldehyd*	90
Propen	20	5	*Aceton*	85
Buten-(1)	20	10	*Butanon-(2)*	80
Penten-(1)	20	20	*Pentanon-(2)*	81
Hexen-(1)	30	30	*Hexanon-(2)*	75
Hepten-(1)	50	30	*Heptanon-(2)*	65
Octen-(1)	50	30	*Octanon-(2)*	42
Nonen-(1)	70	45	*Nonanon-(2)*	35
Decen-(1)	70	60	*Decanon-(2)*	34
Aliphatische Diene				
Butadien-(1,3)	90	30	*Buten-(2)-al*	10
Pentadien-(1,4)	100	180	*Penten-(2)-on-(4)*	15
			+ Pentanon-(2)	10
Hexadien-(1,5)	100	60	*3-Oxo-1-methyl-cyclopentan*	15
			+ Hexandion-(2,5)	5
Cycloalkene und Aryl-alkene				
Cyclopenten	30	30	*Cyclopentanon*	61
Cyclohexen	30	30	*Cyclohexanon*	65
Inden	50	60	*Indanon-(2)*	66
Stryrol	50	180	*Acetophenon*	57
			+ Phenyl-acetaldehyd	
3-Phenyl-propen	40	30	*Phenyl-aceton*	76
Ungesättigte Verbindungen mit funktionellen Gruppen				
Acrylsäure	50	186	*Acetaldehyd*	50
Buten-(2)-säure (Crotonsäure)	50	60	*Aceton*	75
Octen-(2)-säure	50	60	*Heptanon-(2)*	95
α-Methyl-acrylsäure	40	60	*Propanal*	61
2-Methyl-*trans*-buten-(2)-säure (Tiglinsäure)	50	120	*Butanon*	40
Zimtsäure	50	10 h	*Acetophenon*	35
Sorbinsäure [Hexadien-(2,4)-säure]	65	15	*Penten-(2)-on-(4)*	35
Maleinsäure	50	180	*Brenztraubensäure*	25
Methylen-bernstein-säure (Itaconsäure)	50	60	*Bernsteinaldehydsäure*	30

[1] R. Jira, Privatmitteilung.
R. Jira u. W. Freiesleben, *Olefin Oxidation and Related Reactions with Group VIII Noble Metal Compounds* in E. I. Becker u. M. Tsutsui, *Organometallic Reactions*, J. Wiley, Interscience Publishers, New York (im Druck).

Tab. 123. (Fortsetzung)

Olefin	Reaktions-Temperatur [°C]	Reaktions-Zeit [Min.]	Carbonyl-Verbindung	Umsatz [% d.Th.]
1- bzw. 3-(4-Methoxy-phenyl)-propen-(1) (Anethol bzw. Estragol)	70	270	*(4-Methoxy-phenyl)-aceton*	55
1-(3,4-Methylendioxy-phenyl)-propen-(1) (Isosafrol)	70	150	*(3,4-Methylendioxy-phenyl)-aceton*	69
Nitro-äthylen	70	60	*Nitro-acetaldehyd*	5,5
1-Nitro-propen-(1)	70	60	*Nitro-aceton*	37,0
Acrylnitril	30	30	*Cyanacetaldehyd*	70
5-Brom-penten-(1)	25	30	*5-Brom-2-oxo-pentan*	50
4-Chlor-styrol	30	30	*4-Chlor-acetophenon*	35
3-Nitro-styrol	50	120	*3-Nitro-acetophenon*	35
Vinylchlorid	20	rasch	*Acetaldehyd*	95
Vinylbromid	10	15	*Acetaldehyd*	98
1-Brom-propen-(1)	30	15	*Aceton*	91
1-Brom-hexen-(1)	50	45	*Hexanon-(2)*	95

Phenylacetaldehyd und Acetophenon: Styrol wird in geringem stöchiometrischen Überschuß mit einer 0,05 m Lösung von K_2PdCl_4 in 1 n Perchlorsäure unter kräftigem Rühren am Rückfluß gekocht. Nach Beendigung der Umsetzung, erkenntlich am vollständigen Ausfallen von metallischem Palladium, werden die gebildeten Carbonyl-Verbindungen mit Wasserdampf abdestilliert und mit Äther extrahiert. Das Verhältnis Phenylacetaldehyd: Acetophenon beträgt 3–4 : 1.

Auf gleiche Weise herstellbare Verbindungen sind in Tab. 123 (S. 784f.) aufgeführt.

Olefine, die mit elektronenabziehenden Gruppen wie CO, COOH, COOR, $CONH_2$, CN, NO_2 substituiert sind, bilden die Carbonyl-Gruppe an dem nicht durch diese Gruppen substituierten Kohlenstoffatom. β-Dicarbonyl-Verbindungen bilden Sekundärprodukte. β-Keto-carbonsäuren decarboxylieren unter Bildung von Methylketonen[1,2]. Unter den Reaktionsbedingungen geben auch die Carbonsäure-Derivate die gleichen Methylketone. Interessant ist die Bildung von *Cyan-acetaldehyd* aus Acrylnitril nach einer der oben beschriebenen Methoden.

Vinylhalogenide und deren Homologe bilden mit wäßriger Palladium(II)-chlorid-Lösung halogenfreie, gesättigte Ketone[1,3]. Auffallend ist bei dieser formalen Hydrolyse, daß aus den 1-substituierten Halogen-olefinen wiederum die Methylketone entstehen.

---

[1] J. Smidt, W. Hafner, R. Jira, J. Sedlmeier, R. Sieber, R. Rüttinger u. H. Kojer, Ang. Ch. **71**, 176 (1959).

[2] DBP 1059453 US. P. 3153083 (1957), Consort. f. elektrochem. Industrie, GmbH, Erf.: J. Smidt, R. Sieber, W. Hafner u. R. Jira; C. A. **55**, 9350 (1961).

[3] DBP 1176141 US. P. 3153083 (1957), Consort. f. elektrochem. Industrie, GmbH, Erf.: J. Smidt, R. Sieber, W. Hafner u. R. Jira; C. A. **62**, 447 (1965).

Vielfach gelingt es auch, die Olefine mit Hydroperoxiden bzw. Persäuren direkt zu Ketonen zu oxidieren. Die dabei als Zwischenstufe herstellbaren Epoxide können isoliert und zu Ketonen isomerisiert werden (s. S. 927 ff.). Häufig entstehen jedoch zunächst Derivate von Glykolen (I), die sich im sauren Medium zu den Ketonen III umlagern:

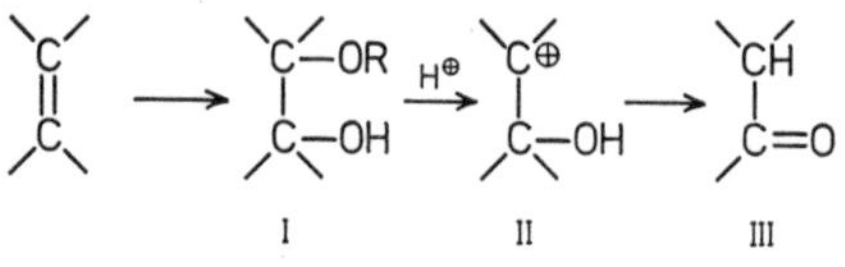

$$R = H, Acyl$$

Das Carbeniumion II bildet sich an der Stelle, die ihm durch günstige Ladungsverteilung eine höhere Stabilität verleiht; dadurch findet sich die neugebildete Oxo-Gruppe III in der anti-Markoffnikow-Position [z.B. *Indanon-(2)* aus Inden[1]]. Diese Tatsache hat präparativ eine wichtige Folge: Während Kohlenwasserstoffe wie Indan oder Propyl-benzol in α-Stellung zum aromatischen Kern oxidiert werden, entstehen aus den Ausgangsstoffen mit ungesättigter Seitenkette [1-Phenyl-propen-(1), Inden] Ketone, deren Carbonyl-Gruppe sich β-ständig zum Aromaten befindet. In der Reihe der *Tetralone*[2,3], die als Ausgangsstoffe für Steroid- und Alkaloid-Synthesen so vielfältig gebraucht werden, gestattet diese Auswahl häufig die Möglichkeit zu verschieden angelegten Syntheseplänen (s. a. S. 789). Die analoge Oxidation von 1-Aryl-cyclohexenen führt zu 2-Oxo-1-aryl-cyclohexanen (*2-Oxo-1-phenyl-cyclohexan*[4], *2-Oxo-1-(2,3,4-trimethoxy-phenyl)-cyclohexan*)[5].

2-Oxo-1-methyl-6-isopropyl-tetralin[3]:

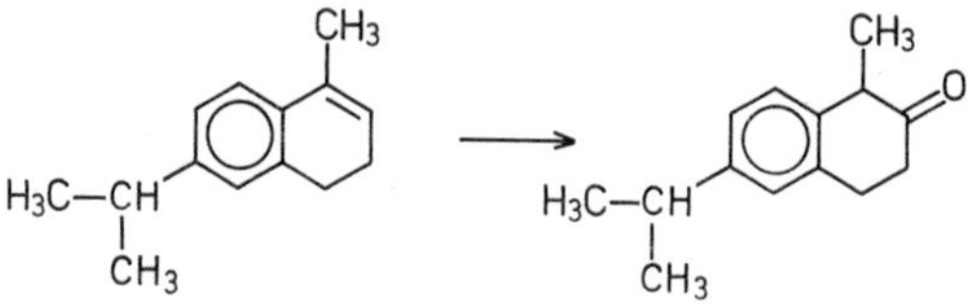

Zu einer Lösung von 40 g (0,215 M) 1-Methyl-6-isopropyl-3,4-dihydro-naphthalin in 160 *ml* absol. Äther werden bei 0° 160 *ml* einer 1,4 molaren (0,224 M) Lösung von Monoperphthalsäure in Äther getropft. Dieses Gemisch bleibt 36 Stdn. bei −20°, 4 Stdn. bei 5°, 4 Stdn. bei Zimmertemp. und wieder 36 Stdn. bei −20° stehen. Dann wird die entstandene Phthalsäure abgetrennt und die verbleibende Lösung 4mal mit je 160 *ml* 3%iger Salzsäure geschüttelt, wobei zwischen diesen Operationen die Lösung 2mal 7 Stdn. und dann 2mal 2 Stdn. bei Zimmertemp. stehen bleibt. Schließlich neutralisiert man die organische Phase mit Hydrogencarbonat-Lösung. Ferner werden alle wäßrigen sauren Extrakte neutral gestellt und mit Äther extrahiert. Die vereinten Äther-Auszüge werden getrocknet, eingeengt und destilliert; Ausbeute: 34,2 g (79% d.Th.); Kp$_{0,5}$: 122–124°.

Die Einwirkung von Quecksilber(II)-Salzen auf Olefine führt – abhängig von deren Konstitution und den Versuchsbedingungen – zu den verschiedenartigsten Oxi-

[1] J. E. HORAN u. R. W. SCHIESSLER, Org. Synth. **41**, 53 (1961).
[2] W. NAGATA u. T. TERASAWA, Chem. Pharm. Bull. **9**, 267 (1961).
[3] G. STORK u. J. W. SCHULENBURG, Am. Soc. **84**, 284 (1962).
[4] S. GOLDSCHMIDT u. W. L. C. VEER, R. **67**, 489 (1948).
[5] C. D. GUTSCHE u. F. A. FLEMING, Am. Soc. **76**, 1771 (1954).

dationsprodukten[1] (Allyloxidation, s. S. 695). Aus Buten-(2)[2] erhält man durch Erhitzen mit molaren Mengen Quecksilber(II)-sulfat in Wasser auf 100° unter Rückgewinnung von ~ 50% Ausgangsmaterial 92% *Butanon* und 6% *Butenon*.

Auch Quecksilber(II)-acetat (2 Mol) in Eisessig führt in vielen Fällen mit sehr guten Ausbeuten bei 1-Olefinen zu den Essigsäure-allylestern[1,2]. Wird Butenon bei ~ 80° in verd. Schwefelsäure mit Quecksilber(II)-sulfat oxidiert, dann entsteht bemerkenswerterweise *Butandion* (*Biacetyl*)[3].

Die direkte Überführung eines Olefins in ein Keton kann auch nach einem Eintopfverfahren durch Einwirkung eines Gemisches aus Trifluorperessigsäure und Bortrifluorid-Ätherat erfolgen[4]:

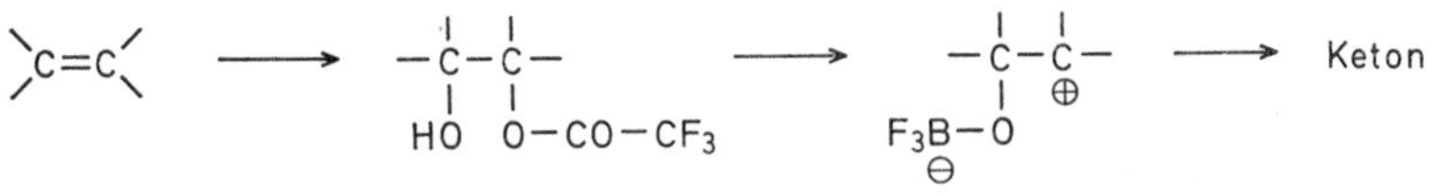

Eine präparative Bedeutung hat dieser Weg nicht. Daher wird auf die Sammelliteratur verwiesen[5].

Die Oxidation von Cholesterin (I) mit Natriumbichromat in Eisessig/Benzol bei 15° läßt sich so lenken, daß mit 40%iger Ausbeute *3,6-Dioxo-cholesten-(4)* (II) entsteht[6]:

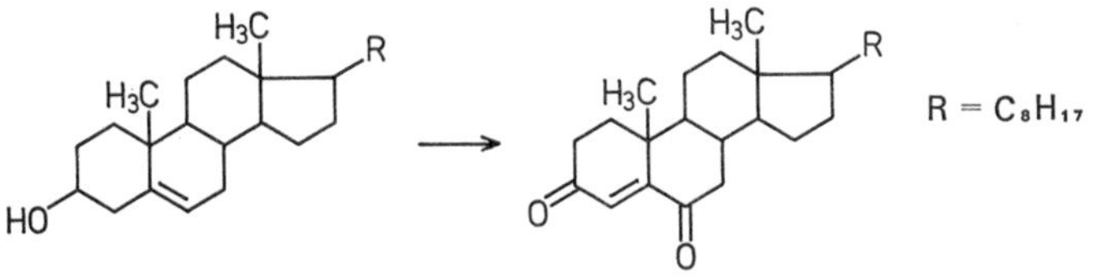

In der Steroid-Reihe wurden Verbindungen mit dem Strukturelement I mittels N-Methyl-morpholin-N-oxid-peroxid[7] in Pyridin-tert.-Butanol in Gegenwart katalytischer Mengen Osmium(VIII)-oxid zu II oxidiert[8]:

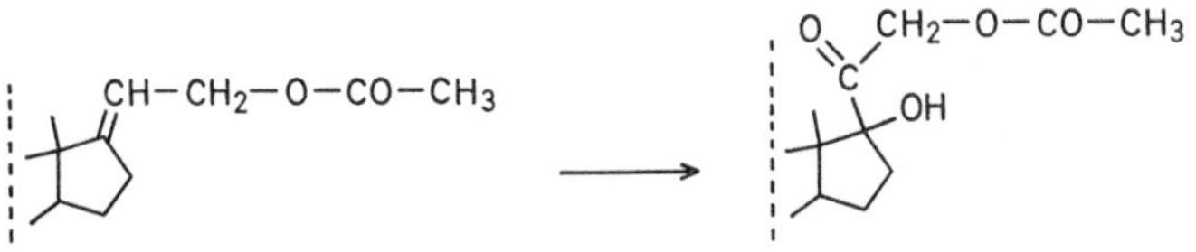

Über den speziellen Fall der Überführung von Hexafluor-propen in *Hexafluoraceton* s. Lit.[9].

[1] H. Arzoumanian u. J. Metzger: „*Oxidation of Olefins with Mercuric Salts*", Synthesis **1971**, 527.
  W. Treibs et al., A. **581**, 59 (1953).
[2] B. Charavel u. J. Metzger, Bl. **1968**, 4102.
[3] US.P. 2145388 (1936), DuPont, Erf.: A. S. Carter; C. A. **33**, 3400 (1939).
[4] H. Hart u. R. L. Lerner, J. Org. Chem. **32**, 2669 (1967).
[5] L. J. Chinn, *Selection of Oxidants in Synthesis*, S. 101, M. Dekker, Inc., New York 1971.
[6] L. F. Fieser, Org. Synth. Coll. Vol. IV 189 (1963).
[7] US.P. 2769823 (1954), The Upjohn Co., Erf.: W. P. Schneider u. A. R. Hanze; C. A. **51**, 8821 (1957).
[8] B. J. Magerlein u. J. A. Hogg, Am. Soc. **80**, 2226 (1958).
[9] C. G. Krespan u. W. J. Middleton, Fluorine Chemistry Rev. **1**, 145–196 (1967).

Höhergliedrige Cycloalkene ($> C_8$) kann man mit Kaliumpermanganat in Essigsäureanhydrid zu cyclischen 1,2-Diketonen oxidieren; so entsteht aus Cyclododecen ein Gemisch aus 48% *Cyclododecandion-(1,2)* und 17% *2-Acetoxy-1-oxocyclodecan*[1].

2. Indirekte Verfahren

In den meisten Fällen dürfte es einfacher sein, ein Olefin in mehreren Stufen in das Keton überzuführen. Dazu bieten sich viele Möglichkeiten an, z. B. die Anlagerung von Wasser zu den sek. Alkoholen oder von Schwefelsäure bzw. Essigsäure zu den Estern sek. Alkohole (s. d. Handb., Bd. VI/2, S. 480; Bd. VIII, S. 534 ff.). So wird z. B. *Butanon* techn. hergestellt durch Einwirkung von 80%iger Schwefelsäure auf Butene, Hydrolyse des Schwefelsäureesters und katalytische Dehydrierung des Butanols-(2)[2]. Die durch Kaliumpermanganat-Oxidation erhältlichen Glykole oder die durch Einwirkung von Persäuren bzw. über den Chlorhydrinweg gut zugänglichen Epoxide können zu Ketonen umgelagert werden (s. S. 927). Auch sei auf die Anlagerung von Nitrosylchlorid (s. ds. Handb., Bd. X/1, S. 89 ff.)[3] hingewiesen.

Bei einem anderen Verfahren, das Olefine in „anti-Markoffnikow"-Ketone zu überführen gestattet, addiert man Diboran[4] (aus Lithiumalalanat und Bortrifluorid oder Boranaten erzeugt) an Doppelbindungen[5,6]; die dabei entstehenden B—C-Bindungen lassen sich oxidativ zu Ketonen lösen. So erhält man aus 1-Methylcyclohexen und Diboran eine bororganische Zwischenstufe, die mit Natriumdichromat zum *2-Oxo-1-methyl-cyclohexan* oxidiert werden kann (Ausbeute annähernd doppelt so hoch wie bei der direkten Oxidation des 1-Methyl-cyclohexens[7]. Weitere Beispiele s. Lit.[4] sowie in der Steroid-Reihe bei Lit.[8,9].

2-Oxo-1-methyl-cyclohexan[4]: 4,8 g (0,05 M) 1-Methyl-cyclohexen und 0,38 g (0,022 Mol) Lithiumborhydrid in 30 *ml* Äther werden innerhalb von 15 Min. bei 25–30° mit einer Lösung von 0,95 *ml* (0,0075 M) Bortrifluorid-Diäthylätherat in 4 *ml* Diäthyläther versetzt. Nach 2 Stdn. wird das überschüssige Hydrid mit 5 *ml* Wasser zerstört. Wiederum bei 25–30° wird in 15 Min. eine Lösung von 11 g (0,0369 M) Natriumdichromat-dihydrat, 8,25 *ml* (0,147 M) konz. Schwefelsäure und Wasser (auf 45 *ml* aufgefüllt) eingerührt. Nach 2 stdgm. Rückflußerwärmen wird das Keton mit Äther extrahiert und durch Destillation isoliert; Ausbeute: 4,36 g (78% d. Th.); Kp_{24}: 63–64°.

---

[1] K. B. SHARPLESS et al., Am. Soc. **93**, 3303 (1971).

[2] Ullmann, *Encyclopädie der technischen Chemie*, Bd. **9**, 547 (1957), Urban und Schwarzenberg, München.

[3] s. a. die Herstellung von *Carvon* R. H. REITSEMA, J. Org. Chem. **23**, 2038 (1958).

[4] H. C. BROWN u. C. P. GARG, Am. Soc. **83**, 2951 (1961).

[5] L. J. CHINN, *Selection of Oxidants in Synthesis*, S. 102, M. Dekker Inc., New York 1971.

[6] H. C. BROWN, „*Hydroboration*", S. 72, W. A. BENJAMIN, New York 1962.

[7] H. HART u. L. R. LERNER, J. Org. Chem. **32**, 2669 (1967).

[8] J. F. BAGLI, P. F. MORAND u. R. GAUDRY, J. Org. Chem. **27**, 2938 (1962).

[9] R. PAPPO, Am. Soc. **81**, 1010 (1959).

Tetrasubstituierte Olefine lassen sich durch Einwirkung von Chromylchlorid und anschließende Reduktion mit Zinkstaub in Ketone überführen[1], wobei in einer Zwischenstufe eine Wagner-Meerwein-Umlagerung eintritt:

z.B.:

2,3-Dimethyl-buten-(2)	→	*3-Oxo-2,2-dimethyl-butan*	(~ 50% d.Th.)
3-Methyl-*cis*-penten-(2)	→	*2-Oxo-3-methyl-pentan*	63% d.Th.
3-Methyl-*trans*-penten-(2)	→	*2-Oxo-3-methyl-pentan*	70% d.Th.
1-Methyl-cyclohexen-(1)	→	*2-Oxo-1-methyl-cyclohexan*	41% d.Th.

Eine Möglichkeit, ein Olefin in ein Keton überzuführen, bietet auch die Hock'sche Phenol-Synthese über die aus Olefin und Benzol leicht zugänglichen Alkylbenzole[2] (s. S. 713).

Am Beispiel des 1-Phenyl-cyclohexens-(1) sei demonstriert, wie man dieses wahlweise in das gesättigte Keton III oder in die ungesättigten Ketone I und II überführen kann. Durch Oxidation mit Chromsäure-tert.-butylester[3] entsteht I (*3-Oxo-1-phenyl-cyclohexen*), mit Persäuren III (*2-Oxo-1-phenyl-cyclohexan*)[4] und durch Anlagerung von Nitrosylchlorid[5] (s.ds. Handb., Bd. X/1) über IV und V *3-Oxo-2-phenyl-cyclohexen*(II):

---

[1] F. FREEMAN, et al., J. Org. Chem. **33**, 3970 (1968); Tetrahedron **25**, 3441 (1969).
[2] M. I. FARBEROV et al., Neftechimiya **9**, 107 (1969); C. A. **71**, 21755 (1969).
   V.-J. KARNOJITZKY, Chim. et Ind. **100**, 24–29 (1968).
[3] D. GINSBURG u. R. PAPPO, Soc. **1951**, 516.
[4] S. GOLDSCHMIDT u. W. L. C. VEER, R. **67**, 489 (1948).
[5] C. F. KOELSCH, Am. Soc. **73**, 2951 (1951).

Die Überführung von 1-Methyl-cyclohexen (VI) in *2-Oxo-1-methyl-cyclohexan-oxim* (VIII; 16% d.Th.) läßt sich auch über das Nitrosylchlorid-Additionsprodukt VII durch reduktive Abspaltung des Chloratoms mittels Natriumboranat in einem Isopropanol-Wasser-Gemisch durchführen[1]:

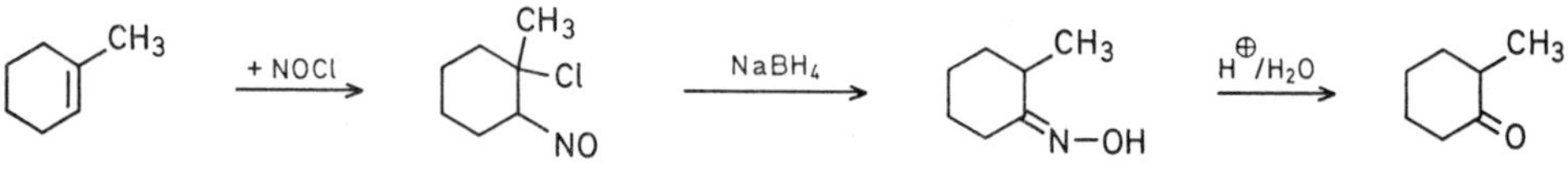

IV. Ketone aus Verbindungen der gleichen Oxidationsstufe

bearbeitet von

Prof. Dr. Hermann Stetter

Institut für Organische Chemie der Technischen Hochschule Aachen

a) Ketone aus funktionellen Derivaten

1. aus Ketalen und Thioketalen

Die Verseifung der Ketal-Bindung[2] gelingt glatt mit wäßrigen Mineralsäuren. Es gelten die gleichen Verhältnisse, wie sie bereits für die Verseifung der Acetale beschrieben wurden[3]. Da die entstehenden Ketone im allgemeinen gegenüber den Einflüssen von Mineralsäuren stabiler sind als die Aldehyde erfordert meist die Isolierung der bei der Verseifung entstehenden Ketone keine besonderen Vorsichtsmaßnahmen. Als besonders schonend erweist sich die Spaltung mit sauren Ionenaustauschern[4].

Unter neutralen Bedingungen lassen sich cyclische Ketale durch Einwirkung von Triäthyloxonium-tetrafluoroborat sehr glatt nach folgendem Mechanismus spalten[5]:

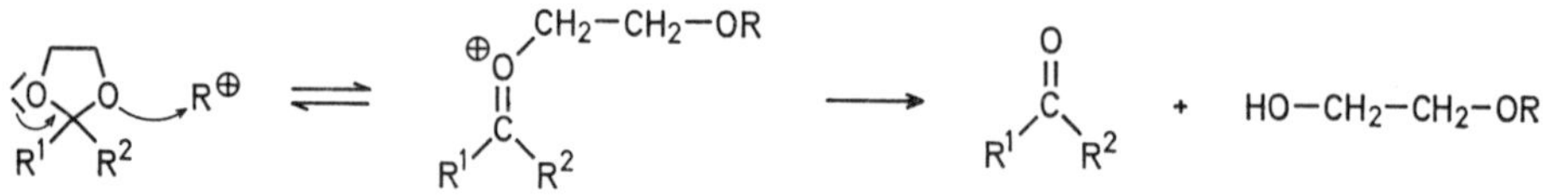

Auch Triphenylmethyl-tetrafluoroborat eignet sich für die Spaltung cyclischer Ketale. Hierbei verläuft die Spaltung nach folgendem Formelschema[5]:

---

[1] K. H. Bell, Austral. J. Chem. **24**, 1089 (1971).
[2] Herstellung von Ketalen (Acetalen) s. ds. Handb., Bd. VI/3, S. 198.
  Herstellung von Ketenacetalen s. ds. Handb., Bd. VII/4, S. 340.
[3] S. ds. Handb., Bd. VII/1, S. 423.
  Zum Mechanismus s.
    E. H. Cordes, Progr. Phys. Org. Chem. **4**, 1 (1967).
    T. H. Fife u. L. K. Jao, Am. Soc. **90**, 4081 (1968).
    T. H. Fife u. L. Brod, Am. Soc. **92**, 1681 (1970).
    T. H. Fife u. E. Anderson, J. Org. Chem. **36**, 2357 (1971).
[4] C. E. Ballon u. H. O. L. Fischer, Am. Soc. **78**, 1659 (1956).
[5] D. H. R. Barton et al., Soc. Perkin I **1972**, 542.

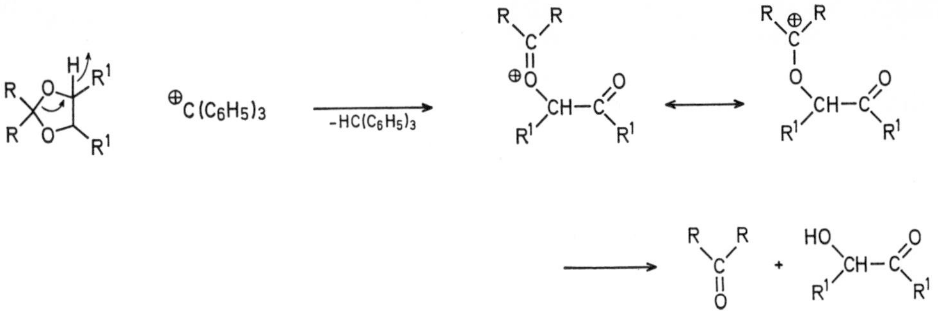

Besondere Erwähnung verdienen hier die Ketale der β-Hydroxy-ketone, welche aus den Ketalen der β-Oxo-carbonsäureester durch Lithiummalanat-Reduktion oder durch Einwirkung von Grignard-Verbindungen erhalten werden können. Die Verseifung mit wäßrigen Mineralsäuren führt infolge der äußerst leicht verlaufenden Wasser-Abspaltung aus den primär entstehenden β-Hydroxy-ketonen zu α,β-ungesättigten Ketonen, wie das Beispiel der Äthylenketale von β-Hydroxy-cyclohexanonen zeigt[1]:

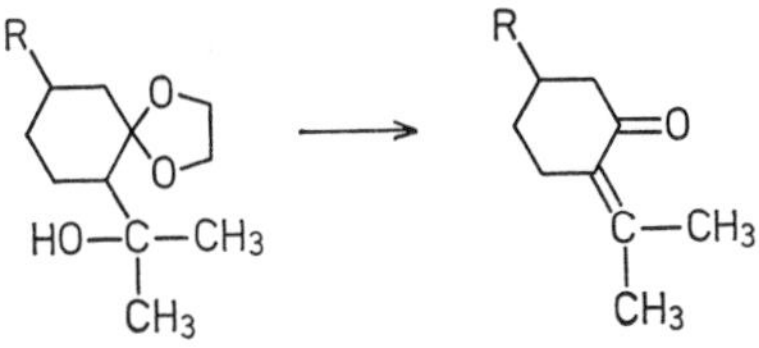

Auch die Hydrolyse von β-Alkoxy-ketalen führt unter gleichzeitiger Abspaltung von Alkohol zu α,β-ungesättigten Ketonen. Dieser Verlauf der Ketal-Spaltung spielt beim Aufbau symmetrischer Carotinoide eine durchaus erwünschte Rolle[2].

Zur Gewinnung der unveränderten β-Hydroxy-ketone aus ihren Ketalen hat sich die Methode der Umketalisierung bewährt. Man erhitzt hierzu das Ketal in wasserfreiem Aceton unter Zusatz von katalytischen Mengen von Sulfonsäuren. Auf diese Weise erhält man die unveränderten β-Hydroxy-ketone in ausgezeichneten Ausbeuten.

6-Oxo-2-methyl-5-hydroxymethyl-hepten-(2)[3]:

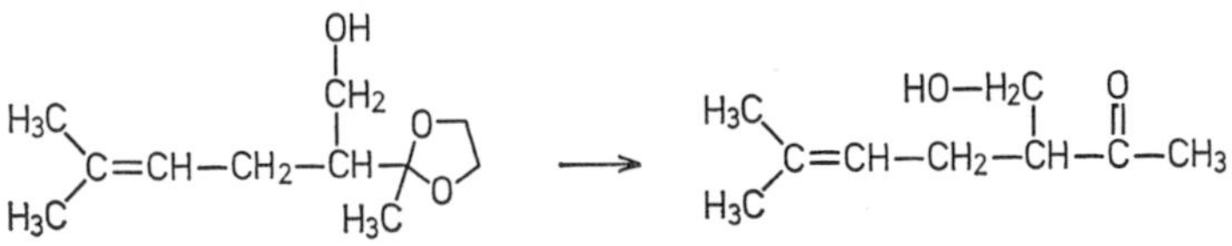

19 g 6,6-Äthylendioxy-5-hydroxymethyl-2-methyl-hepten-(2) in 190 ml wasserfreiem Aceton werden nach Zusatz von 50 mg Benzolsulfonsäure 1 Stde. auf dem Wasserbad erhitzt. Darauf wird das Lösungsmittel bei $+5°$ abgesaugt, der Rückstand mit Äther aufgenommen und mit

---

[1] S. M. Mukherji, R. P. Gandhi u. O. P. Vig, J. indian. chem. Soc. **33**, 853 (1956).

[2] O. Isler et al., A. **603**, 129 (1957).

[3] H. Schinz u. G. Schäppi, Helv. **230**, 1483 (1947).

Wasser und Natriumhydrogencarbonat-Lösung gewaschen. Neben 0,8 g Vorlauf und 0,7 g Rückstand werden 13,3 g (90% d.Th.) des β-Hydroxy-ketons erhalten; Kp_{11}: 122–123°.

Von besonderer methodischer Bedeutung ist die partielle Hydrolyse von Ketalen der Dicarbonyl-Verbindungen. Diese läßt sich dann verwirklichen, wenn es sich um Carbonyl-Gruppen unterschiedlicher Reaktionsfähigkeit handelt.

Ein Beispiel ist die partielle Verseifung von 1,1,3,3-Tetramethoxy-butan zu *4,4-Dimethoxy-2-oxo-butan*, die bereits durch Wasser ohne Säurezusatz bewirkt werden kann[1].

4,4-Dimethoxy-2-oxo-butan[1]:

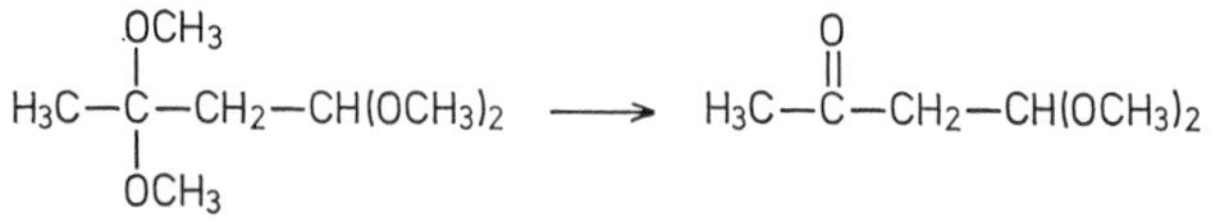
OCH3
H3C—C—CH2—CH(OCH3)2
OCH3
O
H3C—C—CH2—CH(OCH3)2

88 g 1,1,3,3-Tetramethoxy-butan werden mit 9 g Wasser versetzt und unter Rühren 20–30 Min. auf 50–60° erwärmt. Die homogen gewordene Lösung wird i. Vak. destilliert; Ausbeute: 60 g (91% d.Th.); Kp_{14}: 62–64°.

Auch bei den Diketalen von Diketonen kann in bestimmten Fällen eine partielle Hydrolyse erreicht werden. So erhält man aus 4-Chlor-17α-hydroxy-3,3;20,20-bis-[äthylendioxy]-11-oxo-pregnan in wäßrigen Aceton unter Schwefelsäure-Zusatz *4-Chlor-17α-hydroxy-3,3-äthylendioxy-11,20-dioxo-pregnan*[2].

Als vorteilhaftes Reagenz für die partielle Hydrolyse von Diketalen hat sich Magnesiumsulfat bewährt. Das 3,3;20,20-Bis-[äthylendioxy]-pregnen-(4) (I) läßt sich durch einstündiges Schütteln einer Lösung in mit Wasser gesättigtem Benzol unter Zusatz von wasserfreiem Magnesiumsulfat quantitativ in *20,20-Äthylendioxy-3-oxo-pregnen-(4)* (II) überführen[3]:

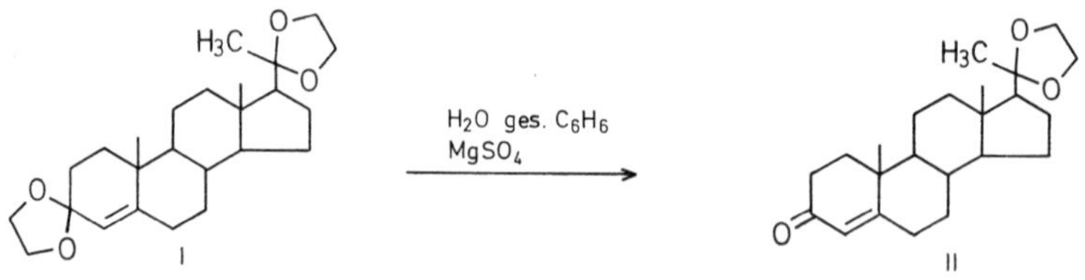
H3C
H2O ges. C6H6
MgSO4
I
II

Zur selektiven Spaltung von Ketalen der Ketocarbonsäureester unter Erhaltung der Estergruppe hat sich Polyphosphorsäure als brauchbar erwiesen. 1-(2-Methoxycarbonyl-äthyl)-pyrrolidin-⟨3-spiro-2⟩-1,3-dioxolan konnte mit Polyphosphorsäure bei 80° in exothermer Reaktion in *3-(3-Oxo-pyrrolidino)-propansäure-methylester* überführt werden[4]:

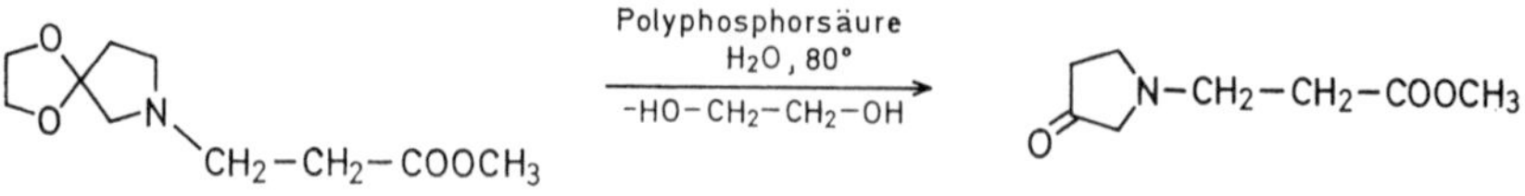
CH2—CH2—COOCH3
Polyphosphorsäure
H2O, 80°
-HO-CH2-CH2-OH
N—CH2—CH2—COOCH3

---

[1] W. Franke et al., B. **86**, 793 (1953).
[2] R. H. Levin et al., Am. Soc. **76**, 546 (1954).
DBP. 937227 (1953), Upjohn Co., Erf.: B. J. Magerlein, R. H. Levin u. A.V. McIntosh; C. A. **52**, 20265 (1958).
[3] J. J. Brown, R. H. Lenhard u. S. Bernstein, Am. Soc. **86**, 2183 (1964).
[4] M. Viscontini u. H. Bühler, Helv. **50**, 1289 (1967).

Eine Sonderstellung unter den Ketalen nehmen die sich von Dihydroxy-ketonen ableitenden Spiroketale vom Typ des Oxetans ein. Diese zeigen eine ungewöhnliche Stabilität und können durch Hydrolyse nicht in die zugehörigen Dihydroxy-ketone überführt werden, da diese ihrerseits spontan unter Wasser-Abspaltung die cyclischen Ketale zurückbilden.

Eine Aufspaltung cyclischer Ketale vom Tetrahydrofuran-Typ läßt sich mit Halogenwasserstoffsäure erreichen, wobei die entsprechenden ω,ω'-Dihalogen-ketone erhalten werden:

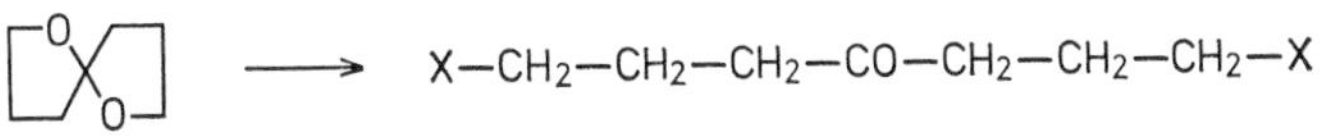

$$X-CH_2-CH_2-CH_2-CO-CH_2-CH_2-CH_2-X$$

Auf diese Weise wurden *1,7-Dichlor-*[1], *1,7-Dibrom-*[2] und *1,7-Dijod-4-oxo-heptan*[3] glatt erhalten. Auch Spiroketale mit 6- und 7-gliedrigen Ringen wurden auf diese Weise in die ω,ω'-Dihalogen-ketone überführt[4].

Erwähnt sei hier die zum *6-Methoxy-1-oxo-cyclodecan* führende Einwirkung von methanolischer Salzsäure auf 1-Methoxy-11-oxo-bicyclo[4.4.1]undecan[5]:

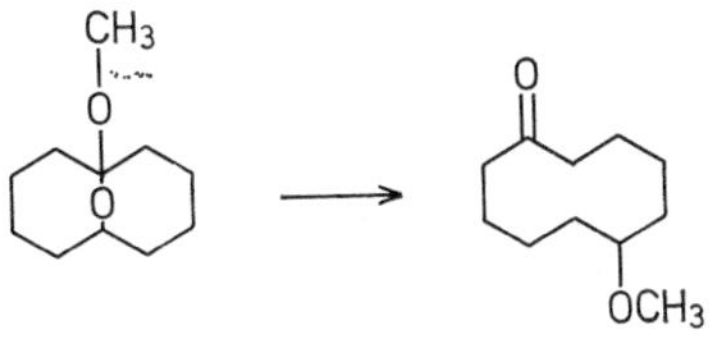

Während normalerweise die Ketale von α,β-ungesättigten Ketonen ohne Schwierigkeiten durch Hydrolyse in die α,β-ungesättigten Ketone überführt werden können, gelingt die Hydrolyse des Cyclobutenon-dimethylacetals zum Cyclobutenon nicht. Statt dessen erhält man bei der Hydrolyse mit verdünnter Salzsäure bei 0° ein Gemisch von *3-Hydroxy-* und *3-Methoxy-1-oxo-cyclobutan*[6]:

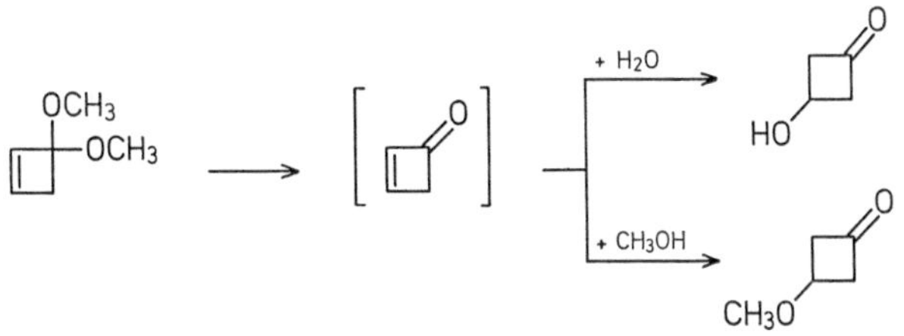

---

[1] H. HART u. O. E. CURTIS, Am. Soc. **78**, 112 (1956).
[2] R. FITTIG u. K. F. STRÖM, A. **267**, 199 (1892).
   H. E. BURDICK u. H. ADKINS, Am. Soc. **56**, 438, 2498 (1934).
   s. a. R. FITTIG u. H. RASCH, A. **256**, 133 (1890).
   s. a. R. FITTIG u. H. DuBOIS, A. **256**, 145 (1890).
[3] K. ALEXANDER, L. S. HAFNER u. L. E. SCHNIEPP, Am. Soc. **73**, 2725 (1951).
[4] H. STETTER u. H. RAUHUT, B. **91**, 2543 (1958).
[5] S.a. R. GRIEGEL u. H. ZOGEL, B. **84**, 215 (1951).
[6] E. VOGEL u. K. HAASE, A. **615**, 22 (1958).
   s. ds. Handb., Bd. IV/4, Isocyclische Vierringsysteme.

Die gesättigten Cyclobutanone können aus ihren Ketalen ohne Schwierig-keiten erhalten werden[1]. Anders liegen die Verhältnisse bei den Ketalen des Cyclo-propanons. Diese erweisen sich als sehr stabil gegenüber den Bedingungen der Hydrolyse. Selbst mit konzentrierter Salzsäure bei 90–95° werden nach 14 Stdn. immer noch ein Drittel des Ketals unverändert zurückerhalten[2]. Cyclopropanon selbst kann auf diesem Wege überhaupt nicht erhalten werden, da es unter den Bedingungen der Hydrolyse eine hydrolytische Ringspaltung erleidet.

Für die Spaltung von Thioketalen kommen die gleichen Methoden in Betracht, wie sie für die Spaltung der Mercaptale beschrieben wurden[3]. Eine besondere Bedeu-tung kommt hier der Spaltung cyclischer Thioketale vom Typ der 1,3-Dithiane und Äthylenthioketale (1,3-Dithiolane) zu, da insbesondere erstere bei der Keton-Synthese aus 2-Lithium-1,3-dithianen eine Rolle spielen[4].

Man kann sich zur Spaltung der Einwirkung von Quecksilber(II)-chlorid in wäßrigem Methanol bedienen[5]. Auch Silbernitrat in wäßrigem Äthanol wurde mit Erfolg angewendet[6]. Als vorteilhaft erweist sich bei Verwendung von Quecksilber(II)-chlorid der Zusatz einer schwerlöslichen Base zur Bindung der freiwerdenden Salzsäure. Als Zusätze haben sich Quecksilber(II)-oxid[7] und Cadmiumcarbonat[8] bewährt. Im folgenden Beispiel sei die Arbeitsweise beschrieben, die im allgemeinen anwendbar ist.

5-Oxo-[11]paracyclophan[9]: Eine Mischung von 2,08 g 5-[Propandiyl-(1,3)-dimercapto]-[10]para-cyclophan, 8 g Quecksilber(II)-chlorid, 60 *ml* Aceton, 8 g Cadmiumcarbonat und 10 *ml* Wasser werden 22 Stdn. gerührt, wobei gelegentlich weitere Portionen Cadmiumcarbonat zugegeben werden. Darauf filtriert man und engt das Filtrat i. Vak. ein. Der ölige Rückstand wird mit Pentan extrahiert und die Pentan-Lösung nacheinander mit Wasser, Kaliumjodid-Lösung und Wasser gewaschen. Nach dem Trocknen destilliert man das Lösungsmittel ab und fraktioniert den öligen Rückstand; Ausbeute: 1,31 g (85% d. Th.); $Kp_{0,5}$: 150–160°.

Cyclische Äthylenthioketale (1,3-Dithiolane) lassen sich auch durch Schütteln mit einer wäßrigen Lösung von Quecksilber(II)-acetat zu Ketonen und Quecksilber-mercaptid spalten[10]. Für die Spaltung solcher cyclischer Thioketale hat sich auch die alkylierende Spaltung unter Verwendung von Triäthyloxonium-tetrafluoro-borat[11] und Methylfluorsulfonat[12] bewährt.

Mit den üblichen Methoden lassen sich α-Keto-mercaptale nicht befriedigend spalten. Dies gelingt bei Einwirkung von Brom in essigsaurer Lösung unter Zusatz

[1] Belg.P. 646812 (1964) ≡ Fr.P. 1391358 (1965), Kodak SA., Erf.: J. C. MARTIN, A. C. CRAIG u. L. G. S. BROOKER; C. A. **63**, 4253 (1965).
[2] S. M. McELVAIN u. P. L. WEYNA, Am. Soc. **81**, 2579 (1959).
s. ds. Handb., Bd. IV/3, Carbocyclische Dreiringsysteme.
[3] S. ds. Handb., Bd. VII/I, Kap.: Funktionelle Derivate der Aldehyde, S. 452.
s. a. H. W. ARNOLD u. W. L. EVANS, Am. Soc. **58**, 1950 (1936).
s. a. J. ENGLISH u. P. H. GRISWOLD, Am. Soc. **67**, 2040 (1945).
[4] D. SEEBACH, Synthesis **1**, 17 (1969).
[5] T. HYLTON u. V. BOEKELHEIDE, Am. Soc. **90**, 6887 (1968).
über die partielle Spaltung von Dithioketalen s. H. W. GSCHWEND, Am. Soc. **94**, 8430 (1972).
[6] C. A. REECE et al., Tetrahedron **24**, 4249 (1968).
[7] D. SEEBACH, N. R. JONES u. E. J. COREY, J. Org. Chem. **33**, 300 (1968).
D. SEEBACH u. D. STEINMÜLLER, Ang. Ch. **80**, 617, 618. (1968).
[8] M. L. WOLFROM, Am. Soc. **51**, 2188 (1929).
D. SEEBACH u. A. K. BECK, Org. Synth. **51**, 76 (1971).
E. VEDEJS u. P. L. FUCHS, J. Org. Chem. **36**, 366 (1971).
[9] D. J. CRAM u. M. CORDON, Am. Soc. **77**, 1810 (1955).
[10] G. P. POLLINI et al., Farmaco, (Pavia), Ed. sci. **23**, 405 (1968).
M. A. QUASSEEM, N. A. J. ROBERS u. A. A. OTHMAN, Tetrahedron **24**, 4535 (1968).
[11] T. OISHI, K. KAMEMOTO u. Y. BAN, Tetrahedron Letters **1972**, 1085.
[12] TSE-LOK HO u. C. M. WONG, Synthesis **1972**, 561.

von wenig Salzsäure[1]. Auch Jod in Gegenwart von Natriumhydrogencarbonat in wäßrigem 1,4-Dioxan wurde für die Thioketal-Spaltung vorgeschlagen[2].

Im Falle der bei der Acylierung von 2-Lithium-1,3-dithian erhaltenen 2-Acyl-1,3-dithiane ist besonders die Verwendung von N-Halogen-succinimiden vorteilhaft. Zwei Reagenzien dieses Typs werden in wäßrigem Acetonitril oder Aceton angewandt. Dies ist einmal N-Brom-succinimid mit oder ohne Zusatz von Silber-Ionen sowie N-Chlor-succinimid mit Silber-Ionen[3]. Der Gebrauch des letzten Reagenzes ist vor allem vorteilhaft für ungesättigte 1,3-Dithiane, da die olefinische Doppelbindung nicht angegriffen wird. Bei säureempfindlichen Verbindungen empfiehlt sich der Zusatz von 2,6-Dimethyl- oder 2,4,6-Trimethyl-pyridin als Puffer.

Weitere Methoden zur Spaltung von Thioketalen beruhen auf der Oxidation zu Disulfonen und deren alkalischer Spaltung[4] in Gegenwart von Sauerstoff als Oxidans sowie der Einwirkung von p-Toluol-sulfonsäure-chloramid (Chloramin T)[5]. Die letzte Methode ist besonders schonend und ergibt sowohl bei 1,3-Oxathiolanen als auch bei Äthylenthioketalen in alkoholisch-wäßriger Lösung ausgezeichnete Ausbeuten. 1,3-Oxathiolane lassen sich auch durch Behandlung mit Raney-Nickel in *Aceton* spalten[6]. Über die saure Hydrolyse von 1,3-Oxathiolanen siehe Lit.[7].

2. Ketone aus Enoläthern und Enolestern[8]

Ketone lassen sich aus den zugehörigen Enoläthern leicht durch Verseifung mit verdünnten Mineralsäuren erhalten. In den meisten Fällen genügt die Behandlung mit verdünnten Mineralsäuren bei Raumtemperatur um eine vollständige Verseifung zu erreichen[9]. Bei wasserunlöslichen Enoläthern verwendet man am besten Alkohol-Wasser-Gemische[10].

Etwas schwieriger lassen sich solche Enoläther verseifen, die sich in Konjugation zu benachbarten Gruppen befinden. So bedarf es eines längeren Kochens mit verd. Schwefelsäure, wenn man 2-Methoxy-3-phenyl-acrylsäure, deren Ester durch Kondensation von Benzaldehyd mit Methoxy-essigsäureester zugänglich ist, in *Phenyl-brenztraubensäure (2-Oxo-3-phenyl-propansäure)* überführen will[11].

Eine Spaltung von Enoläthern zu den zugehörigen Ketonen kann auch durch Einwirkung von Grignard-Verbindungen entsprechend dem folgenden Formelschema erreicht werden:

$$H_2C=\overset{\overset{\displaystyle R}{|}}{C}-OCH_3 \quad + \quad R'-MgX \quad \xrightarrow{H_3O^{\oplus}} \quad H_3C-\overset{\overset{\displaystyle O}{||}}{C}-R \quad + \quad X-Mg-OCH_3 \quad + \quad R'H$$

[1] F. Weygand u. H. J. Bestmann, B. **90**, 1230 (1957).
   W. E. Truce u. F. E. Roberts, J. Org. Chem. **28**, 961 (1963).
[2] G. A. Russell u. L. A. Ochrymowycz, J. Org. Chem. **34**, 3618 (1969).
[3] E. J. Corey u. B. W. Erickson, J. Org. Chem. **36**, 3553 (1971).
[4] S. J. Daum u. R. L. Clark, Tetrahedron Letters **1967**, 165.
[5] W. F. I. Huurdeman u. H. Wynberg, Tetrahedron Letters **37**, 3449 (1971).
   D. W. Emerson u. H. Wynberg, Tetrahedron Letters **37**, 3445 (1971).
[6] C. Djerassi u. M. Gorman, Am. Soc. **75**, 3704 (1953).
   C. Djerassi, M. Gorman u. J. A. Henry, Am. Soc. **77**, 4647 (1955).
[7] N. C. De u. L. R. Fedor, Am. Soc. **90**, 7266 (1968);
   T. H. Fife u. L. K. Jao, Am. Soc. **91**, 4217 (1969);
   T. H. Fife u. E. Anderson, Am. Soc. **92**, 5464 (1970);
   F. Guinot u. G. Lamaty, Tetrahedron Letters **1972**, 2569.
[8] Herstellung s. ds. Handb., Bd. VI/3, Kap. Äther, S. 108.
[9] A. A. Petrow u. M. G. Vladimirova, Ž. obšč. Chim. **17**, 1543 (1947); C. A. **42**, 2238 (1948).
[10] W. C. Wildman et al., Am. Soc. **75**, 1912 (1953).
[11] Th. Gröger u. E. Waldmann, M. **89**, 370 (1958).

Undecanon-(5) (76% d. Th.) konnte so aus 5-Butoxy-undecen-(5) mit Butyl-magnesiumjodid erhalten werden[1].

Die Enoläther der 2,4-Dioxo-tetrahydropyrane lassen sich unter Erhaltung der Lacton-Bindung zu den 2,4-Dioxo-tetrahydropyranen verseifen[2]. Bei den 2,4-Dioxo-dihydropyranen gelingt die Verseifung der Enoläther vom Typ des 4-Methoxy- und 4-Äthoxy-α-pyrons dagegen nicht unter Erhaltung der Lacton-Bindung; jedoch wird bei Vorhandensein einer Carboxy-Gruppe in 6-Stellung die partielle Verseifung glatt erreicht[3].

2,4-Dioxo-2,3-dihydro-pyran-6-carbonsäure[3]:

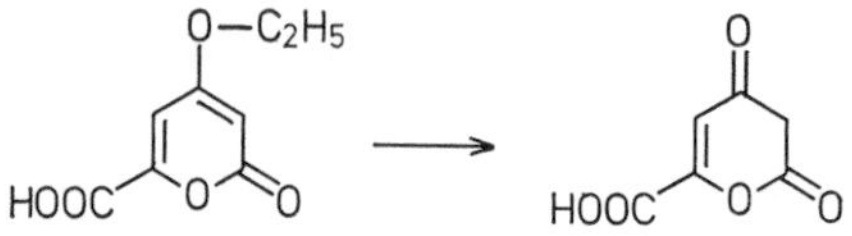

3,7 g 4-Äthoxy-α-pyron-6-carbonsäure werden in 10 *ml* Eisessig gelöst und nach Zusatz von 3 *ml* Bromwasserstoffsäure ½ Stde. unter Rückfluß erhitzt. Nach Zugabe der gleichen Menge Bromwasserstoffsäure setzt man das Erhitzen noch 90 Min. fort. Die nach dem Erkalten auskristallisierte Säure kristallisiert man aus Wasser unter Zusatz von Tierkohle um; Ausbeute: 2,5 g (80% d. Th.). Die Säure verfärbt sich ab 250° und zersetzt sich bei 295°.

Besondere Erwähnung verdienen die Enoläther der ungesättigten Ketone. Während die Enoläther von α,β-ungesättigten Ketonen bei vorsichtiger Verseifung mit verd. Mineralsäuren die α,β-ungesättigten Ketone liefern wie die Beispiele der Verseifung von 2-Alkoxy-butadienen zu *Butenon*[4] und β-Methoxy-sorbinsäure-[3-Methoxy-hexadien-(2,4)-säure] zu *3-Oxo-hexen-(4)-säure*[2] zeigen, beobachtet man bei der sauren Verseifung von Enoläthern der β,γ-ungesättigten Ketone die sehr leicht verlaufende Isomerisierung zu α,β-ungesättigten Ketonen. 3-Äthoxy-17α-methyl-androstadien-(3,5)-17β-carbonsäure-methylester gibt so zum Beispiel bei 24 stdgr. Einwirkung von wenig 2%iger Salzsäure in einem Äther-Methanol-Gemisch *3-Oxo-17α-methyl-androsten-(5)-17β-carbonsäure-methylester*[5]:

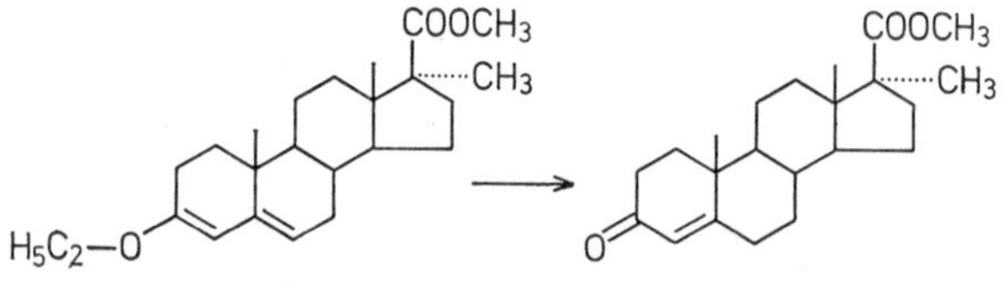

[vgl. hierzu auch den Verlauf der Verseifung bei den durch Birch-Reduktion von Phenoläthern erhältlichen Alkoxy-cyclohexadienen-(1,4) auf S. 857].

Erwähnt sei auch die Möglichkeit zur Herstellung von α-Halogen-ketonen durch Halogen-Addition an Enoläther[6].

---

[1] C. M. HILL et al., Am. Soc. **77**, 352 (1955).
[2] E. R. H. JONES u. M. C. WHITING, Soc. **1949**. 1419.
[3] H. STETTER u. C. W. SCHELLHAMMER, A. **605**, 58 (1957).
[4] A. TREIBS, Ang. Ch. **60**, 296 (1948).
[5] C. R. ENGEL u. G. JUST, Am. Soc. **76**, 4909 (1954).
[6] S. ds. Handb., Bd. V/4, Kap.: Herstellung von Bromverbindungen, S. 195.

Zur Spaltung von Thio-enoläthern bedient man sich der Behandlung mit Quecksilber(II)-chlorid. *1-Oxo-1-cyclohexyl-nonan* erhält man so aus 1-Methylmercapto-1-cyclohexyliden-nonan durch Behandlung mit Quecksilber(II)-chlorid in Acetonitril/Wasser[1].

Die Spaltung der Enolester zu den zugehörigen Ketonen gelingt ähnlich glatt wie die Spaltung der Enoläther. Zur Hydrolyse eignen sich sowohl wäßriges Alkali[2] als auch verdünnte Mineralsäuren[3].

2-Oxo-2-phenyl-1-pyridyl-(4)-äthan[2]:

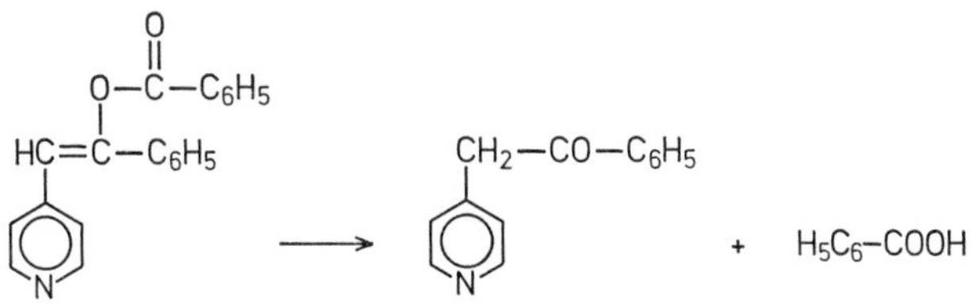

Eine Lösung von 3,27 g 2-Benzoyloxy-2-phenyl-1-pyridyl-(4)-äthylen in 100 *ml* 95%igem Äthanol wird zu einer Lösung von 8,0 g Natriumcarbonat in 100 *ml* Wasser gegeben. Nachdem man das Reaktionsgemisch 30 Min. unter Rückfluß erhitzt hat, engt man das Reaktionsgemisch soweit ein, bis 110 *ml* Destillat übergegangen sind. Nach dem Ansäuern mit Salzsäure extrahiert man 3 mal mit je 30 *ml* Äther. Aus diesem Extrakt lassen sich 1,13 g (85% d.Th.) Benzoesäure gewinnen. Nach dem Neutralisieren der wäßrigen Lösung extrahiert man 3 mal mit je 50 *ml* Äther. Nach dem Abdestillieren des Äthers wird der Rückstand aus Aceton umkristallisiert; Ausbeute: 1,73 g (81% d.Th.); F: 114–115,5°.

Auch die cyclischen Enolester lassen sich mit wäßrigen Säuren[4] oder Alkali[5] zu den Oxo-carbonsäuren aufspalten, wie das Beispiel des Angelika-lactons [4-Hydroxy-penten-(3)-säure-lacton] zeigt, das bei der Hydrolyse *4-Oxo-pentansäure* (*Lävulinsäure*) ergibt[6]:

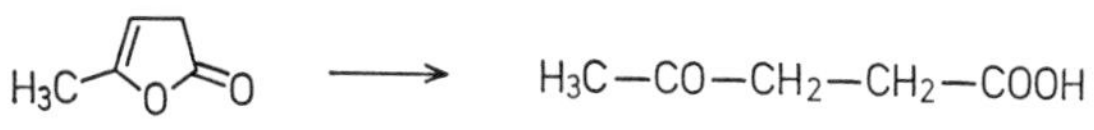

Mit Aminen erhält man die Carbonsäure-amide der γ-Keto-carbonsäuren[7].

Da auch hier, ähnlich wie bei den Enoläthern, bei Entstehung von β,γ-ungesättigten Ketonen eine nachträgliche Isomerisierung zu α,β-ungesättigten Ketonen in Gegenwart von Säuren möglich ist[8], wird man in diesen Fällen die milde alkalische Verseifung vorziehen.

[1] E. J. Corey u. J. I. Shulman, J. Org. Chem. **35**, 777 (1970).

[2] W. v. E. Doering u. W. E. McEwen, Am. Soc. **73**, 2104 (1951).

[3] A. L. Henne, J. V. Schmitz u. W. G. Finnegan, Am. Soc. **72**, 4195 (1950).

[4] DAS 1188586 (1958), BASF, Erf.: S. Hünig; C. A. **62**, 13062 (1965).

[5] J. C. Bardhan, Soc. **1928**, 2604.
M. Qudrat-I-Khuda, Soc. **1929**, 713.
N. P. Buu-Hoi, Bl. **1944**, 338.
A. J. S. Sorrie u. R. H. Thomson, Soc. **1955**, 2244.
R. Kuhn u. K. Dury, B. **84**, 849 (1951).

[6] L. Wolff, A. **229**, 251 (1885).

[7] R. Chiron u. Y. Graff, Bl. **1970**, 575.

[8] A. F. Daglish, J. Green u. V. D. Poole, Soc. **1954**, 2627.

3. Ketone aus Keton-iminen, Enaminen und β,γ-ungesättigten Aminen

Die Verseifung der Keton-imine[1] zu den zugehörigen Ketonen gelingt allgemein glatt durch verdünnte Mineralsäuren.

Diese ist bei allen Keton-Synthesen von Bedeutung, die über eine Keton-imin-Zwischenstufe verlaufen; z.B. bei der Kondensation von Carbonsäure-nitrilen mit CH-aciden Verbindungen[2]. So läßt sich z.B. 3-Imino-3-phenyl-propansäure-nitril (hergestellt aus Benzonitril und Acetonitril) durch Erhitzen mit 70%igem Äthanol, dem etwas Salzsäure zugefügt ist, mit $\sim 70\%$ d.Th. zu *3-Oxo-3-phenyl-propansäure-nitril* hydrolysieren[3].

Keton-imine treten auch intermediär bei der Oxidation von Aminen zu Ketonen auf (s. S. 778 ff.). Die Reaktion spielt vor allem im biologischen Geschehen eine bedeutende Rolle (Transaminierung). Vgl. hierzu auch die Herstellung von α-Oxocarbonsäuren aus α-Amino-carbonsäuren mittels Aminosäureoxydasen[4], die auch präparative Bedeutung besitzt, wie das Beispiel der Herstellung von *2-Oxo-4-methylpentansäure* aus *l*-Leucin zeigt[5].

Auch bei der Hoesch'schen Keton-Synthese (s. S. 389 ff.) entstehen primär Keton-imine, die meist nicht isoliert werden. Eine ungewöhnliche Stabilität zeigen 1,1'-, 1,2'- und 2,2'-Diadamantyl-ketimin gegenüber der sauren Hydrolyse[6]. Eine große Stabilität besitzt das Hydrochlorid und das Ketimin des 4,4'-Bis-[dimethylamino]-benzophenons (Auramin O)[7].

Über die Spaltung von Ketiminen durch Photooxidation vgl. Lit.[8].

Die Herstellung und Spaltung der Azomethine, die durch Kondensation von reaktiven CH_2-Gruppen mit 4-Nitroso-N,N-dimethyl-anilin oder bei der Kondensation von Benzoesäure-anilid mit N,N-Dialkyl-anilinen mittels Phosphoroxichlorid (s. S. 277 ff.) erhalten werden, ist in mehreren Bänden dieses Handbuches beschrieben.

Auch die Verseifung solcher Azomethine zu Ketonen läßt sich mit verdünnten Mineralsäuren erreichen[9]; sofern es sich nicht um stabile konjugierte Systeme von Typ der Azomethin-Farbstoffe handelt.

Seltener eignet sich Alkali für die hydrolytische Spaltung. Ein Beispiel hierfür ist die Hydrolyse des 2-Oxo-3-(1-phenylimino-äthyl)-2,3-dihydro-⟨benzo-[b]-thiophen⟩ mit alkoholischer Kalilauge zu *2-Oxo-3-acetyl-2,3-dihydro-⟨benzo-[b]-thiophen⟩*[10]:

2-Oxo-3-acetyl-2,3-dihydro-⟨benzo-[b]-thiophen⟩[10]: 3,5 g 2-Oxo-3-(1-phenylimino-äthyl)-2,3-dihydro-⟨benzo-[b]-thiophen⟩ werden zu einer Lösung von 14 g Kaliumhydroxid in 35 *ml* Äthanol und 70 *ml* Wasser gegeben. Man erhitzt 30 Min. unter Rückfluß und säuert nach dem Erkalten mit Salzsäure an. Der Niederschlag wird abgetrennt und aus 90%igem Äthanol umkristallisiert; Ausbeute: 2,42 g (96% d.Th.); F: 105°.

---

[1] Herstellung s. ds. Handb., Bd. XI/2, S. 176–192.

[2] Vgl. z.B. ds. Handb., Bd. XI/2, S. 176–192; Bd. IV/2, S. 763; Bd. VIII, S. 349, 573. s.a. S. 515 ff., 533 ff.

[3] A. Dornow, I. Kühlcke u. F. Baxmann, B. **82**, 254 (1949).

[4] S. ds. Handb., Bd. IV/2, Dehydrasen, Oxydasen und Peroxydasen, S. 850. s.a. S. 771.

[5] A. Meister, Biochem. Prepar. **3**, 66 (1953).

[6] J. H. Wieringa, H. Wynberg u. J. Strating, Tetrahedron Letters **1972**, 2071.

[7] BIOS Final Report 1482, S. 29 (1948).

[8] N. Toshima u. H. Hirai, Tetrahedron Letters **1970**, 433.

[9] H. v. Pechmann, B. **21**, 1415 (1888).

E. Knoevenagel, B. **55**, 1935 (1922).

[10] R. H. Glauert u. F. G. Mann, Soc. **1952**, 2127.

Ähnlich glatt wie die Keton-imine lassen sich auch **Enamine** durch Verseifung mit verdünnten **Mineralsäuren** in Ketone überführen[1].

Die Verseifung entsprechender **Dienamine-(1)** ergibt α,β-ungesättigte **Ketone**. Man bedient sich solcher Dienamine, die ihrerseits aus den α,β-ungesättigten Ketonen leicht zugänglich sind, in der Steroid-Reihe zur Maskierung der Carbonyl-Gruppe bei entsprechenden α,β-ungesättigten Ketonen[2]:

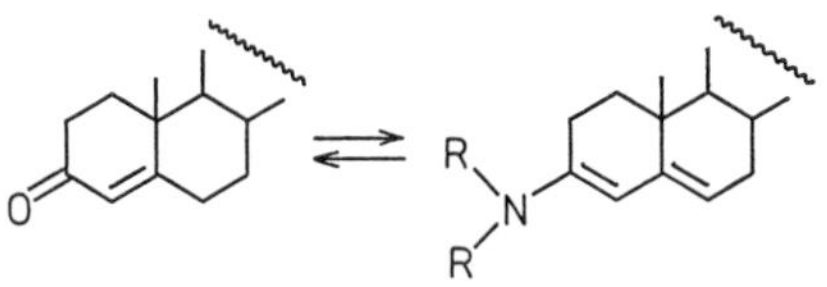

Selbstverständlich lassen sich auch entsprechende **Acyl-Derivate** von Enaminen in der gleichen Weise zu Ketonen spalten[3]. Hierbei hat sich auch die Verwendung von verd. Essigsäure bewährt[4].

Unterwirft man β,γ-**ungesättigte Amine** der Behandlung mit wäßrigen Mineralsäuren, so erhält man ebenfalls Ketone. Der erste Schritt ist hier eine Isomerisierung zu den Enaminen, die dann der Verseifung unterliegen[5]:

$$R-CH=CH-CH-R' \longrightarrow R-CH_2-CH=C-R' \longrightarrow R-CH_2-CH_2-CO-R'$$
$$\qquad\quad\; |\qquad\qquad\qquad\qquad\qquad |$$
$$\qquad\quad NR_2 \qquad\qquad\qquad\qquad NR_2$$

Einen ähnlichen Reaktionsverlauf beobachtet man auch bei der **thermischen Zersetzung** von β,γ-ungesättigten **quarternären Ammoniumbasen**, wie die Bildung des *2-Oxo-1-methyl-cyclobutans* aus Trimethyl-(2-methylen-cyclobutyl)-ammoniumhydroxid zeigt[6]:

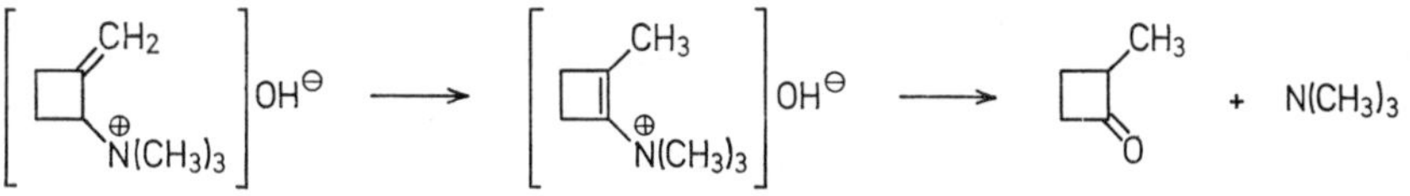

4. Ketone aus Oximen, Phenylhydrazonen und Semicarbazonen

Für die Keton-Herstellung aus ihren Stickstoff-Derivaten gelten ähnliche Verhältnisse wie sie für die Gewinnung der Aldehyde aus den analogen Verbindungen

[1] G. SHAW u. G. SUGOWDZ, Soc. **1954**, 665;

[2] DBP. 953343 (1956), Upjohn Co., Erf.: B. J. MAGERLEIN, C. A. **53**, 10304 (1959).

[3] C. G. ALBERTI et al., G. **83**, 922 (1953).
R. M. HERBST u. D. SHEMIN, Org. Synthesis Coll. Vol. **2**, 519 (1943).

[4] A. P. MARTINEZ et al., J. Org. Chem. **26**, 860 (1961).
G. HABERMEHL u. A. HAAF, B. **102**, 186 (1969).

[5] G. CIAMICIAN u. P. SILBER, B. **26**, 2738 (1893); **29** 481 (1896).

[6] D. R. HOWTON u. E. R. BUCHMAN, Am. Soc. **78**, 4011 (1956).

beschrieben werden[1]. Da die entstehenden Ketone im allgemeinen gegenüber weiteren Veränderungen resistenter sind als die Aldehyde, lassen sich vielfach drastischere Bedingungen anwenden, als dort beschrieben werden.

Eine Ausnahmestellung nehmen hier die Oxime und Hydrazone von α-Diketonen und α-Oxo-carbonsäuren ein, deren Spaltung von besonderer präparativer Bedeutung ist. Methodisch sind deshalb auch diese letzteren Fälle am meisten bearbeitet worden.

Ähnlich wie bei den Aldehyden unterscheidet man auch hier im wesentlichen zwischen 3 Möglichkeiten der Spaltung:

① Spaltung durch saure Hydrolyse
② Verdrängung der Ketone durch reaktionsfähigere Carbonyl-Verbindungen
③ oxidative Spaltungen

α) Saure Hydrolyse

Die Hydrolyse der Oxime einfacher Ketone gelingt im allgemeinen glatt durch Erhitzen mit verdünnten Mineralsäuren, wobei man bei genügender Flüchtigkeit der entstehenden Ketone diese zweckmäßig durch Wasserdampfdestillation aus dem Reaktionsgemisch entfernt[2]. Ein Beispiel hierfür ist die mit 10%iger Schwefelsäure in 70% d.Th. erreichbare Verseifung von 1-Oxo-2-oximino-1-phenyl-propan zu *1,2-Dioxo-1-phenyl-propan*[3]:

Diese einfache Art der Hydrolyse läßt sich für die Herstellung von α-Diketonen aus den α-Oximino-ketonen im allgemeinen nur mit schlechter Ausbeute[4] erreichen. Eine Ausnahme bilden hier solche α-Diketone, bei welchen die Carbonyl-Gruppe benachbart zu einem Benzolkern steht:

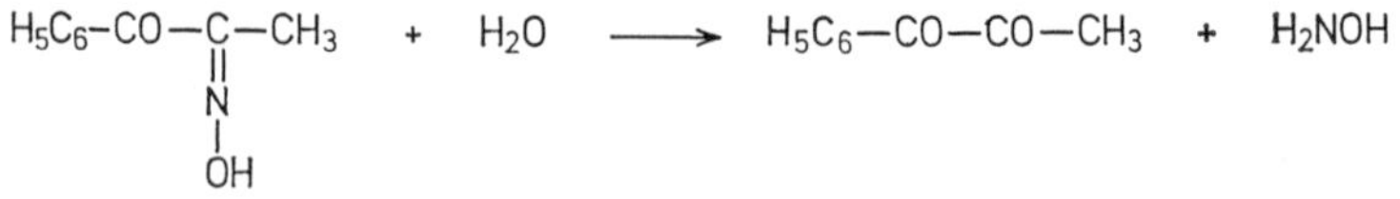

$$H_5C_6-CO-\underset{\underset{OH}{\overset{|}{N}}}{\overset{\|}{C}}-CH_3 \;+\; H_2O \;\longrightarrow\; H_5C_6-CO-CO-CH_3 \;+\; H_2NOH$$

Bessere Ergebnisse erhält man bei den nicht aromatischen Diketonen, wenn man die Spaltung unter Verwendung von Schwefeliger Säure[5], eines Gemisches von Natriumsulfit und Eisessig[6] oder Natriumpyrosulfit[7] vornimmt.

---

[1] S.ds. Handb., Bd. VII/1, Kap.: Funktionelle Derivate der Aldehydgruppe, S. 474.
   vgl. a. ds. Handb., Bd. IV/4, Isocyclische Vierringsysteme.
[2] R. H. Reitsema, J. Org. Chem. **23**, 2038 (1958).
   DAS 1080102 (1959), BASF, Erf.: O. v. Schickh u. H. Metzger; C. A. **55**, 16452 (1961).
   vgl. a. ds. Handb., Bd. X/4, Kap. Oxime, S. 269.
[3] H. v. Pechmann u. H. Müller, B. **21**, 2119 (1888).
   W. W. Hartman u. L. J. Roll, Org. Synth. Coll. Vol. III, 20.
[4] A. Kolb, A. **291**, 253 (1896).
   O. Diels u. E. Stephan, B. **40**, 4338 (1907).
[5] A. Lapworth u. E. M. Chapman, Soc. **1901**, 377.
   W. Gluud, B. **48**, 422 (1915).
[6] M. N. Huffman, J. Biol. Chem. **167**, 273 (1947).
[7] H. v. Pechmann u. N. V. Sidgwick, B. **37**, 3816 (1904).
   H. Stetter, R. Engl u. H. Rauhut, B. **91**, 2882 (1958).
   s. a. S. H. Pines et al., J. Org. Chem. **31**, 3446 (1966).

3-Methoxy-16,17-dioxo-östran[1]**:**

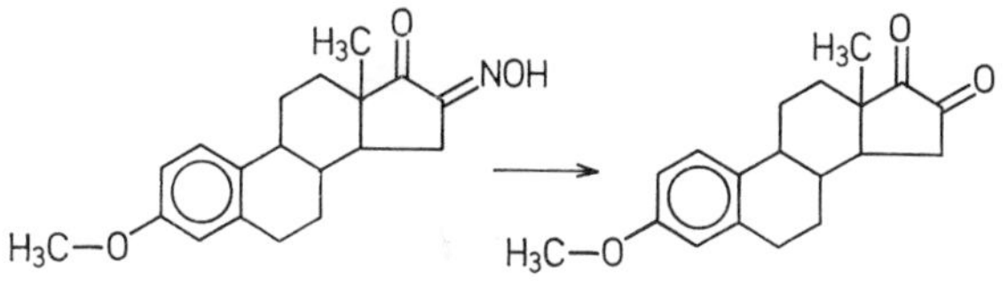

Zu 597 g 16-Oximino-3-methoxy-17-oxo-östran gibt man 6,0 g wasserfreies Natriumsulfit sowie 24 *ml* Acetanhydrid und erhitzt 15 Min. auf dem Dampfbad, bis die Gasentwicklung praktisch beendet ist. Dann gibt man 6,0 *ml* Wasser hinzu und erhitzt weitere 45 Min. Nach dem Erkalten gibt man in einen Scheidetrichter, der 250 *ml* 3%ige Natriumhydrogensulfit-Lösung und 200 *ml* Äther enthält. Nach dem Schütteln trennt man die wäßrige Schicht ab und extrahiert die ätherische Schicht nochmals mit 120 *ml* und 70 *ml* 3%ige Natriumhydrogensulfit-Lösung. Die vereinigten Hydrogensulfit-Lösungen werden mit 60 *ml* konz. Salzsäure angesäuert und 25–30 Min. auf dem Dampfbad unter häufigem Umschütteln erhitzt. Man kühlt die Lösung über Nacht im Eisschrank, filtriert die ausgeschiedenen Kristalle ab, wäscht mit Wasser und trocknet i. Vak.; Ausbeute: 322 mg (56–57% d.Th.); F: 176–178°.

Im allgemeinen wird man sich aber bei der Spaltung der Oximo-ketone der Methoden der Verdrängung durch reaktionsfähigere Carbonyl-Verbindungen oder der oxidativen Spaltung bedienen.

Besondere Erwähnung verdient hier noch die Herstellung von Ketonen aus α,β-ungesättigten Nitro-Verbindungen, die ihrerseits durch Kondensation[2] von Aldehyden mit Nitro-alkanen leicht zugänglich sind. Durch Reduktion dieser Nitro-Verbindungen in Gegenwart von Säuren gelangt man zu Ketonen[2]. Die Primärstufe dieser Reduktion sind Oxime[3], die in Gegenwart von Mineralsäuren der hydrolytischen Spaltung zu den Ketonen unterliegen:

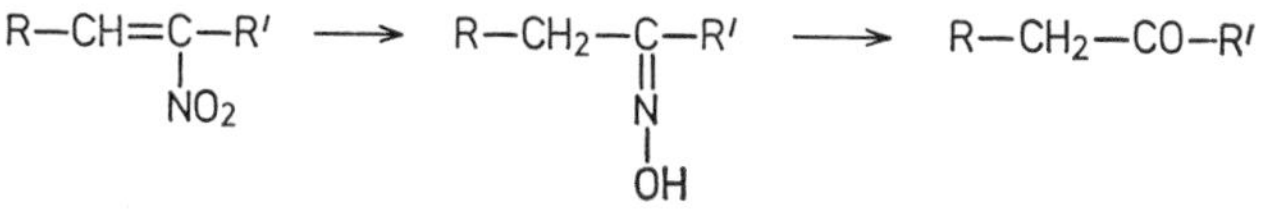

$$R\!-\!CH\!=\!\underset{\underset{NO_2}{|}}{C}\!-\!R' \longrightarrow R\!-\!CH_2\!-\!\underset{\underset{\underset{OH}{|}}{N}}{\overset{\|}{C}}\!-\!R' \longrightarrow R\!-\!CH_2\!-\!CO\!-\!R'$$

Als Reduktionsmittel kommen Eisen/Salzsäure[4], Zinkstaub in Eisessig[5] und katalytisch angeregter Wasserstoff[6] in Frage.

Durch Reduktion von Nitro-olefinen mit Zinn(II)-chlorid in Methanol können α-Methoxy-oxime und hieraus die α-Methoxy-ketone erhalten werden[7].

---

[1] A. LAPWORTH u. E. M. CHAPMAN. Soc. **1901**, 377.
  W. GLUUD, B. **48**, 422 (1915).
[2] vgl. dazu auch die Nef-Reaktion, S. 843 ff.
[3] Oxime aus aliphatischen Nitro-Verbindungen s. ds. Handb., Bd. X/4, Kap. Oxime, S. 160 ff.
[4] M. KULKA u. H. HIBBERT, Am. Soc. **65**, 1182, 1185 (1943).
  R. J. PRATT u. E. V. JENSEN, Am. Soc. **78**, 4430 (1956).
  R. V. HEINZELMAN, Org. Synth. **35**, 74 (1955).
[5] L. BLUNSCHY, E. HARDEGGER u. H. L. SIMON, Helv. **29**, 199 (1946).
[6] M. KULKA u. H. HIBBERT, Am. Soc. **65**, 1182 (1943).
  B. REICHERT u. W. KOCH, A. **273**, 265 (1935).
[7] A. DORNOW u. A. MÜLLER, B. **93**, 32 (1960).
  s. hierzu a. ds. Handb., Bd. X/4, Kap. Oxime durch Reduktion von Nitro-olefinen, S. 151.

1-Methoxy-2-oxo-1-phenyl-propan[1]:

$$H_5C_6-CH{=}C{-}CH_3 \; \longrightarrow \; H_5C_6-\overset{\displaystyle OCH_3}{\underset{\displaystyle NOH}{CH-C-CH_3}} \; \longrightarrow \; H_5C_6-\overset{\displaystyle OCH_3}{CH-CO-CH_3}$$

$$\underset{\displaystyle NO_2}{}$$

1-Methoxy-2-oximino-1-phenyl-propan: Zu einer Suspension von 80 g 2-Nitro-1-phenylpropen-(1) in 100 *ml* Methanol läßt man unter Rühren und Kühlung eine Lösung von 116 g Zinn(II)-chlorid in 50 *ml* Salzsäure und 60 *ml* Methanol langsam innerhalb 90 Min. zutropfen. Anschließend wird noch 30 Min. bei Raumtemp. weitergerührt, dann mit 750 *ml* Wasser verdünnt und das dabei ausfallende Öl mit Äther ausgeschüttelt. Die ätherische Lösung wird 3 mal mit verd. Salzsäure, dann mit Weinsäure-Lösung und Wasser gewaschen und das Lösungsmittel i. Vak. entfernt. Der Rückstand erstarrt beim Kühlen und Anreiben mit dem Glasstab zu einem Kristallbrei. Dieser wird abgesaugt und auf Ton getrocknet. Das Rohprodukt (66 g) wird in einer Lösung von 25 g Kaliumhydroxid in 100 *ml* Wasser gelöst, nach dem Verdünnen mit 500 *ml* Wasser mit Kohle behandelt, filtriert und aus dem Filtrat durch langsames Eintropfen von 20%iger Eissigsäure unter Kühlung das Oxim in kristalliner Form ausgefällt. Die Kristalle werden abgesaugt, mit Wasser gewaschen und auf Ton getrocknet; Ausbeute: 58 g (66% d.Th.); F: 59–61° (aus Petroläther).

1-Methoxy-2-oxo-1-phenyl-propan: 5 g des Oxims werden mit 50 *ml* 8n-Schwefelsäure geschüttelt. Bevor sich die Substanz vollständig gelöst hat, trübt sich die Lösung unter Abscheidung öliger Tröpfchen. Nach Zusatz von 5 g Formalin wird noch 5 Min. geschüttelt, dann einige Min. auf dem Wasserbad erhitzt, nach dem Abkühlen mit 100 *ml* Wasser verdünnt und mit Äther ausgeschüttelt. Die äther. Lösung wird mit Wasser gewaschen, das Lösungsmittel i. Vak. entfernt und der Rückstand i. Vak. destilliert; Kp_{12}: 103–104°.

Auch von einfachen Nitro-Verbindungen ausgehend kann man durch geeignete Reduktion in Gegenwart von Säuren zu Ketonen gelangen. Als Zwischenstufe tritt hierbei das Oxim auf, welches dann der hydrolytischen Spaltung unterliegt. Im allgemeinen wird man sich aber bei der Keton-Herstellung aus Nitro-Verbindungen mit besserem Erfolg der Nef-Reaktion (S. 843ff.) bedienen. Besonders sorgfältig wurde die Reduktion des Nitro-cyclohexans zum Cyclohexanon-oxim untersucht[2]:

$$\underset{\displaystyle NO_2}{}\; \longrightarrow \; \underset{\displaystyle NOH}{}\; \longrightarrow \; \underset{\displaystyle O}{}$$

Cyclohexanon

Oximino-campher hydrolysiert mit konz. Salzsäure zu *2,3-Dioxo-1,7,7-trimethyl-bicyclo[2.2.1]heptan*[3].

Zur Spaltung der Phenylhydrazone einfacher Ketone kann man sich ebenfalls mit Erfolg der Hydrolyse mit verdünnten Mineralsäuren bedienen,

---

[1] A. DORNOW u. A. MÜLLER, B. **93**, 32 (1960).
   s. hierzu a. ds. Handb., Bd. X/4, Kap. Oxime durch Reduktion von Nitro-olefinen, S. 151.
[2] C. GRUNDMANN, Ang. Ch. **62**, 558 (1907).
   DBP. 825544 (1951); 837691, 855253 (1952); 910647 (1954), Farbf. Bayer, Erf.: H. WELZ; C. A. **50**, 398 (1956); **52**, 9201 (1958); **51**, 2849, 4420 (1957).
   DBP. 837692 (1952), Farbf. Bayer, Erf.: H. WELZ u. J. WEISE; C. A. **47**, 1729 (1953).
   US. P. 2822398 (1958), Olin Mathieson Chemical Corp., Erf.: R. E. McCLURE; C. A. **52**, 10167 (1958).
[3] A. LAPWORTH et al., Soc. **1907**, 1134; **1908**, 40.

wobei sich auch die Spaltung mit Eisessig/Chlorwasserstoff besonders bewährt hat[1]. Eine allgemein anwendbare Methode zur Regenerierung von Ketonen aus ihren 2,4-Dinitro-phenylhydrazonen beruht darauf, daß man in konz. Schwefelsäure löst und anschließend mit Wasser verdünnt[2].

Dagegen versagt die einfache saure Hydrolyse bei den Phenylhydrazonen der α-Diketone, wie sie durch die Japp-Klingemann-Reaktion (s. Bd. X/3, S. 522) erhalten werden und bei den Osazonen. Hier wendet man zweckmäßig die Verdrängung durch eine reaktionsfähigere Carbonyl-Verbindung an.

Die Regenerierung der Ketone aus ihren Semicarbazonen gelingt im allgemeinen glatt durch saure Verseifung. Man kann sich hierzu wäßriger Mineralsäuren bedienen[3]. Vorteilhafter erweist sich in vielen Fällen die Verwendung von wäßriger Oxalsäure[4] oder Phthalsäureanhydrid[5], wobei das Keton bei genügender Flüchtigkeit zweckmäßig durch Wasserdampfdestillation aus dem Reaktionsgemisch entfernt wird[6].

Bei empfindlichen ungesättigten Ketonen, wie z.B. beim Dihydro-γ-jonon, tritt auch bei dieser Arbeitsweise eine teilweise Isomerisierung ein. Diese Isomerisierung läßt sich vermeiden, wenn man mit Phthalsäure-anhydrid in einem Chloroform/Wasser-Gemisch erhitzt.

Dihydro-γ-jonon [3,3-Dimethyl-2-(3-oxo-butyl)-1-methylen-cyclohexan][7]:

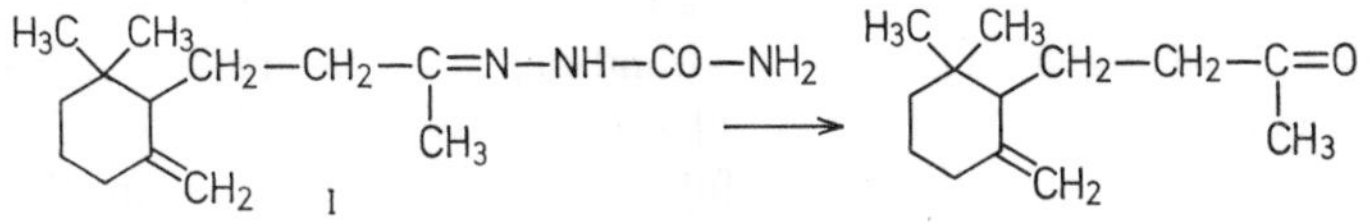

2 g des Semicarbazons I (F: 191°) werden in 50 *ml* warmem Chloroform gelöst und mit einer Lösung von 3 g Phthalsäure-anhydrid in 20 *ml* warmem Wasser versetzt. Das Gemisch wird 2 Stdn. schwach unter Rückfluß erhitzt, wobei sich ein Niederschlag abscheidet, der nach dem Erkalten abfiltriert wird. Das Filtrat wird mit 10%iger Natronlauge gut gewaschen und die Chloroformschicht mit Calciumchlorid getrocknet. Nach dem Abdestillieren des Lösungsmittels rektifiziert man den Rückstand; Ausbeute: 1,4 g (76% d.Th.); Kp_8: 112°.

Die bei der Abtrennung von Ketonen mittels Girard-Reagenz T erhaltenen Hydrazone lassen sich ohne Schwierigkeiten durch Verseifung mit verdünnten Mineralsäuren wieder zu den Ketonen zurückspalten[5,8,9].

---

[1] C. Liebermann u. S. Lindenbaum, B. **40**, 3579 (1907).
[2] R. Basette u. E. A. Day, J. Am. Oil Chemist's Soc. **37**, 482 (1960).
[3] K. v. Auwers, A. **439**, 172 (1924).
    I. M. Heilbron, E. R. H. Jones u. R. N. Lacey, Soc. **1946**, 27.
    E. B. Hershberg, J. Org. Chem. **13**, 542 (1948).
[4] C. D. Gutsche, Am. Soc. **73**, 786 (1951).
[5] L. Ruzicka, C. F. Seidel u. M. Pfeiffer, Helv. **31**, 827 (1948).
[6] Y. R. Naves, Helv. **26**, 1034 (1943).
[7] M. Stoll, Helv. **38**, 1587 (1955).
[8] T. Reichstein, Helv. **19**, 1107 (1936).
    E. Lederer u. G. Nachmias, Bl. **1949**, 400.
[9] O. M. Wheeler, *The Girard Reagents*, Chem. Reviews **62**, 205–222 (1962).

β) Verdrängung durch reaktionsfähigere Carbonyl-Verbindungen

Diese Methode, die vor allem für die Gewinnung empfindlicher Ketone von besonderer Bedeutung ist, beruht darauf, daß man zu einer Lösung der zu spaltenden Verbindung eine reaktionsfähige Carbonyl-Verbindung zusetzt, die in dem sich ausbildenden Gleichgewicht das Carbonyl-Reagenz übernimmt[1]. Als reaktionsfähige Carbonyl-Verbindungen werden Formaldehyd, Benzaldehyd, Pentandion-(2,4) und vor allem Brenztraubensäure sowie Lävulinsäure (3-Oxo-butansäure) angewandt. Durch Anwendung eines Überschusses dieser Carbonyl-Verbindungen hat man es in der Hand, auch in solchen Fällen, in denen das Gleichgewicht ungünstig liegt, die Gleichgewichtslage zugunsten der Spaltung zu verschieben. In manchen Fällen wird das Gleichgewicht auch dadurch günstig beeinflußt, daß die sich neu bildenden stickstoffhaltigen Derivate im Reaktionsgemisch unlöslich sind.

Bei Verwendung von Formaldehyd arbeitet man in wäßriger Phase unter Zusatz von Mineralsäuren. Auf diese Weise können aus α-Oximo-ketonen α-Diketone in zum Teil ausgezeichneten Ausbeuten erhalten werden[2].

10,11-Dioxo-8,9,10,11-tetrahydro-7H-⟨cyclohepta-[a]-naphthalin⟩[3]: Eine Mischung von 2 g des Monoxims, 15 ml 35%ige wäßrige Formaldehyd-Lösung und 2 ml 2 n-Salzsäure wird 10 Min. auf einem siedenden Wasserbad erhitzt. Nach dem Verdünnen mit 30 ml Wasser fällt beim Abkühlen das Diketon teils flockig, teils als bald erstarrendes Öl aus; Ausbeute: 90% d.Th.; das Diketon sublimiert bei 110–130°/0,05 Torr in gelben Blättchen; F: 112° (im zugeschmolzenen Röhrchen).

Die Verwendung von Benzaldehyd ohne Säurezusatz in wäßriger Suspension hat sich vor allem für die Spaltung der Osazone zu den Osonen bewährt[4]. Auch die 2,4-Dinitro-phenylhydrazone lassen sich auf diese Weise spalten[5]. Von besonderer präparativer Bedeutung aber ist die Verwendung von Brenztraubensäure, die sowohl für die Spaltung von Phenylhydrazonen[6] als auch für die Spaltung von Oximen[7] und Semicarbazonen[7,8] mit Erfolg verwendet werden kann. An Stelle der freien Brenztraubensäure verwendet man vorteilhaft eine essigsaure Lösung unter Zusatz von Natriumacetat. Unter diesen Bedingungen gelingt es auch, andere im Molekül vorhandene, hydrolysierbare Gruppen unverändert zu erhalten[7].

Gut bewährt hat sich auch 2-Sulfo-benzaldehyd, da bei Verdrängung des Ketons die entsprechenden Hydrazone ebenfalls auf Grund ihrer Wasserlöslichkeit in der wäßrigen Phase bleiben[9].

3-Acetoxy-17-oxo-androsten-(5)[7]:

---

[1] S. a. ds. Handb., Bd. X/4, Kap. Oxime, S. 273.

[2] J. A. BARLTROP, A. J. JOHNSON u. G. P. MEAKINS, Soc. **1951**, 181.

M. P. CAVA, R. L. LITTLE u. D. R. NAPIER, Am. Soc. **80**, 2260 (1958).

[3] W. TREIBS u. G. HERDMANN, A. **609**, 70 (1957).

[4] E. FISCHER, B. **35**, 3142 (1902).

[5] L. MACHOLAN, Chem. Listy **51**, 1382 (1957).

[6] E. FISCHER u. F. ACH, A. **253**, 57 (1889).

B. A. KOECHLIN, T. H. KRITCHEVSKY u. T. F. GALLAGHER, J. Biol. Chem. **184**, 393 (1950).

[7] E. B. HERSHBERG, J. Org. Chem. **13**, 542 (1948).

[8] N. L. WENDLER et al., Am. Soc. **74**, 3630 (1952).

D. TAUB, R. D. HOFFSOMMER u. N. L. WENDLER, Am. Soc. **79**, 454 (1957).

[9] O. BAYER, Leverkusen, Privatmitteilung.

Zu einer Lösung von 10,00 g 17-Semicarbazono-3-acetoxy-androsten-(5) in 30 *ml* auf 110° erwärmten Eisessig gibt man eine Lösung von 3,2 g wasserfreiem Natriumacetat und 7,0 g 50%iger wäßriger Brenztraubensäure in 15 *ml* heißer Essigsäure. Nach Zugabe von weiteren 5 *ml* Eisessig fällt eine kleine Menge des Semicarbazons aus, die aber nach kurzem Schütteln wieder in Lösung geht. Nachdem man das Reaktionsgemisch 10 Min. bei 105–110° belassen hat, gibt man tropfenweise 15 *ml* Wasser hinzu, so daß die Temp. der siedenden Lösung unterhalb 110° liegt. Man setzt dann die tropfenweise Zugabe von Wasser in der Weise fort, daß nach etwa 25 Min. die Gesamtmenge des zugesetzten Wassers 46 *ml* beträgt. Nach leichtem Abkühlen beginnt der Oxo-ester zu kristallisieren. Der Siedepunkt der Lösung beträgt nun 105°. Unter weiterem Sieden der Lösung gibt man nun weiter Wasser hinzu in dem Maße, daß nach weiteren 35 Min. die Gesamtmenge des zugesetzten Wassers 100 *ml* beträgt. Die Lösung ist nun durch die ausgeschiedenen Kristalle fast ganz erstarrt. Man läßt dann langsam erkalten, damit sich größere Kristalle bilden, die besser filtrierbar sind. Nach 1–2 Stdn. kühlt man im Eisschrank noch auf 0°. Die Kristalle werden mit eiskalter 25%iger Essigsäure und darauf mit Wasser gewaschen; Ausbeute: 8,28 g (97% d.Th.); F: 170,2–170,9°.

2-Butanoyl-pyridin[1]:

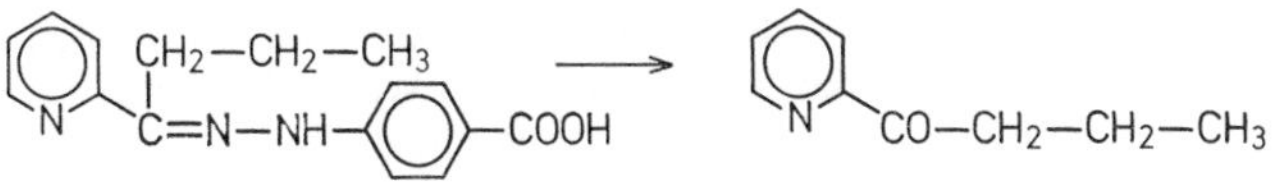

Eine 50%ige wäßrige Lösung von 6,7 g (0,076 Mol) Brenztraubensäure wird mit 6,9 g (0,024 Mol) 1-(4-Carboxy-phenyl-hydrazono)-1-pyridyl-(2)-butan in 80 *ml* Eisessig 1 Stde. unter Rückfluß erhitzt. Das Reaktionsgemisch wird mit Eis gekühlt und dann mit 40%iger Natronlauge alkalisch gemacht. Die Lösung wird dann mit je 200 *ml* Äther extrahiert. Der Äther-Extrakt wird mit Kaliumhydroxid getrocknet und fraktioniert destilliert; Ausbeute: 4,58 g (81% d.Th.); Kp: 215–217°.

Auch die Lävulinsäure (3-Oxo-butansäure) konnte mit Erfolg für die Spaltung von Oximen und 2,4-Dinitro-phenylhydrazonen herangezogen werden. Die Ausbeuten betragen hier 70–95% der Theorie[2].

Zur Spaltung von Phenylhydrazonen und Semicarbazonen hat sich vor allem auch **Pentandion-(2,4)** bewährt; nach dem folgenden Formelschema bildet sich hierbei 3,5-Dimethyl-1-phenyl-pyrazol[3] und Keton:

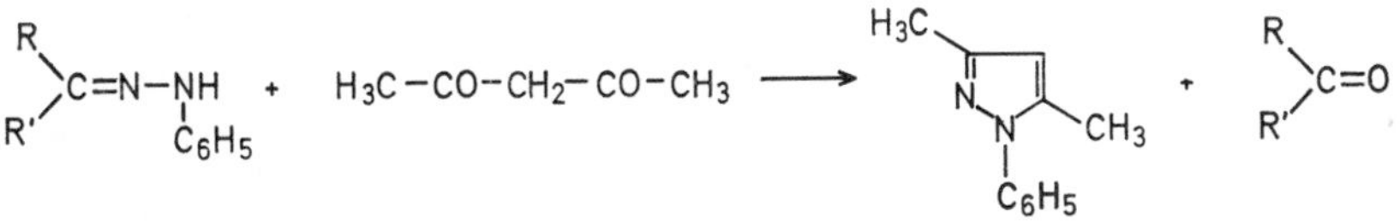

γ) Oxidative Spaltung[4]

Eine sehr häufig angewendete, präparative Möglichkeit zur Gewinnung von Ketonen aus ihren Oximen, Semicarbazonen und Phenylhydrazonen besteht in der oxidativen Spaltung der C=N-Doppelbindung. Als Oxidationsmittel werden

[1] R. L. Frank u. R. R. Phillips, Am. Soc. **71**, 2804 (1949).
[2] C. H. DePuy u. B. W. Ponder, Am. Soc. **81**, 4629 (1959).
  V. R. Mattox u. E. C. Kendall, Am. Soc. **70**, 882 (1948); J. Biol. Chem. **188**, 287 (1951).
  J. Meinwald, Y. C. Meinwald u. T. N. Baker, Am. Soc. **86**, 4074 (1964).
[3] W. Ried u. G. Mühle, A. **656**, 119 (1962).
[4] vgl. a. ds. Handb., Bd. X/4, Kap. Oxime, S. 271.

angewandt: Salpetersäure, salpetrige Säure, Kupfer(II)-salze, Ammonium-persulfat, Cer(IV)-ammonium-nitrat (CAN), Blei(IV)-acetat und Ozon.

Zur Oxim-Spaltung läßt sich Salpetersäure[1] und mit besserem Erfolg salpetrige Säure oder ihre Derivate[2] verwenden. Die Verwendung von Salpetersäure bei der Spaltung von Oxim-ketonen (α-Nitroso-ketonen) ergibt meist nur geringe Ausbeuten, da die entstehenden α-Diketone ebenfalls oxidativ weiter zu Carbonsäuren gespalten werden können. Man erhält deshalb stets mehr oder weniger große Mengen dieser Carbonsäuren[3].

5,6-Dioxo-heptansäure[4]:

$$H_3C-\underset{\underset{NOH}{\|}}{C}-CO-(CH_2)_3-COOH \xrightarrow{HNO_3} H_3C-CO-CO-(CH_2)_3-COOH$$

10 g 5-Oxo-6-oximo-heptansäure werden unter Rühren in einem Gemisch von 100 ml Wasser und 10 ml Salpetersäure (d = 1,40), das sich in einem Dreihalskolben mit Rührer, Blasenzähler und Thermometer befindet, gelöst. Die Mischung wird auf dem Wasserbad langsam erwärmt, bis die Temp. der Lösung 80° beträgt. Nun setzt man durch einige Tropfen konz. Salpetersäure die Reaktion in Gang, wobei sich die Lösung unter kräftiger Gasentwicklung gelb färbt. Nach Beendigung der Gasentwicklung läßt man erkalten und extrahiert kontinuierlich mit Chloroform. Aus der Chloroform-Lösung erhält man nach dem Trocknen mit Natriumsulfat und Abdestillieren des Lösungsmittels 3,6 g gelben Rückstand, der im Kühlschrank erstarrt. Dieser Rückstand wird der Vakuumdestillation unterworfen; Ausbeute: 2,3 g (25% d.Th.); $Kp_{0,01}$: 120–130°; F: 46,5–48,5° (aus Schwefelkohlenstoff).

Mit guten Ausbeuten gelingt im allgemeinen die Spaltung mit salpetriger Säure. Diese Art der Spaltung bewährt sich auch bei den α-Oximino-ketonen (α-Nitrosoketonen). Zur Spaltung kann man nitrose Gase in die Lösung des Oxims einleiten[5] oder einfacher sich der Einwirkung von Natriumnitrit in saurer Lösung bedienen[6].

Heptandion-(2,6)[6]:

$$H_3C-\underset{\underset{NOH}{\|}}{C}-(CH_2)_3-\underset{\underset{NOH}{\|}}{C}-CH_3 \xrightarrow{HNO_2} H_3C-CO-(CH_2)_3-CO-CH_3$$

Man kühlt eine Lösung von 25,2 g (0,156 Mol) Heptandion-(2,6)-dioxim in 110 ml 10%ige Schwefelsäure auf 0° und gibt bei dieser Temp. unter heftigem Rühren innerhalb 1 Stde. 22,5 g (0,285 Mol) Natriumnitrit hinzu. Darauf läßt man die Temp. auf 18° ansteigen und neutralisiert die Lösung unter Rühren mit Bariumcarbonat innerhalb 15 Min. Nach dem Filtrieren und Sättigen mit Natriumchlorid extrahiert man mit 700 ml Äther in 6 Anteilen. Nach dem Trocknen destilliert man 600 ml Äther ab und kühlt mit Trockeneis. Es scheiden sich 7,93 g festes Produkt ab, das abgesaugt wird. Durch weiteres Einengen erhält man noch weitere 4,53 g. Die Gesamtmenge wird aus Äther/Petroläther unter Zusatz von Norit umkristallisiert; Ausbeute: 9,7 g (47,5% d.Th.). Zur weiteren Reinigung destilliert man i. Hochvak. (Kp_1: 48–50°); F: 31–33°; F: aus Petroläther 32,6–33,4°.

---

[1] S. C. J. OLIVIER, Bl. [4] **51**, 99 (1931).

[2] H. WIELAND u. S. BLOCH, B. **37**, 1524 (1904)).

D. T. MANNING u. H. A. STANSBURG, Am. Soc. **81**, 4885 (1959).

I. UGI, R. HUISGEN u. D. PAWELLEK, A. **641**, 63, 71 (1961).

[3] M. FILOTI u. G. PONZIO, J. pr. [2] **51**, 498 (1985); [2] **55**, 186 (1897); [2] **63**, 368 (1901).

[4] H. STETTER, R. ENGL u. H. RAUHUT, B. **91**, 2882 (1958).

[5] L. BOUVEAULT u. R. LOCQUIN, Bl. [3] **31**, 1142 (1904).

[6] C. G. OVERBERGER et al., Am. Soc. **74**, 3290 (1952).

Sehr günstige Ergebnisse erhält man auch bei der Einwirkung von Natriumnitrit in Eisessig[1]. Diese Methode bewährt sich vor allem bei schwer löslichen Oximen.

Es sei hier auch auf die Möglichkeit hingewiesen, die bei der nitrosierenden Spaltung von Ketonen entstehenden Oxime der Oxo-carbonsäuren im Reaktionsgemisch durch Einwirkung von salpetriger Säure zu spalten.

Präparative Bedeutung besitzt diese Art der Spaltung auch für die Herstellung von α-Oxo-carbonsäuren aus ihren Oximen, die ihrerseits durch nitrosierende Spaltung von alkylierten Malonsäuren leicht zugänglich sind (s. Bd. X/4, S. 42). Man bedient sich hierbei der Einwirkung von nitrosen Gasen[2] oder der Nitrosylschwefelsäure[3].

Ähnlich glatt wie die Spaltung der Oxime gelingt auch die Spaltung der Semicarbazone durch Einwirkung von salpetriger Säure. Man bedient sich hierbei vorteilhaft der Einwirkung von Natriumnitrit in Eisessig[4].

Die oxidative Spaltung mit Ozon wurde in der Sterin-Reihe zur Spaltung von 2,4-Dinitro-phenylhydrazonen angewendet[5]. Auch die Oxime sind dieser Spaltung zugänglich[6].

Für die Spaltung von 2,4-Dinitro- (oder 4-Nitro-)-phenylhydrazonen soll sich auch die Einwirkung von Kupfer(II)-carbonat in 80%iger Ameisensäure bewähren[7].

In der Sterin-Reihe wurde zur Spaltung von Oximen auch Ammoniumpersulfat angewendet[8].

Ein weiteres für die oxidative Spaltung brauchbares Reagenz ist Cer(IV)-ammonium-nitrat, mit dessen Hilfe sich Oxime und Semicarbazone in 70–80%iger Ausbeute in Ketone überführen lassen. Die Reaktion wird bei −40° bis 0° in wäßrigem Äthanol, Acetonitril oder Essigsäure durchgeführt[9]. Auch Blei(IV)-acetat sowie Thallium(III)-nitrat[10] wurde mit Erfolg zur Oxim-Spaltung eingesetzt[11].

δ) Verschiedene Methoden

Eine schonende Methode zur Spaltung von Oximen beruht darauf, daß man zuerst das Oxim durch Behandlung mit Acetanhydrid in das Oxim-O-acetat überführt und dieses dann durch Einwirkung von mindestens zwei Mol Chrom(II)-acetat in einem Tetrahydrofuran-Wasser-Gemisch reduktiv spaltet. Diese Methode gibt aus-

[1] L. Claisen u. O. Manasse, B. 22, 530 (1889).
[2] L. Bouveault u. R. Locquin, Bl. [3] 31, 1142 (1904).
   R. Locquin, Bl. [3] 31, 1147 (1904).
   A. W. Dox, Org. Synth., Coll. Vol. I, 266 (1941).
[3] K. Kondo, Bio. Z. 38, 407 (1912).
   H. K. Sen, Bio. Z. 143, 195 (1923).
[4] S. Goldschmidt u. W. L. C. Veer, R. 65, 796 (1946); 66, 238 (1947).
   H. L. Herzog et al., Am. Soc. 77, 4781 (1955).
   D. H. Hey u. D. S. Morris, Soc. 1948, 2319.
[5] G. A. Fleischer u. E. C. Kendall, J. Org. Chem. 16, 556 (1951).
[6] R. E. Erickson et al., J. Org. Chem. 34, 2961 (1969).
[7] R. Robinson, Nature 173, 541 (1954).
[8] S. G. Brooks et al., Soc. 1958, 4614.
[9] W. Bird u. D. G. M. Diaper, Canad. J. Chem. 47, 145 (1969).
[10] A. McKillop et al., Am. Soc. 93, 4918 (1971).
[11] G. Just u. K. Dahl, Canad. J. Chem. 48, 966 (1970).

gezeichnete Ausbeuten und läßt sich auch anwenden, wenn im Molekül säure- oder alkali-empfindliche Gruppen vorhanden sind[1].

Propiophenon[1]: Propiophenon-oxim wird durch kurze Behandlung mit Acetanhydrid bei 20° in das Oxim-0-acetat überführt[2]. 193 mg (1,0 mMol) dieses Acetates werden mit ~ 1 g Chrom(II)-acetat in 10 *ml* eines Tetrahydrofuran-Wasser-Gemisches (9 : 1) 24 Stdn. bei 25° gerührt. Das Reaktionsgemisch wird dann zur Oxidation von überschüssigem Chrom(II) mit Luft behandelt. Nachdem man den größten Teil des Tetrahydrofurans i. Vak. abgezogen hat, gibt man Wasser hinzu, extrahiert mit Äther und wäscht den Ätherextrakt mit verd. Säuren und Basen. Nach dem Abdestillieren des Äthers wird der Rückstand fraktioniert; Ausbeute: ~ 125 mg (~ 90% d. Th.); Kp: 217,7°; F: 21°.

Mit gutem Erfolg wurden Oxime von Steroidketonen reduktiv mit Zink in wasserhaltiger Essigsäure gespalten[3].

Hier sei noch auf eine Möglichkeit der Spaltung von Semicarbazonen hingewiesen, die sich der Einwirkung von Acetanhydrid in Pyridin bedient[2]. Über den Mechanismus dieser Spaltung ist nichts bekannt.

Hydrocortison-21-acetat [11β,17α,21-Trihydroxy-3,20-dioxo-pregnen-(4)][2]: Eine Suspension von 1 g Hydrocortison-bis-[semicarbazon] in 20 *ml* Pyridin und 7,5 *ml* Acetanhydrid wird auf dem Dampfbad 2 Stdn. erhitzt, wobei eine vollständige Lösung eintritt. Das Gemisch wird in 120 *ml* Eiswasser eingetragen. Nach dem Neutralisieren des Pyridins mit Salzsäure extrahiert man mit Dichlormethan. Der Extrakt wird mit Wasser neutral gewaschen, getrocknet und eingeengt. Der Rückstand (0,6 g) wird an Florosil chromatographiert. Man erhält 0,35 g Rohprodukt, das aus Aceton/Hexan umkristallisiert wird; Ausbeute: 0,14 g (16% d. Th.); F: 217–220°.

Erwähnt sei an dieser Stelle auch die Spaltung des Benzoin-phenylhydrazons, die beim Erhitzen in Eisessig-Lösung verläuft, und die unter Reduktion der sek. Alkohol-Gruppe zu *Benzil* führt[4]. Es handelt sich hier um einen Reaktionsverlauf, der in naher Beziehung zur Osazon-Bildung steht:

$$H_5C_6-\underset{\underset{OH}{|}}{CH}-\underset{\underset{N-NH-C_6H_5}{||}}{C}-C_6H_5 \xrightarrow{-H_5C_6-NH_2} \left[H_5C_6-\underset{\underset{O}{||}}{C}-\underset{\underset{NH}{||}}{C}-C_6H_5 \right]$$

$$\longrightarrow H_5C_6-CO-CO-C_6H_5$$

Für die Spaltung der 2,4-Dinitro-phenylhydrazone hat sich eine Arbeitsweise bewährt, bei der man in Aceton mit konz. Salzsäure und Zinn(II)-chlorid behandelt; die Ausbeuten betragen 70–95% der Theorie[5]. Als Reduktionsmittel für diese Spaltung hat sich auch Chrom(II)-chlorid bewährt[6].

Mit molaren Mengen Eisen-pentacarbonyl unter Zusatz von katalytischen Mengen Bortrifluorid-ätherat konnte 6-Oximino-4-methyl-4-trichlormethyl-cyclohexadien-(1,4) mit 72%iger Ausbeute in *6-Oxo-4-methyl-4-trichlormethyl-cyclohexadien-(1,4)* überführt werden[7].

---

[1] E. J. COREY u. J. E. RICHMAN, Am. Soc. **92**, 5276 (1970).
[2] E. P. OLIVETO et al., J. Org. Chem. **21**, 795 (1956).
[3] M. S. AHMAD u. A. H. SIDDIQUI, J. indian chem. Soc. **46**, 44 (1969).
[4] W. THEILACKER u. P. TRÖSTER, A. **572**, 144 (1951).
    J. DEMAECKER u. R. H. MARTIN, Nature **173**, 266 (1954); Bull. Soc. chim. belges **68**, 365 (1959).
[5] N. M. CULLINAN u. B. F. R. EDWARDS, Soc. **1958**, 1311.
[6] J. ELKS u. J. F. OUGHTON, Soc. **1962**, 4729.
[7] H. ALPER u. J. T. EDWARD, J. Org. Chem. **32**, 2938 (1967).

b) Ketone durch Hydrolyse gem.-Dihalogen-Verbindungen

Die Hydrolyse gem.-Dihalogen-Verbindungen zu Ketonen nach dem Schema

$$\begin{matrix} R \\ R' \end{matrix} CX_2 \longrightarrow \begin{matrix} R \\ R' \end{matrix} C{=}O$$

gelingt nur dann glatt, wenn die Halogenatome durch benachbarte Gruppen aktiviert sind. Für die Auswahl des Hydrolysemittels ist natürlich auch die Stabilität des entstehenden Ketons ausschlaggebend. Im Prinzip sind die gleichen Methoden anwendbar, wie sie für die Herstellung von Aldehyden auf analoge Weise beschrieben wurde[1].

Zur Verseifung einer nicht aktivierten —CCl_2-Gruppe in einem aliphatischen Kohlenwasserstoff muß man mehrere Stdn. mit Wasser auf 200° erhitzen[2], z.B. 2,2-Dichlor-4,4-dimethyl-pentan zu *4-Oxo-2,2-dimethyl-pentan* (96% d.Th.).

In Mischpolymerisaten aus 1,1-Dichlor-äthylen mit den Segmenten

$$-CH_2-CCl_2-$$

konnten weder Polymere mit Carbonyl-Funktionen noch definierbare Umsetzungsprodukte erhalten werden.

Ein Zusatz von **Kupfer(II)-** bzw. **Eisen(III)-chlorid** wirkt bei der Hydrolyse katalytisch. Bei schwerlöslichen Halogen-Verbindungen hat sich ein Gemisch von Nitrobenzol/Wasser mit einem Zusatz von Kupfer(II)-chlorid bewährt[3].

6,12-Dioxo-6,12-dihydro-⟨indeno-[1,2-b]-fluoren⟩[3]:

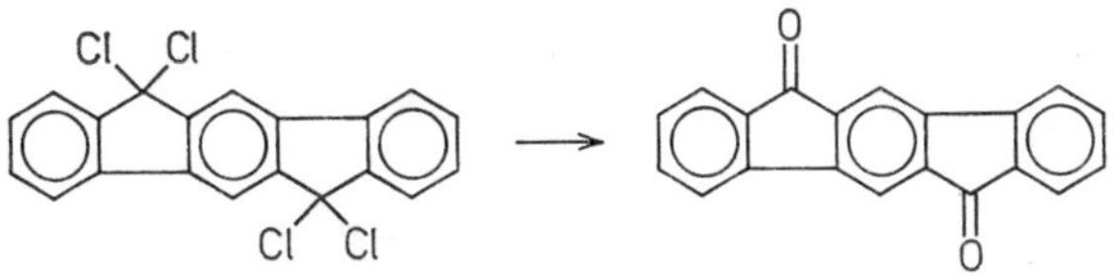

1 g der 6,6,12,12-Tetrachlor-6,12-dihydro-⟨indeno-[1,2-6]-fluoren⟩ wird in 30 *ml* Nitrobenzol unter Zusatz von wenig Wasser und Kupfer(II)-chlorid 30 Min. unter Rückfluß erhitzt. Die Lösung ist danach braunrot. Nach dem Stehenlassen über Nacht haben sich 0,7 g violett-rote Nadeln ausgeschieden, die aus Brombenzol umkristallisiert werden; Ausbeute: 0,45 g (62,5% d.Th.); F: 343–345°.

Als besonders günstig erweist sich in einigen Fällen das Erwärmen mit konz. **Schwefelsäure.** Man erhält so z.B. durch 90 Min. langes Erwärmen von 1,2,3,3,5,5-Hexachlor-cyclopenten-(1) in konz. Schwefelsäure auf 50–60° *1,2-Dichlor-3,5-dioxocyclopenten-(1)* (90% d.Th.)[4]. Über die Hydrolyse halogenhaltiger Cyclopentadiene zu Ketonen s. Sammellit [5].

---

[1] S.ds. Handb., Bd. VII/I, Kap. Hydrolyse von Dihalogenmethylgruppen, S. 211.
[2] L. SCHMERLING, Am. Soc. **68**, 1650 (1946).
[3] W. DEUSCHEL, Helv. **34**, 2403 (1951).
[4] A. ROEDIG u. L. HÖRNIG, B. **88**, 2003 (1955).
[5] M. A. OGLIARUSO et al., Chem. Reviews **65**, 261–367 (1965).
   H. E. UNGNADE u. E. T. McBEE, Chem. Reviews **58**, 249–320 (1958).

Entsprechend bildet sich unter Verwendung von 92%iger Schwefelsäure aus 3,3,4-Trifluor-4-chlor-1-phenyl-cyclobuten *3,4-Dioxo-1-phenyl-cyclobuten* (75% d. Th.)[1,2]:

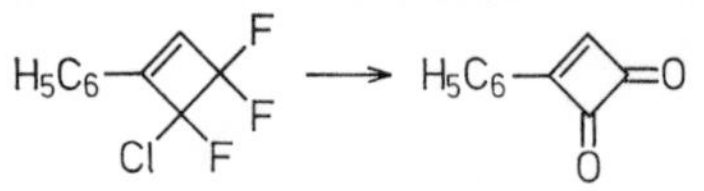

Auch die Verseifung von Heptachlor-indol zu *Tetrachlor-isatin* läßt sich durch Erhitzen mit konz. Schwefelsäure auf 120° glatt bewerkstelligen[3].

In ähnlicher Weise wurde auch die *Quadratsäure (1,2-Dihydroxy-3,4-dioxo-cyclobuten)* durch Hydrolyse von entsprechenden halogenierten Cyclobutan-Derivaten mit Schwefelsäure hergestellt[4,5].

Bedeutung kommt dieser Methode für die Herstellung von Ketonen vom Benzophenon-Typ zu, da die entsprechenden Dichlor-Verbindungen durch Friedel-Crafts-Reaktion mit Tetrachlormethan in einigen Fällen leicht zugänglich sind. Die Hydrolyse dieser Dichlor-Verbindungen gelingt besonders leicht und kann vorteilhaft durch einfaches Erhitzen des mit Wasser zersetzten Friedel-Crafts-Reaktionsgemisches erfolgen[6].

An Stelle von Schwefelsäure läßt sich auch Polyphosphorsäure verwenden, wie das Beispiel der Herstellung von *3,4-Dioxo-1,2-dimethyl-cyclobuten* aus der entsprechenden Tetrafluor-Verbindung zeigt[7]:

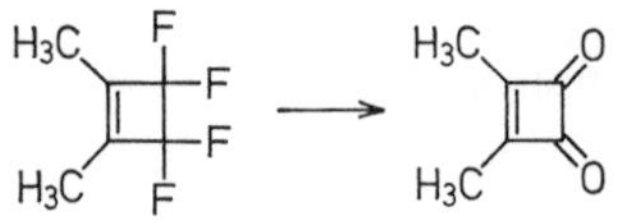

Auch partielle Hydrolysen sind auf diesem Wege möglich. Aus 3,3-Difluor-4,4-dichlor-1-phenyl-cyclobuten erhält man so z.B. *4,4-Dichlor-3-oxo-1-phenyl-cyclobuten*[3]:

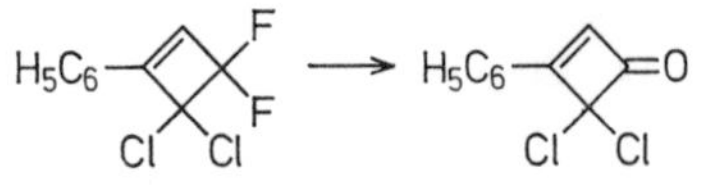

[1] E. J. SMUTNY u. J. D. ROBERTS, Am. Soc. **77**, 3420 (1955).
E. J. SMUTNY, M. C. CASERIO u. J. D. ROBERTS, Am. Soc. **82**, 1793 (1960).
[2] Vgl. a. ds. Handb., Bd. IV/4, Kap. Isocyclische Vierring-Verbindungen.
[3] J. D. ROBERTS. G. B. KLINE u. H. E. SIMMONS, Am. Soc. **75**, 4765 (1953).
S. a. E. F. JENNY u. J. D. ROBERTS, Am. Soc. **78**, 2005 (1956).
E. F. SILVERSMITH u. J. D. ROBERTS, Am. Soc. **80**, 4083 (1958).
J. P. PARK u. W. C. FRANK, J. Org. Chem. **32**, 1336 (1967).
Beispiel s. ds. Handb., Bd. VII/4, Kap. Isatine, S. 10.
[4] S. COHEN, J. R. LACHER u. J. D. PARK, Am. Soc. **81**, 3480 (1959).
J. D. PARK, S. COHEN u. J. R. LACHER, Am. Soc. **84**, 2919 (1962).
R. WEST, H. Y. NIU u. M. ITO, Am. Soc. **85**, 2584 (1963).
G. MAAHS, A. **686**, 55 (1965).
G. MAAHS u. P. HEGENBERG, Ang. Ch. **78**, 928 (1966).
[5] Ausführliches Beispiel s. ds. Handb., Bd. IV/4, Kap. Isocyclische Vierringsysteme, S. 67.
[6] C. S. MARVEL u. W. M. SPERRY, Org. Synth., Coll. Vol. I, 95 (1941).
J. P. PICARD u. C. W. KEARNS, Canad. J. Res. **28**B, 56 (1950).
[7] US.P. 3169147 (1961), B. F. Goodrich Co., Erf.: A. T. BLOMQUIST u. R. A. VIERLING; C. A. **62**, 16081 (1965).

4,4-Dichlor-3-oxo-1-phenyl-cyclobuten[1]: Zu 80 *ml* konz. Schwefelsäure gibt man schnell unter gutem Rühren auf dem Dampfbad 40 g 3,3-Difluor-4,4-dichlor-1-phenyl-cyclobuten, wobei Fluorwasserstoff entweicht. Nach 25 Min. gießt man die Lösung unter Rühren in ein Eis-Wasser-Gemisch. Der ausgefallene Niederschlag wird mit Wasser gewaschen und aus 30%igem wäßrigem Äthanol umkristallisiert; Ausbeute: 31 g (86% d.Th.); F: 74–77°.

In allen Fällen, in denen keine Olefin-Bildung unter Halogenwasserstoff-Abspaltung und keine Aldol-Kondensation zu befürchten ist, läßt sich die Verseifung auch mit Alkali durchführen. Hier bewährt sich eine Lösung von Natriumacetat in wäßriger Essigsäure.

Beispiele hierfür sind die Herstellung von *Trioxo-1,3-diphenyl-propan* aus 2,2-Dibrom-1,3-dioxo-1,3-diphenyl-propan[2] durch 2stdgs. Erhitzen mit ~ 2 Mol Natriumacetat in Eisessig unter Rückfluß und die Bildung von *Fluorenon* aus 9,9-Dibrom-fluoren[3].

Fluorenon[3]:

3,3 g 9,9-Dibrom-fluoren werden mit einer Lösung von 10 g Natriumacetat in 30 *ml* 60%iger Essigsäure 15 Stdn. unter Rückfluß erhitzt, wobei ein Teil des entstehenden Fluorenons in den Kühler sublimiert. Das restliche Keton wird mit Wasser ausgefällt und aus Cyclohexan umkristallisiert; Ausbeute: 90% d.Th.; F: 82,5–83,5°.

Auch Silberacetat läßt sich in manchen Fällen für die gleiche Reaktion verwenden[4].

1,9-Dioxo-[2.2]paracyclophan[4]: 960 mg 1,1,9,9-Tetrabrom-[2.2]paracyclophan, 1,28 g Silberacetat und 300 *ml* Eisessig werden 1,5 Stdn. unter Rückfluß erhitzt. Darauf gibt man wenig Wasser zu und filtriert die heiße Lösung zur Entfernung des Silberbromids. Das Filtrat wird i. Vak. eingeengt und der Rückstand aus Benzol umkristallisiert; Ausbeute: 295 mg (68% d.Th.); F: ~ 270° (Zers.).

Mit Erfolg wurde auch Silber-trifluoracetat für die Hydrolyse von geminalen Dihalogeniden angewandt. Mit diesem Reagens konnte aus 1,1,2,2-Tetrabrom-benzocyclobuten in 87%iger Ausbeute *1,2-Dioxo-benzocyclobuten* erhalten werden[5].

Vielfach leistet Natriumbenzoat in wäßriger Lösung gute Dienste.

2-Oxo-glutarsäure[6]:

Der durch Addition von Dichlor-essigsäureester an Acrylsäureester leicht zugängliche 2,2-Dichlor-glutarsäure-diester[7] wird verseift.

68,7 g 2,2-Dichlor-glutarsäure (F: 103°) werden in 500 *ml* Wasser unter Kühlung mit verd. Natronlauge neutralisiert. Nach Zugabe von 72,5 g Natriumbenzoat wird die Lösung 48 Stdn.

[1] J. D. ROBERTS, G. B. KLINE u. H. E. SIMMONS, Am. Soc. **75**, 4765 (1953).
  S. a. E. F. JENNY u. J. D. ROBERTS, Am. Soc. **78**, 2005 (1956).
  E. F. SILVERSMITH u. J. D. ROBERTS, Am. Soc. **80**, 4083 (1958).
  J. P. PARK u. W. C. FRANK, J. Org. Chem. **32**, 1336 (1967).
[2] L. A. BIGELOW u. R. S. HANSLICK, Org. Synth., Coll. Vol. II, 244 (1943).
[3] G. WITTIG u. F. VIDAL, B. **81**, 370 (1948).
[4] K. C. DEWHIRST u. D. J. CRAM, Am. Soc. **80**, 3115 (1958).
  S. a. D. J. CRAM u. R. C. HELGESON, Am. Soc. **88**, 3515 (1966).
[5] M. P. CAVA, D. R. NAPIER u. R. J. POHL, Am. Soc. **85**, 2076 (1963).
[6] DBP.-Anm. 1768114 (1968), Farbf. Bayer, Erf.: H. TIMMLER u. R. WEGLER.
[7] H. TIMMLER u. R. WEGLER, Ang. Ch. **72**, 1001 (1960).

unter Rückfluß gekocht, nach dem Abkühlen mit Salzsäure auf einen p_H-Wert von 2 sauer gestellt und die ausgeschiedene Benzoesäure abgesaugt. Anschließend dampft man das Filtrat i. Vak.
bis zur Trockene ein, nimmt das Rohprodukt in ~ 400 *ml* Aceton auf und dampft die acetonische
Lösung ein; Ausbeute: 32,5 g (89% d.Th.); F: 108–111°.

Zwecks weiterer Reinigung wird das Rohprodukt in 250 *ml* warmem Essigsäure-äthylester
gelöst, mit Absorptionskohle versetzt und filtriert. Nach dem Abkühlen und der Zugabe von 250 *ml*
Petroläther kristallisieren 30 g reine 2-Oxo-glutarsäure aus; Ausbeute: 81% d.Th; F: 113°.

Es ist zu berücksichtigen, daß bei der Hydrolyse cyclischer *α,α*-Dihalogen-ketone
Isomerisierungen eintreten können. So erhält man aus 3,3-Dichlor- bzw. 3,3-Dibrom-
2-oxo-*trans*-dekalin[1] (I) durch mehrstündiges Kochen mit einer wäßrigen Kalium-
carbonat-Lösung glatt 7-Hydroxy-7-carboxy-bicyclo[4.3.0]nonan (II):

Die durch Einwirkung von Dichlorcarben oder Dibromcarben auf Olefine erhältlichen 1,1-Dihalogen-cyclopropane lassen sich infolge der leichten Ringspaltung der primär entstehenden Cyclopropanone nicht in die Cyclopropanone
überführen. Besondere Verhältnisse finden sich bei den Dihalogen-Verbindungen vom
Typ des 7,7-Dichlor-bicyclo[4.1.0]heptans, die bei der Einwirkung von
Silbersulfat und konz. Schwefelsäure unter Ringerweiterung in ein Gemisch
von isomeren Cycloheptenonen entsprechend dem folgenden Formelschema übergehen[2]:

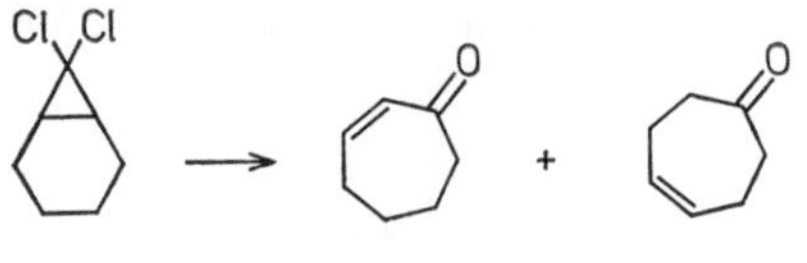

Eine Ausnahme machen hier auch die Addukte von Dichlorcarben an Acetylene.
Infolge der Stabilität der entstehenden Cyclopropenone lassen sich hier die geminalen Chlor-Verbindungen bereits mit verdünnten Mineralsäuren in die Cyclopropenone überführen. So ergibt zum Beispiel das aus Tolan mit Dichlorcarben erhaltene 3,3-Dichlor-1,2-diphenyl-cyclopropen in glatter Reaktion *3-Oxo-1,2-di-
phenyl-cyclopropen*[3]:

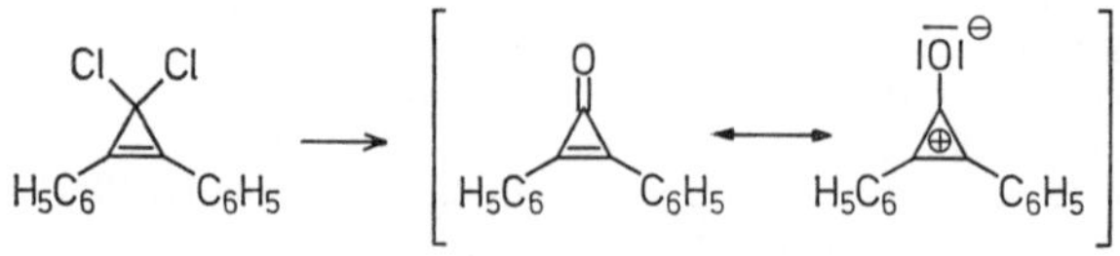

[1] K. GANAPATI, J. indian chem. Soc. **15**, 410 (1938).
[2] A. J. BIRCH et al., Soc. [C] **1967**, 3358.
[3] E. V. DEHMLOW, B. **101**, 410 (1968).

Sehr komplex verläuft die Einwirkung von Natriumacetat in siedender Essigsäure auf 4,4-Dichlor-3,5-dioxo-1,1-dimethyl-cyclohexan; neben ~ 40% d.Th. *1-Chlor-5-oxo-3,3-dimethyl-cyclopenten* entstehen mehrere Isomerisierungsprodukte[1].

Eine weitere, oft zu bevorzugende Methode, gem.-Dihalogen-Verbindungen zu hydrolysieren besteht darin, diese zuerst in die Ketale überzuführen. Dieses Verfahren ist ausführlich in Bd. VI/3, S. 239 beschrieben worden.

c) Ketone durch Verseifung von Halogen-olefinen

Monohalogen-olefine lassen sich durch Addition von Wasser an die Olefinbindung und Halogenwasserstoff-Abspaltung in Ketone überführen:

$$\underset{R'}{\overset{R}{>}}C=C\underset{Cl}{\overset{R''}{<}} \quad \xrightarrow[- HCl]{+ H_2O} \quad \underset{R'}{\overset{R}{>}}CH-\underset{\underset{O}{\|}}{C}-R''$$

Diese Reaktion nimmt im allgemeinen einen glatten Verlauf und stellt eine präparativ günstige Möglichkeit zur Herstellung von Ketonen dar.

Im einfachsten Falle gelingt die Verseifung bereits mit Wasser beim Erhitzen auf 180–190°. Unter diesen Bedingungen geht α-Brom-stilben in *Desoxybenzoin (1-Oxo-1,2-diphenyl-äthan)* über[2]. Präparativ besitzt diese Möglichkeit allerdings kaum Bedeutung.

Die Methode der Wahl beruht auf der Einwirkung von konz. Schwefelsäure auf die ungesättigte Halogen-Verbindung. Die Keton-Bildung kann dabei entweder durch längeres Stehenlassen bei tiefer Temperatur (0–20°) oder durch kurzes Erwärmen auf dem Dampfbad erreicht werden.

Aus 5-Chlor-2-butyl-hexen-(4)-säure erhält man durch 2 tägiges Stehenlassen der Lösung in konz. Schwefelsäure bei Raumtemperatur *5-Oxo-2-butyl-hexansäure* (86% d.Th.)[3]:

$$H_3C-\underset{\underset{Cl}{|}}{C}=CH-CH_2-\underset{\underset{C_4H_9}{|}}{CH}-COOH \quad \longrightarrow \quad H_3C-CO-CH_2-CH_2-\underset{\underset{C_4H_9}{|}}{CH}-COOH$$

Entsprechend erhält man aus 5-Chlor-hexen-(4)-säure *5-Oxo-hexansäure*[4], aus 4-Chlor-penten-(3)-säure *Lävulinsäure (4-Oxo-pentansäure)*[5] und aus α-Chlor-3,4'-dinitro-stilben *1-Oxo-2-(3-nitro-phenyl)-1-(4-nitro-phenyl)-äthan*[6]. In der bicylischen Reihe erhält man *3-Oxo-bicyclo[3.2.1]octan* aus 3-Chlor-bicyclo[3.2.1]octen-(2)[7] oder

---

[1] N. Schamp u. M. Verzele, Bull. Soc. chim. belges **73**, 81 (1964).
[2] H. Limpricht u. H. Schwanert, A. **155**, 60 (1870).
   S. a. US. P. 3442952 (1965), Allied Chemical, Erf.: R. F. Sweeney u. W. J. Cunnigham; C. A. **71**, 49381 (1969).
[3] G. T. Tatevosyan u. M. O. Melikyan, Ž. obšč. Chim. **17**, 975 (1947); C. A. **42**, 1566 (1948).
[4] O. Wichterle, Chem. Listy **37**, 180 (1963).
[5] M. Julia u. M. Fétizon, Bl. **1959**, 1378.
[6] H. A. Harrison u. H. Wood, Soc. **1926**, 581.
[7] C. W. Jefford et al., Org. Synth. **51**, 60 (1971).

der entsprechenden Brom-Verbindung[1] und *3-Oxo-bicyclo[3.2.2]nonan* aus 3-Brom-bicyclo[3.2.2]nonen-(2)[2] mit Schwefelsäure bei tiefen Temperaturen. Dihalogen-Verbindungen, bei denen das zweite Halogen-Atom sich nicht an der Doppelbindung befindet, gehen dabei in Halogen-ketone über. Aus 1,2-Dichlor-propen[3] erhält man mit konz. Schwefelsäure *Chlor-aceton*[4]:

$$Cl-CH_2-\underset{\underset{Cl}{|}}{C}=CH_2 \longrightarrow Cl-CH_2-CO-CH_3$$

1,1,2-Trichlor-3-oxo-buten-(1)[5]:

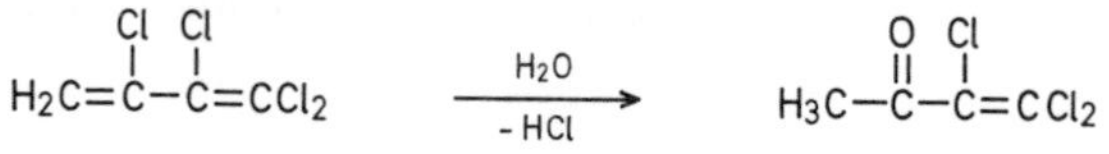

$$H_2C=\underset{\underset{Cl}{|}}{C}-\underset{\underset{Cl}{|}}{C}=CCl_2 \quad \xrightarrow[-\;HCl]{H_2O} \quad H_3C-\underset{\overset{O}{\|}}{C}-\underset{\overset{Cl}{|}}{C}=CCl_2$$

In einen 500-*ml*-Rundkolben, der mit Rührer, Thermometer, Tropftrichter und Chlorcalciumrohr versehen ist, werden 40 g 1,1,2,3-Tetrachlor-butadien-(1,3) vorgelegt und dazu innerhalb 90 Min. 200 g konz. Schwefelsäure zwischen 35–40° eingerührt. Dann erhitzt man weitere 90 Min. auf 65–70° nach, gießt auf Eis und äthert aus; Ausbeute: 28,5 g (79% d.Th.); Kp$_{17}$: 64–65°.

Weitere Beispiele für die Herstellung von α-Chlor-ketonen aus solchen Dichlor-Verbindungen s. Lit.[3].

Für die Herstellung von Diketonen nach dieser Methode kommen sowohl Di-halogen-diene als auch halogenhaltige ungesättigte Ketone als Ausgangsmaterial in Betracht.

Da durch die Schwefelsäure auch eine weitere Kondensation nach dem Aldoltyp bewirkt werden kann, sind die primär gebildeten Diketone oft nicht isolierbar. Statt dessen erhält man cyclische ungesättigte Ketone. Ein Beispiel hierfür ist die Einwirkung von konz. Schwefelsäure auf 1,6-Dichlor-cyclooctadien-(1,5), die zu *2-Oxo-bicyclo[3.3.0]octen-(1⁵)* führt[6]:

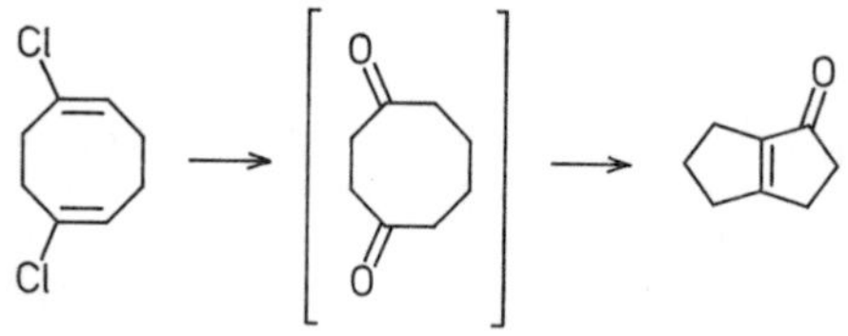

2-Oxo-bicyclo[3.3.0]octen-(0⁵)[6]: In einem Dreihalskolben, der mit einem Gaseinleitungsrohr und einem Gasableitungsrohr sowie einem Rührer versehen ist, gibt man 50 *ml* konz. Schwefel-säure. Zu der Säure läßt man dann unter Eiskühlung und Rühren innerhalb 25 Min. 15,5 g 1,6-Dichlor-cyclooctadien-(1,5) zutropfen. Man rührt dann noch 5 Min. bei Raumtemp. und darauf 30 Min. bei 70°. Während der Reaktion wird die gebildete Salzsäure im Stickstoffstrom entfernt und in Wasser geleitet. Das Reaktionsgemisch wird auf zerstoßenes Eis gegossen und mit Natron-

[1] B. Waegell u. Ch. W. Jefford, Bl. **1964**, 844.
[2] C. W. Jefford, S. Mahajan, J. Waslyn u. B. Waegell, Am. Soc. **87**, 2183 (1965).
[3] C. Prévost u. Y. Gaoni, C. r. **240**, 2243 (1955).
[4] L. Henry, B. **5**, 190 (1872).
[5] A. N. Akopyan et al., Ž. obšč. Chim. **33**, 2894, 2896 (1963); C. A. **60**, 1569 (1963).
[6] A. C. Cope u. W. R. Schmitz, Am. Soc. **72**, 3056 (1950).

lauge neutralisiert. Das Reaktionsprodukt wird einmal mit 300 *ml* Äther und 3mal mit je 100 *ml* Äther extrahiert und der Extrakt mit Magnesiumsulfat getrocknet. Der Rückstand wird der fraktionierten Vakuumdestillation unterworfen; Ausbeute: 7,7 g (72% d. Th.); $Kp_{0,5}$: 65–66°.

Zu α-Diketonen gelangt man bei der Verseifung von α,β-ungesättigten Ketonen mit Halogen in der α-Stellung. Diese Reaktion wird vorzugsweise mit einer Lösung von Kaliumacetat in Eisessig durchgeführt. Aus 2-Brom-3-oxo-3-(3,4-dimethoxy-phenyl)-propen-(1) erhält man auf diese Weise in 80%iger Ausbeute *1,2-Dioxo-1-(3,4-dimethoxy-phenyl)-propan*[1]:

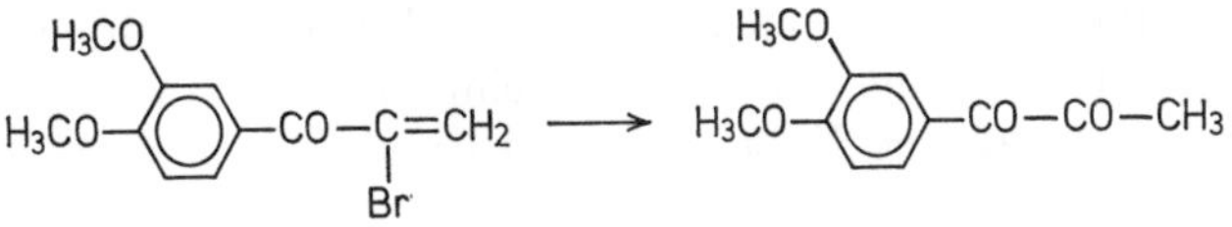

Ein Beispiel dafür, daß unter Umständen auch Halogen in Nachbarstellung zur Doppelbindung unter gleichzeitiger Isomerisierung in die Carbonyl-Gruppe verwandelt werden kann, ist die Herstellung von *3,6,11-Trioxo-ätio-cholansäure-methylester* aus 6-Brom-3,11-dioxo-ätio-cholen-(4)-säure-methylester, die durch Kochen mit methanolischer Salzsäure erreicht werden kann[2]:

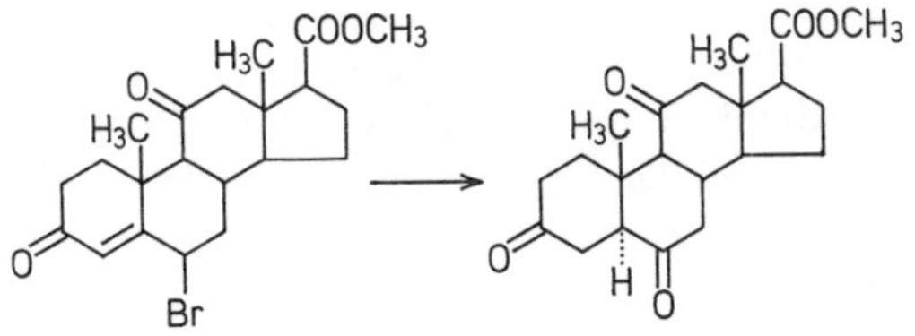

3,6,11-Trioxo-ätio-cholansäure-methylester[2]: 1,18 g krist. 6-Brom-3,11-dioxo-ätio-cholen-(4)-säure-methylester werden mit einer Mischung von 40 *ml* Methanol und 1,2 *ml* konz. Salzsäure 5 Stdn. unter Rückfluß gekocht. Man engt i. Vak. stark ein, nutscht die ausgefallenen Kristalle ab und wäscht mit wenig Methanol, dann mit Äther. Die Mutterlauge wird mit viel Äther extrahiert. Aus der Ätherschicht erhält man nach dem Waschen mit verd. Natriumcarbonat-Lösung, Wasser und Trocknen noch weitere Kristalle; Gesamtausbeute: 0,8 g; (86% d. Th.); F: 232–236°. Aus Chloroform-Äther erhält man feine, körnige Kristalle; F: 236–238°.

Die Verwendung von Salzsäure empfiehlt sich auch in den Fällen, in denen mit Schwefelsäure störende Sulfurierungsreaktionen stattfinden. So verläuft zum Beispiel die Hydrolyse von 3-Chlor-inden-1-carbonsäure mit Schwefelsäure unter gleichzeitiger Sulfurierung. Hier führt 4stdgs. Erhitzen mit Salzsäure zum Ziel. *3-Oxo-indan-1-carbonsäure* wird hierbei in quantitativer Ausbeute erhalten[3]:

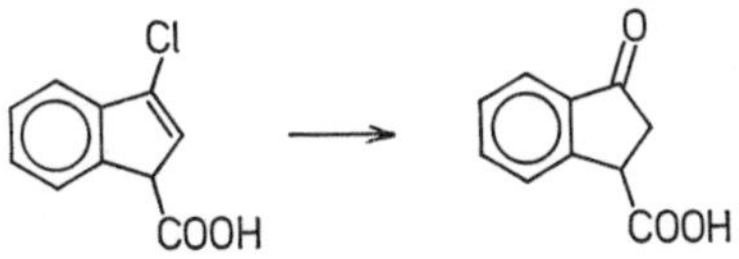

[1] B. O. Lindgren, Acta chem. scand. **4**, 641 (1950).
[2] J. v. Euw u. T. Reichstein, Helv. **29**, 1913 (1946).
   S.a. US.P. 3287413 (1963), Monsanto, Erf.: L. J. Hughes; C. A. **66**, 28374 (1967).
[3] M. Donbrow, Soc. **1959**, 1963.

In β-Stellung halogensubstituierte α,β-ungesättigte Carbonsäuren lassen sich bei der Behandlung mit Natronlauge unter gleichzeitiger Decarboxylierung in Ketone überführen. Als Beispiel sei die Herstellung von *Cycloheptanon* aus 2-Brom-cyclo-hepten-(1)-1-carbonsäure erwähnt[1]:

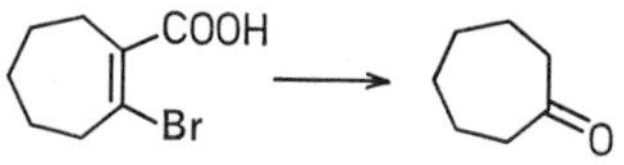

In diesem Zusammenhang sei auch auf die Spaltung des 2-Brom-2-acetoxy-1,3-dioxo-1,3-diphenyl-propan hingewiesen, das beim Erhitzen i. Vak. glatt in *Trioxo-1,3-diphenyl-propan* (goldgelbe Kristalle, F: 70°) und Acetylbromid zerfällt[2]:

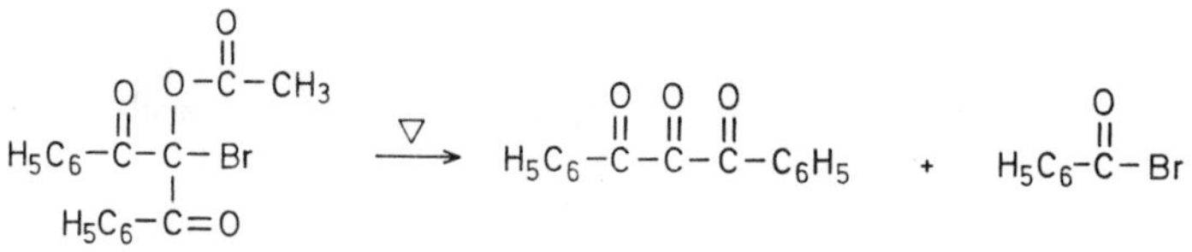

Ein Weg zu bicyclischen 1,2-Diketonen bietet die Dien-Synthese von cyclischen Dienen mit 4,5-Dichlor-2-oxo-1,3-dioxol. Die entstehenden vicinalen Dichlor-carbonate lassen sich durch saure Hydrolyse in 1,2-Diketone überführen[3]. Die Reaktionsfolge sei am Beispiel der Herstellung von *5,6-Dioxo-bicyclo[2.2.1]hepten-(2)* wiedergegeben:

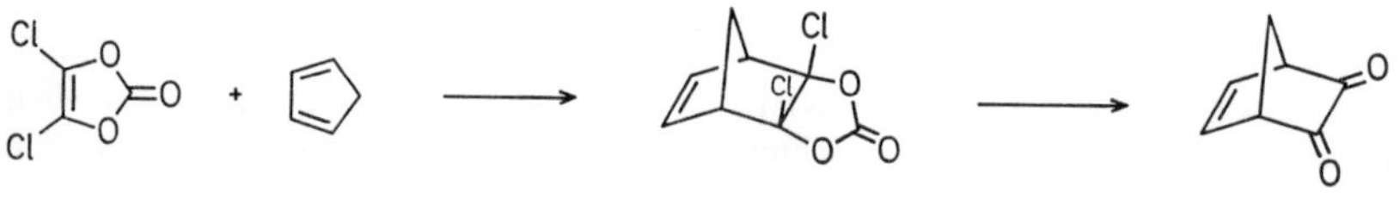

d) Ketone durch Hydratisierung von Alkinen und Allenen

1. Ketone aus Monoalkinen

Während die Hydratisierung von Acetylen selbst zu Acetaldehyd führt[4], ergibt die Wasser-Anlagerung an Alkine mit endständiger C≡C-Dreifachbindung entsprechend der Regel von Markownikoff Methylketone:

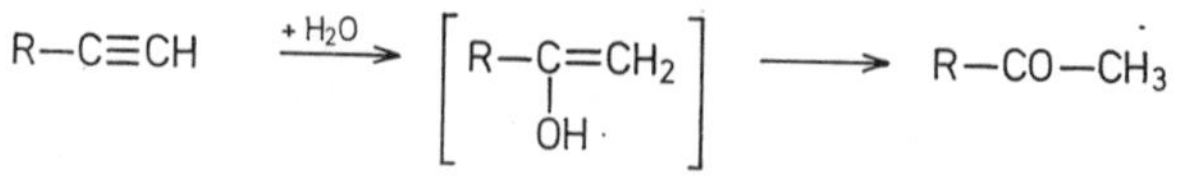

[1] G. HESSE u. F. URBANEK, B. **91**, 2733 (1958).
[2] R. DE NEUFVILLE u. H. V. PECHMANN, B. **23**, 3379 (1890).
[3] H. D. SCHARF u. W. KÜSTERS, B. **105**, 564 (1972).
   H. D. SCHARF u. R. KLAR, B. **105**, 554 (1972).
[4] In einem älteren technischen Verfahren wurde Acetylen mit Wasserdampf über Kontakte direkt in *Aceton* überführt. Als Zwischenprodukt dürfte dabei Essigsäure auftreten; P. P. JONES, Ind. Chemist **22**, 195 (1946).

Eine Ausnahme ist hier das 3,3,3-Trifluor-propin, das unter dem Einfluß der stark elektronegativen Trifluormethyl-Gruppe auch den Aldehyd liefert[1] neben Aceton.

Alkine mit **mittelständiger** C≡C-Dreifachbindung ergeben entsprechend **höhere** Ketone:

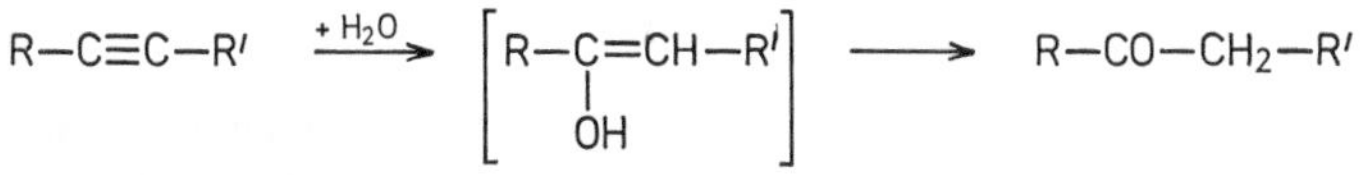

$$R-C\equiv C-R' \quad \xrightarrow{+H_2O} \quad \left[\begin{array}{c} R-C=CH-R' \\ | \\ OH \end{array} \right] \quad \longrightarrow \quad R-CO-CH_2-R'$$

Sind R und R′ verschiedene Alkyl-Reste, so beobachtet man das Auftreten beider möglicher Ketone. Hexin-(2) gibt so bei der Hydratisierung *Hexanon-(2)* und *Hexanon-(3)* zu fast gleichen Teilen[2]:

$$H_3C-CH_2-CH_2-C\equiv C-CH_3 \quad \longrightarrow \quad H_3C-CH_2-CH_2-CH_2-CO-CH_3$$
$$+ \quad H_3C-CH_2-CH_2-CO-CH_2-CH_3$$

Größere Alkyl-Reste an der Dreifachbindung führen zu einer stark unterschiedlichen Isomerenverteilung, wie das Beispiel des 2,2-Dimethyl-pentin-(3) zeigt, das bei der Hydratisierung 65% *3-Oxo-* und 35% *4-Oxo-2,2-dimethyl-pentan* liefert[3]:

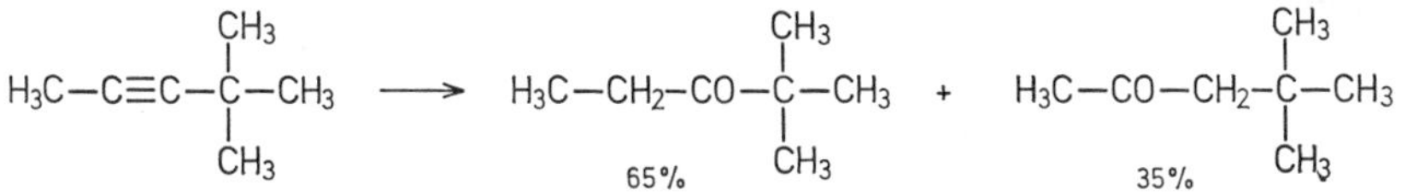

Stärker polarisierende Gruppen können auch in diesem Falle zur Bildung **nur** eines der beiden möglichen Ketone führen. Ein Beispiel hierfür ist die Hydratisierung von 2-Phenyl-1-pyridyl-(2)-acetylen, die zu *2-Oxo-2-phenyl-1-pyridyl-(2)-äthan* (91% d. Th.) führt[4]:

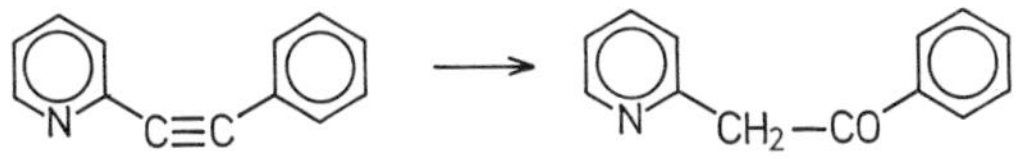

Als **Regel** bei der Hydratisierung von Alkinen, welche zwei isomere Ketone bilden können, gilt, daß die Bildung des Ketons R—CO—CH₂—R′ aus R—C≡C—R′ dann begünstigt ist, wenn[5]

① die **Kettenlänge** von R **größer** ist

② R′ eine **elektronenanziehende Gruppe** wie —COOH, NO₂, Halogen usw. enthält

③ R stärker **verzweigt** ist

④ die elektronenanziehende Gruppe in R′ **näher** an die C≡C-Dreifachbindung heranrückt.

Die Keton-Bildung aus Alkinen stellt eine der wichtigsten Wege zu den Ketonen dar, da sie in fast allen Fällen glatt und mit ausgezeichneten Ausbeuten verläuft.

[1] R. N. HASZELDINE u. K. LEEDHAM, Soc. **1952**, 3483.
   R. N. HASZELDINE, Soc. **1952**, 3490.
[2] A. MICHAEL, B. **39**, 2143 (1906).
[3] A. A. PETROW u. B. S. KUPIN, Ž. obšč. Chim. **29**, 3153 (1959); C. A. **54**, 11968 (1960).
[4] H. C. BEYERMAN, W. EVELEENS u. Y. M. F. MULLER, R. **75**, 63 (1956).
[5] A. W. JOHNSON, *Acetylenic Compounds*, Vol. II. S. 65, Verlag Edward Arnold, London 1950.

Die Hydratisierung kann in vielen Fällen bereits durch **Erhitzen** mit **wäßrigen Mineralsäuren** bewirkt werden[1]. Im allgemeinen bedient man sich aber der katalytischen Wirkung der **Quecksilber(II)-salze**[2], wobei am häufigsten eine ~ 5%ige Lösung von Quecksilber(II)-sulfat in ~ 10%iger Schwefelsäure benutzt wird. Bei zu geringer Löslichkeit der Alkine in Wasser können **Lösungsmittel** wie Alkohol, Aceton oder Essigsäure zugesetzt werden[3].

Als sehr wirkungsvoll für diese Hydratisierung hat sich auch ein mit Quecksilber(II)-salzen imprägniertes, **sulfoniertes Polystyrol** (Dowex 50) erwiesen, mit dem in essigsaurer Lösung die Hydratisierung in ausgezeichneten Ausbeuten möglich ist[4].

Man kann auch ein Gemisch der Alkine mit **Wasserdampf** bei 150–204° über einen Phosphorsäure-haltigen Katalysator leiten, wobei ebenfalls die Ketone in guten Ausbeuten erhalten werden[5,6]. Bemerkenswerterweise beobachtet man bei dieser Arbeitsweise in einigen Fällen weitgehende Isomerisierung. Aus Heptin-(1) entsteht so z.B. *Heptanon-(4)*.

Eine besondere Variante beruht darauf, daß man auf das Alkin **Quecksilber(II)-acetat** einwirken läßt. Hierbei bilden sich quecksilberhaltige Addukte, die in einfacher Weise isoliert werden können. Durch Erhitzen dieser Addukte mit Salzsäure erhält man die gleichen Ketone wie bei der direkten Hydratisierung[7]. Der Reaktionsverlauf entspricht folgendem Formelschema:

$$R-C\equiv CH \xrightarrow{Hg(OOC-CH_3)_2} \begin{array}{c} H_3C-COO-Hg-O \\ R \end{array} C=C \begin{array}{c} Hg-OOC-CH_3 \\ Hg-OOC-CH_3 \end{array} \xrightarrow{[HCl]} R-CO-CH_3$$

Mit dieser Methode wurden z.B. aus Octin-(1) *Octanon-(2)* und aus Phenylacetylen *Acetophenon* erhalten. Setzt man die quecksilberhaltigen Addukte mit **Brom** um, so erhält man **Tribrommethyl-ketone**:

$$\begin{array}{c} H_3C-COO-Hg-O \\ R \end{array} C=C \begin{array}{c} Hg-OOC-CH_3 \\ Hg-OOC-CH_3 \end{array} \xrightarrow{+3 Br_2} R-C=CBr_2 \; \overset{|}{OBr}$$

$$\xrightarrow{+ Br_2} R-\underset{\underset{OBr}{|}}{\overset{\overset{Br}{|}}{C}}-CBr_3 \xrightarrow{- Br_2} R-CO-CBr_3$$

[1] A. Schrohe, B. **8**, 365 (1875).
   A. Michael, B. **39**, 2143 (1906).
[2] M. Kutcheroff, B. **17**, 13 (1884).
[3] R. J. Thomas, K. N. Campbell u. G. F. Hennion, Am. Soc. **60**, 718 (1938).
[4] M. S. Newman, Am. Soc. **75**, 4740 (1953).
   US.P. 2853520 (1953), Ohio State University Research Foundation, Erf.: M. S. Newman; C. A. **54**, 345 (1960).
   S. a. J. D. Billimoria u. N. F. MacLagan, Soc. **1954**, 3257.
[5] R. E. Schaad u. V. N. Ipatieff, Am. Soc. **62**, 178 (1940).
[6] DAS. 1064493 (1956), Escambia Chemical Corp., Pasc, Fla., Erf.: T. R. Steadman; C. A. **53**, 2183 (1959).
   Y. A. Gorin u. L. P. Bogdanowa, Ž. obšč. Chim. **28**, 1144 (1958); C. A. **53**, 275 (1959).
[7] W. W. Myddleton, A. W. Barrett u. J. H. Seager, Am. Soc. **52**, 4405 (1930).

Aus Heptin-(1) wurde auf diese Weise *1,1,1-Tribrom-2-oxo-heptan* und aus Octin-(1) *1,1,1-Tribrom-2-oxo-octan* erhalten[1].

Unmittelbar zu Halogenketonen führen auch zwei Arbeitsweisen, bei denen die Alkine mit N-Chlor-succinimid und Difluoroxid reagieren.

Im ersten Falle erhält man bei der Einwirkung in alkoholischer Lösung ein Dichlorketal, aus dem durch Verseifung das Dichlor-keton zugänglich ist. Diese Arbeitsweise ergibt bei Hexin-(1) in methanolischer Lösung 1,1-Dichlor-2,2-dimethoxy-hexan (80% d.Th.), aus dem *1,1-Dichlor-2-oxo-hexan* zugänglich ist[2]:

$$H_9C_4-C\equiv CH \quad + \quad 2 \left[\begin{array}{c} O \\ \diagup \\ N-Cl \\ \diagdown \\ O \end{array}\right] \quad + \quad 2\ CH_3OH \quad \longrightarrow \quad H_9C_4-\underset{\underset{CHCl_2}{|}}{\overset{\overset{OCH_3}{|}}{C}}-OCH_3$$

Bei der Einwirkung von Difluoroxid auf Tolan konnte *2,2-Difluor-1-oxo-1,2-diphenyl-äthan* (82% d.Th.) erhalten werden. Als Lösungsmittel dient hierbei Fluortrichlor-methan[3]:

$$H_5C_6-C\equiv C-C_6H_5 \quad + \quad OF_2 \quad \longrightarrow \quad H_5C_6-CO-CF_2-C_6H_5$$

Eine Arbeitsweise, die von den Alkinen direkt zu den Ketalen führt, bedient sich der Einwirkung von Quecksilberoxid/Bortrifluorid in wasserfreien Alkoholen. Auf diese Weise erhält man die Ketale in ausgezeichneten Ausbeuten. Da die Ketone aus den Ketalen durch saure Verseifung leicht zu erhalten sind, kann man sich in vielen Fällen mit Vorteil dieser Methode zur Keton-Herstellung bedienen (s. ds. Handb., Bd. VI/3, S. 232 ff.).

Aus Heptin-(1) erhält man so in Methanol *Heptanon-(2)-dimethylacetal*[4]:

$$H_9C_4-C\equiv CH \quad + \quad 2\ CH_3OH \quad \longrightarrow \quad H_9C_4-\underset{\underset{CH_3}{|}}{\overset{\overset{OCH_3}{|}}{C}}-OCH_3$$

Hexanon-(2)-dimethylacetal[4]: In einen 500-*ml*-Dreihalskolben gibt man 4–5 g Quecksilberoxid. Nach Zugabe von 2 *ml* Bortrifluorid-diäthylätherat und 2 *ml* wasserfreiem Methanol erwärmt man das Gemisch vorsichtig bis zur teilweisen Auflösung des Quecksilberoxids. Der Kolben wird mit Rührer, Tropftrichter und Rückflußkühler versehen. Nach Zugabe von 20 *ml* wasserfreiem Methanol wird auf dem Wasserbad auf 30–40° erwärmt. Innerhalb von 30 Min. läßt man dann unter Rühren ein Gemisch von 41 g (0,5 Mol) Hexin-(1) und 20 *ml* wasserfreiem Methanol zutropfen und rührt dann noch weitere 30 Min. Hierauf gibt man 5 g gepulvertes, wasserfreies Kaliumcarbonat hinzu und läßt die festen Anteile absitzen. Die überstehende Flüssigkeit wird dekantiert und i.Vak. fraktioniert; Ausbeute: 51 g (70% d.Th.); Kp$_{30}$: 58–60°.

Noch bessere Ausbeuten (75% d.Th.) erhält man bei Verwendung von Glykol.

---

[1] W. W. MYDDLETON, A. W. BARRETT u. J. H. SEAGER, Am. Soc. **52**, 4405 (1930).
[2] S. F. REED, J. Org. Chem. **30**, 2195 (1965).
[3] R. F. MERRITT u. J. K. RUFF, J. Org. Chem. **30**, 328 (1965); Am. Soc. **86**, 1392 (1964).
[4] G. F. HENNION et al., Am Soc. **56**, 1130 (1934).

Tab. 124. Ketone durch Hydratisierung einfacher Alkine

Alklin	Katalysator	gebildtetes Keton	Ausbeute [% d.Th.]	Literatur
Propin-(1)	verd. H_2SO_4	*Aceton*		1
	$HgSO_4$/verd. H_2SO_4			2
	phosphorsäure-haltiger Katalysator (204°)			3
Butin-(1)	phosphorsäure-haltiger Katalysator (204°)	*Butanon-(2)*		3
Pentin-(2)	verd. H_2SO_4	*Pentanon-(2)*		4
	phosphorsäure-haltiger Katalysator (204°)			3
Hexin-(1)	$HgSO_4$/verd. H_2SO_4 phosphorsäure-haltiger Katalysator	*Hexanon-(2)*	80	5 3
Hexin-(2)	verd. H_2SO_4	*Hexanon-(2),*	55	6
		Hexanon-(3)	45	6
Heptin-(1)	$HgSO_4$/verd. Schwefelsäure	*Heptanon-(2)*	87	5
Octin-(1)	$HgSO_4$/verd. H_2SO_4	*Octanon-(2)*	91,2	5
Octin-(4)	$HgSO_4$/verd. H_2SO_4	*Octanon-(4)*	89	7
Phenyl-acetylen	verd. H_2SO_4	*Acetophenon*		8
[10]Paracyclophin-(5)	$HgSO_4$/verd. H_2SO_4	*5-Oxo-[10]paracyclophan*		9
3,3,3-Trifluor-propin	$HgSO_4$/verd. H_2SO_4	*Trifluor-aceton +3,3,3-Trifluor-propanal*	61 28	10

An Stelle der Katalyse durch Quecksilber(II)-salze wurden in neuerer Zeit die Verwendung von Thallium(III)-salzen in Eisessig oder Alkohol für die gleiche Hydratisierung vorgeschlagen. Die Ausbeuten betragen bei diesem Verfahren maximal 88% der Theorie[11].

Eine grundsätzlich andere Möglichkeit zur Überführung von Alkinen in Ketone bietet der Weg über die Hydroborierung und anschließende Oxidation mit

---

[1] A. SCHROHE, B. **8**, 365 (1875).

[2] M. KUTSCHEROFF, B. **17**, 13 (1884).

[3] R. E. SCHAAD u. Y. N. IPATIEFF, Am. Soc. **62**, 178 (1940).

[4] A. FAWORSKY, J. pr. [2] **37**, 388 (1888).

[5] R. J. THOMAS, K. N. CAMPBELL u. G. F. HENNION, Am. Soc. **60**, 718 (1938).

[6] A. MICHAEL, B. **39**, 2143 (1906).
A. FAWORSKY, J. pr. [2] **37**, 428 (1888).

[7] M. S. NEWMAN, Am. Soc. **75**, 4740 (1953).

[8] C. WEYGAND, *Organisch-chemische Experimentierkunst*, S. 261, Ambrosius Barth, Leipzig 1948.

[9] D. J. CRAM u. M. CORDON, Am. Soc. **77**, 4090.

[10] R. N. HAZELDINE u. K. LEEDHAM, Soc. **1952**, 3483.

[11] S. UEMURA et al., Bl. chem. Soc. Japan **40**, 1499 (1967).

Hydrogenperoxid entsprechend dem folgenden Formelschema, das die Überführung von Hexin-(3) in *Hexanon-(3)* zeigt[1]:

$$6 \ H_3C-CH_2-C\equiv C-CH_2-CH_3 \xrightarrow{B_2H_6} 2 \ (H_3C-CH_2-CH=\overset{\overset{\displaystyle H_5C_2}{|}}{C}-)_3 \ B$$

$$\xrightarrow[H_2O]{H_2O_2} 6 \ CH_3-CH_2-CH_2-CO-CH_2-CH_3$$

2. Ketone aus Alkinen mit olefinischen Doppelbindungen

Bei Acetylen-Verbindungen mit benachbarter C=C-Doppelbindung erhält man je nach den Bedingungen der Hydratisierung ungesättigte Ketone oder β-Hydroxy- bzw. β-Alkoxy-ketone.

Am besten sind hier die Bedingungen der Hydratisierung für das Vinylacetylen (Butenin) untersucht[2]. Leitet man Vinylacetylen in Gegenwart von Quecksilber(II)-sulfat in starke, heiße Schwefelsäure, so erhält man Butenon[3]. Eingehende Untersuchungen dieser Reaktion zeigten, daß Butenin in Wirklichkeit zwei Mole Wasser anlagert zu Butanol-(1)-on-(3), das erst bei der Destillation der sauren Lösung in *Butenon* zerfällt[4]:

$$H_2C=CH-C\equiv CH \xrightarrow{+2 \ H_2O} HOCH_2-CH_2-CO-CH_3 \xrightarrow{-H_2O} H_2C=CH-CO-CH_3$$

Neben Butanol-(1)-on-(3) tritt auch Bis-[3-oxo-butyl]-äther auf. Es besteht hierbei ein echtes Gleichgewicht, das sich in saurer Lösung einstellt:

$$H_3C-CO-CH=CH_2 \rightleftarrows H_3C-CO-CH_2-CH_2-OH$$
$$\rightleftarrows (H_3C-CO-CH_2-CH_2-)_2O$$

In verd. Lösung liegt in der Hauptsache Butanol-(1)-on-(3) vor, in konzentrierter Bis-[3-oxo-butyl]-äther. Als flüchtige Komponente liegt *Butenon* zwar im Gleichgewicht nur in kleinen Mengen vor, läßt sich aber durch Destillation aus dem Gleichgewicht entfernen und damit zum Hauptprodukt machen[5].

Butanol-(1)-on-(3) und Butenon[6]: In einem mit Rückflußkühler versehenen, dampfgeheizten Reaktionsturm, der in 1061 Tln. Wasser 18 Tle. Quecksilberoxid, die mit Hilfe von 21 Tln.

[1] H. C. Brown u. G. Zweifel, Am. Soc. **81**, 1512 (1959); **83**, 3834 (1961).
S.a. A. J. Hubert, Soc. **1965**, 6679.
[2] A. Treibs, Ang. Ch. **60**, 289 (1948).
Vgl. a. ds. Handb., Bd. V/1d, Kap. En-ine, S. 678.
[3] Fr. P. 719 309 (1931), DuPont; C. **1933** I, 1684.
[4] DRP. 717 491 (1937), Cons. f. elektrochem. Ind., Erf.: P. Halbig u. A. Treibs; C. A. **38**, 2350 (1944).
[5] DRP. 730 117 (1942), 748 289 (1937), Cons. f. elektrochem. Ind., Erf.: P. Halbig u. A. Treibs; C. A. **38**, 381 (1944).
[6] A. Treibs, Ang. Ch. **60**, 291 (1948).

Schwefelsäure gelöst wurden, enthält, leitet man bei 90° zunächst langsam Butenin durch eine Glasfritte unten ein, bis nach einigen Stdn., infolge Anreicherung der Reaktionsprodukte, rasche Absorption erfolgt. Das Verfahren kann dann kontinuierlich gestaltet werden, indem man oben Katalysator-Lösung zugibt und unten Reaktions-Lösung mit ~ 40% gelöster Hydratisierungs-produkte abzieht, wobei das Butenin fast vollständig absorbiert wird. Diese Lösung enthält 1,6% Schwefelsäure. Beim Destillieren wird quantitativ *Butenon* gebildet, das bei Verwendung einer Kolonne als reines azeotropisches Gemisch wasserhaltig anfällt; Kp_{11}: 73°.

Zur Isolierung von *Butanol-(1)-on-(3)* und *Bis-[3-oxo-butyl]-äther* muß sehr sorgfältig neutralisiert werden, zweckmäßig mit Calciumhydroxid. Durch Abtreiben i. Vak., Eintropfen in eine im Bad von 110–120° befindliche Blase mit Spritzaufsatz, so daß es zu keiner Flüssigkeitsansammlung kommt, wird zunächst von den Salzen abgetrennt und dann mit wirksamer Kolonne durch Vakuumdestillation zunächst Wasser abdestilliert und dann fraktioniert. Die Beseitigung der Salze muß sehr sorgfältig geschehen, um eine Spaltung von Butanol-(1)-on-(3) und die Isomerisierung des *Bis-[3-oxo-butyl]-äther* auszuschließen:

Butanol-(1)-on-(3) ($Kp_{0,5}$: 38); *Bis-[3-oxo-butyl]-äther* ($Kp_{0,5}$: 82°).

Die Hydratisierung von Butenin zu *Butenon* läßt sich auch in der Dampfphase bei Temperaturen von 325–425° bei einem Verhältnis von Butenin zu Wasser von 1:10 unter Anwendung von Zinkoxid, Wolfram(VI)-oxid, Cadmium-Calcium-phosphat oder Cadmiumwolframat als Katalysator durchführen, wobei sich der letztere am besten bewährt[1].

Führt man die Hydratisierung in Gegenwart von Alkoholen durch, so gelangt man zu den 4-Alkoxy-2-oxo-butanen[2]:

$$H_2C=CH-C\equiv CH \longrightarrow ROCH_2-CH_2-CO-CH_3$$

Analog ergibt die Hydratisierung von Butenin in Gegenwart von Phenol *4-Phen-oxy-2-oxo-butan* (50% d. Th.)[3]. Zum *4-Acetoxy-2-oxo-butan* führt die Einwirkung von Quecksilber(II)-acetat in 50%iger Essigsäure[4].

Verwendet man als Katalysator Quecksilberoxid/Bortrifluorid in Methanol, so ist das Endprodukt der Reaktion *2,2,4-Trimethoxy-butan*, das Ketal des 4-Methoxy-2-oxo-butans[5]:

$$H_2C=CH-C\equiv CH \xrightarrow{+ 3\ CH_3OH} H_3C-O-CH_2-CH_2-\underset{\underset{OCH_3}{|}}{\overset{\overset{OCH_3}{|}}{C}}-CH_3$$

Eine weitere zu *Butenon* führende Arbeitsweise ist die Einwirkung von Eisessig/Schwefelsäure/Quecksilber(II)-sulfat oder Eisessig/Bortrifluorid auf Butenin[6]. Der Reaktionsverlauf ist wahrscheinlich folgender:

[1] Y. A. GORIN u. L. P. BOGDANOVA, Ž. obšč. Chim. **28**, 657 (1958); C. A. **52**, 17095 (1958).

[2] I. N. NAZAROV et al., Ž. obšč. Chim. **23**, 1986 (1953); C. A. **49**, 3002 (1954).

[3] I. N. NAZAROV, S. A. VARTANYAN u. S. G. MATSOYAN, Ž. obšč. Chim. **25**, 1111 (1955); C. A. **50**, 3415 (1956).

[4] I. N. NAZAROV, S. G. MATSOYAN u. S. A. VARTANYAN, Ž. obšč. Chim. **27**, 1818 (1957); C. A. **52**, 4619 (1958).

[5] D. B. KILLIAN, G. F. HENNION u. J. A. NIEUWLAND, Am. Soc. **58**, 1658 (1936).

[6] DRP. 590237 (1932), I. G. Farb., Erf.: O. NICODEMUS u. W. WEIBEZAHN; C. **1934** II, 1531.

$$H_2C{=}CH{-}C{\equiv}CH \quad + \quad 2\ CH_3COOH \quad \longrightarrow \quad \left[\begin{array}{c} OOC{-}CH_3 \\ | \\ H_2C{=}CH{-}C{-}OOC{-}CH_3 \\ | \\ CH_3 \end{array} \right]$$

$$\longrightarrow \quad H_2C{=}CH{-}CO{-}CH_3 \quad + \quad (H_3C{-}CO)_2O$$

Alkylierte Divinyl-acetylene [Hexadien-(1,5)-in-(3)] ergeben bei der Quecksilber(II)-sulfat-katalysierten Hydratisierung in 80%igem Methanol alkylierte Divinyl-ketone. Als Beispiel sei die Hydratisierung von 5-Methyl-heptadien-(1,5)-in-(3) zu *4-Oxo-3-methyl-heptadien-(2,5)* erwähnt[1]:

$$H_3C{-}CH{=}\overset{\overset{\displaystyle CH_3}{|}}{C}{-}C{\equiv}C{-}CH{=}CH_2 \quad \longrightarrow \quad H_3C{-}CH{=}\overset{\overset{\displaystyle CH_3}{|}}{C}{-}CO{-}CH{=}CH{-}CH_3$$

Solche alkylierten Divinyl-acetylene können bei der Behandlung mit Salzsäure/Kupfer(I)-chlorid unter Hydratisierung einen Ringschluß zu Cyclopentenonen erleiden. Aus 3,6-Dimethyl-octadien-(2,6)-in-(4) erhält man z.B. *5-Oxo-1,2,3-trimethyl-3-äthyl-cyclopenten-(1)*[2]:

$$H_3C{-}HC{=}\overset{\overset{\displaystyle C{\equiv}C}{}}{\underset{\underset{\displaystyle H_3C}{|}}{C}}\overset{}{\underset{\displaystyle CH{-}CH_3}{C{-}CH_3}} \quad \longrightarrow \quad \text{(Cyclopentenon-Struktur)}$$

Befindet sich die olefinische Doppelbindung nicht in Konjugation zur Dreifachbindung, dann läßt sich die Hydratisierung ohne Schwierigkeiten unter Erhaltung der Doppelbindung zu den nichtkonjugierten ungesättigten Ketonen durchführen, wie das Beispiel der Herstellung von *Heptadien-(1,6)-on-(3)* aus Heptadien-(1,6)-in-(3) zeigt[3]:

$$H_2C{=}CH{-}C{\equiv}C{-}CH_2{-}CH{=}CH_2 \quad \longrightarrow \quad H_2C{=}CH{-}CO{-}CH_2{-}CH_2{-}CH{=}CH_2$$

3. Ketone aus Di- und Polyacetylenen

Einen interessanten Verlauf nimmt die Hydratation des Diacetylens (Butadiins)[4]. Butadiin selbst ergibt hierbei *Butandion-(2,3)* (*Biacetyl*). Am zweckmäßigsten läßt sich die Reaktion in Gegenwart von Alkoholen mit Quecksilber(II)-salzen und Bortrifluorid oder Trichloressigsäure durchführen, wobei primär die

[1] I. N. NAZAROV u. I. I. ZARETSKAYA, Ž. obšč. Chim. **27**, 624 (1957); C. A. **51**, 16316 (1957).
[2] G. F. HENNION u. R. B. DAVIS, J. Org. Chem. **16**, 1289 (1951).
[3] B. S. KUPIN, A. A. PETROV u. D. A. KOPTEV, Ž. obšč. Chim. **32**, 1758 (1962); engl.: 1743.
[4] W. FRANKE, Ang. Ch. **72**, 391 (1960).

Diketale erhalten werden, die bei der Verseifung *Butandion-(2,3)* ergeben. Diese Reaktion läßt sich bei der Verwendung von Glykol auch zur quantitativen Bestimmung von Butadiin als Nickel-dimethyl-glyoxim verwenden[1]:

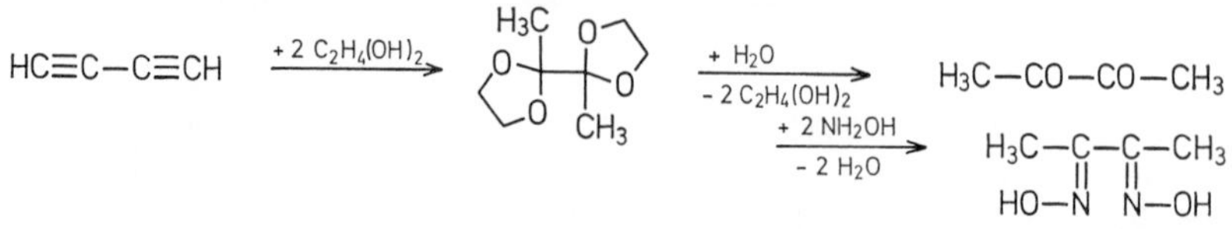

Zu anderen Ketonen gelangt man, wenn man das durch Alkohol-Addition an Butadiin in Gegenwart von Alkali erhältliche 4-Alkoxy-buten-(3)-in-(1) der Hydratisierung unterwirft.

Unter Erhaltung der β-Alkoxy-vinyl-Bindung läßt sich die Hydratisierung zu 1-Alkoxy-3-oxo-butenen-(1) durchführen, wenn man bei Temperaturen unterhalb 50° Wasser an 4-Alkoxy-buten-(3)-in-(1) in Gegenwart von Quecksilber(II)-salzen oder Bortrifluorid anlagert[2]:

$$HC\equiv C-CH=CH-O-CH_3 \quad + \quad H_2O \quad \longrightarrow \quad H_3C-CO-CH=CH-O-CH_3$$

Zum *4,4-Dimethoxy-2-oxo-butan* gelangt man durch Einwirkung von Schwefelsäure auf 4-Alkoxy-buten-(3)-in-(1) in einem Methanol/Wasser-Gemisch[3]:

$$HC\equiv C-CH=CH-O-CH_3 \quad + \quad CH_3OH \quad + \quad H_2O \quad \longrightarrow \quad H_3C-CO-CH_2-CH(OCH_3)_2$$

4,4-Dimethoxy-2-oxo-butan[3]: In einem Dreihalskolben wird ein Gemisch aus 200 *ml* Methanol, 0,2 *ml* konz. Schwefelsäure und 27 g Wasser zum Rückfluß erhitzt. In das siedene Gemisch werden 123 g (1,5 Mol) 4-Methoxy-buten-(3)-in-(1) so langsam eingetropft, daß die Reaktionsmischung durch die beträchtliche Reaktionswärme im Sieden bleibt. Nach Beendigung des Zutropfens läßt man abkühlen, fügt 1 g Natriumcarbonat hinzu und filtriert nach einigen Stdn. Aus dem Filtrat treibt man das Methanol i. Vak. ab und erhält bei der Destillation des Rückstandes bei 70–73°/20 Torr eine leicht bewegliche Flüssigkeit, die sich ohne wesentliche Verluste rektifizieren läßt; Ausbeute: 165–168 g (83–85% d.Th.).

Verwendet man bei der gleichen Arbeitsweise trockenes Methanol, so erhält man 1,1,3,3-Tetramethoxy-butan neben wenig 2,4,4-Trimethoxy-buten-(2)[3]:

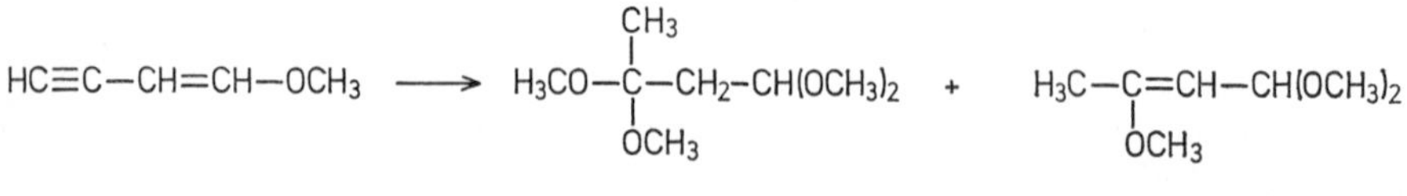

Aus diesem Gemisch läßt sich *4,4-Dimethoxy-2-oxo-butan* durch vorsichtige Verseifung mit verd. Säuren erhalten[3,4].

---

[1] R. KRÜGER u. T. GÖSSL, Ang. Ch. **65**, 558 (1953).

[2] DBP. 934824 (1955), Chemische Werke Hüls, Erf.: R. KRAFT; C. A. **52**, 19950 (1958).

[3] W. FRANKE et al., B. **86**, 793 (1953).

[4] DBP. 870840 (1951), Farbf. Bayer, Erf.: W. LAUTENSCHLÄGER; C. **1953**, 7923.

Der Verlauf der Hydratisierung bei dialkylierten Butadiinen unterscheidet sich wesentlich von dem des unsubstituierten. Läßt man auf Hexadiin-(2,4) bei tiefen Temperaturen konz. Schwefelsäure einwirken, so kommt es zur Hydratisierung nur einer Dreifachbindung unter Bildung von *Hexin-(2)-on-(4)*[1,2]:

$$H_3C-C\equiv C-C\equiv C-CH_3 \xrightarrow{+ H_2O} H_3C-CH_2-CO-C\equiv C-CH_3$$

Dodecandiin-(5,7) konnte durch Diisoamyl-boran-Addition und Oxidation der erhaltenen Borverbindung mit Wasserstoffperoxid im alkalischen Milieu in *Dodecin-(5)-on-(7)* (75%. Th.) überführt werden[3].

In Gegenwart von Quecksilber(II)-salzen werden zwei Mole Wasser addiert, wobei 80% *Hexandion-(2,4)*, 20% *Hexandion-(2,5)* und nur Spuren *Hexandion-(3,4)* erhalten werden[2]:

$$H_3C-C\equiv C-C\equiv C-CH_3 \longrightarrow H_3C-CH_2-CO-CH_2-CO-CH_3$$
$$80\%$$

$$+ \quad H_3C-CO-CH_2-CH_2-CO-CH_3$$
$$20\%$$

$$+ \quad H_3C-CH_2-CO-CO-CH_2-CH_3$$
$$Spuren$$

In anderen Fällen, z.B. beim 2,2,7,7-Tetramethyl-octadiin-(3,5)[2] und 1,4-Diphenyl-butadiin-(1,3)[4], sind die Ausbeuten an *3,5-Dioxo-2,2,7,7-tetramethyl-octan* bzw. *1,3-Dioxo-1,4-diphenyl-butan* noch höher.

3,5-Dioxo- und 3,6-Dioxo-2,2,7,7-tetramethyl-octan[2]:

$$(CH_3)_3C-C\equiv C-C\equiv C-C(CH_3)_3 \longrightarrow (CH_3)_3C-CH_2-CO-CH_2-CO-C(CH_3)_3$$
$$+ \quad (CH_3)_3C-CO-CH_2-CH_2-CO-C(CH_3)_3$$

1 g 2,2,7,7-Tetramethyl-octadiin-(3,5) in 20 *ml* Methanol und 10 *ml* 10%iger Schwefelsäure werden im Bombenrohr mit 1 g Quecksilber(II)-sulfat 15 Stdn. auf 100° erwärmt. Nach dem Verdünnen mit Wasser wird ausgeäthert und der Rückstand in 25 *ml* Methanol gelöst. Zur Bestimmung der Zusammensetzung des Gemisches wurde zunächst mit Kupfer(II)-acetat aus 10 *ml* der obigen Lösung das Kupferenolat hergestellt. Die erhaltenen Kristalle schmelzen bei 144–146°; Ausbeute: 450 mg.

Der Komplex wird mit 20%iger Schwefelsäure gespalten und *3,5-Dioxo-2,2,7,7-tetramethyl-octan* i.Vak. destilliert; Kp_{15}: ~90° (Badtemp.); F: 28°.

Weitere 5 *ml* der Methanol-Lösung werden mit 500 mg 2,4-Dinitro-phenylhydrazin und 0,5 *ml* Salzsäure in 50 *ml* Methanol 20 Min. gekocht. Es werden 65 mg eines schwerlöslichen *Bis-[2,4-dinitro-phenylhydrazons]* erhalten, entsprechend einem Gesamtanteil von 115 mg *1,4-Dioxo-2,2,7,7-tetramethyl-octan*. Das Hydrazon kann aus Chloroform/Methanol umkristallisiert werden;

[1] G. GRINER, A. ch. [6] **26**, 359 (1892).
[2] F. BOHLMANN u. H. G. VIEHE, B. **88**, 1017 (1955).
[3] G. ZWEIFEL u. N. L. POLSTON, Am. Soc. **92**, 4068 (1970).
[4] VO-QUANG YEN, A. ch. **7**, 785 (1962).

F: 260–270° (Zers.). Demnach sind ~ 90% 1,3-Diketon und 10% 1,4-Diketon entstanden; Gesamtausbeute: 1,07 g.

Erheblich langsamer reagiert Octatriin-(2,4,6), während die höher konjugierten Polyacetylene überhaupt nicht mehr reagieren. Aus Octatriin-(2,4,6) läßt sich mit Schwefelsäure *Octadiin-(2,4)-on-(6)* erhalten, während das mit Quecksilber(II)-salzen erhaltene Diketon noch nicht identifiziert werden konnte[1].

Die Hydratisierung von Verbindungen mit isolierten Dreifachbindungen lassen sich ohne Schwierigkeiten in mehrwertige Ketone überführen. Dabei gelten die gleichen Gesetzmäßigkeiten wie bei der Hydratisierung einfacher Alkine. Aus Undecandiin-(1,7) erhält man zum Beispiel ein Gemisch von *Undecandion-(2,7)* und *Undecandion-(2,8)*[2] im Verhältnis 7:3.

4. Hydroxy-ketone aus Hydroxy-alkinen

Während die Hydratisierung der α-Hydroxy-alkine mit Säuren ohne Katalysatorzusatz zu den α,β-ungesättigten Ketonen führt (siehe Meyer-Schuster-Reaktion S. 907), gelingt es unter den Bedingungen der katalytischen Hydratisierung die α-Hydroxy-ketone zu erhalten:

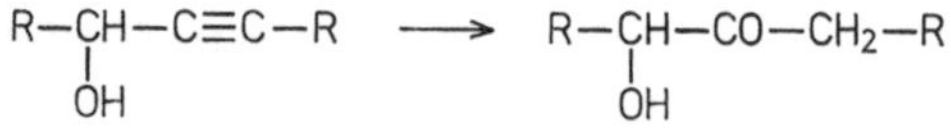

$$R-\underset{\underset{OH}{|}}{CH}-C{\equiv}C-R \longrightarrow R-\underset{\underset{OH}{|}}{CH}-CO-CH_2-R$$

Im einfachsten Fall erhält man aus Propargylalkohol durch Erhitzen in verd. Schwefelsäure und in Gegenwart von Magnesium-Salzen auf 70° *Hydroxy-aceton*[3].

Ein typisches Beispiel für eine nach zwei Richtungen verlaufende Hydratisierung bietet das 1-Äthinyl-cyclohexanol. Während die Säureeinwirkung ohne Katalysatorzusatz zu *1-Acetyl-cyclohexen* führt[4], ergibt die Hydratisierung mit Schwefelsäure in Gegenwart von Quecksilber(II)-sulfat *1-Hydroxy-1-acetyl-cyclohexan*[5]:

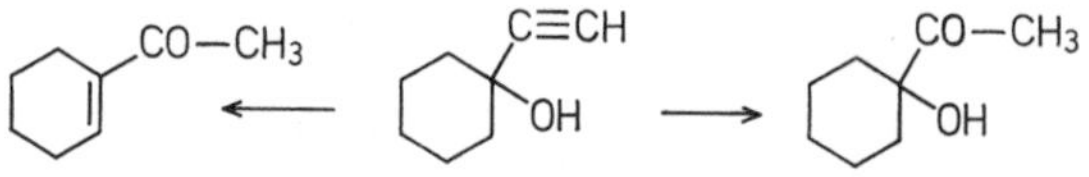

Besonders bewährt hat sich eine Arbeitsweise in 50%igem Methanol mit Quecksilberoxid und Schwefelsäure, für die die Vorschrift hier wiedergegeben sei.

Hydroxy-ketone; allgemeine Herstellungsvorschrift[6]: Ein 2-*l*-Dreihalskolben wird mit Rührer und Rückflußkühler versehen. In den Kolben gibt man 15 g rotes Quecksilber(II)-oxid und eine Lösung von 10 *ml* konz. Schwefelsäure in 135 *ml* Wasser. Das warme Gemisch wird 3–5 Min

[1] F. Bohlmann u. H. G. Viehe, B. **88**, 1017 (1955).
[2] I. D. Campbell, N. A. Dobson u. G. Eglinton, Soc. **1964**, 1092.
[3] W. Reppe et al., A. **596**, 62 (1955).
[4] J. H. Saunders, Org. Synth. Coll. Vol. III, S. 22.
     W. Reppe et al., A. **596**, 12 (1955).
[5] G. W. Stacy u. R. A. Mikulec, Org. Synth. **35**, 1 (1955).
[6] G. F. Hennion u. E. J. Watson, J. Org. Chem. **23**, 656 (1958).

gerührt und dann mit 385 *ml* Methanol versetzt, wobei eine hellgelbe Suspension gebildet wird. Der dritte Kolbenhals wird mit einem Thermometer und einem Tropftrichter versehen. Nachdem man das Katalysatorgemisch auf 60–65° erwärmt hat, werden 5 Mol des Hydroxy-alkins in den Tropftrichter gegeben. Nach Entfernung der Heizquelle läßt man 5–10 *ml* des Carbinols in das Katalysatorgemisch tropfen. Entweder direkt oder nach einer kurzen Induktionsperiode wird das Reaktionsgemisch farblos und klar, wobei die Temp. ansteigt. Wenn die erste Menge des Carbinols reagiert hat, hat sich ein weißer, undurchsichtiger Niederschlag gebildet und die Temp. beginnt zu sinken. Darauf gibt man das restliche Carbinol tropfenweise so langsam zu, daß die Temp. von etwa 65° aufrechterhalten bleibt. Es ist wichtig festzustellen, ob die Reaktion wirklich angesprungen ist. Wird das Ansteigen der Temp. und die Abscheidung des Niederschlages nicht beobachtet, dann wird das Reaktionsgemisch 5–10 Min. unter Rückfluß erhitzt. Man läßt auf 60–65° abkühlen und wiederholt die Operation. Die Zugabe des gesamten Carbinols erfordert ~ 4 Stdn., wobei sich das Reaktionsgemisch infolge der Quecksilber-Abscheidung dunkler färbt. Man läßt das Reaktionsgemisch über Nacht abkühlen und erhitzt am nächsten Tag nochmals für 30 Min. unter Rückfluß. Nach dem Erkalten gibt man 100 g wasserfreies Natriumcarbonat hinzu, um die Säure zu neutralisieren und den größten Teil des Wasserüberschusses zu binden. Obwohl das Reaktionsgemisch sofort filtriert werden kann, läßt man es besser noch über Nacht stehen. Ein möglichst großer Teil der Flüssigkeit wird durch einen Büchner-Trichter dekantiert. Das Reaktionsgefäß und der feste Rückstand werden mit 30 *ml* Methanol gewaschen und die Lösung filtriert. Die vereinigten Filtrate werden in einen 2-*l*-Destillationskolben überführt und mit 5 g wasserfreiem Natriumcarbonat versetzt. Das Methanol wird über eine Füllkörperkolonne bei Normaldruck abdestilliert. Der flüssige Rückstand wird bei entsprechendem Druck destilliert. Etwas Wasser und wenig organisches Material gehen als Vorlauf über. Das Reaktionsprodukt wird erneut fraktioniert.

Folgende Hydroxy-ketone werden so erhalten

2-Hydroxy-3-oxo-2-methyl-butan	81% d. Th.	Kp_{21}: 46–47°
3-Hydroxy-4-oxo-3-methyl-pentan	80% d. Th.	Kp_{21}: 54–56°
3-Hydroxy-4-oxo-3-äthyl-pentan	88% d. Th.	Kp_{20}: 61–62°
3-Hydroxy-2-oxo-3,4-dimethyl-hexan	94% d. Th.	Kp_{17}: 69–70°
1-Hydroxy-1-acetyl-cyclohexan	91% d. Th.	Kp_{26}: 105–107°
2-Hydroxy-3-oxo-2-phenyl-butan	92% d. Th.	$Kp_{1,4}$: 78–85°.

Mit Vorteil lassen sich auch hier quecksilberhaltige, sulfonierte Polystyrole vom Typ Dowex 50 [1] und Zeo-Cab 225 [2] für die Hydratisierung verwenden. Die Ausbeuten liegen in diesen Fällen durchweg höher als bei der Verwendung von Quecksilber(II)-sulfat/Schwefelsäure.

Eine weitere Arbeitsweise besteht darin, daß man das Hydroxy-alkin mit Wasser und Kohlendioxid in Gegenwart von Kupfer(II)-salzen und einem Amin bei 40–50 atü auf 60–130° erhitzt.

Als Kupfer(II)-salze werden Kupfer(II)-sulfat, -acetat, -formiat, Kupfer(I)-chlorid oder mit Kupfer-Ionen beladene Ionenaustauscher empfohlen. Als Amine kommen vorzugsweise Triäthylamin und Pyridin in Frage[3].

Zu den Acetoxy-ketonen gelangt man bei Einwirkung von Quecksilber(II)-acetat in Eisessig-Lösung. Aus 3-Hydroxy-3-methyl-butin entsteht so *2-Acetoxy-3-oxo-2-methyl-butan* (98,5% d. Th.)[4]:

[1] M. S. NEWMAN, Am. Soc. 75, 4740 (1953).
[2] J. D. BILLIMORIA u. N. F. MACLAGAN, Soc. 1954, 3257.
[3] DBP. 1129941 (1960), BASF, Erf.: D. DIMROTH u. H. PASEDACH; C. A. 57, 12325 (1962).
[4] E. M. McMAHON et al., Am. Soc. 70, 2971 (1948).

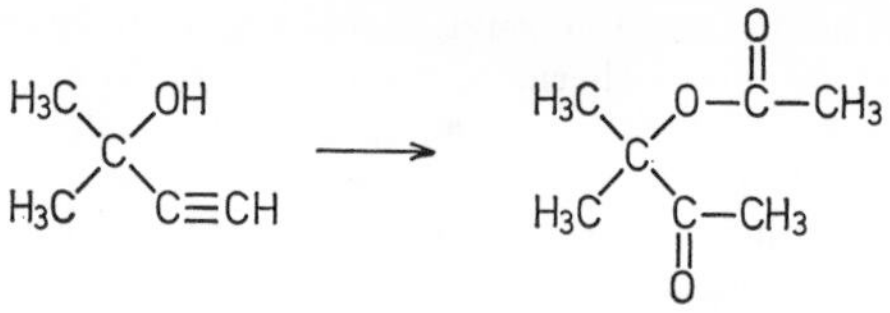

An Stelle von Quecksilber(II)-acetat läßt sich auch ein Gemisch von **Bortrifluorid** und **Quecksilberoxid** in Essigsäure unter Zusatz von wenig Trichloressigsäure für die gleiche Reaktion verwenden[1].

Führt man die Wasser-Anlagerung an Butin-(1)-ol-(3) mittels Quecksilber(II)-Salzen in verd. Schwefelsäure unter Zusatz einer konz. Eisen(II)-sulfat-Lösung durch, so erhält man *Butandion* (25% d. Th.)[2].

Beim Arbeiten in **alkoholischer Lösung** lassen sich die **Ketale** der Hydroxyketone erhalten. Propargylalkohol, der in wäßrigem Milieu *Hydroxy-aceton* ergibt, liefert bei der Umsetzung mit Quecksilberoxid/Bortrifluorid in alkoholischer Lösung cyclische Ketale vom Typ der **2,5-Dialkoxy-2,5-dimethyl-1,4-dioxane**, die bei der sauren Verseifung *Hydroxy-aceton* bilden[3]:

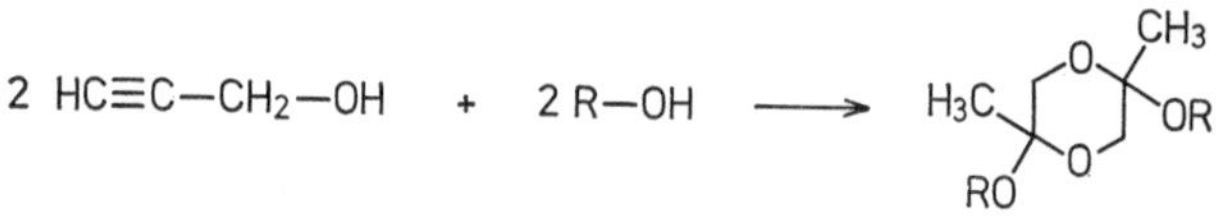

$$2 \ HC{\equiv}C{-}CH_2{-}OH \quad + \quad 2\,R{-}OH \quad \longrightarrow$$

2,5-Dimethoxy-2,5-dimethyl-1,4-dioxan[3]: In einem mit Rückflußkühler versehenen Rührkolben versetzt man eine Mischung von 5 g Quecksilber(I)-oxid, 2 g Bortrifluorid-diäthylätherat und 2 g Methanol, die auf 60–70° erwärmt wurde, mit 64 g Methanol. Man läßt nun bei 50–60° unter Rühren 56 g Propargylalkohol zutropfen, wobei die Temp. rasch bis zum Sieden ansteigt. Der Proparylalkohol wird in dem Maße zugegeben, daß das Gemisch dauernd lebhaft siedet. Ist die Umsetzung beendet, so sinkt die Temp. langsam ab. Gibt eine Probe mit ammoniakalischer Kupfer(I)-chlorid-Lösung keinen Niederschlag mehr, so kühlt man ab. Es scheiden sich Kristalle aus, die aus heißem Methanol umkristallisiert werden; Ausbeute: 55 g; F: 126–128°.

Eine besonders schonende Arbeitsweise bedient sich der Einwirkung von Bortrifluorid-diäthylätherat-Quecksilberoxid in Gegenwart von Glykol, wobei primär die cyclischen Ketale der Hydroxy-ketone erhalten werden, aus denen sich durch saure Verseifung die Ketone glatt erhalten lassen. Diese Arbeitsweise hat sich z.B. beim 1-Äthinyl-cyclopentanol bewährt. Hier bildet sich das cyclische Ketal in 60%iger Ausbeute[4]:

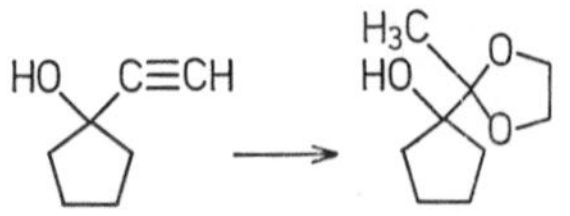

Eine besonders in der **Steroid-Chemie** mit Erfolg angewandte Methode bedient sich der Einwirkung von molaren Mengen Quecksilber(II)-Verbindungen. Die hier-

[1] M. Kontkes, Bl. **1957**, 127.
[2] W. Reppe et al., A. **596**, 67 (1955).
[3] W. Reppe et al., A. **596**, 44 (1955).
[4] J. D. Billimoria u. N. F. MacLagan, Soc. **1954**, 3257.

bei gebildeten Addukte werden dann durch Behandlung mit Schwefelwasserstoff in die entsprechenden Hydroxy-ketone überführt. Als Quecksilber(II)-Verbindung eignet sich in erster Linie Bis-[p-tosylamino]-quecksilber das in 90%igem Äthanol zur Anwendung kommt[3]. Die Bedeutung dieser Arbeitsweise beruht darauf, daß man in neutralem Milieu arbeiten kann[1,2].

3β,17α-Dihydroxy-20-oxo-pregnen-(5)[1]: 1 g 3β,17α-Dihydroxy-17-äthinyl-androsten-(5) werden nach Zugabe von 1,86 g Bis-[p-tosylamino]-quecksilber und 50 ml 96%igem Äthanol 72 Stdn. auf dem Wasserbad unter Rückfluß gekocht. In die grünliche Lösung leitet man bei Raumtemp. so lange Schwefelwasserstoff ein, bis alles Quecksilber als Sulfid gefällt ist. Nun entfernt man den Alkohol i. Vak. und extrahiert den schwarzen Rückstand im Soxhlet mit Äther. Das weiße Reaktionsprodukt wird nach dem Verdampfen des Äthers in Essigsäure-äthylester gelöst. Man wäscht die Essigsäure-äthylester-Lösung sodann mit Wasser, entfernt p-Toluolsulfonamid mit wenig eiskalter 2 n Kalilauge und schüttelt erneut mit Wasser bis zur neutralen Reaktion auf Lackmus. Nach dem Trocknen mit Natriumsulfat verdampft man den Essigsäureäthylester i. Vak.; der Rückstand (1 g) wird mehrfach aus Essigsäure-äthylester umkristallisiert; F: 190–191° (hexagonale Blättchen).

Verwendet man Quecksilber(II)-acetat für die Adduktbildung so gelingt es nicht, zu den gleichen Hydroxy-ketonen zu kommen. Infolge einer Umlagerung des primär entstehenden Essigsäure-enolesters erhält man den Ester eines Hydroxyketons der Cyclohexan-Reihe[3]. Der Reaktionsverlauf ist folgender:

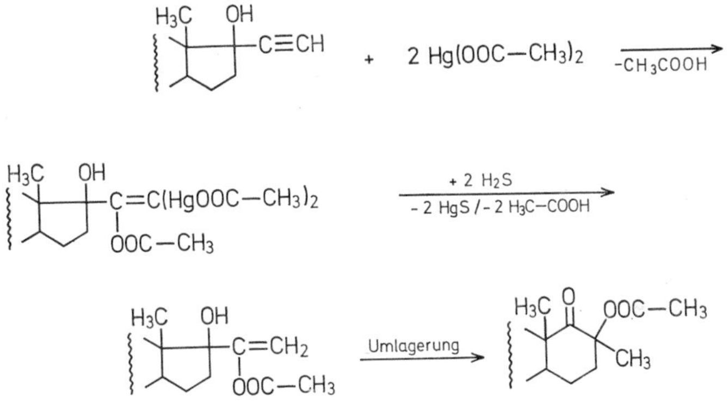

Von besonderem Interesse ist der Verlauf der Hydratation beim Butin-(2)-diol-(1,4) und seinen Homologen. Butin-(2)-diol-(1,4) selbst läßt sich unter Verwendung von Quecksilber(II)-sulfat/Schwefelsäure fast quantitativ in *1,4-Dihydroxy-2-oxo-butan* überführen, wenn man unterhalb 40° in hoher Verdünnung arbeitet[4]. Als Zwischenstufe entsteht *4-Hydroxy-3-oxo-buten-(1)*:

$$HO-CH_2-C\equiv C-CH_2-OH \longrightarrow HO-CH_2-CO-CH=CH_2$$

$$\longrightarrow HO-CH_2-CO-CH_2-CH_2-OH$$

[1] M. W. Goldberg, R. Aeschbacher u. E. Hardegger, Helv. **26**, 680 (1946).

[2] M. W. Goldberg u. R. Aeschbacher, Helv. **22**, 1185 (1939).

[3] L. Ruzicka, M. W. Goldberg u. F. Hunzicker, Helv. **22**, 707 (1939).

[4] W. Reppe et al., A. **596**, 63 (1955).
    DRP. 750057 (1940), I. G. Farb.; DRP. 890947 (1942), BASF, Erf.: W. Reppe u. H. Pasedach; C. **1947**, 926.

4-Hydroxy-3-oxo-buten-(1) läßt sich isolieren, wenn man die Reaktion durch Neutralisieren der Säure abbricht, sobald das gesamte Butin-(2)-diol-(1,4) umgelagert ist. Vorteilhafter ist allerdings, das *4-Hydroxy-3-oxo-buten-(1)* durch Destillation aus dem Reaktionsgemisch zu entfernen.

1,4-Dihydroxy-2-oxo-butan[1]: Zu einer auf $\sim 30°$ erwärmten Lösung von 172 g Butin-(2)-diol-(1,4) in 1500 *ml* Wasser werden 9 g Quecksilber(II)-sulfat und 20 g konz. Schwefelsäure gegeben. Durch Kühlung wird die Reaktionstemp. auf 30° gehalten. Nach ~ 20 Stdn. ist das Butin-(2)-diol-(1,4) praktisch vollständig zu 4-Hydroxy-3-oxo-buten-(1) isomerisiert. Der Ansatz wird noch weitere 30–40 Stdn. bei $\sim 30°$ gerührt und dann mit Bariumcarbonat neutralisiert. Die filtrierte Lösung wird i. Vak. bei 20–30° eingeengt, der verbleibende Rückstand i. Hochvak. destilliert; Ausbeute: 120 g (66% d. Th.); $Kp_{0,5}$: 108–110° (farblos).

Die Ausbeute wird durch Verharzung während der Destillation beeinträchtigt.

4-Hydroxy-3-oxo-buten-(1)[1]: 5 g Quecksilberoxid werden mit 1,5 g Trichlor-essigsäure, 5 g Bortrifluorid-diäthylätherat und 5 g Essigsäure-äthylester auf 50–60° erwärmt und nach dem Abkühlen unter gutem Rühren zu einer Lösung von 100 g Butin-(1)-diol-(1,4) in 400 g Essigsäure-äthylester gegeben. Der Kolbeninhalt wird auf 40° angewärmt; mit Einsetzen der Reaktion steigt die Temp. an. Durch Anlegen eines geringen Vak. wird dafür Sorge getragen, daß der Essigsäure-äthylester am Rückfluß bei 45° siedet. Durch die freiwerdende Reaktionswärme bleibt die Flüssigkeit ~ 1 Stde. im Sieden, dann sinkt die Temp. rasch ab. Man stumpft die Säure nach dem Erkalten mit Natriumcarbonat ab und destilliert i.Vak.; Ausbeute: ~ 20 g (90% d.Th.); Kp_{10}: 45° (farblos); riecht äußerst stechend.

Beim Stehen am Licht polymerisiert sich das Keton auch in verd. Lösung zu einer Gallerte und weiter zu einem festen, glasklaren und geruchlosen, hochmolekularen Produkt.

An Stelle des beschriebenen Katalysators kann auch Quecksilber(II)-sulfat allein, mit oder ohne Zusatz einer gleichen Menge konz. Schwefelsäure verwendet werden.

Führt man die Hydratisierung des Butin-(2)-diols-(1,4) in Gegenwart von wäßrigen Alkoholen durch, so entstehen 1-Hydroxy-4-alkoxy-2-oxo-butane, während bei Verwendung von wasserfreien Alkoholen semicyclische Acetale entstehen, die sich leicht zu 1-Hydroxy-4-alkoxy-2-oxo-butanen verseifen lassen[2]:

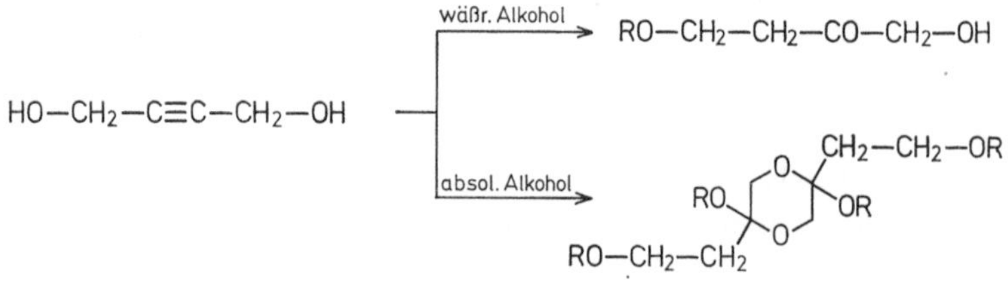

Einen interessanten Verlauf nimmt die Hydratisierung, wenn man dialkylierte Butindiole-(1,4) mit zwei sekundären Hydroxy-Gruppen mit Quecksilber(II)-salzen und verdünnten Mineralsäuren auf 100° erhitzt. Man erhält dabei α-Diketone und 3-Oxo-tetrahydrofurane. Am Beispiel des Hexin-(3)-diols-(2,5) läßt sich die

---

[1] W. Reppe et al., A. **596**, 63 (1955).
   DRP. 750057 (1940), I. G. Farb.; DRP. 890947 (1942), BASF, Erf.: W. Reppe u. H. Pasedach; C. **1947**, 926.
[2] W. Reppe et al., A. **596**, 47 (1955).

Bildung von *Hexandion-(2,3)* und *3-Oxo-2,5-dimethyl-tetrahydrofuran* folgendermaßen deuten[1]:

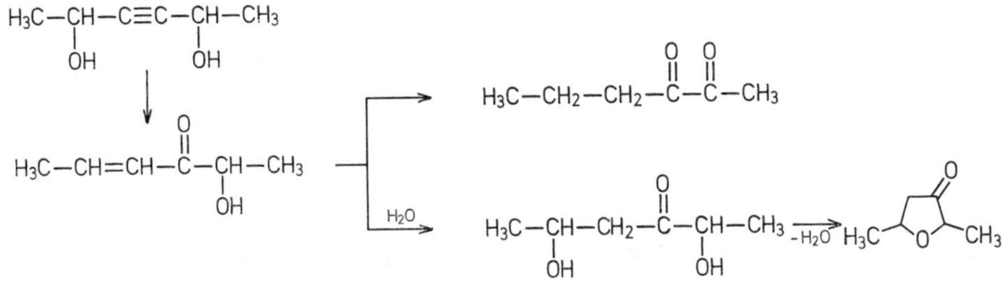

Bei tetraalkylierten Butin-(2)-diolen-(1,4) führt die Hydratisierung ausschließlich zu Derivaten des Tetrahydrofuranons-(3), die durch Wasser-Abspaltung aus den primär entstandenen Dihydroxy-ketonen gebildet werden. Charakteristisch hierfür ist die Hydratisierung von 2,5-Dihydroxy-2,5-dimethyl-hexin-(3), die *3-Oxo-2,2,5,5-tetramethyl-tetrahydrofuran* (90–95% d.Th.) ergibt[2]:

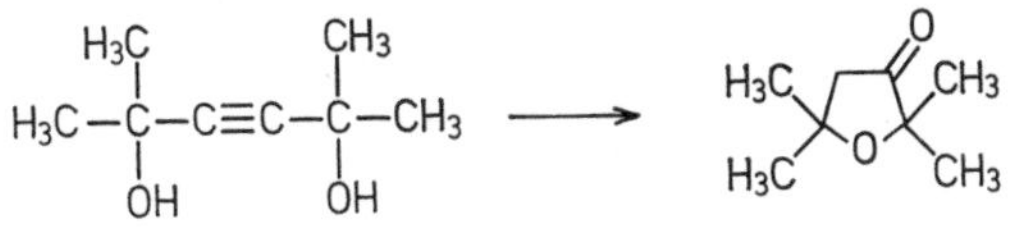

$$H_3C-COO-CH_2-C\equiv C-CH_2-OOC-CH_3 \longrightarrow H_3C-COO-CH_2-CO-CH_2-CH_2-OOC-CH_3$$

An Stelle der freien Alkinole lassen sich auch die Ester und Äther unter Erhaltung der Ester- und Äther-Bindung zu den Ketonen hydratisieren. Bezeichnend hierfür ist die Hydratisierung von 1,4-Diacetoxy- und 1,4-Dimethoxy-butin-(2), die zu *1,4-Diacetoxy-*[3] bzw. *1,4-Dimethoxy-2-oxo-butan*[4] führt:

$$H_3C-O-CH_2-C\equiv C-CH_2-O-CH_3 \longrightarrow H_3C-O-CH_2-CO-CH_2-CH_2-O-CH_3$$

1,4-Dimethoxy-2-oxo-butan[5]: 100 g 1,4-Dimethoxy-butin werden unter Rühren in eine Lösung von 32 g Quecksilber(II)-sulfat in 400 *ml* Wasser eingetragen. Die Kolbentemp. steigt spontan auf ~ 60°. Nachdem sie wieder zu fallen beginnt, wird der Ansatz unter Rühren noch 1 Stde. auf 80° erhitzt. Nach dem Erkalten wird filtriert und die klare Lösung mit Äther erschöpfend extrahiert, die Äther-Lösung getrocknet, der Äther abgedampft und der Rückstand i. Vak. destilliert; Kp_{17}: 83–85°.

---

[1] W. REPPE et al., A. **596**, 50 (1955).
DAS. 1015783 (1953), BASF, Erf.: H. HENKEL, H. LAIB u. H. FRIEDRICH; C. A. **53**, 14008 (1959).

[2] H. RICHET, A. ch. [12] **3**, 320 (1948).
H. A. BRUSON, F. W. GRANT u. E. BOBKO, Am. Soc. **80**, 3633 (1958).
I. K. KOROBITSYNA, Y. K. YUREV u. K. V. KUZNETSOVA, Ž. obšč. Chim. **27**, 1792 (1957); C. A. **52**, 4659 (1958).

[3] G. O. ASPINALL, M. E. CARTER u. M. LOS, Chem. & Ind. **1955**, 1553.
I. N. NAZAROV u. S. G. MATSOYAN, Ž. obšč. Chim. **27**, 2629 (1957); C. A. **52**, 7155 (1958).

[4] W. REPPE et al., A. **596**, 63 (1955).

[5] W. REPPE et al., A. **596**, 44 (1955).

Zu α-Diketonen führt die Hydratisierung von Penten-(4)-in-(1)-olen-(3). Man erhält so z.B. aus Penten-(4)-in-(1)-ol-(3) mit Quecksilber(II)-sulfat und verdünnter Schwefelsäure *Pentandion-(2,3)*[1] (70% d. Th.):

$$H_2C=CH-\underset{\underset{OH}{|}}{CH}-C\equiv CH \quad \xrightarrow{\;/\!\!/\;} \quad H_3C-CH_2-CO-CO-CH_3$$

$$\left[H_2C=CH-\underset{\underset{OH}{|}}{CH}-CO-CH_3 \right] \xrightarrow{\qquad}$$

Pentandion-(2,3)[1]: Eine Mischung von 6,3 g Penten-(4)-in-(1)-ol-(3), 1 g Quecksilber(II)-sulfat und 50 *ml* 10%ige Schwefelsäure werden unter Stickstoff mit Wasserdampf destilliert. Nach dem Sättigen des Destillates mit Natriumchlorid extrahiert man mit Äther und fraktioniert den Rückstand der Äther-Lösung; Ausbeute: 5,4 g (70% d.Th.); Kp: 110–112°.

Befindet sich die Hydroxy-Gruppe in Nachbarstellung zur Doppelbindung einer Butenin-Gruppierung, so führt die Behandlung mit Quecksilber(II)-sulfat/verdünnter Schwefelsäure zu 1,4-Diketonen. Auch hier läßt sich im Anschluß an die Hydratisierung eine Isomerisierung des Olefinalkohols annehmen. Aus Hexen-(3)-in-(1)-ol-(5) erhält man *Hexandion-(2,5)* (70% d. Th.).

Befindet sich die Hydroxy-Gruppe in Nachbarstellung zur Dreifachbindung, so kann die Hydratisierung unter Erhaltung der Doppelbindung durchgeführt werden. Ein Beispiel hierfür ist die Hydratisierung von 5-Acetoxy-5-methyl-hexen-(1)-in-(3) mit Quecksilber(II)-acetat zu *5-Acetoxy-4-oxo-5-methyl-hexen-(1)*[2]:

$$H_3C-\underset{\underset{OOC-CH_3}{|}}{\overset{\overset{CH_3}{|}}{C}}-C\equiv C-CH=CH_2 \quad \longrightarrow \quad H_3C-\underset{\underset{OOC-CH_3}{|}}{\overset{\overset{CH_3}{|}}{C}}-CO-CH_2-CH=CH_2$$

Erwähnt sei auch die Herstellung von *6-Methoxy-4-oxo-2-methyl-hexen-(2)* aus 3-Hydroxy-5-methyl-hexen-(4)-in-(1) mit Quecksilber(II)-sulfat in Methanol[3]:

$$\underset{H_3C}{\overset{H_3C}{>}}C=CH-\underset{\underset{OH}{|}}{CH}-C\equiv CH \quad \longrightarrow \quad \underset{H_3C}{\overset{H_3C}{>}}C=CH-CO-CH_2-CH_2-O-CH_3$$

Besonders hingewiesen sei hier auch auf die Hydratation von Halogen-alkinolen mit Bortrifluorid oder Quecksilber(II)-salzen, die zu den Halogen-hydroxy-ketonen führt. Letztere lassen sich zu den 1,3-Dihydroxy-ketonen verseifen[4]:

$$R'-\underset{\underset{OH}{|}}{\overset{\overset{R}{|}}{C}}-C\equiv C-Cl \longrightarrow R'-\underset{\underset{OH}{|}}{\overset{\overset{R}{|}}{C}}-CO-CH_2Cl \longrightarrow R'-\underset{\underset{OH}{|}}{\overset{\overset{R}{|}}{C}}-CO-CH_2-OH$$

[1] I. M. Heilbron et al., Soc. **1946**, 54.
[2] I. N. Nazarov u. S. G. Matsoyan, Ž. obšč. Chim. **27**, 2128 (1957); C. A. **52**, 6144 (1958).
[3] I. N. Nazarov u. S. M. Makin, Ž. obšč. Chim. **27**, 94 (1957); C. A. **51**, 12902 (1957).
[4] M. Julia u. J. M. Surzur, Bl. **1956**, 1620.

Tab. 125. Hydroxy-ketone durch Hydratisierung von Alkinolen

Alkinol bzw. Äther	Katalysator	Keton	Ausbeute [% d.Th.]	Kp [°C]	[Torr]	Literatur
3-Methoxy-propin	HgSO₄	Methoxy-aceton (1-Methoxy-2-oxo-propan)	95	114–116	—	1
3-Hydroxy-3-methyl-butin-(1)	HgSO₄/H₂SO₄	3-Hydroxy-2-oxo-3-methyl-butan	88	140–142	—	2
3-Hydroxy-4-methoxy-3-äthyl-butin-(1)	HgSO₄/H₂SO₄	3-Hydroxy-4-methoxy-2-oxo-3-äthyl-butan	86	181–182	—	3
Heptin-(2)-ol-(1)	HgO/BF₃/CH₃COOH	1-Acetoxy-3-oxo-heptan	45	117–118	15	4
Octin-(2)-ol-(1)	HgO/BF₃/CH₃COOH	1-Acetoxy-3-oxo-octan	52	121	12	4
Nonin-(2)-ol-(1)	HgO/BF₃/CH₃COOH	1-Acetoxy-3-oxo-nonan	55	101	0,4	4
2-(2-Butyloxy-äthyl)-hexadien-(1,5)-in-(3)	HgSO₄/H₂SO₄/CH₃OH	5-Methoxy-3-oxo-2-(2-butoxy-äthyl)-hexen-(1)	50	126–129	4	5
1-Hydroxy-1-äthinyl-cyclopentan	HgSO₄/H₂SO₄	1-Hydroxy-1-acetyl-cyclopentan	69	75,8–76,4	10	6
1-Hydroxy-2-methyl-1-äthinyl-cyclohexan	HgSO₄/H₂SO₄	1-Hydroxy-2-methyl-1-acetyl-cyclohexan	70	81–82	12	7
1-Hydroxy-3-methyl-1-äthinyl-cyclohexan	HgSO₄/H₂SO₄	1-Hydroxy-3-methyl-1-acetyl-cyclohexan	65	68	1	8
1-Hydroxy-4-methyl-1-äthinyl-cyclohexan	Zeo—Carb 225	1-Hydroxy-4-methyl-1-acetyl-cyclohexan	60	99–100	10	8

[1] W. REPPE et al., A. 596, 44 (1955).

[2] M. F. ANSELL, W. J. HICKINBOTTOM u. A. A. HYATT, Soc. 1955, 1592.

[3] G. BERNARD u. J. COLONGE, Bl. 12, 347, 356 (1945).

[4] M. KONTKES, Bl. 1957, 127.

[5] S. A. VARTANYAN, W. N. ZHAMAGORTSYAN u. I. N. NAZAROV, Ž. obšč. Chim. 25, 109 (1955); C. A. 50, 1594 (1956).

[6] G. W. STACY u. R. A. MIKULEC, Am. Soc. 76, 524 (1954).
T. A. FAROVSKAYA, Z. A. ŠERČENKO u. T. A. KUZNETSOVA, Ž. obšč. Chim. 33, 2909 (1963); engl.: 2836.
T. A. FAVORSKAYA u. A. S. LOŽENICYNA, Ž. obšč. Chim. 33, 2916 (1963); engl.: 2843.

[7] J. D. BILLIMORIA, Soc. 1953, 2626.

[8] J. D. BILLIMORIA u. N. F. MACLAGAN, Soc. 1954, 3257.

Tab. 125. (Fortsetzung)

Alkinol bzw. Äther	Katalysator	Keton	Ausbeute [% d.Th.]	Kp [°C]	Kp [Torr]	Literatur
1-Hydroxy-1-äthinyl-cycloheptan	$HgSO_4/H_2SO_4$	1-Hydroxy-1-acetyl-cyclohexan	60	100–101	9	1
4-Hydroxy-4-methyl-1-(1-hydroxy-cyclohexyl)-pentin-(2)	$HgSO_4/HCOOH$	4-Hydroxy-3-oxo-4-methyl-1-(1-hydroxy-cyclohexyl)-pentan	82	(F: 65–66°)	—	2
Butin-(1)-ol-(3)	$HgSO_4/H_2O$	Acetoin (3-Hydroxy-2-oxo-butan)	75	138–140	—	3
Butin-(2)-diol-(1,4)	HgO/BF_3/Methanol	1-Hydroxy-4-methoxy-2-oxo-butan		84–87	7	3
	HgO/BF_3/Äthanol	1-Hydroxy-4-äthoxy-2-oxo-butan		104–106	16	3
	HgO/BF_3/Isopropanol	1-Hydroxy-4-isopropyloxy-2-oxo-butan		94	5	3
Hexin-(3)-diol-(2,5)	$HgSO_4/H_2SO_4$	5-Hydroxy-4-oxo-hexen-(2)	65	48	2	3
Hexin-(3)-diol-(2,5)	$HgSO_4/H_2SO_4$	2,5-Dihydroxy-3-oxo-hexan		96–98	2	3
1,4-Dihydroxy-4-dimethyl-1,1-diphenyl-pentin-(2)	verd. H_2SO_4 (30°)	3,4-Dioxo-2-methyl-5,5-diphenyl-pentan	90	(F: 132–133°)	—	4
	verd. H_2SO_4 (70°)	3-Oxo-2,2-dimethyl-5,5-diphenyl-tetrahydrofuran	85	(F: 66°)	—	4
Bis-[1-hydroxy-cyclohexyl]-acetylen	$HgSO_4/H_2SO_4$	Cyclohexan-⟨spiro-5⟩-3-oxo-tetrahydrofuran-⟨2-spiro⟩-cyclohexan	74	—	—	4
3-Hydroxy-3,7-dimethyl-octin-(1)	$HgSO_4/H_2SO_4$	3-Hydroxy-2-oxo-3,7-dimethyl-octan	55	100–101	15	5
1,4-Dihydroxy-1,4-diäthinyl-cyclohexan	$HgSO_4/H_2SO_4$	1,4-Dihydroxy-1,4-diacetyl-cyclohexan	55	(F: 184,5°)	—	6
1,4-Dihydroxy-1,4-bis-[3-hydroxy-propin-(1)-yl]-cyclohexan	$Hg(OAc)_2$/Essigsäure	1,4-Dihydroxy-1,4-bis-[3-hydroxy-propanoyl]-cyclohexan		(F: 130°)	—	7

[1] J. D. BILLIMORIA u. N. F. MacLAGAN, Soc. 1954, 3257.
[2] A. MONDON, A. 585, 43 (1954).
[3] W. REPPE et al., A. 596, 44 (1955).
[4] E. D. VENUS-DANILOVA, V. I. RYABTSEVA u. YU. S. ZALKIND, Ž. obšč. Chim. 20, 2222, 2230 (1950); C. A. 45, 7075 (1951).
[5] Y. CHRÉTIEN-BESSIÈRE, A. chim. [13] 2, 314 (1957).
[6] W. RIED u. H. J. SCHMIDT, B. 90, 2499 (1957).
[7] W. RIED u. A. URSCHEL, B. 90, 2504 (1957).

Ebenfalls zu Halogen-hydroxy-ketonen führt die Enwirkung von unterbromiger Säure oder besser N-Brom-acetamid auf die Ester von Alkinolen. Aus 3β,17β-Diacetoxy-allo-pregnin-(20) konnte so fast quantitativ *21,21-Dibrom-3β,17β-diacetoxy-20-oxo-allopregnan* erhalten werden[1]:

1-Acetoxy-1-äthinyl-decalin ergibt unter den gleichen Bedingungen *1-Acetoxy-1-dibromacetyl-decalin*[2].

5. Diketone aus Alkinonen

Alkinone, bei welchen die Carbonyl-Gruppe sich in Nachbarstellung zur C≡C-Dreifachbindung befindet, lassen sich leicht mit Mineralsäuren hydratisieren. Die Addition des Wassers erfolgt erwartungsgemäß in der Weise, daß die Hydroxy-Gruppe in β-Stellung tritt. Man erhält hierbei β-Diketone:

$$R-CO-C\equiv C-R' \xrightarrow{+H_2O} \left[R-CO-CH=\underset{\underset{OH}{|}}{C}-R' \right] \longrightarrow R-CO-CH_2-CO-R'$$

Die am häufigsten angewandte Arbeitsweise ist folgende: Man löst das Alkinon in konz. Schwefelsäure und läßt einige Stunden bei Raumtemperatur stehen. Anschließend gießt man in Eiswasser und trennt das gebildete β-Diketon ab. Die Ausbeuten sind in den meisten Fällen ausgezeichnet.

Auch bei Verwendung alkoholischer Kalilauge gelingt es, Alkinone in β-Diketone zu überführen[3].

Die Richtung der Wasser-Anlagerung läßt sich bei Alkinonen mit endständiger Dreifachbindung umkehren, wenn man Quecksilber(II)-salze zusetzt. Man erhält in diesem Falle α-Diketone. Wahrscheinlich bildet sich in diesem Falle intermediär eine Quecksilber-Verbindung, in der die Polarisation der Dreifachbindung umgekehrt ist[4].

Die Tab. 126 (S. 836) gibt einen Überblick über die nach dieser Methode hergestellten Diketone.

---

[1] I. Salomon u. T. Reichstein, Helv. **30**, 1616 (1948).
[2] I. N. Nazarov, G. V. Aleksandrova u. A. A. Akherm, Izv. Akad. SSSR **1958**, 634; C. A. **52**, 20067 (1958).
[3] V. V. Narayanan u. B. C. L. Weedon, Chem. & Ind. **1957**, 394.
[4] K. Bowden, E. A. Braude u. E. R. H. Jones, Soc. **1946**, 945.

Tab. 126. Diketone aus Alkinonen

Alkinon	Katalysator	Diketon	Ausbeute [%d.Th.]	Kp [°C]	Kp [Torr]	Literatur
Nonin-(3)-on-(2)	H_2SO_4	Nonandion-(2,4)	72	105–107	22	1
9-Oxo-nonadecin-(10)-säure-äthylester	alkohol. KOH	9,11-Dioxo-nonadecansäure	20	(F: 57–58°)	—	2
3-Oxo-3-phenyl-propin	$HgSO_4/H_2SO_4$	1,2-Dioxo-1-phenyl-propan	65	88	17	3
3-Oxo-1-phenyl-butin-(1)	H_2SO_4	1,3-Dioxo-1-phenyl-butan		(F: 60–61°)	—	4
1-Oxo-1-phenyl-octin-(2)	H_2SO_4	1,3-Dioxo-1-phenyl-octan		185–186	18	1
3-Oxo-1,3-diphenyl-propin	H_2SO_4	1,3-Dioxo-1,3-diphenyl-propan	100	(F: 78°)	—	4
3-Oxo-3-phenyl-1-(2-chlor-phenyl)-propin	H_2SO_4	1,3-Dioxo-3-phenyl-1-(2-chlor-phenyl)-propan	100	(F: 58°)	—	5
3-Oxo-3-phenyl-1-(2,4,6-trimethyl-phenyl)-propin	H_2SO_4	1,3-Dioxo-3-phenyl-1-(2,4,6-trimethyl-phenyl)-propan	30	(F: 74–77°)	—	6
1-Oxo-1-phenyl-hexin-(5)	$HgSO_4/H_2SO_4$	1,5-Dioxo-1-phenyl-hexan	65	(F: 64°)	—	7

[1] C. Moureu u. R. Delange, Bl. [3] 25, 302 (1901).
[2] V. V. Narayanan u. B. C. L. Weedon, Chem. & Ind. 1957, 394.
[3] K. Bowden, E. A. Braude u. E. R. H. Jones, Soc. 1946, 945.
[4] J. V. Nef, A. 308, 277 (1899).
[5] C. L. Bickel, Am. Soc. 69, 73 (1947).
[6] R. C. Fuson, G. E. Ullyot u. J. L. Hickson, Am. Soc. 61, 410 (1939).
[7] J. A. Gautier, M. Miocque u. L. Mascrier-Demagny, Bl. 1967, 1554.

ε-Alkinyl-ketone lassen sich durch Erhitzen in cyclische Ketone überführen. Aus Octin-(1)-on-(7) konnte so durch Erhitzen auf 260° ein Gemisch aus *2-Methyl-1-acetyl-cyclopenten-(1)* und *2-Methyl-3-acetyl-cyclopenten-(1)* in 98%iger Ausbeute erhalten werden[1]:

$$H_3C-CO-(CH_2)_4-C\equiv CH \longrightarrow$$

Cyclodecin-(5)-on-(1) konnte mit 3n Salzsäure quantitativ in *2-Oxo-bicyclo[4.4.0]decen-(1⁶)* überführt werden[2]:

Analog wurde aus Octin-(2)-on-(7) *3-Oxo-1,2-dimethyl-cyclohexen* erhalten[2].

6. Oxo-carbonsäuren aus Alkin-carbonsäuren

Alkin-carbonsäuren mit der Dreifachbindung in Konjugation zur Carboxy-Gruppe lagern sehr leicht Wasser an unter Bildung von β-Oxo-carbonsäuren:

$$R-C\equiv C-COOH \xrightarrow{+H_2O} R-\underset{OH}{C}=CH-COOH \rightleftharpoons R-\underset{O}{\overset{\|}{C}}-CH_2-COOH$$

Zur Hydratisierung verwendet man Natrium- oder Kaliumhydroxid in wäßriger oder alkoholisch-wäßriger Lösung. Da die entstehenden β-Oxo-carbonsäuren in den meisten Fällen sehr leicht decarboxylieren, erhält man immer zugleich große Mengen des durch Decarboxylierung gebildeten Methylketons[3]. Aus Phenyl-propiolsäure erhält man z.B. nach 2 stdgm. Erhitzen in 33%iger Natronlauge *Aceto-phenon* (96% d.Th.)[4].

Die Hydratisierung wird erschwert, wenn sich stark verzweigte Alkyl-Reste an der Acetylen-Bindung befinden, wie das Beispiel der 4,4-Dimethyl-pentin-(2)-säure zeigt, die auch bei längerem Erhitzen mit alkoholischer Kalilauge nicht angegriffen wird[3].

Wichtiger als die Hydratisierung der freien Alkincarbonsäuren ist die ihrer Ester, die zu den β-Oxo-carbonsäureestern führt:

$$R-C\equiv C-COOR \xrightarrow{+H_2O} R-\underset{OH}{C}=CH-COOR \rightleftharpoons R-CO-CH_2-COOR$$

[1] F. Rouessac et al., Bl. **1967**, 3554.
  Fr. P. Addn. 91043 (1966), Société de Recherches Biologiques d' Asnières Sorba, Erf.: I. M. Conia; C. A. **70**, 114695 (1969).
[2] C. E. Harding u. M. Hanack, Tetrahedron Letters **17**, 1253 (1971).
[3] C. Moureu u. R. Delange, Bl. [3] **29**, 666, 672 (1903).
[4] J. Suprin, A. ch. **6**, 294 (1951).

In manchen Fällen kann man für diese Reaktion konz. Schwefelsäure verwenden. So erhält man beim Auflösen von Phenyl-propiolsäure-äthylester in konz. Schwefelsäure bei 0° und anschließendem Aufgießen auf Eis *3-Oxo-3-phenyl-propansäure-äthylester*[1]. Schwieriger verläuft die Reaktion bei dem (4-Nitro-phenyl)-propiolsäure-äthylester. Man benötigt hier 12 stdgs. Einwirken von konz. Schwefelsäure bei 35–40° und erhält *3-Oxo-3-(4-nitro-phenyl)-propansäure-äthylester*[2].

Als wesentlich vorteilhafter hat sich eine Methode erwiesen, bei welcher man an die Alkin-carbonsäureester in einem ersten Schritt primäre oder sekundäre Amine addiert, wobei in glatter exothermer Reaktion Enamine gebildet werden, deren Verseifung dann β-Oxo-carbonsäureester liefert[3]:

$$R-C\equiv C-COOR \;+\; HNR_2 \longrightarrow R-\underset{\underset{NR_2}{|}}{C}=CH-COOR$$

$$\xrightarrow{+HX\,/\,+H_2O} \quad R-\underset{\underset{O}{\|}}{C}-CH_2-COOR \;+\; \left[H_2NR_2\right]^{\oplus}X^{\ominus}$$

Zur Addition verwendet man am besten sekundäre Amine wie Diäthylamin und Piperidin, doch eignen sich prinzipiell auch primäre Amine wie Benzylamin. Die Addition verläuft sehr leicht mit oder ohne Lösungsmittel in der Kälte. Zur Hydrolyse der gebildeten Enamine eignet sich verd. Mineralsäure oder auch Oxalsäure und Pikrinsäure in Äther, wobei die Oxalate oder Pikrate aus der ätherischen Lösung ausfallen. Diese Methode ist sehr schonend und gibt ausgezeichnete Ausbeuten. Sie läßt sich auch bei empfindlichen Molekülen mit Erfolg anwenden.

Als Beispiel für die Leistungsfähigkeit der Methode mag die Hydratisierung von 5-Hydroxy-alkin-(2)-säuren dienen. Während diese Säuren mit Alkali ungesättigte Oxo-carbonsäuren ergeben, läßt sich mit der vorstehend beschriebenen Methode die Hydratisierung des Esters unter Erhaltung der Hydroxy-Funktion vornehmen[4], z.B.:

$$H_5C_6-\underset{\underset{OH}{|}}{CH}-CH_2-C\equiv C-COOH \xrightarrow{[NaOH]} H_5C_6-CH=CH-CO-CH_2-COOH$$

$$H_5C_6-\underset{\underset{OH}{|}}{CH}-CH_2-C\equiv C-COOCH_3 \;+\; \text{(Piperidin)} \longrightarrow H_5C_6-\underset{\underset{OH}{|}}{CH}-CH_2-C(\text{N-Piperidyl})=CH-COOCH_3$$

$$\xrightarrow{+H_2O\,/\,+HCl} H_5C_6-\underset{\underset{OH}{|}}{CH}-CH_2-CO-CH_2-COOCH_3 \;+\; \left[\text{Piperidinium}\right]Cl^{\ominus}$$

[1] A. BAEYER, B. **15**, 2705 (1882).
A. BAEYER u. W. H. PERKIN, B. **16**, 2128 (1883).
[2] W. H. PERKIN u. G. BELLENOT, Soc. **49**, 440 (1886).
[3] C. MOUREU u. I. LAZENNEC, Bl. [3] **35**, 1190 (1906).
[4] J. B. BROWN, H. B. HENBEST u. E. R. H. JONES, Soc. **1950**, 3634.
H. B. HENBEST u. E. R. H. JONES, Soc. **1950**, 3628.

3-Oxo-5-phenyl-penten-(4)-säure[1]: 380 mg 5-Hydroxy-5-phenyl-pentin-(2)-säure werden in einer Lösung von 250 mg Natriumhydroxid in 10 ml Methanol 5 Stdn. unter Rückfluß erhitzt. Nach dem Abdestillieren des Methanols und Zugabe von Mineralsäuren extrahiert man mit Äther. Man erhält 360 mg der rohen Säure, die aus Methanol-Wasser (1:1) umkristallisiert wird; Ausbeute: 210 mg (55% d.Th.); F: 108–109°.

5-Hydroxy-3-oxo-5-phenyl-pentansäure-methylester[1]: Eine Lösung von 0,7 g 5-Hydroxy-5-phenyl-pentin-(2)-säure-methylester in 2 ml Äther werden mit 0,5 g reinstem Piperidin versetzt (Raumtemp.). Man beobachtet eine schwach exotherme Reaktion. Nach 4 Stdn. gibt man mehr Äther hinzu und extrahiert das Piperidin-Addukt mit 20 ml 2 n Salzsäure. Nachdem man die salzsaure Lösung 2 Stdn. aufgehoben hat, extrahiert man den gebildeten Oxo-carbonsäureester mit Äther. Nach dem Abdampfen der getrockneten Äther-Lösung erhält man ein Öl, das beim Anreiben mit Methanol-Wasser (2:1) fest wird und aus Benzol-Petroläther (Kp: 60–80) (2:1) umkristallisiert wird; F: 48,5–49°.

Diese Methode ermöglicht es ebenfalls sehr glatt, β-Oxo-carbonsäure-amide[2] und β-Oxo-nitrile[3] aus den entsprechenden Alkin-carbonsäure-amiden und Alkinyl-nitrilen herzustellen.

Es sei noch auf eine weitere Möglichkeit zur Herstellung von β-Oxo-carbonsäure-estern aus den entsprechenden Alkin-carbonsäureestern hingewiesen. Hierbei addiert man Alkohole unter dem katalytischen Einfluß von Bortrifluorid/Quecksilber-oxid an die C≡C-Dreifachbindung. Man erhält die Enoläther der β-Oxo-carbon-säureester, aus denen durch saure Verseifung ebenfalls die freien β-Oxo-carbonsäure-ester erhalten werden können[4]:

$$H_9C_4-C{\equiv}C-COOCH_3 \xrightarrow{+CH_3OH} H_9C_4-\underset{\underset{OCH_3}{|}}{C}{=}CH-COOCH_3$$

Befindet sich die Acetylen-Bindung in größerer Entfernung von der Carboxy-Gruppe, so werden bei der Hydratisierung, die in diesem Falle mit Schwefelsäure oder Schwefelsäure/Quecksilber(II)-sulfat erfolgen kann, beide möglichen Keto-carbonsäuren gebildet. Ein Beispiel hierfür ist die Hydratisierung von Stearolsäure [Octadecin-(9)-säure] mit Schwefelsäure, die zu einem Gemisch der beiden Oxo-stearinsäuren führt (*9-Oxo-* bzw. *10-Oxo-octadecansäure*)[5]:

$$H_3C-(CH_2)_7-C{\equiv}C-(CH_2)_7-COOH \longrightarrow H_3C-(CH_2)_7-CO-(CH_2)_8-COOH$$

$$+ \quad H_3C-(CH_2)_8-CO-(CH_2)_7-COOH$$

Ähnlich liegen die Verhältnisse bei der Hydratisierung von Undecin-(10)-säure[6], Hexadecin-(7)-säure (Palmitolsäure)[7], Octadecin-(6)-säure (Taririnsäure)[8] und Do-cosin-(9)-säure (Behenolsäure)[9]. Die Quecksilber-Katalyse bleibt ohne wesentlichen Einfluß auf das Isomerenverhältnis.

---

[1] H. B. HENBEST u. E. R. H. JONES, Soc. **1950**, 3628.

[2] C. MOUREU u. I. LACENNEZ, Bl. [4] **1**, 1066 (1907).

[3] C. MOUREU u. I. LAZENNEC, Bl. [3] **35**, 1179; [4] **1**, 1062 (1907).

[4] A. O. ZOSS u. G. F. HENNION, Am. Soc. **63**, 1151 (1941).

[5] G. M. ROBINSON u. R. ROBINSON, Soc. **1926**, 2204.

[6] W. W. MYDDLETON u. A. W. BARRETT, Am. Soc. **49**, 2258 (1927).

[7] E. P. ABRAHAM, E. L. C. MOWAT u. J. C. SMITH, Soc. **1937**, 948.
M. L. SHERRILL u. J. C. SMITH, Soc. **1937**, 1501.

[7] M. BODENSTEIN, B. **27**, 3400 (1894).

[8] E. VONGERICHTEN u. A. KOHLER, B. **42**, 1638 (1909).

[9] A. HOLT u. J. BARUCH, B. **26**, 839 (1893).

7. Amino-ketone aus Aminen der Acetylen-Reihe

Die Hydratisierung der Amine der Acetylen-Reihe vom Typ der 3-Amino-propine[1] gelingt glatt bei der Einwirkung von Schwefelsäure/Quecksilber(II)-sulfat, wobei α-Amino-ketone erhalten werden:

$$\begin{array}{c} R \\ {\scriptstyle\diagdown} \\ N-CH_2-C{\equiv}CH \\ {\scriptstyle\diagup} \\ R \end{array} \xrightarrow{+\,H_2O} \begin{array}{c} R \\ {\scriptstyle\diagdown} \\ N-CH_2-CO-CH_3 \\ {\scriptstyle\diagup} \\ R \end{array}$$

Aus 3-Arylamino-propinen konnten auf diese Weise 1-Arylamino-2-oxo-propane in Ausbeuten von 36–61% d. Th. erhalten werden[2]:

$$HOOC-\langle\bigcirc\rangle-NH-CH_2-C{\equiv}CH \xrightarrow{+\,H_2O} HOOC-\langle\bigcirc\rangle-NH-CH_2-CO-CH_3$$

4-(2-Oxo-propylamino)-benzoesäure[2]: 12 g 4-[Propin-(3)-ylamino]-benzoesäure werden mit 1,2 g Quecksilber(II)-sulfat in 50 ml 50%ige Schwefelsäure 5 Tage bei Zimmertemp. geschüttelt. Dann wird filtriert und mit Wasser auf 360 ml verdünnt. Die ausgefallene Säure wird mit Wasser gewaschen; Ausbeute: 9,3 g (74,5% d. Th.); F: 186–189°.

Nach dem Umkristallisieren aus 2 l Wasser 7,7 g (61,6% d. Th.); F: 192–193° (Zers.).

Verwendet man die acetylierten Amine, so verläuft unter diesen Bedingungen die Hydratisierung unter gleichzeitiger Abspaltung des Acetyl-Restes.

Bei nicht endständiger Acetylen-Bindung entstehen dagegen aus α-Amino-alkinen ausschließlich β-Amino-ketone[3]:

$$\begin{array}{c} R \\ {\scriptstyle\diagdown} \\ N-CH_2-C{\equiv}C-R \\ {\scriptstyle\diagup} \\ R \end{array} \xrightarrow{+\,H_2O} \begin{array}{c} R \\ {\scriptstyle\diagdown} \\ N-CH_2-CH_2-CO-R \\ {\scriptstyle\diagup} \\ R \end{array}$$

Dieser starke lenkende Einfluß der Amino-Gruppe beruht auf der stark induktiven Wirkung des Ammonium-Ions, in welcher Form die Amino-Gruppe in der Schwefelsäure vorliegt. Dafür spricht auch der Verlauf der Hydratisierung bei β-Amino- und γ-Amino-alkin-Verbindungen. Aus β-Amino-alkin-Verbindungen werden nur $\sim$ 4–5% der β-Oxo-Verbindung erhalten, während die γ-Amino-ketone das Hauptprodukt der Reaktion darstellen. Aus 1-Dimethylamino-octin-(4) erhält man 23 – 24% *1-Dimethylamino-4-oxo-octan* neben 76–77% *1-Dimethylamino-5-oxo-octan*[4]:

$$H_7C_3-C{\equiv}C-(CH_2)_3-N{\overset{\textstyle CH_3}{\underset{\textstyle CH_3}{\diagup\diagdown}}} \longrightarrow H_7C_3-CH_2-CO-(CH_2)_3-N{\overset{\textstyle CH_3}{\underset{\textstyle CH_3}{\diagup\diagdown}}}$$

$$+ \quad H_7C_3-CO-CH_2-(CH_2)_3-N{\overset{\textstyle CH_3}{\underset{\textstyle CH_3}{\diagup\diagdown}}}$$

[1] Herstellung s. W. REPPE et al., A. **596**, 12 (1955).

[2] V. WOLF, A. **578**, 83 (1952).

[3] M. KOULKES, Bl. [5] **21**, 39 (1954).

  A. DORNOW u. F. ISCHE, B. **89**, 870 (1956).

  H. C. BEYERMAN, W. EVELEENS u. Y. M. F. MULLER, R. **75**, 63 (1956).

[4] M. KOULKES, C. r. **241**, 1789 (1955).

Sehr glatt verläuft die Hydratisierung auch bei den acylierten Aminen. Allerdings läßt sich Schwefelsäure/Quecksilber(II)-sulfat nur im Falle der sehr hydrolysebeständigen Phthalimid-Bindung anwenden, da sonst Verseifung eintritt:

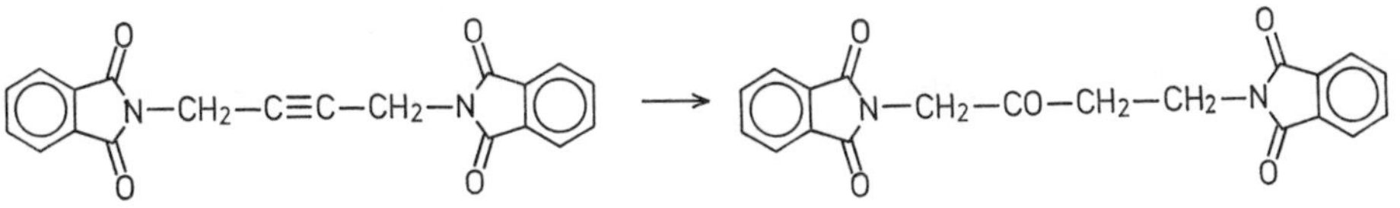

1,4-Diphthalimino-2-oxo-butan[1]: Zu einer Lösung von 3 g 1,4-Diphthalimino-butin-(2) in 140 ml 90%ige Essigsäure gibt man 750 mg Quecksilber(II)-acetat und 0,5 ml konz. Schwefelsäure, worauf man 4 Stdn. unter Rückfluß erhitzt. Man gibt 200 ml Wasser hinzu, läßt 1 Stde. stehen, filtriert den Niederschlag ab und wäscht mit Wasser und kristallisiert aus Eisessig um; Ausbeute: 2,9 g (92% d.Th.); F: 248–249°.

Bei leichter verseifbaren Acylaminen bewährt sich eine Arbeitsweise, bei welcher man mit einer Lösung von Quecksilber(II)-sulfat in 90%iger Essigsäure ohne Schwefelsäurezusatz arbeitet. Aus 1,4-Bis-[benzoylamino]-butin-(2) konnte auf diese Weise *1,4-Bis-[benzoylamino]-2-oxo-butan* (72% d.Th.) erhalten werden[2].

Die glatte Umwandlung von α-Amino-alkinen in β-Aminoketone läßt sich auch zur präparativen Herstellung von α,β-ungesättigten Ketonen verwenden, da diese aus den β-Amino-ketonen durch Amin-Eliminierung leicht zugänglich sind.

Eine Möglichkeit zur Synthese von α,β-ungesättigten Ketonen auf dem angedeuteten Wege besteht in der Reaktion von Alkinen mit endständiger Dreifachbindung mit Enaminen zu den α,γ-disubstituierten 3-Amino-propinen, die durch Hydratisierung die β-Amino-ketone ergeben. Die Eliminierung des Amins führt zu den α,β-ungesättigten Ketonen[3]. Diese Reaktionsfolge sei am Beispiel der Herstellung von *1-Oxo-4-methyl-1-phenyl-penten-(2)* wiedergeben:

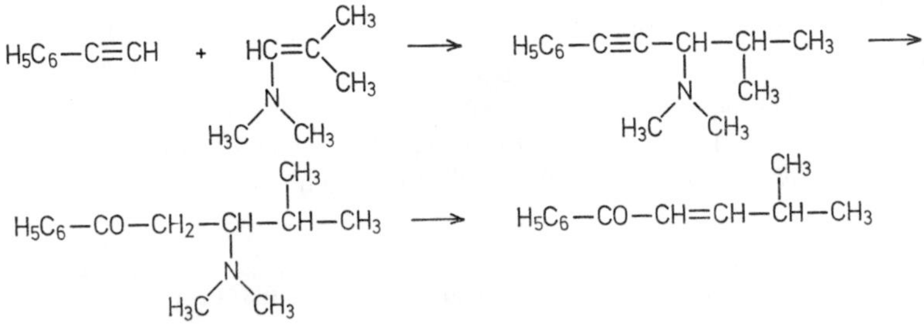

Ein anderer Weg zur Herstellung von α,β-ungesättigten Ketonen beruht auf der Herstellung der 3-Amino-propine durch Mannich-Kondensation von Buteninen. Die nach der Hydratation erhaltenen β-Amino-ketone werden in die Jodmethanolate über-

---

[1] M. M. Fraser u. R. A. Raphael, Soc. **1952**, 226.

[2] I. K. Korobitsyna, Y. K. Yurjev u. S. N. Shvedova, Ž. obšč. Chim. **26**, 1660 (1956); engl.: 1861.

[3] K. C. Brannock, R. D. Burpitt u. J. G. Thweatt, J. Org. Chem. **28**, 1462 (1963).

führt und ergeben bei der Pyrolyse 3-Oxo-alkadiene-(1,4) in Ausbeuten von ~ 70% der Theorie. Der Reaktionsverlauf sei für das Beispiel der Herstellung von *3-Oxo-4-methyl-hexadien-(1,4)* wiedergegeben[1]:

$$
\begin{array}{c}
\underset{\displaystyle \overset{|}{\mathrm{CH_3}}}{\mathrm{H_3C-CH=C-C\equiv CH}} \; + \; \mathrm{CH_2O} \; + \; \mathrm{HN\!\!\begin{array}{l}\scriptstyle CH_3\\[-2pt]\scriptstyle CH_3\end{array}} \xrightarrow{-\,H_2O} \; \underset{\displaystyle \overset{|}{\mathrm{CH_3}}}{\mathrm{H_3C-CH=C-C\equiv C-CH_2-N}}\!\!\begin{array}{l}\scriptstyle CH_3\\[-2pt]\scriptstyle CH_3\end{array}
\end{array}
$$

$$
\longrightarrow \; \underset{\displaystyle \overset{|}{\mathrm{CH_3}}}{\mathrm{H_3C-CH=C-CO-CH_2-CH_2-N}}\!\!\begin{array}{l}\scriptstyle CH_3\\[-2pt]\scriptstyle CH_3\end{array}
$$

$$
\longrightarrow \; \left[\underset{\displaystyle \overset{|}{\mathrm{CH_3}}}{\mathrm{H_3C-CH=C-CO-CH_2-CH_2-\overset{\oplus}{N}(CH_3)_3}}\right]\; J^{\ominus}
$$

$$
\longrightarrow \; \underset{\displaystyle \overset{|}{\mathrm{CH_3}}}{\mathrm{H_3C-CH=C-CO-CH=CH_2}} \; + \; \left[\mathrm{H\overset{\oplus}{N}(CH_3)_3}\right]\; J^{\ominus}
$$

8. Ketone aus Allenen

Ähnlich wie die Alkine lassen sich auch Allene durch Hydratisierung in Ketone überführen[2]. Schon 1888 wurde bei der Reaktion von Allen mit konz. **Schwefelsäure** *Aceton* erhalten[3]. *4-Chlor-2-oxo-butan* konnte mit 80%iger Schwefelsäure aus 4-Chlor-butadien-(1,2) erhalten werden[4].

Für die Hydratisierung von Heptadien-(2,3) zu *Heptanon-(3)* und 7-Methyl-octadien-(3,4) zu *4-Oxo-7-methyl-octan* bewährte sich die Einwirkung von 80%iger Schwefelsäure in Gegenwart von Hydrochinon[5].

Eine Arbeitsweise, die sich bei endständigen Allen-Gruppen bewährte, ist die Einwirkung von **Quecksilber(II)-sulfat** in verd. Schwefelsäure[6].

Die letzte Arbeitsweise brachte bei cyclischen Allenen keinen Erfolg. Hier bewährte sich die Einwirkung von 88%iger Schwefelsäure in Gegenwart von Hydrochinon. Auf diese Weise wurde aus Cyclotridecadien-(1,2) *Cyclotridecanon* (76% d. Th.), aus Cyclotetradecadien-(1,2) *Cyclotetradecanon* (78% d. Th.) und aus Cyclopentadecadien-(1,2) *Cyclopentadecanon* (72% d. Th.) erhalten[7].

---

[1] I. N. Nazarov u. E. A. Mistryukov, Izv. Akad. SSSR **1958**, 465; C. A. **52**, 17136 (1958).
[2] Vgl. a. ds. Handb., Bd. V/2, Kap. Allene.
   Chemie der Allene, Chem. Reviews **67**, 317 (1967).
   S. R. Sandler u. W. Karo, *Organic Functional Group Preparations*, „Allenes", Bd. 12 II, S. 2, Academic Press, New York 1971.
[3] G. Gustavson u. M. Demjanoff, J. pr. [2] **38**, 202 (1888).
[4] W. H. Carothers, G. J. Berchet u. A. M. Collins, Am. Soc. **54**, 4066 (1932).
[5] G. F. Hennion u. J. J. Cheehan, Am. Soc. **71**, 1964 (1949).
   T. J. Logan, Tetrahedron Letters **1961**, 173.
   US. P. 3096384 (1961), Procter & Gamble Co., Erf.: T. J. Logan; C. A. **59**, 13821 (1963).
[6] A. W. Fedorowa u. A. A. Petrow, Ž. obšč. Chim. **32**, 1755 (1962); C. A. **58**, 3307 (1963).
[7] M. Mühlstädt u. J. Graefe, B. **100**, 223 (1967).

Cyclotridecanon[1]:

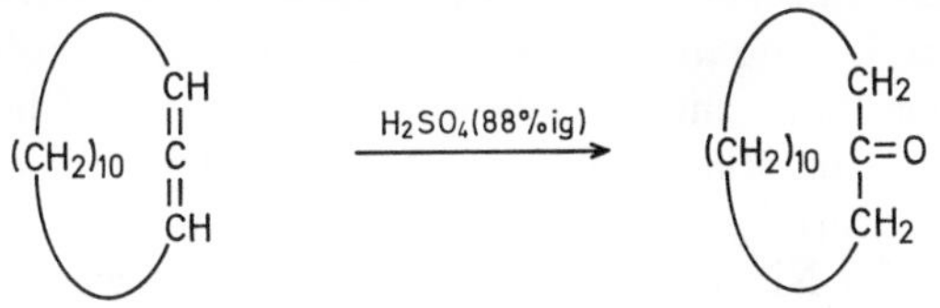

8,9 g (0,05 Mol) Cyclotridecadien-(1,2) werden mit 0,2 g Hydrochinon versetzt und mit 30 *ml* 88%iger Schwefelsäure 20 Min. geschüttelt. Danach wird die Mischung auf Eis gegossen, mit Natriumcarbonat-Lösung neutralisiert und mehrmals mit Äther extrahiert. Der nach Abdampfen des Lösungsmittels verbleibende Rückstand wird in Äthanol aufgenommen. Das Keton wird in üblicher Weise als Semicarbazon gefällt, aus dem es durch Zersetzung mit Säuren rein isoliert werden kann; Ausbeute: 7,5 g (76% d.Th.); F: 31–32° (Äthanol).

e) Ketone aus Nitro-Verbindungen (Nef-Reaktion)

Bei der Einwirkung von Mineralsäuren auf die Alkalimetallsalze der *aci*-Form von sekundären Nitro-Verbindungen erhält man Ketone unter Abspaltung von Distickstoffoxid. Primäre Nitro-Verbindungen ergeben entsprechend Aldehyde[2] (zum Mechanismus der Reaktion s. Lit.[3]):

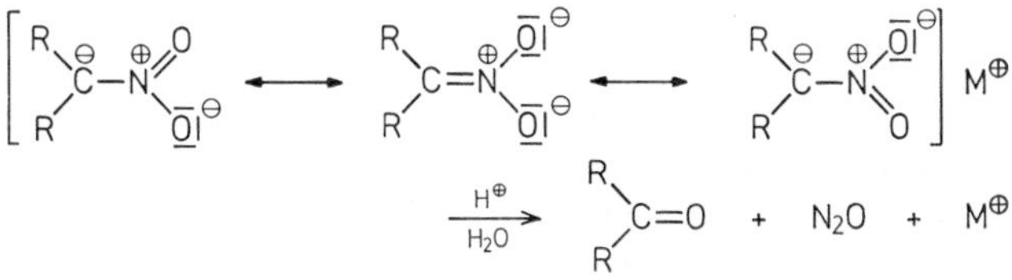

Diese Reaktion wurde zuerst bei der Einwirkung verdünnter Schwefelsäure, Salpetersäure, Essigsäure oder auch Kohlendioxid auf das Kaliumsalz des 1-Nitro-1-phenyl-äthans beobachtet[4]. Neben der Bildung des freien 1-Nitro-1-phenyl-äthans wurden mehr oder weniger große Mengen an *Acetophenon* erhalten.

Die allgemeine Gültigkeit dieser Reaktion wurde ein Jahr später gefunden[5]. Nef konnte unter anderem aus Natrium-2-nitro-propan durch Einwirkung von verd. Schwefelsäure *Aceton* erhalten.

---

[1] M. Mühlstädt u. J. Graefe, B. **100**, 223 (1967).

[2] Vgl. ds. Handb., Bd. 7/I, Kap. Aldehyde aus aliphatischen Nitroverbindungen, S. 272.

[3] L. C. Leitch, Canad. J. Chem. **33**, 400 (1955).
F. Hawthorne, Am. Soc. **79**, 2510 (1957).
Übersicht: W. E. Noland, Chem. Reviews **55**, 137 (1955).
Die Herstellung von Oximen aus aliphatischen Nitroverbindungen ist in Bd. X/4, S. 160ff. beschrieben.
s. a. S. 802.

[4] M. Konovalov, Ж **25** I, 509 (1893); C. **1894** I, 464; B. **29**, 2193 (1896).

[5] J. U. Nef, A. **280**, 263 (1894).

Zweckmäßig verfährt man so, daß man die Nitro-Verbindung mit wäßriger oder alkoholischer Alkalimetallhydroxid-Lösung in die Salze der *aci*-Form überführt und darauf die alkalische Lösung unter starkem Rühren zu überschüssiger, eiskalter verdünnter Mineralsäure zutropft. Verwendet man keinen Überschuß an Mineralsäure oder setzt man die Mineralsäure zur Lösung der Alkalimetallsalze der Nitro-Verbindung hinzu, so vermindert sich die Ausbeute, da in diesem Fall mehr oder weniger große Mengen der Nitro-Verbindung zurückgebildet werden. Ähnlich verläuft die Reaktion, wenn man schwache Säuren wie Essigsäure oder Kohlensäure verwendet[1].

Am häufigsten wird Schwefelsäure verwendet. Systematische Untersuchungen im Falle des 1-Nitro-propans haben ergeben, daß die besten Ausbeuten an Propanal erhalten werden, wenn man eine 17%ige Lösung von 1-Nitro-propan in 1,7 n Natronlauge in 18%igem Äthanol in eine 8–28 n Schwefelsäure bei –15° einrührt[2].

An Stelle der Natrium- und Kaliumsalze lassen sich auch Calciumsalze mit dem gleichen Erfolg bei der Reaktion anwenden, doch bietet deren Anwendung keine merklichen Vorteile[3].

Ketone aus Salzen der aci-Nitroalkane; allgemeine Herstellungsvorschrift[4]: $1/_6$ Mol des Nitroparaffins wird in 150 *ml* einer 8 g Natriumhydroxid enthaltenden Natronlauge gelöst und dann unter heftigem Rühren tropfenweise zu einer eiskalten Lösung von 25 *ml* konz. Schwefelsäure in 160 *ml* Wasser zugesetzt. Es entweicht sofort Distickstoffoxid. Das gebildete Keton wird dann entweder abdestilliert oder mit einem geeigneten Lösungsmittel extrahiert. Die Ausbeuten betragen meist 80–85% d. Th.; bei größeren Ansätzen werden auf ein Mol des Nitroparaffins 45 g Natriumhydroxid in 500 *ml* Wasser und 100 g konz. Schwefelsäure in 500 *ml* Wasser verwendet.

Bei der Durchführung der Nef'schen Reaktion werden vielfach Reduktionsmittel zur Ausbeutesteigerung hinzugegeben, um die bei der Hydrolyse entstehenden Stickoxyde unschädlich zu machen. Es bleibt dahingestellt, ob dabei nicht auch direkt eine Reduktion der organischen Nitroverbindung zur Oxim-Stufe eintritt[5]. Als „Reduktionsmittel" hat sich besonders Hydroxylamin bewährt[5]. Es ist auch hier nicht geklärt, ob dieses reduzierend wirkt oder besonders leicht die Stickoxyde zerstört. Sicherlich wird durch überschüssiges Hydroxylamin die Hydrolyse des Oxims zurückgedrängt und man erhält so vorzügliche Ausbeuten an den Ketoximen.

Von besonderer Bedeutung ist die Überführung des Nitro-cyclohexans in *Cyclohexanon*. Diese gelingt bei der üblichen Durchführung der Nef-Reaktion[6]. Eine Reihe von Abwandlungen der Reaktion sind für dieses Beispiel ausgearbeitet worden. Zweifellos lassen sich diese für den speziellen Fall ausgearbeiteten Methoden auch auf andere sekundäre Nitro-Verbindungen übertragen. Eine Variante beruht darauf, daß man die Alkalimetall-Verbindung des Nitro-cyclohexans in eine wäßrige Lösung von Schwefeldioxid einträgt, wobei diese durch Einleiten von Schwefeldioxid

[1] T. W. J. TAYLOR u. W. BAKER in *Sidgwick's Organic Chemistry of Nitrogen*, S. 231, University Press, Oxford 1945.
[2] H. R. MAHLER, Atomic Energy Commission Declassified 2400, S. 40–49, 68//75.
[3] Belg. P. 606664 (1961), Commercial Solvents Corp., Erf.: J. B. TINDALL.
[4] K. JOHNSON u. E. F. DEGERING, J. Org. Chem. **8**, 10 (1943).
[5] O. BAYER, Leverkusen, Privatmitteilung.
[6] O. von SCHICKH, Ang. Ch. **62**, 547 (1950).
  DRP. 887342 (1943), BASF, Erf.: O. VON SCHICKH; C. **1954**, 4727.

immer auf einem p_H-Wert von 1–2 gehalten wird. Es bildet sich hierbei primär die Bisulfit-Additionsverbindung, die bei der Destillation der wäßrigen Lösung zerfällt[1]:

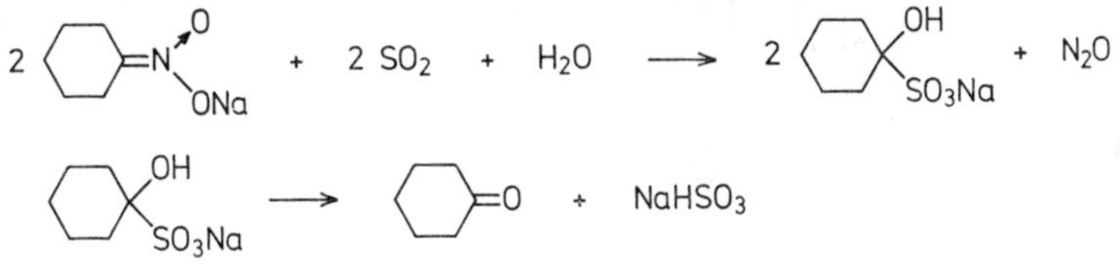

Besonders hohe Ausbeuten erhält man, wenn man eine alkalische Lösung von Nitro-cyclohexan zu einer salzsauren Lösung von Hydroxylamin gibt[2].

Cyclohexanon-oxim[2,3]: Zu einer Lösung von 32 g Hydroxylamin-hydrochlorid in einem Gemisch von 100 ml Wasser und 115 g konz. Salzsäure läßt man innerhalb 90 Min. eine Lösung von 39 g Nitro-cyclohexan in 30 g 45%ige Natronlauge und 150 ml Wasser zutropfen, wobei man durch Außenkühlung die Reaktionstemp. auf 5° einstellt.

Zum Schluß fügt man verd. Natronlauge bis zum Auftreten einer schwach ätzalkalischen Reaktion hinzu und extrahiert das Cyclohexanon-oxim mit Äther. Nach dem Abdampfen des Äthers erhält man 33 g praktisch reines Oxim (~ 96% d.Th.), das nach einmaligem Destillieren völlig rein ist; F: ~ 88°.

Eine gewisse Bedeutung kommt der Nef-Reaktion für die Herstellung von Cyclohexen-(1)-onen-(4) zu, da die entsprechenden 4-Nitro-cyclohexene-(1) durch Diels-Alder-Reaktion von Nitroolefinen leicht zugänglich sind[4]:

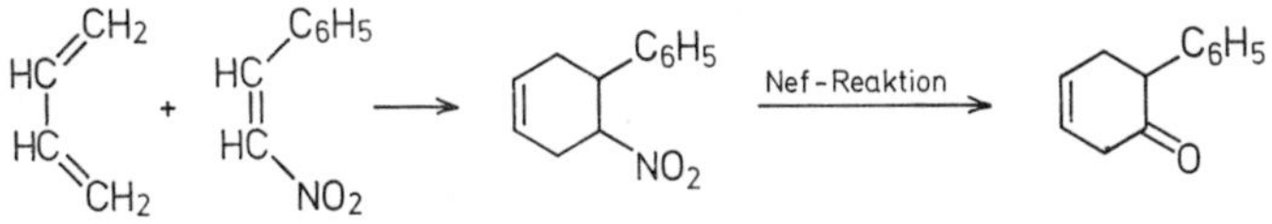

5-Oxo-4-phenyl-cyclohexen-(1)

Die entsprechenden gesättigten Cyclohexanone können auch durch vorsichtige katalytische Hydrierung der Doppelbindung in den ungesättigten Nitro-Verbindungen vor Durchführung der Nef-Reaktion erhalten werden[5].

Die Nef-Reaktion versagt jedoch bei den durch Diels-Alder-Reaktion aus Cyclopentadien mit Nitroolefinen zugänglichen 5-Nitro-bicyclo[2.2.1]heptenen-(2)[6]. Nach Aufhebung der Doppelbindung durch katalytische Hydrierung gelingt dagegen die Herstellung der gesättigten Ketone ohne Schwierigkeiten[7]:

[1] Fr. P. 1129865 (1955) ≡ US. P. 2795616 (1954), Olin Mathieson Chemical Corp. Erf.: J. W. CHURCHILL u. B. F. DANNELS; C. A. **51**, 16530 (1957).
[2] DRP. 753470 (1941), I. G. Farb., Erf.: E. STEIN u. O. BAYER.
  S. a. ds. Handb., Bd. X/4, Kap. Oxime, S. 166.
[3] Brit. P. 7242219 (1955), BASF; C. A. **50**, 6506 (1956).
[4] J. A. BARLTROP u. J. S. NICHOLSON, Soc. **1951**, 2524.
  W. C. WILDMAN et al., Am. Soc. **75**, 1912 (1953).
  M. SHAMMA u. H. R. RODRIGUEZ, Tetrahedron Letters **1965**, 4847.
  B. WEINSTEIN u. A. H. FENSELAU, J. Org. Chem. **27**, 4094 (1962).
[5] J. A. BARLTROP u. J. S. NICHOLSON, Soc. **1951**, 2524.
[6] W. E. PARHAM, W. T. HUNTER u. R. HANSON, Am. Soc. **73**, 5068 (1951).
  N. KORNBLUM u. G. E. GRAHAM, A. Soc. **73**, 4041 (1951).
[7] E. E. VAN TAMELEN u. R. J. THIEDE, Am. Soc. **74**, 2615 (1952).
  W. C. WILDMAN u. C. H. HEMMINGER, J. Org. Chem. **17**, 1641 (1952).

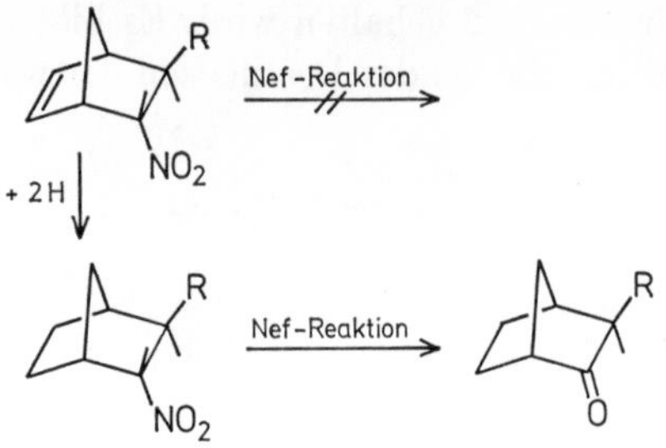

Im Gegensatz zum Versagen der Nef-Reaktion bei den Addukten des Cyclopentadiens lassen sich die durch Addition von Nitro-olefinen an Cyclohexadien erhältlichen 5-Nitro-bicyclo[2.2.2]octene-(2) ohne Schwierigkeiten in die ungesättigten Ketone überführen[1]:

Auch die Addukte der Nitro-olefine an Anthracen sind ohne Schwierigkeiten in die entsprechenden Ketone überführbar[2].

Ein anderer interessanter Weg, ein α-Nitro-alken in ein Oxim überzuführen, sei durch das Formelschema angedeutet[3]:

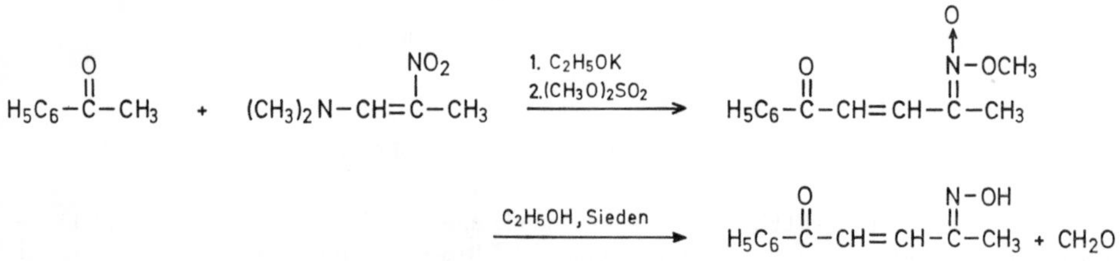

Eine wichtige Anwendung der Nef-Reaktion in der Kohlenhydrat-Chemie ermöglicht die Herstellung von Ketosen ausgehend von Aldosen. Hierbei addiert man 2-Nitro-äthanol an die Aldose und unterwirft das Addukt der Nef-Reaktion[4]:

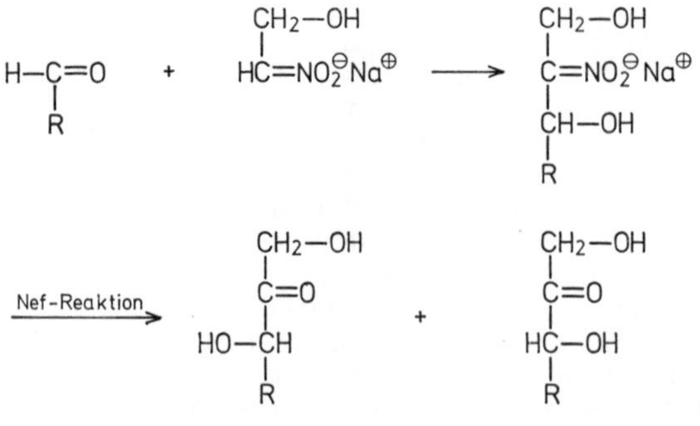

[1] W. C. WILDMAN u. D. R. SAUNDERS, J. Org. Chem. **19**, 381 (1954).
[2] W. E. NOLAND, Chem. Reviews **55**, 147 (1955).

(Fortsetzung s. S. 847)

Aus der *d*-Arabinose konnten so *d-Mannoheptulose* und *d-Glucoheptulose* erhalten werden. Über den ähnlich verlaufenden Aufbau von Aldose s. Lit.[1].

Erwähnt sei noch, daß eine Verbindung der Nitro-polyalkohol-Reihe, der Nitro-desoxy-inosit, nicht der Nef-Reaktion zugänglich ist. Man erhält in diesem Falle die Verbindung unverändert zurück[2].

Eine Möglichkeit zur Herstellung von Cyclohexandionen-(1,4) ergibt sich durch Diels-Alder-Synthese von Nitro-olefinen mit 2-Äthoxy-butadien, anschließende Hydrolyse der Enoläther-Bindung und Nef-Reaktion[3]:

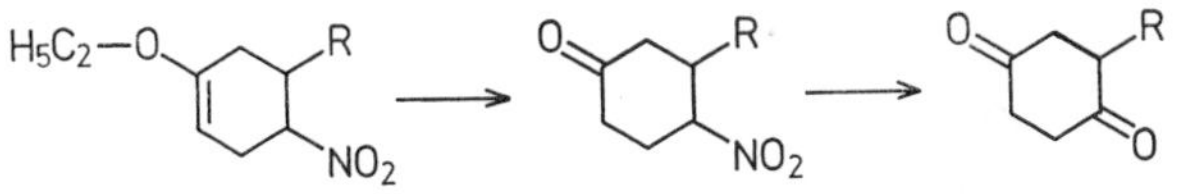

Bei den nicht ringförmigen 4-Nitro-ketonen lassen sich die 1,4-Diketone nur schwierig erhalten. Man bekommt so z.B. aus dem Addukt von Natrium-acet-essigsäureester und 2-Nitro-1-phenyl-propen-(1) beim Einleiten von Kohlendioxid bei Raumtemperatur 2,5-Dimethyl-4-phenyl-furan-3-carbonsäure-äthylester. Beim vorsichtigen Ansäuern bei tiefen Temperaturen läßt sich die freie Nitronsäure isolieren, die beim einfachen Erwärmen in verschiedenen Lösungsmitteln bei Gegenwart von Harnstoff ebenfalls unter Abspaltung von Distickstoffoxid das gleiche Furan-Derivat neben den beiden stereoisomeren *4-Oxo-3-phenyl-2-acetyl-pentan-säure-äthylester* liefert[4]:

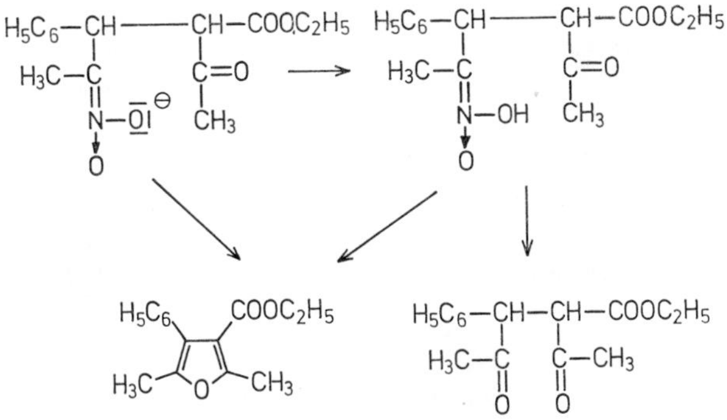

Am Beispiel des 5-Nitro-2-oxo-4,4-dimethyl-heptans und des 5-Nitro-2-oxo-4,4-dimethyl-hexans konnte gezeigt werden, daß die zugehörigen 1,4-Diketone *2,5-Dioxo-*

[1] S. ds. Handb., Bd. VII/1, Kap. Aldehyde aus aliphatischen Nitroverbindungen, S. 275.
[2] J. M. Grosheintz u. H. O. L. Fischer, Am. Soc. **70**, 1479 (1948).
[3] J. A. Barltrop u. J. S. Nicholson, Soc. **1951**, 2524.
[4] F. Boberg u. G. R. Schutze, B. **90**, 1215 (1957).

(Fortsetzung v. S. 846)

[3] T. Severin u. H. Kullmer, B. **104**, 440 (1971).
[4] J. C. Sowden, Am. Soc. **72**, 3325 (1950).
  J. C. Sowden, Adv. Carbohydrate Chem. **6**, 291 (1951).
  S. a. Belg. P. 606664 (1961), Commercial Solvents Co., Erf.: J. B. Tindall.

4,4-dimethyl-heptan und *2,5-Dioxo-3,3-dimethyl-hexan* in 70%iger Ausbeute erhalten werden können, wenn man eine äthanolische Lösung von Natriumhydroxid verwendet. In wäßriger Lösung ist die Löslichkeit der Nitro-Ketone nicht ausreichend[1].

Ohne Schwierigkeiten läßt sich die Nef-Reaktion auf die Michael-Addukte von Nitro-alkanen an Cyclohexanone anwenden. Man erhält so z. B. aus 3-Oxo-3-(1-nitro-äthyl)-cyclohexan *3-Oxo-1-acetyl-cyclohexan*[2].

Aus den durch Addition von Nitroalkanen an Acrylnitril leicht erhältlichen Nitro-nitrilen und den sich hiervon ableitenden Carbonsäuren lassen sich mit Hilfe der Nef-Reaktion glatt die entsprechenden γ-Oxo-carbonsäuren erhalten; z. B. *4-Oxo-heptandisäure* aus 4-Nitro-heptandisäure[3]:

$$HOOC-(CH_2)_2-\underset{\underset{H}{|}}{\overset{\overset{NO_2}{|}}{C}}-(CH_2)_2-COOH \longrightarrow HOOC-(CH_2)_2-CO-(CH_2)_2-COOH$$

4-Oxo-heptandisäure läßt sich besser aus 4-Nitro-4-(2-carboxy-äthyl)-heptandi-säure erhalten, wenn man diese mehrere Stdn. mit Bariumhydroxid-Lösung erhitzt und darauf mit Schwefelsäure ansäuert. Beim Erhitzen mit Alkali erfolgt die Abspal-tung eines Propionsäureesters als Acrylsäure[4].

4-Oxo-heptandisäure[4]: Zu einer Lösung von 26 Tln. Bariumhydroxid in 200 Tln. Wasser gibt man 28 Tle. 4-Nitro-4-(2-carboxy-äthyl)-heptandisäure (am besten ist es, vom Adduktgemisch aus 1 Mol Nitromethan und 2–3 Mol Acrylnitril auszugehen). Das Gemisch wird 16 Stdn. unter Rück-fluß erhitzt, worauf man die ber. Menge Schwefelsäure zugibt. Das ausgeschiedene Bariumsulfat wird abfiltriert und das Filtrat eingeengt. Dabei kristallisiert zuerst unveränderte Disäure aus, die man abfiltriert. (Sie kann erneut verwendet werden). Das Filtrat wird zur Trockne einge-dampft, und der Rückstand aus Essigsäure-äthylester umkristallisiert; Ausbeute: 20% d. Th.; F: 141,5°. Durch mehrfache Wiederholung der Reaktion mit der unveränderten Säure läßt sich eine sehr gute Ausbeute erhalten.

Zu γ-Oxo-sulfonen führt die Anwendung der Nef-Reaktion auf die Addukte von Nitroalkanen an Vinylsulfone[5].

In vielen Fällen erhält man brauchbarere Ergebnisse mit einer Arbeitsweise, bei der die Salze der *aci*-Form der Nitroverbindungen mit Kaliumpermanganat oxidiert werden[6]:

$$3\ R_2C=NO_2K + 2\ KMnO_4 + H_2O \longrightarrow 3\ R_2C=O + 2\ MnO_2 + 3\ KNO_3 + 2\ KOH$$

Sehr gute Ausbeuten werden jedoch nur in extremen Verdünnungen[7] erzielt, so daß dieses Verfahren praktisch keine Bedeutung hat.

---

[1] D. St. C. Black, Tetrahedron Letters **1972**, 1331.
[2] A. McConbrey, Soc. **1951**, 2933.
[3] DRP. 745448 (1941), I. G. Farb., Erf.: O. v. Schickh; C. **1945** I, 1298.
  Fr. P. 1495446 (1966) ≡ Brit. P. 1128554 (1968), Roussel-Uclaf, Erf.: D. Bertin u. J. Caumart; C. A. **70**, 19594 (1969).
[4] Fr. P. 887119 (1942), I. G. Farb.; C. **1944** II, 1120.
[5] G. D. Buckley, J. L. Charlish u. J. D. Rose, Soc. **1947**, 1514.
[6] S. Nametkin u. E. Posdnjakowa, Z. fiz. Chim. **45**, 1420 (1913); C. A. **8**, 324 (1913).
  S. Nametkin u. O. Madaef-Ssitscheff, B. **59**, 370 (1926).
  S. Nametkin u. A. S. Zabrodina, B. **69**, 1789 (1936).
[7] H. Shechter u. F. T. Williams, J. Org. Chem. **27**, 3699 (1962).

Eine interessante Anwendung hat die Nef-Reaktion zur Überführung von Ketonen in die isomeren Ketone gefunden. Die Reaktionsfolge kann durch folgendes Formelschema beschrieben werden:

$$R-\underset{\underset{O}{\parallel}}{C}-CH_2-R^1 \quad \xrightarrow[90\%]{\substack{RONO_2 \\ (CH_3)_3C-OM}} \quad R-\underset{\underset{O}{\parallel}}{C}-\underset{\underset{NO_2}{|}}{CH}-R^1 \quad \xrightarrow[91\%]{NaBH_4} \quad R-CH_2-\underset{\underset{NO_2}{|}}{CH}-R^1$$

$$\xrightarrow[60\%]{\text{Nef-Reaktion}} \quad R-CH_2-\underset{\underset{O}{\parallel}}{C}-R^1$$

Auf diese Weise wurde 3-Oxo-cholestan mit den oben angegebenen Ausbeuten in *2-Oxo-cholestan* überführt[1].

Ein anderes Verfahren, Nitroverbindungen in Ketone überzuführen, besteht darin, daß man die Alkalimetallsalze der *aci*-Nitro-Verbindungen halogeniert:

$$\underset{/}{\overset{\backslash}{\Big\rangle}}C=\overset{\uparrow}{N}-ONa \quad \xrightarrow{Cl_2/H_2O} \quad \underset{/}{\overset{\backslash}{\Big\rangle}}\underset{\underset{NO_2}{|}}{\overset{\overset{Cl}{|}}{C}} \quad \xrightarrow{60-100°} \quad \underset{/}{\overset{\backslash}{\Big\rangle}}C=O \quad + \quad (NOCl)$$

Die so erhaltenen gem. Halogen-Nitro-Verbindungen zerfallen beim Erwärmen in das Keton, Halogen und Stickstoffmonoxid. Alle Stufen verlaufen vielfach mit hohen Ausbeuten (Einzelheiten s. S. 679).

f) Cyclische Ketone durch partielle Hydrierung von Phenolen und Phenoläthern

Die Hydrierung der Phenole verläuft über die Zwischenstufe der Cyclohexanone zu den entsprechenden Cyclohexanolen[2]. Unter bestimmten Bedingungen gelingt es, eine partielle Hydrierung der Phenole bis zur Cyclohexanon-Stufe durchzuführen. Das gleiche gilt auch für die Phenoläther. Auch hier kann in bestimmten Fällen eine partielle Hydrierung bis zur Stufe der Enoläther erreicht werden. Aus diesen Enoläthern lassen sich die cyclischen Ketone durch saure Verseifung leicht erhalten. Bei den einfachen Phenolen ist diese partielle Hydrierung nur in wenigen Fällen in präparativ günstiger Weise zu erreichen. Hier wird man meist zur Herstellung der cyclischen Ketone den Umweg über die vollständig hydrierten Cyclohexanole vorziehen, die durch Dehydrierung leicht die entsprechenden cyclischen Ketone ergeben.

Die partielle Hydrierung der freien Phenole ist immer dann in präparativ günstiger Weise möglich, wenn die entstehenden Ketone zur Bildung von resonanz-

[1] A. HASSNER et al., J. Org. Chem. **33**, 1733 (1968).
[2] V. GRIGNARD u. G. MINGASSON, C. r. **185**, 1552 (1927).
    V. GRIGNARD, Bl. [4] **43**, 473 (1928).
    Kinetik siehe: F. COUSSEMATT u. J. C. JUNGERS, Bull. Soc. chim. belges **59**, 295 (1950).

stabilisierten Ionen befähigt sind. Dies ist vor allem bei den 1,3-Dihydroxy-benzolen der Fall, bei denen durch partielle Hydrierung unter Aufnahme von einem Mol Wasserstoff cyclische β-Diketone mit in hohem Grade resonanzstabilisierten Ionen entstehen, die eine weitere Hydrierung erschweren. Da zur Ausbildung solcher Ionen eine Salzbildung mit Alkali oder Aminen erforderlich ist, gelingt die partielle Hydrierung vorzugsweise in alkalischem Milieu. So konnte gezeigt werden[1], daß die katalytische Hydrierung von Resorcin, die im neutralen oder sauren Milieu unter Aufnahme von 6 Wasserstoffatomen zu den isomeren Resorciten führt, in Gegenwart von 1 Mol Alkali auf der Cyclohexandion-(1,3)-Stufe stehen bleibt:

1. Partielle Hydrierung von einwertigen Phenolen

Cyclohexanone stellen die Zwischenstufe der katalytischen Hydrierung von Phenolen zu Cyclohexanolen dar. Die Schwierigkeit der partiellen Hydrierung von Phenolen bis zur Cyclohexanon-Stufe beruht darauf, daß die Geschwindigkeit der Cyclohexanon-Hydrierung größer ist als die der Bildung des Cyclohexanons. Aus diesem Grunde haben solche partiellen Hydrierungen kaum allgemeine Bedeutung. Das schließt nicht aus, daß unter bestimmten Umständen bei dieser Hydrierung auch zufriedenstellende Ergebnisse erhalten werden können. In manchen Fällen läßt sich die Herstellung der cyclischen Ketone aus den Phenolen dadurch erreichen, daß man in der 1. Stufe der Reaktion zum cyclischen Alkohol durchhydriert und in der 2. Stufe unter Zugabe des Ausgangsphenols ohne Wasserstoffzufuhr die Dehydrierung bzw. Hydrierung zum cyclischen Keton bewirkt[2].

Cyclohexanon kann durch katalytische Hydrierung von Phenol mit verschiedenen Nickel-haltigen Katalysatoren unterhalb 150° bei 18–20 Torr erhalten werden, wenn man die Hydrierung nach Umsetzung von 20% des eingesetzten Phenols abbricht[3]. Gute Ausbeuten bei der direkten Hydrierung von Phenol und p-Kresol zu *Cyclohexanon* und *4-Oxo-1-methyl-cyclohexan* kann bei der Verwendung von braunem Palladiumhydroxid auf Bariumsulfat als Katalysator erreicht werden[4]. Auch Palladium auf Kohle oder Aluminiumoxid als Katalysator soll sich für die gleiche Hydrierung eignen[5]. Als Nebenprodukt der Hydrierung von Phenol konnte Cyclohexanon auch bei Verwendung von Platinschwarz[6] und Kupfer-Nickel-Katalysator[7] beobachtet werden.

[1] Brit. P. 416892 (1934) ≡ Fr. P. 767619 (1934) ≡ US. P. 1965499 (1934), E. Hoffmann-La Roche & Co., Erf.: M. KLINGENFUSS; C. A. 28, 5476 (1934).

[2] O. BAYER, Leverkusen, Privatmitteilung.

[3] V. GRIGNARD u. G. MINGASSON, C. r. 185, 1533 (1927); Bl. [4] 41, 761 (1927).

[4] R. KUHN u. H. J. HAAS, A. 611, 57 (1958).

[5] US. P. 2829166 (1958), Dow Chemical Co., Erf.: G. G. JORIS u. J. VITRONE; C. A. 52, 14671 (1958).

[6] G. VAVON u. J. DETRIE, C. r. 172, 1231 (1921).
G. VAVON u. A. L. BERTON, Bl. [4] 37, 296 (1925).

[7] W. SCHRAUTH, W. WEGE u. F. DANNER, B. 56, 261 (1923).

o-Kresol läßt sich durch partielle katalytische Hydrierung mit kolloidalem Platin als Katalysator bei Temperaturen von 70–80° und 2–3 atü in *d,l-2-Oxo-1-methyl-cyclohexan* (80% d. Th.) überführen[1]. Auch *4-Oxo-1-methyl-cyclohexan* kann durch partielle Hydrierung von p-Kresol mit einem Nickel-auf-Bimsstein-Katalysator erhalten werden[2].

α-Naphthol kann mit Nickel als Katalysator bei 120–140° und 10–20 atü in *Tetralon-(1)* (∼ 40% d. Th.) überführt werden[3].

β-Naphthol läßt sich durch Hochdruckhydrierung bei 180° mit Palladium auf Tierkohle als Katalysator in *Tetralon-(2)* (40% d. Th.) überführen, wenn man dem Hydriergemisch eine Base wie z.B. N-Äthyl-morpholin zusetzt. Ohne diesen Basezusatz gelingt die partielle Hydrierung unter diesen Bedingungen nicht[4]. Der Effekt des Basenzusatzes beruht auf der Ausbildung des resonanzstabilisierten Ions von *Tetralon-(2)*, das eine weitere Hydrierung erschwert. Auch Rhodium-Katalysatoren[5] und Kupfer-Chromoxid[6] eignen sich für diese Hydrierung.

Salicylsäure bzw. ihr Natriumsalz oder Methylester können mit Rhodium-Katalysator zur *2-Oxo-cyclohexan-carbonsäure* hydriert werden[7].

Tetralon-(2)[8]: 72 g β-Naphthol und 25 *ml* N-Äthyl-morpholin werden in so viel Äthanol gelöst, daß das Gesamtvol. 250 *ml* beträgt. Zu dieser Lösung gibt man 5 g Katalysator (Palladium auf Tierkohle) und hydriert in einem Schüttelautoklaven bei 175° und einem Anfangsdruck von 1,2 atm. Die Absorption eines Mols Wasserstoff ist in 10–15 Stdn. beendet. Nach dem Abfiltrieren des Katalysators extrahiert man mit Äther und zieht N-Äthyl-morpholin mit verd. Salzsäure aus. Die Äther-Schicht wird mit Wasser gewaschen, mit Natriumsulfat getrocknet und i. Vak. destilliert. Man erhält 50 g einer Fraktion (Kp$_5$: 116–135°), aus der man durch Schütteln mit konz. Bisulfit-Lösung 55 g des Bisulfit-Additionsproduktes von *Tetralon-(2)* erhält.

Besonders glatt gelingt die partielle Hydrierung von Phenolen, wenn durch ortho-ständige Alkyl-Reste eine sterische Hinderung für die weitere Hydrierung der intermediär auftretenden cyclischen Ketone vorhanden ist[9]. Bei Verwendung von Raney-Nickel können bei Phenolen, bei denen eine ortho-Stellung durch den tert.-Butyl-Rest und die andere durch den Methyl-Rest besetzt ist, je nach Bedingung bei der Hydrierung 2 oder 3 Mol Wasserstoff aufgenommen wer-

[1] A. Skita, A. **431**, 17 (1923).

[2] V. Grignard u. G. Mingasson, C. r. **185**, 1555 (1927); Bl. [4] **41**, 562 (1927).

[3] DRP. 352720 (1922), Tetralin-Ges., Erf.: G. Schroeter; C. A. **17**, 1245 (1923).

[4] G. Stork u. E. L. Foreman, Am. Soc. **68**, 2172 (1946).
    S. a. G. N. Walker, Am. Soc. **79**, 3508 (1957).

[5] A. L. Meyers, W. Beverung u. G. Larcia-Munoz, J. Org. Chem. **29**, 3427 (1964).
    H. Adkins et al., Am. Soc. **70**, 4247 (1948).

[7] G. Ferrari u. A. Andreetaa, Chimica e Ind. **51**, 38 (1969).

[8] G. Stork u. E. L. Foreman, Am. Soc. **68**, 2172 (1946).

[9] A. C. Whitaker, Am. Soc. **69**, 2414 (1947).
    T. H. Coffield et al., Am. Soc. **79**, 5019 (1957).

den. So gibt z.B. 2-Hydroxy-3-methyl-1-tert.-butyl-benzol je nach den Bedingungen 2-Hydroxy- oder *2-Oxo-3-methyl-1-tert.-butyl-cyclohexan*:

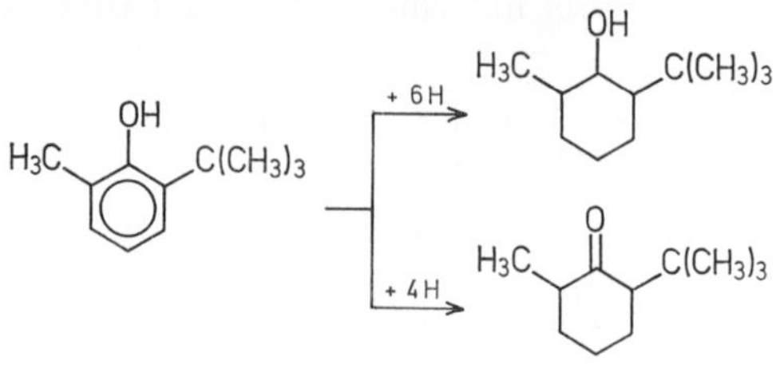

Wenn beide ortho-Stellungen durch tert.-Butyl-Reste besetzt sind, können nur 1 oder zwei Mol Wasserstoff addiert werden, nicht dagegen 3 Mol. So erhält man z.B. aus 2-Hydroxy-5-methyl-1,3-di-tert.-butyl-benzol *2-Oxo-5-methyl-1,3-di-tert.-butyl-cyclohexan* oder *3-Oxo-6-methyl-2,4-di-tert.-butyl-cyclohexen-(1)*, wenn man die Hydrierung bei Aufnahme von ein Mol Wasserstoff abbricht:

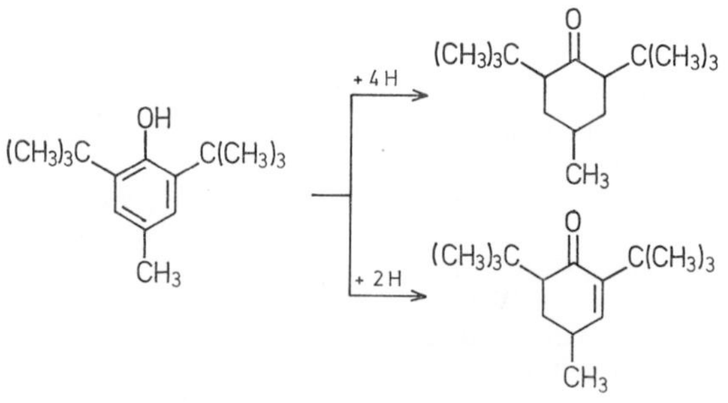

An Stelle der katalytischen Hydrierung läßt sich auch eine Reduktion mit Lithium in Äthylamin für die partielle Hydrierung von Phenolen verwenden. Phenol kann mit diesem Reduktionsgemisch, allerdings nur in 18%iger Ausbeute, zu *Cyclohexanon* hydriert werden[1].

Während unter den üblichen Bedingungen der Birch-Reduktion keine partielle Hydrierung von freien Phenolen beobachtet werden kann, konnte in neuerer Zeit gezeigt werden, daß eine partielle Reduktion zu den Cyclohexenonen dann möglich ist, wenn man mit dem vierfachen Überschuß von Lithium in flüssigem Ammoniak arbeitet[2].

Ein weiteres hierher gehörendes Beispiel für eine interessante Doppelbindungsverschiebung, die in Gegenwart von Palladium auf Kohle als Katalysator verläuft und ebenfalls den Übergang einer phenolischen Hydroxy-Gruppe in eine Carbonyl-Gruppe zur Folge hat, ist die Bildung von *5-Oxo-1,3,4,5-tetrahydro-⟨benzo-[c,d]-indol⟩* aus 5-Hydroxy-1,2-dihydro-⟨benzo-[c,d]-indol⟩: (90% d.Th.)[3]:

[1] R. A. BENKESER et al., Am. Soc. **77**, 6042 (1955).
[2] J. FRIED, N. A. ABRAHAM u. T. S. SANTHANAKRISHNAN, Am. Soc. **89**, 1044 (1967).
[3] C. A. GROB u. J. VOLTZ, Helv. **33**, 1796 (1950).

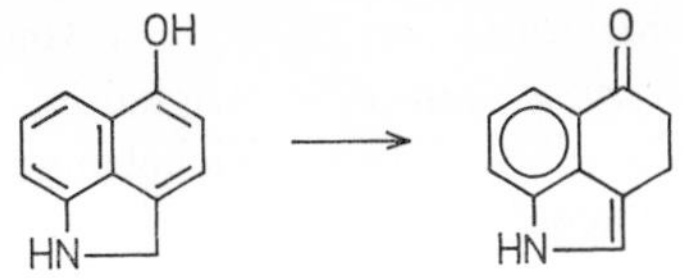

Erwähnt sei in diesem Zusammenhang auch die Herstellung von *Heptandisäure* (*Pimelinsäure*) aus Salicylsäure durch Hydrierung mit **Natrium in Alkohol**. Auch hier ist die partielle Hydrierung der Salicylsäure unter Aufnahme von 4 Wasserstoffatomen bis zur Stufe der *2-Oxo-cyclohexan-1-carbonsäure* Voraussetzung[1]:

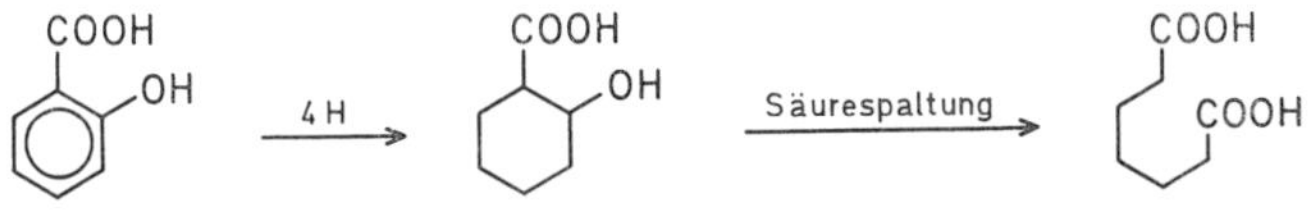

Eine analoge Reaktion unter Isolierung der gebildeten β-Oxo-carbonsäure wurde für 7-Acetamino-3-hydroxy-2-carboxy-naphthalin beschrieben. Die Reduktion erfolgt in einer borsäurehaltigen wäßrigen Natriumcarbonat-Lösung **elektrolytisch**[2] an einer Quecksilberkathode bei $p_H = 7-8$:

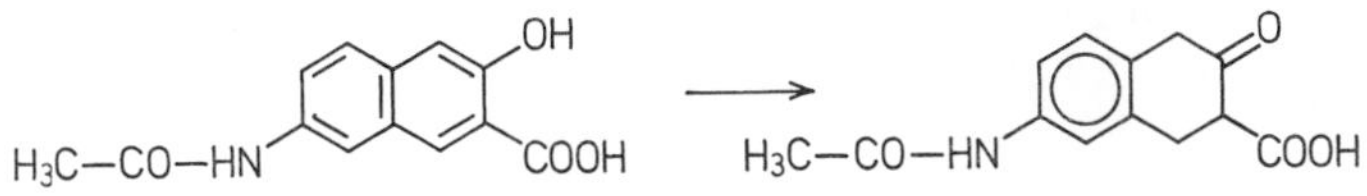

2. Partielle Hydrierung von zwei- und dreiwertigen Phenolen

Wie bereits erwähnt wurde, verläuft die partielle Hydrierung von **1,3-Dihydroxy-benzolen** besonders glatt zu den Dihydro-Verbindungen, wenn man die Hydrierung in Gegenwart von **Alkali** vornimmt.

Resorcin läßt sich mit Natriumamalgam zu *Cyclohexandion-(1,3)* hydrieren[3]. Die Ausbeute bei dieser Methode ist allerdings nicht zufriedenstellend, da das gebildete Cyclohexandion-(1,3) als β-Diketon in dem stark alkalischen Milieu zum großen Teil der Säure-Spaltung unter Bildung von *5-Oxo-hexansäure* unterliegt:

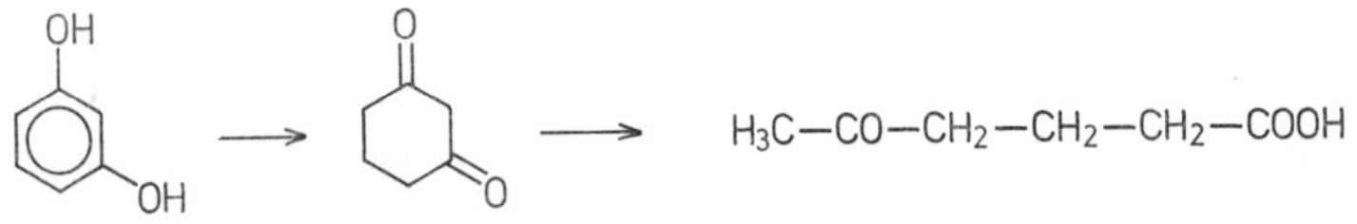

[1] A. Müller u. E. Rölz, M. **48**, 734 (1927).
  A. Müller. M. **65**, 18 (1934); Org. Synth., Coll. Vol. II, 535 (1934).
[2] N. M. Przigalgovskaja, V. F. Sner u. V. N. Belov, Ž. obšč. Chim. **34**, 508 (1964); engl.: 510.
[3] G. Merling, A. **278**, 28 (1893).
  S. a. H. Lettré u. A. Jahn, B. **85**, 346 (1952).

Durch **katalytische** Hydrierung von Resorcin in Gegenwart von Alkali gelingt dagegen die partielle Hydrierung ohne Schwierigkeiten in hohen Ausbeuten[1]. Als Katalysator wird in den meisten Fällen Raney-Nickel angewandt, aber auch Rhodium auf Aluminiumoxid vorgeschlagen[2].

In ähnlich glatter Weise verläuft auch die partielle Hydrierung von **alkylierten** Resorcinen. Beispiele hierfür sind die Herstellung von *2,4-Dioxo-1-methyl-cyclohexan* und *4,6-Dioxo-1,3-dimethyl-cyclohexan* aus 2,4-Dihydroxy-1-methyl-[3] und 4,6-Dihydroxy-1,3-dimethyl-benzol[4]. Auch Resorcine mit funktionellen Gruppen eignen sich für die partielle Hydrierung. Man erhält so zum Beispiel aus 3,5-Dihydroxy-benzoesäure *3,5-Dioxo-cyclohexan-1-carbonsäure*[5]:

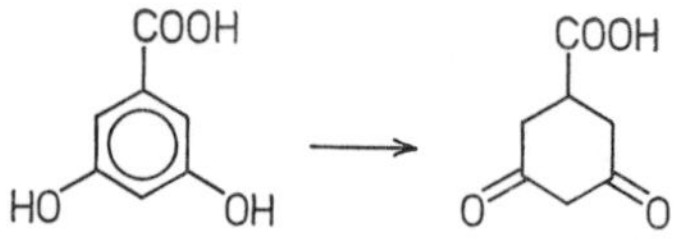

3,5-Dioxo-cyclohexan-1-carbonsäure[6]: Eine Lösung von 50 g 3,5-Dihydroxy-benzoesäure in 175 *ml* 4 n-Natronlauge werden mit 10 g Raney-Nickel bei 40–60° und 100–150 atü Wasserstoffdruck 5–10 Stdn. hydriert. Dann wird die farblose Lösung vom Katalysator abfiltriert und unter Kühlung mit 60 *ml* konz. Salzsäure versetzt. Das ausgefallene Rohprodukt wird abfiltriert und aus heißem Wasser umkristallisiert; Rohausbeute: 80–90% d.Th.; F: 183–184°.

Auch 2-Acetamino- und 2-Benzoylamino-1,3-dihydroxy-benzol lassen sich unter den gleichen Bedingungen ohne Schwierigkeiten in hohen Ausbeuten in *2-Acetamino-* bzw. *2-Benzoylamino-1,3-dioxo-cyclohexan* überführen[7]:

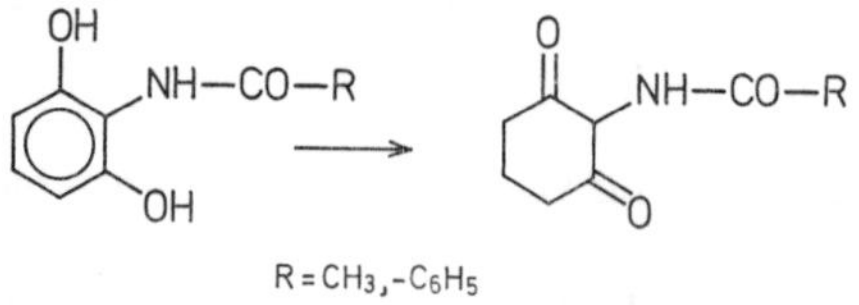

R = CH₃, –C₆H₅

2-Benzoylamino-1,3-dioxo-cyclohexan[7]: 22,9 g (0,1 Mol) 2-Benzoylamino-1,3-dihydroxy-benzol und 4,4 g Natriumhydroxid werden in 200 *ml* Wasser gelöst und unter Zusatz von Raney-Nickel bei 50° und Normaldruck hydriert, bis 2,2 *l* Wasserstoff aufgenommen sind (~ 3 Stdn.). Man läßt in der Wasserstoffatmosphäre erkalten, nutscht den Katalysator ab und säuert mit konz. Salzsäure bis $p_H = 3$ an. Das Reaktionsprodukt scheidet sich hierbei als Öl oder in Flocken ab. Man extrahiert mit Chloroform, trocknet mit Natriumsulfat und entfernt das Chloroform vollständig im Vakuum. Der Rückstand wird mit 1000 *ml* Ligroin (Kp: 40–80°) bis zur völligen Lösung unter Rückfluß erhitzt (3–4 Stdn.). Dabei hinterbleibt eine kleine Menge eines kristallinen Rückstandes (F: 143–145°), der nicht näher untersucht wurde. Die filtrierte Ligroin-Lösung wird im Kühlschrank der Kristallisation überlassen; man erhält 11 g Kristalle (F: 58–59°). Durch Ein-

[1] Brit. P. 416892 (1934) ≡ Fr. P. 767619 (1934) ≡ US. P. 1965499 (1934), E. Hoffmann-La Roche & Co., Erf.: M. KLINGENFUSS; C. A. **28**, 5476 (1934).
R. B. THOMPSON, Org. Synth., Coll. Vol. III, 278 (1955).
[2] J. C. SIRCAR u. A. I. MEYERS, J. Org. Chem. **30**, 3206 (1965).
[3] E. G. MEEK, J. H. TURNBULL u. W. WILSON, Soc. **1953**, 811.
[4] H. STETTER u. U. MILBERS, B. **91**, 374 (1958).
[5] E. E. VAN TAMELEN u. G. T. HILDAHL, Am. Soc. **75**, 5451 (1953).
[6] W. MAYER ,R. BACHMANN u. F. KRAUS, B. **88**, 316 (1955).
[7] H. STETTER u. K. HOEHNE, B. **91**, 1123 (1958).
H. STETTER u. K. KIEHS, B. **98**, 1181 (1965).

engen des Filtrats erhält man noch weitere 6 g vom gleichen F. Durch weiteres Umkristallisieren aus Ligroin ändert sich der Schmelzpunkt nicht mehr; Gesamtausbeute: 73% der Theorie.

Grundsätzlich gleich wie die 1,3-Dihydroxy-benzole verhalten sich bei der Hydrierung im alkalischen Milieu auch die 1,2,3-Trihydroxy-benzole. Pyrogallol (1,2,3-Trihydroxy-benzol) gibt unter diesen Bedingungen *1,2-Dihydroxy-3-oxo-cyclohexen-(1)* (80% d. Th.)[1]:

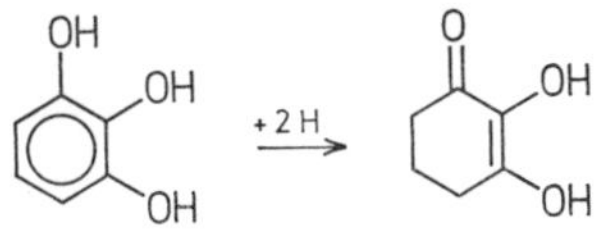

1,2-Dihydroxy-3-oxo-cyclohexen-(1): Man löst 1 kg (7,95 Mol) Pyrogallol (1,2,3-Trihydroxy-benzol) unter Stickstoff in 2 l Wasser, das 320 g (8 Mol) Natriumhydroxid enthält und hydriert nach Zugabe von 60 g Raney-Nickel unter Druck (4,9 atm.) bei 60°. Die Hydrierung ist in etwa 5 Stdn. beendet. Die erkaltete Lösung wird durch Filtration unter Stickstoff vom Katalysator befreit. Das Filtrat wird darauf bei −5° mit 675 ml konz. Salzsäure angesäuert. Nach 30 Min. Stehenlassen bei −5° filtriert man das ausgeschiedene Reaktionsprodukt ab; man erhält 816 g (80% d.Th.) Rohprodukt (F: 89–93°). Weitere 87 g desselben Materials erhält man, wenn man unter Stickstoff zur Trockene eindampft und mit Benzol extrahiert. Zur Reinigung wird das Rohprodukt aus Benzol mit Zusatz von eisenfreier Aktivkohle umkristallisiert; Ausbeute: 88% d.Th.; F: 109–112°, nach öfterem Umkristallisieren: 114°.

Auch Gallussäure und Gallussäure-4-methyläther konnten unter den gleichen Bedingungen zu *1,2-Dihydroxy-3-oxo-* bzw. *1-Hydroxy-2-methoxy-3-oxo-cyclohexen-(1)-5-carbonsäure* hydriert werden. Die Ausbeuten liegen hier infolge der Zersetzlichkeit im Falle von I nicht höher als 30% d.Th.[2]:

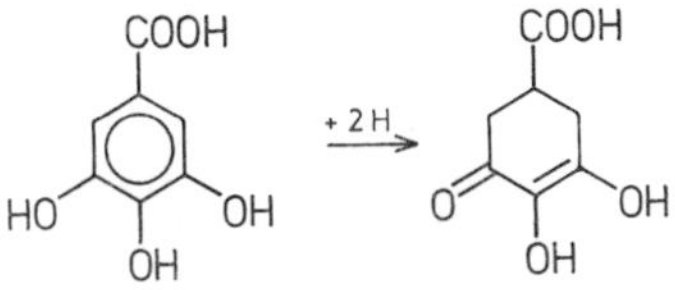

I

1-Naphthole, die im anderen Kern eine weitere Hydroxy-Gruppe enthalten, lassen sich im alkalischen Bereich mit Raney-Nickel partiell zu Hydroxy-1-oxo-tetralinen[3] hydrieren.

6 -Methoxy-1-oxo-tetralin[3]: 16 g 1,6-Dihydroxy-naphthalin werden in 300 ml 2%iger wäßriger Natronlauge gelöst und nach Zugabe von Raney-Nickel bei Raumtemp. unter einem Druck von 2–3 atü hydriert. Nach ∼ 1–1¹/₂ Stdn. wird kein weiterer Wasserstoff mehr aufgenommen, was dem Verbrauch von 1 Mol entspricht. Nach dem Abfiltrieren, Ansäuern und destillativen Aufarbeiten kann das Keton isoliert werden. Füllt man jedoch die alkalische Lösung mit 25%iger Natronlauge auf 500 ml auf, rührt 50 g Dimethylsulfat ein, äthert aus und destilliert i. Vak., so erhält man 12,7 g (72% d.Th.); Kp₁: 135–139°; F: 75–77°.

3. Partielle Hydrierung von Phenoläthern

Eine partielle Hydrierung der Phenoläther bis zur Stufe der Enoläther und anschließende Hydrolyse dieser Enoläther zu den cyclischen Ketonen bietet in vielen

[1] B. PECHERER, L. M. JAMPOLSKY u. H. M. WUEST, Am. Soc. **70**, 2587 (1948).
[2] W. MAYER, R. BACHMANN u. F. KRAUS, B. **88**, 316 (1955).
[3] D. PAPA, Am. Soc. **71**, 3246 (1949).

Fällen eine ausgezeichnete Methode zur Herstellung solcher Ketone. Diese Methode ist vor allem bei den Äthern der Monohydroxy-Verbindungen der direkten partiellen Hydrierung der freien Phenole überlegen. Als Reduktionsmittel können Natrium in Alkohol oder Natrium und Lithium in flüssigem Ammoniak dienen.

Beispiele für die Anwendung von Natrium in Alkohol als Reduktionsmittel sind die Herstellung von *Tetralon-(2)* aus 2-Methoxy-[1] bzw. 2-Äthoxy-naphthalin[2]:

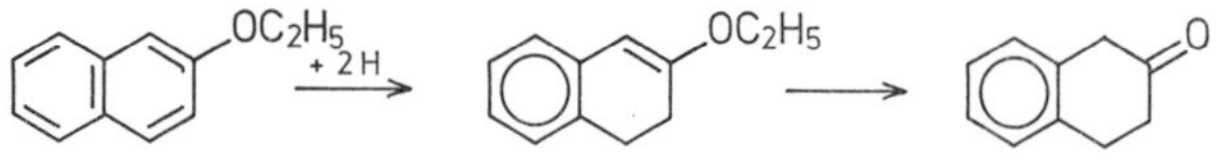

und *2-Oxo-1-methyl-tetralin* aus 2-Methoxy-1-methyl-naphthalin[1].

In der Naphthalin-Reihe erfolgt bevorzugt die partielle Hydrierung des Benzolkernes, der eine β-ständige Äther-Gruppe besitzt. Das zeigt sich, wenn man 1,6-Dimethoxy-naphthalin mit Natrium in Alkohol hydriert; man erhält *5-Methoxy-2-oxo-tetralin*[3]:

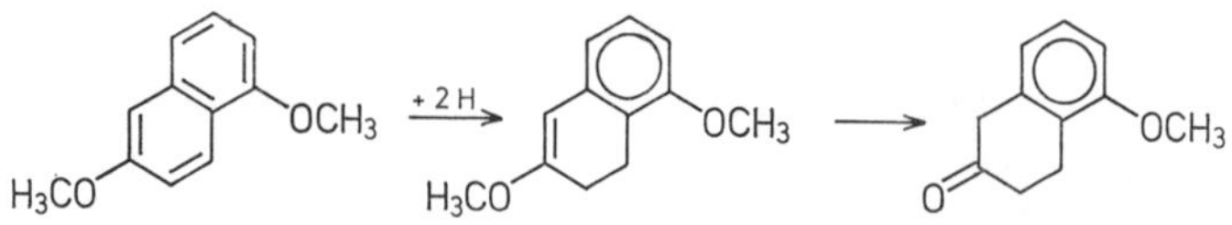

5-Methoxy-2-oxo-tetralin[3]: Zu einer Lösung von 225 g 1,6-Dimethoxy-naphthalin in 1900 *ml* siedendem absol. Äthanol gibt man innerhalb 35 Min. 190 g Natrium (Das Reaktionsgefäß ist mit einem weiten Kupferkühler versehen), danach werden 400 *ml* Äthanol hinzugefügt und das Erhitzen unter Rückfluß so lange fortgesetzt, bis das Metall verschwunden ist. Sodann werden vorsichtig 600 *ml* Wasser zugesetzt und der größte Teil des Äthanols unter vermindertem Druck abdestilliert. Nachdem man den Rückstand mit weiteren 300 *ml* Wasser versetzt hat, trennt man die untere wäßrige Schicht so gut wie möglich ab und extrahiert sie 2 mal mit wenig 1,4-Dioxan, das man dann der oberen Schicht hinzufügt. Hierzu werden 250 *ml* Wasser und danach so viel Salzsäure (d = 1,18) gegeben, bis die Mischung kongo-sauer ist. Weitere 30 *ml* Salzsäure werden zugefügt und die Lösung unter gelegentlichem Umschütteln 30 Min. erwärmt. Die untere ölige Schicht wird abgetrennt und zu der wäßrigen Schicht 1 *l* Wasser hinzugegeben. Nach dem man 3 mal mit kleinen Chloroform-Mengen extrahiert hat, vereinigt man das Öl und die Chloroform-Lösung und rührt das Gemisch mit 500 *ml* ges. Natriumbisulfit-Lösung bis Kristallisation auftritt. Am nächsten Tag behandelt man mit Äther, trennt die Kristalle ab, löst in 2–3 *l* heißem Wasser und behandelt so lange mit festem Natriumcarbonat, bis sich kein Öl mehr abscheidet. Das Keton wird mit Chloroform extrahiert und destilliert; Ausbeute: 157 g (70% d. Th.); $Kp_{0,5}$: ~ 120°.

Der Anteil, der mit Natriumbisulfit nicht reagiert hatte, kann erneut mit Natrium und Alkohol reduziert werden, gibt aber nur noch 2 g des Ketons.

Aus 1,2,7-Trimethoxy-naphthalin erhält man entsprechend *7,8-Dimethoxy-2-oxo-tetralin*[4].

---

[1] J. W. Cornforth, R. H. Cornforth u. R. Robinson, Soc. **1942**, 689.
   P. T. Bhattacharyya, J. indian. Soc. **42**, 470 (1965).
[2] M. D. Soffer et al., Org. Synth. **32**, 97 (1952).
[3] J. W. Cornforth u. R. Robinson, Soc. **1949**, 1855.
[4] M. D. Soffer et al., Am. Soc. **72**, 3704 (1950).

Die allgemeinste Anwendung für partielle Reduktionen von Phenoläthern ermöglicht die Verwendung von **Natrium in flüssigem Ammoniak** unter Zusatz von geringen Mengen wasserfreier Alkohole (**Birch-Reduktion**). Es werden unter diesen Bedingungen immer nur zwei Wasserstoffatome in der 1,4-Stellung addiert. Dabei bilden sich 1-Alkoxy-cyclohexadiene-(1,4), die bei vorsichtiger Verseifung mit verdünnten Mineralsäuren in die Cyclohexen-(1)-one-(4) übergehen. Ohne diese Vorsichtsmaßnahmen erleiden diese β,γ-ungesättigten Ketone eine Isomerisierung zu den entsprechenden α,β-ungesättigten Ketonen, die deshalb auch in den meisten Fällen als Endprodukte dieser Reduktionsmethode erhalten werden. Nach neueren Untersuchungen stellt sich in Gegenwart von Säuren ein Gleichgewicht zwischen dem α,β- und β,γ-ungesättigten Keton ein, das überwiegend auf der Seite des α,β-ungesättigten Ketons liegt[1].

Anisol gibt so zum Beispiel primär 1-Methoxy-cyclohexadien-(1,4), das bei der Hydrolyse unter vorsichtigen Bedingungen *Cyclohexen-(1)-on-(4)* ergibt. Durch Isomerisierung geht dieses dann in *Cyclohexen-(1)-on-(3)* über[2]:

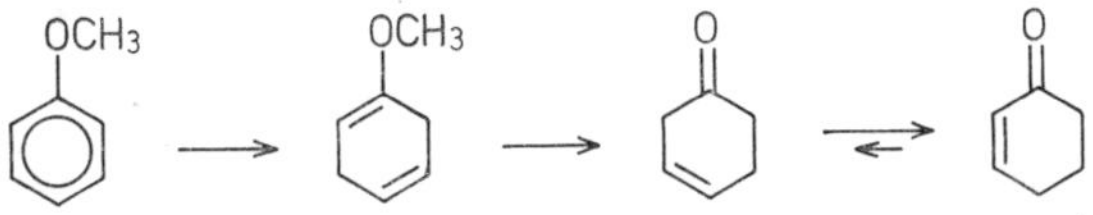

Besitzt der zu reduzierende Phenoläther freie Carbonyl-Gruppen, so werden diese ebenfalls reduziert. Als Beispiel sei die **Birch**-Reduktion von 6-Methoxy-1-oxo-tetralin angeführt, die unter gleichzeitiger Reduktion der Keto-Gruppe zu 7-Hydroxy-3-methoxy-bicyclo[4.4.0]decadien-(1⁶,3) führt[3]:

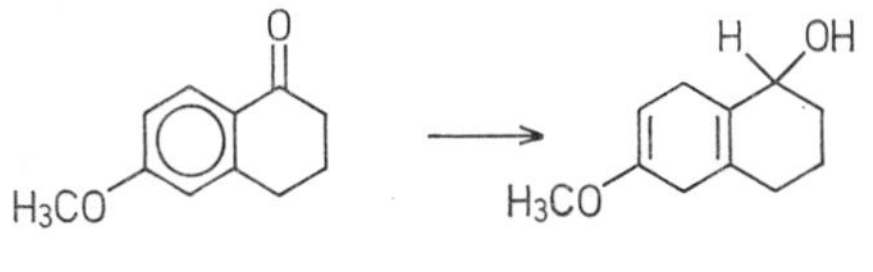

Olefinische Doppelbindungen im gleichen Molekül werden im allgemeinen nicht angegriffen[4]. Dagegen beobachtet man bei der **Birch**-Reduktion von 3,4,5-Tri-

---

[1] A. J. Birch, Soc. **1944**, 430.
   Übersicht:
     A. J. Birch, Quart. Reviews **4**, 69 (1950).
     A. J. Birch u. H. Smith, Quart. Reviews **12**, 17 (1958).
     G. W. Watt, Chem. Reviews **46**, 317 (1950).
     W. Hückel, Fortschr. chem. Forsch. **6**/2, 221 (1966).
     A. J. Birch u. G. Subba Rao, Adv. Org. Chem. **8**, 1 (1972).
   Vgl. a. ds. Handb., Bd. XIII/1, Kap. Alkalimetallorganische Verbindungen, S. 706 ff.
   Zum Mechanismus:
     J. K. Brown et al., Tetrahedron Letters **1966**, 2621.
     R. G. Harvey, *Metal-Ammonia Reduktion of Aromatic Molecules*, Synthesis **1970**, 161.
[2] K. G. Lewis u. G. J. Williams, Tetrahedron Letters **1965**, 4573.
   D. Burn u. V. Petrow, Soc. **1962**, 364.
   P. Radlick, J. Org. Chem. **30**, 3208 (1965).
   B. Weinstein u. A. H. Fenselau, J. Org. Chem. **30**, 3209 (1965).
[3] H. O. House u. R. W. Bashe, J. Org. Chem. **30**, 2942 (1965).
[4] S. M. Mukherji u. N. K. Bhattacharyya, Am. Soc. **75**, 4698 (1953).

methoxy-benzoesäure die Eliminierung der in 4-Stellung stehenden Methoxy-Gruppe. Als Reduktionsprodukt werden 1,5-Dimethoxy-cyclohexadien-(1,4)-3-carbonsäure erhalten, die bei der Verseifung *3,5-Dioxo-cyclohexan-1-carbonsäure* liefert[1]:

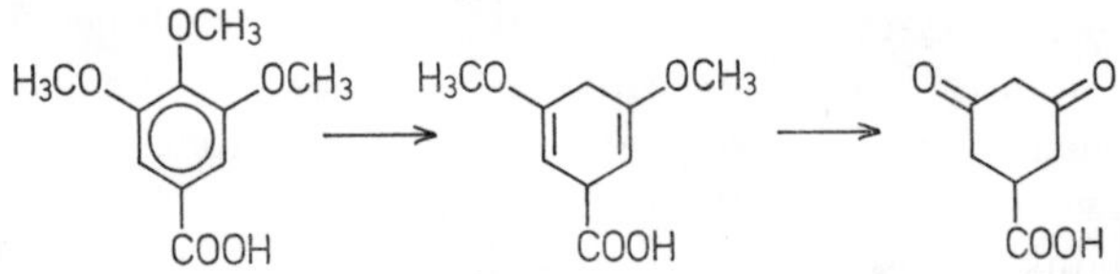

Als typisches Beispiel für eine einfache Birch-Reduktion unter Anwendung von Natrium sei die Reduktion von 2-Methyl-6-(4-methoxy-phenyl)-hepten-(2) wiedergegeben, die nach Verseifung des primär entstandenen Enoläthers *6-Oxo-3-[2-methyl-hepten-(2)-yl-(6)]-cyclohexen-(1)* liefert:

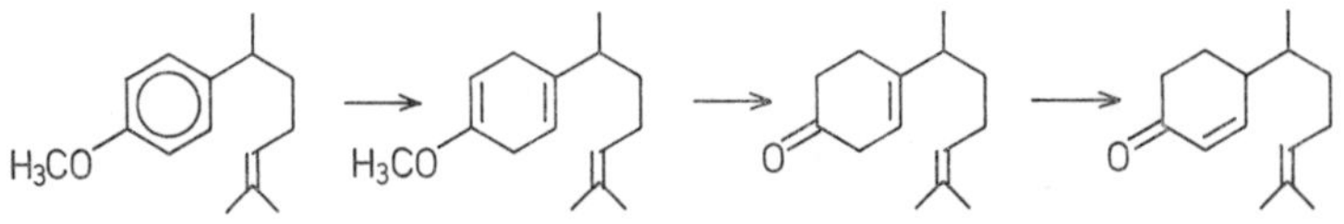

6-Oxo-3-[2-methyl-hepten-(2)-yl-(6)]-cyclohexen-(1)[2]:

4-Methoxy-1-[2-methyl-hepten-(2)-yl-(6)]-cyclohexadien-(1,4): In einen Dreihalskolben, der mit Rührer, Tropftrichter und Kaliumhydroxid-Trockenröhrchen versehen ist, gibt man 1000–1100 *ml* trockenes, flüssiges Ammoniak und 20 g 2-Methyl-6-(4-methoxyphenyl)-hepten-(2), das in 60 *ml* wasserfreiem Äthanol gelöst ist. Darauf fügt man innerhalb von 2¹/₂ Stdn. 20 g blankes Natrium in kleinen Stückchen hinzu. Das Rühren wird solange fortgesetzt, bis die blaue Farbe restlos verschwunden ist. Dann gibt man langsam unter Rühren 500 *ml* Wasser hinzu, wobei die äußere Kolbenwand mit Leitungswasser umspült wird. Hierdurch erleichtert man die schnelle Entfernung des Ammoniaks. Man hebt das Gemisch noch 30 Min. auf und extrahiert dann 3 mal mit Äther. Die Ätherschicht wird 2 mal mit Wasser gewaschen und über Kaliumcarbonat getrocknet. Nach dem Abdestillieren des Äthers fraktioniert man den Rückstand i. Vak.; Ausbeute: 17,8 g (85% d.Th.); Kp₄: 135°.

4-Oxo-1-[2-methyl-hepten-(2)-yl-(6)]-cyclohexen: 17,8 g obiger Verbindung werden 35–40 Min. mit 60 *ml* 5%iger Schwefelsäure auf dem Dampfbad erhitzt. Nach dem Abkühlen nimmt man das Öl in Äther auf, wäscht mit Wasser und Natriumhydrogencarbonat-Lösung und schüttelt dann mit einer ges. Natriumhydrogensulfit-Lösung etwa 10–12 Stdn. Die kristalline Additionsverbindung wird mit Äther gewaschen und mit 150 *ml* 6–7%ige Natriumhydroxid-Lösung zersetzt. Das abgeschiedene Öl wird 4 mal mit je 50 *ml* Äther extrahiert, die Ätherextrakte mit Wasser gewaschen, über Kaliumcarbonat getrocknet und destilliert; Ausbeute: 12 g (72% d.Th.); Kp₅: 138°.

6-Oxo-3-[2-methyl-hepten-(2)-yl-(6)]-cyclohexen-(1): 20,6 g obigen Ketons werden in 50 *ml* wasserfreiem Äthanol gelöst. Diese Lösung gibt man tropfenweise zu einer Lösung von 1,8 g Natrium in wasserfreiem Äthanol und erhitzt auf dem Dampfbad genau 5 Min. auf 60°. Dann gießt man in ein Gemisch von zerkleinertem Eis und 12 *ml* Eisessig. Das Gemisch wird ausgesalzen und 3 mal mit Äther extrahiert. Die Ätherschicht wird mit Natriumchlorid-Lösung und darauf mit Natriumhydrogencarbonat-Lösung gewaschen. Nach dem Trocknen über Kaliumcarbonat destilliert man den Äther ab und unterwirft den Rückstand der Vakuumdestillation; Ausbeute: 16,1 g (78% d.Th.); Kp₄: 148–152°.

In der Naphthalin-Reihe ergibt die Anwendung der Birch-Reduktion in geeigneten Fällen die Bildung von Tetrahydro-Verbindungen. Aus 2,7-Dimethoxy-

---

[1] M. E. KUEHNE u. B. F. LAMBERT, Am. Soc. **81**, 4278 (1959).
[2] S. M. MUKHERJI u. N. K. BHATTACHARYYA, Am. Soc. **75**, 4698 (1953).

naphthalin erhält man 3,9-Dimethoxy-bicyclo[4.4.0]decatrien-(1[6],3,8) (96% d. Th.), aus dem durch Verseifung *3,9-Dioxo-bicyclo[4.4.0]decen-(1[6])* entsteht, das durch Isomerisierung in *3,9-Dioxo-bicyclo[4.4.0]decen-(1)* übergeht[1]:

Entsprechend erhält man bei der Birch-Reduktion von 2,6-Dimethoxy-naphthalin 3,8-Dimethoxy-bicyclo[4.4.0]decatrien-(1[6],3,8), dessen Verseifung *3,8-Dioxo-bicyclo[4.4.0]decen-(1[6])* ergibt[2,3]:

3,8-Dioxo-bicyclo[4.4.0]decen-(1[6])[3]:

3,8-Dimethoxy-bicyclo[4.4.0]decatrien-(1[6],3,8): In einem 1000 *ml* Dreihalskolben, versehen mit Rührer und Kaliumhydroxid-Trockenrohr, werden 9,4 g 2,6-Dimethoxy-naphthalin mit 120 *ml* absol. Äthanol versetzt. Man kühlt die feinverteilte Suspension auf −40° ab und gießt 350 *ml* über Kaliumhydroxid destilliertes, flüssiges Ammoniak hinzu. Im Laufe von 45 Min. gibt man 10 g Natrium in kleinen Portionen zu. Nachdem das gesamte Natrium verbraucht worden ist, wird die Reaktionsmischung erwärmt und durch im Anfang sehr langsames, später schnelleres Zutropfen von 220 *ml* Wasser zersetzt. Der ausgefallene Niederschlag wird abfiltriert, 2 mal mit je 50 *ml* Wasser gewaschen, über Calciumchlorid getrocknet und aus Äthanol umkristallisiert; Ausbeute: 7,2 g (75% d.Th.); F: 88,5–90,5° (lange Nadeln).

3,8-Dioxo-bicyclo[4.4.0]decen-(1[6]): 15,3 g dieses Enoläthers werden mit 100 *ml* 80%igem Äthanol und 1 *ml* konz. Schwefelsäure versetzt. Der Bis-enoläther geht unter Umschütteln in Lösung. Man arbeitet hierbei in Stickstoffatmosphäre. Die Lösung wird noch einige Stdn. zur Vervollständigung der Reaktion stehen gelassen. Anschließend verdünnt man mit Wasser auf das doppelte Vol. und schüttelt 3 mal mit je 100 *ml* Benzol aus. Die benzolische Lösung wird über Natriumsulfat getrocknet und das Benzol i. Vak. abdestilliert. Der Rückstand wird aus Cyclohexan umkristallisiert; Ausbeute: 12,6 g (96% d.Th.); F: 91–93°; nach mehrmaligem Umkristallisieren; F: 95°.

In manchen Fällen bietet der Ersatz von Natrium durch Lithium bei diesem Reduktionsverfahren Vorteile[4]. Mit Lithium gelingt auch die partielle Reduktion von 7-Hydroxy-2-methoxy-fluoren zum 7-Hydroxy-2-methoxy-1,4-dihydro-fluoren, aus dem bei der Hydrolyse *7-Hydroxy-2-oxo-1,2,3,4-tetrahydro-fluoren* entsteht[5]:

---

[1] J. A. Marshall u. N. H. Anderson, J. Org. Chem. **30**, 1292 (1965).
P. Radlick, J. Org. Chem. **30**, 3208 (1965).
B. Weinstein u. A. H. Fenselau, J. Org. Chem. **30**, 3209 (1965).
[2] M. Kocor u. W. Kotlarek, Bl. Acad. polon. **9**, 505 (1961).
[3] L. Kuhnen, Dissertation, S. 43, Technische Hochschule Aachen 1963.
[4] G. Dupont, R. Dulou u. P. Crabbe, Bl. **1955**, 621.
A. L. Wilds u. N. A. Nelson, Am. Soc. **75**, 5366 (1953).
E. A. Braude u. A. A. Webb, Soc. **1958**, 3328.
US. P. 3155694 (1964), Wisconsin Alumni Research Foundation, Erf.: A. L. Wilds u. N. A. Nelson; C. A. **62**, 614 (1965).
[5] J. Fried u. N. A. Abraham, Tetrahedron Letters **1965**, 3505.
R. L. Kidwell u. S. D. Darling, Tetrahedron Letters **1966**, 531.
J. Fried, N. A. Abraham u. T. S. Santhanakrishnan, Am. Soc. **89**, 1044 (1967).

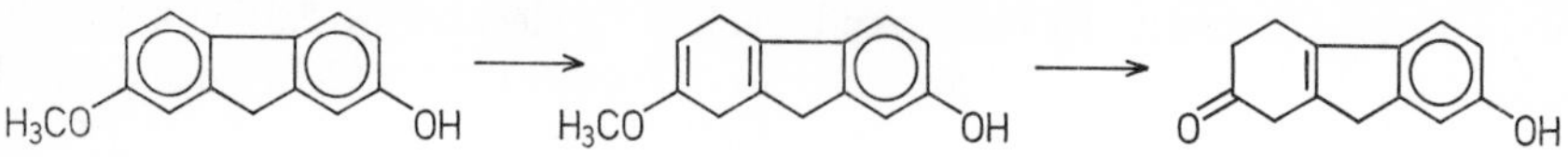

Die Ergebnisse lassen sich besser reproduzieren und man erhält bessere Ausbeuten, wenn man bei Verwendung von Lithium an Stelle von Äthanol tert.-Butanol anwendet[1].

Mit Lithium unter Anwendung von tert. Butanol in flüssigem Ammoniak lassen sich an Stelle der Phenoläther auch aromatische Amine für die Herstellung von Cyclohexenonen heranziehen. Als Beispiel sei die Herstellung von *3-Oxo-4-methyl-cyclohexen-(1)* aus 2-Amino-1-methyl-benzol erwähnt[2]:

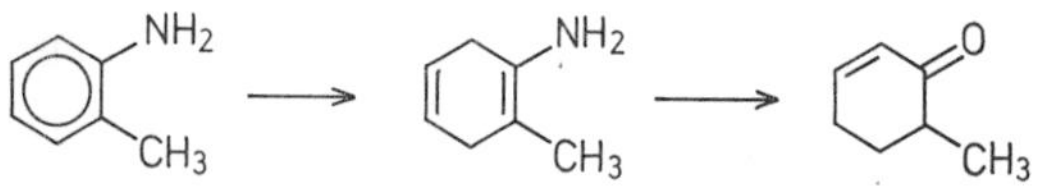

Die Reduktion wird vielfach dadurch erschwert, daß die Phenoläther in dem Reduktionsgemisch zu wenig löslich sind. Man kann in diesen Fällen inerte Lösungsmittel, wie Äther[3], 1,4-Dioxan[4] u.a. zusetzen.

Eine andere Möglichkeit, die Löslichkeit zu erhöhen, bietet die Anwendung der Monoäther des Glykols oder des Glycerins. Durchweg erhält man bei Anwendung dieser Äther bessere Ausbeuten. Beispiele hierfür sind die Herstellung von *3-Oxo-1-methyl-4-isopropyl-cyclohexen-(1)* aus 2-(2-Hydroxy-äthoxy)-4-methyl-1-iso-propyl-benzol[5]:

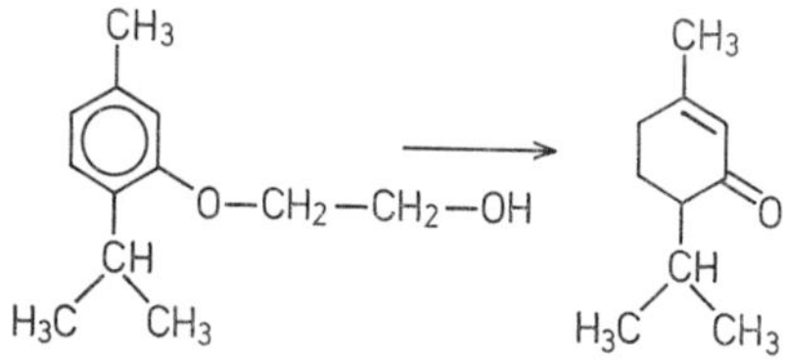

und die Herstellung von *Nortestosteron* aus α-Östradiol-1-glyceryläther[6]

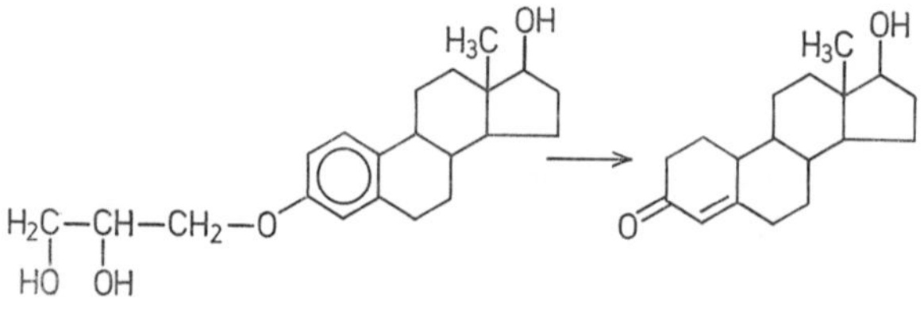

[1] H. L. Dryden, G. M. Webber, R. R. Burtner u. J. A. Cella, J. Org. Chem. **26**, 3237 (1961).
[2] G. Stork u. M. N. White, Am. Soc. **78**, 4604 (1956).
[3] Y. Yamato u. H. Kaneko, Tetrahedron **21**, 2501 (1965).
[4] P. Radlick, J. Org. Chem. **30**, 3208 (1965).
[5] A. J. Birch u. S. M. Mukherji, Soc. **1949**, 2531.
[6] A. J. Birch, Soc. **1950**, 367.

Tab. 127. Cyclische Ketone durch Birch-Reduktion von Phenoläthern

Phenoläther	Keton	Ausbeute [%d.Th.]	Literatur
Anisol	*Cyclohexen-(1)-on-(3)*	20	1
2-Methoxy-1-methyl-benzol	*3-Oxo-4-methyl-cyclohexen-(1)*	12	1
3-Methoxy-1-methyl-benzol	*3-Oxo-1-methyl-cyclohexen-(1)*	42	1
4-Methoxy-1-methyl-benzol	*6-Oxo-3-methyl-cyclohexen-(1)*	80	2
4-Methoxy-1-isopropyl-benzol	*6-Oxo-3-isopropyl-cyclohexen-(1)*		3
4-Methoxy-1,3-dimethyl-benzol	*6-Oxo-1,3-dimethyl-cyclohexen-(1)*	22	1
3-Methoxy-4-methyl-1-isopropyl-benzol	*3-Oxo-4-methyl-1-isopropyl-cyclohexan*		4
Methyl-[2-(3-methoxy-phenyl)-äthyl]-amin	*3-Oxo-1-(2-methylamino-äthyl)-cyclohexen-(1)*	87	5
4-Methoxy-1-methyl-2-(2-di-methylamino-äthyl)-benzol	*6-Oxo-3-methyl-3-(2-dimethyl-amino-äthyl)-cyclohexen-(1)*	78	6
6-Methoxy-1,2,3,4-tetrahydro-naphthalin	*3-Oxo-bicyclo[4.4.0]decen-(1⁶)*	44	1
5-Methoxy-bicyclo[4.3.0]nonen-(1⁶)	*5-Oxo-bicyclo[4.3.0]nonen-(1⁶)*	30	1
2-Methoxy-naphthalin	*9-Oxo-bicyclo[4.4.0]decadien-(1,3)*	78	7
β-Östradiol-3-methyläther	*17β-Hydroxy-3-oxo-östren-(4)*	88	8
17-Methyl-östradiol-methyläther	*17β-Methyl-19-nor-testo-steron*	62	9
2-Methyl-östradiol-3-methyläther	*17β-Hydroxy-3-oxo-2ξ-methyl-östren-(5¹⁰)*	90	10
2,5-Dimethoxy-1-methyl-benzol	*1,4-Dioxo-2-methyl-cyclohexan*	60	11
4-Methoxy-phenol	*4-Hydroxy-1-oxo-cyclohexan*	89	12

[1] A. J. Birch, Soc. 1944, 430.
[2] E. A. Braude u. A. A. Webb, Soc. 1958, 3328.
[3] K. G. Lewis u. G. J. Williams, Tetrahedron Letters 1965, 4573.
[4] G. Dupont, R. Dulou u. P. Crabbe, Bl. 1955, 621.
[5] R. Grewe, E. Nolte u. R. H. Rotzoll, B. 89, 600 (1956).
[6] G. Stork, S. S. Wagle u. P. C. Mukharji, Am. Soc. 75, 3197 (1953).
[7] A. J. Birch, A. R. Murray u. H. Smith, Soc. 1951, 1945.
[8] A. L. Wilds u. N. A. Nelson, Am. Soc. 75, 5366 (1953).
[9] C. Djerassi et al., Am. Soc. 76, 4092 (1954).
[10] Y. Yamato u. H. Kaneko, Tetrahedron 21, 2501 (1965).
[11] R. Anliker et al., Am. Soc. 79, 220 (1957).
[12] P. Radlick u. H. T. Crawford, J. Org. Chem. 37, 1669 (1972).

An Stelle von flüssigem Ammoniak läßt sich auch Lithium in Äthylamin, Methyl-amin, Dimethylamin und Diäthylamin mit ähnlichem Erfolg verwenden[1].

Ein Sonderfall stellt die Reduktion von 4-Methoxy-phenol mit Lithium in flüssigem Ammoniak unter Zusatz von Äthanol dar. Man erhält nach der Aufarbeitung *4-Hydroxy-cyclohexanon* (89% d. Th.)[2]:

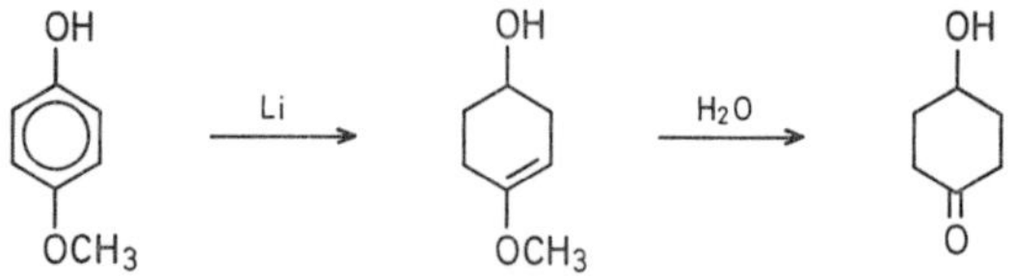

Tab. 127 (S. 861) gibt einen Überblick über einige weitere Beispiele zur Herstellung von cyclischen Ketonen nach dieser Methode.

g) Cyclische Ketone durch Halogeneinwirkung auf Phenole und aromatische Amine

Die Einwirkung von Halogen auf Phenole, bei denen die o- und p-Stellungen durch Halogen oder Alkyl-Gruppen besetzt sind, führt zu Ketonen der Cyclohexan-Reihe[3].

So erhält man durch Einwirkung von Chlor oder Brom auf 2,4,6-Trichlor- oder 2,4,6-Tribrom-phenol *1,4,6,6-Tetrachlor-*(bzw. *-Tetrabrom)-3-oxo-cyclohexadien-(1,4)*[4]:

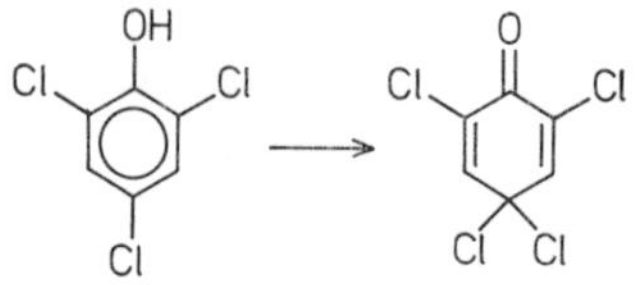

Führt man die Chlorierung von Phenol in Gegenwart von Aluminiumchlorid durch, so erhält man *1,2,4,6,6-Pentachlor-3-oxo-cyclohexadien-(1,4)*[5].

Verbindungen dieses Typs wurden früher irrtümlich für Arylhypohalogenite gehalten. Die Keton-Struktur kann heute als gesichert gelten[6].

---

[1] R. A. Benkeser et al., Am. Soc. **77**, 6042 (1955).
  Fr. P. 1400978 (1965), Warner-Lambert Pharm. Co., Erf.: R. J. Meltzer u. R. E. Brown; C. A. **63**, 8329 (1965).
[2] P. Radlick u. H. T. Crawford, J. Org. Chem. **37**, 1669 (1972).
[3] Vgl. a. ds. Handb., Bd. V/3, Kap. Herstellung von Chlorverbindungen, S. 679.
[4] J. Thiele u. H. Eichwede, B. **33**, 673 (1900).
  T. Zincke, B. **27**, 546 (1894).
[5] Brit. P. 721929 (1952), Rumianca Società per Azioni, Erf.: G. Agnini u. L. Casale; C. A. **49**, 7802 (1955).
[6] L. Denivelle, R. Fort u. J. Favre, C. r. **237**, 340 (1953).

Zu *Octachlor-3-oxo-cyclohexen-(1)* führt die erschöpfende Chlorierung von Penta-chlorphenol[1]:

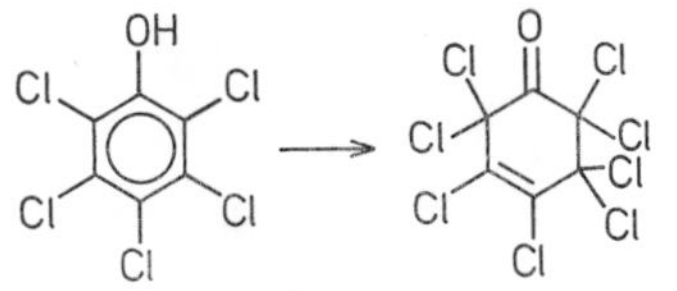

Neuere Untersuchungen zeigten, daß man je nach Versuchsbedingungen auch zu *Hexachlor-5-oxo-cyclohexadien-(1,3)* oder *Hexachlor-3-oxo-cyclohexadien-(1,4)* gelangen kann. Zur ersteren Verbindung gelangt man durch Chlor-Einwirkung auf Pentachlorphenolat[2], während die Chlor-Einwirkung in Gegenwart von Katalysatoren wie Jod, Aluminiumchlorid, Eisen(III)-chlorid und Antimon(V)-chlorid sowie die photochemische Chlorierung zu *Hexachlor-3-oxo-cyclohexadien-(1,4)* führt[3].

[Über die Herstellung von *Tetrachlor-benzochinon-(1,4)* (*Chloranil*) s. ds. Handb., Bd. V/3, S. 682]:

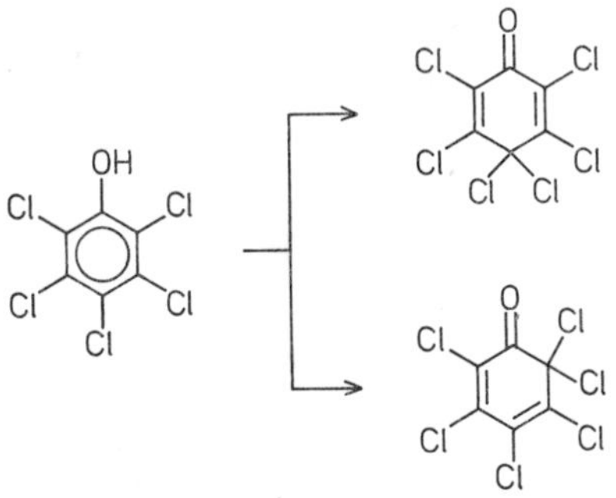

1.2,4,4,5,6-Hexachlor-3-oxo-cyclohexadien-(1,5)[2]: Zu einer Lösung von Chlor in wasserfreiem Methanol mit einem Gehalt von 7 g Chlor pro 50 *ml* gibt man bei –10° langsam unter Rühren eine Lösung von 7,2 g Natrium-pentachlor-phenolat in 80 *ml* wasserfreiem Methanol. Nach Beendigung der Zugabe destilliert man das Lösungsmittel i. Vak. unterhalb 20° vollständig ab. Den Rückstand nimmt man in Petroläther (Kp: 30–50°) auf und filtriert das Natriumchlorid ab. Aus der Lösung isoliert man 7 g des fast reinen Reaktionsproduktes, das zur weiteren Reinigung aus Petroläther umkristallisiert wird; Ausbeute: 95% d. Th.; F: 51°.

1,2,4,5,6,6-Hexachlor-3-oxo-cyclohexadien-(1,4)[3]: Durch eine Lösung von 26,6 g Pentachlorphenol und 2,5 g Aluminiumchlorid in 300 *ml* wasserfreiem Tetrachlormethan leitet man bei 40–50° einen trockenen Strom von Chlor. Nach 4 Stdn. kühlt man ab. Hierbei erhält man eine erste Kristallfraktion des reinen Reaktionsproduktes (8 g; F: 105°). Durch Einengen der Mutterlauge erhält man weitere 21 g (F: 101–102°); Ausbeute: 96% d. Th.

Besonders glatt verläuft die Halogen-Einwirkung auf 1,2- und 1,3-Dihydroxy-benzole unter Bildung von Cyclohexendionen. Brenzcatechin ergibt bei der erschöpfenden Chlorierung *1,2,5,5,6,6-Hexachlor-3,4-dioxo-cyclohexen-(1)*[4]:

---

[1] T. ZINCKE u. C. SCHAUM, B. **27**, 537 (1894).
E. BARRAL, Bl. [3] **27**, 272, 276 (1902).
[2] L. DENIVELLE u. R. FORT, Bl. **1957**, 724.
[3] L. DENIVELLE u. R. FORT, Bl. **1956**, 1834.
[4] T. ZINCKE, B. **20**, 1776 (1887); **21**, 2716 (1888); **22**, 486 (1889); **24**, 924 (1891).

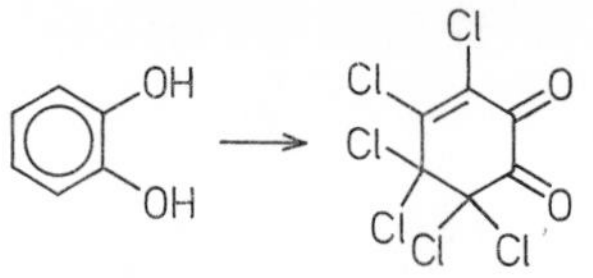

Resorcin ergibt entsprechend *2,4,4,6,6-Pentachlor-3,5-dioxo-cyclohexen-(1)*[1] und *2,4,4,6,6-Pentabrom-3,5-dioxo-cyclohexen-(1)*[2]. Phloroglucin (1,3,5-Trihydroxy-benzol) ergibt *2,2,4,4,6,6-Hexachlor-*(bzw. *-Hexabrom)-1,3,5-trioxo-cyclohexan*[3].

Glatt verläuft auch die Halogen-Einwirkung auf die Naphthole unter Bildung von Tetralonen. α-Naphthol ergibt neben *2,2,3,3,4,4-Hexachlor-1-oxo-tetralin* das *2,2,3,4,4 Pentachlor-1-oxo-tetralin* entsprechend folgendem Reaktionsverlauf[4]:

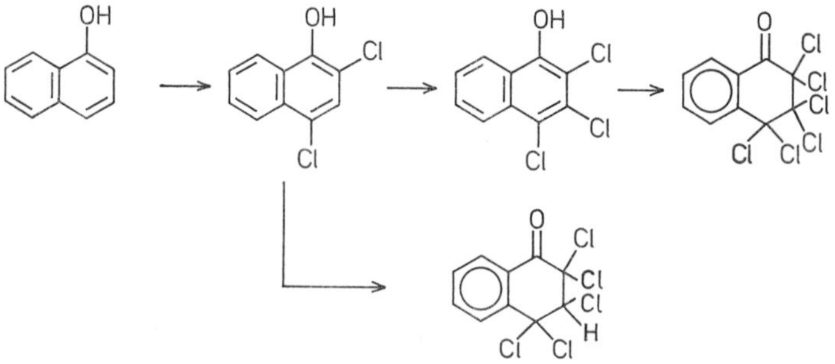

Die Chlor-Einwirkung auf β-Naphthol ergibt als Endprodukt *1,1,3,4-Tetrachlor-2-oxo-tetralin*[5]:

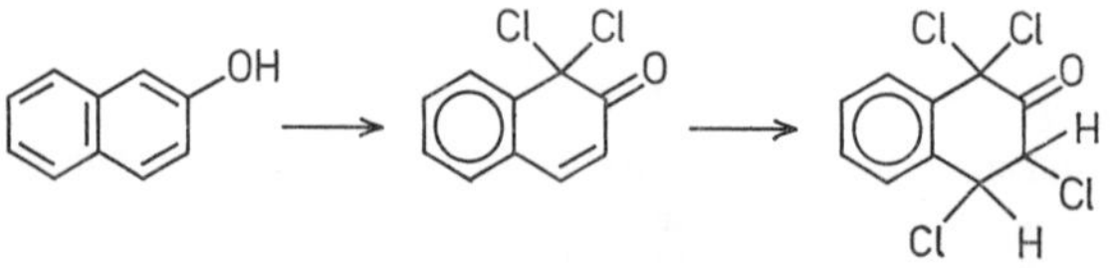

Aus 2,7-Dihydroxy-naphthalin erhält man bei der Chlor-Einwirkung *1,1,8-Trichlor-7-hydroxy-2-oxo-1,2-dihydro-naphthalin*[6].

In der gleichen Weise wie die Phenole lassen sich auch aromatische Amine durch Halogen-Einwirkung in Ketone der Cyclohexan-Reihe überführen. 3-Chlor-1-amino-benzol ergibt bei der erschöpfenden Chlorierung *Heptachlor-3-oxo-cyclohexen-(1)*[7].

---

[1] T. ZINCKE, B. 24, 912 (1891).

[2] J. STENHOUSE, A. 163, 184 (1872).

[3] T. ZINCKE u. O. KEGEL, B. 22, 1473 (1889).

[4] T. ZINCKE, B. 20, 2059 (1887); 21, 1030 (1888).

[5] T. ZINCKE, B. 21, 3378, 3540 (1888).
 H. BURTON, Soc. 1945, 280.
 G. M. ISKANDER, S. A. SARRAG u. F. STANSFIELD, Soc. [C] 1970, 1701.

[6] F. BELL, J. A. GIBSON u. R. D. WILSON, Soc. 1956, 2335.

[7] T. ZINCKE, B. 27, 548 (1894).

Zum *1,3,3,5,5,6-Hexachlor-2,4-dioxo-cyclohexan-1-carbonsäure-methylester* als gemeinsamen Endprodukt führt die erschöpfende Chlorierung von 4-Amino-2-hydroxy-, 3,5-Dichlor-4-amino-2-hydroxy-, 2-Amino-4-hydroxy- und 2,4-Dihydroxy-benzoesäure-methylester[1]:

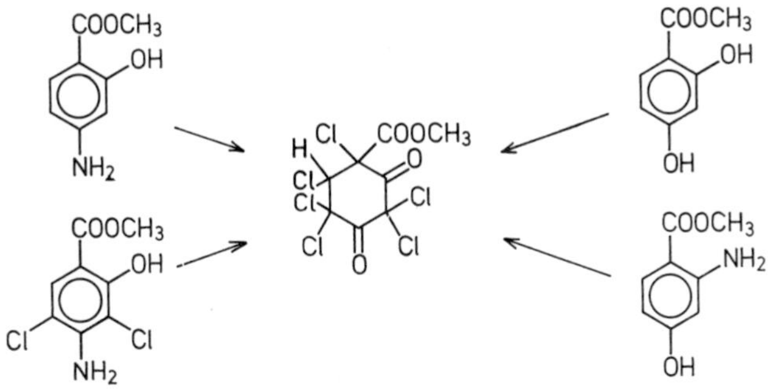

Auch bei Besetzung der o- und p-Stellungen des Phenols mit Alkyl-Gruppen erfolgt bei der Chlorierung der Übergang in die Cyclohexan-Reihe, wie das Beispiel des 2-Hydroxy-5-methyl-1,3-di-tert.-butyl-benzols zeigt, das bei der Einwirkung von Chlor unter Belichten *3-Chlor-6-oxo-3-methyl-1,5-di-tert.-butyl-cyclohexadien-(1,4)* ergibt[2]:

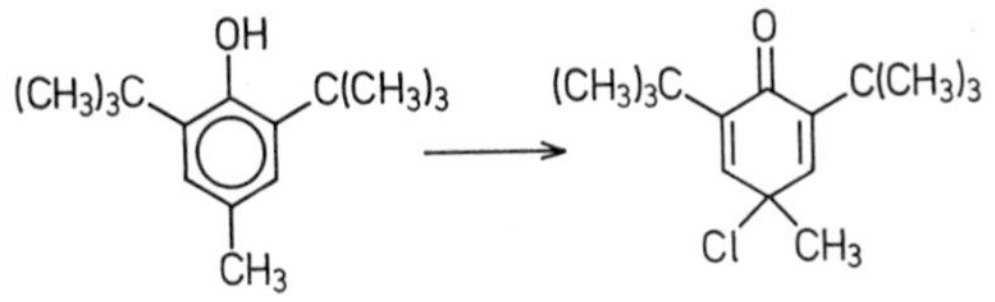

Von Interesse erscheint auch der Reaktionsverlauf bei der Chlor-Einwirkung auf 2,4,6-Trichlor-5-hydroxy-1,3-dimethyl-benzol, die zu einem Gemisch von gleichen Teilen *2,4,6,6-Tetrachlor-3-oxo-1,5-dimethyl-cyclohexadien-(1,4)* und *2,4,6,6-Tetrachlor-5-oxo-1,3-dimethyl-cyclohexadien-(1,3)* führt[3]:

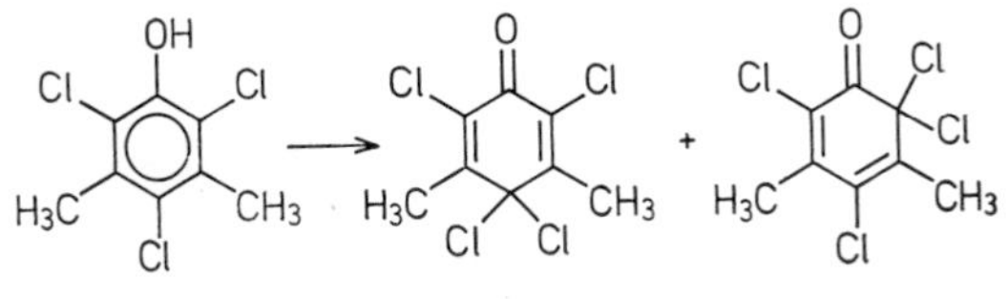

Eine interessante Variante zur Überführung von Phenolen in Cyclohexadienone wurde ausgehend von p-Kresol dadurch erreicht, daß durch Umsetzung mit 1,1,1-Trichlor-2-hydroxy-2-methyl-propan zuerst 2-(4-Methyl-phenoxy)-2-methyl-propansäure gewonnen wird. Die Einwirkung von Brom im schwach alkalischen Milieu

---

[1] C. van der Stelt, B. G. Suurmond u. W. T. Nauta, R. **75**, 504 (1956).
[2] DBP. 936684 (1954), Farbf. Bayer, Erf.: M. Pestemer; C. A. **53**, 7055 (1959).
[3] S. Kumamoto u. T. Kato, J. chem. Soc. Japan, ind. Chem. Sect. **60**, 1325 (1957).

führt in hoher Gesamtausbeute zum Spiro-Derivat I, aus dem durch Verseifung das *3-Brom-6-oxo-3-methyl-cyclohexadien-(1,4)* zugänglich ist[1]:

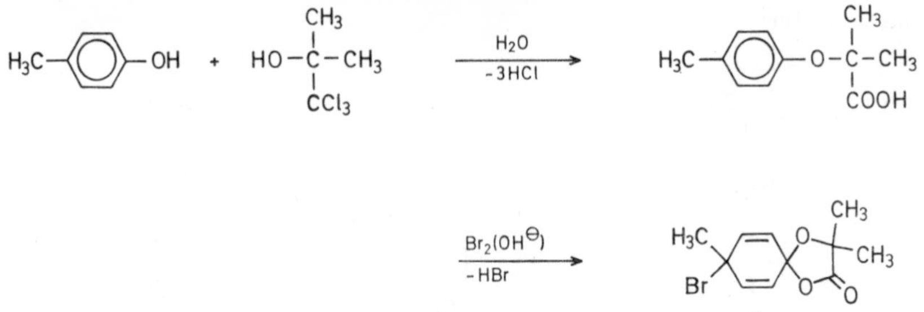

V. Ketone aus Heterocyclen durch Aufspaltung[2]

bearbeitet von

Professor Dr. HERMANN STETTER

Institut für Organische Chemie der Technischen Hochschule Aachen

a) von Furanen und Benzofuranen

1. Hydrolytische Spaltung

Entsprechend der Bildung von Furanen durch Dehydratisierung von 1,4-Diketonen lassen sich 2,5-disubstituierte Furane unter geeigneten Bedingungen auch wieder durch Hydrolyse in 1,4-Diketone zurückverwandeln:

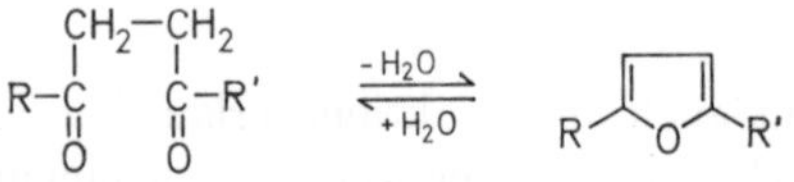

Diese hydrolytische Spaltung des Furan-Ringes hat in einigen Fällen präparative Bedeutung für die Herstellung von 1,4-Diketonen. Sie kann durch Erhitzen mit wäßrigen Mineralsäuren bewirkt werden. Besonders bewährt hat sich das Erhitzen in einem Eisessig-Wasser-Gemisch unter Zusatz von wenig Schwefelsäure. Als Beispiele für diese Arbeitsweise sei die Herstellung von *Hexandion-(2,5)* aus 2,5-Dimethyl-furan[3] und von *Undecandion-(2,5)* aus 5-Methyl-2-hexyl-furan[4] angeführt:

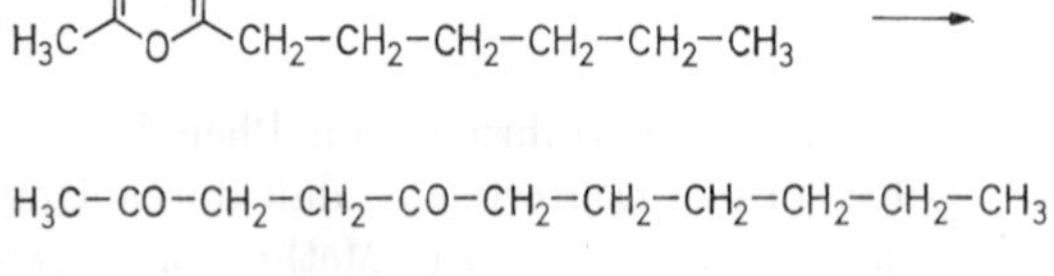

---

[1] E. J. COREY, S. BARCZA u. G. KLOTMANN, Am. Soc. **91**, 4782 (1969).

[2] Aus Zweckmäßigkeitsgründen werden die hydrolytischen und die oxidativen Spaltungen von Heterocyclen in diesem Abschnitt zusammengefaßt. Über die Umlagerung von Heterocyclen zu Ketonen s. S. 1158 ff.

[3] D. M. YOUNG u. C. F. H. ALLEN, Org. Synth., Coll. Vol. II, 219, Note 2 (1943).

[4] H. HUNSDIECKER, B. **75 B**, 452 (1942).

Undecandion-(2,5)[1]: 1 g 5-Methyl-2-hexyl-furan wird mit 1,5 ml Eisessig, 0,5 g Wasser und einem Tropfen 20%ige Schwefelsäure 90 Min. auf 120° erhitzt. Das Gemisch färbt sich dunkel, wobei die urpsrünglich vorhandenen zwei Schichten verschwinden. Nach dem Verdünnen mit natriumhydrogencarbonat-haltigem Wasser wird ausgeäthert und wie üblich aufgearbeitet; Ausbeute: 0,95 g (86% d.Th.); F: 33° (aus Methanol).

2-Alkyl-furane werden in gleicher Weise zu 4-Oxo-aldehyden aufgespalten[2].

An Stelle von Essigsäure läßt sich auch Äthanol dem Reaktionsgemisch zusetzen[3]. Furane mit nichtkonjugierten Doppelbindungen in der Seitenkette können ohne Schwierigkeiten in die ungesättigten 1,4-Diketone überführt werden, wie das Beispiel der hydrolytischen Spaltung von 5-Methyl-2-[3-methyl-buten-(2)-yl]-furan zu *5,8-Dioxo-2-methyl-nonen-(2)* zeigt[4]:

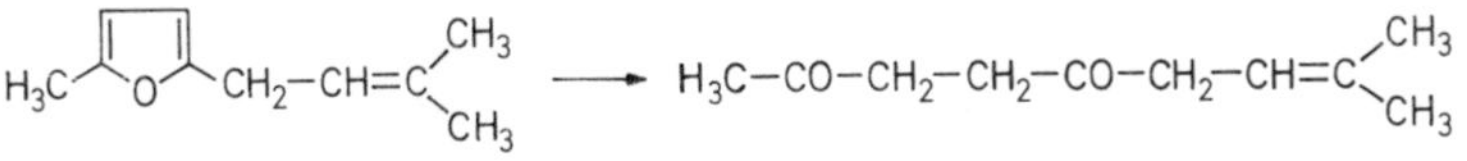

Ein spezielles Beispiel für diese Art der Ringöffnung stellt auch die Herstellung von *3,6-Dihydroxy-1,2-dibenzoyl-benzol* aus 4,7-Dioxo-1,3-diphenyl-4,7-dihydro-⟨benzo-[c]-furan⟩ dar[5]:

Einen interessanten Verlauf nimmt die hydrolytische Spaltung bei Alkoholen vom Typ des Furfurylalkohols. An Stelle des bei der Spaltung zu erwartenden Hydroxy-oxo-aldehyds erhält man γ-Oxo-carbonsäuren (Marckwald-Reaktion[6]). Zum Mechanismus dieser Reaktion s. Lit.[7]:

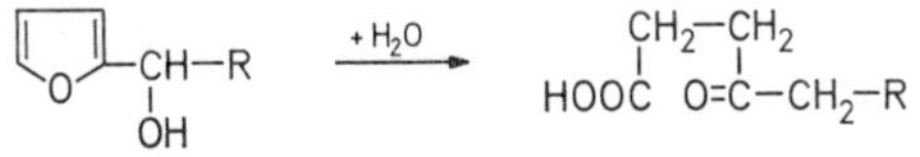

Aus Furfurylalkohol selbst erhält man durch Erhitzen mit wäßriger Salzsäure oder Oxalsäure *Lävulinsäure (4-Oxo-pentansäure)*[8]. Ebenfalls Lävulinsäure bildet

---

[1] H. Hunsdiecker, B. **75 B**, 452 (1942).
[2] S. ds. Handb., Bd. VII/1, Kap. Aldehyde, S. 255.
[3] H. Fritel u. P. Baranger, C. r. **241**, 674 (1955).
   B. Büchi u. H. Wuest, J. Org. Chem. **31**, 977 (1966).
[4] Y. J. Tarnopolskij u. V. N. Belov, Chim. geterocikl. Soed. **1965**, 648.
[5] R. Pummerer u. G. Marondel, B. **89**, 1454 (1956).
[6] W. Marckwald, B. **20**, 2813 (1887); **21**, 1398 (1888).
[7] L. Birkofer u. R. Dutz, A. **608**, 7, 17 (1957).
   s. a. K. G. Lewis, Soc. **1957**, 531.
[8] R. Pummerer u. W. Gump, B. **56**, 999 (1923).
   R. Pummerer, O. Guyot u. L. Birkhofer, B. **68**, 480 (1935).

sich auf diese Weise aus 5-Hydroxymethyl-furfural, wobei die Aldehyd-Gruppe in Form von Ameisensäure abgespalten wird[1]:

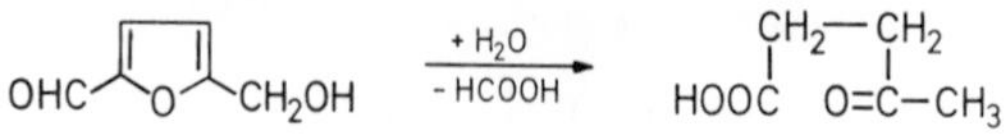

Präparativ günstiger verläuft diese Reaktion, wenn man sie in absol. Alkoholen mit katalytischen Mengen Mineralsäuren durchführt. In diesem Falle erhält man in guten Ausbeuten direkt die Ester der γ-Oxo-carbonsäuren:

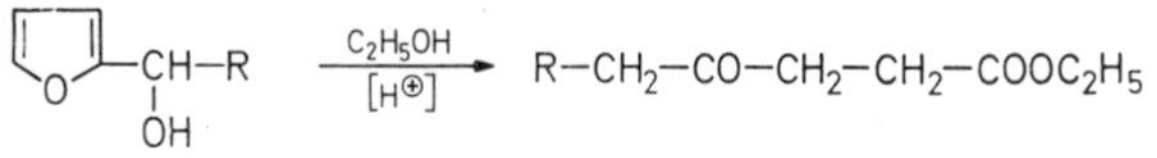

Aus Furfurylalkohol erhält man so z. B. *Lävulinsäure-äthylester* (*4-Oxo-pentansäure-äthylester*; R = H) in hoher Ausbeute[2]. Entsprechend entstehen aus sekundären Alkoholen des gleichen Typs homologe γ-Oxo-carbonsäureester[3]. Da solche Furfurylalkohole durch Grignard-Synthese aus Furfural leicht zugänglich sind, ergibt sich so eine Möglichkeit der Ketten-Verlängerung um 5 C-Atome[4]:

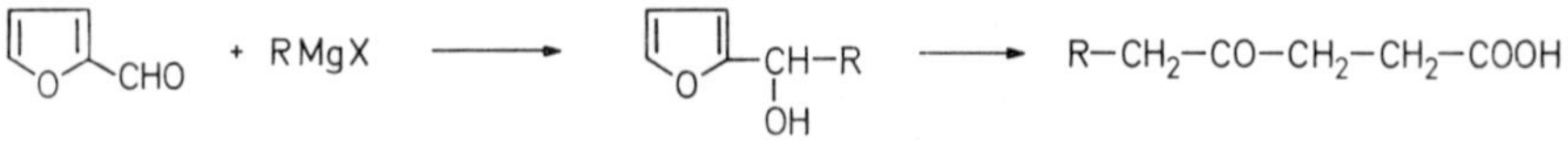

In diesem Zusammenhang sei auf die Herstellung von *Lävulinsäure* (*4-Oxo-pentansäure*; ~ 20% d. Th.) durch Erhitzen von Hexosen mit verd. Salzsäure hingewiesen, die über das oben erwähnte 5-Hydroxymethyl-furfural verläuft[5].

Einen völlig gleichen Reaktionsverlauf findet man, wenn man an Stelle der Alkohole ungesättigte Ketone, Carbonsäuren oder Nitro-Verbindungen der Furan-Reihe mit wäßrigen Mineralsäuren oder alkoholischer Salzsäure behandelt. Der primäre Schritt dieser Reaktion scheint ebenfalls auf einer Addition von Wasser an die Doppelbindung zu beruhen. Der hierbei entstehende Alkohol erleidet die gleiche Spaltung zu γ-Oxo-carbonsäuren.

Ausgehend von ungesättigten Ketonen dieses Typs gelangt man zu γ,ζ-Dioxo-carbonsäuren:

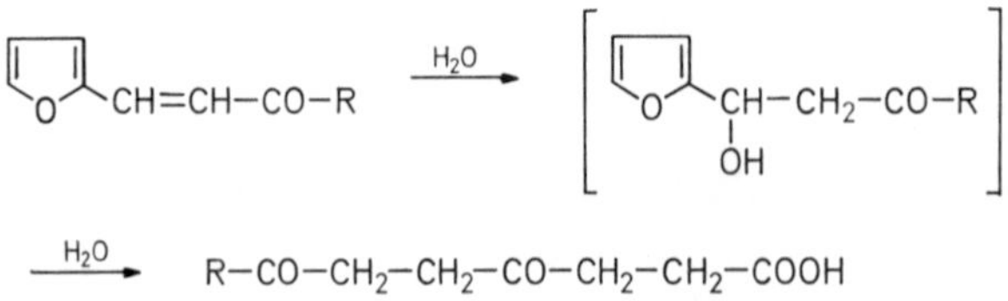

[1] H. TEUNISSEN, R. **49**, 784 (1930).
[2] Brit. P. 735693 (1955), Howards of Ilford Ltd., Erf.: R. H. LOCK u. K. REYNOLDS; C. A. **50**, 8716 (1956).
[3] V. F. KUCHEROV, Ž. obšč. Chim. **20**, 1885 (1950); C. A. **45**, 2928 (1951).
[4] G. WEITZEL u. J. WOJAHN, H. **287**, 65 (1951).
[5] Beilstein III, S. 671 u. Erg. Bände; Org. Synth., Coll. Vol. I, 335 (1941).

Durch Kochen mit verdünnter Salzsäure erhält man auf diese Weise aus 3-Oxo-1-furyl-(2)-buten-(1) *4,7-Dioxo-octansäure*[1]. Weitere Beispiele hierfür sind die Herstellung von *4,7-Dioxo-7-phenyl-heptansäure* ($\sim 50\%$ d.Th.) aus 3-Oxo-3-phenyl-1-furyl-(2)-propen[2], *4,7-Dioxo-7-naphthyl-(2)-heptansäure* aus 3-Oxo-3-naphthyl-(2)-1-furyl-(1)-propen[3] sowie *1-Oxo-2-(2-oxo-4-carboxy-butyl)-tetralin* aus 1-Oxo-2-[furyl-(2)-methylen]-tetralin[4].

1-Oxo-2-(2-oxo-4-carboxy-butyl)-tetralin[5]:

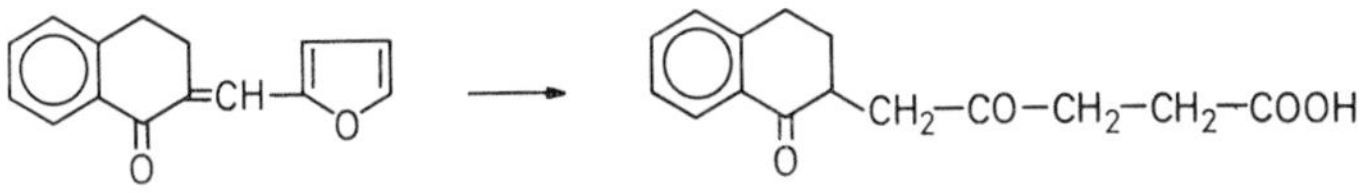

17 g 1-Oxo-2-[furyl-(2)-methylen]-tetralin werden in 150 *ml* Äthanol gelöst und mit 40 *ml* konz. Salzsäure 16 Stdn. unter Rückfluß erhitzt. Dann wird das Lösungsmittel i. Vak. weitgehend abdestilliert und der dunkelbraune, teerige Rückstand mit einer Mischung von 50 *ml* konz. Salzsäure, 50 *ml* Eisessig und 100 *ml* Wasser 2 Stdn. ausgekocht. Die siedend heiße Lösung wird warm vom Rückstand abdekantiert. Beim Abkühlen kristallisiert die Säure aus. Der teerige Rückstand wird mit der Mutterlauge wiederum ausgekocht und dieses wird 3–4 mal wiederholt, wobei jeweils 10 *ml* konz. Salzsäure zugesetzt werden. Insgesamt werden 8,7 g rohe Säure, davon 1,7 g beim Verdünnen der zum Auskochen verwendeten Lösung mit Wasser, erhalten. Nach dem Umkristallisieren aus Essigsäure-äthylester erhält man 7 g (35,5% d.Th.); F: 106–107°.

Aus *β-Furyl-(2)-acrylsäure* erhält man auf analoge Weise *4-Oxo-heptandisäure*[6]:

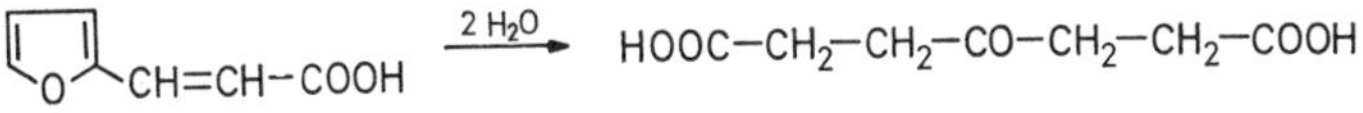

Bessere Ausbeuten erhält man, wenn man die Säure mit alkoholischer Salzsäure behandelt[7,8].

4-Oxo-heptandisäure-diäthylester[8]: In eine Mischung von 21 g β-Furyl-(2)-acrylsäure in 62 g absol. Äthanol wird trockener Chlorwasserstoff bis zur Sättigung eingeleitet und anschließend 20 Min. unter Rückfluß erhitzt. Nach Stehenlassen über Nacht wird die Lösung i. Vak. zur Trockene eingedampft, der Rückstand mit eisgekühlter Natriumcarbonat-Lösung neutralisiert und mit Äther aufgenommen. Die ätherische Lösung wird getrocknet, i. Vak. eingedampft und der Rückstand i. Hochvak. destilliert; Ausbeute: 25 g (71% d.Th.); Kp_1: 133°; Kp_{18}: 176°.

Nach der gleichen Methode erhält man aus 4-Oxo-6-furyl-(2)-hexen-(5)-säure *4,7-Dioxo-decandisäure-diäthylester*[9].

---

[1] E. A. KEHRER u. P. IGLER, B. **32**, 1176 (1899).

[2] R. ROBINSON, Soc. **1938**, 1390.

[3] A. KOEBNER u. R. ROBINSON, Soc. **1938**, 1994.

[4] H. DANNENBERG, A. **585**, 15 (1954).
s. a. A. M. ISLAM u. M. T. ZEMAITY, Am. Soc. **79**, 6023 (1957).

[5] H. DANNENBERG, A. **585**, 15 (1954).

[6] W. MARCKWALD, B. **20**, 2813 (1887); **21**, 1398 (1888).
J. VOLHARD, A. **253**, 235 (1889).

[7] G. KOMPPA, Ann. Acad. Sci. fenn. [A] **51**, Nr. 315 (1938).
A. SCIPIONI, Ann. Chim. applic. **42**, 53 (1952).
W. S. EMERSON u. R. I. LONGLEY, Org. Synth. **33**, 25 (1953).

[8] F. MICHEEL u. W. FLITSCH, B. **88**, 509 (1955).

[9] Y. IWAKURA et al., J. chem. Soc. Japan, ind. Chem. Sect. **60**, 706 (1957).

Das aus Furfural durch Kondensation mit Nitromethan leicht zugängliche 2-Nitro-1-furyl-(2)-äthylen ergibt bei der Behandlung mit konz. Salzsäure ebenfalls die Marckwald-Reaktion unter Bildung von *7-Nitro-4-oxo-hexansäure*[1]:

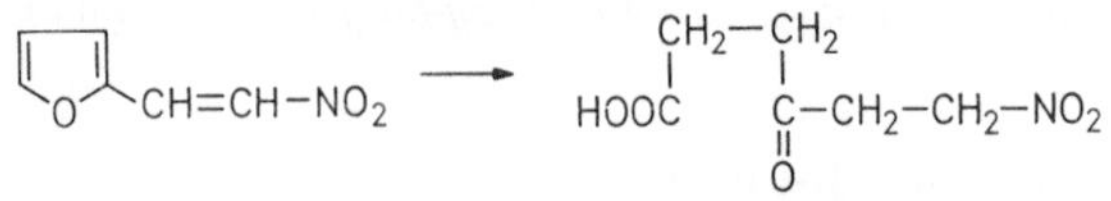

Bessere Ausbeuten und einen einheitlicheren Reaktionsverlauf erhält man auch hier bei der Einwirkung von alkoholischer Salzsäure, die zur Bildung des Esters führt[2].

Eine weitere zu γ-Hydroxy-ketonen führende Ringspaltung wird dadurch ermöglicht, daß in 2-Stellung alkylierte Furane der partiellen Hydrierung zu 4,5-Dihydro-furanen zugänglich sind. Solche Dihydrofurane können durch saure Hydrolyse leicht in γ-Hydroxy-ketone überführt werden.

Das durch partielle Hydrierung von 2-Methyl-furan zugängliche 2-Methyl-4,5-dihydro-furan ergibt so *5-Hydroxy-2-oxo-pentan* (31% d. Th.)[3]:

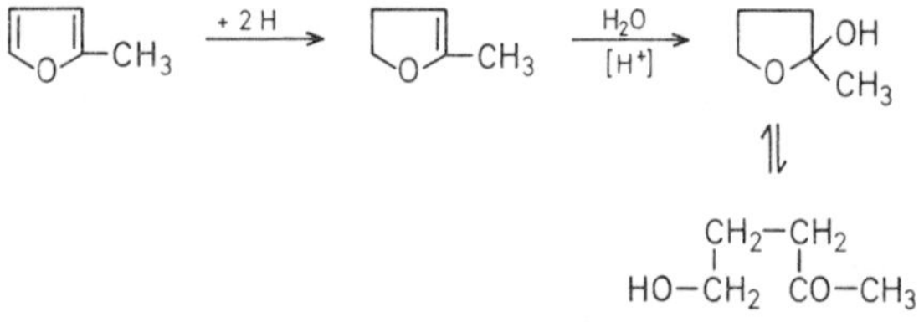

2. Oxidative Ringöffnung

Da sich der Furanring bei vielen Reaktionen wie ein cyclisches 1,3-Dien verhält, lassen sich Additionsreaktionen nach der Art von 1,4-Additionen in 2,5-Stellung durchführen. Die hydrolytische Spaltung der so entstehenden 2,5-Dihydro-furane führt zu α,β-ungesättigten 1,4-Diketonen.

Hierzu eignet sich die Einwirkung von Halogen in alkoholischer Lösung, wobei die 2,5-Dialkoxy-2,5-dihydro-furane gebildet werden, deren saure Verseifung glatt zu den ungesättigten 1,4-Dicarbonyl-Verbindungen führt[4]:

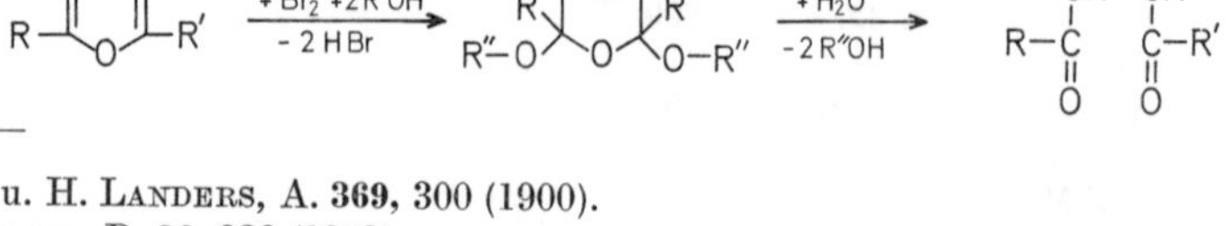

---

[1] J. Thiele u. H. Landers, A. **369**, 300 (1900).

[2] C. Grundmann, B. **86**, 939 (1953).

[3] R. Paul, Bl. [4] **53**, 417 (1933).

K. Topchiev, Doklady Akad. SSSR **19**, 497 (1938); C. A. **32**, 8411 (1938).

L. E. Schniepp, H. H. Geller u. R. W. von Korff, Am. Soc. **69**, 672 (1947).

[4] K. Meinel, A. **510**, 129 (1934); **516**, 231 (1935).

s. a. R. E. Lutz u. W. J. Welstead, Am. Soc. **85**, 755 (1963).

A. C. Cope u. B. A. Pawson, Am. Soc. **90**, 636 (1968).

G. Büchi u. E. Demole, J. Org. Chem. **38**, 123 (1973).

Zweckmäßig fügt man dem Reaktionsgemisch noch eine Base, wie Calciumcarbonat oder Kaliumacetat, hinzu, um die entstehende Halogenwasserstoffsäure zu binden[1]. Besondere Vorteile bietet eine Arbeitsweise, bei der man nach der Brom-Einwirkung gasförmigen Ammoniak in die alkoholische Lösung einleitet, da hierbei kein Wasser entsteht[2].

Bessere Ausbeuten bei der Einführung von Methoxy-Gruppen in 2,5-Stellung sollen mit Hilfe der anodischen Oxidation der Furane in Methanol bei Anwesenheit von Ammoniumbromid erhalten werden[3].

In besonders günstig gelagerten Fällen gelingt die Ringöffnung bereits in wäßriger Lösung. Aus 5,6-Dimethyl-1,3-diphenyl-4,7-dihydro-⟨benzo-[c]-furan⟩ erhält man durch Brom-Einwirkung in einem Wasser-Essigsäure-Natriumacetat-Gemisch *4,5-Dimethyl-1,2-dibenzoyl-benzol*[4]:

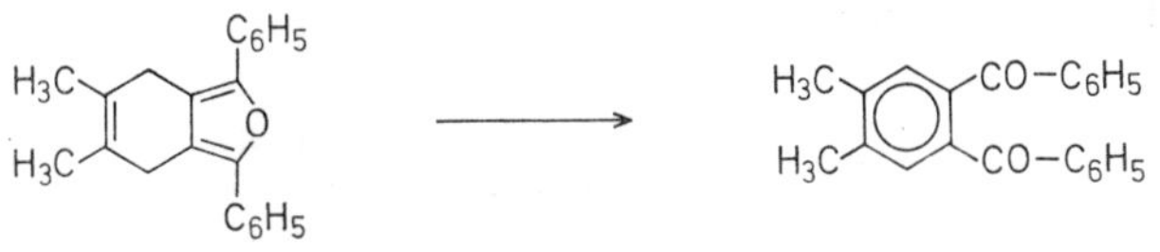

Präparativ günstiger als diese Methoden zur Herstellung α,β-ungesättigter 1,4-Diketone erweist sich im allgemeinen die direkte Oxidation von 2,5-dialkylierten Furanen. Die Oxidation greift ebenfalls in 2,5-Stellung an und ergibt in den meisten Fällen glatt die Bildung der α,β-ungesättigten 1,4-Diketone.

Im einfachsten Falle gelingt diese Oxidation bereits mit Sauerstoff unter Belichten. Aus 2,5-Dimethyl-furan erhält man auf diese Weise *Hexen-(3)-dion-(2,5)*[5]:

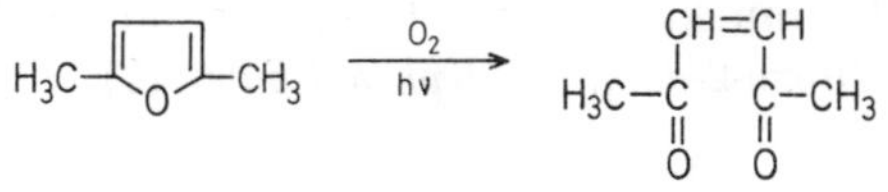

Hexen-(3)-dion-(2,5)[5]: 1000 g 2,5-Dimethyl-furan werden in Gegenwart von 10 g wasserfreiem, gekörntem Calciumchlorid mit Sauerstoff unter Atmosphärendruck geschüttelt. Als Lichtquelle dient eine Glühlampe von 300 Watt. Nach Aufnahme von 15,9 l Sauerstoff in 7,75 Stdn. wird die gelbliche Flüssigkeit vom Calciumchlorid abfiltriert und nach dem Abtrennen des gebildeten Diketon durch Ausfrieren bei −80° das nicht umgesetzte 2,5-Dimethylfuran i. Vak. bei einer Badtemp. von höchstens 50° entfernt. Es bleibt ein Rückstand von 73,5 g, der kein Diketon mehr enthält; Ausbeute: 75,2 g (47% d.Th.), bez. auf den absorbierten Sauerstoff; F: 74–76°.

Es werden 820 g 2,5-Dimethyl-furan zurückgewonnen.

---

[1] N. Clauson-Kaas et al., Acta chem. scand. **1**, 619, 415 (1947); **2**, 109 (1948); **4**, 1233 (1950).
   J. Lerisalles u. P. Baranger, C. r. **240**, 444 (1955).
   J. Levisalles, Bl. **1957**, 997.
[2] J. Fakstorp, D. Raleigh u. L. E. Schniepp, Am. Soc. **72**, 869 (1950).
[3] S. ds. Handb., Bd. VII/1, Kap. Aufspaltung von heterocyclischen Ringen zu Aldehyden, S. 255.
   A. A. Marei u. R. A. Raphael, Soc. **1958**, 2624.
[4] R. Adams u. M. H. Gold, Am. Soc. **62**, 56 (1940).
[5] G. O. Schenck, B. **77**, 668 (1944).

Auf die gleiche Weise gibt 1,3-Diphenyl-⟨benzo-[c]-furan⟩ mit Sauerstoff beim Belichten *1,2-Dibenzoyl-benzol*[1]:

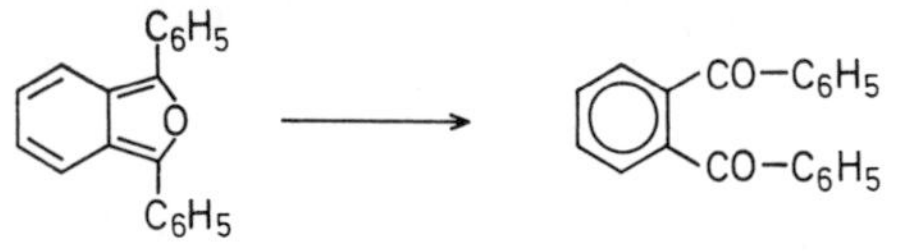

Ein weiteres Beispiel für diese Reaktion ist die Bildung von *1,4-Dioxo-1,4-di-phenyl-buten-(2)* aus 2,5-Diphenyl-furan[2].

Bei der Sauerstoff-Einwirkung auf Furane unter Belichten in Gegenwart eines Sensibilisators (Eosin, Methylenblau oder Chlorophyll) können cyclische Peroxide vom Ozonid-Typ isoliert werden, die durch 1,4-Addition des Sauerstoffs an die Furane gebildet werden[3]:

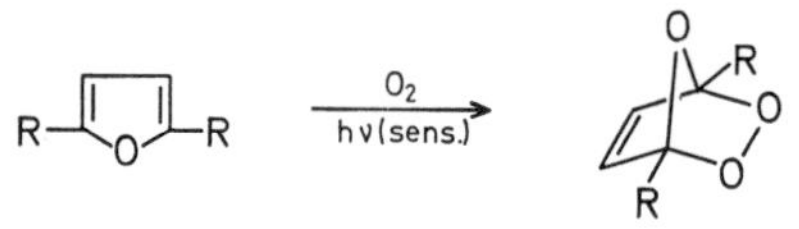

Diese Ozonide können in der üblichen Weise hydrolytisch zu α,β-ungesättigten 1,4-Diketonen oder hydrierend zu 1,4-Diketonen gespalten werden.

Für die präparative Gewinnung der α,β-ungesättigten 1,4-Diketone wird man im allgemeinen aber die oxidative Spaltung der Furane mit geeigneten anderen Oxidationsmitteln vorziehen. Als Oxidationsmittel bewähren sich Salpetersäure, Chrom(VI)-oxid, Wasserstoffperoxid, Blei(IV)-acetat und Ozon, wobei meist Eisessig und gelegentlich auch Propionsäure als Lösungsmittel verwendet werden.

3-Äthyl-2,5-diphenyl-furan kann durch Oxidation mit Salpetersäure in Eisessig-Lösung in *1,4-Dioxo-2-äthyl-1,4-diphenyl-buten-(2)* (74% d. Th.) überführt werden[4]:

1,4-Dioxo-2-äthyl-1,4-diphenyl-buten-(2)[5]: Zu einer Suspension von 25,5 g 3-Äthyl-2,5-diphenyl-furan in 200 *ml* Eisessig gibt man eine Lösung von 20 *ml* Salpetersäure in 125 *ml* Eisessig. Dabei entwickeln sich Stickoxide. Nach 20 Min. gießt man die Lösung in kaltes Wasser. Es fällt ein gelber Niederschlag, der abfiltriert wird und aus Äthanol umkristallisiert werden kann; Ausbeute: 19 g (74% d. Th.); F: 92–94°.

[1] A. Guyot u. J. Calet, Bl. [3] **35**, 1127 (1906).
    s. a. W. Theilacker u. W. Schmidt, A. **605**, 43 (1957).
    A. Le Berre u. R. Ratsimbazafy, Bl. **1963**, 229.
[2] G. O. Schenck, B. **80**, 289 (1947).
[3] G. O. Schenck, Ang. Ch. **64**, 19 (1952).
    H. H. Wassermann u. A. R. Doumaux, Am. Soc. **84**, 4611 (1962).
[4] P. S. Bailey u. W. W. Hakki, Am. Soc. **71**, 2886 (1949).
    s. a. P. S. Bailey u. J. D. Christian, Am. Soc. **71**, 4122 (1949).
[5] P. S. Bailey u. W. W. Hakki, Am. Soc. **71**, 2886 (1949).

Auf die gleiche Weise erhält man aus 2,5-Diphenyl-3-benzoyl-furan *1,4-Dioxo-1,4-diphenyl-2-benzoyl-buten-(2)* (80% d. Th.)[1] und aus 3-Methyl-4-(morphino-methyl)-2,5-diphenyl-furan *2-Morphino-1,4-dioxo-3-methyl-1,4-diphenyl-buten-(2)* ($\sim$ 90% d. Th.)[2].

Auch halogenhaltige Furane lassen sich unter den gleichen Bedingungen aufspalten, wie das Beispiel des 3-Brom-4-methyl-2,5-diphenyl-furans zeigt, das zu *3-Brom-1,4-dioxo-2-methyl-1,4-diphenyl-buten* aufgespalten wird[3].

Ein Beispiel für die Verwendung von Chrom(VI)-oxid in Eisessig-Lösung ist die Herstellung von *3β,26-Diacetoxy-16,22-dioxo-cholestadien-(5,17²⁰)* aus *3β,26-Diacetoxy-16,22-furo-cholestatrien-(5,16,20²²)*[4]:

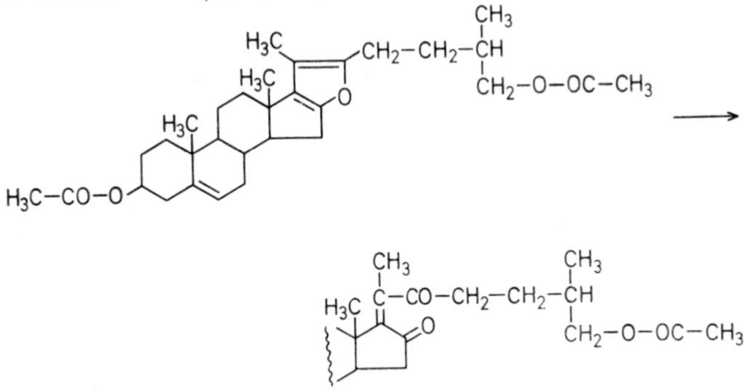

3β,26-Diacetoxy-16,22-dioxo-cholestadien-(5,17²⁰)[5]: Zu einer Lösung von 100 g 3β,26-Diacetoxy-16,22-furo-cholestatrien-(5,16,20²²) in 800 *ml* Eisessig gibt man unter heftigem Rühren innerhalb 30 Min. 13,5 g in 15 *ml* Wasser und 400 *ml* Eisessig gelöstes Chrom(VI)-oxid. Die Temp. hält man während dieser Zeit auf 12–15°. Darauf hält man noch 2 Stdn. auf Raumtemp. Das Reaktionsprodukt isoliert man durch Eingießen in Wasser, Extraktion mit Äther und Waschen der Ätherschicht mit Wasser und Natriumhydrogencarbonat-Lösung bis zur neutralen Reaktion. Der nach dem Abdestillieren des Äthers bleibende Rückstand wird aus Methanol umkristallisiert; Ausbeute: 60–70 g (58–68% d.Th.); F: 108–110°.

Die Anwendung von 30%igem Wasserstoffperoxid in Eisessig für die oxidative Spaltung des 2,5-Diphenyl-furans ergibt 30% *1,4-Dioxo-1,4-diphenyl-cis-buten(1,2-cis-Dibenzoyl-äthylen)* neben 14% der *trans*-Verbindung[6]. Demgegenüber liefert die Oxidation von 2,5-Diaryl-furanen mit Blei(IV)-acetat in Chloroform nur die *cis*-Verbindung des ungesättigten Diketons[7].

Die Verwendung von Ozon zur Spaltung des Furanringes führt zwar ebenfalls zu den 1,2-Diacyl-äthylenen, doch erhält man daneben, je nach Reaktionsbedingungen, mehr oder weniger große Mengen des durch Spaltung einer der C=C-Doppelbindungen zu erwartenden Spaltproduktes[8]. Folgender Reaktionsweg ist anzunehmen[9]:

---

[1] CHI-KANG DIEN u. R. E. LUTZ, Am. Soc. **78**, 1987 (1956); J. Org. Chem. **21**, 1492 (1956).

[2] P. S. BAILEY u. G. NOWLIN, Am. Soc. **71**, 732 (1949).

[3] R. E. LUTZ u. A. H. STUART, Am. Soc. **59**, 2316, 2322 (1937).

[4] J. ROMO et al., Am. Soc. **73**, 3820 (1951).

   s. a. G. TRAVERRO u. G. P. POLLINI, Farmaco (Pavia), Ed. sci. **20**, 813 (1965).

   M. AVRAM et al., B. **105**, 2375 (1972).

[5] A. SANDORAL et al., Am. Soc. **73**, 3820 (1951).

[6] R. E. LUTZ u. CHI-KANG DIEN, J. Org. Chem. **23**, 1861 (1958).

[7] CHI-KANG DIEN u. R. E. LUTZ, J. Org. Chem. **22**, 1355 (1957).

[8] B. P. JIBBEN u. J. P. WIBAUT, R. **79**, 342 (1960).

   H. M. WHITE, H. O. COLOMB u. P. S. BAILEY, J. Org. Chem. **30**, 481 (1965).

[9] P. S. BAILEY et al., J. Org. Chem. **30**, 487 (1965).

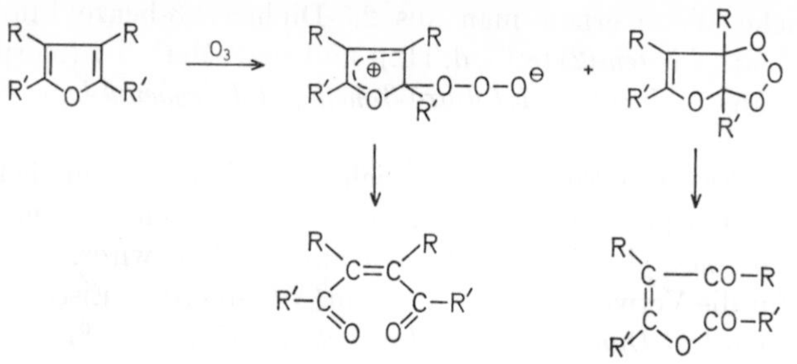

Einen anderen Verlauf nimmt die Oxidation bei Benzofuranen (Cumaronen). Hier greift die Oxidation an der Doppelbindung des Furanringes an. Es kommt zur oxidativen Aufspaltung unter Bildung von Estern der o-Hydroxy-ketone. Als Oxidationsmittel eignet sich in erster Linie Chrom(VI)-oxid in Eisessig.

2,3,5,6-Tetraphenyl-⟨difurano-[2,3-a; 3,2-d]-benzol⟩ (I) kann auf diese Weise zu *4,6-Dibenzoyloxy-1,3-dibenzoyl-benzol* aufgespalten werden[1]. Unter geeigneten Bedingungen kann auch das Produkt der halbseitigen Ringöffnung erhalten werden:

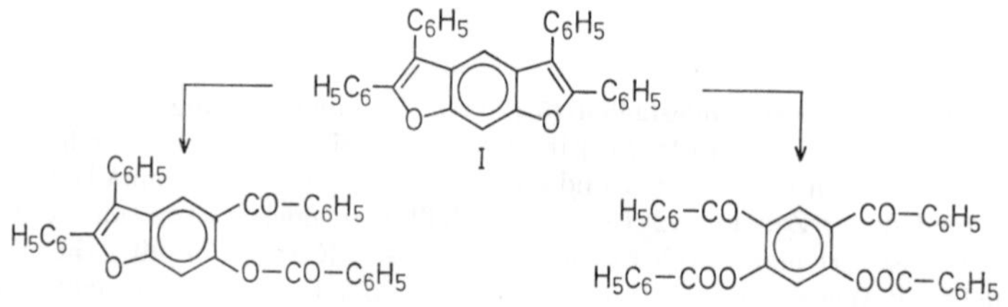

4,6-Dibenzoyloxy-1,3-dibenzoyl-benzol[2]: 1 g I werden in 100 *ml* Eisessig [beständig gegen Chrom-(VI)-oxid] suspendiert und portionsweise binnen 1 Stde. mit 0,7 g Chrom(VI)-oxid versetzt. Die klare, grüne Lösung wird möglichst weitgehend eingeengt. Die sich hierbei abscheidende Substanz wird aus Eisessig umkristallisiert; Ausbeute: 0,9 g (85% d. Th.); F: 153°.

Es wurden zahlreiche weitere Oxidationen bei Verbindungen des gleichen Typs mit durchweg sehr guten Ausbeuten durchgeführt[3].

3. Verschiedene Methoden der Ringspaltung

Der Furanring läßt sich bei der Gasphasenhydrierung mit Platin als Katalysator und Temperaturen von ~ 200–250° in Ketone aufspalten. In 2-Stellung monoalkylierte Furane und 2,5-dialkylierte Furane werden auf diese Weise zu Monoketonen aufgespalten, wie es das folgende Formelschema zeigt[4]:

---

[1] W. Limontschew u. L. Pelikan-Kollmann, M. **87**, 399 (1956).

[2] R. E. Lutz u. Chi-Kang Dien, J. Org. Chem. **23**, 1861 (1958).

[3] O. Dischendorfer u. W. Limontschew, M. **80**, 58 (1949).

O. Dischendorfer et al., M. **82**, 1, 397 (1951).

[4] N. I. Shuikin u. I. F. Belsky, Doklady Akad. SSSR **116**, 621 (1957); engl.: 905.

US. P. 2799708 (1954), Esso Research a. Engineering Co., Erf.: H. T. Oakley, E. Arundale u. J. H. Jones; C. A. **52**, 2081 (1958).

$$\text{[Furan structure]} \longrightarrow H_3C-CH_2-CH_2-CO-R$$

$$\text{[Furan structure]} \longrightarrow R-CO-CH_2-CH_2-CH_2-R$$

An Stelle von Platin wurden für diese Hydrierung auch Kupfer auf Kohle[1] und Nickel-Aluminium-Skelett-Katalysatoren[2] vorgeschlagen.

Die gleiche Hydrierung läßt sich auch bei Vorhandensein von Ester-Gruppen in der Seitenkette des Furans unter Erhaltung der Ester-Gruppe durchführen, wie das Beispiel der Hydrierung von 2-(3-Acetoxy-propyl)-furan zu *1-Acetoxy-4-oxo-heptan* zeigt[3]:

$$\text{[Furan-CH}_2\text{-CH}_2\text{-CH}_2\text{-O-CO-CH}_3] \longrightarrow H_3C-CH_2-CH_2-CO-CH_2-CH_2-CH_2-O-\overset{O}{\overset{||}{C}}-CH_3$$

Auch die Oxo-Gruppe in der Seitenkette bleibt bei der hydrierenden Spaltung erhalten. Die Reaktion führt in diesem Falle zu Diketonen. Aus 5-Alkyl-2-acyl-furanen erhält man 1,5-Diketone, die unter den Bedingungen der Reaktion meist zu 3-Oxo-1,2-dialkyl-cyclohexanen abreagieren[4]:

$$\text{[Furan structure]} \longrightarrow R-CO-CH_2-CH_2-CH_2-CO-CH_2-R$$

$$\longrightarrow \text{[cyclohexenone structure]} \longrightarrow \text{[cyclohexanone structure]}$$

Untersuchungen über den Einfluß von Carbonyl- und Alkoxycarbonyl-Gruppen in der Seitenkette auf die Hydrogenolyse des Furanringes wurden im Falle des 3-Oxo-1-furyl-(2)-butans und des 3-Furyl-(2)-propansäure-äthylesters durchgeführt[5]. Als Reaktionsprodukte wurden im ersten Falle *Octandion-(2,5)* und *Heptanon-(2)* erhalten. Die letzte Verbindung entsteht durch Decarbonylierung des primär entstandenen *7-Oxo-octanals*:

---

[1] Fr. P. 1238584 (1959), Esso Reaearch a. Engineering Co., Erf.: C. E. HEATH, R. B. LONG u. R. M. SKOMOROSKI; C. 1962, 16840.

[2] N. I. SHUIKIN u. I. F. BELSKY, Doklady Akad. SSSR 115, 330 (1957); engl.: 745.

[3] N. I. SHUIKIN, I. F. BELSKII u. R. A. KARAKHANOV, Doklady Akad. SSSR 147, 119 (1962); engl.: 969.
USSR P. 159505 (1962), N. I. SHUIKIN, I. F. BELSKI u. R. A. KARACHANOW; C. A. 60, 14386 (1964).
USSR P. 212249 (1966), Organic Chemistry Inst. Acad. Science USSR; Erf.: N. I. SHUIKIN et al.; C. A. 69, 105921 (1968).

[4] N. I. SHUIKIN, I. F. BELSKII u. G. K. VASILEVSKAYA, Izv. Akad. SSSR 1961, 363; C. A. 55, 18581 (1961).

[5] I. F. BELSKII, N. I. SHUIKIN u. V. M. SHOSTAKOVSKII, Izv. Akad. SSSR 1962, 1821; C. A. 58, 8791 (1963).

$$\text{[Furan ring]}\!-\!CH_2\!-\!CH_2\!-\!CO\!-\!CH_3 \longrightarrow H_3C\!-\!CH_2\!-\!CH_2\!-\!CO\!-\!CH_2\!-\!CH_2\!-\!CO\!-\!CH_3 \; +$$

$$OHC\!-\!CH_2\!-\!CH_2\!-\!CH_2\!-\!CH_2\!-\!CH_2\!-\!CO\!-\!CH_3 \xrightarrow[-CO]{} H_3C\!-\!CH_2\!-\!CH_2\!-\!CH_2\!-\!CH_2\!-\!CO\!-\!CH_3$$

Entsprechend erhält man aus 3-Furyl-(2)-propansäure-äthylester ein Gemisch aus *4-Oxo-heptansäure-äthylester* und *Hexansäure-äthylester*.

Eine interessante Spaltung des Furanringes beobachtet man bei der Alkoholyse von Tosylaten der 1-Oximino-1-furyl-(2)-alkane, wobei nur die *anti*-Form reagiert. Man erhält das Ammoniumsalz der p-Toluolsulfonsäure und *1,1-Diäthoxy-4,5-dioxo-hexen-(2)*[1] (Über den Mechanismus dieser Spaltung s. Lit.[2]):

$$\text{[Furan]}\!-\!\underset{\underset{N-O-Ts}{\|}}{C}\!-\!CH_3 \; + \; 2\,ROH \; + \; H_2O \longrightarrow TsONH_4 \; + \; H_3C\!-\!CO\!-\!CO\!-\!CH\!=\!CH\!-\!CH(OR)_2$$

Auch die Einwirkung von Diazoketonen auf Furane in Gegenwart von Kupferpulver führt zu einer Ringöffnung unter Bildung von ungesättigten Dicarbonyl-Verbindungen entsprechemd dem allgemeinen Formelschema:

$$H_3C\!-\!CO\!-\!CHN_2 \; + \; \text{[Furan]}_{R,R'} \longrightarrow H_3C\!-\!CO\!-\!CH\!=\!\underset{\underset{R}{|}}{C}\!-\!CH\!=\!CH\!-\!CO\!-\!R'$$

Aus Furan und Diazoaceton erhält man so bei 30 Min. Erhitzen auf 90° im Autoklaven *6-Oxo-heptadien-(2,4)-al* (43% d. Th.)[3].

b) Ketone durch Spaltung von Pyranen

Ähnlich wie die in 2-Stellung alkylierten oder arylierten Furane können entsprechende Pyrane eine Ringspaltung unter Bildung von Ketonen erleiden (s. a. S. 866).

Diese Spaltung hat vor allem bei bestimmten 5,6-Dihydro-4H-pyranen Bedeutung, da diese durch Dien-Synthese von α,β-ungesättigten Ketonen zugänglich sind[4]. Das durch Dien-Synthese von 2 Mol Butenon zugängliche 2-Methyl-6-acetyl-5,6-dihydro-4H-pyran ergibt bei der Hydrolyse mit verdünnter Ameisensäure *3-Hydroxy-2,7-dioxo-octan*, das in Form seines Bis-[2,4-dinitro-phenylhydrazons] isoliert werden kann[5]:

$$H_3C\!-\!\text{[pyran]}\!-\!CO\!-\!CH_3 \xrightarrow{H_2O} HO\text{-[pyran]}\text{-}CO\!-\!CH_3 \rightleftharpoons H_3C\!-\!CO\text{-}CH_2CH_2CH_2\text{-}\underset{\underset{OH}{|}}{CH}\!-\!CO\!-\!CH_3$$

[1] V. Vargha, J. Ramonczai u. P. Bite, Am. Soc. **70**, 371 (1948).
[2] L. Vargha u. G. Ocskay, Tetrahedron **2**, 151 (1958).
[3] J. Novak u. F. Šorm, Chem. Listy **51**, 1693 (1957).
[4] K. Alder, Ang. Ch. **55**, 53 (1942).
[5] K. Alder, H. Offermanns u. E. Ruden, B. **74**, 905 (1941).

Auch die durch Dien-Synthese von Vinyläthern an α,β-ungesättigte Ketone zugänglichen 6-Alkoxy-5,6-dihydro-4H-pyrane ergeben bei der Verseifung glatt δ-Oxoaldehyde[1]:

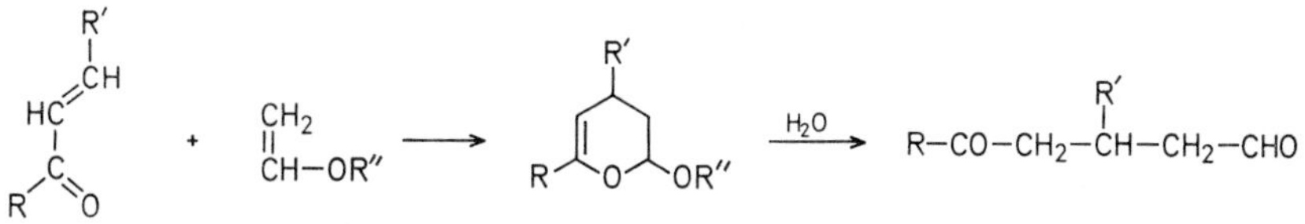

Ein Beispiel für die Verwendung von alkoholischer Salzsäure zur Ringspaltung ist die Spaltung von 2,3,6-Trimethyl-6-acetyl-5,6-dihydro-4H-pyran, die zum *3-Äthoxy-2,7-dioxo-3,6-dimethyl-octan* führt[2]:

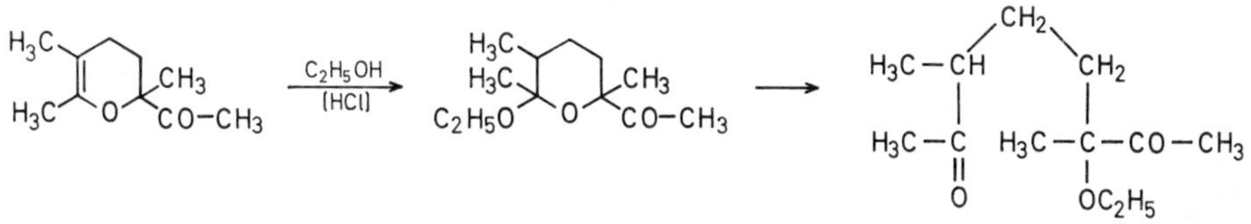

Ganz ähnlich verhält sich das 2,4,6-Trimethyl-pyrylium-perchlorat, das mit Bariumcarbonat in siedendem Wasser zu dem wenig beständigen *2,6-Dioxo-4-methyl-hepten-(3)*[3]

$$H_3C - \overset{O}{\underset{\|}{C}} - CH_2 - \overset{CH_3}{\underset{|}{C}} = CH - \overset{O}{\underset{\|}{C}} - CH_3$$

hydrolysiert wird; analog erhält man *2,6-Dioxo-4-phenyl-hepten-(3)*[3].

Eine besondere Bedeutung kommt der Spaltung von γ-Pyronen zu, die zu Tricarbonyl-Verbindungen führt. γ-Pyron selbst geht bei der alkalischen Spaltung in *3-Oxo-pentandial* über[4].

Das aus Dehydracetessigsäure-äthylester[5] oder aus 2 Mol Acetessigsäure-äthylester und 1 Mol Phosgen leicht zugängliche 2,6-Dimethyl-γ-pyron (ebenso die entsprechenden höheren 2,6-Dialkyl-γ-pyrone) wird durch Erhitzen mit einer wäßrigen Bariumhydroxid-Lösung zum *Heptantrion-(2,4,6)*[5] aufgespalten:

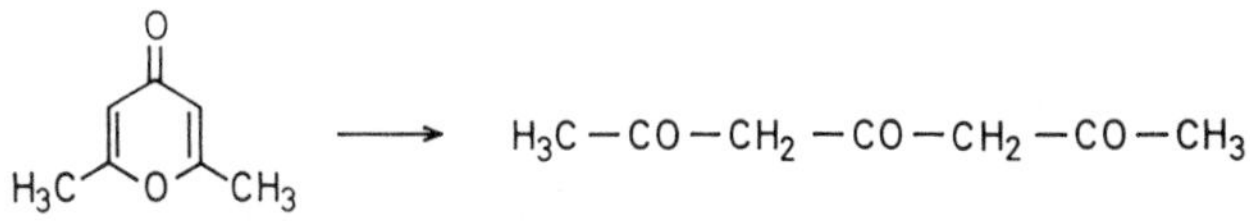

$$H_3C - CO - CH_2 - CO - CH_2 - CO - CH_3$$

---

[1] S. ds. Handb., Bd. VII/1, Kap. Aufspaltung von heterocyclischen Ringen zu Aldehyden, S. 258.
[2] J. Colonge u. J. Dreux, C. r. **228**, 582 (1949).
[3] A. Baeyer u. J. Piccard, A. **384**, 220 (1911); **407**, 333 (1915).
[4] S. ds. Handb., Bd. VII/1, Kap. Aufspaltung von heterocyclischen Ringen zu Aldehyden, S. 259.
[5] F. Feist, A. **257**, 276 (1890).
    J. N. Collie u. N. T. M. Wilsmore, Soc. **1896**, 69.
    F. Arndt et al., B. **69**, 2373 (1936).
    S. Gelin u. J. Rouet, Bl. **1971**, 1874.

Die beste Mehode zur Herstellung von *3,5-Dioxo-hexansäure-äthylester* beruht auf der alkalischen Spaltung von 2,6-Dimethyl-3-äthoxycarbonyl-γ-pyron[1]:

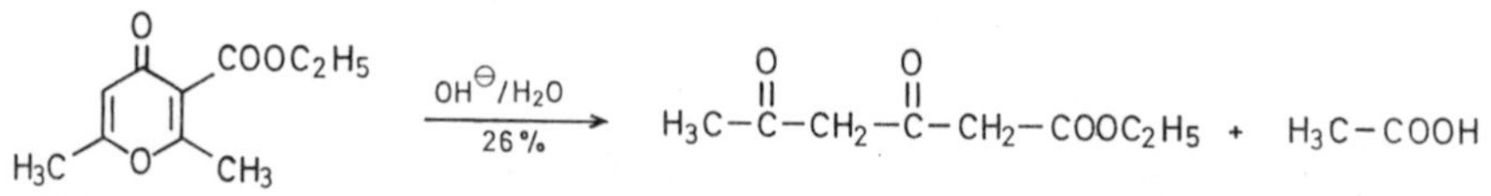

$$\xrightarrow[\text{26\%}]{OH^{\ominus}/H_2O} \quad H_3C-\overset{O}{\overset{\|}{C}}-CH_2-\overset{O}{\overset{\|}{C}}-CH_2-COOC_2H_5 \;+\; H_3C-COOH$$

Aus 4,6-Dioxo-2-methyl-5,6-dihydro-4H-pyran erhält man bei der Verseifung mit verdünnten Mineralsäuren *Pentandion-(2,4)* (*Acetylaceton*)[2]:

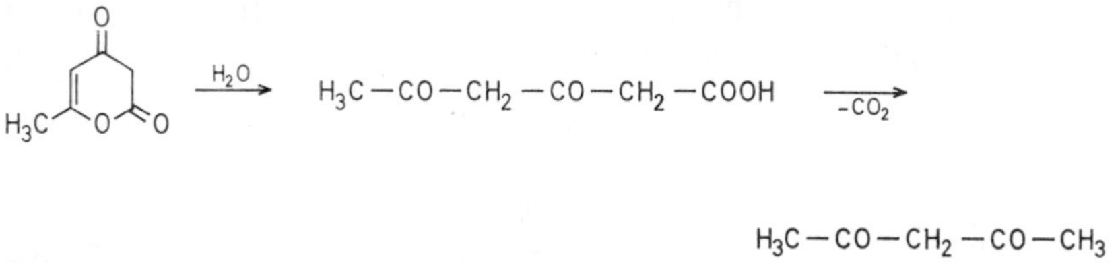

$$\xrightarrow{H_2O} \quad H_3C-CO-CH_2-CO-CH_2-COOH \quad \xrightarrow{-CO_2}$$

$$H_3C-CO-CH_2-CO-CH_3$$

Die primär entstehende *2,4-Dioxo-pentansäure* läßt sich in Form ihres Esters isolieren, wenn man die Spaltung in Form einer Alkoholyse durch Erhitzen mit Alkohol unter Druck vornimmt[3]. Entsprechend erhält man aus 4,6-Dioxo-2-phenyl-5,6-dihydro-4H-pyran *1,3-Dioxo-1-phenyl-butan*[4].

Einen interessanten Verlauf nimmt die thermische Spaltung von in 6-Stellung substituiertem 2,4-Dioxo-tetrahydropyran. Unter Decarboxylierung bilden sich 2-Oxo-alkene-(3):

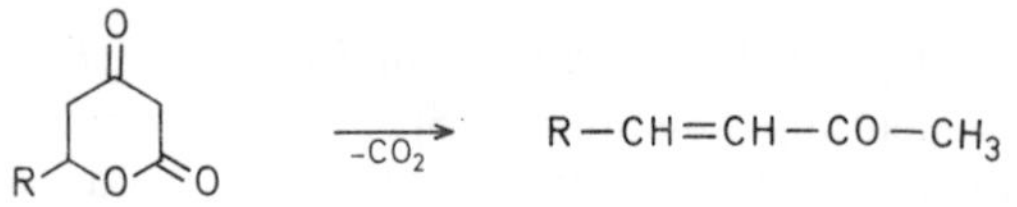

$$\xrightarrow{-CO_2} \quad R-CH=CH-CO-CH_3$$

Aus 4,6-Dioxo-2-phenyl-tetrahydropyran erhält man *3-Oxo-1-phenyl-buten-(1)*[5] und aus 4,6-Dioxo-tetrahydropyran-2-carbonsäure *4-Oxo-penten-(2)-säure*[6].

c) Ketone durch Spaltung von Chromonen und Xanthonen

Ähnlich wie die γ-Pyrone lassen sich auch Chromone und Xanthone sowie die sich von den Chromonen ableitenden Flavone und Isoflavone mit Alkali zu Ketonen aufspalten.

Unter milden Bedingungen spalten Chromone zu 1,3-Dioxo-1-(2-hydroxyphenyl)-alkanen auf:

[1] S. GELIN u. R. GELIN, Bl. **1969**, 231.
[2] J. N. COLLIE, Soc. **59**, 607 (1891).
[3] R. F. WITTER u. E. STOTZ, J. Biol. Chem. **176**, 485 (1948).
[4] K. BALENOVIC u. D. SUNKO, M. **79**, 1 (1948).
[5] E. B. REID u. W. B. RUBY, Am. Soc. **73**, 1054 (1951).
[6] H. STETTER u. C. W. SCHELLHAMMER, A. **605**, 58 (1957).

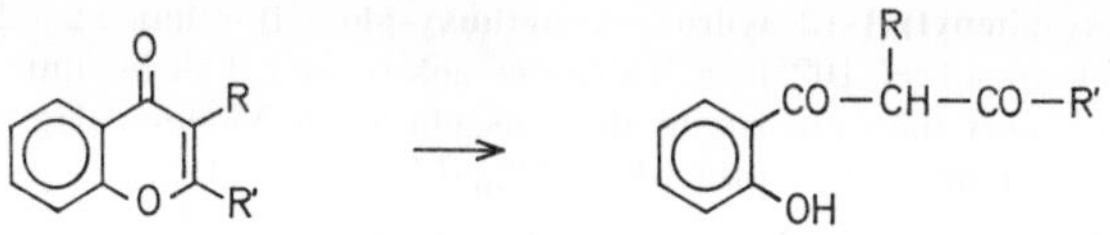

Bei längerer Einwirkung von Alkali unterliegen die primär entstandenen 1,3-Dioxo-1-(2-hydroxy-phenyl)-alkane der Säure-Spaltung. Diese kann, wie es das folgende Formelschema zeigt, in zwei Richtungen verlaufen:

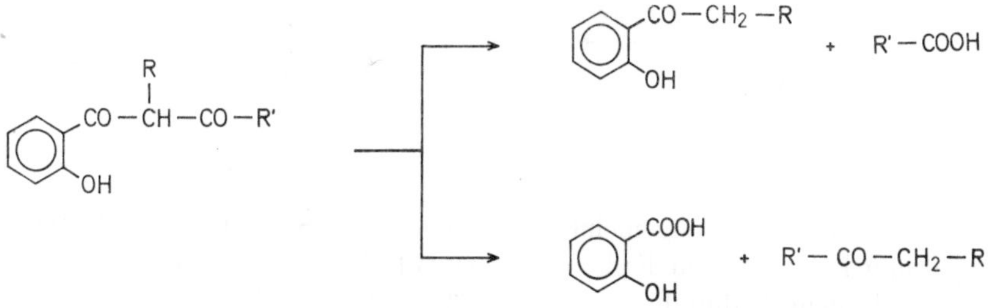

Es können also sowohl (2-Hydroxy-phenyl)-ketone als auch einfache Ketone entstehen. Bei Anwendung von konz. Alkali erhält man meist beide Reaktionen nebeneinander. Verdünntes Alkali oder Bariumhydroxid-Lösung geben überwiegend die Bildung von Salicylsäure und Keton[1].

Flavon gibt so z.B. Salicylsäure und *Acetophenon*[2]:

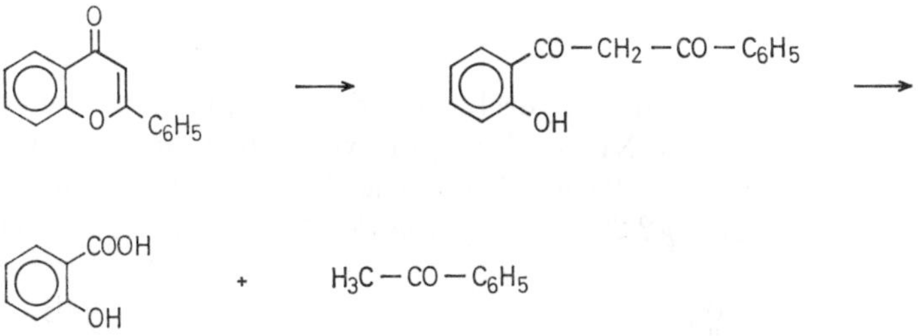

Sind in der 3- und 5-Stellung Substituenten, wie Alkyl-Gruppen oder Halogene, vorhanden, so erhält man ausschließlich (2-Hydroxy-phenyl)-ketone[3].

Auch die in 2-Stellung unsubstituierten Isoflavone können unter Bildung von Ketonen und Abspaltung von Ameisensäure eine Ringöffnung erleiden[4]. Man erhält bei der Spaltung mit Bariumhydroxid-Lösung oder Kalilauge 1-Oxo-2-aryl-1-(2-hydroxy-aryl)-äthane (Desoxybenzoine):

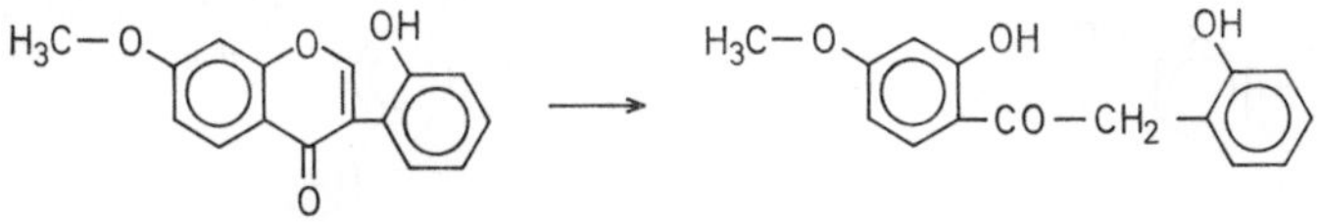

[1] H. SIMONIS, B. 50, 779 (1917).
[2] P. MULLER, Soc. 107, 872 (1915).
[3] H. SIMONIS u. H. SCHUHMANN, B. 50, 1142 (1917).
[4] F. WESSELY, F. LECHNER u. K. DINGASKI, M. 63, 201 (1933).

1-Oxo-2-(2-hydroxy-phenyl)-1-(2-hydroxy-4-methoxy-phenyl)-äthan[1]: 2 g 2'-Hydroxy-7-methoxy-isoflavon werden in 40 ml 10%iger Kalilauge gelöst und 1 Stde. unter Rückfluß erhitzt. Nach dem Erkalten säuert man an, trennt den ausgefallenen Niederschlag ab und kristallisiert ihn aus Methanol-Wasser um; Ausbeute: 1,6 g (82% d. Th.); F: 119°.

5-Hydroxy-isoflavone geben bei der analogen Spaltung nur spurenweise Desoxybenzoine. Dagegen erhält man nach Verätherung der 5-Hydroxy-Gruppe Desoxybenzoine in guter Ausbeute[2]. Durch 5 Min. Kochen von 5-Methoxy-3-phenyl-chromon mit 30%iger Kalilauge entsteht so z. B. *3-Hydroxy-1-methoxy-2-phenylacetyl-benzol*[2]:

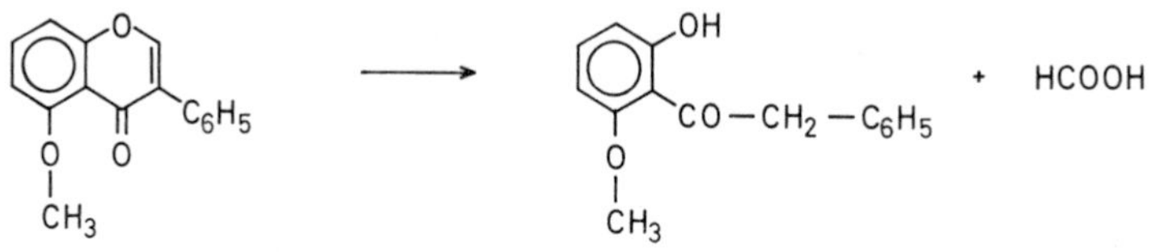

Xanthone zeigen im allgemeinen eine sehr hohe Stabilität des Ringsystems. Eine Spaltung kann z. B. im Falle des Dibenzo-[c;h]-xanthons erst beim Erhitzen mit geschmolzenem Kaliumhydroxid auf 230–260° erreicht werden. Man erhält dabei *Bis-[2-hydroxy-naphthyl-(1)]-keton*[3]:

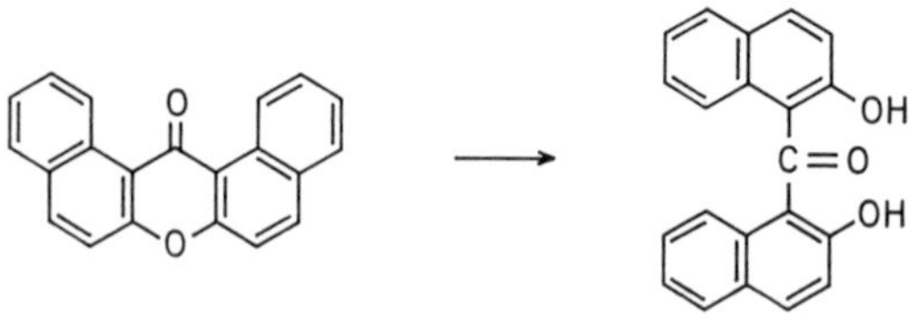

Sehr viel leichter verläuft diese hydrolytische Spaltung, wenn in o- und p-Stellung zum Sauerstoff des Ringes Nitro-Gruppen vorhanden sind. 7-Nitro-2-methyl-xanthon kann so schon mit 10%iger alkoholischer Kalilauge durch einfaches Kochen unter Rückfluß zu *5-Nitro-2,2'-dihydroxy-5-methyl-benzophenon* gespalten werden[4]:

Die Ringspaltung kann bei solchen Nitro-Verbindungen auch durch Erhitzen mit Piperidin erreicht werden[5]; z. B.:

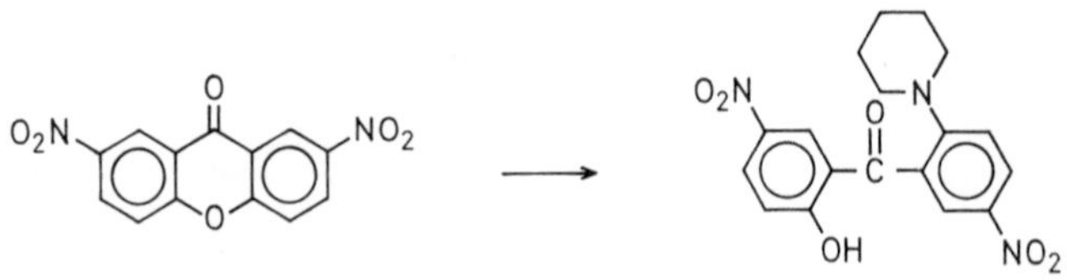

2'-Piperidino-3',5-dinitro-2-hydroxy-benzophenon

[1] W. B. WHALLEY u. G. LLOYD, Soc. **1956**, 3213.
[2] E. WALZ, A. **489**, 118 (1931).
[3] K. DZIEWONSKI u. S. PIZON, Bl. Acad. polon. [A] **1931**, 406.
[4] J. MEISENHEIMER, R. HANSSEN u. A. WÄCHTEROWITZ, J. pr. [2] **119**, 315 (1928).
[5] R. J. W. LE FÈVRE, Soc. **1928**, 3249.

d) Ketone durch Spaltung von Pyrrolen, Indolen und Isoindolen

Die beim Pyrrol selbst zu Succindialdehyd-dioxim führende Spaltung mit Hydroxylamin[1] läßt sich bei Anwendung auf 2,5-dialkylierte Pyrrole zur Gewinnung der Dioxime von 1,4-Diketonen verwenden, aus denen durch Hydrolyse die Diketone selbst erhalten werden können.

Aus 2,5-Dimethyl-pyrrol erhält man auf diese Weise *2,5-Dioximino-hexan*[2]:

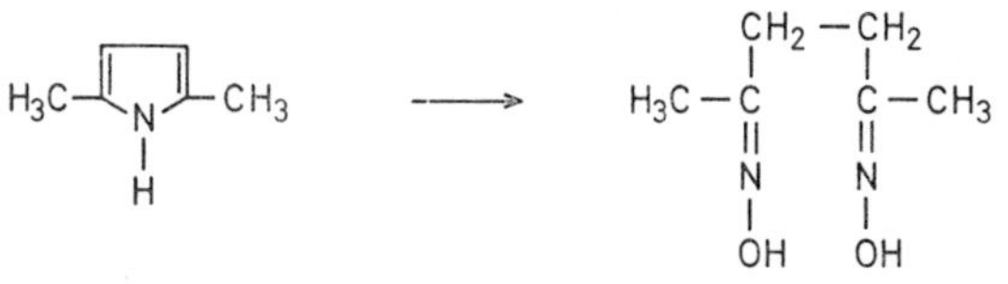

Nach neueren Untersuchungen[3] erhält man die besten Ausbeuten, wenn man die Reaktion in alkoholischer Lösung mit einem Gemisch von freiem Hydroxylamin und Hydroxylamin-hydrochlorid vornimmt. Unter diesen Bedingungen kann eine vollständige Spaltung durch 24 stdgs. Erhitzen unter Rückfluß bewirkt werden.

Eine ähnliche Möglichkeit der Spaltung des Pyrrol-Ringes bei 2,5-disubstituierten Pyrrolen bietet die Einwirkung von salpetriger Säure. Aus 2,5-Dimethyl-pyrrol erhält man bei der Umsetzung mit Natriumnitrit in schwefelsaurer Lösung *3,4-Dioximino-2,5-dioxo-hexan*, das als sekundäres Nitrosierungsprodukt aus dem primär gebildeten *Hexandion-(2,5)* entsteht[4]:

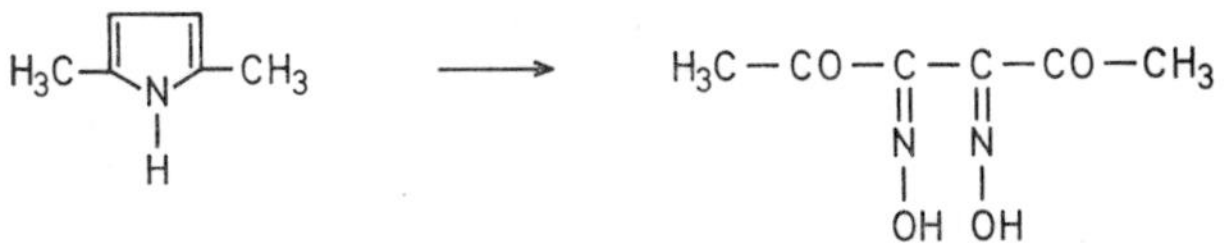

Wesentlich glatter verläuft die Spaltung mit salpetriger Säure beim Tetraphenyl-pyrrol. Man erhält *1,4-Dioxo-1,2,3,4-tetraphenyl-cis-buten* (70% d. Th.)[5]:

1,4-Dioxo-1,2,3,4-tetraphenyl-cis-buten-(2)[5]: Man löst 3,7 g Tetraphenyl-pyrrol in 150 *ml* heißem Eisessig und läßt unter starkem Rühren – ohne Rücksicht auf die sich wieder abscheidenden Kristalle des Ausgangsmaterials – auf 80° abkühlen. Dann gibt man die ges. wäßrige Lösung von 4 g Natriumnitrit in mehreren Anteilen hinzu. Es tritt sofort lebhafte Gasentwicklung ein und das ausgeschiedene Tetraphenyl-pyrrol geht erneut in Lösung. Das Rühren wird fortgesetzt,

---

[1] S. ds. Handb., Bd. VII/1, Kap.: Ausspaltung von heterocyclischen Ringen zu Aldehyden, S. 262
[2] G. CIAMICIAN u. C. U. ZANETTI, B. **22**, 3176 (1889).
[3] S. P. FINDLAY, J. Org. Chem. **21**, 644 (1956).
[4] O. PILOTY u. E. QUITMANN, B. **42**, 4693 (1909).
[5] R. KUHN u. H. KAINER, A. **578**, 227 (1952).
Über die Photooxidation von Tetraphenyl-1-benzoyl-pyrrol siehe: A. RANGON, Bl. **1971**, 2068.

bis die anfangs von Stickoxiden braun gefärbte Lösung gelbe Farbe angenommen hat und das Reaktionsprodukt sich in feinen Nadeln abzuscheiden beginnt. Nach dem Erkalten erhält man 2,4 g eines schwach gelb gefärbten Rohproduktes, das aus 35 *ml* Eisessig umkristallisiert wird; Ausbeute: 1,7 g; F: 206–208°, erneutes Umlösen; F: 212–213°.

Gegen Hydroxylamin ist Tetraphenyl-pyrrol beständig.

Eine weitere wichtige, zu acylierten Aminoketonen verlaufende Möglichkeit der Ringspaltung ist bei den in 2,3-Stellung disubstituierten Indolen gegeben. Hier erweist sich die Doppelbindung oxidativ angreifbar. Die Spaltung kann durch Ozonolyse erfolgen. Solche Spaltungen sind in der Alkaloid-Reihe häufig durchgeführt worden. Beispiele hierfür sind die Ozonolyse von Tetrahydro-yobyrin[1] und die Spaltung des Corynanthyrins {3-Äthyl-2-[5,6,7,8-tetrahydro-isochinolyl-(3)]-indol}[2]:

2-[5,6,7,8-Tetrahydro-isochinolyl-(3)-
carbonylamino]-1-propanoyl-benzol

Bessere Ausbeuten als die Ozonolyse soll in den meisten Fällen die Oxidation mit Wasserstoffperoxid in Gegenwart von Molybdat ergeben[3].

2-Amino-1-acyl-benzole; allgemeine Arbeitsvorschrift[3]: Zu einer 0,005 m Lösung des zu spaltenden Indols in 30 *ml* Eisessig gibt man 0,6 *ml* einer 1%igen wäßrigen Lösung von Ammoniummolybdat. Darauf fügt man tropfenweise 5 *ml* Wasserstoffperoxid (à 110 volumes) hinzu und läßt 15–18 Stdn. bei Zimmertemp. stehen. Die Mischung wird dann in destilliertes Wasser eingegossen. Das ausgefallene Spaltprodukt wird im allgemeinen aus Äthanol umkristallisiert.

So erhält man aus

2-Phenyl-3-(4-methoxy-phenyl)-indol	→ *2'-Benzoylamino-4-methoxy-benzophenon*	82% d. Th.
3,5-Dimethyl-2-(4-methoxy-phenyl)-indol	→ *2-(4-Methoxy-benzoylamino)-5-methyl-1-acetyl-benzol*	62% d. Th.
3-Phenyl-2-(3,4-dimethoxy-phenyl)-indol	→ *2-(3,4-Dimethoxy-benzoylamino)-benzophenon*	—% d. Th.

Indol-Derivate, bei denen die oxidationsempfindliche 3-Stellung durch eine Alkyl-Gruppe geschützt ist, lassen sich mit Natrium-metaperjodat in wäßrig-methanolischer Lösung bei Raumtemperatur mit guten Ausbeuten zu 2-Acylamino-1-acyl-benzolen aufspalten[4]. So erhält man aus 2,3-Dimethyl-indol das *2-Acetyl-*

[1] C. Scholz, Helv. **18**, 923 (1935).
[2] P. Karrar u. P. Enslin, Helv. **32**, 1390 (1949).
   Vgl. a. B. Witkop, A. **556**, 103 (1944).
   C. Mentzer, D. Molho u. Y. Berguer, Bl. **17**, 555 (1950).
   Y. Ban u. Y. Sato, Chem. pharm. Bl. (Tokyo) **13**, 1073 (1965).
[3] C. Mentzer u. Y. Berguer, Bl. **1952**, 218.
[4] L. J. Dolby u. D. L. Booth, Am. Soc. **88**, 1049 (1966).
   s. a. K. Maekawa, Bl. agric. chem. Soc. Japan **19**, 28 (1955).

amino-acetophenon (F: 74–75°) und aus 1,2,3,4-Tetrahydro-carbazol[1] (I) das *2,7-Dioxo-2,3,4,5,6,7-hexahydro-1H-⟨benzo-[b]-azepin⟩* (II) (F: 156–157°):

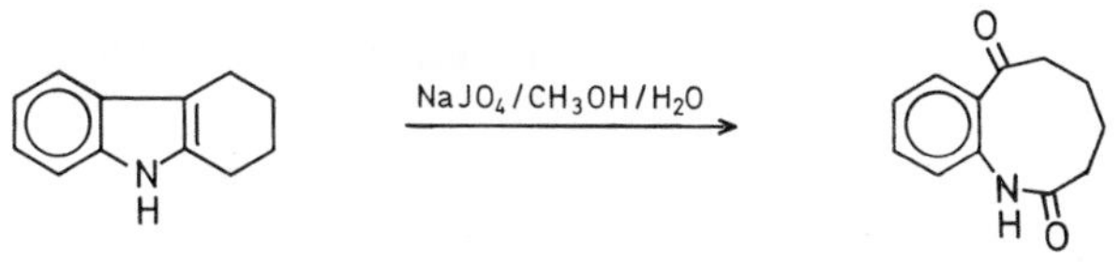

I   II

Die Einwirkung von Paraperjodsäure hingegen führt unter den gleichen Bedingungen nicht zu Ringspaltungen, sondern oxidiert die CH_2-Gruppe in 1-Stellung zur Keto-Gruppe (s. S. 691).

2-Acetylamino-1-acetyl-benzol[1]:

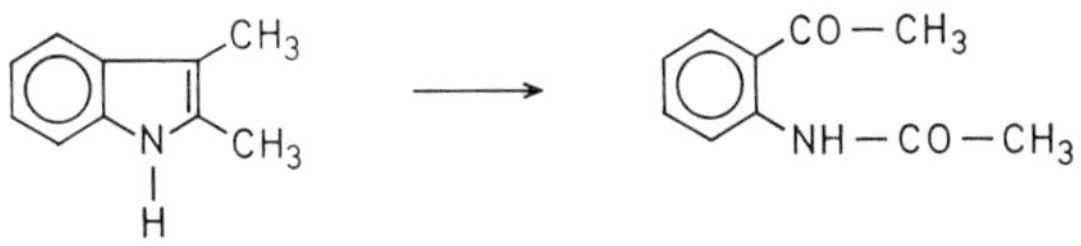

Eine Lösung von 5,676 g (0,0265 Mol) Natriumperjodat in 50 *ml* Wasser wird zu einer Lösung von 1,723 g (0,0119 Mol) 2,3-Dimethyl-indol in 50 *ml* Methanol gegeben. Diese Lösung wird 8 Stdn. bei Raumtemp. gerührt. Man extrahiert das Öl mit Dichlormethan, entfernt darauf das Lösungsmittel und filtriert mit Äther durch 50 g Florisil; Roh-Ausbeute: 1,785 g (85% d.Th.); F: 74–75° aus Petroläther (Kp: 30–50°).

Erwähnt sei hier auch die enzymatische Spaltung von **Tryptophan** zu *1-Kynurenin* [*2-Amino-4-oxo-4-(2-amino-phenyl)-butansäure*], die zur präparativen Herstellung letzterer Verbindung dienen kann[2]:

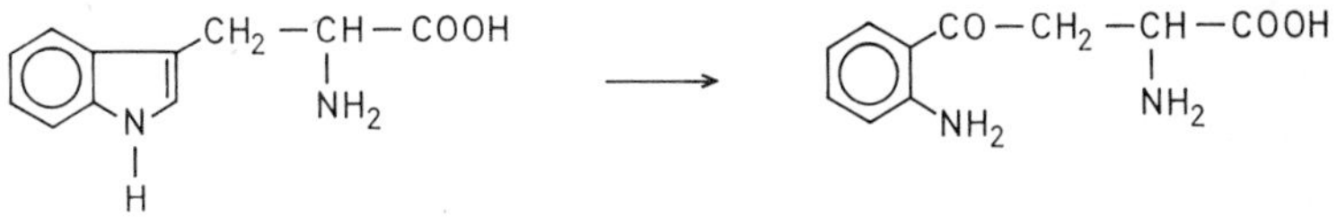

Von geringerer Bedeutung ist die alkalische Spaltung von Isatin zu (*2-Aminophenyl*)-*glyoxylsäure* (*Isatinsäure*), die in Form ihrer Salze isoliert werden kann[3].

Auch der **Isoindol**-Ring läßt sich bei geeigneter Substitution oxidativ zu Ketonen spalten. So ergibt z.B. 2-Methyl-1,3-diphenyl-isoindol mit **Luftsauerstoff** ein Endoperoxid, das bei der Hydrolyse *1,2-Dibenzoyl-benzol* (83% d.Th.) liefert[4]:

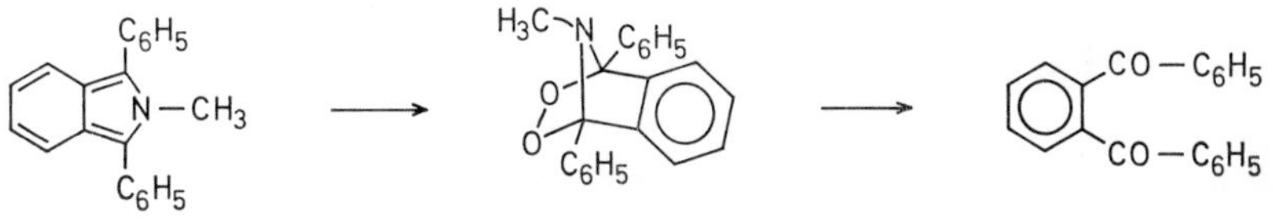

[1] L. J. DOLBY u. D. L. BOOTH, Am. Soc. **88**, 1049 (1966).
   s. a. K. MAEKAWA, Bl. agric. chem. Soc. Japan **19**, 28 (1955).
[2] O. HAYAISHI, Biochem. Prep. **3**, 108 (1953).
[3] G. HELLER, B. **54**, 2214 (1921); **55**, 2681 (1922).
[4] W. THEILACKER u. W. SCHMIDT, A. **597**, 95 (1956).

e) Ketone durch Spaltung von verschiedenen Heterocyclen mit einem Ringstickstoffatom

Ein Weg zu 1,5-Diketonen ergibt sich ausgehend von 2,6-dialkylierten Pyridinen, wenn man diese der Birch-Reduktion (Natrium und Äthanol in flüssigem Ammoniak) unterwirft und die erhaltenen 1,4-Dihydro-pyridin-Derivate hydrolytisch spaltet (analog der Spaltung von 2,6-Dialkyl-4H-pyronen und 2,5 Dialkyl-furanen). Dabei erhält man vielfach durch anschließende cyclisierende Aldolkondensation der primär entstehenden 1,5-Diketone die entsprechenden Cyclohexenone, wie das Beispiel des 2,5,6-Trimethyl-pyridins (Collidins) zeigt, das bei der Hydrolyse der 1,4-Dihydro-Verbindung das *3-Oxo-1,5-dimethyl-cyclohexen* liefert[1]:

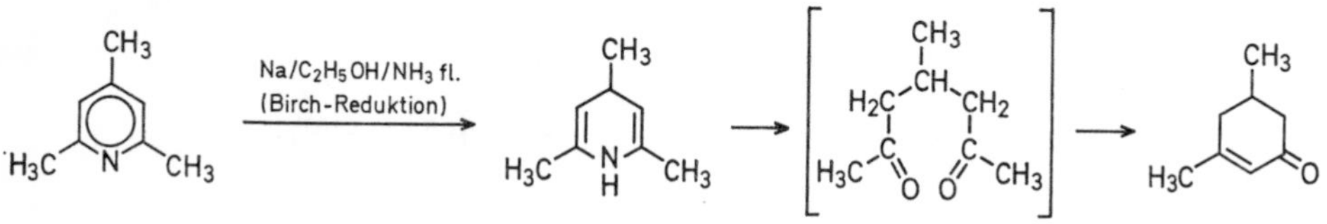

Man kann die anschließenden Aldolkondensationen verhindern, wenn man die Hydrolyse des 1,4-Dihydro-pyridin-Derivates mit verdünnten Säuren oder sehr kurzzeitig mit verdünnter Natronlauge vornimmt. Auf diese Weise erhält man z.B. aus 2-Methyl-6-äthyl-pyridin *Octandion-(2,6)* (76% d.Th.)[2]:

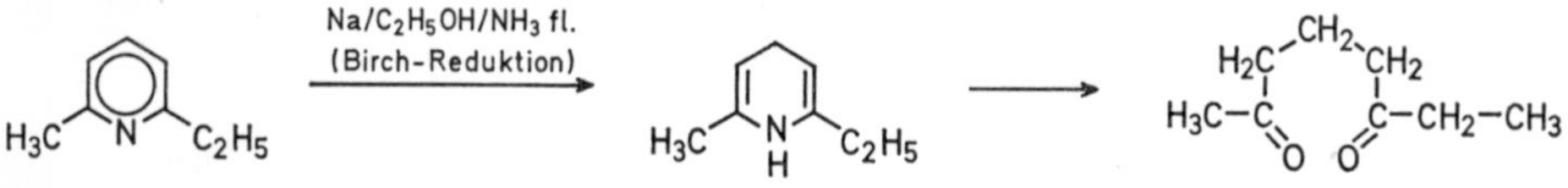

Die oxidative Spaltung des Piperidin-Ringes führt zu δ-Oxo-carbonsäuren, wenn in 2-Stellung Alkyl-Gruppen vorhanden sind. Aus Coniin (2-Propyl-piperidin) erhält man bei der Oxidation mit Wasserstoffperoxid *5-Oxo-octansäure*[3]:

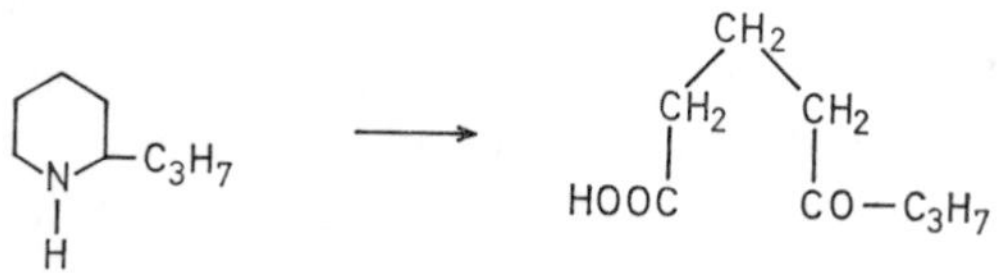

Eine weitere interessante Möglichkeit der Spaltung des Piperidin-Ringes ergibt sich bei den quartären Salzen von 3-Piperidonen, wenn man diese mit Zinkstaub erhitzt. Aus 3-Oxo-1,1-dimethyl-4,4-diphenyl-piperidinium-bromid erhält man auf diese Weise *5-Dimethylamino-2-oxo-3,3-diphenyl-pentan-hydrobromid*[4]:

[1] A. J. BIRCH, Soc. **1947**, 1270.
[2] S. DANISHEFSKY, A. NAGEL u. D. PETERSON, Chem. Commun. **1972**, 374.
[3] R. WOLFFENSTEIN, B. **28**, 1459 (1895).
[4] F. F. BLICKE u. J. KRAPCHO, Am. Soc. **74**, 4001 (1952).

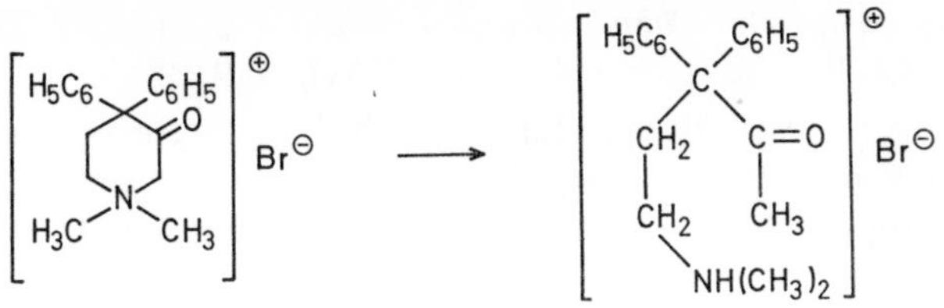

Wahrscheinlich ist dieser Reaktionsverlauf so zu interpretieren, daß zuerst eine Reduktion der Carbonyl-Gruppe zur Alkohol-Gruppe erfolgt. Das so entstandene Carbinol erleidet dann eine Hydramin-Spaltung. Eine besonders glatt verlaufende Ringöffnung unter Keton-Bildung gehen 3,4-Dihydro-isochinoline ein, wenn man diese quaterniert. Die quartären Basen können unter diesen Bedingungen nicht isoliert werden, sondern werden sofort hydrolytisch gespalten, unter Ring-öffnung erhält man Aminoketonen. Da diese Aminoketone leicht unter Ab-spaltung der Amino-Komponente in Olefine übergehen können, isoliert man bei ge-eigneter Arbeitsweise direkt die ungesättigten, ringoffenen Ketone.

6,7-Methylendioxy-1-(3,4,5-trimethoxy-phenyl)-3,4-dihydro-isochinolin gibt beim Erhitzen mit Schwefelsäure-dimethylester in verdünnter Natronlauge auf diese Weise quantitativ *3′,4′,5′-Trimethoxy-4,5-methylendioxy-2-vinyl-benzophenon*[1]:

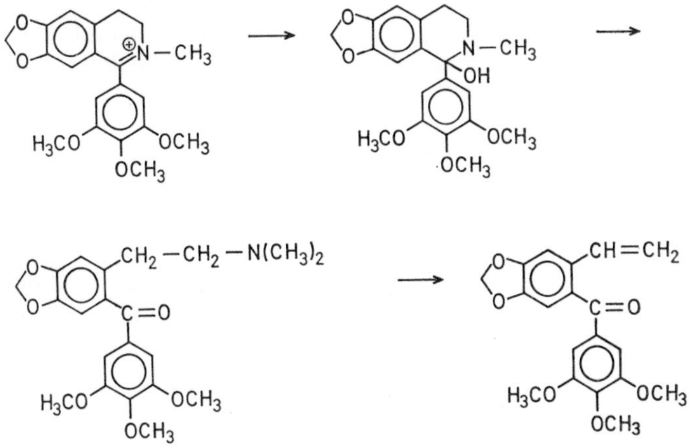

3′,4′,5′-Trimethoxy-4,5-methylendioxy-2-vinyl-benzophenon: Man erhitzt eine Mischung von 4,7 g (0,01 Mol) 6,7-Methylendioxy-1-(3,4,5-trimethoxy-phenyl)-3,4-dihydro-isochinolinmetho-sulfat, 5,0 g (0,04 Mol) Schwefelsäure-dimethylester, 15 *ml* Wasser, 10 *ml* Äthanol und 10 g Kaliumhydroxid in 20 *ml* Wasser 2 Stdn. zum Sieden. Nach Zugabe von einem weiteren *ml* Schwefelsäure-dimethylester setzt man das Erhitzen noch 30 Min. fort. Das Reaktionsgemisch wird nun mit 100 *ml* Wasser verdünnt, gekühlt und filtriert. Der feste Rückstand wird auf der Nutsche mehrmals mit kaltem Wasser gewaschen. Der Rückstand wird dann aus Methanol-Wasser umkristallisiert; Ausbeute: 2,9 g (85% d. Th.); F: 139,2–139,8°.

Ein Beispiel für die Isolierung der quartären Base des ringoffenen Aminoketons ist die mit quantitativer Ausbeute verlaufende Bildung von *4-Methoxy-3′,4′,5-tri-*

---

[1] W. J. Gensler u. C. M. Samour, Am. Soc. **74**, 2959 (1952).

äthoxy-2-(2-trimethylammonio-äthyl)-benzophenon aus 6-Methoxy-7-äthoxy-1-(3,4-di-äthoxy-phenyl)-3,4-dihydro-isochinolin mit Methyljodid[1].

Ein weiteres interessantes Beispiel für eine hydrolytische Ringspaltung zu Ketonen ist die Bildung von *3-Oxo-3-phenyl-1-isochinolyl-(1)-propan* aus 3-Phenyl-2-amino-carbonyl-⟨pyrrolo-[2,1-a]-isochinolin⟩, die durch Erhitzen mit 10n Salzsäure in 95%iger Ausbeute verläuft[2]:

$$\text{(Struktur: Pyrrolo-isochinolin mit } C_6H_5 \text{ und } CONH_2) \longrightarrow \text{Isochinolin–}CH_2-CH_2-CO-C_6H_5$$

In 2-Stellung alkylierte Pyrroline lassen sich unter Ringöffnung ebenfalls in Ketone überführen. 2-Methyl-4,5-dihydro-pyrrol ergibt so zum Beispiel bei der Einwirkung von Benzoylchlorid in alkalischer Lösung *5-Benzoylamino-2-oxo-pentan*[3]:

$$\text{(2-Methyl-4,5-dihydro-pyrrol)} \longrightarrow H_5C_6-CO-NH-CH_2-CH_2-CH_2-CO-CH_3$$

Eine weitere Möglichkeit zur Aufspaltung dieses Ringsystems unter Bildung von Ketonen beruht auf der Einwirkung von salpetriger Säure, die im Falle des 2-Methyl-4,5-dihydro-pyrrols unter Stickstoff-Abspaltung zu *5-Hydroxy-2-oxo-pentan* führt[4]:

$$\text{(2-Methyl-4,5-dihydro-pyrrol)} \xrightarrow{+HNO_2} HO-CH_2-CH_2-CH_2-CO-CH_3$$

In speziellen Fällen erhält man bei dieser Spaltung auch ungesättigte Ketone. 3-Methyl-2-aza-bicyclo[3.3.0]octen-(3) gibt unter den Bedingungen der Reaktion *2-Oxo-1-cyclopenten-(1)-yl-propan*[4]:

$$\text{(3-Methyl-2-aza-bicyclo[3.3.0]octen-(3))} \xrightarrow{+HNO_2} \text{(Cyclopenten)–}CH_2-CO-CH_3$$

Eine besondere Erwähnung verdienen hier die oxidativen Ringerweiterungsreaktionen bei partiell hydrierten Chinolinen und Carbazolen.

Aus Tetrahydro-carbazol erhält man bei der Einwirkung von Sauerstoff in Gegenwart von Platin-Katalysator 4a-Hydroperoxy-1,2,3,4-tetrahydro-carbazol. Dieses Hydroperoxid ist nur in trockenem Zustand beständig. In polaren Lösungs-

---

[1] F. E. KING, L. JURD u. T. J. KING, Soc. **1952**, 17.

[2] V. BOEKELHEIDE u. J. C. GODFREY, Am. Soc. **75**, 3679 (1953).

[3] S. GABRIEL, B. **42**, 1240 (1909).

[4] R. GRIOT u. T. WAGNER-JAUREGG, Helv. **41**, 867 (1958); **42**, 121 (1959).

mitteln geht es glatt in *2,7-Dioxo-⟨benzo-1-aza-cyclononen-(2)⟩ [6-Oxo-6-(2-amino-phenyl)-hexansäure-lactam]* über[1]:

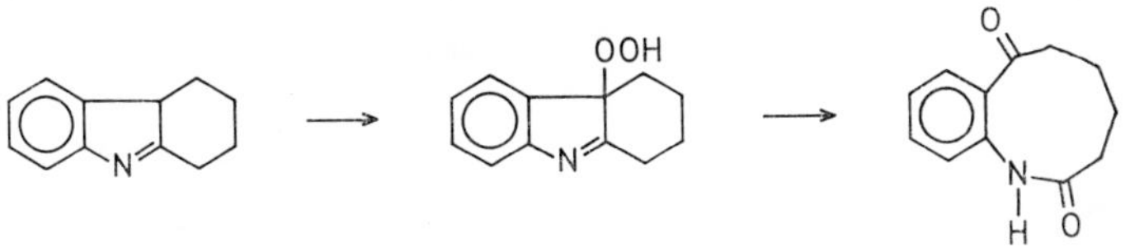

2,7-Dioxo-⟨benzo-1-aza-cyclononen-(2)⟩[1]: 1 g (5,4 mMol) 2,3,4,4a-Tetrahydro-1H-carbazol in 10 *ml* Essigsäure-äthylester wird unter Zusatz von 200 mg frisch reduziertem Platin-Katalysator unter Sauerstoff geschüttelt. Nach ∼ 4 Stdn. sind 110 *ml* Sauerstoff aufgenommen. Das Hydroperoxid das aus der Lösung auskristallisiert, wird zusammen mit dem Katalysator abfiltriert und aus Essigsäure-äthylester umkristallisiert; F: 132–133°.

Die Schmelze ist schwach gelb und entwickelt Sauerstoff.

Wenn man beim Umkristallisieren zu lange erhitzt, oder wenn man das Hydroperoxid in polaren Lösungsmitteln, vorzugsweise Chloroform, löst, so erhält man das makrocyclische Ketoamid vom F: 156–157°.

Zum gleichen Reaktionsprodukt führt auch die Einwirkung von Perbenzoesäure auf 4a-Hydroxy-2,3,4,4a-tetrahydro-1H-carbazol in Chloroform-Lösung[1] (s. a. S. 691).

Analog erhält man aus Octahydro-chinolin über das Hydroperoxid als Zwischenstufe *2,7-Dioxo-1-aza-cyclodecan*[2].

f) Ketone durch Aufspaltung des 1,3-Oxazol-Ringes

Der 1,3-Oxazol-Ring ist relativ leicht der hydrolytischen Spaltung zugänglich, wobei ringoffene Ketone entstehen.

Eine zu den Phenylhydrazonen von α-Acylamino-ketonen verlaufende Spaltung des 1,3-Oxazol-Ringes erreicht man, wenn man auf 1,3-Oxazole Phenylhydrazin oder besser 2,4-Dinitro-phenylhydrazin in salzsaurer Lösung einwirken läßt[3]:

Direkt zu den freien α-Acylamino-ketonen führt die Einwirkung von Benzoyl-chlorid auf 1,3-Oxazole in Gegenwart von Natronlauge. Aus 4,5-Dimethyl-1,3-oxazol entsteht so *3-Benzoylamino-2-oxo-butan* (71% d. Th.)[3]:

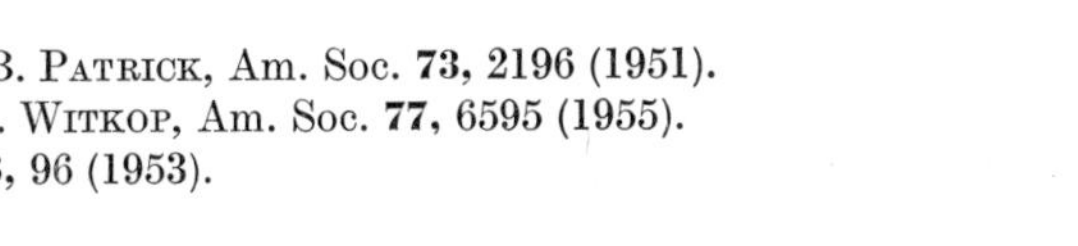

[1] B. Witkop u. J. B. Patrick, Am. Soc. **73**, 2196 (1951).
[2] L. A. Cohen u. B. Witkop, Am. Soc. **77**, 6595 (1955).
[3] G. Theilig, B. **86**, 96 (1953).

Eine weitere Möglichkeit zur Herstellung von α-Acylamino-ketonen ergibt sich, wenn man 2-Oxo-2,3-dihydro-1,3-oxazole der Einwirkung von metallorganischen Verbindungen (Grignard-Verbindungen und Lithium-organische Verbindungen) unterwirft[1]:

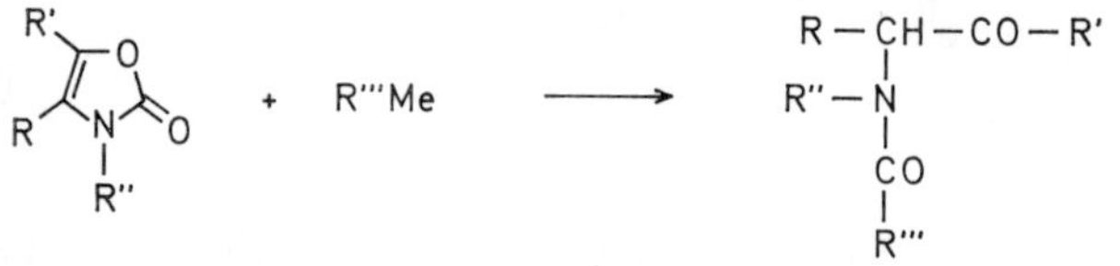

Auf diese Weise wurden hergestellt

4-Benzoylamino-5-oxo-octan	44% d.Th.
4-(Methyl-benzoyl-amino)-5-oxo-octan	67% d.Th.
4-(Phenyl-pentanoyl-amino)-5-oxo-octan	76% d.Th.
4-(Phenyl-benzoyl-amino)-5-oxo-octan	79% d.Th.
5-(Phenyl-benzoyl-amino)-6-oxo-decan	68% d.Th.
1-(Phenyl-benzoyl-amino)-2-oxo-1-phenyl-butan	70% d.Th.
2-Pentanoylamino-1-oxo-1,2-diphenyl-äthan	58% d.Th.
2-Benzoylamino-1-oxo-1,2-diphenyl-äthan	69% d.Th.
2-(Methyl-pentanoyl-amino)-1-oxo-1,2-diphenyl-äthan	58% d.Th.
2-(Methyl-benzoyl-amino)-1-oxo-1,2-diphenyl-äthan	62% d.Th.
2-(Phenyl-benzoyl-amino)-1-oxo-1,2-diphenyl-äthan	68% d.Th.

Zu α-Formylamino-ketonen führt die Entschwefelung von N-substituierten 2-Thiono-2,3-dihydro-1,3-oxazolen mittels eines großen Überschusses an Raney-Nickel in Alkohol[2]:

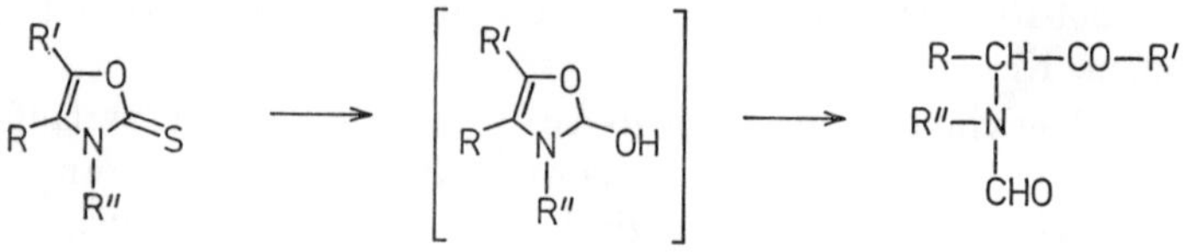

Eine präparative wichtige Spaltung erleiden 5-Oxo-4,5-dihydro-1,3-oxazole vom Typ der Azlactone bei der sauren oder alkalischen Hydrolyse. Sie gehen dabei in α-Oxo-carbonsäuren über[3]:

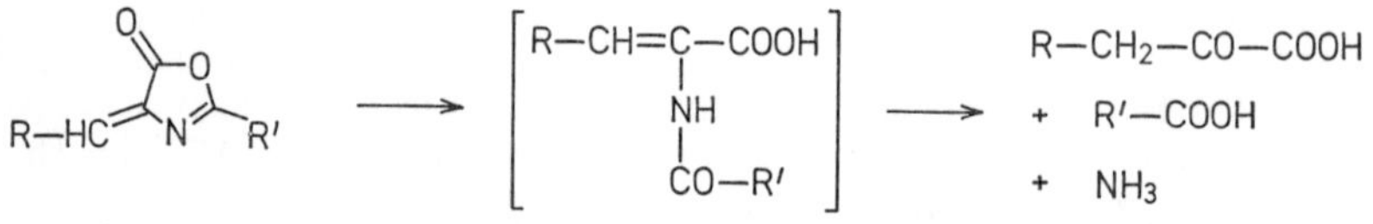

Die als Zwischenprodukte auftretenden α-Acylamino-acrylsäuren können unter milden Bedingungen der Hydrolyse isoliert werden. Energische Verseifung liefert dagegen als Endprodukte immer α-Oxo-carbonsäuren.

Im allgemeinen ist wäßriges Alkali (Natrium-, Kalium- und Barium-hydroxid) der Verwendung von Mineralsäuren vorzuziehen. Bei Verwendung von Alkali wird

---

[1] R. GOMPPER, B. **90**, 374 (1957).
[2] R. GOMPPER, B. **89**, 1762 (1956).
[3] H. E. CARTER, Org. Reactions III, 220 (1949).

das Azlacton im allgemeinen mit der 10fachen Menge 10%ige Natronlauge oder Kalilauge 4–6 Stdn. erhitzt[1]. Es gibt auch Beispiele für die Verwendung von stärkeren Laugen (30–40%ig) bei kürzerer Reaktionszeit[2]. Die Verwendung von Bariumhydroxid in wäßrigem Alkohol hat den Vorteil, daß die Bariumsalze der entstehenden α-Oxo-carbonsäuren vielfach schwer löslich sind, wodurch ihre Isolierung erleichtert wird. In einigen Fällen führt die Verwendung von Bariumhydroxid nicht zu befriedigenden Ergebnissen[3].

Als besonders günstig erweist sich im Falle der 5-Oxo-2-methyl-4,5-dihydro-1,3-oxazole eine Arbeitsweise, bei der zuerst eine alkalische Verseifung zu den α-Acetamino-acrylsäuren erfolgt. Diese werden dann durch Hydrolyse mit verd. Salzsäure in die α-Oxo-carbonsäuren überführt[4].

2-Oxo-3-(4-methoxy-phenyl)-propansäure[4]:

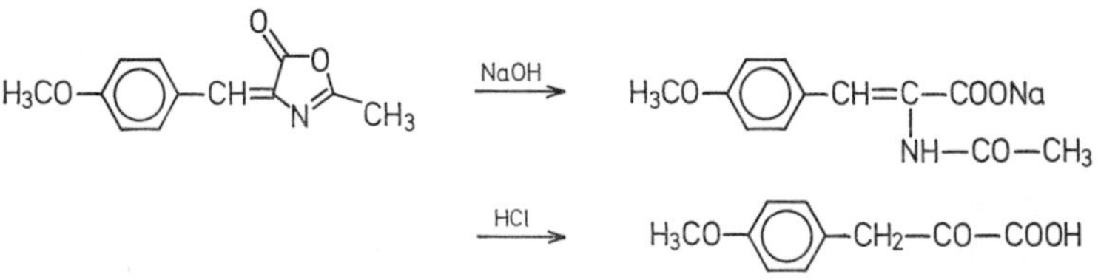

300 g 5-Oxo-2-methyl-4-(4-methoxy-benzyliden)-4,5-dihydro-1,3-oxazol werden mit einer Lösung von 60 g Natriumhydroxid in 1200 ml Wasser so lange auf dem Dampfbad erhitzt, bis der größte Teil gelöst ist. Nach dem Erkalten wird die Lösung in einen 5-l-Rundkolben filtriert. Beim Ansäuern mit verd. Salzsäure bis zur Kongorot-Reaktion fällt die α-Acetamino-4-methoxy-zimt-säure[2-Acetamino-3-(4-methoxy-phenyl)-acrylsäure] aus (F: 216°). Ohne zu isolieren fügt man weitere 250 ml konz. Salzsäure hinzu und füllt bis auf 2000 ml mit Wasser auf. Das Gemisch wird unter Rückfluß erhitzt, wobei man das starke Schäumen durch Zusatz einiger Tropfen Octanol verhindert. Die α-Acetamino-zimtsäure geht in Lösung und allmählich scheidet sich die α-Oxo-carbonsäure aus. Nach 3 Stdn. Erhitzen unter Rückfluß läßt man erkalten und filtriert. Das Filtrat wird erneut für 1 Stde. erhitzt. Durch Kühlen im Eisbad erhält man eine weitere Menge der Säure; Ausbeute: ∼ 90% d.Th.; F: 184°.

Die saure Hydrolyse mit Mineralsäuren ist weniger vorteilhaft als die alkalische Spaltung. Man wendet sie bei aliphatisch substituierten Azlactonen an, die besonders leicht der Hydrolyse unterliegen, oder bei aromatisch substituierten Azlactonen, die auf Grund bestimmter Substituenten alkaliempfindlich sind.

Die saure Hydrolyse kann mit wäßriger Salzsäure[5] oder 50%iger Schwefelsäure[6] erfolgen. Bei Verwendung von alkoholischer Salzsäure können direkt die Ester der α-Oxo-carbonsäuren erhalten werden[7].

[1] E. Erlenmeyer, u. F. Wittenberg, A. 337, 294 (1904).
 J. M. Gulland u. C. J. Virden, Soc. 1928, 921, 1478.
 W. S. Rapson u. R. A. Robinson, Soc. 1935, 1533.
 P. Hill u. W. F. Short, Soc. 1937, 260.
 H. F. Birch u. A. Robertson, Soc. 1938, 306.
[2] H. R. Henze, W. B. Whitney u. M. A. Eppright, Am. Soc. 62, 565 (1940).
 E. Späth u. N. Lang, M. 42, 273 (1921).
[3] R. L. Douglas u. J. M. Gulland, Soc. 1931, 2893.
[4] J. B. Niederl u. A. Ziering, Am. Soc. 64, 885 (1942).
[5] H. E. Carter, P. Handler u. D. B. Melville, J. Biol. Chem. 129, 359 (1939).
[6] J. M. Gulland, K. I. Ross u. N. B. Smellie, Soc. 1931, 2885.
[7] H. Avenarius u. R. Pschorr, B. 62, 321 (1929).

2-Oxo-3-methyl-butansäure[1]: 18 g 5-Oxo-2-phenyl-4-isopropyliden-4,5-dihydro-1,3-oxazol werden mit 100 *ml* konz. Salzsäure 6 Stdn. auf dem Wasserbade erhitzt. Zuerst fällt ein Niederschlag aus, der dann aber wieder in Lösung geht, wobei sich Benzoesäure ausscheidet. Nach dem Erkalten filtriert man ab, extrahiert das Filtrat mit Äther, trocknet und destilliert; Kp_{14}: 65°.

g) Ketone durch Spaltung verschiedener heterocyclischer Ringsysteme

Es seien hier noch einige weitere Bildungsweisen von Ketonen durch Ringöffnung von verschiedenen Ringsystemen erwähnt.

Aus Oxeton (Tetrahydrofuran-⟨2-spiro-2⟩-tetrahydrofuran) erhält man durch Behandlung mit trockenem Chlorwasserstoff in benzolischer Lösung *1,7-Dichlor-4-oxo-heptan*[2]:

$$\text{Oxeton} \longrightarrow Cl-CH_2-CH_2-CH_2-CO-CH_2-CH_2-CH_2-Cl$$

Durch hydrolytische Spaltung von 2-Alkyl-⟨benzo-1,4-dioxenen⟩ gelangt man zu 2-Oxo-1-(2-alkoxy-phenoxy)-alkanen. Aus 2-Methyl-⟨benzo-1,4-dioxen⟩ bildet sich bei der Einwirkung von verdünnten Mineralsäuren 2-Hydroxy-2-methyl-⟨benzo-1,4-dioxen⟩. Die hydrolytische Ringspaltung selbst gelingt erst nach der Verätherung der Hydroxy-Gruppe, nicht dagegen bei der Hydroxy-Verbindung[3]:

2-Oxo-1-(2-methoxy-phenoxy)-propan

Eine zu *1,4-Dioxo-1,2,3,4-tetraphenyl-cis-buten-(2)* führende Ringöffnung des Thiophen-Ringes ergibt die Einwirkung von Kaliumchlorat in Gegenwart von Salzsäure auf Tetraphenyl-thiophen[4]:

---

[1] G. R. Ramage u. J. L. Simonsen, Soc. **1935**, 532.
[2] H. Hart u. O. E. Curtis, Am. Soc. **78**, 112 (1956).
[3] G. B. Marini-Bettolo, R. Landi-Vittory u. L. Paoloni, G. **86**, 1336 (1956).
[4] J. Dorn, A. **153**, 349 (1870).
   E. Berlin, A. **153**, 130 (1870).
   M. Fleischer, A. **144**, 195 (1867).

Durch Esterkondensation von Sulfonen vom Typ des Dibenzyl-sulfons mit Oxal-säure-diäthylester erhält man 4-Hydroxy-3-oxo-2,5-diaryl-2,3-dihydro-thiophen-1,1-dioxide, die mit Zinkstaub in essigsaurer Lösung zu 4-Hydroxy-3-oxo-2,5-diaryl-tetrahydrothiophen-1,1-dioxide reduziert werden können. Diese Verbindungen erleiden in Eisessig-Natriumacetat-Lösung bei 100–110° eine Ringspaltung unter Abgabe von Schwefeldioxid und Bildung von 2,3-Dioxo-1,4-diaryl-butanen (95% d. Th)[1]. Der Reaktionsverlauf entspricht folgendem Formelschema:

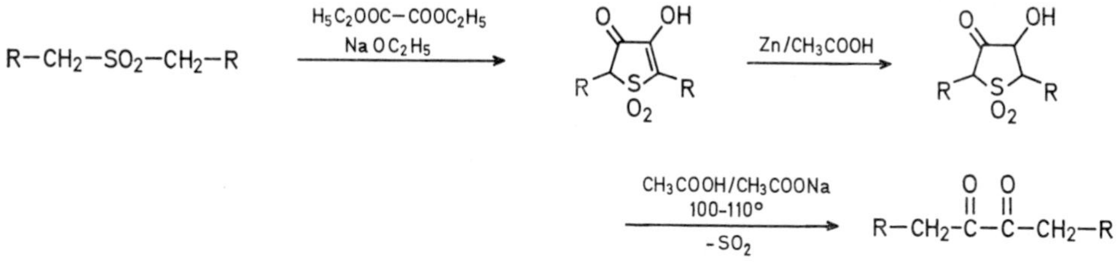

Die durch Kondensation von α-Diketonen mit Thiosemicarbazid erhältlichen 3-Mercapto-1,2,4-triazine lassen sich durch Einwirkung von verdünnter Salpetersäure oxidativ zu α-Diketonen aufspalten[2]:

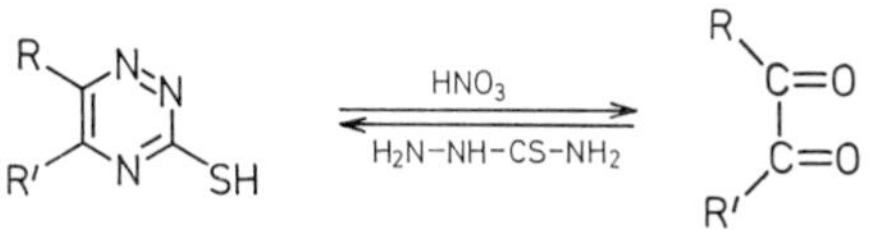

Der 1,2-Oxazol-Ring läßt sich unter milden Bedingungen durch katalytische Hydrierung mit Raney-Nickel als Katalysator sehr leicht zu den Moniminen von β-Diketonen aufspalten, aus denen durch Hydrolyse mit Säuren die β-Diketone selbst zugänglich sind[3]:

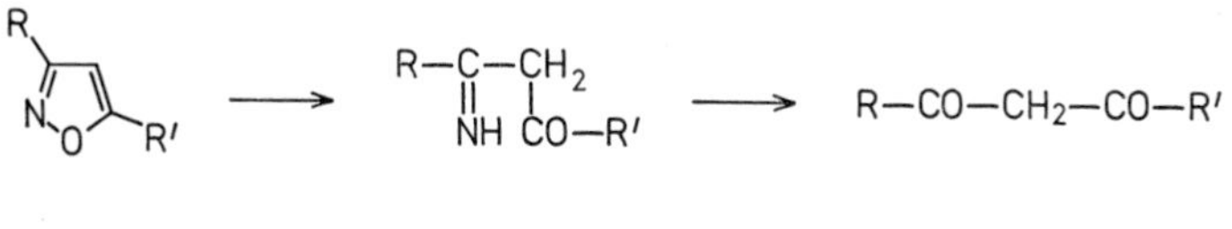

Da die für die Spaltung in Frage kommenden 1,2-Oxazole durch 1,3-dipolare Addition von Acetylenen an Nitriloxide zugänglich sind, ergibt sich aus dieser Reaktionsfolge eine brauchbare Methode zur Herstellung von β-Diketonen. Diese Methode läßt sich vor allem erfolgreich für die Herstellung von β-Polyketonen heranziehen. Als Beispiel sei die Herstellung von *1,3,5,7-Tetraoxo-1,7-diphenyl heptan* angeführt. Diese Verbindung konnte ausgehend von Benzonitriloxid und Pentadiin-(1,4) über die Stufe des Bis-[3-phenyl-1,2-oxazolyl-(5)]-methans und hydrierende Spaltung dieser Verbindung erhalten werden[3]:

---

[1] M. CHAYKOVSKY, M. H. LIN u. A. ROSOWSKY, J. Org. Chem. **37**, 2018 (1972).

[2] J. KLOSA, Ar. **288**, 465 (1955).

[3] C. CASNATI et al., Chimica e Ind. **47**, 993 (1965); Tetrahedron Letters **2**, 233 (1966).

$$R-\overset{\oplus}{\underset{\underset{O^{\ominus}}{N}}{C}} \quad \overset{CH}{\underset{CH_2}{\overset{||}{C}}} \quad \overset{HC}{\underset{\overset{||}{C}}{}} \quad \overset{\oplus}{\underset{\underset{\ominus O}{N}}{C}}-R \quad \longrightarrow \quad \text{Isoxazol-Isoxazol}$$

$$\longrightarrow \quad H_5C_6-CO-CH_2-CO-CH_2-CO-CH_2-CO-C_6H_5$$

Eine unter Bildung von Oxo-nitril verlaufende Ringöffnung des 1,2-Oxazol-Ringes beobachtet man bei der bei 215° erfolgenden Decarboxylierung von 1,2-Bis-[3-carboxy-1,2-oxazolyl-(5)]-äthan *3,6-Dioxo-octandisäure-dinitril*[1]:

$$\xrightarrow{-2CO_2} \quad NC-CH_2-\overset{O}{\underset{||}{C}}-CH_2-CH_2-\overset{O}{\underset{||}{C}}-CH_2-CN$$

Bei der Säurehydrolyse von alkylierten 2,5-Dihydro-1,3-thiazolen gelangt man ebenfalls zu Ketonen und α-Mercapto-ketonen[2]; z.B.:

$$\longrightarrow \quad H_5C_2-CO-\underset{\underset{CH_3}{|}}{CH}-SH \quad + \quad H_5C_2-\overset{C_2H_5}{\underset{\underset{NH_2}{|}}{\overset{|}{C}}}-OH$$

$$\downarrow$$

$$H_5C_2-CO-C_2H_5 \quad + \quad NH_3$$

2-Mercapto-3-oxo-pentan   Pentanon-(3)

Ein Weg zur Synthese von Ketonen beruht auf der hydrolytischen Spaltung von Tetrahydro-1,3-oxazinen, die ihrerseits durch metallorganische Umsetzungen erhalten werden. So erhält man zum Beispiel aus 4,4,6-Trimethyl-2-isopropenyl-5,6-dihydro-1,3-oxazin *5-Oxo-2,2,4-trimethyl-nonan* entsprechend folgendem Formelschema[3]:

$$+ \quad (CH_3)_3C-Li \quad + \quad H_4C_9-MgBr \quad \xrightarrow[\substack{-LiOH \\ -Mg(OH)Br}]{+2 H_2O}$$

$$\xrightarrow{H_2O/H^{\oplus}} \quad H_3C-CH_2-CH_2-CH_2-\overset{O}{\underset{||}{C}}-\overset{CH_3}{\underset{|}{CH}}-CH_2-C(CH_3)_3 \quad + \quad H_3C-\overset{CH_3}{\underset{\underset{NH_2}{|}}{\overset{|}{C}}}-CH_2-\overset{CH_3}{\underset{|}{CH}}-OH$$

---

[1] C. Musante u. A. Steuer, G. **86**, 1111 (1956).

[2] F. Asinger, M. Thiel u. E. Pallas, A. **602**, 37 (1957).
    DAS. 1064505 (1956); Fr. P. 1154080 (1955); Österr. P. 198737 (1955); DDRP 13954 (1955),
    VEB Leuna-Werke, Erf.: F. Asinger, M. Thiel u. E. Pallas; C. A. **53**, 17151 (1959).

[3] A. I. Meyers u. A. C. Kovelesky, Am. Soc. **91**, 5887 (1969); Tetrahedron Letters **54**, 4809
    (1969).
    A. I. Meyers u. N. Nazarenko, J. Org. Chem. **38**, 175 (1973).

VI. Ketone durch Umlagerungsreaktionen

bearbeitet von

Dr. DIETER DIETERICH

Farbenfabriken Bayer AG, Leverkusen

Es sind eine Reihe von Reaktionen bekannt, die unter Wasserstoff-Verschiebung oder Wanderung eines organischen Restes zu Ketonen bzw. Aldehyden[1] führen. Hierzu gehören vor allem die Pinakolin-Umlagerung[2-6] (einschließlich der früher gesondert betrachteten Hydrobenzoin-, Semihydrobenzoin- und Semipinakolin-Umlagerung) sowie die nach Rupe[7] und Meyer-Schuster[8] genannten Reaktionen, die Desaminierung von α-Amino-alkoholen[9](Tiffeneau-Umlagerung), die Umlagerung von α,β-ungesättigten Alkoholen[10] und Äthern, die thermisch oder katalytisch induzierte Ringöffnung von Epoxiden (im Folgenden gemeinsam mit den Umlagerungen entsprechender Glykole behandelt)[11], die Oxy-Cope-Umlagerung[12], die Claisen-Umlagerung von Vinyläthern[13], sowie eine Vielzahl photochemischer Reaktionen. Eine Reihe von Aldehyden werden leicht in Ketone umgelagert; schließlich stehen viele Ketone unter dem Einfluß von Katalysatoren oder Lichtquanten mit isomeren Ketonen im Gleichgewicht. Dies gilt besonders für α-Hydroxy-ketone.

a) von ungesättigten Alkoholen und ihren funktionellen Derivaten

1. Ketone aus einfach-ungesättigten Alkoholen

α) durch Säuren oder Basen

$α_1$) *Ketone aus α,β-ungesättigten Alkoholen unter Erhalt des Kohlenstoffgerüstes*

Verbindungen des Typs

$$>C=C-CH-R \\ \qquad | \quad | \\ \qquad\qquad OH$$

sowie deren Äther oder Ester lagern sich unter dem Einfluß saurer Katalysatoren in Ketone um. So entsteht aus 3-Hydroxy-2-methyl-buten-(1) beim Erhitzen mit 14%iger Schwefelsäure auf 130° *3-Oxo-2-methyl-butan*[10,14]. 3-Hydroxy-2,4-dimethyl-

---

[1] Vgl. ds . Handb., Bd. VII/1, Kap. Aldehyde, S. 227.

[2] W. THÖRNER u. T. ZINCKE, B. **11**, 1396 (1878).

[3] W. THÖRNER u. T. ZINCKE, B. **10**, 1473 (1877).

[4] W. THÖRNER, A. **189**, 110 (1877).

[5] A. BUTLEROW, A. **170**, 162 (1873); **174**, 125 (1874).

[6] R. FITTIG, A. **110**, 23 (1859); **114**, 54 (1860).

[7] H. RUPE u. E. KAMBLI, Helv. **9**, 672 (1926).

[8] K. H. MEYER u. K. SCHUSTER, B. **55**, 819 (1922).

[9] A. McKENZIE u. W. S. DENNLER, Soc. **125**, 2105 (1924).

[10] I. KONDAKOV, Ж **17**, 290 (1885); B. **18**, R 660 (1885).

[11] Lit. s. Bibliographie, S. 1172.

[12] I. A. BERSON u. M. JONES, Am. Soc. **86**, 5017 (1964).

[13] L. CLAISEN, B. **29**, 2931 (1896).

[14] US. P. 2010076 (1932), Shell Develop., Erf.: H. P. A. GROLL u. M. W. TAMELE; C. A. **29**, 6245 (1935).

penten-(1) geht in *3-Oxo-2,4-dimethyl-pentan* über[1]. Die Reaktion kann auch in organischen Lösungsmitteln, wie Carbonsäuren[2] oder in der Gasphase[3] bei $\sim 300°$ an Katalysatoren, wie Bimsstein, Porzellan, Silicagel, Aktivkohle oder aktivem Kupfer durchgeführt werden. Als Nebenprodukt können infolge Allyl-Umlagerung Aldehyde auftreten[4].

3-Oxo-2-methyl-butan[2]:

$$H_2C{=}C{-}CH{-}CH_3 \quad \xrightarrow{H_2SO_4\,,\,Eisessig} \quad H_3C{-}CH{-}CO{-}CH_3$$
$$\overset{\textstyle |}{H_3C}\ \overset{\textstyle |}{OH} \qquad\qquad\qquad\qquad \overset{\textstyle |}{H_3C}$$

1 g konz. Schwefelsäure wird in 150 g Eisessig gelöst und die Lösung in einem Kolben mit Fraktionieraufsatz zum kräftigen Sieden erhitzt. Unter Aufrechterhalten des Siedens werden 50 g wasserfreies 3-Hydroxy-2-methyl-buten-(1) langsam zugegeben, dabei destilliert das Keton ab; Ausbeute: $\sim 100\%$ d.Th.; Kp: 93–94°.

3-Hydroxy-2-methyl-3-phenyl-propen-(1) liefert bei 300° über aktivem Aluminiumoxid *1-Oxo-2-methyl-1-phenyl-propan*[3] (73% d.Th.). *Pentanon-(3)*, *Hexanon-(3)* und *Heptanon-(3)* wurden in 51–73% Ausbeute durch Isomerisierung der entsprechenden Alkyl-vinyl-carbinole schon bei 210° am Nickelkontakt erhalten[5]. Als Nebenprodukt treten durch Dehydratisierung gebildete Diene auf.

Die Abhängigkeit der Umlagerungsreaktion in verd. Schwefelsäure von der Konstitution der Ausgangscarbinole ist in neuerer Zeit eingehend untersucht worden[6] (s. Tab. 128, S. 895).

Durch systematische Untersuchung der für 0,2–4n Schwefelsäure als Katalysator optimalen Umlagerungsbedingungen konnten die Ausbeuten an Keton bzw. Aldehyd auf 85–92% d. Th. gesteigert werden[6].

Ketone aus Vinyl-carbinolen durch Umlagerung; allgemeine Arbeitsvorschrift: 20 g α,β-ungesättigter Alkohol werden 48 Stdn. mit 1 l 0,4 n Schwefelsäure unter Stickstoff am Rückfluß gekocht. Nach Sättigung mit Natriumchlorid wird mit Äther extrahiert, der Extrakt neutral gewaschen und aufgearbeitet.

Bei schlechter Löslichkeit des Alkohols in Wasser kann auch in Wasser/1,4-Dioxan (3 : 1) gearbeitet werden.

Bei der Reaktion tritt durch Wasser-Anlagerung gebildetes G l y k o l auf, welches mit dem Endprodukt ein cyclisches Acetal bildet, das unter geeigneten Reaktionsbedingungen in zum Teil guter Ausbeute isoliert werden kann:

---

[1] A. Umnova, Ж. **42**, 1530 (1910); C. **1911** I, 1278.
[2] US. P. 2046556 (1934), Shell Develop., Erf.: H. P. A. Groll u. G. Hearne; C. A. **30**, 5597 (1936).
[3] US. P. 2097154 (1938), Shell Develop., Erf.: H. P. A. Groll u. C. J. Ott; C. A. **32**, 191 (1938).
[4] Vgl. ds. Handb., Bd. VII/1, Kap. Aldehyde, S. 227.
[5] R. Delaby u. J.-M. Dumoulin, C. r. **180**, 1278 (1925); Bl. [4] **39**, 1578 (1926).
[6] M. B. Green u. W. J. Hickinbottom, Soc. **1957**, 3262.

Tab. 128. Abhängigkeit der Umlagerung in verd. Schwefelsäure von der Konstitution des α,β-ungesättigten Alkohols[1]

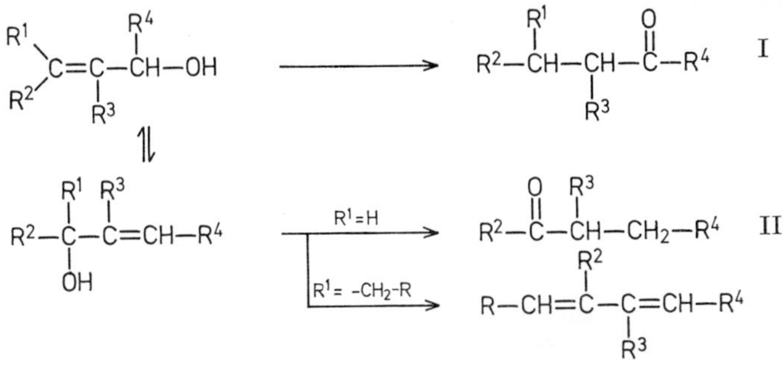

R¹	R²	R³	R⁴	Reaktions-Produkt	Ausbeute
H	H	Alkyl	H	Aldehyd	sehr gut
H	H	Alkyl	Alkyl	Keton I + II	sehr gut
H	Alkyl	H	H	Aldehyd + Keton I + II	Spuren
H	Alkyl	Alkyl	H	Keton I + II + Aldehyd (Keton überwiegt)	sehr gut
H	Alkyl	Alkyl	Alkyl	Keton I + II	gut
H	CH₃	H	C₂H₅	keine Umlagerung	
H	CH₃	H	C₄H₉	keine Umlagerung	
Alkyl	Alkyl	H oder Alkyl	H oder Alkyl	Dien	

Diese Glykole bzw. ihre Acetale liefern unter denselben Reaktionsbedingungen ebenfalls in 85–90% Ausbeute Aldehyde bzw. Ketone, sind also möglicherweise Zwischenstufen bei der Isomerisierung α,β-ungesättigter Alkohole[2].

Wahrscheinlicher ist indessen, daß diese Isomerisierung und die Pinakolin-Umlagerung der Glykole über eine gemeinsame Zwischenstufe verläuft[3]:

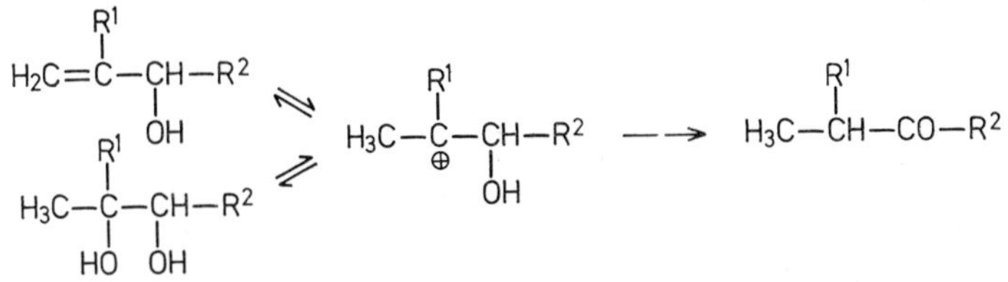

In der Steroidreihe sind in Lösungen von wenig Mineralsäure in Äthanol oder Carbonsäuren aus α,β-ungesättigten γ-Oxo-alkoholen 1,4-Diketone hergestellt

[1] M. B. GREEN u. W. J. HICKINBOTTOM, Soc. 1957, 3262.
[2] J. U. NEF, A. 335, 308 (1904).
[3] M. B. GREEN u. W. J. HICKINBOTTOM, Soc. 1957, 3270.

worden. Die Umlagerung kann bereits beim Entacylieren der entsprechenden Acet-
oxy-Verbindung oder beim Umkristallisieren des Alkohols eintreten[1-3].

3,6-Dioxo-cholestan[3]:

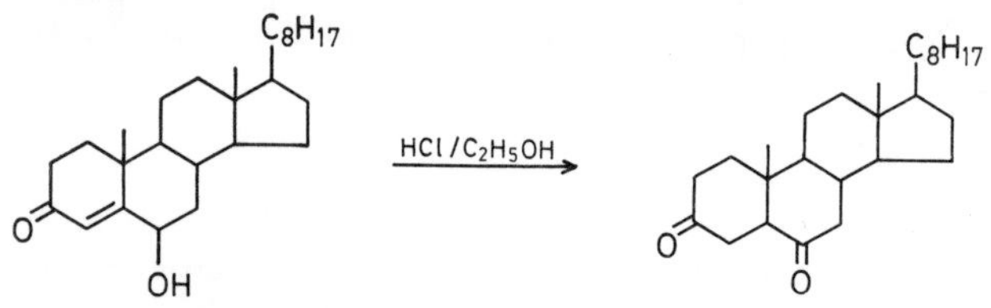

3 g 6β-Hydroxy-3-oxo-cholesten-(4) werden in einem Gemisch aus 49 *ml* 95%igem Äthanol und
1 *ml* 36%iger wäßr. Salzsäure 100 Min. am Rückfluß gekocht. Beim Abkühlen kristallisiert das
Reaktionsprodukt aus; Ausbeute: 2,7 g (96% d.Th.); F: 170–171°.

Auch die Basen-katalysierte Umlagerung α,β-ungesättigter Alkohole ist
möglich. So erhält man aus 3-Hydroxy-3-phenyl-propen-(1) mit Kaliumcarbonat
oder durch Erhitzen mit alkoholischer Kalilauge *Propiophenon* (*1-Oxo-1-phenyl-
propan*)[4]. *trans*-3-Hydroxy-6,6-dimethyl-2-methylen-bicyclo[3.1.1.]heptan wird durch
Natrium-methanolat in Methanol in *3-Oxo-2,6,6-trimethyl-bicyclo[3.1.1]heptan* (*3-Oxo-
pinan*; 60% d. Th.) umgelagert[5]:

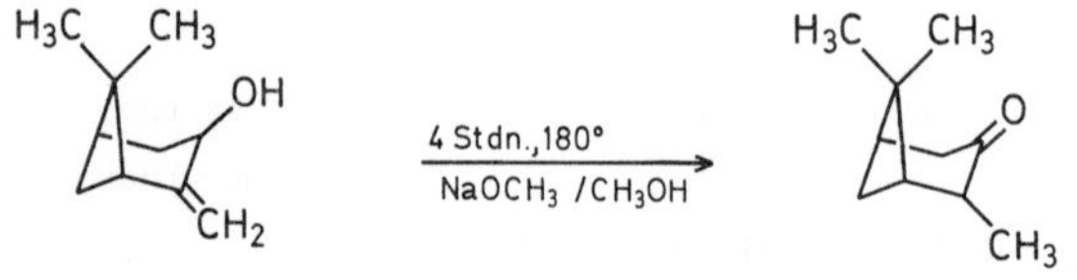

β,γ-ungesättigte α-Hydroxy-carbonsäuren lagern im alkalischen Medium in die
entsprechenden α-Oxo-carbonsäuren um[6]. Leichter verläuft die Reaktion bei den
entsprechenden Estern[7] oder Amiden[8]. 2-Hydroxy-buten-(3)-säure-methylester
geht in konz. Kaliumcarbonat-Lösung innerhalb weniger Minuten in *2-Oxo-butan-
säure* über[9]. Dasselbe Produkt entsteht aus 2-Hydroxy-buten-(3)-säure-nitril in
kalter verdünnter Salzsäure[10]. Die Ausbeuten sind bei 2-Phenyl-vinyl-Derivaten besonders gut. 2-Hydroxy-4-phenyl-buten-(3)-säure ergibt bei 2 stdgm. Kochen mit
5%iger Natronlauge *2-Oxo-4-phenyl-butansäure*[8]. Dieselbe α-Hydroxy-carbonsäure geht
beim Kochen mit verd. Salzsäure, offenbar infolge vorgelagerter Allyl-Umlagerung
in *4-Oxo-4-phenyl-butansäure* über[8]:

[1] P. T. HERZIG u. M. EHRENSTEIN, J. Org. Chem. **16**, 1050 (1951).
[2] A. S. DREIDING u. J. A. HARTMANN, Am. Soc. **78**, 1216 (1956).
    US.P. 2742486 (1953), Upjohn Co., Erf.: S. H. EPPSTEIN u. H. M. LEIGH.
[3] L. F. FIESER, Am. Soc. **75**, 4377 (1953).
[4] M. TIFFENEAU u. H. DORLENCOURT, A. ch. [8] **16**, 237 (1909),
    M. TIFFENEAU, Bl. [4] **1**, 1209 (1907).
[5] B. A. ARBUZOV, Z. B. ISAEVA u. I. S. ANDREEVA, Izv. Akad. SSSR **1967**, 1299; C. A. **67**,
    116954[b] (1967).
[6] M. G. VAN DER SLEEN, R. **21**, 229 (1902).
[7] R. RAMBAUD, Bl. [5] **1**, 1206 (1934).
[8] R. FITTIG, A. **299**, 1 (1898).
[9] R. RAMBAUD, Bl. [5] **1**, 1348 (1934).
[10] R. RAMBAUD, Bl. [5] **1**, 1323 (1934).

$$H_5C_6-CH=CH-CH-COOH \quad \xrightarrow[\quad]{} \quad \begin{array}{c} \xrightarrow{\text{NaOH}} H_5C_6-CH_2-CH_2-CO-COOH \\ \\ \xrightarrow{\text{HCl}} \left[H_5C_6-\underset{\overset{|}{OH}}{C}=CH-CH_2-COOH \right] \longrightarrow \\ H_5C_6-CO-CH_2-CH_2-COOH \end{array}$$

Etwas schwieriger entsteht aus 2-Hydroxy-penten-(4)-säure-nitril durch längeres Kochen mit konz. Salzsäure *Lävulinsäure (4-Oxo-pentansäure)*. Als Zwischenprodukt kommt deren Hydroxy-lacton in Betracht, das leicht Wasser abspaltet[1] zum sog. Angelica-lacton, das seinerseits im Gleichgewicht mit Lävulinsäure steht[2]:

$$\text{(Struktur)} \longrightarrow \text{(Struktur)} \rightleftharpoons H_3C-\underset{\overset{\|}{O}}{C}-CH_2-CH_2-COOH$$

4-Oxo-4-phenyl-butansäure[3]: 2-Hydroxy-4-phenyl-buten-(3)-säure-nitril wird einige Stdn. mit reichlich 7%iger Salzsäure am Rückfluß gekocht. Die heiße Lösung wird von dem abgeschiedenen schweren Öl (überwiegend Zimtaldehyd) abgetrennt und das Öl wiederholt mit Wasser ausgekocht. Die aus den vereinigten wäßrigen Lösungen bei Abkühlen auskristallisierenden glänzenden breiten Nadeln werden aus Wasser umkristallisiert; F: 116° (unter Rotfärbung). **Vorsicht!** Ein Teil des Cyanhydrins wird unter Bildung von Blausäure zersetzt.

Nimmt man die Umsetzung des α-Hydroxy-nitrils in Äther mit konz. Salzsäure in der Kälte vor, so läßt sich *2-Hydroxy-4-phenyl-buten-(3)-säure* isolieren (F: 137°), die bei 4-stdgm. Kochen mit 7%iger Salzsäure zur *4-Oxo-4-phenyl-butansäure* isomerisiert.

Die Umlagerung mono- bzw. bis-α,β-ungesättigter Glykole verläuft als Pinakolin-Umlagerung unter Erhalt der Doppelbindung.

Besonders leicht lagern sich cyclische Alkohole um. So fällt beim Zusammengeben von 2-Hydroxy-1-methylen-cyclohexan oder 1-Hydroxymethyl-cyclohexen mit einer Lösung von 2,4-Dinitro-phenylhydrazin in Schwefelsäure unmittelbar *2-(2,4-Dinitro-phenylhydrazono)-1-methyl-cyclohexan* aus. Analog reagieren 2-Hydroxy-1-methylen-cyclopentan bzw. 1-Hydroxymethyl-cyclopenten zu *2-(2,4-Dinitro-phenylhydrazono)-1-methyl-cyclopentan*[4]. Entsprechend reagieren Dien-alkohole. Aus 5-Hydroxy-1,2,3,4-tetraphenyl-cyclopentadien-(1,3) erhält man beim Kochen mit Eisessig, auch in Gegenwart von Zink *5-Oxo-1,2,3,4-tetraphenyl-cyclopenten-(1)*[5].

α₂) *Ketone aus α,β-ungesättigten Alkoholen unter Veränderung des Kohlenstoffgerüsts*

α,β-ungesättigte Cyclobutan-Systeme lagern besonders leicht und in sehr guten Ausbeuten unter Ringverengung oder Ringerweiterung um. Die C=C-Doppelbindung kann dabei innerhalb oder außerhalb des gespannten Rings liegen.

---

[1] R. Fittig et al., A. **283**, 47, 269 (1894).
[2] L. Wolff, A. **229**, 263 (1885).
[3] R. Fittig et al., A. **299**, 1, 13 (1897).
[4] A. S. Dreiding u. J. A. Hartman, Am. Soc. **78**, 1216 (1956).
[5] N. O. V. Sonntag, S. Lindner, E. I. Becker u. P. E. Spoerri, Am. Soc. **75**, 2283 (1953).

3-Hydroxy-2,3-diphenyl-cyclobuten-(1) geht in Äthanol sofort unter Ringsprengung in *1-Oxo-1,2-diphenyl-buten-(2)* über, während das strukturisomere 3-Hydroxy-1,2-diphenyl-cyclobuten-(1) das 2,3-Diphenyl-buten-(2)-al ergibt[1].

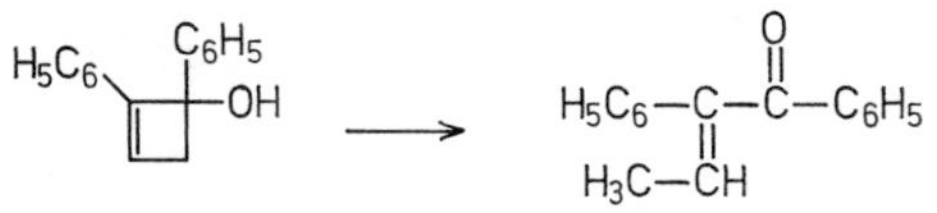

1-Hydroxy-1-vinyl-benzocyclobuten geht bei 110° quantitativ in *1-Oxo-tetralin* über[2].

1-Hydroxy-1-vinyl-cyclopropan erfährt bei 100° stereospezifische Ringerweiterung zu *2-Oxo-1-methyl-cyclobutan*[3]. Entsprechend wird aus 1-Hydroxy-1-cyclopenten-(1)-yl-cyclopropan *2-Oxo-cyclobutan-⟨1-spiro⟩-cyclopentan* und analog *2-Oxo-cyclobutan-⟨1-spiro⟩-cyclohexan* erhalten[3]. Entsprechende Umlagerungen lassen sich in Gegenwart elektrophiler Reagentien durchführen[4].

Beide Epimere des 7-Hydroxy-3-oxo-6-methyl-7-vinyl-bicyclo[4.4.0]decens-(1) lagern sich mit p-Toluolsulfonsäure unter tiefgreifender Veränderung des Kohlenstoffgerüstes und Ringerweiterung zu *4,12-Dioxo-9-methyl-bicyclo[6.4.0]dodecen-(1⁸)* um; die Ausbeute ist schlecht[5]:

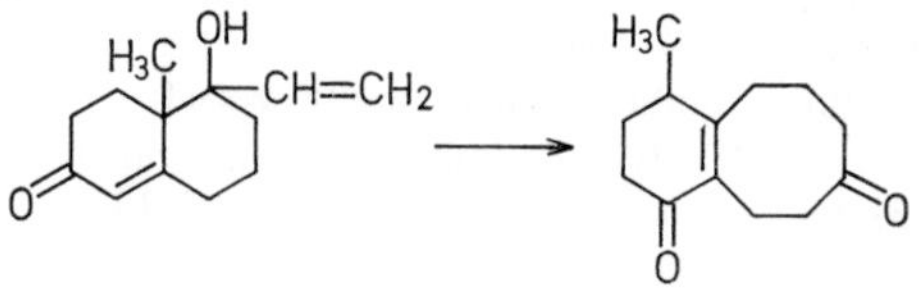

Die von einer Umlagerung begleitete Dehydratisierung von 2,5-Dihydroxy-hexen-(3) in siedender wäßriger Phosphorsäure zu einem Gemisch von *5-Oxo-hexen-(2)* (45% d. Th.) und *2-Oxo-hexen-(3)* (5% d. Th.) ist eine Art vinyloge Pinakolin-Umlagerung[6]:

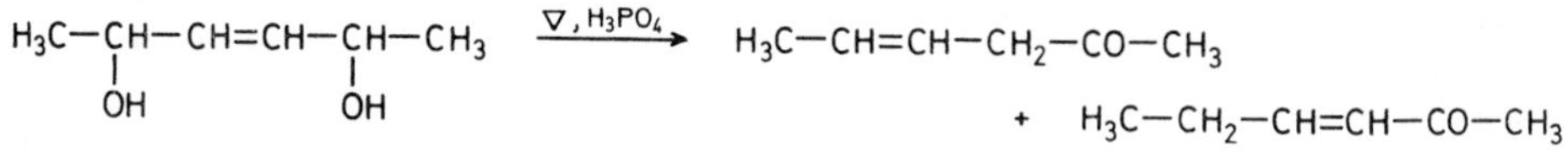

a_3) *Ketone aus β,γ- oder ε,ζ-ungesättigten Alhoholen unter Veränderung des Kohlenstoffgerüsts*

Cyclische ungesättigte Alkohole werden in schwefelsaurem Medium unter Gerüstumlagerung zu den entsprechenden Ketonen umgewandelt, auch wenn sich die C=C-Doppelbindung in β, γ- oder ε,ζ-Position befindet[7].

---

[1] R. Breslow, J. Lockhart u. A. Small, Am. Soc. **84**, 2793 (1962).

[2] B. J Arnold u. P. G. Sammes, Chem. Commun. **1972**, 1034.

[3] J. R. Salaün u. J. M. Conia, Tetrahedron Letters **1972**, 2849.

[4] H. H. Wasserman, R. E. Cochoy u. M. S. Baird, Am. Soc. **91**, 2375 (1969).
    H. H. Wasserman, H. W. Adickes u. O. Espejo de Ochoa, Am. Soc. **93**, 5586 (1971).

[5] S. Swaminathan et al., J. Org. Chem. **31**, 656 (1966).

[6] H. Morrison u. S. R. Kurowsky, Chem. Commun. **1967**, 1098.

[7] J. Bascoul, E. Noyer u. P. de Crastes, Bl. **1972**, 2744.

So wird 7-Hydroxy-6-methyl-bicyclo[4.3.0]nonen-(1) zu *7-Oxo-1-methyl-bicyclo [4.3.0]nonan* (80% d. Th.) isomerisiert:

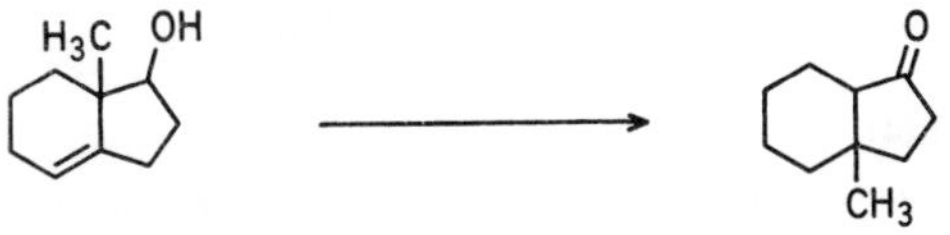

und aus 17β-Hydroxy-androsten-(4) wird *17-Oxo-5β,14β-dimethyl-10,13-didesmethyl-androstan* (40% d. Th.) erhalten:

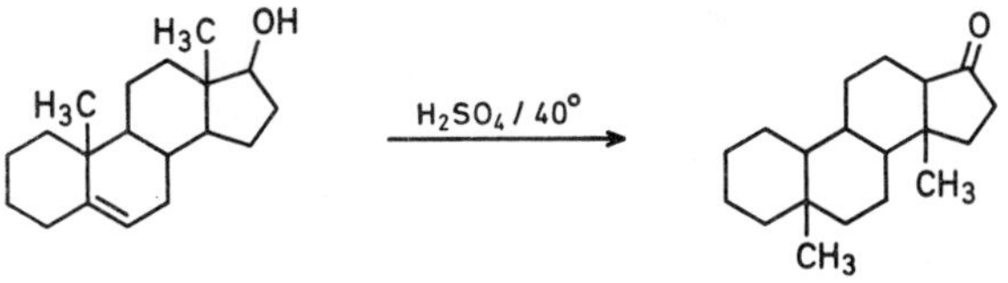

4-Hydroxy-bicyclo[6.1.0]nonan isomerisiert in Bortrifluorid-ätherat zum *5-Oxo-1-methyl-cyclooctan*[1]:

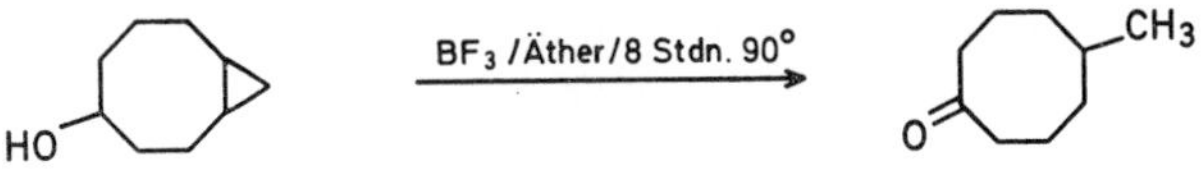

β) durch Palladium-Katalysatoren

Die ungesättigten Alkohole des Typs I lassen sich in Gegenwart von Palladium-Katalysatoren (Palladium/Kohle, Palladium/Styrol-Divinylbenzol-Copolymeren oder Palladium-Schwarz) und geringen Mengen Wasserstoff bei 180° zu entsprechenden gesättigten Ketonen bzw. Aldehyden II umlagern[2]:

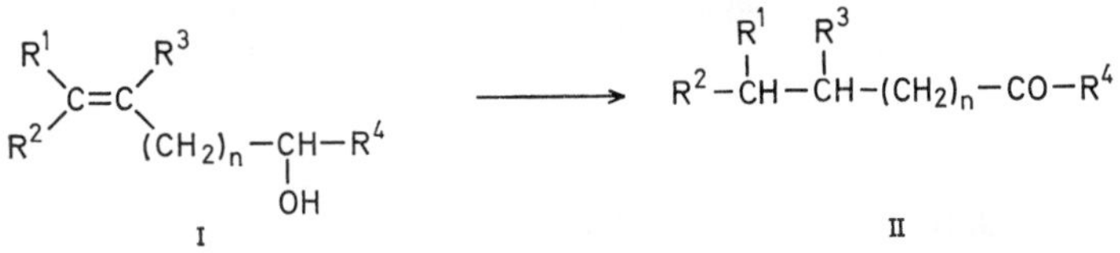

3-Oxo-pentan, 3-Oxo-hexan und *2-Oxo-pentan* sind so hergestellt worden[2].

---

[1] J. L. Gras u. M. Bertrand, Bl. **1972**, 2024.
[2] M. Kraus, Collect. czech. chem. Commun. **37**, 460 (1972).

γ) durch Eisenpentacarbonyl

Sowohl α,β-ungesättigte als auch β,γ-ungesättigte Alkohole lassen sich beim Erhitzen mit 10–20 Mol % Eisenpentacarbonyl zu Ketonen bzw. Aldehyden iso-merisieren[1]. Man erhält isomerenfreie reine Ketone in hohen Ausbeuten; z.B. aus

Hepten-(1)-ol-(4)	→ *Heptanon-(4)*	80% d.Th.
3-Hydroxy-2-methyl-hepten-(1)	→ *3-Oxo-2-methyl-heptan*	75% d.Th.
Octen-(1)-ol-(3)	→ *Octanon-(3)*	70% d.Th.
Dodecen-(1)-ol-(3)	→ *Dodecanon-(3)*	60% d.Th.
3-Hydroxy-cyclohexen-(1)	→ *Cyclohexanon*	40% d.Th.

3-Oxo-2-methyl-heptan[1]: 5 g (39 mMol) 3-Hydroxy-2-methyl-hepten-(1) und 1,5 g (7,8 mMol) Eisenpentacarbonyl in 25 *ml* Octan werden 6 Stdn. bei 124° unter Rückfluß gekocht. Das Fort-schreiten der Reaktion kann durch IR-Spektren und Gaschromatographie verfolgt werden. Nach Abkühlen wird mit einer Lösung von 3 g Eisen(III)-chlorid in 10 *ml* 95%igem Äthanol behandelt (Vorsicht! Kohlenoxid-Entwicklung), mit Äther verdünnt, mit ges. Kochsalz-Lösung gewaschen und destilliert; Ausbeute: 3,7 g (75% d.Th.); $Kp_{12–15}$: 42–49° (Reinheit 99%).

δ) thermisch

Ein Sonderfall ist die quantitative Umlagerung von 2-(1-Hydroxy-äthyl)-1-vinyl-cyclopropan zu *6-Oxo-hepten-(2)* bei 250°[2] (die Ringspannung ist hier treibende Kraft für die Reaktion).

2. α-Diketone und γ-Diketone aus Vinyl-äthinyl-carbinolen durch Wasser-Anlagerung und Isomerisierung

In Gegenwart von Quecksilber(II)-sulfat gehen Vinyl-äthinyl-carbinole in verd. Schwefelsäure in α-Diketone über[3], wobei das durch Hydratisierung der C≡C-Dreifachbindung gebildete β,γ-ungesättigte α-Hydroxy-keton als Zwischenprodukt anzunehmen ist, das sich zum α-Diketon umlagert[4] (vgl. hierzu S. 821).

3. Ketone aus Vinyläthern[5]

a) gesättigte Ketone aus einfachen Vinyläthern

Eine Reihe substituierter Vinyläther lagert beim Erhitzen unter 1,3-Verschiebung des Alkyl-Restes vom Sauerstoffatom zum Kohlenstoffatom in Ketone um[6]. α-Alkoxy-styrole sind der Reaktion besonders leicht zugänglich[7]:

[1] R. DAMICO u. T. J. LOGAN, J. Org. Chem. **32**, 2356 (1967).

[2] F. COLLONGES u. G. DESCOTES, C. r. [C] **274**, 1843 (1972).

[3] I. M. HEILBRON et al., Soc. **1946**, 54.

[4] E. A. BRAUDE, Quart. Rev. **4**, 404 (1950).

[5] G. G. SMITH u. F. W. KELLY in A. STREITWIESER u. R. W. TAFT, *Progress in Physical Organic Chemistry*, Vol. 8, S. 154–160, Wiley Interscience, New York 1971.

[6] P. S. LANDIS: *1,3-Alkyl-Migrations* in B. S. THYAGARAJAN, *Mechanisms of Molecular Migrations*, Vol. 2, S. 43–54, Interscience Publ., New York 1969.

[7] L. CLAISEN, B. **29**, 2931 (1896).

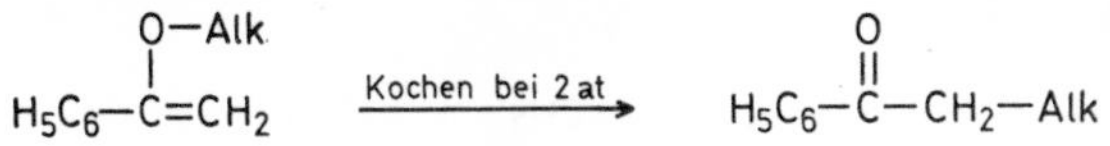

$$\underset{H_5C_6-C=CH_2}{\overset{O-Alk}{|}} \quad \xrightarrow{\text{Kochen bei 2 at}} \quad \underset{H_5C_6-C-CH_2-Alk}{\overset{O}{\overset{||}{}}}$$

Katalysatoren sind Di-tert.-butyl-peroxid und andere radikalische Initiatoren, sowie Sauerstoff. Der radikalische intermolekulare Mechanismus der Umlagerung ist erwiesen[1].

Die Reaktion ist eine Variante der bekannten sog. „Claisen-Umlagerung". Während jedoch bei Phenolen und beispielsweise auch bei Acetessigsäureester nur die O-Allyläther beim Erhitzen in die C-Allyl-Verbindungen umlagern, unterliegen einfache Vinyläther auch bei Vorhandensein gesättigter Alkyl-Reste der Reaktion[2]. Propyl- und Äthyläther lagern leichter um als Methyläther[2]. Offenbar ist die Isomerisierungstendenz des zugrundeliegenden unbeständigen Enols die treibende Kraft für die Reaktion.

Die Umlagerung gelingt sogar bei Konjugation der Doppelbindung mit einer Keto-Gruppe. So wird aus 1-Äthoxy-5-oxo-3-methyl-cyclopenten-(1) bei 12 stdgm. Erhitzen in Pyridin oder Chinolin auf 200° *3,4-Dioxo-1-methyl-2-äthyl-cyclopentan* erhalten[3]:

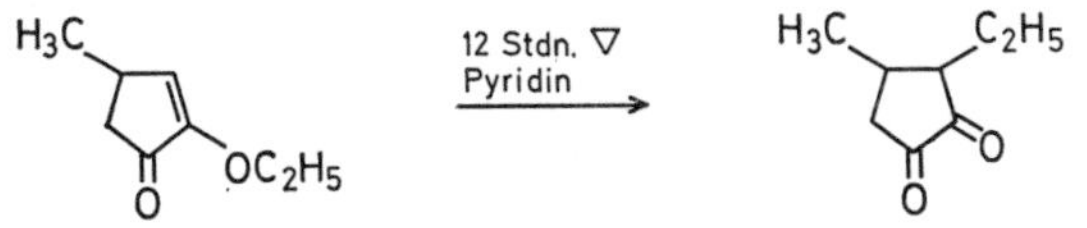

Andererseits konnte β-Methoxy-β-phenyl-acrylnitril bei 190° nicht umgelagert werden[4].

Optisch aktives 1-[Butyl-(2)-oxy]-1-phenyl-äthylen ergibt beim Erhitzen i. Vak. auf 190–200° unter Racemisierung *1-Oxo-3-methyl-1-phenyl-pentan* (76% d. Th.)[5].

Die auftretenden Nebenprodukte sind auf Grund der Radikal-Natur der Zwischenstufen verständlich. Bei der Umlagerung der Methyläther wird Methan gefunden, höhere Reste liefern die entsprechenden Olefine[1]. Daneben wird im Falle des 1-Methoxy-1-phenyl-äthylens das *1,4-Dioxo-2-methyl-1,4-diphenyl-butan* gebildet.

Die entstandenen Alkyl-Radikale können auch mit Lösungsmitteln wie Toluol, Xylol, Cyclohexan, Benzylbromid unter Abstraktion eines H-Atoms reagieren. Das gebildete Sekundärradikal reagiert dann mit noch unverändertem Vinyläther:

[1] P. S. LANDIS: *1,3-Alkyl-Migrations* in B. S. THYAGARAJAN, *Mechanisms of Molecular Migrations*, Vol. 2, S. 43–54, Interscience Publ., New York 1969.

[2] L. CLAISEN u. E. HAASE, B. **33**, 3778 (1900).
L. CLAISEN, B. **45**, 3157 (1912).

[3] H. STAUDINGER u. L. RUZICKA, Helv. **7**, 386 (1924).

[4] F. ARNDT u. L. LOEWE, B. **71**, 1631 (1938).

[5] K. B. WIBERG u. B. I. ROWLAND, Am. Soc. **77**, 1159 (1955).

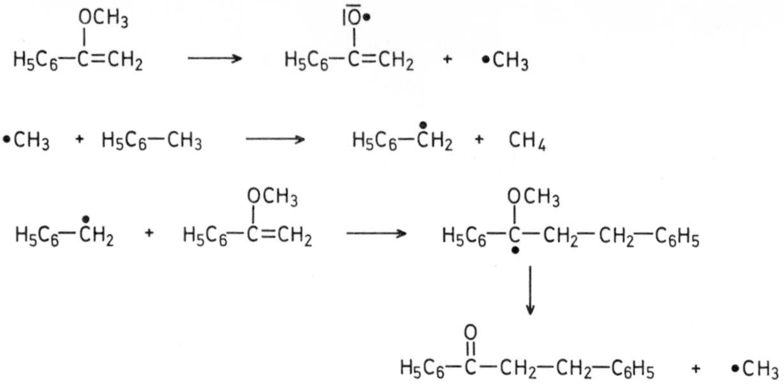

$$\overset{\displaystyle \underset{\displaystyle |}{OCH_3}}{H_5C_6-C=CH_2} \longrightarrow \overset{\displaystyle \underset{\displaystyle |}{|\overline{O}\bullet}}{H_5C_6-C=CH_2} + \bullet CH_3$$

$$\bullet CH_3 + H_5C_6-CH_3 \longrightarrow H_5C_6-\overset{\bullet}{C}H_2 + CH_4$$

$$H_5C_6-\overset{\bullet}{C}H_2 + \overset{\displaystyle \underset{\displaystyle |}{OCH_3}}{H_5C_6-C=CH_2} \longrightarrow \overset{\displaystyle \underset{\displaystyle |}{OCH_3}}{H_5C_6-\underset{\bullet}{C}-CH_2-CH_2-C_6H_5}$$

$$\downarrow$$

$$\overset{\displaystyle \overset{O}{\|}}{H_5C_6-C-CH_2-CH_2-C_6H_5} + \bullet CH_3$$

Bei der Umlagerung von 1-Methoxy-1-phenyl-äthylen in Toluol wird *1-Oxo-1,3-diphenyl-propan* (37% d. Th.), in Cyclohexan *ω-Cyclohexyl-acetophenon* (*1-Oxo-3-cyclohexyl-1-phenyl-propan*; 44% d. Th.) erhalten[1].
Auch O-Acyläther (Vinylester) sind der Reaktion zugänglich (s. S. 1162).

β) ungesättigte Ketone aus Vinyl-allyl-äthern

Allyl-isopropenyl-äther (R=CH_3) geht beim Erhitzen des Dampfs auf 255° praktisch quantitativ in *5-Oxo-hexen-(1)* über:

$$\underset{\displaystyle \underset{R}{|}}{H_2C=C}-O-CH_2-CH=CH_2 \longrightarrow H_2C=CH-CH_2-CH_2-\underset{\displaystyle \underset{R}{|}}{CO}$$

Ist R = C_6H_5, so vollzieht sich die Reaktion bereits unter 175° durch kurzzeitiges Rückflußkochen und Bildung von *5-Oxo-5-phenyl-penten-(1)* [*Penten-(4)-oyl-benzol*].
Die Umlagerung geht leichter als die der unsubstituierten (R=H) Vinyl-Verbindungen zu den entsprechenden Aldehyden[2]. Zur Stereochemie der Claisen-Umlagerung und ihre Anwendung zur Synthese von *Squalen* und *C-18-Insekten-Juvenilhormonen* vgl. Lit.[3].
Nach Art einer Claisen-Umlagerung verläuft auch die Pyrolyse von 2-Vinyl-3,4-dihydro-2H-pyranen zu Cyclohexenyl-ketonen. *2-Methyl-4-acetyl-cyclohexen-(1)* wurde bei 425° in 75% Ausbeute erhalten.
3-[6-Methyl-3,4-dihydro-2H-pyranyl-(2)]-*trans*-buten-(2)-säure-methylester liefert ein *cis-trans*-Gemisch des *2-Methyl-4-acetyl-3-methoxycarbonyl-cyclohexens-(1)*[4]:

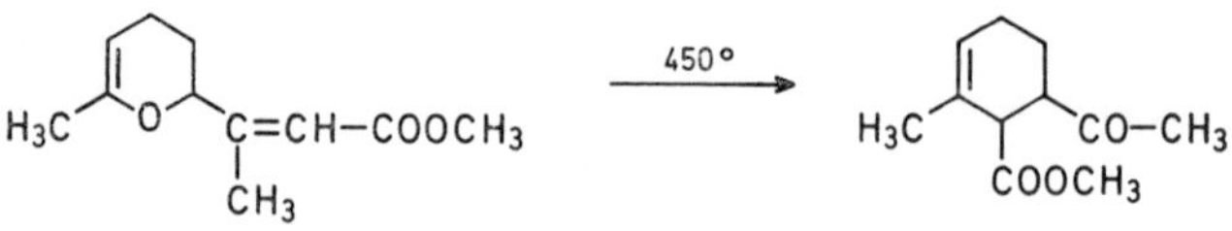

Allyläther des Tropolons werden thermisch unter Claisen-Umlagerung zu 1,2-Diketonen umgelagert, welche unter Reaktion der Allyl-Doppelbindung zu tricyclischen 1,2-Diketonen isomerisieren[5]; z.B.:

[1] C. D. HURD u. M. A. POLLACK, Am. Soc. **60**, 1905 (1938).
[2] Vgl. ds. Handb., Bd. VII/1, Kap. Aldehyde, S. 248.
[3] D. J. FAULKNER u. M. R. PETERSEN, Am. Soc. **95**, 553 (1973); dort weitere Literatur.
[4] A. BÜCHI u. J. E. POWELL, Am. Soc. **89**, 4559 (1967); **92**, 3126 (1970).
[5] R. M. HARRISON, J. D. HOBSON u. M. M. AL HOLLY, Soc. [C] **1971**, 3084.

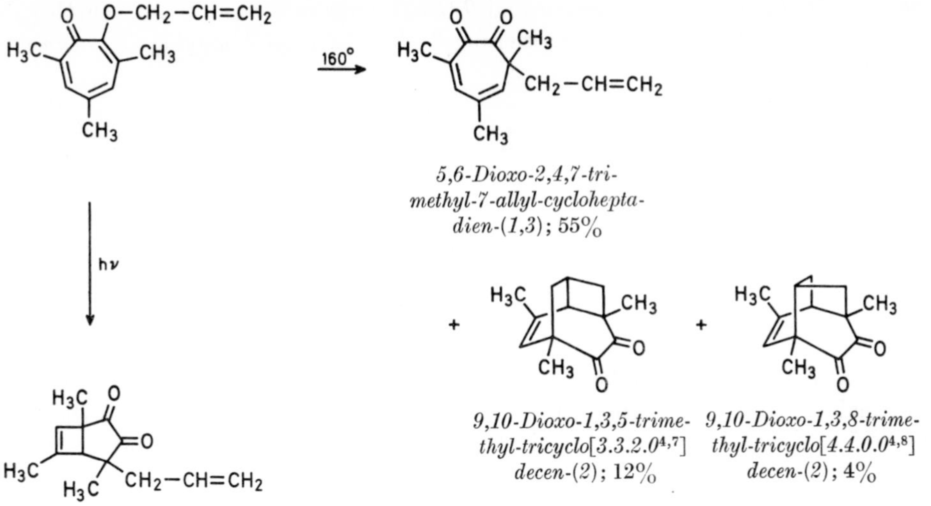

5,6-Dioxo-2,4,7-tri-
methyl-7-allyl-cyclohepta-
dien-(1,3); 55%

9,10-Dioxo-1,3,5-trime-   9,10-Dioxo-1,3,8-trime-
thyl-tricyclo[3.3.2.0⁴,⁷]   thyl-tricyclo[4.4.0.0⁴,⁸]
decen-(2); 12%   decen-(2); 4%

2,3-Dioxo-1,4,6-trime-
thyl-4-allyl-bicyclo
[3.2.0]hepten-(6); 85%

Die thermische Claisen-Umlagerung des Propinyläthers führt direkt zum tri-cyclischen 1,2-Diketon[1]:

7,8-Dioxo-1,3,6-trime-
thyl-9-methylen-tricyclo
[3.3.1.0⁴,⁶]nonen-(2)

Über die Anwendung der Claisen-Umlagerung zur Synthese des Grundgerüsts der Morelline vgl. Lit.[2]; z.B. wird 1-Hydroxy-5,6-diallyl-xanthon

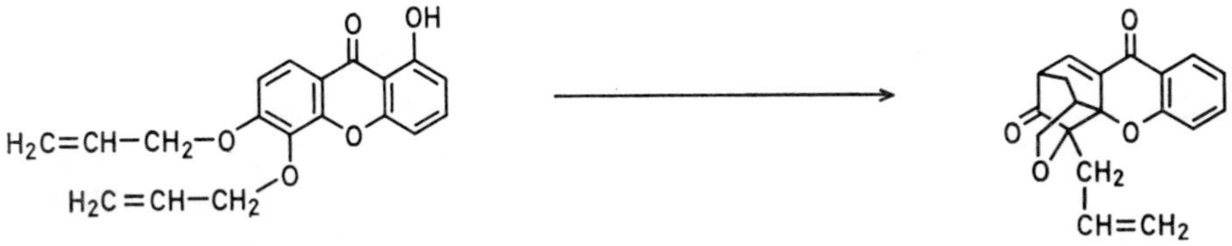

durch 14 stdgs. Kochen in Dekalin zum 7,11-Dioxo-12-allyl-⟨3,4-benzo-2,14-dioxa-tetracyclo[6.2.2. 2¹⁰,¹¹.0¹,⁶]tetradecadien-(3,6)⟩ umgelagert[2].

2,5-Dimethyl-2-vinyl-2,3-dihydro-furan ist über die isolierbare Zwischenstufe 2-Methyl-2-vinyl-5-methylen-tetrahydrofuran bei 140–200° in hoher Ausbeute zu 5-Oxo-1-methyl-cyclohepten umgelagert worden. Bei höherer Temperatur treten da-

[1] R. M. HARRISON, J. D. HOBSON M. M. AL HOLLY, Soc. [C] 1971, 3084.
[2] A. J. QUILLINAN u. F. SCHEINMANN, Chem. Commun. 1971, 966.

neben *1-Methyl-4-acetyl-cyclopenten* und *6-Oxo-3-methylen-hepten-(1)* auf[1]. Im Gegensatz dazu wird durch Photoisomerisierung *2-Methyl-2-vinyl-1-acetyl-cyclopropan* gebildet[2]:

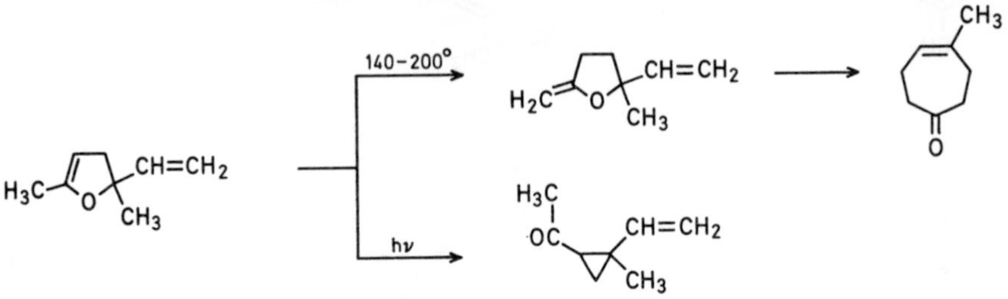

Die Claisen-Umlagerung von 2,6-Dichlor-1-allyloxy-benzol bei 175° verläuft anormal und führt nicht zum 2,6-Dichlor-4-allyl-phenol sondern zum 1,5-Dichlor-6-oxo-5-allyl-cyclohexadien-(1,3); die Umwandlung tritt z.B. bereits bei der Gaschromatographie des Äthers[3] ein.

γ) Spezielle Umlagerungen

Auch Lactimäther lassen sich thermisch unter Bildung von α-Allyl-lactamen[4] umlagern.

In analoger Reaktion erhält man aus den Hydrazonaten I und II in quantitativer Ausbeute *N-Phenyl-N-[4-brom-(bzw. 4-chlor-; bzw. -4-nitro)-phenyl]-N'-benzoyl-hydrazin*[5]:

X= Br , Cl , NO₂

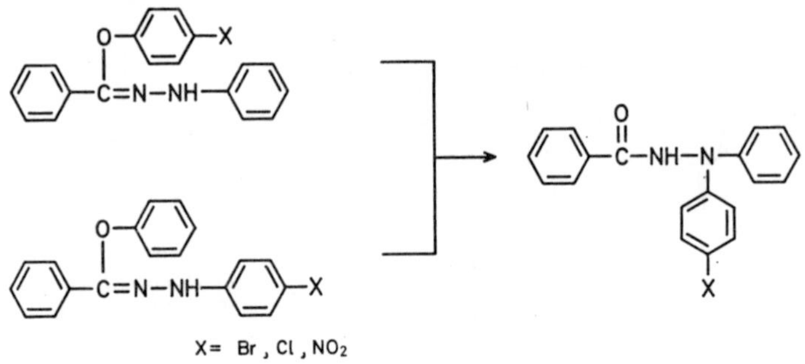

Die thermische Umlagerung von Vinylestern zu Diketonen wird auf S. 1162 abgehandelt.

4. Allenyl-ketone aus β-Hydroxy- bzw. Äthoxy-alkeninen

Die Umlagerung findet bereits bei Raumtemperatur in 0,05–0,3 molarer wäßriger Mineralsäure statt. 4-Äthoxy-penten-(3)-in-(1) liefert in 68%iger Ausbeute *4-Oxo-pentadien-(1,2)*[6]. Eine Hydroxy-Gruppe in α-Stellung zur C≡C-Dreifachbindung bleibt erhalten. So erhält man aus 2-Hydroxy-6-äthoxy-2-methyl-octen-(5)-in-(3) *2-Hydroxy-6-oxo-octadien-(3,4)* zu 85% d. Th.:

[1] A. J. QUILLINAN u. F. SCHEINMANN, Chem. Commun. **1971**, 966.
[2] S. J. RHOADS u. C. F. BRANDENBURG, Am. Soc. **93**, 5805 (1971).
    S. J. RHOADS u. J. M. WATSON, Am. Soc. **93**, 5813 (1971).
[3] M. J. BALDWIN u. R. K. BROWN, Canad. J. Chem. **44**, 1743 (1966).
[4] D. S. C. BLACK, F. W. EASTWOOD, R. O. OKVAGLIK, A. J. POYNTON, A. M. WADE u. C. H. WELKER, Austral. J. Chem **25**, 1483 (1972).
[5] A. F. HEGARTY, J. A. KEAVNEY, M. P. CASHMAN u. F. L. SCOTT, Chem. Commun. **1971**, 689.
[6] M. BERTRAND u. C. ROUVIER, C. r. **259**, 1530 (1964).

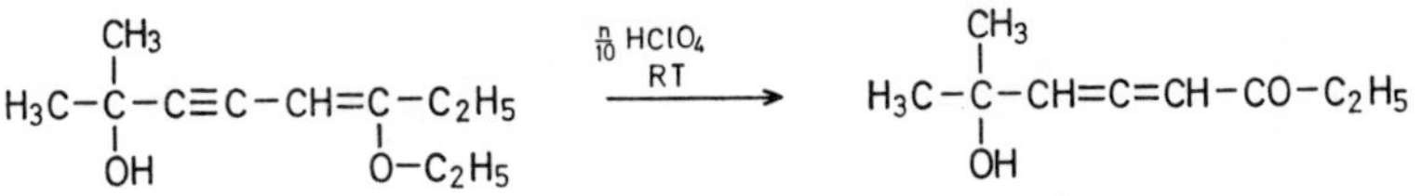

$$\underset{\substack{| \\ OH}}{\overset{\substack{CH_3 \\ |}}{H_3C-C}}-C\equiv C-CH=\underset{\substack{| \\ O-C_2H_5}}{C}-C_2H_5 \quad\xrightarrow[\text{RT}]{\tfrac{n}{10}\,HClO_4}\quad \underset{\substack{| \\ OH}}{\overset{\substack{CH_3 \\ |}}{H_3C-C}}-CH=C=CH-CO-C_2H_5$$

Bei Allenyl-ketonen mit sekundärer oder primärer Hydroxy-Gruppe sind die Ausbeuten schlechter[1].

Trägt das Carbinol-C-Atom einen aromatischen Substituenten, so treten unter Wasser-Abspaltung kummulierte Trienone auf, die ihrerseits nur langsam mit Wasser weiterreagieren[2].

4-Hydroxy-alken-(5)-ine-(1) lagern thermisch zu γ-Keto-allenen um, wobei die Zwischenstufe von γ-Allen-enolen durchlaufen wird. Daneben treten häufig ungesättigte Ketone oder auch Ringschluß-Derivate auf[3]; z. B.:

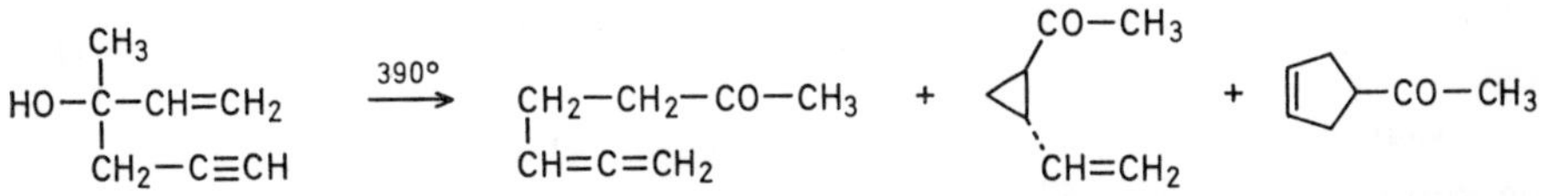

6-Oxo-heptadien-(1,2) 2-Vinyl-1-acetyl-cyclopropan 4-Acetyl-cyclo-penten-(1)

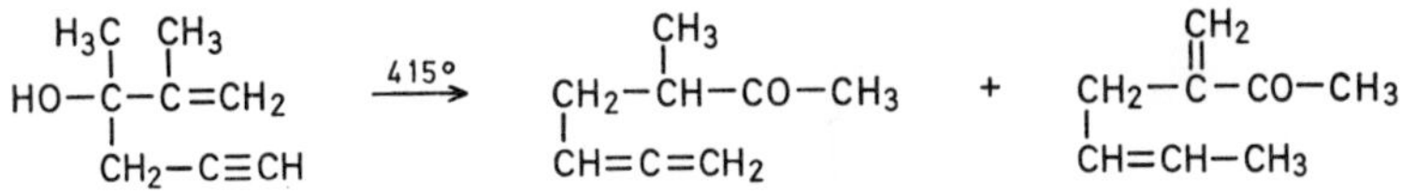

6-Oxo-4,5-dimethyl-heptadien-(1,2) 6-Oxo-5-methylen-4-methyl-hepten-(2) 50% d. Th. (66:33)

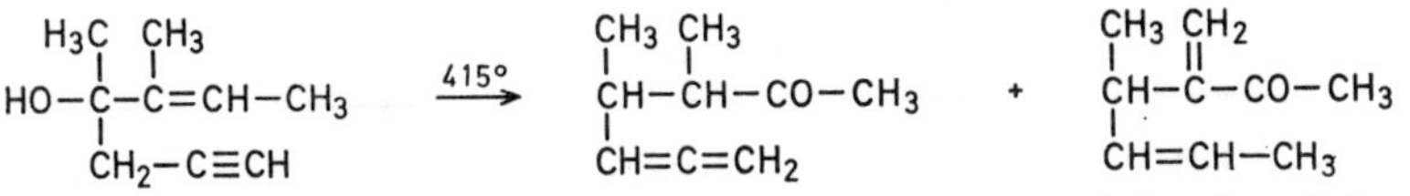

6-Oxo-5-methyl-heptadien-(1,2) 6-Oxo-5-methylen-hepten-(2) 72% d. Th. (40:60)

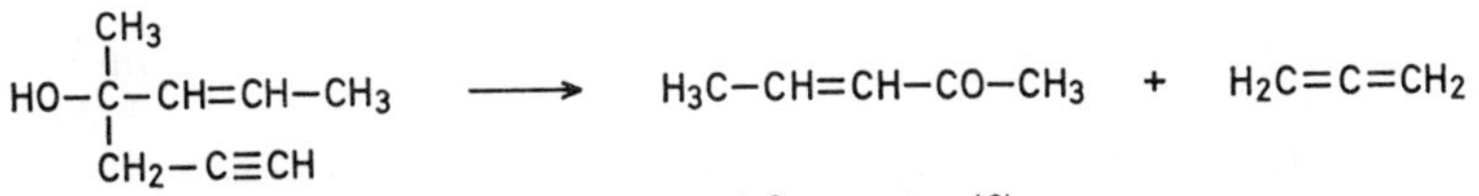

4-Oxo-penten-(2)

Hydroxy-alkenine, die sich zu Oxo-dienen umlagern, werden auf S. 907, 916 besprochen.

5. Ungesättigte Diketone aus Hydroxy-oxo-allenen

Hydroxy-oxo-allene I lagern sich in 1n Perchlorsäure rasch in ungesättigte β-Diketone II um:

[1] M. Bertrand u. C. Rouvier, C. r. **260**, 209 (1965).
[2] M. Bertrand u. C. Rouvier, C. r. [C] **263**, 330 (1966).
[3] N. Manisse, J.-C. Pommelet u. J. Chuche, Bl. **1972**, 2422.

$$R^2-\underset{\underset{OH}{|}}{\overset{\overset{R^1}{|}}{C}}-CH=C=CH-CO-R^3 \longrightarrow \overset{R^1}{\underset{R^2}{>}}C=CH-CO-CH_2-CO-R^3$$

I   II

R^1	R^2	R^3	1,3-Diketon[1]
H	C_2H_5	CH_3	*5,7-Dioxo-octen-(3)*
H	C_2H_5	C_2H_5	*5,7-Dioxo-nonen-(3)*
H	iso-C_3H_7	C_2H_5	*5,7-Dioxo-2-methyl-nonen-(3)*
CH_3	CH_3	CH_3	*4,6-Dioxo-2-methyl-hepten-(2)*
CH_3	CH_3	iso-C_3H_7	*4,6-Dioxo-2,7-dimethyl-octen-(2)*

So erhält man *5,7-Dioxo-octen-(3)* aus 6-Hydroxy-2-oxo-octadien-(3,4). Die Reaktion wird IR-spektroskopisch verfolgt und sofort nach Verschwinden der Allen-Bande bei 1949—1957 cm⁻¹ abgebrochen. Die Ausbeuten liegen bei 80% d. Th.; mit 20%iger Phosphorsäure werden 5,6-Dihydro-4H-pyrone erhalten[1,2]:

R^1	R^2	R^3	... -5,6-dihydro-4H-pyran[2]	% d. Th.
H	C_2H_5	CH_3	*4-Oxo-2-methyl-6-äthyl-*	65
CH_3	CH_3	iso-C_3H_7	*4-Oxo-6,6-dimethyl-2-isopropyl-*	55

Die Umlagerung zum Diketon dürfte als Allyl-Umlagerung mit anschließender Tautomerisierung aufzufassen sein, denn einfache sekundäre Allenalkohole lagern zu α,β-ungesättigten Monoketonen um. So wird *2-Oxo-hepten-(3)* (80% d. Th.) aus 4-Hydroxy-heptadien-(1,2) durch Kochen mit 20%iger Phosphorsäure und Wasserdampfdestillation gewonnen:

$$H_7C_3-\underset{\underset{OH}{|}}{CH}-CH=C=CH_2 \xrightarrow{\text{20\% } H_3PO_4} H_7C_3-CH=CH-CO-CH_3$$

Auch bei der Säure-Behandlung entsprechender Chlor- oder Brom-allene treten Ketone auf[3].

---

[1] M. Bertrand u. C. Rouvier, C. r. [C] **264**, 1208 (1967).
[2] M. Bertrand u. C. Rouvier, Bl. **1968**, 2926.
[3] M. Bertrand u. J. Le Gras, C. r. **261**, 762 (1965).

b) Ungesättigte Ketone aus Äthinyl- bzw. Propargyl-carbinolen

1. Aus Äthinyl-carbinolen

α) unter Erhalt des Kohlenstoffgerüsts (Rupe-Umlagerung, Meyer-Schuster-Umlagerung)

Tertiäre Äthinyl-carbinole lagern sich unter dem Einfluß von Säuren unter formaler 1,2-Verschiebung des O-Atoms (Rupe-Umlagerung[1-6]) zu Ketonen oder unter 1,3-Verschiebung (Meyer-Schuster-Umlagerung[3,4,6,7]) zu Ketonen oder Aldehyden um. Beide Reaktionen können auch gleichzeitig stattfinden:

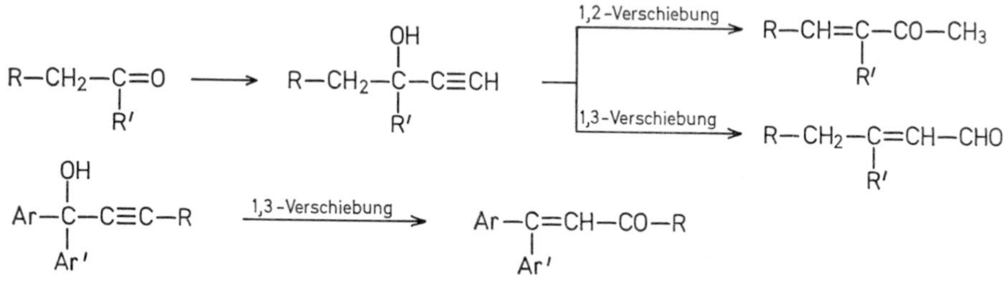

Da Äthinyl-carbinole aus Ketonen leicht zugänglich sind, ermöglicht die Reaktion den Aufbau höherer ungesättigter Ketone aus einfachen Ketonen.

Äthinyl-carbinole der allgemeinen Struktur

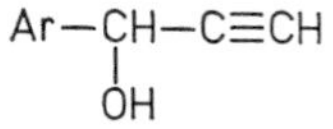

$$Ar-\underset{\underset{OH}{|}}{CH}-C\equiv CH$$

welche kein Wasserstoffatom in α-Stellung zum Carbinol-Kohlenstoffatom aufweisen, liefern ungesättigte Aldehyde[8,9], da die Rupe-Umlagerung aufgrund der Struktur nicht möglich ist.

Aus 3-Hydroxy-butin-(1) wird an freie Phosphorsäure enthaltenden Katalysatoren *Butenon* erhalten[10].

Der Mechanismus der Umlagerungen[6] ist noch nicht völlig geklärt. Während die Rupe-Umlagerung durch Ameisensäure möglicherweise über eine Wasser-Abspaltung und nachfolgende Hydratisierung der nunmehr aktivierten C≡C-Dreifachbindungen verläuft[11], ist der erste Schritt

---

[1] H. Rupe u. E. Kambli, Helv. **9**, 672 (1926).

[2] H. Rupe u. F. Kuenzy, Helv. **14**, 701 (1931).

[3] A. W. Johnson, *The Chemistry of the Acetylenic Compounds*, Vol. I, *The Acetylenic Alcohols*, S. 124—134, Edward Arnold & Co., London 1946.

[4] S. A. Vartanyan u. S. O. Babanyan, Russ. chem. Reviews (Übersetzung) **36**, 670 (1967).

[5] A. Dornow u. F. Ische, B. **89**, 880 (1956).
  R. Heilmann u. R. Glénat, A. ch. **8**, 175 (1963).

[6] S. Swaminathan u. K. V. Narayanan, Chem. Reviews **71**, 429 ff. (1971).

[7] K. H. Meyer u. K. Schuster, B. **55**, 819 (1922).

[8] E. T. Clapperton u. W. S. MacGregor, Am. Soc. **72**, 2501 (1950).

[9] W. S. MacGregor, Am. Soc. **70**, 3953 (1948).

[10] DBP 859888 (1941), I. G. Farb., Erf.: W. Reppe u. E. Joost; C. A. **47**, 11226^h (1953).

[11] Vgl. z. B. M. Apparu u. R. Glénat, Bl. **1968**, 1113.

der Meyer-Schuster-Umlagerung vermutlich eine Allyl-Umlagerung[1,2]. Auch ein Allen als Zwischenstufe wird diskutiert[3].

Möglicherweise spielt die Meyer-Schuster-Umlagerung bei der Oxidation von Acetylenen mit Peressigsäure eine Rolle[4].

Gegen das Auftreten von Vinylacetylenen als Zwischenstufen bei der Rupe-Umlagerung spricht die Tatsache, daß die Hydratisierung der C≡C-Dreifachbindung erfahrungsgemäß nur in Gegenwart von Quecksilber(II)-Salzen oder anderen Metallkationen gelingt; vgl. z. B.[5].

Primäre Äthinyl-carbinole, bei welchen eine Dehydratisierung als Primärschritt nicht möglich ist, lagern nur unter dem Einfluß von Quecksilber(II)-Ionen um[6].

Nebenprodukte beider Umlagerungen sind En-in-Kohlenswasserstoffe sowie die Produkte einer reversiblen Aldolreaktion der gebildeten ungesättigten Ketone.

Während bei der Rupe-Umlagerung bisher vorwiegend heiße 60-95%ige Ameisensäure oder Schwefelsäure in Eisessig[7] verwendet wurde [mit Phosphor(V)-oxid oder Schwefelsäure als Umlagerungskatalysator oder bei der Gasphasenreaktion tritt Dehydratisierung zu Alken-(1)-in-(3)-Kohlenwasserstoffen in den Vordergrund[8–12]], ist die Meyer-Schuster-Umlagerung unter verschiedenen Bedingungen durchgeführt worden[13].

So wurde *3-Oxo-1,1,3-triphenyl-propen-(1)* aus 3-Hydroxy-1,3,3-triphenyl-propin-(1) in Eisessig/Schwefelsäure, Äthanol/Schwefelsäure, Äthanol/Salzsäure, Acetylchlorid, Thionylchlorid oder Chlorwasserstoff in Äther erhalten[14–16]. Auch 2–3 Stdn. Kochen mit 3% Schwefelsäure in Dibutyläther bewirkt die Umlagerung[17]; konz. Schwefelsäure bei −78° innerhalb kurzer Zeit wirkt dagegen nicht ein[18].

Anstelle des Carbinols selbst können auch dessen Äther bzw. Essigsäureester oder das entsprechende Chlor-Derivat umgelagert werden[15,17,19–23].

[1] G. F. HENNION, R. B. DAVIS u. D. E. MALONEY, Am. Soc. **71**, 2813 (1949).
[2] P.B.D. de la Mare, in P. de Mayo „*Molecular Rearrangements*", Part I, S. 27, 87, Interscience Publishers, Inc., New York 1963.
[3] R. A. RAPHAEL, *Acetylenic Compounds in Organic Syntheses*, S. 77, Butterworths, London 1955.
   M. M. PLEKHOTKINA, V. S. KARAVAN u. I. A. FAVOVSKAJA, Ž. org. Chim. **6**, 45 (1970); C. A. **72**, 99839b (1970).
[4] V. FRANZEN, B. **87**, 1478 (1954).
   vgl. ds. Handb., Bd. IV/1a, Kap. Oxidation.
[5] Fr. P. 954405 (1947), Polym. Prod., Erf.: C. WEIZMANN u. J. BLUMENFELD.
[6] E. D. VENUS-DANILOWA u. S. N. DANILOW, Ž. obšč. Chim. **2**, 645 (1932); C. **1933** II, 47.
[7] M. APPARU u. R. GLÉNAT, Bl. **1968**, 1106.
[8] M. F. ANSELL, J. W. HANCOCK u. W. J. HICKINBOTTOM, Soc. **1956**, 911.
[9] E. D. BERGMANN, Am. Soc. **73**, 1218 (1951).
[10] US. P. 2524865 (1947) Publisher Industries Inc., Erf.: E. V. WINSLOW; C. A. **45**, 1617 (1951).
[11] US. P. 2250558 (1941), Union Carbide and Carbon Research Lab., Erf.: T. H. VAUGHN; C. A. **35**, 7070 (1941).
[12] I. HEILBRON et al., Soc. **1949**, 1827.
[13] S. SWAMINATHAN u. K. V. NARAYANAN, Chem. Reviews **71**, 429 (1971); dort findet sich eine Zusammenstellung aller bisher eingesetzten Katalysatoren.
[14] K. H. MEYER u. K. SCHUSTER, B. **55**, 819 (1922).
[15] C. MOUREU, C. DUFRAISSE u. C. MACKALL, Bl. [4] **33**, 934 (1923).
[16] A. W. JOHNSON, *The Chemistry of the Acetylenic Compounds*, Vol. I, *The Acetylenic Alcohols*, S. 124–134, Edward Arnold & Co., London 1946.
[17] M. A. WILLEMART, Bl. **2**, 867 (1935).
[18] W. WELTZIEN, F. MICHEEL u. K. HESS, A. **433**, 247 (1923).
[19] G. F. HENNION, R. B. DAVIS u. D. E. MALONEY, Am. Soc. **71**, 2813 (1949).
[20] C. MOUREU, C. DUFRAISSE u. H. BLATT, Bl. [4] **35**, 1412 (1924).
[21] A. WILLEMART, A. ch. [10] **12**, 356 (1929).
[22] A. WILLEMART, C. r. **188**, 1172 (1929).
[23] J. ROBIN, A. ch. [10] **16**, 421 (1931).

Tab. 129. Ketone aus Äthinyl-carbinolen

Äthinyl-carbinol	Katalysator	Hauptprodukt	Ausbeute [%d.Th.]	F [°C]	Nebenprodukt	Literatur
(Cyclohexan-OH, C≡CH)	90%ige HCOOH	1-Acetyl-cyclohexen-(1)	50	220–221 (Semicarbazon)	(Cyclohexan CH–CHO) (0,8%)	1,2
	P2O5/Benzol		56–70	(Kp22: 85–88°)		3
	Oxalsäure					4
	Ionenaustauscher Dowex 50		84–87	....		5
	H2SO4/Eisessig		80			6,7
(Cyclohexan-OH, C≡CH, CH3)	HCOOH	3-Methyl-1-acetyl-cyclohexen-(1)				8
(H3C CH3 Cyclohexan-OH, C≡CH)	90%ige HCOOH	6,6-Dimethyl-1-acetyl-cyclohexen-(1)	56	200–201,5 (Semicarbazon) (Kp49: 118–118,5°)	(H3C CH3 Cyclohexan =CH2 CH–CHO) (6%)	1
(H3C CH3 Cyclohexan-OH, C≡CH, CH3)	Ionenaustauscher Dowex 50	2,6,6-Trimethyl-1-acetyl-cyclohexen-(1)	75	152–154 (DNPH)		5
	98%ige HCOOH		68	(Kp21: 110–111°)		9
	90%ige HCOOH		61			1,10

[1] J. D. Chanley, Am. Soc. 70, 244 (1948).
[2] H. Rupe, W. Messner u. E. Kambli, Helv. 11, 449 (1928).
F. G. Fischer u. K. Löwenberg, A. 475, 203 (1929).
[3] J. H. Saunders, Org. Synth. Coll. Vol. III, 22; Org. Synth. 29, 1.
[4] R. Y. Levina u. E. I. Vinogradova, Ž. prikl. Chim. 9, 1299 (1936);
C. A. 31, 2587 (1937).
[5] M. S. Newman, Am. Soc. 75, 4740 (1953).
[6] M. Apparu u. R. Glénat, Bl. 1968, 1106.

[7] W. Reppe et al., A. 596, 45 (1955); Umlagerung erfolgt bereits beim Erwärmen mit 40%iger Schwefelsäure.
[8] H. Rupe u. E. Kambli, Helv. 9, 672 (1926);
H. Rupe et al., Helv. 16, 685 (1933).
[9] P. D. Landor u. S. R. Landor, Soc. 1956, 1015.
[10] J. D. Chanley et al., Am. Soc. 77, 6056 (1955).
H. B. Henbest u. G. Woods, Soc. 1952, 1150.

Tab. 129. (1. Fortsetzung)

Äthinyl-carbinol	Katalysator	Hauptprodukt	Ausbeute [% d.Th.]	F [°C]	Nebenprodukt	Literatur
	70%ige HCOOH	5-Methyl-2-isopropyl-cyclohexyliden-acetaldehyd	~80(Roh)	146—147 (Semicarbazon) (Kp$_{12}$: 107—113°)		1,2
	70%ige HCOOH	2-Methyl-5-isopropyl-cyclohexyliden-acetaldehyd	85—90	(Kp$_9$: 114—116°) 139—140 (Semicarbazon)		3
	86%ige HCOOH	1,3,3-Trimethyl-2-formylmethylen-bicyclo[2.2.1]heptan	~100	(Kp$_{10}$: 121—123°) 214 (Semicarbazon)		3
	HCOOH	4-Hydroxy-1-acetyl-cyclohexen	62	(Kp$_{0,02}$°: 106—107°) 226—227 (DNPH)	1-Acetyl-cyclohexadien-(1,3)	4
	HCOOH	4-Benzoyloxy-1-acetyl-cyclohexen	36	69		4
	100%ige HCOOH	2,7-Diacetyl-bicyclo[4.4.0]decadien-(1,6)	72	84,5—85,5		5
	100%ige HCOOH	7-Oxo-2-acetyl-bicyclo[4.4.0]decen-(1)	70	(Kp$_{0,001}$: 95°) 275° (Zers. DNPH)		

[1] H. RUPE u. A. GASSMANN, Helv. 12, 193 (1929).
[2] H. RUPE u. A. GASSMANN, Helv. 17, 283 (1934).
[4] E. R. H. JONES u. F. SONDHEIMER, Soc. 1949, 615.
[5] H. R.

Tab. 129. (2. Fortsetzung)

Äthinyl-carbinol	Katalysator	Hauptprodukt	Ausbeute [%d.Th.]	F [°C]	Nebenprodukt	Literatur
(Phenyl)–CH(OH)–C≡CH	Wasserdampfdest. durch 28%ige H₂SO₄	*Zimtaldehyd*	36			[1,2]
(3,4-Methylendioxyphenyl)–CH(OH)–C≡CH	1%ige H_2SO_4	*3,4-Methylendioxy-zimtaldehyd*	46,8			[2]
(Phenyl)–CH=CH–CH(OH)–C≡CH	20%ige H_2SO_4	*5-Phenyl-pentadien-(2,4)-al*	32,7			[2]
(Fluoren)–C(OH)≡CH	Äthanol/H⊕	*Fluorenyliden-acetaldehyd*	60			[3]
(Fluoren)(HO)C–C≡CH	Hg²⊕/H⊕	*9-Hydroxy-9-acetyl-fluoren*	84			[3]
(Diphenyl)C(OH)–C≡CH	Äthanol/H⊕	*β,β-Diphenyl-acrolein*	78			[3]

[1] M. S. MacGregor, Am. Soc. 70, 3953 (1948).
[2] E. T. Clapperton u. W. S. MacGregor, Am. Soc. 72, 2501 (1950).
[3] G. F. Hennion u. B. R. Fleck, Am. Soc. 77, 3253 (1955).

Tab. 129. (3. Fortsetzung)

Äthinyl-carbinol	Katalysator	Hauptprodukt	Ausbeute [% d.Th.]	F [°C]	Nebenprodukt	Literatur
OH R–C–C≡CH CH$_3$ R = CH$_3$–	85%ige HCOOH	3-Methyl-buten-(3)-in-(1)	72	(Kp: 31–34°)		1,2
	Zinkphosphat/Phosphorsäure		44,2		36% Aldehyd Spur-Keton	3
R = C$_2$H$_5$–	HCOOH	4-Oxo-3-methyl-penten-(2)	55	(Kp$_{50}$: 63–65° 193–194 (DNPH)	3-Methyl-3-penten-(1)-al	1,4
	H$_2$SO$_4$/Eisessig		80			5
CH$_3$ H$_3$C–CH–CH$_2$–	70%ige HCOOH	2-Oxo-3,5-dimethyl-hexen-(3)			3,5-Dimethyl-hexen-(2)-al	6,7
CH$_3$ H$_3$C–CH–(CH$_2$)$_3$–	86%ige HCOOH	2-Oxo-3,7-dimethyl-octen-(3)	48,4	(Kp$_6$: 75–78°)	3,7-Dimethyl-octen-(2)-al	6,8
	85%ige HCOOH	3,3-Dimethyl-1-acetyl-cyclohexen-(I) (anormale Reaktion)	42			9

[1] G. F. Hennion, R. B. Davis u. D. E. Maloney, Am. Soc. 71, 2813 (1949).
[2] C. D. Hurd u. W. D. McPhee, Am. Soc. 71, 398 (1949).
[3] US. P 2 524 865 (1947), Publisher Industries Inc., Erf.: E. V. Winslow; C. A. 45, 1617 (1951).
[4] K. Suga u. S. Watanabe, Nippon Kagaku Zasshi 79, 1167 (1958); C. A. 54, 5505 (1960).
[5] M. Apparu u. R. Glénat, Bl. 1968, 1106.
[6] H. Rupe u. L. Giesler, Helv. 11, 656 (1928).
[7] H. Rupe, A. Wirz u. P. Lotter, Helv. 11, 965 (1928).
[8] F. G. Fischer u. K. Löwenberg, A. 475, 203 (1929). C. C. Price u. S. L. Meisel, Am. Soc. 69, 1497 (1947).
[9] D. Merkel, Z. 9, 63 (1969). H. Rupe u. G. Lang, Helv. 12, 1133 (1929).

Tab. 129. (4. Fortsetzung)

Äthinyl-carbinol	Katalysator	Hauptprodukt	Ausbeute [% d.Th.]	F [°C]	Nebenprodukt	Literatur
(C₆H₅)–CH₂–CH₂–	86%ige HCOOH	*4-Oxo-2-methyl-1-phenyl-penten-(2)*			3-Methyl-5-phenyl-penten-(2)-al	1,2
CH₃ / H₅C₂–CH–	80%ige HCOOH	*2-Oxo-3,4-dimethyl-hexen-(3)* und *2-Oxo-3,4-dimethyl-hexen-(4)*	~ 30		3,4-Dimethyl-hexen-(2)-al	3
–C₆H₁₃	75%ige HCOOH	*2-Oxo-3-methyl-nonen-(3)*	70			4
	H₂SO₄/Eisessig		85			5
(C₆H₅)	H₂SO₄/HgO/ verd. Äthanol	*3-Hydroxy-2-oxo-3-phenyl-butan*	28,8	(Kp₅: 96–98°) 182–183 (Semicarbazon)	3-Phenyl-buten-(2)-al (14,5%)	6
CH₃ / –(CH₂)₃–CH–(CH₂)₃–CH–CH₃ / CH₃	90%ige HCOOH + Essigsäure	*2-Oxo-3,7,11-trimethyl-dodecen-(3)*	63	133–134 (Semicarbazon)	3,7,11-Trimethyl-dodecen-(2)-al (7%)	7
C₂H₅ / H₅C₂–C–C≡CH / OH	H₂SO₄/ Eisessig	*4-Oxo-3-äthyl-penten-(2)*	90			5,8

[1] H. RUPE u. H. HIRSCHMANN, Helv. 14, 687 (1931).
[2] H. RUPE u. H. WERDENBERG, Helv. 18, 542 (1935).
[3] T. TAKESHIMA, Am. Soc. 75, 3309 (1953).
[4] R. HEILMANN u. R. GLÉNAT, Bl. 21, 59 (1954).
[5] M. APPARU u. R. GLÉNAT, Bl. 1968, 1106.

[6] E. D. VENUS-DANILOVA, A. P. IVANOV u. I. I. MARTYNOV, Ž. obšč. Chim. 21, 1806 (1951); C. A. 46, 7070 (1952).
[7] F. G. FISCHER u. K. LÖWENBERG, A. 475, 199, 203 (1929).
[8] M. F. ANSELL, J. W. HANCOCK u. W. J. HICKINBOTTOM, Soc. 1956, 911.

Tab. 129. (5. Fortsetzung)

Äthinyl-carbinol	Katalysator	Hauptprodukt	Ausbeute [% d.Th.]	F [°C]	Nebenprodukt	Literatur
OH H₃C–C–C≡CH H₃C–C–CH₃ CH₃	80% ige HCOOH	*2-Oxo-4,4-dimethyl-3-methylen-pentan*	33	116–116,5 (DNPH) (Kp: 142–143,5°)	**3,4,4-Trimethyl-penten-(2)-al** (17%) **4,4-Dimethyl-3-methylen-pentin-(1)** (18%)	1,2
OH H₅C₂–C–C≡CH H₃C–C–CH₃ CH₃	80% ige HCOOH	*4-Oxo-3-tert.-butyl-penten-(2)*	41	115,5 (DNPH) (Kp: 161–161,5°)	3-tert.-Butyl-penten-(2)-al (10%) 3-tert.-Butyl-penten-(3)-in-(1) (17%)	1,2
[CH₃ H₃C–C–C≡C–]₃C–OH CH₃	H_2SO_4/Eisessig	*7-Oxo-2,2,8,8-tetramethyl-5-(3,3-dimethyl-butinyl)-nonen-(5)-in-(3)*		109–110		3
H₃C OH H₃C–CH–C–C≡CH H₃C–C–CH₃ CH₃	80% ige HCOOH	*4,4-Dimethyl-3-isopropyl-penten-(2)-al*	32	200,5 (DNPH)	4-Methyl-3-tert.-butyl-penten-(3)-in-(1) (7%) 2-Oxo-4-methyl-3-tert. butyl-penten-(3) (Spur)	2

[1] M. APPARU u. R. GLÉNAT, Bl. 1968, 1106.
[2] M. F. ANSELL, J. W. HANCOCK u. W. J. HICKINBOTTOM, Soc. 1956, 911.
[3] P. L. SALZBERG u. C. S. MARVEL, Am. Soc. 50, 1737 (1928).

Tab. 129. (6. Fortsetzung)

Äthinyl-carbinol	Katalysator	Hauptprodukt	Ausbeute [% d.Th.]	F [°C]	Nebenprodukt	Literatur
OH H_5C_2–C–C≡CH H_3C–C–CH_3 C_2H_5	80%ige HCOOH	*2-Oxo-4,4-dimethyl-3-äthyliden-hexan*	48	(Kp_{12}: 64–65°)	4.4-Dimethyl-3-äthyl-hexen-(2)--al (7%) 4.4-Dimethyl-3-äthyliden-hexin-(1) (6%)	1
H_5C_2 $\diagdown$ C(OH) H_5C_2 $\diagup$ C≡CH	Ionenaustauscher Dowex 50	*4-Oxo-3-äthyl-penten-(2)*	84	198–200 (Semicarbazon) (Kp: 147–153°)		2
(Cyclohexan) C(OH)–C≡C–$(CH_2)_3$–CH_3	HCOOH/Äthanol	*1-Oxo-1-cyclohexen-(1)-yl-hexan*	86	119 (DNPH) ($Kp_{0,5}$: 83°)		3
H_5C_6 H_5C_6–C–C≡C–$(CH_2)_4$–CH_3 OH	H_2SO_4/Äthanol	*3-Oxo-1,1-diphenyl-octen-(1)*	91	(Kp_1:179–180°)		4

[1] M. F. ANSELL, J. W. HANCOCK u. W. J. HICKINBOTTOM, Soc. 1956, 911.
[2] M. S. NEWMAN, Am. Soc 75, 4740 (1953).
[3] J. C. HAMLET, H. B. HENBEST u. E. R. H. JONES, Soc. 1951, 2652.
[4] A. WILLEMART, A. ch. [10] 12, 356 (1929).

Tab. 129. (7. Fortsetzung)

Äthinyl-carbinol	Katalysator	Hauptprodukt	Ausbeute [% d.Th.]	F [°C]	Nebenprodukt	Literatur
R = H	HCOOH/ 1,4-Dioxan (77:23)	3-Oxo-4,4-dimethyl-1-phenyl-penten-(I)	90			1
Cl		3-Oxo-4,4-dimethyl-1-(4-chlor-phenyl)-penten-(I)				
CH₃		3-Oxo-4,4-dimethyl-1-(4-methyl-phenyl)-penten-(I)				
OCH₃		3-Oxo-4,4-dimethyl-1-(4-methoxy-phenyl)-penten-(I)				
$Cl_2C=CH-CH-C\equiv C-C_6H_5$ (OH)	HCl/H₂O/ Eisessig	1,1-Dichlor-5-oxo-5-phenyl-1,3-pentadien	95			2
$H_3C-C-C\equiv C-CH=CH_2$ (CH₃, OH)	HgSO₄/ Äthanol	3-Oxo-5-methyl-hexadien-(1,4)	70			3
(cyclohexyl structure, H₃CO, OCH₃, C≡C, OH, HO)	H₂SO₄/ Eisessig/Wasser	Gemisch tricycl. ungesätt. Ketone				4

1 M. M. PLEKHOTKINA, V. S. KARAVAN u. I. A. FAVORSKAJA, Ž. org. Chim. 6, 44 (1970); C. A. 72, 99839b (1970).
2 M. JULIA u. J. BULLOT, Bl. 1960, 23; C. r. 247, 474 (1958).
3 I. N. NAZAROW, Bull. Acad. Sci. USSR, Ser. chim. 1940, 545; C. A. 4731 (1941).
4 C. S. MARVEL u. W. C. WALTON, J. Org. Chem. 7, 88 (1942).

Tab. 129. (8. Fortsetzung)

Äthinyl-carbinol	Katalysator	Hauptprodukt	Ausbeute [% d.Th.]	F [°C]	Nebenprodukt	Literatur
	2%ige H$_2$SO$_4$ in Äthanol, 16 Stdn. 78°	1-Äthoxy-2-oxo-5,5-dimethyl-1,1,4-triphenyl-hexen-(3)	87			1
	9%ige H$_2$SO$_4$ in Äthanol, 70 Stdn. 78°	3-Oxo-5-tert.-butyl-2,2,5-triphenyl-tetrahydrofuran	69			1
	9%ige H$_2$SO$_4$ in Aceton, 30 Min. 56°	4-Hydroxy-3-oxo-5,5-dimethyl-1,1,4-triphenyl-hexen-(1)	80			1
	J$_2$, Aceton 21 Tage 18°	2-Jod-4-hydroxy-3-oxo-5,5-dimethyl-1,1,4-triphenyl-hexen-(1)	79			1
	H$_2$SO$_4$/Äthanol	6-Äthoxy-4-oxo-2-phenyl-hepten-(2)			4-Oxo-3,6-di-methyl-6-phenyl-5,6-dihydro-4H-pyran	2
	18%ige H$_2$SO$_4$ Äthanol	3-Oxo-1,1-diphenyl-hexadien-(1,4)	64			3

Äthinyl-carbinol Strukturen:

(zu Zeilen 1–4)
```
            C6H5  H5C6 CH3
              |    |   |
H5C6—C≡C — C — C — C—CH3
              |    |
             OH   OH CH3
```

(zu Zeile 5)
```
          CH3
           |
H5C6—C≡C—C—CH2—CH—CH3
           |          |
          OH          OH
```

(zu Zeile 6)
```
          C6H5
           |
H5C6—C≡C—C—CH2—CH—CH3
           |          |
          OH          OH
```

1 W. JASTOBĘDZKI, K. MROZ u. T. SZEROMSKI, Roczniki Chem. 44, 2133 (1970).
2 M. F. SHOSTAKOVSKII et al., Ž. org. Chim. 6, 2383 (1970).
3 M. F. SHOSTAKOVSKII et al., Ž. org. Chim. 7, 33 (1971).

Tab. 129. (9. Fortsetzung)

Äthinyl-carbinol	Katalysator	Hauptprodukt	Ausbeute [% d.Th.]	F [°C]	Nebenprodukt	Literatur
	10%ige H_2SO_4 in 1,4-Dioxan/Tetrahydrofuran	3-Oxo-1,1,5,5-tetraphenyl-pentadien-(1,4)	95			1
	H_2SO_4/1,4-Dioxan	3-Oxo-5,5-dimethyl-1-phenyl-penten-(4)-in-(1)	70			2
	H_2SO_4/1,4-Dioxan	3-Oxo-1,5,5-triphenyl-penten-(4)-in-(1)	85			2
	H_2SO_4/1,4-Dioxan/Wasser	4,4'-Bis-[3,3-diphenyl-propenoyl]-benzol	85			2
	7,5%ige H_2SO_4 Äthanol 30–35°	4-Hydroxy-3-oxo-4-methyl-1,1-bis-[4-methyl-phenyl]-penten-(I)	48		4-Oxo-5,5-di-methyl-2,2-bis-[4-methyl-phenyl]-tetra-hydrofuran	3
	18%ige H_2SO_4 Äthanol 60–70°				4-Oxo-5,5-di-methyl-2,2-bis-[4-methyl-phenyl]-tetra-hydrofuran	3

[1] W. CHODKIEWICZ u. P. CADIOT, C. r. 243, 2092 (1956). G. MARIN, W. CHODKIEWICZ, P. CADIOT u. A. WILLEMART, Bl. 1958, 1594.
[2] J. RAUSS-GODINEAU, J. BARRALIS, W. CHODKIEWICZ u. P. CADIOT, Bl. 1968, 193.
[3] E. D. VENUS-DANILOVA u. Z. V. PRINCEVA, Ž. obšč. Chim. 25, 1516 (1955); C. A. 50, 4898ʰ (1956).

Tab. 129. (10. Fortsetzung)

Äthinyl-carbinol $R^2\!-\!\underset{\underset{OH}{|}}{\overset{\overset{R^1}{|}}{C}}\!-\!C\!\equiv\!C\!-\!R^3$			Katalysator	Hauptprodukt	Ausbeute [%d.Th.]	F [°C]	Nebenprodukt	Literatur
R¹	R²	R³						
4-Chlor-phenyl	4-Chlor-phenyl	Phenyl	H₂SO₄/Eisessig	3-Oxo-3-phenyl-1,1-bis-[4-chlor-phenyl]-propen		103–104		[1]
Phenyl	Phenyl	4-Methyl-phenyl	H₂SO₄/Äthanol	3-Oxo-1,1-diphenyl-3-(4-methyl-phenyl)-propen		74–75		[2,3]
Phenyl	α-Naphthyl	Phenyl	H₂SO₄/Äthanol	3-Oxo-1,3-diphenyl-1-naphthyl-(1)-propen		107–108		
α-Naphthyl	α-Naphthyl	Phenyl	H₂SO₄/Äthanol	3-Oxo-3-phenyl-1,1-dinaphthyl-(1)-propen		170–171		
Phenyl	Phenyl	β-Naphthyl	H₂SO₄/Äthanol	3-Oxo-1,1-diphenyl-3-naphthyl-(2)-propen		168–169		[3]
Methyl	Äthyl	Phenyl	88%ige HCOOH	4-Oxo-3-methyl-5-phenyl-penten-(2)	42	(Kp₂₄: 154–157°)		[4]
Methyl	Isopropyl	Phenyl	88%ige HCOOH	4-Oxo-2,3-dimethyl-5-phenyl-penten-(2)	76	147–148 (DNPH)		
H	tert.-Butyl	Phenyl	88%ige HCOOH	4-Oxo-2,3-dimethyl-5-phenyl-penten-(2)	43	(Kp₇: 188–135°)		
				1-Oxo-4,4-dimethyl-1-phenyl-penten-(2)	24	188–190 (DNPH)		[4]

[1] K. H. MEYER u. K. SCHUSTER, B. 55, 819 (1922).
[2] A. WILLEMART, A. ch. [10] 12, 356 (1929).
[3] A. WILLEMART, C. r. 188, 1172 (1929).
[4] E. E. SMISSMAN et al., Am. Soc. 78, 3395 (1956).

Tab. 129. (11. Fortsetzung)

$$R^2-\underset{\underset{OH}{|}}{\overset{\overset{R^1}{|}}{C}}-C\equiv C-R^3$$

R¹	R²	R³	Katalysator	Hauptprodukt	Ausbeute [% d.Th.]	F [°C]	Nebenprodukt	Literatur
Methyl	Äthyl	4-Methoxy-phenyl	H_2SO_4/Eisessig	1-Oxo-3-methyl-1-(4-methoxy-phenyl)-penten-(2)	45	148–150 (DNPH)		[1]
H	tert.Butyl	4-Methoxy-phenyl	88%ige HCOOH	1-Oxo-4,4-dimethyl-1-(4-methoxy-phenyl)-penten-(2)	85	225 (DNPH)		[1]
Methyl	Methyl	Pentyl	HCOOH	4-Oxo-2-methyl-nonen-(2)				[2]
H	tert.-Butyl	Phenyl	HCOOH/1.4-Dioxan	3-Oxo-4,4-dimethyl-1-phenyl-penten-(1)				[3]
H	Phenyl	Phenyl	H_2SO_4/Dimethyl-formamid	3-Oxo-1,3-diphenyl-propen				[3]
H	H	Phenyl	$Hg(OOCCH_3)_2$/ 60%ige Essigsäure	3-Oxo-3-phenyl-propen (Propenoyl-benzol)		206 (Semicarbazid; Kp_{20}: 111–112° (Semicarbazon);		[4]
H	H	tert.-Butyl	$Hg(OOCCH_3)_2$/ 60%ige Essigsäure	3-Oxo-4,4-dimethyl-penten-(1)		(Kp_{100}; 76–81°)		[4]

[1] E. E. SMISSMAN et al., Am. Soc. 78, 3395 (1956).
[2] B. GREDY, A. ch. [11] 4, 5 (1935).
[3] I. A. FAVORSKAJA u. M. M. PLEKHOTKINA, Ž. org. Chim. 5, 840 (1969); C. A. 71, 38136 c (1969).
[4] E. D. VENUS-DANILOWA u. S. N. DANILOW, Z. obšč. Chim. 2, 645 (1932); C. 1933 II, 47.

Tab. 129. (12. Fortsetzung)

Äthinyl-carbinol $R^2\text{-}\underset{\underset{OH}{|}}{\overset{\overset{R^1}{|}}{C}}\text{-}C\equiv C\text{-}R^3$			Katalysator	Hauptprodukt	Ausbeute [% d.Th.]	[°C] F	Nebenprodukt	Literatur
R^1	R^2	R^3						
Phenyl	tert.-Butyl	tert.-Butyl	H_2SO_4/Eisessig	5-Oxo-2,2,6,6-tetramethyl-3-phenyl-hepten-(3)		30,5		1
Phenyl	Phenyl	Pentyl	H_2SO_4/Eisessig	3-Oxo-1,1-diphenyl-octen-(1)		(Kp_1:173°)		2
Biphenylyl-(4)	Biphenylyl-(4)	tert.-Butyl	H_2SO_4/Eisessig	3-Oxo-4,4-dimethyl-1,1-bis-[biphenylyl-(4)]-penten-(1)	75	144–145		3
Phenyl	tert.-Butyl	Phenyl	H_2SO_4/Dibutyl-äther	1-Oxo-4,4-dimethyl-1,3-diphenyl-penten-(2)		68		4
4-Brom-phenyl	Phenyl	Phenyl	H_2SO_4/Äthanol	3-Oxo-3-phenyl-1,1-bis-[4-brom-phenyl]-propen		112–113		5
4-Methyl-phenyl	Phenyl	Phenyl	H_2SO_4/Äthanol	3-Oxo-1,3-diphenyl-1-(4-methyl-phenyl)-propen	~80			6
[Cyclohexyl-Struktur mit OH und C≡C]			$HgSO_4$/H_2SO_4	1-Oxo-3-cyclohexyliden-1-phenyl-äthan				7

1 J. H. Ford, C. D. Thompson u. C. S. Marvel, Am. Soc. 57, 2619 (1935).
2 A. Willemart, C. r. 188, 1172 (1929).
3 J. Chien-Yu Tsao u. C. S. Marvel, Am. Soc. 55, 4709 (1933).
4 A. Willemart, Bl. 2, 867 (1935).
5 C. Dufraisse u. H. Rocher, Bl. 2, 2235 (1935).
6 M. Badoche, Bl. [4] 43, 337 (1928).
7 E. D. Venus-Danilova, M. V. Gorelik u. T. A. Nikolaeva, Ž. obšč. Chim. 23, 1493 (1953); C. A. 48, 11362.

Chinole lagern im sauren Medium unter Aromatisierung leicht um und liefern ein Monoketon[1]:

ω-Chlor-4-äthinyl-acetophenon

9,10-Dihydroxy-9,10-bis-[phenyläthinyl]-9,10-dihydro-anthracen verharzt dagegen beim Umlagerungsversuch[2].

Bei der Rupe-Umlagerung in der Steroid-Reihe am C-Atom 18 tritt als Nebenreaktion Wagner-Meerwein-Umlagerung unter Ringerweiterung ein[3].

Merkwürdigerweise läßt sich die Rupe-Umlagerung nicht auf 17β-Hydroxy-17α-alkinyl-steroide übertragen. Bei der Behandlung mit Ameisensäure tritt Ringerweiterung unter Aromatisierung ein[4-6]:

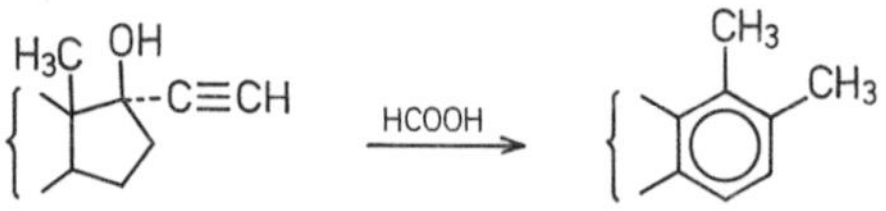

Aus 2,5-Dihydroxy-2,5-dimethyl-hexin-(3) wurde mit Schwefelsäure in Alkoho lediglich in über 80% Ausbeute der entsprechende Äther erhalten[7]. 1-Hydroxy-2-oxo-1-äthinyl-cyclohexan läßt sich unter verschiedenen Bedingungen nicht isomerisieren[8].

Besonders gute Ausbeuten an Ketonen werden bei Verwendung eines sauren Ionenaustauschers erhalten[9]. Bei der Umlagerung von 1-Hydroxy-1-äthinyl-cyclohexan tritt 1-Äthinyl-cyclohexen-(1) nicht als Zwischenstufe auf, da dieses nur mit Quecksilber(II)-enthaltenden Austauschern in *1-Acetyl-cyclohexen-(1)* übergeht. Der Umlagerungsmechanismus ist wahrscheinlich folgender:

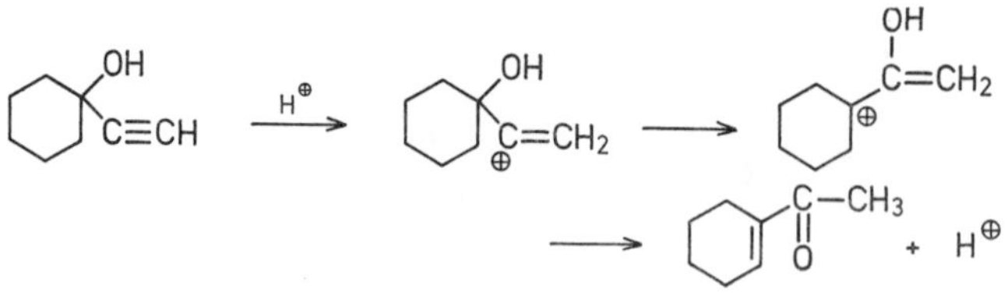

[1] W. Ried u. H. J. Schmidt, Ang. Ch. **69**, 205 (1957); B. **90**, 2553 (1957).

[2] G. Rio, C. r. **228**, 690 (1949).

[3] N. K. Chaudhuri u. M. Gut, Am. Soc. **87**, 3737 (1965).

[4] E. Hardegger u. C. Scholz, Helv. **28**, 1355 (1945).

[5] M. Dvolaitzky. A. M. Giroud u. J. Jaques, Bl. **1963**, 62.

[6] C. Ouannes, M. Dvolaitzky u. J. Jaques, Bl. **1964**, 776.

[7] S. Mamedov, Trudy Biogeochim-Lab. Akad. Nauk SSSR, Azerbaidžhan. Filial. No. 3, 83 (1940); Khim-Referat. Žhur. **4**, No. 1, 49 (1941); C. A. **37**, 1699 (1943).

s. a. S. Mamedov u. N. A. Ter-Petrosova, Izvest. Azerbaidžhan Filiala Akad. Nauk No. **1**, 71 (1941); Khim. Referat. Zhur. **4**, No. 9, 53 (1941); C. A. **38**, 1470 (1944).

[8] M. E. McEntee et al., Soc. **1956**, 4699.

[9] M. S. Newman, Am. Soc. **75**, 4740 (1953).

M. Apparu u. R. Glénat, Bl. **1968**, 1106.

Die durch Triäthylamin katalysierte Isomerisierung des 4-Hydroxy-4-phenyl-propin-(2)-säure-methylesters nimmt einen andersartigen Verlauf und führt zum *4-Oxo-4-phenyl-buten-(trans-2)-säure-methylester*[1]:

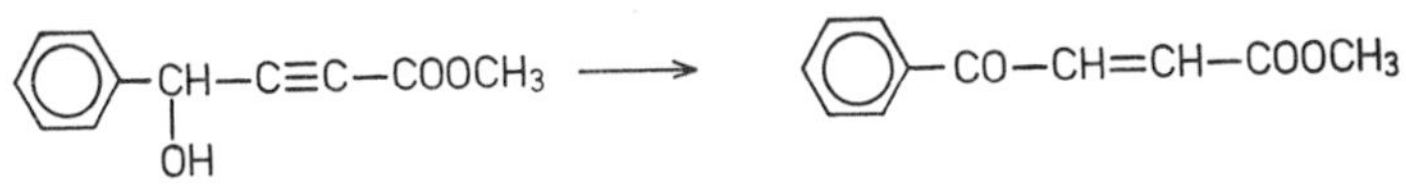

Butin-(2)-diol-(1,4) isomerisiert in saurer Lösung in Gegenwart von Queck-silber(II)-Salzen zum wenig beständigen *4-Hydroxy-3-oxo-buten-(1)*[2], das in saurer wäßriger Lösung zum ebenfalls unbeständigen *1,4-Dihydroxy-2-oxo-butan* hydratisiert wird[3,4]. Führt man die Umlagerung in Alkohol durch, so erhält man das entsprechende 1-Hydroxy-4-alkoxy-2-oxo-butan[5-7]:

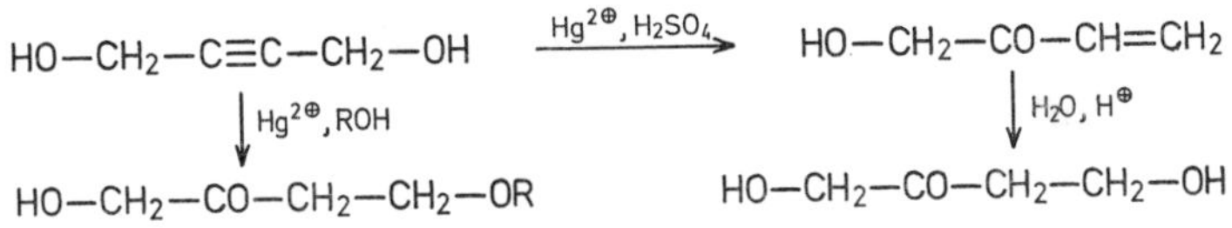

Aus Hexin-(3)-diol-(2,5) wird *5-Hydroxy-4-oxo-hexen-(2)* erhalten[8].

Über die Umlagerung von Butin-(2)-diol-(1,4) zu *2-Oxo-butanal* vgl. ds. Handb., Bd. VII/1, S. 244. Die Umlagerung des Äthinyl-glykols I in Gegenwart von Halogen-wasserstoffsäure zu *4-Hydroxy-3-oxo-4-methyl-1,1-diphenylpenten-(1)* verläuft über das Halogen-allen II[9]:

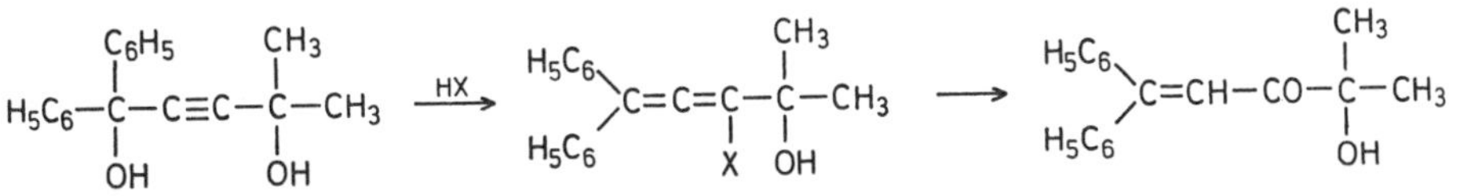

Disekundäre γ-Diole von Alkinen geben in einem Arbeitsgang 1,2-Diketone, wenn man sie mit Quecksilber(II)-salzen und verdünnter Mineralsäure auf ∼100° erhitzt. Als Nebenprodukt entsteht 3-Oxo-2,5-dialkyl-tetrahydrofuran. Aus Hexin-(3)-diol-(2,5) wird *2,3-Dioxo-hexan* erhalten[10,11].

Penten-(4)-in-(2)-ol-(1) liefert unter zusätzlicher Quecksilber(II)-Katalyse in Methanol 42% *1,5-Dimethoxy-3-oxo-pentan*. Bei 100° in wäßrigem Medium bildet sich

[1] A. W. Nineham u. R. A. Raphael, Soc. **1949**, 118.
[2] Zur Isolierung wird das Hydroxy-keton aus dem Reaktionsgemisch abdestilliert.
[3] DRP 750057 (1940); 890947 (1942), I.G. Farb., Erf.: W. Reppe u. H. Pasedach; C. **1947** I, 926.
[4] DBP 869640 (1942) I.G. Farb., Erf.: W. Reppe u. H. Pasedach.
   W. Reppe et al., A. **596**, 46 (1955).
[5] I. N. Nazarov, L. N. Terekhowa u. I. V. Torgov, Izv. Akad. SSSR **1949**, 287; C. A. **43**, 6624f (1949).
[6] Y. K. Yur'ev, I. K. Korobitsyna u. E. K. Brige, Doklady Akad. SSSR **63**, 645 (1948); C. A. **43**, 2577h (1949).
[7] G. F. Hennion u. F. P. Kupiecki, J. Org. Chem. **18**, 1601 (1953).
[8] DBP 875199 (1943); DBP 909339 (1943), I.G. Farb., Erf.: W. Reppe u. H. Pasedach.
[9] W. Jasiobedzki u. Z. Matacz, Roczniki Chem. **42**, 1599 (1968); C. A. **70**, 37576p (1969); Hexen-(4)-in-(1)-ol-(3) unterliegt bei Säure-Behandlung lediglich einer Allylumlagerung.
[10] DBP 936035 (1952), BASF, Erf.: W. Reppe u. H. Pasedach; C. **1956**, 6243.
[11] W. Reppe et al., A. **596**, 50 (1955).

4-Oxo-tetrahydropyran[1, vgl. a. 2]. In beiden Fällen wird lediglich die C≡C-Dreifachbindung hydratisiert.

Eigenartig ist die Umlagerung des 3-Hydroxy-3-methyl-5-phenyl-pentins-(1), die unter Wanderung der Methyl-Gruppe verläuft[3,4]:

$$H_5C_6-CH_2-CH_2-\underset{\underset{CH_3}{|}}{\overset{\overset{OH}{|}}{C}}-C{\equiv}CH \longrightarrow H_5C_6-CH_2-\underset{\underset{CH_3}{|}}{C}{=}CH-CO-CH_3$$

4-Oxo-2-methyl-1-phenyl-penten-(2)

Aus 3-Hydroxy-3-phenyl-butin-(1) ließ sich kein definiertes Umlagerungsprodukt isolieren, wahrscheinlich infolge Polymerisation des primär gebildeten Vinylketons[5].

Ein Sonderfall ist die Umlagerung des 2-Hydroxy-1,7,7-trimethyl-2-äthinyl-bicyclo[2.2.1]heptans zum *6-Hydroxy-1,7,7-trimethyl-2-acetyl-bicyclo[2.2.1]heptan*[5]. Zur Erklärung wird eine 2-fache Wagner-Meerwein-Umlagerung angenommen:

β) unter Veränderung des Kohlenstoffgerüstes

Die Isomerisierung von Äthinylglykolen verläuft nicht einheitlich. Beim Erhitzen von 4,5-Dihydroxy-5-methyl-4-phenyl-hexin-(2) in verd. Schwefelsäure entsteht *5-Oxo-2-methyl-3-phenyl-hexadien-(1,3)* (durch Rupe-Umlagerung und Dehydratisierung) neben wenig *8-Hydroxy-5-oxo-3,8-dimethyl-1,7-diphenyl-nonatrien-(1,3,6)*[6]. Wird die saure Lösung vor der Aufarbeitung neutralisiert, so läßt sich die Ausbeute an letzterem Produkt auf 61% erhöhen[7, vgl. a. 8].

Andere ditertiäre Äthinylglykole unterliegen einer normalen Pinakolin-Umlagerung, wobei bevorzugt die zur C≡C-Dreifachbindung α-ständige Hydroxy-Gruppe eliminiert wird.

[1] I. N. Nazarov u. I. V. Torgov, Izv. Akad. SSSR 1947, 495; C. A. 42, 7735 (1948).

[2] E. R. H. Jones u. I. T. McCombie, Soc. 1943, 261.

[3] H. Rupe u. H. Hirschmann, Helv. 14, 687 (1931).

[4] H. Rupe u. H. Werdenberg, Helv. 18, 542 (1935).

[5] Ch. D. Hurd u. R. E. Christ, Am. Soc. 59, 118 (1937).

[6] V. I. Serkova, A. A. Antonova u. É. D. Venus-Danilova, Ž. obšč. Chim. 31, 3141 (1961) engl.: 2926.

[7] V. I. Serkova, A. A. Antonova u. É. D. Venus-Danilova, Ž. obšč. Chim. 32, 1771 (1962); engl.: 1757.

[8] V. I. Serkova, L. A. Pavlova u. É. D. Venus-Danilova, Ž. obšč. Chim. 36, 206 (1966); engl.: 215.

Aus Hexadiin-(1,3)-ol-(5) (I) erhält man nach mehrstündigem Kochen in 3%iger alkoholischer Kalilauge *7-Hydroxy-5-oxo-octen-(3)-in-(1)* (IV) (27% d. Th.), das durch primäre Isomerisierung zum *Hexen-(3)-in-(1)-on-(5)* (II) und gleichzeitige Spaltung in Acetaldehyd (III) und Butadiin unter Aldol-Addition von III an II entstanden ist:

$$H_3C-\underset{\underset{OH}{|}}{CH}-C\equiv C-C\equiv CH \quad \xrightarrow{KOH} \quad \begin{array}{l} [\,H_3C-CO-CH=CH-C\equiv CH\,] \\ \qquad\qquad\qquad II \\ [\,H_3C-CHO \; + \; HC\equiv C-C\equiv CH\,] \\ \qquad\qquad\qquad III \end{array}$$

$$II \; + \; III \quad \longrightarrow \quad H_3C-\underset{\underset{OH}{|}}{CH}-CH_2-CO-CH=CH-C\equiv CH \quad IV$$

Analog wird aus Heptadiin-(1,3)-ol-(5) *7-Hydroxy-5-oxo-6-methyl-nonen-(3)-in-(1)* erhalten[1].

4-Oxo-4-phenyl-buten-(*trans*-2)-säure-methylester[2]: 5 g 4-Hydroxy-4-phenyl-butin-(2)-säure-methylester werden langsam in 15 ml gekühltes Triäthylamin eingerührt. Man läßt 12 Stdn. bei Raumtemp. stehen, zieht das Amin ab und destilliert den Rückstand i. Vak.; Ausbeute: 4,7 g (94% d. Th.); $Kp_{0,5}$: 98–100°; F: 31°.

1-Acetyl-cyclohexen-(1)[3]: 39 g 1-Hydroxy-1-äthinyl-cyclohexan, 100 ml Eisessig, 10 ml Wasser und 20 g mit verd. Schwefelsäure regenerierter Ionenaustauscher Dowex 50 (200–400 mesh) werden 45 Min. unter Rückfluß erhitzt, wobei sich das braune Austauscher-Harz schwarz färbt. Nach Abfiltrieren und Auswaschen mit Äther werden Ätherauszug und Filtrat vereint, mit Wasser verdünnt, mit Natronlauge schwach alkalisch gemacht, ausgeäthert und aufgearbeitet; Ausbeute 33,8 g (86,7% d. Th.); Kp_{22}: 96–98°.

4-Methyl-1-acetyl-cyclohexen-(1)[4]: In 200 g 71%iger wäßriger Ameisensäure werden 30 g 1-Hydroxy-4-methyl-1-äthinyl-cyclohexan am Rückflußkühler erwärmt. Dabei löst sich der Alkohol und die Flüssigkeit kommt ohne weitere Wärmezufuhr zum Sieden. Nach 10 Min. klingt die Reaktion ab. Es wird noch 1 Stde. gekocht, nach Erkalten mit Natriumchlorid gesättigt, ausgeäthert, der Auszug unter Kühlung mit Natriumcarbonat neutralisiert und über Magnesiumsulfat getrocknet. Nach einem kleinen Vorlauf destilliert das Keton unter 12 Torr bei 90–91° über (farblose Flüssigkeit von rosenartigem Duft); Ausbeute: 90–95% d. Th.; F (Semicarbazon): 211°.

6-Hydroxy-1,7,7-trimethyl-2-acetyl-bicyclo[2.2.1]heptan[5]: 10 g 2-Hydroxy-1,7,7-trimethyl-2-äthinyl-bicyclo[2.2.1]heptan werden mit 60 ml 90%ige Ameisensäure erhitzt, bis exotherme Reaktion einsetzt, wobei die Lösung sich erst rot, dann tiefbraun färbt. Die Lösung wird noch 1 Stde. gekocht und mit Natronlauge neutralisiert. Die sich abscheidende Schicht wird mit Benzol extrahiert, über Calciumchlorid getrocknet und destilliert; Ausbeute: 7,5 g (75% d. Th.); Kp_6: 96–98°; $n_D^{24} = 1,4733$.

2,7-Diacetyl-bicyclo[4.4.0]decadien-(1,6)[6]: 1 g 1,5-Dihydroxy-1,5-diäthinyl-decalin und 10 ml 100%ige Ameisensäure werden 30 Min. am Rückfluß gekocht. Die erkaltete dunkelbraune Lösung

[1] E. A. EL'PERINA, B. P. GUSEV u. V. F. KUCHEROV, Izv. Akad. SSSR. **1965**, 2215; C. A. **64**, 11077 (1966).
[2] A. W. NINEHAM u. R. A. RAPHAEL, Soc. **1949**, 118.
[3] M. S. NEWMAN, Am. Soc. **75**, 4740 (1953).
    M. APPARU u. R. GLÉNAT, Bl. **1968**, 1106.
[4] H. RUPE u. F. KUENZY, Helv. **14**, 701 (1931).
[5] C. D. HURD u. R. E. CHRIST, Am. Soc. **59**, 118 (1937).
[6] G. MARIN, W. CHODKIEWICZ, P. CADIOT u. A. WILLEMART, Bl. **1958**, 1594.
    H. H. INHOFFEN u. J. KATH, B. **87**, 1589 (1954).

wird mit reichlich Wasser verdünnt, mit Natriumhydrogencarbonat neutralisiert und mit Dichlormethan extrahiert. Der Extrakt wird über Aluminiumoxid filtriert und eingedampft. Man erhält 890 mg eines goldgelben Öls, das im Kugelrohr bei 10^{-3} Torr der Hochvakuumdestillation unterworfen wird; Ausbeute: 720 mg (72% d.Th.); F: 84,5–85,5° (gelbliche Kristalle; aus Methanol/Petroläther; Kp: 60–80°).

3-Oxo-1,1,3-triphenyl-propen-(1)[1]: 10 g 3-Hydroxy-1,3,3-triphenyl-propin-(1) werden in 50 *ml* Eisessig gelöst und 2 *ml* konz. Schwefelsäure tropfenweise zugesetzt. Es tritt Orangefärbung auf, die über gelb nach grünbraun umschlägt. Man gießt auf Eis, verreibt mit wenig kaltem Methanol und saugt ab; Ausbeute: 95% d.Th.; F: 86–87° (aus Benzin; gelbe Prismen).

3-Oxo-1,1,5,5-tetraphenyl-pentadien-(1,4)[2]: 0,025 Mol 1,5-Dihydroxy-1,1,5,5-tetraphenylpentin-(3) werden in 50 *ml* einer Mischung von 1,4-Dioxan, Tetrahydrofuran und Schwefelsäure im Volumenverhältnis 10:1:1 gelöst. Man läßt 30 Min. bei Raumtemp. stehen und fügt dann 50 *ml* 80%iges Äthanol zu. Das Keton kristallisiert langsam aus; Ausbeute: 95% d.Th.; F: 155° (strohgelbe Kristalle).

1,1-Dichlor-5-oxo-5-phenyl-pentadien-(1,3)[3]: 2 g 5,5-Dichlor-3-hydroxy-1-phenyl-penten-(4)-in-(1) werden in einem Gemisch aus 40 *ml* Eisessig, 2 *ml* konz. Salzsäure und 1 *ml* Wasser 15 Min. am Rückfluß gekocht. Man gießt in Wasser, extrahiert mit Äther und arbeitet auf; Ausbeute: 1,9 g (95% d.Th.); F: 75–76° (aus Petroläther).

4-Oxo-3-äthyl-penten-(2)[4]: 40 g 3-Hydroxy-3-äthyl-pentin-(1) werden in 90 *ml* Eisessig bei 60° gelöst und mit 5 *ml* konz. Schwefelsäure versetzt. Sofort setzt die exotherme Reaktion ein. Nach 5 Min. kann wie üblich aufgearbeitet werden; Kp: 152°; F: 157° (2,4-Dinitro-phenylhydrazon).

Die notwendige Reaktionszeit ist stark abhängig von Lösungsmittel, Katalysator und dem jeweiligen Substituenteneinfluß[5]. Sie kann in manchen Fällen am Farbumschlag der Reaktionsmischung[5] oder spektroskopisch[4] verfolgt werden.

2. Aus Propargylcarbinolen

Analog den Äthinylcarbinolen lagern auch Propargylcarbinole unter dem Einfluß von Säuren um, wobei ebenfalls α,β-ungesättigte Ketone gebildet werden (vgl. Tab. 130, S. 928):

Der Verlauf der Reaktion wird wie bei der Rupe-Umlagerung durch einen Dehydratisierungs-/Hydratisierungs-Mechanismus erklärt, wobei Enine als Zwischenstufen postuliert werden[6].

Enthält einer der Reste R eine α-CH$_2$-Gruppe so können auch β,γ-ungesättigte Ketone entstehen:

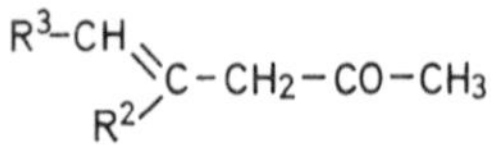

[1] K. H. MEYER u. K. SCHUSTER, B. **55**, 819 (1922).
[2] G. MARIN, W. CHODKIEWICZ, P. CADIOT u. A. WILLEMART, Bl. **1958**, 1594.
    H. H. INHOFFEN u. J. KATH, B. **87**, 1589 (1954).
[3] M. JULIA u. J. BULLOT, Bl. **1960**, 23.
[4] M. APPARU u. R. GLÉNAT, Bl. **1968**, 1106.
[5] J. RAUSS-GODINEAU, J. BARRALI, W. CHODKIEWICZ u. P. CADIOT, Bl. **1968**, 193.
[6] D. PLOUIN, R. GLÉNAT u. R. HEILMANN, A. ch. 2, 191 (1967).

Als Katalysatoren dienen insbesondere Ameisensäure, Essigsäure, Quecksilber(II)-sulfat, Kaliumhydrogensulfat, Magnesiumsulfat. Anorganische Salze werden insbesondere in Methanol oder Essigsäure angewandt. Besonders bewährt hat sich Eisessig, dem 0,5% konz. Schwefelsäure zugesetzt wurde[1].

4-Oxo-2-[penten-(2)-yl]-cyclopentadienyl-mangantricarbonyl[1]: 10 g 2-Hydroxy-4-[pentin-(2)-yl]-cyclopentadienyl-mangantricarbonyl werden in 15 *ml* Eisessig gelöst. Man fügt 1 Tropfen konz. Schwefelsäure zu, wobei die Lösung sofort rot und anschließend tiefpurpur verfärbt. Nach 1 Min. wird. mit 50 *ml* Äther verdünnt, mit Natriumcarbonat-Lösung neutralisiert und aufgearbeitet; Ausbeute: 9,1 g (91% d.Th.); F: 64° (aus Hexan).

c) von 1,2-Glykolen und ihren funktionellen Derivaten

1. Allgemeines, Reaktionsbedingungen

Verbindungen, die unter dem Einfluß von z.B. Säuren Carboniumionen I bilden, stabilisieren sich durch Umlagerung in Ketone oder Aldehyde[2]. Neben Glykolen und den entsprechenden Epoxiden, Äthern und Estern kommen als Ausgangsstoffe Halogen-alkohole, 1,2-Dihalogenide, Amino-alkohole (Desaminierung mit salpetriger Säure) und 1,4-Dioxane in Betracht[3].

Dabei können R^1–R^4 organische Reste oder auch Wasserstoffatome sein.

Der postulierte ionische Mechanismus der Umlagerung gilt heute als erwiesen. Dagegen ist die Frage, ob die Bildung des Carboniumions I und die Wanderung des Substituenten R^1 unter Entstehung des Carboniums II nacheinander ablaufende oder gekoppelte Prozesse sind, noch nicht endgültig entschieden.

Neuere Untersuchungen ergaben, daß im wäßrigen Medium α-Glykole Sauerstoff mit dem umgebenden Wasser austauschen[4] und bei allen über I führenden Reaktionen neben der Umlagerung die Pinakol-Bildung als Konkurrenzreaktion abläuft[3]. Kinetische Messungen[5,6], sowie die Tatsache, daß bei der Umlagerung mit Dideutero-schwefelsäure nur eine Methyl-Gruppe ihre H-Atome gegen Deuterium austauscht, also während der Umlagerung nur eine Methyl-Gruppe an ein Kohlenstoff-Atom gebunden ist[7], sprechen bei aliphatischen Pinakolen gegen das Auftreten von I in freier Form.

---

[1] G. K. Magomedov, N. E. Kolobova, K. N. Anisimov u. A. N. Nesmejanov, Ž. org. Chim. **3**, 1149 (1967); C. A. **67**, 100222ᵃ (1967).

[2] Vgl. ds. Handb., Bd. VII/1, Kap. Aldehyde, S. 230.

[3] Y. Pocker, Chem. & Ind. **1959**, 332.

[4] C. A. Bunton et al., Chem. & Ind. **1956**, 547; Soc. **1958**, 403.

[5] N. C. Deno u. C. Perizzolo, J. Org. Chem. **22**, 836 (1957).

[6] Vgl. z. B. G. A. Olah u. J. Sommer, Am. Soc. **90**, 927 (1968).
    J. F. Duncan u. K. R. Lynn, Soc. **1956**, 3674.

[7] D. N. Kursanov u. Z. N. Parnes, Ž. obšč. Chim. **27**, 668 (1957); C. A. **51**, 16285 (1957).

Tab. 130. Ketone aus Propargylcarbinolen

Structural formula for starting material:

$$R^2-\underset{\underset{OH}{|}}{\overset{\overset{R^1}{|}}{C}}-CH_2-C\equiv CH$$

R_1	R_2	Katalysator	Reaktionszeit [Stdn.]	α,β-ungesätt. Keton	Ausbeute [% d.Th.]	β,γ-ungesätt. Keton	Ausbeute [% d.Th.]	Literatur
CH_3	CH_3	75%ige HCOOH	4	4-Oxo-2-methyl-penten-(2)	48			1
CH_3	$C(CH_3)_3$	75%ige HCOOH	17	5-Oxo-2,2,3-trimethyl-hexen-(3)	75			1
CH_3	C_6H_5	75%ige HCOOH	10	4-Oxo-2-phenyl-penten-(2)	71			1
		H_2SO_4/Äthanol	1 Min.		85			2
CH_3	C_2H_5	75%ige HCOOH	5	4-Oxo-3-methyl-hexen-(3)	47	5-Oxo-3-methyl-hexen-(2)	8	1
CH_3	$-CH(CH_3)_2$	75%ige HCOOH	13	5-Oxo-2,3-dimethyl-hexen-(3)	56	5-Oxo-2,3-dimethyl-hexen-(2)	6	1
CH_3	$-CH(CH_3)_2$	75%ige HCOOH	7	2-Oxo-4,6-dimethyl-hepten-(3)	54	6-Oxo-2,4-dimethyl-hepten-(3)	10	1
C_2H_5	C_2H_5	75%ige HCOOH	6	2-Oxo-4-äthyl-hexen-(3)	45	5-Oxo-3-äthyl-hexen-(2)	30	1

[1] D. PLOUIN, R. GLÉNAT u. R. HEILMANN, A. ch. 2, 191 (1967).

[2] G. K. MAGOMEDOV, N. E. KOLOBOVA, K. N. ANISIMOV u. A. N. NESMEJANOV, Ž. org. Chim. 3, 1149 (1967); C. A. 67, 100 222ª (1967).

Tab. 130. (Fortsetzung)

R^1—C—CH₂—C≡CH (OH, R^2) R₁ / R₂	Katalysator	Reaktionszeit [Stdn.]	α,β-ungesätt. Keton	Ausbeute [% d.Th.]	β,γ-ungesätt. Keton	Ausbeute [% d.Th.]	Literatur
R₁ = C₃H₇, R₂ = C₃H₇	75%ige HCOOH	26	2-Oxo-4-propyl-hepten-(3)	33	6-Oxo-4-propyl-hepten-(3)	27	1
R₁ = CH₃, R₂ = Ferrocenyl	CH₃COOH Äthanol	0,5	4-Oxo-2-ferrocenyl-penten-(2)	93			2
R₁ = CH₃, R₂ = [Cyclopentadienyl-Mn(CO)₃]	H₂SO₄ Eisessig	1 Min.	4-Oxo-2-[penten-(2)-yl]-cyclopentadienyl-mangantricarbonyl	91			2
	Eisessig	10		64			
	80%ige HCOOH	wenige Min.		74			
[Cyclopentan-Struktur] CH₂—C≡CH, OH	75%ige HCOOH	11	2-Oxo-1-cyclopentyliden-propan	12	2-Oxo-1-[cyclopenten-(1)-yl]-propan	50	1
[Cyclohexan-Struktur] CH₂—C≡CH, OH	75%ige HCOOH	13	2-Oxo-1-cyclohexyliden-propan	4	2-Oxo-1-[cyclohexen-(1)-yl]-propan	8	1

1 D. PLOUIN, R. GLENAT u. R. HEILMANN, A. ch. 2, 191 (1967).

2 G. K. MAGOMEDOV, N. E. KOLOBOVA, K. N. ANTISIMOV u. A. N. NESMEJANOV, Ž. org. Chim. 3, 1149 (1967); C. A. 67, 100222a (1967).

Zwischenstufe ist vielmehr das protonisierte Pinakol selbst[1], wobei dieses möglicherweise in ein „Carboniumhydrat" übergehen kann. Wasser-Abspaltung und Wanderung eines Restes R erfolgen dann praktisch gleichzeitig, wobei das Carboniumion II entsteht, das sich anschließend durch Proton-Abspaltung stabilisiert. Für einen solchen Mechanismus spricht auch die beobachtete Inversion bei der Umlagerung optisch aktiver Pinakole. Auch bei aromatisch substituierten Pinakolen scheinen Wasser-Abspaltung und Wanderung eines Aryl-Restes synchron zu erfolgen. Die Annahme von nicht klassischen energetisch begünstigten „Phenoniumionen" läßt sich jedoch experimentell nicht stützen[2].

Während bei der Desaminierung von α-Amino-alkoholen und der Deshalogenierung von α-Halogen-alkoholen durch Schwermetallsalze eindeutig festliegt, welches Carboniumion entsteht (α-C-Atom) und als wanderungsfähige Reste nur R^1 und/oder R^2 zu berücksichtigen sind, liegen die Verhältnisse bei der Pinakolin-Umlagerung der Glykole wesentlich komplizierter. Im wesentlichen handelt es sich um eine Variante der Wagner-Meerwein-Umlagerung, indem eine Hydroxy-Gruppe als Wasser abgespalten wird und die entstandene Oktettlücke sich durch Wanderung eines Substituenten R schließt. Jedoch sind bei α-Glykolen wesentlich mehr Reaktionsmöglichkeiten gegeben. In Abhängigkeit von der Natur der Substituenten R^1, R^2, R^3 und R^4 können bevorzugt das α-C-Atom oder das β-C-Atom die Hydroxy-Gruppe verlieren und Carbonium-Struktur annehmen; in vielen Fällen werden nebeneinander beide Fälle verwirklicht. Dementsprechend ist die Wanderungsfähigkeit aller 4 Substituenten R^1 bis R^4 zu berücksichtigen, deren relative Beweglichkeit zunächst von ihrer chemischen Konstitution abhängt. Doch lassen sich hierüber keine allgemeingültigen Aussagen treffen, nach denen das Umlagerungsprodukt einfach vorherzusagen ist. Vielmehr spielt die Position der einzelnen Substituenten zueinander eine wesentliche Rolle einschließlich der stereochemischen Verhältnisse (meso- oder racem-, threo- oder erythro-Form). Sind zwei Substituenten Glieder eines gemeinsamen Ringes, so können Ringverengung oder auch Ringerweiterung eintreten, wobei die Ringspannung zusätzlich zu berücksichtigen ist[3].

Schließlich kommt den Reaktionsbedingungen eine wichtige Rolle für den Verlauf der Umlagerungen zu. So ist das Hauptprodukt bei der Einwirkung konz. Schwefelsäure in der Kälte häufig ein anderes als beim Kochen mit verd. Schwefelsäure.

Die Verhältnisse werden noch schwerer überschaubar, wenn evtl. primär gebildete Aldehyde (bei $R^1 = H$ und bevorzugter Wanderung von R^2 in I, S. 927) unter den Reaktionsbedingungen in Ketone umgewandelt werden können.

Die außerordentliche Problematik einer allgemeinen Theorie der Pinakolin-Umlagerung ist erst seit 1960 voll erkannt worden[4-6]. Durch Anwendung der Isotopentechnik konnte das Schicksal jedes Substituenten sowie der zentralen C-Atome während der Umlagerung aufgeklärt werden. Insbesondere gelang es auf diesem Wege, den Anteil verschiedener Reaktionswege zu ein und demselben Endprodukt bei symmetrischen Molekülen zu bestimmen. Die Anwendung quantitativer UV- und IR-Spektroskopie ermöglichte eine genaue Bestimmung der Zusammensetzung des Endproduktes der Umlagerung.

[1] Vgl. z. B. G. A. OLAH u. J. SOMMER, Am. Soc. **90**, 927 (1968).
    J. F. DUNCAN u. K. R. LYNN, Soc. **1956**, 3674.
[2] W. HÜCKEL, J. pr. **28**, 27 (1965).
[3] Vgl. C. D. GUTSCHE u. D. REDMORE, Advances Alicyclic Chem. Suppl. 1, S. 61 (1968).
[4] C. J. COLLINS et al., Am. Soc. **81**, 460 (1959); **86**, 4913 (1964).
[5] B. M. BENJAMIN u. C. J. COLLINS, Am. Soc. **78**, 4329 (1956); **88**, 1556 (1966).
[6] D. Y. CURTIN u. M. C. CREW, Am. Soc. **76**, 3719 (1954).

Dabei ergab sich, daß auch Umlagerungen, die früher als einheitlich verlaufend angenommen wurden, in Wahrheit zu Gemischen führen. Weiterhin zeigen diese Arbeiten, daß in vielen Fällen das Verhältnis der Reaktionsprodukte und das Verhältnis der Wanderungsgeschwindigkeiten nicht einfach gleichgesetzt werden dürfen, sondern die Berechnung einer Größe aus der anderen die Kenntnis der Reaktionsmechanismen voraussetzt.

Aufgrund dieser Ergebnisse sind manche bisher aufgetretenen Widersprüche geklärt worden. Sie zeigen aber auch die Notwendigkeit einer kritischen Überprüfung der nicht eindeutig gesicherten experimentellen Ergebnisse früherer Arbeiten.

Als Katalysatoren bei der Umlagerung von Glykolen wurden insbesondere kalte konz. und heiße verd. Schwefelsäure angewandt, ferner Eisessig, Phosphorsäure, Salzsäure, Acetylchlorid. Zuweilen wird überhaupt kein Katalysator benötigt.

In nichtwäßrigen Lösungsmitteln werden in Gegenwart von Lithiumperchlorat/Diäthyläther auch mit schwachen Brönstedt-Säuren hohe Wasserstoff-Ionenkonzentrationen erzielt, da sich stark saure

$$H^{\oplus}[O(C_2H_5)_2]_nClO_4^{\ominus}\text{-Ionenpaare} \qquad\qquad \text{bilden[1].}$$

Da der überwiegende Anteil der Untersuchungen jedoch unter theoretischen Gesichtspunkten durchgeführt wurde, wobei Standardbedingungen zur Anwendung kamen, ist die Frage des Einflusses verschiedenartiger Katalysatoren und Reaktionsbedingungen vom präparativen Standpunkt noch wenig erforscht.

Glykole mit einer primären Hydroxy-Gruppe (I, $R^1 = R^2 = H$) liefern bei der Umlagerung überwiegend Aldehyde, da tertiäre bzw. sekundäre C-Atome bevorzugt Carboniumionen bilden. Während andererseits ditertiäre Glykole ausschließlich zu Ketonen führen (Pinakolin-Umlagerung im engeren Sinn), können disekundäre und sekundäre-tertiäre Glykole sowohl Aldehyde als auch Ketone liefern.

Oxirane werden meist thermisch oder durch Lewis-Säuren umgelagert. Insbesondere haben sich die Ätherate von Bortrifluorid und Magnesiumbromid bewährt. Unter der Katalyse von Alkyljodiden (insbesondere Propyljodid) zusammen mit Natriumjodid in Dimethylformamid oder Dimethylsulfoxid werden Oxirane unter milden Bedingungen (z.B. 3 Stdn., 80°) in sehr guten Ausbeuten zu Ketonen oder Aldehyden isomerisiert[2,3].

Lithiumbromid liefert mit Tributyl-phosphinoxid oder Phosphorsäure-tris-[dimethylamid] in Benzol lösliche Komplexe, die katalytisch wirken[4]. Auch Lithiumperchlorat in Benzol ist geeignet, da das Salz durch Oxirane solubilisiert wird[4]. Führt man die Isomerisierung der Oxirane in Salz-Schmelzen bzw. an deren Grenzfläche durch, so überlagern sich thermische und polar-katalytische Effekte. Gegenüber reinen thermischen Umlagerungen sind die Ausbeuten häufig besser und die Mengenverhältnisse der Reaktionsprodukte verändert[5].

Auch durch Einwirkung starker Basen (Phenyl-, 2,4,6-Trimethyl-phenyl-lithium und insbesondere Lithium-dialkylamide) sind Oxirane umgelagert worden[6].

Man unterschied früher:

> Hydrobenzoin-Umlagerung (di-sek.-Glykol → Aldehyd)
> Semihydrobenzoin-Umlagerung (sek.-tert.-Glykol → Aldehyd)
> Semipinakolin-Umlagerung (sek.-tert.-Glykol → Keton)
> Pinakolin-Umlagerung (di-tert.-Glykol → Keton)

[1] Y. Pocker u. R. F. Buchholz, Am. Soc. **93**, 2905 (1971); vgl. a. **92**, 2075 (1970).
[2] G. W. Kenner u. E. Stenhagen, Acta. Chem. Scand. **18**, 1551 (1964).
[3] D. Bethell, G. W. Kenner u. P. J. Powers, Chem. Commun. **1968**, 227.
[4] B. Rickborn u. R. M. Gerkin, Am. Soc. **93**, 1693 (1971).
[5] J. H. Kennedy u. C. Buse, J. Org. Chem. **36**, 3135 (1971).
[6] vgl. V. N. Yandovskii u. B. A. Ershov, Russ. Chem. Rev. (engl.) **1972**, 403, dort weitere Literatur.

2. Umlagerung von 1,2-Glykolen und ihren funktionellen Derivaten in Ketone mit dem gleichen Kohlenstoffgerüst

a) Ketone aus prim.-sek.-Glykolen bzw. Oxiranen

Glykole des Typs

$$R-\underset{\underset{OH}{|}}{CH}-CH_2-OH$$

liefern bei der Umlagerung unter verschiedenartigen Bedingungen praktisch ausschließlich Aldehyde. Epoxide oder Ketone treten allenfalls in geringen Mengen als Nebenprodukte auf[1]. Dies gilt auch für die Isomerisierung entsprechender Epoxide, sofern R ein rein aliphatischer Rest ist. Dabei scheint die Isomerisierungsneigung mit größerem Rest R stark abzunehmen. Pentyl-oxiran und 2-Methyl-2-(2-methyl-propyl)-oxiran lagern erst beim Leiten des Dampfs über Infusorienerde bei 280° zu Heptanal und 2,4-Dimethyl-pentanal um[2].

Phenyl-oxiran (Styroloxid) gibt Phenylacetaldehyd[3]. Dagegen liefern (Aryl-alkyl)-oxirane die entsprechenden Ketone[4,5]:

n = 1; *2-Oxo-1-phenyl-propan*
2; *3-Oxo-1-phenyl-butan*
3; *4-Oxo-1-phenyl-pentan*
4; *5-Oxo-1-phenyl-hexan*

Man destilliert das Epoxid mit einer Spur Zinkchlorid oder leitet die Dämpfe über Aluminiumoxid bei 250—300°.

Epichlorhydrin liefert beim Durchleiten durch eine mit Lithium-ortho-phosphat gefüllte Kolonne bei 230—240° *Chloraceton* (56% d. Th.) und *1,3-Dichlor-pro-panol-(2)* (16% d. Th.)[6]. Während Methyl-oxiran unter den üblichen Isomerisierungsbedingungen praktisch ausschließlich Acetaldehyd liefert, erhält man mit Di-cobalt-octacarbonyl in Methanol oder Isopropanol mit 70% bzw. 75% Ausbeute *Aceton*.

Ein technisches Gemisch von 2,3-Dimethyl- und Äthyl-oxiran (Butenoxid) läßt sich unter denselben Bedingungen mit 79% Ausbeute in Butanon überführen[7]. Leitet man Methyl-oxiran durch eine mit einem geschmolzenen eutektischen Gemisch aus Lithium- und Rubidiumbromid auf Ton gefüllte Chromatographiesäule bei 280°, so erhält man ein Gemisch aus 45% *Aceton* und 55% *Acetaldehyd*[8].

[1] A. Lieben, M. **23**, 60 (1902).
[2] J. Levy u. R. Pernot, Bl. [4] **49**, 1838 (1931).
[3] M. Tiffeneau u. J. Lévy, Bl. [4] **49**, 1617 (1931); C. r. **140**, 1505 (1908).
[4] J. Lévy u. J. Sfiras, C. r. **184**, 1335 (1927); Bl. [4] **49**, 1823 (1931).
[5] A. G. Polkovnikova u. L. A. Ivanova, Int. chem. Engng. **7**, 95 (1967).
[6] M. N. Sheng, J. Heterocycl. Chem. **6**, 651 (1969).
[7] J. L. Eisenmann, J. Org. Chem. **27**, 2706 (1962).
[8] J. H. Kennedy u. C. Buse, J. Org. Chem. **36**, 3135 (1971).

β) Ketone aus di-sek.-Glykolen bzw. Oxiranen

β₁) durch Säure oder thermisch

Während di-sek.-Glykole mit 2 Aryl-Resten bei Einwirkung von Säuren unter Veränderung des C-Gerüsts (Hydrobenzoin-Umlagerung)[1] Aldehyde liefern[2], führt die Anwesenheit wenigstens eines aliphatischen Rests im allgemeinen zu Ketonen[3].

Besonders leicht verläuft die Reaktion bei den entsprechenden Epoxiden, die häufig schon bei der Destillation unter Normaldruck isomerisieren.

Bei 20 Torr lassen sich 3-Alkyl-2-phenyl-oxirane unzersetzt destillieren, lediglich 3-Phenyl-2-benzyl-oxiran isomerisiert auch unter diesen Bedingungen zu *2-Oxo-1,3-diphenyl-propan*:

$$Ar-\underset{O}{\overset{}{\triangledown}}-R \xrightarrow{203-208°} Ar-CH_2-CO-R$$

Zusätze katalytischer Mengen von Zinkchlorid oder Schwefelsäure auf Bimsstein erleichtern die Reaktion erheblich. Besonders stabile Epoxide werden durch Leiten der Dämpfe über Infusorienerde bei 150–300° oder mittels Magnesiumbromid-Ätherat umgelagert. Auch Jodide in Dimethylsulfoxid oder Dimethylformamid katalysieren die Reaktion[4] (s. Tab. 131, S. 935).

Bei 1,2-Dihydroxy-1-phenyl-alkanen führt die Reaktion praktisch einsinnig zu den entsprechenden 2-Oxo-1-phenyl-alkanen, da das Aryl-substituierte C-Atom infolge seiner Mesomeriemöglichkeit bei der Carboniumionen-Bildung sehr stark begünstigt ist, andererseits das H-Atom als Hydrid-Anion gegenüber R bevorzugt wandert.

Nach Umlagerungsversuchen in Deutero-methanol mit Methansulfonsäure erfolgt die H-Wanderung intramolekular, also nicht über eine Enolstufe (Vinyl-Dehydratisierung)[5].

Beim Erhitzen oder bei Einwirkung von Lewis-Säuren auf *cis*- bzw. *trans*-Cyclooctenoxid entstehen komplizierte Gemische, die neben Formyl-cycloheptan (max. 38% d.Th.) und *Cyclooctanon* (max. 29% d.Th.) eine Reihe ungesättigter Verbindungen enthalten, die durch *trans*-annulare Reaktionen entstanden sind[6].

Auch die Thermolyse von 5,6-Epoxy-cycloheptadien-(1,3) bei 270–600° führt zu komplizierten Gemischen aus Aldehyden, Alkoholen, Kohlenwasserstoffen und nur 5–16% an Ketonen[7].

Jedoch kann selbst bei 1,2-Dihydroxy-1,2-diphenyl-äthan der Übergang zum *1-Oxo-1,2-diphenyl-äthan* (*Desoxybenzoin*) durch Erhitzen der Dämpfe auf 400° erzwungen werden[8]. Die Reaktion verläuft wahrscheinlich über Diphenyl-acetaldehyd, der seinerseits bei 450° in das Keton umgelagert werden kann. Bei der Umlagerung

---

[1] T. ZINCKE u. A. BREUER, B. **9**, 1769 (1876).

[2] Vgl. ds. Handb., Bd. VII/1, Kap. Aldehyde, S. 241.

[3] A. G. POLKOVNIKOVA u. L. A. IVANOVA, Int. chem. Engng. **7**, 95 (1967).

[4] D. BETHELL, G. W. KENNER u. P. J. POWERS, Chem. Commun. **1968**, 227.
    G. W. KENNER u. E. STENHAGEN, Acta Chem. Scand. **18**, 1551 (1964).

[5] J. B. LEY u. C. A. VERNON, Soc. **1957**, 2987, 3256.

[6] A. C. COPE u. J. K. HECHT, Am. Soc. **84**, 4872 (1962).

[7] P. W. SCHIESS u. M. WISSON, Tetrahedron Letters **1971**, 2389.

[8] P. RAMART LUCAS u. F. SALMON-LEGAGNEUR, C. r. **186**, 1848 (1928).

von α,β-ungesättigten disekundären Pinakolen bleibt die Doppelbindung im allgemeinen unangegriffen.

Recht unübersichtlich ist die Umlagerung von Vinyl- und 1,2-Divinyl-glykolen, die vorzugsweise zu Aldehyden führt[1]. Durch Wahl geeigneter Katalysatoren und Reaktionsbedingungen können jedoch auch höhere Keton-Anteile erhalten werden. So isoliert man durch Überleiten von Hexadien-(1,4)-diol-(2,3) über reduziertes Kupferpulver bei 280° bis zu 20% *2,3-Dioxo-1-methyl-cyclopentan* neben *Hexandion-(3,4)* und *4-Hydroxy-3-oxo-hexan*[2].

3,4-Dihydroxy-2,5-dimethyl-hexan gibt beim Kochen mit 30% Schwefelsäure 2-Propenyl-penten-(3)-al neben *Octadien-(2,6)-on-(4)*.

Octadien-(2,6)-diol-(4,5) lagert in heißer 20%iger Schwefelsäure in ein Gemisch aus *Octadien-(2,6)-on-(4)* und *2-Propenyl-penten-(2)-al* um[3]. Dagegen liefern α-Methyl-α,β-ungesättigte Glykole ausschließlich den Aldehyd[4], so erhält man z. B. aus 3,4-Dihydroxy-1,6-diphenyl-hexadien-(1,5) *2-(2-Phenyl-vinyl)-4-phenyl-buten-(2)-al*[3].

Merkwürdigerweise lagert 3,4-Dihydroxy-2,5-dimethyl-hexadien-(1,5) bei der Behandlung mit 70% Phosphorsäure in Alkohol nicht um, sondern spaltet zu 2-Methylpropanal auf, das mit unverändertem Ausgangsmaterial zum cyclischen Acetal zusammentritt. Es entsteht in guter Ausbeute 2-Isopropyl-4,5-diisopropenyl-1,3-dioxolan[4].

Substitution eines aromatischen Restes durch **elektronenspendende Gruppen** begünstigt die Bildung von Ketonen. Offenbar hat die erhöhte Mesomeriestabilisierung des primär gebildeten Carbonium-Ions eine bevorzugte Wanderung von H gegenüber Phenyl zur Folge.

So wird *2-Oxo-2-phenyl-1-(4-dimethylamino-phenyl)-äthan* aus 1,2-Dihydroxy-2-phenyl-1-(4-dimethylamino-phenyl)-äthan leicht in 70% Ausbeute erhalten[5]:

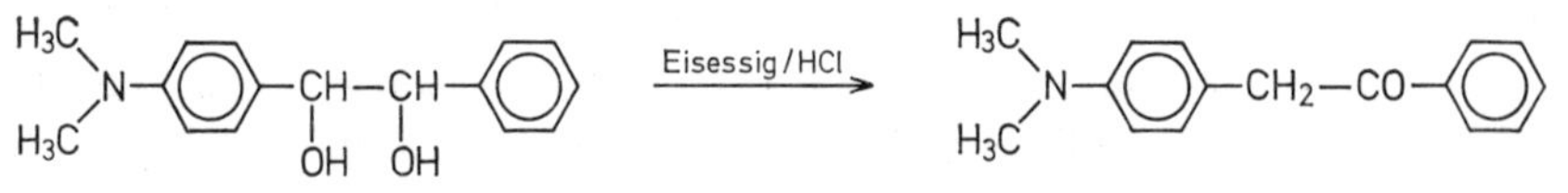

2-Oxo-2-phenyl-1-(4-dimethylamino-phenyl)-äthan[5]: 5,1 g (0,02 Mol) 1,2-Dihydroxy-2-phenyl-1-(4-dimethylamino-phenyl)-äthan werden mit 40 *ml* eines Gemisches aus Eisessig und 30%iger Salzsäure (4:1) 20 Min. erhitzt. Anschließend gibt man 200 *ml* Wasser zu, nuetralisiert mit Natriumcarbonat und kristallisiert den gelben Niederschlag aus Äthanol um; Ausbeute 3,5g (70% d.Th.); F: 128°.

2-Oxo-1-(3,4-methylendioxy-phenyl)-propan[6]: 10 g 3-Methyl-2-(3,4-methylendioxy-phenyl)-oxiran werden auf 220° erhitzt. Bei dieser Temp. beginnt die Isomerisierung wobei die Temp. rasch auf 280° steigt und das Keton überzudestillieren beginnt; Ausbeute: 8 g (80% d.Th.); Kp: 283–284°.

[1] Vgl. ds. Handb., Bd. VII/1, Kap. Aldehyde, S. 241.
[2] M. URION, A. ch. [11] **1**, 5 (1934).
[3] Y. DEUX, C. r. **214**, 269 (1942).
[4] SA-LE-THI-THUAN u. J. WIEMANN, C. r. **261**, 1862 (1965).
[5] S. S. JENKINS, J. S. BUCK u. L. A. BIGELOW, Am. Soc. **52**, 4495 (1930).
[6] P. HOERING, B. **38**, 3477 (1905).

Tab. 131. Ketone aus di-sek.-Glykolen bzw. Epoxiden durch Umlagerung

Epoxid bzw. Glykol	Reakt. Medium Katalysator	Reakt.-Bedingungen	Keton	Ausbeute [% d.Th.]	F [°C]	Nebenprodukt	Literatur
H_5C_6 —epoxid— CH_3		203–208° Destillation	2-Oxo-1-phenyl-propan	~100			1
H_5C_6-CH-CH-CH$_3$ / HO ŌH	20%ige H_2SO_4	Kochen		~100	197 (Semicarbazon)		2,3
H_3CO—phenyl—epoxid—CH_3		190–220° Destillation	2-Oxo-1-(4-methoxy-phenyl)-propan	80	(Kp$_{12}$: 136–138°)		1,4
(methylendioxy-phenyl)—epoxid—CH_3		220–280° Destillation	2-Oxo-1-(3,4-methylendioxy-phenyl)-propan	80	87–88 (Oxim) (Kp$_{10}$: 149–151°)		4,1
H_3CO / H_3CO—phenyl—epoxid—CH_3		Destillation	2-Oxo-1-(3,4-dimethoxy-phenyl)-propan		205 (Semicarbazon)		1
H_3CO / H_3CO—phenyl—CH-CH-CH$_3$ / HO ŌH	20%ige H_2SO_4	2 Stdn. Kochen		37	(Kp$_{10}$: 159–163°)		5

[1] E. FOURNEAU u. M. TIFFENEAU, C. r. 141, 662 (1905).
    M. TIFFENEAU, A. ch. [8] 10, 192 (1907).
[2] M. TIFFENEAU u. P. WEILL, C. r. 200, 1217 (1935).
[3] M. TIFFENEAU, C. r. 142, 1537 (1906).
[4] P. HOERING, B. 38, 3477 (1905).
[5] A. v. WACEK, B. 77, 85 (1944).

Tab. 131. (1. Fortsetzung)

Epoxid bzw. Glykol	Reakt. Medium Katalysator	Reakt.-Bedingungen	Keton	Ausbeute [% d.Th.]	F [°C]	Nebenprodukt	Literatur
	Dimethylsulfoxid, 1-J-C$_3$H$_7$, NaJ	80° 3 Stdn.	4-Oxo-octan	100			[1]
	ZnCl$_2$	~ 250° Destillation	2-Oxo-2-phenyl-1-(4-methyl-phenyl)-äthan		94–95	Phenyl-(4-methyl-phenyl)-acetaldehyd (nach 3 Hauptprodukt)	[2,3]
	20%ige H$_2$SO$_4$	3 Stdn. Kochen	—			Phenyl-(4-methyl-phenyl)-acetaldehyd	[2]
		Destillation	2-Oxo-2-phenyl-1-(3,4-methylendioxy-phenyl)-äthan		70		[2]

[1] D. BETHELL, G. W. KENNER u. P. J. POWERS, Chem. Commun. 1968, 227.   [3] M. TIFFENEAU u. J. LÉVY, C. r. 184, 1465 (1927).
[2] M. TIFFENEAU u. J. LÉVY, Bl. [4] 49, 1738 (1931).

Tab. 131. (2. Fortsetzung)

Epoxid bzw. Glykol	Reakt.Medium Katalysator	Reakt.-Bedingungen	Keton	Ausbeute [% d.Th.]	F [°C]	Nebenprodukt	Literatur
	$AlCl_3/CCl_4$	2 Stdn./100°	Cyclobutanon	5		Formyl-cyclopropan (95%)	1,2
	LiBr/ OP[N(CH$_3$)$_2$]$_3$/ Benzol	80°	Cyclopentanon	sehr gut		—	3
	MgJ$_2$-Ätherat	20 Stdn. Kochen	Cyclooctanon	31	38,5–40,1	—	4,5
	Lithium-diäthylamid	22 Stdn.	4-Oxo-cyclocten-(1)	6		endo-8-Hydroxy-cis-bicyclo[3.3.0]octen-(2) (65%)	6
	Dimethylsulfoxid, 1-J-C$_3$H$_7$, NaJ	80°	Cyclohexanon	90		—	7 vgl. a. 8
	Kieselsäuregel-Kontakt	300°	Cyclododecanon	~80% (bez. auf Kondensat)			9

[1] J. L. Ripoll u. J. M. Conia, Tetrahedron Letters 1965, 979.
[2] J. L. Ripoll u. J. M. Conia, Bl. 1965, 2755.
[3] B. Rickborn u. R. M. Gerkin, Am. Soc. 93, 1693 (1971).
[4] E. P. Zinkevič et al., Ž. Org. Chim. 1, 1587 (1965); C. A. 64, 611 (1966).
[5] Beim Erhitzen mit Lithiumorthophosphat auf 150–250° oder mit Kalium-tert.-butanolat auf 80–100° erhält man dagegen 3-Hydroxy-cycloocten-(1): DOS 1905922 (US-Prior. 23. 3. 68), Atlantic Richfield Co., Erf.: M. M. Sheng u. J. G. Zajacek.
[6] J. K. Crandall u. L. H. Chang, J. Org. Chem. 32, 435, 532 (1967).
[7] D. Bethell, G. W. Kenner u. P. J. Powers, Chem. Commun. 1968, 227.
[8] Mit verschiedenen anderen Katalysatoren entsteht kein Keton:
P. Bedos, C. r. 189, 255 (1929).
M. Tiffeneau u. B. Tchoubar, C. r. 207, 918 (1938).
S. M. Naqvi, J. P. Horwitz u. R. Filler, Am. Soc. 79, 6283 (1957).
P. Bedos u. A. Ruyer, C. r. 188, 962 (1929).
[9] DOS 1914572 (US-Prior. 21. 3. 68), Halcon International Inc., Erf.: C. N. Winnick.

Tab. 131. (3. Fortsetzung)

Epoxid bzw. Glykol	Reakt. Medium Katalysator	Reakt.-Bedingungen	Keton	Aus-beute [% d.Th.]	F [°C]	Nebenprodukt	Literatur
H_3C–◺O◿–C_2H_5	MgBr$_2$-Ätherat	25°, dann 140°	*Pentanon-(2)*			*Pentanon-(3)*	1
(Cyclohexenoxid)	MgBr$_2$-Ätherat / Infusorienerde	100° / 270–290°	*Cyclohexen-(1)-on-(4)*		240 (Semicarbazon)	3-Formyl-cyclopenten-(1)	2
(Cyclohexenoxid)	MgBr$_2$-Ätherat / Infusorienerde	100° / 270–290°	*Cyclohexen-(1)-on-(4)*			4-Formyl-cyclopenten-(1)	2
H_5C_6–◺O◿–R R=CH$_3$	50% H$_2$SO$_4$ od. ZnCl$_2$, Destillation	Kochen	*2-Oxo-1-phenyl-propan*		187 (Semicarbazon) (Kp$_{24}$: 130–134°)		3–5
R=C$_2$H$_5$			*2-Oxo-1-phenyl-butan*		(Kp$_{13}$: 110°)		
R=C$_3$H$_7$			*2-Oxo-1-phenyl-pentan*		120–121 (Semicarbazon) (Kp: 223–227°)		
R=iso-C$_3$H$_7$			*2-Oxo-3-methyl-1-phenyl-butan*		130 (Semicarbazon) (Kp$_{23}$: 132°)		
R=CH$_2$—C$_6$H$_5$			*2-Oxo-1,3-diphenyl-propan*		34–35		

[1] M. Tiffeneau u. B. Tchoubar, C. r. **207**, 918, (1938).
[2] M. Tiffeneau u. B. Tchoubar, C. r. **212**, 581 (1941).
[3] ...
[4] J. Lévy u. F. Gombinska, C. r. **188**, 711 (1929).
[5] R. Erdmann, Dissertation Rostock, S. 65 (1910).

Epoxid bzw. Glykol	Reakt. Medium Katalysator	Reakt.-Bedingungen	Keton	Ausbeute [% d.Th.]	F [°C]	Nebenprodukt	Literatur
H₅C₆—CH—CH—CH₂—C₆H₅ / OH OH	20%ige H₂SO₄	3 Stdn. Kochen	2-Oxo-1,3-diphenyl-propan		34-35		1
H₃C—CH—CH—CH₃ / OH OH	35%ige H₂SO₄		Butanon	84		2-Methyl-propanal (13%)	2,3
H₃C—CH=C—CH—CH—C=CH—CH₃ / CH₃ OH OH CH₃	konz. H₂SO₄,	0°	—			3-Methyl-2-[buten-(2)-yl-(2)]-penten-(3)-al (75%)	4
H₃CO—C₆H₄—CH—CH—R / OH OH R = CH₃	20%ige H₂SO₄	3 Stdn. Kochen	2-Oxo-1-(4-methoxy-phenyl)-propan				5
R = C₂H₅			2-Oxo-1-(4-methoxy-phenyl)-butan		131–132 (Semi-carbazon) (Kp: 265–270°)		
R = C₃H₇			2-Oxo-1-(4-methoxy-phenyl)-pentan		142 (Semi-carbazon) (Kp: 280–285°)		
H₅C₆ epoxide (cyclohexyl)	konz. H₂SO₄	0°	2-Oxo-2-cyclohexyl-1-phenyl-äthan		191–192 (Semi-carbazon)		6

[1] D. Bethel, G. W. Kenner, u. P. J. Powers, Chem. Commun. 1968, 227.
[2] S. Furuhashi u. K. Ohara, J. agric. chem. Soc. Japan 17, 315 (1941); C. A. 41, 4445ᵈ (1947).
[3] M. Tiffeneau u. H. Dorlencourt, A. ch. [8] 16, 237 (1909).
[4] Sa-Le-Thi-Thuan, C. r. 254, 3873 (1962). Sa-Le-Thi-Thuan u. J. Wiemann, C. r. 261, 1862 (1965).
[5] J. Lévy u. Dvoleitzka-Gombinska, Bl. [4] 49, 1765 (1931).
[6] A. I. Bol'shukhin u. A. N. Orlova, Ž. obšč. Chim. 27, 651 (1957); C. A. 51, 16342 (1957).

Tab. 131. (5. Fortsetzung)

Epoxid bzw. Glykol	Reakt. Medium Katalysator	Reakt.-Bedingungen	Ketone	Ausbeute [% d.Th.]	F [°C]	Nebenprodukt	Literatur
	Bimsstein	50 Min./160–180°	1-Oxo-2-cyclohexyl-1-phenyl-äthan	45		2-Oxo-2-cyclohexyl-1-phenyl-äthan (5%)	1
H_3C—CH=CH—CH—CH—CH=CH—CH_3 OH OH	10%ige H_2SO_4	$HClO_4/H_2O$*	7-Oxo-octadien-(2,4)	35			2
H_5C_2—CH—CH— OH OH	Al_2O_3	360°, 6 Torr	2-Oxo-1-furyl-(2)-butan	61		2-Furyl-(2)-butanal (20%)	3
H_7C_3—CH—CH— OH OH	Al_2O_3	390°, 2 Torr	2-Oxo-1-furyl-(2)-pentan	58		1-Furyl-(2)-pentanal (21%)	3
CH_3 H_3C—CH—CH—CH— OH OH	Al_2O_3	380°, 0,2 Torr	2-Oxo-3-methyl-1-furyl-(2)-butan	51		3-Methyl-2-furyl-(2)-butanal (30%)	3
H_2C=CH—CH—CH— OH OH	Al_2O_3	360°, 6 Torr	3-Oxo-4-furyl-(2)-buten-(1)	15		2-Furyl-(2)-butan-(2)-al (35%)	3
CH_3 H_2C=C—CH—CH— OH OH	Al_2O_3	290°, 2 Torr	3-Oxo-2-methyl-4-furyl-(2)-buten-(1)	24		3-Methyl-2-furyl-(2)-buten-(2)-al (36%)	3

* Der Borsäureester des Glycols ergibt mit wäßr. Borsäure 7-Oxo-octadien-(2,4) zu 65% d.Th.

1 A. I. BOL'SHUCHIN u. A. N. ORLOVA, Ž. obšč. Chim. 27, 651 (1957); C. A. 51, 16342 (1957). 2 J. WIEMANN u. H. DANECHPEJOUH, C. r. [C] 266, 1165 (1968). 3 G. DANA u. J. WIEMANN, Bl. 1970, 3994.

Tab. 151. (6. Fortsetzung)

Epoxid bzw. Glykol	Reakt. Medium Katalysator	Reakt.-Bedingungen	Keton	Ausbeute [% d.Th.]	F [°C]	Nebenprodukt	Literatur
H_5C_6-CH-CH (OH OH)	25%ige H_2SO_4	125–130°	—			Cyclohexyl-phenyl-acetaldehyd (67%)	1
(Struktur H_3C, H_3C)	$ZnBr_2$/Benzol	9 Stdn. Kochen	—			[2,2-Dimethyl-cyclopenten-(3)-yl]-acetaldehyd	2
(Struktur)		280°	2-Oxo-bicyclo[2.2.1]heptan	37		4-Formyl-cyclohexen (57%)	3
(Struktur)	HCl/Petroläther (Kp: 60–80°)	30°	2-Oxo-tetralin*	45–46	16–18 (107° Phenylhydrazon)		4
(Struktur H_3CO–…–C_6H_5)		Destillation	2-Oxo-2-phenyl-1-(4-methoxy-phenyl)-äthan		97–98		5,6
(Struktur H_3C–…–CH_2Cl)	Lithium-orthophosphat	230–240°	1-Chlor-2-oxo-butan 3-Chlor-2-oxo-butan	10,5 15,8		1,3-Dichlor-2-hydroxy-butan (9,2%)	7
(Struktur H_3C–…–CH–CH_3, Cl)	H_2O/$CaCO_3$	2 Stdn. 200°	Penten-(2)-on-(4)	65			8
(Struktur H_3C-CH=CH–…–C_6H_5)	(Infusorienerde)	250–300°, 20 Torr				2-Phenyl-penten-(3)-al	9

* zerfällt leicht in Naphthalin und Wasser

1 A. I. BOLSHUCHIN u. A. N. ORLOVA, Ž. obšč. Chim. 27, 651 (1957); C. A. 51, 16342 (1957).
2 R. DULOU, Y. CHRÉTIEN-BESSIÈRE u. J. P. MONTHÉARD, C. r. 254, 3374 (1962).
3 J. H. KENNEDY u. C. BUSCH, J. Org. Chem. 36, 3135 (1971).
4 F. STRAUS u. A. ROHRBACHER, B. 54, 40 (1921).
5 M. TIFFENEAU u. J. LÉVY, Bl. [4] 39, 763 (1926).
6 M. TIFFENEAU u. J. LÉVY, C. r. 182, 391 (1926).
7 M. N. SHENG, J. Heterocycl. Chem. 6, 651 (1969).
8 US. P. 2106347 (1934), Shell Development, Erf.: H. P. A. GROLL u. G. HEARNE; C. A. 32, 2542 (1938).
9 Y. DEUX, C. r. 208, 2002 (1939).

Dihydroxy-4-methyl-1-isopropyl-cyclohexan liefert beim Erhitzen mit verd. Schwefelsäure *Oxo-4-methyl-1-isopropyl-cyclohexan* (Gemisch aus Menthon und Isomenthon)[1], 1,2-Dihydroxy- bzw. 2-Hydroxy-1-methoxy-indan ergeben *Indanon-(2)*[2]:

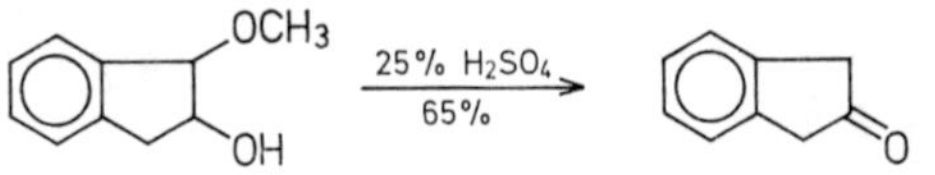

Eine Sonderstellung scheinen Epoxide mit β, γ-ständiger C=C-Doppelbindung in der offenen Kette einzunehmen. Unter dem Einfluß von Bortrifluorid-Ätherat lagert 12,13-Epoxi-octadecen-(9)-säure-methylester (Vernolsäure-methylester) zu *1-(2-Oxo-heptyl)-2-(7-methoxycarbonyl-heptyl)-cyclopropan* (34% d. Th.)[3] um:

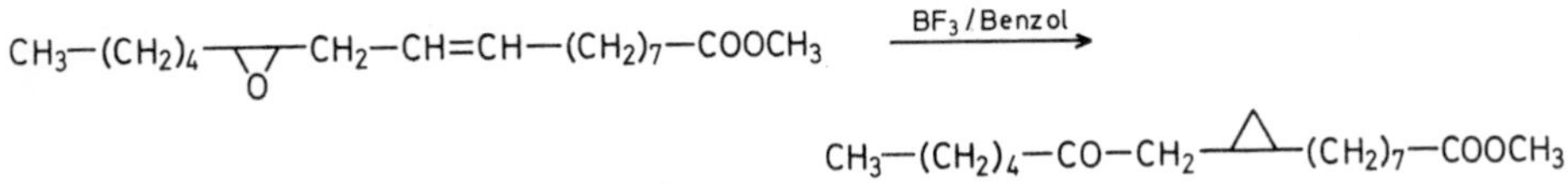

Die Umlagerungsprodukte cyclischer Glykole sind schwer vorherzusagen[4], da die sterischen Verhältnisse den Verlauf der Reaktion entscheidend beeinflussen. In der Cyclohexan-Reihe sind nur bei *cis*-Diolen gute Ausbeuten an Ketonen zu erwarten, während *trans*-Diole bevorzugt Aldehyde ergeben. Ist dagegen eine Hydroxy-Gruppe tertiär, so steigen die Keton-Ausbeuten auch bei *trans*-Glykolen[5].

Selbst bei der Umlagerung offenkettiger Stereoisomerer lassen sich Unterschiede feststellen. So lagern *d,l*-Butandiol-(2,3) bzw. *cis*-2,3-Dimethyl-oxiran beim Kochen mit starker Phosphorsäure fast ausschließlich zum *Butanon* um, während *meso*-Butandiol-(2,3) bzw. *trans*-2,3-Dimethyl-oxiran daneben 25% 2-Methyl-propanal liefern. Andererseits ergeben sowohl *threo*-, als auch *erythro*-3-Chlor-butanol-(2) mit Silbernitrat lediglich *Butanon*[6].

Diese Beobachtungen sprechen für die Notwendigkeit eines sterisch besonders günstigen transition-state während der Umlagerung, der offenbar für Epoxide und Glykole derselbe ist, während die Enthalogenierung von Halogen-alkoholen nach einem anderen Mechanismus abläuft[6].

β_2) mit Lithiumamiden

Disekundäre cycloaliphatische Oxirane sind auch durch Lithiumamide basisch umgelagert worden[7,8]. 2,3-Epoxi-bicyclo[2.2.1]heptan und -bicyclo[2.2.2]octan

[1] T. Suga, T. Shishibori u. T. Matsuura, Bl. chem. Soc. Japan **37**, 310 (1964).
[2] F. Heusler u. H. Schieffer, B. **32**, 28 (1899).
[3] H. B. S. Conacher u. F. D. Gunstone, Chem. Commun. **1967**, 984.
[4] Vgl. ds. Handb., Bd. VII/1, Kap. Aldehyde, S. 242.
[5] M. Tiffeneau u. B. Tchoubar, C. r. **199**, 1624 (1934); **202**, 1931 (1936).
[6] E. R. Alexander u. D. C. Dittmer, Am. Soc. **73**, 1665 (1951).
[7] J. K. Crandall u. L. H. Chang, J. Org. Chem. **32**, 435, 532 (1967).
J. K. Crandall, L. C. Crawley, D. B. Banks u. L. C. Lin, J. Org. Chem. **36**, 510 (1971).
[8] A. C. Cope, P. A. Trumbull u. E. R. Trumbull, Am. Soc. **80**, 2844 (1958).
A. C. Cope u. B. D. Tiffany, Am. Soc. **73**, 4158 (1951).
vgl. auch V. N. Yandovskii u. B. A. Ershov, Russ. chem. Rev. (engl.) **1972**, 403.

liefern neben *2-Oxo-bicyclo[2.2.1]heptan* bzw. *-bicyclo[2.2.2]octan* unter Cyclisierung Hydroxy-tricyclo[2.2.1.0²,⁶]heptan bzw. -tricyclo[2.2.2.0²,⁶]octan und deren Homo-Verbindungen.

Ketone durch Umlagerung von Oxiranen mit Lithium-diäthylamid: allgemeine Arbeitsvorschrift[1]:
In einen vorgetrockneten Kolben werden bei 0° unter Stickstoff nacheinander eine Lösung von 2,5 Äquiv. Diäthylamin in absol. Äther und eine 1,6 n Lösung von 2,5 Äquiv. Butyl-lithium in Hexan eingefüllt. Nach 15 Min. Rühren wird eine Lösung von 1 Äquivalent Oxiran zugegeben, das Eisbad entfernt u. die Lösung zum Sieden erhitzt (12–48 Stdn., im allg. solange bis kein Ausgangs-material mehr nachweisbar ist). Zur Aufarbeitung wird sorgfältig mit Wasser verrührt und die organische Schicht abgetrennt. Diese und der ätherische Wasserextrakt werden mit 1 n Salzsäure, ges. Natriumhydrogencarbonat-Lösung und Wasser gewaschen. Anschließend wird getrocknet und fraktioniert.

U.a. werden nach dieser Vorschrift erhalten:

Epoxid	Keton
	endo-cis-5-Oxo-2,3-dimethyl-bicyclo[2.2.1] heptan; 90% d. Th.
	Campher, 32% d. Th.
+	*3-Oxo-1,7,7-trimethyl-bicyclo[2.2.1]heptan (Epicampher)* 26% d. Th.
	2-Oxo-bicyclo[2.2.2]octan; 90% d. Th.
	cis-2-Oxo-bicyclo[3.3.0]octan; 10% d. Th.
+	*cis-3-Oxo-bicyclo[3.3.0]octan*; 7% d. Th.
+	*exo-cis-4-Hydroxy-bicyclo[3.3.0]octen-(2)*; 56% d. Th.

---

[1] J. K. CRANDALL, L. C. CRAWLEY, D. B. BANKS u. L. C. LIN, J. Org. Chem. **36**, 510 (1971).

Der Wahl des geeigneten Katalysators kommt zur Erzielung optimaler Keton-Ausbeuten entscheidende Bedeutung zu. Bewährt hat sich z.B. Lithium-2,2,3,5-tetramethyl-piperidid[1].

Es sei erwähnt, daß in einer Lösung von Kaliumcyanat in Äthanol/Wasser lediglich eine gegenseitige Umwandlung zwischen *cis*- und *trans*-Epoxiden stattfindet[2].

β_3) aus Glykolmonoestern durch Basen

Eine sehr schonende Umlagerungsmethode ist die Behandlung der 2-Hydroxy-1-acetoxy-, 2-Hydroxy-1-(2,4,6-trimethyl-benzoyloxy)- und 2-Hydroxy-1-p-tosyl-cycloalkane mit methanolischer Kaliumhydroxid-Lösung bei Raumtemperatur. Die Reaktionsfähigkeit der p-Toluolsulfonsäureester gegenüber Alkali nimmt dabei vom 5-Ring über den 7-Ring zum 6-Ring hin ab[3].

Hier konnten ähnliche sterische Effekte beobachtet werden. *cis*-2-Hydroxy-1-acetoxy-cyclohexan und *cis*-2-Hydroxy-1-acetoxy-cycloheptan lieferten *Cyclohexanon* bzw. *Cycloheptanon*, während die entsprechenden *trans*-Verbindungen zu den Oxiranen führten[3,4].

Cycloheptanon[3]: 0,57 g *cis*-2-Hydroxy-1-p-tosyloxy-cycloheptan [aus cis-Cycloheptandiol-(1,2) und p-Toluolsulfonsäure-chlorid in Chloroform/Pyridin] in 40 *ml* 0,1 n methanolischer Kalilauge werden 5 Tage bei Raumtemp. belassen. Nach Ansäuern wird mit 2,4-Dinitro-phenyl-hydrazin-sulfat das Hydrazon erhalten; Ausbeute: 80% d. Th.; F:145°.

β_4) Spezielle Umlagerungen

Die Bildung von *Brenztraubensäure* aus 2,3-Dihydroxy-propansäure (Glycerin-säure) die unter dem Einfluß von Kaliumhydrogensulfat oder fermentativ erfolgt ist ebenfalls als Umlagerungsreaktion bzw. intramolekulare Redoxreaktion zu verstehen[5,6].

Zur Synthese ist die Umwandlung der Weinsäure durch ein Gemisch aus Kalium-hydrogensulfat und Natriumhydrogensulfat am besten geeignet. Die Ausbeute an reiner *Brenztraubensäure* beträgt 44% d.Th.[7]; 2,3-Dihydroxy-3-phenyl-propansäure ergibt beim Kochen mit 50%iger Schwefelsäure *2-Oxo-3-phenyl-propansäure*

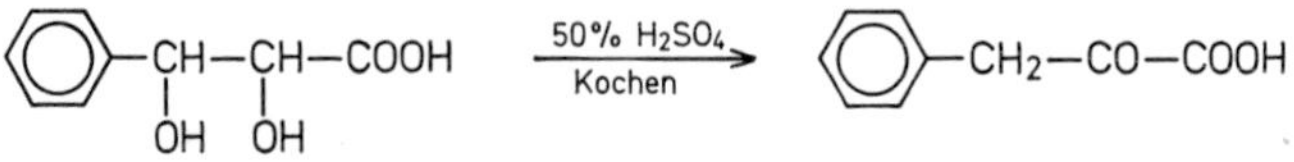

während in Gegenwart von Benzaldehyd *4-Hydroxy-2-oxo-3,4-diphenyl-butansäure-lacton* gebildet wird[8]:

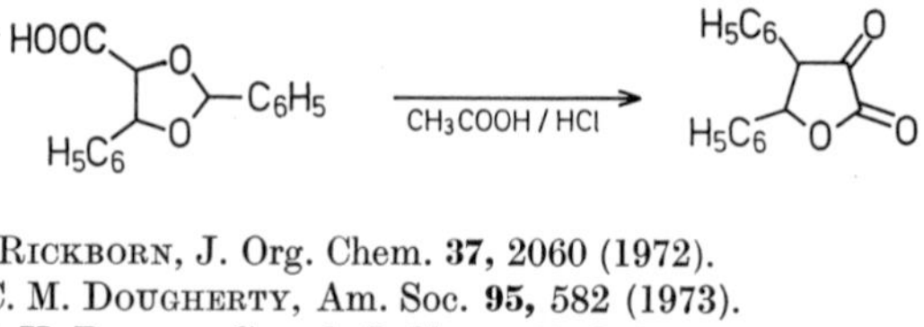

[1] C. L. Kissel u. B. Rickborn, J. Org. Chem. **37**, 2060 (1972).
R. A. Olofson u. C. M. Dougherty, Am. Soc. **95**, 582 (1973).
[2] K. Jankowski u. J.-Y. Daigle, Canad. J. Chem. **49**, 2594 (1971).
[3] L. N. Owen u. G. S. Saharia, Soc. **1953**, 2582.
[4] M. F. Clarke u. L. N. Owen, Soc. **1949**, 315.
[5] E. Erlenmeyer, B. **14**, 320 (1881).
[6] A. v. Lebedew, B. **47**, 660 (1914).
[7] W. Langenbeck u. R. Hutschenreuter, Z. anorg. Ch. **188**, 1 (1930).
[8] W. Dieckmann, B. **43**, 1032 (1910).

Auch die Herstellung der *4-Oxo-pentansäure* (*Lävulinsäure*) durch Erhitzen von Hexosen, wie Glucose, Fructose, Galaktose mit konz. Salzsäure ist in diesem Zusammenhang zu erwähnen.

Die Umlagerung von 4,5-Dihydroxy-3,3,6,6-tetramethyl-1-thia-cycloheptan bzw. 4-Hydroxy-3,3,5,5-tetramethyl-4-hydroxymethyl-1-thia-cyclohexan verläuft anormal zu *4,4,8,8-Tetramethyl-2-oxa-6-thia-bicyclo[3.3.0]octan*[1]:

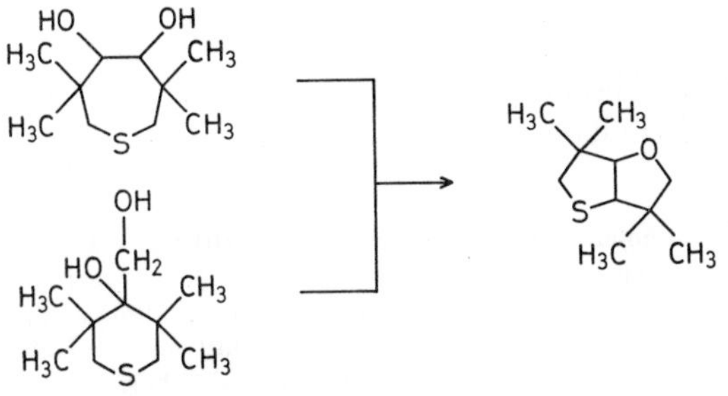

Während bei der sauer oder basisch katalysierten Isomerisierung von 3,4-Epoxialkenen 4-Oxo-alkene gebildet werden, entstehen bei Belichtung durch Photoisomerisierung 3-Oxo-alkene, *3-Oxo-cyclohexen* (60% d. Th.), *-cycloocten* (30% d. Th.), *-cyclopenten* (20% d. Th.) und *5-Oxo-2,4-dimethyl-penten(2)* (60% d. Th.) sind so erhalten worden[2]. Vinyl-oxiran und 2-Methyl-2-isopropenyl-oxiran werden nicht umgelagert[2].

γ) Ketone aus di-sek.-α-Halogen-alkoholen und α-Dihalogeniden

Während bei der Umlagerung aliphatisch-aromatisch-substituierter Glykole und der entsprechenden Epoxide der Angriff am zum Aromaten α-ständigen C-Atom erfolgt und Benzyl-ketone gebildet werden, kann man durch Anlagerung von unterjodiger Säure [aus Jod und Quecksilber(II)-oxid in wäßrigem Medium in situ erzeugt] an Olefine und Jodwasserstoff-Abspaltung die Umlagerung über das β-Carboniumion erzwingen, wobei Acyl-aromaten, oder – infolge der Wanderungstendenz des aromatischen Rests – α-Aryl-aldehyde gebildet werden:

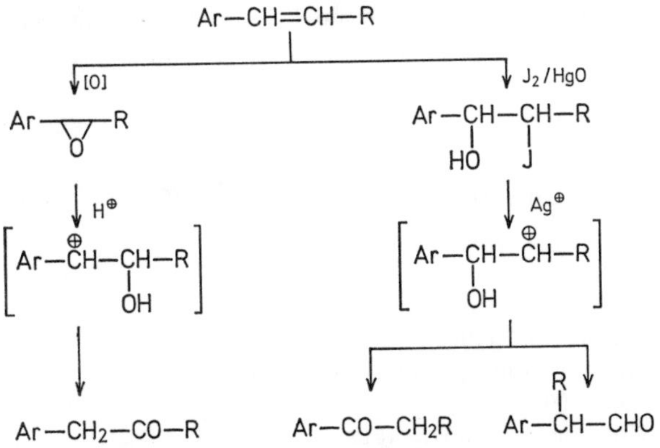

---

[1] A. De Groot, J. A. Boerma u. H. Wynberg, Tetrahedron Letters **1968**, 2365.
[2] D. R. Paulson, G. Korngold u. G. Jones, Tetrahedron Letters **1972**, 1723.

So wurden über die α-Jod-alkohole aus 1-Phenyl-propen-(1) (R = CH$_3$) 2-Phenyl-propanal[1,2], aus 1-Phenyl-penten-(1) (R = C$_3$H$_7$) 2-Phenyl-pentanal erhalten, während aus 1-Phenyl-buten-(1) (R = C$_2$H$_5$) und 3-Methyl-1-phenyl-buten-(1) (R = iso-C$_3$H$_7$) überwiegend die entsprechenden Ketone, *Butanoyl-benzol (1-Oxo-1-phenyl-butan)* bzw. *1-Oxo-3-methyl-1-phenyl-butan* entstehen[2].

Für R = Benzyl werden Aldehyd und Keton isoliert. Auch aus 2-Jod-1-hydroxy-1-(4-methoxy-phenyl)-alkanen werden überwiegend Gemische aus Aldehyd und Keton erhalten[2].

Zur Jodwasserstoff-Abspaltung wird vorzugsweise wäßrige Silbernitrat-Lösung (2 Mol auf 1 Mol α-Jod-alkohol) oder eine Suspension von Quecksilber(II)-oxid herangezogen.

Ketone aus α-Jod-alkoholen; allgemeine Arbeitsvorschrift[2]: Der Lösung des 1-Aryl-alkens-(1) in wasserhaltigem Äther wird in Gegenwart von gelbem Quecksilberoxid in kleinen Portionen Jod zugesetzt, wobei durch Kühlung Raumtemp. aufrechterhalten wird. Man filtriert vom ausgeschiedenen Quecksilber(II)-jodid ab, wäscht das Filtrat mit einer an Kaliumjodid und Natriumhydrogensulfit ges. wäßrigen Lösung und schüttelt mit der ber. Menge Quecksilberoxid oder Silbernitrat-Lösung mehrere Stdn. durch. Die ätherische Schicht wird abgetrennt und der Äther abdestilliert.

Die den α-Glykolen entsprechenden α,β-Dihalogen-Verbindungen können entweder mit verd. Säuren oder mit Wasser, dem zweckmäßigerweise Blei(II)-oxid zugesetzt ist, durch Erhitzen unter Druck auf 100–180° umgelagert werden. 2,3-Dibrom-butan liefert Butanon[3].

2-Chlor-1-hydroxy-cyclohexan gibt in verd. alkoholischer Schwefelsäure oder konz. wäßriger Calciumchlorid-Lösung Formyl-cyclopentan, 2-Chlor-1-hydroxy-cycloheptan analog Formyl-cyclohexan, während aus 2-Chlor-1-hydroxy-cyclooctan Cyclooctadien entsteht[4].

δ) Ketone aus di-sekundären Amino-alkoholen mit salpetriger Säure[5]

Die Desaminierung di-sekundärer makrocyclischer Amino-alkohole führt in mäßiger Ausbeute zu Gemischen[6].

Steht sowohl eine sekundäre als auch eine primäre Hydroxy-Gruppe zur Verfügung, so bleibt letztere erhalten. Aus 2-Amino-1,3-dihydroxy-octadecan (Dihydrosphingosin) wird mit Natriumnitrit in Eisessig *1-Hydroxy-3-oxo-octadecan* (79% d. Th.) erhalten[7]:

$$H_3C-(CH_2)_{14}-\underset{OH}{\underset{|}{CH}}-\underset{NH_2}{\underset{|}{CH}}-\underset{OH}{\underset{|}{CH_2}} \longrightarrow H_3C-(CH_2)_{14}-\overset{\overset{O}{\|}}{C}-CH_2-CH_2OH$$

[1] M. Tiffeeneau, C. r. **142**, 1537 (1906).

[2] J. Lévy u. Dvoleitzka-Gombinska, Bl. [4] **49**, 1765 (1931).

[3] A. Lieben, M. **23**, 60 (1902).

[4] M. Godchot. M. Mousseron u. R. Granger, C. r. **200**, 748 (1935); **195**, 1284 (1932).

[5] s.a.ds. Handb., Bd. XI/2, Umwandlung von Aminen, S. 163f.

[6] L. I. Zakharkin, V. V. Korneva, Ž. Org. Chim. **1**, 1608 (1965); C. A. **64**, 610^g (1966).

[7] B. Weiss u. R. L. Stiller, J. Org. Chem. **31**, 2023 (1966).

3. Umlagerung von 1,2-Glykolen und ihren funktionellen Derivaten in Ketone unter Veränderung oder Erhaltung des Kohlenstoff-Gerüsts

α) Ketone aus prim.-tert.-Glykolen und deren Äthern

Normalerweise lagern sich prim.-tert.-Glykole, deren Äther und Epoxide zu den entsprechenden Aldehyden um[1]. Unter Bedingungen, die die Isomerisierung der Aldehyde in Ketone begünstigen[2], lassen sich jedoch auch aus den Glykolen unter Veränderung des C-Gerüsts Ketone erhalten. Man arbeitet hierzu in kalter konz. Schwefelsäure oder erhitzt zunächst gebildeten Aldehyd mit einer wäßrig-alkoholischen Quecksilber(II)-chlorid-Lösung[3]. Aralkyl-Substituenten begünstigen die Entstehung von Ketonen mit wachsender Kettenlänge der Aralkyl-Gruppe[4].

Der Einfluß der Reaktionsbedingungen auf die Isomerisierung von 2,3-Dihydroxy-2-phenyl-propan bzw. 2-Methyl-2-phenyl-oxiran, die sowohl zu 2-Phenyl-propanal als auch zu *2-Oxo-1-phenyl-propan* führen kann, ist eingehend untersucht worden[3].

Ein Sonderfall ist die thermische Umlagerung von 1-Oxa-spiro[2.2]pentan, die bei 100° ein Gemisch aus *Cyclobutanon* (40%), Butenon (30%) u. Methacrolein (30%) liefert[5]. Die besten Ausbeuten an Cyclobutanon (80%) erhält man durch kontinuierliche Pyrolyse im Injektor eines Gaschromatographen:

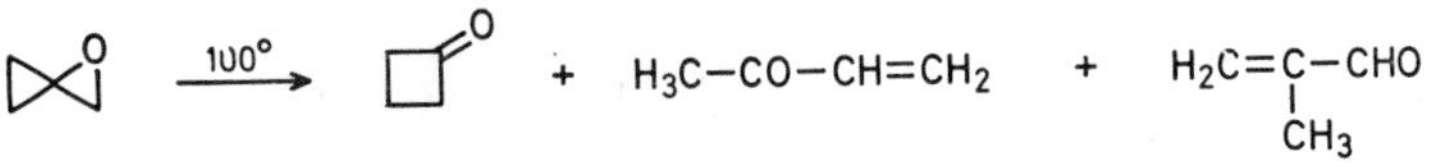

In Gegenwart von Spuren Lithiumjodid als milder Lewissäure wird 1-Oxo-spiro-[2.2]pentan in 95%iger Ausbeute zu Cyclobutanon umgelagert.

Damit ist dieses Keton ausgehend von Methallylchlorid über Methylen-cyclopropan, 1-Oxa-spiro[2.2]pentan präparativ gut zugänglich geworden.

Analog wird aus 3,3-Diphenyl-2-oxa-spiro[2.2]pentan *2-Oxo-1,1-diphenyl-cyclo-butan* und aus Cyclopropan-⟨spiro⟩-oxiran-⟨spiro⟩-cyclohexan *2-Oxo-cyclobutan-⟨1-spiro⟩-cyclohexan* erhalten[6].

Aus 2,5-Dimethyl-2,5-diphenyl-1,4-dioxan,

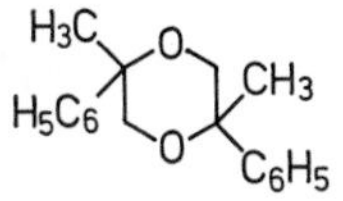

---

[1] Vgl. ds. Handb., Bd., VII/1, Kap. Aldehyde, S. 233.

[2] s. S. 1053

[3] S. Danilow u. E. Venus-Danilowa, B. **60**, 1050 (1927).

[4] A. G. Polkovnikova u. L. A. Ivanova, Int. chem. Engng. **7**, 95 (1967).

[5] J. R. Salaun u. J. M. Conia, Chem. Commun. **1971**, 1579.

[6] vgl. hierzu
P. Le Perchec u. J. M. Conia in J. M. Conia u. J. R. Salaun, Acc. Chem. Res. **5**, 33 (1972).
E. V. Dehmlow, Z. Naturforsch. [B] **24**, 1197 (1969).
B. M. Trost, R. Larochelle u. M. J. Bogdanowicz, Tetrahedron Letters **1970**, 3449.
J. R. Wiseman u. K.-F. Cha, Am. Soc. **92**, 4750 (1970).

das sowohl aus dem entsprechenden Glykol, als auch aus dem Oxiran im sauer wäßrigen Medium leicht gebildet wird, läßt sich durch Erhitzen mit Säuren lediglich
2-Phenyl-propanal erhalten; konz. Schwefelsäure ist ohne Wirkung.

Andererseits liefert 2,5-Dimethyl-2,3,5,6-tetraphenyl-1,4-dioxan (aus 1,2-Dihydroxy-
1,2-diphenyl-propan), das bei der Destillation in Gegenwart einer Spur Schwefelsäure 2,2-Diphenyl-propanal ergibt, bei Einwirkung kalter konz. Schwefelsäure
1-Oxo-1,2-diphenyl-propan. Kochen mit 20%iger Schwefelsäure ist dagegen ohne
Einfluß[1]. Dasselbe gilt für 2,2,5,5-Tetramethyl-3,6-diphenyl-1,4-dioxan (man erhält
u. a. *1-Oxo-2-methyl-1-phenyl-propan*)[2].

1,2-Dihydroxy-1,1-diphenyl-äthan, welches bei 250–300° über Infusorienerde zu
Diphenyl-acetaldehyd umlagert, ergibt bei 400–450° *1-Oxo-1,2-diphenyl-äthan* (*Desoxybenzoin*). Aus 1,2-Dihydroxy-1,1-bis-[4-methyl-phenyl]-äthan erhält man 1-*Oxo-
1,2-bis-[4-methyl-phenyl]-äthan* bereits bei 250–300°[3].

Epoxy-äther können unter dem Einfluß von Lewis-säuren, z.B. Bortrifluorid
oder Magnesiumbromid zu Ketonen umgelagert werden[4]:

Aus 3-Methoxy-2,2-dimethyl-oxiran wird in mäßiger Ausbeute *3-Methoxy-2-oxo-
butan* erhalten.

2-Chlor-3-phenyl-oxiran (aus *2,2-Dichlor-1-hydroxy-1-phenyl-äthan* mit alko-
lischer Kalilauge erhältlich) lagert sich spontan in der Kälte um zum *α-Chlor-aceto-
phenon*, während beim Arbeiten ohne Kühlung α-Chlor-α-phenyl-acetaldehyd entsteht[4].

In der Reihe der Gibberelline sind Umlagerungen unter besonders milden Bedingungen beobachtet worden. 0(2)-Acetyl-8,9(15)-epoxy-gibberellinsäure gibt nach
Lösen in warmem Wasser und Abkühlen *4α-Hydroxy-2β-acetoxy-8-oxo-1β-methyl-
7β-hydroxymethyl-gibben-(3)-1,10β-dicarbonsäure-1,4α-lacton*[5].

β) Ketone aus prim.-tert.- α-Halogen-alkoholen und α-Dihalogeniden

Da bei der Addition von unterjodiger Säure an unsymmetrisches disubstituiertes
Äthylen die Hydroxy-Gruppe im allgemeinen an das tertiäre C-Atom tritt[6],
lagern die α-Jod-alkohole mit Silbernitrat-Lösung oder Quecksilber(II)-oxid zu
Ketonen um.

3-Oxo-2-phenyl-butan[7]: 16 g 2-Phenyl-buten-(2) werden in einer Suspension von 15 g gelbem
Quecksilberoxid in 100 ml Äthanol heiß gelöst. Man gibt portionsweise insgesamt ~ 30 g Jod

[1] J. Lévy, Bl. [4] **29**, 865 (1921).

[2] J. Lévy, Bl. [4] **29**, 820 (1921).

[3] P. Ramart-Lucas u. F. Salmon-Legagneur, Bl. [4] **45**, 478 (1929).

[4] A. Kirrmann, P. Duhamel u. R. Nouri-Bimorghi, A. **691**, 33 (1966).

[5] N. N. Girotra u. L. Wendler, Tetrahedron Letters **1966**, 6431.
    K. Schreiber, G. Schneider u. G. Sembdner, Tetrahedron **22**, 1437 (1966); **24**, 73 (1968).

[6] M. Tiffeneau, A. ch. [8] **10**, 346, 375 (1907).

[7] M. Tiffeneau, A. ch. [8] **10**, 362 (1907).

zu, bis bleibende Braunfärbung auftritt. Durch Zugabe eines Wasser-Überschusses (welches etwas Kaliumjodid und Hydrogensulfit enthält) wird das 3-Jod-2-hydroxy-2-phenyl-butan abgeschieden. Man nimmt in Äther auf und schüttelt unter Kühlung mit einer konz. wäßrigen Lösung von 30 g Silbernitrat durch. Der Rückstand der Ätherphase wird fraktioniert; Kp$_{23}$: 106–107°.

Tab. 132. Ketone aus Olefinen über α-Jod-alkohole

$$\underset{R^2}{\overset{R^1}{>}}C{=}CH_2 \xrightarrow{J_2\,/\,HgO} R^2{-}\underset{\underset{J}{HO}}{\overset{\overset{R^1}{|}}{C}}{-}CH_2 \xrightarrow{Ag^{\oplus}} R^1{-}CO{-}CH_2{-}R^2$$

R^1	R^2 (wandert)	Ketone	Ausbeute [% d.Th.]	F [°C]	Literatur
CH$_3$	C$_6$H$_5$	*2-Oxo-1-phenyl-propan*		(Kp: 213–214°)	1,2
	H$_3$C OCH$_3$ (ring)	*2-Oxo-1-(3-methyl-2-methoxy-phenyl)-propan*	~60	171 (Semi-carbazon) (Kp: 257–259°)	3
C$_6$H$_5$	C$_6$H$_5$	*1-Oxo-1,2-diphenyl-äthan* (*Desoxybenzoin*)			4,5
	4-Methyl-phenyl	*2-Oxo-2-phenyl-1-(4-methyl-phenyl)-äthan*		94–95	4,5
	2-Methoxy-phenyl	*2-Oxo-2-phenyl-1-(2-methoxy-phenyl)-äthan*		179–180 (Semi-carbazon) (Kp$_{16}$: 207–210°)	6
	Naphthyl-(1)	*1-(1-Phenyl-vinyl)-naphthalin*		60	7
3-Methoxy-phenyl	C$_6$H$_5$	*1-Oxo-2-phenyl-1-(3-methoxy-phenyl)-äthan*		141 (Semi-carbazon) (Kp:$_{16}$ 208–212°)	6
4-Methoxy-phenyl	2-Methoxy-phenyl	*1-Oxo-2-(2-methoxy-phenyl)-1-(4-methoxy-phenyl)-äthan*		180 (Semi-carbazon) (Kp$_{13}$: 230–232°)	6
3-Methoxy-phenyl	4-Methoxy-phenyl	*2-Oxo-2-(3-methoxy-phenyl)-1-(4-methoxy-phenyl)-äthan*		61	6

[1] M. TIFFENEAU, C. r. **134**, 845 (1902).
[2] M. TIFFENEAU, C. r. **137**, 1260 (1903).
[3] C. GUILLAUMIN, Bl. [4] **7**, 421 (1910).
[4] M. TIFFENEAU, C. r. **134**, 1505 (1902).
[5] M. TIFFENEAU, A. ch. [8] **10**, 346, 375 (1907).
[6] J. LÉVY u. R. PERNOT, Bl. [4] **49**, 1730 (1931).
[7] E. LUCE, C. r. **180**, 145 (1925).

Über eine Umlagerung verläuft auch die Synthese von Benzyl-ketonen aus α-Chlor-ketonen und Phenyl-magnesiumbromid[1,2]:

$$H_3C-CO-CH_2-Cl \;+\; H_5C_6-MgBr \;\longrightarrow\; \underset{\underset{O-MgBr}{|}}{\overset{\overset{CH_3}{|}}{H_5C_6-C-CH_2-Cl}}$$

$$\overset{\triangledown}{\longrightarrow}\; H_5C_6-CH_2-CO-CH_3$$

2-Oxo-1-phenyl-propan[3]: Zu 1 Mol Phenyl-magnesiumbromid in absol. Äther gibt man allmählich eine ätherische Lösung von 1 Mol Chlor-aceton. Anschließend wird der Äther abdestilliert und der Rückstand im Ölbad auf 130—140° erhitzt, bis kein Äther mehr übergeht. Danach wird mit angesäuertem Eiswasser zersetzt. Man zieht mit Äther aus und behandelt den Extrakt mit Natriumhydrogensulfit. Nach Reinigung des kristallinen Hydrogensulfit-Adkukts wird hieraus mit Kaliumcarbonat das Keton regeneriert; Ausbeute: 50% d.Th.; F: 196° (Semicarbazon).

Aus 1-Brom-1-hydroxy-heptan wird durch Erhitzen mit Magnesiumbromid-Diäthylätherat *Cycloheptanon* erhalten[4].

γ) Ketone aus sek.-tert.-Glykolen und den entsprechenden Epoxiden (Oxiranen)

Bei der Umlagerung von sek.-tert.-Glykolen sind insgesamt 4 Umlagerungsprodukte möglich, je nachdem ob das Proton an der sek.- oder der tert.-Hydroxy-Gruppe angreift und welcher der Substituenten wandert:

$$\underset{\underset{HO\quad OH}{|\quad\;|}}{\overset{\overset{R^1}{|}}{R^2-C-CH-R^3}}$$

tert. OH–Eliminierung $\longrightarrow$

$$\underset{I}{\overset{\overset{R^1}{|}}{R^2-CH-CO-R^3}} \;+\; \underset{\underset{R^3}{|}\;II}{\overset{\overset{R^1}{|}}{R^2-C-CHO}}$$

sek. OH–Eliminierung $\longrightarrow$

$$\underset{III}{\overset{\overset{R^3}{|}}{R^2-CH-CO-R^1}} \;+\; \underset{IV}{\overset{\overset{R^1}{|}}{R^3-CH-CO-R^2}}$$

Dabei ist beim Keton I das C-Gerüst erhalten geblieben, während der Aldehyd II und die Ketone III und IV gegenüber dem Ausgangsglykol veränderte C-Gerüste aufweisen.

Schließlich ist zu berücksichtigen, daß der Aldehyd II leicht zu den Ketonen I, III, IV umlagert.

In einigen Fällen konnte II als Zwischenstufe für I oder III bzw. IV ausgeschlossen werden[3,5–7].

[1] M. Tiefeneau, A. ch. [8] **10**, 346, 375 (1907).
[2] M. Tiffeneau, C. r. **140**, 1458 (1905).
[3] M. Tiffeneau, A. ch. [8] **10**, 368 (1907).
[4] B. Tchoubar, C. r. **212**, 195 (1941).
[5] R. Lagrave, A. ch. [10] **8**, 363 (1927).
[6] J. Lévy u. R. Pernot, Bl. [4] **49**, 1721 (1931).
[7] M. Tiffeneau, J. Lévy u. P. Weill, Bl. [4] **49**, 1606 (1931).

γ_1) *durch Säuren oder thermisch*

Die Umlagerung von Epoxiden kann durch einfaches Erhitzen bei Normaldruck vorgenommen werden. Sie setzt häufig schon vor dem Sieden ein und ist mit erheblicher Wärmeentwicklung verbunden, so daß das entstehende Keton direkt abdestilliert. Ein Zusatz von Zinkchlorid oder mit Schwefelsäure getränktem Bimsstein erniedrigt die Isomerisierungstemperatur und erhöht die Ausbeute. Das Mengenverhältnis der Umlagerungsprodukte wird nicht beeinflußt[1].

Gegenwart von geschmolzenem Lithiumbromid (vgl. S. 931) beeinflußt dagegen vor allem das Reaktionsergebnis[2].

Unter milden Bedingungen können Lithiumsalze bei 80° zur Umlagerung herangezogen werden. Lithiumperchlorat in Benzol reagiert nach einem anderen Mechanismus als Lithiumbromid in Gegenwart einer äquivalenten Menge Phosphorsäure-tris-[dimethylamid][3].

Häufig sind Ätherate von Bortrifluorid, Magnesiumbromid, Zinkbromid für die Umlagerung herangezogen worden. Dabei bilden sich primär die entsprechenden Komplexe der Epoxide. Die Ausbeuten sind gut, die Reaktionszeiten jedoch lang, wenn nur mit katalytischen Mengen gearbeitet wird. Bei Anwendung äquimolarer Mengen Bortrifluorid in Äther oder häufig besser in Benzol (auch als Ätherat) genügen dagegen Reaktionszeiten von wenigen Minuten. Bei Umlagerung in Bortrifluorid/Äther muß mit der Bildung von Fluor-alkoholen gerechnet werden[4]. Die Isomerisierung mit Methyl-magnesiumbromid ist in der Steroid-Reihe durchgeführt worden[5]. Reaktionsgeschwindigkeit und Ausbeute hängen z.B. bei Lithium-Salzen auch vom Anion ab[6].

Grundsätzlich wird der Umlagerungs-Katalysator gelöst oder suspendiert vorgelegt und das Epoxid langsam und vorsichtig zugegeben.

Zugabe von sauren Katalysatoren zu größeren Mengen (über 10 g) Epoxiden ist unbedingt zu vermeiden; ***Explosionsgefahr!*** Epoxide bilden mit Lewis-Säuren sofort umlagernde Komplexe, die anschließend bei der Aufarbeitung durch Wasser oder 1,4-Dioxan gespalten werden:

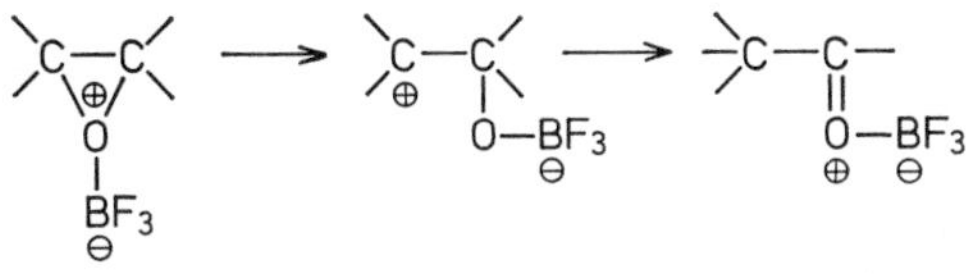

Bei der Ringöffnung bildet sich primär das am besten stabilisierte Carbenium-ion, d.h. im allgemeinen dasjenige, welches aromatisch substituiert ist oder, bei aliphatischen Epoxiden, die meisten Substituenten trägt. Welcher der beiden Substituenten wandert, hängt vor allem von der „relativen Wanderungsfähigkeit" aber auch von sterischen Faktoren und bei alicyclischen Verbindungen von der Ringgröße ab.

[1] R. Lagrave, A. ch. [10] 8, 363 (1927).
[2] J. H. Kennedy u. C. Buse, J. Org. Chem. 36, 3135 (1971).
[3] B. Rickborn u. R. M. Gerkin, Am. Soc. 93, 1693 (1971).
[4] G. Berti, B. Macchia, F. Macchia u. L. Monti, Soc. [C] 1971, 3371.
[5] A. A. Akhrem u. T. V. Ilyukhina, Izv. Akad. SSSR, 1966, 192; C. A. 64, 12751h (1966); Izv. Akad. SSSR 1967, 710.
[6] B. Rickborn u. R. M. Gerkin, Am. Soc. 90, 4193 (1968).

Tab. 133. Ketone durch Umlagerung von sek.-tert.-Glykolen und deren Derivate bzw. Oxiranen

Ausgangsstoff: $R^2-\overset{\overset{R^1}{|}}{\underset{\underset{OH}{|}}{C}}-\underset{\underset{HO}{|}}{C}H-R^3$ bzw. $\overset{R^1}{\underset{R^2}{}}C{\overset{}{\diagdown}}\!O\!{\overset{}{\diagup}}R^3$

Ausgangsstoff	Katalysator Reaktionsbedingungen	Umlagerungsprodukte $R^2-\overset{\overset{R^1}{\mid}}{C}H-CO-R^3$	Umlagerungsprodukte $R^3-\overset{\overset{R^1}{\mid}}{\underset{\underset{R^2}{\mid}}{C}}-CHO$	Bemerkungen	Literatur
$H_3C\diagdown\!C\!\diagup$ oxiran mit CH_3	12%-ige H_2SO_4/150°	83% }	Pentanal		1
	Al_2O_3/250–260°	—			2
	$PbCl_2/H_2O$/200°	80% } 3-Oxo-2-methyl-butan			3
	$LiBr/OP[N(CH_3)_2]_3$/ Benzol, 80°	100%			4
	$LiClO_4$/Benzol, 80°				4
CH_3 $H_3C-\overset{\overset{CH_3}{\mid}}{C}-\underset{\underset{HO}{\mid}}{C}H-CH_3$ mit OH	0,5n HCl/105° P_2O_5	85% 3-Oxo-2-methyl-butan	2,2-Dimethyl-propanal (12%)		5,6
$H_3C\diagdown\!C\!\diagup$ oxiran mit $CH=CH_2$	Infus.erde/250° $MgBr_2$-Ätherat		2,2-Dimethyl-buten-(3)-al		7
CH_3 $H_3C-\overset{\overset{CH_3}{\mid}}{C}-\underset{\underset{HO}{\mid}}{C}H-$ cyclohexyl mit OH	konz. H_2SO_4/0°	3-Oxo-2-cyclohexyl-butan (20%) 1-Oxo-2-methyl-1-cyclohexyl-propan (75%)			8

1 US. P. 2106347 (1934), Shell Development, Erf.: H. P. A. GROLL u. G. HEARNE; C. A. 32, 2542 (1938).

2 W. IPATIEW u. W. LEONTOWITSCH, B. 36, 2016 (1903).

3 K. A. KRASSUSKI, Ж. 34, 537, 556 (1902); C. 1902 II, 1095.

4 B. RICKBORN u. R. M. GERKIN, Am. Soc. 93, 1693 (1971).

5 US. P. 2042224 (1934), Shell Develop., Erf.: H. P. A. GROLL u. G. HEARNE; C. A. 30, 4870 (1936).

6 A. LIEBEN, M. 23, 60 (1902).

7 Y. DEUX, C. r. 207, 920 (1938).

8 G. GROS u. L. GIRAL, Bl. 1970, 1115.
   I. ELPHIMOFF-FELKIN, Bl. [5] 17, 494 (1950).

Tab. 133. (1. Fortsetzung)

R¹ R²-C-CH-R³ bzw. (HO OH) / Oxiran	Katalysator Reaktionsbedingungen	Umlagerungsprodukte R²-CH-CO-R³ (R¹)	Umlagerungsprodukte R²-C-CHO (R¹, R³)	Bemerkungen	Literatur
CH_3 $H_3C-C-CH-C_6H_{13}$ HO OH	konz. H_2SO_4 HCOOH heiß	3-Oxo-2-methyl-nonan (95%)			1,2
CH_3 $H_3C-C-CH-C_8H_{17}$ HO OH	HCOOH heiß	3-Oxo-2-methyl-undecan (66%)			2,3
CH_3 $H_3C-C-CH-C_{10}H_{21}$ HO OH	HCOOH heiß	3-Oxo-2-methyl-tridecan (63%)			4
CH_3 $H_3C-C-CH-C_5H_{11}$ HO OCH₃	HCOOH heiß	3-Oxo-2-methyl-octan			3
CH_3 $H_3C-C-CH-C_8H_{17}$ HO OCH₃	HCOOH heiß	3-Oxo-2-methyl-undecan (70%)	2,2-Dimethyl-decanal (30%)		3

[1] P. NICOLLE, Bl. [4] 39, 55 (1926).
[2] G. GROS u. L. GIRAL, Bl. 1970, 1115.
  I. ELPHIMOFF-FELKIN, Bl. [5] 17, 494 (1950).
[3] I. ELPHIMOFF-SCHERBAKOFF, C. r. 222, 595 (1946).

[4] I. ELPHIMOFF-FELKIN, Bl. [5] 17, 494 (1950).
  s. a. G. DARZENS u. A. LEVY, C. r. 196, 184 (1933).
  I. ELPHIMOFF, C. r. 222, 595 (1946).

Tab. 133. (2. Fortsetzung)

$R^2-C-CH-R^3$ bzw. $R^2 \underset{O}{\overset{R^1}{\triangle}} R^3$ (R^1, HO OH)	Katalysator Reaktionsbedingungen	Umlagerungsprodukte		Bemerkungen	Literatur
		$R^2-CH-CO-R^3$ (R^1)	$R^2-C-CHO$ (R^1, R^3)		
$\underset{HO\ \ OCH_3}{H_3C-C-CH-C_{10}H_{21}}$ (CH_3)	HCOOH, Kochen		2,2-Dimethyl-dodecanal		1
$\underset{HO\ \ OCH_3}{H_3C-C-CH-C_{12}H_{25}}$ (CH_3)	HCOOH, Kochen		2,2-Dimethyl-tetra-decanal		1
$\underset{HO\ \ OCH_3}{H_3C-C-CH-C_{16}H_{33}}$ (CH_3)	HCOOH, Kochen		2,2-Dimethyl-octa-decanal		1
$\underset{HO\ \ OH}{H_3C-C-CH-CH-C_6H_5}$ (C_6H_5)	konz. H_2SO_4/2 Stdn.	2-Oxo-3-methyl-1,1-diphenyl-butan			2
$\underset{HO\ \ OH}{H_5C_6-CH_2-C-CH-CH_3}$ ($H_5C_6-CH_2$)	konz. H_2SO_4/0° 50%-ige H_2SO_4/6 Stdn./ Rückfluß	3-Oxo-1-phenyl-2-ben-zyl-butan			2
$\underset{HO\ \ OH}{H_5C_2-C-CH-CH_3}$ (H_5C_2)	25%ige H_2SO_4	4-Oxo-3-äthyl-pentan			3

[1] I. ELPHIMOFF-FELKIN, Bl. [5] 17, 494 (1950). s. a. G. DARZENS u. A. LEVY, C. r. 196, 184 (1933). I. ELPHIMOFF, C. r. 222, 595 (1946).

[2] J. LÉVY, Bl. [4] 39, 67 (1926)

[3] M. TIFFENEAU u. H. DORLENCOURT, C. r. 143, 126, 649, 1242 (1906).

Tab. 133. (3. Fortsetzung)

$R^2-C(R^1)(OH)-CH(OH)-R^3$ bzw. $R^2-C(R^1)(R^3)O$ (Oxiran)	Katalysator Reaktionsbedingungen	Umlagerungsprodukte $R^2-CH(R^1)-CO-R^3$	$R^3-C(R^1)(R^2)-CHO$	Bemerkungen	Literatur
CH_3 / $H_3C-C-CH-C_2H_5$ / HO OC_4H_9	HCOOH heiß	*3-Oxo-2-methyl-pentan* (10%)	**2,2-Dimethyl-butanal** (90%)		1,2
CH_3 / $H_3C-C-CH-C_4H_9$ / HO OC_4H_9	HCOOH heiß		**2,2-Dimethyl-hexanal** (100%)		1,2
CH_3 / $H_3C-C-CH-C_5H_{11}$ / HO OC_4H_9	HCOOH heiß		**2,2-Dimethyl-heptanal** (100%)		1,2
CH_3 / $H_3C-C-CH-C_2H_5$ / HO $O-CH_2-CH_2-CH(CH_3)_2$	HCOOH heiß	*3-Oxo-2-methyl-pentan* (überwiegend)	**2,2-Dimethyl-butanal**		1
CH_3 / $H_3C-C-CH-CH_3$ / HO OC_3H_7	HCOOH heiß	*3-Oxo-2-methyl-butan* (60%)	**2,2-Dimethyl-propanal** (40%)		2
CH_3 / $H_3C-C-CH-CH_3$ / HO $O-Menthyl$	HCOOH Kochen/4 Stdn.	*3-Oxo-2-methyl-butan* (100%)	—		2

1 I. ELPHIMOFF, C. r. 224, 399 (1947).

2 I. ELPHIMOFF-FELKIN, Bl. [5] 17, 497 (1950).

Tab. 133. (4. Fortsetzung)

Edukt	Katalysator Reaktionsbedingungen	Umlagerungsprodukte $R^2\!-\!CH\!-\!CO\!-\!R^3$ (R^1)	$R^2\!-\!\overset{R^1}{\underset{R^3}{C}}\!-\!CHO$	Bemerkungen	Literatur
$R^2\!-\!\overset{R^1}{C}\!-\!\overset{}{CH}\!-\!R^3$ bzw. $R^2\!-\!\overset{R^1}{C}\diagdown\!\!\overset{O}{\diagup}$ HO OH					
$H_5C_6\!-\!C\!\equiv\!C\!-\!\overset{CH_3}{\triangle}O$	ZnCl₂/Äther (wasserfrei)	4-Oxo-3-methyl-1-phenyl-pentin-(1)			1
$H_2C\!=\!CH\!-\!C\!\equiv\!C\!-\!\overset{CH_3}{\triangle}O$	H₂SO₄/Acetanhydrid/Wasser	6-Oxo-5-methyl-hepten-(1)-in-(3)			1
	ZnCl₂			Polymerisation	2
$HC\!\equiv\!C\!-\!\overset{CH_3}{\underset{HO}{C}}\!-\!\overset{}{\underset{OH}{CH}}\!-\!C_3H_7$	konz. H₂SO₄/0° [+H₂O]	2,4-Dioxo-3-methyl-heptan (40%)		Wasser-Anlagerung	2
$H_{11}C_5\!-\!C\!\equiv\!C\!-\!\overset{CH_3}{\underset{HO}{C}}\!-\!\overset{}{\underset{OH}{CH}}\!-\!CH_3$	verd. H₂SO₄/100°	2,4-Dioxo-3-methyl-decan (68%)		Wasser-Anlagerung	3
$H_2C\!=\!CH\!-\!C\!\equiv\!C\!-\!\overset{CH_3}{\underset{HO}{C}}\!-\!\overset{}{\underset{OH}{CH}}\!-\!CH_3$	verd. H₂SO₄/100°	4,6-Dioxo-5-methyl-hepten-(I) (55%)		Wasser-Anlagerung	3
$HC\!\equiv\!C\!-\!\overset{CH_3}{\underset{HO}{C}}\!-\!\overset{CH_3}{\underset{OH}{CH}}\!-\!CH_3$	konz. H₂SO₄/0°	2,4-Dioxo-3,5-dimethyl-hexan		Wasser-Anlagerung	2

[1] F. Ya. Perveev, Vestnik Leningrad Univ. 11, No. 10, Ser. Mat. Fiz. i. Chim. No. 2, 103 (1956); C. A. 51, 2718 (1957).

[2] T. A. Favorskaya u. G. M. Tolstopyatov, Ž. obšč. Chim. 36, 801 (1966); engl.: 820.

[3] F. Ya. Perveev u. L. N. Šilnikova, Ž. Org. Chim. 2, 1158 (1966); C. A. 66, 37350 (1967).

Tab. 133. (5. Fortsetzung)

$R^1\text{–}C\text{–}CH\text{–}R^3$ bzw. $R^1,R^2\text{(Oxiran)}R^3$ (HO OH)	Katalysator Reaktionsbedingungen	Umlagerungsprodukte $R^1,R^2\text{–}CH\text{–}CO\text{–}R^3$	Umlagerungsprodukte $R^3\text{–}C(R^1)(R^2)\text{–}CHO$	Bemerkungen	Literatur
	AlCl₃, ZnCl₂, SnCl₄, BF₃ · Ätherat	2-Oxo-1-methyl-cyclobutan (30%)	1-Methyl-1-formyl-cyclopropan (70%)		1,2
	konz. H₂SO₄/25°/2 Stdn.	3-Oxo-1,2-dimethyl-cyclobutan (trans) (30%)	1,2-Dimethyl-1-formyl-cyclopropan (cis + trans) (70%)		1,2
	konz. H₂SO₄ HCl in CCl₄ 30 Min./50°	2-Oxo-1,3-dimethyl-cyclobutan (cis + trans) (70%)	1,2-Dimethyl-1-formyl-cyclopropan (cis + trans) (30%)		1,2
	MgBr₂-Ätherat/0° 30 Min.	2-Oxo-1-methyl-cyclopentan (100%)			3,4
	220–230° Infusorienerde	—	1-Methyl-1-formyl-cyclopentan (39%)		5
	MgBr₂-Ätherat/25° dann 60°	2-Oxo-1-methyl-cyclohexan	1-Methyl-1-formyl-cyclopentan		6
		2-Oxo-1-methyl-cyclohexan (36%)	—	Acetyl-cyclopentan (10%)	5
	LiBr/Benzol, 80°	2-Oxo-1-methyl-cyclohexan (80%)	1-Methyl-1-formyl-cyclopentan (20%)		4

1 J. L. Ripoll u. J. M. Conia, Tetrahedron Letters 1965, 979.
2 J. L. Ripoll u. J. M. Conia, Bl. 1965, 2755.
3 J. H. Kennedy u. C. Buse, J. Org. Chem. 36, 3135 (1971).
4 B. Rickborn u. R. M. Gerkin, Am. Soc. 93, 1693 (1971).
5 S. M. Naqvi, J. P. Horwitz u. R. Filler, Am. Soc. 79, 6283 (1957).
6 M. Tiffeneau, C. r. 195, 1284 (1932).

Tab. 133. (6. Fortsetzung)

R^1−C−CH−R^3 bzw. $\underset{R^2}{\overset{R^1}{\diagdown}}O\diagup R^3$ mit HO OH	Katalysator Reaktionsbedingungen	Umlagerungsprodukte		Bemerkungen	Literatur
		$R^2{-}\overset{R^1}{\underset{}{CH}}{-}CO{-}R^3$	$R^3{-}\overset{R^1}{\underset{R^2}{C}}{-}CHO$		
C₂H₅ cyclohexene oxide	MgBr₂-Ätherat/ 0°	—	1-Äthyl-1-formyl-cyclopentan (20%)		1
	60°	2-Oxo-1-äthyl-cyclohexan (35%)			1
CH₃ cyclohexene oxide	280°	5-Oxo-4-methyl-cyclohexen (19%) 4-Acetyl-cyclopenten (6%)	4-Methyl-4-formyl-cyclopenten (26%)	Toluol (49%)	2
	LiBr, 280° (Schmelze)	2-Oxo-3-methyl-cyclohexen (37%) 4-Acetyl-cyclopenten (12%)	4-Methyl-4-formyl-cyclopenten (34%)	Toluol (15%)	3
cis (OH, C₂H₅, OH cyclohexane)	Al₂O₃/270–290°	2-Oxo-1-äthyl-cyclohexan (90–95%)	1-Äthyl-1-formyl-cyclopentan (5–10%)		4
trans	Al₂O₃/270–290°	2-Oxo-1-äthyl-cyclohexan (80–85%)	1-Äthyl-1-formyl-cyclopentan (15–20%)		4
cis (CH₃, OH, OH cyclohexane)	Al₂O₃/250°	2-Oxo-1-methyl-cyclohexan (~90%)	1-Methyl-1-formyl-cyclopentan (wenig)		5
trans	Al₂O₃/250°	(70%) insgesamt 45%	(30%)		5

¹ S. M. NAQVI, J. P. HORWITZ u. R. FILLER, Am. Soc. **79**, 6283 (1957).
² B. RICKBORN u. R. M. GERKIN, Am. Soc. **93**, 1693 (1971).
³ J. H. KENNEDY u. C. BUSE, J. Org. Chem. **36**, 3135 (1971).
⁴ M. TIFFENEAU u. B. TCHOUBAR, C. r. **202**, 1931 (1936).
⁵ M. TIFFENEAU u. B. TCHOUBAR, C. r. **199**, 1624 (1934).

R^1 R^2-C-CH-R^3$ bzw. R^1 R^2>O$ HO OH	Katalysator Reaktionsbedingungen	Umlagerungsprodukte		Bemerkungen	Literatur
		R^1 R^2-CH-CO-R^3$	R^1 R^3-C-CHO$ R^2		
CH₂—C₆H₅ (OH OH)	20%ige H₂SO₄/kochen/ 4 Stdn.	2-Oxo-1-benzyl-cyclo-hexan			1
trans (OH CH₃, HO)	30%ige H₂SO₄/kochen	2-Oxo-1-methyl-dekalin (32%)			2
trans (CH₃, HO, H)	verd. H₂SO₄/kochen	1-Oxo-9-methyl-dekalin		(Hauptprodukt)	2
H₃C (O, CH(CH₃)₂)	konz. HCl/CH₃OH/ 4 Stdn. Rückfluß HCl/Propanol	2-Oxo-4-methyl-1-iso-propyl-cyclohexan (60-85%)			3
	ZnCl₂/Benzol/20 Stdn.	3-Oxo-4-methyl-1-isopro-penyl-cyclohexan (36%)			4
H₃C (CH=CH₂, CH₃, O, HO)	Al₂O₃/200°/3 Tage	3-Oxo-4-methyl-1-iso-propenyl-cyclohexan		3-Oxo-4-methyl-1-iso-propyl-cyclohexen-(1) + 4-Methyl-1-iso-propyl-benzol	4,5
	ZnBr₂/Benzol/ 2 Stdn. Rückfluß	3-Oxo-4-methyl-1-isopro-penyl-cyclohexan (59%)	1-Methyl-3-isopropenyl-1-formyl-cyclopentan (30%)	3-Isopropenyl-1-acetyl-cyclopentan (10%)	6

¹ M. TIFFENEAU u. M. PORCHER, Bl. [4] **31**, 324 (1922).
² J. ENGLISH u. G. CAVAGLIERI, Am. Soc. **65**, 1085 (1943).
³ A. KÖTZ u. G. BUSCH, J. pr. [2] **119**, 1, (1928).
⁴ E. E. ROYALS u. L. L. HARRELL, Am. Soc. **77**, 3405 (1955).

⁵ A. KERGOMARD u. M. T. GENEIX, Bl. **1958**, 390.
⁶ R. L. SETTINE, G. L. PARKS u. G. L. K. HUNTER, J. Org. Chem. **29**, 616 (1964).

Tab. 133. (8. Fortsetzung)

$R^2\!-\!\underset{\substack{|\\OH}}{C}\!-\!\underset{\substack{|\\HO}}{CH}\!-\!R^3$ bzw. Epoxid	Katalysator Reaktionsbedingungen	Umlagerungsprodukte		Bemerkungen	Literatur
		$R^2\!-\!CH\!-\!CO\!-\!R^3$	$R^3\!-\!\underset{\substack{|\\R^2}}{\overset{\substack{R^1\\|}}{C}}\!-\!CHO$		
	ZnBr₂/Benzol/ 2 Stdn. Rückfluß	3-Oxo-4-methyl-1-iso-propyl-yclohexan (63%)	1-Methyl-3-isopropyl-1-formyl-cyclopentan (26%)	3-Isopropyl-1-acetyl-cyclopentan (11%)	1
	ZnBr₂/Benzol/2 Stdn. Kochen	4-Oxo-3,7,7-trimethyl-bicyclo[4.1.0]heptan (3-Caranon) (Isomerengemisch) (61%)	3,6,6-Trimethyl-3-formyl-bicyclo[3.1.0]hexan	4-Methyl-1-isopropyl-benzol (10%)	2
	CH₃ONa/Methanol/ 4 Stdn. 185°	3-Oxo-2,6,6-trimethyl-bicyclo[3.1.1]heptan (Pinocamphon; 3-Pinanon)	—	3-Hydroxy-6,6-di-methyl-2-methylen-bicyclo[3.1.1] heptan [trans-Pinocarveol; trans-2(10)-pinenol-(3)]	3

[1] R. L. SETTINE, G. L. PARKS u. G. L. K. HUNTER, J. Org. Chem. 29, 616 (1964).
[2] R. L. SETTINE u. C. McDANIEL, J. Org. Chem. 32, 2910 (1967).
[3] B. A. ARBUZOV, Z. G. ISAEVA u. I. S. ANDREEVA, Izv. Akad. SSSR 1967, 1299; C. A. 67, 116954 (1967).

Tab. 133. (9. Fortsetzung)

	Katalysator Reaktionsbedingungen	Umlagerungsprodukte $R^1{-}CH{-}CO{-}R^3$ R^2 bzw. $R^3{-}C{-}CHO$ R^1, R^2	Bemerkungen	Literatur
$R^2{-}C{-}CH{-}R^3$ bzw. (HO OH), R^1 (Steroid)	HClO₄/1,4-Dioxan/ Kochen	6-Oxo-4,4-dimethyl-androstan	3 Isomere	1
	KHSO₄/ Acetanhydrid/90°	4a-Oxo-4,4-dimethyl-A-homo-B-nor-androstan		1
$CH{-}R$ / HO OH (cyclohexyl)	konz. H₂SO₄/0°			2
R = CH₃		1-Acetyl-cyclohexan (30%)		
R = C₂H₅		1-Oxo-1-cyclohexyl-propan (40%)		
R = iso-C₃H₇		1-Oxo-2-methyl-1-cyclohexyl-propan (50%)		

[1] M. FÉTIZON u. P. FOY, C. r. [C] 263, 821 (1966).

[2] J. ROUZAUD et al., Bl. 1968, 4837.

Tab. 134. Ketone durch Umlagerung sek.-tert.-Glykole bzw. Oxirane

Ausgangsstoff:
$$R^2-\underset{HO}{\underset{|}{C}}-\underset{OH}{\underset{|}{CH}}-Ar \quad bzw. \quad R^2{>}{<}O{\,}^{R^1}{}_{Ar}$$

Ausgangsstoff	Katalysator, Reaktionsbedingungen	Umlagerungsprodukte				Literatur
		I: $R^2-\underset{}{CH}-CO-Ar$ mit R^1	II: $R^2-\underset{Ar}{\underset{|}{C}}-CHO$ mit R^1	III: $Ar-\underset{}{CH}-CO-R^1$ mit R^2	IV: $Ar-\underset{}{CH}-CO-R^2$ mit R^1	
$H_3C{>}{<}O{\,}^{C_6H_5}$ (mit H_3C)	Infusorienerde 218°					1–3
	Destillation bei 760 Torr mit Spur $ZnCl_2$ od. H_2SO_4		2-Methyl-2-phenyl-propanal (nach 5,6)	*3-Oxo-2-phenyl-butan*		4–6
	Destillation über $ZnCl_2$					3
	konz. H_2SO_4/0°					3,7
$H_3C-\underset{CH_3}{\underset{|}{C}}-\underset{\underset{(OCH_3)}{OH}}{\underset{|}{CH}}-C_6H_5$	20%ige H_2SO_4/ 3 Stdn. kochen		2-Methyl-2-phenyl-propanal	3,3,6,6-Tetramethyl-2,5-diphenyl-1,4-dioxan 60%		5,8
	50%ige Oxalsäure/ kochen			~45%		7
	konz. H_2SO_4/0°				*3-Oxo-2-phenyl-butan* (~50%)	7
	konz. H_2SO_4/0°	*1-Oxo-2-methyl-1-phenyl-propan*			*3-Oxo-2-phenyl-butan*	9

1 M. TIFFENEAU, A. ORÉKHOFF u. J. LÉVY, C. r. 179, 977 (1924).
2 M. TIFFENEAU u. J. LÉVY, Bl. [4] 39, 763 (1926).
3 J. LÉVY u. A. TABART, Bl. [4] 49, 1776 (1931).
4 M. TIFFENEAU u. A. ORÉKHOFF, Bl. [4] 29, 809 (1921).
5 M. TIFFENEAU u. A. ORÉKHOFF, C. r. 172, 387 (1921).
6 M. TIFFENEAU u. J. LÉVY, C. r. 184, 1465 (1927).
7 J. LÉVY, Bl. [4] 29, 820 (1921).
8 M. TIFFENEAU u. H. DORLENCOURT, A. ch. [8] 16, 237 (1909).
9 G. GROS u. L. GIRAL, Bl. 1970, 1115.

Tab. 134. (1. Fortsetzung)

$R^2-\underset{HO\ \ OH}{\overset{R^1}{C}-CH}-Ar$ bzw. $R^2-\underset{O}{\overset{R^1}{C}}\diagdown Ar$	Katalysator, Reaktionsbedingungen	Umlagerungsprodukte				Literatur
		$R^2-\underset{I}{\overset{R^1}{CH}}-CO-Ar$	$R^2-\underset{Ar}{\overset{R^1}{\underset{II}{C}}}-CHO$	$Ar-\underset{III}{\overset{R^2}{CH}}-CO-R^1$	$Ar-\underset{IV}{\overset{R^1}{CH}}-CO-R^2$	
$\overset{H_3C}{\underset{H_5C_2}{>}}C\diagdown_{O}^{C_6H_5}$ bzw. Glykol	konz. H_2SO_4/0°			3-Oxo-2-phenyl-pentan		1–3
	30%ige H_2SO_4/kochen		2-Methyl-2-phenyl-buta-nal	3-Oxo-2-phenyl-pentan		4
$\overset{H_5C_2}{\underset{H_5C_2}{>}}C\diagdown_{O}^{C_6H_5}$ bzw. Glykol	konz. H_2SO_4/0°			4-Oxo-3-phenyl-hexan		5
	20%ige H_2SO_4/kochen		2-Äthyl-2-phenyl-buta-nal			5,6
$\overset{C_3H_7}{\underset{H_7C_3}{}}C\underset{HO\ \ OH}{-CH-C_6H_5}$	konz. H_2SO_4/0°	1-Oxo-2-propyl-1-phenyl-pentan		5-Oxo-4-phenyl-octan		5
	30%ige H_2SO_4/ 5 Stdn. kochen		2-Propyl-2-phenyl-penta-nal			
$\overset{H_3C}{\underset{H_5C_6-H_2C}{>}}C\diagdown_{O}^{C_6H_5}$	Destillation 190°/ 20 Torr konz. H_2SO_4			3-Oxo-1,2-diphenyl-butan		2

1 M. TIFFENEAU u. J. LÉVY, C. r. 176, 312 (1923).
2 J. LÉVY u. A. TABART, Bl. [4] 49, 1776 (1931).
3 M. TIFFENEAU u. J. LÉVY, Bl. [4] 33, 759 (1923).
4 M. TIFFENEAU, J. LÉVY u. P. WEILL, Bl. [4] 49, 1606 (1931).
5 M. TIFFENEAU u. J. LÉVY, Bl. [4] 33, 735 (1923).
6 M. TIFFENEAU u. H. DORLENCOURT, A. ch. [8] 16, 237 (1909).

Tab. 134. (2. Fortsetzung)

$\begin{array}{c} R^1 \\ \mid \\ R^2-C-CH-Ar \\ \mid\ \ \ \ \mid \\ HO\ \ OH \end{array}$ bzw. $R^2\diagdown\!\!\diagup_{\!O}\!\!\diagup^{R^1}\!\!\diagdown Ar$	Katalysator, Reaktions-bedingungen	Umlagerungsprodukte				Litera-tur
		$\begin{array}{c} R^1 \\ \mid \\ R^2-CH-CO-Ar \end{array}$ I	$\begin{array}{c} R^1 \\ \mid \\ R^2-C-CHO \\ \mid \\ Ar \end{array}$ II	$\begin{array}{c} R^2 \\ \mid \\ Ar-CH-CO-R^1 \end{array}$ III	$\begin{array}{c} R^1 \\ \mid \\ Ar-CH-CO-R^2 \end{array}$ IV	
$R = C_2H_5$	Destillation			3-Oxo-1,2-diphenyl-pentan	2-Oxo-1,3-diphenyl-pentan	1
$R = C_3H_7$	konz. $H_2SO_4/0°$			3-Oxo-1,2-diphenyl-hexan		1
$R = i\text{-}C_3H_7$				3-Oxo-4-methyl-1,2-diphenyl-pentan		
$\underset{H_5C_6-H_2C}{\overset{R}{\diagdown}}\!\!\diagup_{\!O}\!\!\diagup^{C_6H_5}$ bzw. Glykol	MgBr₂-Ätherat oder 250–280° (Infusorienerde) Destillation i. Vak.		2-Methyl-2-phenyl-buten-(3)-al			2
$\underset{H_2C=CH}{\overset{H_5C_2}{\diagdown}}\!\!\diagup_{\!O}\!\!\diagup^{C_6H_5}$	Destillation 250–300°		2-Äthyl-2-phenyl-buten-(3)-al			3
$\begin{array}{c} C_4H_9 \\ \mid \\ H_9C_4-C-CH-C_6H_5 \\ \mid\ \ \ \ \mid \\ HO\ \ OH \end{array}$	konz. $H_2SO_4/0°$ 50%ige $H_2SO_4/$ 10 Stdn./kochen	1-Oxo-2-butyl-1-phenyl-hexan (sehr wenig)		5-Oxo-6-phenyl-decan (wenig)		4

1 J. Lévy u. A. Tabart, Bl. [4] 49, 1776 (1931).
2 Y. Deux, C. r. 206, 1017 (1938).
3 Y. Deux, C. r. 208, 1090 (1939).
4 M. Tiffeneau u. J. Lévy, Bl. [4] 33, 735 (1923).

Tab. 134. (3. Fortsetzung)

Ausgangsstoff $R^2-C(OH)(R^1)-CH(OH)-Ar$ bzw. $R^1-C(R^2)\overset{O}{\diagup}$ Oxirid	Katalysator, Reaktionsbedingungen	Umlagerungsprodukte				Literatur
		I $R^2-CH(R^1)-CO-Ar$	II $R^2-C(Ar)(R^1)-CHO$	III $R^2-CH(Ar)-CO-R^1$	IV $R^1-CH(Ar)-CO-R^2$	
$H_5C_6-CH_2$ $H_5C_6-CH_2-C(OH)-C(OH)-C_6H_5$ bzw. Epoxid	konz. H_2SO_4/0°			(50%)		1,2
	50%ige H_2SO_4/ kochen			2-Oxo-1,3,4-triphenyl-butan		3
	20%ige H_2SO_4/ kochen					4
	330°				1-Phenyl-2-benzyl-inden	5,6
(4-Methylphenyl-epoxid, H_3C, H_3C)	Mit Spur $ZnCl_2$ erhitzen konz. H_2SO_4			3-Oxo-2-(4-methyl-phenyl)-butan		7,4
bzw. Glykol	20%ige H_2SO_4/ kochen		2-Methyl-2-(4-methyl-phenyl)-propanal			7,4
(3,4-Methylendioxyphenyl-epoxid, H_3C, H_3C)	Destillation			3-Oxo-2-(3,4-methylen-dioxy-phenyl)-butan		4,8
bzw. Glykol	20%ige H_2SO_4/ kochen		2-Methyl-2-(3,4-methylendi-oxy-phenyl)-propanal			4
	konz. H_2SO_4			Harz		8

1 M. TIFFENEAU u. J. LÉVY, Bl. [4] 33, 735 (1923).
2 A. ORÉKHOFF, Bl. [4] 25, 111 (1919).
3 R. ROGER u. A. McKENZIE, B. 62, 272 (1929).
4 M. TIFFENEAU u. J. LÉVY, Bl. [4] 49, 1738 (1931).
5 M. TIFFENEAU u. J. LÉVY, Bl. [4] 39, 763 (1926).
6 M. TIFFENEAU u. J. LÉVY, C. r. 182, 392 (1926).
7 M. TIFFENEAU u. J. LÉVY, C. r. 184, 1465 (1927).
8 M. TIFFENEAU u. J. LÉVY, C. r. 190, 1510 (1930).

Tab. 134. (4. Fortsetzung)

R^1‒C(OH)(R^2)‒CH(OH)‒Ar bzw. R^1/$R^2$$\diagdown$C‒Ar (Epoxid)	Katalysator, Reaktions-bedingungen	Umlagerungsprodukte				Litera-tur
		R^2‒CH(R^1)‒CO‒Ar (I)	R^2‒C(R^1)(Ar)‒COH (II)	Ar‒CH(R^2)‒CO‒R^1 (III)	Ar‒CH(R^1)‒CO‒R^2 (IV)	
H_3C‒CH=CH‒C(CH_3)(C_6H_5)$\diagdown$O bzw. Epoxid	250–300° Infuso-rienerde		2-Methyl-2-phe-nyl-penten-(3)-al			1
C_2H_5; H_3C‒CH=CH‒C(C_6H_5)(OH)‒CH(OH) bzw. Glykol	Erhitzen i. Vak.		2-Äthyl-2-phe-nyl-penten-(3)-al			2
	verd. H_2SO_4/kochen					1
	MgBr_2/Äther			5-Oxo-4-phenyl-hepten-(2) (2)		3
(4-OCH_3-C_6H_4)‒C(CH_3)_2$\diagdown$O bzw. Glykol	Destillation 760 Torr		2-Methyl-2-(4-methoxy-phe-nyl)-propanal			4,5
	50%ige H_2SO_4			3-Oxo-2-(4-methoxy-phenyl)-butan		6
(2-OCH_3-C_6H_4)‒C(CH_3)_2$\diagdown$O bzw. Oxid	konz. H_2SO_4/0° ZnCl_2, erhitzen (Infusorienerde)			3-Oxo-2-(2-methoxy-phenyl)-butan		7,8

1 Y. Deux, C. r. 213, 209 (1941).
2 Y. Deux, C. r. 212, 916 (1941).
3 Y. Deux, C. r. 212, 795 (1941).
4 M. Tiffeneau, A. Orékhoff u. J. Lévy, C. r. 179, 977 (1924).
5 M. Tiffeneau u. J. Lévy, Bl. [4] 39, 763 (1926).
6 M. Tiffeneau, J. Lévy u. P. Weill, Bl. [4] 49, 1709 (1931).
7 M. Tiffeneau, J. Lévy u. P. Weill, Bl. [4] 49, 1606 (1931).
8 J. Lévy u. R. Pernot, Bl. [4] 49, 1721 (1931).

Tab. 134. (5. Fortsetzung)

$\begin{array}{c} R^1 \\ R^2-C-CH-Ar \\ \; \mid \quad \mid \\ HO \;\; OH \end{array}$ bzw. $\begin{array}{c} R^1 \\ R^2-C-CH-Ar \\ \diagdown O \diagup \end{array}$	Katalysator, Reaktionsbedingungen	Umlagerungsprodukte				Literatur
		$\begin{array}{c} R^1 \\ R^2-CH-CO-Ar \\ I \end{array}$	$\begin{array}{c} R^1 \\ R^2-C-COH \\ \mid \\ Ar \\ II \end{array}$	$\begin{array}{c} R^2 \\ Ar-CH-CO-R^1 \\ III \end{array}$	$\begin{array}{c} R^1 \\ Ar-CH-CO-R^2 \\ IV \end{array}$	
$\begin{array}{c} OCH_3 \\ H_3C-C-\;\diagdown O \diagup \\ H_3C \end{array}$	ZnCl₂, erhitzen			3-Oxo-2-(3-methoxy-phenyl)-butan		1
	Infusorienerde, erhitzen	Aldehyd + H₂SO₄ → 1-Oxo-2-methyl-1-(3-methoxy-phenyl)-propan	2-Methyl-2-(3-methoxy-phenyl)-propanal			1
$\begin{array}{c} OCH_3 \\ CH_3-C-CH- \\ \mid \quad \mid \\ HO \;\; OH \end{array}$	Destillation 15 Torr		2-Methyl-2-(3-methoxy-phenyl)-propanal	Harz	2,2,5,5-Tetramethyl-3,6-bis-[3-methoxy-phenyl]-1,4-dioxan	1
	20%ige H₂SO₄/kochen					
	konz. H₂SO₄/0°			3-Oxo-2-(3-methoxy-phenyl)-butan		1
$\begin{array}{c} OCH_3 \\ H_5C_2-C-CH- \\ \mid \quad \mid \\ HO \;\; OH \end{array}$	konz. H₂SO₄/0°			2-Oxo-3-(4-methoxy-phenyl)-pentan		2,3
	50%ige H₂SO₄/kochen					
bzw. Oxid	Destillation					
$\begin{array}{c} OCH_3 \\ H_7C_3-C-CH- \\ \mid \quad \mid \\ HO \;\; OH \end{array}$	konz. H₂SO₄/0°			3-Oxo-4-(4-methoxy-phenyl)-heptan		3
	50%ige H₂SO₄/kochen Destillation					

1 J. LÉVY u. R. PERNOT, Bl. [4] 49, 1721 (1931).
2 M. TIFFENEAU, J. LÉVY u. P. WEILL, Bl. [4] 49, 1606 (1931).
3 P. WEILL, Bl. [4] 49, 1795 (1931).

Tab. 134. (6. Fortsetzung)

	Katalysator, Reaktions-bedingungen	Umlagerungsprodukte				Litera-tur
$\begin{array}{c}R^1\\R^2-\!\!\!\overset{}{\underset{HO}{C}}-\!\!\!\overset{}{\underset{OH}{CH}}-Ar \text{ bzw. } \overset{R^1}{\underset{R^2}{\diagup\!\!\!\diagdown}}\!\!O\!\!-Ar\end{array}$		$R^2-\overset{R^1}{\underset{}{CH}}-CO-Ar$ I	$R^2-\overset{R^1}{\underset{Ar}{C}}-CHO$ II	$Ar-\overset{R^2}{\underset{}{CH}}-CO-R^1$ III	$Ar-\overset{R^1}{\underset{}{CH}}-CO-R^2$ IV	
H₅C₂, H₅C₂ epoxide with —OCH₃ phenyl bzw. Glykol	Destillation, i. Vak. Destillation 760 Torr H₂SO₄ konz./0° 50%ige H₂SO₄/kochen			*3-Oxo-4-(4-methoxy-phenyl)-hexan (~80%)*		1
H₅C₆—CH₂, H₅C₆—CH₂ epoxide with —OCH₃ phenyl bzw. Glykol	Destillation (Infusorienerde) Destillation 760 Torr 50%ige H₂SO₄/kochen/30 Min.			*3-Oxo-1,4-diphenyl-2-(4-methoxy-phenyl)-butan*		1
cyclopentane with OH, CH—C₆H₅, OH	konz. H₂SO₄/0°	*Benzoyl-cyclopentan (7%)*		*2-Oxo-1-phenyl-cyclo-hexan (93%)*		2

[1] M. Tiffeneau, J. Lévy u. P. Weill, Bl. [4] 49, 1709 (1931).   [2] D. G. Botteron u. G. Wood, J. Org. Chem. 30, 3871 (1965).

Tab. 134. (7. Fortsetzung)

R^1 $R^2-\underset{HO\;\;OH}{C-CH}-Ar$ bzw. $R^2\overset{R^1}{\diagup}\overset{}{O}\diagdown Ar$	Katalysator, Reaktionsbedingungen	Umlagerungsprodukte				Literatur
		R^1 $R^2-CH-CO-Ar$ I	$R^1-C-CHO$ $\overset{\|}{Ar}$ II	R^2 $Ar-CH-CO-R^1$ III	R^1 $Ar-CH-CO-R^2$ IV	
	konz. $H_2SO_4/0°$	*Benzoyl-cyclohexan (25%)*	1-Formyl-1-phenyl-cyclo-hexan (10%)	*2-Oxo-1-phenyl-cyclo-heptan (65%)*		1
	$H_2SO_4/0°$	*(30%)*		*(70%)*		2
	$Al_2O_3/300°$	*1-Oxo-2-methyl-1-furyl-(2)-butan*	2-Methyl-2-furyl-(2)-butanal	*2-Oxo-3-furyl-(2)-pentan*	*3-Oxo-2-furyl-(2)-pentan*	3
	$Al_2O_3/300°$	*1-Oxo-2,3-dimethyl-1-furyl-(2)-butan (3%)*	2,3-Dimethyl-2-furyl-(2)-butanal (10%)	*2-Oxo-4-methyl-3-furyl-(2)-pentan (50%)*	*3-Oxo-4-methyl-2-furyl-(2)-pentan (16%)*	3
	$Al_2O_3/310°/Benzol$ N_2-Atmosphäre		2,3-Dimethyl-2-furyl-(2)-buten-(3)-al	*4-Oxo-2-methyl-3-furyl-(2)-penten-(2)*		3,4

[1] D. G. BOTTERON u. G. WOOD, J. Org. Chem. 30, 3871, (1965).
[2] J. ROUZAUD, G. CAUQUIL, L. GIRAL u. J. GROUZET, Bl. 1968, 4837.
[3] G. DANA u. J. WIEMANN, Bl. 1970, 3994.

[4] Hauptkomponenten von insgesamt 7 nachgewiesenen Aldehyden und Ketonen.

Tab. 135. Ketone durch Umlagerung sek.-tert.-Glykole bzw. Oxirane

$Ar-\overset{R^1}{C}-CH-R^2$ $\ \ \underset{HO\ \ \ OH}{}$ bzw. $Ar-\overset{R^1}{\underset{R^2}{C}}\!\!<\!\!^O$	Katalysator Reaktionsbedingungen	Umlagerungsprodukte				Literatur
		I $Ar-\overset{R^1}{CH}-CO-R^2$	II $Ar-\overset{R^1}{\underset{R^2}{C}}-CHO$	III $Ar-\overset{R^2}{CH}-CO-R^1$	IV $R^2-\overset{R^1}{CH}-CO-Ar$	
$H_5C_6-\overset{C_2H_5}{\underset{HO}{C}}-\overset{}{\underset{OH}{CH}}-C_2H_5$	konz. H_2SO_4/0°	4-Oxo-3-phenyl-hexan (~75%)				1
$H_5C_6-\overset{C_3H_7}{\underset{HO}{C}}-\overset{}{\underset{OH}{CH}}-C_3H_7$	konz. H_2SO_4/0°	5-Oxo-4-phenyl-octan				1
(wie oben)	30%ige H_2SO_4/kochen		2-Propyl-2-phenyl-pentanal		4-Benzoyl-heptan	1
[Oxiran: H_3C-substituiert, C_6H_5]	Destillation 760 Torr Kurz mit Spur $ZnCl_2$ oder H_2SO_4-Bimsstein kochen	2-Oxo-4-methyl-1-phenyl-cyclohexan (55%)	3-Methyl-1-phenyl-1-formyl-cyclopentan (2%)			3 / 3
[Oxiran: Ring, C_6H_5]	Destillation 760 Torr Kurz mit Spur $ZnCl_2$ oder H_2SO_4-Bimsstein kochen; BF_3-Ätherat/Benzol	2-Oxo-1-phenyl-cyclohexan (60%)	1-Phenyl-1-formyl-cyclopentan (9%)			2 / 4
[Diol: $\overset{OH\ \ OH}{\text{Ring}}$, C_6H_5]	Oxalsäure/155°	2-Oxo-1-phenyl-cycloheptan (80%)				2
[Oxiran: Ring, C_6H_5]	Erhitzen	2-Oxo-1-phenyl-cycloheptan (überwiegend)	1-Phenyl-1-formyl-cyclohexan			5
(wie oben)	BF_3-Ätherat/Benzol	2-Oxo-1-phenyl-cycloheptan	1-Phenyl-1-formyl-cyclopentan			4
[Oxiran: H_3CO-C_6H_4, spiro]	Erhitzen	2-Oxo-1-(4-methoxy-phenyl)-cycloheptan				5

1 M. Tiffeneau u. J. Lévy, Bl. [4] 33, 735 (1923).
2 J. Lévy u. J. Sfiras, Bl. [4] 49, 1830 (1931); C. r. 187, 45 (1928).
3 vgl. auch A. Balsamo, P. Crotti, B. Macchia u. F. Macchia, Tetrahedron 29, 199 (1973); 3-Oxo-1,1-dimethyl-1-phenyl-cyclohexan.
4 G. Berti, B. Macchia, F. Macchia u. L. Monti, Soc. [C] 1971, 3371.
5 M. Tiffeneau et al., C. r. 201, 277 (1935).

Tab. 135. (Fortsetzung)

Ausgangsstoff R^1 $Ar-C-CH-R^2$ bzw. $\substack{\vert\quad\vert \\ HO\ OH}$ / $\substack{R^1 \\ Ar}{>}\!\!<\!{\substack{R^2 \\ O}}$	Katalysator Reaktionsbedingungen	Umlagerungsprodukte				Literatur
		$\substack{R^1 \\ \vert \\ Ar-CH-CO-R^2}$ I	$\substack{R^1 \\ \vert \\ Ar-C-CHO \\ \vert \\ R^2}$ II	$\substack{R^2 \\ \vert \\ Ar-CH-CO-R^1}$ III	$\substack{R^1 \\ \vert \\ R^2-CH-CO-Ar}$ IV	
$(CH_3)_3C$—cyclohexene oxide with C_6H_5	BF_3/Äther/5 Min., 20°	2-Oxo-4-tert.-butyl-1-phenyl-cyclohexan*	3-tert.-Butyl-1-phenyl-1-formyl-cyclopentan			1
bicyclo[2.2.1]heptane diol, $Ar = 4\text{-}OCH_3\text{-}C_6H_4$	H_2SO_4/0°	3-Oxo-2-endo-(4-methoxy-phenyl)-bicyclo[2.2.1]heptan (~50%)				2
bicyclo[2.2.1]heptane, $Ar = C_6H_5$	konz. H_2SO_4/0°	3-Oxo-2-endo-phenyl-bicyclo[2.2.1]heptan				3
bicyclo structure	1% $HClO_4$ in Eisessig 4 Stdn. 20°	3-Oxo-4,7,7-trimethyl-2-exo-phenyl-bicyclo[2.2.1]heptan (3-exo-Phenyl-campher; 80%)				4

* Die Mengenverhältnisse Keton/Aldehyd sind von der sterischen Konfiguration abhängig.

1 P. L. BARILI, G. BERTI, B. MACCHIA, F. MACCHIA u. L. MONTI, Soc. [C]
1970, 1168.
S. GOLDSCHMIDT u. W. L. C. VEER, R. 67, 489 (1948).
2 D. C. KLEINFELTER u. T. E. DYE, Am. Soc. 88, 3174 (1966).
3 C. J. COLLINS et al., Am. Soc. 86, 4913 (1964).
s. a. B. M. BENJAMIN u. C. J. COLLINS, Am. Soc. 88, 1556 (1966).
4 A. W. BUSHELL u. P. WILDER, Am. Soc. 89, 5721 (1967).

Tab. 136. Ketone durch Umlagerung sek.-tert.-Glykole bzw. Oxirane

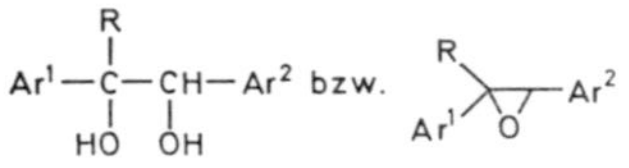

Ausgangsstoff: Ar^1—C(R)(OH)—CH(OH)—Ar^2 bzw. Oxiran Ar^1(R)C—O—CHAr^2

Umlagerungsprodukte:
I: Ar^1—CH(R)—CO—Ar^2
II: Ar^1—C(R)(Ar^2)—CHO*
III: Ar^2—C(R)(Ar^1)—CO—R**
IV: Ar^2—CH(R)—CO—Ar^1

Ausgangsstoff	Katalysator Reaktionsbedingungen	I	II	III	IV	Literatur
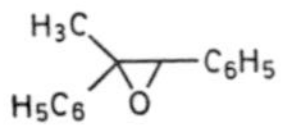 H_3C, H_5C_6 (Oxiran)	Destillation 306°/706 Torr		2,2-Diphenyl-propanal			1,2
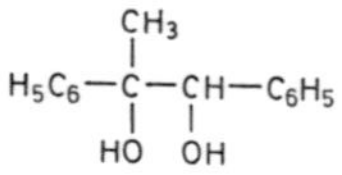 CH_3, H_5C_6—C(OH)—CH(OH)—C_6H_5	konz. H_2SO_4/0°	*1-Oxo-1,2-diphenyl-propan* (78%)				3—6
	20%ige H_2SO_4/kochen		2,2-Diphenyl-propanal (70%)			7
	50%ige Oxalsäure/kochen					7
	H_2SO_4 (d = 1,51) 1,5 Stdn./25°	3,6-Dimethyl-2,3,5,6-tetraphenyl-1,4-dioxan (60%)				7
	P_2O_5/Benzol/80°					2
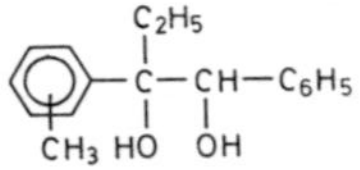 C_2H_5, CH_3, C_6H_5—C(OH)—CH(OH)—C_6H_5	verd. H_2SO_4/kochen		2-Phenyl-2-(methyl-phenyl)-butanal			8

* sog. „Semihydrobenzoin-Umlagerung"
** sog. „Semipinakolin-Umlagerung"

[1] M. TIFFENEAU u. J. LÉVY, Bl. [4] 49, 1806 (1931).
[2] M. TIFFENEAU u. H. DORLENCOURT, A. ch. [8] 16, 237 (1909).
[3] M. TIFFENEAU u. A. ORÉKHOFF, C. r. 171, 400 (1920).
[4] A. McKENZIE u. R. ROGER, Soc. 125, 844 (1924).
[5] M. TIFFENEAU u. A. ORÉKHOFF, Bl. [4] 29, 422 (1921).
[6] M. TIFFENEAU u. H. DORLENCOURT, C. r. 143, 126, 649, 1242 (1906).
[7] J. LÉVY, Bl. [4] 29, 865 (1921).
[8] R. ROGER u. A. M. ROBERTS, Soc. 1937, 1753.

Tab. 136. (1. Fortsetzung)

Ausgangsstoff Ar¹—C—CH—Ar² bzw.	Katalysator Reaktionsbedingungen	Umlagerungsprodukte				Literatur
		I: R—Ar¹—CH—CO—Ar²	II: R—C—CHO* (Ar¹, Ar²)	III: Ar¹, Ar²—CH—CO—R**	IV: R—Ar²—CH—CO—Ar¹	
C₂H₅—CH—C₆H₅ (CH₃, HO, OH, Phenyl)	konz. H_2SO_4/0°				1-Oxo-2-phenyl-1-(2-; bzw. 3-; bzw. 4-methyl-phenyl)-butan	1
	50%ige Oxalsäure verd. H_2SO_4/kochen		2,2-Diphenyl-butanal[3,6] (88% bei verd. H_2SO_4)			2–5
C₂H₅—C—CH—C₆H₅ (H₅C₆, HO, OH)	konz. H_2SO_4/0°	1-Oxo-1,2-diphenyl-butan				
	H_2SO_4 (d = 1,51)/25°/1 Stde	3,6-Diäthyl-2,3,5,6-tetraphenyl-1,4-dioxan				
CH₃, C₆H₅ H₃C—CH—C—CH—C₆H₅ (HO, OH)	konz. H_2SO_4/0°			2-Oxo-1,1-di-phenyl-butan		
	20%ige H_2SO_4/10 Stdn. kochen		3-Methyl-2,2-diphenyl-butanal (46%)	2-Oxo-3-methyl-1,1-di-phenyl-butan (46%) (87%)		7,8

* sog. „Semihydrobenzoin-Umlagerung"
** sog. „Semipinakolin-Umlagerung"

1 R. Roger, u. A. M. Roberts, Soc. 1937, 1753.
2 M. Tiffeneau u. H. Dorlencourt, C. r. 143, 126, 649, 1242 (1906).
3 M. Tiffeneau, u. A. Orékhoff, Bl. [4] 29, 422 (1921).
4 M. Tiffeneau u. A. Orékhoff, C. r. 171, 400 (1920).
5 J. Lévy, Bl. [4] 29, 865 (1921).

6 M. Tiffeneau u. H. Dorlencourt, A. ch. [8] 16, 237 (1909).
7 M. Tiffeneau u. A. Orékhoff, Bl. [4] 33, 195 (1923).
8 S. Daniloff, Ж. 51, 97 (1919); 52, 369 (1920); C. 1923 III. 760, 1017; C. A. 18, 1488, 1489 (1924).

Tab. 136. (2. Fortsetzung)

Ausgangsverbindung:

$Ar^1—C(R)(OH)—CH(OH)—Ar^2$ bzw. $Ar^1 \underset{Ar^2}{\overset{R}{\diagup\!\!\diagdown}} O$

Ausgangsverbindung	Katalysator Reaktions-bedingungen	Umlagerungsprodukte				Litera-tur
		I $Ar^1—CH(R)—CO—Ar^2$	II $Ar^1—C(R)(Ar^2)—CHO^*$	III $Ar^2—CH(R)—CO—R^{**}$ / Ar^1	IV $Ar^2—CH(R)—CO—Ar^1$	
$H_3C—CH(CH_3)—CH_2—C(OH)—CH(OH)—C_6H_5$	Oxalsäure-Hydrat 7 Stdn. kochen		4-Methyl-2,2-di-phenyl-pentanal (~70%)			1
	konz. H_2SO_4/0°	1-Oxo-4-methyl-1,2-diphenyl-pentan (80%)				2
$H_3C—CH(CH_3)—CH_2—C(OH)(C_6H_5)—C(OH)—CH—C_6H_5$	konz. H_2SO_4/0°	1-Oxo-5-methyl-1,2-diphenyl-hexan (59%)			2-Oxo-5-methyl-1,1-diphenyl-hexan (37%)	1
	Oxalsäure-Hydrat 8 Stdn. kochen		5-Methyl-2,2-di-phenyl-hexanal (71%)			1
$H_5C_6—C(OH)(CH_2C_6H_5)—CH(OH)—C_6H_5$	P_2O_5/Benzol 8 Stdn. Rückfluß			2-Oxo-1,1,3-triphenyl-propan (43%)	(35%) } 2,3-Diphenyl-inden (73%)	3—5
	Acetylchlorid 8 Stdn. Rückfluß					4
	konz. H_2SO_4/ 1 Std./20°			2-Oxo-1,1,3-triphenyl-propan (93%)		6

* sog. „Semihydrobenzoin-Umlagerung"
** sog. „Semipinakolin-Umlagerung"

1 M. TIFFENEAU u. A. ORÉKHOFF, Bl. [4] 33, 195 (1923).
2 A. ORÉKHOFF, Bl. [4] 25, 182 (1919).
3 P. POSTL u. A. McKENZIE, B. 62, 272 (1929).
4 A. ORÉKHOFF u. M. TIFFENEAU, Bl. [4] 31, 253 (1922).
5 A. ORÉKHOFF u. M. TIFFENEAU, Bl. [4] 41, 1174 (1927).
6 A. ORÉKHOFF, Bl. [4] 25, 108 (1919).

Tab. 136. (3. Fortsetzung)

$\overset{R}{\underset{}{Ar^1}}\!-\!\overset{|}{\underset{|}{C}}\!-\!\overset{}{\underset{}{CH}}\!-\!Ar^2$ HO OH bzw. $Ar^1\!\!\diagdown\!\!\overset{R}{\underset{}{}}\diagup\!\!Ar^2 \; O$	Katalysator Reaktionsbedingungen	Umlagerungsprodukte				tur Literatur
		I $\overset{R}{\underset{}{Ar^1}}\!-\!CH\!-\!CO\!-\!Ar^2$	II $\overset{R}{\underset{Ar^2}{Ar^1}}\!-\!C\!-\!CHO*$	III $\overset{Ar^1}{\underset{}{Ar^2}}\!-\!CH\!-\!CO\!-\!R**$	IV $\overset{R}{\underset{}{Ar^2}}\!-\!CH\!-\!CO\!-\!Ar^1$	
$\overset{C_6H_{11}}{\underset{HO\;\;OH}{H_5C_6\!-\!C\!-\!CH\!-\!C_6H_5}}$	20%ige H₂SO₄/ kochen Oxalsäure-Hydrat kochen	1-Oxo-2-cyclohexyl-1,2-diphenyl-äthan (wenig)	Cyclohexyl-diphenyl-acetaldehyd	2-Oxo-2-cyclohexyl-1,1-di-phenyl-äthan		1,2
	konz. H₂SO₄					3,2
$\overset{C_3H_7}{\underset{HO\;\;OH}{H_5C_6\!-\!C\!-\!CH\!-\!C_6H_5}}$	konz. H₂SO₄/0°/ 1 Stde.	1-Oxo-1,2-diphenyl-pentan (wenig)		2-Oxo-1,1-di-phenyl-pentan (~50%)		4
	20%ige H₂SO₄ Oxalsäure-Hydrat 7 Stdn. kochen		2,2-Diphenyl-pentanal			4
$\overset{C_4H_9}{\underset{HO\;\;OH}{H_5C_6\!-\!C\!-\!CH\!-\!C_6H_5}}$	konz. H₂SO₄	(60%) 1-Oxo-1,2-diphenyl-hexan		2-Oxo-1,1-di-phenyl-hexan (30%)		4
	Oxalsäure-Hydrat 7 Stdn. kochen		2,2-Diphenyl-hexanal			4

* sog. „Semihydrobenzoin-Umlagerung"
** sog. „Semipinakolin-Umlagerung"

1 S. DANILOFF u. E. VENUS-DANILOVA, B. 59, 377 (1926).
2 A. ORÉKHOFF u. M. TIFFENEAU, Bl. [4] 41, 1174 (1927).
3 S. DANILOFF, Ж. 58, 129 (1926); 59, 196, 210 (1927); C. A. 21, 571 (1927); 23, 4670 (1929).
4 F. BILLARD, Bl. [4] 29, 429 (1921).

Tab. 136. (4. Fortsetzung)

$Ar^1\!-\!\underset{HO}{\overset{R}{C}}\!-\!\underset{OH}{CH}\!-\!Ar^2$ bzw. $\underset{Ar^1}{\overset{R}{\diagdown}}\underset{}{\overset{Ar^2}{C}}O$	Katalysator Reaktionsbedingungen	Umlagerungsprodukte				Literatur
		$\underset{Ar^1}{\overset{R}{\vert}}\!-\!CH\!-\!CO\!-\!Ar^2$ \newline I	$Ar^1\!-\!\underset{Ar^2}{\overset{R}{C}}\!-\!CHO^*$ \newline II	$Ar^2\!-\!\underset{}{\overset{Ar^1}{C}}\!-\!CO\!-\!R^{**}$ \newline III	$Ar^2\!-\!\underset{}{\overset{R}{C}}\!-\!CO\!-\!Ar^1$ \newline IV	
$\underset{H_3CO}{\overset{H_2C\!-\!C_6H_5}{\diagdown}}\!\!\!\!\overset{}{C}\!-\!\underset{HO}{\overset{}{C}}\!-\!\underset{OH}{CH}\!-\!\phi\!-\!OCH_3$	20%ige H_2SO_4/ kochen		3-Phenyl-2,2-bis-[4-methoxy-phenyl]-propanal			1
$\overset{C_6H_5}{\underset{}{\vert}}$ \newline $H_2C\!=\!CH\!-\!CH_2\!-\!\underset{HO}{\overset{}{C}}\!-\!\underset{OH}{CH}\!-\!CH\!-\!C_6H_5$	25%ige H_2SO_4 10 Stdn. kochen		2,2-Diphenyl-penten-(4)-al (Hauptprodukt)			2
$\overset{C_2H_5}{\underset{}{\vert}}$ \newline $H_5C_6\!-\!\underset{HO}{\overset{}{C}}\!-\!\underset{OH}{CH}\!-\!\phi\!-\!OCH_3$	Destillation, 50% H_2SO_4/kochen konz. H_2SO_4/$-5°$			2-Oxo-1-phenyl-1-(4-methoxy-phenyl)-butan		3
$\overset{CH_3}{\underset{}{\vert}}$ \newline $H_5C_6\!-\!C\!\equiv\!C\!-\!\underset{HO}{\overset{}{C}}\!-\!\underset{OH}{CH}\!-\!CH_3$	$HgCl_2$/Äthanol 8 Stdn., 100°		4,5-Dimethyl-2-phenyl-furan			4
$\overset{C_6H_5}{\underset{}{\vert}}$ \newline $H_5C_6\!-\!C\!\equiv\!C\!-\!\underset{HO}{\overset{}{C}}\!-\!\underset{OH}{CH}\!-\!C_6H_5$	$HgCl_2$/Äthanol 8 Stdn., 100°		2,3,5-Triphenyl-furan			5

* sog. „Semihydrobenzoin-Umlagerung"
** sog. „Semipinakolin-Umlagerung"

[1] A. ORÉKHOFF, Bl. [4] 25, 174 (1919).
[2] S. DANILOFF, Ж 51, 97 (1919); 52, 369 (1920); C. 1923 III, 760, 1017; C. A. 18, 1488, 1489 (1924).
[3] P. WEILL, Bl. [4] 49, 1811 (1931).
[4] E. D. VENUS-DANILOVA u. V. M. ALBITSKAYA, Ž. obšč. Chim. 22, 1568 (1952); C. A. 47, 8683 (1953).
[5] E. D. VENUS-DANILOVA u. V. M. ALBITSKAYA, Ž. obšč. Chim. 22, 816 (1952); C. A. 47, 3266 (1953).

Tab. 136. (5. Fortsetzung)

$\begin{array}{c} R \\ Ar^1\!-\!C\!-\!CH\!-\!Ar^2 \text{ bzw.} \\ HO\quad OH \end{array}$	Katalysator Reaktionsbedingungen	Umlagerungsprodukte				Literatur
		$\begin{array}{c}R\\Ar^1\!-\!CH\!-\!CO\!-\!Ar^2\\ I\end{array}$	$\begin{array}{c}R\\Ar^1\!-\!C\!-\!CHO^*\\Ar^2\\ II\end{array}$	$\begin{array}{c}Ar^1\\Ar^2\!-\!CH\!-\!CO\!-\!R^{**}\\ III\end{array}$	$\begin{array}{c}R\\Ar^2\!-\!CH\!-\!CO\!-\!Ar^1\\ IV\end{array}$	
[structure: 4-methoxyphenyl, C₂H₅, HO–C–CH–OH with OCH₃]	Destillation		2,2-Bis-[4-methoxy-phenyl]-butanal	(wenig)		1
	20% oder 50%ige H₂SO₄/kochen		(wenig)	2-Oxo-1,1-bis-[4-methoxy-phenyl]-butan (Anteil steigt mit H⊕)		
	konz. H₂SO₄/–5°		—	(ausschließlich)		
[structure: 4-methoxyphenyl, CH₃, HO–C–CH–OH with OCH₃]	Destillation		2,2-Bis-[4-methoxy-phenyl]-propanal			1,2
	20% oder 50%ige H₂SO₄/kochen					
	konz. H₂SO₄/–5°	1-Oxo-1,2-bis-[4-methoxy-phenyl]-propan				
[structure: oxirane, C₆H₅, C₂H₅, with OCH₃]	Destillation 320°/760 Torr	2-Oxo-1-phenyl-1-(4-methoxy-phenyl)-butan				1

* sog. „Semihydrobenzoin-Umlagerung"
** sog. „Semipinakolin-Umlagerung"

¹ P. WEILL, Bl. [4] 49, 1811 (1931).

² M. TIFFENEAU, J. LÉVY u. P. WEILL, Bl. [4] 49, 1606 (1931).

Tab. 137. Ketone durch Umlagerung sek.-tert.-Glykole bzw. Oxirane

Ausgangsstoff:

$Ar^2{-}\overset{\overset{\displaystyle Ar^1}{|}}{\underset{\underset{\displaystyle HO}{|}}{C}}{-}\overset{\overset{}{}}{\underset{\underset{\displaystyle OH}{|}}{CH}}{-}R$ bzw. $Ar^2{-}\overset{Ar^1}{\underset{O}{\diagdown\diagup}}Ar^1$ (Oxiran)

Glykol bzw. Oxiran	Katalysator Reaktionsbedingungen	Umlagerungsprodukte				Literatur
		$Ar^2{-}\overset{Ar^1}{\underset{}{CH}}{-}CO{-}R$ (I)	$Ar^2{-}\overset{\overset{R}{|}}{\underset{\underset{Ar^1}{|}}{C}}{-}CHO$ (II)	$R{-}\overset{Ar^1}{\underset{}{CH}}{-}CO{-}Ar^2$ (III)	$R{-}\overset{Ar^2}{\underset{}{CH}}{-}CO{-}Ar^1$ (IV)	
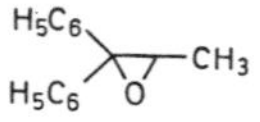 $\begin{array}{c}H_5C_6\\H_5C_6\end{array}\diagup\!\!\diagdown\overset{CH_3}{\underset{O}{}}$ bzw. Glykol	Destillation/760 Torr 310° / 20%ige H_2SO_4/kochen konz. H_2SO_4/25° verd. HCl/180° 3 Stdn./180°	2-Oxo-1,1-diphenyl-propan (100%)				1–5 / 6
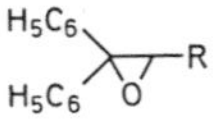 $\begin{array}{c}H_5C_6\\H_5C_6\end{array}\diagup\!\!\diagdown\overset{R}{\underset{O}{}}$ R = $-C_2H_5$	Destillation/760 Torr 305°	2-Oxo-1,1-diphenyl-butan (85%)	2,2-Diphenyl-butanal (15%)			1,2
= $-C_3H_7$	Destillation/760 Torr 320°	2-Oxo-1,1-diphenyl-pentan				1
= $-\overset{CH_3}{\underset{}{CH}}{-}CH_3$	Destillation/760 Torr 320°	2-Oxo-3-methyl-1,1-diphenyl-butan (82%)	3-Methyl-2,2-diphenyl-butanal (18%)			1
= $-C_4H_9$	Destillation/760 Torr 340°	2-Oxo-1,1-diphenyl-hexan (77%)	2,2-Diphenyl-hexanal (23%)			1
= $-CH_2{-}\overset{CH_3}{\underset{}{CH}}{-}CH_3$	Destillation/760 Torr 320° / konz. H_2SO_4/0°	2-Oxo-4-methyl-1,1-diphenyl-pentan (80%) / (100%)	4-Methyl-2,2-diphenyl-pentanal (20%)			1 / 7
= $-CH_2{-}C_6H_5$	Destillation/95 Torr 290°	2-Oxo-1,1,3-triphenyl-propan (42%)	2,2,3-Triphenyl-propanal (58%)			1
	Destillation/760 Torr			*		1

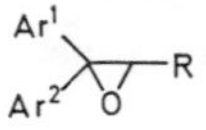

* Spaltprodukte: Diphenylmethan und Diphenylacetaldehyd

[1] R. LAGRAVE, A. ch. [10] 8, 363 (1927).
[2] J. LÉVY u. R. LAGRAVE, C. r. 180, 1032 (1925).
[3] M. TIFFENEAU u. H. DORLENCOURT, C. r. 143, 126, 649, 1242 (1906).
[4] A. McKENZIE u. R. ROGER, Soc. 125, 844 (1924).
[5] R. STOERMER, B. 39, 2288 (1906).
[6] E. D. VENUS-DANILOVA, E. P. BRICHKO u. L. A. PAVLOVA, Ž. obšč. Chim. 19, 951 (1949); C. A. 44, 3472 (1950).
[7] M. TIFFENEAU u. A. ORÉKHOFF, Bl. [4] 33, 195 (1923).

Ar^1 Ar^2—C—CH—R bzw. Ar^2 Ar^1 (Oxiran) HO OH	Katalysator Reaktionsbedingungen	Umlagerungsprodukte				Literatur
		Ar^1 Ar^2—CH—CO—R I	R Ar^2—C—CHO Ar^1 II	Ar^1 R—CH—CO—Ar² III	Ar^2 R—CH—CO—Ar^1 IV	
C_6H_5—C—CH—CH$(C_6H_5)_2$ HO OH	konz. H_2SO_4/0°/ 1,5 Stdn. 50% H_2SO_4/kochen	2-Oxo-1,3,3-tetra-phenyl-propan				1
C_6H_5 H_5C_6—C—CH—R HO OH R = C_6H_{13}	konz. H_2SO_4/0°/1Stde. 20%ige H_2SO_4/ 24 Stdn. kochen konz. HCOOH/ 4 Stdn. kochen	2-Oxo-1,1-diphenyl-octan				2
R = C_7H_{15}	konz. H_2SO_4/0°/1Stde. 20%ige H_2SO_4 24 Stdn. kochen konz. HCOOH/ 4 Stdn. kochen	2-Oxo-1,1-diphenyl-nonan (71%)				3,4
R = C_8H_{17}	konz. H_2SO_4/0°/1 Stde. 20%ige H_2SO_4/ 24 Stdn. kochen konz. HCOOH/ 4 Stdn. kochen	2-Oxo-1,1-diphenyl-decan (~60%)				3,4
R = $C_{10}H_{21}$	konz. H_2SO_4/0°/1 Stde. 20%ige H_2SO_4 24 Stdn. kochen 10%ige H_2SO_4 oder HCOOH/Destillation 282–285°/~28 Torr	2-Oxo-1,1-diphenyl-dodecan				3,4

1 J. Lévy, Bl. [4] 39, 67 (1926).
2 P. Nicolle, Bl. [4] 39, 55 (1926).
3 I. Elphimoff-Scherbakoff, C. r. 221, 564 (1945).
4 I. Elphimoff-Felkin, Bl. [5] 17, 494 (1950).

62*

Tab. 138. Ketone durch Umlagerung sek.-tert.-Glykole bzw. Oxirane

Ausgangsstoff:

$$\underset{\substack{| \\ HO}}{Ar^2}-\underset{\substack{| \\ OH}}{C}-CH-Ar^3 \text{ mit } Ar^1 \quad bzw. \quad \underset{Ar^2}{\overset{Ar^1}{>}}C\underset{\;}{\overset{\;}{-}}C<\underset{O}{Ar^3}$$

Ausgangsstoff	Katalysator Reaktionsbedingungen	I $\underset{Ar^2-CH-CO-Ar^3}{Ar^1}$	II $Ar^2-\underset{\substack{| \\ Ar^3}}{\overset{\substack{Ar^1 \\ |}}{C}}-CHO$	III $\underset{Ar^3-CH-CO-Ar^1}{Ar^2}$	IV $\underset{Ar^3-CH-CO-Ar^2}{Ar^1}$	Literatur
$\overset{H_5C_6}{\underset{H_5C_6}{>}}C-C<\underset{O}{C_6H_5}$	Destillation 340°	2-Hydroxy-1,1,2-triphenyl-äthen (2-Oxo-1,1,2-triphenyl-äthan)				1,2
	Erhitzen überm Schmelzpunkt					
$H_5C_6-\underset{\substack{| \\ HO}}{\overset{\substack{C_6H_5 \\ |}}{C}}-\underset{\substack{| \\ OH}}{CH}-C_6H_5$	Erhitzen (ZnCl₂)*	2-Hydroxy-1,1,2-triphenyl-äthen (2-Oxo-1,1,2-triphenyl-äthan)				1,3–5
	konz. H₂SO₄/0° 1 Stde.					6,7
	20%ige H₂SO₄/kochen		Triphenyl-acetaldehyd			
$\left(H_3C-\bigcirc\right)_2 \underset{\substack{| \\ HO}}{C}-\underset{\substack{| \\ OH}}{CH}-C_6H_5$	verd. H₂SO₄/160° Oxalsäure-Hydrat/160°	2-Hydroxy-2-phen-yl-1,1-bis-[4-methyl-phenyl]-äthen (2-Oxo-2-phenyl-1,1-bis-[4-methyl-phenyl]-äthan) (60%)	Spur			8
	konz. H₂SO₄			2-Hydroxy-1-phenyl-1,2-bis-[4-methyl-phenyl]-äthen (2-Oxo-1-phenyl-1,2-bis-[4-methyl-phenyl]-äthan)		9

* desgl.: Oxalsäure   1,4-Dioxan/H₂O/HCl   HBr/Eisessig   PCl₃/CHCl₃   HCl/Eisessig

[1] R. LAGRAVE, A. ch. [10] 8, 363 (1927).
[2] S. DANILOFF, Ж. 61, 723 (1929); C. A. 23, 4670 (1929).
[3] A. GARDEUR, Bl. Acad. Belgique [3] 34, 67 (1897); C. 68 II, 660 (1897).
[4] H. BILTZ, B. 32, 650 (1899).
[5] C. J. COLLINS, Am. Soc. 77, 5517 (1955).
[7] S. DANILOFF, Ж 51, 97 (1919); 52, 369 (1920); C. 1923 III, 760, 1017; C. A. 18, 1488, 1489 (1924).
[8] S. DANILOFF, Ж. 58, 148 (1926); C. A. 21, 578 (1927).
[9] L. W. KENDRICK, B. M. BENJAMIN u. C. J. COLLINS, Am. Soc. 80, 4057 (1958).

Tab. 138. (1. Fortsetzung)

bzw. Glykol $Ar^2-\overset{Ar^1}{\underset{HO\ OH}{C}}-CH-Ar^3$ bzw. $\overset{Ar^1}{\underset{Ar^2}{C}}{<}{\overset{}{O}}CH-Ar^3$	Katalysator Reaktionsbedingungen	Umlagerungsprodukte				Literatur
		I $\overset{Ar^1}{\underset{}{Ar^2-CH-CO-Ar^3}}$	II $Ar^2-\overset{Ar^1}{\underset{Ar^3}{C}}-CHO$	III $\overset{Ar^2}{\underset{}{Ar^3-CH-CO-Ar^1}}$	IV $\overset{Ar^1}{\underset{}{Ar^3-CH-CO-Ar^2}}$	
$\underset{H_3C-C_6H_4}{}\ \overset{C_6H_5}{\underset{HO\ OH}{\overset{|}{C}}}-CH-C_6H_5$	konz. H$_2$SO$_4$ Oxalsäure-Hydrat/12 Stdn. kochen				1-Hydroxy-2,2-diphenyl-1-(4-methyl-phenyl)-äthen [1-Oxo-2,2-diphenyl-1-(4-methyl-phenyl)-äthan]	1,2
	HCOOH/kochen	2-Oxo-1,2-diphenyl-1-(4-methyl-phenyl)-äthan				3,4
$\underset{H_5C_6}{\overset{H_3C}{}}\ \overset{C_6H_5}{\underset{HO\ OH}{\overset{|}{C}}}-CH-C_6H_5$	konz. H$_2$SO$_4$/kalt	2-Oxo-1,2-diphenyl-1-(2-methyl-phenyl)-äthan (50%)			1-Oxo-2,2-diphenyl-1-(2-methyl-phenyl)-äthan (50%)	5,6
	100%ige HCOOH/16 Stdn.		2,2-Diphenyl-2-(2-methyl-phenyl)-äthanal			
$\underset{H_5C_6}{\overset{H_5C_6}{}}{<}\overset{}{O}{>}\!\!\!-\!\!\!\text{OCH}_3$	390°, dann Destillation 260°/14 Torr (mit H$_2$SO$_4$-Bimsstein, 310°)			2-Oxo-1,2-diphenyl-1-(4-methoxy-phenyl)-äthan		7
	50%ige H$_2$SO$_4$/kochen/3 Stdn.		Diphenyl-(4-methoxy-phenyl)-acetaldehyd	2-Oxo-1,2-diphenyl-1-(4-methoxy-phenyl)-äthan		8

1 C. F. KOELSCH, Am. Soc. 54, 2049 (1932).
2 R. ROGER u. W. B. McKAY, Soc. 1933, 332.
3 A. McKENZIE, R. ROGER u. W. B. McKAY, Soc. 1932, 2597.
4 B. M. BENJAMIN u. C. J. COLLINS, Am. Soc. 78, 4329 (1956).
5 V. F. RAAEN u. C. J. COLLINS, Am. Soc. 80, 1409 (1958).
6 C. J. COLLINS u. N. S. BOWMAN, Am. Soc. 81, 3614 (1959).
7 R. LAGRAVE, A. ch. [10] 8, 363 (1927).
8 A. ORÉKHOFF u. M. TIFFENEAU, Bl. [4] 29, 445 (1921).

Tab. 138. (2. Fortsetzung)

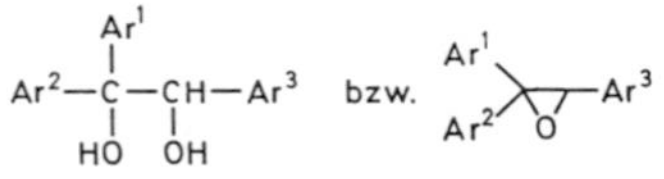

Ausgangsstoff $\begin{array}{c}Ar^1\\|\\Ar^2-C-CH-Ar^3\\|\;\;\;\;|\\HO\;\;\;OH\end{array}$ bzw. $Ar^2\underset{O}{\overset{Ar^1}{\diagdown}}\!\!\diagup Ar^3$	Katalysator Reaktionsbedingungen	Umlagerungsprodukte				Literatur
		$\begin{array}{c}Ar^1\\|\\Ar^2-CH-CO-Ar^3\\I\end{array}$	$\begin{array}{c}Ar^1\\|\\Ar^2-C-CHO\\|\\Ar^3\\II\end{array}$	$\begin{array}{c}Ar^2\\|\\Ar^3-CH-CO-Ar^1\\III\end{array}$	$\begin{array}{c}Ar^1\\|\\Ar^3-CH-CO-Ar^2\\IV\end{array}$	
	50%ige H₂SO₄/ 3 Stdn. kochen	2-Oxo-1,2-diphenyl-1-(4-methoxy-phenyl)-äthan				1
	20%ige H₂SO₄/ 2 Stdn. kochen	2-Oxo-2-phenyl-1,1-bis[4-methoxy-phenyl]-äthan (89%)				1
	20%ige H₂SO₄/ kochen/1 Stde.		Tris-[4-meth-oxy-phenyl]-acetaldehyd (75%)			1
	20%ige H₂SO₄/ kochen/∼2 Stdn.		Phenyl-bis-[4-methoxy-phenyl]-ace-taldehyd (∼40%)			1,2

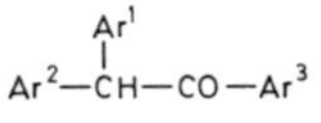

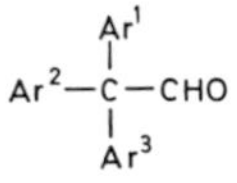

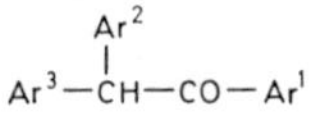

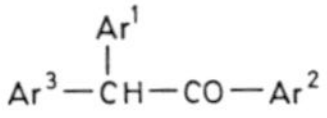

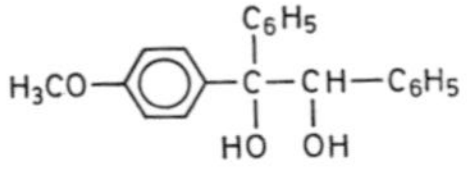

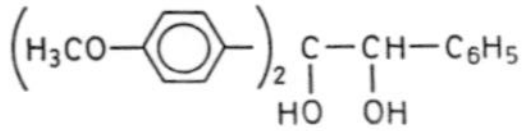

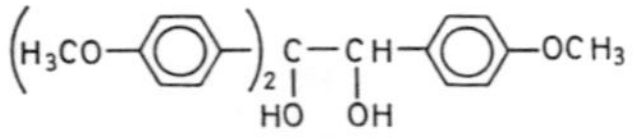

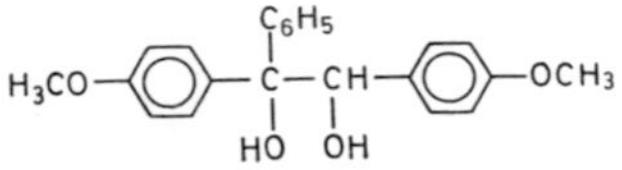

---

[1] A. ORÉKHOFF u. M. TIFFENEAU, Bl. [4] **29**, 445 (1921).

[2] A. ORÉKHOFF, Bl. [4] **25**, 115 (1919).

Tab. 138. (3. Fortsetzung)

$$Ar^1\!-\!\underset{HO}{C}\!-\!\underset{OH}{CH}\!-\!Ar^3 \quad bzw. \quad Ar^2\!\!\overset{Ar^1}{\diagdown}\!\!\underset{O}{\diagup}\!\!Ar^3$$

	Katalysator Reaktionsbedingungen	Umlagerungsprodukte				Literatur
		$Ar^2\!-\!CH\!-\!CO\!-\!Ar^3$ (mit Ar^1) I	$Ar^2\!-\!C(Ar^1)(Ar^3)\!-\!CHO$ II	$Ar^3\!-\!CH\!-\!CO\!-\!Ar^1$ (mit Ar^2) III	$Ar^3\!-\!CH\!-\!CO\!-\!Ar^2$ (mit Ar^1) IV	
$H_5C_6\!-\!C(C_6H_5)(OH)\!-\!CH(OH)\!-\!C_6H_4CH_3$	konz. H_2SO_4	1-Oxo-2,2-diphenyl-1-(2-methyl-phenyl)-äthan		2-Oxo-1,2-diphenyl-1-(2-methyl-phenyl)-äthan		1,2
	J_2/Eisessig 15 Min. kochen					
	Oxalsäure/8 Stdn. kochen		Diphenyl-(2-methyl-phenyl)-acetaldehyd			2
$H_3C\!-\!C_6H_4\!-\!C(C_6H_5)(OH)\!-\!CH(OH)\!-\!C_6H_4\!-\!CH_3$	konz. H_2SO_4/0°	1-Oxo-2-phenyl-1,2-bis-[4-methyl-phenyl]-äthan (50%)		2-Oxo-2-phenyl-1,1-bis-[4-methyl-phenyl]-äthan (50%)		3
$C_6H_5\!-\!C(C_6H_5)(OH)\!-\!CH(OH)\!-\!$Naphthyl	konz. H_2SO_4/Kochen/90 Min.	2-oxo-1,2-diphenyl-2-naphthyl-(1)-äthan		+ Epoxid		4
$H_5C_6\!-\!C(C_6H_5)(OH)\!-\!CH(OH)\!-\!C_6H_4\!-\!CH_3$	konz. HCOOH/kochen	1-Oxo-2,2-diphenyl-1-(4-methyl-phenyl)-äthan (29%)		2-Oxo-1,2-diphenyl-1-(4-methyl-phenyl)-äthan (71%)		5
	konz. H_2SO_4/0°	(17%)		(83%)		

1 V. F. RAAEN u. C. J. COLLINS, Am. Soc. **80**, 1409 (1958).
2 R. ROGER u. F. C. HARPER, R. **56**, 203 (1937).
3 L. W. KENDRICH, B. M. BENJAMIN u. C. J. COLLINS, Am. Soc. **80**, 4057 (1958).
4 A. McKENZIE u. W. S. DENNLER, Soc. **125**, 2105 (1924).
5 B. M. BENJAMIN u. C. J. COLLINS, Am. Soc. **78**, 4329 (1956).

Allgemein wandern Aryl-, Benzyl-, Allyl-Reste leichter als Wasserstoff, Alkyl-Reste weniger leicht.

Bei konkurrierenden aromatischen Resten nimmt die Wanderungsfähigkeit („migratory aptitude") in folgender Reihenfolge ab[1]

4-Methoxy-phenyl ⟩ 4-Methyl-phenyl ⟩ Phenyl ⟩ 4-Chlor-phenyl

Über die relative Wanderungsfähigkeit aliphatischer Substituenten bei der Umlagerung

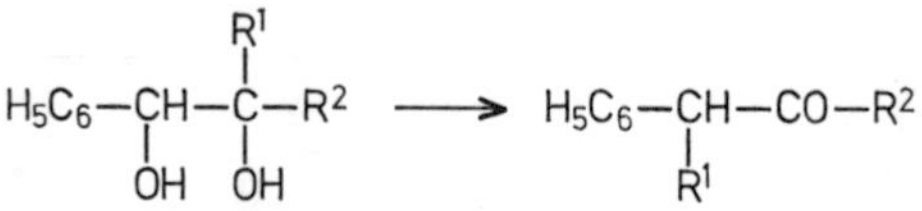

$$H_5C_6-CH-\underset{\underset{OH}{|}}{\overset{\overset{R^1}{|}}{C}}-R^2 \longrightarrow H_5C_6-CH-CO-R^2$$
$$\underset{OH}{|} \qquad\qquad \underset{R^1}{|}$$
$$\text{I} \qquad\qquad\qquad \text{II}$$

liegen eingehende Untersuchungen vor[2]. Demnach besteht folgende Reihe

$C_4H_9 > C_2H_5 > -CH(CH_3)_2 > CH_3 , C_3H_7 > CH_2-CH(CH_3)_2$

2-Oxo-4-methyl-1-isopropyl-cyclohexan [p-Menthon-(3)][3]: 25 g 1,2-Epoxy-4-methyl-1-iso-propyl-cyclohexan werden mit einem Gemisch aus 100 g Methanol und 25 g konz. Salzsäure 3 Stdn. auf dem Wasserbad am Rückfluß gekocht. Nach Neutralisation der Salzsäure in der Wärme, Abdestillieren des Methanols, wird mit Äther extrahiert, die äther. Phase getrocknet und fraktioniert; Ausbeute: 72% d.Th.; Kp_{14}: 95–110°.

Bei Verwendung von Pentanol erreicht die Ausbeute 85% der Theorie.

Für den Primärschritt der Umlagerung von Glykolen, die Protonisierung mit anschließender Wasser-Abspaltung unter Bildung eines Carbeniumions gilt dasselbe wie für die Ringöffnung der entsprechenden Epoxide. Die Hydroxy-Gruppe wird bevorzugt von dem C-Atom abgespalten, das die höchste Elektronendichte besitzt, z.B. auf Grund eines aromatischen Substituenten.

Praktisch laufen in den meisten Fällen sämtliche möglichen Reaktionen nebeneinander ab, deren Anteil an der Gesamtreaktion aus dem Verhältnis der Endprodukte errechnet werden kann, wobei zu berücksichtigen ist, daß verschiedene Reaktionen dasselbe Endprodukt liefern können, z.B.:

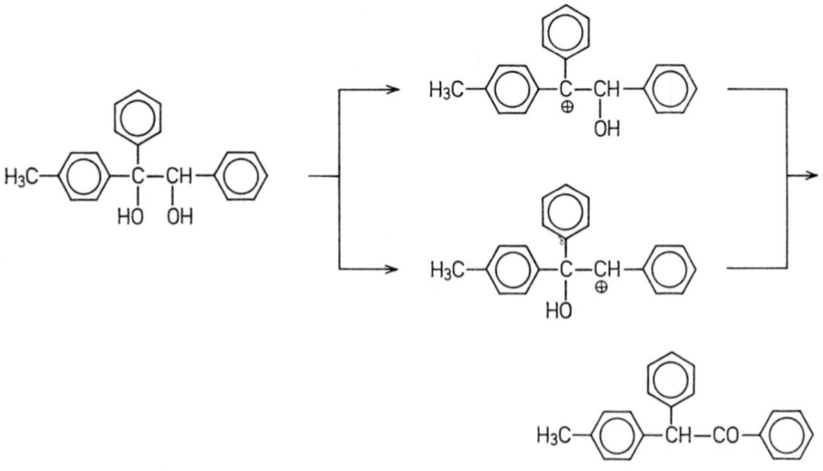

[1] D. Y. Curtin u. M. C. Crew, Am. Soc. **76**, 3719 (1954).
[2] M. Tiffeneau, J. Lévy u. P. Jullien, Bl. [4] **49**, 1788 (1931).
[3] A. Kötz u. G. Busch, J. pr. [2] **119**, 1, (1928).

Die Umlagerung von Glykolen wird meist unter Säurekatalyse durchgeführt. Kochen mit verdünnter Schwefelsäure (20–60%ig) oder mit Oxalsäure-Hydrat führt in den meisten Fällen mit mäßigen Ausbeuten zu Aldehyden, während kalte konz. Schwefelsäure Ketone liefert. Besonders wirksam und dabei schonend ist Eisessig, dem etwas Jod zugesetzt wurde.

Die Stereochemie der Umlagerung ist sowohl von der Natur der Substituenten, als auch von den Reaktionsbedingungen abhängig. Während bei der Umlagerung von optisch aktivem (–)1,2-Dihydroxy-2,2-dibenzyl-1-naphthyl-(1)-äthan zum *3-Oxo-1,4-diphenyl-2-naphthyl-(1)-butan* in konz. Schwefelsäure Racemisierung eintritt, entsteht mit verd. Schwefelsäure auch optisch aktives Keton, welches seinerseits mit konz. Schwefelsäure racemisiert[1,2].

Optisch aktives 1,2-Dihydroxy-1,2-diphenyl-1-[3-(bzw. -4)-methyl-phenyl]-äthan racemisiert bei der Umlagerung zum *2-Oxo-1,2-diphenyl-1-[2-(bzw. -4)-methyl-phenyl]-äthan* mit konz. Schwefelsäure, während 1,2-Dihydroxy-1,2-diphenyl-1-(2-methyl-phenyl)-äthan unter denselben Bedingungen optisch aktives *2-Oxo-1,2-diphenyl-1-(2-methyl-phenyl)-äthan* ergibt[3] (Ortho-Effekt[4]).

Die Umlagerung von *cis-exo*-2,3-Dihydroxy-2-phenyl-bicyclo[2.2.1]heptan zum *3-Oxo-2-endo-phenyl-bicyclo[2.2.1]heptan* durch konz. Schwefelsäure bei 0° erfolgt stereospezifisch unter Konfigurationsumkehr, wobei nicht der Phenyl-Rest, sondern ein Wasserstoffatom wandert und gleichzeitig das Kohlenstoffgerüst umgelagert wird, wie durch Deuterierung gezeigt wurde[5–7]:

6,7-Dideutero-3-oxo-
2-phenyl-bicyclo
[2.2.1]heptan

γ_2) *aus 1,2-Glykol-monoestern durch Basen* (*stereospezifisch*)

Stereospezifische Umlagerungen werden am besten durchgeführt, indem man das Glykol in Monoester der p-Toluolsulfonsäure bzw. Methansulfonsäure überführt und hieraus durch Einwirkung von Kalium-tert.-butanolat (in tert. Butanol) oder Aluminiumoxid, Kaliumacetat oder Calciumcarbonat in Dimethylformamid, Äthanol oder Aceton Toluolsulfonsäure abspaltet. Durch diese Methode läßt sich das Auftreten freier Säure während der Umlagerung völlig vermeiden[8].

[1] A. McKenzie u. W. S. Dennler, B. **60**, 220 (1927).
[2] R. Roger u. A. McKenzie, B. **62**, 272 (1929).
[3] R. Roger u. W. B. McKay, Soc. **1933**, 332.
[4] E. Bergmann, R. **58**, 863 (1939).
[5] C. J. Collins et al., Am. Soc. **86**, 4913 (1964).
[6] B. M. Benjamin u. C. J. Collins, Am. Soc. **88**, 1556 (1966).
[7] D. C. Kleinfelter u. P. v. R. Schleyer, Am. Soc. **83**, 2329 (1961).
[8] Über Umlagerungen unter Ringerweiterung nach dieser Methode vgl. C. D. Gutsche u. D. Redmore, Advances Alicyclic Chem. Suppl. **1**, 101 (1968).
    Vgl. L. N. Owen u. G. S. Saharia, Soc. **1953**, 2582.
    S. Winstein, H. V. Hess u. R. E. Buckles, Am. Soc. **64**, 2796 (1942).

Auf diese Weise läßt sich z.B. in der Steroid-Reihe das Dekalin-System stereo-spezifisch in das Perhydroazulen-System (B-Homo-A-nor-steroid) umlagern[1]:

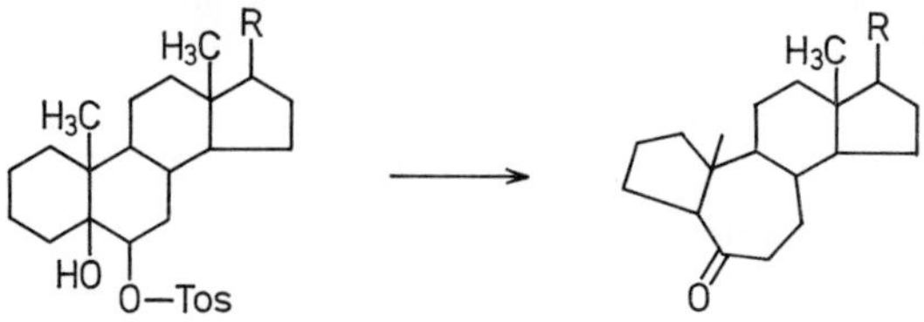

Auch zur Herstellung von D-Nor-Steroiden (Cyclobutan-Derivaten) wurde die Methode herangezogen[2]. *cis-2-Hydroxy-3-tosyloxy-2,6,6-trimethyl-bicyclo[3.1.1] heptan* reagiert mit Kalium-tert.-butanolat in tert.-Butanol bei 65° unter Ring-kontraktion zum *5,5-Dimethyl-2-acetyl-bicyclo[2.1.1]hexan* (60% d. Th.), während das *trans*-Derivat unter den selben Bedingungen *2,3-Epoxi-2,6,6-trimethyl-bicyclo [3.1.1]heptan (α-Pinenoxid)* liefert[2]:

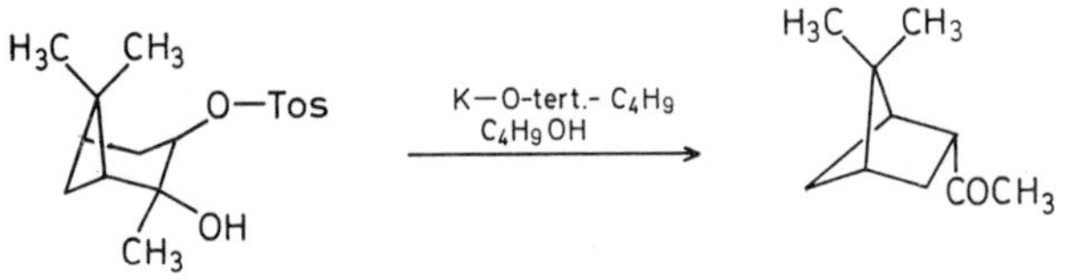

Bei der Umsetzung von 1-Hydroxy-3-tosyloxy-bicyclo[2.2.2]octan mit Alkali-metall-tert.-butanolaten tritt dagegen Fragmentierung zu *4-Oxo-1-vinyl-cyclohexan*, sowie u.U. Umlagerung zum bi- und tricyclischen Alkohol ein[3]:

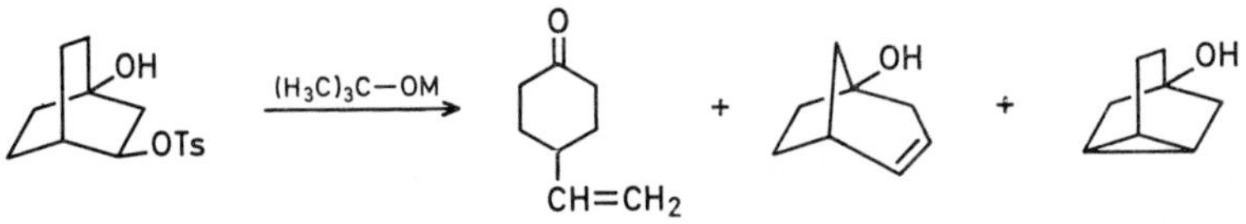

M = Li	89%	11%	<1%
Na	> 99%	<1%	—
K	100%	—	—

2-Hydroxy-1-tosyloxy-cyclobutane erfahren Ringverengung nur bei pseudoäqua-torialer Konformation der Abgangsgruppe.

Cis- und *trans-2-Oxo-bicyclo[7.1.0]decan*[4] entstehen aus den entsprechenden bi-cyclischen Tosyloxy-Verbindungen an Aluminiumoxid der Aktivitätsstufe 3:

[1] Y. Mazur u. M. Nussim, Am. Soc. **83**, 3911 (1961).

[2] E. Ghera, Tetrahedron Letters **1965**, 4181; **1967**, 17; J. Org. Chem. **33**, 1042 (1968).

[3] W. Kraus u. C. Chassin, A. **747**, 98 (1971).

[4] J. V. Paukstelis u. J. Kao, Tetrahedron Letters **1970**, 3691.

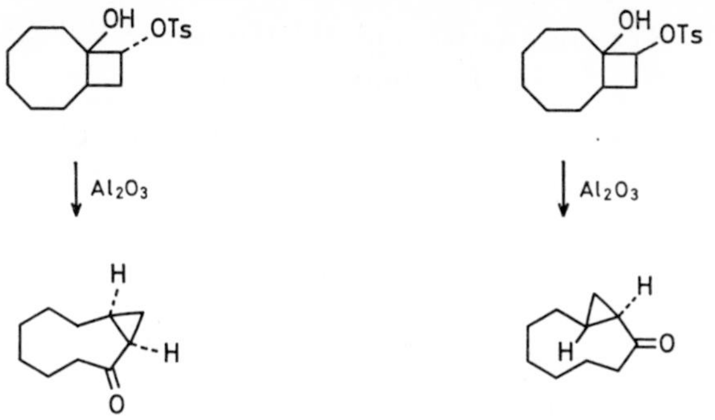

80% d.Th.   85% d.Th.

Auf schonendste Weise gelingt die Abspaltung des Tosylat-Restes in mit Lithiumperchlorat gesättigtem Tetrahydrofuran (welches dadurch stark ionisierend wirkt)[1] in Gegenwart von Calciumcarbonat bei 50°, wie sie bei der Synthese des Longifolens an einem Ketal mit tertiärer Hydroxy-Gruppe in Allyl-Stellung (!) durchgeführt wurde[2]:

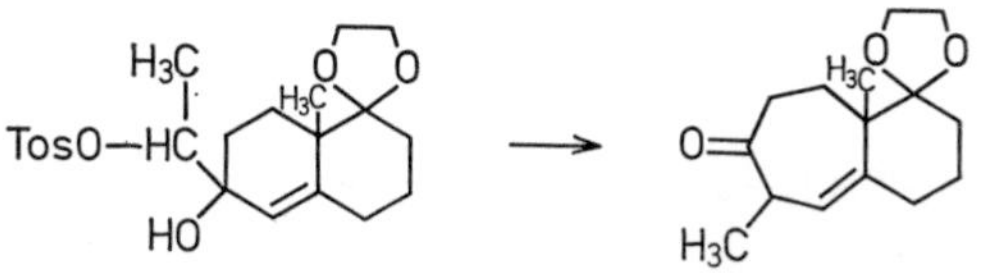

8,8-Äthylendioxy-
4-oxo-3,7-dimethyl-
bicyclo[5.4.0]undecen-(1)

Die wasserfreie säure-katalysierte Dehydratisierung von α-Acetoxy-alkoholen, z.B. in der Steroid-Reihe, verläuft häufig anormal unter Erhalt des Acetoxy-Restes. Ungesättigte Ketone entstehen nur als Nebenprodukte[3].

γ₃) *Spezielle Umlagerungen*

1,4-Dioxo-1,4-dicyclopentyl-butan wurde durch doppelte Pinakolin-Umlagerung hergestellt:

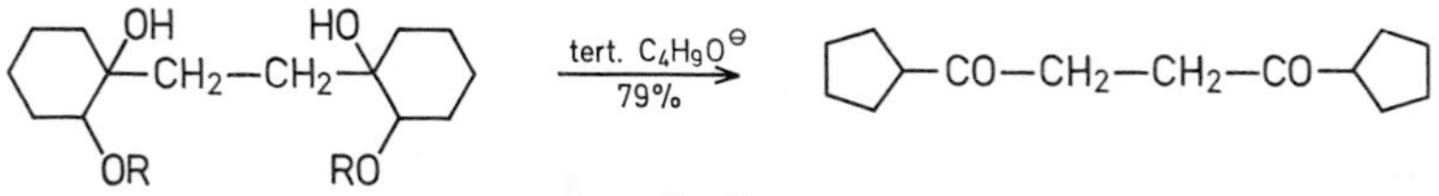

R = Tos

Aromatische Reste mit nucleophilen ortho-Substituenten vermögen durch „anchimeric assistance" die Abspaltung des Tosylat-Rests zu erleichtern[4,5].

[1] S. WINSTEIN, S. SMITH u. D. DARWISH, Am. Soc. **81**, 5511 (1959).
[2] E. J. COREY et al., Am. Soc. **83**, 1251 (1961); **86**, 478 (1964).
[3] C. MONNERET u. KHUONG-HUU-QUI, Bl. **1971**, 623.
[4] s.S. WINSTEIN, Experientia **1955**, Suppl. 2, 153.
[5] S. WINSTEIN u. L. L. INGRAHAM, Am. Soc. **77**, 1738 (1955).

δ) Ketone aus Glykol-äthern unter Erhalt
des Kohlenstoffgerüsts

Glykol-monoäther (α-Hydroxy-äther) mit freier tert. Hydroxy-Gruppe lassen sich leicht und praktisch ohne Nebenreaktionen in die entsprechenden Ketone mit gleichem Kohlenstoffgerüst umlagern[1,2]:

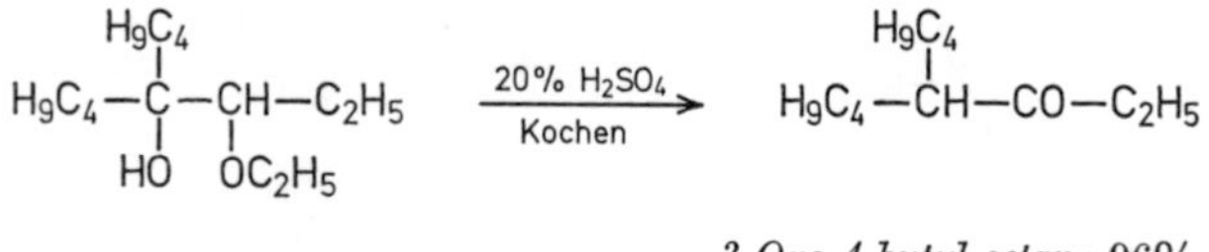

3-Oxo-4-butyl-octan; 96% d.Th.

Eine Reihe von Ketonen dieses Typs ist nach dieser Methode hergestellt worden[2]. Katalysatoren sind verdünnte Schwefelsäure, wasserfreie Oxalsäure, Ameisen-säure, mit denen die α-Hydroxy-äther 3–5 Stdn. auf 100–150° erhitzt werden.

Die Ausbeuten liegen im allgemeinen um 50%. Sie lassen sich verbessern, wenn die Umlagerung in 2-Stufen durchgeführt wird[1,3]:

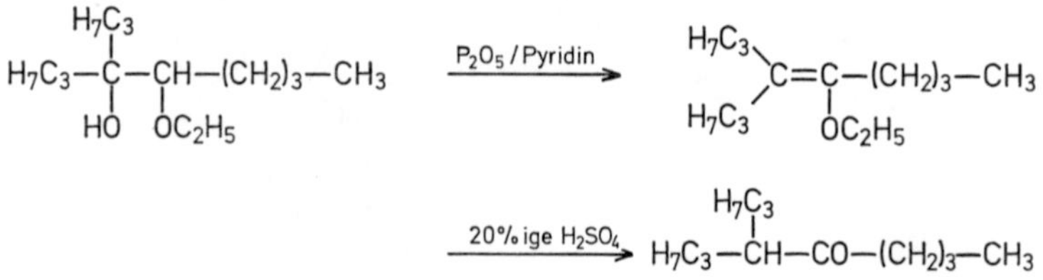

5-Oxo-4-propyl-nonan

3-Oxo-2-methyl-heptan[3]:

3-Äthoxy-2-methyl-hepten-(2): 35 g (0,2 Mol) 2-Hydroxy-3-äthoxy-2-methyl-heptan in 40 g trockenem Pyridin werden mit 31 g (0,28 Mol) Phosphor(V)-oxid 2 Stdn. im Ölbad bei ~ 140° am Rückfluß gekocht. Man dekantiert ab und destilliert das Pyridin bei Normaldruck, den Rückstand i. Vak.; Ausbeute: 27 g (87% d.Th.); Kp_{42}: 107–109°.

3-Oxo-2-methyl-heptan: 15,6 g (0,1 Mol) des Äthers werden mit 20 g 20%iger Schwefelsäure 3–5 Stdn. auf 140–145° erhitzt, danach wird mit Äther extrahiert und wie üblich weiter aufgearbeitet; Ausbeute: 83% d.Th.; Kp: 158–160°.

ε) Ketone aus prim.-tert.- und sek.-tert.-α-Amino-alkoholen[4]

Die Herstellung von Aldehyden und Ketonen durch Einwirkung von salpetriger Säure auf prim.-tert.-Amino-alkohole ist innerhalb dieses Handb., Bd. XI/2, S. 159, 163 bereits abgehandelt worden.

Beispiele gibt die folgende Tabelle 139 (S. 989).

---

[1] D. Bardan, Bl. [4] **49**, 1551 (1931).
[2] D. Bardan, Bl. [4] **49**, 1875 (1931).
[3] D. Bardan, Bl. [5] **1**, 368, 370 (1934).
[4] Unter Mitwirkung von Frau Dr. Hanna Söll, Farbf. Bayer AG, Leverkusen.

Tab. 139. Ketone aus offenen „prim."-tert.-Amino-alkoholen und salpetriger Säure (Tiffeneau-Umlagerung)

$$R^2-\underset{\underset{OH}{|}}{\overset{\overset{R^1}{|}}{C}}-CH_2-NH_2$$

R_1	R_2	$R^1-CH_2-CO-R^2$	Ausbeute [%d.Th.]	Nebenprodukte	Ausbeute [%d.Th.]	Literatur
C_6H_5	C_6H_5	*1-Oxo-1,2-diphenyl-äthan**		—		1,2
$4-CH_3-C_6H_4$	C_6H_5	*2-Oxo-2-phenyl-1-(4-methyl-phenyl)-äthan*				3
$2-OCH_3-C_6H_4$	C_6H_5	*2-Oxo-2-phenyl-1-(2-methoxy-phenyl)-äthan*				1,4
$4-OCH_3-C_6H_4$	C_6H_5	*2-Oxo-2-phenyl-1-(4-methoxy-phenyl)-äthan*				1,4
Naphthyl-(1)	C_6H_5	*2-Oxo-2-phenyl-1-naphthyl-(1)-äthan*				5
$2-OC_2H_5-C_6H_4$	C_6H_5	*2-Oxo-2-phenyl-1-(2-äthoxy-phenyl)-äthan*		*1-Oxo-2-phenyl-1-(2-äthoxy-phenyl)-äthan*		4
$4-OC_2H_5-C_6H_4$	C_6H_5	*2-Oxo-2-phenyl-1-(4-äthoxy-phenyl)-äthan*		*1-Oxo-2-phenyl-1-(4-äthoxy-phenyl)-äthan*		4
$2,4-(OCH_3)_2-C_6H_3$	C_6H_5	*2-Oxo-2-phenyl-1-(2,4-dimethoxy-phenyl)-äthan*		*1-Oxo-2-phenyl-1-(2,4-dimethoxy-phenyl)-äthan*		4
$4-OCH_3-C_6H_4$	$2-OCH_3-C_6H_4$	*2-Oxo-2-(2-methoxy-phenyl)-1-(4-methoxy-phenyl)-äthan*		*1-Oxo-2-(2-methoxy-phenyl)-1-(4-methoxy-phenyl)-äthan*		4
C_6H_5	$4-CH_3-C_6H_4$	*2-Oxo-2-phenyl-1-(4-methyl-phenyl)-äthan* (56%)		*1-Oxo-2-phenyl-1-(4-methyl-phenyl)-äthan* (44%)		6
C_6H_5	$4-OCH_3-C_6H_4$	*2-Oxo-2-phenyl-1-(4-methoxy-phenyl)-äthan* (61%)		*1-Oxo-2-phenyl-1-(4-methoxy-phenyl)-äthan* (39%)		6,7
C_6H_5	Naphthyl-(1)	*1-Oxo-2-phenyl-1-naphthyl-(1)-äthan*				5

*) Bei dem beschriebenen Epoxid dürfte es sich tatsächlich um *1-Oxo-1,2-diphenyl-äthan* (*Desoxybenzoin*) handeln.

1 A. ORÉKHOFF u. M. ROGER, C. r. **180**, 70 (1925).
2 C. PAAL u. E. WEIDENKAFF, B. **39**, 2062 (1906).
3 A. McKENZIE et al., B. **63**, 904 (1930).
4 M. TIFFENEAU et al., Bl. [4] **49**, 1757 (1931).
5 E. LUCE, C. r. **180**, 145 (1925).
6 D. Y. CURTIN u. M. C. CREW, Am. Soc. **76**, 3719 (1954).
7 A. ORÉKHOFF u. M. ROGER, C. r. **180**, 72 (1925).

Hieraus ist zu entnehmen, daß bei der Desaminierung von Amino-alkoholen

$$\langle\text{Ar-ring}\rangle\;\overset{\text{OH}}{\underset{\text{Ar}}{\text{C}}}\text{-CH}_2\text{-NH}_2$$

die Reste 4-Methyl- bzw. 4-Methoxy-phenyl- und Naphthyl-(1)- gegenüber Phenyl-bevorzugt wandern. Ist jedoch die α-Stellung phenyl-substituiert, so ist die Wanderung des anderen Phenyl-Restes begünstigt (vgl. Tab. 140, S. 991).

Von besonderer Bedeutung ist die Desaminierung cyclischer „prim."-tert.*-α-Amino-alkohole, welche unter Ringerweiterung zu Ketonen führt (Tiffeneau-Umlagerung; vgl. ds. Handb., Bd. XI, 2, Tab. 27, S. 166). So erhält man bei der Desaminierung von I mit salpetriger Säure in Eisessig bei 0° in fast quantitativer Ausbeute ein Gemisch aus *1-Oxo-9-methyl-* und *2-Oxo-9-methyl-cis-dekalin*[1]:

* Die Bezeichnung „primär" bezieht sich auf das C-Atom, an das die Amino-Gruppe gebunden ist.

Präparativ von Interesse sind Verbindungen des Typs I mit der Amino-Gruppe am sekundären C-Atom

da sie Ketone liefern, die aus den entsprechenden Glykolen oder Epoxiden nicht zugänglich sind.

Die Ausbeuten sind gut. Geht man bei obiger Reaktion von optisch aktivem α-Amino-alkohol aus, so erfolgt zu 88% Inversion, was auf behinderte Drehbarkeit des primär entstandenen Carboniumions und einen *trans*-Übergangszustand hinweist[2].

Neuere stereochemische Untersuchungen der Reaktion an D- und L-*threo*- und *erythro*-Form des 1-Amino-2-hydroxy-1-phenyl-2-(4-methyl-phenyl)-propans sprechen gegen die Annahme von Brücken-Kationen, jedoch für eine Art von „concerted process"[3,4].

Die Reaktion ist breit anwendbar (Tab. 140, S. 991).

Zur Desaminierung cyclischer „sek."-tert.-α-Amino-alkohole s. ds. Handb., Bd. XI, 2, S. 170—174.

[1] G. Di Maio u. P. A. Tardella, Tetrahedron **22**, 2069 (1966).

[2] B. M. Benjamin, H. J. Schaeffer u. C. J. Collins, Am. Soc. **79**, 6160 (1957).

[3] B. M. Benjamin, P. Wilder u. C. J. Collins, Am. Soc. **83**, 3654 (1961).

[4] B. M. Benjamin u. C. J. Collins, Am. Soc. **83**, 3662 (1961).

Tab. 140. Ketone aus offenkettigen „sek."-tert.-α-Amino-alkoholen und salpetriger Säure (Tiffeneau-Umlagerung)

$$\begin{array}{c} R^3\ R^1 \\ \mid\ \ \mid \\ R^2-C-CH-NH_2 \\ \mid \\ OH \end{array} \quad \longrightarrow \quad \begin{array}{c} R^3 \\ \mid \\ R^2-C-CH-R^1 \\ \parallel \\ O \end{array}$$

R¹	R²	R³	Keton	Ausbeute [% d.Th.]	Literatur
CH₃	CH₃	C₆H₅	3-Oxo-2-phenyl-butan	~65	1
C₆H₅	CH₃	CH₃	3-Oxo-2-phenyl-butan	~50	2
	CH₂–C₆H₅	CH₂–C₆H₅	3-Oxo-1,2,4-triphenyl-butan + 1,2-Dihydroxy-1,3-diphenyl-2-benzyl-propan	20 16	3-6
	CH₃	C₆H₅	2-Oxo-1,1-diphenyl-propan		7,8
	C₂H₅	C₆H₅	2-Oxo-1,1-diphenyl-butan	50 (als Semicarbazon)	4
	C₂H₅	C₂H₅	1,2-Dihydroxy-2-äthyl-1-phenyl-butan		2,4,9
	C₃H₇	C₃H₇	1,2-Dihydroxy-2-propyl-1-phenyl-pentan	50	2

1 A. K. Mills u. J. Grigor, Soc. 1934, 1568.
2 A. McKenzie u. M. S. Lesslie, B. 62, 288 (1929).
3 F. Bettzieche u. A. Ehrlich, H. 150, 197 (1925).
4 A. McKenzie u. R. Roger, Soc. 1927, 571.
5 A. McKenzie u. A. K. Mills, B. 62, 284 (1929).
6 A. K. Mills, Soc. 1934, 1565.
7 A. McKenzie u. R. Roger, Soc. 125, 844 (1924).
8 A. McKenzie u. A. K. Mills, B. 62, 1784 (1929).
9 H. Felkin, C. r. 226, 819 (1948).

Tab. 140. (1. Fortsetzung)

R¹	R²	R³	Keton	Ausbeute [% d.Th.]	Literatur
CH₃	CH₂—C₆H₅	CH₂—C₆H₅	3-Oxo-2-methyl-1,4-diphenyl-butan	30	1
	C₆H₅	C₆H₅	2-Oxo-1,3-diphenyl-butan	65	2
	C₆H₅	C₆H₅	1-Oxo-1,2-diphenyl-propan	94	3–6
	C₆H₅	4-OCH₃—C₆H₅	1-Oxo-1-phenyl-2-(4-methoxy-phenyl)-propan + 1-Oxo-2-phenyl-1-(4-methoxy-phenyl)-propan	94 : 6	7,8
	C₆H₅	4-CH₃—C₆H₄	1-Oxo-2-phenyl-2-(4-methyl-phenyl)-propan	30(75)*	9
	4-OCH₃—C₆H₄	C₆H₅	1-Oxo-2-phenyl-1-(4-methoxy-phenyl)-propan + 1-Oxo-1-phenyl-2-(4-methoxy-phenyl)-propan	88 : 12	7
	4-CH₃—C₆H₄	C₆H₅	1-Oxo-2-phenyl-1-(4-methyl-phenyl)-propan	42(89)*	8,9
	Naphthyl-(1)	C₆H₅	1-Oxo-2-phenyl-1-naphthyl-(1)-propan	70	2
	4-CH₃—C₆H₄	4-CH₃—C₆H₄	1-Oxo-1,2-bis-[4-methyl-phenyl]-propan	65	10
CH₂—C₆H₅	CH₂—C₆H₅	CH₂—C₆H₅	3-Oxo-1,4-diphenyl-2-benzyl-butan	83	1
	CH₂—C₆H₅	C₆H₅	3-Oxo-1,2,4-triphenyl-butan	>90	11

*) Die in Klammern stehende Zahl gibt die Ausbeute unter Berücksichtigung des unverbrauchten Ausgangsmaterials an.

1 F. BETTZIECHE u. A. EHRLICH, H. 150, 197 (1925).
2 A. K. MILLS u. J. GRIGOR, Soc. 1934, 1568.
3 F. BETTZIECHE, H. 140, 273 (1924).
4 A. McKENZIE u. G. O. WILLS, Soc. 1925, 283.
5 A. McKENZIE, R. ROGER u. G. O. WILLS, Soc. 1926, 779.
6 H. I. BERNSTEIN u. F. C. WHITMORE, Am. Soc. 61, 1324 (1939).
7 D. Y. CURTIN u. M. C. CREW, Am. Soc. 77, 354 (1955).
8 M. TIFFENEAU et al., Bl. [5] 2, 1871 (1935); C. 1936 I, 999.
9 D. Y. CURTIN u. P. I. POLLAK, Am. Soc. 73, 992 (1951).
10 A. McKENZIE et al., B. 63, 904 (1930).
11 A. K. MILLS, Soc. 1934, 1565.

Tab. 140. (2. Fortsetzung)

R¹	R²	R³	Keton	Ausbeute [% d.Th.]	Literatur
-CH₂-C₆H₅	C₆H₅	C₆H₅	*1-Oxo-1,2,3-triphenyl-propan*	70	1-3
	4-OCH₃-C₆H₄	C₆H₅	*1-Oxo-2,3-diphenyl-1-(4-methoxy-phenyl)-propan*		4
	4-OCH₃-C₆H₄	4-CH₃-C₆H₄	*1-Oxo-3-phenyl-1-(4-methoxy-phenyl)-2-(4-methyl-phenyl)-propan*		4
	4-CH₃-C₆H₄	C₆H₅	*1-Oxo-2,3-diphenyl-1-(4-methyl-phenyl)-propan*		4
	4-CH₃-C₆H₄	4-OCH₃-C₆H₄	*1-Oxo-3-phenyl-2-(4-methoxy-phenyl)-1-(4-methyl-phenyl)-propan*		4
	Naphthyl-(1)	C₆H₅	*1-Oxo-2,3-diphenyl-1-naphthyl-(1)-propan*	~70	4,5
-CH₂-CH₂-SCH₃	C₆H₅	C₆H₅	*4-Methylmercapto-1-oxo-1,2-diphenyl-butan*		6
-CH₂-CH(CH₃)₂	C₆H₅	C₆H₅	*1-Oxo-4-methyl-1,2-diphenyl-pentan*	80	7,8
	4-CH₃-C₆H₄	4-CH₃-C₆H₄	*1-Oxo-4-methyl-1,2-bis-[4-methyl-phenyl]-pentan*		8

*) Die in Klammern stehende Zahl gibt die Ausbeute unter Berücksichtigung des unverbrauchten Ausgangsmaterials an.

[1] F. BETTZIECHE, H. 140, 273 (1924).
[2] A. McKENZIE, R. ROGER u. G. O. WILLS, Soc. 1926, 779.
[3] S. KANAO u. S. KAGAMI, J. pharm. Soc. Japan 64, 139 (1944); C. A. 45, 5136 (1951).
[4] F. J. PERVEEV u. L. N. ŠILNIKOVA, Ž. Org. Chim. 2, 1158 (1966).
[5] A. K. MILLS, Soc. 1934, 1565.
[6] S. KANAO u. S. KAGAMI, J. pharm. Soc. Japan 64, 144 (1944); C. A. 45, 5137 (1951).
[7] F. BETTZIECHE u. A. EHRLICH, H. 160, 1 (1926).
[8] S. KANAO u. T. YAGUCHI, J. pharm. Soc. Japan 48, 46, 68 (1928); C. 1928, II, 51.

Tab. 140. (3. Fortsetzung)

R¹	R²	R³	Keton	Ausbeute [% d.Th.]	Literatur
C_6H_5	C_6H_5	C_6H_5	2-Oxo-1,1,2-triphenyl-äthan	84	1–3 s. a. 4
		4-Cl-C_6H_4	2-Oxo-1,2-diphenyl-1-(4-chlor-phenyl)-äthan	65(89)*	5
		4-OCH_3-C_6H_4	2-Oxo-1,2-diphenyl-1-(4-methoxy-phenyl)-äthan	67(97)*	6
		4-CH_3-C_6H_4	2-Oxo-1,2-diphenyl-1-(4-methyl-phenyl)-äthan	33(83)*	6,7
		Naphthyl-(1)	2-Oxo-1,2-diphenyl-1-naphthyl-(1)-äthan		7,8
	4-Cl-C_6H_4	C_6H_5	1-Oxo-2,2-diphenyl-1-(4-chlor-phenyl)-äthan	60(98)*	5
	4-OCH_3-C_6H_4	C_6H_5	1-Oxo-2,2-diphenyl-1-(4-methoxy-phenyl)-äthan	97(85)	6, vgl. a. 9
	2-CH_3-C_6H_4	C_6H_5	1-Oxo-2,2-diphenyl-1-(2-methyl-phenyl)-äthan	60	7
	4-CH_3-C_6H_4	C_6H_5	1-Oxo-2,2-diphenyl-1-(4-methyl-phenyl)-äthan	35(87)*	6,8
	Naphthyl-(1)	C_6H_5	1-Oxo-2,2-diphenyl-1-naphthyl-(1)-äthan	60	2,9,10

*) Die in Klammern stehende Zahl gibt die Ausbeute unter Berücksichtigung des unverbrauchten Ausgangsmaterials an.

1 F. BETTZIECHE, H. **140**, 273 (1924).
2 A. McKENZIE u. A. C. RICHARDSON, Soc. **123**, 79 (1923).
3 A. McKENZIE u. G. O. WILLS, Soc. **1925**, 283.
4 H. FELKIN, C. r. **226**, 819 (1948).
5 D. Y. CURTIN u. P. I. POLLAK, Am. Soc. **73**, 992 (1951).
6 P. I. POLLAK u. D. Y. CURTIN, Am. Soc. **72**, 961 (1950).
7 A. McKENZIE u. A. D. WOOD, B. **71**, 358 (1938).
8 A. McKENZIE et al., B. **63**, 904 (1930).
9 A. McKENZIE u. A. K. MILLS, B. **62**, 1784 (1929).
10 A. McKENZIE u. W. S. DENNLER, Soc. **125**, 2105 (1924).

D-1-Oxo-1,2-diphenyl-propan:

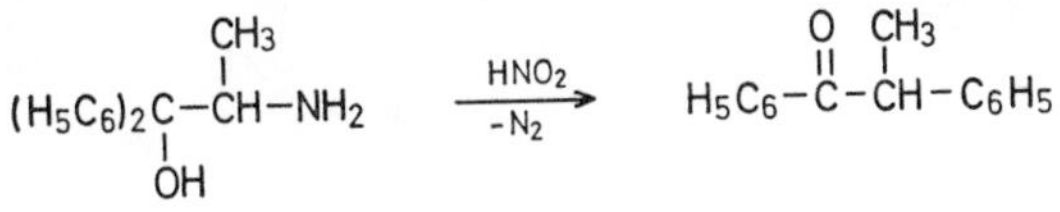

$$(H_5C_6)_2C-CH-NH_2 \xrightarrow[-N_2]{HNO_2} H_5C_6-\overset{\overset{\displaystyle O}{\|}}{C}-\overset{\overset{\displaystyle CH_3}{|}}{CH}-C_6H_5$$
$$\underset{\displaystyle OH}{|}$$

Eine Lösung von 2 g Natriumnitrit in 10 g Wasser wird bei 0° in 45 Min. tropfenweise zu 2,2 g L-2-Amino-1-hydroxy-1,1-diphenyl-propan in 75 ml 25%-iger Essigsäure gefügt. Man hält 5 Stdn. bei 0°, wobei das sich zunächst abscheidende Öl kristallisiert; Ausbeute: 1,9 g (93% d. Th.). Nach 5maligem Umkristallisieren aus Äthanol/Wasser erhält man 0,9 g optisch reines Keton F: 34—35°.

Behandelt man I mit salpetriger Säure, so bleibt die Reaktion eigenartigerweise auf der Stufe des Nitrosamins stehen[1]:

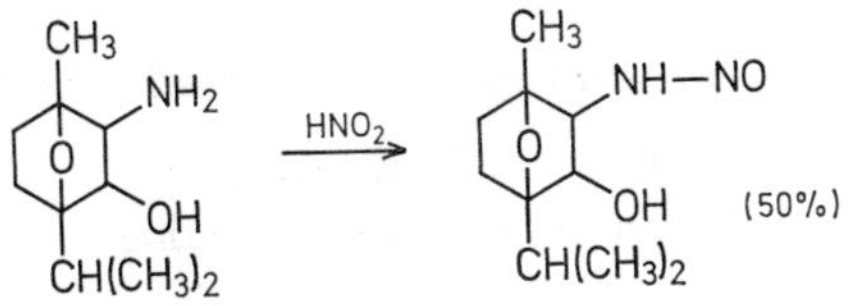

ξ) Ketone aus sek.-tert.-α-Halogen-alkoholen

ξ_1) *durch Einwirkung von Silbernitrat*

Die Herstellung von Ketonen durch Anlagerung von unterjodiger Säure (JOH) an trisubstituierte Olefine und anschließende Behandlung mit Silbernitrat[2] ist präparativ von geringer Bedeutung, da dieselben Ketone eleganter aus den entsprechenden α-Amino-alkoholen oder auch in vielen Fällen aus den (allerdings nicht entsprechend aufgebauten) Glykolen oder Epoxiden erhalten werden können:

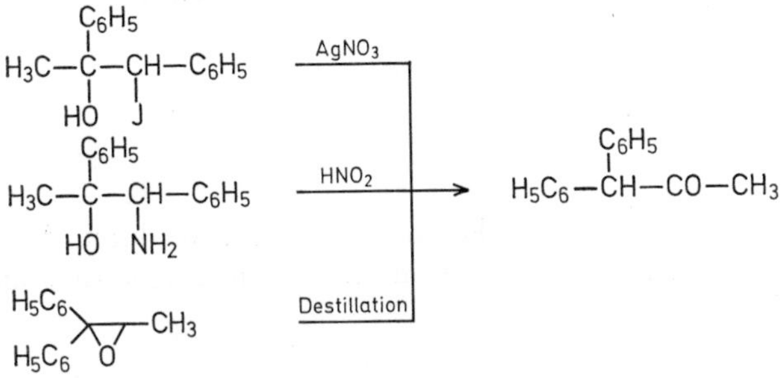

4-Oxo-3-phenyl-hexen-(1) (IV, S. 996) wurde aus 4-Jod-3-hydroxy-3-äthyl-4-phenyl-buten-(1) (III) erhalten, während das entsprechende Epoxid I den Aldehyd II liefert[3-5]:

[1] A. S. Danilova, Ž. org. Chim. **1**, 1754 (1965); C. A. **64**, 3603 (1966).
[2] M. Tiffeneau, J. Lévy u. R. Pernot, Bl. [4] **49**, 1721, 1738, 1806 (1931); [4] **33**, 759 (1926). M. Tiffeneau, J. Lévy u. A. Orekhoff, C. r. **172**, 387 (1921); **176**, 312 (1923).
[3] Y. Deux, C. r. **208**, 1090 (1939).
[4] Y. Deux, C. r. **216**, 776 (1943).
[5] Y. Deux, C. r. **213**, 209 (1941).

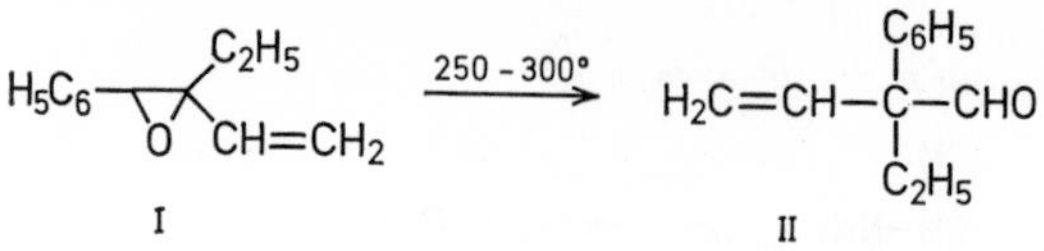

Auch α-Brom-alkohole sind mit Silbernitrat umgelagert worden[1]. In manchen Fällen führt auch die Jodwasserstoff-Abspaltung mit Kaliumcarbonat in Äther zum Ziel[2].

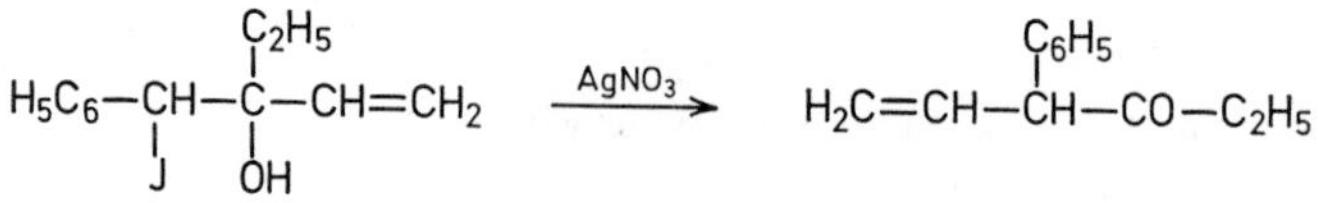

ξ₂) *Durch Einwirknng von Grignard-Verbindungen*

α-Chlor-alkohole lassen sich durch Einwirkung von Grignard-Verbindungen und anschließendes Erhitzen unter Magnesiumdihalogenid-Abspaltung in Ketone umlagern[3].

Da α-Halogen-alkohole mit tert. Hydroxy-Gruppe meist aus α-Chlor-ketonen durch Grignardreaktion hergestellt werden, wird zweckmäßigerweise der α-Chlor-alkohol gar nicht isoliert, sondern die anfallende Magnesium-Verbindung direkt durch Erhitzen zersetzt. Bezüglich des Ausgangsketons hat also formal einfach ein Austausch des Halogenatoms durch den Alkyl-Rest der Grignard-Verbindung stattgefunden[4]:

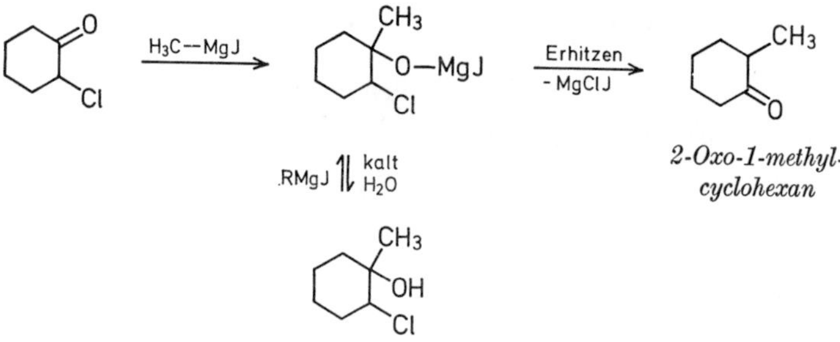

2-Oxo-1-methyl-cyclohexan

Dagegen liefert 1-Chlor-2-hydroxy-1-methyl-cyclohexan, welches man durch Addition von unterchloriger Säure an 1-Methyl-cyclohexen erhält, mit Grignardverbindungen *Acetyl-cyclopentan*[4-6]:

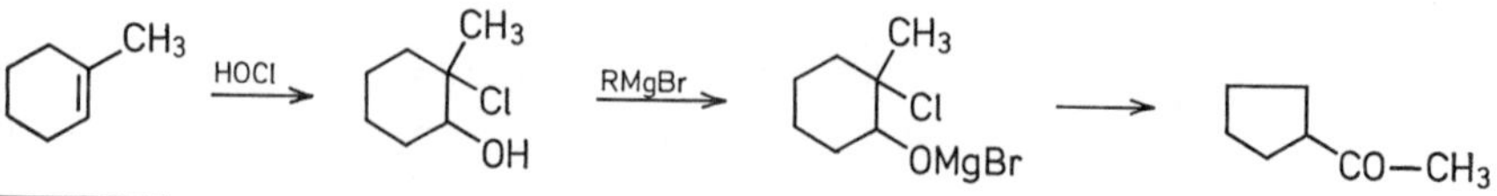

---

[1] D. Y. Curtin u. E. K. Meislich, Am. Soc. **74**, 5905 (1952).
[2] M. Tiffeneau u. J. Lévy, Bl. [4] **39**, 763 (1926).
[3] M. Tiffeneau, Bl. [5] **12**, 621 (1945).
[4] M. Tiffeneau u. B. Tchoubar, C. r. **198**, 941 (1934).
[5] M. Tiffeneau, E. Ditz u. B. Tchoubar, C. r. **198**, 1039 (1934).
[6] M. Tiffeneau u. B. Tchoubar, C. r. **199**, 360 (1934).

Analog erhält man *2-Oxo-1-phenyl-propan* aus α-Chlor-aceton und Phenyl-magnesiumbromid[1] bzw. aus ω-Chlor-acetophenon und Methyl-magnesiumbromid[2].

Meist laufen beide Reaktionstypen nebeneinander ab und man erhält Keton-Gemische; so entstehen z. B. bei der Umsetzung von 2-Chlor-1-hydroxy-1,4-dimethyl-cyclohexan mit Äthyl-magnesiumbromid die Ketone *4-Oxo-1,3-dimethyl-cyclohexan* und *3-Methyl-1-acetyl-cyclopentan* nebeneinander[1,3].

Sowohl die Silbernitrat- als auch die Grignard-Methode verlaufen bei Anwesenheit mehrerer raumerfüllender Substituenten völlig stereospezifisch unter Inversion und führen, auf denselben α-Brom-alkohol angewandt zu verschiedenen Produkten[4]:

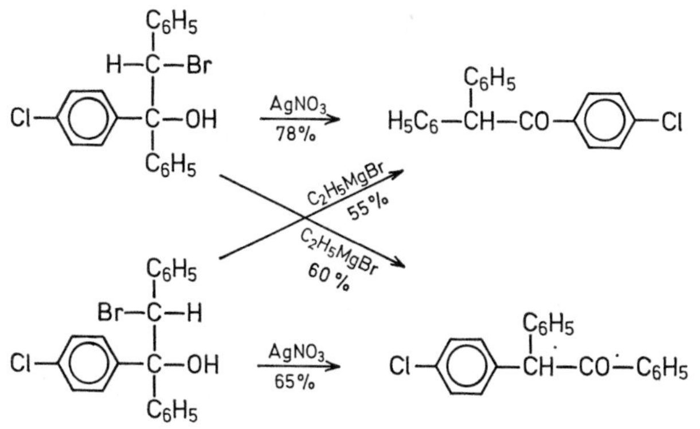

1-Oxo-2,2-diphenyl-1-(4-chlor-phenyl)-äthan; D,L-*threo*-Form

2-Oxo-1,2-diphenyl-1-(4-chlor-phenyl)-äthan

1-Oxo-2,2-diphenyl-1-(4-chlor-phenyl)-äthan[4]:

Silbernitrat-Methode: 0,28 g (0,72 mMol) *d,l-erythro*-2-Brom-1-hydroxy-1,2-diphenyl-1-(4-chlor-phenyl)-äthan werden mit 0,12 g (0,72 mMol) Silbernitrat in 10 *ml* Äthanol vermischt. Sofort fällt ein Niederschlag von Silberbromid aus. Man schüttelt 15 Min. und filtriert. Das Filtrat wird eingeengt; Ausbeute: 0,18 g (78% d. Th.); F: 108,8–110° (feine Nadeln).

2-Oxo-1,2-diphenyl-1-(4-chlor-phenyl)-äthan[4]:

Grignard-Methode: 0,25 g (0,64 mMol) *d,l-erythro*-2-Brom-1-hydroxy-1,2-diphenyl-1-(4-chlor-phenyl)-äthan in wenig Benzol werden zu einer Äthyl-magnesiumbromid-Lösung [hergestellt aus 0,04 g (0,002 g-Atom) Magnesium und 0,20 g (1,8 mMol) Äthylbromid in Äther] gegeben. Die Mischung wird 15 Min. am Rückfluß gekocht, mit 25 *ml* Benzol verdünnt und der Äther abdestilliert, bis 78° erreicht werden. Die erhaltene Lösung wird weitere 30 Min. am Rückfluß gekocht und nach Erkalten in 30 *ml* Wasser gegossen. Die Extraktion der Neutralfraktion liefert 0,12 g (61% d. Th.); F: 98,7–101,5°.

Im Übergangszustand der Umlagerung stehen demnach die beiden nicht wandernden Aryl-Reste in *trans*-Stellung zueinander.

cis-2-Chlor-1-hydroxy-1-methyl-cyclohexan liefert unter Wanderung des bei Inversion unmittelbar benachbarten Alkyl-Rests 2-Oxo-1-alkyl-cyclohexan, während bei der *trans*-Verbindung der Alkyl-Rest entfernt ist und der Ring „wandert" unter Entstehung von *Acetyl-cyclopentan*[5].

---

[1] M. TIFFENEAU u. B. TSCHOUBAR, C. r. **198**, 941 (1934).
[2] M. TIFFENEAU, C. r. **137**, 989 (1903); C. **1904** I, 274.
[3] M. TIFFENEAU, E. DITZ u. B. TSCHOUBAR, C. r. **198**, 1039 (1934).
[4] D. Y. CURTIN u. E. K. MEISLICH, Am. Soc. **74**, 5905 (1952).
[5] M. TIFFENEAU, B. TCHOUBAR u. S. LE TELLIER, C. r. **216**, 856 (1943).

Entsprechend erhält man aus *cis*-2-Chlor-1-hydroxy-1-methyl-indan mit Methyl-magnesiumbromid *1-Oxo-2-methyl-indan*, während die *trans*-Verbindung nur sehr schlecht reagiert, da eine Ringverengung zum 4-Ring führen würde[1].

Dagegen liefern *cis*- und *trans*-2-Chlor-1-hydroxy-1-phenyl-cyclohexan ausschließlich unter Wanderung des Phenyl-Rests *2-Oxo-1-phenyl-cyclohexan*[2].

Ketone aus α-Halogen-alkoholen und Grignard-Verbindungen; allgemeine Herstellungsvorschrift: Man fügt zur auf 0° abgekühlten Äther-Lösung der Grignard-Verbindung bei 0° die Äther-Lösung des α-Chlor-alkohols, kocht 30 Min. am Rückfluß, destilliert den Äther ab und erhitzt den Rückstand 1–6 Stdn. bei 60–100°. Anschließend wird mit Wasser versetzt und aufgearbeitet.

ξ₃) *durch andere Mittel*

Auch durch heiße Natronlauge sind α-Chlor-alkohole zu Ketonen umgelagert worden (z. B. *Acetyl-cyclopentan* aus 2-Chlor-1-hydroxy-1-methyl-cyclohexan), doch wird die Ausbeute durch Epoxid-Bildung und zwangsläufige Entstehung von Keton-Kondensationsprodukten beeinträchtigt[3]. Aus 2-Chlor-3-hydroxy-2-phenyl-1,1-dimethyl-cyclohexan wird beim Kochen mit einer Lösung von Kaliumhydroxid in Isopropanol *3-Oxo-2-phenyl-1,1-dimethyl-cyclohexan* (80% d. Th.) erhalten[4].

Vorteilhafter wird aus α-Chlor-äthern durch äthanolische Kalilauge unter Halogen-wasserstoff-Abspaltung der Enoläther hergestellt und dieser durch Säure zum Keton umgelagert[5]:

2-Oxo-1-(4-methoxy-phenyl)-propan

Ketone werden auch beim Überleiten von α-Halogen-alkoholen zusammen mit Wasserdampf bei 350–600° über Katalysatoren (Calciumcarbonat, Silicagel, Magnesiumoxid[6], Fullererde, Aktivkohle) erhalten[7].

1-Brom-2-hydroxy-propan gibt 41–77% d. Th. *Aceton* neben 5–16% d. Th. Propionaldehyd[7,8]. 3-Chlor-2-hydroxy-butan geht beim Kochen mit Wasser unter Druck fast quantitativ in *Butanon* über[9].

---

[1] T. A. GEISSMAN u. R. I. AKAWIE, Am. Soc. **73**, 1993 (1951).

[2] M. TIFFENEAU, B. TCHOUBAR u. S. LE TELLIER, C. r. **217**, 588 (1943).

[3] P. D. BARTLETT u. R. H. ROSENWALD, Am. Soc. **56**, 1990 (1934).

[4] A. BALSAMO, P. CROTTI, B. MACCHIA u. F. MACCHIA, Tetrahedron **29**, 199 (1973).

[5] M. DAUFRESNE, Bl. [4] **3**, 327 (1908).

[6] Calciumchlorid, Kaolin, Bimsstein, Diatomeenerde.

[7] US. P. 2208557 (1938), Dow Chem. Co., Erf.: J. L. AMOS u. G. W. HOOKER; C. A. **35**, 135 (1941).

[8] A. LIEBEN, M. **23**, 60 (1902).

[9] K. A. KRASSUSKI, Ж. **34**, 287 (1902); C. **1902** II, 19.

2-Chlor-1-hydroxy-4-methyl-1-isopropyl-cyclohexan gibt beim Erhitzen mit Alkoholen auf 120–200° *2-Oxo-4-methyl-1-isopropyl-cyclohexan (p-Menthon)*[1]:

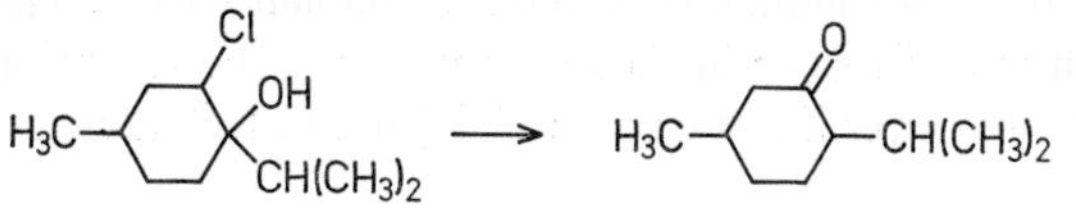

2-Oxo-4-methyl-1-isopropyl-cyclohexan (p-Menthon)[1]: 10 g 2-Chlor-1-hydroxy-4-methyl-1-isopropyl-cyclohexan werden mit 10 g Propanol 7 Stdn. im Bombenrohr auf 200° erhitzt. Das Reaktionsprodukt wird mit verd. Natriumcarbonat-Lösung ausgewaschen, in Äther aufgenommen und die ätherische Phase wie üblich aufgearbeitet; Ausbeute: 5 g (76% d.Th.); Kp: 95–115°.

Bei Verwendung von 2-Hydroxy-4-methyl-1-isopropyl-cyclohexan als Reaktionsmedium erreicht die Ausbeute 85% der Theorie.

Bei der Halogenierung $α,β$-ungesättigter tertiärer Carbinole durch Brom, Dichloramin T oder tert.-Butylhypochlorit in Methanol bei 0–5° oder in Dichlormethan bzw. Nitromethan bei 30–40° entstehen **Monohalogen-ketone**[2-6], deren Bildung durch eine **Pinakolin-Umlagerung** des primär auftretenden Carbonium-Kations erklärt werden kann; z.B.:

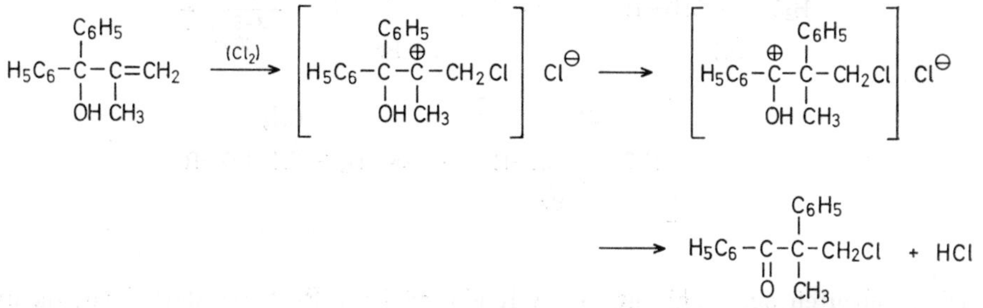

Die Ausbeuten sind stark von der Wahl des Lösungsmittels abhängig. In Tetrachlormethan tritt vorzugsweise Chlorierung ohne Umlagerung ein[6].

3-Chlor-1-oxo-2-methyl-1,2-diphenyl-propan (I)[2]: Zu 30 g 3-Hydroxy-2-methyl-3,3-diphenyl-propen-(1) in 50 *ml* Methanol werden tropfenweise 32,5 g frisch destilliertes tert.-Butylhypochlorit zugegeben. Negativer Ausfall des Tests auf aktives Chlor zeigt das Ende der Reaktion an. Man gießt in Wasser, extrahiert mit Chloroform und arbeitet auf; Ausbeute: 34,5 g (80% d.Th.); Kp_3: 175–179°.

Analog erhält man:

1-Brom-3-oxo-2-phenyl-butan	~50% d.Th.
3-Chlor-1-oxo-2-methyl-1,2-diphenyl-propan	50% d.Th.
1-Chor-3-oxo-2,2-dimethyl-butan	80% d.Th.
4-Oxo-3-methyl-3-chlormethyl-hexan	90% d.Th.
3-Oxo-4-methyl-4-chlormethyl-octan	90% d.Th.
4-Chlor-2-oxo-3-phenyl-butan	96% d.Th.
1-Chlor-3-oxo-2-methyl-2-(4-chlor-phenyl)-butan	96% d.Th.
2-Oxo-1-chlormethyl-cyclohexan	98% d.Th.
2-Oxo-cycloheptan-⟨1-spiro-1⟩-2-chlor-cyclohexan	25% d.Th.

[1] A. Kötz u. G. Busch, J. pr. [2] **119**, 1 (1928).

[2] I. V. Bodrikov, V. R. Kartašov u. T. I. Temnikova, Ž. org. Chim. **3**, 669 (1967); C. A. **67**, 43500 (1967).

[3] V. R. Kartašov u. I. V. Bodrikov, Ž. org. Chim. **3**, 775 (1967); C. A. **67**, 43162 (1967).

[4] V. R. Kartašov u. I. V. Bodrikov, Ž. org. Chim. **2**, 1120 (1966); C. A. **65**, 15218 (1966).

[5] V. R. Kartašov et al., Ž. org. Chim. **7**, 1574 (1971); engl.: 1634.

[6] V. R. Kartašov et al., Ž. org. Chim. **7**, 1578 (1971); engl.: 1638.

η) Ketone aus α-Dihalogeniden

α-Dibromide die aus Olefinen oder tert. Alkoholen leicht zugänglich sind, lassen sich durch Kochen mit Wasser in Ketone umlagern. Die Reaktion kann gegebenenfalls unter Druck und unter Zusatz von Blei(II)-oxid als Säureacceptor durchgeführt werden[1-4]:

$$
\underset{\underset{Br\ Br}{|\ \ |}}{\overset{\overset{CH_3}{|}}{H_3C-C-CH-C_2H_5}} \xrightarrow[140°]{H_2O\ /\ PbO} \underset{}{\overset{\overset{CH_3}{|}}{H_3C-CH-CO-C_2H_5}}
$$

3-Oxo-2-methyl-pentan

Die beste Ausbeute wird bei der Herstellung von *3-Oxo-2-methyl-butan* aus 2-Hydroxy-2-methyl-butan erreicht[5]:

$$
\underset{\underset{OH}{|}}{\overset{\overset{CH_3}{|}}{H_3C-C-CH_2-R}} \xrightarrow{Br_2} \underset{\underset{Br\ Br}{|\ \ |}}{\overset{\overset{CH_3}{|}}{H_3C-C-CH-R}} \xrightarrow[\substack{3-5\ Stdn.\\100°}]{H_2O}
$$

$$
\left[\underset{\underset{Br}{|}}{\overset{\overset{CH_3}{|}}{H_3C-\overset{\oplus}{C}-CH-R}} \right] \longrightarrow \underset{}{\overset{\overset{CH_3}{|}}{H_3C-CH-CO-R}}
$$

Die Ausbeuten sind schlecht, wenn R ein größerer Rest als Methyl ist, da die konkurrierende Abspaltung von Bromwasserstoff zu Olefinen und Diolefinen dann überwiegt[6].

Bei niederer Temperatur und Anwesenheit von überschüssigem Blei(II)-oxid bleibt die Reaktion tert.-α-Dibromide auf der Glykol-Stufe stehen (z. B. 2,3-Dihydroxy-2,3-dimethyl-butan aus 2,3-Dibrom-2,3-dimethyl-butan neben wenig *3-Oxo-2,2-dimethyl-butan (Pinakolon)*[7].

ϑ) aus Epoxiden mit α-Heteroatomen

ϑ₁) *Umlagerung von Alkoxy-oxiranen*

Alkoxy-substituierte Oxirane sind recht stabile Verbindungen. Die Umlagerung erfordert Lewis-Säuren wie Magnesiumbromid oder Bortrifluorid und führt unter Ringöffnung am elektronenreichen Äther-Kohlenstoffatom stets zu Ketonen[8].

[1] A. ELTEKOW, Ж 10, 210 (1875); B. 11, 989 (1878); C. 1878, 516.
[2] W. IPATIEW, J. pr. [2] 53, 257 (1896).
[3] W. IPATIEW, Ж 27, 359 (1895); B. 29, (R) 90 (1896).
[4] W. FROEBE u. A. HOCHSTETTER, M. 23, 1075 (1902).
[5] F. C. WHITMORE, W. L. EVERS u. H. S. ROTHROCK, Org. Synth. Coll. Vol. II, 408.
[6] W. L. EVERS et al., Am. Soc. 55, 1136 (1933); Org. Synth. Coll. Vol. II, 408.
[7] K. A. KRASSUSKI, Ж 33, 791 (1902); C. 1902 I, 628.
[8] A. KIRRMANN, P. DUHAMEL u. R. NOURI-BIMORGHI, A. 691, 33 (1966).

Tab. 141. α-Methoxy-ketone aus Methoxy-oxiranen mittels Magnesiumbromid-Diäthylätherat

Methoxy-oxiran	α-Methoxy-keton	Ausbeute [% d.Th.]	F [°C]	Literatur
(Oxiran aus H_5C_6, CH_3; H_3CO)	1-Methoxy-2-oxo-1-phenyl-propan ($H_5C_6-CH-CO-CH_3$, OCH_3)	80	—	1
(Oxiran aus H_5C_6, C_6H_5; H_3CO)	1-Methoxy-2-oxo-1,2-diphenyl-äthan ($H_5C_6-CH-CO-C_6H_5$, OCH_3)	52 31	47–48	1 2
(Oxiran aus H_5C_6, C_6H_5; H_3CO, C_6H_5)	1-Methoxy-2-oxo-1,1,2-triphenyl-äthan ($\begin{smallmatrix}C_6H_5\\H_5C_6-C-CO-C_6H_5\\OCH_3\end{smallmatrix}$)	68 80*	90–92	1 3
(Oxiran aus biphenylyl, $OCH_3\,CH_3$; H_5C_6)	2-Methoxy-3-oxo-2-biphenylyl-(4)-butan ($\begin{smallmatrix}CH_3\\C-CO-CH_3\\OCH_3\end{smallmatrix}$ 4-biphenylyl)	86	43–44	1
(Cycloheptan-oxiran, H_5C_6, H_3CO)	1-Methoxy-2-oxo-1-phenyl-cyclo-heptan (H_5C_6, H_3CO, =O)	72	33–34	1
(Oxiran aus biphenylyl, $OCH_3\,C_2H_5$; H_5C_6)	3-Methoxy-2-oxo-3-biphenylyl-(4)-pentan ($\begin{smallmatrix}C_2H_5\\C-CO-CH_3\\OCH_3\end{smallmatrix}$ 4-biphenylyl)	84	87	1
(Oxiran aus H_3CO, C_5H_{11})	1-Methoxy-2-oxo-heptan ($H_3CO-CH_2-CO-C_5H_{11}$)	49	(Kp$_{13}$: 58–59°) 79–80 (DNPH)	1
(Oxiran aus H_5C_6, C_2H_5; H_3CO, C_2H_5)	3-Methoxy-4-oxo-3-phenyl-hexan ($\begin{smallmatrix}C_2H_5\\H_5C_6-C-CO-C_2H_5\\OCH_3\end{smallmatrix}$)	91	(Kp$_{0,06}$: 50–52°)	4

* mit trockenem Chlorwasserstoff in Methanol umgelagert. Chlorwasserstoff in Essigsäure liefert in 70% Ausbeute das 1-Acetoxy-2-oxo-1,1,2-triphenyl-äthan[3].

[1] C. L. STEVENS u. S. J. DYKSTRA, Am. Soc. 76, 4402 (1954).
[2] C. L. STEVENS, M. L. WEINER u. R. C. FREEMAN, Am. Soc. 75, 3977 (1953).
[3] C. L. STEVENS u. J. J. DE YOUNG, Am. Soc. 76, 718 (1954).
[4] C. L. STEVENS, R. D. ELLIOTT u. B. L. WINCH, Am. Soc. 85, 1464 (1963).

1-Methoxy-2-oxo-1-phenyl-cycloheptan[1]: 20,3 g (0,11 Mol) wasserfreies Magnesiumbromid (aus 1,2-Dibrom-äthan und Magnesium in wasserfreiem Äther hergestellt) wird mit 400 *ml* Dibutyläther zum Sieden erhitzt. Unter Rühren werden 24,2 g (0,11 Mol) Cyclohexan-⟨spiro-2⟩-3-methoxy-3-phenyl-oxiran in 200 *ml* Dibutyläther gelöst tropfenweise zugegeben. Es wird 7 Stdn. am Rückfluß gekocht und auf 100° abgekühlt. Durch Zugabe von 26 *ml* 1,4-Dioxan wird das Magnesiumbromid gefällt und die Mischung noch 12 Stdn. bei 100° gerührt. Anschließend wird der 1,4-Dioxan-Komplex abzentrifugiert. Nach Abdestillieren des Dibutyläthers wird der Rückstand in Methanol aufgenommen und mit A-Kohle behandelt und fraktioniert; Ausbeute: 72% d. Th.; $Kp_{0,9}$: 119–121°; F: 33–34° (aus Pentan).

3-Methoxy-3-phenyl-oxiran-⟨2-spiro-2⟩-bicyclo[2.2.1]heptan läßt sich mit verd. wäßr. Salzsäure in Methanol bei Raumtemperatur oder durch Spaltung mit Methylamin bei Raumtemperatur zum *2-Hydroxy-2-benzoyl-bicyclo[2.2.1]heptan* umsetzen. Auch 2-Acyloxy-oxirane sind der Reaktion zugänglich[2]:

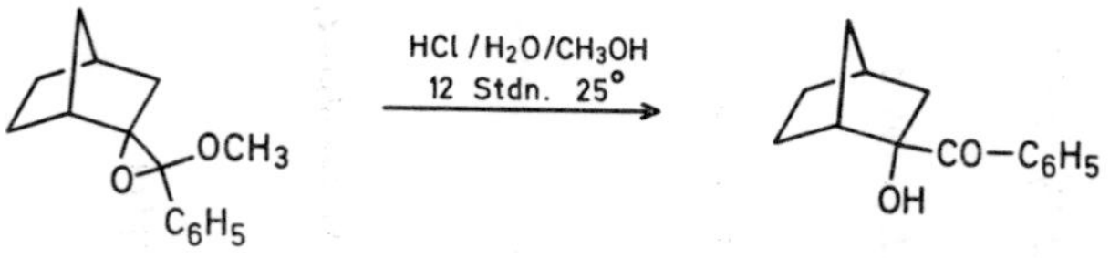

endo-2-Hydroxy-exo-2-benzoyl-bicyclo[2.2.1]heptan; 71% d. Th.

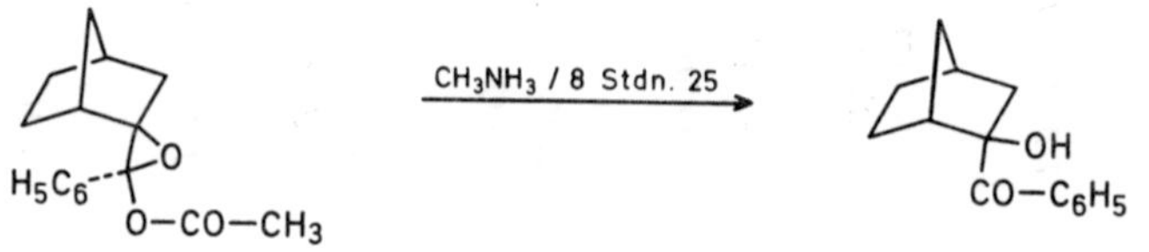

exo-2-Hydroxy-endo-2-benzoyl-bicyclo [2.2.1]heptan; 74% d. Th.

Auch freie Hydroxy-oxirane können mit verd. äthanolischer Schwefelsäure zu α-Hydroxy-ketonen umgelagert werden[3,4]:

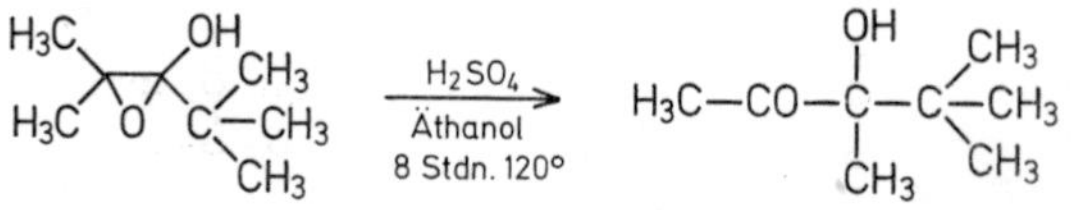

3-Hydroxy-4-oxo-2,2,3-trimethyl-pentan

Die Reaktion kann auch in Diäthyläther durchgeführt werden, wobei der Methoxy-oxiran-Magnesiumbromid-Komplex ausfällt.

Beim Erhitzen von Cyclohexan-⟨spiro-2⟩-3-aziridino-3-phenyl-oxiran in 1,2-Dichlor-benzol erhält man *1-Aziridino-2-oxo-1-phenyl-cycloheptan* (35–38% d. Th.)[5]:

[1] C. L. Stevens u. S. J. Dykstra, Am. Soc. **76**, 4402 (1954).
[2] C. L. Stevens, T. A. Treat u. P. M. Pillai, J. Org. Chem. **37**, 2091 (1972).
[3] A. I. Oumnoff, Bl. [4] **43**, 568, 571 (1928).
[4] A. Faworsky, Bl. [4] **39**, 216 (1926).
[5] C. L. Stevens u. P. M. Pillai, Am. Soc. **89**, 3084 (1967).

ϑ_2) Umlagerung von Chlor-oxiranen

Chlor-oxirane sind meist sehr empfindliche Verbindungen, die nicht bei Normal-druck destilliert werden können. Phenyl-substituierte Verbindungen sind besonders instabil. Sie werden häufig schon bei Raumtemperatur, meist zwischen 50 und 140° unter Chlor-Wanderung in die isomeren a-Chlor-ketone umgelagert. Die Reaktion ist stark exotherm (Vorsicht! **Explosionsgefahr!**). Am stabilsten sind mit ali-phatischen Resten 1,2-disubstituierte Chlor-oxirane.

Chlor-oxirane mit Benzyl-Struktur können auch durch Pyridin unter Chlor-Wande-rung isomerisieren.

Andererseits sind Lewis-Säuren, wie Bortrifluorid, Magnesiumbromid, Aluminium-chlorid sehr wirksame Umlagerungskatalysatoren, wobei jedoch ein Wasserstoff-atom als Proton wandert.

Eine Isomerisierung der Chlor-oxirane tritt häufig schon bei Einwirkung geringster Wasserspuren infolge Chlorwasserstoff-Bildung ein.

Gibt man zu 2 Mol einer Magnesiumbromid-Diäthylätherat-Lösung vorsichtig 1 Mol 1-Chlor-1,2-epoxi-cyclohexan so erhält man nach der Aufarbeitung *2-Brom-1-oxo-cyclohexan*. Eine Reihe von Chlor-oxiranen lagert bereits bei Raumtemperatur spontan um.

4-Chlor-3,4-epoxi-*cis*- und 4-Chlor-3,4-epoxi-*trans*-1-methyl-cyclohexan führt zu-nächst ausschließlich zum *trans-3-Chlor-4-oxo-1-methyl-cyclohexan*, das sich, durch Spuren Chlorwasserstoff katalysiert, zur *cis*-Form umlagert[1].

ϑ_3) aus Acetoxy-oxiranen

Acetoxy-oxirane, die man durch Epoxidierung von Vinylestern erhält, lagern sich thermisch leicht um, wobei Acetoxy-aldehyde entstehen[2]:

$$R\overset{}{\triangle}O-CO-CH_3 \longrightarrow R-\underset{\underset{O-CO-CH_3}{|}}{CH}-CHO$$

1-Acetoxy-1,2-epoxy-cyclohexan lagert sich bereits bei der Aufarbeitung des Epoxids aus dem sauren Oxidationsgemisch um. Die reine Verbindung geht bei 110° in 2 Stdn., bei Raumtemperatur in 34 Tagen in *2-Acetoxy-1-oxo-cyclohexan* über[3].

ι) Perfluor-ketone aus Perfluor-oxiranen

Trifluor-trifluormethyl-oxiran lagert sich unter dem Einfluß von Katalysatoren wie Aluminiumoxid, Eisen(III)-chlorid, Aluminiumchlorid in Schwefel(VI)-oxid, Vanadinoxitrichlorid, Eisenpentacarbonyl, Wolfram(IV)-oxid in *Hexafluor-aceton* um. Die Ausbeute steigt auf 83% an, wenn die Reaktion in *Hexafluor-aceton* oder Hexafluor-propen durchgeführt wird. Die Umlagerung erfolgt auch beim Leiten von gasförmigem Tetrafluor-oxiran über Aluminiumspäne bei 100–200°.

---

[1] R. N. McDonald u. T. E. Tabor, Chem. Commun. **1966**, 655.
[2] A. Kirrmann, P. Duhamel u. R. Nouri-Bimorghi, A. **691**, 33 (1966).
[3] H. J. Shine u. G. E. Hunt, Am. Soc. **80**, 2434 (1958).

Tab. 142. α-Chlor-ketone aus Chlor-oxiranen

Chlor-oxiran	Reaktionsbedingungen	α-Chlor-keton	Ausbeute [% d.Th.]	Literatur
H_5C_6 (Cl, O) **(Explosionsgefahr!)**	30° / 100°	} ω-Chlor-acetophenon	61	1,2
	130°	Chlor-phenyl-acetaldehyd		1,2
H_5C_6—CH_3 (Cl, O)	140°	2-Chlor-1-oxo-1-phenyl-propan + 1-Chlor-2-oxo-1-phenyl-propan	80	1,2
	BF$_3$-Ätherat AlCl$_3$/Cyclohexan	1-Chlor-2-oxo-1-phenyl-propan	35	
H_5C_6—C_6H_5 (Cl, O)	90°	2-Chlor-1-oxo-1,2-diphenyl-äthan		1,2
H_3C—C_6H_5 (Cl, O)	—15°	1-Chlor-2-oxo-1-phenyl-propan	60	2
$H_{11}C_5$—CH_3 (Cl, O)	180° BF$_3$-Ätherat AlCl$_3$/Cyclohexan	2-Chlor-3-oxo-octan 3-Chlor-2-oxo-octan	80	2
H_5C_6, CH_3 (Cl, O, CH_3)	50°	2-Chlor-1-oxo-2-methyl-1-phenyl-propan + 3-Oxo-2-methyl-3-phenyl-propen-(1)		2
H_3C, CH_3 (Cl, O, C_6H_5) **(Explosionsgefahr!)**	60°	2-Chlor-3-oxo-2-phenyl-butan		2
	260 Stdn. 51° 5 Torr	exo-3-Chlor-2-oxo-bicyclo [2.2.1]heptan + exo-2-Chlor-7-oxo-bicyclo [2.2.1]heptan	22,5 21	3
cis-trans-Gemisch	Raumtemp. / ZnCl$_2$/80°	} 3-Chlor-4-oxo-1-methyl-cyclo-hexan (trans) (cis-trans-Gemisch)	30,5 trans 47 cis	4
	24 Stdn. 100°	3-Chlor-2-oxo-bicyclo[2.2.2] octan	90	5

[1] A. KIRRMANN, P. DUHAMEL u. R. NOURI-BIMORGHI, A. **691**, 33 (1966).
[2] A. KIRRMANN u. R. NOURI-BIMORGHI, Bl. **1968**, 3213.
[3] R. N. McDONALD u. T. E. TABOR, J. Org. Chem. **33**, 2934 (1968).
[4] R. N. McDONALD u. T. E. TABOR, Am. Soc. **89**, 6573 (1967).
[5] R. N. McDONALD u. R. N. STEPPEL, J. Org. Chem. **35**, 1250 (1970).

Bei Verwendung anderer Katalysatoren (Natriumcarbonat, Kaliumhydrogen-fluorid, N,N-Dimethyl-anilin, Dimethylformamid, Triäthylamin) entsteht dagegen Pentafluor-propansäure-fluorid[1]:

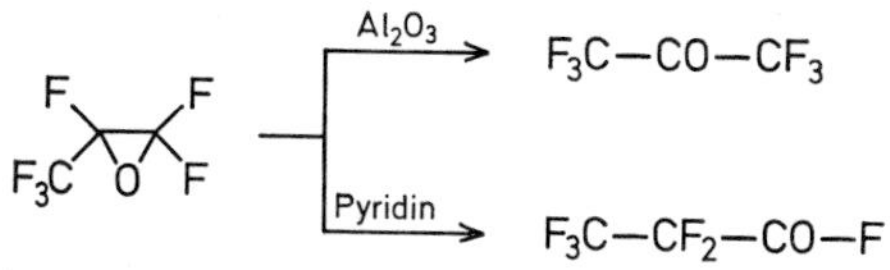

Beim Erhitzen von Decafluor-1,2-epoxi-cyclohexan in Gegenwart von Caesium-fluorid auf 250° wird in 50%iger Ausbeute *Decafluor-cyclohexanon* erhalten. Entsprechend gibt Octafluor-1,2-epoxi-cyclopentan bei 300° und 500 at das *Octafluor-cyclopentanon* (75% d. Th.)[2].

ϰ) Umlagerung von Oxiranen durch Einwirkung von Radikalen

Oxirane können auch durch Einwirkung von Radikalen in Ketone umgelagert werden. So geht 1,2-Epoxy-cyclohexan beim Erhitzen mit Di-tert.-butylperoxid auf 150° in *Cyclohexanon* (32% d. Th.) über[3]. *cis*-2,3-Diphenyl-oxiran gibt *1,4-Dioxo-1,2,3,4-tetraphenyl-butan* (57% d. Th.)[4]. Das primärgebildete Oxiranyl-Radikal lagert sich in ein Keton-Radikal um, welches dimerisiert. Auch Oxetan, Tetrahydrofuran, Tetrahydropyran, Morpholin können so Keton-Radikale bilden, die sich z.B. an Olefine addieren[5-8].

λ) 1,2- und 1,3-Diketone durch Umlagerung von Acyl-oxiranen[9]

λ₁) durch Säuren oder Alkalien

Die durch Oxidation von α,β-ungesättigten Ketonen mit alkalischem Wasserstoffperoxid leicht zugänglichen α-Acyl-oxirane werden beim trockenen Erhitzen, besser unter dem Einfluß von Säuren oder Alkalien zu 1,2-Diketonen umgelagert. Daneben wurde auch die Bildung von 1,3-Diketonen beobachtet. Diese entstehen vor allem unter der Einwirkung von ultraviolettem Licht[10].

So liefert 3-(4-Nitro-phenyl)-2-benzoyl-oxiran beim Erhitzen im Vakuum oder mit Chlorwasserstoff in Eisessig oder Tetrachlormethan *2,3-Dioxo-3-phenyl-1-(4-*

---

[1] Fr.P. 1416013 (1964) ≡ Brit.P. 1019788 (1964), DuPont, Erf.: E. P. Moore u. A. S. Milian; C. A. **64**, 6502 15745 (1966).
[2] DBP. 1468775 (1964); US. P. 3321515 (1963), Du Pont, Erf.: E. P. Moore u. A. S. Milian, C. A. **67**, 116581 (1967).
D. P. Carlson et al., Chem. eng. News **49**, 18 (1967).
[3] E. C. Sabatino u. R. J. Gritter, J. Org. Chem. **28**, 3437 (1963).
[4] R. L. Huang u. H. H. Lee, Soc. **1964**, 2500.
[5] T. J. Wallace u. R. J. Gritter, Tetrahedron **19**, 657 (1963).
[6] A. Oku, M. Okano u. R. Oda, Bull. Inst. Chem. Research, Kyoto Univ. **43**, 303 (1965). C. A. **64**, 5027 (1966).
[7] T. J. Wallace u. R. J. Gritter, J. Org. Chem. **27**, 3067 (1962).
[8] T. J. Wallace, R. J. Gritter u. H. G. Walsh, Nature, **198**, 284 (1963).
[9] Unter Mitwirkung von Dr. Er. Müller, Farbf. Bayer, Leverkusen.
[10] S. Bodforss, B. **51**, 214 (1918).

nitro-phenyl)-propan, während UV-Belichtung wenig *1,3-Dioxo-3-phenyl-1 (4-nitro-phenyl)-propan* ergibt[1]:

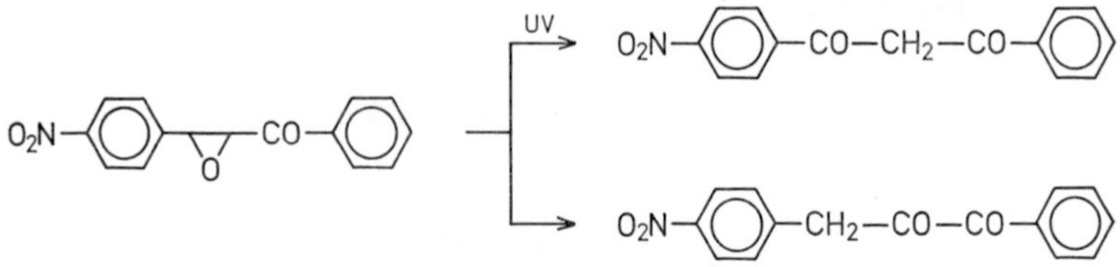

Während die thermische Umlagerung infolge Sauerstoff-Abspaltung nur schlechte Ausbeuten ergibt, verlaufen die **sauer** oder **alkalisch** bewirkten Isomerisierungen **einheitlich**. Wäßrige Natronlauge, alkoholische Kalilauge[2,3], alkoholische Natriummethanolat-Lösung[2], konz. Schwefelsäure[4] sowie Chlorwasserstoff in Tetrachlormethan oder Eisessig[1] sind hierzu verwendet worden.

3-Phenyl-2-benzoyl-oxiran lagert alkalisch zu *1,2-Dioxo-1,3-diphenyl-propan* (I) um, das überwiegend in der Enolform vorliegt[3]:

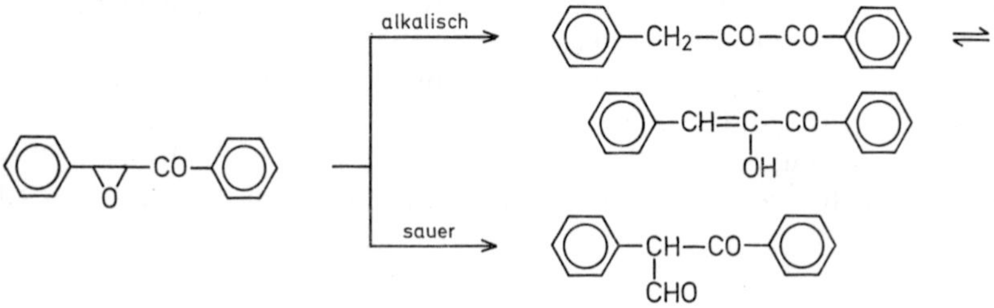

Dagegen führt die Umlagerung in Schwefelsäure/Eisessig mit 60% Ausbeute zu *3-Oxo-2,3-diphenyl-propanal* (II)[5]. Nach anderen Angaben soll bei der Umlagerung in Salzsäure/Eisessig ebenfalls *1,2-Dioxo-1,3-diphenyl-propan* entstehen, das in Abhängigkeit von den Isolierungsbedingungen sowohl als 1,2-Diketon, wie als Enol erhalten werden kann. 3-Phenyl-2-acetyl-oxiran gibt mit Salzsäure in Eisessig *2,3-Dioxo-1-phenyl-butan*[5, s.a. 6]. Analog liefert die durch alkoholische Kalilauge bewirkte Umlagerung des 3-Phenyl-2-(4-methoxy-benzoyl)-oxirans die Enolform des α-Diketons [*2-Hydroxy-3-oxo-3-phenyl-1-(4-methoxy-phenyl)-propen*]. Durch Kochen des Monoxims mit verdünnten Säuren wird daraus das Diketon [*1,2-Dioxo-3-phenyl-1-(4-methoxy-phenyl)-propan*] erhalten[7].

1,2-Dioxo-3-phenyl-1-(4-methoxy-phenyl)-propan[2-Hydroxy-3-oxo-1-phenyl-3-(4-methoxy-phenyl)-propen][7]: 10 g 3-Phenyl-2-(4-methoxy-phenyl)-oxiran werden in 50 *ml* siedendem Äthanol gelöst und mit 4 g Natriumhydroxid in wenig Wasser versetzt. Exotherme Reaktion unter Dunkelrotfärbung. Man läßt 45 Sek. sieden, verdünnt dann mit kaltem Wasser und säuert mit Salzsäure an. Aus der fast farblosen Lösung scheidet sich ein Öl aus, das bald erstarrt; Ausbeute: ~ 100% Enol-Form; F: 98° (aus Äther-Ligroin).

---

[1] S. BODFORSS, B. **51**, 214 (1918).

[2] O. WIDMAN, B. **49**, 2795 (1916); **48**, 477 (1915).

[3] Arbeiten von E. WEITZ et al., Privatmitteilung Er. Müller, Farbf. Bayer, Leverkusen.

[4] J. WISLICENUS, A. **308**, 219 (1899).

[5] E. WEITZ u. A. SCHEFFER, B. **54**, 2344 (1921).

[6] H. MOUREU, C. r. **186**, 380, 503 (1928); A. ch. [10] **14**, 339 (1930).

[7] H. JÖRLÄNDER, B. **50**, 406 (1917).

Das instabile Diketon erhält man als Öl bei kurzem Erwärmen des Monoxims in alkoholischer Lösung mit konz. Salzsäure. Man fällt mit Wasser und schüttelt mit Äther aus.

Bei längerer Alkali-Behandlung erleiden die gebildeten Diketone Benzilsäure-Umlagerung[1].

Im Gegensatz dazu erhält man beim Verseifen des 2,3-Diacetoxy-1-oxo-3-phenyl-1-(4-methoxy-phenyl)-propans mit Alkali oder verd. Schwefelsäure *1-Oxo-2-phenyl-1-(4-methoxy-phenyl)-äthan*, wobei offenbar als Zwischenstufe 3-Oxo-2-phenyl-3-(4-methoxy-phenyl)-propanal auftritt[2]:

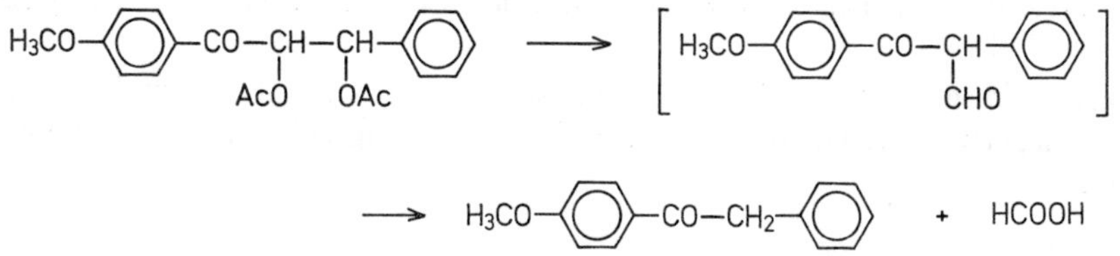

Bei der Umlagerung des 1,2-Epoxy-3-oxo-1-methyl-cyclohexan zum *2-Hydroxy-3-oxo-1-methyl-cyclohexen-(1)* (Enol-form des *2,3-Dioxo-1-methyl-cyclohexans*) mit Eisessig-Salzsäure ist der entsprechende α-Chlor-alkohol als Zwischenstufe faßbar:

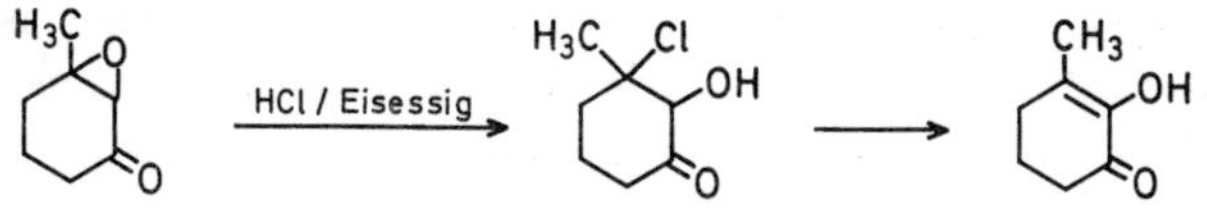

Die Umlagerung aliphatischer Acyl-oxirane verläuft mit weniger guten Ausbeuten; z. B.:

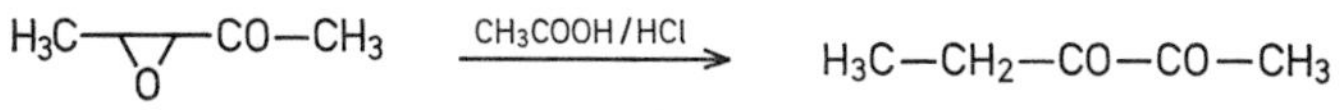

Pentandion-(2,3)

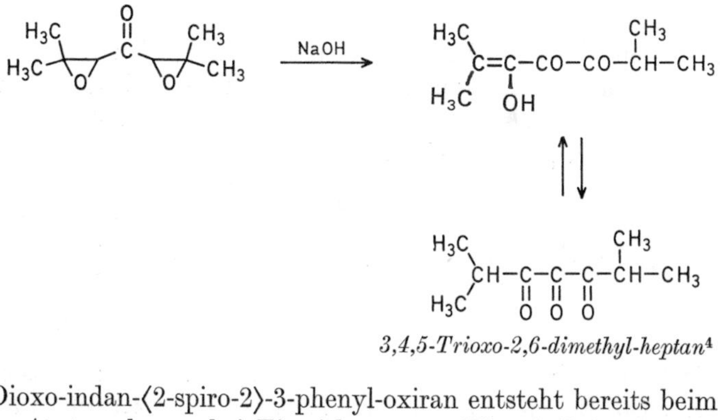

3,4,5-Trioxo-2,6-dimethyl-heptan[4]

Aus 1,3-Dioxo-indan-⟨2-spiro-2⟩-3-phenyl-oxiran entsteht bereits beim Erwärmen in wäßrigem Aceton, besser bei Einwirkung von Eisessig/Salzsäure unter Ringer-

[1] G. R. Treves, H. Stange u. R. A. Olofson, Am. Soc. **89**, 6257 (1967).
   V. N. Yandovskii u. B. A. Ershov, Russ. Chem. Rev. (engl.) **1972**, 403.
[2] H. Jörländer, B. **50**, 406 (1917).
[3] K. Ost, Dissertation, Universität Halle 1927 (Arbeitskreis E. Weitz).
[4] G. Morell, Dissertation, Universität Frankfurt 1954 (Arbeitskreis E. Weitz).

weiterung *2-Hydroxy-3-phenyl-naphthochinon-(1,4)*[1], das im Gleichgewicht mit *1,3,4-Trioxo-2-phenyl-tetralin* steht:

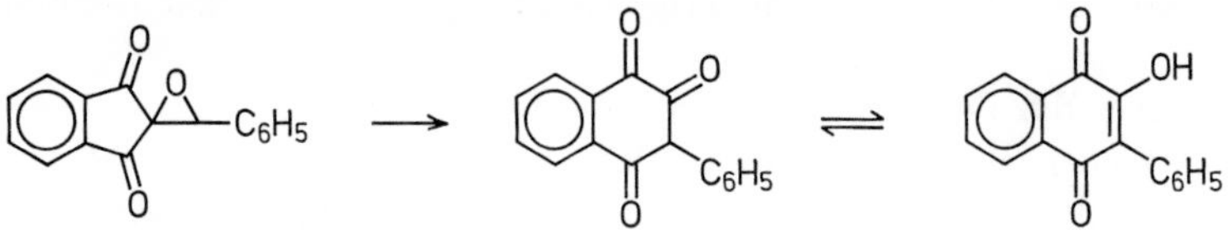

Analog wird aus 2-Oxo-cyclohexan-⟨1-spiro-2⟩-3-phenyl-oxiran mit Schwefelsäure bzw. Fluorschwefelsäure in Benzol oder flüssigem Schwefeldioxid *1,3-Dioxo-2-phenyl-cycloheptan* (80–90% d.Th.) erhalten[2].

Bei der Umsetzung von 3-Benzoyl-oxiran-2-carbonsäure mit Phenylhydrazin erfolgt Umlagerung zur Oxo-carbonsäure, die unter Ringschluß 1,3-Diphenyl-pyrazol bildet[3]:

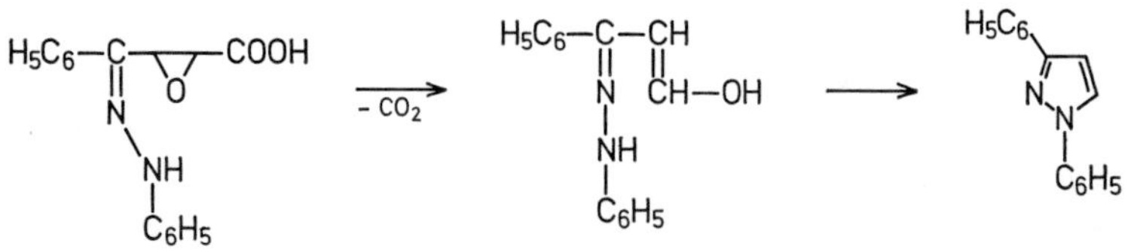

Beim 3-Oxo-2-(4-methoxy-benzyliden)-2,3-dihydro-thionaphthen ist die Umlagerungstendenz so groß, daß bereits bei der Herstellung des Oxirans Weiterreaktion zum *3-Oxo-2-(4-methoxy-benzoyl)-2,3-dihydro-thionaphthen* eintritt[4]:

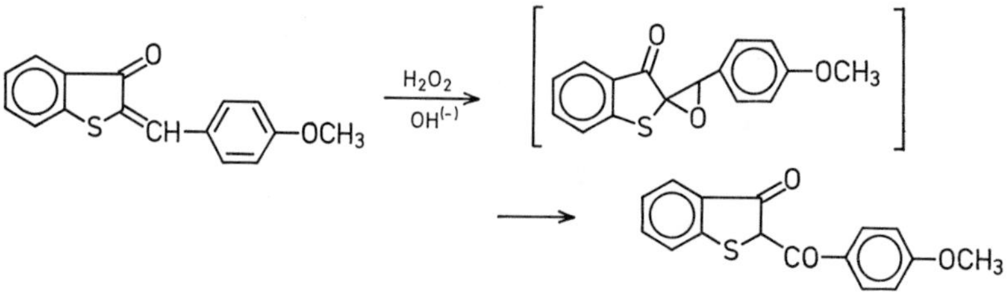

1-Hydroxy-3,4-epoxi-2-oxo-1-isopropyl-tetralin lagert sich beim Erhitzen in Gegenwart von Kalium-tert.-butanolat in Benzol unter Stickstoff um wobei ein Gemisch aus *2-Isopropyl-1,4-naphthochinon* (18% d.Th.) und *4-Hydroxy-2,3-epoxi-1-oxo-2-isopropyl-tetralin* gebildet wird[5]:

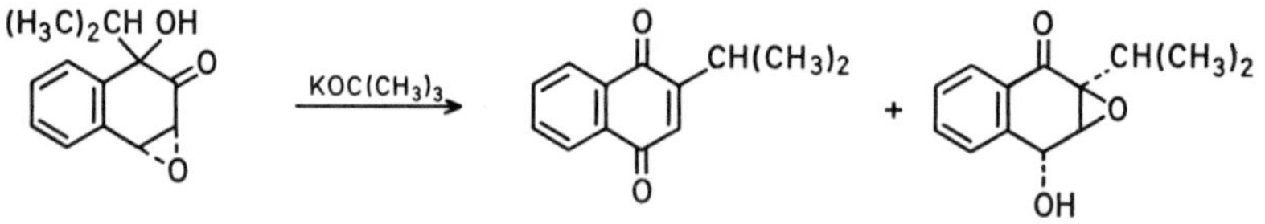

Lithium-diäthylamid in Äther ist zur Umlagerung säureempfindlicher Verbindungen geeignet. 3α,4α-Epoxi-4,7,7-trimethyl-3-acetyl-bicyclo[4.1.0]heptan wird zum *4α-Hydroxy-3,7,7-trimethyl-4-acetyl-bicyclo[4.1.0]hepten-(2)* (66% d.Th.) isomerisiert,

[1] W. Hönig, Dissertation, Universität Gießen 1940 (Arbeitskreis E. Weitz).
[2] K. Hinoue et al., Bull. chem. Soc. Japan 44, 3096 (1971).
[3] Er. Müller, Dissertation, Universität Gießen 1937 (Arbeitskreis E. Weitz).
[4] P. Weyer, Dissertation, Universität Halle 1927 (Arbeitskreis E. Weitz).
[5] J. Carnduff u. D. G. Leppard, Chem. Commun. **1968**, 822.

während bei Verwendung von Zinkbromid überwiegend Aromatisierung zum *2-Me-thyl-5-isopropyl-acetophenon* (52% d. Th.). eintritt[1]:

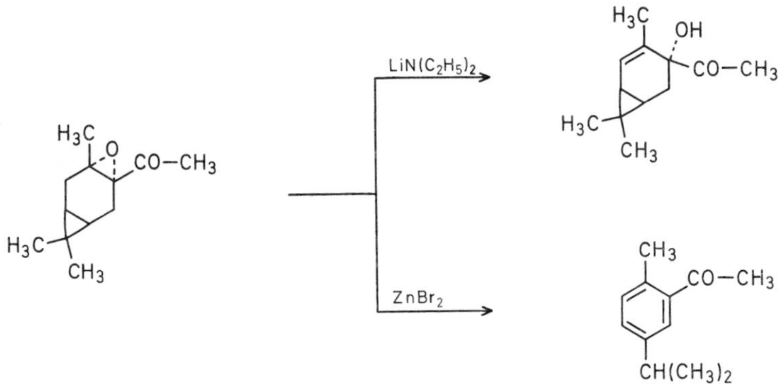

λ_2) *Umlagerung durch Bortrifluorid*

Acyl-oxirane lassen sich mit etwa äquivalenten Mengen Bortrifluorid-ätherat in Äther oder Benzol oder auch mit einer Lösung von Bortrifluorid in Benzol zu 1,3-Diketonen oder 2,4-Dioxo-aldehyden umlagern. Dabei erfolgt die Öffnung des Oxirans auf der Seite der Oxo-Gruppe. Die Ausbeuten sind stark vom verwendeten Lösungsmittel abhängig[2].

In manchen Fällen, z.B. in der Reihe der 2,3-Epoxi-1-oxo-cyclopentane entstehen jedoch 1,2-Diketone.

Die Umlagerung von 3-Phenyl-2-benzoyl-oxiranen zu 3-Oxo-1,2-diphenyl-pro-panalen wird durch elektronenspendende Substituenten (an beiden Aromaten) be-schleunigt, durch elektronensaugende Substituenten verzögert[3].

Dagegen lagern 1,2-Epoxi-3-oxo-1,2-diphenyl-indane mit Bortrifluorid eigenar-tigerweise zum Lacton um:

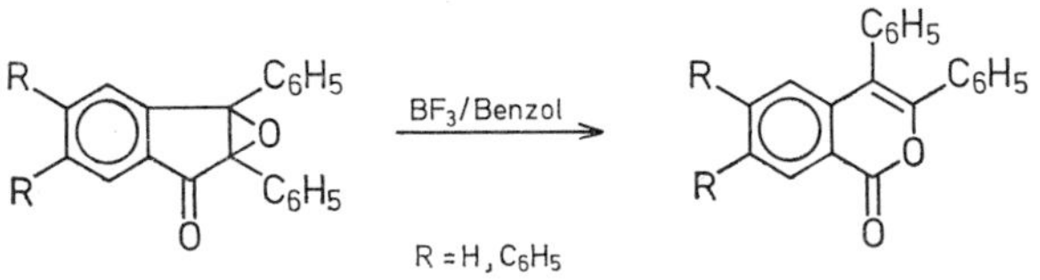

λ_3) *durch Bestrahlung*

Die schon seit 1918 bekannte Reaktion ist für die Synthese von 1,3-Diketonen von präparativer Bedeutung und verläuft nach dem Schema[4,5]:

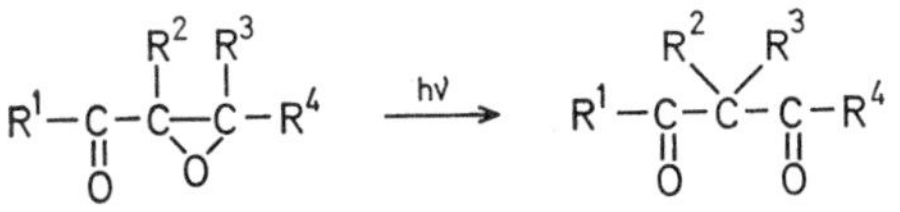

[1] B. A. Arbuzov, Z. G. Isaeva u. N. D. Ibragimova, Izv. Akad. SSSR **1971**, 2084.
[2] K. Hinoue et al., Bull. chem. Soc. Japan **44**, 3096 (1971).
[3] H. O. House u. G. D. Ryerson, Am. Soc. **83**, 979 (1961).
[4] O. Jeger et al., Pure appl. Chem. **9**, 555 (1964).
[5] O. L. Chapman, *Organic Photochemistry*, Vol. 1, S. 93, Marcel Dekker, New York 1967.

Tab. 143. 1,3-Dioxo-Verbindungen aus Acyl-oxiranen

Acyl-oxiran	Katalysator	1,3-Dioxo-Verbindung	Ausbeute [% d.Th.]	F [°C]	Neben- oder Folge-produkt	Literatur
H_5C_6—CO—CH_3 (oxiran)	BF$_3$-Ätherat 30 Min./25°	3-Oxo-2-phenyl-butanal	46 (als BF$_3$-Komplex; Pyrazol)	100–101,5	—	1
CH_3 / H_5C_6—CO—C_6H_5 (oxiran)	BF$_3$-Ätherat Cyclohexan 10 Min./25° H$_2$SO$_4$	1,3-Dioxo-1,2-diphenyl-butan (als Enol)	66	88–89	—	1 / 2
C_6H_5 / H_5C_6—CO—C_6H_5 (oxiran) cis-Form	BF$_3$-Ätherat Äther 30 Min./38°	1-Oxo-1,2,2-triphenyl-propanal	46	105–106	2,3-Dioxo-1,1,3-tri-phenyl-propan (23%)	1,3
	BF$_3$ Cyclohexan 5 Min./25°		34		2,3-Dioxo-1,1,3-tri-phenyl-propan (9%)	1
trans-Form	BF$_3$-Ätherat Cyclohexan 5 Min./25°				2,3-Dioxo-1,1,3-tri-phenyl-propan 80% als Chinoxalin (F: 197–199,5°)	
C_2H_5 / H_5C_6—CO—C_6H_5 (oxiran) cis- trans-	BF$_3$/Benzol*/ 25° 30 Min. trans-Form 2 Stdn. cis-Form	1,3-Dioxo-1,2-diphenyl-pentan	47% aus der trans-Form 59% aus der cis-Form	93–95	—	4
H_5C_6—CO—C_6H_5 (oxiran) trans-	BF$_3$-Ätherat Äther 20 Min.	3-Oxo-2,3-diphenyl-propanal	32 (als Cu-Salz)	218–220 (als Cu-Salz)	—	5

* BF$_3$-Ätherat gibt schlechte Ausbeute.

1 H. O. House u. D. J. Reif, Am. Soc. 77, 6525 (1955).
2 J. W. Ager, F. A. Eastwood u. R. Robinson, Tetrahedron, Suppl. 7, 277 (1966).
3 H. O. House, Am. Soc. 76, 1235 (1954).
4 H. O. House u. D. J. Reif, Am. Soc. 79, 6491 (1957).
5 H. O. House, Am. Soc. 78, 2298 (1956).

Acyl-oxiran	Katalysator	1,3-Dioxo-Verbindung	Ausbeute [% d.Th.]	F [°C]	Neben- oder Folge-produkt	Literatur
	BF₃-Ätherat	2-Phenyl-2-benzoyl-propanal	93 (als Mono-2,4-dinitro-phenyl-hydrazon)	182–183	—	1
	BF₃-Ätherat	3-Oxo-2,2,3-triphenyl-propanal	80	134,5–136	—	1
	BF₃-Ätherat Benzol 5 Min./25°	2-Oxo-1,4,4-trimethyl-1-formyl-cyclopentan	33	(Kp₂: 49–50°)	4-Oxo-1,1,3-trimethyl-cyclopentan (28%) + 4,5-Dioxo-1,1,3-tri-methyl-cyclohexan(3%)	2
	BF₃-Ätherat Benzol 5 Min./25° + Behandlung mit NaOH				2-Oxo-1-phenyl-cyclo-pentan (68%)	2
	BF₃-Ätherat Benzol/3 Min./25° + Behandlung mit NaOH				Cyclopentanon + Cyclohexandion-(1,2) (25 + 56%)	2
	BF₃/Benzol, 30 Min.	2-Oxo-1-acetyl-cyclopentan	29 (als Cu-Salz)	237–238 (Zers.)		2
	Zn Br₂/Benzol 6 Stdn. kochen	2,3-Dioxo-4-methyl-1-isopropyl-cyclohexan	60	82–83		3

64*

¹ H. O. House, Am. Soc. 76, 1235 (1954).
² H. O. House u. R. L. Wasson, Am. Soc. 79, 1488 (1957).
³ H. Watanabe, J. Katsuhara u. N. Yamamoto, Bull. Chem. Soc. Japan 44, 1328 (1971).

Tab. 143. (2. Fortsetzung)

Acyl-oxiran	Katalysator	1,3-Dioxo-Verbindung	Ausbeute [% d.Th.]	F [°C]	Neben- oder Folge-produkt	Literatur
C6H5	BF3-Ätherat/Benzol/5 Min./25°				*2,3-Dioxo-1-phenyl-cyclopentan* (85 %)	1
CH3	BF3-Ätherat Benzol 2 Min./25°				*2,3-Dioxo-1-methyl-cyclopentan* (80 %)	1
C6H5	BF3-Ätherat* Benzol 5 Min./25°	*1,3-Dioxo-2-phenyl-cyclohexan* (Enol)	50	160–161		2
C6H5	BF3-Ätherat in Cyclohexan* oder Benzol/ 15 Min.	*1,3-Dioxo-2-phenyl-cycloheptan* (Diketon)	71–78	76,5–77,5		2
cis- / *trans-* (H3C, CH3)	ZnBr2, Benzol, 6 Stdn. 80° / 200°, Gasphase	*2,7-Dioxo-1.1.5-tri-methyl-cycloheptan*	90	55–56		3, vgl. 5
C6H5	BF3-Ätherat/Benzol4/ 2 Min./25°	*1,3-Dioxo-2-phenyl-cyclooctan* (Diketon)	58	43–45,5		2
(Spiro-Struktur)	260°/15 Min.	*Cyclohexan-⟨spiro-1⟩-2,7-dioxo-cycloheptan*	65	(Kp10: 125–126°) 223–224 (Mono-semi-carbazon)		2

* In Äther-Lösung entstehen α-Fluor-alkohole.

1 H. O. HOUSE u. R. L. WASSON, Am. Soc. **79**, 1488 (1957).

2 H. O. HOUSE u. R. L. WASSON, Am. Soc. **78**, 4394 (1956).

3 H. WATANABE, J. KATSUHARA u. N. YAMAMOTO, Bull. Chem. Soc. Japan **41**,

4 J. W. AGER, F. A. EASTWOOD u. R. ROBINSON, Tetrahedron Letters, Suppl. **7**, 277 (1966).

5 W. REUSCH et al., Am. Soc. **90**, 4988 (1968); bei 200° in der Flüssigphase

Tab. 143. (3. Fortsetzung)

Acyl-oxiran	Katalysator	1,3-Dioxo-Verbindung	Ausbeute [% d. Th.]	F [°C]	Neben- oder Folge-produkt	Litera-tur
	BF$_3$-Ätherat Toluol/0°	2-Oxo-cyclopentan-⟨1-spiro-1⟩-2-oxo-cyclopentan	80	39–41		[1]
	konz. H$_2$SO$_4$ 0°	5,7-Dioxo-6-phenyl-6,7,8,9-tetrahydro-5H-⟨cyclohepta-benzol⟩		88–89		[2]
	konz. H$_2$SO$_4$ 0°—25°	2-Hydroxy-1-oxo-3-phenyl-1H-phenalen (85%)		178		[2]
		3-Hydroxy-1-oxo-2-phenyl-1H-phenalen (7%)		214	2-Oxo-1-phenyl-acenaphten (50%)	[2]
	BF$_3$-Ätherat					

[1] H. GERLACH u. W. MÜLLER, Helv. 55, 2277 (1972).

[2] J. W. AGER, F. A. EASTWOOD u. R. ROBINSON, Tetrahedron, Suppl. 7, 277 (1966).

Tab. 143. (4. Fortsetzung)

Acyl-oxiran	Katalysator	1,3-Dioxo-Verbindung		Ausbeute [%d.Th.]	F [°C]	Neben- oder Folgeprodukt	Literatur
		Cyclohexan-⟨spiro-1⟩-2,7-dioxo-cycloheptan	1-Hydroxy-2-oxo-1-[cyclohexen-(1)-yl]-cyclohexan	1,2,3,4,6,7,8,9-Octahydro-⟨di-benzofuran⟩			1
	$SbCl_5/SO_2$	93	0	7			
	BF_3-Ätherat SO_2	83	0	17			
	FSO_3H/SO_2	28	0	72			
	H_2SO_4/SO_2	42	11	47			
	$SbCl_5$/Cyclohexan	30	44	26			
	BF_3-Ätherat/Cyclohexan	41	35	24			
	FSO_3H/Cyclohexan	7	49	44			
	H_2SO_4/Cyclohexan	8	0	92			

1 M. NOJIMA, K. HINOUE u. N. TOKURA, Bull. Chem. Soc. Japan 43, 827 (1970).

Sie ist breit anwendbar sowohl auf offenkettige als auch auf cyclische Verbindungen[1-6] und läßt sich auch auf α,β-ungesättigte γ,δ-Epoxi-ketone übertragen, wobei α,β-ungesättigte δ-Diketone entstehen. Aus 17β-Acetoxy-6α,7α-epoxi-3-oxo-androsten-(4) wird bei Bestrahlung in 1,4-Dioxan *17β-Acetoxy-3,7-dioxo-androsten-(4)* (52% d. Th.) erhalten[7]:

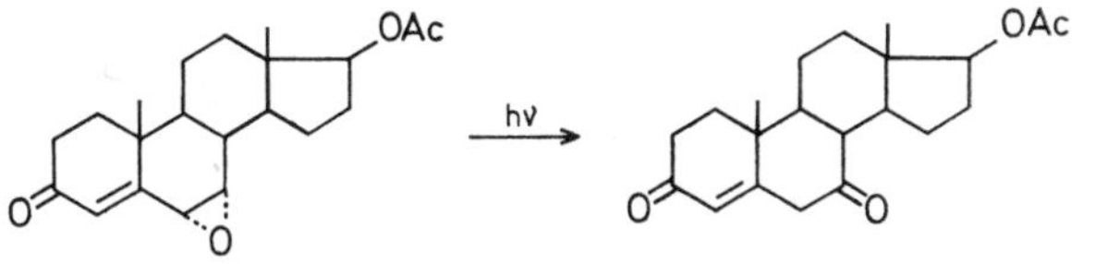

Sind R^2 und R^3 bzw. R^3 und R^4 Glieder eines Ringes (s. S. 1009 unten) wie z. B. in der Steroidreihe, so tritt Ringverengung bzw. Ringerweiterung ein[8]:

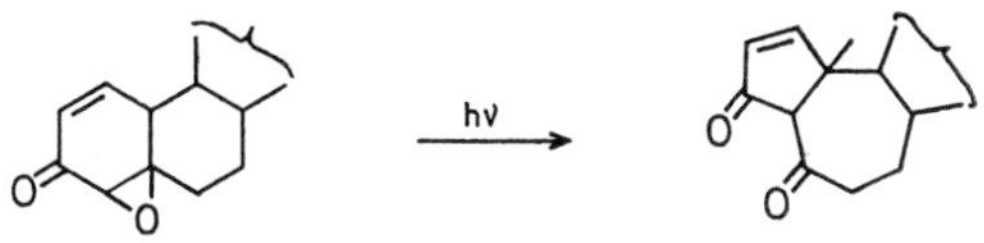

In Sonderfällen können jedoch auch ungesättigte α-Hydroxy-Ketone gebildet werden. So wird durch Bestrahlung von 3,3-Dimethyl-2-benzoyl-oxiran das *3-Hydroxy-4-oxo-2-methyl-4-phenyl-buten-(1)* erhalten[3]:

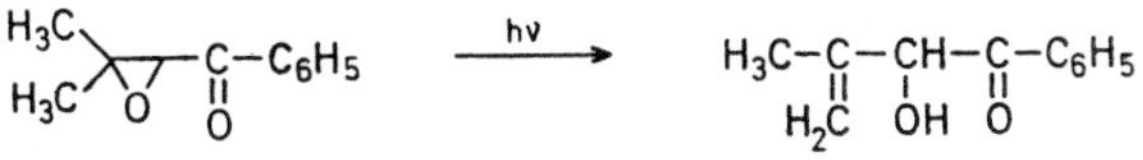

μ) aus Glycidsäureestern

Die Konstitution der bei der Umlagerung von α-Epoxi-carbonsäureestern (Glycidsäureestern) erhaltenen Produkte ist erst in jüngster Zeit durch Kernresonanzmessungen exakt festgestellt worden. Ältere Ergebnisse sind damit korrigiert worden, jedoch sind die Untersuchungen noch im Fluß. In Abhängigkeit von den Substituenten können β-Formyl-, β-Oxo-, sowie α-Oxo-carbonsäureester erhalten werden[9].

Die Umlagerungen werden vorzugsweise bei Raumtemperatur in Benzol durchgeführt, indem man 30 Minuten gasförmiges Bortrifluorid durchperlen läßt[9,10]. Auch

[1] A. Schönberg, *Preparative Organic Photochemistry*, 2. Aufl., S. 408, Springer Verlag, Berlin 1968.
[2] O. L. Chapman in W. A. Noyes et al., *Advances in Photochemistry*, Vol. 1, S. 378, Interscience Publ., New York 1963.
[3] H. E. Zimmerman et al., Am. Soc. **86**, 947 (1966).
[4] W. Reusch, C. K. Johnson u. B. Dominy, Am. Soc. **85**, 3894 (1963).
    W. Reusch u. C. S. Markos, Am. Soc. **89**, 3363 (1967).
[5] O. Jeger et al., Helv. **49**, 2218 (1966); **50**, 2404 (1967).
[6] K. Schaffner in L. Zechmeister, *Fortschritte der Chemie organischer Naturstoffe*, Vol. 22, S. 19. Springer Verlag, Wien 1964.
[7] O. Jeger et al., Helv. **51**, 1362 (1968).
[8] O. Jeger et al., Helv. **45**, 1031 (1962).
[9] S. P. Singh u. J. Kagan, Am. Soc. **91**, 6198 (1969).
[10] H. O. House, J. W. Blaker u. D. A. Madden, Am. Soc. **80**, 6386 (1958); dort ältere Literatur zitiert.

können die Epoxi-carbonsäureester gasförmig bei 250–300° über Aluminiumoxid oder Kieselgel geleitet werden[1]; so erhält man z. B. aus:

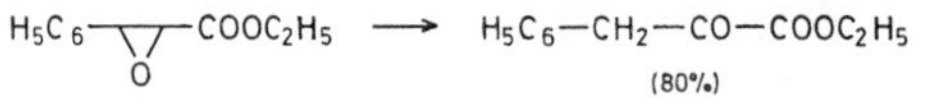

H_5C_6—△—$COOC_2H_5$ (O) ⟶ H_5C_6—CH_2—CO—$COOC_2H_5$ (80%)   *2-Oxo-3-phenyl-propansäure-äthylester*[1]

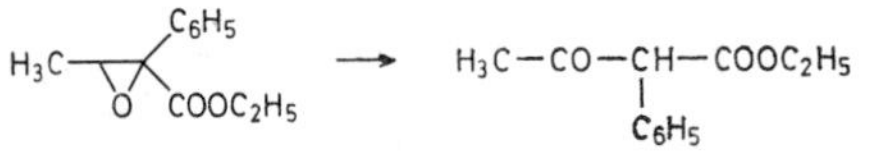

H_3C—△(C_6H_5, O, $COOC_2H_5$) ⟶ H_3C—CO—CH(C_6H_5)—$COOC_2H_5$ *3-Oxo-2-phenyl-butansäure-äthylester*[2]

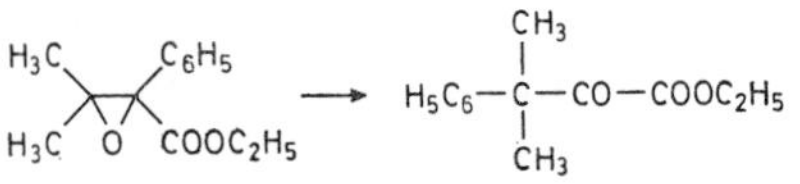

H_3C, H_3C—△(C_6H_5, O, $COOC_2H_5$) ⟶ H_5C_6—$C(CH_3)_2$—CO—$COOC_2H_5$ *2-Oxo-3-methyl-3-phenyl-butansäure-äthylester*[2]

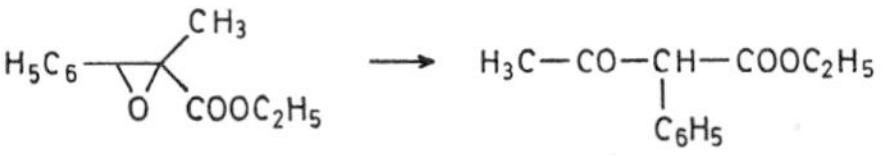

H_5C_6—△(CH_3, O, $COOC_2H_5$) ⟶ H_3C—CO—CH(C_6H_5)—$COOC_2H_5$ *3-Oxo-2-phenyl-butansäure-äthylester*[2]

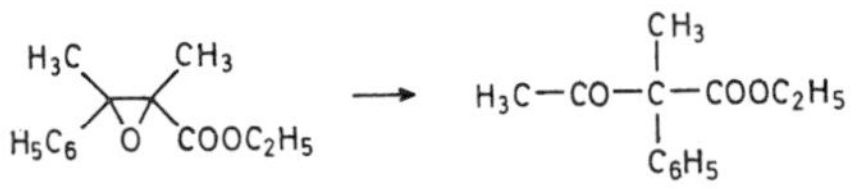

H_3C, H_5C_6—△(CH_3, O, $COOC_2H_5$) ⟶ H_3C—CO—$C(CH_3)(C_6H_5)$—$COOC_2H_5$ *3-Oxo-2-methyl-2-phenyl-butansäure-äthylester*[2]

4. Ketone durch Umlagerung von vic. Glykolen unter Veränderung des Kohlenstoffgerüstes

a) aus aliphatischen und gemischt aliphatisch-aromatischen di-tert.-Glykolen

Am bekanntesten ist die 1860 von R. Fittig[3] entdeckte und von A. Butlerow[4] formulierte sogenannte Pinakolin-Umlagerung des durch dimerisierende Reduktion von Aceton zugänglichen Pinakols (2,3-Dihydroxy-2,3-dimethyl-butan; früher als Pinakon bezeichnet):

$$H_3C—\underset{HO}{\overset{CH_3}{C}}—\underset{OH}{\overset{CH_3}{C}}—CH_3 \longrightarrow H_3C—CO—\underset{CH_3}{\overset{CH_3}{C}}—CH_3$$

3-Oxo-2,2-dimethyl-butan (Pinakolon)

Die Reaktion ist eingehend untersucht worden. Sie wurde mit konz. Schwefelsäure bei 0°[5], mit 30%-iger Schwefelsäure bei 150°[6], durch Kochen mit 6 n Schwefelsäure[7], 50%-iger Phosphorsäure[7], Oxalsäure-Hydrat[6–8], 50%-iger Weinsäure[7,8], 5%-iger Oxalsäure[7,8] durchgeführt. Die Ausbeuten liegen bei 65–90%. Ohne Säurekatalyse erfolgt keine Umlagerung.

[1] H. O. House, J. W. Blaker u. D. A. Madden, Am. Soc. 80, 6386 (1958); dort ältere Literatur zitiert.
[2] S. P. Singh u. J. Kagan, Am. Soc. 91, 6198 (1969).
[3] R. Fittig, A. 110, 23 (1859); 114, 54 (1860).
[4] A. Butlerow, A. 170, 151 (1873); 174, 125 (1874).
[5] R. Scholl u. G. Born, B. 28, 1361 (1895).
[6] A. H. Richard u. P. Langlais, Bl. [4] 7, 459 (1910).
[7] G. A. Hill u. E. W. Flosdorf, Org. Synth. Coll. Vol. I, 451.
[8] D. Vorländer, B. 30, 2261 (1897).

Das Hydrogensulfat-Anion übt ebenfalls keine Katalyse aus, Sulfat-Ionen hemmen die Umlagerung (Bildung von Hydrogensulfat!)[1]. $NH^{\oplus}$, $H_2PO_4^{\ominus}$, $HPO_4^{\ominus}$, $HOOC—COO^{\ominus}$ sind ebenfalls wirkungslos[2,3].

Die beste Ausbeute (94%) erhält man durch Gasphasen-Dehydratisierung über mit Phosphorsäure imprägniertem Silicagel[4]. Auch mit Aluminiumsilicat, Borphosphat, Aluminiumoxid erhält man bei 200° gute Ausbeuten an *Pinakolon (3-Oxo-2,2-dimethyl-butan)*. Bei 300–440° wird unter Abspaltung eines zweiten Mols Wasser 2,3-Dimethyl-butadien gebildet[5]. Die Dehydratisierung von Pinakol und Pinakolon zu 2,3-Dimethyl-butadien ist Gegenstand einer Reihe älterer Patente[6]. Bei der Dehydratisierung gemischt aliphatisch-aromatischer Glykole können bei erhöhter Temperatur besonders leicht Diene gebildet werden[7].

Eine Anzahl von Äthinyl-glykolen ist in der Gasphase an sauren Kontakten [neben den obengenannten mit Schwefelsäure oder Phosphorsäure imprägnierte Aktivkohle, Thorium(IV)-oxid] bei 250–400° in guten Ausbeuten kontinuierlich dehydratisiert worden[8].

α,α'-Divinyl-glykole unterliegen thermisch einer Cope-Umlagerung, die ebenfalls zu Ketonen führt (Vgl. S. 1151).

3-Oxo-4,4,6-trimethyl-heptin-(1)[8]:

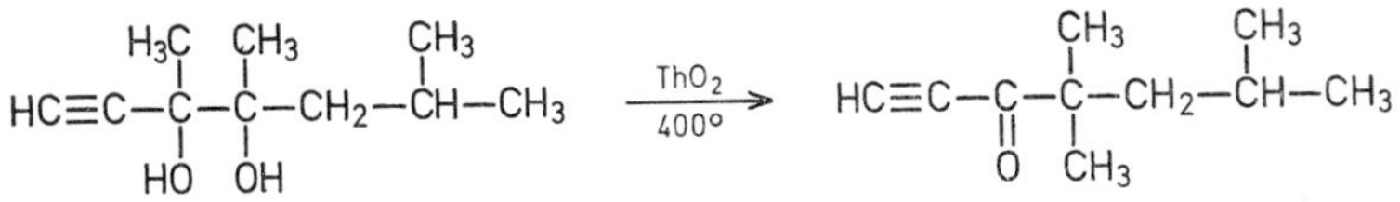

Ein zylindrischer Röhrenreaktor wird im unteren Teil mit 63 g Thorium(IV)-oxid im oberen Teil mit Glasperlen beschickt und im Röhrenofen die Thorium(IV)-oxid-Schicht auf 400° aufgeheizt. Das Ausgangsmaterial [3,4-Dihydroxy-3,4-6-trimethyl-heptin-(1)] wird verdampft und durch den Reaktor mit einer Geschwindigkeit von ~ 50 g/Stde. geleitet, wo es zunächst durch die Glasperlen aufgeheizt und dann am Kontakt dehydratisiert wird. Das Reaktionsprodukt wird kondensiert und aufgearbeitet; Ausbeute: 70% der Theorie.

Im Laboratorium wird die Dehydratisierung meist mit konz. Schwefelsäure bei −20 bis 0° durchgeführt. Die Reaktionsdauer schwankt zwischen 1 und 24 Stunden.

Ketone durch Dehydratisierung von Glykolen in konz. Schwefelsäure; allgemeine Arbeitsvorschrift: Man trägt das Glykol tropfenweise bzw. bei festen Glykolen in Portionen von 0,5–1 g in die 8–10fache Menge konz. Schwefelsäure bei −10 bis 0° ein, wobei intensiv gerührt wird. Dabei erfolgt die Auflösung unter intensiver Färbung, die gelb, braun, rot bis violett sein kann. Anschließend wird die Kühlung entfernt und die Lösung noch 1–2 Stdn. bei Raumtemp. belassen. Man gießt auf reichlich Eis und extrahiert mit Äther oder Petroläther. Flüchtige Ketone werden

[1] J. F. DUNCAN u. K. R. LYNN, Soc. **1956**, 3519, 3512.
[2] J. F. DUNCAN u. K. R. LYNN, Soc. **1956**, 3674.
[3] F. A. LONG u. M. A. PAUL, Chem. Reviews **57**, 975 (1957).
[4] W. S. EMERSON, Am. Soc. **69**, 1212 (1947).
[5] L. K. FREIDLIN u. V. Z. SHARF Izv. Akad. SSSR **1962**, 698; C. A. **57**, 14925 (1962).
[6] DRP 235311 (1910), BASF; C. **1911** II, 112.
  DRP 246660, 249030 (1910); 250086, 253081, 253082 (1911), Farbf. Bayer; C. **1912** I, 1874; **1912** II, 396, 776, 1757, 1854.
  Vgl. Frdl. **10**, 1003.
[7] R. DEVIS u. P. DEPOVERE, Bl. **1967**, 3185.
[8] US.P. 3235602 (1962), Air Reduction, Erf.: JAMES P. RUSSELL; C. A. **64**, 14095 (1966).

vorteilhaft mit Wasserdampf destilliert. Die Ölschicht des Destillats wird abgetrennt und die wäßrige Schicht extrahiert. Nach üblicher Aufarbeitung der Extrakte wird fraktioniert, sofern nicht — wie bei vielen aromatischen Ketonen — eine Reinigung durch Kristallisation möglich ist; Ausbeute: 60–100% der Theorie.

4-Oxo-2,2,3,3-tetramethyl-pentan[1]: Zu 640 g auf unter 0° abgekühlte konz. Schwefelsäure werden unter intensivem Rühren tropfenweise 80 g 3,4-Dihydroxy-2,2,3,4-tetramethyl-pentan (96–98°) gegeben. Anschließend wird auf Eis gegossen und mit Wasserdampf destilliert. Das übergegangene Öl wird bei Normaldruck (nicht i.Vak.!) über eine Vigreux-Kolonne destilliert. Man erhält 5–6 g einer unter 160° siedenden Fraktion, die *3-Oxo-2,2,4,4-tetramethyl-pentan* und einen Kohlenwasserstoff enthält. Anschließend gehen von 165–171° 42 g *4-Oxo-2,2,3,3-tetramethyl-pentan* über. Die Substanz besitzt intensiven Camphergeruch und hohen Dampfdruck. Sie läßt sich nicht i.Vak. destillieren. Eine ätherische Lösung läßt sich nur unter hohem Substanzverlust vom Äther befreien. Erstarrt bei 60–62° zu einer plastischen Masse (Ausbeute: ~ 55% d. Th.).

Bei Herstellung unter Verwendung von Phosphorsäure liegt der Schmelzpunkt bei 45°. Gibt sehr schwer ein Oxim (F: 175°) und Semicarbazon (F: 207–208°).

Die Dehydratisierung verschieden substituierter rein aliphatischer Pinakole führt praktisch immer zu Gemischen, da sich die Wanderungtendenz der verschiedenen Reste nicht allzusehr unterscheidet. Ihre Zusammensetzung ist eingehend untersucht worden[2] (s. Tab. 144, 145; S. 1019ff., 1022ff.).

Die Pinakolin-Umlagerung findet auch dann statt, wenn sich in α-Stellung beispielsweise eine Amid-Gruppe befindet und führt dann zu Imiden[3].

2,9-Dioxo-3,3,8,8-tetramethyl-decan ist durch doppelte Pinakolin-Umlagerung erhalten worden[4]:

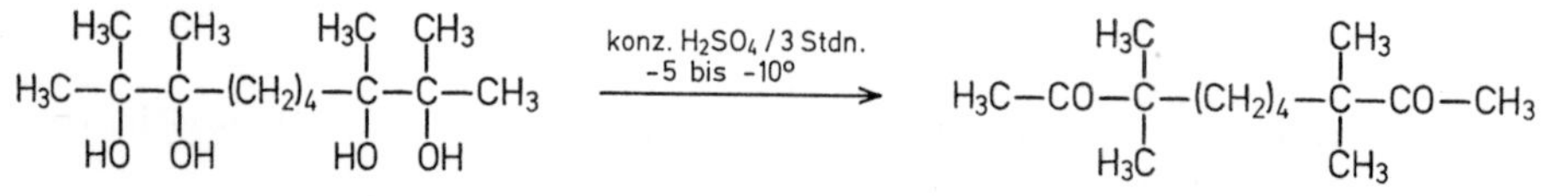

Cyclopentan-⟨spiro-1⟩-2-oxo-cyclohexan[5]: 20 g 1,1'-Dihydroxy-bi-cyclopentyl werden mit 150 *ml* 20%iger Schwefelsäure in einem Kolben mit Destillieraufsatz auf 120–125° erhitzt. Das während 2 Stdn. übergehende Destillat wird mit Äther extrahiert, der Extrakt mit Natriumcarbonat-Lösung gewaschen, über Natriumsulfat getrocknet und i.Vak. destilliert; Ausbeute: 16 g (90% d.Th.) Semicarbazon; F: 189–190°; Kp₄₅: 120°.

1-Oxo-2-methyl-1,2-dipyridyl-(3)-propan[6]: Eine Lösung von 42,48 kg 2,3-Dihydroxy-2,3-dipyridyl-(3)-butan in einer Mischung von 133 kg rauchender Schwefelsäure mit einem Gehalt von 20% Schwefeltrioxid und 133 kg, d. h. 96%iger Schwefelsäure wird während 3,5 Stdn. auf 90–95° erhitzt. Die Reaktionsmischung wird über Nacht gekühlt und dann über Eis gegossen. Die wäßrige saure Lösung wird mit einer 27%igen wäßrigen Ammoniumhydroxid-Lösung alkalisch gestellt; das ölige Produkt wird mit Toluol extrahiert und die organische Lösung durch Behandlung mit Holzkohle entfärbt und eingedampft. Das rohe Produkt wird in einer Benzol-Methylcyclohexan-Mischung gelöst, die Lösung mit einer kleinen Menge Aluminiumoxid behandelt und anschließend gekühlt. Das Keton wird abfiltriert, mit Methylcyclohexan gewaschen und getrocknet; Ausbeute: 15,6 kg (40% d.Th.); F: 50–51°.

---

[1] R. Locquin u. W. Sung, C. r. **178**, 1179 (1924); Bl. [4] **35**, 753 (1924).
[2] H. Meerwein, A. **419**, 121–175 (1919).
[3] Vgl. ds. Bd., S. 1052.
[4] M. F. Ansell, W. J. Hickinbottom u. A. A. Hyatt, Soc. **1955**, 1781.
[5] M. Qudrat-i-Khuda u. A. Kumar Ray, J. indian. chem. Soc. **16**, 525 (1939); C. **1940** I, 3104.
[6] DAS 1258410 (1962), CIBA, Erf.: W. L. Yost.

Tab. 144. Ketone aus di-tert.-Glykolen bzw. Epoxiden

Glykol	Reaktions-medium, -bedingungen, Katalysator	Keton	Ausbeute [% d.Th.]	Kp [°C]	Kp [Torr]	Literatur
H_3C CH_3 / $H_3C-C-C-CH_3$ / HO OH	6 n H_2SO_4/Jod ; CH_3COOH/Jod	3-Oxo-2,2-dimethyl-butan	quant.			1 ; 2
H_3C CH_3 / $H_3C-C-C-C_2H_5$ / HO OH	50%ige H_2SO_4/6 Stdn./25°	2-Oxo-3,3-dimethyl-pentan (83%) + 3-Oxo-2,2-dimethyl-pentan (17%)	64	130,6		1, 3 s.a. 4
H_3C CH_3 / $H_3C-C-C-C(CH_3)_3$ / HO OH		3-Oxo-2,2,4,4-tetramethyl-pentan		149–151		1
H_3C C_2H_5 / $H_3C-C-C-C_2H_5$ / HO OH	50%ige H_2SO_4/100°	4-Oxo-3,3-dimethyl-hexan (95%) + 2-Oxo-3-methyl-3-äthyl-pentan (5%)	70	150–152		1,5,6 ; 7

---

1 H. Meerwein, A. **419**, 121–175 (1919).
2 P. Depovere u. R. Devis, Bl. **1968**, 2470.
3 M. Stiles u. R. P. Mayer, Am Soc. **81**, 1497 (1959).
4 R. Locquin u. L. Leers, C. r. **178**, 2095; **179**, 55 (1924); Bl. **39**, 433 (1926).

5 H. Meerwein, A. **396**, 200 (1913).
6 W. Parry, Soc. **107**, 108 (1915).
7 B. Nybergh, B. **55**, 1960 (1922).

Tab. 144. (1. Fortsetzung)

Glykol	Reaktions-medium, -bedingungen, Katalysator	Keton	Ausbeute [% d.Th.]	Kp [°C]	[Torr]	Literatur
H₅C₂ C₂H₅ H₃C–C–C–CH₃ HO OH meso-Form	konz. H₂SO₄/0°	*2-Oxo-3-methyl-3-äthyl-pentan* (70–73%)	50 d,1-Form gibt nur 17% an Pinakolon-Gemisch (Mengenverhältnis gleich)	60–61	27	[1,2]
		4-Oxo-3,3-dimethyl-hexan (27–30%)				
H₅C₂ C₂H₅ H₅C₂–C–C–C₂H₅ HO OH	6 n H₂SO₄/Jod CH₃COOH/Jod	*4-Oxo-3,3-diäthyl-hexan*	100			[3]
H₃C C₃H₇ H₃C–C–C–C₃H₇ HO OH	konz. H₂SO₄/0°/12–24 Stdn.	*5-Oxo-4,4-dimethyl-octan* (55%)	~ 40	188,5–189		[4,5]
		4-Methyl-4-acetyl-heptan (45%)		191,5–192		
H₃C C₄H₉ H₃C–C–C–C₄H₉ HO OH	konz. H₂SO₄/0°/12–24 Stdn.	*6-Oxo-5,5-dimethyl-decan* (65%)	73	105,5–106,5	15	[4]
		5-Methyl-5-acetyl-nonan (35%)		107,5–108,5	14	

[1] W. Reeve u. M. Karickhoff, Am. Soc. 78, 6053 (1956).
[2] B. Nybergh, B. 55, 1960 (1922).
[3] P. Depovere u. R. Devis, Bl. 1968, 2470.
[4] H. Meerwein, A. 419, 121–175 (1919).
[5] W. Parry, Soc. 107, 108 (1915).

Tab. 144. (2. Fortsetzung)

Glykol	Reaktions-medium, -bedingungen, Katalysator	Keton	Ausbeute [% d.Th.]	Kp [°C]	[Torr]	Literatur
H_5C_6 CH_3 $H_5C_6-\overset{\mid}{\underset{\mid}{C}}-\overset{\mid}{\underset{\mid}{C}}-CH_3$ $\quad$ HO OH	50%ige H_2SO_4/3,5 Stdn./100°	3-Oxo-2,2-diphenyl-butan + 1-Oxo-2,2-dimethyl-1,2-diphenyl-äthan	68 wenig	176 (F: 41°)	16	1,2
	H_2SO_4/Acetanhydrid 3 Tage/25°	1-Oxo-2,2-dimethyl-1,2-diphenyl-äthan	60			2
	H_2SO_4/0°	3-Oxo-2,2-diphenyl-butan				3
H_5C_6 C_2H_5 $H_5C_6-\overset{\mid}{\underset{\mid}{C}}-\overset{\mid}{\underset{\mid}{C}}-C_2H_5$ $\quad$ HO OH	50%ige H_2SO_4/3,5 Stdn./100°	4-Oxo-3,3-diphenyl-hexan	78			2
H_5C_6 CH_3 $H_5C_6-\overset{\mid}{\underset{\mid}{C}}-\overset{\mid}{\underset{\mid}{C}}-C_2H_5$ $\quad$ HO OH	konz. H_2SO_4/0°	2-Oxo-3,3-diphenyl-pentan	70	179 (F: 27°)	11	1
H_5C_2 C_2H_5 $H_5C_2-\overset{\mid}{\underset{\mid}{C}}-\overset{\mid}{\underset{\mid}{C}}-C_2H_5$ $\quad$ HO OH	konz. H_2SO_4/0°/12–24 Stdn.	4-Oxo-3,3-diäthyl-hexan	38	194–195		1
H_5C_6 CH_3 $H_3C-\overset{\mid}{\underset{\mid}{C}}-\overset{\mid}{\underset{\mid}{C}}-C\equiv C-C(CH_3)_3$ $\quad$ HO OH	30%ige H_2SO_4/100°/3 Stdn.	6-Oxo-2,2,5-trimethyl-5-phenyl-heptin-(3)		100–101	8	4
H_5C_6 CH_3 $H_5C_6-\overset{\mid}{\underset{\mid}{C}}-\overset{\mid}{\underset{\mid}{C}}-C\equiv C-CH=CH_2$ $\quad$ HO OH	40%ige H_2SO_4/100°/2 Stdn.	6-Oxo-5-methyl-5,6-diphenyl-hexen-(I)-in-(3)	58	(F: 49°)		5

[1] H. MEERWEIN, A. 419, 121–175 (1919).
[2] T. E. ZALESSKAJA u. I. K. LAVROVA, Ž. org. Chim. 4, 2070 (1968); C. A. 70, 67788b (1969).
[3] G. GROS u. L. GIRAL, Bl. 1970, 1115.
[4] E. D. VENUS-DANILOVA u. V. I. SERKOVA, Ž. obšč. Chim. 28, 1477 (1958); C. A. 53, 1221h (1959).
[5] A. A. ANTONOVA u. E. D. VENUS-DANILOVA, Ž. obšč. Chim. 30, 2872 (1960); engl.: 2850.

Tab. 145. Ketone aus di-tert. Glykolen (Pinakolen)

Glykol	Katalysator Reaktionsbedingungen	Keton	Ausbeute [% d.Th.]	Kp [°C]	[Torr]	Nebenprodukte	Literatur
H₃C CH₃CH₃ / H₃C–C–C–C–CH₃ / HO OH CH₃	konz. H₂SO₄/0° 23%ige H₃PO₄/150–160°/8–9 Stdn.	4-Oxo-2,2,3,3-tetrame-thyl-pentan (98,6%)	>76			3-Oxo-2,2,4,4-tetramethyl-pentan (7%)	1
	50%ige H₂SO₄/25°/5 Min.					(1,4%)	2
H₃C CH₃ / H₃C–C–C–C≡CH / HO OH	konz. H₂SO₄/–20°/1 Stde.	4-Oxo-3,3-dimethyl-pentin-(I)	46	117–118		2,4-Dioxo-3,3-dimethyl-pentan* (14%)	3,4
	verd. H₂SO₄/kochen		28			3-Oxo-2-methyl-butan (10%)	5
H₅C₂ CH₃ / H₅C₂–C–C–C≡CH / HO OH	verd. H₂SO₄/kochen Während dessen Keton mit Wasser abdestillieren	4-Oxo-3-methyl-3-äthyl-hexin-(I)	54	79,5–81	56		5
H₃C CH₃ / (CH₃)₃C–CH₂–C–C–C≡CH / HO OH	konz. H₂SO₄/–20°	4-Oxo-3,3,6,6-tetramethyl-heptin-(I)	21	90	16	2-Oxo-3,5,5-trimethyl-hexan (8%) + 3,4,6,6-Tetramethyl-heptadien-(2,4)-al	3
H₃C CH₃ / (CH₃)₃C–C–C–C≡CH / HO OH	konz. H₂SO₄/0°	2,4-Dioxo-3-methyl-3-tert.butyl-pentan	36			4-Hydroxy-2-oxo-4,5,5-trimethyl-3-methylen-hexan	6
Cyclopentane ring: CH₃ / C–C≡CH / HO OH	konz. H₂SO₄/CCl₄ –10°	Cyclopentan-⟨1-spiro-2⟩-4-oxo-3-methyl-tetra-hydrofuran					7

* Kann unter geeigneten Bedingungen Hauptprodukt sein.[6]

[1] R. LOCQUIN u. W. SUNG, C. r. 178, 1179 (1924); Bl. [4] 35, 753 (1924).
[2] M. STILES u. R. P. MAYER, Am. Soc. 81, 1497 (1959).
[3] M. F. ANSELL, W. J. HICKINBOTTOM u. A. A. HYATT, Soc. 1955, 1592.
[4] A. E. FAVORSKIĬ u. A. S. ONISHCHENKO, Ž. obšč. Chim. 11, 1111 (1941); C. A. 37, 3735³ (1943).
[5] R. B. DAVIS u. W. F. ERMAN, Am. Soc. 76, 3477 (1954).
[6] T. A. FAVORSKAJA u. G. M. TOLSTOPYATOV, Ž. obšč. Chim. 36, 801 (1966); engl.: 820.
[7] T. A. FAVORSKAJA u. A. S. LOZHENTSYNA, Ž. obšč. Chim. 33, 2916 (1963);

Glykol	Katalysator Reaktionsbedingungen	Keton	Ausbeute [% d.Th.]	Kp [°C]	Kp [Torr]	Nebenprodukte	Literatur
CH_3, $C\equiv CH$, HO (1-ethinyl-1-cyclohexyl carbinol structure)	konz. H_2SO_4/CCl_4 $-14°$	Cyclohexan-⟨1-spiro-2⟩-4-oxo-3-methyl-tetrahydrofuran (spirocyclic lactone structure)	15			H_3C, $C\equiv CH$ (1-ethinyl-cycloheptyl structure) (10%)	1
$H_3C-C-C\equiv C-C-C-CH_3$ with C_6H_5, CH_3, HO, OH substituents	20%ige H_2SO_4/100°/ 3 Stdn.	2-Hydroxy-5-oxo-2,6,6-trimethyl-3-phenyl-hepten-(3)	66	133–135	5	2-Hydroxy-5,5-dimethyl-2-tert.-butyl-4-phenyl-2,5-dihydro-furan	2
$H_3C-C-C\equiv C-C-CH_3$ with C_6H_5, CH_3, HO, OH substituents	25%ige H_2SO_4	5-Oxo-2-methyl-3-phenyl-hexadien-(1,3)		76–80	2,5	2-Hydroxy-5-oxo-2,7-dimethyl-3,9-diphenyl-nonatrien-(3,6,8)	3
$H_3C-C-C\equiv C-C-CH_3$ with C_6H_4-p-CH_3, C_6H_5, HO, OH substituents	30%ige H_2SO_4/100°/ 3 Stdn.					2-Hydroxy-5,5-dimethyl-2-phenyl-4-(4-methyl-phenyl)-2,5-dihydro-furan (80%)	4
$H_5C_6-C-C\equiv C-C-C_6H_5$ with CH_3, HO, OH substituents	40%ige H_2SO_4/100°/ 2,5 Stdn.	4-Oxo-3-methyl-1,3,4-triphenyl-butan	schlecht				5
$H_2C=CH-CH-C-C-CH-CH=CH_2$ with H_3C, CH_3, HO, OH, R substituents; R = H	98%ige HCOOH/ 31,7°	4-Methyl-4-acetyl-heptadien-(1,6)	70%			(25% Polymere)	6
(same structure); R = CH_3	98%ige HCOOH/ 31,7°/48 Stdn.	3,4,5-Trimethyl-4-acetyl-heptadien-(1,6)	80%	42–48	0,4	4-Oxo-3,5,6-tetra-methyl-octadien-(1,7) (20%)	7

[1] T. A. FAVORSKAYA, u. B. M. SAMUSIK, Ž. obšč. Chim. 32, 2128 (1962); engl: 2100.

[2] E. D. VENUS-DANILOVA u. E. P. BRICHKO, Ž. obšč. Chim. 17, 1549 (1947); C. A. 42, 2243 (1948).

[3] V. I. SERKOVA, A. A. ANTONOVA u. E. D. VENUS-DANILOVA, Ž. obšč. Chim. 31, 3141 (1961); engl.: 2926.

[4] E. D. VENUS-DANILOVA u. E. P. BRICHKO, Ž. obšč. Chim. 17, 1849 (1947); C. A. 42, 4160 (1948).

[5] E. D. VENUS-DANILOVA, E. P. BRICHKO u. L. A. PAVLOVA, Ž. obšč. Chim. 19, 951 (1949); C. A. 44, 3472 (1950).

[6] S. WOLD, Acta chem. Scand. 23, 1266 (1969).

[7] S. WOLD, Acta chem. Scand. 23, 2978 (1969) (die %-Angaben geben Mengenverhältnisse an).

Tab. 145. (2. Fortsetzung)

Glykol	Katalysator Reaktionsbedingungen	Keton	Ausbeute [% d.Th.]	Kp [°C]	[Torr]	Nebenprodukte	Literatur
H_3C CH_3 ⬡–C–C–CH$_3$ HO OH	H_2SO_4/0°	3-Oxo-2-methyl-2-cyclo-hexyl-butan	90			1-Oxo-2,2-dimethyl-1-cyclohexyl-propan (10%)	1
⬡–C–⬡ HO OH (dicyclohexyl)	H_2SO_4/0°	2-Oxo-3,3-dicyclohexyl-butan	70	(F: 72°)		1-Oxo-2-methyl-1,2-di-cyclohexyl-propan (30%)	1
H_3C C_6H_5 ⬡–C–C–CH$_3$ HO OH	H_2SO_4/0°	3-Oxo-2-cyclohexyl-2-phenyl-butan	5			1-Oxo-2-methyl-1-cyclo-hexyl-2-phenyl-propan (95%)	1
H_3C CH_3 H_3C–C–C–C_6H_5 HO OH	H_2SO_4/0°	3-Oxo-2-methyl-2-phenyl-butan	100				1
H_3C CH_3 H_2C=CH–C–C–CH=CH$_2$ HO OH	50%ige H_2SO_4 in Petroläther/3 Stdn. kochen	4-Oxo-3-methyl-3-vinyl-penten-(I)	52	45–47	15	2-Methyl-1-acetyl-cyclo-penten-(I) (15%)	2
	ZnO/Benzol	Octadion-(2,7)	30	110–115	15		2
	ZnO/250–300°	Octadion-(2,7)				2-Methyl-1-acetyl-cyclo-penten-(I) (30%) + 4-Oxo-3-methyl-3-vinyl-penten-(I)	2

1 G. GROS u. L. GIRAL, Bl. 1970, 1115 (die %-Angaben geben die Mengen-verhältnisse an).　　2 J. WIEMANN u. Sa-LETHI-THUAN, Bl. 1959, 1537.

Tab. 145. (3. Fortsetzung)

Glykol	Katalysator Reaktionsbedingungen	Keton	Ausbeute [% d.Th.]	Kp [°C]	[Torr]	Nebenprodukte	Literatur
(Struktur: Cyclopentan, CH₃, C–CH₃, HO OH)	konz. H₂SO₄/0° verd. H₂SO₄ oder Oxalsäure/erwärmen	2-Oxo-1,1-dimethyl-cyclohexan	55 (als Semicarbazon)	172,5			1,2
(Struktur: Cyclopentan, C₂H₅, C–C₂H₅, HO OH)	konz. H₂SO₄/-10° 2 Stdn.	1-Äthyl-1-propanoyl-cyclopentan (90%) + 2-Oxo-1,1-diäthyl-cyclohexan (10%)	57	86 / 93,5	16 / 15		1,3
(Struktur: Cyclopentan, C₃H₇, C–C₃H₇, HO OH)	konz. H₂SO₄/0° wäßrige Oxalsäure/Erhitzen	1-Propyl-1-butanoyl-cyclopentan (36%)* + 2-Oxo-1,1-dipropyl-cyclohexan (64%)*	50	115–117 / 119–120	18 / 17		1
(Struktur: Cyclopentan, C₆H₅, C–C₆H₅, HO OH)	konz. H₂SO₄ kalt/ 1 Stde.	2-Oxo-1,1-diphenyl-cyclohexan		(F: 99°)			3
(Struktur: Cyclohexan, CH₃, C–CH₃, HO OH)	konz. H₂SO₄/-10°	1-Methyl-1-acetyl-cyclohexan (66%) 2-Oxo-1,1-dimethyl-cycloheptan (33%)	24	190 / 186,5–187			1,3,4

* Das Mengenverhältnis ist unabhängig von der Temp. bei der Umlagerung; H. MEERWEIN, A. 419, 128 (1919).

1 H. MEERWEIN, A. 419, 121–175 (1919).
2 H. MEERWEIN u. W. UNKEL, A. 376, 152 (1910).
3 H. MEERWEIN, A. 396, 200 (1913).
4 J. ROUZAUD, G. CAUQUIL, L. GIRAL u. J. GROUZET, Bl. 1963, 4837.

Tab. 145. (4. Fortsetzung)

Glykol	Katalysator Reaktionsbedingungen	Keton	Ausbeute [% d.Th.]	Kp [°C]	Kp [Torr]	Nebenprodukte	Literatur
C₂H₅ Struktur	konz. H₂SO₄/0°	1-Äthyl-1-propanoyl-cyclohexan + 2-Oxo-1,1-diäthyl-cycloheptan		109–111	21		[1,2]
Struktur	ZnCl₂/Destillation	1-Phenyl-1-benzoyl-cyclo-hexan	~75	(F: 73–74°)			[1,3]
CH₃ Struktur cis und trans	H₂O/verd. H₂SO₄/180°/3 Stdn./ LiBr/Benzol/80° LiClO₄/Benzol/80°	1-Methyl-1-acetyl-cyclopentan	70–78 100	60,5	20	2-Oxo-1,1-dimethyl-cyclo-hexan (9%)	[4–7] [8]
CH₃ Struktur	cis verd. H₂SO₄/–20°	2 Oxo-1,1-dimethyl-cyclo-pentan	87	142 (Semi-carba-zon;F: 191,5–191,8°)			[5–9]
	trans verd. H₂SO₄/–20°	sonst Harz	22				
CH₃ Struktur	konz. H₂SO₄/0°	3-Oxo-2,2-dimethyl-bicyclo[2.2.1]heptan		(Semi-carba-zon F: 225–226°)			[10]
CH₃ Struktur	verd. HCl	1-Methyl-1-acetyl-cyclopropan	34				[11]
	200°		60				[12]

[1] H. Meerwein, A. **419**, 121–175 (1919); **396**, 232 (1913).
[2] J. Rouzaud, G. Cauquil, L. Giral u. J. Grouzet, Bl. **1968**, 4837.
[3] H. Meerwein, A. **396**, 200 (1913).
[4] S. Nametkin u. N. Delektorski, B. **57**, 583 (1924).
[5] H. Meerwein, A. **542**, 123 (1939).
[6] P. D. Bartlett u. I. Pöckel, Am. Soc. **59**, 820 (1937).
[7] B. Rickborn u. R. M. Gerkin, Am. Soc. **90**, 4193 (1968).
[8] B. Rickborn u. M. R. Gerkin, Am. Soc. **93**, 1693 (1971).
[9] H. Wilsing, Dissertation, Aachen 1954.
[10] P. D. Bartlett u. A. Bayley, Am. Soc. **60**, 2416 (1938).
[11] J. Palmén, III. Nordiska Kemistmötet (Helsingfors 1926) 202; C. **1929** I, 1446.
F. Dallacker u. M. Lipp, Tetrahedron Letters **1968**, 159.
[12] J. M. Conia u. J. P. Barnier in J. M. Conia u. J. R. Salaün, Acc. Chem. Res. **5**, 33 (1972).

Tab. 145. (5. Fortsetzung)

Glykol	Katalysator Reaktionsbedingungen	Keton	Ausbeute [% d.Th.]	Kp [°C]	[Torr]	Nebenprodukte	Literatur
	Ameisensäure/kochen	1,2,3-Tetramethyl-4-acetyl-cyclohexen-(I) + 1,5,6-Tetramethyl-4-acetyl-cyclohexen-(I)	92				1,2,3
	konz. H₂SO₄/1Stde./ −10°	4-Oxo-3,3-dimethyl-1-aza-bicyclo[3.2.2]nonan (75%) 3-Methyl-3-acetyl-chinuclidin (25%)	schlecht	84–86	1		3
	50% H₂SO₄	—					4
	ZnCl₂/Acetanhydrid	—				Dien	4
	50%ige H₂SO₄ 4 Stdn./100°	3-(4-Methyl-phenyl)-3-(4-methyl-benzoyl)-chinuclidin + 4-Oxo-3,3-bis[4-methyl-phenyl]-1-aza-bicyclo[3.2.2]nonan	70				4
	ZnCl₂/Acetanhydrid	3-(4-Methyl-phenyl)-3-(4-methyl-benzoyl)-chinuclidin	71,5				4

1 G. MEGGES, Dissertation, Aachen 1965.
2 F. DALLACKER u. M. LIPP, Tetrahedron Letters 1963, 159.
3 E. E. MIKHLINA et al., Ž. org. Chim. 2, 179 (1966); C. A. 64, 14167d (1966).
4 A.D. YANINA, E. E. MIKHLINA u. M. V. RUBTSOV, Ž. org. Chim. 2, 1707 (1966); C. A. 66, 64845 (1967).

Tab. 145. (6. Fortsetzung)

Glykol	Katalysator Reaktionsbedingungen	Keton	Ausbeute [% d. Th.]	Kp [°C]	[Torr]	Nebenprodukte	Literatur
	400° (Vak.)	4-Oxo-2,2,3,3-tetramethyl-cyclobutan-⟨1-spiro-2⟩-3,3-dimethyl-oxiran (75%) + 3-Oxo-1,4,4-trimethyl-2-[2-hydroxy-propyl-(2)]-cyclopenten-(I) (13%)	80				1
							1
	H₂SO₄/Eisessig/20° 3 Stdn.	3,5-Dioxo-1,1,2,2,4,4-hexamethyl-cyclopentan + 4,5-Dioxo-1,1,2,2,3,3-hexamethyl-cyclopentan	33 66				1

¹ J. K. CRANDALL u. D. R. PAULSON, J. Org. Chem. **33**, 3291 (1968).

Tab. 145. (7. Fortsetzung)

Glycol	Katalysator Reaktionsbedingungen	Keton	Ausbeute [% d. Th.]	Kp [°C]	Kp [Torr]	Nebenprodukte	Literatur
		4-Oxo-2,2,3,3-tetramethyl-1-isopropyliden-cyclo-butan				*4-Oxo-2,5-dimethyl-3-iso-propyliden-hexen-(1)*	1
	H₂SO₄/Eisessig 4 Stdn., RT	13%				76%	1
	3% H₂O in 1,4-Dioxan, 24 Stdn. kochen	49%				16%*	1
	400°; 0,25 Torr	64%				16%	1
	BF₃/Benzol 25° 2 Stdn.	*2,3,4,5-Tetrafluor-10-oxo-9,9-dimethyl-⟨benzo-bicyclo[2.2.0]hexa-dien⟩;* 27%					2

* Daneben entsteht 5-Hydroxy-2,5-dimethyl-4-isopropenyl-hexadien-(2,3) (35% d. Th.), welches in Schwefelsäure/Eisessig ebenfalls in das ungesättigte acyclische Keton übergeht.

1 K. CRANDALL u. D. R. PAULSON, J. Org. Chem. 33, 991 (1968).

2 A. G. RUMYANTSEVA, A. K. PETROV, M. I. KOLLEGOVA u. V. A. BARKHASH, Ž. org. Chim. 8, 1030 (1972).

Tab. 146. Spiroketone aus di-tert.-bicyclischen Ketonen*

Glykol	Katalysator Reaktionsbedingungen	Keton	Ausbeute [%d.Th.]	Kp [°C]	[Torr]	Nebenprodukte	Literatur
(Cyclobutan-diol)	10%ige H₂SO₄/ 1 Stde. erwärmen	*Cyclobutan-⟨spiro-1⟩-2-oxo-cyclopentan*	56	69–70	18		1
(Cyclopentan-diol)	verd. H₂SO₄	*Cyclopentan-⟨spiro-1⟩-2-oxo-cyclohexan*	86	96–102	13		2–5
	20%ige H₂SO₄		75				
	konz. H₂SO₄		75				6
	33%ige Oxalsäure		~90			2% Diene	
(Cyclohexan-diol)	25%ige H₂SO₄/ 2 Stdn. kochen	*2-Oxo-cyclohexan-⟨1-spiro⟩-cycloheptan*	85	103–104	8	Diene	7
(Cyclohexan-diol)	verd. H₂SO₄	*Cyclohexan-⟨spiro-1⟩-2-oxo-cycloheptan*	75			Dien (88%)	8,9
	konz. H₂SO₄						6
(Cyclohexan-diol)	verd. H₂SO₄ 2/Stdn. kochen BF₃-Ätherat konz. H₂SO₄	*Cyclohexan-⟨spiro-1⟩-2-oxo-cyclohexan* / *Cyclopentan-⟨spiro-1⟩-2-oxo-cycloheptan*	bis 95			Dien (durch verd. H₂SO₄ begünstigt)	6,8

* Während man aus 1,1′-Dihydroxy-bi-cyclopropyl mit Säuren oder Basen bei 230° *1-Hydroxy-2-oxo-1-äthyl-cyclobutan* erhält entsteht bei der Thermolyse des cycl. Sulfits bei 130° *Cyclopropan-⟨spiro-1⟩-2-oxo-cyclobutan*; J. M. DENIS u. J. M. CONIA, Tetrahedron Letters **1972**, 4593.

1 E. VOGEL, B. **85**, 25 (1952).
2 W. MEISER, B. **32**, 2049 (1899).
3 N. D. ZELINSKY u. N. J. SCHUIKIN, B. **62**, 2180 (1929).
4 D. J. CRAM u. H. STEINBERG, Am. Soc. **76**, 2753 (1954).
5 M. QUDRAT-I-KHUDA u. A. KUMAR RAY, J. indian. chem. Soc. **16**, 525 (1939); C. **40** I, 3104 (1940).
6 H. CHRISTOL, A. P. KRAPCHO u. F. PIETRASANTA, Bl. **1969**, 4059.
7 R. D. SANDS, Tetrahedron **21**, 887 (1965).
8 R. D. SANDS u. D. G. BOTTERON, J. Org. Chem. **28**, 2690 (1963).
9 D. S. GREIDINGER u. D. GINSBURG, J. Org. Chem. **22**, 1406 (1957).

Tab. 146. (Fortsetzung)

Glykol	Katalysator Reaktionsbedingungen	Keton	Ausbeute [% d. Th.]	Kp [°C] [Torr]	Nebenprodukte	Literatur
(Struktur) bzw. Epoxid	konz. H_2SO_4/−10°/ 3 Stdn.	*Cyclopentan-⟨spiro-1⟩-2-oxo-cyclohexan* (Struktur)		(Semicarbazon F: 192°)		[1,2]
R = H (Struktur)	H_2SO_4/Acetanhydrid	*Indan-⟨1-spiro-1⟩-2-oxo-tetralin* (Struktur) + *Indan-⟨1-spiro-2⟩-1-oxo-tetralin* (Struktur)	38 47	(F: 62–63°) (F: 86–87°)	Diene	[3]
	Essigsäure/Benzol	—			Diene	[3]
	HCl/Äther	—				
R = OCH_3	2,4-Dinitro-benzol-sulfonsäure in 3-Hydroxy-1-methyl-benzol	*5-Methoxy-indan-⟨1-spiro-1⟩-6-methoxy-2-oxo-tetralin* (Struktur)	95			[3]

[1] W. HÜCKEL u. R. DANNEEL, A. 474, 144 (1929).
[2] G. R. CLEMO u. J. ORMSTON, Soc. 1932, 1778.
[3] G. MAJERUS, E. YAX u. G. OURISSON, Bl. 1967, 4147.

Tab. 147. Ketone aus di-tert. Glykolen bzw. Oxiranen

Glykol	Katalysator Reaktionsbedingungen	Keton	Ausbeute [% d.Th.]	Kp [°C]	[Torr]	Nebenprodukte	Literatur
(Oxiran: H_3C, C_6H_5 / H_3C, C_6H_5 mit O)	200–300° Infusorien-erde	3-Oxo-2,2-diphenyl-butan		180 (F: 41°)	18		1–4
(H_3C C_6H_5 / $H_3C-C-C-C_6H_5$ / HO OH (CH_3))	50%ige H_2SO_4						5
	konz. H_2SO_4/Eisessig/0°						4
(H_3C CH_3 / $H_5C_6-C-C-C_6H_5$ / HO OH)	Spur H_2SO_4 in $(H_3C-CO)_2O$	1-Oxo-2-methyl-1,2-di-phenyl-propan					4
(H_3C CH_3 / H_5C_6 C_6H_5)	Gasphasendehydrati-sierung über Silicagel, H_3PO_4	3-Oxo-2,2-diphenyl-butan	63	(F: 41°)		bei 500° oder unter Ein-wirkung von P_2O_5 ent-steht 3-Methyl-2-phenyl-inden[6]	6
	300°, Infusorienerde						4
(H_3C CH_3 / $H_5C_6-C-C-C_6H_5$ / HO OH)	H_2SO_4 in $(H_3C-CO)_2O$		98 (Roh)				
(H_3C CH_3 / H_3C-C-C—(4-Cl-C_6H_4) / HO OH)	10%ige H_2SO_4 Rückfluß 16 Stdn.	3-Oxo-2-methyl-2-(4-chlor-phenyl)-butan	sehr gut	105	3	1-Oxo-2,2-dimethyl-1-(4-chlor-phenyl)-propan + 3-Methyl-2-(4-chlor-phenyl)-butadien	7

1 H. MEERWEIN, A. **396**, 200 (1913).
2 W. PARRY, Soc. **107**, 108 (1915).
3 P. RAMART-LUCAS u. F. SALMON-LEGAGNEUR, C. r. **188**, 1301 (1929).
4 P. RAMART-LUCAS u. F. SALMON-LEGAGNEUR, Bl. [4] **45**, 718 (1929).
5 O. BLUM-BERGMANN, B. **65**, 109 (1932).
6 W. S. EMERSON, Am. Soc. **69**, 1212 (1947).
7 H. W. MURPHY, J. pharm. Sci. **53**, 298 (1964).

Tab. 147. (1. Fortsetzung)

Glykol	Katalysator Reaktionsbedingungen	Keton	Ausbeute [%d.Th.]	Kp [°C]	[Torr]	Nebenprodukte	Literatur
H₅C₆-H₂C C₆H₅ / C–C–C₆H₅ / HO OH	50%ige H₂SO₄/ kochen/2 Stdn.	2-Oxo-1,1,3-tetraphenyl-propan	95	(F: 113–113,5°)			1
H₃C / H₃C–C–C⟨–CH₃ on ring⟩₂ / HO OH	50%ige H₂SO₄/ 4 Stdn./100°	3-Oxo-2,2-bis-[4-methyl-phenyl]-butan	94	(F; 46,5–47,5°)			2
	Spur H₂SO₄ in (H₃C—CO)₂O/3 Tage	1-Oxo-2-methyl-1,2-bis-[4-methyl-phenyl]-propan	96	(F: 39–40°)			2
H₃C / H₅C₆–C⟨cyclohexane⟩ / HO	konz. H₂SO₄/0°	2-Oxo-1-methyl-1-phenyl-cycloheptan	72	130–152	6	1-Phenyl-1-acetyl-cyclohexan (40%)	3,4
	SnCl₄/Benzol/25° ZnCl₂/H₃C–COOH/80° AlCl₃/Benzol/80°	1-Phenyl-1-acetyl-cyclohexan	90	(F: 38°)			4,5,6
H₃C / H₅C₆–C⟨cyclopentane⟩ / HO OH	konz. H₂SO₄/0°	2-Oxo-1-methyl-1-phenyl-cyclohexan	80	103–110	4	1-Phenyl-1-acetyl-cyclopentan (20%)	3

[1] A. ORÉKHOFF, Bl. [4] 25, 179 (1919).
[2] T. E. ZALESSKAYA u. I. K. LAVROVA, Ž. org. Chim. 1, 1215 (1965); C. A. 63, 13127 (1967).
[3] D. G. BOTTERON u. G. WOOD, J. Org. Chem. 30, 3871 (1965).
[4] G. G. LYLE, R. A. COVEY u. R. E. LYLE, Am. Soc. 76, 2713 (1954).
[5] G. CAUQUIL u. J. ROUZAUD, Bl. 1953, 671, 795.
[6] J. ROUZAUD, G. CAUQUIL, L. GIRAL u. J. CROUZET, Bl. 1963, 4837.

Tab. 147. (2. Fortsetzung)

Glykol	Katalysator Reaktionsbedingungen	Keton	Ausbeute [% d.Th.]	F [°C]	[Torr]	Nebenprodukte	Literatur
H_5C_6-C, H_5C_6-C, HO OH	konz. H_2SO_4/BF_3/ H_3C—COOH $ZnCl_2$/HCl	2-Oxo-1,1-diphenyl-cyclo-heptan		(F: 92–94°)			1,2
	$ZnCl_2$/H_3C—COOH	1-Phenyl-1-benzoyl-cyclo-hexan	97	(F: 76–76,5°)			1
H_5C_6-C, H_5C_6-C, HO OH	J_2/Eisessig/30 Min.	2-Oxo-1,1-diphenyl-cyclo-hexan	85–95	(F: 96,5–99°)			3
H_3C CH_3 C—C—C, HO OH	konz. H_2SO_4/73–75°	1-Oxo-2-methyl-1,2-dipy-ridyl-(3)-propan + 3-Oxo-2,2-dipyridyl-(3)-butan	60	(F: 48–50°) (F: 47–49°)			4,5
	SO_3/H_2SO_4 7 Stdn./60—100°	1-Oxo-2-methyl-1,2-dipyridyl-(3)-propan	40				5
HO OH C—C—C_6H_5 C_6H_5	konz. H_2SO_4/ —3 bis —6°/ 2 Stdn.	4-Oxo-3,3-diphenyl-1-aza-bicyclo[3.2.2]nonan	76	(F: 143–144°)			6
H_3C CH_3 C—C—C HO OH	konz. H_2SO_4 Eisessig/ 1 Stde. 100°	3-Oxo-2,2-dithienyl-(2)-butan				keine	7
C_2H_5 H_3CO—C—C_6H_5 OH	$SnCl_4$/Benzol/ 7°	9-Phenyl-9-propanoyl-fluoren	80				8

1 R. E. Lyle u. G. G. Lyle, Am. Soc. 74, 4059 (1952).
2 G. Cauquil u. J. Rouzaud, C. r. 231, 699 (1950).
3 A. Burger u. W. B. Bennet, Am. Soc. 72, 5414 (1950).
4 R. G. Vdovina et al., Ž. prikl. chim. 38, 2607 (1965); C. A. 64, 6609 (1966). US. P. 2966493 (1958), Ciba Pharm. Prod., Erf.: M. J. Allen u. W. L. Bencze; C. A. 55, 7442 (1961).
5 DAS 1258410 (1962), CIBA, Erf.: W. L. Yost.
6 E. E. Mikhlina et al., Ž. org. Chim. 2, 179 (1966); C. A. 64, 14167 (1966).
7 N. D. Heindel, J. heterocycl. Chem. 3, 379 (1966).
8 R. Perz u. J. Boyer, C. r. [C] 267, 1169 (1968).

β) Ketone aus alicyclischen Epoxiden

Di-tert.-1,2-Epoxi-cyclobutane gehen unter der Wirkung von konz. Schwefelsäure oder Aluminiumchlorid in Tetrachlormethan unter Ringverengung in Cyclopropan-Derivate über[1-3]:

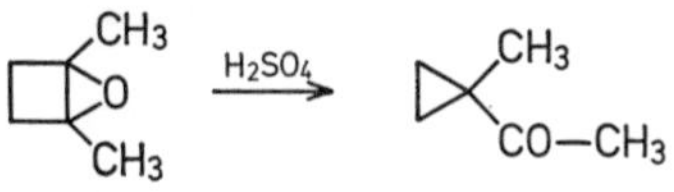

1-Methyl-1-acetyl-cyclopropan

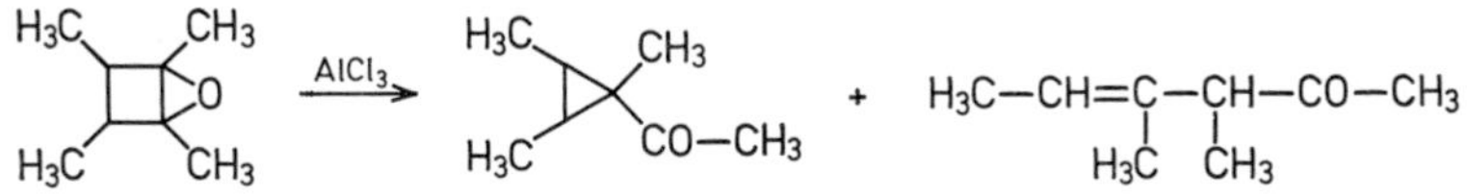

1,2,3-Trimethyl-1-acetyl-   *5-Oxo-3,4-dimethyl-hexen-(2)*
cyclopropan (73%)   *(27%)*

Dagegen reagiert das bicyclische Epoxid I unter Olefin-Bildung:

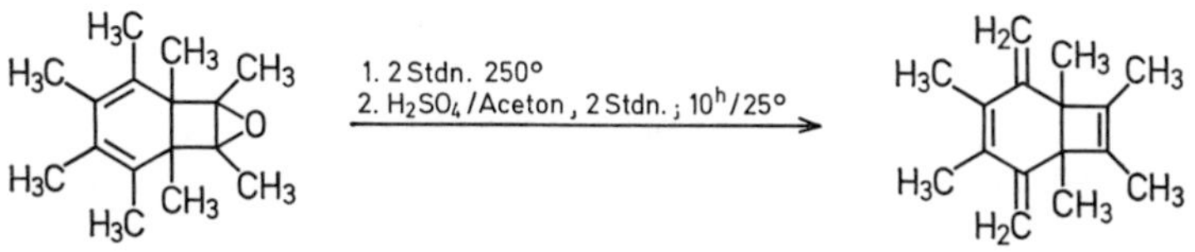

Durch Phosphorsäure-tris-[dimethylamid] oder ein Phosphinoxid solubilisiertes Lithiumbromid (1:1-Komplex; ein Überschuß an Phosphorsäure-tris-[dimethylamid] vermindert die katalytische Aktivität) in siedendem Benzol eignet sich ausgezeichnet zur Umlagerung von Oxiranen. Die Reaktion verläuft wahrscheinlich über das Lithium-Salz des Bromhydrins[4].

Lithiumperchlorat ist ebenfalls ein sehr guter Katalysator. Die Solubilisierung wird in diesem Fall durch das Epoxid bewirkt[4]:

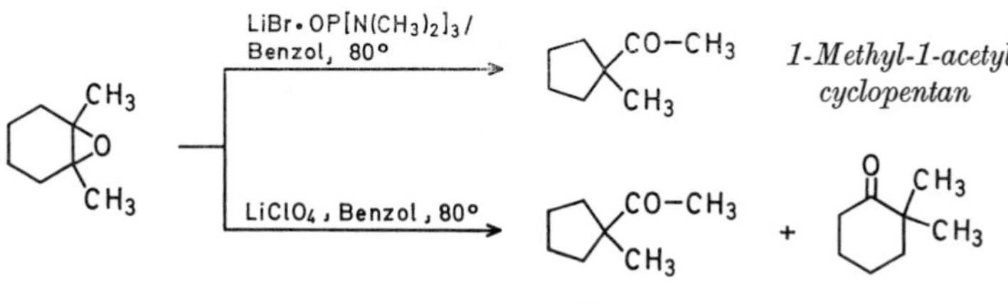

1-Methyl-1-acetyl-
cyclopentan

2-Oxo-1,1-dimethyl-
cyclohexan

---

[1] J. L. RIPOLL u. J. M. CONIA, Tetrahedron Letters **1965**, 979.
[2] J. L. RIPOLL u. J. M. CONIA, Bl. **1965**, 2755.
[3] R. CRIEGEE u. K. NOLL, A. **627**, 1 (1959).
[4] B. RICKBORN u. R. M. GERKIN, Am. Soc. **93**, 1693 (1971).

Thermische Umlagerungen von Oxiranen, welche unter Gerüstumlagerung zu Gemischen führen, können unter Katalyse von μ-Dichloro-tetracarbonyl-dirhodium in ihrer Spezifität beträchtlich verbessert werden.

1,2,4,5,6,7-Tetramethyl-3-oxa-tricyclo[3.2.0.0^{2,4}]hepten-(6) liefert bei 155° (15 Stdn.) ein Gemisch aus *6-Oxo-1,2,3,4,5,5-hexamethyl-cyclohexadien-(1,3)* (45% d.Th.) und *1,2,3,4,5-Pentamethyl-5-acetyl-cyclopentadien-(1,3)* (17% d.Th.), während bei 130° (3,5 Stdn.) in Gegenwart des Katalysators das Fünfringketon in 69% d.Th. gebildet wird[1]:

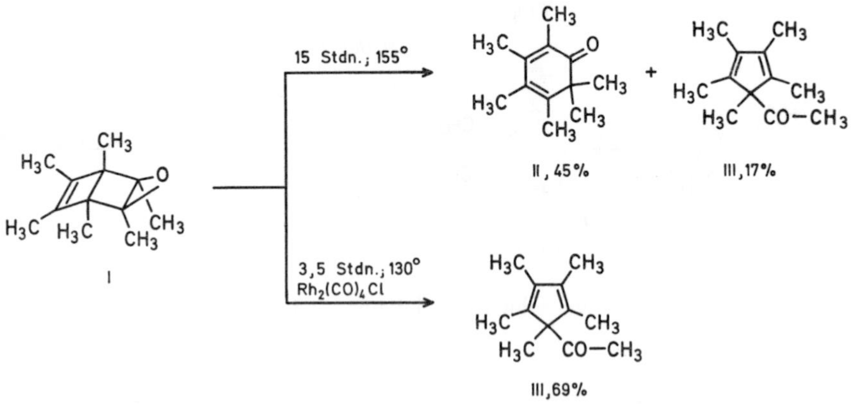

1,2,3-Trimethyl-1-acetyl-cyclopropan[2]:   38 g   1,2-Epoxi-1,2,3,4-tetramethyl-cyclobutan   in 100 *ml* Aceton und 50 *ml* Wasser werden vorsichtig mit 2 *ml* konz. Schwefelsäure und nach Abklingen der exothermen Reaktion mit weiteren 4 *ml* konz. Schwefelsäure versetzt. Nach 15 Stdn. Stehen bei Raumtemp. wird mehrfach mit Petroläther ausgeschüttelt. Man erhält 30,2 g (80% d.Th.) eines bei 52–67°/15 Torr siedenden Reaktionsgemisches das fraktioniert wird

    1. Fraktion: Kp$_{15}$: 48–50°; 6 g (16% d.Th.) *5-Oxo-3,4-dimethyl-hexen-(2)*

    2. Fraktion: Kp$_{15}$: 61–62°; 16 g (42% d.Th.) *1,2,3-Trimethyl-1-acetyl-cyclopropan*

5,6 α-Epoxi-6β-phenyl-5α-cholestan lagert sich bei kurzer Einwirkung von Bortrifluorid-Ätherat in das *4a-Oxo-5-phenyl-A-homo-B-nor-cholestan* (I; 85% d.Th.) um, während bei längerer Einwirkung *5-Oxo-6β-phenyl-4,5-decyclo-4,6-cyclo-cholestan* (II, 89% d.Th.) entsteht[3]:

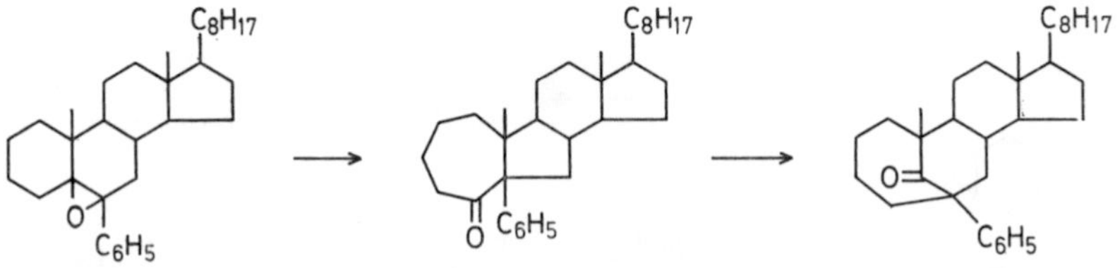

Im Neogammacerenoxid bleibt dagegen der die Epoxi-Gruppe tragende Fünfring erhalten und der Isopropyl-Substituent wandert[4]:

[1] R. Grigg u. G. Shelton, Chem. Commun. **1971**, 1247.
[2] R. Criegee u. K. Noll, A. **627**, 1 (1959).
[3] J. N. Coxon, M. P. Hartshorn u. W. J. Rae, Tetrahedron **26**, 1091 (1970).
[4] G. Berti, F. Bottari, A. Marsili, I. Morelli u. A. Mandelbaum, Tetrahedron **27**, 2143 (1971).

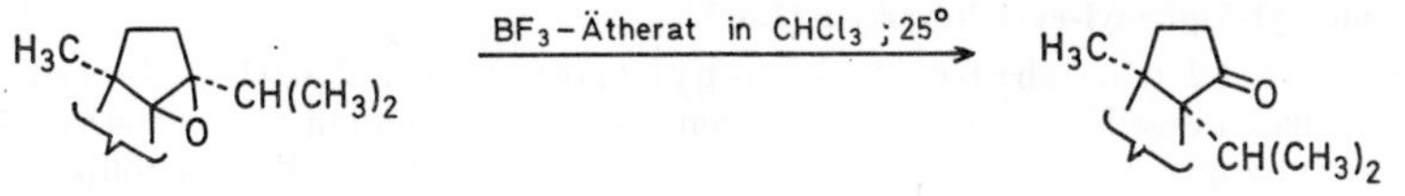

*3-Oxo-5α,5β,8,9,11α,13β-
hexamethyl-3a-isopropyl-
perhydro-⟨cyclopentan-[a]-
chrysen⟩*; 15% d.Th.

Das aus Cyclohexanon und dem Schwefel-ylid I in Dimethylsulfoxid erhaltene Cyclopropan-⟨spiro-2⟩-oxiran-⟨3-spiro⟩-cyclohexan lagert sich bereits beim Isolierungsversuch durch präparative Gaschromatographie zum *2-Oxo-cyclobutan-⟨1-spiro⟩-cyclohexan* um[1]:

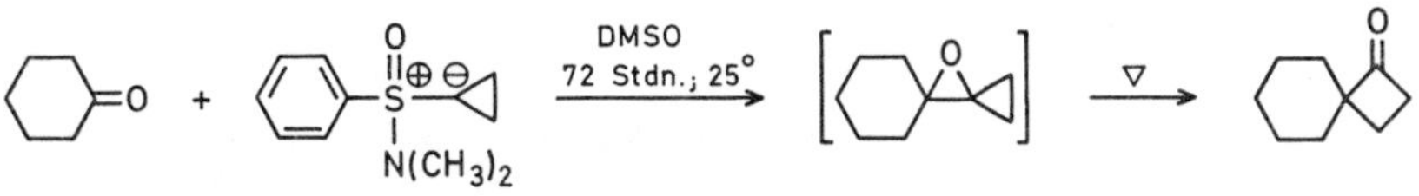

γ) Ketone aus Fulven-epoxiden

Die durch alkalische Wasserstoffperoxid-Oxidation von disubstituierten Fulvenen in 70–80% Ausbeute zugänglichen dimeren Fulven-epoxide II liefern durch Pyrolyse bei ∼400° 6,6-disubstituierte Cyclohexadien-(1,3)-one[2]; z.B.:

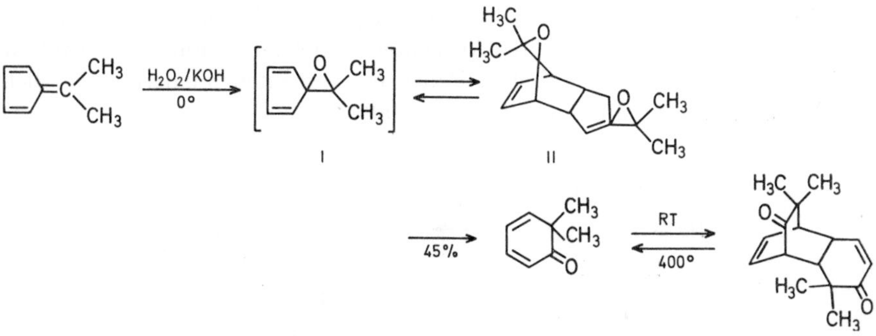

*6-Oxo-5,5-dimethyl-
cyclohexadien-(1,3)*;
Kp₁₂: 56°[3]

*5,11-Dioxo-6,6,12,12-
tetramethyl-tricyclo
[6.2.2.0²,⁷]dodeca-
dien-(3,9)*

Die Dimerisation der Cyclohexadien-(1,3)-one erfolgt in Abhängigkeit von den Substituenten innerhalb eines oder mehrerer Tage bis zu einigen Wochen. Durch Pyrolyse bei ∼400° läßt sich das Monomere zurückgewinnen.

---

[1] C. R. Johnson, G. F. Katekar, R. F. Huxol u. E. R. Janiga, Am. Soc. **93**, 3771 (1971).

[2] O. L. Chapman, *Organic Photochemistry*, Vol. 1, S. 2, 76, 93, 127, 142, 155, Marcel Dekker, New York 1967.

[3] K. Alder, F. H. Flock u. H. Lessenich, B. **90**, 1709 (1967).

6-Oxo-5-methyl-5-phenyl-cyclohexadien-(1,3)[1]:

5,11-Dioxo-6,12-dimethyl-6,12-diphenyl-tricyclo[6.2.2.0^{2,7}]dodecadien-(3,9)
(S. 1037): 42 g frisch destilliertes ω-Methyl-ω-phenyl-fulven werden mit 500 *ml* Methanol, dem 5 g
Kaliumhydroxid zugesetzt worden sind, vermischt. Man läßt 30%ige Wasserstoffperoxid so zutropfen, daß sich die Temp. zwischen 25 und 30° hält. Wenn die Lösung nur noch schwach gelb
ist und weitere Peroxid-Zugabe keine Temperaturerhöhung mehr bewirkt, fällt man das Epoxid
durch Zutropfen von Wasser aus, bis keine weitere Trübung mehr entsteht. Der ölige Niederschlag wird in der Kälte durch Anreiben zur Kristallisation gebracht. Den halbfesten Kristallkuchen befreit man auf Ton möglichst weitgehend von Wasser und nimmt ihn sofort in mittel-
siedendem Ligroin auf. Aus der getrockneten, eingeengten Lösung scheidet sich in der Kälte
ein Kristallgemisch aus; Ausbeute: 34 g (74% d. Th.).

6-Oxo-5-methyl-5-phenyl-cyclohexadien-(1,3): 10 g des Epoxid-Gemisches läßt
man in geschmolzenem Zustand an die Innenwand eines leeren Pyrex-Rohres bei 400°/12 Torr
tropfen. Das braune Pyrolysat wird i. Hochvak. destilliert. Man erhält 7,5 g (75% d. Th.) eines
schwach gefärbten Öles; Kp$_{0,01}$: 83°.

Analog erhält man:

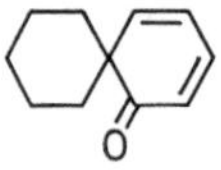

Cyclohexan-⟨spiro-5⟩-6-oxo-cyclohexadien-(1,3)[1]   75% d. Th.
                                                            Kp$_{0,2}$: 70–80°

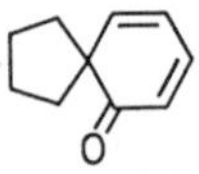

Cyclopentan-⟨spiro-5⟩-6-oxo-cyclohexadien-(1,3)[2]

δ) Ketone aus aromatischen di-tert.-Glykolen (Benzpinakolen)

1,2-Dihydroxy-tetraaryl-äthane (Benzpinakole) geben bei der Behandlung mit
Säuren im allgemeinen in sehr guten Ausbeuten Ketone, da kaum Nebenreaktionen
möglich sind, die in der aliphatischen Reihe die Ausbeuten mindern (z.B. Olefin-
Bildung) und die Endprodukte meist gut kristallisieren:

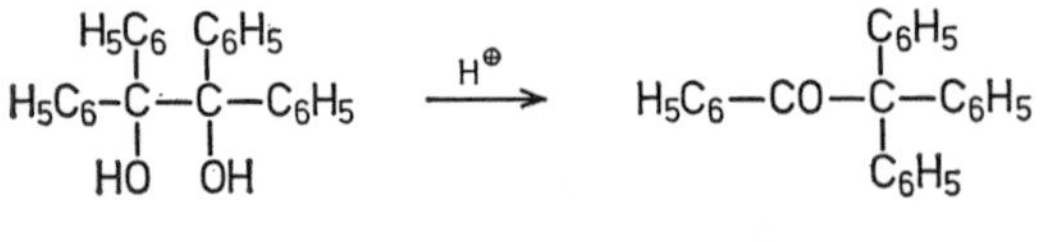

2-Oxo-1,1,1,2-tetraphenyl-äthan selbst ist aus 1,2-Dihydroxy-1,1,2,2-tetraphenyl-
äthan durch Erwärmen mit Acetylchlorid oder Benzoylchlorid[3], durch Erhitzen mit
konz. Jodwasserstoffsäure auf 170–180°, konz. Salzsäure auf 200°, verd. Schwefelsäure auf 180–200°[3], Perchlorsäure in Eisessig[4]. hergestellt worden. In manchen
Fällen verläuft die Umlagerung zumindest teilweise über das Oxiran[4,5].
Besser arbeitet man in organischen Lösungsmitteln, z.B. Alkohol/Benzol
und setzt geringe Mengen Schwefelsäure, Salzsäure oder Ameisensäure zu. Nach

[1] K. ALDER, F. H. FLOCK u. H. LESSENICH, B. **90**, 1709 (1967).
[2] E. C. FRIEDRICH u. S. WINSTEIN, Tetrahedron Letters **1962**, 475.
[3] W. THÖRNER u. T. ZINCKE, B. **10**, 1473 (1877).
[4] H. J. GEBHART u. K. H. ADAMS, Am. Soc. **76**, 3925 (1954).
[5] W. THÖRNER u. T. ZINCKE, B. **11**, 1396 (1878).

1–4 Stdn. Kochen ist die Umlagerung meist beendet. Gut bewährt haben sich 2%ige Lösungen von Jodwasserstoffsäure, p-Toluolsulfonsäure, Acetylchlorid und besonders Perchlorsäure in Eisessig[1].

1-Oxo-tetraaryl-äthane aus 1,2-Dihydroxy-tetraaryl-äthanen; allgemeine Arbeitsvorschrift:

in Perchlorsäure/Eisessig[1]: Zu 30 ml einer 2%igen wasserfreien Lösung von Perchlorsäure in Eisessig, die man durch Vermischen von 14 ml Eisessig, 13 ml Acetanhydrid und 3 ml 20%iger wäßriger Perchlorsäure herstellt, gibt man etwa 1,5 g des wasserfreien Glykols. Man erhitzt in einer vollständig aus Glas bestehenden Apparatur 1 Stde. zum Sieden und gießt in Wasser. Der Niederschlag wird abgesaugt und gewaschen; Ausbeute: ~ 98% der Theorie.

in Jod/Eisessig[2]: Eine Lösung von 0,003 g Mol Glykol und 0,5 g Jod in 50 ml Eisessig wird 1 Stde. am Rückfluß erhitzt. Die erhaltene Lösung wird in stark verd. wäßrige schweflige Säure gegossen und der ausfallende Niederschlag umkristallisiert.

Besonders elegant und noch wenig angewandt ist die Methode[3], die Abspaltung mit einer ~ 0,04–0,2%igen Lösung von Jod in Eisessig bei Siedetemperatur vorzunehmen. *2-Oxo-1,1,1,2-tetraphenyl-äthan* bildet sich innerhalb von 5 Min. in 96%iger Ausbeute[4].

Wahrscheinlich sind hierbei die beim Kochen gebildeten katalytischen Mengen Jodwasserstoff und Jodessigsäure wirksam[5].

Wird bei der Herstellung des 1,2-Dihydroxy-tetraphenyl-äthans aus Benzophenon in saurem Medium gearbeitet (z.B. Zink/Salzsäure), so erhält man direkt *2-Oxo-1,1,1,2-tetraphenyl-äthan*[6]. Auch bei der Herstellung anderer Glykole muß mit gleichzeitiger Dehydratisierung und Umlagerung „in situ" gerechnet werden[7,8] und zwar bereits unter Bedingungen bei denen das Glykol noch nicht umlagert[9].

3,8-Dimethoxy-2-oxo-1,1-diphenyl-acenaphthen[9]:

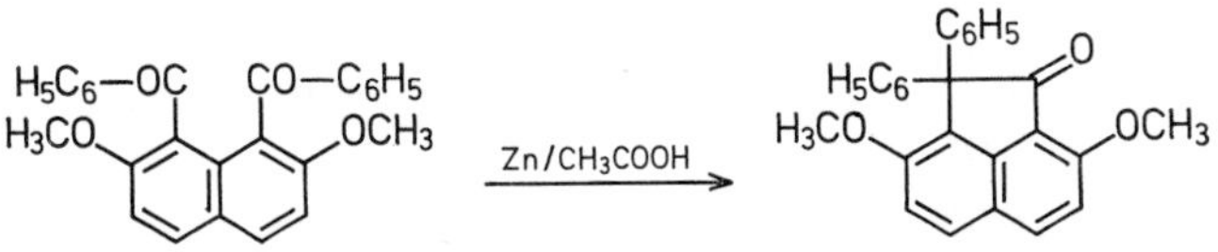

2 g 2,7-Dimethoxy-1,8-dibenzoyl-naphthalin werden in siedendem Eisessig unter Zusatz von etwas Wasser gelöst und in die siedende Lösung Zinkstaub in kleinen Portionen eingetragen. Man kocht einige Min. bis die Lösung ganz klar ist und filtriert. Auf Zusatz von etwas Wasser kristallisiert das Keton aus; F: 224°.

Das entsprechende Glykol lagert in siedendem Eisessig erst nach Zusatz von etwas konz. Salzsäure um.

Die Umlagerung der aus symmetrischen substituierten Benzophenonen hergestellten 1,2-Dihydroxy-tetraaryl-äthane verläuft glatt und eindeutig. 4,4'-Dichlor-

[1] H. H. HATT, A. PILGRIM u. E. F. M. STEPHENSON, Soc. **1941**, 478.
[2] W. E. BACHMANN u. E. JU-HWA CHU, Am. Soc. **57**, 1095 (1935); **58**, 1118 (1936).
[3] M. GOMBERG u. W. E. BACHMANN, Am. Soc. **49**, 236 (1927).
[4] W. E. BACHMANN, Org. Synth. Coll. Vol. II, S. 73.
[5] H. H. HATT u. C. H. BEALE, Am. Soc. **54**, 2405 (1932).
[6] W. THÖRNER u. T. ZINCKE, B. **11**, 65 (1878).
[7] W. THÖRNER, A. **189**, 110 (1877).
[8] K. ELBS, J. pr. [2] **35**, 477 (1887).
[9] E. BESCHKE, A. **369**, 196 (1909).

benzophenon gibt *2-Oxo-tetrakis-[4-chlor-phenyl]-äthan*[1], 4,4'-Bis-[dimethylamino]-benzophenon gibt *2-Oxo-tetrakis-[4-dimethylamino-phenyl]-äthan*[2].

Weist das Ausgangsketon 2 verschiedene Reste auf, so sind 2 Umlagerungsprodukte möglich:

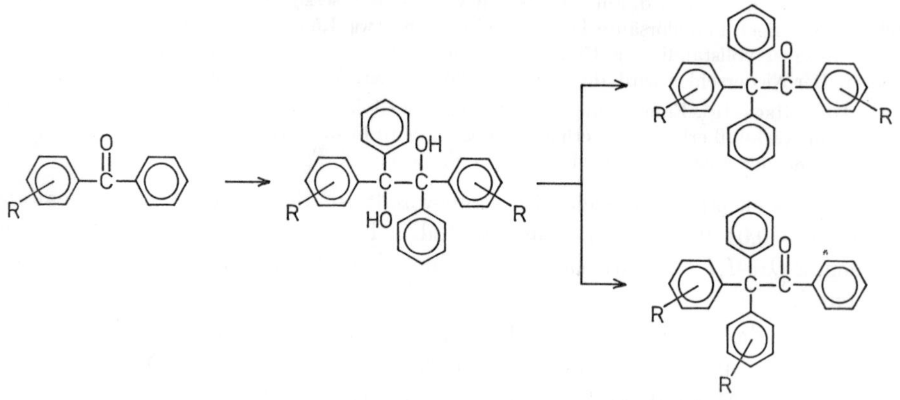

Das Verhältnis der Endprodukte hängt vom Verhältnis der Wanderungstendenz der beiden Reste ab. Meist entstehen Gemische, falls nicht der eine Rest um Größenordnungen leichter wandert (z.B. Biphenyl). Fluor erhöht die Beweglichkeit, Chlor und Brom vermindern sie, während Jod keinen Einfluß ausübt[3].

Umfangreiche Versuche[4-6] haben zur Aufstellung von Reihen relativer Wanderungsfähigkeit (migratory aptitude) geführt[5-8]:

R = H	1,0	R = 3–OCH$_3$	1,6
2–OCH$_3$	0,3	4–CH$_3$	2,0
3–CH$_3$	0,6	4–C$_2$H$_5$	2,2
4–Cl	0,66	4–tert.-C$_4$H$_9$	3,2
4–Br	0,75	4–C$_6$H$_5$	11
4–J	1,0	4–OCH$_3$	21
4–F	1,9		

R = heterocyclische Reste[9]

Pyridyl-(2) $\langle$ C$_5$H$_5$ $\langle$ p-OCH$_3$-C$_6$H$_4$ $\langle$ Thienyl-(2) $\langle$ Furyl-(2)

Die schlechte Wanderungsfähigkeit dürfte mit der Salzbildung im sauren Medium zusammenhängen.

[1] P. J. Montagne, R. 24, 105 (1905).
[2] S. Fischl, M. 34, 346 (1913); 35, 519 (1914).
[3] S. A. Koopal, R. 34, 115 (1915).
[4] W. E. Bachmann u. F. H. Moser, Am. Soc. 54, 1124 (1932).
[5] W. E. Bachmann u. J. W. Ferguson, Am. Soc. 56, 2081 (1934).
[6] J. C. Bailar, Am. Soc. 52, 3596 (1930).
[7] J.-G. Burr u. L. S. Ciereszko, Am. Soc. 74, 5426, 5431 (1952).
[8] H. Meerwein, A. 419, 121–175 (1919).
[9] M. R. Kegelmann u. E. V. Brown, Am. Soc. 76, 2711 (1954).

Der Einfluß des Katalysators auf die Wanderungsfähigkeit ist umstritten[1,2]. Dagegen ist das Ergebnis unsymmetrisch substituierter Glykole vom Typ

$$
\begin{array}{ccc}
\text{Ar} & \text{Ar}-\text{X} & \\
| & | & \\
\text{Ar}-\text{C}-\text{C}-\text{Ar}-\text{X} \\
| & | & \\
\text{HO} & \text{OH} &
\end{array}
$$

in erster Linie davon abhängig, an welcher der beiden Hydroxy-Gruppen das Proton angreift und erst in zweiter Linie vom Verhältnis der Wanderungstendenzen. Auch in diesem Fall entstehen meist Gemische[3,4].

Da die Elimierung der Hydroxy-Gruppe als Wasser durch elektronen-abgebende Substituenten (durch mesomeren oder induktiven Effekt bedingt) begünstigt wird, wandert in unsymmetrischen Glykolen zwangsläufig der weniger nucleophile Substituent (entgegen der Reihe über die Wanderungsfähigkeit), während bei symmetrischen Glykolen stets der nucleophilere Substituent bevorzugt wandert[5].

In o-Stellung substituierte Tetraaryl-glykole reagieren auffällig langsam bei der Dehydratisierung.

Die Reaktion mit der 12fachen Menge Acetylchlorid dauert 64 Stdn., während bei m- und p-Substitution 7 Stdn. mit der 1,5fachen Menge bereits zu sehr guten Ausbeuten führen[6]. Mit Jod/Eisessig kann auch in diesem Fall eine raschere Reaktion (30 Min. bei 110°) erzwungen werden[7].

Offenbar ist der o-Effekt nicht allein sterisch bedingt[7,8] {1,2-Dihydroxy-1,2-diphenyl-1,2-bis-[2-fluor-phenyl]-äthan reagiert vergleichbar schlecht wie 1,2-Dihydroxy-1,2-diphenyl-1,2-bis-[2-brom-(bzw. 2-methoxy)-phenyl]-äthan}, vielmehr scheint eine Wechselwirkung mit der Hydroxy-Gruppe vorzuliegen[8].

Diese könnte in der Ausbildung einer Wasserstoffbrücke zwischen einer Hydroxy-Gruppe und einem freien Elektronenpaar des o-Substituenten bestehen, wodurch die Dehydratisierung des Glykols und die Wanderung des o-substituierten Rests erschwert wäre. Denkbar wäre aber auch ein Angriff des nucleophilen o-Substituenten am β-ständigen Carbinolkohlenstoffatom, wodurch zwar die Dehydratisierung erleichtert (anchimeric assistance[9,10]) die Stabilität des primär gebildeten Carboniumions jedoch erhöht würde.

2-Oxo-1,1,1,3-tetraphenyl-propan[11]: 25 g 1,2-Dihydroxy-1,1,2,3-tetraphenyl-propan werden mit 600 g 50%iger Schwefelsäure am Rückfluß gekocht, wobei das Glykol bald in eine ölige Masse übergeht. Nach 2 Stdn. Kochen wird mit Wasser verdünnt und mit Äther (wohl besser mit Benzol)

[1] W. E. BACHMANN u. J. W. FERGUSON, Am. Soc. **56**, 2081 (1934).
[2] H. H. HATT, A. PILGRIM u. E. F. M. STEPHENSON, Soc. **1941**, 478.
[3] W. E. BACHMANN u. H. R. STERNBERGER, Am. Soc. **56**, 170 (1934).
[4] W. E. BACHMANN, Am. Soc. **54**, 2112 (1932).
[5] G. A. R. KON, Ann. Rep. Progr. Chem. **30**, 182 (1933).
[6] S. A. KOOPAL, R. **34**, 115 (1915).
[7] H. H. HATT u. C. H. BEALE, Am. Soc. **54**, 2405 (1932).
[8] E. BERGMANN, R. **58**, 863 (1939).
[9] s. S. WINSTEIN, Experentia, Suppl. No. 2, 153, (1955).
[10] S. WINSTEIN u. L. L. INGRAHAM, Am. Soc. **77**, 1738 (1955).
[11] A. ORÉKHOFF, Bl. [4] **25**, 179 (1919).

ausgezogen. Aus dem Extrakt erhält man nach Verdampfen des Lösungsmittels eine kristalline Masse, die durch Umkristallisieren aus Ligroin gereinigt wird; Ausbeute: 23 g (95% d.Th.); F: 113–113,5°.

Interessante Verhältnisse liegen bei o-Hydroxy-substituierten Tetraaryl-glykolen vor, wo sowohl innerhalb des Ausgangsglykols als auch des durch Umlagerung gebildeten Ketons Ringschlüsse durch Kondensation möglich sind[1]:

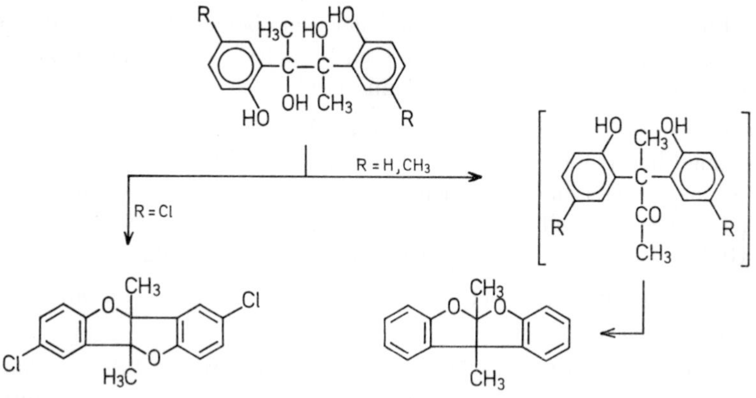

3,8-Dichlor-4b, 9b-dimethyl-4b,9b-dihydro-⟨benzofuro-[3,2-b]-benzofuran⟩

5a,10b-Dimethyl-5a,10b-di-hydro-⟨benzofuro-[2,3-b]-benzofuran⟩

Die Umlagerung von Benzpinakolen läßt sich auch auf entsprechend strukturierte Polymere übertragen. Die durch Photokondensation aus Bis-[4-benzoyl-phenyl]-äther und 1,2-Bis-[4-benzoyl-phenyl]-äthan erhaltenen Polybenzpinakole werden in schwefelsaurer 1,4-Dioxan-Lösung zu Polyketonen mit der vorherrschenden Struktureinheit II umgelagert[2]:

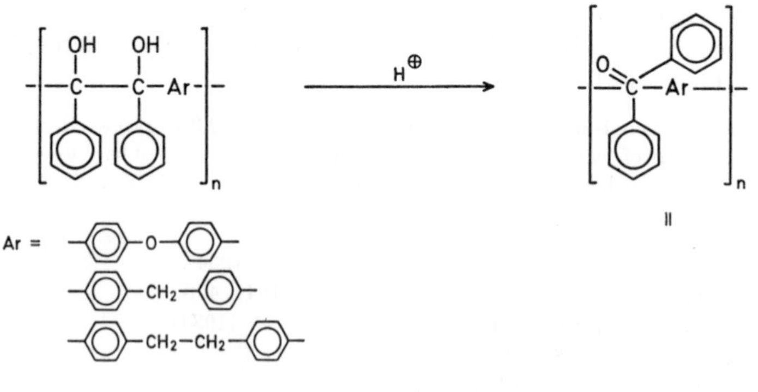

[1] B.S. THYAGARAJAN, K.K. BALASUBRAMANIAN u. R. BHIMA RAO, Tetrahedron **21**, 2289 (1965).
  G.J. GIE, Ark. Kemi **19** [A], No. 11, 15 (1945); C. A. **41**, 1661 (1947).
  K. SISIDO, H. NOZAKI u. T. IWAKO, Am. Soc. **71**, 2037 (1949).
[2] D. A. McCOMBS, C. S. MENON u. J. HIGGINS, J. Polymer Sci. A-1. Polymer Chemistry **9**, 1799 (1971).

Tab. 148. Ketone aus aromatischen di-.tert.-Glykolen

Glykol	Katalysator Reaktionsbedingungen	Keton	Ausbeute [%d.Th.]	F [°C]	Bemerkungen	Literatur
R=H	J₂/Eisessig	2-Oxo-1,1,2-tetraphenyl-äthan	100	179–180		1
R=CH₃	J₂/Eisessig	2-Oxo-1,1,2-tetrakis-[4-methyl-phenyl]-äthan	100	146–147		1
R=OCH₃	H₂SO₄/Eisessig J₂/Eisessig	2-Oxo-1,1,2-tetrakis-[4-methoxy-phenyl]-äthan	100	136–137		1,2
R= —O—CO—CH₃	J₂/Eisessig	2-Oxo-1,1,2-tetrakis-[4-acetoxy-phenyl]-äthan	100	191		3
	12n HCl/Äthanol 2 Stdn. Sieden	2-Oxo-1,1,2-tetrakis-[4-hydroxy-phenyl]-äthan		158–160 (kristal. nicht)		3
R=Cl	J₂/Eisessig	2-Oxo-1,1,2-tetrakis-[4-chlor-phenyl]-äthan	100	194–195		1

1 P. DEPOVERE u. R. DEVIS, Bl. 1968, 2470.
2 Y. POCKER u. B.P. RONALD, J. Org. Chem. 35, 3362 (1970).
3 P. DEPOVERE u. R. DEVIS, Bl. 1968, 4876.

66*

Tab. 148. (1. Fortsetzung)

Glykol	Katalysator Reaktionsbedingungen	Keton	Ausbeute [%d.Th.]	F [°C]	Bemerkungen	Literatur
	H_2SO_4 in essigsaurer Lösung	*2-Oxo-1,2-diphenyl-1,1-bis-[4-methoxy-phenyl]-äthan*				1
	50%ige H_2SO_4, Rückfluß, CH_3COCl	*2-Oxo-1,2-diphenyl-1,1-bis-[4-methoxy-phenyl]-äthan*	sehr gut	125–126		2
		2-Oxo-1,2-diphenyl-1,1-bis-[2,4-dimethoxy-phenyl]-äthan		148–149	entsteht bereits bei der Reaktion des 2,4-Di-methoxy-benzophe-nons in Zn/CH_3COOH	3
	Spur J_2 in Eisessig kurz erwärmen	*2-Oxo-1,2-diphenyl-1,1-di-biphenylyl-(4)-äthan*	100	198		4,5
	Acetylchlorid/12Stdn. 100°	*2-Oxo-1,1-diphenyl-1,2-bis-[4-chlor-phenyl]-äthan*	60			6
		+ *2-Oxo-1,2-diphenyl-1,1-bis-[4-chlor-phenyl]-äthan*	40			

1 Y. Pocker u. B. P. Ronald, J. Org. Chem. **35**, 3362 (1970).
2 M. Tiffeneau u. A. Orékhoff, Bl. [4] **37**, 430 (1925).
3 A. Orékhoff u. M. Roger, Bl. [4] **49**, 1754 (1931).
4 M. Gomberg u. W. E. Bachmann, Am. Soc. **49**, 236 (1927).
5 R. Gaertner, J. Org. Chem. **15**, 1006 (1950).
6 P. J. Montagne, R. **26**, 253 (1907).

Tab. 148. (2. Fortsetzung)

Glykol	Katalysator Reaktionsbedingungen	Keton	Ausbeute [% d.Th.]	F [°C]	Bemerkungen	Literatur
	J$_2$/Eisessig/Acetanhydrid/Kochen	2-Oxo-1,2-diphenyl-1,1-bis-[4-fluor-phenyl]-äthan		121,5–122,5		1
	20%ige H$_2$SO$_4$ 4 Stdn. Rückfluß	2-Oxo-1,1-bis-[4-methoxy-phenyl]-1,2-bis-[4-methyl-phenyl]-äthan		81	entsteht bereits bei der Glykol-Herstellung in Zn/Eisessig	2
	J$_2$/Eisessig Acetylchlorid	2-Oxo-1,1-diphenyl-1,2-dinaphthyl-(1)-äthan		232	Dagegen soll bei der Reduktion von 1-Benzoyl-naphthalin mit Zn/HCl als einziges Produkt 2-Oxo-1,2-diphenyl-1,1-dinaphthyl-(1)-äthan entstehen[5]	3,4
	Acetylchlorid 10 Stdn.	2-Oxo-1,2-diphenyl-1,1-bis-[4-methyl-phenyl]-äthan	99	136		6

[1] W. E. BACHMANN u. H. R. STERNBERGER, Am. Soc. 56, 170 (1934).
[2] A. ORÉKHOFF u. J. BROUTY, Bl. [4] 47, 621 (1930).
[3] W. E. BACHMANN u. R. V. SHANKLAND, Am. Soc. 51, 306 (1929).
[4] E. BERGMANN u. W. SCHUCHARDT, A. 487, 225 (1931).
[5] K. ELBS, J. pr. [2] 35, 505 (1887).
[6] S. F. ACREE, Am. 33, 180 (1905).

Tab. 148. (3. Fortsetzung)

Glykol	Katalysator Reaktionsbedingungen	Keton	Ausbeute [%d.Th.]	F [°C]	Bemerkungen	Literatur
R = C₆H₅	Acetylchlorid 6 Stdn. konz. H₂SO₄/0° J₂/Eisessig	10-Oxo-9,9-diphenyl-9,10-dihydro-phenanthren	100	195–198	wurde mit vielerlei Resten Ar ausgeführt	1–4
CH₃	konz. H₂SO₄/−10°	10-Oxo-9,9-dimethyl-9,10-dihydro-phenanthren	100			2,5
C₂H₅	30%ige H₂SO₄/ kochen	10-Oxo-9,9-diäthyl-9,10-dihydro-phenanthren				5
C₃H₇	H₂SO₄ in Eisessig	10-Oxo-9,9-dipropyl-9,10-dihydro-phenanthren				5
R = CH₃	konz. H₂SO₄/0°	9-Methyl-9-acetyl-fluoren		89		2
C₂H₅	konz. H₂SO₄/0°	9-Äthyl-9-propanoyl-fluoren		58		2
Ar	konz. H₂SO₄/0° Acetylchlorid in Eisessig/Benzol	(22–98%) + (78–22%)	100		Mengenverhältnis sehr unterschiedlich je nach Ar u. Katalysator	2,6,7
C₆H₅	CH₃COCl/Benzol 24 Stdn. Rückfluß	25% 60%			10-Oxo-9,9-diphenyl-9,10-dihydro-phenanthren	8

¹ S. F. Acree, Am. 33, 180 (1905).
² H. Meerwein, A. 396, 200 (1913).
³ W. E. Bachmann, Am. Soc. 54, 1969 (1932).
⁴ W. E. Bachmann u. E. Ju-Hwa Chu, Am. Soc. 57, 1095 (1935); 58, 1118 (1936).
⁵ T. Zincke u. W. Tropp, A. 362, 242 (1908) (Konstitutionen fälschlicher-
weise als Epoxide formuliert).
⁶ W. E. Bachmann u. H. R. Sternberger, Am. Soc. 55, 3819 (1933).
⁷ E. Bergmann u. W. Schuchardt, A. 487, 225 (1931).
⁸ R. Perz u. J. Boyer, C. r. [C] 267, 1169 (1968).

Tab. 148. (4. Fortsetzung)

Glykol	Katalysator Reaktionsbedingungen	Keton		Ausbeute [%d.Th.]	F [°C]	Bemerkungen	Literatur
R = C₆H₅	SnCl₄/Benzol 15 Min. 7°	40%	35%			+ 9-Phenyl-9-benzoyl-phenanthren	1
	AlCl₃/Xylol 15 Min. 25°	65%	20%				1
R = C₆H₅ (Monomethyläther des Glykols)	CH₃COCl/Benzol 24 Stdn. Rückfluß	85%	—				1
	SnCl₄/Benzol 15 Min. 7°	70%	20%				1
	AlCl₃/Xylol 15 Min. 25°	99%	—				1
(Naphthalin-Glykol, cis/trans)	J₂/Eisessig H₂SO₄/Eisessig Eisessig, 25° Eisessig/Trichloressigsäure	(Keton-Struktur)		62–100		Acetylchlorid lagert nicht um²; wurde mit vielerlei Resten Ar ausgeführt In siedendem Eisessig entsteht das Oxiran In Methanol wird Dimethylacetal des Ketons isoliert	3–8

1 R. PERZ u. J. BOYER, C. r. [C] 267, 1169 (1968).
2 S. F. ACREE, Am. 33, 180 (1905).
3 W. E. BACHMANN u. E. JU-HWA CHU, Am. Soc. 57, 1095 (1935); 58, 1118 (1936).
4 R. F. BROWN, J. B. NORDMANN u. M. MADOFF, Am. Soc. 74, 432 (1952).
5 R. F. BROWN, Am. Soc. 76, 1279 (1954).
6 R. CRIEGEE u. K.-H. PLATE, B. 72, 178 (1939).
7 P. D. BARTLETT u. R. F. BROWN, Am. Soc. 62, 2927 (1940).
8 R. F. BROWN, Am. Soc. 74, 428 (1952).

Tab. 148. (5. Fortsetzung)

Glykol	Katalysasor Reaktionsbedingungen	Keton	Ausbeute [%/d.Th.]	F: [°C]	Bemerkungen	Literatur
	HCl/Eisessig	2-Oxo-1,1-diphenyl-ace-anthracen		215–217		1
	H⊕	Fluoren-⟨9-spiro-9⟩-10-oxo-9,10-dihydro-phenanthren	95	256		2
	Acetylchlorid/Eisessig/Benzol	2-Oxo-1,1-diphenyl-1,2-dipyridyl-(3)-äthan				3
	Acetylchlorid/Eisessig/Benzol/44 Stdn. kochen	2-Oxo-1,2-diphenyl-1,1-dithienyl-(2)-äthan				4
	Acetylchlorid/Eisessig/Benzol/44 Stdn. kochen	2-Oxo-1,2-diphenyl-1,1-difuryl-(2)-äthan				

1 C. Liebermann u. M. Zsuffa, B. 44, 852 (1911).
2 R. E. Erickson u. D. Schnipp, Chem. & Ind. 1966, 161.
3 M. R. Kegelman u. E. V. Brown, Am. Soc. 75, 4649 (1953).
4 M. R. Kegelman u. E. V. Brown, Am. Soc. 75, 5961 (1953).

ε) Ketone aus α-Glykolen und Phenylisocyanat

Ohne Säurekatalyse lassen sich Glykole durch Erhitzen mit Phenylisocyanat in Ketone umlagern[1]. Das Isocyanat geht dabei in N,N'-Diphenyl-harnstoff über. Die Ausbeuten sind sehr gut und die Umlagerungsprodukte häufig einheitlich[2]. Säureempfindliche Gruppen (z.B. aromatische Äther) bleiben erhalten:

2-Oxo-3-phenyl-1,1-bis-[4-methoxy-phenyl]-propan

2-Oxo-1,1-diphenyl-1,2-bis-[4-chlor-phenyl]-äthan

Fluoren-⟨9-spiro-9⟩-10-oxo-9,10-dihydro-phenanthren

Fluoren-⟨9-spiro-9⟩-10-oxo-9,10-dihydro-phenanthren[2]: 2 g 9,9'-Dihydroxy-bi-fluorenyl-(9) und 1,5 g Phenylisocyanat werden 20 Stdn. im Rohr auf 120–130° erhitzt. Behandeln mit Acetonhaltigem Methanol läßt entstandenen N,N'-Diphenyl-harnstoff ungelöst. Das aus der Lösung erhaltene Keton wird aus Propanol umkristallisiert; Ausbeute: 1,8 g (95% d.Th.); F: 258–259°.

Die Reaktion dürfte bei Vorhandensein einer sek. Hydroxy-Gruppe über deren Phenylurethan als Primärstufe laufen. Unter Abspaltung von Anilin entsteht hieraus der cyclische Kohlensäure-diester, der unter Kohlendioxid-Abspaltung und Bildung des Ketons zerfällt.

Einen ähnlichen Weg nimmt die Reaktion des 3-Hydroxy-2-kaliumoxy-2,3-dimethyl-butans mit Schwefelkohlenstoff und Methyljodid. Das primär gebildete 3-Hydroxy-2-methylmercaptothiocarbonyloxy-2,3-dimethyl-butan zerfällt im Moment seiner Entstehung unter Bildung des cyclischen Thiocarbonats I; dieses lagert sich (allerdings unter Säurekatalyse) zum *3-Oxo-2,2-dimethyl-butan (Pinakolon)* um[3]:

---

[1] R. ERDMANN, Dissertation Rostock, S. 65 (1910).
Nach H. MEERWEIN A. **419**, 121 (1919).
[2] E. BERGMANN, R. **58**, 863 (1939).
[3] W. A. FOMIN, Ž. obšč. Chim. **5**, (67) 1192 (1935); C. **1936** I, 3511.

ζ) aus 2,3-Dihydroxy-2,3-dihydro-indolen bzw. 3-Hydroxy-3H-indolen[1]

Die Umlagerung von 2,3-Dihydroxy-2,3-dihydro-indolen durch Basen zu 2,2-disubstituierten 3-Oxo-2,3-dihydro-indolen entspricht im Ergebnis einer Pinakolin-Umlagerung, obwohl sie im Verlauf mehr einer Benzilsäure-Umlagerung gleicht. Das gebildete 3-Oxo-2,3-dihydro-indol kann als resonanzstabilisiertes konjugiertes vinyloges Lactam aufgefaßt werden[2].

Dieselben Umlagerungsprodukte werden aus den entsprechenden 3-Hydroxy-3H-indolen erhalten[3]:

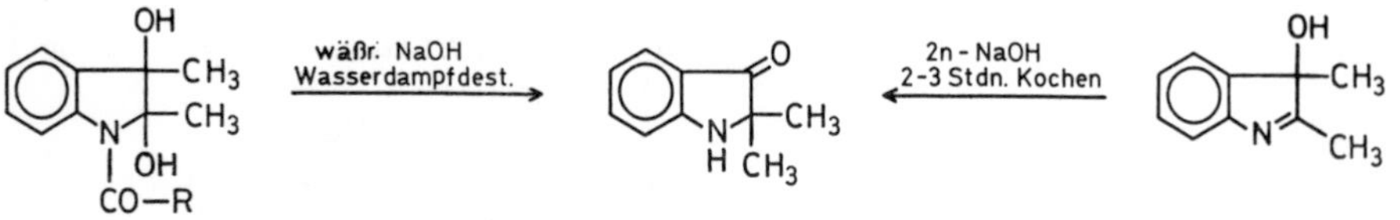

(cis- und trans-)   3-Oxo-2,2-dimethyl-2,3-dihydro-indol[3,4]

Ist R=Phenyl, so wandert eigenartigerweise der Aryl-Rest der Acyl-Gruppe in Stellung 2 des Umlagerungsprodukts, während die ursprünglich in Stellung 3 vorhandene Alkyl-Gruppe eliminiert wird[5]:

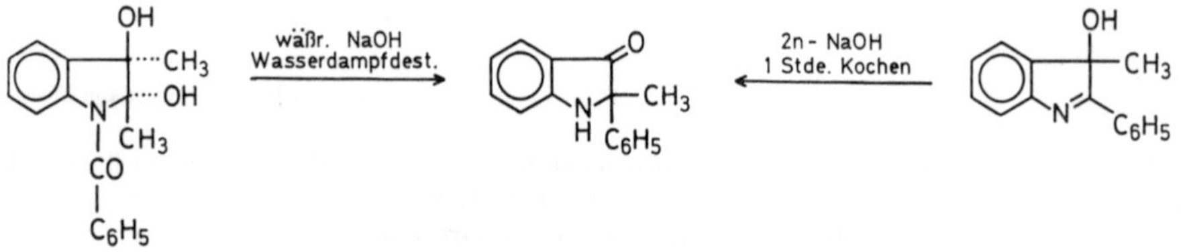

(trans-)   3-Oxo-2-methyl-2-phenyl-2,3-dihydro-indol

cis-2,3-Dihydroxy-2,3-diphenyl-1-acetyl-2,3-dihydro-indol wird mit Kalium-tert.butanolat in Glykol bei 170° zu 3-Oxo-2,2-diphenyl-2,3-dihydro-indol umgelagert[6].

In der Carbazol-Reihe führt die Umlagerung unter Ringverengung zu Cyclopentan-⟨spiro-2⟩-3-oxo-2,3-dihydro-indol[7]:

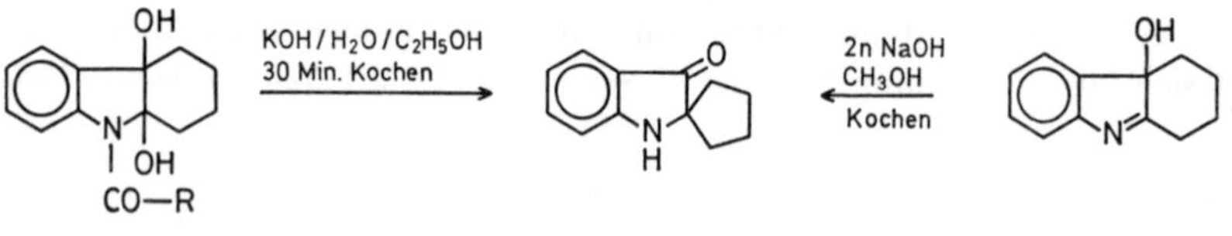

[1] Zusammenfassung s. E. Giovannini u. F. Karrer, Chimia 21, 517 (1967).
[2] B. Witkop u. J. B. Patrick, Am. Soc. 73, 2188 (1951).
[3] R. J. S. Beer, T. Donavanik u. A. Robertson, Soc. 1954, 4139.
[4] C. M. Atkinson, J. W. Kershaw u. A. Taylor, Soc. 1962, 4426.
[5] J. W. Kershaw u. A. Taylor, Soc. 1964, 4320.
[6] S. Sarel u. J. R. Klug, Israel J. Chem. 2, 143 (1964); C. A. 62, 6452 (1965).
[7] B. Witkop, Am. Soc. 72, 614 (1950).
     W. H. Perkin u. S. G. P. Plant, Soc. 123, 676 (1923).

Die Umlagerung des 4a-Hydroxy-2,3,4,4a-tetrahydro-1H-carbazols (I) findet gleichermaßen unter Einwirkung von Basen und Säuren als auch rein thermisch statt. Bereits kurzes Kochen in Alkohol genügt[1]. In saurem Medium sollen aus I durch Pinakolin-Umlagerung *Cyclopentan-⟨spiro-3⟩-2-oxo-2,3-dihydro-indol* entstehen[2,3].

Cyclopentan-⟨spiro-2⟩-3-oxo-2,3-dihydro-indol[2]: 1,3 g 4a,9a-Dihydroxy-9-acetyl-1,2,3,4,4a,9a-hexahydro-carbazol werden mit einer Lösung von 3,2 g Kaliumhydroxid in 10 *ml* Wasser und 15 *ml* Äthanol 30 Min. gekocht. Auf Zugabe von Wasser zu der erkalteten Lösung scheidet sich ein Öl ab, das zu einer rotgelben Masse erstarrt, die aus niedrig-siedendem Petroläther umkristallisiert lange orangefarbene Prismen ergeben (in Lösung prächtige blaue Fluoreszens); danach wird destilliert; Ausbeute: ~ 90% d. Th.; $Kp_{10^{-5}}$: ~ 70° (honiggelbes Destillat das in Rosetten erstarrt); F: 79°.

3a,8b-Dihydroxy-1,2,3,3a,4,8b-tetrahydro-⟨cyclopenta-[b]-indol⟩-Derivate werden durch Alkali nicht umgelagert:

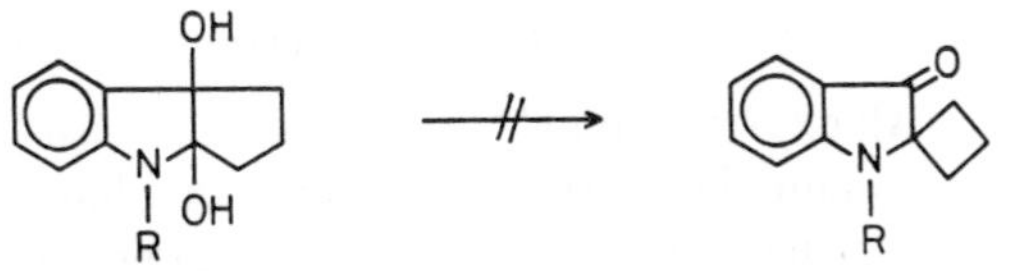

Bei der Reaktion N-substituierter Isatin-Derivate mit mindestens 2 Mol Grignard-Reagens werden die intermediär gebildeten, nicht isolierbaren 2,3-Dihydroxy-1-alkyl-(oder-1-aryl)-2,3-diaryl-2,3-dihydro-indole sofort in 2,2-disubstituierte *3-Oxo-2,3-dihydro-indole* umgelagert[3,4], welche durch Lewis-Säuren weiter zu 3,3-disubstituierten 2-Oxo-2,3-dihydro-indolen umgelagert werden[5,6]; z.B.:

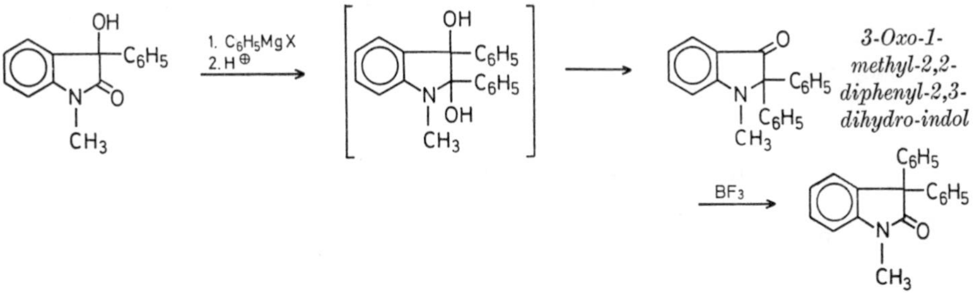

3-Oxo-1-methyl-2,2-diphenyl-2,3-dihydro-indol

2-Oxo-1-methyl-3,3-diphenyl-2,3-dihydro-indol

---

[1] B. Witkop u. J. B. Patrick, Am. Soc. **73**, 2188 (1951).

[2] B. Witkop, Am. Soc. **72**, 614 (1950).
W. H. Perkin u. S. G. P. Plant, Soc. **123**, 676 (1923).

[3] Zusammenfassung s. E. Giovannini u. F. Karrer, Chimia **21**, 517 (1967).

[4] M. Kohn u. A. Ostersetzer, M. **34**, 787 (1913).
F. J. Myers u. H. G. Lindwall, Am. Soc. **60**, 2153 (1938).

[5] S. Sarel u. J. R. Klug, Israel J. Chem. **2**, 143 (1964); C. A. **62**, 6452 (1965).

[6] B. Witkop u. A. Ek, Am. Soc. **73**, 5664 (1951).
J. C. S. Sheehan u. J. W. Frankenfeld, Am Soc. **83**, 4792 (1961).

Die Synthese von 2,5-Dioxo-4,4-diphenyl-tetrahydroimidazolen aus Benzil und Harnstoff bzw. am Stickstoff monosubstituierten Harnstoffen verläuft über die entsprechenden 4,5-Dihydroxy-2-oxo-4,5-diphenyl-tetrahydroimidazole, die analog zur Pinakolin-Umlagerung zu den 2,4-Dioxo-tetrahydroimidazolen isomerisieren. Geht man von N,N'-Dialkyl-harnstoff aus, so läßt sich das Glykol als Zwischenstufe fassen[1]:

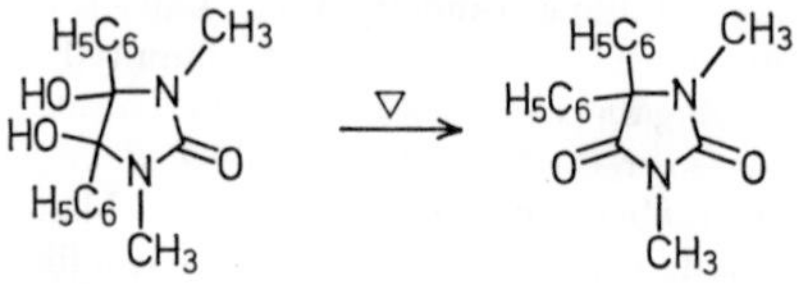

Auch die Synthese des 2,4-Dioxo-tetrahydroimidazols (Hydantoin) selbst aus Dioxo-bernstein-säure und Harnstoff verläuft über eine solche Umlagerung[2].

η) Oxo-carbonsäureester aus α,β-Dihydroxy-carbonsäureestern

Auch die durch eine Alkoxycarbonyl-Gruppe substituierten α-Glykole erfahren eine Pinakolin-Umlagerung, wenn sie bei 0° mit wasserfreier Fluorsulfonsäure behandelt werden. In Abhängigkeit von den übrigen Substituenten werden α- oder β-Oxo-carbonsäureester als Reaktionsprodukte erhalten. Die „Beweglichkeit" der Äthoxy-carbonyl-Gruppe liegt zwischen der einer Methyl- und einer Phenyl-Gruppe[3].

Tab. 149. Oxo-carbonsäureester aus α,β-Dihydroxy-carbonsäureestern

α,β-Dihydroxy-carbonsäure-ester	Oxo-carbonsäureester	Ausbeute [% d.Th.]	F [°C]	Literatur
$H_5C_6-\underset{\underset{HO}{\|}}{C}-\underset{\underset{OH}{\|}}{\overset{\overset{R}{\|}}{C}}-COOC_2H_5$ (H_3C)				
R = C₆H₅	2-Oxo-3,3-diphenyl-butansäure-äthylester*	60		3,4
R = CH₃	3-Oxo-2-methyl-2-phenyl-butansäure-äthylester	78		4
R = C₂H₅	3-Oxo-2-methyl-2-phenyl-pentansäure-äthylester	61		4
	+ 2-Oxo-3-methyl-3-phenyl-pentansäure-äthylester	9		

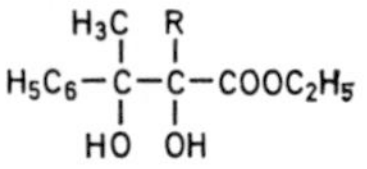

* Mit längerer Reaktionszeit werden hieraus in zunehmendem Maße durch Folgeumlagerungen 3-Oxo-2-methyl-2,3-diphenyl-propansäure-äthylester und 3-Oxo-2,2-diphenyl-butansäure-äthylester gebildet.

[1] H. Biltz, B. 41, 1379 (1908); A. 368, 223 (1909).
[2] R. Anschütz, A. 254, 258 (1889).
[3] J. Kagan, D. A. Agdeppa u. S. P. Singh, Helv. 55, 2252 (1972).
[4] J. Kagan u. D. A. Agdeppa, Helv. 55, 2255 (1972).

d) von 1,3-Glykolen bzw. Oxetanen

Bei der Einwirkung von 20%-iger Schwefelsäure bei 180° auf 1,3-Dihydroxy-2,2-dimethyl-propan tritt zu 90% Umlagerung ein. Man erhält Gemische aus einer Vielzahl von Verbindungen, vor allem *2-Methyl-butanal* und dessen Folgeprodukte, sowie wenig *3-Oxo-2-methyl-butan*. Die Reaktion wurde unter mechanistischen Gesichtspunkten eingehend untersucht, auch mit anderen Substituenten in 2-Stellung[1].

Aus 4,4-Bis-[hydroxymethyl]-heptan wurden mit 10 n Schwefelsäure u.a. *4-Oxo-5-methyl-octan* und *3-Oxo-4-methyl-octan* gefunden[2]. Bei der hohen angewandten Säurekonzentration muß auch mit einer Isomerisierung primär gebildeter Aldehyde in Ketone gerechnet werden.

Im Gegensatz zu Oxiranen sind O x e t a n e gegenüber Lewissäuren sowie thermischer Beanspruchung stabil[3]. Säuren bewirken Ringöffnung, jedoch im allgemeinen keine Umlagerung.

Bei der P y r o l y s e zwischen 200 und 400° in einer Atmosphäre von Wasserstoff und Helium läßt sich am Platin-Kontakt die Ringspaltung unter Bildung isomerer Ketone erzwingen. Daneben werden Aldehyde, Olefine, Formaldehyd und Kohlenmonoxid gefunden[4]. Die Reaktion ist noch nicht unter präparativen Gesichtspunkten untersucht worden.

e) Umlagerung von Aldehyden in Ketone

1. von α-tri- und -disubstituierten Acetaldehyden

D i - und t r i s u b s t i t u i e r t e Acetaldehyde lagern unter dem Einfluß von kalter konz. Schwefelsäure, Aluminiumsulfat, heißer Ameisensäure oder Quecksilber(II)-Salzen in wäßrig-alkoholischer Lösung in Ketone um[5-7]. Auch durch Erhitzen der Aldehyde auf 300–600° bei Unterdruck sind Isomerisationen durchgeführt worden[8], wobei Fullererde ein günstiger Katalysator ist[9].

Der R e a k t i o n s m e c h a n i s m u s[10-12] ist eine Umkehr der Schlußphase der Pinakolin-Umlagerung:

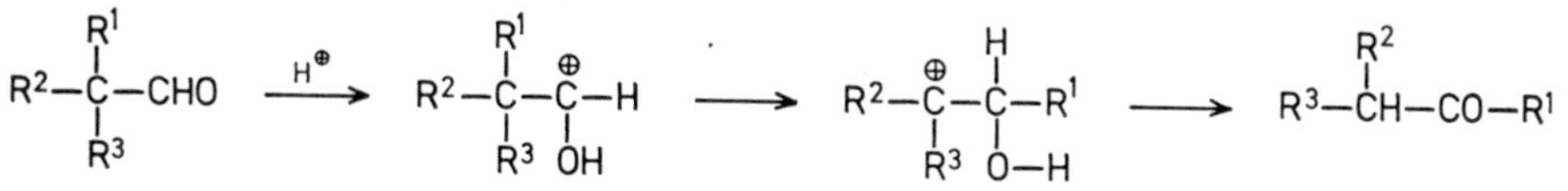

[1] T. YVERNAULT u. M. MAZET, Bl. **1967**, 2755; **1968**, 3352; **1969**, 638.
[2] M. MAZET, Bl. **1969**, 4309.
[3] S. SEARLES in A. Weißberger, *Heterocyclic Compounds with three- and four-membered rings* Part 2, S. 990, 1000, Interscience Publishers, New York 1964.
[4] M. BARTÓK u. B. KOZMA, Acta chim. Acad. Sci. hung. **52**, 83 (1967); C.A. **67**, 53940 (1967).
M. BARTÓK u. K. KOVACS, Acta chim. Acad. Sci. hung. **56**, 369 (1968); C.A. **69**, 77023 (1968).
M. BARTÓK, K. KOVACS u. N.I. SHUIKIN, Acta chim. Acad. Sci. hung. **56**, 393 (1968); C.A. **69**, 77024 (1968).
[5] S. DANILOFF, Ж **49**, 282 (1917); C.A. **18**, 1488 (1924).
[6] S.N. DANILOFF, Ž. obšč. Chim. **18**, 2000 (1948); C.A. **43**, 4632 (1949).
[7] S. DANILOFF u. E. VENUS-DANILOVA, B. **60**, 1050 (1927).
[8] P. RAMART-LUCAS u. F. SALMON-LEGAGNEUR, Bl. [4] **45**, 478 (1929).
[9] K. ISHIMURA, Bl. chem. Soc. Japan **16**, 196, 252 (1941).
[10] B.M. BENJAMIN u. C.J. COLLINS, Am. Soc. **78**, 4329 (1956).
[11] L.W. KENDRICK, B.M. BENJAMIN u. C.J. COLLINS, Am. Soc. **80**, 4057 (1958).
[12] D.G. BOTTERON u. G. WOOD, J. Org. Chem. **30**, 3871 (1965).

Er macht verständlich, weshalb bei der Pinakolin-Umlagerung anstelle des erwarteten substituierten Acetaldehyds eines oder mehrere Ketone als Endprodukt gebildet werden können.

Auch führt die Umlagerung sek.-tert.-Glykole einerseits oder der aus ihnen durch Umlagerung unter milden Bedingungen gebildeten trisubstituierten Acetaldehyde andererseits durch konz. Schwefelsäure zum selben Keton als Endprodukt bzw. wenn Gemische isomerer Ketone gebildet werden, sogar zum gleichen Mengenverhältnis[1].

45%ige Schwefelsäure, Phosphor(V)-chlorid, Gemische aus Essigsäure und Salzsäure geben nur schlechte Ausbeuten. Verd. Schwefelsäure bei erhöhter Temp. bewirkt Verharzung[2].

Präparativ wie auch analytisch von Bedeutung ist die Tatsache, daß auch bei der Spaltung der entsprechenden Aldehyd-Oxime oder Semicarbazone mit starker Säure zuweilen ausschließlich das isomere Keton isoliert wird[2-4]. So wird beim Behandeln des 2-Phenyl-propanal-Semicarbazons mit 15%iger Schwefelsäure der Aldehyd regeneriert, während bei Verwendung 50%iger Schwefelsäure ausschließlich *2-Oxo-1-phenyl-propan* entsteht[5].

Die besten Ergebnisse werden mit trisubstituierten Acetaldehyden erzielt, insbesondere bei Aryl-Substitution. Konkurrierend ist die säurekatalysierte Polymerisation der Aldehyde. Die Isomerisierung in Schwefelsäure wird daher am besten bei −10° durchgeführt.

Die Umlagerung von Verbindungen des Typs

$$H_3C-\text{C}_6H_4-\underset{\underset{Ar}{|}}{C}H-CHO \longrightarrow H_3C-\text{C}_6H_4-CH_2-CO-Ar$$

ergab für die Wanderungstendenz des Restes Ar die Reihe[6]

$$\text{C}_6H_5- > \text{3-CH}_3\text{-C}_6H_4- > \text{Cl-C}_6H_4- > \text{2-CH}_3\text{-C}_6H_4- > \text{4-CH}_3\text{-C}_6H_4-$$

Auch α-Methoxy-aldehyde sollen der Umlagerung zugänglich sein, wobei 1-Methoxy-2-oxo-alkane

$$R-CO-CH_2-OCH_3$$

gebildet werden[7].

---

[1] L. W. KENDRICK, B. M. BENJAMIN u. C. J. COLLINS, Am. Soc. **80**, 4057 (1958).

[2] S. DANILOFF u. E. VENUS-DANILOVA, B. **59**, 377 (1926).

[3] S. DANILOFF, Ж **58**, 129 (1926); **59**, 196, 210 (1927); **61**, 723 (1929); C. A. **21**, 571 (1927); **23**, 4670 (1929).

[4] S. DANILOFF u. E. VENUS-DANILOVA, B. **59**, 1032 (1926).

[5] S. DANILOFF u. E. VENUS-DANILOVA, B. **60**, 1050 (1927).

[6] K. ISHIMURA, Bl. chem. Soc. Japan **16**, 196, 252 (1941).

[7] A. KIRRMANN, Bl. **1961**, 657.

Tab. 150. Ketone durch Umlagerung α-trisubstituierter Aldehyde

Aldehyd	Katalysator	Keton	Ausbeute [% d.Th.]	F [°C]	Literatur
$(C_6H_5)_3C-CHO$	konz. H_2SO_4 1 Stde. 0°	2-Oxo-1,1,2-tri-phenyl-äthan	90	136	1–4
	$Al_2(SO_4)_3$		100		
$(CH_3)_3C-CHO$	konz. H_2SO_4 −11°	3-Oxo-2-methyl-butan	93	93,5	3,4
	$Al_2(SO_4)_3$		100		
$H_{11}C_6-\overset{\overset{\displaystyle C_6H_5}{\vert}}{\underset{\underset{\displaystyle C_6H_5}{\vert}}{C}}-CHO$	konz. H_2SO_4	2-Oxo-2-cyclohexyl-1,1-diphenyl-äthan		56	3,5
		2-Oxo-1-cyclohexyl-1,2-diphenyl-äthan	(wenig)		
$\left(H_3C-\bigcirc\right)_2\overset{\overset{\displaystyle C_6H_5}{\vert}}{C}-CHO$	konz. H_2SO_4	2-Oxo-2-phenyl-1,1-bis-[4-methyl-phenyl]-äthan	51		
		2-Oxo-1-phenyl-1,2-bis-[4-methyl-phenyl]-äthan	49		
$H_3C-\bigcirc-\overset{\overset{\displaystyle CH_3}{\vert}}{\underset{\underset{\displaystyle CH_3}{\vert}}{C}}-CHO$	konz. H_2SO_4	3-Oxo-2-(4-methyl-phenyl)-butan		(Kp$_{15}$: 114–118°)	6,7
$\underset{(H_3CO)}{H_3CO-}\bigcirc-\overset{\overset{\displaystyle CH_3}{\vert}}{\underset{\underset{\displaystyle CH_3}{\vert}}{C}}-CHO$	konz. H_2SO_4	1-Oxo-2-methyl-1-[2-(bzw.-3)-meth-oxy-phenyl]-propan			8,9
$H_3CO-\bigcirc-\overset{\overset{\displaystyle CH_3}{\vert}}{\underset{\underset{\displaystyle C_2H_5}{\vert}}{C}}-CHO$	konz. H_2SO_4	3-Oxo-2-(4-methoxy-phenyl)-pentan			8

[1] S. DANILOFF, Ж 49, 282 (1917); C. A. 18, 1488 (1924).
[2] S. DANILOFF, Ж 51, 97 (1919); 52, 369 (1920); C. 1923 III, 760, 1017; C. A. 18, 1488, 1489 (1924).
[3] S. DANILOFF u. E. VENUS-DANILOVA, B. 59, 377 (1926).
[4] S. DANILOFF, Ж 61, 723 (1929); C. A. 23, 4670 (1929).
[5] S. DANILOFF, Ж 58, 129 (1926); 59, 196, 210 (1927); C. A. 21, 571 (1927); 23, 4670 (1929).
[6] M. TIFFENEAU u. J. LÉVY, Bl. [4] 49, 1738 (1931).
[7] M. TIFFENEAU u. J. LEVY, C. r. 184, 1465 (1927); C. 1927 II, 921.
[8] M. TIFFENEAU, J. LÉVY u. P. WEILL, Bl. [4] 49, 1606 (1931).
[9] J. LEVY u. R. PERNOT, Bl. [4] 49, 1721 (1931).

Tab. 150. (1. Fortsetzung)

Aldehyd	Katalysator	Keton	Ausbeute [% d.Th.]	F [°C]	Literatur
(H₃CO—⟨○⟩—)₂ C(CH₃)—CHO	konz. H₂SO₄	2-Oxo-1,1-bis-[4-methoxy-phenyl]-propan			1
H₃C—⟨○⟩—C(C₆H₅)(C₆H₅)—CHO	konz. H₂SO₄, 0°	2-Oxo-1,2-diphe-nyl-1-(4-methyl-phenyl)-äthan	83		2
	HCOOH, Kochen		78		2
	konz. H₂SO₄	2-Oxo-1,2-diphenyl-1-(4-methyl-phe-nyl)-äthan	62	53–54,5	3
		1-Oxo-2,2-diphe-nyl-1-(4-methyl-phenyl)-äthan	38	45–46	
H₅C₆—CH₂—C(C₆H₅)(C₆H₅)—CHO	konz. H₂SO₄	2-Oxo-1,1,3-tri-phenyl-propan			4
H₃C—C(C₆H₅)(C₆H₅)—CHO	konz. H₂SO₄	1-Oxo-1,2-diphenyl-propan			5
H₅C₂—C(C₆H₅)(C₆H₅)—CHO	konz. H₂SO₄	1-Oxo-1,2-diphenyl-butan (²/₃) / 2-Oxo-1,1-diphenyl-butan (¹/₃)			5
H₃C—C(C₆H₅)(CH₃)—CHO	konz. H₂SO₄, 0°	3-Oxo-2-phenyl-butan (43%) + 1-Oxo-2-methyl-1-phenyl-propan (57%)	95		5
H₅C₂—C(C₂H₅)(C₆H₅)—CHO	konz. H₂SO₄	4-Oxo-3-phenyl-hexan			5
H₃C—C(C₆H₁₁)(CH₃)—CHO	konz. H₂SO₄ 0°	2-Oxo-3-cyclohexyl-butan (51%) + 1-Oxo-2-methyl-1-cyclohexyl-propan (49%)	95		6

[1] M. Tiffeneau, J. Lévy u. P. Weill, Bl. [4] 49, 1606 (1931).
[2] B. M. Benjamin u. C. J. Collins, Am. Soc. 78, 4329 (1956).
[3] V. F. Raaen u. C. J. Collins, Am. Soc. 80, 1409 (1958).
[4] M. Tiffeneau u. J. Lévy, Bl. [4] 41, 416 (1927).
[5] A. Orékhoff u. M. Tiffeneau, C. r. 182, 67 (1926); C. 1926 I, 1984.
[6] G. Gros u. L. Giral, Bl. 1970, 1115.

Tab. 151. Ketone aus Aldehyden durch Umlagerung

Aldehyd	Katalysator	Keton	Ausbeute [%d.Th.]	F [°C]	Literatur
C_6H_5 $H_3C-CH-CHO$	7% $HgCl_2$ in 75%igem C_2H_5OH	2-Oxo-1-phenyl-propan	100	(Kp_{14}: 100–101°)	1,2
	500–600° (Infusorien-erde), 15 Torr	2-Oxo-1-phenyl-propan	50	(Kp_{14}: 100–101°)	3,4
	$HgCl_2$-Lösung/ erhitzen		80		2
C_6H_5 $H_3C-⟨⟩-CH-CHO$	„Japanese acid earth" (Fuller-erde)/300–450°	2-Oxo-2-phenyl-1-(4-methyl-phenyl)-äthan	40–50	97	5
(CH₃-phenyl) $H_3C-⟨⟩-CH-CHO$	„Japanese acid earth" (Fuller-erde)/ 300–450°	2-Oxo-2-(3-methyl-phenyl)-1-(4-me-thyl-phenyl)-äthan			5
C_6H_5 $H_{11}C_6-CH-CHO$	H_2SO_4/ −5 bis −12°	2-Oxo-2-cyclohexyl-1-phenyl-äthan	29	(Kp_{10}: 163–165°)	6
	$HgSO_4+H_2SO_4$ (d = 1,84)/ 128–135° (CO_2)		60		6
C_6H_{11} $H_{11}C_6-CH-CHO$	heiße 60%ige H_2SO_4	1-Oxo-1,2-dicyclo-hexyl-äthan	43–62	(Kp_{26}: 172–173°)	7
	kalte 100%ige H_2SO_4				
	$HgCl_2$/Alkohol				
C_6H_5 $H_5C_6-CH-CHO$ (oder Oxim)	konz. H_2SO_4 / < 0°	1-Oxo-1,2-diphenyl-äthan	80	59,5	8
	450–500° (Infusorien-erde)				3,9

[1] S. Daniloff, Ž. obšč. Chim. 18, 2000 (1948); C. A. 43, 4632 (1949).
[2] S. Daniloff u. E. Venus-Danilova, B. 60, 1050 (1927).
[3] P. Ramart-Lucas u. F. Salmon-Legagneur, Bl. [4] 45, 478 (1929).
[4] P. Ramart-Lucas u. J.-P. Guerlain, Bl. [4] 49, 1860 (1931).
[5] K. Ishimura, Bl. chem. Soc. Japan 16, 196, 252 (1941); C. A. 36, 4487 (1942).
[6] E. D. Venus-Danilova u. A. I. Bolshukin, Ž. obšč. Chim. 9, 975 (1939); C. A. 33, 8595⁵ (1939).
[7] E. Venus-Danilova, B. 61, 1954 (1928).
[8] S. Daniloff u. E. Venus-Danilova, B. 59, 1032 (1926).
[9] P. Ramart-Lucas u. F. Salmon-Legagneur, C. r. 186, 1848 (1928).

Tab. 151. (1. Fortsetzung)

Aldehyd	Katalysator	Keton	Ausbeute [% d.Th.]	F [°C]	Literatur
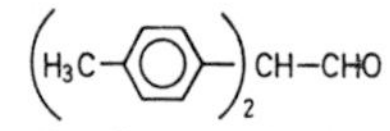 $\left(\text{H}_3\text{C}-\bigcirc-\right)_2\text{CH–CHO}$ (oder Semicarbazon)	55%ige H_2SO_4/ kochen	*1-Oxo-1,2-bis-[4-methyl-phenyl]-äthan*	80	102	1
	100%ige H_2SO_4/$-10°$		84		2
	350–400° (Infusorienerde)				
$\text{H}_5\text{C}_6\text{–CH}_2\text{–}\underset{\overset{|}{\text{C}_6\text{H}_5}}{\text{CH}}\text{–CHO}$		*1-Oxo-1,3-diphenyl-propan*			2
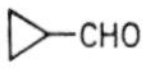 $\triangleright\text{–CHO}$	60%ige H_2SO_4 CO_2-Atmosphäre 5 Stdn. 120°	*3-Hydroxy-2-oxo-butan*			3
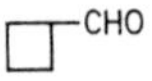 $\square\text{–CHO}$	30 Min. 130° H_2SO_4/Bimstein oder 5 Stdn. $HgCl_2$ in 50%igem Äthanol	*Cyclopentanon**	30–55	(Kp: 127–133°)	4
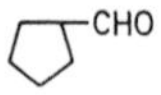 $\pentagon\text{–CHO}$	konz. H_2SO_4	*2-Oxo-1-cyclohexyliden-cyclohexan* + *2-Oxo-1,3-dicyclohexyliden-cyclohexan*** + *Cyclohexanon*	30 30–40	(Kp$_8$: 134–136°) (Kp$_8$: 204–207°)	5
$\text{H}_3\text{C–}\underset{\overset{|}{\text{CH}_3}}{\text{CH}}\text{–CHO}$	200–600° H_3PO_4/Al_2O_3-Kontakt	*2-Oxo-butan*	50–65		6
	Tonerde, 360–600°	*2-Oxo-butan*			7

* Nebenprodukt ist $\langle\!\!\!\!\bigcirc\!\!\!\!\rangle\overset{\text{O}}{\underset{\text{O}}{\diamond}}\langle\!\!\!\!\bigcirc\!\!\!\!\rangle$ (45–70%)

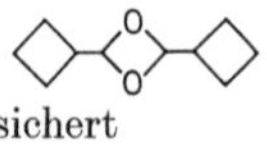

** Struktur nicht gesichert

[1] S. Daniloff u. E. Venus-Danilova, B. **59**, 1032 (1926).

[2] P. Ramart-Lucas u. F. Salmon-Legagneur, Bl. [4] **45**, 478 (1929).

[3] E. D. Venus-Danilova, Ž. obšč. Chim. **8**, 1438 (1938); C. A. **33**, 4204^1 (1939).

[4] E. D. Venus-Danilova, Ž. obšč. Chim. **8**, 1179 (1938); C. A. **33**, 4203^7 (1939).

[5] E. D. Venus-Danilova, Ž. obšč. Chim. **6**, 1757 (1936); C. A. **31**, 4280^9 (1937).

[6] DAS 1232126 (US-Prior. 12. 11. 64), Eastman Kodak Co., Erf.: F. C. Canter u. M. A. Perry; C. A. **66**, 115306 (1967).

[7] W. H. Ploder, J. Catalyst **23**, 358 (1971).

Tab. 151. (2. Fortsetzung)

Aldehyd	Katalysator	Keton	Ausbeute [% d.Th.]	F [°C]	Literatur
C_6H_5 $H_5C_2-CH-CHO$	600°/15 Torr Infusorienerde	*2-Oxo-1-phenyl-butan*	schlecht		1
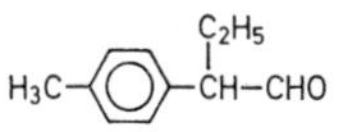 C_2H_5 $H_3C-\langle\bigcirc\rangle-CH-CHO$	500°/15 Torr Infusorienerde	*2-Oxo-1-(4-methyl-phenyl)-butan*			1
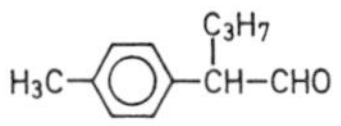 C_3H_7 $H_3C-\langle\bigcirc\rangle-CH-CHO$	450°/10 Torr Infusorienerde	*2-Oxo-1-(4-methyl-phenyl)-pentan*			1

2-Oxo-1-phenyl-propan[2]:

mit Quecksilber(II)-chlorid: 3 g 2-Phenyl-propanal werden mit einer Lösung von 6 g Quecksilber(II)-chlorid in 45 *ml* 75%igem Äthanol $4^1/_2$ Stdn. auf 100° erhitzt. Es bildet sich ein lockerer Niederschlag, der bei der anschließenden Wasserdampfdestillation in Lösung geht. Die Ölschicht wird fraktioniert; Ausbeute: mindestens 80% d.Th.; Kp_{11}: 99–101°.

mit konz. Schwefelsäure: 9 g 2-Phenyl-propanal werden innerhalb ∼ 40 Min. bei −16° in konz. Schwefelsäure eingetragen. Man läßt noch 15 Min. bei dieser Temp. stehen und gießt auf Eis. Das ausgefallene Produkt wird destilliert; Ausbeute: 5,6 g (∼ 60% d.Th.); Kp_{11}: 91–96°.

2. von α-Hydroxy-aldehyden zu α-Hydroxy-ketonen

Die Umlagerung der α-Hydroxy-aldehyde erfolgt leichter und daher unter milderen Bedingungen, als die der einfachen Aldehyde.

Am bekanntesten ist die wechselseitige Umlagerung von *Glycerinaldehyd* und *1,3-Dihydroxy-2-oxo-propan*[3], die sich bereits beim Kochen in Pyridin oder Chinolin vollzieht (vgl. ds. Handb., Bd. VII/1, S. 245). Auch der Übergang von *Glucose* in *Fructose* gehört hierher[4,5].

Zur präparativen Umwandlung substituierter α-Hydroxy-acetaldehyde arbeitet man im allgemeinen bei erhöhter Temperatur in wäßrig alkoholischem schwach saurem Medium. Bilden die Substituenten einen Ring, so ist die Umlagerung von einer Ringerweiterung begleitet. So entsteht aus 1-Hydroxy-1-formyl-cyclohexan *2-Hydroxy-1-oxo-cycloheptan*[6]. Die Umwandlung in den an sich wenig begünstigten 7-Ring findet statt, da α-Hydroxy-ketone viel stabiler als α-Hydroxy-aldehyde sind. Arbeitet man

[1] P. Ramart-Lucas u. J.-P. Guerlain, Bl. [4] **49**, 1860 (1931).
[2] S. Daniloff u. E. Venus-Danilova, B. **60**, 1050 (1927).
[3] H. O. L. Fischer, C. Taube u. E. Baer, B. **60**, 479 (1927).
[4] S. Daniloff, E. Venus-Danilova u. P. Schantarowitsch, B. **63**, 2269, 2765 (1930).
[5] S. Daniloff, B. **60**, 2390 (1927), dort Literaturhinweise.
[6] E. D. Venus-Danilova, Ž. obšč. Chim. **6**, 1784 (1936); C. A. **31**, 4280 (1937).
E. D. Venus-Danilova u. V. Kazimirova, Ž. obšč. Chim. **7**, 2639 (1937); C. A. **32**, 2099[1] (1938).

67*

in Methanol oder Äthanol, so entstehen überwiegend die entsprechenden Äther[1,2]. Die Umlagerung findet auch in wäßriger Kalilauge in Gegenwart von Blei- oder Kupfersalzen statt. Als Nebenprodukte treten durch Cannizzaro-Reaktion gebildete Carbonsäuren auf[1,2].

Tab. 152. α-Hydroxy-ketone aus α-Hydroxy-aldehyden

α-Hydroxy-aldehyd	Katalysator	α-Hydroxy-keton	Ausbeute [%d.Th.]	Kp		Litera-tur
				[°C]	Torr	
$H_5C_6-CH_2-CH-CHO$ $\quad\quad\quad\quad OH$		*1-Hydroxy-2-oxo-1-phenyl-propan*	60	130–132	13	3
CH_3 $H_3C-C-CHO$ $\quad OH$	0,8%ige H_2SO_4/ 6–8 Stdn. 135°	*3-Hydroxy-2-oxo-butan*	80	104	760	4
C_6H_{11} $H_{11}C_6-C-CHO$ $\quad\quad OH$	wäßr. Äthanol/Spur H_2SO_4, 135°	*2-Hydroxy-1-oxo-1,2-dicyclohexyl-äthan*	90	141–142	3	5
C_6H_5 $H_5C_6-C-CHO$ $\quad\quad OH$	wäßr. Äthanol*/ Spur H_2SO_4	*2-Hydroxy-1-oxo-1,2-diphenyl-äthan (Benzoin)*	75	(F: 134°)		6
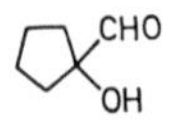 ↗CHO ↘OH	1%ige H_2SO_4/ 5 Stdn. 135°	*2-Hydroxy-1-oxo-cyclohexan*	80–87	78–81	8	1,2
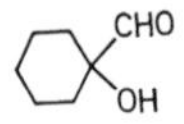 ↗CHO ↘OH	1%ige H_2SO_4/ 5 Stdn. 135°	*2-Hydroxy-1-oxo-cycloheptan*	—	—	—	1,2

* mit Pyridin oder Salzen des Pyridins tritt die Umlagerung nicht ein.

2-Methoxy-1-oxo-cycloheptan[2]:

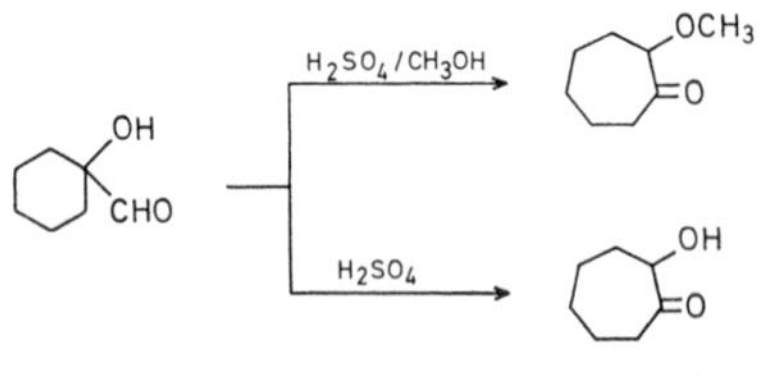

4 g 1-Hydroxy-1-formyl-cyclohexan, 10 *ml* Methanol und 30 *ml* 1%ige Schwefelsäure werden 5 Stdn. auf 140–145° erhitzt und wie üblich aufgearbeitet; Ausbeute: 3,5 g; Kp_{16}: 69–71°.

In Abwesenheit von Methanol wird mit 1,2%iger Schwefelsäure *2-Hydroxy-1-oxo-cycloheptan* erhalten; F: 26–29°; Kp_{15}: 113–115°.

1 E. D. VENUS-DANILOVA, Ž. obšč. Chim. **6**, 1784 (1936); C. A. **31**, 4280 (1937).
2 E. D. VENUS-DANILOVA u. V. KAZIMIROVA, Ž. obšč. Chim. **7**, 2639 (1937); C. A. **32**, 2099¹ (1938).
3 S. DANILOFF, E. VENUS-DANILOVA u. P. SCHANTAROWITSCH, B. **63**, 2269, 2765 (1930).
4 S. DANILOFF u. E. VENUS-DANILOVA, B. **67**, 24, (1934).
5 S. DANILOFF u. E. VENUS-DANILOVA, B. **62**, 2653 (1929).
6 S. DANILOFF, B. **60**, 2390 (1927).

3. von α-Amino-aldehyden zu α-Amino-ketonen

Beim Versuch, α-Amino-aldehyde ohne besondere Vorsichtsmaßnahmen zu synthetisieren, werden meist überwiegend oder ausschließlich α-Amino-ketone erhalten. In den letzten Jahren wurden mehrere Methoden ausgearbeitet, nach denen sich in guter Ausbeute und hoher Reinheit α-*Amino-aldehyde* herstellen lassen[1-3]. Auch sehr reine Präparate sind jedoch nur bei ∼ −80° oder in kristallisiertem Benzol bei −25° beständig. Bei Raumtemperatur lagern sie sich mehr oder weniger rasch in α-Amino-ketone um[1-6]:

$$R = C_6H_5;\ CH_3;\ C_2H_5;\ C_4H_9;\ C_5H_{11}$$

$$HN\underset{R^2}{\overset{R^1}{<}} = \text{Piperidin; Morpholin; Diäthylamin}$$

Die aufgeführten Reaktionen sind daher gleichzeitig auch Synthesewege für α-Amino-ketone. Präparativ am elegantesten ist die Umsetzung von α-Brom-aldehyden mit sek. Aminen[2,6].

Die Umlagerung der primär gebildeten Aldehyde wird durch geringste Spuren sekundären Amins ausgelöst. Der Reaktionsmechanismus gilt als gesichert[5,6]; z. B. Herstellung von *2-Piperidino-1-oxo-1-phenyl-äthan*:

---

[1] L. Duhamel, P. Duhamel u. R. Nouri-Bimorghi, Bl. **1967**, 1186.

[2] A. Kirrmann, P. Duhamel u. L. Duhamel, Bl. **1968**, 1091.

[3] L. Duhamel, P. Duhamel u. P. Siret, Bl. **1968**, 2942.

[4] A. Kirrmann, L. Duhamel u. P. Duhamel, Bl. **1966**, 1732.

[5] L. Duhamel u. P. Duhamel, Bl. **1969**, 1999.

[6] L. Duhamel, P. Duhamel u. A. Jarry, Bl. **1970**, 1797.

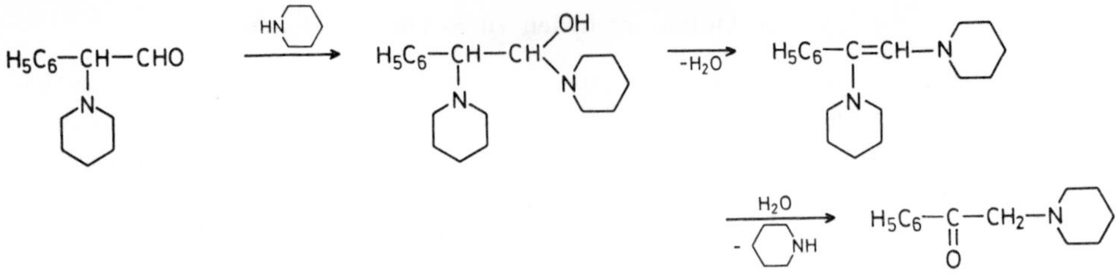

Im Falle des 2-Diäthylamino-4,4-dimethyl-pentanals bleibt die Umlagerung auf der Stufe des infolge Neopentyl-Struktur schwer hydrolysierbaren En-diamins stehen und läßt sich erst beim Kochen mit 20%-iger Salzsäure zu Ende führen[1] (*5-Diäthyl-amino-4-oxo-2,2-dimethyl-pentan*).

In Gegenwart größerer Mengen sekundären Amins tritt auch das Aminal als Zwischenstufe auf[2,3].

Infolge des intermolekularen Reaktionsmechanismus werden aus einem Gemisch von 2-Amino-aldehyden mit unterschiedlichen Resten R, R[1] und R[2] 4 verschiedene α-Amino-ketone erhalten[2].

α-Hydroxy-ketone konnten als Zwischenstufe ausgeschlossen werden.

α-Amino-aldehyde mit quartärem α-Kohlenstoff-atom sind dagegen stabil. Ihre Umlagerung erfordert stark saure Katalysatoren wie Chlorwasserstoff, Trifluor-essigsäure oder Bortrifluorid in siedender Essigsäure. Auch das dem α-Amino-aldehyd entsprechende sek. Amin kann als Lösungsmittel benutzt werden. Mit anderen Aminen entstehen infolge teilweisem Amin-Austausch Gemische[4].

Meist erhält man nebeneinander die beiden möglichen miteinander im Gleich-gewicht stehenden α-Amino-ketone[5]; z. B.:

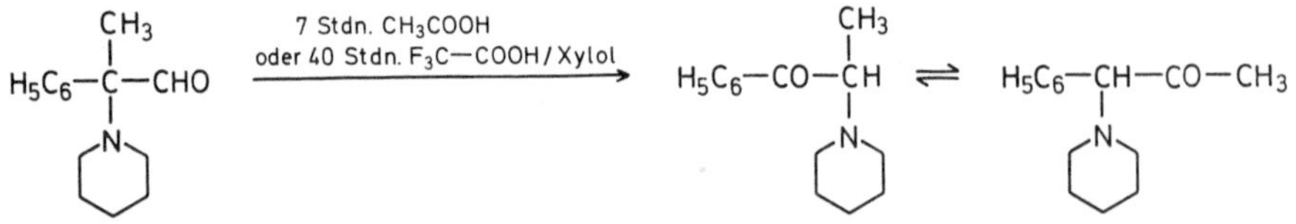

60%
2-Piperidino-1-oxo-
1-phenyl-propan

40%
1-Piperidino-2-oxo-1-
phenyl-propan

f) Umlagerung von Ketonen in Ketone

Obwohl Ketone in vielen Fällen als Endprodukte von Umlagerungsreaktionen auf-treten, sind sie selbst Umlagerungsreaktionen außerordentlich leicht zugänglich. Dies beruht einerseits auf der sowohl elektrophilen als auch nucleophilen Angreif-

[1] L. DUHAMEL, P. DUHAMEL u. A. JARRY, Bl. **1970**, 1797.
[2] L. DUHAMEL u. P. DUHAMEL, Bl. **1969**, 1999.
[3] A. KIRRMANN, L. DUHAMEL u. P. DUHAMEL, Bl. **1966**, 1732.
[4] A. KIRRMANN, R. NOURI-BIMORGHI u. E. ELKIK, Bl. **1969**, 2385.
[5] Vgl. hierzu ds. Handb., Bd. VII/2b, Kap. α-Amino-ketone.

barkeit der Oxo-Gruppe selbst, andererseits auf ihrer aktivierenden Wirkung auf die benachbarte α- und β-Stellung. Weiterhin sind viele Ketone photochemischen Reaktionen leicht zugänglich. Kommen zusätzlich noch ungesättigte C=C-Doppelbindungen, gespannte Ringsysteme und andere sterische Effekte ins Spiel, so ergeben sich eine Fülle von Reaktionsmöglichkeiten, deren Endprodukte häufig schwer vorauszusagen sind.

Die sauer katalysierten Umlagerungen vollziehen sich im wesentlichen nach den Prinzipien der Pinakolin- bzw. Wagner-Meerwein-Umlagerung. Für die thermisch und photochemisch induzierten sigmatropen Umlagerungen ist die von Woodward und Hoffmann postulierte Erhaltung der Orbitalsymmetrie Grundlage ihres Verständnisses[1].

Die Mechanismen, nach denen die einzelnen Umlagerungen verlaufen, sind z.T. kompliziert, insbesondere hinsichtlich ihrer Stereochemie, auch steht die eindeutige experimentelle Sicherung in vielen Fällen noch aus. Häufig werden mehrere Wege gleichzeitig beschritten, so daß Gemische von Reaktionsprodukten anfallen.

Da die theoretische Durchdringung des Gebiets noch nicht den für eine verläßliche Vorhersage für den Praktiker erforderlichen Stand erreicht hat, wird im Rahmen dieses Handbuches auf eine theoretische Diskussion verzichtet und auf die Originalliteratur der letzten Jahre verwiesen[2].

1. durch Säuren bzw. Lewis Säuren

Unter dem Einfluß konz. Schwefelsäure werden Ketone am Carbonyl-Sauerstoff protonisiert. Dadurch gewinnen die benachbarten Reste so hohe Beweglichkeit, daß Umlagerungen eintreten können, die infolge ihrer Reversibilität im allgemeinen zu einem Keton-Gemisch führen. Die Interpretation von Pinakolin-Umlagerungen auf Grund des Verhältnisses des Endproduktes wird dadurch sehr erschwert.

Selbst bei scheinbarer Strukturerhaltung haben tatsächlich Umlagerungen stattgefunden. So stehen z.B. folgende beiden Formen des *2-Oxo-tetraphenyl-äthans* miteinander im Gleichgewicht[3]:

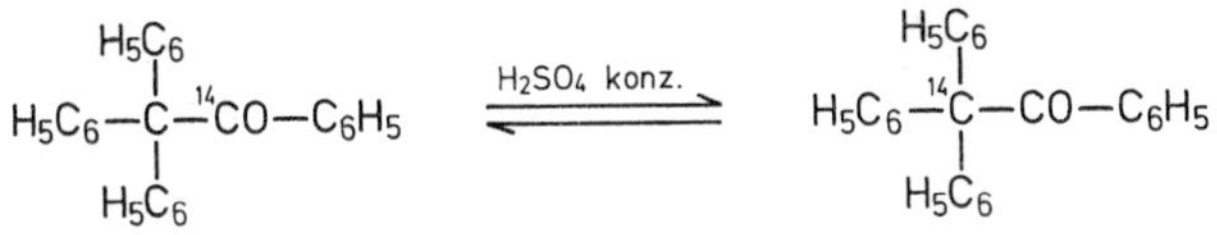

[1] Vgl. hierzu E. N. MARVELL u. W. WHALLEY in S. Patai, *The Chemistry of the Hydroxyl Group*, Part 2, S. 719 (1971), Interscience Publishers, New York.
R. B. WOODWARD u. R. HOFFMANN, Ang.Ch. **81**, 797 (1969).
R. B. WOODWARD u. R. HOFFMANN, *Die Erhaltung der Orbitalsymmetrie*, Verlag Chemie, Weinheim/Bergstr. 1970.

[2] Vgl. z.B. G. ADAM, Z. **8**, 441 (1968).
C. D. GUTSCHE u. D. REDMORE: *Carbocyclic Ring Expansion Reactions* in Advances Alicyclic Chem. Suppl. 1, S. 104, 119, 132 (1968).
C. J. COLLINS u. J. F. EASTHAM in S. Patai: *The Chemistry of the Carbonyl Group*, S. 761–815 (1966), Interscience Publishers, New York.
E. N. MARVELL u. W. WHALLEY in S. Patai: *The Chemistry of the Hydroxyl Group*, Part 2, 720–729, 735–750 (1971), Interscience Publishers, New York.

[3] A. FRY, W. L. CARRICK u. C. T. ADAMS, Am. Soc. **80**, 4743 (1958).

Andererseits ist nach Behandlung von 3-Oxo-2,2-dimethyl-butan-4-^{14}C (Pinakolon) mit konz. Schwefelsäure bei 50° das markierte C-Atom auf sämtliche Methyl-Gruppen verteilt, während die Zentralatome frei von ^{14}C sind[1].

Für die Umlagerungsgleichgewichte gilt formal:

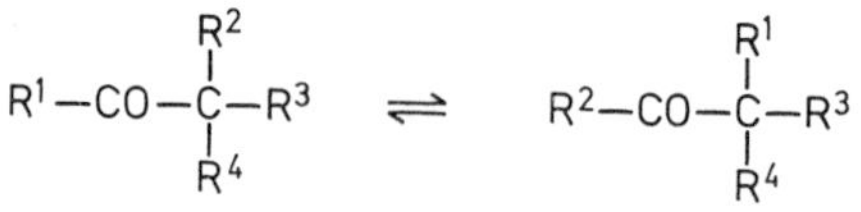

$$R^1-CO-\underset{\underset{R^4}{|}}{\overset{\overset{R^2}{|}}{C}}-R^3 \; \rightleftharpoons \; R^2-CO-\underset{\underset{R^4}{|}}{\overset{\overset{R^1}{|}}{C}}-R^3$$

Es findet also (formal!) ein Platzwechsel zwischen einem α- und einem β-Substituenten statt. Für R^3 und R^4 = H ist die Umlagerung sehr erschwert. So enthält *Pentanon-(3)* nach Säure-Behandlung eine geringe Menge *Pentanon-(2)*, die jedoch nicht gesteigert werden kann[2].

Bei Ketonen mit einem tertiären oder quartären C-Atom in α-Stellung muß jedoch in Gegenwart von starken Säuren oder Lewis-Säuren stets mit Isomerisation gerechnet werden.

Auffallenderweise unterliegen **Aryl-ketone mit aliphatischem Rest in β-Stellung** der Umlagerung besonders weitgehend. Das nicht konjugierte isomere Keton ist stets thermodynamisch stabiler und daher bevorzugt[3]. Die Umlagerung ist 1. Ordnung[3].

Als Umlagerungs-Katalysatoren haben sich konzentrierte Schwefelsäure und wasserfreies Aluminiumchlorid bei 140°, evtl. in Xylol als Lösungsmittel, bewährt.

In nichtwäßrigen Lösungsmitteln lassen sich in Gegenwart von Lithiumperchlorat/Diäthyläther mit z.B. Chlorwasserstoff und Perchlorsäure hohe H$^{\oplus}$-Ionenkonzentrationen erzielen, da sich stark saure H$^{\oplus}$[O(C$_2$H$_5$)$_2$]$_n$ClO$_4$$^{\ominus}$ Ionenpaare bilden[4].

Über einige Umlagerungsgleichgewichte liegen kinetische Daten vor[4,5].

1-Oxo-2-methyl-2-cyclohexyl-1-phenyl-butan (I) wird in Gegenwart von Aluminiumchlorid bei 140° schnell unter Inversion zu *3-Oxo-2-cyclohexyl-2-phenyl-pentan* (II) isomerisiert, das in *1-Oxo-2-methyl-1-cyclohexyl-2-phenyl-butan* (III) übergeht[6]:

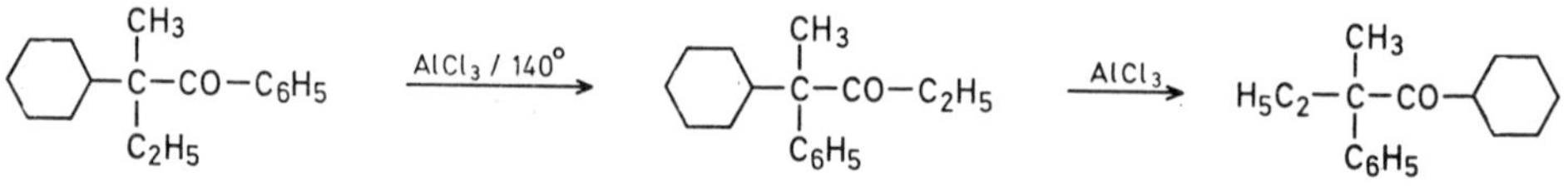

Man arbeitet ohne Lösungsmittel mit 1–2 Mol Aluminiumchlorid auf 1 Mol Keton. Xylol wirkt stark verlangsamend und begünstigt die Bildung von Nebenprodukten.

---

[1] T. S. ROTHROCK u. A. FRY, Am. Soc. **80**, 4349 (1958).

[2] A. FRY et al., J. Org. Chem. **27**, 1914 (1962).

[3] C. MONPETIT, L. GIRAL u. J. ROUZAUD, C. r. **261**, 4142 (1965).

[4] Y. POCKER u. R. F. BUCHHOLZ, Am. Soc. **93**, 2905 (1971); Isomerisierung von 2-Oxo-4-methyl-1-isopropyl-cyclohexan [(—)-Menthon] in *3-Oxo-4-methyl-1-isopropyl-cyclohexan [(+)-Isomenthon]*.

[5] H. D. ZOOK, W. E. SMITH u. J. L. GREENE, Am. Soc. **79**, 4436 (1957).
    H. HOGEVEEN, R. **87**, 1295 (1968).
    J. E. DUBOIS u. P. BAUER, Am. Soc. **90**, 4510 (1968).

[6] B. CALAS u. L. GIRAL, Bl. **1971**, 2629; **1972**, 2895.

Tab. 153. Umlagerungen von gesättigten Ketonen

Ausgangsketon	im Gleichgewicht bevorzugtes Keton	Katalysator	Literatur
CH₃ │ H₃C–CH–CO–C₆H₅ *1-Oxo-2-methyl-1-phenyl-propan*	C₆H₅ │ H₃C–CH–CO–CH₃ *3-Oxo-2-phenyl-butan*	H_2SO_4 $ZnCl_2/350°$ $AlCl_3/140–160°$	1 2,3 1
C₂H₅ │ H₅C₂–CH–CO–C₆H₅ *1-Oxo-2-äthyl-1-phenyl-butan*	C₆H₅ │ H₅C₂–CH–CO–C₂H₅ *4-Oxo-3-phenyl-hexan*	$AlCl_3$	1
CH₃ │ H₃C–C–CO–C₆H₅ │ CH₃ *1-Oxo-2,2-dimethyl-1-phenyl-propan*	CH₃ │ H₃C–C–CO–CH₃ │ C₆H₅ *3-Oxo-2-methyl-2-phenyl-butan**	H_2SO_4 $ZnCl_2/350°$	1 2,3
CH₃ │ H₅C₂–C–CO–C₆H₅ │ CH₃ *1-Oxo-2,2-dimethyl-1-phenyl-butan*	CH₃ │ H₅C₂–C–CO–CH₃ │ C₆H₅ *2-Oxo-3-methyl-3-phenyl-pentan*	$ZnCl_2/350°$	2,3
CO–C₆H₅ / CH₃ cyclohexan *1-Methyl-1-benzoyl-cyclohexan*	CO–CH₃ / C₆H₅ cyclohexan *1-Phenyl-1-acetyl-cyclohexan*	$AlCl_3/Xylol$	4
C₆H₅, C₆H₅ 2-oxo-cycloheptan *2-Oxo-1,1-diphenyl-cycloheptan*	C₆H₅ / CO–C₆H₅ cyclohexan *1-Phenyl-1-benzoyl-cyclohexan*	$ZnCl_2$	5, s.a. 6
CH₃, C₆H₅ 2-oxo-cycloheptan *2-Oxo-1-methyl-1-phenyl-cycloheptan*	→ quant. → C₆H₅ / CO–CH₃ cyclohexan *1-Phenyl-1-acetyl-cyclohexan*	72%ige $HClO_4$ 100 Stdn. 30°	7
CO–C₆H₅ / C₆H₅ fluoren *9-Phenyl-9-benzoyl-fluoren*	C₆H₅ / C₆H₅ / O phenanthren *10-Oxo-9,9-diphenyl-9,10-dihydro-phenanthren*	konz. $H_2SO_4/$ 24 Stdn./25°	8

* ausschließliches Endprodukt

[1] C. Monpetit, L. Giral u. J. Rouzaud, C. r. **261**, 4142 (1965).
[2] A. Favorsky u. A. Tschilingaren, C. r. **182**, 221 (1926); C. **1926** I, 2335.
[3] A. Favorsky, Bl. [5] **3**, 239 (1936).
[4] G. Cauquil u. J. Rouzaud, Bl. **1953**, 671, 795.
[5] G. Cauquil u. J. Rouzaud, C. r. **231**, 699 (1950); C. A. **45**, 4665 (1951).
[6] S. Durand, J. Crouzet u. L. Giral, C. r. [C] **269**, 176 (1969).
[7] O. A. Netsetskaya u. T. E. Zalesskaya, Ž. org. Chim. **8**, 745 (1972).
[8] E. Bergmann u. W. Schuchardt, A. **487**, 225 (1931).

Tab. 153. (1. Fortsetzung)

Ausgangsketon	im Gleichgewicht bevorzugtes Keton	Katalysator	Literatur
9-Methyl-9-benzoyl-⟨cyclopenta-[d,e,f]-phenanthren⟩	1-Oxo-2-methyl-2-phenyl-1,2-dihydro-pyren	AlCl₃ 120–140°	1
3-Oxo-2,2,4-trimethyl-pentan	4-Oxo-2,3,3-trimethyl-pentan	konz. H₂SO₄	2
1-Methyl-1-benzoyl-cyclopentan	2-Oxo-1-methyl-1-phenyl-cyclohexan 1-Phenyl-1-acetyl-cyclopentan	AlCl₃/90°	3
4-Oxo-1-äthyl-cyclohexen	6-Oxo-3-äthyl-cyclohexen	H₂SO₄	4,6
3-Oxo-cyclohexen	3-Oxo-1-methyl-cyclopenten	H[SbF₆]	5
3-Oxo-5-methyl-cyclohexen	3-Oxo-1-methyl-cyclohexen	H[SbF₆]	5,6

[1] J. Douris u. L. Giral, Bl. **1970**, 3530.
[2] H. D. Zook, W. E. Smith u. J. L. Greene, Am. Soc. **79**, 4436 (1957).
[3] S. Durand, J. Crouzet u. L. Giral, C. r. [C] **269**, 176 (1969).
[4] K. G. Lewis u. G. J. Williams, Austral. J. Chem. **23**, 807 (1970).
[5] H. Hogeveen, R. **87**, 1295 (1968).
[6] Zur säurekatalysierten Verschiebung der Doppelbindung bei 4-Oxo-cyclohexenen-(1) vgl. D. S. Noyce u. M. Evett, J. Org. Chem. **37**, 394 (1972).

Tab. 153. (2. Fortsetzung)

Ausgangsketon	im Gleichgewicht bevorzugtes Keton	Katalysator	Literatur
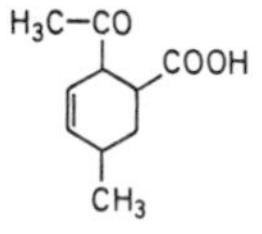 3-Acetyl-6-methyl-cyclohexen-(1)-4-carbonsäure	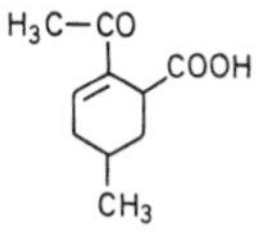 5-Methyl-2-acetyl-cyclohexen-(1)-3-carbonsäure	—	[1,2]
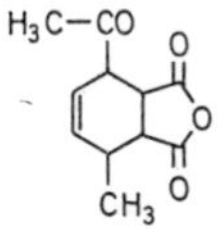 6-Acetyl-3-methyl-cyclohexen-4,5-dicarbonsäure-anhydrid	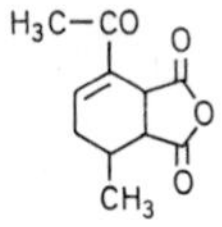 5-Methyl-2-acetyl-cyclohexen-3,4-dicarbonsäure-anhydrid	saurer Ionenaustauscher HCl/Acetonitril	[1]
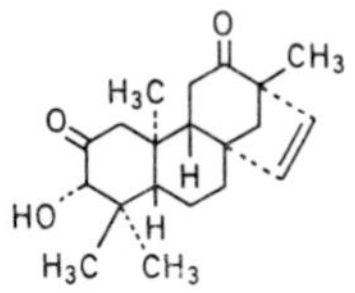 6-Hydroxy-7,12-dioxo-5,5,9,13-tetramethyl-tetracyclo[11.2.1.0^{1,10}.0^{4,9}]hexadecen-(14)	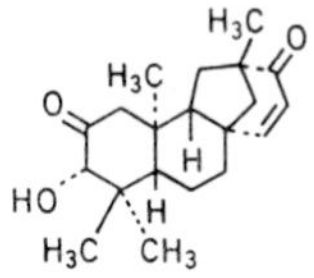 6-Hydroxy-7,13-dioxo-5,5,9,12-tetramethyl-tetracyclo[10.3.1.0^{1,10}.0^{4,9}]hexadecen-(14)	konz. $H_2SO_4/0°$ 70%ige $HClO_4/0°$ BF_3-Ätherat/0°	[3]
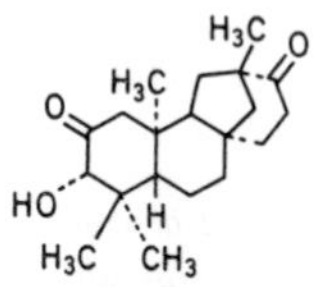 6-Hydroxy-7,13-dioxo-5,5,9,12-tetramethyl-tetracyclo[10.3.1.0^{1,10}.0^{4,9}]hexadecan	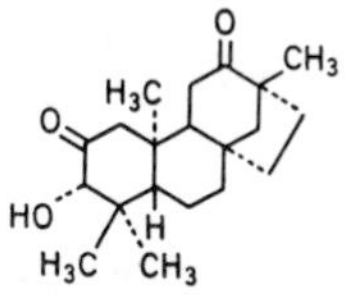 6-Hydroxy-7,12-dioxo-5,5,9,13-tetramethyl-tetracyclo[11.3.1.0^{1,10}.0^{4,9}]hexadecan	konz. H_2SO_4 in Eisessig (Acetanhydrid/0°	[3]

---

[1] V. S. MARKEVICH, A. P. GRYAZNOV, V. A. TERENTEV u. N. K. SHTIVEL, Ž. org. Chim. **7**, 276 (1971).

[2] Bei der Aufarbeitung des aus 2-Oxo-heptadien-(3.5) und Acrylsäure erhaltenen Addukts wird das α,β-ungesättigte Keton erhalten.

[3] M. LAING, P. SOMMERVILLE, D. HANOUSKOVA, K. H. PEGEL, L. P. L. PIACENZA, L. PHILLIPS u. E. S. WAIGHT, Chem. Commun. **1972**, 196.

Tab. 154. 3-Oxo-2-(bzw.-4)-alkyl-cyclopentene durch Umlagerung von 2-Oxo-1-alkyliden-cyclopentan durch Polyphosphorsäure bei 100° ohne Lösungsmittel

Ausgangsketon	Reakt. Zeit [Stdn.]	% unveränd. Ausgangsketon	Endketon		%	Literatur
[Struktur: 2-Äthyliden-cyclopentanon, =CH–CH₃]	0,5	0	[Struktur], C₂H₅	3-Oxo-2-äthyl-cyclopenten	53	1
[Struktur: 2-Isopropyliden-cyclopentanon, =C(CH₃)₂]	3	6	[Struktur], CH₃ / CH–CH₃	3-Oxo-2-isopro-pyl-cyclopenten	79	1
[Struktur: H₃C-substituiert, =C(CH₃)₂]	0,33	0	[Struktur], H₃C, CH₃ / CH–CH₃	3-Oxo-4-methyl-2-isopropyl-cyclopenten	31	2
			[Struktur], CH₃ / H₃C–CH, CH₃	3-Oxo-2-methyl-4-isopropyl-cyclopenten	62	
[Struktur: H₃C, H₃C, CH₃, =C(CH₃)₂]	1	0	[Struktur], H₃C, CH₃, H₃C, CH₃ / CH–CH₃	5-Oxo-2,3,3-tri-methyl-1-iso-propyl-cyclopenten	72	2
[Struktur: 2-Benzyliden-cyclopentanon, =CH–C₆H₅]	3	0	[Struktur], CH₂–C₆H₅	3-Oxo-2-benzyl-cyclopenten	50	1
[Struktur: H₃C, =CH–C₆H₅]	1	0	[Struktur], H₃C, CH₂–C₆H₅	3-Oxo-4-methyl-2-benzyl-cyclopenten	36,5	2
			[Struktur], H₅C₆–H₂C, CH₃	3-Oxo-2-methyl-4-benzyl-cyclopenten	13,5	
[Struktur: H₃C, H₃C, =C(CH₃)–...]	1	18	[Struktur], H₃C, H₃C, CH₃ / CH–CH₃	3-Oxo-2-iso-propyl-4-isopropyliden-cyclopenten	58	2
[Struktur: H₃C, H₃C, =CH–C₆H₅]	2	8	[Struktur], H₃C, H₃C, CH₂–C₆H₅	3-Oxo-2-benzyl-4-isopropyliden-cyclopenten	52	2
[Struktur: H₃C–CH, =C(CH₃)–CH₃]	1,5	22,5	[Struktur], H₃C–CH, CH₃ / CH–CH₃	3-Oxo-2-iso-propyl-4-äthyliden-cyclopenten	18	2
			[Struktur], H₃C, H₃C, C₂H₅	3-Oxo-2-äthyl-4-isopropyliden-cyclopenten	49,5	

1 J. M. Conia u. P. Amice, Bl. 1968, 3327.
2 J. M. Conia u. P. Amice, Bl. 1970, 2972.

Die Destillation der *cis*-Hydroxy-ketone über Phosphorsäure unter 100° liefert stereospezifisch Cyclopropylketone in 15–60%iger Ausbeute. Als Zwischenprodukte werden Dihydrooxepine angenommen:

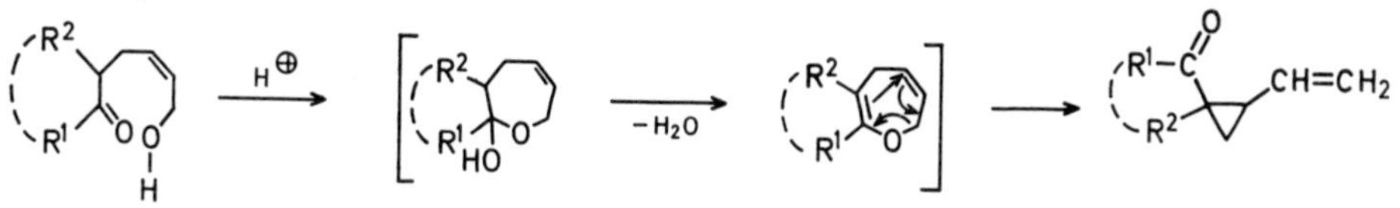

Unter analogen Bedingungen liefern die entsprechenden *trans*-Hydroxy-ketone nur isomere γ-Hydroxy-ketone[1].

2-Oxo-1-alkyliden-cycloalkane mit *exo*-Doppelbindung werden beim Erhitzen in Polyphosphorsäure zu 3-Oxo-2-(bzw.-4)-alkyl-cycloalkenen mit *endo*-C=C-Doppelbindung umgelagert[2]:

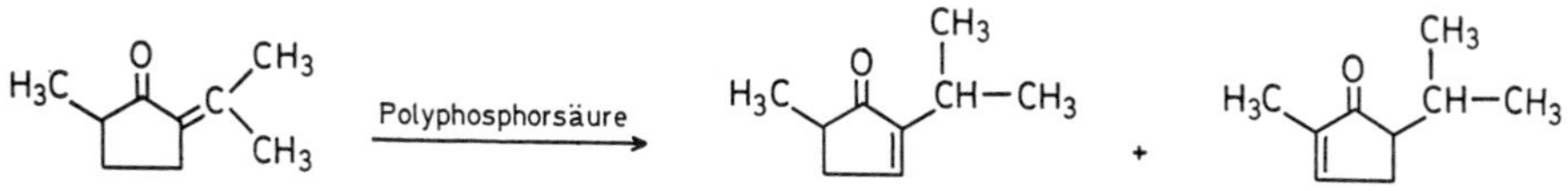

Die Ausbeuten variieren von 0 bis 82% und werden auch durch Harzbildung beeinträchtigt. Eine ausführliche und übersichtliche Zusammenstellung der bisher durchgeführten Versuche findet sich in der Literatur[3].

In Tab. 154 (S. 1068) sind einige Beispiele von präparativem Interesse aufgeführt.

In der Cyclohexanon-Reihe sind die Ausbeuten im allgemeinen schlechter und die Reaktionsprodukte weniger einheitlich.

2-Oxo-1-alkyliden-cyclobutane lagern unter Ringerweiterung zu Cyclohexenonen um[3]; z.B.:

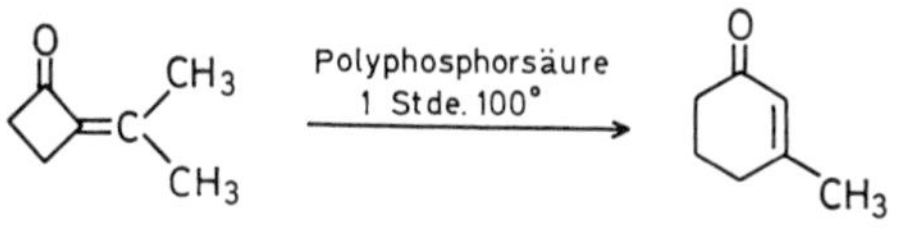

3-Oxo-1-methyl-cyclohexen;
82%

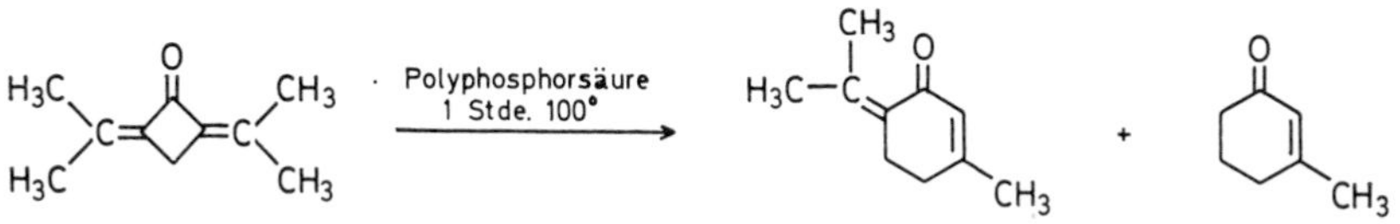

3-Oxo-1-methyl-4-isopropyl-   *3-Oxo-1-methyl-*
iden-cyclohexen; 71%   *cyclohexen*; 10%

Eine enolisierbare Oxo-Gruppe ist Voraussetzung für die Umlagerung. 2-Oxo-1,3-bis-[benzyliden]-cyclopentan und 2-Oxo-3,3-dimethyl-1-isopropyliden-cyclopen-

---

[1] Y. Bahurel, F. Collonges, A. Menet, F. Pautet, A. Poncet u. G. Descotes, Bl. **1971**, 2209.
[2] J. M. Conia u. P. Amice, Bl. **1968**, 3327.
[3] J. M. Conia u. P. Amice, Bl. **1970**, 2972.

tan lagern nicht um. Die Reaktion beim 2-Oxo-1,3-bis-[isopropyliden]-cyclopentan ist dagegen infolge Tautomerisierung nicht unterbunden:

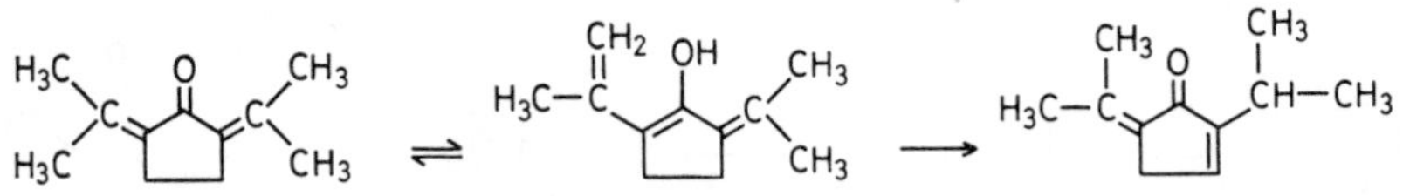

3-Oxo-2-isopropyl-4-iso-propyliden-cyclopenten; 58% d.Th.

Es wird angenommen, daß die Reaktion durch die Bildung eines Enol-Polyphosphats eingeleitet wird. Anschließende Protonisierung führt zum mesomeren Carbeniumion, welches sich durch Protonabgabe in zwei Richtungen zum Dienol stabilisieren kann. Bei der Aufarbeitung durch Hydrolyse erhält man die entsprechenden Ketone[1]:

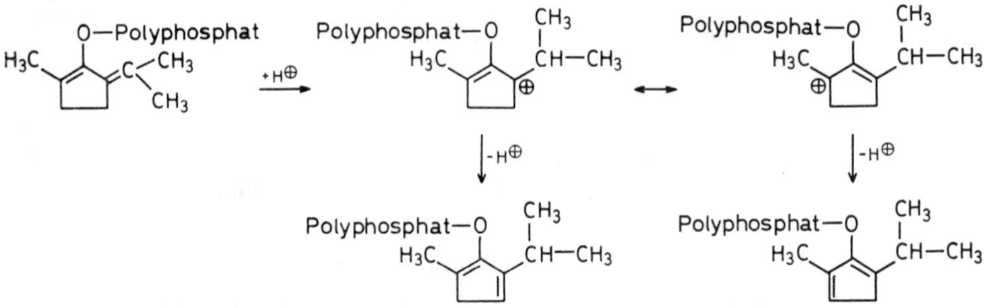

1-Oxo-cyclopenten-(2)-Derivate lassen sich auch durch dehydratisierende Cyclisierung von geeignet substituierten Acrylsäure- und Methacrylsäureestern in Polyphosphorsäure bei 100° herstellen[2]; z.B.:

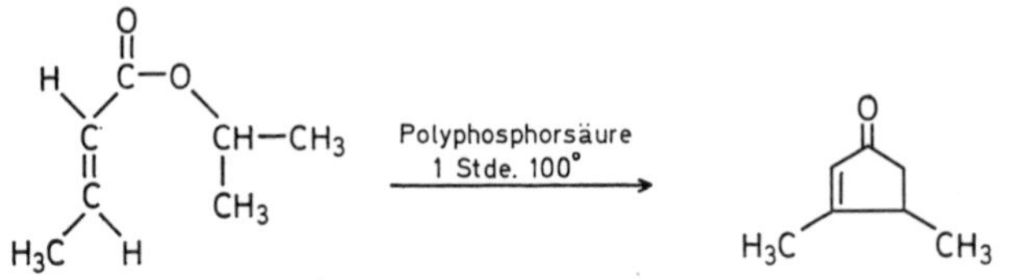

3-Oxo-1,5-dimethyl-cyclopenten; 58–67% d.Th.

Die Reaktion scheint verallgemeinerungsfähig zu sein. Ausgehend von Cyclohexencarbonsäureestern sind Tetrahydroindanon-Derivate zugänglich. Benzoesäurecyclohexylester liefert *9-Oxo-1,2,3,4,4a,9a-hexahydro-fluoren* (40% d.Th.; 20 Min. bei 95°)[2]:

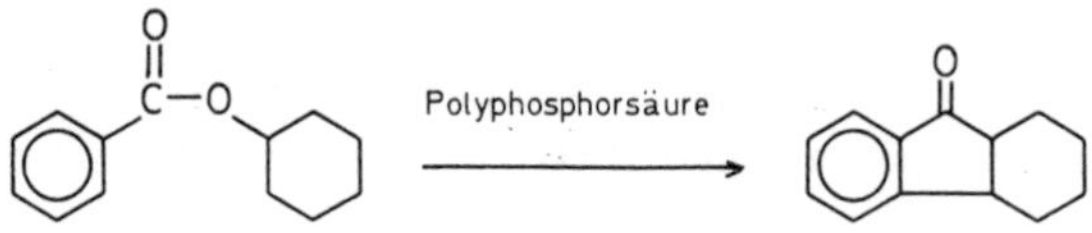

---

[1] J. M. Conia u. P. Amice, Bl. **1970**, 2972.
[2] J. M. Conia u. M. L. Leriverend, Bl. **1970**, 2981, 2992.

In einigen Fällen werden infolge Isomerisierungsreaktionen Gemische von Ketonen erhalten.

Die unter aufeinanderfolgender Wanderung einer Methyl- und einer tert.-Butyl-Gruppe erfolgende Umlagerung von 3-Oxo-2,2,4,4-tetramethyl-pentan in *4-Oxo-2,2,3,3-tetramethyl-pentan* ist eingehend untersucht worden[1]:

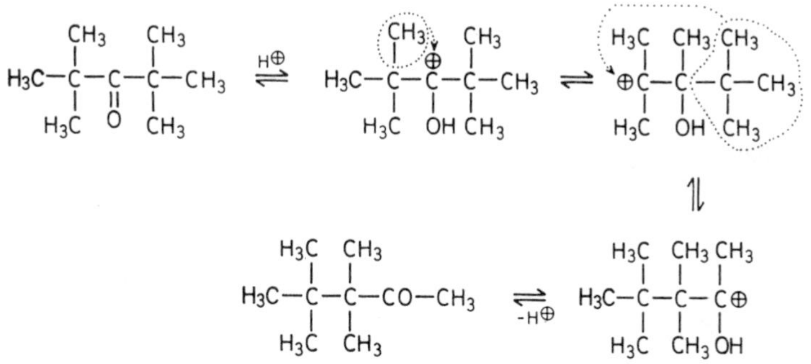

α-Brom-β-oxo-carbonsäureester sind nur im Dunkeln in Abwesenheit von Bromwasserstoff beständig. Beim Stehen an der Luft lagern sie sich mehr oder weniger rasch in γ-Brom-β-oxo-carbonsäureester um[2].

Bei der Bromierung von Acetessigsäure-äthylester wird daher *γ-Brom-acetessig-säure-äthylester* erhalten[3,4]:

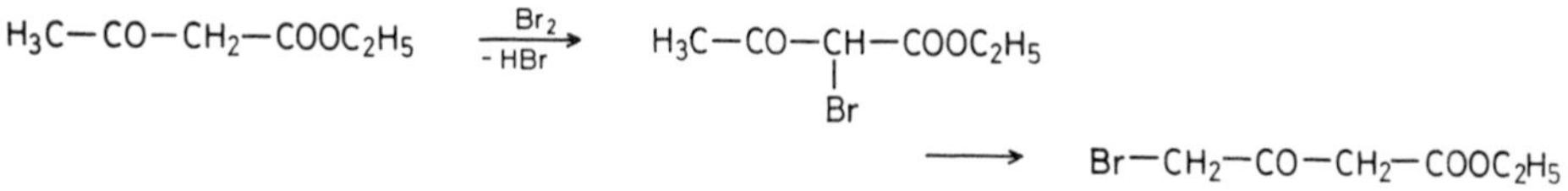

$$H_3C-CO-CH_2-COOC_2H_5 \xrightarrow[-HBr]{Br_2} H_3C-CO-\underset{\underset{Br}{|}}{CH}-COOC_2H_5$$

$$\longrightarrow Br-CH_2-CO-CH_2-COOC_2H_5$$

Die Kinetik der säurekatalysierten Reaktion ist untersucht worden. Raumfüllende Alkyl-Reste in α-Position begünstigen die Umlagerung, hemmen jedoch andererseits die Säurekatalyse[5]. Entsprechende Umlagerungen finden bei 2-Brom-1,3-diketo-

[1] S. Barton, F. Morton u. C. R. Porter, Nature **169**, 373 (1952).
   A. D. Petrov et al., Ž. obšč. Chim. **18**, 1168 (1948).
   P. D. Bartlett u. M. Stiles, Am. Soc. **77**, 2806 (1955).
   S. Barton u. C. R. Porter, Soc. **1956**, 2483.
   M. Stiles u. R. P. Mayer, Chem. & Ind. **1957**, 1357.
   H. D. Zook, W. E. Smith u. J. L. Greene, Am. Soc. **79**, 4436 (1957).
   J. E. Dubois u. P. Bauer, Bl. **1967**, 1156.
   J. E. Dubois u. P. Bauer, Am. Soc. **90**, 4510 (1968).
[2] A. Hantzsch, B. **27**, 355, 3168 (1894).
   F. Kröhnke u. H. Timmler, B. **69**, 615 (1936).
   A. Becker, Helv. **32**, 1114 (1949).
[3] C. Duisberg, A. **213**, 137 (1882).
[4] M. Conrad u. L. Schmidt, B. **29**, 1043 (1896).
   A. Burger u. G. E. Ullyot, J. Org. Chem. **12**, 346 (1947).
[5] L. I. Smith, Am. Soc. **44**, 216 (1922).
   M. M. Mhala u. P. S. Bhujang, Indian J. Chem. **8**, 1109 (1970).

nen, sowie bei einer Reihe von Monoketonen mit verschieden polarisierten nachbarständigen CH_2-Gruppen statt. Begünstigt ist die Verbindung, in der das Bromatom am wenigsten positiviert ist (vgl. ds. Handb., Bd. V/4, S. 174, 204).

a,a-Dibrom-ketone lagern unter dem Einfluß von Bromwasserstoff in a,a'-Dibrom-ketone um[1], z.B. a,a-Dibrom-aceton zu *1,3-Dibrom-2-oxo-propan*:

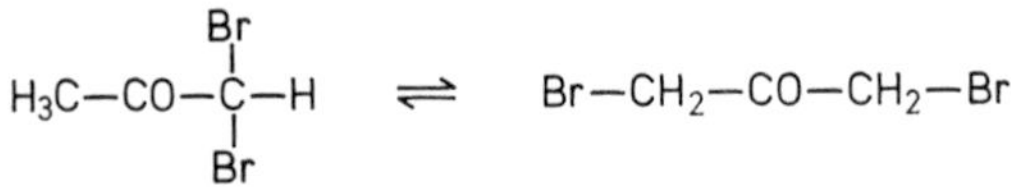

10-Oxo-9,9-diphenyl-9,10-dihydro-phenanthren[2]:

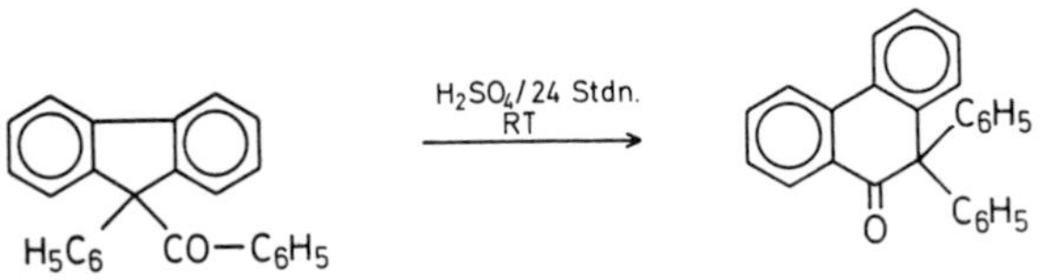

0,5 g 9-Phenyl-9-benzoyl-fluoren werden 24 Stdn. mit 5 *ml* konz. Schwefelsäure bei Raumtemp. stehen gelassen. Man filtriert durch Glaswolle und gießt in Wasser; F: 193°.

a,β-ungesättigte Ringketone mit Substituenten in β und γ-Stellung erfahren beim Erhitzen mit Polyphosphorsäure auf 150° eine der Plancher-Umlagerung von Indoleninen analoge Umlagerung zu ebenfalls a,β-ungesättigten Ringketonen[3].

So läßt sich Cyclohexan-⟨spiro-3⟩-6-oxo-cyclohexen-(1) in *3-Oxo-6-phenyl-bicyclo-[4.4.0]decen-(1)* überführen:

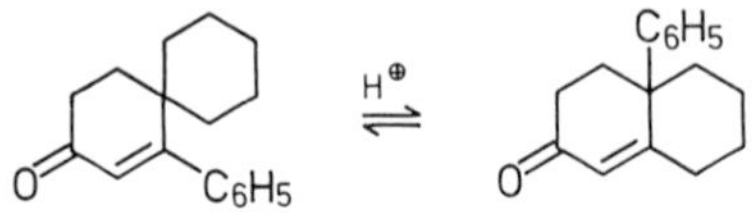

Von besonderem Interesse ist die Umlagerung in der Phenanthren-Reihe; z.B.:

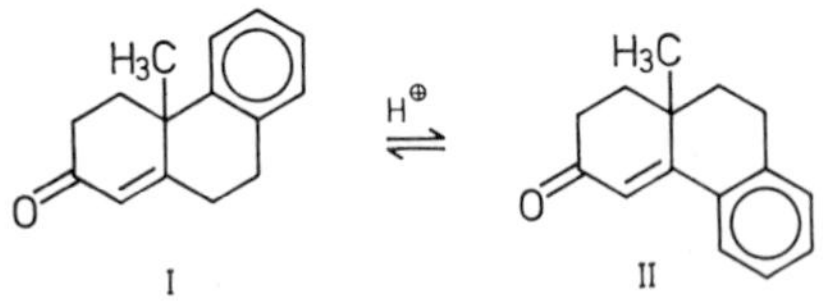

Formal findet dabei ein Platzwechsel der Substituenten statt. Der Mechanismus entspricht einer zweifachen Wagner-Meerwein-Umlagerung.

3-Oxo-10a-methyl-1,2,3,9,10,10a-hexahydro-phenanthren(II)[3]: 0,7 g 2-Oxo-4a-methyl-2,3,4,4a,9,10-hexahydro-phenanthren(I) und 20 g Polyphosphorsäure [hergestellt aus 8 *ml* 85%-iger Phosphorsäure und 12,5 g Phosphor(V)-oxid] werden im Ölbad rasch auf 165° erhitzt und 3 Min. bei

[1] C. Rappe, Ark. Kemi **24**, 73 (1965); C. A. **63**, 5476 (1965).
[2] E. Bergmann u. W. Schuchardt, A. **487**, 225 (1931).
[3] S. Isoe u. M. Nakazaki, Bl. chem. Soc. Japan **37**, 151 (1964); C. A. **60**, 15766 (1964).

dieser Temp. gehalten. Es wird rasch abgekühlt und in Wasser gegossen. Aus dem neutral gewaschenen Ätherextrakt werden 0,55 g (78% d.Th.) eines viskosen Öls erhalten; Kp_1: 157–163; F: 62–63°.

In der Longifolen-Reihe sind tricyclische β-Keto-carbonsäureester durch Bortrifluorid-Ätherat zu neuen tricyclischen Gerüsten umgelagert worden[1].

Bicyclische ungesättigte Ketone, mit der C=C-Doppelbindung in einem Ring, und der Oxo-Gruppe im anderen, werden unter dem Einfluß von Säuren in isomere Bicyclen umgelagert. Von besonderem präparativem Interesse ist die Reaktion in der Reihe der Propellane, wo unter gleichzeitiger Ringerweiterung und -verengung α,β-ungesättigte Propellan-Ketone gebildet werden[2] (s. Tab. 155, S. 1074).

Die Reaktionen werden über eine Wagner-Meerwein-Umlagerung verlaufend interpretiert. Zur Umlagerung tricyclischer Cyclanone s. Lit.[3].

Die Umlagerung zum Chlor-alkohol und dessen anschließende basenkatalysierte Umlagerung zum isomeren Keton kann präparativ zur Rein-Herstellung bestimmter Ketone angewandt werden, welche sonst nur durch Photoumlagerung als schwierig zu trennende Gemische anfallen[4]; z.B.:

I	II	III
7-Oxo-tricyclo [4.3.2.0^{1,6}] undecen-(10)	*anti-11-Chlor-8-hydroxy-tricyclo[6.2.1.0^{1,6}] undecen-(6)*	9-Oxo-tricyclo [6.3.0.0^{1,6}] undecen-(6)

anti-11-Chlor-8-hydroxy-tricyclo[6.2.1.0^{1,6}]undecen-(6) (II)[4]: 1,797 g (11,1 mMol) I in 150 *ml* Äther werden mit 65 *ml* 6 n Salzsäure bei Raumtemp. 24 Stdn. gerührt. Man gießt in 150 *ml* Wasser und extrahiert 3mal mit 100 *ml* Äther. Nach Trocknen) Magnesiumsulfat) und Eindampfen der Ätherphase wird der hellbraune in der Kälte kristallisierende Rückstand in 5 *ml* Pentan/Äther (9:1) gelöst und durch A-Kohle entfärbt. Eindampfen des Lösungsmittels liefert weiße Kristalle, die bei 0,1 Torr getrocknet werden; Ausbeute: 1,143 g (52% d.Th.); F: 107–108°.

9-Oxo-tricyclo[6.3.0.0^{1,6}]undecen-(6) (III)[4]: Zu einer Lösung aus 0,137 g (0,00351 g-Atom) metallischem Kalium und 100 *ml* trockenem tert. Butanol wird in einem Guß eine Lösung von 0,403 g (2,03 mMol) II in 10 *ml* tert. Butanol zugesetzt. Die erhaltene Lösung wird unter schnellem Rühren 24 Stdn. am Rückfluß gekocht und nach Erkalten in eine Lösung von 5 g Natriumchlorid in 200 *ml* Wasser gegossen. Man extrahiert mit 3mal 100 *ml* Pentan. Nach Trocknen der Pentan-Phase über Magnesiumsulfat, Abdampfen des Lösungsmittels und Destillation erhält man 0,238 g eines farblosen Öls, das gaschromatographisch einheitlich ist (Ausbeute: 72% d.Th.).

[1] J. Lhomme u. G. Ourisson, Bl. **1970**, 3935.

[2] R. L. Cargill u. J. W. Crawford, J. Org. Chem. **35**, 356 (1970).

[3] C. H. Heathcock u. B. E. Ratcliffe, J. Org. Chem. **37**, 1298 (1972).

[4] R. L. Cargill, D. M. Pond u. S. O. Le Grand, J. Org. Chem. **35**, 359 (1970).

Tab. 155. Bicyclische Ketone

	Ausbeute nach Destillation [%]	Literatur

2-Oxo-bicyclo [4.2.0]octen-(7)   → (Al$_2$O$_3$ (sauer) 200°)   8-Oxo-bicyclo [3.2.1]octen-(6)   29   1,2

5-Oxo-1-methyl-bicyclo [4.2.0]octen-(7)   → (p-Toluolsulfonsäure Benzol 5 Min. Kochen)   8-Oxo-1-methyl-bicyclo [3.2.1]octen-(6)   3 [3]   1

2-Oxo-tricyclo[4.3.2.0^{1,6}] undecen-(10)   → (p-Toluolsulfonsäure-monohydrat Benzol 10 Min. Kochen)   3-Oxo-tricyclo[3.3.3.0^{1,5}] undecen-(2)   68   1

2-Oxo-10,11-dimethyl-tricyclo [4.3.2.0^{1,6}]undecen-(10)   → (p-Toluolsulfonsäure-monohydrat Benzol 72 Stdn. Kochen)   4-Oxo-2,3-dimethyl-tricyclo [3.3.3.0^{1,5}]undecen-(2)   85   1

2-Oxo-1,7-dimethyl-bicyclo [3.2.0]hepten-(6)

→ (p-Toluolsulfonsäure Benzol 10 Stdn. Kochen)   2-Oxo-6,7-dimethyl-bicyclo [3.2.0]hepten-(6)   95   4,5

→ (6 n-HCl/Äther 10 Stdn. 20°)   endo-3-Hydroxy-2-oxo-1,3-dimethyl-bicyclo [2.2.1]heptan   ~75   4

[1] R. L. CARGILL u. J. W. CRAWFORD, J. Org. Chem. **35**, 356 (1970).

[2] Die Umlagerung tritt bereits beim Versuch der gaschromatographischen Reinigung des Ausgangsketons ein.

[3] Verharzt bei der Destillation. Rohprodukt enthielt keine weiteren Komponenten.

[4] R. L. CARGILL, D. M. POND u. S. O. LE GRAND, J. Org. Chem. **35**, 359 (1970).

[5] Ausgangs- und Endprodukt stehen im Verhältnis 5 : 95 mit einander im Gleichgewicht.

Tab. 155. (1. Fortsetzung)

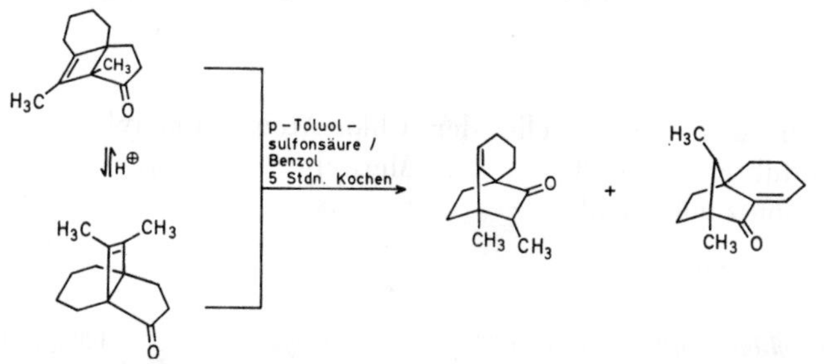

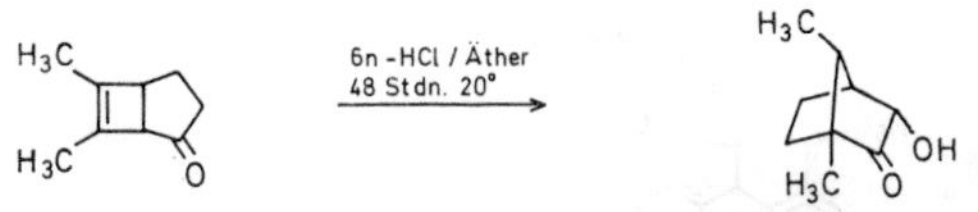

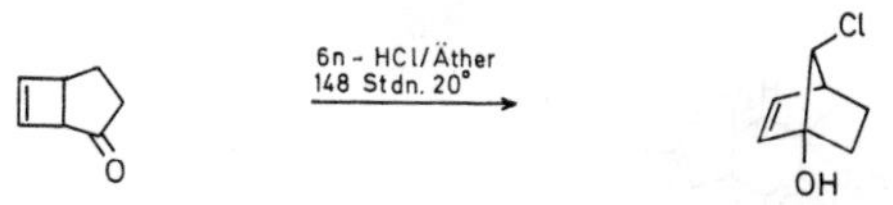

	Ausbeute nach Destillation	Litera-tur
4-Oxo-5,6-dimethyl-tricyclo[5.4.0.0^{1,5}]undecen-(5)		

4-Oxo-5,6-dimethyl-tricyclo[5.4.0.0^{1,5}]undecen-(5)

p–Toluol–sulfonsäure / Benzol 5 Stdn. Kochen

insges. 60   1

7-Oxo-10,11-dimethyl-
tricyclo[4.3.2.0^{1,6}]
undecen-(10)

9-Oxo-7,8-dimethyl-
tricyclo[5.2.2.0^{1,6}]
undecen-(5)

2-Oxo-1,11-dimethyl-
tricyclo[6.2.1.0^{3,8}]
undecen-(3)

2-Oxo-6,7-dimethyl-bicyclo[3.2.0]hepten-(6)	6n -HCl / Äther 48 Stdn. 20° →	75	2

endo-3-Hydroxy-2-oxo-1-methyl-
anti-7-methyl-bicyclo[2.2.1]
heptan

2-Oxo-bicyclo[2.2.1]hepten-(6)	6n - HCl/Äther 148 Stdn. 20° →	66	2,3

anti-7-Chlor-1-hydroxy-
bicyclo[2.2.1]hepten-(2)

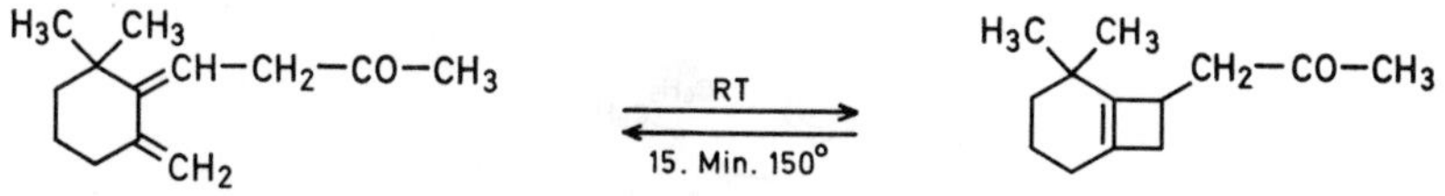

3,3-Dimethyl-1-methylen-2-(3-oxo-
butyliden)-cyclohexan

RT
15. Min. 150°

2,2-Dimethyl-8-(2-oxo-propyl)-
bicyclo[4.2.0]octen-(1^6)[4]

Das aus Tetrachlor-5,5-dimethoxy-cyclopentadien und Styrol erhältliche Diels-Alder-Addukt IV (S. 1076) lagert bei der Einwirkung konzentrierter Schwefelsäure (45 Min. Raumtemp.) zum *1,2,3,5-Tetrachlor-4-oxo-7-phenyl-bicyclo[3.2.0]hepten-(2)* (63% d.Th.; V) um[5]. Bei Bestrahlung wird unter Epimerisierung das Diels-Alder-Keton zurückgebildet[5]:

[1] R. L. Cargill et al. J. Org. Chem. **37**, 78 (1972).
[2] R. L. Cargill, D. M. Pond u. S. O. LeGrand, J. Org. Chem. **35**, 359 (1970).
[3] Die Reaktion ist reversibel. Aus dem Chlor-alkohol kann durch Kochen mit Kalium-tert.-butanolat in tert.-Butanol mit 90% Ausbeute das Keton zurückerhalten werden.
[4] A. A. M. Roof, A. van Wageningen, C. Kruk u. H. Cerfontain, Tetrahedron Letters **1972**, 367.
[5] L. S. Besford, R. C. Cookson u. J. Cooper, Soc. [C] **1967**, 1385.

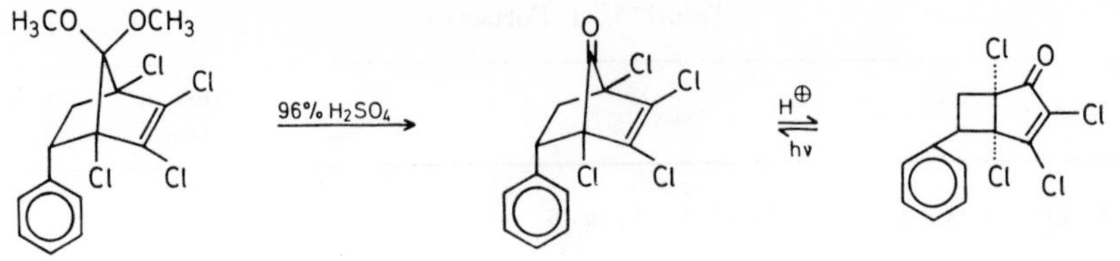

IV   V

Entsprechend verhalten sich die anstelle der Chlor-Atome Phenyl-Gruppen tragenden Diels-Alder-Addukte. Auch Phenyl- und Methyl-Gruppen tragende Verbindungen sind der Reaktion zugänglich[1].

Beispielsweise wurden erhalten:

1,2,3,5-Tetrachlor-3-oxo-7-phenyl-bicyclo[3.2.0]hepten-(2)[2]	63% d.Th.
1,2,3,5-Tetrachlor-3-oxo-7-(4-chlor-phenyl)-bicyclo[3.2.0]hepten-(2)[2]	18% d.Th.
1,2,3,5-Tetrachlor-3-oxo-7-(4-methoxy-phenyl)-bicyclo[3.2.0]hepten-(2)[2]	60% d.Th.
3-Oxo-1,2,3,5,7-pentaphenyl-bicyclo[3.2.0]hepten-(2)[1,3]	93% d.Th.

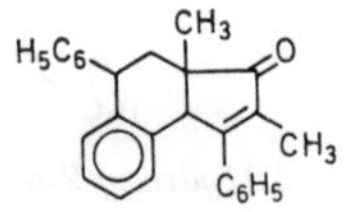

9-Oxo-8,10-dimethyl-6,11-diphenyl-⟨2,3-benzo-bicyclo[4.3.0]nonadien-(2,8)⟩[1]	63% d.Th.
2-Oxo-1,3-dimethyl-6-phenyl-4,5-bis-[4-chlor-phenyl]-bicyclo[3.2.0]hepten-(3)[1]	7% d.Th.

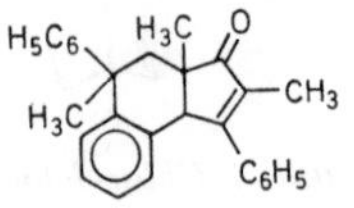

9-Oxo-6,8,10-trimethyl-6,11-diphenyl-⟨2,3-benzo-bicyclo[4.3.0]nonadien-(2,8)⟩[1]	~ 12% d.Th.

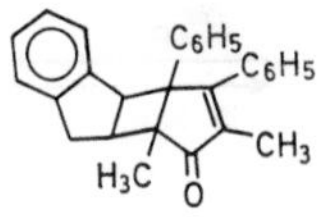

5-Oxo-4,6-dimethyl-2,3-diphenyl-⟨9,10-benzo-tricyclo[3.3.0.0²,⁶]decadien-(3,9)⟩[1]	60% d.Th.
5-Oxo-endo-2,3,4,6-tetraphenyl-tricyclo[5.2.1.0²,⁶]decadien-(3,8)[1]	70% d.Th.

Die Umlagerung von *10-Oxo-tricyclo[5.2.1.0¹,⁶]decadien-(4,8)* zu *3-Oxo-tricyclo-[5.2.1.0¹,⁶]decadien-(4,8)* findet bereits beim Schmelzen (63°) oder in Lösung in Gegenwart von Chlorwasserstoff und Bortrifluorid bei Raumtemperatur statt[4].

Tricyclische Umlagerungsprodukte können durch Bestrahlung zu Käfig-Verbindungen isomerisiert werden[1,4] (vgl. S. 1090).

---

[1] R. C. Cookson u. D. C. Warrel, Soc. [C] **1967**, 1391.

[2] L. S. Besford, R. C. Cookson u. J. Cooper, Soc. [C] **1967**, 1385.

[3] Das *exo*-Isomere lagert etwa 4 mal schneller um, als das *endo*-Isomere.

[4] R. C. Cookson, J. Hudec u. R. O. Williams, Soc. [C] **1967**, 1382.

Besonders leicht werden bicyclische Cyclobutanon-Systeme umgelagert, wobei wiederum bicyclische Cyclobutanone in **stereospezifischer** Reaktion erhalten werden. Die Reaktion wird bereits durch Erwärmen in Eisessig ausgelöst. Bevorzugt werden die Umlagerungen durch einfaches Stehenlassen mit Bortrifluorid-Ätherat in 1,2-Dichlor-äthan während 30 Min. bis 2 Stdn. bewirkt. Unter schärferen Bedingungen (z.B. Kochen mit Bortrifluorid in Toluol) oder bei längerer Reaktionszeit treten Folgereaktionen unter weiterer Umlagerung u.a. zu substituierten Cyclohexan-Derivaten ein[1]; z.B:

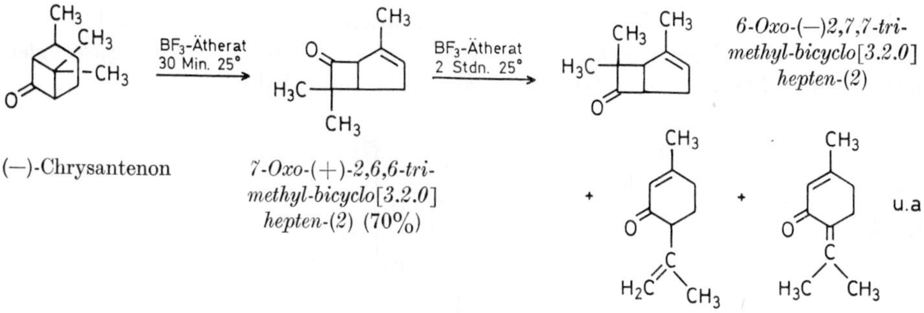

(−)-Chrysantenon

7-Oxo-(+)-2,6,6-tri-methyl-bicyclo[3.2.0] hepten-(2) (70%)

6-Oxo-(−)2,7,7-tri-methyl-bicyclo[3.2.0] hepten-(2)

(+)-Isopiperitenon (3-Oxo-1-methyl-4-isopropenyl-cyclohexen)

Piperitenon (3-Oxo-1-methyl-4-isopropyliden-cyclohexen)

u.a

6-Oxo-2,4,4-trimethyl-bicyclo[3.1.1]hepten-(2)

7-Oxo-2,4,4-trimethyl-bicyclo[3.2.0]hepten-(2); 52%

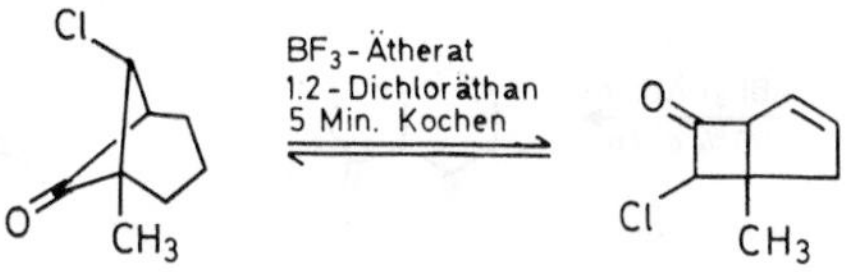

7-exo-Chlor-6-oxo-5-methyl-bicyclo [3.1.1]hepten-(2)

6-exo-Chlor-7-oxo-5-methyl-bicyclo[3.2.0] hepten-(2); 85%

Auch gesättigte bicyclische Cyclobutanone können durch Säuren umgelagert werden, wobei ein Cyclopropylcarbinyl-Kation als Zwischenstufe angenommen wird[2]; z.B.:

---

[1] W. F. ERMAN, Am. Soc. **91**, 779 (1969).
  W. F. ERMAN, R. S. TREPTOW, P. BAKUZIS u. E. WENKERT, Am. Soc. **93**, 657 (1971).
[2] T. J. KATZ u. R. DESSAU, Am. Soc. **85**, 2172 (1963).

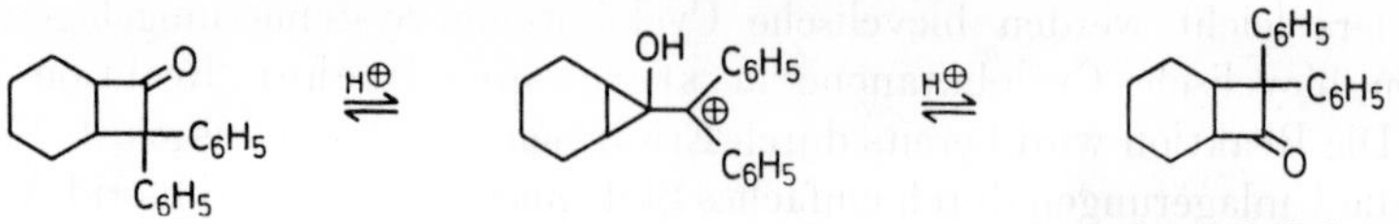

8-Oxo-7,7-diphenyl-
bicyclo[4.2.0]octan

Dreiring-Systeme werden sowohl durch Bestrahlung als auch durch Säuren leicht umgelagert[1]. Das durch Protonierung gebildete Kation steht im Gleichgewicht mit dem Ringerweiterungsprodukt.

Aus 2-Oxo-6-methyl-bicyclo[4.1.0]heptan wurden bei 70° in 0,1 n Perchlorsäure in Eisessig überwiegend 5-Oxo-1-methyl-cyclohepten und 4-Oxo-1-methyl-cyclohepten neben wenig 3-Oxo-1-methyl-1-acetoxymethyl-cyclohexan erhalten[2]:

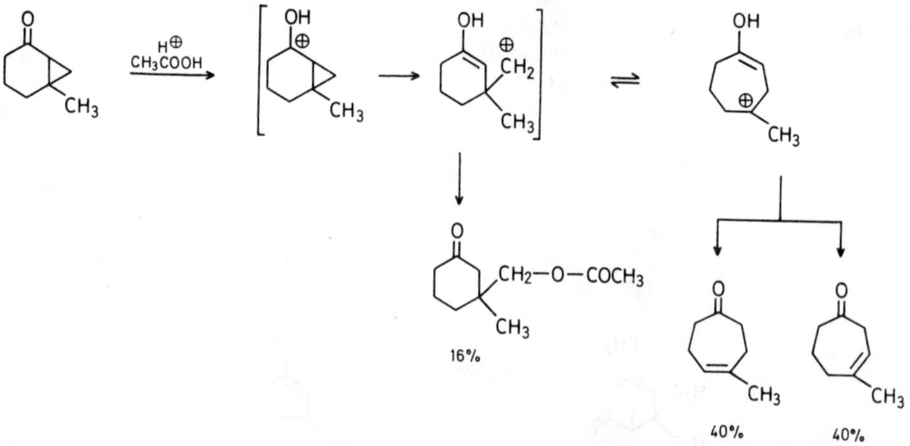

Aus 4-Oxo-bicyclo[6.1.0]nonan entsteht in Gegenwart von Bortrifluorid-Ätherat bei 90° ein Gemisch aus 7-Oxo-bicyclo[4.3.0]nonan (35%) und 7-Oxo-3-methyl-cycloocten (40%)[3]:

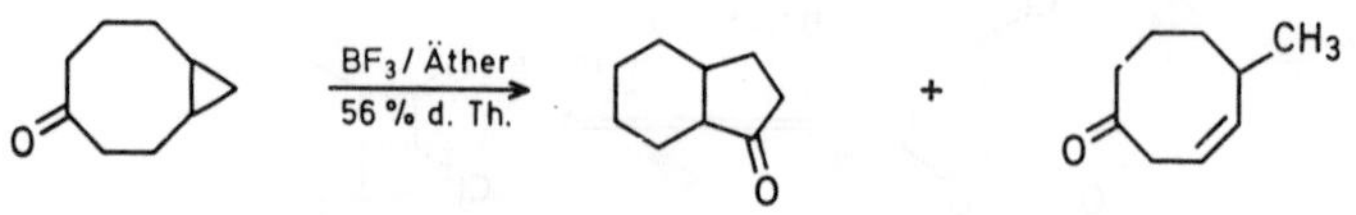

Mit Chlorwasserstoff in Chloroform wird dagegen praktisch ausschließlich 3-Oxo-1-methyl-1-chlormethyl-cyclohexan gebildet[4].

Während in o- und p-Stellung unsubstituierte linear konjugierte Cyclohexadienone mit angularen Allyl-Gruppen unter Säurekatalyse im allgemeinen in Phenole um-

[1] vgl. z. B. M. ODA, R. BRESLOW u. J. PECORARO, Tetrahedron Letters 1972, 4419.
   P. BENNETT et al., Soc. (Perkin Trans. I) 1972, 2982.
[2] W. G. DAUBEN, L. SCHUTTE, R. E. WOLF u. E. J. DEVINY, J. Org. Chem. 34, 2512 (1969).
   Vgl. a. R. H. EASTMAN u. A. V. WINN, Am. Soc. 82, 5908 (1960).
[3] J. L. GRAS u. M. BERTRAND, Bl. 1972, 2024.
[4] W. G. DAUBEN, L. SCHUTTE, R. E. WOLF u. E. J. DEVINY, J. Org. Chem. 34, 2512 (1969).
   Vgl. a. R. H. EASTMAN u. A. V. WINN, Am. Soc. 82, 5908 (1960).

lagern[1], erhält man aus 6-Oxo-1,2,3,4,5-pentamethyl-5-allyl-cyclohexadien-(1,3) das konjugierte Dienon *6-Oxo-1,2,3,4,5-pentamethyl-3-allyl-cyclohexadien-(1,4)* in nahezu quantitativer Ausbeute[2]:

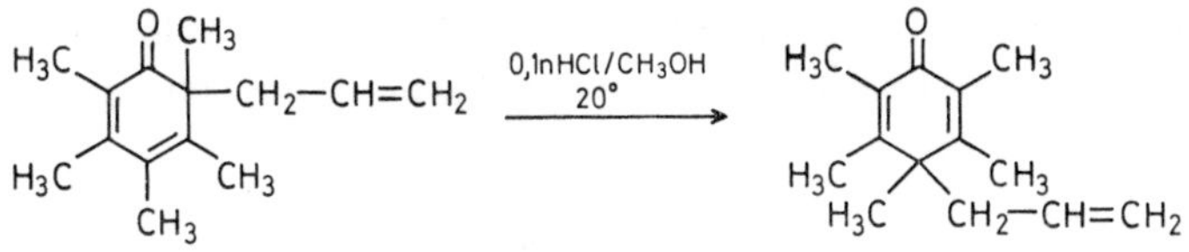

Die Methode ist von präparativer Bedeutung für die auf anderen Wegen schwieriger zugänglichen gekreuzt konjugierten Dienone. *6-Oxo-1,2,3,4,5-pentamethyl-3-(2-methyl-allyl)-cyclohexadien-(1,4)* (50%), *6-Oxo-1,3,5-trimethyl-3-allyl-cyclohexadien-(1,4)* (95%), *6-Oxo-1,2,3,4,5-pentamethyl-3-benzyl-cyclohexadien-(1,4)* (46%) wurden so erhalten[2,3].

Bei der durch Aluminiumchlorid katalysierten Acetylierung von Cyclohexan wird *2-Methyl-1-acetyl-cyclopentan* erhalten[4]. 1-Acetyl-cyclohexen in Cyclohexan liefert mit Aluminiumchlorid ebenfalls das Cyclopentan-Derivat. Die Reaktion wird durch Umlagerung des als Zwischenprodukt angenommenen Acetyl-cyclohexylium-Kations und Stabilisierung des Methyl-acetyl-cyclopentylium-Kations durch Hydridwasserstoff-Aufnahme aus unverändertem Cyclohexan gedeutet[5]. Enthält das Aluminiumchlorid Spuren Wasser, so wird auch *2-Methyl-1-acetyl-cyclopenten* isoliert[4]:

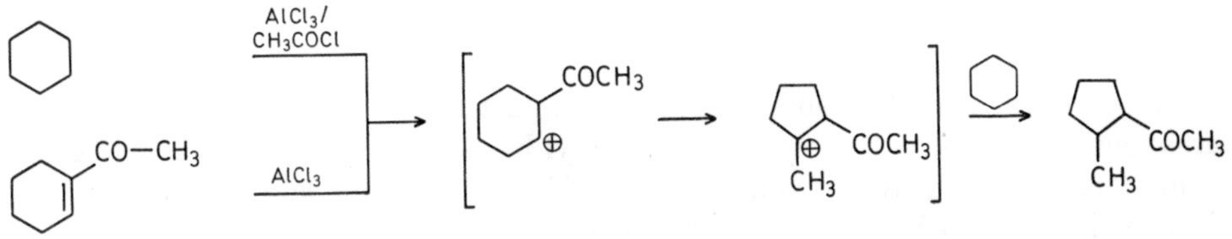

Analog wurden bei der Acetylierung von Cyclohepten in Abhängigkeit von den Reaktionsbedingungen gesättigte und ungesättigte 7-Ring- und 6-Ring-Ketone gefunden[6].

Cyclooctatrienon geht in extrem saurem Medium, z.B. Fluorsulfonsäure/Schwefeldioxid/Antimon (V)-fluorid, in das homoaromatische Homotropylium-Kation über, aus dem bei längerem Stehen, begünstigt durch Erwärmen auf 20–80°, *Acetophenon* gebildet wird[7]:

---

[1] B. MILLER, Am. Soc. **87**, 5115 (1965).
P. FAHRNI, A. HABICH u. H. SCHMID, Helv. **43**, 448 (1960).
J. LEITICH, M. **92**, 1167 (1960).
[2] B. MILLER, Chem. Commun. **1968**, 1435.
[3] B. MILLER, Am. Soc. **92**, 6246, 6252 (1970).
[4] C. D. NENITZESCU u. I. P. CANTUNIARI, B. **65**, 807, 1449 (1932).
[5] L. ÖTVÖS u. T. TÜDÖS, Chem. & Ind. **1969**, 1140.
[6] L. RAND u. R. J. DOLINSKI, J. Org. Chem. **31**, 3063 (1966), dort ältere Literatur zitiert.
[7] M. BROOKHART, M. OGLIARUSO u. S. WINSTEIN, Am. Soc. **89**, 1965 (1967).

Die Synthese von *2-Oxo-bicyclo[3.2.2]nonatrien-(3,6,8)* aus Cycloheptatrien-(1,3,5)-yl-(7)-acetylchlorid und Triäthylamin beinhaltet eine Reihe von Umlagerungen[1]:

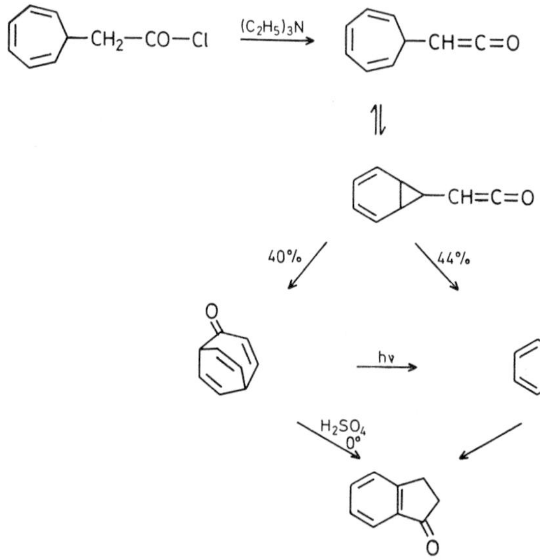

Das durch Michael-Addition von Butenon an 2,4-Dioxo-1,3-dimethyl-cyclopentan erhaltene 4-Hydroxy-7,8-dioxo-1,4,6-trimethyl-bicyclo[3.2.1]octan geht in siedendem Benzol in Gegenwart von p-Toluolsulfonsäure unter Dehydratisierung und Isomerisierung in *3,7-Dioxo-6,8-dimethyl-bicyclo[4.3.0]nonen-(1)* über[2]:

Analog wurde *3,7-Dioxo-1-methyl-*und *3,7-Dioxo-1-äthyl-bicyclo[4.3.0]nonen-(1)* erhalten.

Bei der Umlagerung von 2,3-Dihydroxy-2,3-diphenyl-butansäure-äthylester in Fluorsulfonsäure bei 0° entsteht zunächst *2-Oxo-3,3-diphenyl-butansäure-äthylester*, der jedoch weiter umlagert zu einem Gemisch aus *3-Oxo-2-methyl-2,3-diphenyl-propansäure-äthylester* und *3-Oxo-2,2-diphenyl-butansäure-äthylester* (die Reaktion ist zeitabhängig)[3]:

[1] M. J. GOLDSTEIN u. B. G. ODELL, Am. Soc. **89**, 6356 (1967).
[2] O. I. FEDOROVA, I. V. OGURTSOVA u. G. S. GRINENKO, Ž. org. Chim. **7**, 1996 (1971).
[3] J. KAGAN u. D. A. AGDEPPA, Helv. **55**, 2255 (1972).

HO OH
| |
H₃C—C—C—COOC₂H₅
| |
H₅C₆ C₆H₅

$$\longrightarrow \quad \underset{\underset{C_6H_5}{|}}{\overset{\overset{C_6H_5}{|}}{H_3C-\overset{\alpha}{C}-CO-COOC_2H_5}} \quad \longrightarrow \quad \underset{\underset{CH_3}{|}}{\overset{\overset{\beta\ C_6H_5}{}}{H_5C_6-CO-\overset{|}{C}-COOC_2H_5}} \quad \longrightarrow \quad \underset{\underset{C_6H_5}{|}}{\overset{\overset{\beta\ C_6H_5}{}}{H_3C-CO-\overset{|}{C}-COOC_2H_5}}$$

nach 2 Min.	76	16	12
nach 10 Min.	38,5	38,5	23
nach 20 Min.	5	70	25

2-Oxo-3,3-diphenyl-propansäure fragmentiert unter diesen Bedingungen[1].

Die durch Mineralsäuren in wenigen Stunden, durch Bortrifluorid-Ätherat innerhalb 10 Minuten ausgelöste Isomerisierung von 6-Oxo-cyclodecin zu *2-Oxo-bicyclo-[4.4.0]decen-(1⁶)* kommt durch *trans-* annulare Wechselwirkung des intermediär auftretenden Carbeniumions zustande[2].

7-Oxo-octin-(2) geht dieselbe Reaktion ein. In einer 1 : 1-Mischung aus 6 n wäßriger Salzsäure und Äthanol entsteht bei 60° nach 140 Stunden *3-Oxo-1,2-dimethyl-cyclohexen-(1)* (78% d.Th.). In einer Äther-Lösung von überschüssigem Bortrifluorid wird bei Raumtemperatur in 7 Tagen ein Gemisch aus 45% *3-Oxo-1,2-dimethyl-cyclohexen-*(1) und 55% *2-Methyl-1-acetyl-cyclopenten-*(1) erhalten (80% d.Th.). Die offenkettige Struktur erschwert die *trans*-annulare Wechselwirkung[2] (vgl. S. 1139).

Bereits beim Erwärmen mit Essigsäure lagert das bicyclische Keton I in *3-Methoxy-6-oxo-5-methyl-4-phenyl-2-benzoyl-2,3,6,7-tetrahydro-1H-1,2-diazepin* um (75% d.Th.)[3]:

I

2. Umlagerung von Ketonen in Ketone durch Bestrahlung

Die Carbonyl-Gruppe ist ein wichtiger und vielseitiger Chromophor bei photochemischen Reaktionen.

Dementsprechend sind Ketone bei Einwirkung von Strahlungsquanten einer Vielzahl von Reaktionen fähig[4]. Dabei erfolgt meist zunächst eine Umlagerung des

[1] J. KAGAN u. D. A. AGDEPPA, Helv. **55**, 2255 (1972).
[2] M. HANACK, C. E. HARDING u. J.-L. DEROQUE, B. **105**, 421 (1972).
[3] R. L. WINEHOLT, E. WYSS u. J. A. MOORE, J. Org. Chem. **31**, 48 (1966).
[4] vgl. ds. Handb., Bd. IV/5, Photochemie.

Kohlenstoffgerüstes. In Abhängigkeit von der Stabilität des neuen Gerüsts können sich weitere Umlagerungen, Aromatisierung oder Spaltreaktionen anschließen.

In letzter Zeit sind eine Reihe von Zusammenfassungen über die Photochemie der Carbonyl-Verbindungen erschienen[1].

α) aus Cycloalkanonen[2]

Durch einen Cyclopropanring substituierte Cyclopentanone oder annellierte Cyclohexanone isomerisieren bei Bestrahlung. 2-Oxo-1-cyclopropyl-cyclohexan gibt 44% d. Th. *trans-1-Oxo-nonen-(4)* und 29% d. Th. *cis-Nonen-(4)-al* neben 21% d. Th. *6-Cyclopropyl-hexen-(5)-al*[3].

2-Oxo-bicyclo[4.1.0]heptan (Caron) reagiert unter Ringverengung[4]. Die Photolyse von Oxo-cycloundecan, -cyclododecan bzw. -tridecan führt zu bicyclischen Alkoholen[5].

1-Acetyl-bicyclo[4.1.0]heptan liefert bei der Photolyse in Eisessig *1-Acetyl-cyclohepten-(1)* (23% d. Th.)[6]:

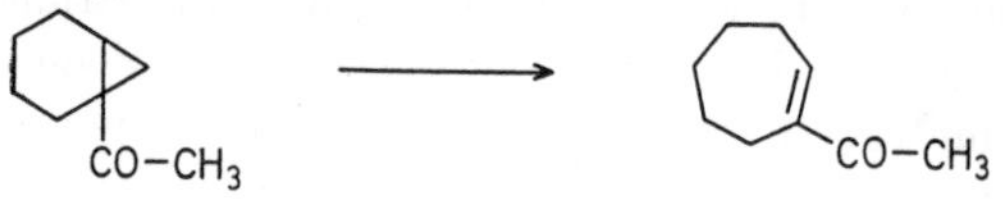

Entsprechende Ringketone lagern unter Erhalt des Fünf- bzw. Sechsringes um[7,8]; vgl. ds. Handb., Bd. IV/3.

Die Photolyse des *endo-2-Benzoyl-bicyclo[2.1.1]hexans* (I) in Benzol ergibt *4-Benzoyl-cyclopenten-(1)* (II; 80% d. Th.) sowie den tricyclischen Alkohol III der bei 200° ebenfalls das Keton II liefert[9]:

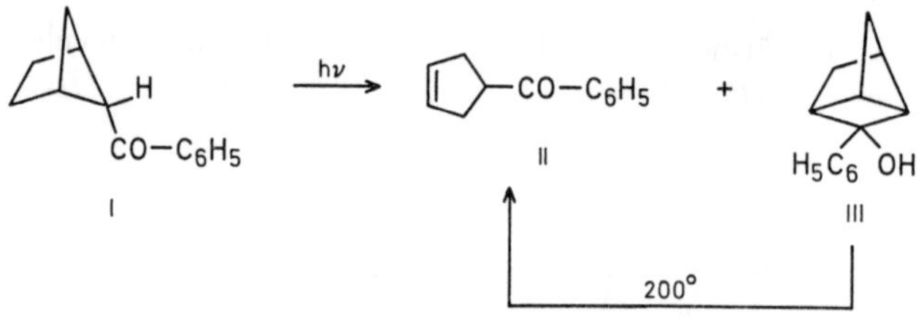

Das entsprechende *endo-6-Benzoyl-bicyclo[3.1.1]hexan* liefert analog *1-Oxo-2-[cyclopenten-(2)-yl]-1-phenyl-äthan*[10].

[1] J. S. SWENTON, J. chem. Educ. **46**, 217 (1969).
   Vgl. auch Bibliographie S. 1168 ff.
   J. D. COYLE u. H. A. J. CARLESS, J. Soc. Rev. **1**, 465 (1972).
[2] O. L. CHAPMAN in W. A. NOYES et al., *Advances in Photochemistry*, Vol. 1, S. 365, Interscience Publ., New York 1963.
   z. B. A. SONODA, I. MORITANI, J. MIKI, T. TSUJI u. S. NISHIDA, Bull. Chem. Soc. Jap. **45**, 1777 (1972).
   W. G. DAUBEN u. W. M. WELCH, Tetrahedron Letters **1971**, 4531.
[3] R. G. CARLSON u. E. L. BIERSMITH, Chem. Commun. **1969**, 1049.
[4] D. C. HECKERT u. P. J. KROPP, Am. Soc. **90**, 4911 (1968).
[5] K. MATSUI, T. MORI u. H. NOZAKI, Bull. Chem. Soc. Jap. **44**, 3440 (1971).
[6] R. E. K. WINTER u. R. F. LINDAUER, Tetrahedron Letters **1967**, 2345.
[7] W. G. DAUBEN u. G. W. SHAFFER, Tetrahedron Letters **1967**, 4415.
[8] W. G. DAUBEN et al., J. Org. Chem. **34**, 2512 (1969); Am. Soc. **95**, 468 (1973).
[9] A. PADWA u. W. EISENBERG, Am. Soc. **94**, 5859 (1972).
[10] A. PADWA u. W. EISENBERG, Am. Soc. **94**, 5852 (1972).

β) aus α-Diketonen

Besonders leicht lassen sich α-Diketone photoisomerisieren[1,2]. Wird 5,6-Dioxo-decan 12 Stdn. dem Sonnenlicht ausgesetzt, so entsteht *2-Hydroxy-3-oxo-1-äthyl-2-butyl-cyclobutan* (89% d.Th.). Analog verhalten sich andere α-Diketone[3]. 1,2-Dioxo-cyclodecan liefert *1-Hydroxy-10-oxo-bicyclo[6.2.0]decan* (74% d.Th.)[4]:

$$\text{(cyclooctane-1,2-dione)} \xrightarrow{h\nu} \text{(1-hydroxy-bicyclo[6.2.0] structure, OH, O)}$$

γ) aus α,β-ungesättigten Ketonen

Während gesättigte geradkettige Ketone bei Bestrahlung im allgemeinen eine Fragmentierung erleiden[5], können α,β-ungesättigte Ketone bei Bestrahlung in β,γ-ungesättigte Ketone oder 2-Cyclopropyl-ketone übergehen[6]; so erhält man aus 2-Oxo-4,5,5-trimethyl-hexen-(3) *1,2,2-Trimethyl-1-(2-oxo-propyl)-cyclopropan* (55% d.Th.)[7]:

$$H_3C-\underset{\underset{O}{\|}}{C}-CH=C-\underset{\underset{CH_3}{|}}{\overset{\overset{CH_3}{|}}{C}}-CH_3 \xrightarrow{h\nu} H_3C-\overset{\overset{O}{\|}}{C}-CH_2-\overset{CH_3}{\underset{CH_3}{\diamond}}$$

Bei Bestrahlung von α,β-ungesättigten Ringketonen muß mit Dimerisierung gerechnet werden[8].

3-Oxo-hexadiene-(1,5) cyclisieren bei Bestrahlung zu *2-Oxo-bicyclo[2.1.1]hexanen*[9]. Das 4-Methyl-Derivat ergibt *2-Oxo-3-methyl-bicyclo[2.1.1]hexan*[9] (41% d.Th.).

Zur Isomerisierung von 1-Oxo-heptadienen-(3,5) vgl. Lit.[10].

δ) aus β,γ-ungesättigten Ketonen

Die Umlagerungsmöglichkeiten der β,γ-ungesättigten Ketone sind vielfältig und vor allem vom Lösungsmittel abhängig. Die Verhältnisse sind am Beispiel des 4-Oxo-3,3,5,5-tetramethyl-heptadiens-(1,6) eingehend untersucht worden[11]:

---

[1] O. L. Chapman in W. A. Noyes et al., *Advances in Photochemistry*, Vol. 1, S. 365, Interscience Publ., New York 1963.

[2] A. Schönberg, *Preparative Organic Photochemistry*, 2. Aufl., S. 35, Springer Verlag, Berlin 1968.

[3] W. H. Urry u. D. J. Trecker, Am. Soc. **84**, 118 (1962).

[4] W. H. Urry, D. J. Trecker u. D. A. Winey, Tetrahedron Letters **1962**, 609.

[5] P. J. Wagner, Mol. Photochem. **3**, 169 (1971).

[6] A. Schönberg, *Preparative Organic Photochemistry*, 2. Aufl., S. 22, Springer Verlag, Berlin 1968.

[7] M. J. Jorgenson u. N. C. Yang, Am. Soc. **85**, 1698 (1963).

[8] O. L. Chapman, *Organic Photochemistry*, Vol. 1, S. 76, Marcel Dekker, New York 1967.

[9] T. W. Gibson u. W. F. Erman, J. Org. Chem. **37**, 1148 (1972).

[10] A. F. Kluge u. C. P. Lillya, Am. Soc. **93**, 4458 (1971).

[11] P. S. Engel u. M. A. Schexnayder, Am. Soc. **94**, 4357 (1972).
   vgl. auch P. S. Engel u. M. A. Schexnayder, Am. Soc. **94**, 9252 (1972) (Einfluß der Ringgröße auf die Umlagerung).

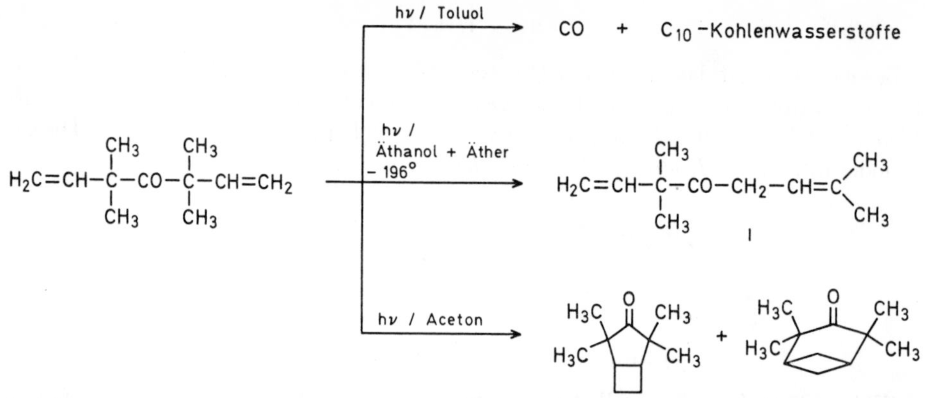

I; *4-Oxo-3,3,7-trimethyl-octadien-(1,6)*

3-Oxo-2,2,4,4-tetra-
methyl-bicyclo[3.2.0]
heptan

3-Oxo-2,2,4,4-tetra-
methyl-bicyclo[3.1.
1]heptan

Einfach β,γ-ungesättigte Ketone lassen sich bei der Belichtung mit UV-Licht je nach Reaktionsbedingungen unterschiedlich isomerisieren. Während aus dem singulett-angeregten $n\pi^*$-Zustand eine sigmatrope [1.3]-Acylwanderung (Weg A) beobachtet wird, erfolgt bei einer Triplett-Anregung bevorzugt eine [1.2]-Acylverschiebung (Weg B) zu den entsprechenden Cyclopropyl-ketonen[1]:

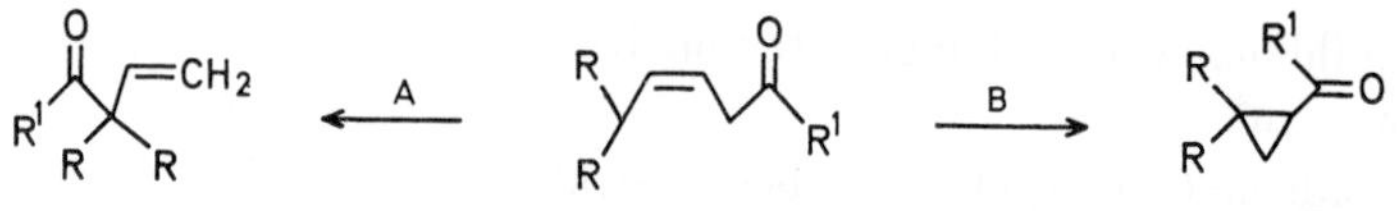

ε) aus Cycloalkenonen[2]

6-Oxo-3,3-dimethyl-cyclohexen-(1) ergibt bei Bestrahlung in tert. Butanol 60% d. Th. *2-Oxo-6,6-dimethyl-bicyclo[3.1.0]cyclohexan* sowie 3-Oxo-1-isopropyl-cyclopenten-(1)[3,4].

3-Oxo-cyclopenten-(1) liefert bei Bestrahlung ohne Lösungsmittel die beiden tricyclischen Dimerisierungsprodukte in zusammen 85% Ausbeute[5]. Entsprechend reagiert 3-Oxo-cyclohexen-(1)[6], sowie 3-Oxo-1-phenyl-cyclopenten[7].

[1] J. IPAKTSCHI, B. **105**, 1840 (1972).
    W. G. DAUBEN, M. S. KELLOGG, J. I. SEEMAN u. W. A. SPITZER, Am. Soc. **92**, 1786 (1970).
    E. BAGGIOLINI, K. SCHAFFNER u. O. JEGER, Chem. Commun. **1969**, 1103.
    J. IPAKTSCHI, Tetrahedron Letters **1969**, 2153.
    D. I. SCHUSTER u. D. H. SUSSMAN, Tetrahedron Letters **1970**, 1661.
[2] J. S. SWENTON, J. chem. Educ. **46**, 217 (1969).
[3] O. L. CHAPMAN et al., Tetrahedron Letters **1963**, 2049.
[4] R. M. BOWMAN, C. CALVO, J. J. McCULLOUGH, P. W. RASMUSSEN u. F. F. SNYDER, J. Org. Chem. **37**, 2084 (1972).
[5] P. E. EATON, Am. Soc. **84**, 2344 (1962).
    P. E. EATON u. W. S. HURT, Am. Soc. **88**, 5038 (1966).
    J. L. RUHLEN u. P. A. LEERMAKERS, Am. Soc. **89**, 4944 (1967).
[6] O. L. CHAPMAN et al., Record Chem. Prog. **28**, 167 (1967); C.A. **68**, 68104 (1968).
    E. Y. Y. LAM, D. VALENTINE u. C. S. HAMMOND, Am. Soc. **89**, 3482 (1967).
    vgl. auch P. F. CASALS u. G. BOCCACCIO, Tetrahedron Letters **1972**, 17.
[7] M. MAGNIFICO, E. J. O'CONNEL, A. V. FRATINI u. C. M. SHAW, Chem. Commun. **1972**, 1095.

3,8-Dioxo-tricyclo   *3,10-Dioxo-tricyclo*
[5.3.0.0²,⁶]decan   *[5.3.0.0²,⁶]decan*

Substitution des 3-Oxo-cyclopentens kann die Dimerisierung verhindern und man erhält unter Substituenten-Wanderung ein verbrücktes System[1] oder unter Ringsprengung ein Keten, das bei der Photolyse in Alkohol als Ester isoliert wird[2].

In 2-Stellung durch einen Alkyl-Rest substituierte 3-Oxo-cyclopentene können in Cyclopropan-Derivate übergehen[3].

6-Oxo-3,3-bis-[cyclopropyl]-cyclohexen-(1) ergibt bei der Photolyse in tert. Butanol ein Gemisch aus 93% *2-Oxo-6,6-bis-[cyclopropyl]-bicyclo[3.1.0]hexan* und 7% *3-Oxo-1-(bis-[cyclopropyl]-methyl)-cyclopenten-(1)* bei 85% Umsatz. Eine Wanderung der Cyclopropyl-Reste erfolgt offenbar nicht[4]:

3-Oxo-6-methyl-cyclodecadien-(1,6) liefert drei tricyclische Umlagerungsprodukte[5].

Die Photoumlagerung von 6-Oxo-3,3-diaryl-cyclohexenen-(1) und 4-Oxo-1,1-diaryl-1,4-dihydro-naphthalinen führt dagegen unter Wanderung nur eines Aryl-Restes zu 3-Oxo-1,2-diaryl-bicyclo[3.1.0]hexanen bzw. 3-Oxo-1,6-diaryl-cyclohexenen-(1)[6–8].

Bei dieser Umlagerung wandert der (Cyan-phenyl)- bzw. (Methoxy-phenyl)-Rest leichter als der Phenyl-Rest.

Aus 6-Oxo-3,4-diphenyl-cyclohexen-(1) wird *2-Oxo-4,6-diphenyl-bicyclo[3.1.0]hexan* und *3-Oxo-2-phenyl-1-(cis-2-phenyl-vinyl)-cyclobutan* erhalten[9].

2-Oxo-4a-methyl-2,3,4a,9,10-hexahydro-phenanthren (I) liefert bei Bestrahlung in Methanol das Photoketon II mit 57% Ausbeute; 39% I wurden zurückgewonnen[10]:

I   *11-Oxo-1-methyl-⟨benzo-*
           tricyclo[4.4.0.0²,⁶]decen-(9)⟩, II

[1] D. A. PLANK u. J. C. FLOYD, Tetrahedron Letters 1971, 4811.
[2] H. E. ZIMMERMAN u. R. D. LITTLE, Chem. Commun. 1972, 698.
[3] M. J. BULLIVANT u. G. PATTENDEN, Chem. Commun. 1972, 864.
[4] R. C. HAHN u. G. W. JONES, Am. Soc. 93, 4232 (1971).
[5] C. H. HEATHCOCK, R. A. BADGER u. R. A. STARKEY, J. Org. Chem. 37, 234 (1972).
[6] H. E. ZIMMERMAN, R. D. RIEKE u. J. R. SCHEFFER, Am. Soc. 89, 2033 (1967).
[7] H. E. ZIMMERMAN et al., Am Soc. 87, 1138 (1965).
[8] H. E. ZIMMERMAN, Ang. Ch. 81, 45 (1969).
[9] H. E. ZIMMERMAN u. D. J. SAM, Am. Soc. 88, 4114, 4905 (1966).
[10] H. E. ZIMMERMAN et al., Am. Soc. 88, 159, 1965 (1966).

Entsprechende Umlagerungen wurden in der Steroid-Reihe durchgeführt[1,2].

4-Oxo-2,6,6-trimethyl-bicyclo[3.1.1]hepten-(2) (Verbenon) ergibt bei Bestrahlung in Benzol bei Raumtemperatur *7-Oxo-2,6,6-trimethyl-bicyclo[3.1.1]hepten-(2)* (*Chrysantenon*)[3,4].

Die Reaktion ist verallgemeinbar. Aus 9-Oxo-bicyclo[3.3.1]nonen (2) wird *9-Oxo-bicyclo[5.1.1] nonen-(2)* (65% d. Th.), aus 8-Oxo-bicyclo[3.2.1]octen (2) *8-Oxo-bicyclo[4.1.1]octen-(2)* (44% d. Th.) erhalten[5].

Das nicht konjugierte β,γ-ungesättigte 3-Oxo-bicyclo[4.4.0]decen-(1[6]) liefert dagegen bei Bestrahlung in tert. Butanol in über 60%iger Ausbeute ein tricyclisches Photoprodukt (*7-Oxo-tricyclo[4.3.1.0^{1,6}]decan*)[6]:

Das analog strukturierte Keton III ergibt ein Cyclobutanon[7], in Gegenwart von Acetophenon als Sensibilisator dagegen unter 1,2-Acyl-Wanderung ein Cyclopropylketon[8]:

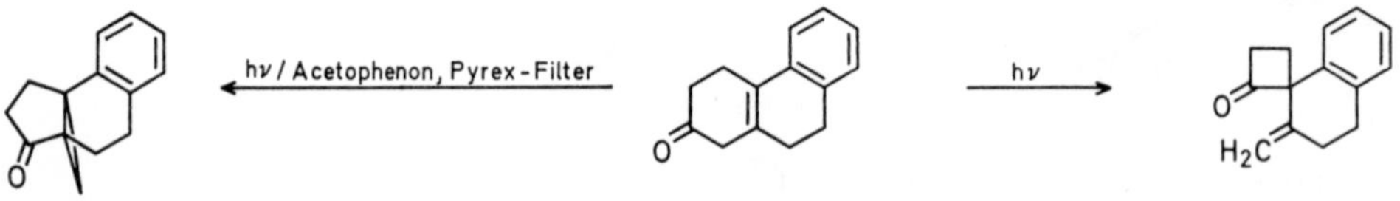

hν / Acetophenon, Pyrex-Filter   hν

8-Oxo-⟨benzo-   III   *2-Oxo-cyclobutan-*
tricyclo[4.3.1.0^{1,6}]   *⟨1-spiro-1⟩-2-*
dodecen-(2)⟩   *methylen-tetralin*

Wieder anders isomerisiert 9-Oxo-10,10-dimethyl-bicyclo[4.4.0]decen-(1) und man erhält *2-Oxo-9-isopropyliden-bicyclo[3.3.1]nonan*[7]:

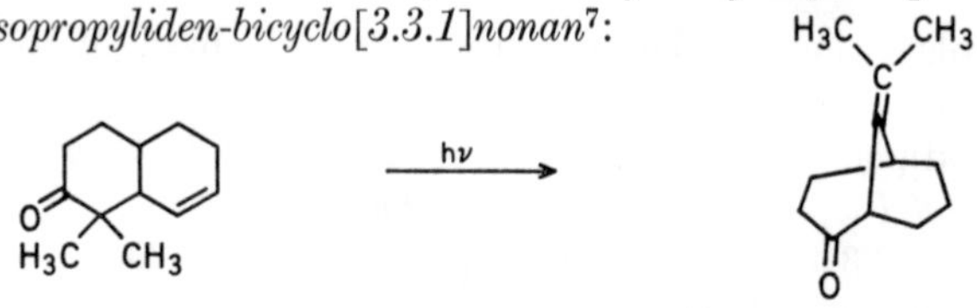

hν

5-Oxo-bicyclo[2.2.1]hepten-(2) liefert bei der Photolyse in Aceton ein doppelt verbrücktes Ringsystem (*6-Oxo-tricyclo[2.2.1.0^{2,7}]heptan*)[9], während in Äther *7-Oxo-bicyclo[3.2.0]hepten-(2)* gebildet wird[10], das bei weiterer Photolyse zu Cyclopentadien und Keten fragmentiert[11]:

[1] W. W. Kwie, B. A. Shoulders u. P. D. Gardner, Am. Soc. 84, 2268 (1962).
   B. Nann, D. Gravel, R. Schorta, H. Wehrli, K. Schaffner u. O. Jeger, Helv. 46, 2473 (1963).
[2] K. Schaffner in L. Zechmeister, *Fortschritte der Chemie organischer Naturstoffe*, Vol. 22, S. 23,
   Springer Verlag, Wien 1964.
[3] J. J. Hurst u. G. H. Whitham, Soc. 1960, 2864.
[4] D. V. Banthorpe u. D. Whittaker, Quart. Reviews 20, 373 (1966).
[5] W. F. Erman u. H. C. Kretschmar, Am. Soc. 89, 3842 (1967).
[6] J. R. Williams u. H. Ziffer, Chem. Commun. 1967, 194.
[7] H. Sato, N. Furutachi u. K. Nakanishi, Am. Soc. 94, 2150 (1972).
[8] H. Sato et al., Tetrahedron 29, 275 (1973).
[9] J. Ipaktschi, Tetrahedron Letters 1969, 2153; B. 105, 1840, 1996 (1972).
[10] D. I. Schuster, M. Axelrod u. J. Anerbach, Tetrahedron Letters 1963, 1911.
    P. Schiess u. P. Fünfschilling, Tetrahedron Letters 1972, 5191.
[11] G. O. Schenck u. R. Steinmetz, B. 96, 520 (1963).

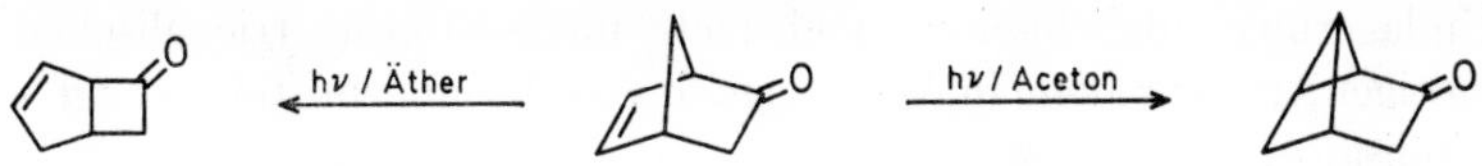

Entsprechend erhält man aus Cyclopropan-⟨spiro-7⟩-5-oxo-bicyclo[2.2.1]hepten-(2) bei der durch Aceton sensibilisierten Belichtung *Cyclopropan-⟨spiro-3⟩-6-oxo-tricyclo[2.2.1.0²,⁷]heptan* (70% d. Th.; II), während ohne Aceton *Cyclopropan-⟨spiro-4⟩ 7-oxo-bicyclo[3.2.0]hepten-(2)* (III; 80% d. Th.) entsteht, das sowohl in Gegenwart von Säuren, wie wäßriger Phthalsäure, als auch von Basen zu *5-Oxo-bicyclo[5.2.0] nonadien-(1,3)* (IV) isomerisiert[1]:

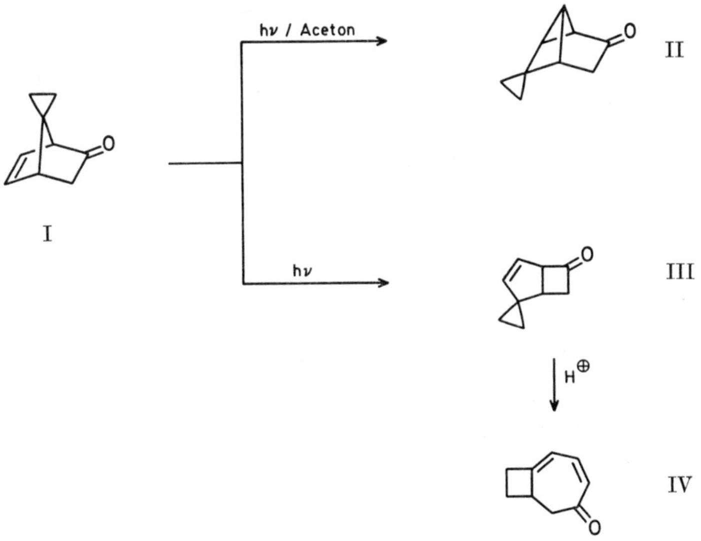

Entsprechend erhält man aus 2-Oxo-1,4,4-trimethyl-bicyclo[3.2.0]hepten-(6) *3-Oxo-1,5,5-trimethyl-tricyclo[4.1.0.0²,⁷]heptan*[2]:

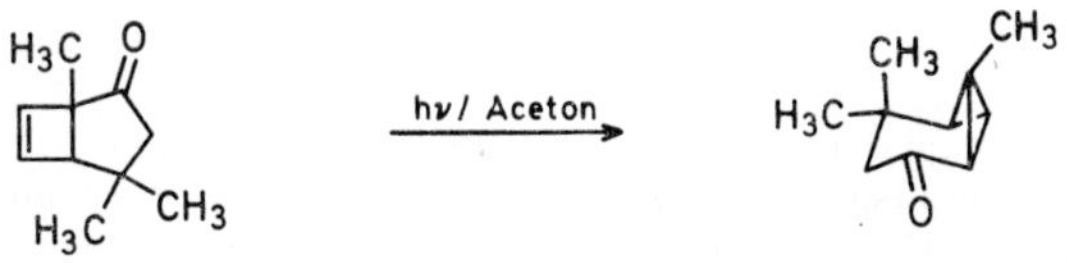

Aus dem homologen 3-Oxo-bicyclo[2.2.2]octen-(1) wird bei Bestrahlung in Aceton analog *3-Oxo-tricyclo[3.3.0.0²,⁸]octan* erhalten, während in Äther *8-Oxo-bicyclo [4.2.0]octen-(2)* entsteht[3]:

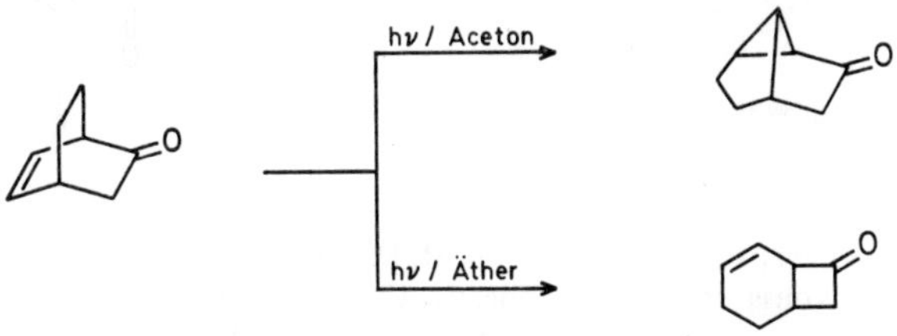

[1] J. Ipaktschi, B. **105**, 1840 (1972).
[2] J. Ipaktschi, B. **105**, 1996 (1972).
[3] R. S. Givens, F. W. Oettle, R. L. Coffin u. R. G. Carlson, Am. Soc. **93**, 3957, 3963 (1971).
   vgl. a. P. Schiess u. P. Fünfschilling, Tetrahedron Letters **1972**, 5191.

Die Umlagerungsmöglichkeiten mehrfach ungesättigter tricyclischer Ketone sind vielfältiger Art[1] vor allem in Abhängigkeit vom Lösungsmittel und ggf. eingesetztem Sensibilisator.

4-Oxo-3,3-dialkyl-cycloheptene-(1) lagern sich bei Bestrahlung unter Ringverengung um. *4-Oxo-3,3-dimethyl-cyclohepten*-(1) steht in einem vom Lösungsmittel und der Zeit abhängigen Gleichgewicht mit *2-Oxo-1-(2-methyl-propenyl)-cyclopentan*[2]:

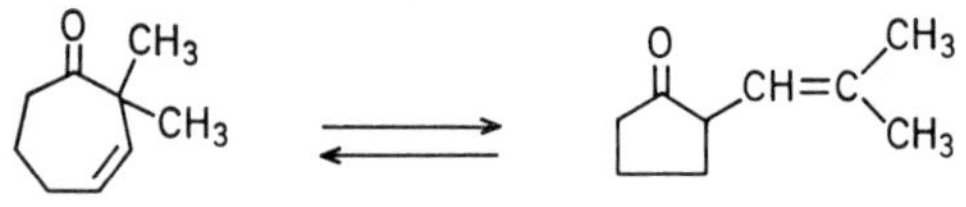

Aus 6-Oxo-5,5,7,7-tetramethyl-cycloheptadien-(1,3) erhält man das Caren -Derivat *5-Oxo-4,4,7,7-tetramethyl-bicyclo[4.1.0]hepten-(2)*[2]:

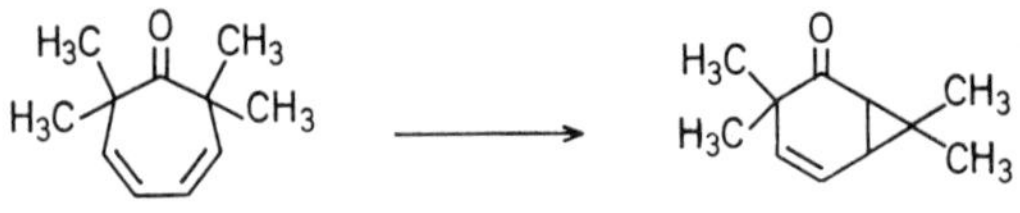

1,1'-Dioxo-4,4'-dimethyl-1,1',2,2'-tetrahydro-bi-[naphthyliden-(2)] ist lichtempfindlich. Seine dunkelviolette Lösung bleicht bereits im diffusen Tageslicht innerhalb weniger Minuten aus. Nach Bestrahlung mit einer 200-W-Glühbirne erhält man *7-Oxo-5,12-dimethyl-7,12-dihydro-⟨dinaphtho-[1,2-b; 2,3-d]-furan⟩*, welches anschließend enolisiert (*7-Hydroxy-5,12-dimethyl-⟨dinaphtho-[1,2-b;2,3-d]-furan⟩*)[3]:

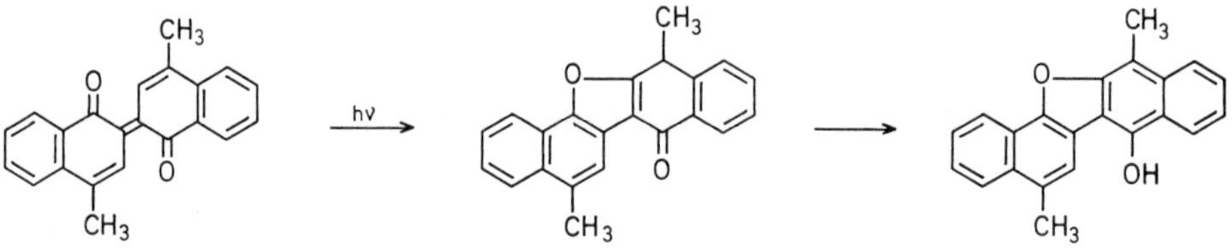

Das gelbe 6-Phenoxy-naphthacenchinon-(5,12) geht unter der Einwirkung von UV-Licht in Benzol in ein orangefarbenes Isomeres *5-Phenoxy-naphthacenchinon-(6,12)* über; letzteres läßt sich durch Erhitzen auf 230–240° wieder in die Ausgangsverbindung umwandeln[4]:

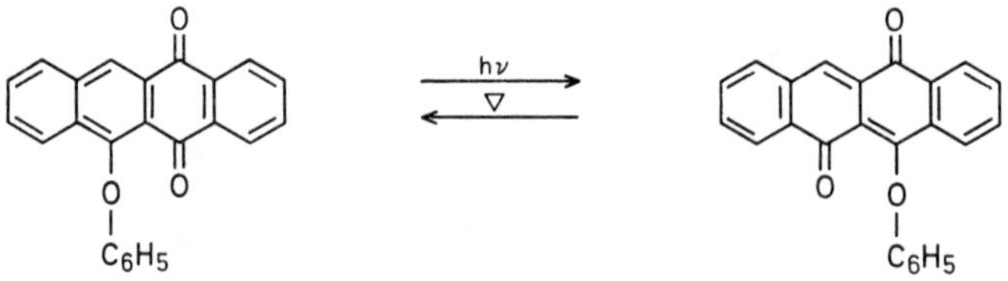

[1] vgl. z. B. L. A. Paquette, R. H. Meisinger u. R. E. Wingard, Am. Soc. **94**, 2155 (1972).
K. N. Houk u. D. J. Northington, Am. Soc. **94,** 1387 (1972).
P. A. Knott, J. M. Mellor, Soc. (Perkin Trans. I) **1972,** 1030.
T. Mukai, Y. Akasaki u. T. Hagiwara, Am. Soc. **94,** 675 (1972).
[2] L. A. Paquette, R. F. Eizember u. O. Cox, Am. Soc. **90,** 5153 (1968).
[3] D. Schulte-Frohlinde u. F. Erhardt, B. **93,** 2880 (1960).
[4] Y. E. Gerasimenko u. N. T. Poteeshchenko, Ž. org. Chim. **7,** 2413 (1971).

1,4-Dioxo-1,4-diphenyl-2,3-dibenzoyl-buten geht im Sonnenlicht innerhalb mehrerer Wochen oder bei Bestrahlung in *5-Oxo-2-phenyl-4-(α-phenoxy-benzyliden)-3-benzoyl-4,5-dihydro-furan* über[1]:

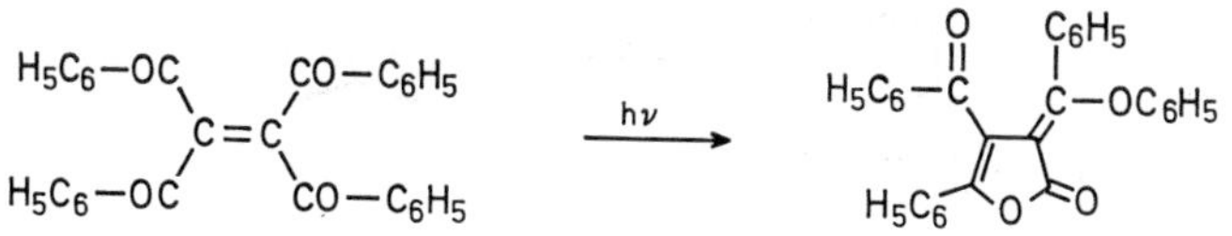

Weitere Reaktionen vgl. ds. Handb., Bd. IV/5 sowie Lit.[2].

Bicyclische 4-Ring-Ketone, die wegen ihrer außerordentlichen Empfindlichkeit gegen Säuren und Basen präparativ sehr schwer zugänglich sind, lassen sich aus entsprechenden ungesättigten Bicyclen mit 5- oder 6-Ring photolytisch erhalten. Dabei liegt ein Gleichgewicht zwischen den Umlagerungsprodukten vor[3], z.B.:

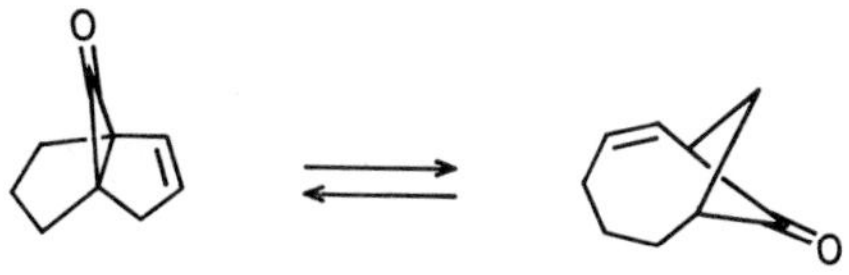

9-Oxo-bicyclo[3.3.1]nonen-(2);   *8-Oxo-bicyclo[5.1.1]nonen-(2)*;
30%   63%

Die photochemische Isomerisierung des 6-Hydroxymethyl-bicyclo[4.4.0]decens-(1) ergibt in Chloroform, Toluol, 2-Phenyl-propan oder Benzol im wesentlichen *3-Oxo-bicyclo[4.4.0]decen-(1)* (I) und *-(1⁶)* (II), in tert. Butanol dagegen fast ausschließlich das tricyclische „Lumiprodukt" *3-Oxo-1-hydroxymethyl-tricyclo[4.4.0.0²,⁶]decan* (III)[4]:

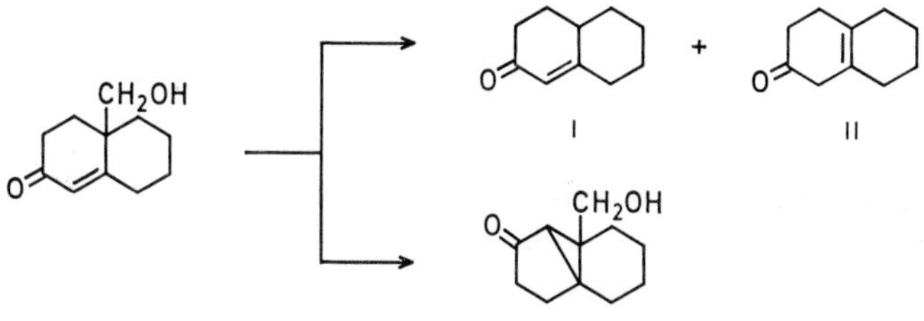

Eine Reihe zweifach ungesättigter Ketone geht bei Bestrahlung in bi- bzw. polycyclische Systeme über, welche einen Cyclobutanring enthalten (Ciamician-Addition)[5]. Die Reaktion ist jedoch nicht an die Anwesenheit einer Carbonyl-Gruppe gebunden.

---

[1] K. RAST, Dissertation Würzburg 1922.
    H. v. HALBAN et al., Helv. **28**, 59 (1945); **30**, 1135 (1947).
[2] O. L. CHAPMAN in W. A. NOYES et al., *Advances in Photochemistry*, Vol. 1, S. 361, Interscience Publ., New York 1963.
[3] W. F. ERMAN u. H. C. KRETSCHMAR, Am. Soc. **89**, 3842 (1967).
[4] D. I. SCHUSTER u. D. F. BRIZZOLARA, Chem. Commun. **1967**, 1158.
[5] A. SCHÖNBERG, *Preparative Organic Photochemistry*, 2. Aufl., S. 2, Springer Verlag, Berlin 1968.

Aus 6-Oxo-1-methyl-4-isopropenyl-cyclohexen-(1) (Carvon) wird *3-Oxo-1,2-dime-thyl-tricyclo[3.3.0.0²,⁷]octan* (*Carvoncampher*) erhalten[1]:

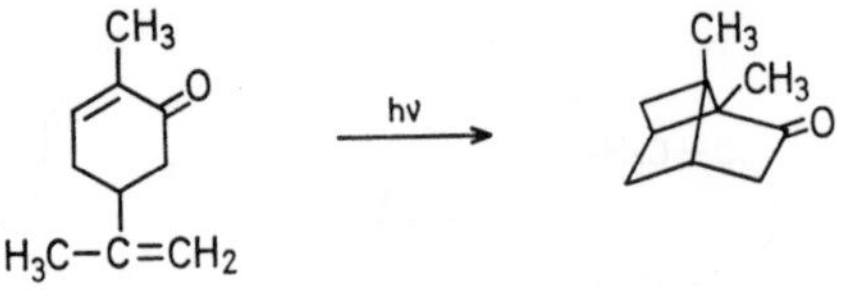

Endo-Diels-Alder-Addukte des p-Benzochinons an cyclische 1,3-Diene werden unter dem Einfluß von ^{60}Co-γ-Strahlen zu Käfig-Diketonen isomerisiert, wobei flüssige Aromaten als Sensibilisatoren dienen[2]:

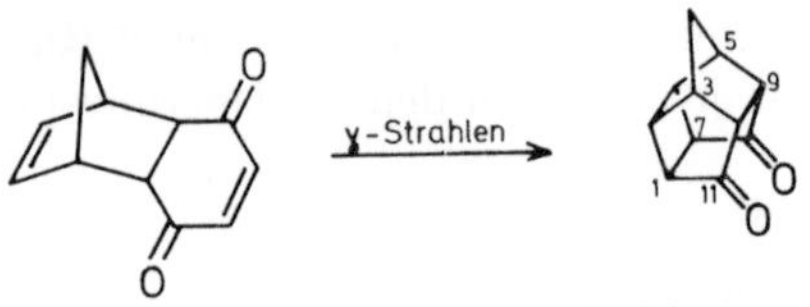

8,11-Dioxo-pentacyclo
[5.4.0.0²,⁶.0³,¹⁰.0⁵,⁹]undecan

Auch in anderen Fällen sind aus tricyclischen zweifach ungesättigten Ketonen bzw. Diketonen bei Bestrahlung durch suprafaciale sigmatrope Umlagerung Käfig-Verbindungen in sehr guten Ausbeuten erhalten worden[3-5]; z. B.[6-9]:

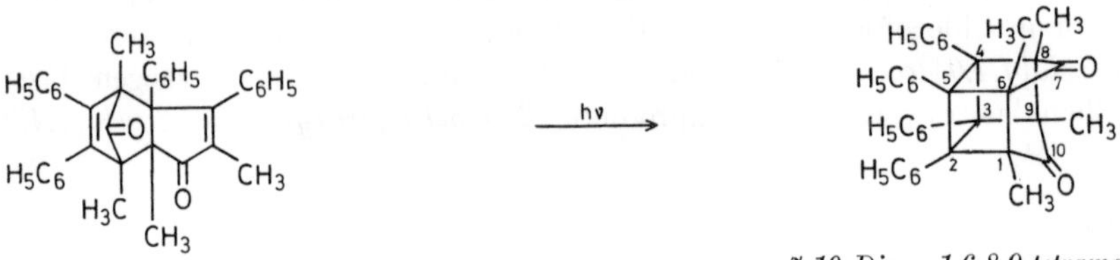

7,10-Dioxo-1,6,8,9-tetramethyl-
2,3,4,5-tetraphenyl-pentacyclo
[4.4.0.0²,⁵.0³,⁹.0⁴,⁸]decan

Zur Photo-Umlagerung von bicyclischen Diels-Alder-Addukten des p-Benzochinons zu tricyclischen Diketonen; vgl. Lit.[10,11].

[1] G. CIAMICIAN u. P. SILBER, B. **41**, 1928 (1908).

G. BÜCHI u. I. M. GOLDMAN, Am. Soc. **79**, 4741 (1957).

J. MEINWALD u. R. A. SCHNEIDER, Am. Soc. **87**, 5218 (1965).

[2] C. H. KRAUCH u. W. METZNER, B. **98**, 2106 (1965).

[3] R. C. COOKSON u. D. C. WARRELL, Soc. [C] **1967**, 1391.

[4] R. C. COOKSON, J. HUDEC u. R. O. WILLIAMS, Soc. [C] **1967**, 1382.

[5] K. N. HOUK u. D. J. NORTHINGTON, Tetrahedron Letters **1972**, 303.

[6] B. FUCHS, Am. Soc. **93**, 2544 (1971).

vgl. auch A. PADWA, J. MASARACCHIA u. V. MARK, Tetrahedron Letters **1971**, 3161.

[7] B. FUCHS, B. PAZHENCHEVSKY u. M. PASTERNAK, Tetrahedron Letters **1972**, 3051.

B. PAZHENCHEVSKY u. B. FUCHS, Tetrahedron Letters **1972**, 3047.

[8] H.-D. BECKER u. A. KONAR, Tetrahedron Letters **1972**, 5177.

[9] U. KLINSMANN, J. GAUTHIER, K. SCHAFFNER, M. PASTERNAK u. B. FUCHS, Helv. **55**, 2643 (1972).

[10] J. R. SCHEFFER et al., Am. Soc. **93**, 3813 (1971).

[11] J. R. SCHEFFER u. R. A. WOSTRADOWSKI, Tetrahedron Letters **1972**, 677.

Hexachlor-2-oxo-bicyclo[3.2.0]heptadien-(2,5) liefert bei Bestrahlung das reaktionsfähige, thermisch instabile, nicht planare *Hexachlor-tropon* (30–40% d.Th.)[1]:

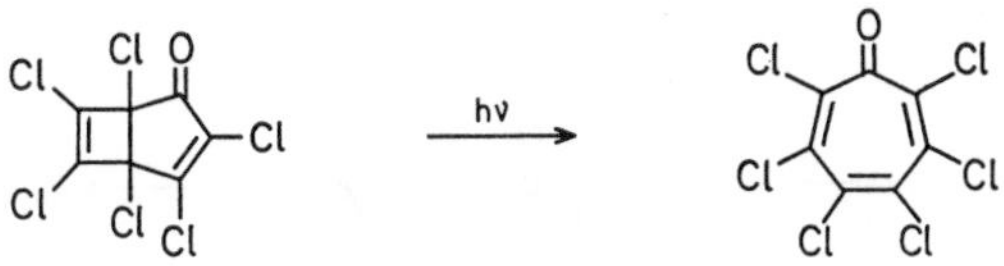

Die Bestrahlung (3000 Å) einer entgasten Lösung von 3-Oxo-tricyclo[4.2.1.0^{2,5}]nonen-(7) in Pentan liefert das [4-Vinyl-cyclopenten-(2)-yl]-keten[2]:

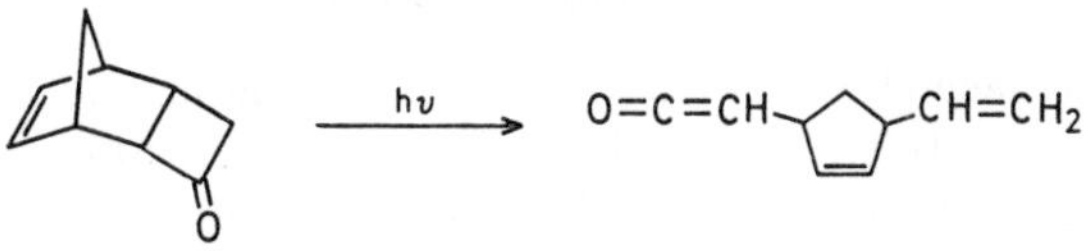

Bei Bestrahlung des analogen 3-Oxo-tricyclo[4.2.2.0^{2,5}]decen-(7) entsteht nur Bicyclo[2.2.2]octadien-(2,5), in Methanol wird jedoch der dem Keten entsprechende Ester gebildet[2].

Der Verlauf der Photoisomerisierungen von 6-Oxo-9-thia-bicyclo[3.3.1]nonen-(2) ist außerordentlich stark von der Wellenlänge des benutzten Lichts sowie vom Lösungsmittel abhängig[3].

1-Alkanoyl-cyclopentene cyclisieren bei Bestrahlung zu Spiro-cyclobutanonen[4]; z.B.:

*2-Oxo-cyclobutan-⟨1-spiro⟩-
cyclopentan*; 8% d.Th.

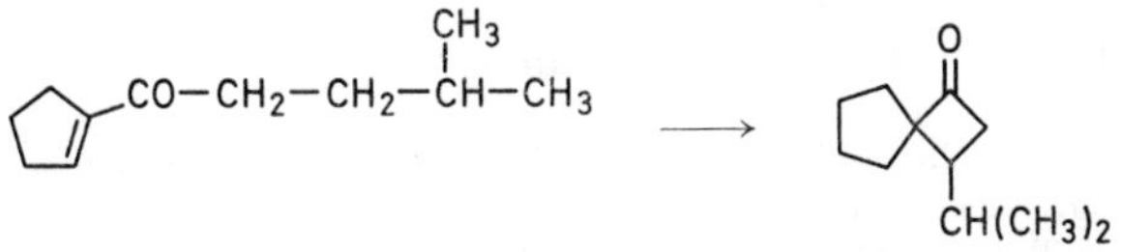

*4-Oxo-2-isopropyl-cyclobutan-
⟨1-spiro⟩-cyclopentan*; 36% d.Th.

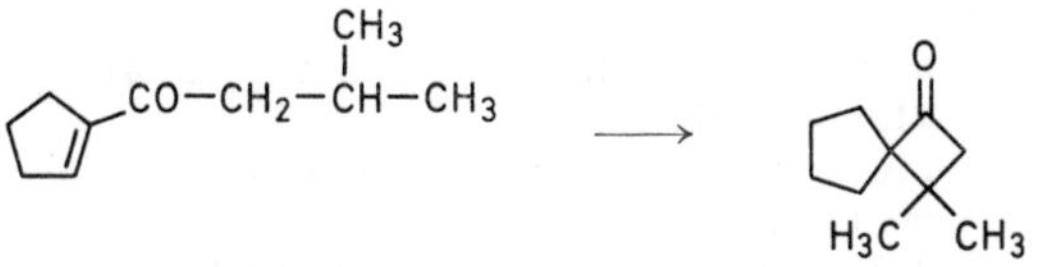

*4-Oxo-2,2-dimethyl-cyclobutan-
⟨1-spiro⟩-cyclopentan*; 35% d.Th.

---

[1] K. V. Scherer, Am. Soc. **90**, 7352 (1968).
[2] R. D. Miller u. V. Y. Abraitys, Am. Soc. **94**, 663 (1972).
vgl. auch D. R. Arnold et al., Tetrahedron Letters **1972**, 3917.
[3] A. Padwa u. A. Battisti, Am. Soc. **94**, 521 (1972).
[4] A. B. Smith, A. M. Foster u. W. C. Agosta, Am. Soc. **94**, 5100 (1972).

2-Oxo-bi-[cycloheptyliden] wird bei Bestrahlung zum nichtkonjugierten *2-Oxo-2-[cyclohepten-(1)-yl]-cycloheptan* isomerisiert, welches zum *2-Oxa-tetracyclo[7.6.0.0³,⁹.0³,¹⁰]pentadecan* weiterreagiert[1]:

ζ) aus 3-Oxo-cyclohexadienen-(1,4)

(vgl. ds. Handb., Bd. IV/3, IV/5)

3-Oxo-cyclohexadiene-(1,4) werden durch Bestrahlung besonders leicht verändert. Als Reaktionsprodukte treten Phenole und 5-Oxo-cyclohexadiene-(1,3) auf. In der Naphthalin-Reihe ist das gebildete Dienon häufig ein Perhydroazulen-Derivat. Ferner können Spiroketone gebildet werden.

Die seit einigen Jahren von mehreren Forschergruppen intensiv durchgeführten Untersuchungen sind noch in vollem Gange. Hier soll nur ein kurzer Überblick über die präparativen Möglichkeiten gegeben werden. Im übrigen sei auf die Zusammenfassungen aus jüngster Zeit verwiesen[2-10]. Zur Isomerisierung von 5-Oxo-cyclohexadien-(1,3)-Verbindungen s. Lit.[11].

Zum Mechanismus der Umlagerung vgl. z.B. [12-18].

Zunächst entsteht ein „Lumiprodukt" mit einem annelierten Cyclopropanring [*4-Oxo-bicyclo[3.1.0]hexen-(2)*] welches in vielen Fällen isoliert werden kann[11,19-21]

[1] R. C. COOKSON u. N. R. ROGERS, Chem. Commun. **1972**, 809.

[2] A. SCHÖNBERG, *Preparative Organic Photochemistry*, 2. Aufl., S. 28, Springer Verlag, Berlin 1968.

[3] O. L. CHAPMAN, *Organic Photochemistry*, Vol 1, S. 2, Marcel Dekker, New York 1967.

[4] A. J. WARING, Öst. Chemiker-Ztg. **68**, 232 (1967).
   H. HART u. G. J. KARABATSOS, *Advances in Alicyclic Chemistry* **1**, 129; Academic Press, New York 1966.

[5] K. SCHAFFNER in L. Zechmeister, *Fortschritte der Chemie organischer Naturstoffe*, Vol. 22, S. 26, Springer Verlag, Wien 1964.

[6] P. DE MAYO u. S. T. REID, Quart. Rev. **15**, 393 (1961).

[7] J. S. SWENTON, J. chem. Educ. **46**, 217 (1969).

[8] W. H. URRY u. D. J. TRECKER, Am. Soc. **84**, 118 (1962).

[9] O. L. CHAPMAN in W. A. Noyes et al., *Advances in Photochemistry*, Vol. 1, S. 330, Interscience Publ., New York 1963.

[10] z.B. G. QUINKERT, B. BRONSTERT u. K. R. SCHMIEDER, Ang. Ch. **84**, 638 (1972).

[11] G. QUINKERT, Ang. Ch. **84**, 1157 (1972).

[12] H. E. ZIMMERMAN in W. A. Noyes et al., *Advances in Photochemistry*, Vol. 1, S. 186, Interscience Publ., New York 1963.

[13] H. E. ZIMMERMAN u. D. I. SCHUSTER, Am. Soc. **83**, 4486 (1961).

[14] D. J. PATEL u. D. I. SCHUSTER, Am. Soc. **89**, 184 (1967).

[15] P. J. KROPP u. W. F. ERMAN, Tetrahedron Letters **1963**, 21.

[16] G. F. BURKINSHAW, B. R. DAVIS u. P. D. WOODGATE, Chem. Commun. **1967**, 607.

[17] B. S. THYAGARAJAN, *Mechanisms of Molecular Migrations*, Vol. 1, Interscience Publ., New York 1968.

[18] H. E. ZIMMERMAN, Ang. Chem. **81**, 45 (1969).

[19] T. MATSUURA, Bull. chem. Soc. Japan **1964**, 37, 564.

[20] M. R. MORRIS u. A. J. WARING, Soc. [C] **1971**, 3266.

[21] M. R. MORRIS u. A. J. WARING, Soc. [C] **1971**, 3269.

und das seinerseits durch weitere Bestrahlung aber auch durch chemische Agenzien leicht verändert wird. Bevorzugt entstehen dabei Phenole. Ist jedoch diese Art der Umlagerung ungünstig, z. B. aus sterischen Gründen, so bildet sich ein 5-Oxo-cyclohexadien-(1,3)[1] oder es tritt Ringverengung zum 3-*Oxo-cyclopenten* ein[2]. So erhält man z. B. aus 6-Oxo-3-methyl-3-äthyl-1,5-di-tert.-butyl-cyclohexadien-(1,4) durch vierstündiges Bestrahlen der Lösung in Hexan mit einer 450-Watt-UV-Lampe *6-Oxo-5-methyl-5-äthyl-1,4-di-tert.-butyl-cyclohexadien-(1,3)*[3,4]:

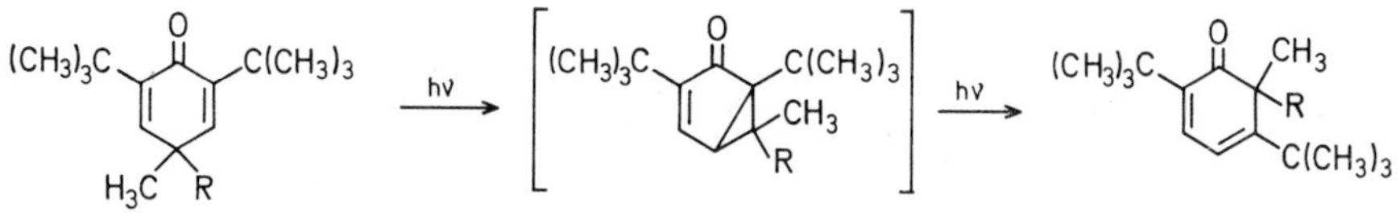

R = i-C$_3$H$_7$; *6-Oxo-5-methyl-5-isopropyl-* }
R = C$_3$H$_7$; *6-Oxo-5-methyl-5-propyl-* } *-1,4-di-tert.-butyl-cyclohexadien-(1,3)*

Die Ausbeuten liegen zwischen 60 und 76% der Theorie. Bestrahlt man mit 2537 Å (Niederdruck-Quecksilber-Lampe), so lassen sich die primär gebildeten epimeren Lumiprodukte {substituierte 4-Oxo-bicyclo[3.1.0]hexene-(2)} isolieren. Für R = Alkyl lagert das zunächst gebildete 1,3-Dienon (Ausbeute 70%, nachweisbar durch sofortige Hydrierung des Rohproduktes) nach Cope zum 1,4-Dienon um[4,5]; z. B.:

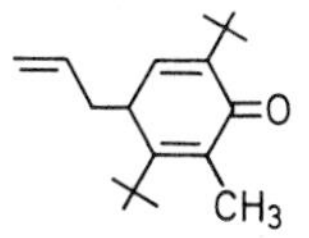

6-Oxo-5-methyl-3-allyl-1,4-di-tert.-butyl-cyclohexadien-(1,4)

Dagegen entsteht aus dem Chinol I max. 25% d. Th. *5-Oxo-1,4-di-tert.-butyl-3-benzoyl-cyclopenten-(1)*[6]:

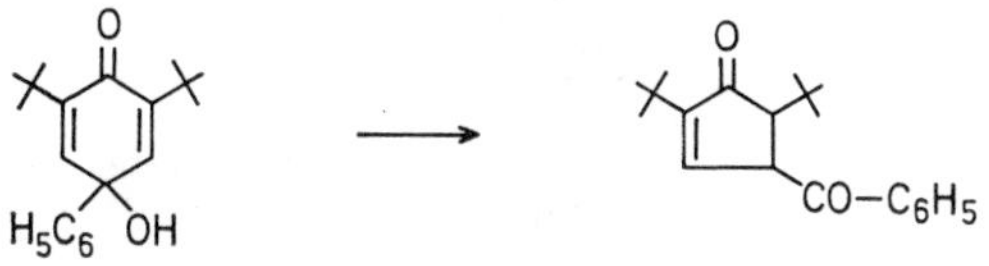

I

Weist R in β-Stellung einen als Anion eliminierbaren Rest, z.B. Brom auf, so entsteht unter Aromatisierung der cyclische Phenoläther[7].

Fehlen Substituenten in ortho-Stellung zur Keto-Gruppe, so sind in Abhängigkeit von den Substituenten in 4-Stellung verschiedene Umlagerungen möglich.

[1] P. J. Kropp, Am. Soc. **85**, 3779 (1963).
[2] M. R. Morris u. A. J. Waring, Soc. [C] **1971**, 3266.
[3] B. Miller u. H. Margulies, Chem. Commun. **1965**, 314.
[4] B. Miller, Am. Soc. **87**, 5515 (1965).
[5] B. Miller u. H. Margulies, Am. Soc. **89**, 1678 (1967).
[6] E. R. Altwicker u. C. D. Cook, J. Org. Chem. **29**, 3087 (1964).
[7] B. Miller, Chem. Commun. **1966**, 327.

6-Oxo-3,3-dimethyl-cyclohexadien-(1,4) lagert sich bei Bestrahlung mit 3000–3700 Å in Cyclohexan in *6-Oxo-5,5-dimethyl-cyclohexadien-(1,3)* um, während in 1,4-Dioxan Dimethyl-phenole gebildet werden[1].

Bei der Photoumlagerung des 6-Oxo-3,3-diphenyl-cyclohexadiens-(1,4) reagiert der zunächst gebildete Bicyclus unter Aromatisierung bzw. Ringöffnung weiter[2].

Während 6-Oxo-3,3-diphenyl-cyclohexadien-(1,4) über *4-Oxo-6,6-diphenyl-bicyclo-[3.1.0]hexen-(2)* als primäres Lumiprodukt das 2,3-Diphenyl-phenol liefert[3], erhält man aus dem Spiroketon I die epimeren Spiroketone II und III[4]:

2,2-Dimethyl-cyclopentan-⟨1-spiro-6⟩-4-
oxo-bicyclo[3.1.0]hexen-(2)

Das Verhältnis II/III kann durch Wahl des Lösungsmittels zwischen 2,5 (Methanol) und 0,79 (Cyclohexan) variiert werden.

Beim 6-Oxo-2,3-dimethyl-3-trichlormethyl-cyclohexadien-(1,4) bleibt die Reaktion auf der Stufe der beiden epimeren Lumi-Ketone (Verhältnis 15:1) stehen[5]. Sie lassen sich weder durch Bestrahlung noch thermisch gegenseitig umwandeln.

Präparativ wichtig ist die Photoumlagerung bicyclischer Dienone in hydrierte Oxo-azulene wie die folgenden Beispiele zeigen:

2,9-Dioxo-bicyclo[5.3.0]decen-(7)[6];
38% d.Th.

2,9-Dioxo-8-methyl-bicyclo[5.3.0]decen-(7)[6]

9-Oxo-10-methyl-2-methylen-8-oxa-bicyclo
[5.3.0]decen-(1¹⁰)[6]; 50% d.Th.

9-Oxo-2-methyl-bicyclo[5.3.0]decadien-
(1,7)[7]; 70% d.Th.

[1] J. S. Swenton, E. Saurborn, R. Srinivasan u. F. I. Sonntag, Am. Soc. **90**, 2990 (1968).
[2] H. E. Zimmerman u. D. I. Schuster, Am. Soc. **84**, 4527 (1962).
   H. E. Zimmerman u. J. S. Swenton, Am. Soc. **89**, 906 (1967).
[3] H. E. Zimmerman u. D. I. Schuster, Am. Soc. **83**, 4486 (1961).
[4] W. V. Curran u. D. I. Schuster, Chem. Commun. **1968**, 699.
[5] D. I. Schuster, K. V. Prabhu, S. Adcock, J. van der Veen u. H. Fujiwara, Am. Soc. **93**, 1557 (1971).
[6] G. F. Burkinshaw, B. R. Davis u. P. D. Woodgate, Chem. Commun. **1967**, 607.
[7] D. Caine u. J. F. de Bardeleben, Tetrahedron Letters **1965**, 4585.

Aus dem gut zugänglichen 3-Oxo-4,6-dimethyl-bicyclo[4.4.0]decadien-(1,4) (**IV**) wird bei Bestrahlung in neutralem Medium in Ausbeuten bis zu 67% d.Th. das tricyclische Lumiprodukt V *{4-Oxo-3,6-dimethyl-bicyclo[4.4.0.0¹,⁵]decen-(2)}* isoliert.

Folgeprodukte sind die Ketone VI *{Cyclopentan-⟨spiro-6⟩-4-oxo-2-methyl-bicyclo [3.1.0]hexen-(2)}* und VII *{5-Oxo-3,6-dimethyl-bicyclo[4.4.0]decadien-(1,3)}*.

In saurem Medium entsteht als Hauptprodukt das Spiroketon VIII *[5-Oxo-1 methyl-cyclopenten-(1)-⟨3-spiro-1⟩-2-hydroxy-2-methyl-cyclohexan]*; ~50% d.Th.[1]:

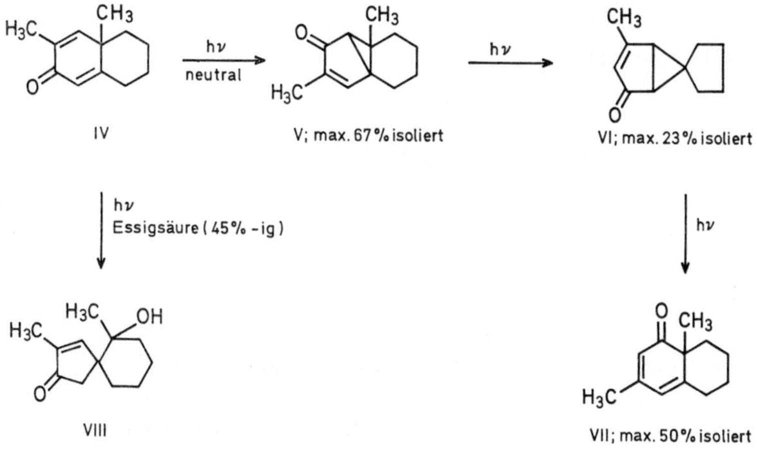

IV

V; max. 67% isoliert

VI; max. 23% isoliert

hν
Essigsäure (45% -ig)

hν

VIII

VII; max. 50% isoliert

Um V in möglichst hoher Ausbeute zu erhalten und die Weiterreaktion zu VI und VII zu unterdrücken, benutzt man zur Bestrahlung eine Niederdruck-Quecksilber-Lampe (Wellenlänge 2537 Å)[1,2].

Dagegen liefert IX neben maximal 15% Lumi-Derivat *{4-Oxo-6,10-dimethyl-tricyclo [4.4.0.0¹,⁵]decen-(2)}* überwiegend Phenole:

IX

Das Keton X (S. 1096) geht in neutralem Medium in das Lumi-Derivat XI *{4-Oxo-5,6-dimethyl-bicyclo[4.4.0]decen-(2)}* über. In saurem Medium wird daneben das Hydroxyketon XII *{2-Hydroxy-9-oxo-2,8-dimethyl-bicyclo[5.3.0]decen-(7)}* gefunden[3]. Fehlt der Substituent C-4, so ist eine Vielzahl von Produkten möglich[3]:

[1] P. J. KROPP, Am. Soc. **86**, 4053 (1964).
[2] W. V. CURRAN u. D. I. SCHUSTER, Chem. Commun. **1968**, 699.
[3] P. J. KROPP, Am. Soc. **85**, 3779 (1963).

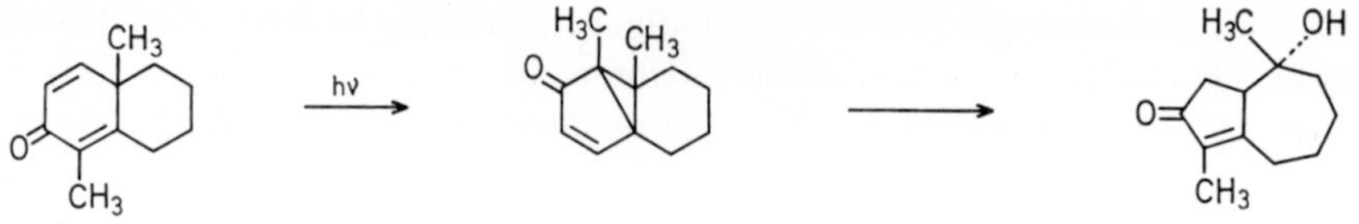

Auch homo-annulare 3-Oxo-cyclohexadiene-(1,4) unterliegen leicht der Photoisomerisierung. Das am längsten bekannte Beispiel ist die Umwandlung des sog.
Santonins (I), eines Sesquiterpens über das „*Lumisantonin*" {*10-Hydroxy-4-oxo-5,6-
dimethyl-9-(1-carboxy-äthyl)-tricyclo[4.4.0.0^{1,5}]decen-(2)-lacton*} (II) in das *Isophoto-α-
santoninsäure-lacton* {*2,6-Dihydroxy-9-oxo-2,8-dimethyl-5-(1-carboxy-äthyl)-bicyclo[5.
3.0]decen-(7)-lacton*} (III)[1-5]:

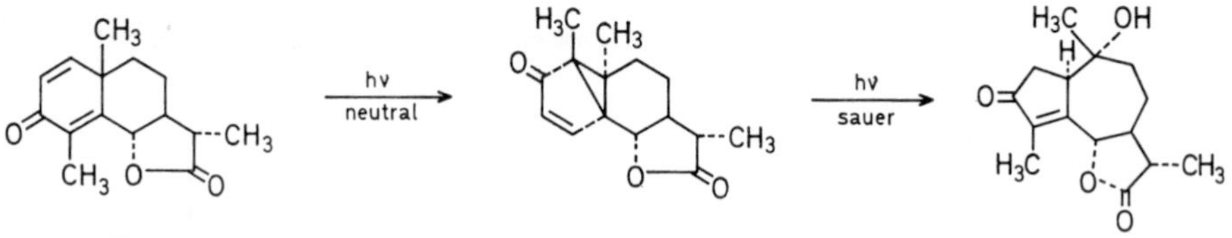

Der erste Reaktionsschritt wird durch Benzophenon sensibilisiert[6].

Analog erhält man aus Artemisin (IV) das *Isophotoartemisinsäurelacton* {*2,4,6-Tri-
hydroxy-9-oxo-2,8-dimethyl-5-(1-carboxy-äthyl)-bicyclo[5.3.0]decen-(7)-5β,6-lacton*} VI[7]:

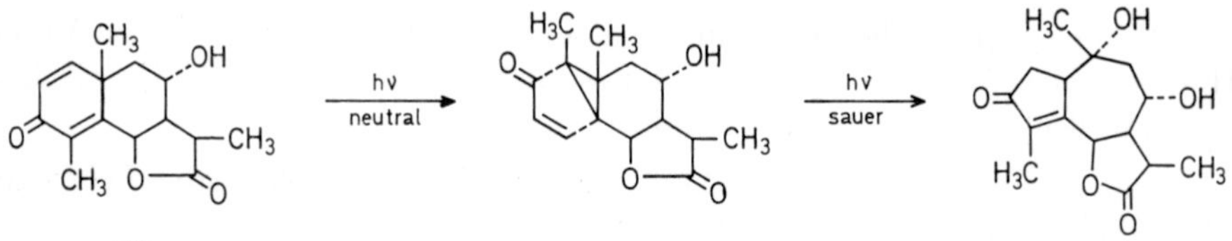

*8,10-Dihydroxy-4-oxo-
5,6-dimethyl-9-(1-carboxy-äthyl)-
tricyclo[4.4.0.0^{1,5}]decen-(2)-
9β,10-lacton*

Aus 2-Methoxy-3-oxo-6-methyl-9-isopropyl-bicyclo[4.3.0]nonadien-(1,4) wird bei
Bestrahlung in Eisessig *9-Methoxy-5-acetoxy-8-oxo-5-methyl-2-isopropyl-bicyclo[4.3.0]
nonen-(1⁹)* (91% d. Th.) erhalten[8]:

[1] D. H. R. BARTON, P. DE MAYO u. M. SHAFIQ, Soc. **1957**, 929.
[2] D. H. R. BARTON u. P. T. GILHAM, Soc. **1960**, 4596.
[3] J. D. M. ASHER u. G. A. SIM, Proc. chem. Soc. **1962**, 111.
[4] O. L. CHAPMAN u. L. F. ENGLERT, Am. Soc. **85**, 3028 (1963).
[5] P. J. KROPP u. W. F. ERMAN, Am. Soc. **85**, 2456 (1963).
[6] M. H. FISCH u. J. H. RICHARDS, Am. Soc. **85**, 3029 (1963).
[7] D. H. R. BARTON, J. T. PINHEY u. R. J. WELLS, Soc. **1964**, 2518.
[8] D. CAINE, F. N. TULLER, Am. Soc. **93**, 6311 (1971).

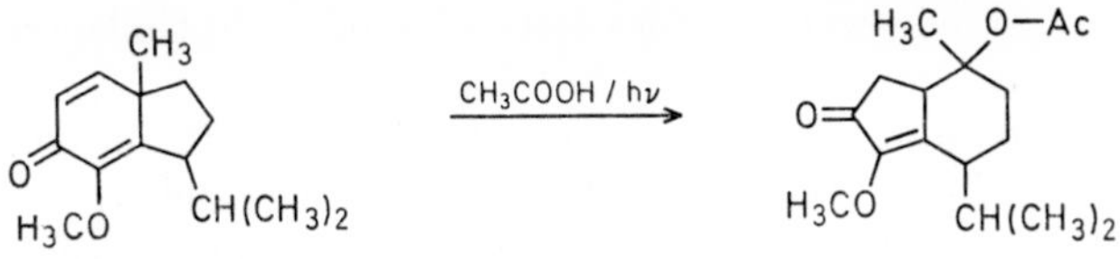

Die am Santonin erstmals beobachtete Photoumlagerung hat insbesondere auf dem Steroid-Gebiet breite Anwendung gefunden, vgl. z.B.[1-13].

Beispielsweise sind verschiedentlich Photoisomerisierungen des Keton-Rings A beobachtet worden, z.B. bei 17β-Hydroxy-3-oxo-androstadien-(1,4)-Derivaten[11,12].

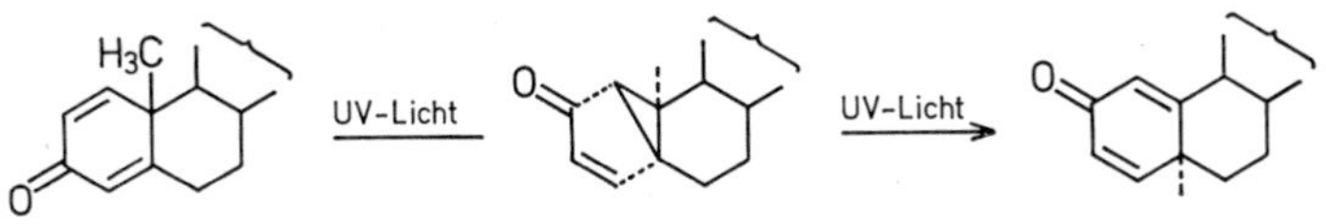

Analog wird das Phenanthren-Derivat I bei Bestrahlung in II umgelagert, das bei weiterer Bestrahlung oder auch durch Säurebehandlung in die Spiro-Verbindung III übergeht[13]:

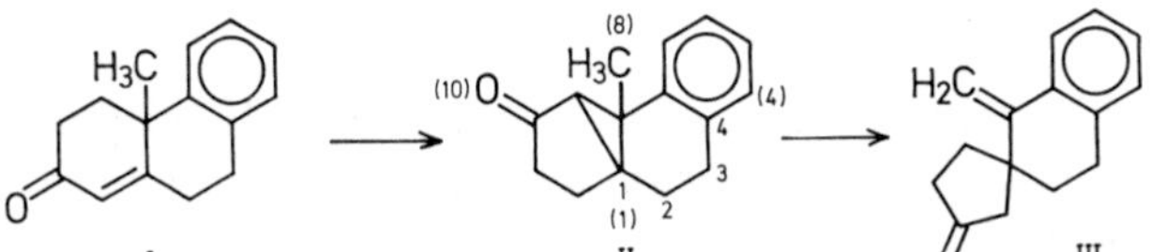

10-Oxo-8-methyl-   3-Oxo-cyclopentan-
⟨benzo-tricyclo⟩   ⟨1-spiro-2⟩-
[5.3.0.0^{1,6}]decen-(4)⟩   1-methylen-tetralin

Dabei können in Abhängigkeit von den Reaktionsbedingungen Spirane oder Perhydroazulen-Derivate gebildet werden. Die Ausbeuten sind in Abhängigkeit von Konstitution und Reaktionsbedingungen sehr unterschiedlich, können jedoch mehr

[1] D. H. R. Barton u. W. C. Taylor, Soc. 1958, 2500.

[2] D. H. R. Barton, J. F. McGhie u. M. Rosenberger, Soc. 1961, 1215.

[3] D. H. R. Barton et al., Soc. 1962, 3472.

[4] K. Weinberg, E. C. Utzinger, D. Arigoni u. O. Jeger, Helv. 43, 236 (1960).

[5] DAS 1080551 (1961), CIBA, Erf.: L. Ruzicka u. O. Jeger; C.A. 1961, 26041.

[6] H. Dutler, C. Ganter, H. Ryf, E. C. Utzinger, K. Weinberg, K. Schaffner, D. Arigoni u. O. Jeger, Helv. 45, 2346 (1963).
  C. Ganter, E. C. Utzinger, K. Schaffner, D. Arigoni u. O. Jeger, Helv. 45, 2403 (1963).

[7] C. Ganter, R. Warszawski, H. Wehrli, K. Schaffner u. O. Jeger, Helv. 46, 320 (1963).

[8] C. Ganter, O. Jeger, F. Greuter, D. Kägi u. K. Schaffner, Helv. 47, 627 (1964).

[9] G. Bozzato, H. P. Throndsen, K. Schaffner u. O. Jeger, Am. Soc. 86, 2073 (1964).

[10] P. J. Kropp u. W. F. Erman, Am. Soc. 85, 2456 (1963).

[11] L. Lorenc, M. Miljković, K. Schaffner u. O. Jeger, Helv. 49, 1183 (1966).

[12] J. Frei et al., Helv. 49, 1049 (1966).

[13] O. L. Chapman, J. B. Sieja u. W. J. Welstead, Am. Soc. 88, 161 (1966).

als 60% betragen. Häufig werden indes Gemische aus 4–10 Umlagerungsprodukten erhalten.

Die zu Diencarbonsäuren führende photolytische Ringöffnung von 5-Oxo-cyclohexadienen-(1,3)[1] ist in ds. Handb., Bd. V/1c, S. 766 abgehandelt.

Die Photoumlagerung des 5-Methyl-1,3,5-triphenyl-2-benzoyl-cyclohexadiens-(1,3) ist eingehend untersucht worden[2]:

endo-exo-
6-Methyl-1,3,6-triphenyl-2 benzoyl-
bicyclo[3.1.0]hexen-(2)

4-Oxo-4H-thiapyran dimerisiert bei der Photolyse zu *6,12-Dioxo-3,9-dithiapentacyclo[6.4.0.0^{2,7}.0^{4,11}.0^{5,10}]dodecan* (5% Umsatz nach 50 Stdn.)[3],

während 2,6-Bis-[methylmercapto]-4-oxo-3,5-diphenyl-4H-thiapyran in sehr geringer Quantenausbeute zu *2,3-Bis-[methylmercapto]-5-oxo-1,4-diphenyl-cyclopentadien-(1,3)* isomerisiert[4]:

Zur Photoisomerisierung von Oxo-pyranen vgl. Lit.[5,6].

η) aus 5-Oxo-cycloheptadienen-(1,3) bzw. 3-Oxo-cyclooctadienen-(1,5)

Als typisches Beispiel sei die Umlagerung des 1-Methoxy-5-oxo-cycloheptadiens-(1,3) zum *5-Methoxy-2-oxo-bicyclo[3.2.0]hepten-(6)* (88% d.Th.) angeführt[7].

---

[1] G. Quinkert, Ang. Ch. **77**, 229 (1965).
[2] C. W. Alexander u. J. Grimshaw, Soc. (Perkin Trans. I) **1972**, 1374.
[3] N. Ishibe u. M. Odani, J. Org. Chem. **36**, 4132 (1971).
[4] N. Ishibe, M. Odani u. R. Tanuma, Soc. (Perkin Trans. I) **1972**, 1203.
[5] C. L. McIntosh u. O. L. Chapman, Am. Soc. **95**, 247 (1973).
[6] N. Ishibe, M. Sunami u. M. Odani, Am. Soc. **95**, 463 (1973).
[7] O. L. Chapman et al., Am. Soc. **84**, 1220 (1962).

Beim Behandeln des bicyclischen Reaktionsprodukts mit einer Säure oder beim Erhitzen mit Äthanol bildet sich das 1-Methoxy-5-oxo-cycloheptadien-(1,3) zurück[1]. Weitere Reaktionen vgl. ds. Handb., Bd. IV/5 sowie Lit.[2-5].

Das durch Addition von Dehydrobenzol an Tropon erhältliche 9-Oxo-⟨6,7-benzo-bicyclo[3.2.2]nonatrien-(2,6,8)⟩ wird bei Raumtemperatur durch Bestrahlung zu *1-Oxo-2,3-dihydro-⟨benzo-[e]-inden⟩* umgelagert[6]:

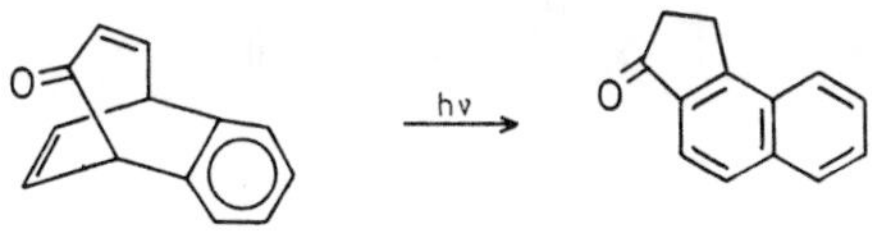

Analog wird aus 7-Oxo-cyclooctatrien-(1,3,5) das *5-Oxo-bicyclo[4.2.0]octadien-(2,7)* erhalten[7]:

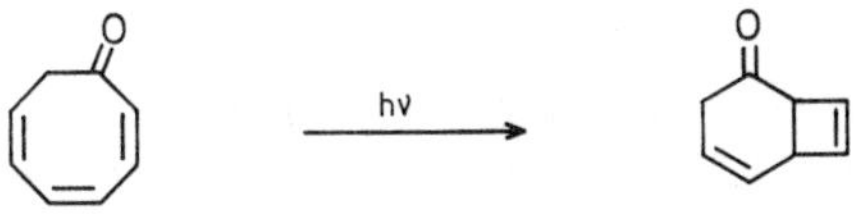

3-Oxo-cyclooctadien-(1,5) liefert in inerten Lösungsmitteln *8-Oxo-tricyclo[3.2.1.0²,⁶]* *octan*[8]:

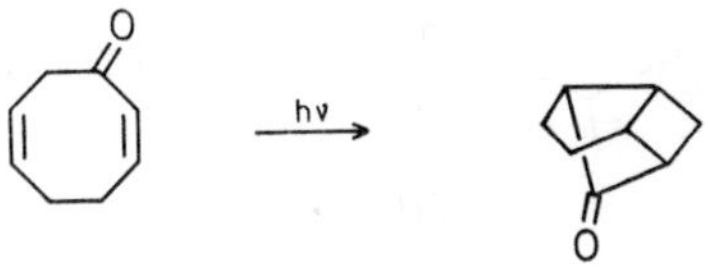

9-Oxo-7,8-dimethyl-bicyclo[4.2.1]nonatrien-(2,4,7) (vgl. S. 1113) geht bei Bestrahlung mit Michlers-Keton als Sensibilisator in das *Barbaralon{7-Oxo-2,3-dimethyl-tricyclo[3.2.2.0⁴,⁶]nonadien-(2,8)}* über:

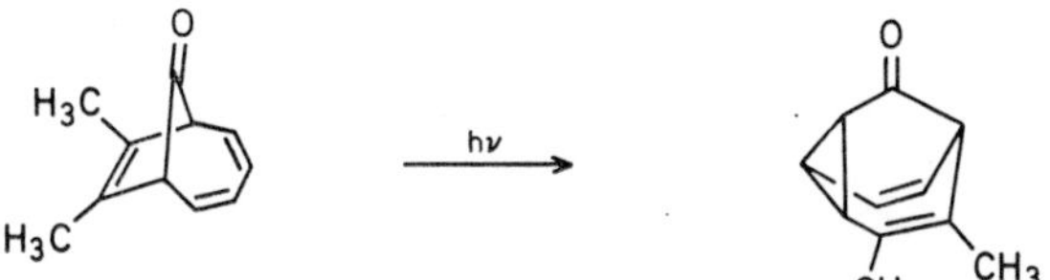

Auch das unsubtituierte *Barbaralon* ist auf diese Weise synthetisiert worden[9].

[1] O. L. CHAPMAN et. al., Am. Soc. **84**, 1220 (1962).

[2] O. L. CHAPMAN in W. A. Noyes et al., *Advances in Photochemistry*, Vol. 1, S. 353, Interscience Publ., New York 1963.

[3] K. SCHAFFNER in L. Zechmeister, *Fortschritte der Chemie organischer Naturstoffe*, Vol. 22, S. 71, Springer Verlag, Wien 1964.

[4] T. MIYASHI, M. NITTA u. T. MUKAI, Am. Soc. **93**, 3441 (1971).

[5] K. E. HINE, R. F. CHILDS, Chem. Commun. **1972**, 145; Umlagerung von 5-Oxo-cycloheptadien-(1,3) bzw. 5-Oxo-4-methyl-cycloheptadien-(1,3) unter verschiedenen Bedingungen.

[6] J. CIABATTONI, J. E. CROWLEY u. A. S. KENDE, Am. Soc. **89**, 2778 (1967). Vgl. auch M. J. GOLDSTEIN u. B. G. ODELL, Am. Soc. **89**, 6356 (1967).

[7] G. BÜCHI u. E. M. BURGESS, Am. Soc. **84**, 3104 (1962).

[8] T. S. CANTRELL u. J. S. SOLOMON, Am. Soc. **92**, 4656 (1970).

[9] L. A. PAQUETTE, R. H. MEISINGER u. R. E. WINGARD, Am. Soc. **94**, 2155 (1972).

Bei der Reduktion von 8,8-Dibrom-barbaralon mit Natriumamalgam wird das Barbaralon wieder gebildet[1].

Die Photoisomerisierung von 5-Oxo-4,6,6-trimethyl-cycloheptadien-(1,3) erfolgt in 2,2,2-Trifluor-äthanol zehnmal schneller als in Cyclohexan[2]:

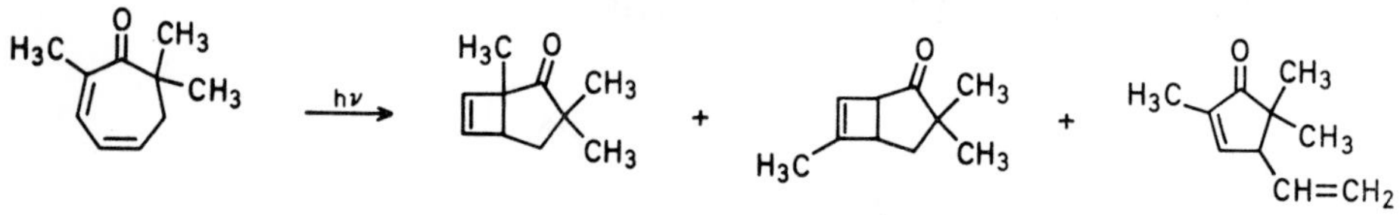

27%	7%	66%

2-Oxo-1,3,3-tri-methyl-bicyclo[3.2.0] hepten-(6)   *2-Oxo-3,3,6-trimethyl-bicyclo[3.2.0]hepten-(6)*   *5-Oxo-1,4,4-tri-methyl-3-vinyl-cyclopenten-(1)*

Die Photoisomerisierung von durch Fluorsulfonsäure protoniertes 7-Oxo-1,5,5-trimethyl-cycloheptadien-(1,3) (Eucarvon) bei –75° liefert ein Kationen-Isomeren-Gemisch aus dem nach Zusatz von Methanol/Kaliumcarbonat ein bicyclisches „Lumi-Derivat" als Hauptkomponente isoliert werden kann[3]:

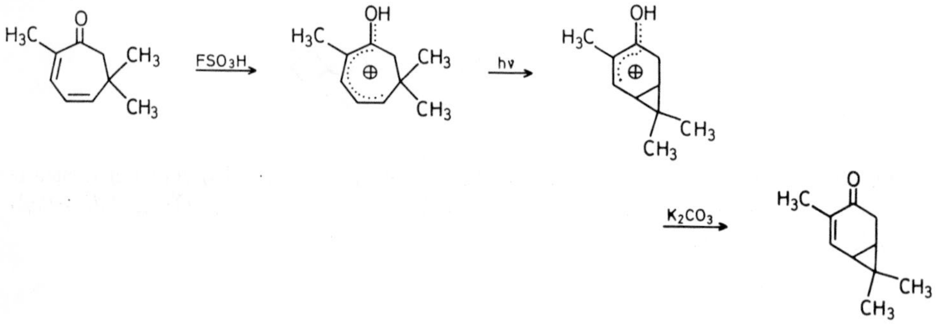

4-Oxo-3,6,6-tri-methyl-bicyclo[4.1.0]hepten-(2)

Die entsprechende Umlagerung von 3-Oxo-6-methyl-cycloheptadien-(1,4) führt dagegen zum *5-Oxo-3-methyl-4-vinyl-cyclopenten-(1)* bzw. nach Thermoisomerisierung des protonierten Produkts zum *5-Oxo-3-methyl-4-äthyliden-cyclopenten-(1)*[4]:

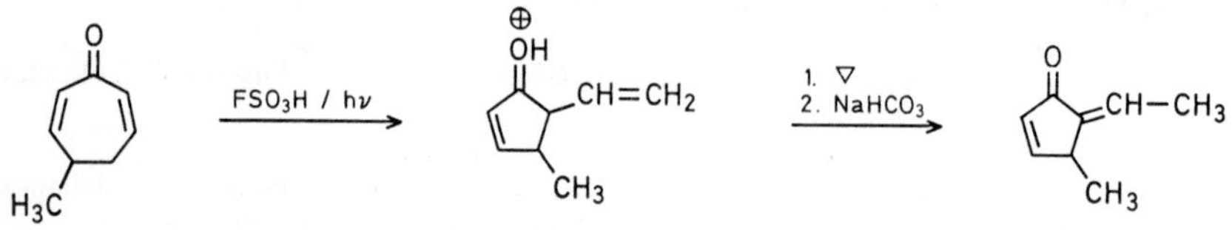

[1] E. VEDEJS, R. A. GABEL u. P. D. WEEKS, Am. Soc. **94**, 5842 (1972).
[2] H. HART u. A. F. NAPLES, Am. Soc. **94**, 3256 (1972).
[3] K. E. HINE u. R. F. CHILDS, Am. Soc. **93**, 2323 (1971).
[4] R. NOYORI, Y. OHNISHI u. M. KATO, Am. Soc. **94**, 5105 (1972).

ϑ) aus Troponen[1]

Bei der Bestrahlung von 6-Oxo-bicyclo[5.1.0]octadien-(2,4) (I) entsteht ein Gemisch aus II–V, wobei IV überwiegt[2]:

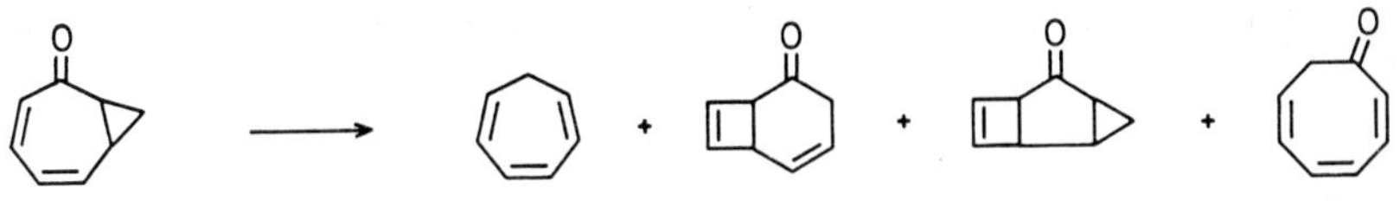

II; *Cycloheptatrien*
III; *5-Oxo-bicyclo[4.2.0]octadien-(2,7)*
IV; *5-Oxo-tricyclo[4.2.0.0^{2,4}]octen-(7)*
V; *7-Oxo-cyclooctatrien-(1,3,5)*

Dagegen liefert 2-Chlor-tropon nur geringe Ausbeuten an Dimeren[3].

ι) aus Tropolonen

Photoumlagerungen an Tropolon-Systemen sind vor allem an Colchicin und verwandten Naturstoffen durchgeführt worden[4]. Die Reaktion führt in jedem Fall zu einer Ringverengung, wobei aus dem Tropon-System entweder Oxo-bicyclo-[3.2.0]heptane oder Bicyclo[5.1.0]octane entstehen. Letztere verändern sich weiter zu Acyl- oder Formyl-benzol-Systemen. Die Carbonyl-Gruppe kann auch durch Fragmentierung eliminiert werden[1].

4-Methoxy-tropon (I) gibt bei Bestrahlung in Wasser *1-Methoxy-4-oxo-bicyclo [3.2.0]heptadien-(2,7)* (II; 60% d.Th.; bez. auf Umsatz). Beim Erhitzen von II auf 360° wird wieder I erhalten. Säurebehandlung liefert *4-Hydroxy-tropon* (III)[5]:

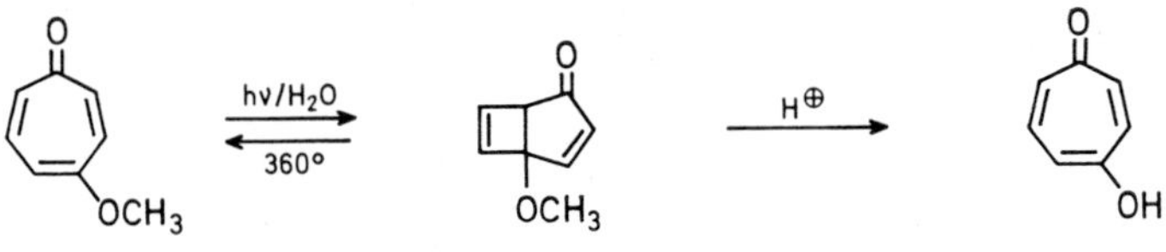

Bei der Bestrahlung von α-Tropolon wird dagegen *[4-Oxo-cyclopenten-(2)-yl]-essig-säure* erhalten:

[1] O. L. Chapman, *Organic Photochemistry*, Vol. 1, S. 155, Marcel Dekker, New York 1967.
[2] L. A. Paquette u. O. Cox, Am. Soc. **89**, 1969 (1967).
[3] T. Mukai, H. Tsuruta, A. Takeshita u. H. Watanabe, Tetrahedron Letters **1968**, 4065.
[4] K. Schaffner in L. Zechmeister, *Fortschritte der Chemie organischer Naturstoffe*, Vol. 22. S. 72, Springer Verlag, Wien 1964.
[5] O. L. Chapman u. D. J. Pasto, Am. Soc. **80**, 6685 (1958), **82**, 3642 (1960).
  vgl. a. R. M. Harrison, J. D. Hobson u. M. M. Al Holly, Soc. [C] **1971**, 3084.

Weitere Reaktionen vgl. ds. Handb., Bd. IV/3 sowie einschlägige Zusammenfassungen[1–3].

ϰ) aus 2-Diazo-1,3-diketonen

2-Diazo-1,3-diketone, die in guten Ausbeuten aus 1,3-Diketonen und p-Toluol-sulfonyl-azid zugänglich sind, werden durch UV-Bestrahlung unter Stickstoff-Abspaltung zu β-Oxo-carbonsäuren umgelagert. Die Ausbeuten sind z.T. sehr gut[4]; z.B.:

2-Oxo-4,4-dimethyl-cyclopentan-1-carbonsäure   95%

3-Oxo-2,2,5,5-tetramethyl-4-carboxy-tetrahydrofuran   95%

Cyclohexan-⟨spiro-5⟩-4-oxo-3-carboxy-tetrahydrofuran-⟨2-spiro⟩-cyclohexan   95%

3-Oxo-2,4,4-trimethyl-pentansäure   31%

α,β-ungesättigte Cycloalkanone, die einen (ω-Diazoacetyl-alkyl)-Substituenten tragen, gehen bei Bestrahlung in tricyclische Diketone über[5]; z.B.:

3,8-Dioxo-6-methyl-tricyclo[4.2.2.0²,⁷]decan;
42% d.Th.

---

[1] O. L. CHAPMAN, *Organic Photochemistry*, Vol. 1, S. 155, Marcel Decker, New York 1967.
[2] K. SCHAFFNER in L. Zechmeister, *Fortschritte der Chemie organischer Naturstoffe*, Vol. 22, S. 72, Springer Verlag, Wien 1964.
[3] O. L. CHAPMAN in W. A. NOYES et al., *Advances in Photochemistry*, Vol. 1. S. 324, Interscince Publ., New York 1963.
[4] I. K. KOROBITSYNA u. V. A. NIKOLAEV, Ž. org. Chim. **7**, 413 (1971); engl.: 411.
[5] D. BECKER, M. NAGLER u. D. BIRNBAUM, Am. Soc. **94**, 4771 (1972).

λ) aus 2,5-Diazido-benzochinonen-(1,4)

2,5-Diazido-3,6-di-tert.-butyl-benzochinon-(1,4) erfährt bei UV-Bestrahlung eine Ringverengung unter Stickstoff-Verlust zu *1-Azido-4-cyan-3,5-dioxo-2,4-di-tert.-bu-tyl-cyclopenten-(1)* (41% d. Th.)[1]:

Zur Photolyse u. Thermolyse von 1-Azido-3-oxo-cyclohexenen-(2) Lit[2].

μ) aus Acetophenonen

Am Benzolkern durch Alkyl- oder Alkoxy-Reste substituierte Acetophenone werden bei Bestrahlung in Gegenwart von Cyanid-Ionen unter Wanderung des Acyl-Restes in isomere Acetophenone umgelagert[3]; z. B.:

3,5-Dimethyl-acetophenon   *2,4-Dimethyl-acetophenon*

3. durch Erhitzen

Ketone mit C=C-Doppelbindung in ε,ζ- oder ζ,η-Stellung unterliegen beim Erhitzen auf 260–390° unter vermindertem Druck im geschlossenen Gefäß einer Thermocyclisierung zu Cyclopentyl- bzw. Cyclohexyl-ketonen[4,5].

Um gute Ausbeuten zu erhalten, müssen die ungesättigten Ketone in der Gasphase vorliegen[6,7]. Beim Erhitzen unter Druck im Rohr tritt im allgemeinen primär eine Allyl-Umlagerung ein. In der Folge können thermische Spaltreaktionen, oder bei günstigen konstitutionellen Voraussetzungen ebenfalls Thermocyclisierungen erfolgen. So wird 4-Oxo-1-[3-methyl-buten-(3)-yl]-cyclohexan im Druckrohr bei 240–360° zu *2-Oxo-7-endo-isopropyl-bicyclo[3.2.1]octan*, in der Gasphase bei 380° dagegen zu *2-Oxo-8,8-dimethyl-bicyclo[3.3.1]nonan* umgelagert[8].

[1] W. H. MOORE u. W. WEYLER, Am. Soc. **93**, 2812 (1971).
   vgl. auch T. SASAKI, K. KANEMATSU u. M. MURATA, Tetrahedron **29**, 529 (1973) (Umlagerungen an Heteroanaloga).

[2] Y. TAMURA et al., Tetrahedron Letters **1973**, 351.

[3] R. L. LETSINGER u. A. L. COLB, Am. Soc. **94**, 3665 (1972).

[4] F. ROUESSAC u. J.-M. CONIA, Tetrahedron Letters **1965**, 3313.
   F. ROUESSAC, P. LE PERCHEC u. J.-M. CONIA, Bl. **1967**, 818, 822, 826.

[5] R. BLOCH, P. LE PERCHEC, F. ROUESSAC u. J.-M. CONIA, Tetrahedron **1968**, 5971 (Zusammenfassung).

[6] J.-M. CONIA u. F. LEYENDECKER, Bl. **1967**, 830.

[7] F. LEYENDECKER, G. MANDVILLE u. J.-M. CONIA, Bl. **1970**, 549.

[8] F. LEYENDECKER, G. MANDVILLE u. J.-M. CONIA, Bl. **1970**, 556.

Zwischenstufe der Thermocyclisierung ist das Enol[1,2]:

6-Oxo-cycloheptadien-(1,3) steht bei 85° in Tetrachlormethan im Gleichgewicht mit *5-Oxo-cycloheptadien-(1,3)* (Verhältnis 40 : 60)[3].

Aufgrund dessen wurde von Roberts die Bezeichnung „Enolen-Umlagerung" geprägt[4].

Auch α,β-ε,ζ -bis-ungesättigte Ketone[5], sowie ε,ζ -Acetylen-Ketone[2,6] gehen die Reaktion ein. Die Ausbeuten sind bei Cyclopentylketonen meist sehr gut, mit wachsender Ringgliederzahl sinken sie ab[7].

Besonders leicht cyclisieren β-substituierte Acrylsäureester und α-substituierte Styrole. Bei β-Chlor-styrolen unterbleibt die Reaktion[8].

δ,ε-ungesättigte Ketone können dann ebenfalls thermocyclisieren, wenn die zweite reaktionsfähige α'-Position zur Carbonyl-Gruppe mindestens 4 C-Atome von der C=C-Doppelbindung entfernt ist[9].

Bei ebenfalls freier α-Stellung erfolgt indessen anstelle der Thermocyclisierung eine Cope-Umlagerung des Enols[7]:

Der gebildete Dienalkohol spaltet leicht Wasser ab zum Trien, das unter den Reaktionsbedingungen polymerisiert.

Die meisten der aufgeführten Umlagerungen wurden bisher nur mit Mengen unter 100 mg durchgeführt. Die Erarbeitung einer präparativen Methode zur Gasphasenthermocyclisierung unter vermindertem Druck steht noch aus. Wahrscheinlich kommt hierfür nur ein kontinuierliches Verfahren in Betracht.

[1] F. ROUESSAC u. J.-M. CONIA, Tetrahedron Letters **1965**, 3313.
   F. ROUESSAC, P. LE PERCHEC u. J.-M. CONIA, Bl. **1967**, 818, 822, 826.
[2] R. BLOCH, P. LE PERCHEC, F. ROUESSAC u. J.-M. CONIA, Tetrahedron **1968**, 5971 (Zusammenfassung).
[3] K. E. HINE u. R. F. CHILDS, Chem. Comm. **1972**, 144
[4] R. M. ROBERTS, R. G. LANDOLT, R. N. GREENE u. E. W. HEYER, Am. Soc. **89**, 1404 (1967).
[5] J.-M. CONIA u. P. LE PERCHEC, Bl. **1966**, 273, 278, 281.
[6] J.-M. CONIA u. P. LE PERCHEC, Bl. **1966**, 287 (Zusammenfassung).
[7] J.-M. CONIA u. F. LEYENDECKER, Bl. **1967**, 830.
[8] C. MOREAU, J.-M. CONIA u. F. ROUESSAC, Bl. **1970**, 545.
[9] F. LEYENDECKER, G. MANDVILLE u. J.-M. CONIA, Bl. **1970**, 549.

Tab. 156. Acyl-cyclopentane aus ε,ξ-ungesättigten Ketonen

Ausgangsketon	Reaktions-bedingungen	Acyl-cyclopentan	Ausbeute [% d.Th.]	Literatur
CH₃–CO–...–CH₂	370°/30 Min.	2-Methyl-1-acetyl-cyclopentan	> 90 (cis/trans- 7:93)	1
H₅C₂OOC, CH₃, CO, CH₂	250°/20 Stdn. bzw. 300°/1 Stde.	2-Methyl-1-acetyl-1-äthoxy-carbonyl-cyclopentan	~ 100	1
H₃C, CH₃, CO, CH₂	370°/30 Min.	trans-1,2-Dimethyl-1-acetyl-cyclopentan	~ 90	1
CH₃, CO, CH₃, =CH₂	350°/6 Stdn.	2,2-Dimethyl-1-acetyl-cyclopentan	~ 100	1
C₆H₅, CO, H₃C, CH₂	300°/19 Stdn. bzw. 340°/1 Stde.	trans-1,2-Dimethyl-1-benzoyl-cyclopentan	~ 100	1
O, (CH₂)₃–CH=CH₂	350°/1 Stde.	2-Methyl-cyclopentan-⟨1-spiro-1⟩-2-oxo-cyclohexan	100	2,3
CO–CH₃, CH₂	360°/30 Min.	2-Methyl-1-acetyl-cyclohexan	80 (cis/trans- 1:1)	2

1 F. Rouessac u. J.-M. Conia, Tetrahedron Letters 1965, 3313.
  F. Rouessac, P. le Perchec u. J.-M. Conia, Bl. 1967, 818, 822, 826.
2 J.-M. Conia u. F. Leyendecker, Bl. 1967, 830.
3 F. Rouessac, P. Beslin u. J.-M. Conia, Tetrahedron Letters 1965, 3319.

Tab. 156. (1. Fortsetzung)

Ausgangsketon	Reaktions-bedingungen	Acyl-cyclopentan	Ausbeute [% d.Th.]	Literatur
	390°/30 Min.	 *2-Methyl-1-acetyl-cyclononan*	~ 30	1
	260°/3 Stdn.	 *2-Methyl-1-acetyl-cyclopenten* *1-Methyl-5-acetyl-cyclopenten*	83 15	2
	350°/1 Stde.	 *1,5-Dimethyl-5-benzoyl-cyclopenten*	80	2
	300°/2,5 Stdn.	 *1-Methyl-2-äthyliden-1-benzoyl-cyclopentan*	90	2
	350°/30 Min.	 *(2-Acetyl-cyclopentyl)-essigsäure-methylester*	95 *(cis/trans-5:95)*	3
	325°/60 Min.	 *(2-Acetyl-cyclohexyl)-essigsäure-methylester*	85	3
	325°/60 Min.	 *2,3-Dimethyl-2-phenyl-1-acetyl-cyclopentan*	95 *(cis/trans-20:80)*	3

[1] J.-M. CONIA u. F. LEYENDECKER, Bl. **1967**, 830.
[2] R. BLOCH, P. LE PERCHEC, F. ROUESSAC u. J.-M. CONIA, Tetrahedron **1968**, 5971 (Zusammenfassung).
[3] C. MOREAU, J.-M. CONIA u. F. ROUESSAC, Bl. **1970**, 545.

Tab. 156. (2. Fortsetzung)

Ausgangsketon	Reaktions-bedingungen	Acyl-cyclopentan	Ausbeute [% d.Th.]	Literatur
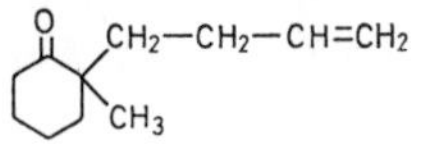 (Cyclohexanon, 2-CH₂—CH₂—CH=CH₂, 2-CH₃)	380°/180 Min.	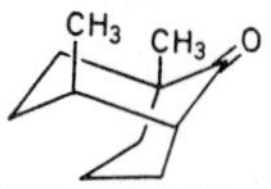 9-Oxo-1,4-dimethyl-bicyclo [3.3.1]nonan	80	1
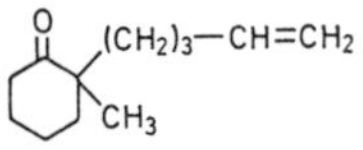 (Cyclohexanon, 2-(CH₂)₃—CH=CH₂, 2-CH₃)	375°/14 Stdn.	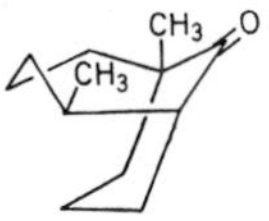 10-Oxo-1,5-dimethyl-bicyclo [4.3.1]decan	80 (exo/endo- 70:30)	1
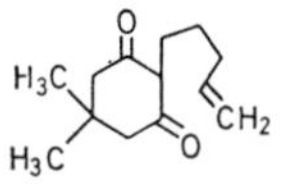 (H₃C, H₃C-substituiertes Diketon mit CH₂=Gruppe)	210°/30 Min.	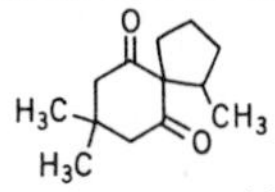 2-Methyl-cyclopentan-⟨1-spiro-1⟩- 2,6-dioxo-4,4-dimethyl-cyclohexan	90	1
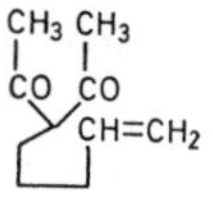 (CH₃ CH₃ / CO CO / CH=CH₂)	300°/45 Min.	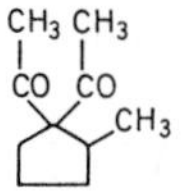 2-Methyl-1,1-diacetyl-cyclopentan	90	1
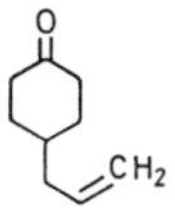 (Cyclohexanon mit CH₂ Allylkette)	350°/60 Min.	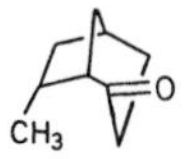 2-Oxo-7-methyl-bicyclo[3.2.1]octan	~ 60 (endo)	2
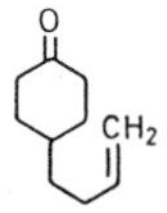 (Cyclohexanon mit CH₂ Kette)	360°/60 Min.	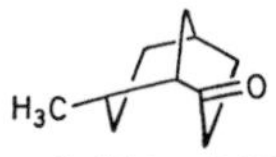 8-Oxo-2-methyl-bicyclo[3.3.1] nonan	100	2
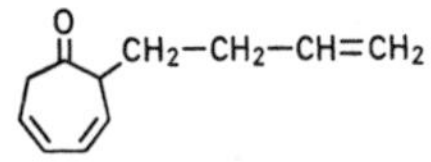 (Cycloheptadienon, CH₂—CH₂—CH=CH₂)	200–210°	 3-Oxo-tricyclo[5.3.1.0⁴,⁸]undecen- (9)		3
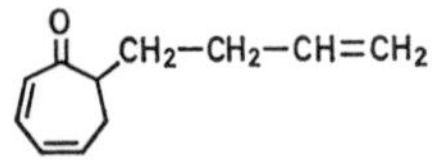 (Cycloheptadienon, CH₂—CH₂—CH=CH₂)	200–210°	  2-Oxo-tricyclo [4.4.1.0³,⁸] undecen-(4) + 11-Oxo-tricyclo[4.4.1.0³,⁸] undecen-(4)		3

1 F. LEYENDECKER, G. MANDVILLE u. J.-M. CONIA, Bl. 1970, 549.
2 F. LEYENDECKER, G. MANDVILLE u. J.-M. CONIA, Bl. 1970, 556.
3 C. A. CUPAS, W. E. HEYD u. M.-S. KONG, Am. Soc. 93, 2623 (1971).

70*

Dien-Ketone können auch in flüssiger Phase und in größeren Mengen thermo-cyclisiert werden[1].

Das Dien-keton I [5-Oxo-4-methyl-4-isopropenyl-hexen-(1)] erfährt bei 220° eine Cope-Umlagerung zu einem Gleichgewichtsgemisch aus II und III. Dieses liefert bei 240° das nichtkonjugierte Dienketon IV, das bei 240° innerhalb 15 Stdn. quantitativ, bei 300° in 50 Min. mit 70% Ausbeute zu V (*2,3,4-Trimethyl-3-acetyl-cyclopenten*) thermocyclisiert[1]:

Der Ringschluß erfolgt stereospezifisch; die neugebildete Methyl-Gruppe steht in *cis*-Stellung zur Acetyl-Gruppe.

Entsprechend wird aus Allyl-isopulegon (2-Oxo-1-isopropenyl-1-allyl-cyclohexan) über das Cope-Umlagerungsprodukt bei 280° *2,4-Dimethyl-cyclopenten-(1)-⟨3-spiro-1⟩-2-oxo-4-methyl-cyclohexan* erhalten[1].

2-Oxo-1-allyl-1-[cyclohexen-(1)-yl]-cyclohexan lagert schon beim kurzen Rückfluß-kochen (15 Min./250°) quantitativ zum *2-Oxo-cyclohexan-⟨1-spiro-7⟩-8-methyl-bicyclo[4.3.0]nonen-(1⁶)* um[1]:

In anderen Fällen liegen die Ausbeuten nur bei ~30% der Theorie[1].

Bei sog. Blitzthermolysen von Ketonen können neben und bei Fragmentierun-gen auch Gerüstumlagerungen auftreten. Aus 3-Oxo-hepten-(6)-säureester entsteht bei ~550° und 10^{-2} Torr das *2-Oxo-bicyclo[3.1.0]hexan*[2]; Benzochinon ergibt bei

[1] J.-M. CONIA u. P. LE PERCHEC, Bl. **1966**, 273, 278, 281.
   vgl. auch J.-M. CONIA u. M. BORTOLUSSI, Bl. **1972**, 3402.
[2] F. LEYENDECKER, R. BLOCH u. J. M. CONIA, Tetrahedron Letters **1972**, 3703.

1310° und $3 \cdot 10^{-3}$ Torr bei einer Verweilzeit von 1 Millisekunde unter Kohlenmonoxid-Abspaltung *5-Oxo-cyclopentadien*, das als Dimeres isoliert wird[1].

Thermocyclisierungen sind grundsätzlich reversibel. Bei Ketonen kleiner Ringe ist im Gleichgewicht das offenkettige ungesättigte Keton bevorzugt[2-6]. So lagert sich 2,2-Dimethyl-1-acetyl-cyclopropan bei 150° glatt zum Homoallylketon *5-Oxo-2 methyl-hexen-(1)* (R=CH₃) um:

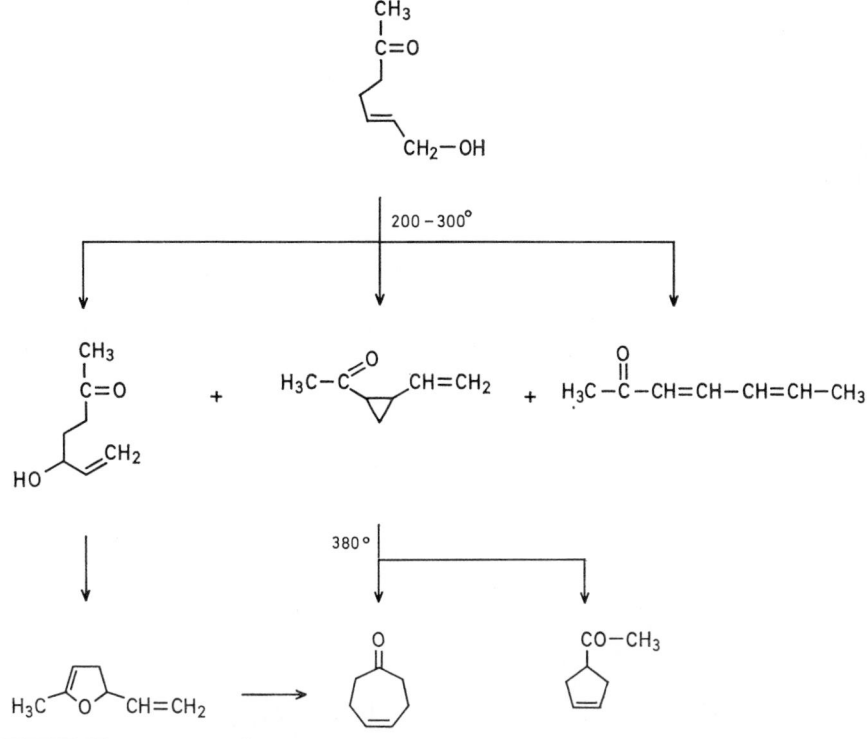

Die Synthese von Homoallylketonen aus Cyclopropyl-ketonen ist ein aliphatisches Analogon zur anormalen Claisen-Umlagerung.

Andererseits erhält man beim Erhitzen des *cis*-1-Hydroxy-6-oxo-hepten-(2) auf 200–300° u. a. *2-Vinyl-1-acetyl-cyclopropan*[7]:

[1] P. DE CHAMPLAIN u. P. DE MAYO, Canad. J. Chem. **50**, 270 (1972).
[2] J.-M. CONIA u. F. LEYENDECKER, Bl. **1967**, 830.
[3] R. M. ROBERTS u. R. G. LANDOLT, Am. Soc. **87**, 2281 (1965).
[4] R. M. ROBERTS, R. G. LANDOLT, R. N. GREENE u. E. W. HEYER, Am. Soc. **89**, 1404 (1967).
[5] E. SENFT u. R. MAURIN, C. r. [C] **275**, 1113 (1972).
   R. M. ROBERTS u. P. B. DENNIS zitiert in Lit.[4].
[6] J.-M. CONIA, F. LEYENDECKER u. C. DUBOIS-FAGET, Tetrahedron Letters **1966**, 129.
   vgl. a. G. OHLOFF, Tetrahedron Letters **1965**, 3795; Thermo-Ringöffnungen bei Dreiring-Aldehyden.
[7] Y. BAHUREL, A. MENET, F. PAUTET, A. PONCET u. G. DESCOTES, Bl. **1971**, 2215.

Von den *cis/trans*-isomeren 2-Methyl-1-acetyl-cyclopropanen (R=H) lagert sich lediglich das *cis*-Isomere um, während das *trans*-Isomere unverändert bleibt[1].

Von besonderer Bedeutung sind derartige Umlagerungen in der Terpen-Reihe[2].

Über eine Dreiring-Thermocyclisierung verläuft auch die gegenseitige Isomerisierung[3] von Homoallylketonen[4] z.B. zwischen 5-Oxo-3-äthyl-5-phenyl-penten-(1) und *1-Oxo-3-methyl-1-phenyl-hexen-(4)*[5]:

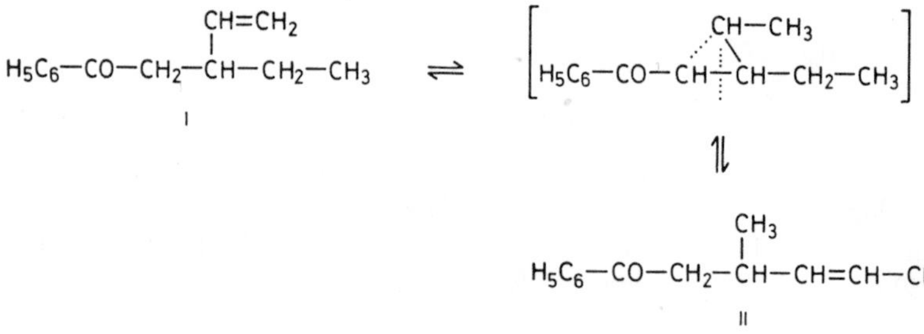

Beim Erhitzen von I oder II wird ein Gleichgewichtsgemisch aus beiden Verbindungen erhalten.

Die thermische Umlagerung des 5-Methoxy-4-oxo-bicyclo[3.2.0]heptadiens-(2,6) (I), eines Valenzisomeren des Tropolon-methyläthers ist das erste Beispiel einer antarafacial-antarafacialen Cope-Umlagerung:

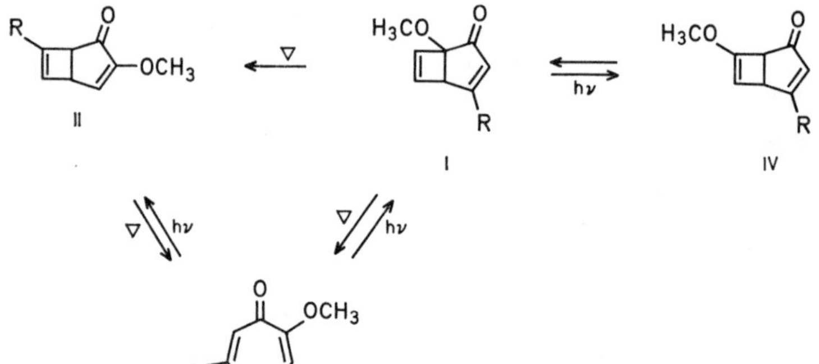

R = H;　　II; *3-Methoxy-4-oxo-*⎫
　　　　　IV; *6-Methoxy-4-oxo-*⎬ *bicyclo[3.2.0]heptadien-(2,6)*
　　　　　III; *2-Methoxy-tropon*

R = C$_6$H$_5$;　II; *3-Methoxy-4-oxo-6-phenyl-*⎫
　　　　　IV; *6-Methoxy-4-oxo-2-phenyl-*⎬ *bicyclo[3.2.0]heptadien-(2,6)*
　　　　　III; *2-Methoxy-6-phenyl-tropon*

[1] R. M. ROBERTS, R. G. LANDOLT, R. N. GREENE u. E. W. HEYER, Am. Soc. **89**, 1404 (1967).

[2] F. W. SEMMLER, B. **27**, 895 (1894).
　 R. H. EASTMAN u. A. V. WINN, Am. Soc. **82**, 5908 (1960).
　 W. v. E. DOERING, M. R. WILLCOTT u. M. JONES, Am. Soc. **84**, 1224 (1962).

[3] Vgl. a. G. OHLOFF, Tetrahedron Letters **1965**, 3795; Thermo-Ringöffnungen bei Dreiring-Aldehyden.

[4] R. M. ROBERTS, R. N. GREENE, R.G. LANDOLT u. E. W. HEYER, Am. Soc. **87**, 2282 (1965).

[5] R. M. ROBERTS u. J. M. WATSON, J. Org. Chem. **34**, 4191 (1969).

Entsprechend verhalten sich die isoelektronischen 5-Arylamino-4-oxo-bicyclo [3.2.0]heptadiene-(2,6) aus denen bereits unterhalb 100° die entsprechenden 2-Arylamino-tropone erhalten werden [vgl. 1,2].

Zur Wanderungsfähigkeit von C=C-Doppelbindungen bei thermischen [1.5]sigmatropen Umlagerungen (z. B. isomere Acetyl-cyclohexadiene) s. Lit. [3].

Oxo-homo-bullvalen liefert beim Erhitzen *8-Oxo-tricyclo[5.4.0.0^{4,11}]undecatrien-(2,5,9)* (93% d. Th.)[4].

4. durch Basen

β,β-Disubstituierte α,γ-Diketone können unter dem Einfluß starker Basen z.B. Natrium-methanolat in Äther zu entsprechenden α,α-disubstituierten α,γ-Diketonen umlagern[5]. Dabei wird ein Homoenolat mit Dreiringstruktur gebildet, welches isomerisiert; z. B.:

$$H_5C_6-CO-CH_2-\underset{\underset{C_6H_5}{|}}{\overset{\overset{C_6H_5}{|}}{C}}-CO-C(CH_3)_3 \quad \underset{+H^\oplus}{\overset{-H^\oplus}{\rightleftharpoons}} \quad \left[H_5C_6-CO-CH-\underset{\underset{H_5C_6\quad C_6H_5}{\diagdown C \diagup}}{\overset{\overset{O^\ominus}{||}}{C}}-C(CH_3)_3 \right]$$

1,4-Dioxo-5,5-dimethyl-1,3,3-triphenyl-hexan

$$\Updownarrow$$

$$\left[H_5C_6-CO-CH-CO-C(CH_3)_3 \atop \underset{H_5C_6\quad C_6H_5}{\diagdown \overset{|}{C}^\ominus \diagup} \right]$$

$$\Updownarrow$$

$$H_5C_6-CO-\underset{\underset{C_6H_5}{|}}{\overset{\overset{C_6H_5}{|}}{C}}-CH_2-CO-C(CH_3)_3 \quad \underset{+H^\oplus}{\overset{-H^\oplus}{\rightleftharpoons}} \quad \left[H_5C_6-\overset{\overset{O^\ominus}{||}}{\underset{\underset{H_5C_6\quad C_6H_5}{\diagdown C \diagup}}{C}}-CH-CO-C(CH_3)_3 \right]$$

1,4-Dioxo-5,5-dimethyl-1,2,2-triphenyl-hexan

4-Hydroxy-3-oxo-1,2-bis-[diphenylmethylen]-cyclobutan geht beim Lösen in wäßriger Kalilauge in das mesomerie-stabilisierte Anion A über. Beim Ansäuern entsteht das ungesättigte Diketon *3,4-Dioxo-1,2-bis-[diphenylmethyl]-cyclobuten-(1)* (1) (62% d. Th.)[6]:

$$\begin{array}{c}(H_5C_6)_2C \\ (H_5C_6)_2C\end{array}\hspace{-4pt}\underset{H}{\square}\hspace{-4pt}\begin{array}{c}O \\ OH\end{array} \quad \cdot \quad \xrightarrow{\text{KOH}} \quad \left[\begin{array}{c}(H_5C_6)_2C \\ (H_5C_6)_2HC\end{array}\hspace{-4pt}\square\hspace{-4pt}\begin{array}{c}O \\ O^\ominus\end{array} \right] \quad \xrightarrow{H^\oplus} \quad \begin{array}{c}(H_5C_6)_2HC \\ (H_5C_6)_2HC\end{array}\hspace{-4pt}\square\hspace{-4pt}\begin{array}{c}O \\ O\end{array}$$

A

[1] M. Kimura u. T. Mukai, Tetrahedron Letters 48, 4207 (1970).
[2] T. Miyashi. M. Nitta u. T. Mukai, Am. Soc. 93, 3441 (1971).
[3] P. Schiess u. P. Fünfschilling, Tetrahedron Letters 1972, 5195.
[4] M. J. Goldstein u. S. H. Dai, Am. Soc. 95, 933 (1973).
[5] P. Yates, G. D. Abrams u. S. Goldstein, Am. Soc. 91, 6868 (1969).
   M. J. Betts u. P. Yates, Am. Soc. 92, 6982 (1970).
   P. Yates, G. D. Abrams, M. J. Betts u. S. Goldstein, Canad. J. Chem. 49, 2850 (1971).
   P. Yates u. M. J. Betts, Am. Soc. 94, 1965 (1972).
[6] F. Toda, N. Ooi, Y. Takehira u. K. Akagi, Bull. Chem. Soc. Jap. 44, 1998 (1971).

Das 6-Methyl-1,3,6-triphenyl-2-benzoyl-*cis*-bicyclo[3.1.0]hexen-(2) (α-Photodyp-nopinakolon; I) wird durch verdünnte Kalilauge zum *3-Methyl-2,3,6-triphenyl-1-benzoyl-cyclohexadien-(1,4)* (II) (γ-*Photodypnopinakolon*; II) isomerisiert. Letzteres wird durch Kochen mit starker äthanolischer Kalilauge in *5-Methyl-2,4,5-triphenyl-3-benzoyl-cyclohexadien-(1,3)* (III; δ-*Photodypnopinakolon*) umgewandelt, das aus dem β-Isomeren mit äthanolischer Kalilauge unmittelbar entsteht[1]:

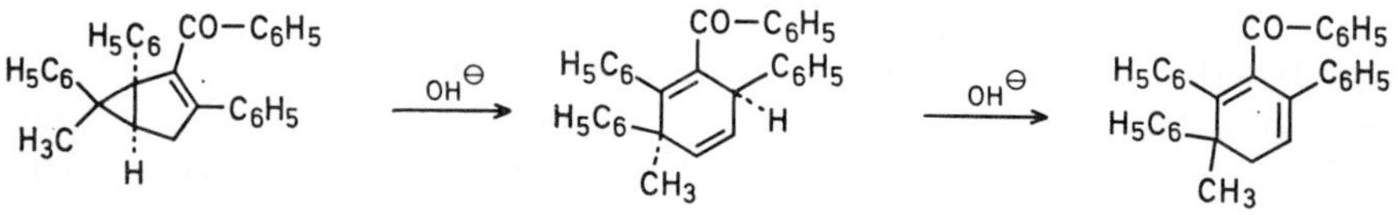

Die Synthese des Cycloheptadienon-Systems durch Einwirkung von Basen auf 3-Oxo-cyclohexene, welche in 5-Stellung einen Substituenten mit wenig nucleophiler Abgangsgruppe in α-Position aufweisen, verläuft über eine Umlagerungsreaktion des als Zwischenstufe auftretenden (u.U. isolierbaren) Bicyclus[2,3]. Das Reaktions-prinzip der altbekannten *Eucarvon*-Synthese[2,4]

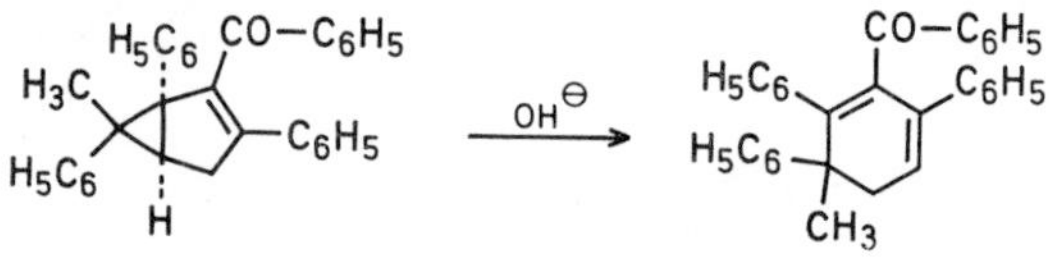

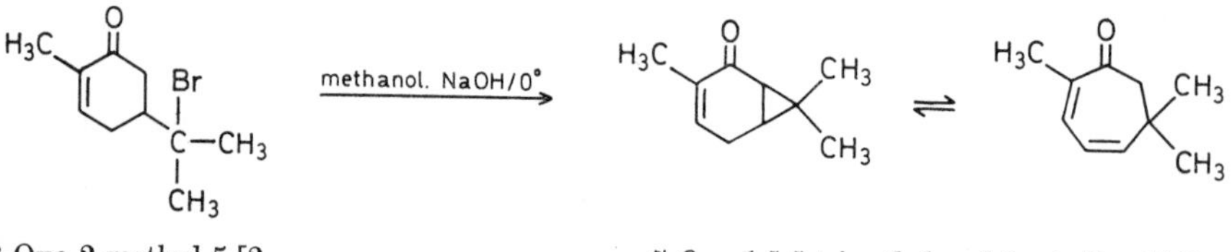

3-Oxo-2-methyl-5-[2-brom-propyl-(2)]-cyclohexen (,,Carvon-hydrobromid")

7-Oxo-1,5,5-trimethyl-cycloheptadien-(1,3) (,,*Eucarvon*")

wurde zur Synthese des Tropons angewandt[5]:

[1] C. W. Alexander u. J. Grimshaw, Soc. (Perkin Trans. I) **1972**, 1372, 1380.
[2] E. J. Corey, H. J. Burke u. W. A. Remers, Am. So. **78**, 180 (1956).
   E. E. van Tamelen, J. McNary u. F. A. Lornitzo, Am. Soc. **79**, 1231 (1957).
[3] Vgl. a. R. C. Grimwood, C. K. Ingold u. J. F. Thorpe, Soc. **123**, 3303 (1923).
   E. H. Farmer, C. K. Ingold u. J. F. Thorpe, Soc. **121**, 128 (1922).
   O. Wallach, A. **388**, 49 (1912).
[4] A. v. Baeyer, B. **27**, 810 (1894); **31**, 2067 (1898).
   O. Wallach, A. **305**, 242 (1899); **339**, 94 (1905).
[5] E. E. van Tamelen u. G. T. Hildahl, Am. Soc. **78**, 4405 (1956).

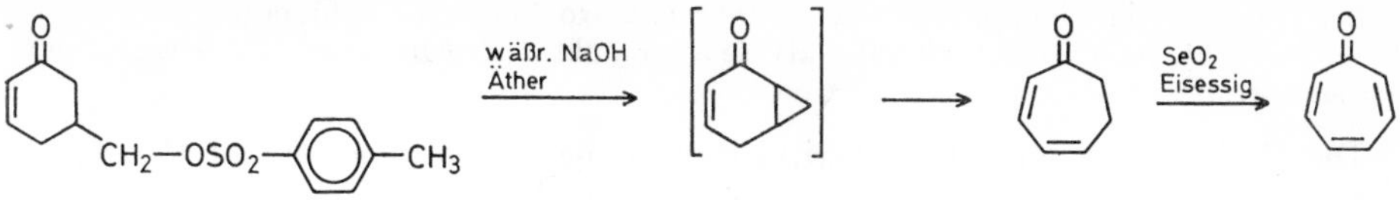

5-Oxo-cyclohepta-
dien-(1,3);
85% d.Th.

Tropon

5-Oxo-cycloheptadien-(1,3)[1]: Zu einer Lösung von 19,6 g (0,07 Mol) 3-Oxo-5-p-tosyloxymethyl-cyclohexen in 1 *l* Diäthyläther gibt man eine Lösung von 3,4 g (0,085 Mol) Natriumhydroxid in 250 *ml* Wasser und rührt das Gemisch 16 Stdn. bei Raumtemp. Die Äther-Phase färbt sich im Verlauf der Reaktion intensiv gelb, die wäßrige Phase rotbraun. Die Reaktion kann UV-spektroskopisch verfolgt werden: erreicht der Extinktionskoeffizient bei 292 mμ den Wert log e 3,72, so ist 85% des Produktes umgelagert. Anschließend wird die Äther-Phase abgetrennt und die wäßrige Phase nach Ansäuern mit Natriumhydrogensulfat 3mal mit Äther extrahiert. Die Äther-Phase wird mit ges. Borsäure-Lösung, anschließend mit ges. Kochsalz-Lösung gewaschen. Nach vorsichtigem Abdampfen des Äthers unter vermindertem Druck wird das zurückbleibende dunkelrote Öl destilliert; Ausbeute: 5 g (66% d.Th.); Kp$_{0,5}$: 40–42° (farbloses Öl); n$_D^{25}$ = 1,5335.

Bei der Behandlung von 2-Chlor-1-oxo-cycloalkanen mit Grignard-Verbindungen können Chlorhydrine, 2-Oxo-1-alkyl-cycloalkane und Produkte einer Ringverengung auftreten[2].

Ausschließlich Gerüstumlagerung unter Ringverengung erfahren 2-Halogen- oder 2-Tosyloxy-1-oxo-cyclobutane[3]:

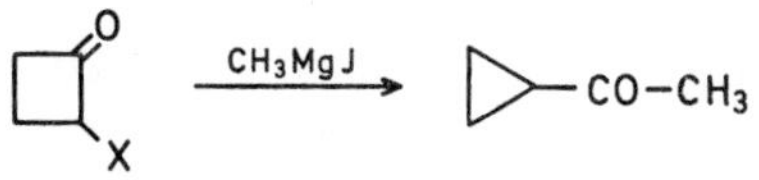

X = Cl;
OSO$_2$—C$_6$H$_4$—4-CH$_3$

Acetyl-cyclopropan;
50–60% d.Th.

Die für die Gerüstumlagerung erforderliche pseudoäquatoriale Konformation der Abgangs-Gruppe ist durch die Ringspannung gewährleistet.

Die Halogen-ketone I erleiden unter stark basischen Bedingungen in polaren aprotischen Medien (z. B. Kalium-tert.-butanolat in Dimethylsulfoxid) Gerüstumlagerung zu Bicyclononatrienonen[4]:

R = H

R = CH$_3$

9-Oxo-bicyclo[4.2.1]nonatrien(2,4,7);
10–30% d.Th.
9-Oxo-7,8-dimethyl-bicyclo[4.2.1]nonatrien-(2,4,7); 16% d.Th.

Diese lassen sich durch Bestrahlung in Barbaralone überführen[4] (vgl. S. 1099).

[1] E. E. van Tamelen u. G. T. Hildahl, Am. So.c **78**, 4405 (1956).
[2] L. Bouveault u. C. Chereau, C. r. **142**, 1956 (1906).
    M. Tiffeneau u. B. Tchoubar, C. r. **1928**, 941 (1934).
[3] J. Salaun u. J. M. Conia, Chem. Commun. **20**, 1358 (1970).
    J. M. Conia u. J. Salaun, Acc. chem. Res. **5**, 33 (1972).
[4] L. A. Paquette, R. H. Meisinger u. R. E. Wingard, Am. Soc. **94**, 2155 (1972).
    s. ds. Handb., Bd. IV/3, Carbocyclische Dreiringsysteme.

Bei der Favorskii-Umlagerung von 3,4-Dibrom-2-oxo-3-methyl-1-[2-brom-propyl-(2)]-cyclo-hexan entsteht unter Ringerweiterung als Nebenprodukt *3-Methoxy-5-oxo-4,7,7-trimethyl-cyclo-heptadien-(1,3)*[1].

Die Methanolyse der chlor-substituierten Oxo-cyclohexadiene I und II (aus den entsprechenden Phenolen durch Chlorierung erhalten) führt in Gegenwart von Natronlauge unter Isomerisierung zu α,α-Dimethoxy-ketonen, während III unter analogen Bedingungen ein Chinon liefert und IV in ein Phenol übergeht[2]:

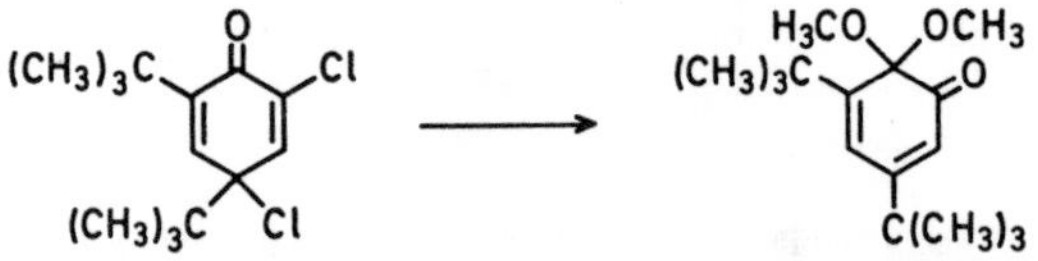

I

6,6-Dimethoxy-5-oxo-
1,3-di-tert.-butyl-
cyclohexadien-(1,3)

II

3-Chlor-6,6-dimethoxy-5-oxo-2,4-di-tert.-
butyl-cyclohexadien-(1,3); 20% d.Th.

III

2,6-Di-tert.-butyl-p-benzochinon;
35% d.Th.

IV

2,4-Dichlor-3,5-di-tert.-butyl-phenol

5. Umlagerung von Bis-[acetylen]-ketonen durch Platin(IV)-chlorid

α,α'-Bis-[acetylen]-ketone lassen sich durch kurzes Aufkochen in Benzol oder Essigsäureester in Gegenwart von ~0,3 Äquiv. Platin(IV)-chlorid in 45–72% Ausbeute zu α,γ-Bis-[acetylen]-ketonen intramolekular umlagern[4]:

[1] J. Wolinsky u. R. O. Hutchins, J. Org. Chem. **37**, 3294 (1972).
[2] R. F. Crozier u. D. G. Hewitt, Austral. J. Chem. **25**, 183 (1972).
[3] Als Hauptprodukt erhält man 3,3',5,5'-Tetra-tert.-butyl-4,4'-diphenochinon (65% d.Th.).
[4] Eu. Müller u. A. Segnitz, Synthesis **1970**, 147.

$$R^1-C\equiv C-CO-C\equiv C-R^2 \xrightarrow{\text{PtCl}_4} R^1-C\equiv C-C\equiv C-CO-R^2$$

R¹	R²	Umlagerungsprodukt	Ausbeute [% d.Th.]	F [°C]
C₆H₅	C₆H₅	*5-Oxo-1,5-diphenyl-pentadiin-(1,3)*	72	38–39
4-H₃CO—C₆H₄	4-H₃CO—C₆H₄	*5-Oxo-1,5-bis-[4-methoxy-phenyl]-pentadiin-(1,3)*	45	103–105
4-H₃C—C₆H₄	4-H₃C—C₆H₄	*5-Oxo-1,5-bis-[4-methyl-phenyl]-pentadiin-(1,3)*	61	111
4-Cl—C₆H₄	4-Cl—C₆H₄	*5-Oxo-1,5-bis-[4-chlor-phenyl]-pentadiin-(1,3)*	70	139
CH₃	CH₃	*6-Oxo-heptadiin-(2,4)*	54	150[a]
C₆H₅	CH₃	*5-Oxo-1-phenyl-hexadiin-(1,3)*	80	47

[a] F des 2,4-Dinitro-phenylhydrazons

6. durch verschiedene Mittel

Optisch aktive Ketone mit einem Asymmetriezentrum am α-C-Atom racemisieren unter dem Einfluß saurer und vor allem basischer Katalysatoren (Natrium-butanolat in Butanol, Piperidin in Alkohol), wobei die Isomerisierung über das Enol verläuft, z.B.[1]:

1-Oxo-2-methyl-1,3-diphenyl-propan

Durch Kondensation von Chloral mit Methyl-ketonen erhaltene α,β-ungesättigte Trichlormethyl-ketone werden beim Erhitzen auf 120–180°, z.B. bei der Destillation in Gegenwart von Silicagel, Kobalt-, Kupfer- oder Eisenoxid zu β,γ-ungesättigten α-Chlor-ketonen umgelagert[2]; z.B.:

$$Cl_3C-CH=CH-CO-C_6H_5 \longrightarrow Cl_2C=CH-CH-CO-C_6H_5$$
$$|$$
$$Cl$$

1,1,3-Trichlor-4-oxo-4-phenyl-buten-(1) und *1,1,3-Trichlor-4-oxo-penten-(1)* wurden so in 40%-iger Ausbeute gewonnen[2].

---

[1] J. B. Conant u. G. H. Carlson, Am. Soc. **54**, 4048 (1932).
[2] A. Takeda u. S. Tsuboi, J. Org. Chem. **35**, 2690 (1970).

1,1,3-Trichlor-4-oxo-4-phenyl-buten-(1): Eine Mischung aus 89 g (0,357 Mol) 4,4,4-Trichlor-1-oxo-1-phenyl-buten-(2) und 90 g Silicagel werden auf 120–180° erhitzt und bei 20–30 Torr destilliert. Das erhaltene Rohprodukt wird noch 2 mal in derselben Weise behandelt. Man erhält 35,4 g einer Flüssigkeit, welche bei 145–146° (5 Torr) siedet.

n_D^{27} = 1,5752, IR(flüssig): 1690 (C=O) und 1618 cm^{-1} (C=C) (Ausbeute: 40% d.Th.).

Die Synthese von A-Homo-steroiden aus Oxo-steroiden über deren Enoläther-[1] bzw. Enolacetat[2]-Dichlorcarben-Addukte verläuft über eine Umlagerung des als Zwischenprodukt gebildeten Bicyclus (vgl. ds. Handb., Bd. IV/3):

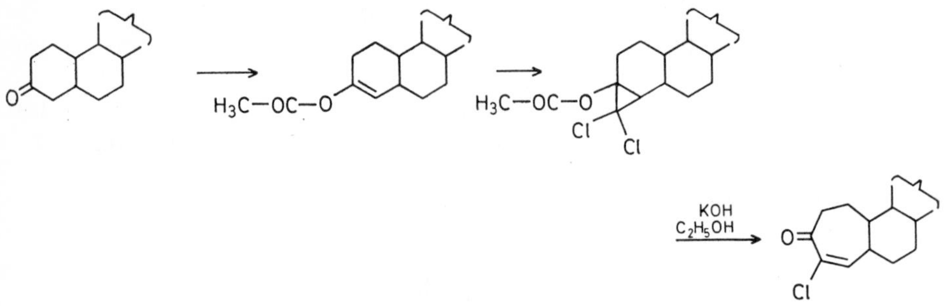

4-Chlor-3-oxo-A-homo-5α-cholesten-(4)

2-Hydroxy-3,6-di-tert.-butyl-1,4-benzochinon erfährt bei der Behandlung mit Kupfer(II)-chlorid-Hexahydrat in heißer Essigsäure oxidative Ringverengung zu *4-Chlor-3,5-dioxo-1,4-di-tert.-butyl-cyclopenten-(1)* (55% d.Th.)[3]:

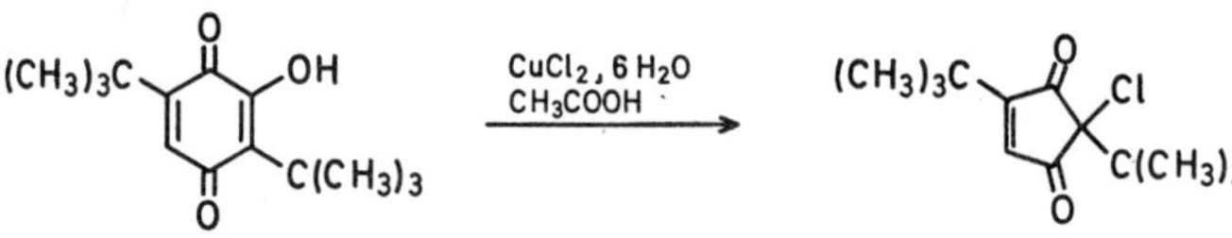

Derartige Gerüstumlagerungen treten vorzugsweise unter oxidierenden Bedingungen, insbesondere im alkalischen Medium, ein[4].

Bei der Solvolyse des Ketons I entsteht neben dem zu erwartenden *6-Oxo-5-methyl-1-benzyloxymethyl-bicyclo[3.1.1]heptan* (II) auch das Umlagerungsprodukt *6-Oxo-5-methyl-1-benzyloxymethyl-bicyclo[3.2.0]heptan* (III)[5]:

[1] A. J. BIRCH, J. M. H. GRAVES u. F. STANFIELD, Proc. Chem. Soc. **1962**, 282.
A. J. BIRCH, J. M. H. GRAVES u. J.B. SIDDALL, Soc. **1963**, 4234.
W. E. PARHAM, R. W. SOEDER u. R.M. DODSON, Am. Soc. **84**, 1755 (1962).
W. E. PARHAM, R. W. SOEDER, J. R. THROCKMORTON, K. KUNCL u. R. M. DODSON, Am. Soc. **87**, 321 (1965).
[2] G. STORK, M. NUSSIM u. B. AUGUST, Tretrahedron **1966**, Suppl. 8, Part I, 105.
[3] H. W. MOORE u. R. J. WIKHOLM, Chem. Commun. **1971**, 1073.
[4] vgl. z.B. J. F. CORBETT, Soc. [C] **1967**, 2408.
J. F. CORBETT u. A. G. FOCKS, Soc. [C] **1967**, 1909.
J. F. CORBETT, Soc. [C] **1966**, 2308.
[5] H. MARSCHALL, B. **105**, 541 (1972).

Isomerisierungen ω-ungesättigter aliphatischer Ketone unter Verschiebung der C=C-Doppelbindung sind durch Erhitzen im Wasserstoffstrom an einem Palladium/Kohle-Kontakt erzielt worden. Aus 6-Oxo-2-methyl-hepten-(1) wurde *6-Oxo-2-methyl-hepten-(2)* erhalten[1].

g) Umlagerung von Hydroxy-ketonen bzw. -ketalen

1. aus α-Hydroxy-ketonen in andere α-Hydroxy-ketone

α-Hydroxy-ketone stehen im allgemeinen im Gleichgewicht mit den ihnen isomeren α-Hydroxy-ketonen[2,3]. Während bei der Isomerisierung sek. α-Hydroxy-ketone

$$R'-CH-CO-R \;\rightleftharpoons\; R'-CO-CH-R$$
$$\quad\;\; OH \qquad\qquad\qquad\;\; OH$$

das Kohlenstoffgerüst erhalten bleibt, vollzieht sich die Umlagerung tert. α-Hydroxy-ketone

$$R'-\underset{OH}{\overset{R}{C}}-CO-R'' \;\rightleftharpoons\; R-CO-\underset{OH}{\overset{R'}{C}}-R''$$

unter Substituenten-Wanderung.

Die Umlagerung wird durch verschiedene Klassen von Katalysatoren begünstigt und findet sowohl im homogenen als auch im heterogenen Medium statt. Wirksam sind Säuren (Schwefelsäure, Salzsäure), Basen (Kalilauge, Kaliumcarbonat), Lewis-Säuren (Bortrifluorid), Aluminium-trialkanolat, Grignard-Verbindungen, Metallhydroxide [Aluminiumoxid, Blei(II)-hydroxid], wasserfreies festes Kaliumcarbonat. Auch einfaches Erhitzen kann die Umlagerung bewirken. Entsprechend den verschiedenen Katalysatortypen müssen verschiedene Umlagerungsmechanismen in Betracht gezogen werden. Während im sauren Medium wohl eine Art Pinakolin-Umlagerung abläuft, ähnelt die basisch katalysierte Isomerisierung der Benzilsäure-Umlagerung. Lewis-Säuren dürfen nach Art einer Meerwein-Ponndorf-Verley-Reaktion, hier jedoch intramolekular reagieren[3].

α-Hydroxy-ketone, welche in Gegenwart von Säuren zur Dehydratisierung neigen, werden zweckmäßig im basischen Medium isomerisiert.

---

[1] DOS 1910474 (1969), BASF, Erf.: H. OVERWIEN u. H. MÜLLER; C. A. **74**, 3317 (1971).
[2] A. FAVORSKY, Bl. [4] **39**, 216 (1926).
[3] I. ELPHIMOFF-FELKIN, Bl. **1956**, 1845.

Präparativ hat die Umlagerung vor allem in der Steroid-Reihe Bedeutung, wobei durch Wahl des geeigneten Katalysators die gewünschte Konformation des Endproduktes erhalten werden kann.

Hinsichtlich der Stabilität isomerer α-Hydroxy-ketone bestehen auf Grund des vorliegenden Tatsachenmaterials folgende Regeln[1]:

Sek.-α-Hydroxy-ketone

① Sind R und R' aliphatische Reste, so bildet sich bevorzugt das α-Hydroxy-keton bei dem der kleinere Rest der Carbonyl-Gruppe benachbart ist.

② Sind R und R' aromatische Reste (Benzoin), so entsteht bevorzugt das α-Hydroxy-keton bei dem der Rest mit der höheren Elektronendichte am Bindungselektronpaar der Carbonyl-Gruppe benachbart ist (Diese Regel gilt auch für das Endprodukt der Benzoin-Kondensation).

③ Ist R ein aliphatischer und R' ein aromatischer Rest, so sind die Verhältnisse weniger übersichtlich. Bevorzugt tritt der kleinere aliphatische Rest in Nachbarschaft zur Carbonyl-Gruppe. Trägt jedoch der aromatische Rest elektronenliefernde Substituenten in p-Stellung (CH_3O-, HO-, Cl-), so ist er der Carbonyl-Gruppe benachbart. Perfluorierte aliphatische Reste begünstigen ebenfalls die Bildung von Aryl-ketonen.

④ Für die Stabilität isomerer α-Hydroxy-cycloalkanone scheinen vor allem sterische Faktoren ausschlaggebend zu sein.

tert.-α-Hydroxy-ketone

① Bei rein aliphatischen α-Hydroxy-ketonen bildet sich bevorzugt das α-Hydroxy-keton bei dem der kleinere Rest (CH_3; C_2H_5) der Carbonyl-Gruppe benachbart ist.

② Rein aromatische α-Hydroxy-ketone sind erst wenig untersucht. Basenkatalyse hat Spaltungsreaktionen zur Folge. Aluminium-tri-tert.-butanolat scheint als Katalysator günstig zu sein.

③ Über die Stabilität von α-Hydroxy-ketonen die sowohl aliphatische als auch aromatische Reste tragen läßt sich bis jetzt nichts Verallgemeinerndes sagen.

④ Unter den alicyclischen α-Hydroxy-Ketonen sind Sechsring-Verbindungen begünstigt.

Universellster Katalysator ist Bortrifluorid, welches bereits in der Kälte reagiert; allgemein bewährt hat sich auch Aluminium-tri-tert.-butanolat, sofern bei tert. α-Hydroxy-ketonen die Reste nicht zu raumfüllend sind, so daß der Aluminium-Komplex sich nicht mehr zu bilden vermag. Da bei der Isomerisierung tatsächlich Gleichgewichte zwischen solchen Komplexen vorliegen, z.B.

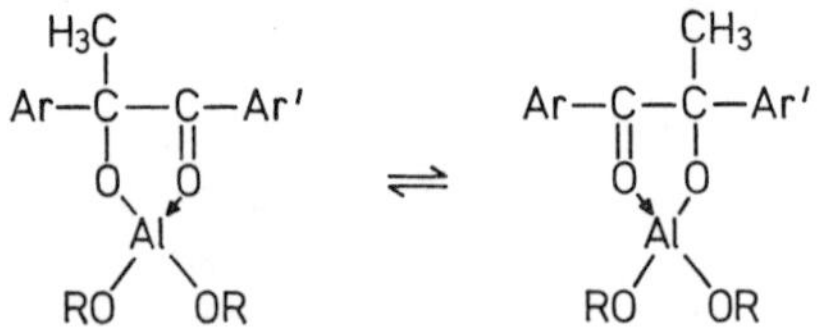

nicht zwischen den α-Hydroxy-ketonen selbst, können andersartige Katalysatoren möglicherweise auch ein anderes Gleichgewichtsverhältnis bedingen[1].

In den meisten Fällen ist in absolutem Äther suspendiertes feinpulverisiertes Kaliumhydroxid der beste Umlagerungskatalysator[2]. Überraschenderweise führt diese Methode sogar in Fällen zum Ziel, wo methanolische Kalilauge wirkungslos ist. Die Isomerisierung ist innerhalb von 1—2 Stdn. bei Raumtemperatur unter gutem Rühren beendet. Weitere Vorteile sind die leichte Isolierung und die hohe Reinheit der Umlagerungsprodukte.

---

[1] I. ELPHIMOFF-FELKIN, Bl. **1956**, 1845.

[2] I. ELPHIMOFF-FELKIN, G. LE NY u. B. TCHOUBAR, Bl. **1958**, 522.

Tab. 157. α-Hydroxy-ketone aus α-Hydroxy-ketonen durch Umlagerung

Ausgangs-α-Hydroxy-keton		überwiegend vorliegendes α-Hydroxy-keton	Katalysator	Literatur
sek.-Hydroxy-Gruppe				
$H_3C-CH-CO-C_2H_5$, OH *2-Hydroxy-3-oxo-pentan*	⇅	$H_3C-CO-CH-C_2H_5$, OH *3-Hydroxy-2-oxo-pentan*	H_2SO_4/C_2H_5OH/8 Stdn. 127°	1
$H_5C_2-CH-CO-C_3H_7$, OH *3-Hydroxy-4-oxo-heptan*	⇅	$H_5C_2-CO-CH-C_3H_7$, OH *4-Hydroxy-3-oxo-heptan*	H_2SO_4/C_2H_5OH/8 Stdn. 120–130°	1
$H_3C-CH-CO-C(CH_3)_3$, OH *4-Hydroxy-3-oxo-2,2-dimethyl-pentan*	⇅	$H_3C-CO-CH-C(CH_3)_3$, OH *3-Hydroxy-4-oxo-2,2-dimethyl-pentan*	$H \cdot COOK/H^{\oplus}$	2,3
$H_3C-CH-CO-C_6H_5$, OH *2-Hydroxy-1-oxo-1-phenyl-propan*	⇅	$H_3C-CO-CH-C_6H_5$, OH *1-Hydroxy-2-oxo-1-phenyl-propan*	H_2SO_4/C_2H_5OH/8 Stdn. 120–125° $BaCO_3$/Wärme	3–5 6,7
$H_5C_6-CH-CO-C_2H_5$, OH *1-Hydroxy-2-oxo-1-phenyl-butan (40%)*	⇅	*2-Hydroxy-1-oxo-1-phenyl-butan (60%)*	KOH	8

1 E. VENUS-DANILOFF, Bl. [4] 43, 575, 582 (1928).
2 W. WASSILIEFF, Bl. [4] 43, 563 (1928).
3 A. FAWORSKY et al., Ж 60, 369 (1928); C. 1930 I, 2536.
4 E. M. KOTSCHERGINA, Bl. [4] 43, 573, (1928).
5 A. FAVORSKY u. T.TEMNIKOVA, C.r. 198, 1998 (1934); C.A. 28, 5424 (1934).
6 K. v. AUWERS, H. LUDEWIG u. A. MÜLLER, A. 526, 143 (1936).
7 T. TEMNIKOVA, Vestnik Leningrad Univ. 1947, 138; C. A. 42, 4155 (1948).
8 T. TEMNIKOVA u. E.AFANASIEVA, Ž. obšč. Chim. 11, 70 (1941); C.A. 35, 6580 (1941).

Tab. 157. (1. Fortsetzung)

Ausgangs-α-Hydroxy-keton	überwiegend vorliegendes α-Hydroxy-keton	Katalysator	Literatur
2-Hydroxy-1-oxo-1-(4-chlor-phenyl)-propan $H_3C-CH(OH)-CO-C_6H_4-Cl$	⇅ 1-Hydroxy-2-oxo-1-(4-chlor-phenyl)-propan $H_3C-CO-CH(OH)-C_6H_4-Cl$	BaCO₃	[1]
1-Hydroxy-2-oxo-2-phenyl-1-(4-methoxy-phenyl)-äthan $H_3CO-C_6H_4-CH(OH)-CO-C_6H_5$	⇅ 2-Hydroxy-1-oxo-2-phenyl-1-(4-methoxy-phenyl)-äthan $H_3CO-C_6H_4-CO-CH(OH)-C_6H_5$	(H₃C-CO)₂O/HCl — KOH/C₂H₅OH Wärme	[2] [3] [4,5]
1-Hydroxy-2-oxo-2-phenyl-1-(4-dimethyl-amino-phenyl)-äthan $(H_3C)_2N-C_6H_4-CH(OH)-CO-C_6H_5$	⇅ 2-Hydroxy-1-oxo-2-phenyl-1-(4-dimethyl-amino-phenyl)-äthan $(H_3C)_2N-C_6H_4-CO-CH(OH)-C_6H_5$	KOH/C₂H₅OH — KCN	[3] [6]
1-Hydroxy-2-oxo-2-(4-chlor-phenyl)-1-(4-dimethylamino-phenyl)-äthan $(H_3C)_2N-C_6H_4-CH(OH)-CO-C_6H_4-Cl$	⇅ 2-Hydroxy-1-oxo-2-(4-chlor-phenyl)-1-(4-dimethylamino-phenyl)-äthan $(H_3C)_2N-C_6H_4-CO-CH(OH)-C_6H_4-Cl$	KCN/Alkohol/kurz erwärmt	[7]
2-Hydroxy-1,4-dioxo-1-phenyl-pentan $H_5C_6-CO-CH(OH)-CH_2-CO-CH_3$	⇅ 1-Hydroxy-2,4-dioxo-1-phenyl-pentan	alkal. Medium	[8]

[1] T. TEMNIKOVA u. E. KMITO, Referat, Ž. Chim. 1954, No 48031.

[2] R. P. BARNES u. V. J. TULANE, Am. Soc. 63, 867 (1941).

[3] E. M. LUIS, Soc. 1932, 2547.

[4] P. L. JULIAN u. W. PASSLER, Am. Soc. 54, 4756 (1932).

[5] J. BUCK u. W. IDE, Am. Soc. 55, 855 (1933).

[6] S. JENKINS, L. BIGELOW u. J. BUCK, Am. Soc. 52, 5198 (1930).

[7] S. JENKINS, Am. Soc. 53, 3115 (1931).

[8] T. TEMNIKOVA, Vestnik Leningrad Univ. 1947, 138; C. A. 42, 4155 (1948).

Tab. 157. (2. Fortsetzung)

Ausgangs-α-Hydroxy-keton	überwiegend vorliegendes α-Hydroxy-keton	Katalysator	Literatur
tert.-Hydroxy-Gruppe			
2-Hydroxy-3-oxo-2,4-dimethyl-pentan $H_3C-C(CH_3)(OH)-CO-CH-CH_3$	3-Hydroxy-4-oxo-2,3-dimethyl-pentan $H_3C-CO-C(CH_3)(OH)-CH-CH_3$ ⇌	H_2SO_4/C_2H_5OH $Al(OR)_3$	1,2 / 3
4-Hydroxy-3-oxo-2,2,4-trimethyl-pentan $H_3C-C(CH_3)-CO-C(CH_3)_3$, OH	3-Hydroxy-4-oxo-2,2,3-trimethyl-pentan $H_3C-CO-C(CH_3)(OH)-C(CH_3)_3$ ⇌	H_2SO_4/C_2H_5OH	2,4
4-Hydroxy-3-oxo-2,2-dimethyl-4-äthyl-hexan $H_5C_2-C(C_2H_5)-CO-C(CH_3)_3$, OH	3-Hydroxy-4-oxo-2,2-dimethyl-3-äthyl-hexan $H_5C_2-CO-C(C_2H_5)(OH)-C(CH_3)_3$ ⇌	H_2SO_4/C_2H_5OH	5
4-Hydroxy-3-oxo-2,4-dimethyl-2-phenyl-pentan $H_3C-C(CH_3)-CO-C(CH_3)-C_6H_5$, OH	3-Hydroxy-4-oxo-2,3-dimethyl-2-phenyl-pentan $H_3C-CO-C(CH_3)(OH)-C(CH_3)-C_6H_5$ ⇌	H_2SO_4/C_2H_5OH	6
4-Hydroxy-3-oxo-2,4-dimethyl-hexan $H_5C_2-C(CH_3)-CO-CH-CH_3$, OH	3-Hydroxy-4-oxo-2,3-dimethyl-hexan $H_5C_2-CO-C(CH_3)(OH)-CH-CH_3$ ⇌	$Al(OR)_3$	3

[1] A. Faworski, Bl. [4] 39, 216 (1926).
[2] A. I. Oumnoff, Bl. [4] 43, 568, 571, (1928).
[3] I. Elphimoff-Felkin, Bl. 1956, 1845.
[4] T. Temnikova u. M. Tikhomolova, Dokl. Akad. Nauk SSSR 79, 613 (1951); C. 1953, 1621.
[5] A. Khaletzky, Ž. obšč. Chim. 8, 225 (1938); C. A. 32, 5379 (1938).
[6] A. Khaletzky, Z. obšč. Chim. 15, 524 (1945); C. A. 40, 4696 (1946).

Tab. 157. (3. Fortsetzung)

Ausgangs-α-Hydroxy-keton		überwiegend vorliegendes α-Hydroxy-keton	Katalysator	Literatur
H_5C_2–C(CH₃)(OH)–CO–C(CH₃)₃ *4-Hydroxy-3-oxo-2,2,4-trimethyl-hexan*	⇌	H_3C–CO–C(C₂H₅)(OH)–C(CH₃)₃ *3-Hydroxy-4-oxo-2,2-dimethyl-3-äthyl-pentan*	H_2SO_4/C_2H_5OH	1
H_3C–C(CH₃)(OH)–CO–C₆H₅ *2-Hydroxy-1-oxo-2-methyl-1-phenyl-propan*	⇌	H_3C–CO–C(CH₃)(OH)–C₆H₅ *2-Hydroxy-3-oxo-2-phenyl-butan*	$Al(OR)_3$	2
H_5C_6–C(C₆H₅)(OH)–CO–CH₃ *1-Hydroxy-2-oxo-1,1-diphenyl-propan*	⇌	H_5C_6–CO–C(C₆H₅)(OH)–CH₃ *2-Hydroxy-1-oxo-1,2-diphenyl-propan*	$Al(OR)_3$ (im alkal. Medium keine Isomerisierung)	2,3
(2-Methyl-phenyl)–C(C₆H₅)(OH)–CO–C₆H₅ *1-Hydroxy-2-oxo-1,2-diphenyl-1-(2-methyl-phenyl)-äthan*	⇌	(2-Methyl-phenyl)–CO–C(C₆H₅)(OH)–C₆H₅ *2-Hydroxy-1-oxo-2,2-diphenyl-1-(2-methyl-phenyl)-äthan*	KOH/C_2H_5OH (nur durch Spaltprodukte nachgewiesen)	2,4

[1] A. Khaletzky, Ž. obšč. Chim. **8**, 164 (1938); C. A. **32**, 5379 (1938).
[2] I. Elphimoff-Felkin, Bl. **1956**, 1845.
[3] T. Temnikova, Vestnik Leningrad Univ. **1947**, 138; C. A. **42**, 4155 (1948).
[4] R. Roger u. A. McGregor, Soc. **1934**, 442.

Tab. 157. (4. Fortsetzung)

Ausgangs-α-Hydroxy-keton	überwiegend vorliegendes α-Hydroxy-keton	Katalysator	Literatur
2-Hydroxy-1-oxo-1,3-diphenyl-2-(4-chlor-phenyl)-propan	⇌ 2-Hydroxy-1-oxo-2,3-diphenyl-1-(4-chlor-phenyl)-propan	KOH/CH₃OH	[1]
2-Hydroxy-1-oxo-1-phenyl-2-(4-chlor-phenyl)-propan	⇌ 1-Hydroxy-2-oxo-1-phenyl-1-(4-chlor-phenyl)-propan	KOH/CH₃OH	[1]
2-Hydroxy-3-oxo-1,1,2-tetraphenyl-propan	⇌ 1-Hydroxy-2-oxo-1,1,3-tetraphenyl-propan 74%	KOH/C₂H₅OH	[2]
1-Hydroxy-1-benzoyl-cyclopentan	⇌ 1-Hydroxy-2-oxo-1-phenyl-cyclohexan	Pb(NO₃)₂/KOH, KOH/C₂H₅OH oder Äther, Al(OR)₃	[3-5]

[1] D. Y. Curtin u. A. C. Henry, J. Org. Chem. 32, 847 (1967).
[2] D. Y. Curtin u. S. Leskowitz, Am. Soc. 73, 2633 (1951).
[3] I. Elphimoff-Felkin u. B. Tchoubar, C. r. 236, 1978 (1953); C. A. 48, 4451 (1954).
[4] I. Elphimoff-Felkin u. B. Tchoubar, C. r. 382, 1425 (1954); C.A. 49, 8857 (1955).
[5] I. Elphimoff-Felkin, Bl. 1956, 1845.

Tab. 157. (5. Fortsetzung)

Ausgangs-α-Hydroxy-keton	überwiegend vorliegendes α-Hydroxy-keton	Katalysator	Literatur
  1-Hydroxy-1-cyclohexylcarbonyl-cyclopentan	 *1-Hydroxy-2-oxo-1-cyclohexyl-cyclohexan*	Al(OR)$_3$ RMgX	1
  1-Hydroxy-1-acetyl-cyclopentan	 *1-Hydroxy-2-oxo-1-methyl-cyclohexan*	Pb(NO$_3$)$_2$/KOH Al(OR)$_3$	1,2
  1-Hydroxy-1-(2,2-dimethyl-propanoyl)-cyclopentan	 *1-Hydroxy-2-oxo-1-tert.-butyl-cyclohexan*	Al(OR)$_3$ RMgX	1
  1-Hydroxy-2-oxo-1-methyl-cycloheptan	 *1-Hydroxy-1-acetyl-cyclohexan*	Pb(NO$_3$)$_2$/KOH	1
  1-Hydroxy-2-oxo-1-phenyl-cycloheptan	 *1-Hydroxy-1-benzoyl-cyclohexan*	Pb(NO$_3$)$_2$/KOH	1,2

[1] I. ELPHIMOFF-FELKIN, Bl. 1956, 1845.   [2] I. ELPHIMOFF-FELKIN u. B. TCHOUBAR, C. r. 236, 1978 (1953); C. A. 48, 4451 (1954).

Tab. 157. (6. Fortsetzung)

Ausgangs-α-Hydroxy-keton	überwiegend vorliegendes α-Hydroxy-keton	Katalysator	Literatur
2-endo-Hydroxy-2-exo-benzoyl-bicyclo[2.2.1]heptan	2-exo-Hydroxy-3-oxo-2-endo-phenyl-bicyclo[3.2.1]octan	175°	1
	83%, III	NaOH/H₂O/1,4-Dioxan, 30 Stdn. RT	1
	65%, II ⇌ 28%, III	214° in Tridecan, 14 Stdn.	1
2-exo-Hydroxy-2-endo-benzoyl-bicyclo[2.2.1]heptan	76%, I	NaOH/H₂O/1,4-Dioxan, 8 Stdn. Rückfluß	1

I; 2-Hydroxy-3-oxo-2-phenyl-bicyclo[3.2.1]octan
II; 3-Hydroxy-2-oxo-3-phenyl-bicyclo[3.2.1]octan
III; 2-endo-Hydroxy-3-oxo-2-exo-phenyl-bicyclo[3.2.1]octan

¹ C. L. Stevens, T. A. Treat u. P. M. Pillai, J. Org. Chem. 37, 2091 (1972).

Letzteres gilt auch für Blei(II)-hydroxid als heterogenem Katalysator. Seiner geringen Basizität zufolge müssen lange Reaktionszeiten in Kauf genommen werden, doch werden bei reaktionsfähigen Verbindungen Nebenreaktionen vermieden[1].

Methanolische Kalilauge ist bei Raumtemperatur meist unwirksam, während bei höherer Temperatur Nebenreaktionen überwiegen.

Isomerisierungen von α-Hydroxy-ketonen finden auch unter den Bedingungen der alkoholischen Gärung statt[2,3].

2-*exo*-Hydroxy-3-oxo-2-*endo*-phenyl-bicyclo[3.2.1]octan[4]: Eine Lösung von 2 g (9,2 mMol) 2-*exo*-Hydroxy-2-*endo*-benzoyl-bicyclo[2.2.1]heptan in 75 *ml* 1,4-Dioxan wird mit einer Lösung von 1 g Natriumhydroxid in 50 *ml* Wasser gemischt und die homogene Lösung 5 Stdn. bei Raumtemp. gerührt. Nachdem das IR-Spektrum unter diesen Reaktionsbedingungen keine Veränderung anzeigte wurde am Rückfluß gekocht. Nach 8 Stdn. waren 90% des Ausgangsmaterials umgewandelt. Innerhalb weiterer 2 Stdn. kann auf Grund des IR-Spektrums keine weitere Reaktion festgestellt werden. 1,4-Dioxan wird zum großen Teil i. Vak. abdestilliert, das Produkt aus der wäßrig-alkalischen Phase mit Äther extrahiert und der Extrakt mit Wasser gewaschen und über Kaliumcarbonat getrocknet. Nach Abdestillieren des Lösungsmittels kristallisiert das α-Hydroxy-keton aus Hexan; Ausbeute: 1,53 g (75% d.Th.); F: 56–57°.

Die Mutterlauge enthält Ausgangs- und Endprodukt im Verhältnis 2:3.

Bei der Reduktion von 2,3-Dioxo-1,7,7-trimethyl-bicyclo[2.2.1]heptan (Campherchinon) mit Zink/Essigsäure werden 40% *3-Hydroxy-2-oxo-1,7,7-trimethyl-bicyclo[2.2.1]heptan* (*3-endo-Hydroxy-campher*; I) und 60% *2-Hydroxy-3-oxo-1,7,7-trimethyl-bicyclo[2.2.1]heptan* (*2-endo-Hydroxy-epicampher*; II) erhalten, während die Reduktion mit unterschüssigem Lithiumalanat das Epimerenpaar *3-Hydroxy-2-oxo-1,7,7-trimethyl-bicyclo[2.2.1]heptan* (*3-exo-Hydroxy-campher*; III) und *2-Hydroxy-3-oxo-1,7,7-trimethyl-bicyclo[2.2.1]heptan* (*2-exo-Hydroxy-epicampher*; IV) liefert[5].

Unabhängig vom eingesetzten Ketol führt Kochen mit Kaliumhydroxid/Methanol zu einem Gleichgewichtsgemisch aus 63% I, 24% II, 10% III und 3% IV.

Die Kinetik der Isomerisierung ist eingehend untersucht worden[5]:

[1] I. ELPHIMOFF-FELKIN, G. LE NY u. B. TCHOUBAR, Bl. **1958**, 522.

[2] E. M. KOTCHERGINE, Bl. [4] **43**, 573 (1928).

(Fortsetzung s. S. 1127)

Erhitzen von 2-Hydroxy-3-oxo-1,6,6-trimethyl-bicyclo[3.1.1]heptan mit wasserfreier Oxalsäure liefert neben *Carvon (3-Oxo-2-methyl-5-isopropenyl-cyclohexen)* und *1-Oxo-2,6,6-trimethyl-cycloheptadien-(2,4)* vier weitere Produkte[1].

Manche Paare von isomeren α-Hydroxy-ketonen befinden sich infolge sehr geringer zur Isomerisierung erforderlicher Aktivierungsenergie in einem sich so rasch einstellenden Gleichgewicht, daß eine Trennung der Isomeren unter üblichen Bedingungen nicht gelingt. Bei Umsetzungen können in Abhängigkeit vom einwirkenden Reagens Derivate nur eines oder beider Isomerer erhalten werden.

So stehen die α-Hydroxy-ketone I und II im Gleichgewicht:

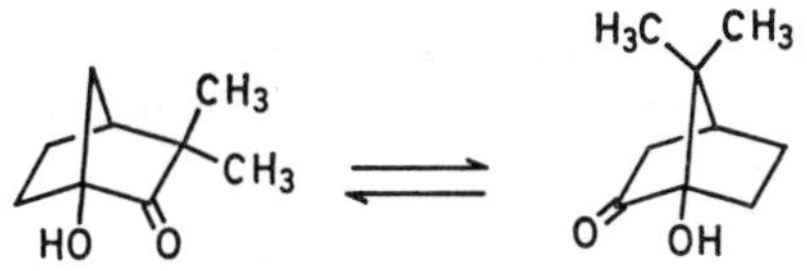

I	II
1-Hydroxy-2-oxo-	*1-Hydroxy-2-oxo-*
3,3-dimethyl-	*7,7-dimethyl-*
bicyclo[2.2.1]	*bicyclo[2.2.1]*
heptan	*heptan*

Mit Acetanhydrid entsteht das O-Acetyl-Derivat von I während Einwirkung von Keten zu beiden isomeren O-Acetyl-Derivaten führt[2].

Präparative Bedeutung hat die Isomerisierung von α-Hydroxy-cycloalkanonen vor allem in der Steroid-Reihe, wo sie z.B. zum Aufbau von 18-Hydroxy-17-oxo-D-homo-steroiden aus 17-Hydroxy-20-oxo-steroiden in der Pregnan- und Cortison-Reihe dient.

So lagert sich 17α-Hydroxy-3-oxo-17β-acetyl-androsten-(4) bereits beim Erhitzen über den Schmelzpunkt oder bei der Chromatographie an Aluminiumoxid zum *18-Hydroxy-3,17-dioxo-18-methyl-D-homo-androsten-(4)* um[3]:

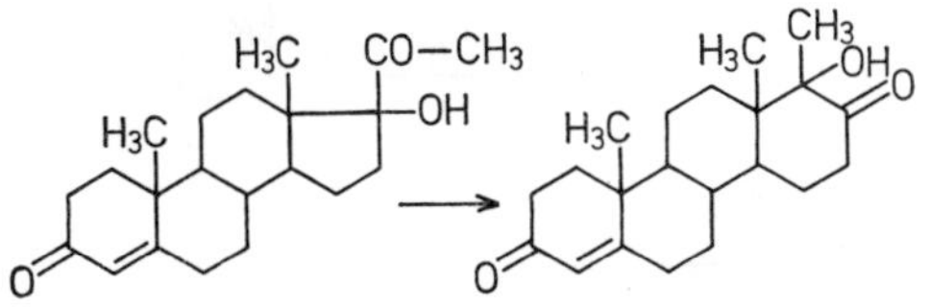

Die Hydrolyse von 17-Acetoxy-20-oxo-steroiden, die man bei der Hydratisierung von 17-Hydroxy-17-äthinyl-steroiden mittels Quecksilber(II)-chlorid/Bortrifluorid

---

[1] T. SUGA, T. HIRATA u. T. MATSUMURA, Soc. (Perkin Trans. I) **1972**, 258.

[2] J. V. PAUKSTELIS u. D. N. STEPHENS, Tetrahedron Letters **1971**, 3549.

[3] J. v. EUW u. T. REICHSTEIN, Helv. **24**, 879 (1941).

(Fortsetzung v. S. 1126)

[3] A. FAWORSKI et al., Ж. **60**, 369 (1928); C. **1930** I, 2536.

[4] C. L. STEVENS, T. A. TREAT u. P. M. PILLAI, J. Org. Chem. **37**, 2091 (1972).

[5] C. COULOMBEAU u. A. RASSAT, Bl. **1971**, 505; **1970**, 1199.

in Eisessig/Acetanhydrid nach Nieuwland erhält, führt sowohl im sauren, wie im alkalischen Medium zu 18-Hydroxy-17-oxo-D-homo-steroiden[1-9].

Analog erhält man bei der in Gegenwart von Anilin durchgeführten Hydratisierung anstelle des primär gebildeten 17-Hydroxy-20-phenylimino-steroids das 18-Anilino-17-oxo-D-homo-steroid[1]:

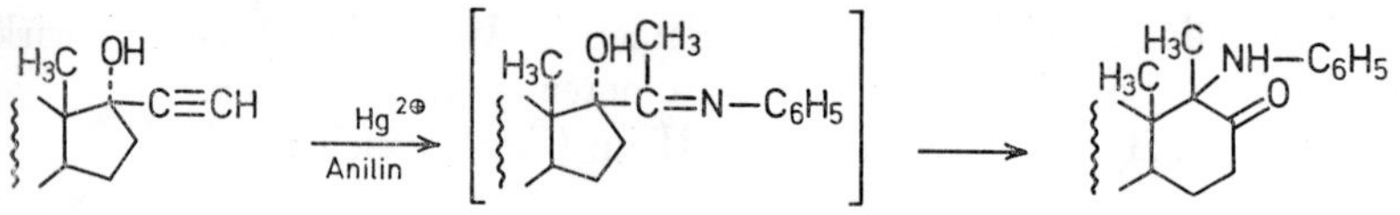

Bei der durch Aluminium-tri-tert.-butanolat oder Bortrifluorid katalysierten Isomerisierung hängt das Mengenverhältnis der beiden Reaktionsprodukte von der Katalysatormenge ab:

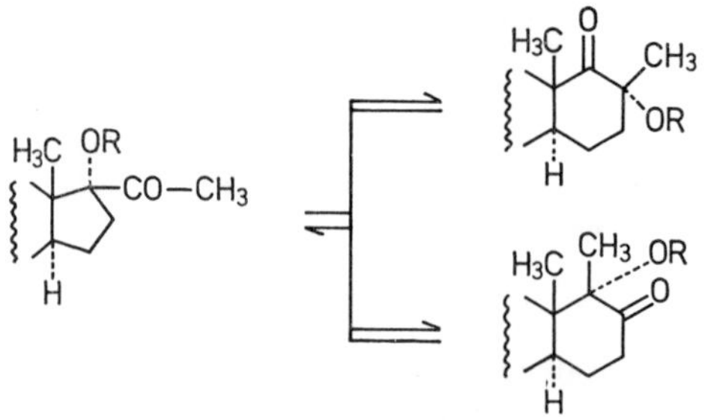

Die Abhängigkeit der Bildung verschiedener Isomeren von den Reaktionsbedingungen ist untersucht worden[10].

Umgekehrt führt die alkalische Isomerisierung von Steroiden mit 17-Hydroxy-16-methansulfonyloxy-18-oxo-D-homo-steroid-Struktur unter Ringverengung zum Enol eines β-Diketons[11]:

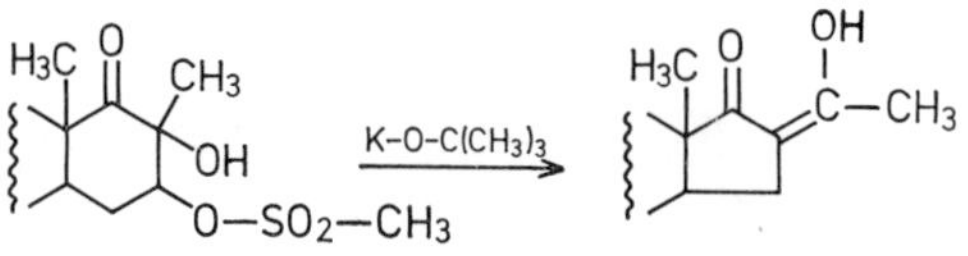

[1] L. Ruzicka u. H. F. Meldahl, Helv. **23**, 364 (1940).
    H. E. Stavely, Am. Soc. **63**, 3127 (1941).
    C. W. Shoppee u. D. A. Prins, Helv. **26**, 185, 201 (1943).
    C. W. Shoppee, Helv. **27**, 8 (1944).
    M. W. Goldberg u. R. Aeschbacher, Helv. **22**, 1188 (1939).
[2] C. W. Shoppee u. D. A. Prins, Helv. **26**, 2089 (1943).
[3] R. B. Turner, Am Soc. **75**, 3484 (1953).
[4] H. E. Stavely, Am. Soc. **62**, 489 (1940).
[5] N. L. Wendler u. D. Taub, Chem. & Ind. **1955**, 505.
[6] N. L. Wendler et al., Chem. & Ind. **1955**, 1259.
[7] V. Georgian u. N. Kundu, Chem. & Ind. **1954**, 431.
[8] E. Batres, G. Rosenkranz u. F. Sondheimer, Am. Soc. **76**, 5171 (1954).
[9] I. Elphimoff-Felkin u. A. Skrobek, C. r. **246**, 2497 (1958); Bl. **1959**, 742.
[10] N. L. Wendler, D. Taub u. R. W. Walker, Tetrahedron **11**, 163 (1960).
     D. N. Kirk u. A. Mudd, Soc. [C] **1970**, 2045.
[11] N. L. Wendler, Tetrahedron **11**, 213 (1960).

Auch A-Homo-B-nor-steroide sind umgelagert worden[1]:

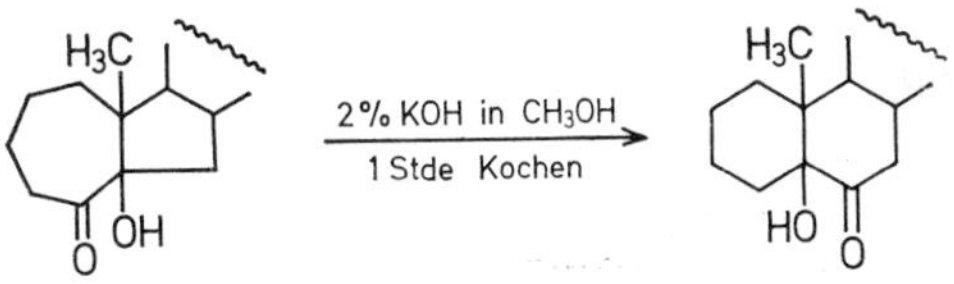

Die Umlagerungstendenz von α-Hydroxy-ketonen, auch vinylogen α-Hydroxy-ketonen ist bei der Hydrolyse von Halogen-ketonen zu beachten. So entsteht aus 6-Brom-3-oxo-1,5,5-trimethyl-cyclohexen-(1) mit Natronlauge unter Isomerisierung *6-Hydroxy-5-oxo-1,3,3-trimethyl-cyclohexen*[2] neben Folgeprodukten sowie Phenolen:

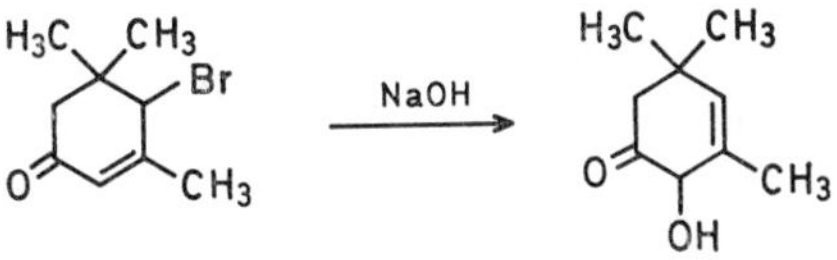

Die sogenannten Acyloin-Umlagerungen von α-Hydroxy-ketonen sind auch bei Heterocyclen durchgeführt worden. So lassen sich 4-Oxo-4,5-dihydro-pyrazole mit äthanolischem Natriumhydroxid quantitativ in 5-Oxo-4,5-dihydro-pyrazole überführen[3]:

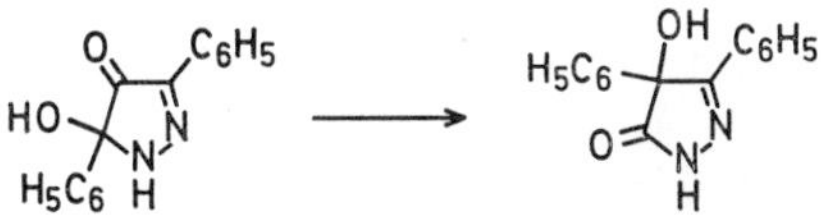

4-Hydroxy-5-oxo-
3,4-diphenyl-4,5-
dihydro-pyrazol

2. von α-Hydroxy-ketonen in α,β-ungesättigte Ketone

In Gegenwart wirksamer Dehydratisierungsmittel wie Kaliumhydrogensulfat oder Polyphosphorsäure können α-Hydroxy-ketone, insbesondere cyclische Derivate, unter Wasser-Abspaltung in α,β-ungesättigte Ketone übergehen, wobei eine Umlagerung in das isomere α-Hydroxy-keton vorgelagert sein kann.

So erhält man sowohl aus dem α-Hydroxy-keton V als auch VI *5-Oxo-1-methyl-cyclopenten-(1)* (VII), analog erhält man aus den α-Hydroxy-ketonen VIII und IX

---

[1] Y. Mazur u. M. Nussim, Tetrahedron Letters **1961**, 817.

[2] J. N. Marx, A. W. Carnrick u. J. H. Cox, J. Org. Chem. **37**, 2303 (1972).

[3] M. J. Nye u. W. P. Tang, Chem. Commun. **1971**, 1394.

mit Polyphosphorsäure *5-Oxo-3,3,4-trimethyl-cyclopenten-(1)* (X), während Kalium-hydrogensulfat *1-Oxo-3,3-dimethyl-2-methylen-cyclopentan* (XI) und nur wenig Keton X ergibt[1]:

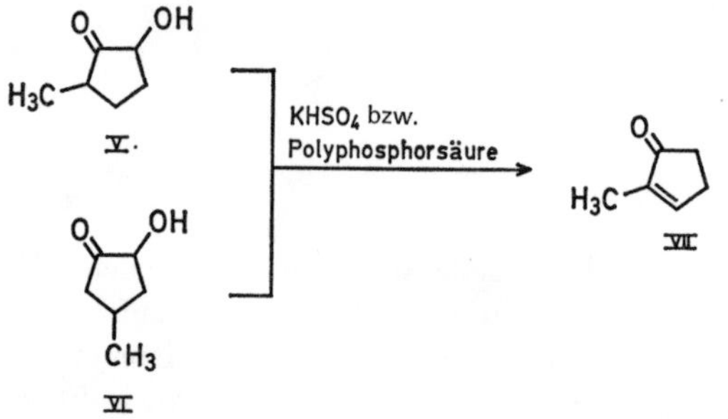

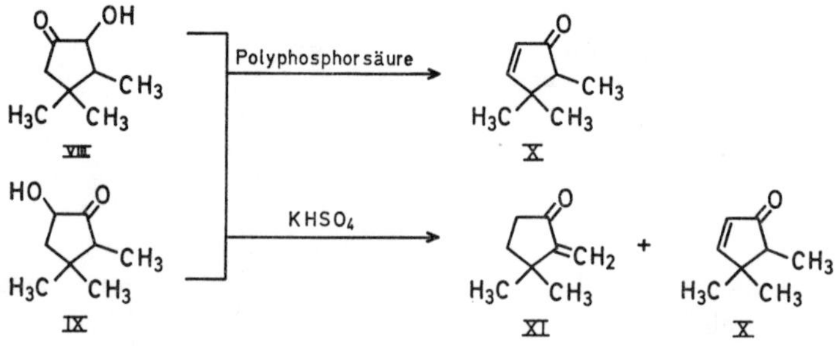

3. von ungesättigten α-Hydroxy-ketonen in Cycloalkenone

Aus 3-Hydroxy-6-oxo-hepten-(1) erhält man beim Erhitzen (5 Min.) auf 310° quantitativ *5-Oxo-cyclohepten-(1)*, wobei vermutlich die Zwischenstufe eines 2,3-Dihydro-furans durchlaufen wird[2]:

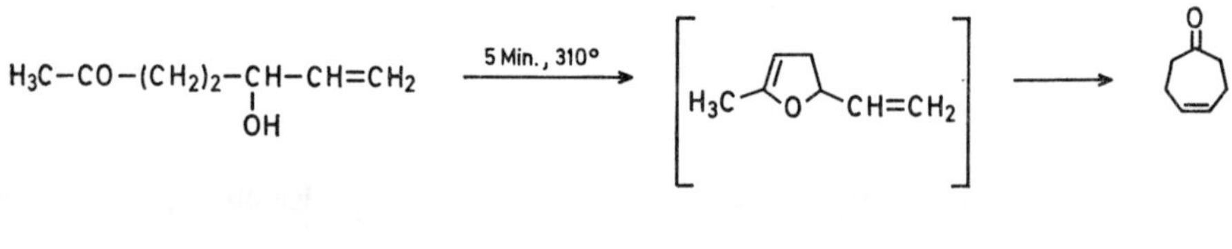

4. Bicyclische Ketone aus alicyclischen γ- und δ-Hydroxy-ketonen

4- und 5-Hydroxy-ketone des Cyclooctans erfahren unter der Einwirkung von Dicyclohexylcarbodiimid *trans*-annulare Alkylierung zu Bicycloketonen. Dieselben Produkte werden aus den 4- und 5-Tosyloxy-ketonen bei der Behandlung mit Natriumhydrid/Dimethylsulfoxid, Kalium-tert.-butanolat oder Kaliumcarbonat/Dimethylformamid erhalten[3]:

[1] G. Traverso, G. P. Pollini, G. De Giuli u. I. Gamba, G. **101**, 225 (1971).
[2] Y. Bahurel, A. Menet, I. Pautet, A. Poncet u. G. Descotes, Bl. **1971**, 2215.
[3] J. K. Crandall u. R. D. Huntington u. G. L. Brunner, J. Org. Chem. **37**, 2911 (1972).

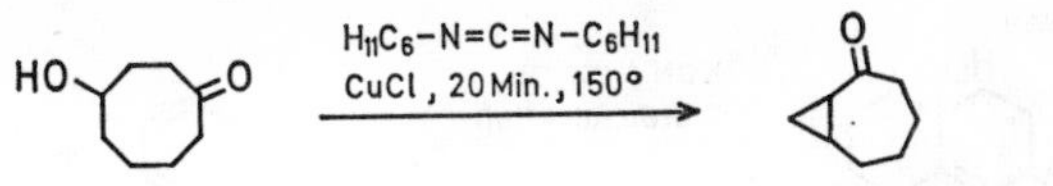

2-Oxo-bicyclo[5.1.0]
octan; 76% d.Th.

2-Oxo-bicyclo[4.2.0]
octan; 71% d.Th.

Entsprechend reagiert 4,5-Epoxi-1-oxo-cyclooctan:

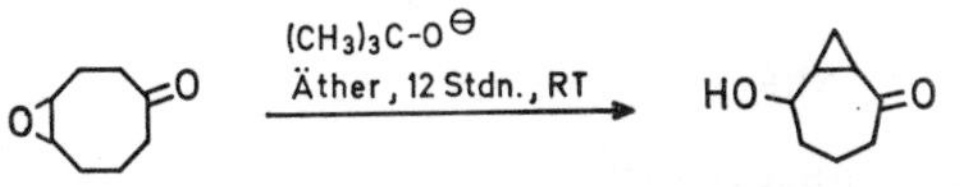

2-Hydroxy-6-oxo-bi-
cyclo[5.1.0]octan;
90% d.Th.

Bei Einwirkung von Natriumacetat/Eisessig auf die Tosyloxy-ketone werden neben den Bicycloketonen *4-Oxo-cycloocten-(1)* und *5-Oxo-cycloocten-(1)* erhalten.

5. thermische Umlagerung von α-Hydroxy-ketalen

α-Hydroxy-ketale des Cyclobutans gehen thermisch unter Alkohol-Abspaltung in 2-Alkoxy-1-oxo-cyclobutane über. Die Reaktion beinhaltet zwei Umlagerungs-schritte, eine Ringverengung zum Cyclopropan-aldehyd mit anschließender Ringer-weiterung[1]:

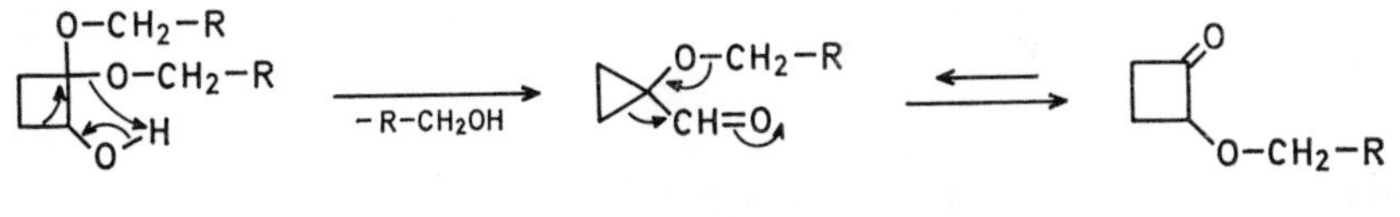

6. Umlagerung von α,β-ungesättigten δ-Hydroxy-ketonen

Während 7-Hydroxy-3-oxo-6-äthyl-bicyclo[4.4.0]decen-(1) von siedender metha-nolischer Kalilauge in ein Gemisch aus *4-Oxo-1-äthyl-tetralin* und *5-Oxo-2-äthyl-bicyclo[4.4.0]decen-(1⁶)* umgewandelt wird, ergibt das vicinal zur Hydroxy-Gruppe durch einen Vinyl-Rest substituierte Produkt unter Ringerweiterung das Diketon *5,9-Dioxo-12-äthyl-bicyclo[6.4.0]dodecen-(1⁸)* (50% d.Th.)[2]:

[1] J. M. Conia u. J. Salaun, Acc. chem. Res. **5**, 33 (1972).
[2] P. V. Ramani, J. P. John, K. V. Narayanan u. S. Swaminathan, Soc. (Perkin Trans. I) **1972**, 1516.

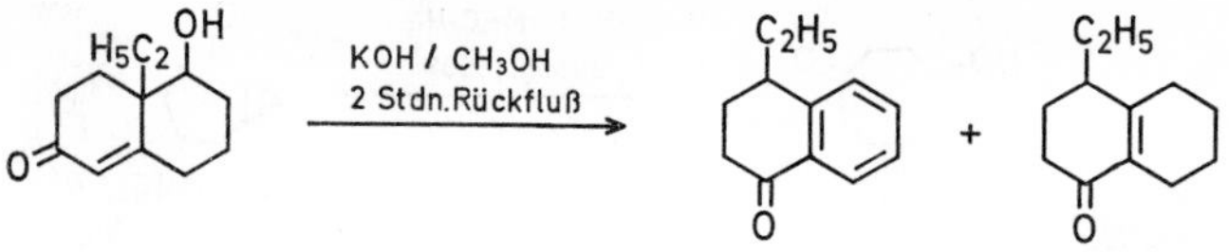

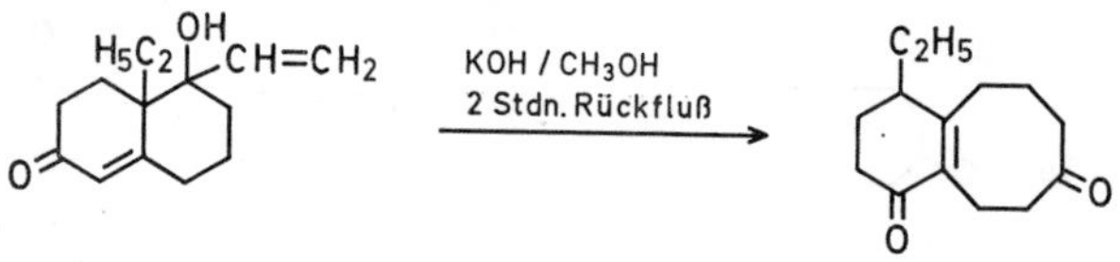

h) Umlagerungen verschiedener Art, die zu Ketonen führen

1. Umlagerungen zu Ketonen unter Erhalt des Kohlenstoff-Gerüstes

α) aus Alkyliden-bernsteinsäuren

Aus Alkyliden-bernsteinsäure erhält man durch Brom-Addition und anschließende Hydrolyse γ-Oxo-carbonsäuren. Ausgehend von den um 3 C-Atome ärmeren Aldehyden sind so in guten Ausbeuten (70–85% d. Th. bez. auf Alkyliden-bernsteinsäure) *4-Oxo-heptansäure, 4-Oxo-nonansäure, 4-Oxo-decansäure* und *4-Oxo-dodecansäure* hergestellt worden[1].

Als Zwischenprodukt tritt eine ungesättigte Lactonsäure auf (isolierbar), die offenbar über das Enol-Lacton unter Decarboxylierung zur γ-Oxo-carbonsäure isomerisiert:

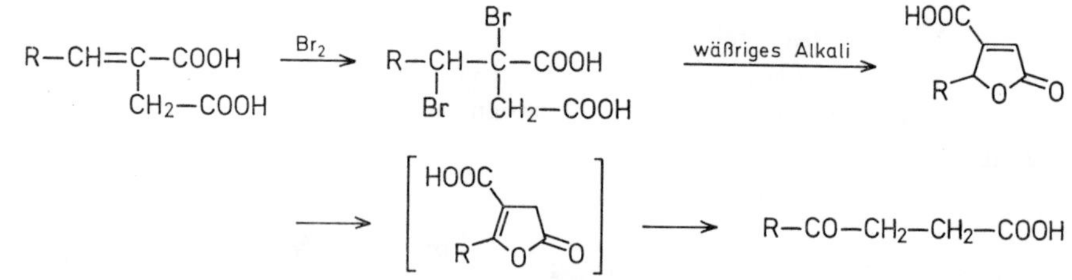

4-Oxo-decansäure[1]: 11,5 g (0,03 Mol) 2-Brom-2-(1-brom-heptyl)-bernsteinsäure (aus Heptyliden-bernsteinsäure) werden mit 90 *ml* in Natronlauge (0,09 Mol) 1 Stde. bei 80–90° gerührt. Die kalte Lösung wird mit verd. Schwefelsäure angesäuert und der weiße Niederschlag aus Petroläther (Kp: 75–120°) umkristallisiert; Ausbeute: 4,9 g (85% d. Th.); F: 60,5°.

β) aus Alkin-(2)-yl-äthern

α,β-ungesättigte Ketone bzw. Aldehyde erhält man aus Alkin-(2)-yl-äthern, -thioäthern oder -aminen (schwierig) durch Isomerisierung mit Kalium-tert.-butanolat in Dimethylsulfoxid zu den Allen-Verbindungen und anschließende Hydrolyse[2]:

---

[1] A. Takeda et al., J. Org. Chem. **31**, 616 (1966).
[2] H. Normant u. R. Mantione, C. r. **259**, 1635 (1964).

$$H_5C_6-C\equiv C-\underset{\underset{R^1}{|}}{C}H-OC_2H_5 \xrightarrow{(CH_3)_3C-OK} H_5C_6-CH=C=\underset{\underset{R^1}{|}}{C}-OC_2H_5$$

$$\xrightarrow{H^\oplus} H_5C_6-CH=CH-CO-R^1$$

$R^1 = CH_3$ *3-Oxo-1-phenyl-buten-(1)*;   67% d.Th.
$R^1 = C_2H_5$ *3-Oxo-1-phenyl-penten-(1)*;   50% d.Th.
$R^2 = C_3H_7$ *3-Oxo-1-phenyl-hexen-(1)*;   55% d.Th.
$R^1 = C_5H_{11}$ *3-Oxo-1-phenyl-octen-(1)*;   44% d.Th.
$R^1 = C_6H_5$ *3-Oxo-1,3-diphenyl-propen-(1)*; 20% d.Th.

$$H_9C_4-C\equiv C-\underset{\underset{R^1}{|}}{C}H-OC_2H_5 \xrightarrow{(CH_3)_3C-OK} H_9C_4-CH=C=\underset{\underset{R^1}{|}}{C}-OC_2H_5$$

$$\xrightarrow{H^\oplus} H_9C_4-CH=CH-CO-R^1$$

$R^1 = C_6H_5$;   *1-Oxo-1-phenyl-hepten-(2)*; 66% d.Th.

$$H_5C_6-C\equiv C-\underset{\underset{C_6H_5}{|}}{C}H-N\underset{CH_3}{\overset{CH_3}{}} \xrightarrow{(CH_3)_3C-OK} H_5C_6-CH=C=\underset{\underset{C_6H_5}{|}}{C}-N\underset{CH_3}{\overset{CH_3}{}}$$

$$\longrightarrow H_5C_6-CH=CH-CO-C_6H_5$$

3-Oxo-1,3-diphenyl-propen-(1)

$$H_5C_6-C\equiv C-\underset{\underset{CH_3}{|}}{C}H-S-C_2H_5 \xrightarrow{(CH_3)_3C-OK} H_5C_6-CH=C=\underset{\underset{CH_3}{|}}{C}-S-C_2H_5$$

$$\longrightarrow H_5C_6-CH=CH-CO-CH_3$$

3-Oxo-1-phenyl-buten-(1); 100% d.Th.

γ) verschiedene Umlagerungsreaktionen

Bei der Hydrolyse von am tert. α-C-Atom halogen-substituierten Olefinen ist mit der Bildung von Ketonen zu rechnen[1,2].

Die Überführung von *3-Oxo-1,2-diphenyl-pentadien-(1,4)* in einer dreistufigen Reaktionsfolge [Umsetzung mit Phosphor(V)-chlorid oder Oxalsäure-dichlorid zum Dichlor-Derivat, Austausch mit Methanolat und Ansäuern] in *5-Oxo-1,5-diphenyl-pentadien-(1,3)* ist formal eine Isomerisierung unter 1,3-Verschiebung des Sauerstoffatoms.

---

[1] E. Linnemann, A. **138**, 125 (1866); **143**, 347 (1867); **161**, 58 (1872).
[2] A. Oppenheim, A. (Suppl.) **6**, 366 (1868).

Entsprechend ist aus 5-Oxo-1,9-diphenyl-nonatetraen-(1,3,6,8) *1-Oxo-1,9-diphenyl-nonatetraen-(2,4,6,8)* hergestellt worden[1]. Zimtaldehyd ergibt *3-Oxo-3-phenyl-propen (Propenoyl-benzol)*[2].

Anwendung der Reaktionsfolge auf Verbindungen des folgenden Typs führt formal zu einem Austausch der beiden Aryl-Substituenten[3], z.B.

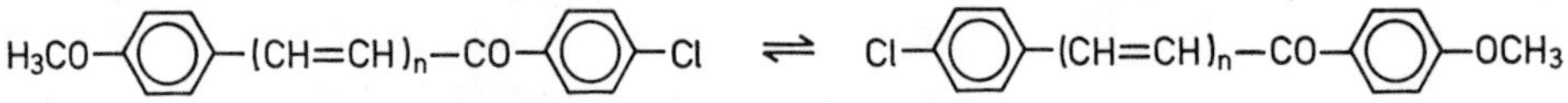

$$H_3CO\!-\!\langle\bigcirc\rangle\!-\!(CH\!=\!CH)_n\!-\!CO\!-\!\langle\bigcirc\rangle\!-\!Cl \;\rightleftharpoons\; Cl\!-\!\langle\bigcirc\rangle\!-\!(CH\!=\!CH)_n\!-\!CO\!-\!\langle\bigcirc\rangle\!-\!OCH_3$$

n = 1; *3-Oxo-3-(4-chlor-phenyl)-1-(4-methoxy-phenyl)-propen*

n = 2; *5-Oxo-5-(4-chlor-phenyl)-1-(4-methoxy-phenyl)-pentadien-(1,3)*

n = 1; *3-Oxo-1-(4-chlor-phenyl)-3-(4-methoxy-phenyl)-propen*

n = 2; *5-Oxo-1-(4-chlor-phenyl)-5-(4-methoxy-phenyl)-pentadien-(1,3)*

2. unter Veränderung des Kohlenstoff-Gerüstes

α) Ketone aus Olefinen und Cyanazid

Die Bildung von zu Ketonen hydrolysierbaren Cyanimiden aus Olefinen und Cyanazid vollzieht sich über eine 1,2-Umlagerungsreaktion:

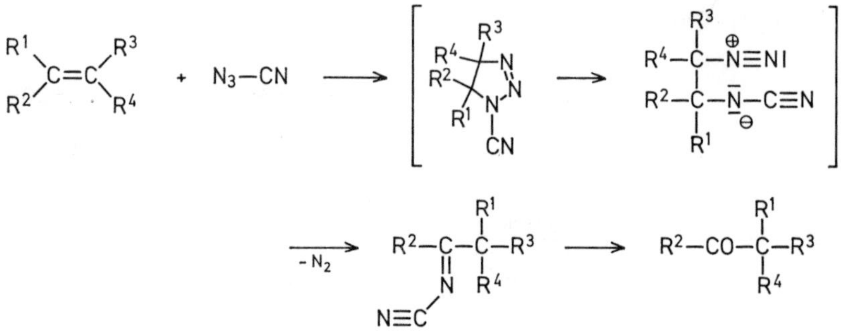

Es werden Ausbeuten von über 90% d.Th. erreicht[4].

β) aus Olefinen und Stickstoffwasserstoffsäure

Wie schon früher ausgeführt[5] entstehen aus Olefinen und Stickstoffwasserstoffsäure Schiff'sche Basen, die bei der Hydrolyse Ketone bzw. Aldehyde liefern.

Aus Camphen (1,7,7-Trimethyl-bicyclo[2.2.1]hepten) entsteht ein Gemisch von *5,8,8-*(II) und *1,8,8-Trimethyl-3-aza-bicyclo[3.2.1]octen-(2)* (I)[6]:

[1] F. STRAUS, A. **393**, 235, 256, 306 (1912).
[2] F. STRAUS u. A. BERKOW, A. **401**, 121 (1913).
[3] H. BLANKENHORN, Dissertation Universität Straßburg 1913, zitiert in F. STRAUS u. A. BERKOW, A. **401**, 121 (1913).
[4] F. D. MARSH u. M. E. HERMES, Am. Soc. **86**, 4506 (1964).
[5] Vgl. ds. Handb., Bd. VII/1; Kap. Aldehyde, S. 246.
[6] H. WOLF, „*The Schmidt Reaction*", Organic Reactions III, 324 (1946).

8-Hydroxy- bzw. 8-Acetoxy-2,6-dimethyl-octen-(2 oder -1) ergibt *1-Hydroxy-7-oxo-3-methyl-octan*. Als Nebenprodukt tritt 7-Amino-1-hydroxy-3-methyl-octan auf[1].

1-Hydroxy-7-oxo-3-methyl-octan[1]: Zu 99 g 8-Acetoxy-2,6-dimethyl-octen-(2 oder 1) in 500 *ml* Benzol, enthaltend 32 g Stickstoffwasserstoffsäure (*Vorsicht!*) werden unter Rückfluß bei 50–55° 250 g Zinn(IV)-chlorid eingetropft. Nach beendigter Reaktion wird das hellgelb gefärbte Reaktionsgemisch mit Wasser versetzt und mit Natriumcarbonat neutralisiert. Die Benzol-Schicht wird nach Ausschütteln mit verd. Mineralsäure in üblicher Weise aufgearbeitet; Ausbeute: 50% d.Th.; Kp_8: 131–132°.

Durch Alkalischstellen des mineralsauren Teils mit anschließender Verseifung der sich abscheidenden Base gewinnt man als Nebenprodukt *7-Amino-1-hydroxy-3-methyl-octan*; Kp_{11}: 135–145°.

γ) Umlagerung von γ,δ-Epoxy-ketonen zu (α-Hydroxy-alkyl)-acyl-cyclopropanen

Bei der Reaktion von 3,3-Dimethyl-2-brommethyl-oxiran mit den Natriumsalzen von Acetophenon und 2-Oxo-1-phenyl-propan entstehen anstelle der erwarteten Oxirane ihre Umlagerungsprodukte[2]:

I; *cis-2-[2-Hydroxy-propyl-(2)]-1-benzoyl-cyclopropan*
II; *2-[2-Hydroxy-propyl-(2)]-1-phenyl-1-acetyl-cyclopropan*

[1] DRP. 583565 (1929), Knoll AG, Erf.: K. F. Schmidt u. W. Klavehn; Frdl. **20**, 947; C. **1934** I, 946.
[2] B. A. Eršov et al., Ž. Org. Chim. **2**, 933 (1966); C. A. **65**, 12116 (1966).

Isolierbare γ,δ-Epoxy-ketone lagern in Gegenwart von Kalium-tert.-butanolat in tert. Butanol entsprechend um. Daneben entsteht das entsprechende bicyclische Halbketal[1].

δ) aus Allen-alkoholen unter Bildung von Cyclopropyl-ketonen

Bei der Solvolyse von Estern der Allenalkohole I werden nach Art einer Homoallyl-Umlagerung Cyclopropyl-ketone erhalten[2–4]:

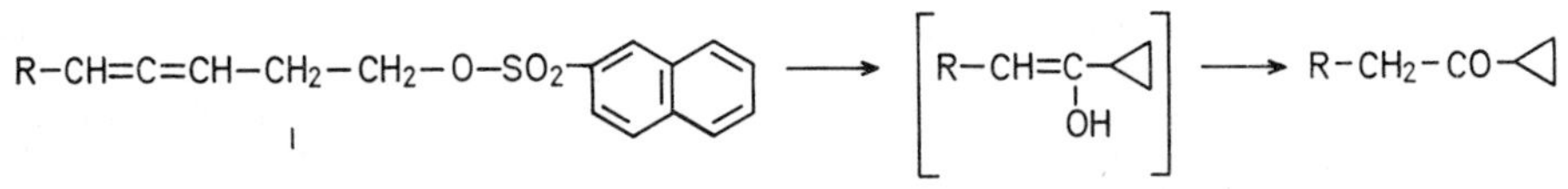

Die Umlagerung wird durch Lösungsmittel hoher Ionisierungsstärke und geringer Nucleophilie begünstigt. So wurden durch Formolyse bei 60° innerhalb von 8 Tagen *Acetyl-* (80% d.Th.) und *Propanoyl-cyclopropan* (51% d.Th.) erhalten.

Kinetische Untersuchungen sprechen für die Beteiligung einer Allen-Doppelbindung bei der Ionisierung, wodurch ein Vinyl-Kation als Zwischenstufe sehr wahrscheinlich gemacht wird[5]:

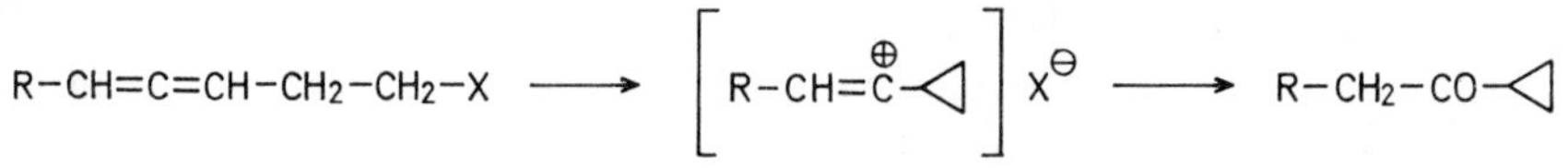

Dagegen werden aus den durch basische Isomerisierung von β-Alkinyl-äthan erhaltenen α-Allen-äthern durch Hydrolyse in wäßriger Salzsäure α-Vinyl-ketone erhalten[6].

ε) aus Acetylen-alkoholen unter Bildung von 2-Oxo-1-alkyl-cyclobutanen oder Cyclopropyl-ketonen (Homopropargyl-Umlagerung)

Die Solvolyse von Sulfonsäureestern primärer Alkin-(3)-ole in Lösungsmitteln geringer Nucleophilie und hoher Ionisierungsstärke (Ameisensäure, Trifluoressigsäure) führt bei einer Reihe von Verbindungen zu 2-Oxo-1-alkyl-cyclobutanen[4,5,7,8].

Die Bildung des Vierrings ist auf eine Beteiligung der C≡C-Dreifachbindung bei der solvolytischen Entstehung des Carbeniumions zurückzuführen. Dabei können Vinyl-Kationen als Zwischenstufe auftreten, die anschließend mit Hydroxyl-Ionen über das entsprechende Enol zum Keton weiterreagieren[5,9,10]:

[1] Y. Gaoni, Israel J. Chem. **9**, 63 (1971).
[2] M. Hanack u. H. J. Schneider, Fortschr. chem. Forsch. **8**, 554 (1967).
[3] M. Hanack u. J. Häffner, Tetrahedron Letters **1964**, 2191; B. **99**, 1077 (1966).
[4] M. Hanack u. H. J. Schneider, Ang. Ch. **79**, 709 (1967).
[5] M. Hanack et al., A. **733**, 5 (1970).
[6] R. Mantione, Bl. **1969**, 4514.
[7] M. Hanack u. I. Herterich, Tetrahedron Letters **1966**, 3847.
[8] M. Hanack, J. Häffner u. I. Herterich, Tetrahedron Letters **1965**, 875.
[9] M. Hanack, V. Vött u. H. Ehrhardt, Tetrahedron Letters **1968**, 4617.
[10] M. Hanack, Acc. chem. Res. **3**, 209 (1970).

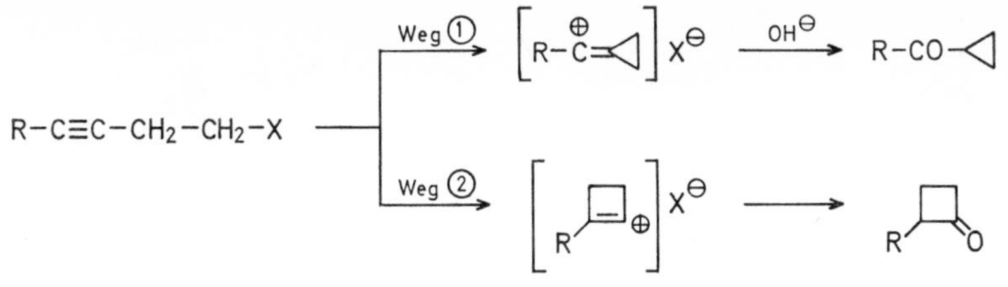

In Abwesenheit von Quecksilber(II)-Salzen wird praktisch ausschließlich Weg ②
beschritten. *2-Oxo-1-methyl-*, *2-Oxo-1-äthyl-*, *2-Oxo-1-isopropyl-* und *2-Oxo-1-trifluor-
methyl-cyclobutan* wurden in sehr guter Ausbeute erhalten (s. Tab. 158, S. 1138)[1,2].

2-Oxo-1-methyl-cyclobutan[1]: 6,28 g (20 mMol) 3,5-Dinitro-benzolsulfonsäure-pentin-(3)-ylester
und 4,1 g (30 mMol) Natrium-trifluoracetat werden in 50 g Trifluoressigsäure 5 Tage bei 45° gehalten. Danach wird auf −70° abgekühlt und nach Zugabe von 50 *ml* Wasser und 50 *ml* Äther zunächst mit 30%iger Kalilauge und anschließend mit verd. Kalilauge unter starkem Rühren neutralisiert. Die Aufarbeitung aus der Ätherphase erfolgt wie üblich. Der nach Abdestillieren des
Äthers erhaltene Rückstand wird in eine auf −70° gekühlte Vorlage destilliert (Kp$_{760}$: 108–111°);
Ausbeute: 1,2 g (74% d.Th.).

Die gaschromatographische Analyse ergab 98% *2-Oxo-1-methyl-cyclobutan* und 2% *Acetyl-
cyclopropan*.

Die Ausbeuten an *2-Oxo-1-methyl-cyclobutan* steigen in folgender Reihenfolge der
Abgangsgruppen an:

Tosylat < 3-Nitro-benzolsulfonat < 3,5-Dinitro-benzolsulfonat < Trifluormethansulfonat
(Triflat) < Nonafluorbutan-1-sulfonat (Nonaflat)[3].

Auch aus Estern **sekundärer** *β*-Hydroxy-alkine werden bei der Solvolyse Cyclobutanone erhalten[1,4]. So liefert 3-Nitro-benzolsulfonsäure-hexin-(4)-yl-(2)-ester nach
5tägigem Stehen in Trifluoressigsäure bei 50° *3-Oxo-1,2-dimethyl-cyclobutan* (45%
d.Th.) und *4-Oxo-hexen-(2)* (25% d.Th.):

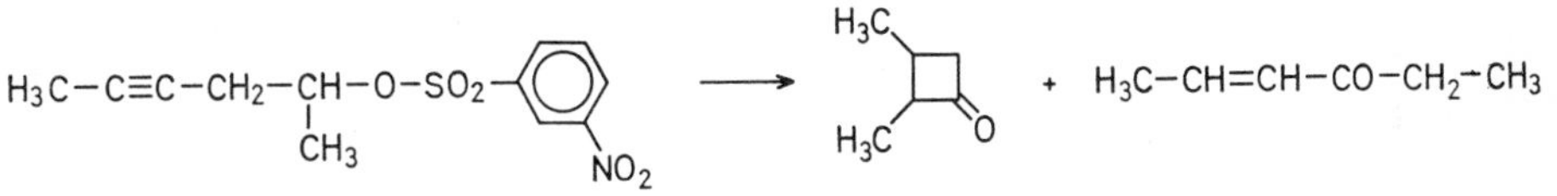

Solvolysiert man in Wasser/Aceton, so beträgt die Ausbeute an *3-Oxo-1,2-dimethyl-
cyclobutan* nur 10% der Theorie.

Mit an der C≡C-Dreifachbindung **unsubstituierten** Verbindungen sind die
Ausbeuten schlecht. 3,5-Dinitro-benzolsulfonsäure-butin-(3)-ylester liefert in Trifluoressigsäure nur 20% *Cyclobutanon*[5]. Besonders günstig ist die Umlagerung bei *trans-*
annularer Wechselwirkung zwischen C≡C-Dreifachbindung und dem primär bei der
Solvolyse gebildeten Carboniumion. p-Toluolsulfonsäure-cyclodecin-(5)-ylester solvo-

---

[1] M. Hanack et al., A. **733**, 5 (1970).
[2] M. Hanack, I. Herterich u. V.Vött, Tetrahedron Letters **1967**, 3871.
[3] L. R. Subramanian u. M. Hanack, B. **105**, 1465 (1972).
  Zum Einfluß der Abgangsgruppe auf die Geschwindigkeit der Solvolyse vgl.:
    T. Ando et al., Tetrahedron Letters **1973**, 117 (Nosylat).
    J. G. Traynham u. S. D. Elakovich, Tetrahedron Letters **1973**, 155 (Triflat).
[4] M. Hanack et al., Tetrahedron Letters **1968**, 4631.
[5] M. Hanack et al., Tetrahedron Letters **1968**, 4613.

Tab. 158. Ketone durch Solvolyse der Sulfonsäureester von Alkin-(3)-olen in verschiedenen Lösungsmitteln[1]

R—C≡C—CH₂—CH₂—X

R	X	Lösungsmittel	Temperatur [°C]	Reaktionsdauer [Tagen]	Reaktionsprodukte[a]					
					(2-Oxo-cyclobutan)	[%]	$R-C(=O)-\triangle$	[%]	Alkin-(3)-ol	[%]
H	OSO₂C₆H₄-3,5-(NO₂)₂	CF₃COOH/CF₃COONa	50	10	Cyclobutanon	20		<1	Butin-(3)-ol	68
CH₃	OSO₂C₆H₄-3-NO₂	CH₃COOH/CH₃COONa	70	19[b]		—		—	Pentin-(3)-ol	>98[c]
	OTs	HCOOH/HCOONa	70	18[b]	2-Oxo-1-methyl-cyclobutan	16		1	Pentin-(3)-ol	83[c]
	OTs	CF₃COOH/CF₃COONa	50	11[b]	2-Oxo-1-methyl-cyclobutan	85	Acetyl-cyclopropan	9		Spuren
	OSO₂C₆H₄-3-NO₂	CF₃COOH/CF₃COONa	50	5	2-Oxo-1-methyl-cyclobutan	>98[d]		<1		—
	OSO₂C₆H₄-3,5-(NO₂)₂	CF₃COOH/CF₃COONa	45	5	2-Oxo-1-methyl-cyclobutan	>98[g]		<1		—
C₂H₅	OSO₂C₆H₄-3-NO₂	CF₃COOH/CF₃COONa	50	5	2-Oxo-1-äthyl-cyclobutan	>95[e]		<1		Spuren
i-C₃H₇	OSO₂C₆H₄-3-NO₂	CF₃COOH/CF₃COONa	50	5	2-Oxo-1-isopropyl-cyclobutan	>98[f]		<1		—
CF₃	OSO₂C₆H₄-3-NO₂	CF₃COOH/CF₃COONa	55	7	2-Oxo-1-trifluormethyl-cyclobutan	64		—	5,5,5-Trifluor-pentin-(3)-ol	32

[a] gaschromatographisch ermittelte Zusammensetzung
[b] es war noch nichtumgesetztes Sulfonat nachzuweisen
[c] nach dem Verseifen der Ester
[d] isoliert wurde 52% d.Th.
[e] isoliert wurde 52% d.Th.
[f] isoliert wurde 30% d.Th.
[g] isoliert wurde 72% d.Th.

[1] M. Hanack et al., A. 733, 5 (1970).

lysiert schon in einem Aceton/Wasser (1:4)-Gemisch welches Calciumcarbonat oder Pyridin als Puffer enthält, in 5 Tagen bei 70° quantitativ zu einem Gemisch aus *1-Oxo-cis-* und *-trans-dekalin* sowie *2-Oxo-bicyclo[5.3.0]decan*[1]:

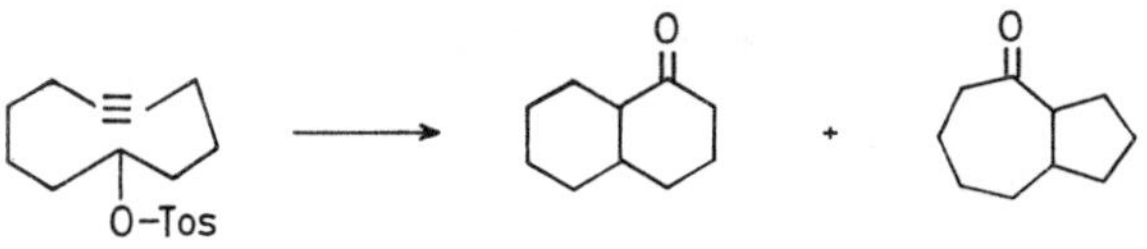

Das entsprechende 6-(4-Nitro-benzoyloxy)-cyclododecin-(1) solvolysiert in wäßrigem Äthanol in Gegenwart von Pyridin bei 110° ~ 20 mal schneller als 6-(4-Nitro-benzoyloxy)-*cis*-cyclodecen-(1), wobei *1-Oxo-dekalin* als einziges Reaktionsprodukt erhalten wird. Dagegen reagiert das offenkettige 7-(4-Nitro-benzoyloxy)-octin-(2) extrem langsam ohne Cyclisierung. Dies zeigt, daß die fixierte räumliche Lage der C≡C-Dreifachbindung für eine Nachbargruppenbeteiligung entscheidend ist[2].

Die hohe Umlagerungstendenz von Cyclodecinyl-Derivaten zeigt sich auch in der quantitativen Isomerisierung von 6-Hydroxy-cyclodecin-(1) durch äthanolische Salzsäure und der Desaminierung von 6-Amino-cyclodecin-(1) mit salpetriger Säure, wobei in beiden Fällen ebenfalls *1-Oxo-dekalin* entsteht[2].

Wird die Solvolyse von Sulfonsäureestern der β-Hydroxy-alkine in Gegenwart von Quecksilber(II)-acetat durchgeführt, so werden ganz überwiegend Alkanoyl-cyclopropane erhalten (Weg ①, S. 1137)[3,4].

Die Formolyse von 5-Tosyloxy-4,4-dimethyl-pentin-(2) ergibt dagegen ausschließlich *4-Oxo-2-methyl-hexen-(2)*[5]:

$$H_3C-C\equiv C-C(CH_3)_2-CH_2-O-Tos \xrightarrow[\text{3 Stdn. } 75^\circ]{HCOOH,\ HCOONa} H_3C-CH_2-CO-CH=C(CH_3)-CH_3$$

Die Solvolyse substituierter Trifluormethansulfonsäure-vinylester kann auch in anderen Fällen zu Ketonen führen. 2-Trifluormethansulfonyloxy-1,1-diphenyl-propen-(1) lagert bereits in 80%igem Äthanol zum *1-Oxo-1,2-diphenyl-propan* um[6].

ζ) aus 1-Adamantyl-(1)-vinyl-Kationen

Für die Erzeugung von 1-Adamantyl-(1)-vinyl-Kationen sind verschiedene Methoden beschrieben worden:

① Die Reaktion von 1-Brom-adamantan oder 1-Hydroxy-adamantan mit Acetylen in Schwefelsäure[7-9].

② Die Protonierung von Adamantyl-(1)-acetylenen[8].

③ Die Solvolyse von Trifluormethansulfonsäure-1-adamantyl-(1)-vinylester[6].

---

[1] M. Hanack u. A. Heumann, Tetrahedron Letters **1969**, 5117.
[2] M. Hanack, C. E. Harding u. J.-L. Derocque, B. **105**, 421 (1972).
[3] M. Hanack, I. Herterich u. V. Vött, Tetrahedron Letters **1967**, 3871.
[4] M. Hanack et al., A. **733**, 5 (1970).
[5] J. W. Wilson, Tetrahedron Letters **1968**, 2561.
[6] M. A. Imhoff, R. H. Summerville, P. v. R. Schleyer, A. G. Martinez, M. Hanack, T. E. Dueber u. P. J. Stang, Am. Soc. **92**, 3802 (1970).
[7] T. Sasaki, S. Eguchi u. T. Toru, Chem. Commun. **1968**, 780.
[8] K. Bott, Chem. Commun. **1969**, 1349.
[9] K. Bott, Tetrahedron Letters **1969**, 1747; A. **766**, 51 (1972).

Tab. 159. Ketone durch Trifluoracetolyse der 3-Nitro-benzolsulfonsäure-alkin-(3)-ylester. Zusatz von Quecksilber(II)-acetat, bei 50°, 5 Tage, gepuffert mit Natrium-trifluoracetat[1]

$$R-C\equiv C-CH_2-CH_2-O-SO_2-\bigcirc\!\!-NO_2$$

R	Quecksiber (II)-acetat [Mol %]	R—C△ ‖ O	[% d.Th.]	R—⬠=O	[% d.Th.]*
CH₃	0,07	Acetyl-cyclopropan[2]	93	2-Oxo-1-methyl-cyclobutan	3
C₂H₅	0,2	Propanoyl-cyclopropan	90	2-Oxo-1-äthyl-cyclobutan	10
i—C₃H₇	0,07	1-Oxo-2-methyl-1-cyclopropyl-propan	66	2-Oxo-1-isopropyl-cyclobutan	23

* gaschromatographisch bestimmt

In Abhängigkeit von Methode und Reaktionsbedingungen können in unterschiedlichen Ausbeuten *1-Acetyl-adamantan* (I), *2-Oxo-1-methyl-2-homo-adamantan* (II) und *Adamantyl-(1)-acetaldehyd* (III) gebildet werden (Formeln s. S. 1141).

Die Gesamtausbeuten an I–III liegen über 85%. Der Anteil an II nimmt mit wachsender Zahl der Brückenkopf- Methylgruppen ab[3]. Zum Reaktionsmechanismus vgl. Lit.[1]. Die höchsten Ausbeuten an II werden bei gleicher Anzahl von Brückenkopf-Methylgruppen nach Methode ① (vgl. S. 1139) erhalten.

Adamantyl-(1)-acetaldehyd ©, **1-Acetyl-adamantan** ⓑ und **2-Oxo-1-methyl-2-homoadamantan** ⓐ[3] (s. Note zur Tab. 160; S. 1141): Unter einer abgeschlossenen Acetylen-Atmosphäre (Normaldruck) werden 700 ml 90%-ige Schwefelsäure auf 5° abgekühlt. Dazu tropft man in 15 Min. bei gutem Rühren eine Lösung von jeweils 16,0 g 1-Hydroxy-adamantan in 120 ml 90%-ige Schwefelsäure und läßt 3 Min. nachreagieren. Es wird sofort mit gemahlenem Eis hydrolysiert und mit Äther ausgeschüttelt. Die Äther-Phase wird nach dem Waschen mit wäßr. Natriumhydrogencarbonat-Lösung eingedampft und der Rückstand i. Vak. destilliert. Man erhält 16,4 g (88%) Umlagerungsprodukte (Kp₁: 93–97°). Bei der gaschromatographischen Analyse (2-m-Säule mit Carbowax 20 M; 100–230°, 20°/Min.; 50 ml Helium/Min.) der Destillate werden mit der Komponente A (75%) die Summe von ⓑ + © und mit der Komponente B (25%) die Homoadamantanone ⓐ erfaßt.

Isolierung von ©: 2,0 g Destillat werden in einer Mischung von 30 ml Methanol, 20 ml 0,5 n Natronlauge und 1,2 g Semicarbazid · Hydrochlorid 40 Min. bei 20° gerührt. Die ausgefallenen Kristalle werden nach dem Absaugen mit 60%-igem wäßr. Methanol und dann mit Pentan gewaschen;

[1] M. HANACK et al. A. 733, 5 (1970).

[2] Führt man die Solvolyse 19 Tage bei 70° durch, so werden nur 18% d. Th. *Acetyl-cyclopropan* und kein Cyclobutan-Derivat gefunden.

[3] K. BOTT, Chem. Commun. 1969, 1349; A. 766, 51 (1972).

Ausbeute: 1,76 g Semicarbazon von a; F: 216–217° (aus Äthanol, 0°). Man erwärmt eine Mischung von 3,0 g des Semicarbazons, 150 ml Wasser und 15 g Methansulfonsäure zum Sieden und destilliert unter Stickstoff ~ 100 ml Wasser ab. Das Destillat wird ausgeäthert, und der Eindampfrückstand der Äther-Phase i. Vak. fraktioniert; Ausbeute: 1,87 g (83% d. Th.); $Kp_{0,1}$: 53–56°.

Isolierung von ⓐ: Man oxidiert 13,8 g Destillat in 300 ml Aceton durch portionsweises Eintragen von 6,1 g Kaliumpermanganat bei 20°. Nach dem Abdampfen des Acetons (20°) entfernt man das Mangan(IV)-oxid durch Schütteln mit schwefelsaurer Eisen(II)-sulfat-Lösung und nimmt die organische Substanz in Äther auf. Aus der Äther-Phase werden durch Behandlung mit verd. Natronlauge 9,5 g *Adamantyl-(1)-essigsäure* (F: 133–135°) abgetrennt.

Die destillierte Neutralfraktion (3,61 g; F: 92–97°) enthält laut GC die Ketone ⓐ und ⓑ im Verhältnis 11:89. Durch Umkristallisation aus Methanol (–70°) wird das reine *4-Oxo-3-methyl-homoadamantan* gewonnen; F: 124–125°.

ⓑ ist aus der Neutralfraktion (ⓑ + ⓐ) selektiv als Semicarbazon fällbar (s. Lit.).

Tab. 160. Ketone der Adamantan-Reihe

Ausgangs-adamantan				Methode	Ausbeute [% d. Th.]			Literatur
R¹	R²	R³	R⁴		I	II	III	
Br	H	H	H	①	40^a		—	1
OH	H	H	H	①*		23^b	69^c	2
				3^a		25^b	72^c	3
	CH₃	CH₃	CH₃	①	Verhältnis 29^d : 71^e		Hauptprodukt^f	3
—C≡CH	H	H	H	②	**31^a : 69^b		—	3
	CH₃	CH₃	CH₃	②	48^d : 52^e		—	3
—C=CH₂ / O—COCF₃	H	H	H	③***	—	72^b	—	4

* 1-Hydroxy-adamantan wird gelöst zu der in Acetylen-Atmosphäre vorgelegten Schwefelsäure zugetropft.

** Gesamtausbeute 94% d.Th.

*** in Trifluoräthanol

a *1-Acetyl-adamantan*
b *2-Oxo-1-methyl-2-homoadamantan*
c *Adamantyl-(1)-acetaldehyd*

d *3,5,7-Trimethyl-1-acetyl-adamantan*
e *2-Oxo-1,3,5,7-tetramethyl-2-homoadamantan*
f *3,5,7-Trimethyl-1-formylmethyl-adamantan*

1 T. SASAKI, S. EGUCHI u. T. TORU, Chem. Commun. **1968**, 780.
2 K. BOTT, Tetrahedron Letters **1969**, 1747.
3 K. BOTT, Chem. Commun. **1969**, 1349 A. **766**, 51 (1972).
4 M. A. IMHOFF, F. R. SUMMERVILLE, P. v. R. SCHLEYER, A. G. MARTINEZ, M. HANACK, T. E. DUEBER u. P. J. STANG, Am. Soc. **92**, 3802 (1970).

η) Umlagerung von α-Benzoyl-dibenzyläthern

Die Äther-Umlagerung von α-Benzoyl-dibenzyläthern tritt bereits beim Kochen mit alkoholischer Kalilauge ein und führt zu einem α-Hydroxy-keton das zum Benzhydrol-Derivat isomerisiert[1]:

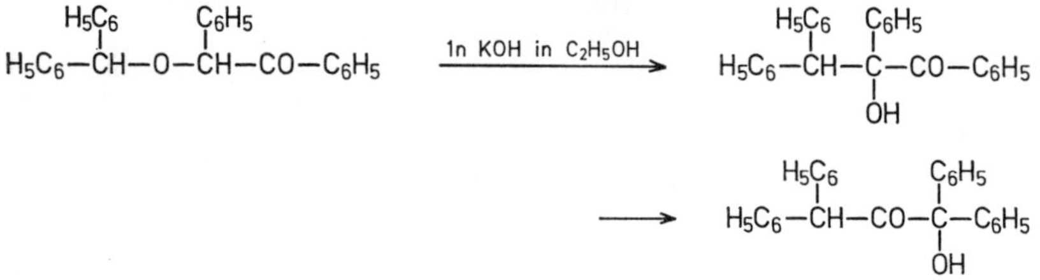

1-Hydroxy-2-oxo-1,1,3,3-tetraphenyl-propan; 36% d. Th.

ϑ) Umlagerungen zwischen α-Amino-ketonen und α-Hydroxy-iminen[2]

Die aus Alkoxy-oxiranen und aromatischen primären Aminen leicht zugänglichen α-Hydroxy-imine I lagern beim Erhitzen in Dekalin auf 180–220° in α-Amino-ketone II um[3,4]:

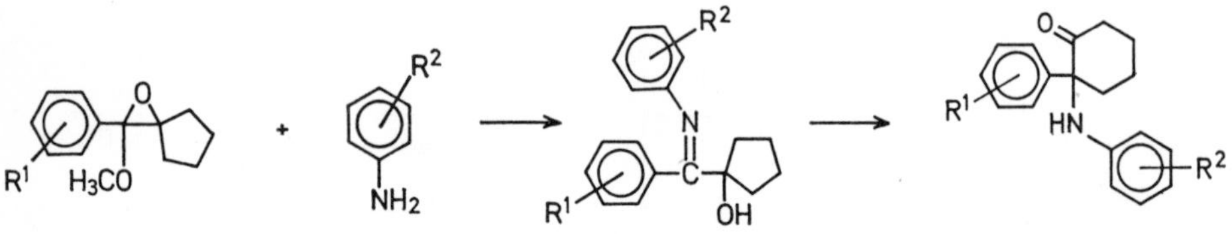

Je nach den Substituenten R^1 und R^2 schwanken die Ausbeuten zwischen 15 und 90% der Theorie.

Andererseits wird 1-Methylamino-1-acetyl-cyclopentan ebenfalls unter Ringerweiterung zum *1-Methylamino-2-oxo-1-methyl-cyclohexan* umgelagert, wobei als Zwischenprodukt 1-Hydroxy-2-methylimino-1-methyl-cyclohexan auftritt[3,5]. Offenbar stehen die beiden isomeren Paare der α-Amino-ketone bzw. α-Hydroxy-imine miteinander im Gleichgewicht:

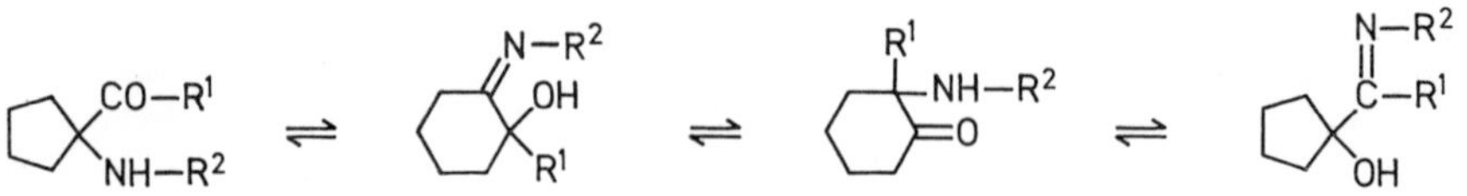

[1] D. Y. Curtin u. S. Leskowitz, Am. Soc. **73**, 2633 (1951).
[2] Vgl. S. 1128.
[3] C. L. Stevens et al., J. Org. Chem. **30**, 2967 (1965).
[4] C. L. Stevens, A. Thuillier u. F. A. Daniher, J. Org. Chem. **30**, 2962 (1965).
[5] C. L. Stevens et al., Am. Soc. **84**, 2272 (1962).

Durch Säurekatalyse wird die Umlagerung zu III (s. S. 1142) begünstigt. So wird 1-Hydroxy-1-(α-methylimino-benzyl)-cyclopentan bei 176° quantitativ zu *1-Methylamino-2-oxo-1-phenyl-cyclohexan* umgelagert[1].

2-(4-Chlor-phenylamino)-1-oxo-1-(4-chlor-phenyl)-propan wurde mit 4-Chlor-anilin-Hydrobromid als Katalysator zu *1-(4-Chlor-phenylamino)-2-oxo-1-(4-chlor-phenyl)-propan* umgelagert[2].

Aus 1-Hydroxy-1-(cyclohexyliminomethyl)-cyclopentan entsteht in 96%-iger Ameisensäure bei 100° *1-Amino-2-oxo-1-cyclohexyl-cyclohexan*[3].

1-Amino-2-oxo-bicyclohexyl[3]: 5 g 1-Hydroxy-1-(cyclohexyliminomethyl)-cyclopentan und 10 *ml* 96%-ige Ameisensäure werden 5 Stdn. im Ölbad auf 100° erhitzt. Man gießt in Wasser, äthert aus, kocht die wäßrige Lösung kurz auf und äthert nochmals aus. Die wäßrige Phase enthält das α-Amino-keton als Ameisensäureester. Man stellt mit Natriumcarbonat alkalisch und extrahiert das α-Amino-keton mit Äther; Ausbeute: 50–60% d.Th.; Kp_{15}:149–152°.

Zur präparativen Synthese von 1-Alkylamino-2-oxo-1-phenyl-cyclohexanen kann man von den isomeren 1-Alkylamino-1-benzoyl-cyclopentanen, von den entsprechenden Hydroxyiminen oder von den Hydroxyimin-Säure-Salzen ausgehen, wobei letztere die höchsten Ausbeuten bei vergleichsweise milden Reaktionsbedingungen liefern[4]; z. B.:

Imin-Hydrochlorid (IIIa)
Imin-Hydrobromid (IIIb)
Imin-p-tosylat   (III c)

1-Methylamino-2-oxo-1-phenyl-cyclohexan[4]: 0,5 g 1-Hydroxy-1-(α-methylimino-benzyl)-cyclopentan-Hydrochlorid (IIIa, R=CH$_3$) werden durch Erhitzen in 5 *ml* 1,2-Dichlor-benzol auf 180° in Lösung gebracht. Man hält 20 Min. bei dieser Temp. und läßt über Nacht abkühlen. Das Hydrochlorid des α-Amino-ketons kristallisiert aus; Ausbeute: 475 mg (95% d.Th.); F: 255–258°.

1-[Butyl-(1)-amino]-2-oxo-1-phenyl-cyclohexan[4]: 11 g 1-Hydroxy-1-(α-butylimino-benzyl)-cyclopentan [II; R = Butyl-(1)-; S. 1143] in 250 *ml* Dekalin werden 3 Stdn. unter Helium auf 185° erhitzt. Nach Verdünnen der erkalteten Lösung mit 100 *ml* Äther werden basische Anteile mit 3 mal 100 *ml* 4 n Salzsäure extrahiert. Die organische Phase wird wie üblich aufgearbeitet und der Rückstand destilliert; Ausbeute: 5,6 g (51% d.Th.); $Kp_{0,05}$: 95–96°.

---

[1] C. L. STEVENS et al., J. Org. Chem. **30**, 2967 (1965).
[2] K. L. NELSON, J. C. ROBERTSON u. J. J. DUVALL, Am. Soc. **86**, 684 (1964).
[3] I. ELPHIMOFF-FELKIN, Bl. **1962**, 653.
[4] C. L. STEVENS et al., J. Org. Chem. **31**, 2593 (1966).

Tab. 161. 1-Alkylamino-2-oxo-1-phenyl-cyclohexane[1]

Ausgangsverbindung (Formeln s. S. 1143)	R	Reaktionsbedingungen			...-2-oxo-1-phenyl-cyclohexan	Ausbeute [% d.Th.]
		[°C]	[Stdn.]	Lösungsmittel		
I	CH₃	192	48	Dekalin	1-Methylamino-...	30
II	CH₃	180	2	1,2-Dichlor-benzol		70
IIIa	CH₃	180	0,3	1,2-Dichlor-benzol		95
I	C₂H₅	192	48	Dekalin	1-Äthylamino-...	36
II	C₂H₅	200	2	Undecan		61
I	C₃H₇	235	14	Tridecan	1-Propylamino-...	30
II	C₃H₇	235	0,5	Tridecan		47
IIIc	C₃H₇	124	8	1,2-Dichlorbenzol		80
I	i-C₃H₇	200	50	Dekalin	2-Isopropylamino-...	29
II	i-C₃H₇	180	3	Decan		75
IIIa	i-C₃H₇	180	0,1	—		95
II	n-C₄H₉	185	3	Dekalin	1-[Butyl-(1)-amino]-...	51
IIIb	n-C₄H₉	165	2	—		70
IIIc	n-C₄H₉	130	8	1,2-Dichlor-benzol		87
IIIa	H	160	1	1,2-Dichlor-benzol	1-Amino-...	61

[1] C. L. STEVENS et al., J. Org. Chem. 31, 2593 (1966).

1-tert.-Butylamino-2-oxo-1-phenyl-cyclohexan (VI) wurde in 28% Ausbeute durch Umsetzung des Hydroxy-ketons V mit einem Überschuß tert.-Butylamin in Anwesenheit von Chlorwasserstoff/Isopropanol erhalten. Durch die irreversible Umlagerung des intermediär gebildeten Hydroxy-imins ist die Synthese des Aminoketons VI möglich.

Beim Erhitzen des Hydrochlorids von VI über den Schmelzpunkt oder durch Kochen mit Bromwasserstoffsäure wird unter Abspaltung von Isobuten das unsubstituierte Amino-keton VII erhalten:

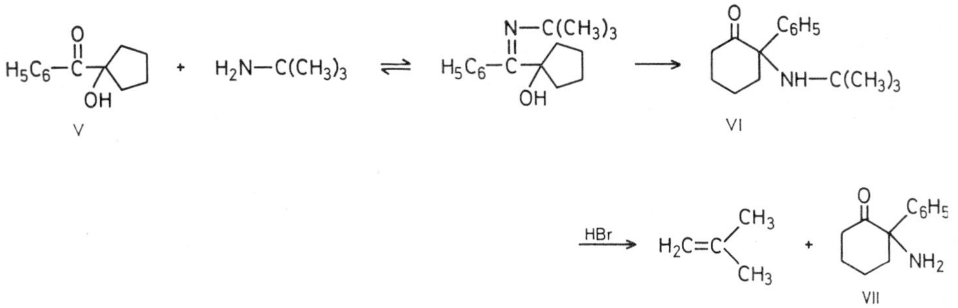

Die Umlagerung läßt sich auch an Verbindungen I–III (S. 1143) durchführen, welche Substituenten in o-, m- oder p-Stellung im Phenyl-Rest aufweisen[2]. So wurden erhalten[2]:

1-Methylamino-2-oxo-1-(2-methoxy-phenyl)-cyclohexan	61% d. Th.
1-Methylamino-2-oxo-1-(5-brom-2-benzyloxy-phenyl)-cyclohexan	81% d. Th.
1-Methylamino-2-oxo-1-(3-chlor-phenyl)-cyclohexan	45% d. Th.
1-Methylamino-2-oxo-1-(4-chlor-phenyl)-cyclohexan	64% d. Th.
1-Methylamino-2-oxo-1-(4-methoxy-phenyl)-cyclohexan	62% d. Th.
1-Methylamino-2-oxo-1-(4-methyl-phenyl)-cyclohexan	55% d. Th.

Die Umlagerung von I (S. 1143) mit 2-Methyl-substituierter Phenyl-Gruppe gelingt nicht und führt ausschließlich zu Zersetzungsprodukten. Dagegen läßt sich aus dem entsprechenden Hydroxy-imin II (1-Hydroxy-1-[α-methylimino-2-methyl-benzyl]-cyclopentan) in Eisessig (3 Stdn. 119°) mit 44% Ausbeute *1-Methylamino-2-oxo-1-(2-methyl-phenyl)-cyclohexan* herstellen. Dessen Zersetzung bei 190° verläuft wieder über das Hydroxy-imin II[2].

Auch in der aliphatischen Reihe sind derartige Umlagerungen durchgeführt worden. *3-Methylamino-4-oxo-3-phenyl-hexan* wurde auf folgenden Wegen hergestellt[3]:

---

[1] C. L. Stevens et al., J. Org. Chem. **31**, 2593 (1966).
[2] C. L. Stevens et al., J. Org. Chem. **31**, 2601 (1966).
[3] C. L. Stevens, R. D. Elliott u. B. L. Winch, Am. Soc. **85**, 1464 (1963).

Die Reaktion wurde als präparative Methode in der Steroid-Reihe auf tert. α-Hydroxy-ketone angewandt, die mit primären Aminen unter Erweiterung des Rings D umlagern[1,2]:

18α-Methylamino-3β-hydroxy-17-oxo-18β-
methyl-D-homo-androsten-(5); 84% d.Th.

17α-Methylamino-3β-hydroxy-18-oxo-17β-
methyl-D-homo-androstan; 70% d.Th.

Auch N-primäre α-Amino-ketone sind der Reaktion zugänglich, z.B.:

17α-Amino-3β-hydroxy-18-oxo-17β-
methyl-D-homo-androsten-(5); 34% d.Th.

α-Amino-ketone mit tert. Stickstoff lagern sich nicht um.

---

[1] D. F. MORROW, M. E. BUTLER u. E. C. Y. HUANG, J. Org. Chem. **30**, 579 (1965).
[2] D. F. MORROW et al., J. Org. Chem. **30**, 212 (1965).

Bei der thermischen Umlagerung von 3-Benzylimino-2-hydroxy-2-phenyl-butan wandern sowohl die Phenyl- als auch die Methyl-Gruppe. Man erhält ein Gemisch von *2-Benzylamino-3-oxo-2-phenyl-butan* und *2-Benzylamino-1-oxo-2-methyl-1-phenyl-propan*[1]. Optisch aktive α-Hydroxy-imine lagern unter vollständiger Retention um, woraus auf einen intramolekularen cyclischen Mechanismus geschlossen wird[1,2]:

Tab. 162. α-Amino-ketone aus α-Hydroxy-iminen

α-Hydroxy-imin		Reaktions-bedingungen	α-Amino-ketone		Ausbeute [% d.Th.]
R	R′		I	II	
CH$_3$	CH$_2$—C$_6$H$_5$	11 Stdn. Rückfluß; Dekalin	*2-Benzylamino-3-oxo-2-phenyl-butan*	*2-Benzylamino-1-oxo-2-methyl-1-phenyl-propan*	38
CH$_3$	C$_4$H$_9$	18 Stdn. Rückfluß; Dekalin	*2-Butylamino-3-oxo-2-phenyl-butan*	*2-Butylamino-1-oxo-2-methyl-1-phenyl-propan*	47
C$_2$H$_5$	CH$_2$—C$_6$H$_5$	10 Stdn. Rückfluß; Dekalin	*3-Benzylamino-2-oxo-3-phenyl-pentan*	*2-Benzylamino-1-oxo-2-methyl-1-phenyl-butan*	48

Auch N-disubstituierte α-Amino-ketone stehen in Gegenwart saurer Katalysatoren im Gleichgewicht mit ihren Isomeren[3].

Die Umlagerung von 1-Amino-1-benzoyl-cyclopropan-perchlorat unter milden Bedingungen in Wasser führt unter Ringerweiterung zum *1-Hydroxy-2-oxo-1-phenyl-cyclobutan*[4]:

---

[1] H. Mizuno, S. Terashima u. S. Yamada, Chem. Pharm. Bull. Jap. **19**, 227 (1971).

[2] C. L. Stevens, H. T. Hanson u. K. G. Taylor, Am. Soc. **88**, 2769 (1966).

[3] A. Kirrmann, R. Nouri-Bimorghi u. E. Elkik, Bl. **1969**, 2385.

[4] C. L. Stevens, R. M. Weier u. K. G. Taylor, Abstr. Papers 152nd Meeting Am. Chem. Soc. New York, 1966, Paper S. 101.

Tab. 163. α-Amino-ketone aus α-Hydroxy-aminen

Ausgangsverbindung	Reaktionsbedingungen	Isomeres	Ausbeute [% d.Th.]
$H_3C-CH-CO-C_6H_5$ (N-Piperidino)	CH₃COOH, Stdn. Rückfluß	$H_3C-CO-CH-C_6H_5$ (N-Piperidino)	30
	CF₃COOH/Xylol, 18 Stdn. Rückfluß	*1-Piperidino-2-oxo-1-phenyl-propan*	26
$H_5C_6-CH-CO-CH_3$ (N-Piperidino)	CH₃COOH, 18 Stdn. Rückfluß	$H_5C_6-CO-CH-CH_3$ (N-Piperidino)	28
	CF₃COOH/Xylol, 18 Stdn. Rückfluß	*2-Piperidino-1-oxo-1-phenyl-propan*	24
$H_5C_2-CH-CO-CH_3$ (N-Piperidino)	CH₃COOH, 18 Stdn. Rückfluß	$H_5C_2-CO-CH-CH_3$ (N-Piperidino) *2-Piperidino-3-oxo-pentan*	28

ι) Photo-Fries-Umlagerung[1]

Die durch UV-Bestrahlung induzierte sog. Photo-Fries-Umlagerung von Phenol-estern zu entsprechenden (2- bzw. 4-Hydroxy-phenyl)-ketonen ist zusammen mit der durch Lewissäuren katalysierten Fries-Umlagerung abgehandelt worden (vgl. S. 379 ff.). Die Photo-Umlagerung ist vor allem dann von Interesse, wenn sie ein anderes Endprodukt liefert als die normale Fries-Umlagerung[2,3].

Zum Mechanismus dieser Reaktion s. Lit.[4-8]. Die Reaktion ist normalerweise nicht von der Polarität des Lösungsmittels abhängig[9], Salicylsäure-phenylester lagert jedoch in Methanol zu 2,2'-Dihydroxy-benzophenon gut, in Hexan dagegen praktisch überhaupt nicht um, was auf die stabilisierende Wirkung einer intramolekularen Wasserstoff-Brücke zurückgeführt wird[10].

[1] vgl. a. ds. Handb., Bd. IV/3, sowie neuere Zusammenfassungen[2,3,11,12].

[2] A. Schönberg, *Preparative Organic Photochemistry*, 2. Aufl., S. 236, Springer Verlag, Berlin 1968.

[3] O. L. Chapman, *Organic Photochemistry*, Vol. 1. S. 127, Marcel Dekker, New York 1967.

[4] H. J. Shine, *Aromatic Rearrangements*, S. 365, Elsevier Publishing Co., London 1967.

[5] M. R. Sander, E. Hedaya u. D. J. Trecker, Am Soc. **90**, 7249 (1968).

[6] W. H. Urry u. D. J. Trecker, Am. Soc. **84**, 118 (1962).

[7] R. A. Finnegan u. J. J. Mattice, Tetrahedron **21**, 1015 (1965).

[8] C. E. Kalmus u. D. M. Hercules, Tetrahedron Letters **1972**, 1575.

[9] D. A. Plank, Tetrahedron Letters **1968**, 5423.

[10] D. V. Rao u. V. Lamberti, J. Org. Chem. **32**, 2896 (1967).

[11] D. A. Plank, Tetrahedron Letters **1969**, 4365.

[12] D. Belluš u. P. Hrdlovič, Chem. Rev. **67**, 599 (1967).

D. Belluš in J. N. Pitts, G. S. Hammond u. W. A. Noyes, *Advances in Photochemistry*, Vol. 8, S. 109 (1971).

Benzoesäure-cyclohexen-(1)-ylester läßt sich in schlechter Ausbeute durch Bestrahlung umlagern, wobei *2-Oxo-1-benzoyl-cyclohexan* gebildet wird, das anschließend Ringspaltung zu *5,7-Dioxo-7-phenyl-hepten-(1)* (10% d.Th.) erfährt[1,2]:

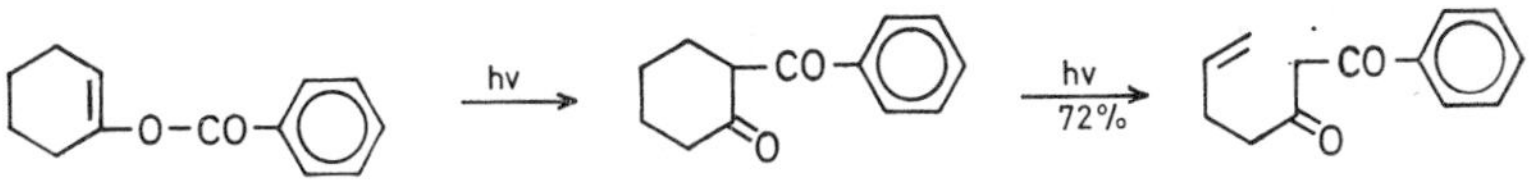

Während Benzoesäure-2-methyl-phenylester in *4-Hydroxy-3-methyl-benzophenon* (35% d.Th.) übergeht, lagert sich 2-Nitro-benzoesäure-2-methyl-phenylester nicht um[3].

Auch ein Substituent in 2-Stellung verhindert die Umlagerung nicht. So wird aus 1-Acetoxy-2-phenyl-cyclohexen *2-Oxo-1-phenyl-1-acetyl-cyclohexan* (15% d.Th. nach Aufarbeitung) erhalten[4].

Unter den üblichen Bedingungen einer Fries-Reaktion tritt keine Umlagerung ein. Erhitzen auf 550° ist ohne Einfluß; Aluminiumchlorid in Schwefelkohlenstoff oder Borfluorid-Ätherat in Benzol führen zu teerigem Material, vermutlich infolge Polymerisation.

Dasselbe gilt für vinyloge Photo-Fries-Umlagerungen[4]:

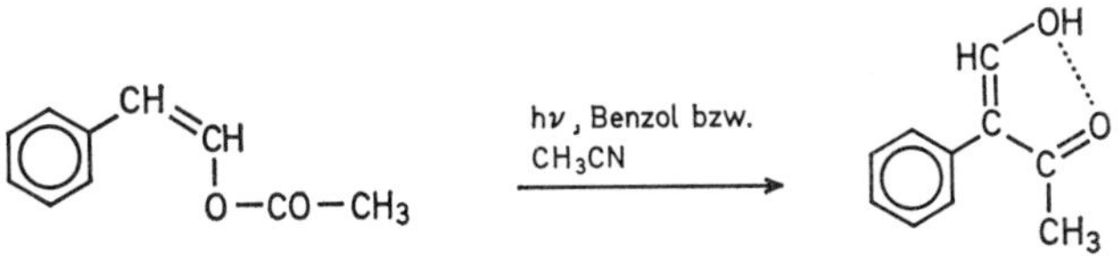

2-Acetyl-phenylacetaldehyd; 10% d.Th.

Die Umlagerung ist auch an Nicotinsäureestern[5] und Estern der Hydroxy-pyridine[6] eingehend untersucht worden.

Bei Phthalsäure-diarylestern ist die Photo-Fries-Umlagerung anormal und führt zu Ortho-carbonsäure-triestern[7].

Das Ergebnis der Photoumlagerung von Indol-3-carbonsäureestern ist von der Struktur der phenolischen Komponente abhängig[8]:

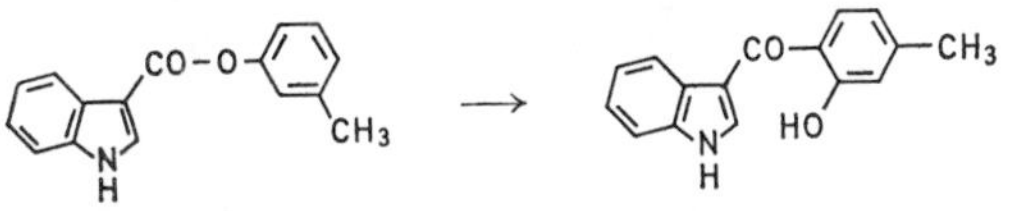

30% d.Th.; *3-(2-Hydroxy-4-methyl-benzoyl)-indol*

[1] C. L. McIntosh, Canad. J. Chem. **45**, 2267 (1967).
[2] M. Feldkimel-Gorodetsky u. Y. Mazur, Tetrahedron Letters **1963**, 369.
M. Gortsky u. Y. Mazur, Tetrahedron **22**, 3607 (1966).
[3] C. D. Pande, B. N. Tripathi u. B. Venkataramani, Indian J. Chem. **6**, 542 (1968); C. A. **70**, 28194 (1969).
Weitere Umlagerungen an subst. Benzoesäure-phenylestern bzw. Ferrocen-carbonsäure-phenyl-estern s.
D. Elad, Tetrahedron Letters **1963**, 873.
D. Elad, D. V. Rao u. V. I. Sternberg, J. Org. Chem. **30**, 3252 (1965).
[4] S. P. Pappas, J. E. Alexander, G. L. Long u. R. D. Zehr, J. Org. Chem. **37**, 1258 (1972).
[5] M.-T. Le Goff u. R. Bengelmans, Bl. **1972**, 1115.
[6] R. Bengelmans u. M.-T. Le Goff, Bl. **1972**. 1106.
[7] A. S. Kende u. J. L. Billetire, Tetrahedron Letters **1972**, 2145.
[8] C. Thal, D. Papacosta u. R. Bengelmans, C. r. [C] **274**, 532 (1972).

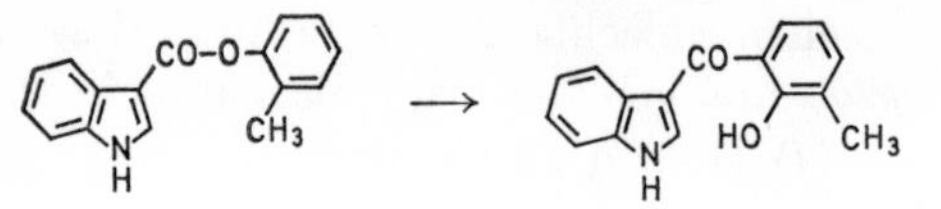

55% d.Th.; 3-(2-Hydroxy-3-methyl-
benzoyl)-indol

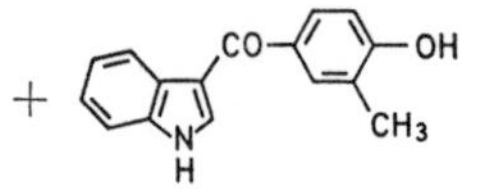

30% d.Th.; 3-(4-Hydroxy-3-methyl-
benzoyl)-indol

—

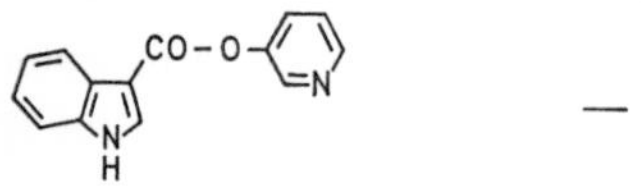

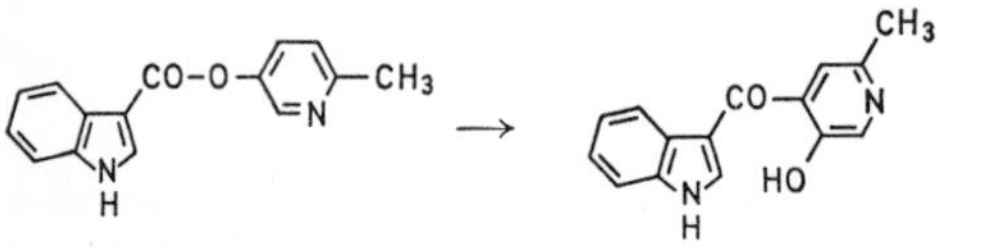

25% d.Th.; 3-[5-Hydroxy-2-methyl-
pyridyl-(4)-carbonyl]-indol

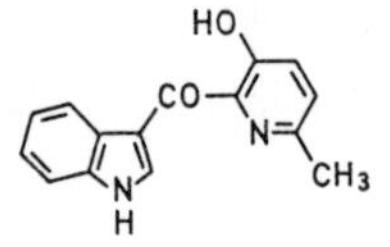

12% d.Th.; 3-[3-Hydroxy-6-methyl-
pyridyl-(2)-carbonyl]-indol

κ) Säurekatalysierte Anilid-Umlagerung

Beim Erhitzen von Benzanilid mit Polyphosphorsäure auf 160–170° (3,5–4 Stdn.)
bildet sich neben den Hydrolyseprodukten Anilin und Benzoesäure unter Acyl-
Wanderung *4-Amino-benzophenon* (42% d.Th.). Analog wird aus Benzoesäure-2-
methyl-anilid *3-Amino-4-methyl-benzophenon* und aus Benzoesäure-4-methyl-anilid
durch Ortho-Umlagerung *2-Amino-5-methyl-benzophenon* erhalten[1].

λ) Photoanilid-Umlagerung[2,3]

In Analogie zur Photo-Fries-Umlagerung sind Acetanilid, Propansäure-, Butan-
säure- und Benzoesäure-anilid durch Bestrahlung in Gemische aus (2- und 4-
Amino-phenyl)-ketonen umgelagert worden[4]. Als Nebenprodukt tritt Anilin
auf[5,6]; z.B.:

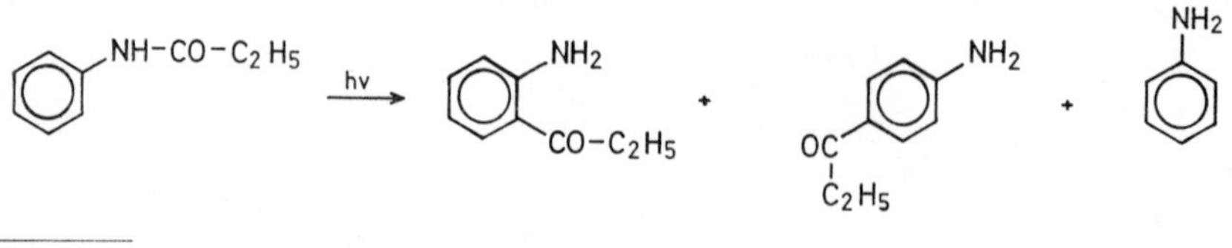

[1] K. Desai u. C. M. Desai, J. Indian Chem. Soc. **48**, 863 (1971).
[2] O. L. Chapman, *Organic Photochemistry*, Vol. 1, S. 142, Marcel Dekker, New York 1967.
[3] vgl. ds. Handb., Bd. IV/3.
    D. Belluš u. P. Hrdlovič, Chem. Rev. **67**, 599 (1967).
[4] vgl. z.B. C. E. Kalmus u. D. M. Hercules, Tetrahedron Letters 1972, 1575.
[5] R. A. Finnegan u. J. J. Mattice, Tetrahedron **21**, 1015 (1965).
[6] B. Miller u. H. Margulies, Am. Soc. **89**, 1678 (1967).

Die Ausbeuten sind besser als bei der säurekatalisierten Umlagerung[1].

Eine o-ständige Hydroxy-Gruppe (Salicylsäure-anilid) verhindert die Reaktion[2].

N-Phenyl-lactame mit mindestens 7 Ringgliedern lassen sich photochemisch in guten Ausbeuten in *Oxo-benzo-aza-cycloalkene* überführen, so erhält man z. B. *7-Oxo-2,3,4,5,6,7-hexahydro-1H-⟨benzo-[b]-azonin⟩* (87%), *4-Oxo-⟨benzo-1-aza-cyclopentadecen-(2)⟩*[3].

μ) δ,ε-ungesättigte Ketone aus 3-Hydroxy-hexadienen-(1,5) (Oxi-Cope-Umlagerung)[4]

Beim Erhitzen von 3-Hydroxy-hexadienen-(1,5) unter den Bedingungen einer Cope-Umlagerung entstehen – wahrscheinlich über die Zwischenstufe eines Enols – δ,ε-ungesättigte Ketone[5,6] oder Aldehyde (für R=H)[7-10]:

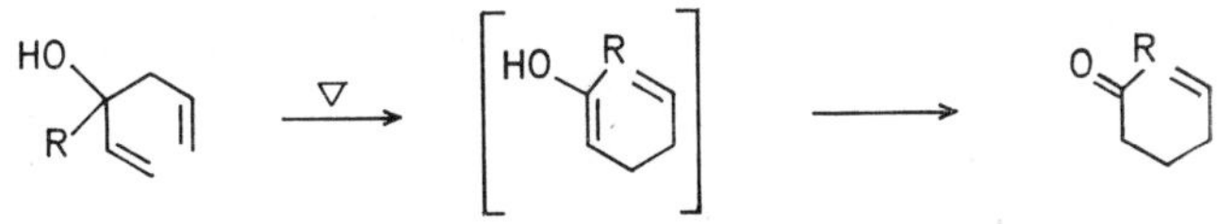

Aus 3-Hydroxy-3-methyl-hexadien-(1,5) erhält man bei 370–380° und 13 Torr *6-Oxo-hepten-(1)* (58% d.Th.)[9].

3,4-Dihydroxy-3,4-dimethyl-hexadien-(1,5) das als α-Glykol unter sauren Bedingungen der Pinakolin-Umlagerung unterliegt (S. 1024), gibt in Abwesenheit von Katalysatoren bei 190° praktisch ausschließlich *2,7-Dioxo-octan*, das bei höherer Temperatur unter Wasser-Abspaltung zum *2-Methyl-1-acetyl-cyclopenten-(1)* cyclisiert[11,12]:

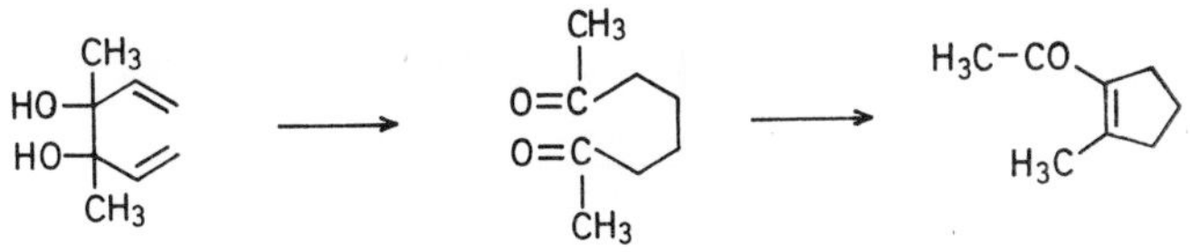

Sind die Ausgangskomponenten am quartären C-Atom Glieder eines 5- oder 6-Ringes, so ist die transannulare Wechselwirkung im durch Cope-Umlagerung gebildeten makrocyclischen Dion so groß, daß sofort Wasser-Abspaltung zum Bicyclus eintritt[12-15]. Unter milden Bedingungen (Erhitzen in verdünntem spektralreinen Cyclohexan) kann unter Vermeidung der Wasser-Abspaltung in guter Ausbeute das Hydroxy-keton isoliert werden[15]:

[1] O. L. Chapman, *Organic Photochemistry*, Vol. 1, S. 142, Marcel Dekker, New York 1967.

[2] D. V. Rao u. V. Lamberti, J. Org. Chem. **32**, 2896 (1967).

[3] M. Fischer, Tetrahedron Letters **1968**, 4295; **1969**, 2281; B. **102**, 342 (1969).

   R. P. Gandhi, M. Singh, Y. P. Sachdeva u. S. M. Mukherji, Tetrahedron Letters **1973**, 661.

[4] G. G. Smith u. F. W. Kelly in A. Streitwieser u. R. W. Taft, *Progress of Physical Organic Chemistry*, Vol. 8, S. 176–191, Wiley Interscience, New York 1971.

[5] J. A. Berson u. M. Jones, Am. Soc. **86**, 5017, 5019 (1964).

[6] J. A. Berson u. E. J. Walsh, Am. Soc. **90**, 4729 (1968).

[7] J. Wieman u. J. Chuche, C. r. [C] **262**, 567 (1966).

[8] E. Urion. A. ch. **1**, 5 (1934).

[9] A. Viola et al., Am. Soc. **89**, 3462 (1967).

[10] A. Viola u. L. A. Levasseur, Am. Soc. **87**, 1150 (1965).

[11] J. Wieman u. Sa-Lethi Thuan, Bl. **1959**, 1537.

[12] E. Brown, P. Leriverend u. J. M. Conia, Tetrahedron Letters **1966**, 6115.

[13] P. Leriverend u. J. M. Conia, Bl. **1970**, 1040.

[14] E. Brown u. J. M. Conia, Bl. **1970**, 1050.

[15] E. N. Marvell u. W. Whalley, Tetrahedron Letters **1969**, 1337.

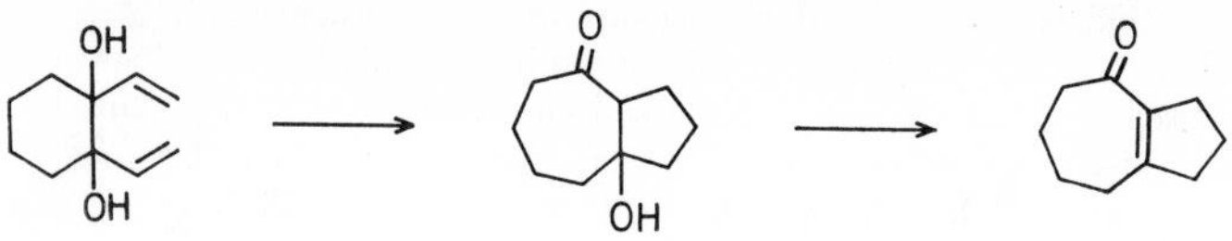

7-Hydroxy-2-oxo-bicyclo
[5.3.0]decan

2-Oxo-bicyclo[5.3.0]
decen-(1⁷); 80% d.Th.

15 Min./170°

2-Oxo-bicyclo[4.3.0]
nonen-(1⁶); 55% d. Th.

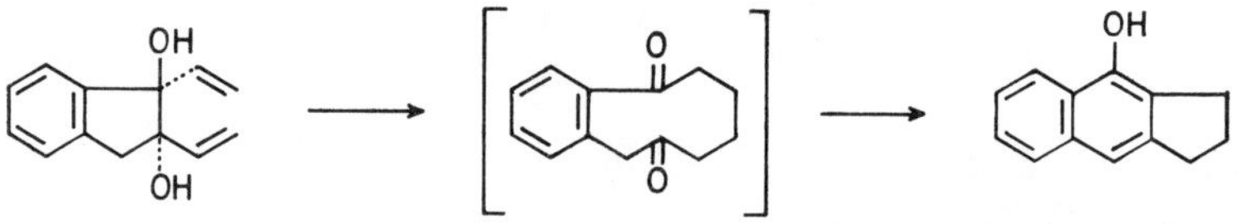

4-Hydroxy-2,3-dihydro-1H-
⟨*benzo-[f]-inden*⟩

Entsprechende Umlagerungen sind in der Campher-Reihe durchgeführt worden[1]. Dagegen führt die Umlagerung von I zum offenkettigen Diketon II:

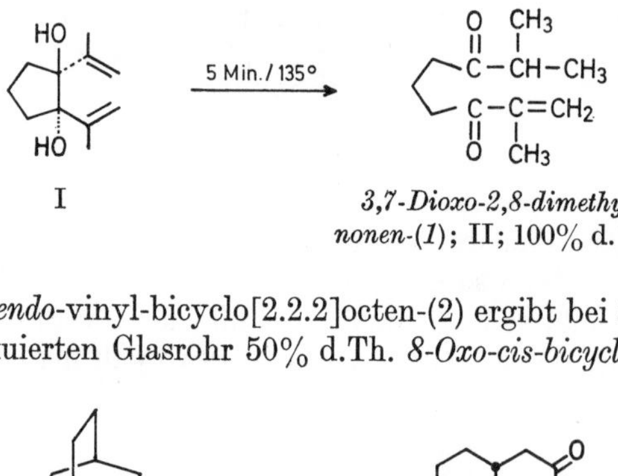

5 Min. / 135°

I

3,7-Dioxo-2,8-dimethyl-
nonen-(1); II; 100% d. Th.

4-*exo*-Hydroxy-4-*endo*-vinyl-bicyclo[2.2.2]octen-(2) ergibt bei 320° im mit Ammoniak gespülten evakuierten Glasrohr 50% d.Th. *8-Oxo-cis-bicyclo[4.4.0]decen-(2)*[2]:

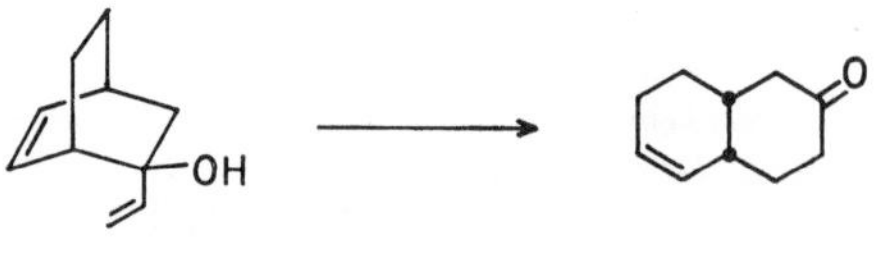

Aus dem epimeren 4-*endo*-Hydroxy-4-*exo*-vinyl-bicyclo[2.2.2]octen-(2) wird dagegen *4-[2-Oxo-buten-(3)-yl]-cyclohexen-(1)* erhalten[2,3]:

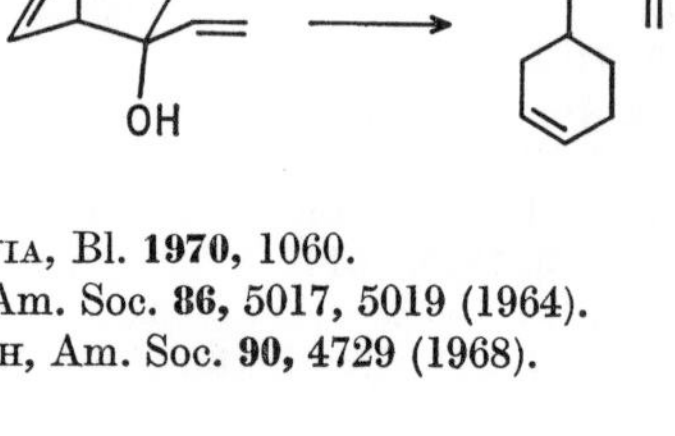

[1] P. LERIVEREND u. J. M. CONIA, Bl. **1970**, 1060.
[2] J. A. BERSON u. M. JONES, Am. Soc. **86**, 5017, 5019 (1964).
[3] J. A. BERSON u. E. J. WALSH, Am. Soc. **90**, 4729 (1968).

Die Pyrolyse von *anti*-7-Hydroxy-*syn*-7-vinyl-bicyclo[2.2.1]hepten-(2) bei 250° ergibt zu 66% d.Th. *2-Oxo-bicyclo[3.2.2]nonen-(6)* (II) neben 8% d.Th. *9-Oxo-cis-bicyclo[4.3.0]nonen-(2)* (III)[1]:

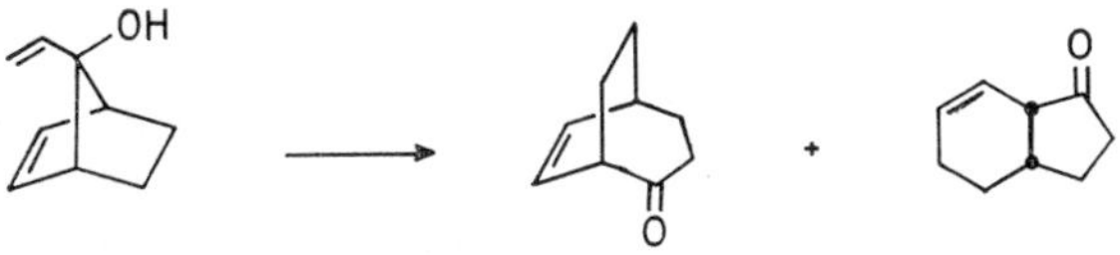

Die Oxy-Cope-Umlagerung ermöglicht die Synthese von makrocyclischen Ketonen. *Cis*-4-Hydroxy-4-vinyl-cycloocten-(1) geht beim Erhitzen auf 355° in *cis-6-Oxo-cyclodecen-(1)* über[2]:

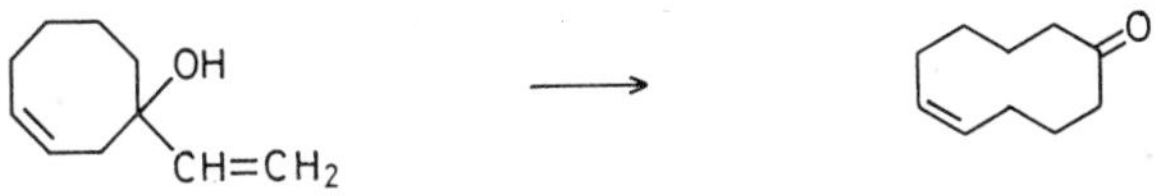

Entsprechend wird aus 4-Hydroxy-4-vinyl-cyclononen-(1) bei 290° *6-Oxo-cyclo-undecen-(1)* erhalten. Die Ausbeuten liegen bei 10–20%. 1,2-Dihydroxy-1,2-divinyl-cyclooctan liefert bei 12stdgm. Erhitzen in Cyclohexan auf 225° *1,6-Dioxo-cyclododecan* (40–50% d.Th.)[3]:

7-Hydroxy-7-methyl-cyclooctatrien-(1,3,5) lagert sich beim Erhitzen in ein *cis-trans*-Isomerengemisch von *8-Oxo-nonatrien-(2,4,6)* um, welches mit Jod in Benzol die *all-trans*-Verbindung ergibt[4]:

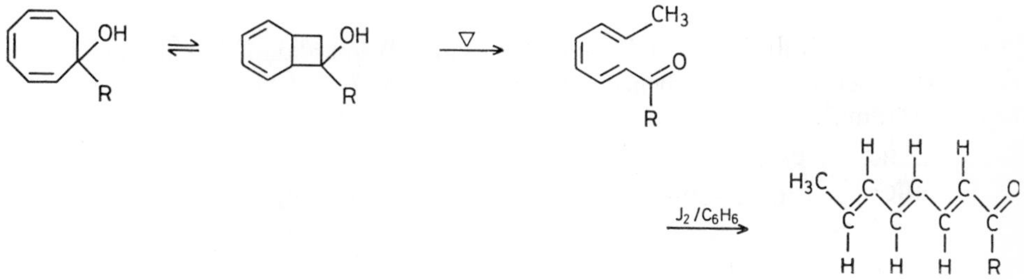

R = H;	*Octatrien-(2,4,6)-al*	> 90% d.Th.
CH₃;	*8-Oxo-nonatrien-(2,4,6)*	92% d.Th.
C₆H₅;	*8-Oxo-8-phenyl-octatrien-(2,4,6)*	92% d.Th.

[1] J. A. BERSON u. M. JONES, Am. Soc. **86**, 5017, 5019 (1964).
[2] R. W. THIES u. M. T. WILLS, Tetrahedron Letters **1970**, 513.
[3] E. N. MARVELL u. T. TAO, Tetrahedron Letters **1969**, 1341.
[4] M. KRÖNER, B. **100**, 3172 (1967).

v) aus 4-Hydroxy-hexen-(5)-in-(1)

4-Hydroxy-4-methyl-hexen-(5)-in-(1) liefert unter den Bedingungen einer Cope-Umlagerung verschiedene Ketone. Das Ergebnis ist stark von Druck und Temperatur abhängig[1]:

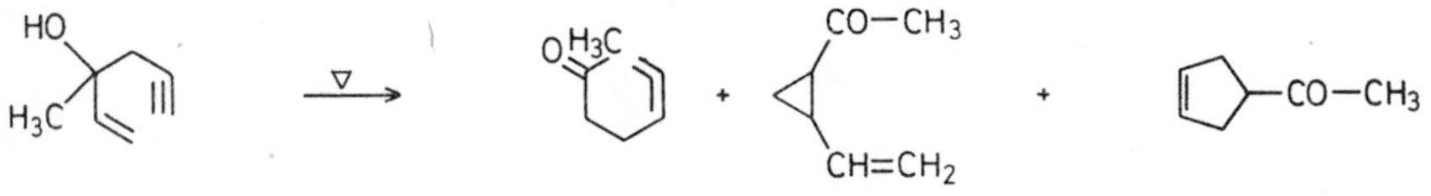

Temperatur [°C]	Druck [Torr]	Ges. Ausbeute [% d.Th.]	Mengenverhältnis der Endprodukte		
			6-Oxo-heptadien-(1,2)	*2-Vinyl-1-acetyl-cyclopropan*	*4-Acetyl-cyclo-penten*
330	1	69	61	39	0
380	22	63	39	9	52

ξ) aus Peroxiden

Bei der Photolyse von Phthaloylperoxid oder 2,3-Dioxo-2,3-dihydro-⟨benzo-[b]-furan⟩ wird – möglicherweise über die Zwischenstufe des 2-Oxo-2H-⟨benzoxeten⟩ – *6-Oxo-5-carbonylen-cyclohexadien-(1,3)* erhalten[2]:

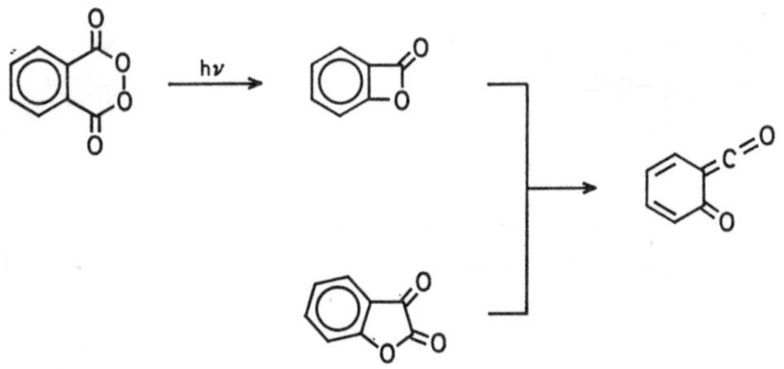

Unter den hydrolysierenden Bedingungen einer Wasserdampf-Destillation lagert das 4-Nitro-benzoat des Perbenzoesäureesters I zum *1-Hydroxy-6-oxo-2,2-dimethyl-heptan* (II); um[3]:

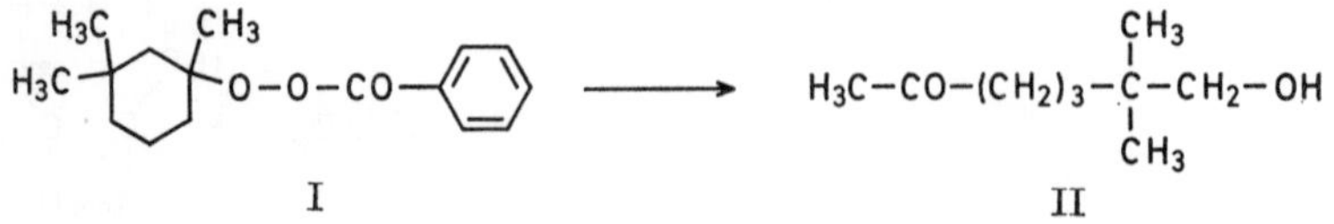

Das entsprechende Hydroperoxid liefert bei der Hock-Umlagerung in Eisessig/Perchlorsäure das Acetat von II[3].

[1] J. W. WILSON u. S. A. SHERROD, Chem. Commun. **1968**, 143.
A. VIOLA, J. H. MACMILLAN, Chem. Commun. **1970**, 301.
[2] V. DVOŘÁK, J. KOLC u. J. MICHL, Tetrahedron Letters **1972**, 3443.
[3] H. KROPF u. C.-R. BERNERT, A. **751**, 121 (1971).

Das aus 10-Methyl-anthron durch Reaktion mit Sauerstoff in Azo-bis-[isobutter-säure-nitril] erhaltene Hydroperoxid III lagert sich sauer unter Ringöffnung zum *2'-Hydroxy-2-acetyl-benzophenon* um. Daneben entsteht unter Methanol-Abspaltung Anthrachinon[1]:

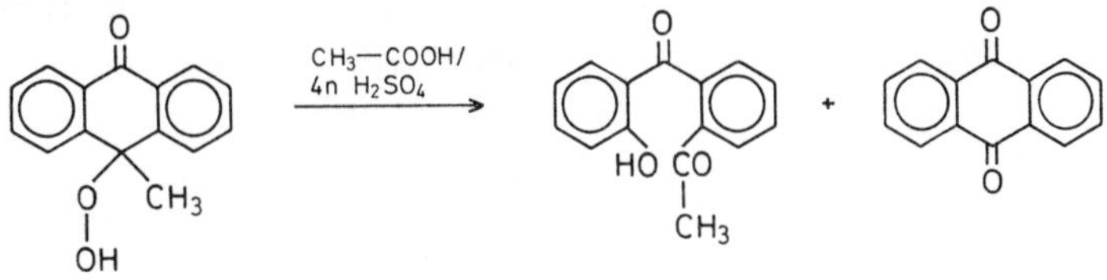

Zur Bildung von Ketonen durch säure-katalysierte Umlagerung von Peroxiden in der Anthracen- und Naphthacen-Reihe s. Lit.[2].

Die Bildung von Ketonen bei der thermischen Zersetzung von **Peroxy-lactonen** erfolgt aus einem primär gebildeten Diradikal durch 1,2-Verschiebung eines Substituenten unter gleichzeitiger Decarboxylierung. Alkyl-Gruppen wandern leichter als der Phenyl-Rest[3-5].

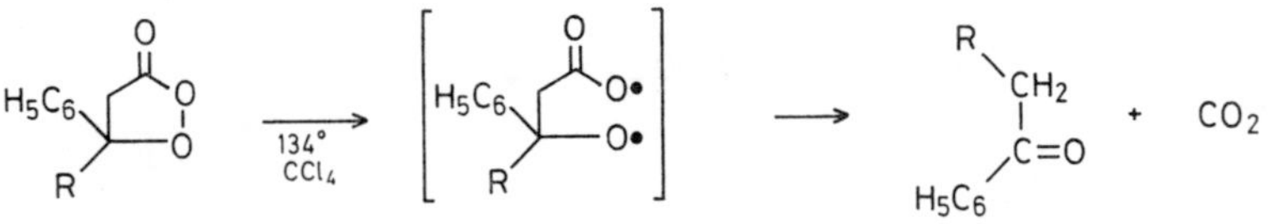

Die aus Enolacetaten, Alkylhydroperoxiden und Quecksilber(II)-Salz erhältlichen Addukte liefern durch sigmatrope Umlagerung von intermediär gebildetem Alken-(1)-yl-peroxid α-Alkoxy-carbonyl-Verbindungen[6]:

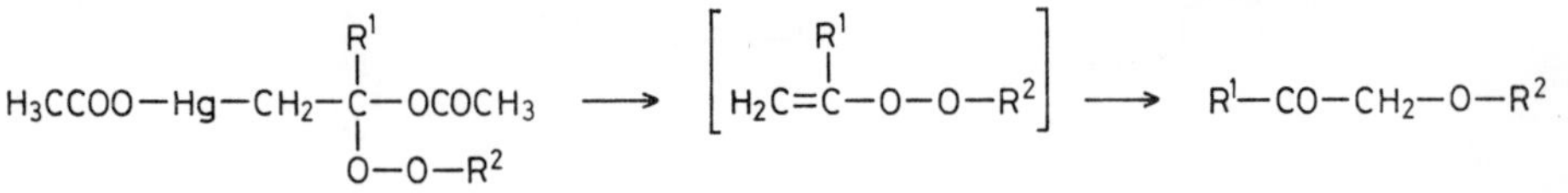

Oxidiert man 1,2,3,4-Tetrahydro-4aH-carbazol am Platinkontakt mit Sauerstoff, so entsteht 4a-Hydroperoxy-1,2,3,4-tetrahydro-4aH-carbazol, das in Gegenwart von Protonen in polaren Lösungsmitteln (Chloroform) unter Ringsprengung zum *6-Oxo-6-(2-amino-phenyl)-hexansäure-lactam* umlagert[7]:

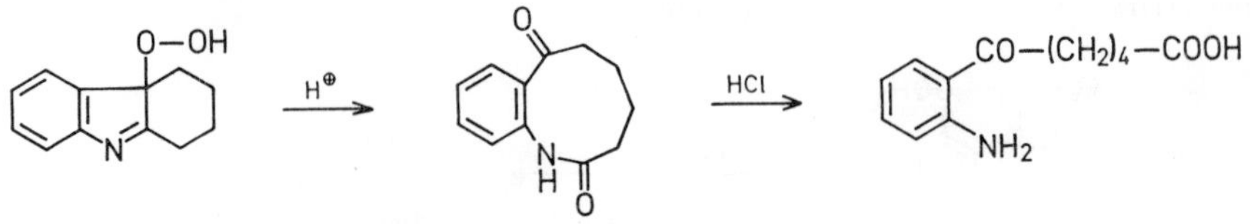

[1] B. Franck, V. Radtke u. U. Zeidler, Ang. Ch. **79**, 935 (1967).
[2] J. Rigaudy, M. Ricard u. S. Combrisson, Bl. **1972**, 1399.
   J. Rigaudy u. K. C. Nguyen, Bl. **1972**, 1407.
[3] W. Adam et al., Am. Soc. **91**, 2111 (1969).
[4] W. Adam u. Ying Ming Cheng, Am. Soc. **91**, 2109 (1969).
[5] F. D. Greene, W. Adam u. G. A. Knudsen, J. Org. Chem. **31**, 2087 (1966).
[6] E. Schmitz u. O. Brede, J. pr. **312**, 43 (1970).
[7] B. Witkop u. J. B. Patrick, Am. Soc. **73**, 2196 (1951).

o) aus Di- bzw. Polyphenolen und deren Äthern durch oxidative Umlagerung

Resorcin-Derivate gehen bei Bestrahlung in Gegenwart von Sauerstoff mit sichtbarem oder ultraviolettem Licht in Keto-carbonsäureester, Keto-peroxide oder Epoxy-ketone über[1], wie die folgenden Beispiele zeigen:

3-Hydroxy-5-oxo-1,3-di-tert.-butyl-4-methoxy-carbonyl-cyclopenten-(1); 16% d.Th.

4-Hydroxy-3-hydroperoxi-6-oxo-1,3-di-tert.-butyl-cyclohexadien-(1,4)

6-Hydroperoxi-1-methoxy-3-oxo-4,6-di-tert.-butyl-cyclohexadien-(1,4); 48% d.Th.

4-Hydroxy-5,6-epoxi-1-methoxy-3-oxo-4,6-di-tert.-butyl-cyclohexen-(1); 70% d.Th.

Analoge Photooxidationen sind an Polymethoxy-benzolen durchgeführt worden, wobei Dioxo-cyclohexene entstehen[2]; z.B.:

1,5,5,6,6-Pentamethoxy-3,4-dioxo-cyclohexen-(1); 57% d.Th.

---

[1] I. Saito, N. Yoshimura, T. Arai, K. Omura, A. Nishinaga u. T. Matsuura, Tetrahedron **28**, 5131 (1972).

[2] I. Saito, M. Imuta u. T. Matsuura, Tetrahedron Letters **28**, 5313 (1972).

π) aus α-Nitro-olefinen bzw. 2-Nitro-furanen durch Bestrahlung

α-Nitro-olefine können bei Bestrahlung in Aceton zu α-Oximino-ketonen umgelagert werden[1]; z.B.:

2-Oxo-1-oximino-1-phenyl-propan;
81% d. Th.

Eine vinyloge Reaktion ist der Übergang des konjugierten Nitro-diens 6-Nitro-cholestadien-(3,5) in *6-Oxo-3-oximino-cholesten-(4)*[1]:

Entsprechend entsteht aus 6-Nitro-3β-acetoxy-cholestan *6-Oxo-3-oximino-cholesten-(4)*[2].

In der heterocyclischen Reihe erfahren 2-Nitro-furane bzw. -pyrrole entsprechende Photoumlagerungen, wobei die Oximino-Gruppe bei besetzter 2-Stellung in Position 4 wandert[3]:

2-Oxo-3-oximino-
2,3-dihydro-furan;
79% d. Th.

2-Oxo-3-oximino-
5-methyl-2,3-dihydro-
furan; 32% d. Th.

2-Oxo-5-oximino-3-
methyl-2,5-dihydro-
furan; 45% d. Th.

2-Oxo-3-oximino-2,3-
dihydro-pyrrol;
15% d. Th.

[1] O. L. CHAPMAN, P. G. CLEVELAND u. E. D. HOGANSON, Chem. Commun. **1966**, 101.
[2] G. E. A. COOMBES, J. M. GRADY u. S. T. REID, Tetrahedron **23**, 1341 (1967).
[3] R. HUNT u. S. T. REID, Soc. (Perkin Trans. I) **1972**, 2527.

ϱ) aus Alkyl-furanen durch Bestrahlung

Furan-Derivate können durch UV-Licht photolytisch zu Ketonen umgelagert werden[1]; z.B.:

1-tert.-Butyl-3-(2,2-dimethyl-propanoyl)-cyclopropen-(1);
14% d.Th.

6-Oxo-2,2,7,7-tetramethyl-octadien-(3,4);
9% d.Th.

2-Oxo-3,3-dimethyl-1,5-di-tert.-butyl-bicyclo[3.1.0]hexan; 90% d.Th.

1,2-Di-tert.-butyl-3-(2,2-dimethyl-propanoyl)-cyclopropen-(1);
5% d.Th.

σ) aus Alkyl-2H-pyranen durch thermische Umlagerung

Pyrane erfahren beim Erhitzen auf 200° Ringöffnung zu Dienketonen[2]; z.B.:

6-Oxo-3,4-dimethyl-heptadien-(2,4); 89% d.Th.

6-Oxo-2,4-dimethyl-heptadien-(2,4); 33% d.Th.

[1] E. E. van Tamelen u. T. H. Whitesides, Am. Soc. **90**, 3894 (1968); **93**, 6129 (1971).
[2] J. Royer, A. Saffieddine u. J. Dreux, Bl. **1972**, 1646.

τ) durch spezielle Umlagerungsreaktionen von heterocyclischen Systemen

Das aus 1-Äthoxy-3-oxo-3H-isoindol und 1,1-Dimethoxy-äthylen bei Bestrahlung erhaltene tricyclische Addukt I wird durch Chlorwasserstoff zu *4,4-Dimethoxy-1,5-dioxo-2,3,4,5-tetrahydro-1H-⟨benzo-[c]-azepin⟩* (76% d. Th.) umgelagert. Entsprechend wird aus dem mit Cyclohexen gebildeten Addukt II *3,8-Dioxo-⟨benzo-2-aza-bicyclo-[5.4.0]undecen-(4)⟩* (100% d. Th.) erhalten[1]:

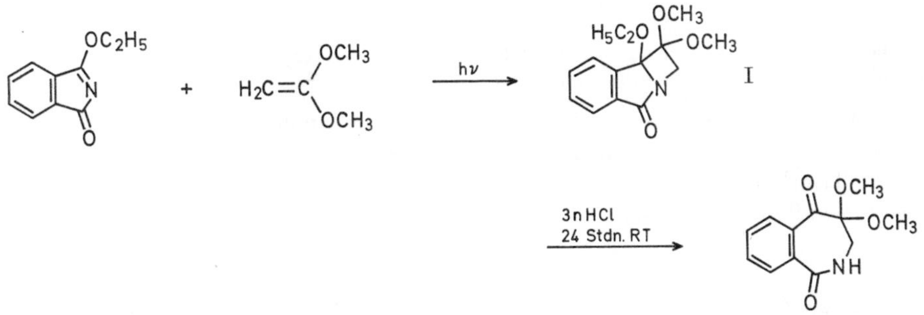

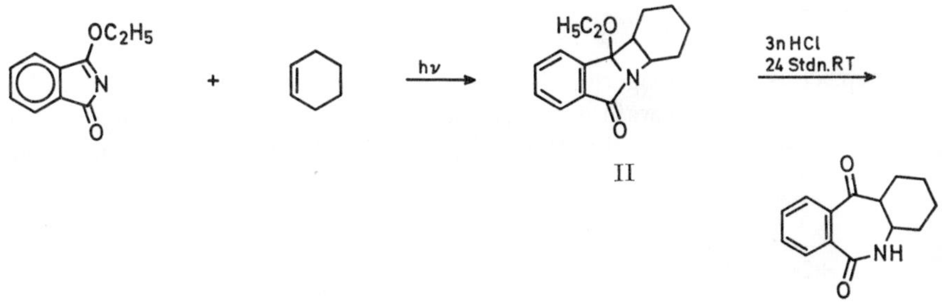

Während eine Reihe von 2,3-Bis-[sek.-alkylimino]-oxetanen bei 200° zu Imidazol-ionen umgelagert werden (Ausbeute: 43–62% d.Th.)

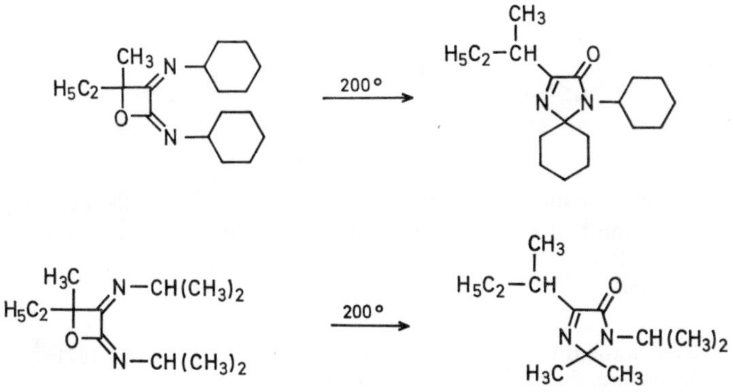

---

[1] T. H. KOCH u. K. H. HOWARD, Tetrahedron Letters 1972, 4035.

sind analoge Oxetane mit tert.-Butylimino-Gruppen bei 200° stabil. Bei 300° gehen sie in Oxo-cyclobutan-Derivate über[1]; z.B.:

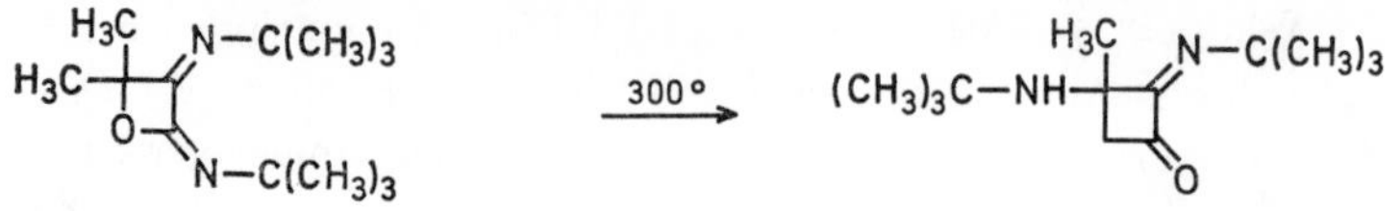

3-tert.-Butylamino-1-oxo-2-tert.-
butylimino-3-methyl-cyclobutan;
30% d. Th.

Über die Photo-Umlagerung von 1,1,2,2-Tetrakis-[alkylmercapto]-äthylen in Gegenwart von Singulett-Sauerstoff zu 1,2-Dithiooxalsäure-S,S-diestern s. Lit.[2].

Eigenartig ist die Umlagerung des aus Cyclohexanon, 1-Phenyl-piperazin und Acrolein leicht zugänglichen 1-(4-Phenyl-piperazino)-2-oxa-bicyclo[4.4.0]decen-(3) in mit Triäthylamin versetztem Dimethylformamid bei 80°, die zum *2-(4-Phenyl-piperazino)-9-oxo-bicyclo[3.3.1]nonan* (Isomerengemisch) führt[3]:

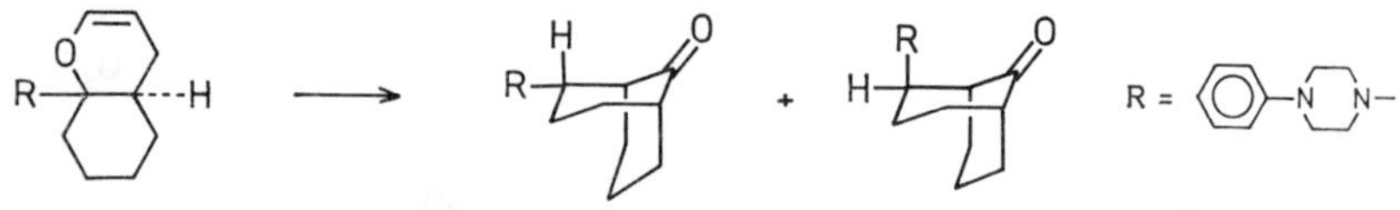

Untypisch ist die Umlagerung des *cis*-3-Chlor-3-methyl-1,2-diphenyl-aziridins, die mit Kaliumcarbonat in wäßrigem 1,4-Dioxan *1-Anilino-2-oxo-1-phenyl-propan*, mit Kalium-tert.-butanolat in tert. Butanol jedoch 3-Phenyl-propansäure-anilid ergibt[4]:

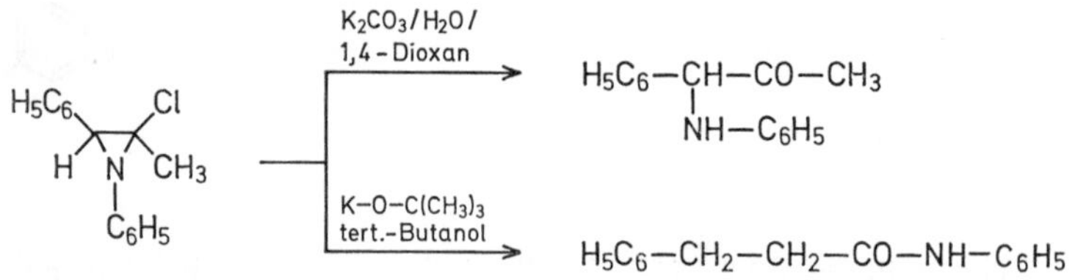

Acridin-N-oxid reagiert bei 140° mit Acetanhydrid zum *Acridon* (82% d.Th.)[5]:

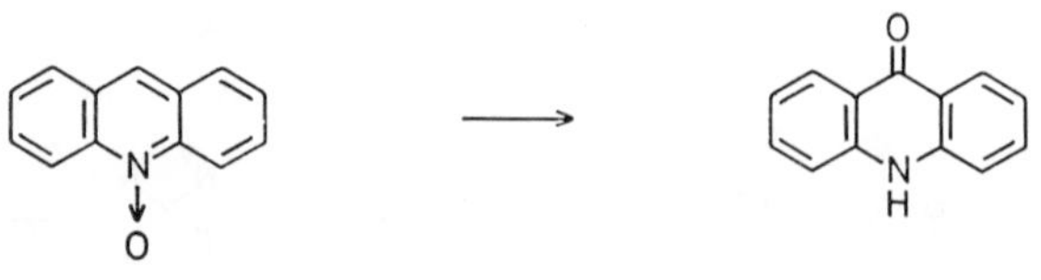

Im Gegensatz zur formal analogen Synthese von 2-Oxo-1,2-dihydro-pyridin aus Pyridin-N-oxid scheint die Reaktion nach einem intramolekularen Mechanismus abzulaufen[5].

[1] T. Saegusa, N. Taka-ishi u. Y. Ito, Bull. Chem. Soc. Japan **44**, 1121 (1971).
[2] W. Adam u. J.-Ch. Liu, Am. Soc. **94**, 1206 (1972).
[3] R. N. Schut u. T. M. H. Liu, J. Org. Chem. **30**, 2845 (1965).
[4] J. A. Deyrup u. R. B. Grenwald, Tetrahedron Letters **1966**, 5091.
[5] S. Oae, S. Kozuka, Y. Sakaguchi u. K. Hiramatsu, Tetrahedron **22**, 3143 (1966).

Bei Bestrahlung von 6-Methyl-4-phenyl-pyrimidin-N-oxid entsteht unter Ringverengung *4-Phenyl-5-acetyl-imidazol* neben *6-Oxo-1-methyl-4-phenyl-1,6-dihydro-pyrimidin*[1].

Bemerkenswert ist die desoxidierende Umlagerung von 7-Nitro-3-methyl-⟨benzo-[c]-1,2-oxazol⟩ beim Erhitzen mit Phosphorigsäure-trimethylester zum *4-Acetyl-⟨benzo-furazan⟩*[2]:

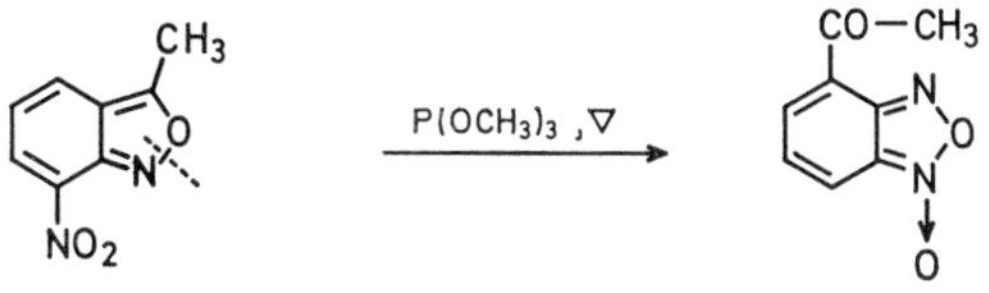

4-Acetyl-furazan[2]: 0,2 g 7-Nitro-3-methyl-⟨benzo-[c]-1,2-oxazol⟩ werden in 5 *ml* Phosphorig-säure-trimethylester (4 Stdn.) am Rückfluß gekocht. Die erkalteteLösung wird in 10 *ml* Wasser gegossen. Beim Stehen über Nacht scheidet sich das Reaktionsprodukt ab; Ausbeute: 0,1 g (55% d. Th.); F: 90–91° (blaßgelbe Nadeln aus Äthanol/Wasser).

Beim Versuch, aus dem Sulfoniumsalz I durch Einwirkung von Butyl-lithium in Tetrahydrofuran bei −40° das Ylid II zu gewinnen, wird ausschließlich das Umla-gerungsprodukt III {*3-Methylmercapto-6-oxo-1,5-di-tert.-butyl-4-[3-methyl-buten-(1)-yl-(3)]-cyclohexadien-(1,4)*} erhalten[3]:

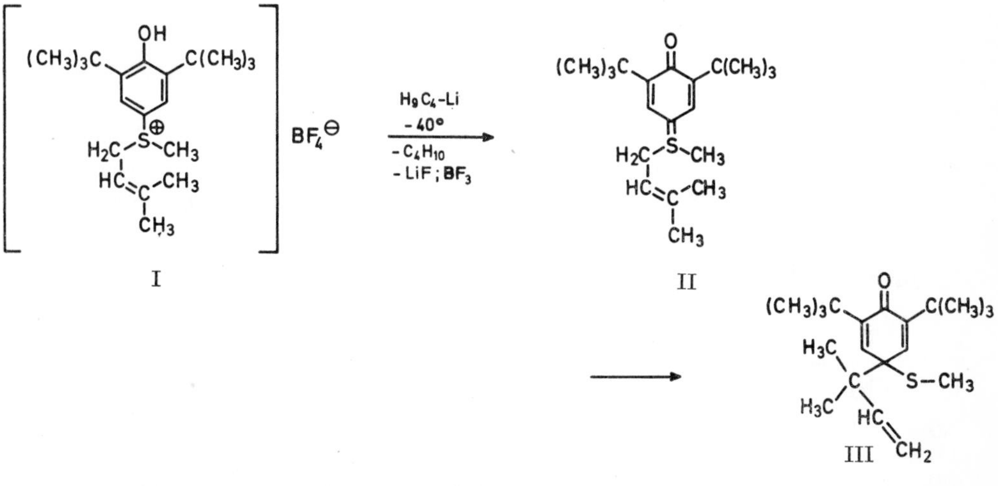

Eine Valenztautomerie unter [1.9]-sigmatroper Umlagerung erfolgt beim Erhitzen von *3-Methyl-7-acetyl-⟨benzo-[c]-1,2-oxazol⟩* auf 160–180°[4]:

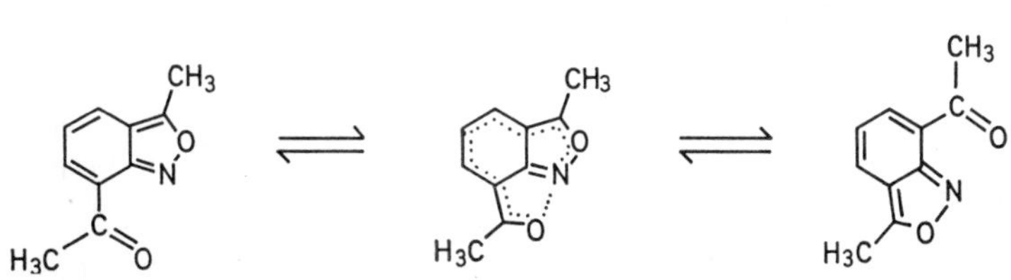

[1] R. A. F. DEELEMAN u. H. C. VAN DER PLAS, R. **92**, 317 (1973).
[2] A. J. BOULTON, I. Y. FLETCHER u. A. R. KATRITZKY, Soc. [C] **1971**, 1193.
[3] J. E. BALDWIN u. W. F. ERICKSON, Chem. Commun. **1971**, 359.
[4] K. P. PARRY u. C. W. REES, Chem. **1961**, 833.

v) aus Carbonsäureestern ungesättigter Alkohole

Analog Vinyläthern (vgl. S. 900) werden auch Vinylester thermisch umgelagert; z. B.:

1-Acetoxy-cyclohexen $\xrightarrow[\text{Quarzrohr, Al}_2\text{O}_3]{500°,}$ 2-Oxo-1-acetyl-cyclohexan; 82% d. Th.[1]

Entsprechend erhält man aus

2-Acetoxy-propen-(1) → *Acetylaceton [Pentandion-(2,4)]*; 86% d. Th.[1]
α-Acetoxy-styrol → *1,3-Dioxo-1-phenyl-butan*; 80% d. Th.[1]
2-Äthyl-hexansäure-isopropenylester → *2,4-Dioxo-5-äthyl-nonan*; 78% d. Th.[1]
1-Acetoxy-cyclopenten[2] → *2-Oxo-1-acetyl-cyclopentan*; 60% d. Th.[3]

Von besonderer Bedeutung ist die technische Synthese des *Pentandions-(2,4)* (*Acetylaceton*) durch Umlagerung des aus Aceton und Keton leicht zugänglichen Essigsäure-isopropenylesters[4] in der Gasphase in Gegenwart von Metallkatalysatoren[5]:

$$H_3C-CO-O-\underset{\underset{CH_3}{|}}{C}=CH_2 \xrightarrow[600°]{Mo/Fe} HO-\underset{\underset{CH_3}{|}}{C}=CH-CO-CH_3 \rightleftharpoons O=\underset{\underset{CH_3}{|}}{C}-CH_2-CO-CH_3$$

Die Reaktion kann als Sonderfall der Fries'schen Umlagerung (s. S. 379) aufgefaßt werden.

Die Umlagerung des 1-Acetoxy-cyclohexens läßt sich auch photochemisch durchführen[6].

Ein interessanter Weg zu γ,δ-ungesättigten alicyclischen Ketonen, die als Ausgangsstoffe für Duftstoffe, sowie z. B. für Vitamin-A-Synthesen von Interesse sind, besteht in der Pyrolyse von Acetessigsäure-allylestern. Aus Acetessigsäure-3-methyl-buten-(1)-yl-(3)-ester wird bei 140–170° unter Abspaltung von Kohlendioxid und Gerüstumlagerung *6-Oxo-2-methyl-hepten-(2)* in 74%iger Ausbeute erhalten[7]:

$$H_3C-CO-CH_2-CO-O-\underset{\underset{CH=CH_2}{|}}{\overset{\overset{CH_3}{|}}{C}}-CH_3 \xrightarrow{-CO_2} H_3C-\underset{\underset{CH_3}{|}}{C}=CH-CH_2-CH_2-CO-CH_3$$

Acetessigsäure-allylester liefert bei 185–200° *5-Oxo-hexen-(1)* (*1*) (31% d. Th.)[7]. Analog werden erhalten[7]:

5-Oxo-2-methyl-hexen-(1); 26% d. Th.   *5-Oxo-3-phenyl-hexen-(1)*; 74% d. Th.
5-Oxo-3-methyl-hexen-(1); 37% d. Th.   *5-Oxo-1-phenyl-hexen-(1)*; 88% d. Th.
6-Oxo-hepten-(2); 80% d. Th.   *10-Oxo-2,6-dimethyl-undecadien-(2,6)* (*Geranylaceton*); 78% d. Th.

Als Katalysatoren werden Aluminiumtriacetat[8], basisches Aluminiumacetat[1] und Aluminiumphenolate[9], z. B. Tris-[2-methoxycarbonyl-phenoxy]-aluminium empfohlen.

---

[1] US. P. 2395800 (1944), Carbide and Carbon Chem. Corp., Erf.: A. B. Boese et. al.
[2] Herstellung durch Umesterung von 2-Acetoxy-propan mit Cyclopentanon (vgl. ds. Handb. Bd. VIII, S. 553) US. P. 2466737 (1944), Carbide and Carbon Chem. Corp., Erf.: W. M. Quattlebaum u. C. A. Noffsinger.
[3] C. Burkhardt, Farbf. Bayer AG, Uerdingen, unveröffentlicht.
[4] DAS 1014104 (1956), Wacker-Chemie GmbH, Erf.: F. Büttner u. E. Enk; C. **1958** I, 6673.
[5] DAS 1001249 (1955), Wacker-Chemie GmbH, Erf.: E. Enk u. F. Büttner, C. **1957** II, 8938.
[6] A. Yogev, M. Gorodetsky u. Y. Mazur, Am. Soc. **86**, 5208 (1964).
[7] W. Kimel u. A. C. Cope, Am. Soc. **65**, 1992 (1943).
[8] Fr. P. 1245221 (1959), Distillers Co., Erf.: R. N. Lacey.
[9] Fr. P. 1250704 (1959), Distillers Co., Erf.: R. N. Lacey u. P. Nayler.

φ) spezielle Umlagerungsreaktionen

2-Chlor-1,3-dihydroxy-cyclohexan geht beim Erhitzen mit Natriumcarbonat und wasserfreiem Calciumsulfat in *Cyclohexen-(1)-on-(3)* über (62% d. Th.)[1].

Von einer Umlagerung begleitet ist auch die Bildung von *3-Oxo-2-methyl-butan* aus 2-Hydroxy-3,3-dimethyl-butansäure[2]:

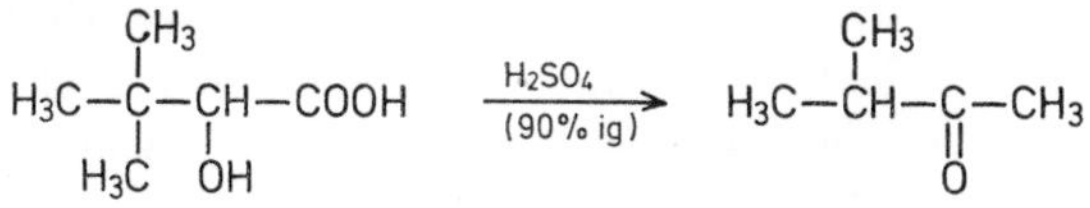

$$\text{H}_3\text{C}-\underset{\underset{\text{CH}_3}{|}}{\overset{\overset{\text{CH}_3}{|}}{\text{C}}}-\underset{\underset{\text{OH}}{|}}{\text{CH}}-\text{COOH} \quad \xrightarrow[\text{(90\% ig)}]{\text{H}_2\text{SO}_4} \quad \text{H}_3\text{C}-\text{CH}-\underset{\overset{||}{\text{O}}}{\text{C}}-\text{CH}_3$$

2-Hydroxy-3-(2-oxo-2-phenyl-äthyl)-2-phenyl-2H-⟨cycloheptatrieno-[b]-furan⟩ wird bei der Säulenchromatographie an Silicagel zum *2-[1,4-Dioxo-1,4-diphenyl-butyl-(2)]-tropon* umgelagert[3]:

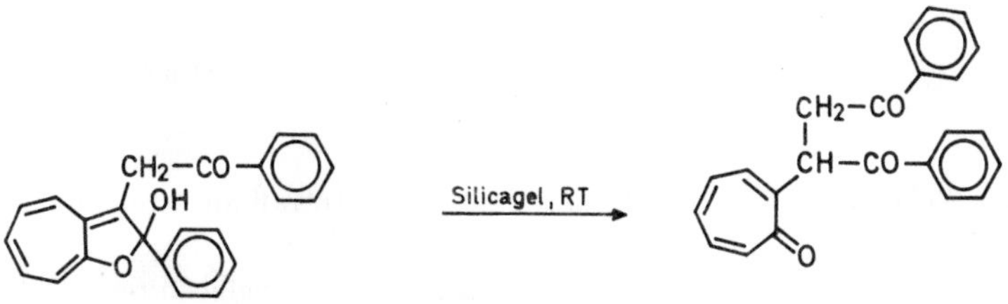

Dagegen geht das durch Oxidation der 5-Methyl-2-isopropyliden-cyclopentan-1-carbonsäure erhaltene Hydroxy-lacton I unter der Einwirkung von konz. Schwefelsäure bei 40–110° unter Kohlendioxid-Abspaltung in *2-Oxo-1,1,4-trimethyl-cyclohexan* (65% d.Th.)[4] über:

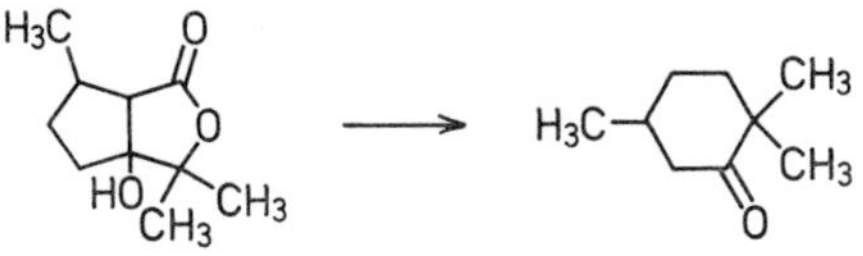

Zur photolytischen Umlagerung von 1,2,3-Tri-tert.-butyl-cyclobuten-(1)-3,4-dicarbonsäure-anhydrid zu *5-Oxo-1,2,4-tri-tert.-butyl-cyclopentadien* s. Lit.[5].

Eine „cyclopropyloge" Pinakolin-Umlagerung ist die in heißer Essigsäure momentan stattfindende Umwandlung des *trans*-1,2-Bis-[α-hydroxy-diphenylmethyl]-cyclopropans in *5-Oxo-1,1,4,5-tetraphenyl-penten-(1)* (75% d.Th.)[6]:

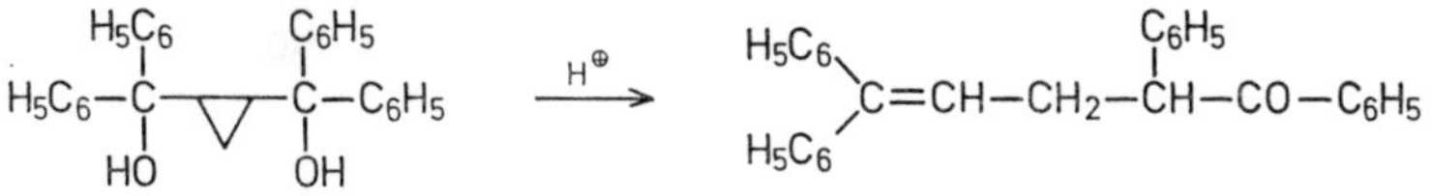

[1] A. Kötz u. K. Richter, J. pr. [2] **111**, 381 (1925).
[2] C. Glücksmann, M. **12**, 356 (1891).
  T. Schindler, M. **13**, 647 (1892).
[3] Y. Sugimuera, N. Soma u. Y. Kishida, Bull. Chem. Soc. Jap. **45**, 3174 (1972).
[4] O. Wallach, A. **329**, 82 (1903).
[5] G. Maier u. F. Bosslet, Tetrahedron Letters **1972**, 4483.
[6] R. A. Darby u. R. E. Lutz, J. Org. Chem. **22**, 1353 (1957).

Dieselbe Verbindung wird beim Erhitzen des *cis*-Cyclopropan-Derivats mit Kaliumhydrogensulfat auf 130° erhalten (76% d.Th.). Als Nebenprodukt entsteht der erwartete cyclische Äther (21% d.Th.)[1].

Bei der Thermolyse von 3-Oxo-3-cyclopropyl-propionsäureestern werden neben anderen Fragmentierungsprodukten unter Ringerweiterung Oxo-cyclopentene gebildet[2].

Während bei der säurekatalysierten Umlagerung aliphatischer α,β-ungesättigter Äther das Kohlenstoffgerüst erhalten bleibt verläuft die Umlagerung von am Brückenkopf durch eine Methoxy-Gruppe substituierten Bicyclen unter Gerüst-veränderung. Als typisches Beispiel sei die Reaktion von 1-Methoxy-barrelen (1-Methoxy-⟨benzo-bicyclo[2.2.2]octatrien⟩) angeführt[3]:

7-Oxo-⟨6,7-benzo-bicyclo-
[3.2.1]octadien-(2,6)⟩

9-Oxo-⟨benzo-bicyclo[2.2.2]
octadien-(2,5)⟩

Die besten Ausbeuten werden mit am Benzolkern tetrafluorierten Verbindungen erhalten.

Zur Umlagerung wird der Äther in konzentrierter Schwefelsäure gelöst und an-schließend sofort in Wasser gegossen. Das Verhältnis der beiden Umlagerungsprodukte ist stark temperaturabhängig[3]. Beidseitige Methoxy-Substitution am Brückenkopf führt zu einem Gemisch aus Mono- und Diketon[3]:

2,3,4,5-Tetrafluor-1-methoxy-
6-oxo-⟨2,3-benzo-bicyclo[3.2.1]
octadien-(2,6)⟩; 18% d.Th.

2,3,4,5-Tetrafluor-7,9-dioxo-
⟨benzo-bicyclo[2.2.2]octen⟩;
20% d.Th.

Beim Erhitzen von 7-Allyloxy-cycloheptatrien (I) auf 200° entstehen in ins-gesamt 83% Ausbeute die beiden tricyclischen Ketone 2-Oxo-tricyclo[4.3.1.0^{3,8}]decen-(4) (II) und 10-Oxo-tricyclo[4.3.1.0^{4,8}]decen-(2) (III) in etwa gleichen Mengen[4]:

I   III   II

[1] T. Shono, A. Oku, T. Morikawa, M. Kimura u. R. Oda, Bull. chem. Soc. Jap. **38**, 940 (1965).
[2] W. F. Berkowitz u. A. A. Ozorio, J. Org. Chem. **36**, 3787 (1971).
[3] H. Heaney u. S. V. Ley, Chem. Commun. **1971**, 224.
[4] C. A. Cupas, W. Schumann u. W. E. Heyd, Am. Soc. **92**, 3237 (1970).

Erster Reaktionsschritt ist vermutlich eine 1.5-Wasserstoffverschiebung zum isomeren Allyl-vinyl-äther I. Dieser erfährt eine Claisen-Umlagerung zum *5-Oxo-6-allyl-cycloheptadien-(1,3)*, worauf in intramolekularer Diels-Adler-Reaktion der Tricyclus gebildet wird:

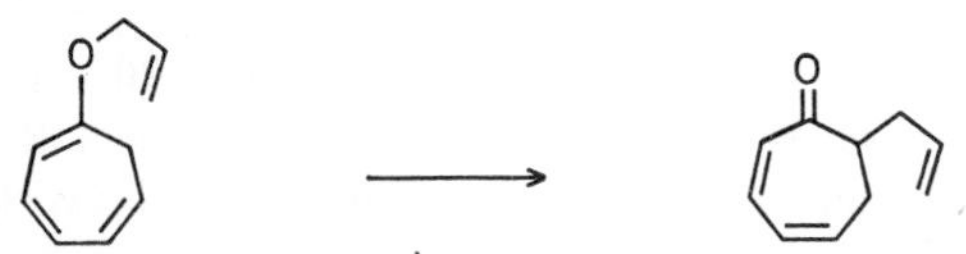

Außergewöhnlich ist die basenkatalysierte Umlagerung bestimmter α-Hydroxy-epoxide zu α-Methylen-ketonen.

Oxiran-⟨spiro-2⟩-3-hydroxy-6,6-dimethyl-bicyclo[3.1.1]heptan wird in wäßrig-methanolischer Natronlauge bei 60° quantitativ zu *3-Oxo-6,6-dimethyl-2-methylen-bicyclo[3.1.1]heptan (Pinocarvon)* umgelagert[1]:

2-Hydroxy-2-phenyl-bicyclo[1.1.1]pentan lagert sich bei 135° i.Vak. zu einem Gemisch aus 65% *5-Oxo-5-phenyl-penten*-(1) und 35% *Benzoyl-cyclobutan* um[2]:

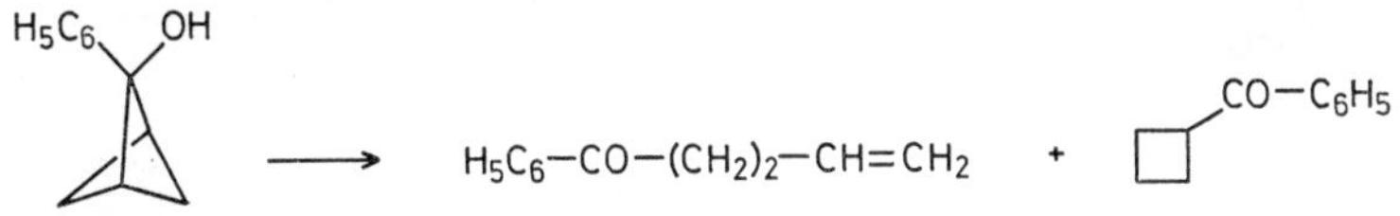

$$H_5C_6-CO-(CH_2)_2-CH=CH_2 \quad + \quad \square^{CO-C_6H_5}$$

Bei der alkalischen Spaltung von 3-Hydroxy-1,5-dimethyl-tricyclo[3.3.0.0³,⁷]octan mit Kalium-tert.-butanolat in siedendem tert. Butanol entsteht in rascher Reaktion unter Umlagerung *3-Oxo-1,5-dimethyl-bicyclo[3.3.0]octan* unter 98%iger Konfigurationserhaltung[3-5]:

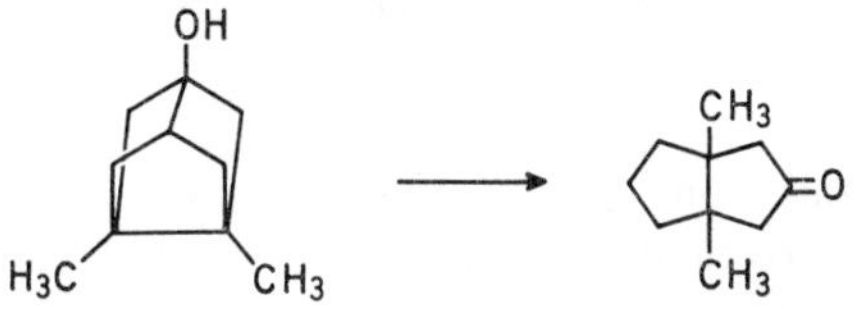

5-Hydroxy-1,2,3,4,5-pentaphenyl-cyclopentadien wird bei 170–200° unter supra-facialer[1.5]-sigmatroper Phenyl-Wanderung zu *4-Oxo-1,2,3,3,5-pentaphenyl-cyclopenten* (90% d. Th.) umgelagert[6].

[1] J. M. COXON, E. DANSTED, M. P. HARTSHORN u. K. E. RICHARDS, Chem. Commun. **1968**, 1076.
[2] A. PADWA u. E. ALEXANDER, Am. Soc. **92**, 5674 (1970).
[3] W. T. BORDEN, V. VARMA, M. CABELL u. T. RAVINDRAMATHAN, Am. Soc. **93**, 3800 (1971).
[4] A. NICKON, J. L. LAMBERT, R. O. WILLIAMS u. N. H. WERSTINK, Am. Soc. **88**, 3354 (1966).
[5] Zum Mechanismus: D. J. CRAM, *Fundamentals of Carbanion Chemistry*, S. 137–158, Academic Press, New York 1965.
[6] A. K. YOUSSEF u. M. A. OGLIARUSO, J. Org. Chem. **37**, 2601 (1972), **38**, 487 (1973), **38**, 487 (1973) (auch für Indene).

Die Hydrolyse von 1-Chlor-bicyclopropyl führt unter Öffnung eines Dreirings zum *Propionyl-cyclopropan*[1]:

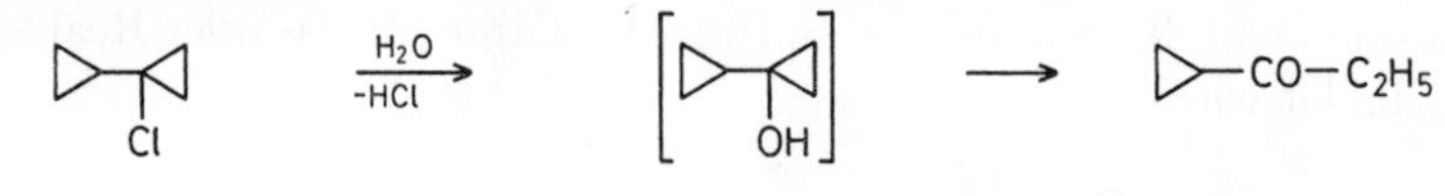

Beim Erwärmen von 1-Hydroxy-adamantan mit 96%iger Schwefelsäure auf 75° läßt sich *2-Oxo-adamantan* (72% d.Th.) herstellen. Die Reaktion ist komplex und beinhaltet Isomerisierung, Disproportionierung und Oxidation[2]. Die Bruttoreaktion ist keine Umlagerung im engeren Sinne.

Zur Synthese von *2-Oxo-1-methyl-adamantan* sind ebenfalls oxidative Umlagerungsreaktionen herangezogen worden, die von 4-Hydroxy-4-methyl-proto-adamantan[3] oder – weniger günstig – von 2-Hydroxy-2-methyl-adamantan[4] ausgehen:

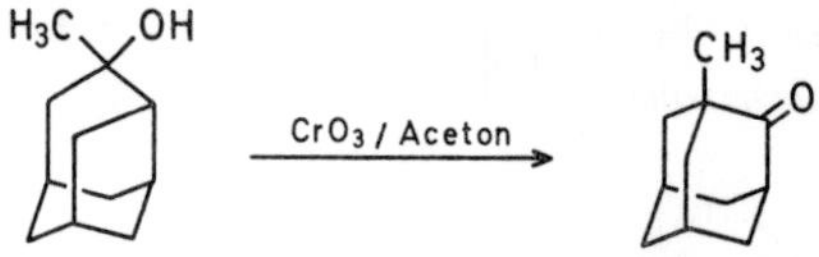

84% d.Th.

Die Pyrolyse von o-Phenylensulfit bei 500°/16 Torr liefert in 77% Ausbeute das Dimere des primär gebildeten Oxo-cyclopentadiens[5]:

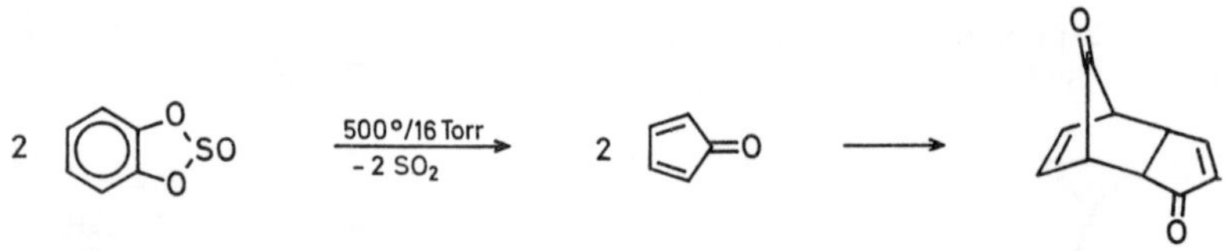

5,10-Dioxo-tricyclo [5.2.1.0²,⁶]decadien-(3,8)

Dagegen lagert das entsprechende Sulfit des 1,1'-Dihydroxy-bicyclopropyls schon bei 130° um unter Bildung von *Cyclopropan-⟨spiro-1⟩-2-oxo-cyclobutan*[6] (vgl. S. 1029):

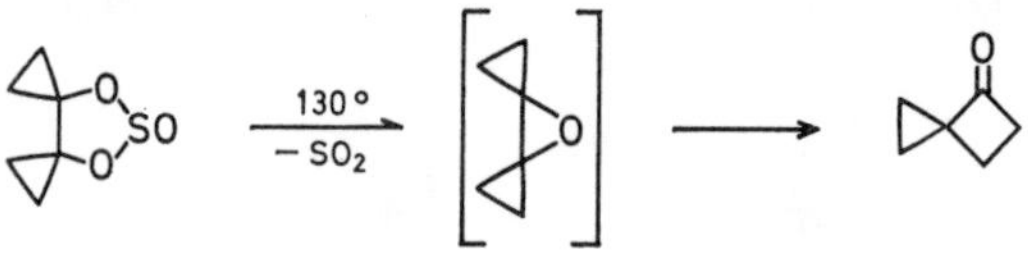

Bei der Debromierung von 2-Oxo-1,1-bis-[brommethyl]-cycloheptan mit Zink entsteht nicht das erwartete Spirocyclopropan sondern unter Gerüstumlagerung *Cyclobutan-⟨spiro-1⟩-2-oxo-cyclohexan*[7].

Die Hydrolyse von 3-Diäthylamino-5-oxo-4-methyl-1-[1-diäthylaminocarbonyl-äthyliden]-1,5-dihydro-⟨benzo-[c]-oxepin⟩ zum *3-Oxo-2-methyl-1-[1-diäthylaminocarbonyl-äthyl]-inden* (78% d.Th.; I) vollzieht sich unter Gerüstumlagerung, ebenso die

[1] J. A. LANDGREBE u. L. W. BECKER, Am. Soc. **89**, 2505 (1967); **90**, 395 (1968).
[2] H. W. GELUK u. J. L. M. A. SCHLATMANN, Chem. Commun. **1967**, 426.
[3] B. D. CUDDY. D. GRANT u. M. A. NCKERVEY, Soc. **1971**, 3173.
   D. LENOIR, R. GLASER, P. MISON u. P. v. R. SCHLEYER, J. Org. Chem. **36**, 1821 (1971).
[4] B. D. CUDDY, D. GRANT, A. KARIM, M. A. MCKERVEY u. E. J. F. REA, Soc. (Perkin Trans. I) **1972**, 2701.
[5] D. C. DE JONGH, R. Y. VAN VOSSEN u. M. L. THOMSON, J. Org. Chem. **37**, 1129, 1135 (1972).
[6] J. M. DENIS u. J. M. CONIA, Tetrahedron Letters **1972**, 4593.
[7] Y. M. SLOBODIN, Ž. org. Chim. **8**, 1764 (1972); engl. 1806.

Thermolyse zum stereoisomeren *3-Oxo-2-methyl-1-[1-diäthylaminocarbonyl-äthyliden]-2-diäthylaminocarbonyl-indan* (86% d. Th.; II)[1]:

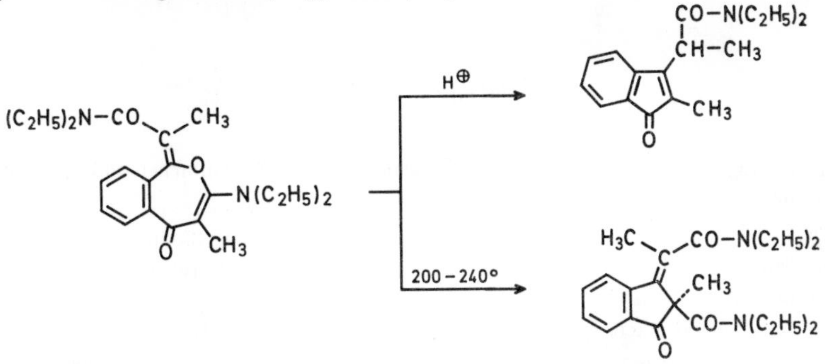

Die Synthese von Ketonen bzw. Aldehyden durch Oxidation von Arylolefinen mit Blei(IV)-acetat in Trifluoressigsäure erfolgt unter Umlagerung des Kohlenstoffgerüsts[2]; z. B.:

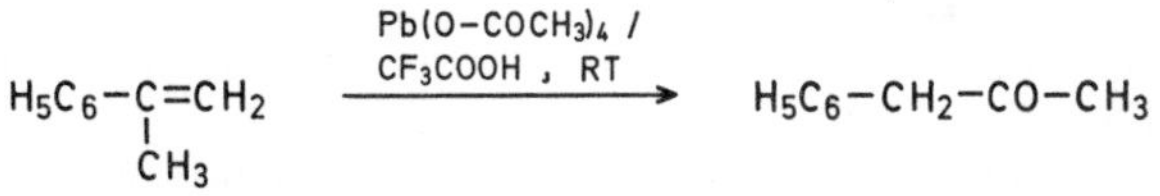

2-Oxo-1-phenyl-propan; 55% d.Th.

Analog wurden erhalten:

2-Oxo-1-(4-nitro-phenyl)-propan	91% d.Th.
2-Oxo-1-(4-methyl-phenyl)-propan	18% d.Th.
1-Oxo-1,2-diphenyl-äthan(Desoxybenzoin)	32% d.Th.

Die Einwirkung von Basen [Natrium-methanolat in Methanol oder 1,5-Diazabicyclo[4.3.0]nonen-(5) in Chloroform oder Benzol] auf 3-Hydroxy-1,2-diphenyl-2-cyclopropen-3-carbonsäure-äthylester führt in rascher quantitativer Reaktion zum *3,4-Dioxo-1,2-diphenyl-cyclobuten*[3]. Durch die hohe Ringspannung des Cyclopropen-Gerüsts kommt es hier zu einer **Retro-Benzilsäure-Umlagerung**[3]:

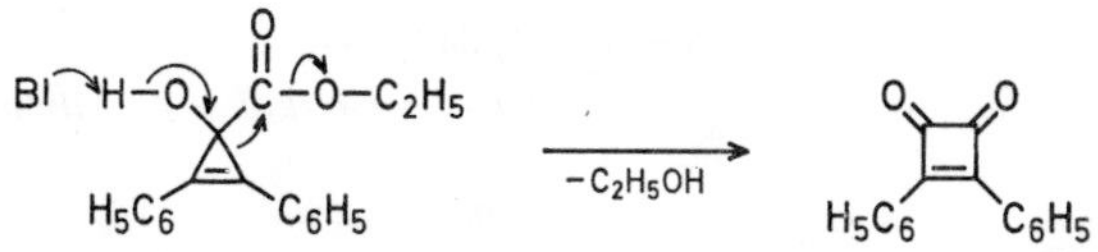

Die Pyrolyse von Lacton-Tosylhydrazon-Salzen führt unter Ringverengung zu Ketonen (25–60% d. Th.)[4]. Als Vorstufe der Umlagerung wird ein Oxycarben angenommen[4]; z. B.:

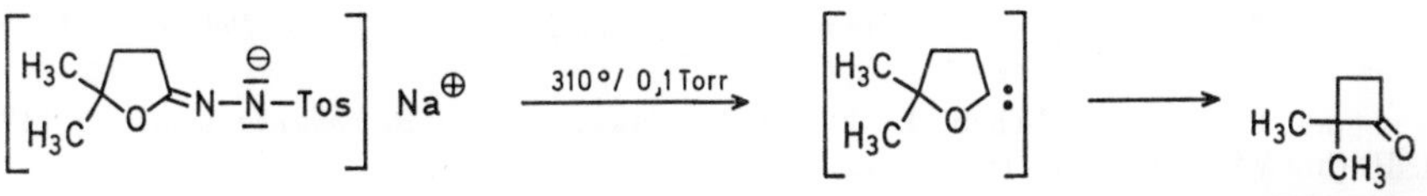

2-Oxo-1,1-dimethyl-cyclobutan; 28% d. Th.

[1] G. Höfle u. W. Steglich, B. **105**, 1368 (1972).
[2] A. Lethbridge, R. O. C. Norman u. C. B. Thomas, Soc. (Perkin Trans. I) **1973**, 35.
[3] C. D. DeBoer, Chem. Commun. **1972**, 377.
[4] A. B. Smith, A. M. Foster u. W. C. Agosta, Am. Soc. **94**, 5100 (1972).
   A. M. Foster u. W. C. Agosta, Am. Soc. **94**, 5777 (1972); **95**, 608 (1973).

Bibliographie

Allgemeine Eigenschaften, Sammelliteratur und tabellarische Zusammenstellung der wichtigsten Ketone siehe:

V. MEYER u. P. JACOBSON, *Lehrbuch der Organischen Chemie*, W. de Gruyter, Berlin-Leipzig. In den Bänden I/1 (1907), I/2 (1913), II/3 (1920) ist die ältere Literatur über Ketone vollständig berücksichtigt.

Über die Reaktionsfähigkeit des Carbonyls: H. STAUDINGER u. N. KON, A. **384**, 38–135 (1911)

Beilsteins Handbuch der organischen Chemie, 4. Aufl. (in zahlreichen Bänden abgehandelt).

V. GRIGNARD, G. DUPONT u. R. LOCQUIN, *Traité de Chimie Organique*, Bd. VII (1950), VIII (1950), XI (1945), XII (1945), Masson et Cie., Paris.

Ullmanns Encyklopädie der technischen Chemie, 3. Aufl., Bd. 9, S. 544 ff., Urban & Schwarzenberg, München–Berlin 1957.

Rodd's Chemistry of Carbon Compounds, 2. Aufl., Bd. I/C, S. 52–91, Elsevier Publ. Co., Amsterdam 1965.

S. PATAI, *The Chemistry of the Carbonyl-Group*, Interscience Publishers, New York 1966; ausführliche Beschreibung des chemischen Verhaltens, der theoretischen Aspekte und der physikalischen Eigenschaften der Carbonyl-Gruppe.

S. R. SANDLER u. W. KARO, *Organic Functional Group Preparations, Ketones*, Bd. 12 I, S. 169–190, Academic Press, New York 1968.

1. Ketone durch Friedel-Crafts'sche Kondensationen

N. O. CALLOWAY, *The Friedel-Crafts Syntheses*, Chem. Reviews **17**, 327 (1935).

G. KRÄNZLEIN, *Aluminiumchlorid in der organischen Chemie*, 3. Aufl., Verlag Chemie, Berlin 1939.

C. A. THOMAS, *Anhydrous Aluminium Chloride in Organic Chemistry*, Reinhold Publishing Co., New York 1941.

A. H. BLATT, *The Fries Reaction*, Org. Reactions **I**, 342 (1942).

W. S. JOHNSON, *The Formation of Cyclic Ketones by Intramolekular Acylation*, Org. Reactions **II**, 115 (1944).

E. BERLINER, *The Friedel and Crafts Reaction with Aliphatic Dibasic Acid Anhydrides*, Org. Reactions **V**, 229 (1949).

D. KÄSTNER, *Das Borfluorid als Katalysator bei chemischen Reaktionen*, in W. FOERST, *Neuere Methoden der präparativen organischen Chemie*, Bd. I, S. 413, Verlag Chemie, Weinheim 1949.

P. E. SPOERRI u. A. S. DUBOIS, *The Hoesch Synthesis*, Org. Reactions **V**, 387 (1949).

P. H. GORE, *The Friedel-Crafts Acylation Reaction and its Application to Polycyclic Aromatic Hydrocarbons*, Chem. Reviews **55**, 229 (1955).

Theorie der Friedel-Crafts'schen Reaktion: V. FRANZEN, *Reaktionsmechanismen*, S. 123 ff. A. Hüthig Verlag GmbH., Heidelberg 1958.

K. LEROI NELSON, *Friedel-Crafts Reactions*, Ind. eng. Chem. **47**, 1926 (1955); **48**, 1670 (1956); **49**, 1560 (1957); **50**, 1414 (1958); **51**, 1099 (1959); **52**, 1018 (1960).

F. D. POPP u. W. E. McEWEN, *Polyphosphoric Acid as a Reagent in Organic Chemistry*, Chem. Reviews **58**, 321 (1958).

E. S. GOULD, *Mechanismus und Struktur in der organischen Chemie*, S. 534, Verlag Chemie, Weinheim 1962.

G. A. OLAH, *Friedel-Crafts and Related Reactions*, Interscience Publishers, Bd. 1–4, New York 1963–1965.

Band I   R. J. GILLESPIE, *Proton Acids and Lewis Acids*, S. 169–199.

G. A. OLAH, *Catalysts and Solvents*, S. 201–366.

H. HART, *Stereochemical Aspects*, S. 999–1015.

Band III P. H. GORE, *Aromatic Ketone Synthesis*, S. 1–381.

W. RUSKE, *Houben-Hoesch and Related Syntheses*, S. 383–497.

A. GERECS, *The Fries Reaction*, S. 499–533.

A. G. PETO, *Acylation with Di- and Polycarboxylic Derivatives*, S. 535–910.

S. SETHNA, *Cycliacylation*, S. 911–1002.

F. R. JENSEN u. G. GOLDMAN, *Mechanism of Acylations*, S. 1003–1032.

C. D. NENITZESCU u. A. T. BALABAN, *Aliphatic Acylation*, S. 1033–1152.

D. P. N. SATCHELL u. R. S. SATCHELL, *Formation of ketones and aldehydes by acylation, formylation and some related processes*, in S. PATAI, *The Chemistry of the Carbonyl Group*, S. 233, Interscience Publishers, London 1966.

A. E. POHLAND u. W. R. BENSON, *β-Chlorvinyl Ketones*, Chem. Reviews **66**, 161 (1966).

S. PATAI, *The Chemistry of the Acylhalides*, J. Wiley and Sons, London 1972.

2. Ketone durch Kondensationen mit aciden CH-Verbindungen

V. MEYER u. P. JACOBSON, *Lehrbuch der organischen Chemie*, 2. Aufl., Bd. I/2, S. 1108–1253, Veit u. Co., Leipzig 1913 (vollständige ältere Literatur über β-Ketocarbonylverbindungen).

V. MIGRDICHIAN, *The Chemistry of Organic Cyanogen Compounds*, Reinhold Publ. Corp., New York 1947.

C. R. HAUSER u. B. E. HUDSON, *The Acetoacetic Ester Condensation and certain Related Reactions*, Org. Reactions **1**, 266 (1942).

H. HENECKA, *Chemie der Beta-Dicarbonylverbindungen*, Springer Verlag, Heidelberg 1950.

H. HENECKA, *Esterkondensationen*, Fortschr. chem. Forsch. **1**, 685 (1950).

C. R. HAUSER, F. W. SWAMER u. J. T. ADAMS, *The Acylation of Ketones to form β-Diketones or β-Ketoaldehyds*, Org. Reactions **8**, 59 (1954).

s. ds. Handb., Bd. VIII, Kap. *Esterkondensationen*, S. 560ff.

D. J. CRAM, *Fundamentals of Carbanion Chemistry*, Academic Press, New York 1965.

H. O. HOUSE, *Modern Synthetic Reactions*, S. 258ff., W. A. Benjamin Inc. New York 1965.

D. C. AYRES, *Carbanions in Synthesis*, Kap. 5, S. 126, Oldbourne Press, London 1966.

S. PATAI, *The Chemistry of the Carbonyl Group*; Kap. 5, S. 233; Interscience Publishers, John Wiley and Sons, New York 1966.

J. P. SCHAEFER u. J. J. BLOOMFIELD, *The Dieckmann Condensation*, Org. Reactions **XV**, 1 (1967).

H. FISCHER u. D. REWICKI, *Acidic Hydrocarbons*, Progr. Org. Chem. **7**, 116 (1968).

A. N. PUDOVIK u. G. E. YASTREBOVA, *Phosphororganische Verbindungen mit aktiven Methylen-Gruppen*, Uspechi Chim. **39**, 1190–1219 (1970); engl.: 562–577.

Vgl. ds. Handb., Bd. XIII/1, Kap. *CH-Acidität*, S. 27 sowie Kap. *Alkalimetall-organische Verbindungen*, S. 523, 725.

3. Ketone aus metallorganischen Verbindungen

H. GILMAN, *Organic Chemistry*, Vol. I, S. 489–590, John Wiley and Sons, New York 1943.

J. CASON, *The Use of Organocadmium Reagents for the Preparation of Ketones*, Chem. Reviews **40**, 15—32 (1947).

R. G. JONES u. H. GILMAN, *The Halogen-Metal Interconversion Reaction with Organolithium Compounds*, Org. Reactions **VI**, 339 (1951).

R. G. JONES u. H. GILMAN, *Methods of Preparation of Organometallic Compounds*, Chem. Reviews **54**, 835 (1954).

E. G. Rochow, D. T. Hurd u. R. N. Lewis, *The Chemistry of the Organometallic Compounds,* Reinhold Publ. Corp., New York 1954.

D. A. Shirley, *The Syntheses of Ketones from Acid Halides and Organometallic Compounds of Magnesium, Zinc, and Cadmium,* Org. Reactions **8**, 28–50 (1954).

s. ds. Handb., Bd. XIII/1, Umwandlung lithium-organischer Verbindungen, S. 87.
Umwandlung alkalimetall-organischer Verbindungen, S. 257.
Bd. XIII/4, Umwandlung aluminium-organischer Verbindungen, S. 176.
Bd. XIII/2, Umwandlung magnesium-, zink-, cadmium-organischer Verbindungen.

H. K. Zeiss, *Organometallic Compounds,* Reinhold Publishing Co., New York 1960.

M. Dub, *Organometallic Compounds,* Vol. 1, Methuen, London 1961.

C. W. Bird, *Synthesis of Organic Compounds by Direct Carbonylation Reactions Using Metal Carbonyls,* Chem. Reviews **62**, 283 (1962).

H. C. Kaufman, *Handbook of Organometallic Compounds,* Van Nostrand Co., Princeton 1961.

F. G. Stone u. R. West, Adv. Organometallic Chem. **1**ff., (ab 1964).

C. B. Milne u. A. N. Wrigth, *Aliphatic Organometallic and Organometalloidal Compounds* in *Rodd's Chemistry of Carbon Compounds,* 2. Aufl., Vol. I/b, S. 165, Elsevier Publ. Co., Amsterdam–London–New York 1965.

I. A. Shikhiev, *The Chemistry of Organometallic Compounds,* Maarif, Baku 1965.

M. Cais u. A. Mandelbaum in S. Patai, *The Chemistry of the Carbonyl Group,* S. 304ff., Interscience, London 1966.

D. Seyferth u. R. B. King, *Organometallic Chemistry Reviews,* Section A: Subject Reviews, Vol. 1ff., Section B: Annual Reviews, Vol. 1ff., Elsevier Publishing Co., Amsterdam ab 1966.

G. E. Coates u. K. Wade, *Organometallic Compounds,* 3. Aufl., Vol. I, *The Main Group Elements,* Methuen, London 1967.

N. I. Sheverdina u. K. A. Kocheshkov, *The Organic Compounds of Zinc and Cadmium,* in *Methods of Elemento-Organic Chemistry,* Vol. 3, North Holland Publ. Co., Amsterdam 1967.

N. Hagihara, M. Kumada u. R. Okawara, *Handbook of Organometallic Compounds,* W. A. Benjamin Inc., New York 1968.

O. A. Reutov u. J. P. Beletskaya, *Reaction Mechanisms of Organometallic Compounds,* Interscience Publ., New York 1968.

M. J. Jorgenson, *Preparation of Ketones from the Reaction of Organolithium Reagents with Carboxylic Acids,* Org. Reactions **XVIII**, 1 (1970).

4. Ketone durch Acyloinkondensation

K. Ziegler, ds. Handb., Bd. IV/2, Kap. *Große Ringsysteme,* S. 729–822.

H. Henecka, ds. Handb., Bd. VIII, Kap. *Carbonsäureester,* S. 641–643.

V. Prelog, *Newer Developments of the Chemistry of Many-membered Ring Compounds,* Soc. **1950**, 420–428.

V. Prelog in A. R. Todd, *Perspectives in Organic Chemistry,* S. 96–116, Interscience Publ. Inc., New York 1956.

H. von Euler u. B. Eistert, *Chemie und Biochemie der Reduktone und Reduktonate,* F. Enke-Verlag, Stuttgart 1957.

S. M. McElvain, *The Acyloins,* Org. Reactions **IV**, 256–268 (1948).

C. A. Buchler, *Hindered and Chelated 1,2-Enediols,* Chem. Reviews **64**, 7–18 (1964).

K. T. Finley, *The Acyloin Condensation as a Cyclisation Method,* Chem. Reviews **64**, 573–589 (1964).

5. Ketone durch Benzoinkondensation

W. S. Ide u. J. S. Buck, *The synthesis of benzoines,* Org. Reactions **IV**, 269 (1948).

6. Ketone über aliphatische Diazoverbindungen

B. Eistert, *Synthesen mit Diazomethan*, Ang. Ch. **54**, 99, 124 (1941).

B. Eistert in W. Foerst, *Neuere Methoden der präparativen organischen Chemie*, Bd. I, S. 359, Verlag Chemie, Weinheim 1949.

C. D. Gutsche, *The Reaction of Diazomethane and its Derivatives with Aldehydes and Ketones*, Org. Reactions **8**, 364 (1954).

Eu. Müller, H. Hessler u. B. Zeeh, *Katalysierte Diazoalkan-Reaktionen*, Fortschr. chem. Forsch. **7**, 128 (1966).

C. D. Gutsche u. D. Redmore, *Carbocyclic Ring Expansion Reactions*, Academic Press, New York 1968.

G. L'Abbé, *Decomposition and Addition Reactions of Organic Azides*, Chem. Reviews **69**, 345 (1969).

7. Ketone durch Oxidation unter Erhalt des Kohlenstoffgerüstes

Beilsteins Handbuch der organischen Chemie, 4. Aufl., Bd. VII u. Erg. Bände, Springer Verlag, Berlin–Heidelberg–New York 1925–1969.

C. Djerassi, *Oppenauer Oxidation*, Org. Reactions **6**, 207–272 (1951).

D. Swern, *Epoxidation and Hydroxylation of Ethylenic Compounds with Organic Peracids*, Org. Reactions **VII**, 378 (1953).

s. ds. Handb., Bd. IV/2, Kap. *Katalyse*, S. 241 ff.

R. A. Raphael, *Acetylenic Compounds in Organic Synthesis*, S. 75, Butterworths Scientific Publ., London 1955.

Ullmanns Encyklopädie der technischen Chemie, 3. Aufl., Bd. 9, S. 544–564 (Ketone), Bd. 14, S. 749–759 (Riechstoffe), Urban & Schwarzenberg, München–Berlin 1957 bzw. 1963.

C. Djerassi, *Steroid Reactions*, Holden-Day Inc., San Francisco 1963.

R. Stewart, *Oxidation Mechanisms*, W. A. Benjamin Inc., New York-Amsterdam 1964.

Rodd's Chemistry of Carbon Compounds, 2. Aufl., Vol. I C, S. 52–91, Elsevier Publ. Co., Amsterdam–London–New York 1965.

T. A. Turney, *Oxidation Mechanisms*, Butterworths, London 1965.

K. B. Wiberg, *Oxidation in Organic Chemistry*, Organic Chemistry, Vol. V, Teil A, Academic Press, New York 1965.

S. Patai, *The Chemistry of the Carbonyl Group*, Interscience Publ., New York 1966.

Kinetik u. Mechanismen: N. M. Emanuel, E. T. Denisov u. Z. K. Maizus, *Liquid-Phase Oxidation of Hydrocarbons*, Academy of Science of the U.S.S.R. Moskau; engl. Übersetzung: Plenum Press, New York 1967.

Kirk-Othmer, *Encyclopedia of Chemical Technology*, 2. Aufl., Bd. 12, S. 101–169, Interscience Publ., New York–London–Sydney 1967.

T. P. Singer, *Biological Oxidations*, Wiley-Interscience, New York 1968.

R. L. Augustine, *Oxidation*, Vol. 1, M. Dekker Inc., New York 1969.

L. J. Chinn, *Selection of Oxidants in Synthesis*, M. Dekker Inc., New York 1971.

8. Ketone aus Verbindungen der gleichen Oxidationsstufe

W. Reppe, *Neue Entwicklungen auf dem Gebiet der Chemie des Acetylens und Kohlenoxyds*, Springer Verlag, Berlin–Göttingen–Heidelberg 1949.

A. W. Johnson, *Acetylenic Compounds*, Vol. II, Verlag Edward Arnold, London 1950.

G. W. Watt, *Reactions of Organic and Organometallic Compounds with Solutions of Metals in Liquid Ammonia*, Chem. Reviews **46**, 317 (1950).

W. E. Noland, *The Nef-Reaction*, Chem. Reviews **55**, 137–155 (1955).

A. J. Birch u. H. Smith, *Reduction by Metal-Amine Solutions: Applications in Synthesis and Determination of Structure*, Quart. Rev. **12**, 17 (1958).

O. H. WHEELER, *The Girard Reagents*, Chem. Reviews **62**, 205–222 (1962).

D. R. TAYLOR, *The Chemistry of Allenes*, Chem. Reviews **67**, 317–359 (1967).

R. I. KATKEVIC u. L. I. VERESCAGIN, *Synthesis of α-Ethynyl-carbonyl Compounds*, Russ. Chem. Reviews (Uspechi Chim.) **38**, 900–912 (1969); engl. Übersetzung.

H. G. VIEHE, *Chemistry of Acetylenes*, Verlag Marcel Dekker, New York 1969.

S. R. SANDLER u. W. KARO, *Organic Functional Group Preparations*, *Allenes*, Bd. 12 II, S. 2, Academic Press, New York 1971.

A. J. BIRCH u. G. SUBBA RAO, *Reductions by Metal-Ammonia Solutions and Related Reagents*, Adv. Org. Chem. **8**, 1–65 (1972).

9. Ketone aus Heterocyclen

R. C. ELDERFIELD, *Heterocyclic Compounds*, Bd. 1–7, J. Wiley & Sons, New York 1950–1961.

A. P. DUNLOP u. F. N. PETERS, *The Furans*, Reinhold Publ. Corp., New York 1953.

10. Ketone durch Umlagerungsreaktionen

M. GODCHOT, *Pinakolin-Umlagerung*, Bl. [5] **1**, 1153–1200 (1934).

M. TIFFENEAU, *Pinakolin-Umlagerung*, Helv. **21**, 404–431 (1938).

A. W. JOHNSON, *The Chemistry of the Acetylenic Compounds, The Acetylenic Alcohols*, Vol. I, (*Rupe-Meyer-Schuster-Umlagerung*), S. 124–134, E. Arnold Co., London 1946.

S. WINSTEIN u. R. B. HENDERSON, *Umlagerungen von Epoxiden*, in R. C. ELDERFIELD, *Heterocyclic Compounds*, Vol. 1, S. 48, John Wiley & Sons Inc., New York 1950.

C. K. INGOLD, *Structure and Mechanism in Organic Chemistry, Pinakolin-, Wagner-Meerwein-Umlagerung*, S. 474–482, Cornell University Press, Ithaca, New York 1953.

J. F. DUNCAN u. K. R. LYNN, *Pinakolin-Umlagerung*, Austral. J. Chem. **10**, 1 (1957).

F. A. LONG u. M. A. PAUL, *Pinakolin-Umlagerung*, Chem. Reviews **57**, 975 (1957).

R. E. PARKER u. N. S. ISAACS, *Umlagerung von Epoxiden*, Chem. Reviews **59**, 772–778 (1959).

C. J. COLLINS, *Theorie und Stereochemie der Pinakolin-Umlagerung*, Quart. Rev. **14**, 357–377 (1960).

O. L. CHAPMAN, Adv. Photochem. **1** (1963), *Tropolone*: S. 324–330, *Dienone*: S. 330–356, *ungesättigte Ketone*: S. 361–365, *gesättigte Ketone*: S. 365–377, *Epoxy-ketone*: S. 378–380.

A. ROSOWSKY, *Ethylene Oxides*, in A. WEISSBERGER, *The Chemistry of Heterocyclic Compounds*, Part 1, Vol. 19, *Umlagerung von Epoxiden*: S. 230–270, Interscience Publ., New York 1964.

K. SCHAFFNER, Fortschr. Ch. org. Naturst. **22** (1964), *Photochem. Umwandlungen ausgewählter Naturstoffe*; *Epoxy-ketone*: S. 19–23, *Cyclohexenone*: S. 23–26, *Cyclohexadienone*: S. 26–38, *Cycloheptadienone*: S. 71–72, *Tropolone*: S. 72–77.

C. J. COLLINS u. J. F. EASTHAM in S. PATAI, *The Chemistry of the Carbonyl Group, Pinakolin-Umlagerungen*: S. 761–771, *Säure-katalysierte Umlagerungen von Aldehyden, Ketonen bzw. α-Ketolen*: S. 771–775, *Basen-katalysierte Umlagerungen von α-Ketolen*: S. 778–790, *Ring-Ketten-Tautomerie*: S. 794–797, *Thermische Umlagerungen*: S. 797–801, *Photochemische Umlagerungen*: S. 808–815, Interscience Publ., New York 1966.

O. L. CHAPMAN, *Organic Photochemistry*, Vol. 1, *Photo-Fries-Umlagerung*: S. 127–142, *Photoanilid-Umlagerung*: S. 142–145, *Photoisomerisierung von α,β-Epoxy-ketonen in β-Diketone*: S. 93–104, *Photoumlagerungen ungesättigter Ketone*: S. 1–90, *Photoumlagerungen am Tropon-System*: S. 159–195, Marcel Dekker, New York 1967.

S. A. VARTANYAN u. S. O. BABANYAN, *Rupe- u. Meyer-Schuster-Umlagerung*, Russ. Chem. Reviews **36**, 671–675 (1967).

D. BELLUŠ u. P. HRDLOVIČ, *Photoumlagerung von Carbonsäureestern und -amiden (Photo-Fries- u. Photoanilid-Umlagerung)*, Chem. Reviews **67**, 599 (1967).

G. ADAM, *Photo-Umlagerung an Ketonen*, Z. **8**, 441–453 (1968).

C. D. Gutsche u. D. Redmore, *Carbocyclic Ring Expansion Reactions*, Adv. Alicyclic Chem. Suppl. **1** (1968); *Pinakolin-Umlagerungen*: S. 61–80, *Basenkatalysierte Umlagerungen von 1,2-Glykol-Monotosylaten*: S. 101–103, *Umlagerungen von α-Hydroxy-ketonen*: S. 104–106, *Gegenseitige Umlagerungen von α-Amino-ketonen und α-Hydroxy-iminen*: S. 106–108, *Photochemische Umlagerungen*: S. 119–126, *Umlagerungen von Bicyclo[3.1.0]hexan-Systemen*: S. 132–137.

G. A. Olah u. P. von R. Schleyer, *Carbonium-Ions*, Vol. 1, Interscience Publ., New York–London–Sydney 1968.

A. Schönberg, G. O. Schenk u. O.-A. Neumüller, *Preparative Organic Photochemistry, Ciamician-Addition*: S. 2–4, *ungesättigte Ketone*: S. 22–24, *Cyclohexadienone*: S. 28–32, *2-Hydroxy-cyclobutanone aus 1,2-Diketonen*: S. 35–36, *Photo-Fries-Umlagerung*: S. 236–237, *Epoxy-ketone*: S. 408–413; jeweils präparative Vorschriften, Springer Verlag, Berlin–Heidelberg–New York 1968.

P. S. Landis in B. S. Thyagarajan, *Mechanisms of Molecular Migrations*, Vol. 2., *Ketone aus Vinyläthern*: S. 43–54, Interscience Publ., New York–London–Sydney–Toronto 1969.

S. Forsén u. M. Nilsson in J. Zabicky u. S. Patai, *Chemistry of the Carbonyl Group*, Vol. 2, *Enolization*: S. 157–240, Interscience Publ., London–New York–Sydney–Toronto 1970.

V. N. Jandovskij, V. S. Karavan u. T. I. Temnikova, *Umlagerungen von Epoxyalkoholen u. Epoxyketonen im Rahmen von Cyclisierungsreaktionen*, Russ. Chem. Reviews **39**, 265–267 (1970).

D. Belluš, Adv. Photochem. **8** (1971), *Photo-Fries-Umlagerung*: S. 109–134, *Photo-Anilid-Umlagerung*: S. 141–145, *Photo-Umlagerung von Enolestern*: S. 147–152, *Photo-Umlagerung von Carbonsäure-enamiden*: S. 152–155.

E. N. Marvell u. W. Whalley in S. Patai, *The Chemistry of the Hydroxyl Group*, Part 2, *Thermische und photochemische Keto-Enol-Umwandlungen*: S. 720–721, *Thermische und photochemische Dienol-Enon-Umlagerungen*: S. 722–729, *Thermische intramolekulare Aldol-Kondensation*: S. 735–737, *Oxy-Cope-Umlagerungen*: S. 738–743, *Enolen-Umlagerung*: S. 743–750, Interscience Publ., New York 1971.

B. M. Monroe, Adv. Photochem. **8**, *Photo-Umlagerungen an α-Diketonen*: S. 88–95 (1971).

G. G. Smith u. F. W. Kelly, Progr. Physikal. Org. Chem. **8** (1971), *Claisen-Umlagerung*: S. 154–160, *Oxy-Cope-Umlagerung*: S. 176–191, *Umlagerung von Allyl-vinyl-äthern*: S. 195–198.

R. Srinivasan in T. D. Roberts, *Organic Photochemical Syntheses*, Vol. 1, *Experimentelle photochemische Methoden*: S. 4–18, *Präparative Photoumlagerungen zu Ketonen*: S. 27–66, Wiley-Interscience, New York 1971.

S. Swaminathan u. K. V. Narayanan, *Rupe- und Meyer-Schuster-Umlagerung*, Chem. Reviews **71**, 429–438 (1971).

J. M. Conia u. J. R. Salaun, *Basen-induzierte Gerüstumlagerungen in der Cyclobutan- und Cyclopropan-Reihe*, Acc. Chem. Res. **5**, 33, 38–40 (1972).

J. D. Coyle u. H. A. J. Carless, *Photochemie der Ketone*, Chem. Soc. Rev. **1**, 465 (1972).

H. E. Zimmermann (Herausg.), *Photochemistry* (IV. Symposium Baden-Baden 1972), London 1973.

Sachregister

Die Namen der hergestellten Verbindungen entsprechen weitgehend dem Beilsteinprinzip. Trivialnamen oder Handelsbezeichnungen werden nur in Ausnahmefällen, Kurzbezeichnungen dagegen allgemein gebracht.

Sammelnamen der Verbindungsklassen s. Inhaltsverzeichnis S. 3 ff. Über die Nomenklatur der in diesem Band abgehandelten Verbindungsklassen s. S. 14 f.

Fettgedruckte Ziffern verweisen auf Vorschriften oder ausführliche Beschreibungen.

77*